DER NEUE PAULY

Altertum   Band 3   Cl–Epi

DER NEUE PAULY

(DNP)

DER NEUE PAULY

Enzyklopädie der Antike

Herausgegeben
von Hubert Cancik und
Helmuth Schneider

Altertum

Band 3   Cl–Epi

Verlag J. B. Metzler
Stuttgart · Weimar

Die Deutsche Bibliothek – CIP-Einheitsaufnahme

Der neue Pauly : Enzyklopädie der Antike/hrsg.
von Hubert Cancik und Helmuth Schneider. –
Stuttgart ; Weimar : Metzler, 1997
   ISBN 3-476-01470-3
NE: Cancik, Hubert [Hrsg.]

  Bd. 3. Cl-Epi – 1997
   ISBN 3-476-01473-8

Gedruckt auf chlorfrei gebleichtem,
säurefreiem und alterungsbeständigem
Papier

ISBN 3-476-01470-3 (Gesamtwerk)
ISBN 3-476-01473-8 (Band 3 Cl-Epi)

© 1997 J. B. Metzlersche Verlags-
buchhandlung und Carl Ernst Poeschel
Verlag GmbH in Stuttgart

Typographie und Ausstattung:
Brigitte und Hans Peter Willberg
Grafik und Typographie der Karten:
Richard Szydlak
Abbildungen: Günter Müller
Satz: pagina GmbH, Tübingen
Gesamtfertigung: Franz Spiegel Buch
GmbH, Ulm
Printed in Germany

Verlag J. B. Metzler Stuttgart · Weimar

Inhaltsverzeichnis

Corrigenda zu Band 3 bis 5

DNP-Spalten haben – je nach Seitenlayout – etwa 55–59 Zeilen. Die Zeilenzählung in der folgenden Liste geht jeweils vom Beginn der Spalte aus; Leerzeilen werden nicht mitgezählt. Die korrigierten Wörter sind durch *Kursivierung* hervorgehoben.

Stichwort   Spalte, Zeile   *neu* (im Kontext)

BERICHTIGTE KÜRZEL FÜR AUTORENNAMEN
Cossutia   213, 27   *ME. STR. (Meret Strothmann)*
Damasichthon [12] + [2]   291, 13   *R. B. (René Bloch)*
Glykon [1]   1104, 48   *E. R./Ü: L. S. (Emmet Robbins)*
Gotische Schrift [2]   1166, 22   *S. Z. (Stefano Zamponi)*
Hesiodos   510, 56   *GR. A./Ü: M. A. S. (Graziano Arrighetti)*
Indiges   975, 47   *FR. P. (Francesca Prescendi)*
Indigitamenta   976, 38   *FR. P. (Francesca Prescendi)*
Inferi   993, 26   *FR. P. (Francesca Prescendi)*

BAND 3
Autoren   XLIX, nach 14   füge ein: *Anna* **Lambropoulou** *Athen*   *A. LAM.*
Übersetzer   LI, nach 15   füge ein: *I. Sauer*   *I. S.*
Concilium   114, 38   des J. *287* v. Chr.
Constantinus [9]   143, 26   Byz. Kaiser, * *905*, † *959*
Constantinus [10]   144, 2   und Theodora bis *1056* fortbestand
Cornelius [I 90]   187, 9   Scaurus, *seine Tochter den Sohn* des Mitconsuls
190, 28   **11** R. *SEAGER*
Cornelius [II 26]   194, 27   Seine Söhne C. [II *27*]
Cossutius   213, 36   seit dem *2.* Jh. v. Chr.
Dachinabades   257, 7   (altind. *dakṣiṇāpatha*)
Dämonen   259, 31   (KTU *1.82, 1.169* [1])
Dämonologie   268, 45f.   zu → Hekates Gefolge gehörten [*5. Kap. 9*].
268, 50   ergänze: *5 S. I. JOHNSTON, Hekate Soteira, 1990*
Daktyloi Idaioi   280, 41f.   In der Phoronis (PEG *1* fr. 2;...) drei als *góēs*
280, 46   dasselbe Hes. *cat.* 282
281, 20   vita *Pythagorae* 17
Damostratos   304, 33   d. h. *nach* der 1. H.
Daras [1]   317, 16   und dem Ξιῶν
Dardanos [3]   321, 15   in den 90er Jahren *v.* Chr.
Deliciae   389, 34   Stat. *silv.* 2,1,73
Demetrios [10]   433, 27f.   W. W. TARN, The Greeks in Bactria and India, *²1951*
Demetrios [21]   435, 40   ERLER, *in:* GGPh² *4.1, 1994, § 18, 256–265*
Demetrios [32]   437, 46   (*epigr.* 30 PEIPER)
Deukalion   489, 1f.   für Hes. *cat.* 234 M-W und für Deinolochos (*AUSTIN* 78 fr. 1)
489, 14f.   seit Epicharmos (*AUSTIN* 85 fr. 1)
489, 46   vgl. Hes. *cat.* 9
Diagoras [2]   510, 6   Verse (PMG 738)
Diognetos [4]   607, 21   ED.: *H.-I. MARROU, ²1965*
Diotimos [4]   678, 35   Aratos, *Anth. Pal.* 11,437
Dodekaschoinos   723, 35   (Ptol. *4,5,74* und
Domitius [I 10]   754, 20   Vertrag zwischen Rom und *Knidos*
Domitius [II 10]   756, 41   auf den Sohn D. [II *11*] bezogen
Dona militaria   768, 34   (CIL *XIV* 3472
Duris   847, 46   später von *Lysimachos*
Eirenaios [1]   918, 43   (*Εἰρηναῖος*). Grammatiker

Ekkyklema   937, 25   N. C. *Hourmouziades*, Production
   937, 28   *WJA* 16, 1990, 33–42
Elagabal   955, 33   *ʾlhʾgbl* zurückzuführen (*Herodian.* 5,3,4: Elaiagabalos)
Elaiussa   958, 20f.   Stadt in der Kilikia *Tracheia*
   958, 28   zur Prov. *Kilikia I* gehörig
Elamisch   959, 51   Dareios' *[1]* I.
Elymais   1002, 32   *Masǧed*-e Soleimān
Emporos   1021, 25   bezeichnet mit ἐμπορίη (*emporíē*; Hes.)
Enkomion   1036, 20   (→ *kṓmos*) war die Feier
   1036, 27   Bakchyl. Epinikia *11,12*;
   1036, 35 f.   Hinweise auf *kṓmoi hinsichtlich des Anlasses* ihrer Darbietung
Enkyklios Paideia   1037, 52f.   (*Porphyrios* bei Tzetz. Chiliades 11,377)
   1038, 14   lassen wollte [5. 260f.; 7. 335–338].
   1038, 26   zu sprechen [2. 18–42; 7. 337]:
   1039, 19   der *Dichter*, wobei
Epeiros   1068, 51   Nach dem Tod *Alexandros' [6]* schlossen sich
Epigramm   1108, 41f.   der Kypseliden im *Heratempel* zu Olympia
   1109, 44   Theokritos Chios, *epigr.* 1 FGE
   1110, 24   (etwa *Timon, die betrunkene Alte*)

Hinweise für die Benutzung

Anordnung der Stichwörter

Die Stichwörter sind in der Reihenfolge des deutschen Alphabetes angeordnet. I und J werden gleich behandelt; ä ist wie ae, ö wie oe, ü wie ue einsortiert. Wenn es zu einem Stichwort (Lemma) Varianten gibt, wird von der alternativen Schreibweise auf den gewählten Eintrag verwiesen. Bei zweigliedrigen Stichwörtern muß daher unter beiden Bestandteilen gesucht werden (z.B. *a commentariis* oder *commentariis, a*).

Informationen, die nicht als Lemma gefaßt worden sind, können mit Hilfe des Registerbandes aufgefunden werden.

Gleichlautende Stichworte sind durch Numerierung unterschieden. Gleichlautende griechische und orientalische Personennamen werden nach ihrer Chronologie angeordnet. Beinamen sind hier nicht berücksichtigt.

Römische Personennamen (auch Frauennamen) sind dem Alphabet entsprechend eingeordnet, und zwar nach dem *nomen gentile*, dem »Familiennamen«. Bei umfangreicheren Homonymen-Einträgen werden *Republik* und *Kaiserzeit* gesondert angeordnet. Für die Namensfolge bei Personen aus der Zeit der Republik ist – dem Beispiel der RE und der 3. Auflage des OCD folgend – das *nomen gentile* maßgeblich; auf dieses folgen *cognomen* und *praenomen* (z.B. erscheint *M. Aemilius Scaurus* unter dem Lemma *Aemilius* als *Ae. Scaurus, M.*). Die hohe politische Gestaltungskraft der *gentes* in der Republik macht diese Anfangsstellung des Gentilnomens sinnvoll.

Da die strikte Dreiteilung der Personennamen in der Kaiserzeit nicht mehr eingehalten wurde, ist eine Anordnung nach oben genanntem System problematisch. Kaiserzeitliche Personennamen (ab der Entstehung des Prinzipats unter Augustus) werden deshalb ab dem dritten Band in der Reihenfolge aufgeführt, die sich auch in der »Prosopographia Imperii Romani« (PIR) und in der »Prosopography of the Later Roman Empire« (PLRE) eingebürgert und allgemein durchgesetzt hat und die sich an der antik bezeugten Namenfolge orientiert (z.B. *L. Vibullius Hipparchus Ti. C. Atticus Herodes* unter dem Lemma *Claudius*). Die Methodik – eine zunächst am Gentilnomen orientierte Suche – ändert sich dabei nicht.

Nur antike Autoren und römische Kaiser sind ausnahmsweise nicht unter dem Gentilnomen zu finden: *Cicero*, nicht *Tullius*; *Catullus*, nicht *Valerius*.

Schreibweise von Stichwörtern

Die Schreibweise antiker Wörter und Namen richtet sich im allgemeinen nach der vollständigen antiken Schreibweise.

Toponyme (Städte, Flüsse, Berge etc.), auch Länder- und Provinzbezeichnungen erscheinen in ihrer antiken Schreibung (*Asia, Bithynia*). Die entsprechenden modernen Namen sind im Registerband aufzufinden.

Orientalische Eigennamen werden in der Regel nach den Vorgaben des »Tübinger Atlas des Vorderen Orients« (TAVO) geschrieben. Daneben werden auch abweichende, aber im deutschen Sprachgebrauch übliche und bekannte Schreibweisen beibehalten, um das Auffinden zu erleichtern.

In den Karten sind topographische Bezeichnungen überwiegend in der vollständigen antiken Schreibung wiedergegeben.

Die Verschiedenheit der im Deutschen üblichen Schreibweisen für antike Worte und Namen (*Äschylus, Aeschylus, Aischylos*) kann gelegentlich zu erhöhtem Aufwand bei der Suche führen; dies gilt auch für *Ö / Oe / Oi* und *C / Z / K*.

Transkriptionen

Zu den im NEUEN PAULY verwendeten Transkriptionen vgl. S. VIIIf.

Abkürzungen

Abkürzungen sind im erweiterten Abkürzungsverzeichnis am Anfang des dritten Bandes aufgelöst.

Sammlungen von Inschriften, Münzen, Papyri sind unter ihrer Sigle im zweiten Teil (Bibliographische Abkürzungen) des Abkürzungsverzeichnisses aufgeführt.

Anmerkungen

Die Anmerkungen enthalten lediglich bibliographische Angaben. Im Text der Artikel wird auf sie unter Verwendung eckiger Klammern verwiesen (Beispiel: die Angabe [1. 5²³] bezieht sich auf den ersten numerierten Titel der Bibliographie, Seite 5, Anmerkung 23).

Verweise

Die Verbindung der Artikel untereinander wird durch Querverweise hergestellt. Dies geschieht im Text eines Artikels durch einen Pfeil (→) vor dem Wort / Lemma, auf das verwiesen wird; wird auf homonyme Lemmata verwiesen, ist meist auch die laufende Nummer beigefügt.

Querverweise auf verwandte Lemmata sind am Schluß eines Artikels, ggf. vor den bibliographischen Anmerkungen, angegeben.

Verweise auf Stichworte des zweiten, rezeptions- und wissenschaftsgeschichtlichen Teiles des NEUEN PAULY werden in Kapitälchen gegeben (→ ELEGIE).

Karten und Abbildungen

Texte, Abbildungen und Karten stehen in der Regel in engem Konnex, erläutern sich gegenseitig. In einigen Fällen ergänzen Karten und Abbildungen die Texte durch die Behandlung von Fragestellungen, die im Text nicht angesprochen werden können. Die Autoren der Karten und Abbildungen werden im Verzeichnis auf S. XLVff. genannt.

Transkriptionen

Transkriptionstabelle Altgriechisch

α	a	Alpha
αι	ai	
αυ	au	
β	b	Beta
γ	g	Gamma; γ vor γ, κ, ξ, χ: n
δ	d	Delta
ε	e	Epsilon
ει	ei	
ευ	eu	
ζ	z	Zeta
η	ē	Eta
ηυ	ēu	
θ	th	Theta
ι	i	Iota
κ	k	Kappa
λ	l	Lambda
μ	m	My
ν	n	Ny
ξ	x	Xi
ο	o	Omikron
οι	oi	
ου	ou oder u	
π	p	Pi
ρ	r	Rho
σ, ς	s	Sigma
τ	t	Tau
υ	y	Ypsilon
φ	ph	Phi
χ	ch	Chi
ψ	ps	Psi
ω	ō	Omega
ʽ	h	
ᾳ	ai	Iota subscriptum (analog ῃ, ῳ)

Die verschiedenen griechischen Akzente werden in der Umschrift einheitlich durch Akut (´) angegeben.

Transkription und Aussprache Neugriechisch

Verzeichnet werden nur Laute und Lautkombinationen, die vom Altgriechischen abweichen.

Konsonanten

β	v	
γ	gh	vor dunklen Vokalen, wie norddt. ›Tage‹
	j	vor hellen Vokalen
δ	dh	wie engl. ›the‹
ζ	z	wie frz. ›zèle‹
θ	th	wie engl. ›thing‹

Konsonantenverbindungen

γκ	ng	
	g	am Wortanfang
μπ	mb	
	b	am Wortanfang
ντ	nd	
	d	am Wortanfang

Vokale

η	i
υ	i

Diphthonge

αι	e	
αυ	av	
	af	vor harten Konsonanten
ει	i	
ευ	ev	
	ef	vor harten Konsonanten
οι	i	
υι	ii	

Spiritus Asper wird nicht gesprochen. Der altgriechische Akzent bleibt im allg. an der angestammten Stelle stehen. Doch ist die Distinktion zwischen ´, ` und ˜ verschwunden.

Transkriptionstabelle
Hebräisch Konsonanten

א	a	Alef
ב	b	Bet
ג	g	Gimel
ד	d	Dalet
ה	h	He
ו	w	Waw
ז	z	Zajin
ח	ḥ	Chet
ט	ṭ	Tet
י	y	Jud
כ	k	Kaf
ל	l	Lamed
מ	m	Mem
נ	n	Nun
ס	s	Samech
ע	ʿ	Ajin
פ	p/f	Pe
צ	ṣ	Zade
ק	q	Kuf
ר	r	Resch
שׂ	ś	Sin
שׁ	š	Schin
ת	t	Taw

Aussprache
Türkisch

Das Türkische verwendet seit 1928 die
lateinische Schrift. Grundsätzlich gelten
in ihr Laut-/Schriftentsprechungen
wie in den europäischen Sprachen,
v.a. wie im Deutschen. Im folgenden sind
daher nur Abweichungen vom
Deutschen aufgeführt.

C	c	wie italienisch ›giorno‹
Ç	ç	wie italienisch ›cento‹
Ğ	ğ	wie norddeutsch g in ›Tage‹, heute manchmal unhörbar
H	h	stets aussprechen, nie dt. Dehnungs-h wie in ›fehlen‹
İ	i	wie deutsch i in ›Stift‹
Ĭ, I	ĭ,ı	für das Türkische typischer, sehr offener i-Laut, nicht wie deutsches i
J	j	wie frz. ›jour‹
Ş	ş	wie dt. sch in ›Schule‹
Y	y	wie deutsches j in ›Jahr‹
Z	z	wie frz. ›zèle‹, also stets weich

Transkriptionstabelle
Arabisch, Persisch, Osmanisch

ا,ء	ʾ, ā	ʾ	ʾ	Hamza, Alif
ب	b	b	b	Bāʾ
پ	–	p	p	Pe
ت	t	t	t	Tāʾ
ث	ṯ	s̱	s̱	Ṯāʾ
ج	ǧ	ǧ	ǧ	Ǧīm
چ	–	č	č	Čim
ح	ḥ	ḥ	ḥ	Ḥāʾ
خ	ḫ	ḫ	ḫ	Ḫāʾ
د	d	d	d	Dāl
ذ	ḏ	ẕ	ẕ	Ḏāl
ر	r	r	r	Rāʾ
ز	z	z	z	Zāy
ژ	–	ž	ž	Že
س	s	s	s	Sīn
ش	š	š	š	Šīn
ص	ṣ	ṣ	ṣ	Ṣād
ض	ḍ	ḍ	ḍ	Ḍād
ط	ṭ	ṭ	ṭ	Ṭāʾ
ظ	ẓ	ẓ	ẓ	Ẓāʾ
ع	ʿ	ʿ	ʿ	ʿAin
غ	ġ	ġ	ġ	Ġain
ف	f	f	f	Fāʾ
ق	q	q	q, k	Qāf
ك	k	k	k, g, ñ	Kāf
گ	–	g	g, ñ	Gāf
ل	l	l	l	Lām
م	m	m	m	Mīm
ن	n	n	n	Nūn
ه	h	h	h	Hāʾ
و	w, ū	v	v	Wāw
ي	y, ī	y	y	Yāʾ

Transkription anderer Sprachen

Akkadisch (Assyrisch-Babylonisch), Hethitisch und
Sumerisch werden nach den Regeln des RLA bzw.
des TAVO transkribiert. Für Ägyptisch werden die
Regeln des Lexikons der Ägyptologie angewandt.

Die Transkription des Urindogermanischen
erfolgt nach RIX, HGG, die der indischen Schriften
nach M. MAYRHOFER, Etymologisches Wörterbuch
des Altindoarischen, 1992ff. Avestisch wird nach
K. HOFFMANN, B. FORSSMAN, Avestische Laut- und
Flexionslehre, 1996, Altpersisch nach R.G. KENT,
Old Persian, ²1953 (Ergänzungen bei K.
HOFFMANN, Aufsätze zur Indoiranistik Bd. 2, 1976,
622ff.) transkribiert, die übrigen iranischen
Sprachen nach R. SCHMITT, Compendium
linguarum Iranicorum, 1989, bzw. nach D.N.
MACKENZIE, A Concise Pahlavi Dictionary, ³1990.
Bei Armenisch gelten die Richtlinien bei R.
SCHMITT, Grammatik des Klassisch-Armenischen,
1981, bzw. der Révue des études arméniennes. Für
die Transkription kleinasiatischer Sprachen vgl. das
HbdOr, für Mykenisch, Kyprisch vgl. HEUBECK
bzw. MASSON; für italische Schriften und Etruskisch
vgl. VETTER bzw. ET.

Erweitertes Abkürzungsverzeichnis

1. Zeichen mit besonderer Bedeutung
2. Allgemeine Abkürzungen
3. Bibliographische Abkürzungen
4. Antike Autoren und Werktitel

1. Zeichen mit besonderer Bedeutung

→	siehe (Verweispfeil)
∞	verheiratet
†	Sterbekreuz
*	geboren
*	erschlossene, nicht belegte Form
<	etymologisch entstanden aus
>	etymologisch geworden zu
√	Wortwurzel
ă	Kurzvokal
ā	Langvokal
i̯, u̯	unsilbisches (konsonantisches) i, u
m̥, n̥	silbischer (sonantischer) Nasal m, n
l̥, r̥	silbischer (sonantischer) Liquid l, r
|	Silbengrenze
#	Wortgrenze
< >	Transliteration eines Schriftbildes
/ /	phonematische Wiedergabe eines Schriftbildes
[ ]	bei antiken Quellenangabe: falsche oder unsichere Autorenzuweisung

2. Allgemeine Abkürzungen

Neben den explizit angegebenen Auflösungen werden die Abkürzungen auch für die deklinierten Formen des jeweiligen Wortes verwendet.
Die Abkürzungen stehen, unter Berücksichtigung der Groß- und Kleinschreibung, für Adjektive und für Substantive. Abkürzungen, bei denen nur die Nachsilbe -isch zu ergänzen ist, sind nicht in das Abkürzungsverzeichnis aufgenommen. Gleiches gilt für allgemein (nach Duden) gebräuchliche Abkürzungen (z. B.: bzw.).

A.	Aulus
a.u.c.	ab urbe condita
Abb.	Abbildung
Abdr.	Abdruck
Abh.	Abhandlung
Abl.	Ablativ, – ablativisch
Acad.	Academia, Academie, Academy
achäm.	achämenidisch
Act.	acts, actes
Adj.	Adjektiv, – adjektivisch
Adv.	Adverb, – adverbial
adv.	adversus
aed. cur.	aedilis curulis
aed. pl.	aedilis plebi
äg(ypt).	ägyptisch, – Ägypten, – Ägyptisch
afrikan.	afrikanisch
ahd.	althochdeutsch, – Althochdeutsch

Akad.	Akademie, – akademisch
Akk.	Akkusativ, – akkusativisch
aksl.	altkirchenslawisch, – Altkirchenslawisch
Akt.	Aktiv, – aktivisch
Akt.	Akten
Akz.	Akzent
Alt.	Altertum
altgr.	altgriechisch, – Altgriechisch
altind.	altind(oar)isch, – Altind(oar)isch
altlat.	altlateinisch, – Altlateinisch
Anf.	Anfang, Anfänge
Anm.	Anmerkung
anon.	anonym, – Anonymus;, – Anonymi
ant.	antik, – Antike
Anz.	Anzeiger
Aor.	Aorist, – aoristisch
App.	Appendix, Appendices, Appendizes
Ap., App.	Appius
AR	Altes Reich (Ägypten)
aram.	aramäisch
Arch.	Archäologie, – archäologisch
archa.	archaisch
Art.	Artikel
Assim.	Assimilation, – assimiliert
AT	Altes Testament
at.	alttestamentlich
Athen, AM	Athen, Akropolis-Museum
Athen, BM	Athen, Benaki-Museum
Athen, NM	Athen, Nationalmuseum
Athen, NUM	Athen, Numismatisches Museum
Av.	Avers
B.	Buch, Bücher
Baltimore, WAG	Baltimore, Walters Art Gallery
Basel, AM	Basel, Antikenmuseum
bearb.	bearbeitet
Bed.	Bedeutung
Beih.	Beiheft
Beil.	Beilage
Beitr.	Beitrag, Beiträge
Ber.	Bericht
Berlin, PM	Berlin, Pergamonmuseum
Berlin, SM	Berlin, Staatliche Museen
Bibl.	Bibliothek, – bibliothekarisch
Bibliogr.	Bibliographie, – bibliographisch
Bl.	Blatt
Bonn, RL	Bonn, Rheinisches Landesmuseum
Boston, MFA	Boston, Museum of Fine Arts
Br	Breite
Br.	Bronze
brn.	bronzen
Brz.	bronzezeitlich, Bronzezeit

Bull.	Bulletin, Bullettino		f.l.	falsa lectio
byz.	byzantinisch, – Byzantinisch		Fem.	Femininum, – feminin
c.	contra		Festg.	Festgabe
C.	Gaius		FH	Frühhelladisch
ca.	circa		fig.	Figur
Cambridge, FM			Fl.	Flavius
	Cambridge, Fitzwilliam Museum		fla.	flamen
carm.	carmen, carmina		Florenz, AM	
Cat.	Catalogue, Catalogo, Cataloghi			Florenz, Archäologisches Museum
cen.	censor		Florenz, UF	
christl.	christlich			Florenz, Uffizien
Cn.	Gnaeus		FO	Fundort
Cod.	Codex, Codices, Codizes		fol.	folio
Cogn.	Cognomen		Forsch.	Forschung
col.	Kolumne, column		Forts.	Fortsetzung
Coll.	Collectio		fr.	Fragment (literarisch)
conc.	acta concilii		Frankfurt, LH	
Congr.	Congress, Congrès, Congresso			Frankfurt, Liebighaus
Const.	constitutio		Frg.	Fragment, – fragmentarisch (archäologisch)
Corp.	Corporation		frz.	französisch, – Französisch
cos.	consul		FS	Festschrift
cos. des.	consul designatus		Fut.	Futurum, – futurisch
cos. ord.	consul ordinarius		geb.	geboren
cos. suff.			gedr.	gedruckt
	consul suffectus		gegr.	gegründet
cur.	curator		Gen.	Genitiv, – genitivisch
D	Dicke		Genf, MAH	
D., Dec.				Genf, Musée d'Art et d'Histoire
	Decimus		Gent.	Gentile, Gentilicium, – gentile
Dat.	Dativ, – dativisch		Geogr.	Geographie, – geographisch
Datier.	Datierung		Geom.	Geometrie, – geometrisch
decret.	decretum, decreta		Ges.	Gesellschaft
Dekl.	Deklination, – dekliniert		Gesch.	Geschichte, – geschichtlich
Den Haag, MK			gest.	gestorben
	Den Haag, Münzkabinett		gloss.	glossaria
Dial.	Dialekt		Gn.	Gnaeus
Diss.	Dissertation		gr(iech).	
Dissim.	Dissimilation, – dissimiliert			griechisch, – Griechisch
Dm	Durchmesser		Gramm.	
dt.	deutsch, – Deutsch			Grammatik, – grammatisch
Du.	Dual		GS	Gedenkschrift
Dyn.	Dynastie		H	Höhe
E.	Ende		H.	Hälfte
Ed.	Edition, – edidit, – editio˙		H.	Heft
Edd.	Editiones, – ediderunt		h.	heute
Einl.	Einleitung		Hab.	Habilitation
ele.	eleisch		Hamburg, MKG	
EN	Eigenname			Hamburg, Museum für Kunst und Gewerbe
epist.	epistula		Hannover, KM	
epit.	epitome			Hannover, Kestner-Museum
Ergbd.	Ergänzungsband		Hdb.	Handbuch
Ergbde.	Ergänzungsbände		hell.	hellenistisch, Hellenismus
Ergh.	Ergänzungsheft		HG	Hinterglied
erh.	erhalten		hl.	heilig
erkl.	erklärt		Hrsg.	Herausgeber, – herausgegeben
erl.	erläutert, – Erläuterung		HS	Sesterz(en), Sestertius(-ii)
etr.	etruskisch, – Etruskisch		Hs.	Handschrift
ES	Einzelschrift(en)		hsl.	handschriftlich
Ét.	Études		Hss.	Handschriften
Etym.	Etymologie, – etymologisch		HWB	Handwörterbuch
exc.	excerpta		I(n)st(it).	
Expl.	Exemplar			Institut, Institute, Istituto
F.	Femininum, – feminin		idg.	indogermanisch, – Indogermanisch

imp.	imperator
Impft.	Imperfekt
Ind.	Indikativ, – indikativisch
indeur.	indoeuropäisch, – Indoeuropäisch
Inf.	Infinitiv
Inschr.	Inschrift, – inschriftlich
Inscr.	Inscriptiones
Instr.	Instrumental
Inv.Nr.	Inventarnummer
Iptv.	Imperativ, – imperativisch
Istanbul, AM	
	Istanbul, Archäologisches Museum
It.	Italien, – italienisch, Italienisch
ital.	italisch
itin.	itineraria
Itp.	Interpolation, – interpoliert
J.	Jahr
Jb.	Jahrbuch
Jbb.	Jahrbücher
Jg.	Jahrgang
Jh.	Jahrhundert
Journ.	Journal
Jt.	Jahrtausend
K.	Kaeso
Kap.	Kapitel
Kassel, SK	
	Kassel, Staatliche Kunstsammlungen
Kat.	Katalog
KG	Kirchengeschichte
Kl.	Klasse
Köln, RGM	
	Köln, Römisch-Germanisches Museum
Komm.	Kommentar, – kommentiert
Kompos.	
	Kompositum
Kongr.	Kongreß
Konj.	Konjunktiv, – konjunktivisch
Kons.	Konsonant, – konsonantisch
Kopenhagen, NCG	
	Kopenhagen, Ny Carlsberg Glyptothek
Kopenhagen, NM	
	Kopenhagen, Nationalmuseum
Kopenhagen, TM	
	Kopenhagen, Thorvaldsen-Museum
KS	Kleine Schriften
L	Länge
l.	lex
L.	Lucius
L.	Linné
l. c.	loco citato
lat.	lateinisch, – Lateinisch
lautges.	lautgesetzlich
leg.	leges
Lex.	Lexikon
Lfg.	Lieferung
lib.	liber, libri
Lit.	Literatur, – literarisch
Lok.	Lokativ
London, BM	
	London, British Museum
luw.	luwisch
Lw.	Lehnwort
m	mittel-

M'.	Manius
M.	Maskulinum, – maskulin
M.	Marcus
MA	Mittelalter
ma.	mittelalterlich
Madrid, PR	
	Madrid, Prado
Mag.	Magazin
mag.	magister
mag. mil.	
	magister militum
maked.	makedonisch
Malibu, GM	
	Malibu, Getty-Museum
maschr.	maschinenschriftlich
Mask.	Maskulinum, – maskulin
Med.	Medium, – medial
Mél.	Mélanges
mengl.	mittelenglisch, – Mittelenglisch
mesopot.	
	mesopotamisch
Metr.	Metrik, – metrisch
mgr.	mittelgriechisch, – Mittelgriechisch
MH	Mittelhelladisch
mhd.	mittelhochdeutsch, – Mittelhochdeutsch
mil.	militärisch
Mitt.	Mitteilungen
mod.	modern
Moskau, PM	
	Moskau, Puschkin-Museum
MR	Mittleres Reich (Ägypten)
Ms.	Manuskript
Mss.	Manuskripte
München, GL	
	München, Glyptothek
München, SA	
	München, Staatliche Antikensammlung
München, SM	
	München, Staatliche Münzsammlung
Mus.	Museum, Musée, Museo
myk.	mykenisch, – Mykenisch
Myth.	Mythologie, – mythologisch
Mz.	Münzen
N.	Neutrum, – neutral
N.	Numerius
N.F.	Neue Folge
n.l.	nach links
n.r.	nach rechts
N.S.	Neue Serie, New Series, Nouvelle série, Nuova seria
Nachr.	Nachrichten
Ndr.	Nachdruck
Neapel, NM	
	Neapel, Archäologisches Nationalmuseum
New York, MMA	
	New York, Metropolitan Museum of Arts
ngr.	neugriechisch, – Neugriechisch
nhd.	neuhochdeutsch, – Neuhochdeutsch
nlat.	neulateinisch, – Neulateinisch
NO	Nordosten
nö	nordöstlich
Nom.	Nominativ, – nominativisch
Nov.	novella, Novelle
NR	Neues Reich (Ägypten)

Nr.	Nummer
NT	Neues Testament
nt.	neutestamentlich
Ntr.	Neutrum, – neutral
Num.	Numerius
NW	Nordwesten
nw	nordwestlich
nw.-gr.	nordwestgriechisch, – Nordwestgriechisch
o.	oben, oberer
o.J.	ohne Jahr
öst.	österreichisch
OK	Oberkante
Ol.	Olympiade
ON	Ortsname
Op.	Opus
Opp.	Opera
Opt.	Optativ, – optativisch
or.	oratio
Oxford, AM	
	Oxford, Ashmolean Museum
P	Papyrus
p.	pagina
P.	Publius
Palermo, NM	
	Palermo, Archäologisches Nationalmuseum
Pap.	Papyrus
Par.	Parallele, – parallel
Paris, BN	
	Paris, Bibliothèque Nationale
Paris, CM	
	Paris, Cabinet des Médailles
Paris, LV	
	Paris, Louvre
Pass.	Passiv, – passivisch
Patron.	Patronymikon
Perf.	Perfekt, – perfektisch
Philol.	Philologie, – philologisch
Philos.	Philosophie, – philosophisch
Photogr.	
	Photographie, – photographisch
Pl(ur).	Plural, – pluralisch
Plq.	Plusquamperfekt
Plusq.	Plusquamperfekt
PN	Personenname
pon. max.	
	pontifex maximus
pr(aef).	praefatio
praef.	praefectus
praef. praet.	
	praefectus praetorio
Praen.	Praenomen
Präs.	Präsens, – präsentisch
Proc.	Proceedings
procos.	proconsul
procur.	procurator
Pron.	Pronomen
propr.	propraetor
Prov.	Provinz(en); provincia
Ps.-	Pseudo
ptolem.	ptolemäisch
Ptz.	Partizip, – partizipial
publ.	publiziert
Q.	Quintus

qu.	quaestor
r	recto
R.	Reihe
Reg.	Register
rel.	Religion, religiös
Rev.	Review, Revue
rf.	rotfigurig
Rhet.	Rhetorik, – rhetorisch
Riv.	Rivista
Rom, KM	
	Rom, Kapitolinische Museen
Rom, TM	
	Rom, Thermenmuseum (=Museo Nazionale)
Rom, VA	
	Rom, Villa Albani
Rom, VG	
	Rom, Villa Giulia
Rom, VM	
	Rom, Vatikanische Museen
Rs.	Rückseite
Rv.	Revers
S(in)g.	Singular, – singularisch
S.	Seite
S.	Sextus
s.v.	sub voce
SB	Sitzungsbericht
SC	senatus consultum
sc.	scilicet
schol.	scholion, scholia
Ser.	Serie, Série, Seria...
Ser.	Servius
serm.	sermo
sf.	schwarzfigurig
SH	Späthelladisch
silb.	silbisch, silbebildend
Slg.	Sammlung
Slgg.	Sammlungen
SO	Südost
Soc.	Society, Societé, Società
sö	südöstlich
Son.	Sonant, – sonantisch
Sp.	Spalte
Sp.	Spurius
St.	Sankt, Saint
St. Petersburg, ER	
	St. Petersburg, Eremitage
Stud.	Studia, Studien, Studies, Studi
Subst.	Substantiv, – substantivisch
Suppl.	Supplement
SW	Südwest
sw	südwestlich
syn.	synonym, – Synonymum
Synt.	Syntax, – syntaktisch
T	Tiefe
T.	Titus
t.t.	terminus technicus
Tab.	Tabelle
Taf.	Tafel
Thessaloniki, NM	
	Thessaloniki, Nationalmuseum
Ti., Tib.	
	Tiberius
tit.	titulus

Top. Topographie, – topographisch
tr. mil. tribunus militum
tr. pl. tribunus plebis
tract. tractatus
Trag. Tragödie, Tragiker
Trad. Tradition, – tradiert
Überl. Überlieferung, – überliefert
Übers. Übersetzung, – übersetzt
UK Unterkante
Univ. Universität, University, Université, Università
Unt. Untersuchung
urgr. urgriechisch, – Urgriechisch
ᵛ verso
V. Vers
Vb. Verbum
Verf. Verfasser
Verh. Verhandlung
verm. vermutlich
VG Vorderglied
vir clar. vir clarissimus
vir spect.
    vir spectabilis
vir. ill. vir illustris
vlat. vulgärlateinisch, – Vulgärlatein
Vok. Vokal, – vokalisch; Vokativ, – vokativisch
Vs. Vorderseite
WB Wörterbuch
wgr. weißgrundig
Wien, KM
    Wien, Kunsthistorisches Museum
wiss. wissenschaftlich
Wz. Wurzel
Z. Zeile
z. Z. zur Zeit
Zit. Zitat, – zitiert
Zschr. Zeitschrift
Ztg. Zeitung
zw. zwischen

3. Bibliographische Abkürzungen

A&A
    Antike und Abendland
A&R
    Atene e Roma
AA
    Archäologischer Anzeiger
AAA
    Annals of Archaeology and Anthropology
AAAlg
    S. GSELL, Atlas archéologique de l'Algérie. Édition spéciale des cartes au 200.000 du Service Géographique de l'Armée, 1911 Ndr. 1973
AAHG
    Anzeiger für die Altertumswissenschaften, hrsg. von der Österreichischen Humanistischen Gesellschaft
AArch
    Acta archeologica
AASO
    The Annual of the American Schools of Oriental Research
AATun 050
    E. BABELON, R. CAGNAT, S. REINACH (Hrsg.), Atlas archéologique de la Tunisie (1:50 000), 1893

AATun 100
    R. CAGNAT, A. MERLIN (Hrsg.), Atlas archéologique de la Tunisie (1:100 000), 1914
AAWG
    Abhandlungen der Akademie der Wissenschaften in Göttingen. Philologisch-historische Klasse
AAWM
    Abhandlungen der Akademie der Wissenschaften und Literatur in Mainz. Geistes- und sozialwissenschaftliche Klasse
AAWW
    Anzeiger der Österreichischen Akademie der Wissenschaften in Wien. Philosophisch-historische Klasse
ABAW
    Abhandlungen der Bayerischen Akademie der Wissenschaften. Philosophisch-historische Klasse
Abel
    F.-M. ABEL, Géographie de la Palestine 2 Bde., 1933–38
ABG
    Archiv für Begriffsgeschichte: Bausteine zu einem historischen Wörterbuch der Philosophie
ABr
    P. ARNDT, F. BRUCKMANN (Hrsg.), Griechische und Römische Porträts, 1891–1912; E. LIPPOLD (Hrsg.), Textbd., 1958
ABSA
    Annual of the British School at Athens
AC
    L'Antiquité Classique
AchHist
    H. Sancisi-Weerdenburg, A. Kuhrt et al. (ed.), Achaemenid History, 8 vol., 1987–1996
Acta
    Acta conventus neo-latini Lovaniensis, 1973
AD
    Archaiologikon Deltion
ADAIK
    Abhandlungen des Deutschen Archäologischen Instituts Kairo
Adam
    J.P. ADAM, La construction romaine. Matériaux et techniques, 1984
ADAW
    Abhandlungen der Deutschen Akademie der Wissenschaften zu Berlin. Klasse für Sprachen, Literatur und Kunst
ADB
    Allgemeine Deutsche Biographie
AdI
    Annali dell'Instituto di Corrispondenza Archeologica
AE
    L'Année épigraphique
AEA
    Archivo Espanol de Arqueología
AEM
    Archäologisch-epigraphische Mitteilungen aus Österreich
AfO
    Archiv für Orientforschung
AGD
    Antike Gemmen in Deutschen Sammlungen 4 Bde., 1968–75
AGM
    Archiv für Geschichte der Medizin
Agora
    The Athenian Agora. Results of the Excavations by the American School of Classical Studies of Athens, 1953 ff.

AGPh
  Archiv für Geschichte der Philosophie
AGR
  Akten der Gesellschaft für griechische und hellenistische
  Rechtsgeschichte
AHAW
  Abhandlungen der Heidelberger Akademie der Wissen-
  schaften. Philosophisch-historische Klasse
AHES
  Archive for history of exact sciences
AIHS
  Archives internationales d'histoire des sciences
AION
  Annali del Seminario di Studi del Mondo Classico,
  Sezione di Archeologia e Storia antica
AJ
  The archaeological journal of the Royal Archaeological
  Institute of Great Britain and Ireland
AJA
  American Journal of Archaeology
AJAH
  American Journal of Ancient History
AJBA
  Australian journal of biblical archaeology
AJN
  American Journal of Numismatics
AJPh
  American Journal of Philology
AK
  Antike Kunst
AKG
  Archiv für Kulturgeschichte
AKL
  G. MEISSNER (Hrsg.), Allgemeines Künsterlexikon:
  Die bildenden Künstler aller Zeiten und Völker, ²1991 ff.
AKM
  Abhandlungen für die Kunde des Morgenlandes
Albrecht
  M. v. ALBRECHT, Geschichte der römischen Literatur,
  ²1994
Alessio
  G. ALESSIO, Lexicon etymologicum. Supplemento
  ai Dizionari etimologici latini e romanzi, 1976
Alexander
  M.C. ALEXANDER, Trials in the late Roman Republic:
  149 BC to 50 BC (Phoenix Suppl. vol. 26), 1990
Alföldi
  A. ALFÖLDI, Die monarchische Repräsentation im
  römischen Kaiserreiche, 1970, Ndr. ³1980
Alföldy, FH
  G. ALFÖLDY, Fasti Hispanienses. Senatorische Reichs-
  beamte und Offiziere in den spanischen Provinzen des
  römischen Reiches von Augustus bis Diokletian, 1969
Alföldy, Konsulat
  G. ALFÖLDY, Konsulat und Senatorenstand unter den
  Antoninen. Prosopographische Untersuchungen zur
  senatorischen Führungsschicht (Antiquitas 1,27), 1977
Alföldy, RG
  G. ALFÖLDY, Die römische Gesellschaft. Ausgewählte
  Beiträge, 1986
Alföldy, RH
  G. ALFÖLDY, Römische Heeresgeschichte, 1987
Alföldy, RS
  G. ALFÖLDY, Römische Sozialgeschichte, ³1984

ALLG
  Archiv für lateinische Lexikographie und Grammatik
Altaner/Stuiber
  B. ALTANER, B. STUIBER, Patrologie. Leben, Schriften
  und Lehre der Kirchenväter, ⁹1980
AMI
  Archäologische Mitteilungen aus Iran
Amyx, Addenda
  C.W. NEEFT, Addenda et Corrigenda to D.A. Amyx,
  Corinthian Vase-Painting, 1991
Amyx, CVP
  D.A. AMYX, Corinthian Vase-Painting of the Archaic
  Period 3 Bde., 1988
Anadolu
  Anadolu (Anatolia)
Anatolica
  Anatolica
AncSoc
  Ancient Society
Anderson
  J.G. ANDERSON, A journey of exploration in Pontus
  (Studia pontica 1), 1903
Anderson/Cumont/Grégoire
  J.G. ANDERSON, F. CUMONT, H. GRÉGOIRE, Recueil des
  inscriptions grecques et latines du Pont et de l'Arménie
  (Studia pontica 3), 1910
André, botan.
  J. ANDRÉ, Lexique des termes de botanique en latin, 1956
André, oiseaux
  J. ANDRÉ, Les noms d'oiseaux en latin, 1967
André, plantes
  J. ANDRÉ, Les noms de plantes dans la Rome antique, 1985
Andrews
  K. ANDREWS, The Castles of Morea, 1953
ANET
  J.B. PRITCHARD, Ancient Near Eastern Texts Relating
  to the Old Testament, ³1969, Ndr. 1992
AnnSAAt
  Annuario della Scuola Archeologica di Atenne
ANRW
  H. TEMPORINI, W. HAASE (Hrsg.), Aufstieg und
  Niedergang der Römischen Welt, 1972 ff.
ANSMusN
  Museum Notes. American Numismatic Society
AntAfr
  Antiquités africaines
AntChr
  Antike und Christentum
AntPl
  Antike Plastik
AO
  Der Alte Orient
AOAT
  Alter Orient und Altes Testament
APF
  Archiv für Papyrusforschung und verwandte Gebiete
APh
  L'Année philologique
Arangio-Ruiz
  V. ARANGIO-RUIZ, Storia del diritto romano, ⁶1953
Arcadia
  Arcadia. Zeitschrift für vergleichende Literaturwissenschaft
ArchCl
  Archeologia Classica

ArchE
  Archaiologike ephemeris
ArcheologijaSof
  Archeologija. Organ na Archeologiceskija institut i muzej
  pri B'lgarskata akademija na naukite
ArchHom
  Archaeologia Homerica, 1967 ff.
ArtAntMod
  Arte antica e moderna
ARW
  Archiv für Religionswissenschaft
AS
  Anatolian Studies
ASAA
  Annuario della Scuola Archeologica di Atene e delle
  Missioni italiane in Oriente
ASARI
  F. BAGHERZADEL (Hrsg.), Annual Symposium on
  Archeological Research in Iran
ASL
  Archiv für das Studium der neueren Sprachen und Litera-
  turen
ASNP
  Annali della Scuola Normale Superiore di Pisa, Classe
  di Lettere e Filosofia
ASpr
  Die Alten Sprachen
ASR
  B. ANDREAE (Hrsg.), Die antiken Sarkophagreliefs,
  1952 ff.
Athenaeum
  Athenaeum
ATL
  B.D. MERITT, H.T. WADE-GERY, M.F. McGREGOR,
  Athenian Tribute Lists 4 Bde., 1939–53
AU
  Der altsprachliche Unterricht
Aulock
  H. v. AULOCK, Münzen und Städte Pisidiens (MDAI(Ist)
  Beih. 8) 2 Bde., 1977–79
Austin
  C. AUSTIN (Hrsg.), Comicorum graecorum fragmenta
  in papyris reperta, 1973
BA
  Bolletino d'Arte del Ministero della Publica Istruzione
BAB
  Bulletin de l'Académie Royale de Belgique. Classe des
  Lettres
BABesch
  Bulletin antieke beschaving. Annual Papers on Classical
  Archaeology
Badian, Clientelae
  E. BADIAN, Foreign Clientelae, 1958
Badian, Imperialism
  E. BADIAN, Roman Imperialism in the Late Republic, 1967
BaF
  Baghdader Forschungen
Bagnall
  R.S. BAGNALL U.A., Consuls of the Later Roman Empire
  (Philological Monographs of the American Philological
  Association 36), 1987
BalkE
  Balkansko ezikoznanie

BalkSt
  Balkan Studies
BaM
  Baghdader Mitteilungen
Bardenhewer, GAL
  O. BARDENHEWER, Geschichte der altkirchlichen Literatur
  Bde. 1–2, ²1913 f.; Bde. 3–5, 1912–32, Ndr. 1962
Bardenhewer, Patr.
  O. BARDENHEWER, Patrologie, ³1910
Bardon
  H. BARDON, La littérature latine inconnue 2 Bde., 1952–56
Baron
  W. BARON (Hrsg.), Beiträge zur Methode der Wissen-
  schaftsgeschichte, 1967
BASO
  Bulletin of the American Schools of Oriental Research
Bauer/Aland
  W. BAUER, K. ALAND (Hrsg.), Griechisch-deutsches
  Wörterbuch zu den Schriften des Neuen Testamentes und
  der frühchristlichen Literatur, ⁶1988
Baumann, LRRP
  R.A. BAUMAN, Lawyers in Roman republican politics.
  A study of the Roman jurists in their political setting,
  316–82 BC (Münchener Beiträge zur Papyrusforschung
  und antiken Rechtsgeschichte), 1983
Baumann, LRTP
  R.A. BAUMAN, Lawyers in Roman transitional politics.
  A study of the Roman jurists in their political setting in the
  Late Republic and Triumvirate (Münchener Beiträge zur
  Papyrusforschung und antiken Rechtsgeschichte), 1985
BB
  Bezzenbergers Beiträge zur Kunde der indogermanischen
  Sprachen
BCAR
  Bullettino della Commissione Archeologica Comunale
  di Roma
BCH
  Bulletin de Correspondance Hellénique
BE
  Bulletin épigraphique
Beazley, ABV
  J.D. BEAZLEY, Attic Black-figure Vase-Painters, 1956
Beazley, Addenda²
  TH.H. CARPENTER (Hrsg.), Beazley Addenda, ²1989
Beazley, ARV²
  J.D. BEAZLEY, Attic Red-figure Vase-Painters, ²1963
Beazley, EVP
  J.D. BEAZLEY, Etruscan Vase Painting, 1947
Beazley, Paralipomena
  J.D. BEAZLEY, Paralipomena. Additions to Attic
  Black-figure Vase-Painters and to Attic Red-figure
  Vase-Painters, ²1971
Bechtel, Dial.
  F. BECHTEL, Die griechischen Dialekte 3 Bde., 1921–24;
  Ndr. 1963
Bechtel, HPN
  F. BECHTEL, Die historischen Personennamen des
  Griechischen bis zur Kaiserzeit, 1917
Belke
  K. BELKE, Galatien und Lykaonien (Denkschriften
  der Österreichischen Akademie der Wissenschaften,
  Philosophisch-Historische Klasse 172; TIB 4), 1984

Belke/Mersich
    K. BELKE, N. MERSICH, Phrygien und Pisidien (Denk-
    schriften der Österreichischen Akademie der Wissenschaf-
    ten, Philosophisch-Historische Klasse 211; TIB 7), 1990
Bell
    R.E. BELL, Place-Names in Classical Mythology, Greece,
    1989
Beloch, Bevölkerung
    K.J. BELOCH, Die Bevölkerung der griechisch-römischen
    Welt, 1886
Beloch, GG
    K.J. BELOCH, Griechische Geschichte 4 Bde., ²1912–27
    Ndr. 1967
Beloch, RG
    K.J. BELOCH, Römische Geschichte bis zum Beginn der
    Punischen Kriege, 1926
Bengtson
    H. BENGTSON, Die Strategie in der hellenistischen Zeit.
    Ein Beitrag zum antiken Staatsrecht (Münchener Beiträge
    zur Papyrusforschung und antiken Rechtsgeschichte
    26, 32, 36) 3 Bde., 1937–52, verbesserter Ndr. 1964–67
Berendes
    J. BERENDES (Hrsg.), Des Pedanios Dioskurides
    Arzneimittellehre übers. und mit Erl. versehen, 1902, Ndr.
    1970
Berger
    E.H. BERGER, Geschichte der wissenschaftlichen Erd-
    kunde der Griechen, ²1903
Berve
    H. BERVE, Das Alexanderreich auf prosopographischer
    Grundlage, 1926
Beyen
    H.G. BEYEN, Die pompeijanische Wanddekoration vom
    zweiten bis zum vierten Stil 2 Bde., 1938–60
BFC
    Bolletino di filologia classica
BGU
    Ägyptische (Griechische) Urkunden aus den Kaiserlichen
    (ab Bd. 6 Staatlichen) Museen zu Berlin 13 Bde., 1895–1976
BHM
    Bulletin of the History of Medicine
BIAO
    Bulletin de l'Institut français d'Archéologie Orientale
BiblH&R
    Bibliothèque d'Humanisme et Renaissance
BiblLing
    Bibliographie linguistique/Linguistic Bibliography
BIBR
    Bulletin de l'Institut Belge de Rome
Bickerman
    E. BICKERMANN, Chronologie (Einleitung in die
    Altertumswissenschaft III 5), 1933
BICS
    Bulletin of the Institute of Classical Studies of the University
    of London
BIES
    The Bulletin of the Israel Exploration Society
BiogJahr
    Biographisches Jahrbuch für Altertumskunde
Birley
    A.R. BIRLEY, The Fasti of Roman Britain, 1981
BJ
    Bonner Jahrbücher des Rheinischen Landesmuseums
    in Bonn und des Vereins von Altertumsfreunden im
    Rheinlande

BKT
    Berliner Klassikertexte 8 Bde., 1904–39
BKV
    Bibliothek der Kirchenväter (Kemptener Ausg.) 63 Bde.,
    ²1911–31
Blänsdorf
    J. BLÄNSDORF (Hrsg.), Theater und Gesellschaft
    im Imperium Romanum, 1990
Blass
    F. BLASS, Die attische Beredsamkeit, 3 Bde., ³1887–98,
    Ndr. 1979
Blass/Debrunner/Rehkopf
    F. BLASS, A. DEBRUNNER, F. REHKOPF, Grammatik
    des neutestamentlichen Griechisch, ¹⁵1979
Blümner, PrAlt.
    H. BLÜMNER, Die römischen Privataltertümer (HdbA IV
    2,2), ³1911
Blümner, Techn.
    H. BLÜMNER, Technologie und Terminologie der
    Gewerbe und Künste bei Griechen und Römern
    Bd. 1, ²1912; Bde. 2–4, 1875–87, Ndr. 1969
BMC, Gr
    A Catalogue of the Greek Coins in the British Museum
    29 Bde., 1873–1965
BMCByz
    W. WROTH (Hrsg.), Catalogue of the Imperial Byzantine
    Coins in the British Museum 2 Bde., 1908 Ndr. 1966
BMClR
    Bryn Mawr Classical Review
BMCRE
    H. MATTINGLY (Hrsg.), Coins of the Roman Empire
    in the British Museum 6 Bde., 1962–76
BMCRR
    H.A. GRUEBER (Hrsg.), Coins of the Roman Republic
    in the British Museum 3 Bde., 1970
BN
    Beiträge zur Namenforschung
Bolgar, Culture 1
    R. BOLGAR, Classical Influences on European Culture
    A.D. 500–1500, 1971
Bolgar, Culture 2
    R. BOLGAR, Classical Influences on European Culture
    A.D. 1500–1700, 1974
Bolgar, Thought
    R. BOLGAR, Classical Influences on Western Thought AD
    1650–1870, 1977
Bon
    A. BON, La Morée franque 2 Bde., 1969
Bonner
    S.F. BONNER, Education in Ancient Rome, 1977
Bopearachchi
    O. BOPEARACHCHI, Monnaies gréco-bactriennes et
    indo-grecques. Catalogue raisonné, 1991
Borinski
    K. BORINSKI, Die Antike in Poetik und Kunsttheorie
    vom Ausgang des klassischen Altertums bis auf Goethe und
    Wilhelm von Humboldt 2 Bde. , 1914–24 Ndr. 1965
Borza
    E.N. BORZA, In the shadow of Olympus. The emergence
    of Macedon, 1990
Bouché-Leclerq
    A. BOUCHÉ-LECLERQ, Histoire de la divination dans l'anti-
    quité 3 Bde., 1879–82 Ndr. 1978 in 4 Bden.

BPhC
Bibliotheca Philologica Classica

BrBr
H. BRUNN, F. BRUCKMANN, Denkmäler griechischer und
römischer Skulpturen, 1888–1947

BRGK
Bericht der Römisch-Germanischen Kommission des
Deutschen Archäologischen Instituts

Briant
P. BRIANT, Histoire de l'empire perse de Cyrus à
Alexandre, 1996

Briggs/Calder
W.W. BRIGGS, W.M. CALDER III, Classical Scholarship.
A Biographical Encyclopedia, 1990

Bruchmann
C.F.H. BRUCHMANN, Epitheta deorum quae apud poetas
graecos leguntur, 1893

Brugmann/Delbrück
K. BRUGMANN, B. DELBRÜCK, Grundriß der verglei-
chenden Grammatik der indogermanischen Sprachen
Bde. 1–2, ²1897–1916; Bde. 3–5, 1893–1900

Brugmann/Thumb
K. BRUGMANN, A. THUMB (Hrsg.), Griechische
Grammatik, ⁴1913

Brunhölzl
F. BRUNHÖLZL, Geschichte der lateinischen Literatur des
Mittelalters 2 Bde., 1975–92

Brunt
P.A. BRUNT, Italian Manpower 222 B. C. – A. D. 14, 1971

Bruun
C. BRUUN, The Water Supply of Ancient Rome. A Study
of Imperial Administration (Commentationes Humanarum
Litterarum 93), 1991

Bryer/Winfield
A. BRYER, D. WINFIELD, The Byzantine Monuments
and Topography of Pontus (Dumbarton Oaks studies 20)
2 Bde., 1985

BSABR
Bulletin de Liaison de la Société des Amis de la Bibliothèque
Salomon Reinach

BSL
Bulletin de la Société de Linguistique de Paris

BSO(A)S
Bulletin of the School of Oriental (ab Bd. 10ff: and African)
Studies

BTCGI
G. NENCI (Hrsg.), Bibliografia topografica della coloniz-
zazione greca in Italia e nelle isole tirreniche, 1980ff.

Buck
A. BUCK (Hrsg.), Die Rezeption der Antike, 1981

Burkert
W. BURKERT, Griechische Religion der archaischen und
klassischen Epoche, 1977

Busolt/Swoboda
G. BUSOLT, H. SWOBODA, Griechische Staatskunde
(HdbA IV 1,1) 2 Bde., ³1920–26 Ndr. 1972–79

BWG
Berichte zur Wissenschaftsgeschichte

BWPr
Winckelmanns-Programm der Archäologischen Gesellschaft zu Berlin

Byzantion
Byzantion. Revue internationale des études byzantines

ByzF
Byzantinische Forschungen. Internationale Zeitschrift für
Byzantinistik

ByzZ
Byzantinische Zeitschrift

Caballos (Senadores)
A. CABALLOS, Los senadores hispanoromanos y
la romanización de Hispania (Siglos I al III p.C.) Bd. 1:
Prosopografia (Monografias del Departamento de
Historia Antigua de la Universidad de Sevilla 5), 1990

CAF
T. KOCK (Hrsg.), Comicorum Atticorum Fragmenta,
3 Bde. 1880–88

CAG
Commentaria in Aristotelem Graeca 18 Bde., 1885–1909

CAH
The Cambridge Ancient History 12 Text- und 5 Tafelbde.,
1924–39 (Bd. 1 als 2. Aufl.); Bde. 1–2, ³1970–75;
Bde. 3,1 und 3,3ff., ²1982ff.; Bd. 3,2, ¹1991

Carney
T.F. CARNEY, Bureaucracy in traditional society. Roma-
no-Byzantine bureaucracies viewed from within, 1971

Cartledge/Millett/Todd
P. CARTLEDGE, P. MILLETT, S. TODD (Hrsg.), Nomos,
Essays in Athenian Law, Politics and Society, 1990

Cary
M. CARY, The Geographical Background of Greek and
Roman History, 1949

Casson, Ships
L. CASSON, Ships and Seamanship in the Ancient World,
1971

Casson, Trade
L. CASSON, Ancient Trade and Society, 1984

CAT
Catalogus Tragicorum et Tragoediarum (in TrGF Bd. 1)

CatLitPap
H.J.M. MILNE (Hrsg.), Catalogue of the Literary Papyri
in the British Museum, 1927

CCAG
F. CUMONT u.a. (Hrsg.), Catalogus Codicum Astrolo-
gorum Graecorum 12 Bde. in 20 Teilen, 1898–1940

CCG
Corpus Christianorum. Series Graeca, 1977ff.

CCL
Corpus Christianorum. Series Latina, 1954ff.

CE
Cronache Ercolanesi

CEG
P.A. HANSEN (Hrsg.), Carmina epigraphica graeca
(Texte und Kommentare 12; 15), 1983ff.

CeM
Classica et Mediaevalia

CGF
G. KAIBEL (Hrsg.), Comicorum Graecorum Fragmenta,
²1958

CGL
G. GÖTZ (Hrsg.), Corpus glossariorum Latinorum 7 Bde.,
1888–1923 Ndr. 1965

Chantraine
P. CHANTRAINE, Dictionnaire étymologique de la langue
grecque 4 Bde., 1968–80

CHCL-G
E.J. KENNEY (Hrsg.), The Cambridge History of
Classical Literature. Greek Literature, 1985ff.

CHCL-L
E.J. KENNEY (Hrsg.), The Cambridge History of
Classical Literature. Latin Literature, 1982 ff.

Chiron
Chiron. Mitteilungen der Kommission für alte Geschichte
und Epigraphik des Deutschen Archäologischen Instituts

Christ
K. CHRIST, Geschichte der römischen Kaiserzeit von
Augustus bis zu Konstantin, 1988

Christ, RGG
K. CHRIST, Römische Geschichte und deutsche
Geschichtswissenschaft, 1982

Christ, RGW
K. CHRIST, Römische Geschichte und Wissenschaftsgeschichte 3 Bde., 1982–83

Christ/Momigliano
K. CHRIST, A. MOMIGLIANO, Die Antike im 19. Jahrhundert in Italien und Deutschland, 1988

CIA
A. KIRCHHOFF U.A. (Hrsg.), Corpus Inscriptionum
Atticarum, 1873; Suppl. 1877–91

CIC
Corpus Iuris Canonici 2 Bde., 1879–81 Ndr. 1959

CID
Corpus des inscriptions de Delphes 3 Bde., 1977–92

CIE
C. PAULI (Hrsg.), Corpus Inscriptionum Etruscarum
2 Bde., 1893–1921

CIG
Corpus Inscriptionum Graecarum 4 Bde., 1828–77

CIL
Corpus Inscriptionum Latinarum, 1863 ff.

CIL III Add.
M. SASEL-KOS, Inscriptiones latinae in Graecia repertae.
Additamenta ad CIL III (Epigrafia e antichità 5), 1979

CIRB
Corpus Inscriptionum regni Bosporani, 1965

CIS
Corpus Inscriptionum Semiticarum 5 Teile, 1881–1951

CJ
Classical Journal

CL
Cultura Neolatina

Clairmont
C.W. CLAIRMONT, Attic Classical Tombstones 7 Bde.,
1993

Clauss
M. CLAUSS, Der magister officiorum in der Spätantike
(4.–6. Jahrhundert). Das Amt und sein Einfluß auf die
kaiserliche Politik (Vestigia 32), 1981

CLE
F. BÜCHELER, E. LOMMATZSCH (Hrsg.), Carmina
Latina Epigraphica (Anthologia latina 2) 3 Bde., 1895–1926

CM
Clio Medica. Acta Academiae historiae medicinae.

CMA
Cahiers de l'Institut du Moyen Age grec et latin

CMB
W.M. CALDER III, D.J. KRAMER, An introductory
bibliography to the history of classical scholarship, chiefly
in the XIXth and XXth centuries, 1992

CMG
Corpus Medicorum Graecorum, 1908 ff.

CMIK
J. CHADWICK, Corpus of Mycenaean inscriptions from
Knossos (Incunabula Graeca 88), 1986 ff.

CML
Corpus Medicorum Latinorum, 1915 ff.

CMS
F. MATZ U.A. (Hrsg.), Corpus der minoischen und
mykenischen Siegel, 1964 ff.

CodMan
Codices manuscripti. Zeitschrift für Handschriftenkunde

Coing
H. COING, Europäisches Privatrecht 2 Bde., 1985–89

CollAlex
I.U. POWELL (Hrsg.), Collectanea Alexandrina, 1925

CollRau
J.V. UNGERN-STERNBERG (Hrsg.), Colloquia Raurica,
1988 ff.

Conway/Johnson/Whatmough
R.S. CONWAY, S.E. JOHNSON, J. WHATMOUGH,
The Prae-Italic dialects of Italy 3 Bde., 1933 Ndr. 1968

Conze
A. CONZE, Die attischen Grabreliefs 4 Bde., 1893–1922

Courtney
E. COURTNEY, The Fragmentary Latin Poets, 1993

CPF
F. ADORNO (Hrsg.), Corpus dei Papiri Filosofici greci
e latini, 1989 ff.

CPG
M. GEERARD (BDE. 1–5), F. GLORIE (BD. 5), Clavis
patrum graecorum 5 Bde., 1974–87

CPh
Classical Philology

CPL
E. DEKKERS, A. GAAR, Clavis patrum latinorum (CCL),
³1995

CQ
Classical Quarterly

CR
Classical Review

CRAI
Comptes rendus des séances de l'Académie des inscriptions
et belles-lettres

CRF
O. RIBBECK (Hrsg.), Comicorum Romanorum
Fragmenta, 1871, Ndr. 1962

CSCO
Corpus Scriptorum Christianorum Orientalium, bisher
560 Bde., 1903 ff.

CSCT
Columbia Studies in the Classical Tradition

CSE
Corpus Speculorum Etruscorum, 1990 ff.

CSEL
Corpus Scriptorum ecclesiasticorum Latinorum, 1866 ff.

CSIR
Corpus Signorum Imperii Romani, 1963 ff.

Cumont, Pont
F. CUMONT, E. CUMONT, Voyage d'exploration
archéologique dans le Pont et la Petite Arménie (Studia
pontica 2), 1906

Cumont, Religions
F. CUMONT, Les Religions orientales dans le paganisme
romain, ³1929, Ndr. 1981

Curtius
E.R. Curtius, Europäische Literatur und lateinisches Mittelalter, ¹¹1993

CVA
Corpus Vasorum Antiquorum, 1923 ff.

CW
The Classical World

D'Arms
J.H. D'Arms, Commerce and Social Standing in Ancient Rome, 1981

D'Arms/Kopff
J.H. D'Arms, E.C. Kopff (Hrsg.), The Seaborne Commerce of Ancient Rome: Studies in Archaeology and History (Memoirs of the American Academy in Rome 36), 1980

Dacia
Dacia. Revue d'archéologie et d'histoire ancienne

Davies
J.K. Davies, Athenian Propertied Families 600–300 B.C., 1971

DB
F. Vigouroux (Hrsg.), Dictionnaire de la Bible, 1881 ff.

DCPP
E. Lipiński u.a. (Hrsg.), Dictionnaire de la Civilisation Phénicienne et Punique, 1992

Degrassi, FCap.
A. Degrassi, Fasti Capitolini (Corpus scriptorum latinorum Paravianum), 1954

Degrassi, FCIR (= FC)
A. Degrassi, I Fasti consolari dell'Impero Romano, 1952

Deichgräber
K. Deichgräber, Die griechische Empirikerschule, 1930

Delmaire
R. Delmaire, Les responsables des finances impériales au Bas-Empire romain (IVᵉ-VIᵉ s.). Études prosopographiques (Collection Latomus 203), 1989

Demandt
A. Demandt, Der Fall Roms: die Auflösung des römischen Reiches im Urteil der Nachwelt, 1984

Demougin
S. Demougin, Prosopographie des Chevaliers romains Julio-Claudiens (43 av. J.-C.–70 ap. J.-C.) (Collection de l'École Française de Rome 153), 1992

Deubner
L. Deubner, Attische Feste, 1932

Develin
R. Develin, Athenian Officials 684–321 B.C., 1989

Devijver
H. Devijver, Prosopographia militiarum equestrium quae fuerunt ab Augusto ad Gallienum (Symbolae Facultatis Litterarum et Philosophiae Lovaniensis Ser. A 3) 3 Bde., 1976–80; 2 Suppl.-Bde., 1987–93

DHA
Dialogues d'histoire ancienne

DHGE
A. Baudrillart, R. Aubert (Hrsg.), Dictionnaire d'Histoire et de Géographie Ecclésiastiques, 1912 ff.

DID
Didascaliae Tragicae/Ludorum Tragicorum (in TrGF Bd. 1)

Diels, DG
H. Diels, Doxographi Graeci, 1879

Diels/Kranz
H. Diels, W. Kranz (Hrsg.), Fragmente der Vorsokratiker 3 Bde., ⁶1951 f., Ndr. Bd. 1, 1992; Bd. 2: 1985; Bd. 3: 1993

Dierauer
U. Dierauer, Tier und Mensch im Denken der Antike, 1977

Dietz
K. Dietz, Senatus contra principem. Untersuchungen zur senatorischen Opposition gegen Kaiser Maximinus Thrax (Vestigia 29), 1980

Dihle
A. Dihle, Die griechische und lateinische Literatur der Kaiserzeit: von Augustus bis Justinian, 1989

DiskAB
Diskussionen zur archäologischen Bauforschung, 1974 ff.

Dixon
S. Dixon, The Roman Family, 1992

DJD
Discoveries in the Judaean Desert, 1955 ff.

DLZ
Deutsche Literaturzeitung für Kritik der internationalen Wissenschaft

DMA
J.R. Strayer u.a. (Hrsg.), Dictionary of the Middle Ages 13 Bde., 1982–89

DMic
F. Aura Jorro, Diccionario Micénico, 1985

Dörrie/Baltes
H. Dörrie, M. Baltes (Hrsg.), Der Platonismus in der Antike, 1987 ff.

Domaszewski
A. v. Domaszewski, Aufsätze zur römischen Heeresgeschichte, 1972

Domaszewski/Dobson
A. v. Domaszewski, B. Dobson, Die Rangordnung des römischen Heeres, ²1967

Domergue
C. Domergue, Les mines de la péninsule Iberique dans l'Antiquité Romaine, 1990

Drumann/Groebe
W. Drumann, P. Groebe (Hrsg.), Geschichte Roms in seinem Übergange von der republikanischen zur monarchischen Verfassung 6 Bde., ²1899–1929 Ndr. 1964

DS
C. Daremberg, E. Saglio (Hrsg.), Dictionnaire des antiquités grecques et romaines d'après les textes et les monuments 6 Bde., 1877–1919 Ndr. 1969

Dulckeit/Schwarz/Waldstein
G. Dulckeit, F. Schwarz, W. Waldstein, Römische Rechtsgeschichte. Ein Studienbuch (Juristische Kurz-Lehrbücher), ⁹1995

Dumézil
G. Dumézil, La religion romaine archaïque, suivi d'un appendice sur la religion des Etrusques, ²1974

Duncan-Jones, Economy
R. Duncan-Jones, The Economy of the Roman Empire. Quantitative Studies, 1974

Duncan-Jones, Structure
R. Duncan-Jones, Structure and Scale in the Roman Economy, 1990

DVjS
Deutsche Vierteljahrsschrift für Literaturwissenschaft und Geistesgeschichte

EA
Epigraphica Anatolica. Zeitschrift für Epigraphik und historische Geographie Anatoliens

EAA
R. BIANCHI BANDINELLI (Hrsg.), Enciclopedia dell'arte antica classica e orientale, 1958 ff.

EB
G. CAMPS, Encyclopédie Berbère, 1984 ff.

Ebert
F. EBERT, Fachausdrücke des griechischen Bauhandwerks Bd. 1: Der Tempel, 1910

EC
Essays in Criticism

Eck (Statthalter)
W. ECK, Die Statthalter der germanischen Provinzen vom 1.–3. Jahrhundert (Epigraphische Studien 14), 1985

Eckstein
F. A. ECKSTEIN, Nomenclator philologorum, 1871

Edelstein, AM
L. EDELSTEIN, Ancient medicine, 1967

Edelstein, Asclepius
E. J. u. L. EDELSTEIN, Asclepius. A Collection and Interpretation of the Testimonies, 1945

Eder, Demokratie
W. EDER (Hrsg.), Die athenische Demokratie im 4. Jahrhundert v. Chr. Vollendung oder Verfall einer Verfassungsform? Akten eines Symposiums, 3. – 7. August 1992, 1995

Eder, Staat
W. EDER (Hrsg.), Staat und Staatlichkeit in der frühen römischen Republik: Akten eines Symposiums, 12.–15. Juli 1988, 1990

EDM
K. RANKE, W. BREDNICH (Hrsg.), Enzyklopädie des Märchens. Handwörterbuch zur historischen und vergleichenden Erzählforschung, 1977 ff.

EDRL
A. BERGER, Encyclopedic dictionary of Roman Law (TAPhA N.S. 43,2), 1953, Ndr. 1968

EEpigr
Ephemeris Epigraphica

EI
Encyclopaedia of Islam, ²1960 ff.

Eissfeldt
O. EISSFELDT (Hrsg.), Handbuch zum Alten Testament, ³1964 ff.

Emerita
Emerita. Revista de linguistica y filologia clasica

EncIr
E. YARSHATER (Hrsg.), Encyclopaedia Iranica, 1985

Entretiens
Entretiens sur l'antiquité classique (Fondation Hardt)

EOMIA
C. H. TURNER (Hrsg.), Ecclesiae Occidentalis Monumenta Iuris Antiquissima, 1899–1939; Suppl. 1930 ff.

EOS
Atti del Colloquio Internazionale AIEGL su Epigrafia e Ordine Senatorio: Roma, 14 – 20 maggio 1981, 2 Bde., 1982

EpGF
M. DAVIES, Epicorum graecorum fragmenta, 1988

EpGr
G. KAIBEL (Hrsg.), Epigrammata Graeca ex lapidibus conlecta, 1878

Epicurea
H. USENER (Hrsg.), Epicurea, 1887 Ndr. 1963

EPRO
Études préliminaires aux religions orientales dans l'Empire Romain, 1961 ff.

Eranos
Eranos. Acta Philologica Suecana

Eranos-Jb
Eranos-Jahrbuch

Erasmus
Erasmus. Speculum Scientiarum. Internationales Literaturblatt der Geisteswissenschaften

Eretz Israel
Eretz-Israel, Archaeological, Historical and Geographical Studies

Ernout/Meillet
A. ERNOUT, A. MEILLET, Dictionnaire étymologique de la langue latine, ⁴1959

Errington
R. M. ERRINGTON, Geschichte Makedoniens. Von den Anfängen bis zum Untergang des Königreiches, 1986

ESAR
T. FRANK (Hrsg.), An Economic Survey of Ancient Rome 6 Bde., 1933–40

Espérandieu, Inscr.
E. ESPÉRANDIEU, Inscriptions latines de Gaule 2 Bde., 1929–36

Espérandieu, Rec.
E. ESPÉRANDIEU, Recueil généneral des Bas-reliefs, Statues et Bustes de la Gaule Romaine 16 Bde., 1907–81

ET
H. RIX (Hrsg.), Etruskische Texte (ScriptOralia 23,24, Reihe A 6,7) 2 Bde., 1991

ETAM
Ergänzungsbände zu den Tituli Asiae minoris, 1966 ff.

Euph.
Euphorion

EV
F. DELLA CORTE u.a. (Hrsg.), Enciclopedia Virgiliana 5 Bde. in 6 Teilen, 1984–91

Evans
D. E. EVANS, Gaulish personal names. A study of some continental Celtic formations, 1967

F&F
Forschungen und Fortschritte

Farnell, Cults
L. R. FARNELL, The Cults of the Greek States 5 Bde., 1896–1909

Farnell, GHC
L. R. FARNELL, Greek Hero Cults and Ideas of Immortality, 1921

FCG
A. MEINEKE (Hrsg.), Fragmenta Comicorum Graecorum 5 Bde., 1839–57, Ndr. 1970

FCS
Fifteenth-Century Studies

FdD
Fouilles de Delphes, 1902 ff.

FGE
D. L. PAGE, Further Greek Epigrams, 1981

FGrH
F. JACOBY, Die Fragmente der griechischen Historiker, 3 Teile in 14 Bden., 1923–58; Teil I: ²1957

FHG
C. MÜLLER (Hrsg.), Fragmenta Historicorum Graecorum 5 Bde., 1841–70

Fick/Bechtel
A. FICK, F. BECHTEL, Die griechischen Personennamen, ²1894

FiE
Forschungen in Ephesos, 1906 ff.
Filologia
La Filologia Greca e Latina nel secolo XX, 1989
Finley, Ancient Economy
M.I. FINLEY, The Ancient Economy, ²1984
Finley, Ancient Slavery
M.I. FINLEY, Ancient Slavery and Modern Ideology, 1980
Finley, Economy
M.I. FINLEY, B.D. SHAW, R.P. SALLER (Hrsg.),
Economy and Society in Ancient Greece, 1981
Finley, Property
M.I. FINLEY (Hrsg.), Studies in Roman Property, 1976
FIRA
S. RICCOBONO, J. BAVIERA (Hrsg.), Fontes iuris
Romani anteiustiniani 3 Bde., ²1968
FIRBruns
K.G. BRUNS, TH. MOMMSEN, O. GRADENWITZ
(HRSG.), Fontes iuris Romani antiqui, ⁷1909 Ndr. 1969
Fittschen/Zanker
K. FITTSCHEN, P. ZANKER, Katalog der römischen
Porträts in den capitolinischen Museen und den anderen
kommunalen Museen der Stadt Rom, 1983 ff.
Flach
D. FLACH, Römische Agrargeschichte (HdbA III 9), 1990
Flashar
H. FLASHAR, Inszenierung der Antike. Das griechische
Drama auf der Bühne der Neuzeit, 1991
Flashar, Medizin
H. FLASHAR (Hrsg.), Antike Medizin, 1971
FMS
Frühmittelalterliche Studien, Jahrbuch des Instituts für
Frühmittelalter-Forschung der Universität Münster
FO²
L. VIDMAN, Fasti Ostienses, 1982
Fossey
J.M. FOSSEY, Topography and population of ancient
Boiotia Bd. 1, 1988
FOst
L. VIDMAN, Fasti Ostienses, 1982
Fowler
W.W. FOWLER, The Roman Festivals of the Period
of the Republic. An Introduction to the Study of the
Religion of the Romans, 1899
FPD
I. PISO, Fasti Provinciae Daciae Bd. 1: Die senatorischen
Amtsträger (Antiquitas 1,43), 1993
FPL
W. MOREL, C. BÜCHNER (Hrsg.), Fragmenta Poetarum
Latinorum epicorum et lyricorum, ²1982
FPR
A. BÄHRENS (Hrsg.), Fragmenta Poetarum Romanorum,
1886
Frazer
J.G. FRAZER, The Golden Bough. A Study in Magic and
Religion, 8 Teile in 12 Bden.; Bde. 1–3, 5–9, ³1911–14;
Bde. 4, 10–12, 1911–15
Frenzel
E. FRENZEL, Stoffe der Weltliteratur, ⁸1992
Friedländer
L. FRIEDLÄNDER, G. WISSOWA (Hrsg.), Darstellungen
aus der Sittengeschichte Roms 4 Bde., ¹⁰1921–23
Frier, Landlords
B.W. FRIER, Landlords and Tenants in Imperial Rome,
1980

Frier, PontMax
B.W. FRIER, Libri annales pontificum maximorum. The
origins of the annalistic tradition (Papers and monographs of
the American Academy in Rome 27), 1979
Frisk
H. FRISK, Griechisches etymologisches Wörterbuch
(Indogermanische Bibliothek: Reihe 2) 3 Bde., 1960–72
FRLANT
Forschungen zur Religion und Literatur des Alten und
Neuen Testaments
Fuchs/Floren
W. FUCHS, J. FLOREN, Die Griechische Plastik. Bd. 1:
Die geometrische und archaische Plastik, 1987
Furtwängler
A. FURTWÄNGLER, Die antiken Gemmen. Geschichte der
Steinschneidekunst im klassischen Altertum 3 Bde., 1900
Furtwängler/Reichhold
A. FURTWÄNGLER, K. REICHHOLD, Griechische Vasen-
malerei 3 Bde., 1904–32
Fushöller
D. FUSHÖLLER, Tunesien und Ostalgerien in der Römer-
zeit, 1979
G&R
Greece and Rome
GA
A.S.F. GOW, D.L. PAGE, The Greek Anthology, Bd. 1:
Hellenistic Epigrams, 1965; Bd. 2: The Garland of Philip,
1968
Gardner
P. GARDNER, A History of Ancient Coinage, 700–300
B.C., 1918
Gardthausen
V. GARDTHAUSEN, Augustus und seine Zeit, 2 Teile
in 6 Bden., 1891–1904
Garnsey
P. GARNSEY, Famine and Food Supply in the Graeco-
Roman World. Responses to Risk and Crisis, 1988
Garnsey/Hopkins/Whittaker
P. GARNSEY, K. HOPKINS, C.R. WHITTAKER (Hrsg.),
Trade in the Ancient Economy, 1983
Garnsey/Saller
P. GARNSEY, R. SALLER, The Roman Empire, Economy,
Society and Culture, 1987
GCS
Die griechischen christlichen Schriftsteller der ersten
Jahrhunderte, 1897 ff.
Gehrke
H.-J. GEHRKE, Jenseits von Athen und Sparta. Das Dritte
Griechenland und seine Staatenwelt, 1986
Gentili/Prato
B. GENTILI, C. PRATO (Hrsg.), Poetarvm elegiacorvm
testimonia et fragmenta Bd. 1: ²1988; Bd. 2: 1985
Georges
K.E. GEORGES, Ausführliches lateinisch-deutsches
Handwörterbuch 2 Bde., ⁸1912–18 Ndr. 1992
Gérard-Rousseau
M. GÉRARD-ROUSSEAU, Les mentions religieuses dans les
tablettes mycéniennes, 1968
Germania
Germania. Anzeiger der Römisch-Germanischen Kommis-
sion des Deutschen Archäologischen Instituts
Gernet
L. GERNET, Droit et société dans la Grèce ancienne (Institut
de droit romain, Publication 13), 1955, Ndr. 1964

Geus
K. Geus, Prosopographie der literarisch bezeugten
Karthager (Studia Phoenicia 13; Orientalia Lovaniensia
analecta 59), 1994

GG
Grammatici Graeci, Bde. 1,1–4,2, 1867–1910

GGA
Göttingische Gelehrte Anzeigen

GGM
C. Müller (Hrsg.), Geographi Graeci Minores 2 Bde.,
Tabulae, 1855–61

GGPh¹
Grundriß der Geschichte der Philosophie (begründet von
F. Überweg); K. Prächter (Hrsg.), Teil 1: Die Philoso-
phie des Altertums, ¹²1926, Ndr. 1953

GGPh²
Grundriß der Geschichte der Philosophie (begründet von
F. Überweg); H. Flashar (Hrsg.), Bd. 3: Die Philosophie
der Antike, ²1983; Bd. 4: Die hellenistische Philosophie,
²1994

GHW 1
H. Bengtson, V. Milojcic u.a., Großer Historischer
Weltatlas des Bayrischen Schulbuchverlages 1. Vorgeschich-
te und Altertum, ⁶1978

GHW 2
J. Engel, W. Mager, A. Birken u.a., Großer Historischer Weltatlas des Bayrischen Schulbuchverlages
2. Mittelalter, ²1979

GIBM
C.T. Newton u.a. (Hrsg.), The Collection of Ancient
Greek Inscriptions in the British Museum 4 Bde., 1874–
1916

Gillispie
C.C. Gillispie (Hrsg.), Dictionary of scientific biography 14 Bde. und Index, 1970–80, Ndr. 1981; 2 Suppl.-Bde.
1978–90

GL
H. Keil (Hrsg.), Grammatici Latini 7 Bde., 1855–80

GLM
A. Riese (Hrsg.), Geographi Latini Minores, 1878

Glotta
Glotta. Zeitschrift für griechische und lateinische Sprache

GMth
F. Zaminer (Hrsg.), Geschichte der Musiktheorie,
1984ff.

Gnomon
Gnomon. Kritische Zeitschrift für die gesamte klassische
Altertumswissenaft

Göbl
R. Göbl, Antike Numismatik 2 Bde., 1978

Goleniščev
I.N. Goleniščev-Kutuzov, Il Rinascimento italiano
e le letterature slave dei secoli XV e XVI, 1973

Gordon
A.E. Gordon, Album of Dated Latin Inscriptions 4 Bde.,
1958–65

Goulet
R. Goulet (Hrsg.), Dictionnaire des philosophes
antiques, 1989ff.

Graf
F. Graf, Nordionische Kulte. Religionsgeschichtliche und
epigraphische Untersuchungen zu den Kulten von Chios,
Erythrai, Klazomenai und Phokaia, 1985

GRBS
Greek, Roman and Byzantine Studies

Grenier
A. Grenier, Manuel d'archéologie gallo-romaine 4 Bde.,
1931–60; Bd. 1 und 2: Ndr. 1985

GRF
H. Funaioli (Hrsg.), Grammaticae Romanae
Fragmenta, 1907

GRF(add)
A. Mazzarino, Grammaticae Romanae Fragmenta aetatis
Caesareae (accedunt volumini Funaioliano addenda), 1955

GRLMA
Grundriß der romanischen Literaturen des Mittelalters

Gruen, Last Gen.
E.S. Gruen, The Last Generation of the Roman
Republic, 1974

Gruen, Rome
E.S. Gruen, The Hellenistic world and the coming of
Rome, 1984, Ndr. 1986

Gruppe
O. Gruppe, Geschichte der klassischen Mythologie und
Religionsgeschichte während des Mittelalters im Abend-
land und während der Neuzeit, 1921

Gundel
W. u. H.-G. Gundel, Astrologumena. Die astrologische
Literatur in der Antike und ihre Geschichte, 1966

Guthrie
W.K.C. Guthrie, A History of Greek Philosophy 6 Bde.,
1962–81

GVI
W. Peek (Hrsg.), Griechische Vers-Inschriften Bd. 1,
1955

Gymnasium
Gymnasium. Zeitschrift für Kultur der Antike und
humanistische Bildung

HABES
Heidelberger althistorische Beiträge und epigraphische
Studien, 1986ff.

Habicht
C. Habicht, Athen. Die Geschichte der Stadt in
hellenistischer Zeit, 1995

Hakkert
A.M. Hakkert (Hrsg.), Lexicon of Greek and Roman
Cities and Place-Names in Antiquity c. 1500 B.C. – c. A.D.
500, 1990ff.

Halfmann
H. Halfmann, Die Senatoren aus dem östlichen Teil des
Imperium Romanum bis zum Ende des 2. Jahrhunderts
n.Chr. (Hypomnemata 58), 1979

Hamburger
K. Hamburger, Von Sophokles zu Sartre. Griechische
Dramenfiguren antik und modern, 1962

Hannestad
N. Hannestad, Roman Art and Imperial Policy, 1986

Hansen, Democracy
M.H. Hansen, The Athenian democracy in the age of
Demosthenes. Structure, principles and ideology, 1991,
Ndr. 1993

Harris
W.V. Harris, War and Imperialism in Republican Rome
327–70 B. C., 1979

Hasebroek
J. Hasebroek, Griechische Wirtschafts- und Gesellschafts-
geschichte bis zur Perserzeit, 1931

HbdOr

    B. SPULER (Hrsg.), Handbuch der Orientalistik, 1952 ff.

HbdrA

    J. MARQUARDT, TH. MOMMSEN, Handbuch der römischen Alterthümer Bd. 1–3, ³1887 f.; Bd. 4–7, ²1881–86

HBr

    P. HERRMANN, R. HERBIG (Hrsg.), Denkmäler der Malerei des Altertums 2 Bde., 1904–50

HDA

    H. BÄCHTOLD-STÄUBLI U.A. (Hrsg.), Handwörterbuch des deutschen Aberglaubens 10 Bde., 1927–42 Ndr. 1987

HdArch

    W. OTTO, U. HAUSMANN (Hrsg.), Handbuch der Archäologie. Im Rahmen des HdbA 7 Bde., 1969–90

HdbA

    I. V. MÜLLER, H. BENGTSON (Hrsg.), Handbuch der Altertumswissenschaft, ⁵1977 ff.

Heckel

    W. HECKEL, Marshals of Alexander's empire, 1978

Heinemann

    K. HEINEMANN, Die tragischen Gestalten der Griechen in der Weltliteratur, 1920

Helbig

    W. HELBIG, Führer durch die öffentlichen Sammlungen klassischer Altertümer in Rom 4 Bde., ⁴1963–72

Hephaistos

    Hephaistos. Kritische Zeitschrift zu Theorie und Praxis der Archäologie, Kunstwissenschaft und angrenzender Gebiete

Hermes

    Hermes. Zeitschrift für klassische Philologie

Herrscherbild

    Das römische Herrscherbild, 1939 ff.

Herzog, Staatsverfassung

    E. V. HERZOG, Geschichte und System der römischen Staatsverfassung 2 Bde., 1884–91, Ndr. 1965

Hesperia

    Hesperia. Journal of the American School of Classical Studies at Athens

Heubeck

    A. HEUBECK, Schrift (Archaeologia Homerica Kapitel x Bd. 3), 1979

Heumann/Seckel

    H.G. HEUMANN, E. SECKEL (Hrsg.), Handlexikon zu den Quellen des römischen Rechts, ¹¹1971

Highet

    G. HIGHET, The Classical Tradition: Greek and Roman influences on Western literature, ⁴1968, Ndr. 1985

Hild/Hellenkemper

    F. HILD, H. HELLENKEMPER, Kilikien und Isaurien (Denkschriften der Österreichischen Akademie der Wissenschaften, Philosophisch-Historische Klasse 215; TIB 5) 2 Bde., 1990

Hild/Restle

    F. HILD, M. RESTLE, Kappadokien (Kappadokia, Charsianon, Sebasteia und Lykandos) (Denkschriften der Österreichischen Akademie der Wissenschaften: Philosophisch-Historische Klasse 149; TIB 2), 1981

Hirschfeld

    O. HIRSCHFELD, Die kaiserlichen Verwaltungsbeamten bis auf Diocletian, ²1905

Historia

    Historia. Zeitschrift für Alte Geschichte

HJb

    Historisches Jahrbuch

HLav

    Humanistica Lavanensia

HLL

    R. HERZOG, P.L. SCHMIDT (Hrsg.), Handbuch der lateinischen Literatur der Antike, 1989 ff.

HM

    A History of Macedonia Bd. 1: N.G.L. HAMMOND, Historical geography and prehistory, 1972; Bd. 2: N.G.L. HAMMOND, G.T. GRIFFITH, 550–336 BC, 1979; Bd. 3: N.G.L. HAMMOND, F.W. WALBANK, 336–167 BC, 1988

HmT

    H.H. EGGEBRECHT, Handwörterbuch der musikalischen Terminologie, 1972 ff.

HN

    B.V. HEAD, Historia numorum. A manual of Greek numismatics, ²1911

Hodge

    T.A. HODGE, Roman Aqueducts and Water Supply, 1992

Hölbl

    G. HÖLBL, Geschichte des Ptolemäerreiches. Politik, Ideologie und religiöse Kultur von Alexander dem Großen bis zur römischen Eroberung, 1994

Hölkeskamp

    K.-J. HÖLKESKAMP, Die Entstehung der Nobilität. Studien zur sozialen und politischen Geschichte der Römischen Republik im 4. Jh. v. Chr., 1987

Hofmann/Szantyr

    J.B. HOFMANN, A. SZANTYR, Lateinische Syntax und Stilistik, ²1972

Hoffmann

    D. HOFFMANN, Das spätrömische Bewegungsheer und die notitia dignitatum (Epigraphische Studien 7) 2 Bde., 1969 f.; = (Diss.) 1958

Holder

    A. HOLDER, Alt-celtischer Sprachschatz 3 Bde., 1896–1913, Ndr. 1961 f.

Honsell

    H. HONSELL, Römisches Recht (Springer-Lehrbuch), ³1994

Honsell/Mayer-Maly/Selb

    H. HONSELL, TH. MAYER-MALY, W. SELB, Röm. Recht, ⁴1987

Hopfner

    T. HOPFNER, Griechisch-ägyptischer Offenbarungszauber 2 Bde. in 3 Teilen, 1921–24, Ndr. 1974–90

Hopkins, Conquerors

    K. HOPKINS, Conquerors and Slaves. Sociological Studies in Roman History Bd. 1, 1978

Hopkins, Death

    K. HOPKINS, Death and Renewal. Sociological Studies in Roman History Bd. 2, 1983

HR

    History of Religions

HRR

    H. PETER (Hrsg.), Historicorum Romanorum Reliquiae, Bd. 1: ²1914, Bd. 2: 1906 Ndr. 1967

HrwG

    H. CANCIK, B. GLADIGOW, M. LAUBSCHER (AB BD. 2: K.-H. KOHL) (Hrsg.), Handbuch religionswissenschaftlicher Grundbegriffe, 1988 ff.

HS

    Historische Sprachforschung

HSM

    Histoire des sciences médicales

HSPh
Harvard Studies in Classical Philology
Hülser
K. HÜLSER, Die Fragmente zur Dialektik der Stoiker. Neue Sammlung der Texte mit deutscher Übersetzung und Kommentaren 4 Bde., 1987 f.
Humphrey
J.H. HUMPHREY, Roman Circuses. Arenas for Chariot Racing, 1986
Hunger, Literatur
H. HUNGER, Die hochsprachlich profane Literatur der Byzantiner (HdbA 12,5) 2 Bde., 1978
Hunger, Mythologie
H. HUNGER (Hrsg.), Lexikon der griechischen und römischen Mythologie, ⁶1969
Huss
W. HUSS, Geschichte der Karthager (HdbA III 8), 1985
HWdPh
J. RITTER, K. GRÜNDER (Hrsg.), Historisches Wörterbuch der Philosophie, 1971 ff.
HWdR
G. UEDING (Hrsg.), Historisches Wörterbuch der Rhetorik, 1992 ff.
HZ
Historische Zeitschrift
IA
Iranica Antiqua
IconRel
T.P. V. BAAREN (Hrsg.), Iconography of Religions, 1970 ff.
ICUR
A. FERRUA, G.B. DE ROSSI, Inscriptiones christianae urbis Romae
IDélos
Inscriptions de Délos, 1926 ff.
IDidyma
A. REHM (Hrsg.), Didyma Bd. 2: Die Inschriften, 1958
IEG
M.L. WEST (Hrsg.), Iambi et elegi graeci ante Alexandrum cantati 2 Bde., ²1989–92
IEJ
Israel Exploration Journal
IEph
Die Inschriften von Ephesos, Teil I–VII (= Inschriften griechischer Städte aus Kleinasien 11–17,4), 1979–1984
IER
Illustrierte Enzyklopädie der Renaissance
IEry
H. ENGELMANN (Hrsg.), Die Inschriften von Erythrai und Klazomenai 2 Bde., 1972 f.
IF
Indogermanische Forschungen
IG
Inscriptiones Graecae, 1873 ff.
IGA
H. ROEHL (Hrsg.), Inscriptiones Graecae antiquissimae praeter Atticas in Attica repertas, 1882, Ndr. 1977
IGBulg
G. MIHAILOV (Hrsg.), Inscriptiones Graecae in Bulgaria repertae 5 Bde., 1956–1996
IGLS
Inscriptions grecques et latines de la Syrie, 1929 ff.
IGR
R. CAGNAT u.a. (Hrsg.), Inscriptiones Graecae ad res Romanas pertinentes 4 Bde., 1906–27

IGUR
L. MORETTI, Inscriptiones graecae urbis Romae 4 Bde., 1968–90
IJCT
International Journal of the Classical Tradition
Ijsewijn
J. IJSEWIJN, Companion to Neo Latin Studies, ²1990 ff.
IK
Die Inschriften griechischer Städte aus Kleinasien, 1972 ff.
ILAlg
ST. GSELL, Inscriptions latines de l'Algérie, vol. 1, 1922 (Ndr. 1965); vol. 2 (ed. H. G. Pflaum), 1957
ILCV
E. DIEHL (Hrsg.), Inscriptiones Latinae Christianae Veteres orientis 3 Bde., 1925–31, Ndr. 1961; J. MOREAU, H.I. MARROU (Hrsg.), Suppl., 1967
ILLRP
A. DEGRASSI (Hrsg.), Inscriptiones latinae liberae rei publicae 2 Bde., 1957–63, Ndr. 1972
ILS
H. DESSAU (Hrsg.), Inscriptiones Latinae Selectae 3 Bde. in 5 Teilen, 1892–1916, Ndr. ⁴1974
IMagn.
O. KERN (Hrsg.), Die Inschriften von Magnesia am Mäander, 1900, Ndr. 1967
IMU
Italia medioevale e umanistica
Index
Index. Quaderni camerti di studi romanistici
InscrIt
A. DEGRASSI (Hrsg.), Inscriptiones Italiae, 1931 ff.
IOSPE
V. LATYSCHEW (Hrsg.), Inscriptiones antiquae orae septentrionalis ponti Euxini Graecae et Latinae 3 Bde., 1885–1901, Ndr. 1965
IPArk
G. THÜR, H. TAEUBER, Prozeßrechtliche Inschriften der griech. Poleis. Arkadien, 1994
IPerg
M. FRAENKEL (Hrsg.), Die Inschriften von Pergamon (Altertümer von Pergamon, Bd. 8,1 und 8,2), 1890 und 1895
IPNB
M. MAYRHOFER, R. SCHMITT (Hrsg.), Iranisches Personennamenbuch, 1979 ff.
IPQ
International Philosophical Quaterly
IPriene
F. HILLER VON GÄRTRINGEN, Inschriften von Priene, 1906
Irmscher
J. IRMSCHER (Hrsg.), Renaissance und Humanismus in Mittel- und Osteuropa, 1962
Isager/Skydsgaard
S. ISAGER, J.E. SKYDSGAARD, Ancient Greek Agriculture, An Introduction, 1992
Isis
Isis
IstForsch
Istanbuler Forschungen des Deutschen Archäologischen Instituts
Iura
IVRA, Rivista internazionale di diritto romano e antico
IvOl
W. DITTENBERGER, K. PURGOLD, Inschriften von Olympia, 1896, Ndr. 1966

Jaffé
P. Jaffé, Regesta pontificum Romanorum ab condita
ecclesia ad annum 1198 2 Bde., ²1985–88
JBAA
The Journal of the British Archaeological Association
JbAC
Jahrbuch für Antike und Christentum
JCS
Journal of Cuneiform Studies
JDAI
Jahrbuch des Deutschen Archäologischen Instituts
JEA
The Journal of Egyptian Archaeology
Jenkyns, DaD
R. Jenkyns, Dignity and Decadence: Classicism and the
Victorians, 1992
Jenkyns, Legacy
R. Jenkyns, The Legacy of Rome: A New Appraisal, 1992
JHAS
Journal for the History of Arabic Science
JHB
Journal of the History of Biology
JHM
Journal of the History of Medicine and Allied Sciences
JHPh
Journal of the History of Philosophy
JHS
Journal of Hellenic Studies
JLW
Jahrbuch für Liturgiewissenschaft
JMRS
Journal of Medieval and Renaissance Studies
JNES
Journal of Near Eastern Studies
JNG
Jahrbuch für Numismatik und Geldgeschichte
JÖAI
Jahreshefte des Österreichischen Archäologischen Instituts
Jones, Cities
A.H.M. Jones, The Cities of the Eastern Roman
Provinces, ²1971
Jones, Economy
A.H.M. Jones, The Roman Economy. Studies in Ancient
Economic and Administrative History, 1974
Jones, LRE
A.H.M. Jones, The Later Roman Empire 284–602.
A Social, Economic and Administrative Survey, 1964
Jones, RGL
A.H.M. Jones, Studies in Roman government and law,
1968
Jost
M. Jost, Sanctuaires et cultes d'Arcadie, 1985
JPh
Journal of Philosophy
JRGZ
Jahrbuch des Römisch-Germanischen Zentralmuseums
JRS
Journal of Roman Studies
Justi
F. Justi, Iranisches Namenbuch, 1895
JWG
Jahrbuch für Wirtschaftsgeschichte
JWI
Journal of the Warburg and Courtauld Institutes

Kadmos
Kadmos. Zeitschrift für vor- und frühgriechische
Epigraphik
KAI
H. Donner, W. Röllig, Kanaanaeische und
aramaeische Inschriften 3 Bde., ³1971–1976
Kajanto, Cognomina
I. Kajanto, The Latin Cognomina, 1965
Kajanto, Supernomina
I. Kajanto, Supernomina. A study in Latin epigraphy
(Commentationes humanarum litterarum 40,1), 1966
Kamptz
H. v. Kamptz, Homerische Personennamen. Sprachwis-
senschaftliche und historische Klassifikation (Diss.) 1956 =
H. v. Kamptz, Sprachwissenschaftliche und historische
Klassifikation der homerischen Personennamen, 1982
Karlowa
O. Karlowa, Römische Rechtsgeschichte 2 Bde.,
1885–1901
Kaser, AJ
M. Kaser, Das altrömische Jus. Studien zur Rechtsvor-
stellung und Rechtsgeschichte der Römer, 1949
Kaser, RPR
M. Kaser, Das römische Privatrecht (Rechtsgeschichte des
Altertums Teil 3, Bd. 3; HbdA Abt. 10, Teil 3, Bd. 3)
2 Bde., ²1971–75
Kaser, RZ
M. Kaser, Das römische Zivilprozessrecht (Rechtsge-
schichte des Altertums Teil 3, Bd. 4; HbdA Abt. 10, Teil 3,
Bd. 4), 1966
Kearns
E. Kearns, The Heroes of Attica, 1989 (BICS Suppl. 57)
Keller
O. Keller, Die antike Tierwelt 2 Bde., 1909–20, Ndr. 1963
Kelnhofer
F. Kelnhofer, Die topographische Bezugsgrundlage der
Tabula Imperii Byzantini (Denkschriften der Österreichi-
schen Akademie der Wissenschaften: Philosophisch-
Historische Klasse 125, Beih.; TIB 1, Beih.), 1976
Kienast
D. Kienast, Römische Kaisertabelle. Grundzüge einer
römischen Kaiserchronologie, ¹1990, ²1996
Kindler
W. Jens (Hrsg.), Kindlers Neues Literatur Lexikon
20 Bde., 1988–92
Kinkel
G. Kinkel (Hrsg.), Epicorum Graecorum Fragmenta,
1877
Kirsten/Kraiker
E. Kirsten, W. Kraiker, Griechenlandkunde. Ein
Führer zu klassischen Stätten, ⁵1967
Kleberg
T. Kleberg, Hôtels, restaurants et cabarets dans l'antiquité
Romaine. Études historiques et philologiques, 1957
Klio
Klio. Beiträge zur Alten Geschichte
KlP
K. Ziegler (Hrsg.), Der Kleine Pauly. Lexikon der
Antike 5 Bde., 1964–75, Ndr. 1979
Knobloch
J. Knobloch, u.a. (Hrsg.), Sprachwissenschaftliches
Wörterbuch (Indogermanische Bibliothek 2), 1986ff.
(1. Lfg. 1961)

Koch/Sichtermann
G. KOCH, H. SICHTERMANN, Römische Sarkophage, 1982
Koder
J. KODER, Der Lebensraum der Byzantiner. Historisch-geographischer Abriß ihres mittelalterlichen Staates im östlichen Mittelmeerraum, 1984
Koder/Hild
J. KODER, F. HILD, Hellas und Thessalia (Denkschriften der Österreichischen Akademie der Wissenschaften, Philosophisch-Historische Klasse 125; TIB 1), 1976
Kolb, Bauverwaltung
A. KOLB, Die kaiserliche Bauverwaltung in der Stadt Rom, 1993
Kraft
K. KRAFT, Gesammelte Aufsätze zur antiken Geschichte und Militärgeschichte, 1973
Kromayer/Veith
J. KROMAYER, G. VEITH, Heerwesen und Kriegführung der Griechen und Römer, 1928, Ndr. 1963
Krumbacher
K. KRUMBACHER, Geschichte der byzantinischen Litteratur von Justinian bis zum Ende des oströmischen Reiches (527–1453) (HdbA 9,1), ²1897, Ndr. 1970
KSd
J. FRIEDRICH (Hrsg.), Kleinasiatische Sprachdenkmäler (Kleine Texte für Vorlesungen und Übungen 163), 1932
KUB
Keilschrifturkunden von Boghazköi
Kühner/Blass
R. KÜHNER, F. BLASS, Ausführliche Grammatik der griechischen Sprache. Teil 1: Elementar- und Formenlehre 2 Bde., ³1890–92
Kühner/Gerth
R. KÜHNER, B. GERTH, Ausführliche Grammatik der griechischen Sprache. Teil 2: Satzlehre 2 Bde., ³1898–1904; W. M. CALDER III, Index locorum, 1965
Kühner/Holzweißig
R. KÜHNER, F. HOLZWEISSIG, Ausführliche Grammatik der lateinischen Sprache. Teil 1: Elementar-, Formen- und Wortlehre, ²1912
Kühner/Stegmann
R. KÜHNER, C. STEGMANN, Ausführliche Grammatik der lateinischen Sprache; Teil 2: Satzlehre 2 Bde., ⁴1962 (durchgesehen von A. THIERFELDER); G. S. SCHWARZ, R. L. WERTIS, Index locorum, 1980
Kullmann/Althoff
W. KULLMANN, J. ALTHOFF (Hrsg.), Vermittlung und Tradierung von Wissen in der griechischen Kultur, 1993
Kunkel
W. KUNKEL, Herkunft und soziale Stellung der Römischen Juristen, ²1967
KWdH
H. H. SCHMITT (Hrsg.), Kleines Wörterbuch des Hellenismus, ²1993
Lacey
W. K. LACEY, The Family in Classical Greece, 1968
LÄ
W. HELCK U. A. (Hrsg.), Lexikon der Ägyptologie 7 Bde., 1975–92 (1. Lfg. 1972)
LAK
H. BRUNNER, K. FLESSEL, F. HILLER U. A. (Hrsg.), Lexikon Alte Kulturen 3 Bde., 1990–93

Lanciani
R. LANCIANI, Forma urbis Romae, 1893–1901
Lange
C. C. L. LANGE, Römische Altertümer Bde. 1–2, ²1876–79; Bd. 3, 1876
Langosch
K. LANGOSCH, Mittellatein und Europa, 1990
Latomus
Latomus. Revue d'études latines
Latte
K. LATTE, Römische Religionsgeschichte (HdbA 5,4), 1960, Ndr. 1992
Lauffer, BL
S. LAUFFER, Die Bergwerkssklaven von Laureion, ²1979
Lauffer, Griechenland
S. LAUFFER (Hrsg.), Griechenland. Lexikon der historischen Stätten von den Anfängen bis zur Gegenwart, 1989
Lausberg
H. LAUSBERG, Handbuch der literarischen Rhetorik. Eine Grundlegung der Literaturwissenschaft, ³1990
LAW
C. ANDRESEN U. A. (Hrsg.), Lexikon der Alten Welt, 1965, Ndr. 1990
LCI
Lexikon der christlichen Ikonographie
LdA
J. IRMSCHER (Hrsg.), Lexikon der Antike, ¹⁰1990
Le Bohec
Y. LE BOHEC, L'armée romaine. Sous le Haut-Empire, 1989
Leitner
H. LEITNER, Zoologische Terminologie beim Älteren Plinius (Diss.) 1972
Leo
F. LEO, Geschichte der römischen Literatur. 1. Die archaische Literatur, 1913, Ndr. 1958
Lesky
A. LESKY, Geschichte der griechischen Literatur, ³1971, Ndr. 1993
Leumann
M. LEUMANN, Lateinische Laut- und Formenlehre (HdbA II 2,1), 1977
Leunissen (Konsuln)
P. M. M. LEUNISSEN, Konsuln und Konsulare in der Zeit von Commodus bis zu Alexander Severus (180–235 n.Chr.) (Dutch Monographs in Ancient History and Archaeology 6), 1989
Lewis/Short
C. T. LEWIS, C. SHORT, A Latin Dictionary, ²1980
LFE
B. SNELL (Hrsg.), Lexikon des frühgriechischen Epos, 1979ff. (1. Lfg. 1955)
LGPN
P. M. FRASER U. A. (Hrsg.), A Lexicon of Greek Personal Names, 1987ff.
Liebenam
W. LIEBENAM, Städteverwaltung im römischen Kaiserreich, 1900
Lietzmann
H. LIETZMANN, Geschichte der Alten Kirche, ⁴/⁵1975
LIMC
J. BOARDMAN U. A. (Hrsg.), Lexicon Iconographicum Mythologiae Classicae, 1981ff.

Lippold
 G. LIPPOLD, Die griechische Plastik (HdArch III), 1950
Lipsius
 J. H. LIPSIUS, Das attische Recht und Rechtsverfahren.
 Mit Benutzung des Attischen Processes 3 Bde., 1905–15,
 Ndr. 1984
Lloyd-Jones
 H. LLOYD-JONES, Blood for the Ghosts – Classical Influ-
 ences in the Nineteenth and Twentieth Centuries 1982
LMA
 R.-H. BAUTIER, R. AUTY (Hrsg.), Lexikon des Mittel-
 alters 7 Bde., 1980–93 (1. Lfg. 1977), 3. Bd.: Ndr. 1995
Lobel/Page
 E. LOBEL, D. PAGE (Hrsg.), Poetarum lesbiorum
 fragmenta, 1955 Ndr. 1968
Loewy
 E. LOEWY (Hrsg.), Inschriften griechischer Bildhauer,
 1885, Ndr. 1965
LPh
 T. SCHNEIDER, Lexikon der Pharaonen. Die altägyptischen
 Könige von der Frühzeit bis zur Römerherrschaft, 1994
LRKA
 Friedrich Lübkers Reallexikon des Klassischen Altertums,
 [8]1914
LSAG
 L. H. JEFFERY, The Local Scripts of Archaic Greece.
 A Study of the Origin of the Greek Alphabet and its
 Development from the Eighth to the Fifth Centuries
 B. C., [2]1990
LSAM
 F. SOKOLOWSKI, Lois sacrées de l'Asie mineure, 1955
LSCG
 F. SOKOLOWSKI, Lois sacrées des cités grecques, 1969
LSCG, Suppl
 F. SOKOLOWSKI, Lois sacrées des cités grecques,
 Supplément, 1962
LSJ
 H. G. LIDDELL, R. SCOTT, H. S. JONES u. a. (Hrsg.),
 A Greek-English Lexicon, [9]1940; Suppl. 1968, Ndr. 1992
LThK[2]
 J. HÖFER, K. RAHNER (Hrsg.), Lexikon für Theologie
 und Kirche 14 Bde., [2]1957–86
LThK[3]
 W. KASPER u. a. (Hrsg.), Lexikon für Theologie und
 Kirche, [3]1993 ff.
LTUR
 E. M. STEINBY (Hrsg.), Lexicon Topographicum Urbis
 Romae, 1993 ff.
LUA
 Lunds Universitets Arsskrift/Acta Universitatis Lundensis
Lugli, Fontes
 G. LUGLI (Hrsg.), Fontes ad topographiam veteris urbis
 Romae pertinentes, 6 von 8 Bden. teilw. erschienen,
 1952–62
Lugli, Monumenti
 G. LUGLI, I Monumenti antichi di Roma e suburbio
 3 Bde., 1930–38; Suppl. 1940
Lustrum
 Lustrum. Internationale Forschungsberichte aus dem
 Bereich des klassischen Altertums
M&H
 Mediaevalia et Humanistica. Studies in Medieval and
 Renaissance Society

MacDonald
 G. MACDONALD, Catalogue of Greek Coins in the Hun-
 terian Collection, University of Glasgow 3 Bde., 1899–1905
MacDowell
 D. M. MACDOWELL, The law in Classical Athens (Aspects
 of Greek and Roman life), 1978
MAev.
 Medium Aevum
Magie
 D. MAGIE, Roman Rule in Asia Minor to the End of the
 Third Century after Christ, 1950, Ndr. 1975
MAII
 Mosaici Antichi in Italia, 1967 ff.
MAMA
 Monumenta Asiae minoris Antiqua, 1927 ff.
Manitius
 M. MANITIUS, Geschichte der lateinischen Literatur des
 Mittelalters (HdbA 9,2) 3 Bde., 1911–31, Ndr. 1973–76
MarbWPr
 Marburger-Winckelmann-Programm
Marganne
 M. H. MARGANNE, Inventaire analytique des papyrus grecs
 de médicine, 1981
Marrou
 H.-I. MARROU, Geschichte der Erziehung im klassischen
 Altertum (Übersetzung der Histoire de l'éducation dans
 l'antiquité), [2]1977
Martinelli
 M. MARTINELLI (Hrsg.), La ceramica degli Etruschi, 1987
Martino, SCR
 F. DE MARTINO, Storia della costituzione romana 5 Bde.,
 [2]1972–75; Indici [2]1990
Martino, WG
 F. DE MARTINO, Wirtschaftsgeschichte des alten Rom,
 [2]1991
Masson
 O. MASSON, Les inscriptions chypriotes syllabiques.
 Recueil critique et commenté (Études chypriotes 1), [2]1983
Matz/Duhn
 F. MATZ, F. v. DUHN (Hrsg.), Antike Bildwerke in Rom
 mit Ausschluß der größeren Sammlungen 3 Bde., 1881 f.
MAVORS
 M. P. SPEIDEL (Hrsg.), Roman Army Researches 1984 ff.
MBAH
 Münsterische Beiträge zur antiken Handelsgeschichte
MDAI(A)
 Mitteilungen des Deutschen Archäologischen Instituts,
 Athenische Abteilung
MDAI(Dam)
 Damaszener Mitteilungen des Deutschen Archäologischen
 Instituts
MDAI(Ist)
 Istanbuler Mitteilungen des Deutschen Archäologischen
 Instituts
MDAI(K)
 Mitteilungen des Deutschen Archäologischen Instituts
 (Abteilung Kairo)
MDAI(R)
 Mitteilungen des Deutschen Archäologischen Instituts,
 Römische Abteilung
MDOG
 Mitteilungen der Deutschen Orient-Gesellschaft zu Berlin
MededRom
 Mededelingen van het Nederlands Historisch Instituut te
 Rome

Mediaevalia
Mediaevalia
Mediaevistik
Mediaevistik. Internationale Zeitschrift für interdisziplinäre Mittelalterforschung
MEFRA
Mélanges d'Archéologie et d'Histoire de l'École Française de Rome. Antiquité
Meiggs
R. MEIGGS, Trees and Timber in the Ancient Mediterranean World, 1982
Merkelbach/West
R. MERKELBACH, M. L. WEST (Hrsg.), Fragmenta Hesiodea, 1967
Mette
H.J. METTE, Urkunden dramatischer Aufführungen in Griechenland, 1977
MG
Monuments Grecs
MGG¹
F. BLUME (Hrsg.), Die Musik in Geschichte und Gegenwart. allgemeine Enzyklopädie der Musik 17 Bde., 1949–86, Ndr. 1989
MGG²
L. FINSCHER (Hrsg.), Die Musik in Geschichte und Gegenwart 20 Bde., ²1994 ff.
MGH
Monumenta Germaniae Historica inde ab anno Christi quingentesimo usque ad annum millesimum et quingentesimum, 1826 ff.
MGH AA
Monumenta Germaniae Historica: Auctores Antiquissimi
MGH DD
Monumenta Germaniae Historica: Diplomata
MGH Epp
Monumenta Germaniae Historica: Epistulae
MGH PL
Monumenta Germaniae Historica: Poetae Latini medii aevi
MGH SS
Monumenta Germaniae Historica: Scriptores
MGrecs
Monuments Grecs publiés par l'Association pour l'Encouragement des Études grecques en France 2 Bde., 1872–97
MH
Museum Helveticum
MiB
Musikgeschichte in Bildern
Millar, Emperor
F.G.B. MILLAR, The Emperor in the Roman World, 1977
Millar, Near East
F.G.B. MILLAR, The Roman Near East, 1993
Miller
K. MILLER, Itineraria Romana. Römische Reisewege an der Hand der Tabula Peutingeriana, 1916, Ndr. 1988
Millett
P. MILLETT, Lending and Borrowing in Ancient Athens, 1991
Minos
Minos
MIO
Mitteilungen des Instituts für Orientforschung
MIR
Moneta Imperii Romani. Österreichische Akademie der Wissenschaften. Veröffentlichungen der Numismatischen Kommission

Mitchell
S. MITCHELL, Anatolia. Land, men, and gods in Asia Minor 2 Bde., 1993
Mitteis
L. MITTEIS, Reichsrecht und Volksrecht in den östlichen Provinzen des römischen Kaiserreichs. Mit Beiträgen zur Kenntnis des griechischen Rechts und der spätrömischen Rechtsentwicklung, 1891, Ndr. 1984
Mitteis/Wilcken
L. MITTEIS, U. WILCKEN, Grundzüge und Chrestomathie der Papyruskunde, 1912, Ndr. 1978
ML
R. MEIGGS, D. LEWIS (Hrsg.), A Selection of Greek Historical Inscriptions to the End of the Fifth Century B.C., ²1988
MLatJb
Mittellateinisches Jahrbuch. Internationale Zeitschrift für Mediävistik
Mnemosyne
Mnemosyne. Bibliotheca Classica Batava
MNVP
Mitteilungen und Nachrichten des Deutschen Palästinavereins
MNW
H. MEIER u.a. (Hrsg.), Kulturwissenschaftliche Bibliographie zum Nachleben der Antike 2 Bde., 1931–38
Mollard-Besques
S. MOLLARD-BESQUES, Musée National du Louvre. Catalogue raisonné des figurines et reliefs en terre-cuite grecs, étrusques et romains 4 Bde., 1954–86
Momigliano
A. MOMIGLIANO, Contributi alla storia degli studi classici, 1955 ff.
Mommsen, Schriften
TH. MOMMSEN, Gesammelte Schriften 8 Bde., 1904–13, Ndr. 1965
Mommsen, Staatsrecht
TH. MOMMSEN, Römisches Staatsrecht 3 Bde., Bd. 1: ³1887, Bd. 2 f.: 1887 f.
Mommsen, Strafrecht
TH. MOMMSEN, Römisches Strafrecht, 1899, Ndr. 1955
Mon.Ant.ined.
Monumenti Antichi inediti
Moos
P.v. MOOS, Geschichte als Topik, 1988
Moraux
P. MORAUX, Der Aristotelismus bei den Griechen von Andronikos bis Alexander von Aphrodisias (Peripatoi 5 und 6) 2 Bde., 1973–84
Moreau
J. MOREAU, Dictionnaire de géographie historique de la Gaule et de la France, 1972; Suppl. 1983
Moretti
L. MORETTI (Hrsg.), Iscrizioni storiche ellenistiche 2 Bde., 1967–76
MP
Modern Philology
MPalerne
Mémoires du Centre Jean Palerne
MRR
T.R.S. BROUGHTON, The Magistrates of the Roman Republic 2 Bde., 1951–52; Suppl. 1986
MSG
C. JAN (Hrsg.), Musici scriptores Graeci, 1895; Suppl. 1899, Ndr. 1962

Müller
D. Müller, Topographischer Bildkommentar zu den
Historien Herodots: Griechenland im Umfang des heuti-
gen griechischen Staatsgebiets, 1987

Müller-Wiener
W. Müller-Wiener, Bildlexikon zur Topographie
Istanbuls, 1977

Münzer[1]
F. Münzer, Römische Adelsparteien und Adelsfamilien,
1920

Münzer[2]
F. Münzer, Römische Adelsparteien und Adelsfamilien,
[2]1963

Murray/Price
O. Murray, S. Price (Hrsg.), The Greek City: From
Homer to Alexander, 1990

Muséon
Muséon. Revue d'Études Orientales

MVAG
Mitteilungen der Vorderasiatischen (Ägyptischen) Gesellschaft

MVPhW
Mitteilungen des Vereins klassischer Philologen in Wien

MythGr
Mythographi Graeci 3 Bde., 1894–1902; Bd. 1: [2]1926

Nash
E. Nash, Bildlexikon zur Topographie des antiken Rom,
1961 f.

NC
Numismatic Chronicle

NClio
La Nouvelle Clio

NDB
Neue Deutsche Biographie, 1953 ff.; Bde. 1–6 Ndr. 1971

NEAEHL
E. Stern (Hrsg.), The new encyclopedia of archaeological excavations in the Holy Land 4 Bde., 1993

Neoph.
Neophilologus

Newald
R. Newald, Nachleben des antiken Geistes im Abendland
bis zum Beginn des Humanismus, 1960

NGrove
The New Grove Dictionary of Music and Musicians, [6]1980

NGroveInst
The New Grove Dictionary of Musical Instruments, 1984

NHCod
Nag Hammadi Codex

NHL
Neues Handbuch der Literaturwissenschaft. Bd. 1:
W. Röllig (Hrsg.), Altorientalische Literaturen, 1978; Bd.
2: E. Voigt (Hrsg.), Griechische Literatur, 1981; Bd. 3:
M. Fuhrmann (Hrsg.), Römische Literatur, 1974; Bd. 4:
L. J. Engels, H. Hofmann (Hrsg.), Spätantike, 1997; Bd.
5: W. Heinrichs (Hrsg.), Orientalisches Mittelalter, 1990

NHS
Nag Hammadi Studies

Nicolet
C. Nicolet, L' Ordre équestre à l'époque républicaine
312–43 av. J.-C. 2 Bde., 1966–74

Nilsson, Feste
M. P. Nilsson, Griechische Feste von religiöser Bedeutung mit Ausschluss der attischen, 1906

Nilsson, GGR
M. P. Nilsson, Geschichte der griechischen Religion
(HdbA 5,2), Bd. 1: [3]1967, Ndr. 1992; Bd. 2: [4]1988

Nilsson, MMR
M. P. Nilsson, The Minoan-Mycenaean Religion and
its Survival in Greek Religion, [2]1950

Nissen
H. Nissen, Italische Landeskunde 2 Bde., 1883–1902

Nock
A. D. Nock, Essays on Religion and the Ancient World,
1972

Noethlichs
K. L. Noethlichs, Beamtentum und Dienstvergehen.
Zur Staatsverwaltung in der Spätantike, 1981

Norden, Kunstprosa
E. Norden, Die antike Kunstprosa vom 6. Jh. v. Chr. bis
in die Zeit der Renaissance, [6]1961

Norden, Literatur
E. Norden, Die römische Literatur, [6]1961

NSA
Notizie degli scavi di antichità

NTM
Schriftenreihe für Geschichte der Naturwissenschaften,
Technik und Medizin

Nutton
V. Nutton, From Democedes to Harvey. Studies in the
history of medicine (Collected studies series 277), 1988

NZ
Numismatische Zeitschrift

OA
J. G. Baiter, H. Sauppe (Hrsg.), Oratores Attici 3 Teile,
1839–43

OBO
Orbis Biblicus et Orientalis

OCD
N. G. Hammond, H. H. Scullard (Hrsg.), The
Oxford Classical Dictionary, [2]1970

ODB
A. P. Kazhdan u. a. (Hrsg.), The Oxford Dictionary
of Byzantium, 1991 ff.

OF
O. Kern (Hrsg.), Orphicorum Fragmenta, [3]1972

OGIS
W. Dittenberger (Hrsg.), Orientis Graeci Inscriptiones
Selectae 2 Bde., 1903–05, Ndr. 1960

OLD
P. G. W. Glare (Hrsg.), Oxford Latin Dictionary, 1982
(1. Lfg. 1968)

OlF
Olympische Forschungen, 1941 ff.

Oliver
J. H. Oliver, Greek Constitutions of Early Roman
Emperors from Inscriptions and Papyri, 1989

Olivieri
D. Olivieri, Dizionario di toponomastica lombarda.
Nomi di comuni, frazioni, casali, monti, corsi d'acqua, ecc.
della regione lombarda, studiati in rapporto alla loro origine,
[2]1961

Olshausen/Biller/Wagner
E. Olshausen, J. Biller, J. Wagner, Historisch-
geographische Aspekte der Geschichte des Pontischen
und Armenischen Reiches. Untersuchungen zur historischen Geographie von Pontos unter den Mithradatiden
(TAVO 29) Bd. 1, 1984

OLZ
  Orientalistische Literaturzeitung
OpAth
  Opuscula Atheniensia, 1953 ff.
OpRom
  Opuscula Romana
ORF
  E. MALCOVATI, Oratorum Romanorum Fragmenta
  (Corpus scriptorum Latinorum Paravianum 56–58)
  3 Bde., 1930
Orientalia
  Orientalia, Neue Folge
Osborne
  R. OSBORNE, Classical Landscape with Figures:
  The Ancient Greek City and its Countryside, 1987
Overbeck
  J. OVERBECK, Die antiken Schriftquellen zur Geschichte
  der bildenden Künste bei den Griechen, 1868, Ndr. 1959
P   Papyruseditionen in der Regel nach
             E. G. TURNER, Greek Papyri. An Introduction,
             159–178
  Abinn.   H. I. Bell u.a. (Hrsg.), The Abinnaeus Archive.
             Papers of a Roman officer
             in the reign of Constantius II, 1962
  Bodmer   V. Martin, R. Kasser u.a. (Hrsg.),
             Papyrus Bodmer, 1954 ff.
  CZ   C. C. Edgar (Hrsg.), Zenon Papyri (Catalogue
             général des Antiquités égyptiennes du Musée du
             Caire) 4 Bde., 1925 ff.
  Hercul.   Papyri aus Herculaneum
  Lond.   F. G. Kenyon u.a. (Hrsg.), Greek
             Papyri in the British Museum 7 Bde., 1893–
             1974
  Mich.   C. C. Edgar, A. E. R. Boak, J. G. Winter u.a.
             (Hrsg.), Papyri in the University of Michigan
             Collection 13 Bde., 1931–1977
  Oxy.   B. P. Grenfell, A. S. Hunt u.a. (Hrsg.), The
             Oxyrhynchus Papyri, 1898 ff.
PA
  J. KIRCHNER, Prosopographia Attica 2 Bde., 1901–03,
  Ndr. 1966
Pack
  R. A. PACK (Hrsg.), The Greek and Latin Literary Texts
  from Greco-Roman Egypt, ²1965
Panofsky
  E. PANOFSKY, Renaissance und Renaissancen in Western
  Art, 1960
Pape/Benseler
  W. PAPE, G. E. BENSELER, Wörterbuch der griechischen
  Eigennamen 2 Bde., 1863–1870
PAPhS
  Proceedings of the American Philosophical Society
Parke
  H. W. PARKE, Festivals of the Athenians, 1977
Parke/Wormell
  H. W. PARKE, D. E. W. WORMELL, The Delphic Oracle,
  1956
PBSR
  Papers of the British School at Rome
PCA
  Proceedings of the Classical Association. London
PCG
  R. KASSEL, C. AUSTIN (Hrsg.), Poetae comici graeci,
  1983 ff.

PCPhS
  Proceedings of the Cambridge Philological Society
PdP
  La Parola del Passato
PE
  R. STILLWELL u.a. (Hrsg.), The Princeton Encyclopedia
  of Classical Sites, 1976
Peacock
  D. P. S. PEACOCK, Pottery in the Roman World: An
  Ethnoarchaeological Approach, 1982
PEG I
  A. BERNABÉ (Hrsg.), Poetae epici graeci. Testimonia et
  fragmenta. Pars I: 1987
Pfeiffer, KPI
  R. PFEIFFER, Geschichte der Klassischen Philologie. Von
  den Anfängen bis zum Ende des Hellenismus, ²1978
Pfeiffer, KPII
  R. PFEIFFER, Die Klassische Philologie von Petrarca bis
  Mommsen, 1982
Pfiffig
  A. J. PFIFFIG, Religio Etrusca, 1975
Pflaum
  H.-G. PFLAUM, Les carrières procuratoriennes équestres
  sous le Haut-Empire Romain 3 Bde. und Tafeln, 1960 f.,
  Supplément 1982
Pfuhl
  E. PFUHL, Malerei und Zeichnung der Griechen, 1923
Pfuhl/Möbius
  E. PFUHL, H. MÖBIUS, Die ostgriechischen Grabreliefs
  2 Bde., 1977–79
PG
  J. P. MIGNE (Hrsg.), Patrologiae cursus completus, series
  Graeca 161 Bde., 1857–1866; Conspectus auctorum 1882;
  Indices 2 Bde., 1912–32
PGM
  K. PREISENDANZ, A. HENRICHS (Hrsg.), Papyri Graecae
  Magicae. Die griechischen Zauberpapyri 2 Bde., ²1973 f.
  (1928–31)
Philippson/Kirsten
  A. PHILIPPSON, A. LEHMANN, E. KIRSTEN (Hrsg.),
  Die griechischen Landschaften. Eine Landeskunde 4 Bde.,
  1950–59
Philologus
  Philologus. Zeitschrift für klassische Philologie
PhQ
  Philological Quarterly
Phronesis
  Phronesis
PhU
  Philologische Untersuchungen
PhW
  Berliner Philologische Wochenschrift
Picard
  CH. PICARD, Manuel d'archéologie grecque. La sculpture,
  1935 ff.
Pickard-Cambridge/Gould/Lewis
  A. W. PICKARD-CAMBRIDGE, J. GOULD, D. M. LEWIS,
  The Dramatic Festivals of Athens, ²1988
Pickard-Cambridge/Webster
  A. W. PICKARD-CAMBRIDGE, T. B. L. WEBSTER,
  Dithyramb, Tragedy and Comedy, ²1962
Pigler, 1
  A. PIGLER, Barockthemen. Eine Auswahl von Verzeich-
  nissen zur Ikonographie des 17. und 18. Jahrhunderts.
  2 Bde., ²1974; Tafelbd., 1974

PIR
Prosopographia imperii Romani saeculi I, II, III 3 Bde.,
²1933 ff.
PISO, FPD
I. PISO, Fasti Provinciae Daciae Bd. 1: Die senatorischen
Amtsträger (Antiquitas 1,43), 1993
PL
J.P. MIGNE (Hrsg.), Patrologiae cursus completus, series
Latina 221 Bde., 1844–65 teilweise Ndr.; 5 Suppl.-Bde.,
1958–74; Index 1965
PLM
AE. BAEHRENS (Hrsg.), Poetae Latini Minores 5 Bde.,
1879–83
PLRE
A.H.M. JONES, J.R. MARTINDALE, J. MORRIS (Hrsg.),
The Prosopography of the Later Roman Empire 2 Bde.,
1971–80; Bd. 3, 1992
PMG
D.L. PAGE, Poetae melici graeci, 1962
PMGF
M. DAVIES (Hrsg.), Poetarum melicorum graecorum
fragmenta, 1991
PMGTr
H.D. BETZ (Hrsg.), The Greek Magical Papyri in
Translation, Including the Demotic Spells, ²1992
Poccetti
P. POCCETTI, Nuovi documenti italici a complemento del
manuale di E. Vetter (Orientamenti linguistici 8), 1979
Pökel
W. PÖKEL, Philologisches Schriftstellerlexikon, 1882,
Ndr. ²1974
Poetica
Poetica. Zeitschrift für Sprach- und Literaturwissenschaft
Pokorny
J. POKORNY, Indogermanisches etymologisches Wörter-
buch 2 Bde., ²1989
Poulsen
F. POULSEN, Catalogue of Ancient Sculpture in the
Ny Carlsberg Glyptotek, 1951
PP
W. PEREMANS (Hrsg.), Prosopographia Ptolemaica
(Studia hellenistica) 9 Bde., 1950–81, Ndr. Bd. 1–3, 1977
PPM
Pompei, Pitture e Mosaici, 1990 ff.
Praktika
Πρακτικά της εν Αθήναις αρχαιολογικάς εταιρείας
Préaux
C. PRÉAUX, L'économie royale des Lagides, 1939,
Ndr. 1980
Preller/Robert
L. PRELLER, C. ROBERT, Griechische Mythologie,
⁵1964 ff.
Pritchett
K. PRITCHETT, Studies in Ancient Greek Topography
(University of California publications. Classical Studies)
8 Bde., 1969–92
PropKg
K. BITTEL u.a. (Hrsg.), Propyläen Kunstgeschichte
22 Bde., 1966–80, Ndr. 1985
Prosdocimi
A.L. PROSDOCIMI, M. CRISTOFANI, Lingue e dialetti
dell'Italia antica, 1978; A. MARINETTI, Aggiornamenti ed
Indici, 1984

PrZ
Prähistorische Zeitschrift
PSI
G. .VITELLI, M. NORSA, V. BARTOLETTI u.a. (Hrsg.), Pa-
piri greci e latini (Pubblicazione della Soc. Italiana per la
ricerca dei pap. greci e latini in Egitto), 1912 ff.
QSt
Quellen und Studien zur Geschichte und Kultur des
Altertums und des Mittelalters
Quasten
J. QUASTEN, Patrology 2 Bde., 1950–53
RA
Revue Archéologique
Rabe
H. RABE (Hrsg.), Rhetores Graeci, Bde. 6, 10, 14–16,
1892–1931
RAC
T. KLAUSER, E. DASSMANN (Hrsg.), Reallexikon für
Antike und Christentum. Sachwörterbuch zur Auseinan-
dersetzung des Christentums mit der antiken Welt, 1950 ff.
(1. Lfg. 1941)
RACr
Rivista di Archeologia Cristiana
Radermacher
L. RADERMACHER (Hrsg.), Artium Scriptores. Reste der
voraristotelischen Rhetorik, 1951
Radke
G. RADKE, Die Götter Altitaliens, ²1979
Raepsaet-Charlier
M.-T. RAEPSAET-CHARLIER, Prosopographie des
femmes de l'ordre sénatorial (I. – II. siècles) (Fonds
René Draguet 4) 2 Bde., 1987
RÄRG
H. BONNET, Reallexikon der ägyptischen Religions-
geschichte, ²1971
RAL
Rendiconti della Classe di Scienze morali, storiche e
filologiche dell'Academia dei Lincei
Ramsay
W.M. RAMSAY, The Cities and Bishoprics of Phrygia
2 Bde., 1895–97
RAssyr
Revue d'assyriologie et d'archéologie orientale
Rawson, Culture
E. RAWSON, Roman Culture and Society. Collected
Papers, 1991
Rawson, Family
B. RAWSON (Hrsg.), The Family in Ancient Rome.
New Perspectives, 1986
RB
P. WIRTH (Hrsg.), Reallexikon der Byzantinistik, 1968 ff.
RBA
Revue Belge d'archéologie et d'histoire de l'art
RBi
Revue biblique
RBK
K. WESSEL, M. RESTLE (Hrsg.), Reallexikon zur
byzantinischen Kunst, 1966 ff. (1. Lfg. 1963)
RBN
Revue Belge de numismatique
RBPh
Revue Belge de philologie et d'histoire
RDAC
Report of the Department of Antiquities, Cyprus

RDK
 O. Schmitt (Hrsg.), Reallexikon zur deutschen Kunst-
 geschichte, 1937 ff.
RE
 G. Wissowa u. a. (Hrsg.), Paulys Real-Encyclopädie der
 classischen Altertumswissenschaft, Neue Bearbeitung,
 1893–1980; C. Frateantonio, M. Kopp, D. Sigel et.
 al., Gesamtregister I. Alphabetischer Teil, 1997
REA
 Revue des études anciennes
REByz
 Revue des études byzantines
REG
 Revue des études grecques
Rehm
 W. Rehm, Griechentum und Goethezeit, ³1950, ⁴1969
Reinach, RP
 S. Reinach, Répertoire de peintures greques et romaines,
 1922
Reinach, RR
 S. Reinach, Répertoire de reliefs grecs et romains 3 Bde.,
 1909–12
Reinach, RSt
 S. Reinach, Répertoire de la statuaire greque et romaine
 6 Bde., 1897–1930, Ndr. 1965–69
REL
 Revue des études latines
Rer.nat.scr.Gr.min.
 O. Keller (Hrsg.), Rerum naturalium scriptores Graeci
 minores, 1877
Reynolds
 L.D. Reynolds (Hrsg.), Texts and Transmission:
 A Survey of the Latin Classics, 1983
Reynolds/Wilson
 L.D. Reynolds, N.G. Wilson, Scribes and Scholars.
 A Guide to the Transmission of Greek and Latin Literature,
 ³1991
RFIC
 Rivista di filologia e di istruzione classica
RG
 W. H. Waddington, E. Babelon, Recueil général des
 monnaies grecques d'Asie mineure (Subsidia epigraphica 5)
 2 Bde., 1908–1925, Ndr. 1976
RGA
 H. Beck u. a. (Hrsg.), Reallexikon der germanischen
 Altertumskunde, ²1973 ff. (1. Lfg. 1968), Ergänzungsbde.
 1986 ff.
RGG
 K. Galling (Hrsg.), Die Religion in Geschichte
 und Gegenwart. Handwörterbuch für Theologie und
 Religionswissenschaft 7 Bde., ³1957–65, Ndr. 1986
RGRW
 Religion in the Graeco-Roman World
RGVV
 Religionsgeschichtliche Versuche und Vorarbeiten
RH
 Revue historique
RHA
 Revue hittite et asianique
RhM
 Rheinisches Museum für Philologie
Rhodes
 P.J. Rhodes, A commentary on the Aristotelian
 Athenaion Politeia, ²1993

RHPhR
 Revue d'histoire et de philosophie religieuses
RHR
 Revue de l'histoire des religions
RHS
 Révue historique des Sciences et leurs applications
RIA
 Rivista dell'Istituto nazionale d'archeologia e storia dell'arte
RIC
 H. Mattingly, E.A. Sydenham, The Roman Imperial
 Coinage 10 Bde., 1923–94
Richardson
 L. Richardson (jr.), A New Topographical Dictionary
 of Ancient Rome, 1992
Richter, Furniture
 G.M.A. Richter, The Furniture of the Greeks, Etruscans
 and Romans, 1969
Richter, Korai
 G.M.A. Richter, Korai. Archaic Greek Maidens, 1968
Richter, Kouroi
 G.M.A. Richter, Kouroi. Archaic Greek Youths, ³1970
Richter, Portraits
 G.M.A. Richter, The Portraits of the Greeks
 3 Bde. und Suppl., 1965–72
RIDA
 Revue internationale des droits de l'antiquité
RIG
 P.-M. Duval (Hrsg.), Recueil des inscriptions gauloises,
 1985 ff.
RIL
 Rendiconti dell'Istituto Lombardo, classe di lettere, scienze
 morali e storiche
Rivet
 A.L.F. Rivet, Gallia Narbonensis with a Chapter on Alpes
 Maritimae. Southern France in Roman Times, 1988
Rivet/Smith
 A.L.F. Rivet, C. Smith, The Place-Names of Roman
 Britain, 1979
Rix, HGG
 H. Rix, Historische Grammatik des Griechischen, ²1992
RLA
 E. Ebeling u. a. (Hrsg.), Reallexikon der Assyriologie
 und vorderasiatischen Archäologie, 1928 ff.
RLV
 M. Ebert (Hrsg.), Reallexikon der Vorgeschichte
 15 Bde., 1924–32
RMD
 M.M. Roxan, Roman military diplomas (Occasional
 Publications of the Institute of Archaeology of the Univer-
 sity of London 2 and 9) Bd. 1: (1954–77), 1978; Bd. 2:
 (1978–84), 1985
RN
 Revue numismatique
Robert, OMS
 L. Robert, Opera minora selecta 7 Bde., 1969–90
Robert, Villes
 L. Robert, Villes d'Asie Mineure. Études de géographie
 ancienne, ²1962
Robertson
 A.S. Robertson, Roman Imperial Coins in the Hunter
 Coin Cabinet, University of Glasgow 5 Bde., 1962–82
Rohde
 E. Rohde, Psyche. Seelenkult und Unsterblichkeitsglaube
 der Griechen ²1898, Ndr. 1991

Roscher
>W.H. ROSCHER, Ausführliches Lexikon der griechischen und römischen Mythologie 6 Bde., ³1884–1937, Ndr. 1992f.; 4 Suppl.-Bde. 1893–1921

Rostovtzeff, Hellenistic World
>M.I. ROSTOVTZEFF, The Social and Economic History of the Hellenistic World, ²1953

Rostovtzeff, Roman Empire
>M.I. ROSTOVTZEFF, The Social and Economic History of the Roman Empire, ²1957

Rotondi
>G. ROTONDI, Leges publicae populi Romani. Elenco cronologico con una introduzione sull' attività legislativa dei comizi romani, 1912, Ndr. 1990

RPAA
>Rendiconti della Pontificia Accademia di Archeologia

RPC
>A. BURNETT, M. AMANDRY, P.P. RIPOLLÈS (Hrsg.), Roman Provincial Coinage, 1992 ff.

RPh
>Revue de philologie

RQ
>Renaissance Quarterly

RQA
>Römische Quartalsschrift für christliche Altertumskunde und für Kirchengeschichte

RRC
>M. CRAWFORD, Roman Republican Coinage, 1974, Ndr. 1991

RSC
>Rivista di Studi Classici

Rubin
>B. RUBIN, Das Zeitalter Iustinians, 1960

Ruggiero
>E. DE RUGGIERO, Dizionario epigrafico di antichità romana, 1895 ff.; Bd. 1–3, Ndr. 1961 f.

Saeculum
>Saeculum. Jahrbuch für Universalgeschichte

Saller
>R. SALLER, Personal Patronage under the Early Empire, 1982

Salomies
>O. SALOMIES, Die römischen Vornamen. Studien zur römischen Namengebung (Commentationes humanarum litterarum 82), 1987

Salomies, Nomenclature
>O. SALOMIES, Adoptive and polyonymous nomenclature in the Roman Empire, 1992

Samuel
>A.E. SAMUEL, Greek and Roman Chronology. Calendars and years in classical antiquity (HdbA I 7), 1972

Sandys
>J.E. SANDYS, A History of Classical Scholarship 3 Bde., ²1906–21, Ndr. 1964

SAWW
>Sitzungsberichte der Österreichischen Akademie der Wissenschaften in Wien

SB
>Sammelbuch griechischer Urkunden aus Ägypten (Inschriften und Papyri) Bde. 1–2: F. PREISIGKE (Hrsg.), 1913–22; Bd. 3–5: F. BILABEL (Hrsg.), 1926–34

SBAW
>Sitzungsberichte der Bayerischen Akademie der Wissenschaften

SCCGF
>J. DEMIAŃCZUK (Hrsg.), Supplementum comicum comoediae Graecae fragmenta, 1912

Schachter
>A. SCHACHTER, The Cults of Boiotia 4 Bde., 1981–94

Schäfer
>A. SCHÄFER, Demosthenes und seine Zeit 3 Bde., ²1885–87, Ndr. 1967

Schanz/Hosius
>M. SCHANZ, C. HOSIUS, G. KRÜGER, Geschichte der römischen Literatur bis zum Gesetzgebungswerk des Kaisers Justinian (HdbA 8), Bd. 1: ⁴1927, Ndr. 1979; Bd. 2: ⁴1935, Ndr. 1980; Bd. 3: ³1922, Ndr. 1969; Bd. 4,1: ²1914, Ndr. 1970; Bd. 4,2: 1920, Ndr. 1971

Scheid, Collège
>J. SCHEID, Le collège des frères arvales. Étude prosopographique du recrutement (69 – 304) (Saggi di storia antica 1), 1990

Scheid, Recrutement (Frères)
>J. SCHEID, Les frères arvales. Recrutement et origine sociale sous les empereurs julio-claudiens (Bibliothèque de l'École des Hautes Études, Section des Sciences Religieuses 77), 1975

Schlesier
>R. SCHLESIER, Kulte, Mythen und Gelehrte – Anthropologie der Antike seit 1800, 1994

Schmid/Stählin I
>W. SCHMID, O. STÄHLIN, Geschichte der griechischen Literatur. Erster Teil: Die klassische Periode der griechischen Literatur (HdbA VII 1) 5 Bde., 1929–48, Ndr. 1961–80

Schmid/Stählin II
>W. CHRIST, W. SCHMID, O. STÄHLIN, Geschichte der griechischen Litteratur bis auf die Zeit Justinians. Zweiter Theil: Die nachklassische Periode der griechischen Litteratur (HdbA VII 2) 2 Bde., ⁶1920–24, Ndr. 1961–81

Schmidt
>K.H. SCHMIDT, Die Komposition in gallischen Personennamen, in: Zeitschrift für celtische Philologie 26, 1957, 33–301 = (Diss.), 1954

Schönfeld
>M. SCHÖNFELD, Wörterbuch der altgermanischen Personen- und Völkernamen (Germanische Bibliothek Abt. 1 Reihe 4, 2), 1911, Ndr. ²1965

ScholiaIl
>H. ERBSE (Hrsg.), Scholia graeca in Homeri Iliadem (Scholia vetera) 7 Bde., 1969–88

SChr
>Sources Chrétiennes 300 Bde., 1942–82

Schrötter
>F. v. SCHRÖTTER (Hrsg.), Wörterbuch der Münzkunde, ²1970

Schürer
>E. SCHÜRER, G. VERMÈS, The history of the Jewish people in the age of Jesus Christ (175 B.C. – A.D. 135) 3 Bde., 1973–87

Schulten, Landeskunde
>A. SCHULTEN, Iberische Landeskunde. Geographie des antiken Spanien 2 Bde., 1955–57 (Übersetzung der spanischen Ausgabe von 1952)

Schulz
>F. SCHULZ, Geschichte der römischen Rechtswissenschaft, 1961, Ndr. 1975

Schulze
>W. SCHULZE, Zur Geschichte lateinischer Eigennamen, 1904

Schwyzer, Dial.
> E. SCHWYZER (Hrsg.), Dialectorum graecarum exempla epigraphica potiora, ³1923

Schwyzer, Gramm.
> E. SCHWYZER, Griechische Grammatik Bd. 1: Allgemeiner Teil. Lautlehre, Wortbildung, Flexion (HdbA II 1,1), 1939

Schwyzer/Debrunner
> E. SCHWYZER, A. DEBRUNNER, Griechische Grammatik Bd. 2: Syntax und syntaktische Stilistik (HdbA II 1,2), 1950; D.J. GEORGACAS, Register zu beiden Bänden, 1953; F. RADT, S. RADT, Stellenregister, 1971

Scullard
> H.H. SCULLARD, Festivals and Ceremonies of the Roman Republic, 1981

SDAW
> Sitzungsberichte der Deutschen Akademie der Wissenschaften zu Berlin

SDHI
> Studia et documenta historiae et iuris

SE
> Studi Etruschi

Seeck
> O. SEECK, Regesten der Kaiser und Päpste für die Jahre 311 bis 476 n. Chr. Vorarbeiten zu einer Prosopographie der christlichen Kaiserzeit, 1919, Ndr. 1964

SEG
> Supplementum epigraphicum Graecum, 1923 ff.

Seltman
> C. SELTMAN, Greek Coins. A History of Metallic Currency and Coinage down to the Fall of the Hellenistic Kingdoms, ²1965

Sezgin
> F. SEZGIN, Geschichte des arabischen Schrifttums, Bd. 3: Medizin, Pharmazie, Zoologie, Tierheilkunde bis ca. 430 H., 1970

SGAW
> Sitzungsberichte der Göttinger Akademie der Wissenschaften

SGDI
> H. COLLITZ u.a. (Hrsg.), Sammlung der griechischen Dialekt-Inschriften 4 Bde., 1884–1915

SGLG
> K. ALPERS, H. ERBSE, A. KLEINLOGEL (Hrsg.), Sammlung griechischer und lateinischer Grammatiker 7 Bde., 1974–88

SH
> H. LLOYD-JONES, P. PARSONS (Hrsg.), Supplementum hellenisticum, 1983

SHAW
> Sitzungsberichte der Heidelberger Akademie der Wissenschaften

Sherk
> R.K. SHERK, Roman Documents from the Greek East: Senatus Consulta and Epistulae to the Age of Augustus, 1969

SicA
> Sicilia archeologica

SIFC
> Studi italiani di filologia classica

SiH
> Studies in the Humanities

Simon, GG
> E. SIMON, Die Götter der Griechen, ⁴1992

Simon, GR
> E. SIMON, Die Götter der Römer, 1990

SLG
> D. PAGE (Hrsg.), Supplementum lyricis graecis, 1974

SM
> Schweizer Münzblätter

SMEA
> Studi Micenei ed Egeo-Anatolici

Smith
> W.D. SMITH, The Hippocratic tradition (Cornell publications in the history of science), 1979

SMSR
> Studi e materiali di storia delle religioni

SMV
> Studi mediolatini e volgari

SNG
> Sylloge Nummorum Graecorum

SNR
> Schweizerische Numismatische Rundschau

Solin/Salomies
> H. SOLIN, O. SALOMIES, Repertorium nominum gentilium et cognominum Latinorum (Alpha – Omega: Reihe A 80), ²1994

Sommer
> F. SOMMER, Handbuch der lateinischen Laut- und Formenlehre. Eine Einführung in das sprachwissenschaftliche Studium des Latein (Indogermanische Bibliothek Abt. 1 Reihe 1 Bd. 3, Teil 1), ²/³1914

Sommer/Pfister
> F. SOMMER, R. PFISTER, Handbuch der lateinischen Laut- und Formenlehre I, ²1977

Soustal, Nikopolis
> P. SOUSTAL, Nikopolis und Kephallenia (Denkschriften der Österreichischen Akademie der Wissenschaften, Philosophisch-Historische Klasse 150; TIB 3), 1981

Soustal, Thrakien
> P. SOUSTAL, Thrakien. Thrake, Rodope und Haimimontos (Denkschriften der Österreichischen Akademie der Wissenschaften, Philosophisch-Historische Klasse 221; TIB 6), 1991

Sovoronos
> J.N. SOVORONOS, Das Athener Nationalmuseum 3 Bde., 1908–37

Spec.
> Speculum

Spengel
> L. SPENGEL (Hrsg.), Rhetores Graeci 3 Bde., 1853–56, Ndr. 1966

SPrAW
> Sitzungsberichte der Preußischen Akademie der Wissenschaften

SSAC
> Studi storici per l'antichità classica

SSR
> G. GIANNANTONI (Hrsg.), Socratis et Socraticorum Reliquiae, 4 Bde., 1990

Staden
> H. V. STADEN, Herophilus: The Art of Medicine in Early Alexandria, 1989

Stein, Präfekten
> A. STEIN, Die Präfekten von Ägypten in der römischen Kaiserzeit (Dissertationes Bernenses Series 1, 1), 1950

Stein, Spätröm.R.
> E. STEIN, Geschichte des spätrömischen Reiches Bd. 1, 1928; frz. 1959; Bd. 2 nur frz., 1949

Stewart
A. Stewart, Greek sculpture. An exploration 2 Bde., 1990
StM
Studi Medievali
Strong/Brown
D. Strong, D. Brown (Hrsg.), Roman Crafts, 1976
StV
Die Staatsverträge des Altertums Bd. 2: H. Bengtson,
R. Werner (Hrsg.), Die Verträge der griechisch-römi-
schen Welt von 700 bis 338, ²1975; Bd. 3: H.H. Schmitt
(Hrsg.), Die Verträge der griechisch-römischen Welt 338
bis 200 v. Chr., 1969
SVF
J. v. Arnim (Hrsg.), Stoicorum veterum fragmenta
3 Bde., 1903–05, Index 1924, Ndr. 1964
Syll.²
W. Dittenberger, Sylloge inscriptionum Graecarum
3 Bde., ²1898–1909
Syll.³
F. Hiller von Gaertringen u.a. (Hrsg.), Sylloge
inscriptionum Graecarum 4 Bde., ³1915–24, Ndr. 1960
Syme, AA
R. Syme, The Augustan Aristocracy, 1986
Syme, RP
E. Badian (Bde. 1,2), A.R. Birley (Bde. 3–7) (Hrsg.)
R. Syme, Roman Papers 7 Bde., 1979–91
Syme, RR
R. Syme, The Roman Revolution 1939
Syme, Tacitus
R. Syme, Tacitus 2 Bde., 1958
Symposion
Symposion, Akten der Gesellschaft für Griechische und
Hellenistische Rechtsgeschichte
Syria
Syria. Revue d'art oriental et d'archéologie
TAM
Tituli Asiae minoris, 1901 ff.
TAPhA
Transactions and Proceedings of the American Philological
Association
Taubenschlag
R. Taubenschlag, The law of Greco-Roman Egypt in
the light of the papyri: 332 B. C. – 640 A. D., ²1955
TAVO
H. Brunner, W. Röllig (Hrsg.), Tübinger Atlas des
Vorderen Orients, Beihefte, Teil B: Geschichte, 1969 ff.
TeherF
Teheraner Forschungen
TGF
A. Nauck (Hrsg.), Tragicorum Graecorum Fragmenta,
²1889, 2. Ndr. 1983
ThGL
H. Stephanus, C.B. Hase, W. und L. Dindorf u.a.
(Hrsg.), Thesaurus graecae linguae, 1831 ff., Ndr. 1954
ThlL
Thesaurus linguae Latinae, 1900 ff.
ThlL, Onom.
Thesaurus linguae Latinae, Supplementum onomasticon.
Nomina propria Latina Bd. 2 (C – Cyzistra), 1907–1913;
Bd. 3 (D – Donusa), 1918–1923
ThLZ
Theologische Literaturzeitung. Monatsschrift für das
gesamte Gebiet der Theologie und Religionswissenschaft

Thomasson
B.E. Thomasson, Laterculi Praesidium 3 Bde.
in 5 Teilen, 1972–1990
Thomasson, Fasti Africani
B.E. Thomasson, Fasti Africani. Senatorische und ritter-
liche Amtsträger in den römischen Provinzen Nordafrikas
von Augustus bis Diokletian, 1996
Thumb/Kieckers
A. Thumb, E. Kieckers, Handbuch der griechischen
Dialekte (Indogermanische Bibliothek Abt. 1 Reihe 1 Teil
1), ²1932
Thumb/Scherer
A. Thumb, A. Scherer, Handbuch der griechischen
Dialekte (Indogermanische Bibliothek Abt. 1 Reihe 1
Teil 2), ²1959
ThWAT
G.J. Botterweck, H.-J. Fabry (Hrsg.), Theologisches
Wörterbuch zum Alten Testament, 1973 ff.
ThWB
G. Kittel, G. Friedrich (Hrsg.), Theologisches Wör-
terbuch zum Neuen Testament 11 Bde., 1933–79, Ndr. 1990
TIB
H. Hunger (Hrsg.), Tabula Imperii Byzantini 7 Bde.,
1976–1990; Bd. 9, 1996
Timm
S. Timm, Das christlich-koptische Ägypten in arabischer
Zeit. Eine Sammlung christlicher Stätten in Ägypten in
arabischer Zeit, unter Ausschluß von Alexandria, Kairo,
des Apa-Mena-Klosters (Der Abu Mina), des Sketis
(Wadi n-Natrun) und der Sinai-Region (TAVO 41)
6 Teile, 1984–92
TIR
Tabula Imperii Romani, 1934
TIR/IP
Y. Tsafrir, L. Di Segni, J. Green, Tabula Imperii
Romani. Iudaea – Palaestina. Eretz Israel in the Hellenistic,
Roman and Byzantine Periods, 1994
Tod
M.N. Tod (Hrsg.), A Selection of Greek Historical
Inscriptions to the End of the Fifth Century BC Bd. 1,
²1951, Ndr. 1985; Bd. 2, ²1950
Tovar
A. Tovar, Iberische Landeskunde 2: Die Völker und
Städte des antiken Hispanien Bd. 1: Baetica, 1974;
Bd. 2: Lusitanien, 1976; Bd. 3: Tarraconensis, 1989
Toynbee, Hannibal
A.J. Toynbee, Hannibal's legacy. The Hannibalic war's
effects on Roman life 2 Bde., 1965
Toynbee, Tierwelt
J.M.C. Toynbee, Tierwelt der Antike, 1983
TPhS
Transactions of the Philological Society Oxford
Traill, Attica
J.S. Traill, The political organization of Attica, 1975
Traill, PAA
J.S. Traill, Persons of ancient Athens, 1994 ff.
Travlos, Athen
J. Travlos, Bildlexikon zur Topographie des antiken
Athen, 1971
Travlos, Attika
J. Travlos, Bildlexikon zur Topographie des antiken
Attika, 1988
TRE
G. Krause, G. Müller (Hrsg.), Theologische Real-
enzyklopädie, 1977 ff. (1. Lfg. 1976)

Treggiari
S. TREGGIARI, Roman Marriage. Iusti Coniuges from the
Time of Cicero to the Time of Ulpian, 1991
Treitinger
O. TREITINGER, Die Ostroemische Kaiser- und Reichsidee
nach ihrer Gestaltung im hoefischen Zeremoniell, 1938,
Ndr. 1969
Trendall, Lucania
A.D. TRENDALL, The Red-figured Vases of Lucania, Cam-
pania and Sicily, 1967
Trendall, Paestum
A.D. TRENDALL, The Red-figured Vases of Paestum, 1987
Trendall/Cambitoglou
A.D. TRENDALL, A. CAMBITOGLOU, The Red-figured
Vases of Apulia 2 Bde., 1978–82
TRF
O. RIBBECK (Hrsg.), Tragicorum Romanorum
Fragmenta, ²1871, Ndr. 1962
TRG
Tijdschrift voor rechtsgeschiedenis
TrGF
B. SNELL, R. KANNICHT, ST. RADT (Hrsg.), Tragi-
corum graecorum fragmenta Bd. 1, ²1986; Bde. 2–4,
1977–85
Trombley
F.R. TROMBLEY, Hellenic Religion and Christianization c.
370–529 (Religions in the Graeco-Roman world 115)
2 Bde., 1993f.
TU
Texte und Untersuchungen zur Geschichte der altchrist-
lichen Literatur
TUAT
O. KAISER (Hrsg.), Texte aus der Umwelt des Alten
Testaments, 1985ff. (1. Lfg. 1982)
TZ
Trierer Zeitschrift für Geschichte und Kunst des Trierer
Landes und seiner Nachbargebiete. Trier, Rheinisches Lan-
desmuseum
TürkAD
Türk arkeoloji dergisi
Ullmann
M. ULLMANN, Die Medizin im Islam, 1970
UPZ
U. WILCKEN (Hrsg.), Urkunden der Ptolemäerzeit
(Ältere Funde) 2 Bde., 1927–57
v. Haehling
R. v. HAEHLING, Die Religionszugehörigkeit der hohen
Amtsträger des Römischen Reiches seit Constantins I.
Alleinherrschaft bis zum Ende der Theodosianischen
Dynastie (324–450 bzw. 455 n.Chr.) (Antiquitas 3,23),
1978
VDI
Vestnik Drevnej Istorii
Ventris/Chadwick
M. VENTRIS, J. CHADWICK, Documents in Mycenean
Greek, ²1973
Vetter
E. VETTER, Handbuch der italischen Dialekte, 1953
VIR
Vocabularium iurisprudentiae Romanae 5 Bde., 1903–39
VisRel
Visible Religion
Vittinghoff
F. VITTINGHOFF (Hrsg.), Europäische Wirtschafts- und
Sozialgeschichte in der römischen Kaiserzeit, 1990

VL
W. STAMMLER, K. LANGOSCH, K. RUH u.a. (Hrsg.),
Die deutsche Literatur des Mittelalters. Verfasserlexikon,
²1978ff.
Vogel-Weidemann
U. VOGEL-WEIDEMANN, Die Statthalter von Africa und
Asia in den Jahren 14–68 n.Chr. Eine Untersuchung zum
Verhältnis von Princeps und Senat (Antiquitas 1,31), 1982
VT
Vetus Testamentum. Quarterly Published by the Inter-
national Organization of Old Testament Scholars
Wacher
R. WACHER (Hrsg.), The Roman World 2 Bde., 1987
Wachter
R. WACHTER, Altlateinische Inschriften, 1987
Walde/Hofmann
A. WALDE, J.B. HOFMANN, Lateinisches etymologisches
Wörterbuch 3 Bde., ³1938–56
Walde/Pokorny
A. WALDE, J. POKORNY (Hrsg.), Vergleichendes
Wörterbuch der indogermanischen Sprachen 3 Bde.,
1927–32, Ndr. 1973
Walz
C. WALZ (Hrsg.), Rhetores Graeci 9 Bde., 1832–36,
Ndr. 1968
WbMyth
H.W. HAUSSIG (Hrsg.), Wörterbuch der Mythologie,
Abt. I: Die alten Kulturvölker, 1965ff.
Weber
W. WEBER, Biographisches Lexikon zur Geschichtswissen-
schaft in Deutschland, Österreich und der Schweiz, ²1987
Wehrli, Erbe
F. WEHRLI (Hrsg.), Das Erbe der Antike, 1963
Wehrli, Schule
F. WEHRLI (Hrsg.), Die Schule des Aristoteles 10 Bde.,
1967–69; 2 Suppl.-Bde., 1974–78
Welles
C.B. WELLES, Royal Correspondence in the Hellenistic
Period: A Study in Greek Epigraphy, 1934
Wellmann
M. WELLMANN (Hrsg.), Pedanii Dioscuridis de materia
medica, Bd. 1, 1907; Bd. 2, 1906; Bd. 3, 1914; Ndr. 1958
Wenger
L. WENGER, Die Quellen des roemischen Rechts (Denk-
schriften der Österreichischen Akademie der Wissenschaf-
ten. Philosophisch-Historische Klasse 2), 1953
Wernicke
I. WERNICKE, Die Kelten in Italien. Die Einwanderung
und die frühen Handelsbeziehungen zu den Etruskern
(Diss.), 1989 = (Palingenesia 33), 1991
Whatmough
J. WHATMOUGH, The dialects of Ancient Gaul. Prolego-
mena and records of the dialects 5 Bde., 1949–51,
Ndr. in 1 Bd., 1970
White, Farming
K.D. WHITE, Roman Farming, 1970
White, Technology
K.D. WHITE, Greek and Roman Technology, 1983, Ndr.
1986
Whitehead
D. WHITEHEAD, The demes of Attica, 1986
Whittaker
C.R. WHITTAKER (Hrsg.), Pastoral Economies in
Classical Antiquity, 1988

Wide
  S. WIDE, Lakonische Kulte, 1893
Wieacker, PGN
  F. WIEACKER, Privatrechtsgeschichte der Neuzeit, ²1967
Wieacker, RRG
  F. WIEACKER, Römische Rechtsgeschichte Bd. 1, 1988
Wilamowitz
  U. v. WILAMOWITZ-MOELLENDORFF, Der Glaube der
  Hellenen 2 Bde., ²1955, Ndr. 1994
Will
  E. WILL, Histoire politique du monde hellénistique
  (323–30 av. J. C.) 2 Bde., ²1979–82
Winter
  R. KEKULÉ (Hrsg.), Die antiken Terrakotten, III 1.
  2; F. WINTER, Die Typen der figürlichen Terrakotten,
  1903
WJA
  Würzburger Jahrbücher für die Altertumswissenschaft
WMT
  L. I. CONRAD U. A., The Western medical tradition.
  800 BC to AD 1800, 1995
WO
  Die Welt des Orients. Wissenschaftliche Beiträge zur Kunde
  des Morgenlandes
Wolff
  H. J. WOLFF, Das Recht der griechischen Papyri Ägyptens
  in der Zeit der Ptolemaer und des Prinzipats (Rechtsge-
  schichte des Altertums Teil 5; HbdA Abt. 10, Teil 5), 1978
WS
  Wiener Studien. Zeitschrift für klassische Philologie und
  Patristik
WUNT
  Wissenschaftliche Untersuchungen zum Neuen Testament
WVDOG
  Wissenschaftliche Veröffentlichungen der Deutschen
  Orient-Gesellschaft
WZKM
  Wiener Zeitschrift für die Kunde des Morgenlandes
YClS
  Yale Classical Studies
ZA
  Zeitschrift für Assyriologie und Vorderasiatische Archäo-
  logie
ZÄS
  Zeitschrift für ägyptische Sprache und Altertumskunde
ZATW
  Zeitschrift für die Alttestamentliche Wissenschaft
Zazoff, AG
  P. ZAZOFF, Die antiken Gemmen, 1983
Zazoff, GuG
  P. ZAZOFF, H. ZAZOFF, Gemmensammler und Gemmen-
  forscher. Von einer noblen Passion zur Wissenschaft, 1983
ZDMG
  Zeitschrift der Deutschen Morgenländischen Gesellschaft
ZDP
  Zeitschrift für deutsche Philologie
Zeller
  E. ZELLER, Die Philosophie der Griechen in ihrer ge-
  schichtlichen Entwicklung 4 Bde., 1844–52, Ndr. 1963
Zeller/Mondolfo
  E. ZELLER, R. MONDOLFO, La filosofia dei Greci nel suo
  sviluppo storico Bd. 3, 1961
ZfN
  Zeitschrift für Numismatik

Zgusta
  L. ZGUSTA, Kleinasiatische Ortsnamen, 1984
Zimmer
  G. ZIMMER, Römische Berufsdarstellungen, 1982
ZKG
  Zeitschrift für Kirchengeschichte
ZNTW
  Zeitschrift für die Neutestamentliche Wissenschaft und
  die Kunde der älteren Kirche
ZPalV
  Zeitschrift des Deutschen Palästina-Vereins
ZPE   Zeitschrift für Papyrologie und Epigraphik
ZRG   Zeitschrift der Savigny-Stiftung für Rechtsgeschichte.
       Romanistische Abteilung
ZRGG   Zeitschrift für Religions- und Geistesgeschichte
ZVRW   Zeitschrift für vergleichende Rechtswissenschaft
ZVS   Zeitschrift für Vergleichende Sprachforschung

4. Antike Autoren und Werktitel

Abd	Abdias
Acc.	Accius
Ach. Tat.	Achilleus Tatios
Act. Arv.	acta fratrum Arvalium
Act. lud. saec.	acta ludorum saecularium
Aet.	Aetios
Aeth.	Aetheriae peregrinatio
Ail. nat.	Ailianos, de natura animalium
var.	varia historia
Ain. Takt.	Aineias Taktikos
Aischin. Ctes.	Aischines, in Ctesiphontem
leg.	de falsa legatione
	(περὶ παραπρεσβείας)
Tim.	in Timarchum
Aischyl. Ag.	Aischylos, Agamemnon
Choeph.	Choephoroi
Eum.	Eumenides
Pers.	Persae
Prom.	Prometheus
Sept.	Septem adversus Thebas
Suppl.	Supplices (ἱκέτιδες)
Aisop.	Aisopos
Alc. Avit.	Alcimus Ecdicius Avitus
Alex. Aphr.	Alexandros von Aphrodisias
Alk.	Alkaios
Alki.	Alkiphron
Alkm.	Alkman
Am	Amos
Ambr. epist.	Ambrosius, epistulae
exc. Sat.	de excessu fratris (Satyri)
obit. Theod.	de obitu Theodosii
obit. Valent.	de obitu Valentiniani (iunioris)
off.	de officiis magistrorum
paenit.	de paenitentia
Amm.	Ammianus Marcellinus
Anakr.	Anakreon
Anaxag.	Anaxagoras
Anaximand.	Anaximandros
Anaximen.	Anaximenes
And.	Andokides
Anecd. Bekk.	Anecdota Graeca ed. I. Bekker

Anecd. Par.	Anecdota Graeca ed. J.A. Kramer
Anon. de rebus bell.	Anonymus, de rebus bellicis (Ireland 1984) (ῥωμαϊκοὶ
Anon. Vales.	Anonymus Valesianus
Anth. Gr.	Anthologia Graeca
Anth. Lat.	Anthologia Latina (Riese ²1894/1906)
Anth. Pal.	Anthologia Palatina
Anth. Plan.	Anthologia Planudea
Antiph.	Antiphon
Antisth.	Antisthenes
Apg	Apostelgeschichte
Apk	Apokalypse
Apoll. Rhod.	Apollonios Rhodios
Apollod.	Apollodoros, bibliotheke
App. Celt.	Appianos, Celtica
civ.	bella civilia (ῥωμαϊκοὶ ἐμφύλιοι)
Hann.	Hannibalica
Ib.	Iberica
Ill.	Illyrica
It.	Italica
Lib	Libyca
Mac.	Macedonica
Mithr.	Mithridatius
Num.	Numidica
reg.	regia (ἡ βασιλική)
Samn.	Samnitica
Sic.	Sicula
Syr.	Syriaca
Apul. apol.	Apuleius, apologia
flor.	florida
met.	metamorphoses
Arat.	Aratos
Archil.	Archilochos
Archim.	Archimedes
Archyt.	Archytas
Arist. Quint.	Aristeides Quintilianus
Aristain.	Aristainetos
Aristeid.	Ailios Aristeides
Aristob.	Aristobulos
Aristoph. Ach.	Aristophanes, Acharnenses
Av.	Aves (ὄρνιθες)
Eccl.	Ecclesiazusae
Equ.	Equites (ἱππεῖς)
Lys.	Lysistrata
Nub.	Nubes (νεφέλαι)
Pax	Pax (εἰρήνη)
Plut.	Plutus
Ran.	Ranae (βάτραχοι)
Thesm.	Thesmophoriazusae
Vesp.	Vespae (σφῆκες)
Aristot. an.	Aristoteles, de anima (περὶ ψυχῆς) (Becker 1831–70)
an. post.	analytica posteriora
an. pr.	analytica priora
Ath. pol.	Athenaion politeia
aud.	de audibilibus (περὶ ἀκουστῶν)
cael.	de caelo (περὶ οὐρανοῦ)
cat.	categoriae
col.	de coloribus (περὶ χρωμάτων)
div.	de divinatione (περὶ μαντικῆς)
eth. Eud.	ethica Eudemia
eth. Nic.	ethica Nicomachea
gen. an.	de generatione animalium (περὶ ζῴων γενέσεως)
gen. corr.	de generatione et corruptione (περὶ γενέσεως καὶ φθορᾶς)
hist. an.	historia animalium (ἡ περὶ τὰ ζῷα ἱστορία)
m. mor.	magna moralia
metaph.	metaphysica
meteor.	meteorologica
mir.	mirabilia (περὶ θαυμασίων ἀκουσμάτων)
mot. an.	de motu animalium (περὶ ζῴων κινήσεως)
mund.	de mundo (περὶ κόσμου)
oec.	oeconomica
part. an.	de partibus animalium (περὶ ζῴων μορίων)
phgn.	physiognomica
phys.	physica
poet.	poetica
pol.	politica
probl.	problemata
rhet.	rhetorica
rhet. Alex.	rhetorica ad Alexandrum
sens.	de sensu (περὶ αἰσθήσεως)
somn.	de somno et vigilia (περὶ ὕπνου καὶ ἐγρηγόρσεως)
soph. el.	sophistici elenchi
spir.	de spiritu (περὶ ἀναπνοῆς)
top.	topica
Aristox. harm.	Aristoxenos, harmonica
Arnob.	Arnobius, adversus nationes
Arr. an.	Arrianos, anabasis
cyn.	cynegeticus
Ind.	Indica
per. p. E.	periplus ponti Euxini
succ.	historia successorum Alexandri (τὰ μετὰ Ἀλέξανδρον)
takt.	taktika
Artem.	Artemidoros
Ascon.	Asconius (Stangl Bd. 2, 1912)
Athan. ad Const.	Athanasios, apologia ad Constantium
c. Ar.	apologia contra Arianos
fuga	apologia de fuga sua
hist. Ar.	historia Arianorum ad monachos
Athen.	Athenaios (Casaubon 1597; Angabe der Bücher, Seiten, Buchstaben)
Aug. civ.	Augustinus, de civitate dei
conf.	confessiones
doctr. christ.	de doctrina christiana
epist.	epistulae
retract.	retractationes
serm.	sermones
soliloq.	soliloquia
trin.	de trinitate
Aur. Vict. Caes.	Aurelius Victor, Caesares (liber de Caesaribus)
(Ps.-)Aur. Vict.	(Ps.-)Aurelius Victor, epitome de Caesaribus
epit. Caes.	
Auson. Mos.	Ausonius, Mosella (Peiper 1976)
urb.	ordo nobilium urbium
Avell.	Collectio Avellana
Avien.	Avienus
Babr.	Babrios

Bakchyl.	Bakchylides	Mur.	pro L. Murena
Bar	Baruch	nat. deor.	de natura deorum
Bas.	Basilicorum libri LX (Heimbach)	off.	de officiis
Basil.	Basilios	opt. gen.	de optimo genere oratorum
Batr.	Batrachomyomachia	orat.	orator
Bell. Afr.	Bellum Africum	p. red. ad Quir.	oratio post reditum ad Quirites
Bell. Alex.	Bellum Alexandrinum	p. red. in sen.	oratio post reditum in senatu
Bell. Hisp.	Bellum Hispaniense	parad.	paradoxa
Boeth.	Boethius	part.	partitiones oratoriae
Caes. civ.	Caesar, de bello civili	Phil.	in M. Antonium orationes Philippicae
Gall.	de bello Gallico	philo.	libri philosophici
Calp. ecl.	Calpurnius Siculus, eclogae	Pis.	in L. Pisonem
Cass. Dio	Cassius Dio	Planc.	pro Cn. Plancio
Cassian.	Iohannes Cassianus	prov.	de provinciis consularibus
Cassiod. inst.	Cassiodorus, institutiones	Q. Rosc.	pro Q. Roscio comoedo
var.	variae	Quinct.	pro P. Quinctio
Cato agr.	Cato, de agri cultura	Rab. perd.	pro C. Rabirio perduellionis reo
orig.	origines (HRR)	Rab. Post.	pro C. Rabirio Postumo
Catull.	Catullus, carmina	rep.	de re publica
Cels. artes	Cornelius Celsus, artes	S. Rosc.	pro Sex. Roscio Amerino
Cels. Dig.	Iuventius Celsus, Dig.	Scaur.	pro M. Aemilio Scauro
Cens.	Censorinus, de die natali	Sest.	pro P. Sestio
Chalc.	Chalcidius	Sull.	pro P. Sulla
Char.	Charisius, ars grammatica (Barwick 1964)	Tim.	Timaeus
1 Chr, 2 Chr	Chronik	top.	topica
Chr. pasch.	Chronikon paschale	Tull.	pro M. Tullio
Chron. min.	Chronica minora	Tusc.	Tusculanae disputationes
Cic. ac. 1	Cicero, Academicorum posteriorum	Vatin.	in P. Vatinium testem interrogatio
	liber 1	Verr. 1, 2	in Verrem actio prima, secunda
ac. 2	Lucullus sive Academicorum priorum	Claud. carm.	Claudius Claudianus, carmina
	liber 2		(Hall 1985)
ad Brut.	epistulae ad Brutum	rapt. Pros.	de raptu Proserpinae
ad Q. fr.	ad Quintum fratrem	Clem. Al. strom.	Clemens Alexandrinus, stromateis
Arat.	Aratea (Soubiran 1972)	Cod. Greg.	Codex Gregorianus
Arch.	pro Archia poeta	Cod. Herm.	Codex Hermogenianus
Att.	epistulae ad Atticum	Cod. Iust.	Corpus Juris Civilis, Codex Iustinianus
Balb.	pro L. Balbo		(Krueger 1900)
Brut.	Brutus	Cod. Theod.	Codex Theodosianus
Caecin.	pro A. Caecina	coll.	Mosaicarum et Romanarum legum
Cael.	pro M. Caelio		collatio
Catil.	in Catilinam	Colum.	Columella
Cato	Cato maior de senectute	Comm.	Commodianus
Cluent.	pro A. Cluentio	cons.	Consultatio veteris cuiusdam
de orat.	de oratore		iurisconsulti
Deiot.	pro rege Deiotaro	const. Sirmond.	Constitutio Sirmondiana
div.	de divinatione	Coripp.	Corippus
div. in Caec.	divinatio in Q. Caecilium	Curt.	Curtius Rufus, historiae Alexandri
dom.	de domo sua		Magni
fam.	epistulae ad familiares	Cypr.	Cyprianus
fat.	de fato	Dan	Daniel
fin.	de finibus bonorum et malorum	Deinarch.	Deinarchos
Flacc.	pro L. Valerio Flacco	Demad.	Demades
Font.	pro M. Fonteio	Demokr.	Demokritos
har. resp.	de haruspicum responso	Demosth. or.	Demosthenes, orationes
inv.	de inventione	Dig.	Corpus Juris Civilis, Digesta (Mommsen
Lael.	Laelius de amicitia		1905, Autor ggf. vorangestellt)
leg.	de legibus	Diod.	Diodorus Siculus
leg. agr.	de lege agraria	Diog. Laert.	Diogenes Laertios
Lig.	pro Q. Ligario	Diom.	Diomedes, ars grammatica
Manil.	pro lege Manilia (de imperio	Dion Chrys.	Dion Chrysostomos
	Cn. Pompei)		
Marcell.	pro M. Marcello		
Mil.	pro T. Annio Milone		

Dion. Hal. ant.	Dionysios Halicarnasseus, antiquitates Romanae (Ῥωμαϊκὴ ἀρχαιολογία)
comp.	de compositione verborum (περὶ συνθέσεως ὀνομάτων)
rhet.	ars rhetorica
Dion. Per.	Dionysios Periegetes
Dion. Thrax	Dionysios Thrax
DK	Diels/Kranz (nachgestellt bei Fragmenten)
Don.	Donatus grammaticus
Drac.	Dracontius
Dt	Deuteronomium = 5. Mose
Edict. praet. dig.	edictum perpetuum in Dig.
Emp.	Empedokles
Enn. ann.	Ennius, annales (Skutsch 1985)
sat.	saturae (Vahlen ²1928)
scaen.	fragmenta scaenica (Vahlen ²1928)
Ennod.	Ennodius
Eph	Epheserbrief
Ephor.	Ephoros von Kyme (FGrH 70)
Epik.	Epikuros
Epikt.	Epiktetos
Eratosth.	Eratosthenes
Esr	Esra
3 Esra, 4 Esra	Esra
Est	Esther
Etym. gen.	Etymologicum genuinum
Gud.	Gudianum
m.	magnum
Eukl. elem.	Eukleides, elementa
Eun. vit. soph.	Eunapios, vitae sophistarum
Eur. Alc.	Euripides, Alcestis
Andr.	Andromache
Bacch.	Bacchae
Cycl.	Cyclops
El.	Electra
Hec.	Hecuba
Hel.	Helena
Heraclid.	Heraclidae
Herc.	Hercules
Hipp.	Hippolytus
Ion	Ion
Iph. A.	Iphigenia Aulidensis
Iph. T.	Iphigenia Taurica
Med.	Medea
Or.	Orestes
Phoen.	Phoenissae
Rhes.	Rhesus
Suppl.	Supplices (ἱκέτιδες)
Tro.	Troades
Eus. Dem. Ev.	Eusebios, Demonstratio Evangelica
HE	Historia Ecclesiastica
On.	Eusebios, Onomastikon (Klostermann 1904)
Pr. Ev.	Praeparatio Evangelica
vita Const.	de vita Constantini
Eust.	Eustathios
Eutr.	Eutropius
Ev. Ver.	Evangelium Veritatis
Ex	Exodus = 2. Mose
Ez	Ezechiel
Fast.	Fasti
Fest.	Festus (Lindsay 1913)

Firm.	Firmicus Maternus
Flor. epit.	Florus epitoma de Tito Livio
Florent.	Florentinus
Frontin. aqu.	Frontinus, de aquae ductu urbis Romae
strat.	strategemata
Fulg.	Fulgentius Afer
Fulg. Rusp.	Fulgentius Ruspensis
Gai. inst.	Gaius, Institutiones
Gal	Galaterbrief
Gal.	Galenos
Gell.	A. Gellius, noctes Atticae
Geogr. Rav	Geographus Ravennas (Schnetz 1940)
Geop.	Geoponica
Gn	Genesis = 1. Mose
Gorg.	Gorgias
Greg. M. dial.	Gregorius Magnus, dialogi (de miraculis patrum Italicorum)
epist.	epistulae
past.	regula pastoralis
Greg. Naz. epist.	Gregorius Nazianzienus, epistulae
or.	orationes
Greg. Nyss.	Gregorius Nyssenus
Greg. Tur. Franc.	Gregorius von Tours, historia Francorum
Mart.	de virtutibus Martini
vit. patr.	de vita patrum
HA	Historia Augusta, s. SHA
Hab	Habakuk
Hagg	Haggai
Harpokr.	Harpokration
Hdt.	Herodotos
Hebr	Hebräerbrief
Heges.	Hegesippus (=Flavius Iosephus)
Hekat.	Hekataios
Hell. Oxyrh.	Hellenica Oxyrhynchia
Hen	Henoch
Heph.	Hephaistion grammaticus (Alexandrinus)
Herakl.	Herakleitos
Herakl. Pont.	Herakleides Pontikos
Herc. O.	Hercules Oetaeus
Herm. Trism.	Hermes Trismegistos
Herm. mand.	mandata
sim.	similitudines
vis.	Hermas, visiones
Hermog.	Hermogenes
Herodian.	Herodianos
Heron	Heron
Hes. cat.	Hesiodos, catalogus feminarum (ἠοῖαι) (Merkelbach/West 1967)
erg.	opera et dies (ἔργα καὶ ἡμέραι)
scut.	scutum (ἀσπίς) (Merkelbach/West 1967)
theog.	Theogonia
Hesych.	Hesychios
Hier. chron.	Hieronymus, chronicon
comm. in Ez.	commentaria in Ezechielem (PL 25)
epist.	epistulae
On.	Hieronymus, Onomastikon (Klostermann 1904)
vir. ill.	de viris illustribus
Hil.	Hilarius
Hiob	Hiob
Hippokr.	Hippokrates

HL	Hohelied	Kall. epigr.	Kallimachos, epigrammata
Hom. h.	hymni Homerici	fr.	fragmentum (Pfeiffer)
Hom. Il.	Homeros, Ilias	h.	hymni
Od.	Odyssee	1 Kg, 2 Kg	Könige
Hor. ars	Horatius, ars poetica	KH	Khania (Fundort Linear B-Täfelchen)
carm.	carmina	Klgl	Klagelieder
carm. saec.	carmen saeculare	KN	Knosos (Fundort Linear B-Täfelchen)
epist.	epistulae	Kol	Kolosserbrief
epod.	epodi	1 Kor, 2 Kor	Korintherbriefe
sat.	saturae (sermones)	Lact. inst.	Lactantius, divinae institutiones
Hos	Hosea	ira	de ira dei
Hyg. astr.	Hyginus, astronomica (Le Bœuffle 1983)	mort. pers.	de mortibus persecutorum
fab.	fabulae	opif.	de opificio dei
Hyp.	Hypereides	Laod.	Laodiceer
Iambl. de myst.	de mysteriis (περὶ τῶν αἰγυπτίων μυστηρίων)	Lex Irnit.	Lex Irnitana
		Lex Malac.	Lex municipii Malacitani
protr.	Iamblichos, protrepticus in philosophiam	Lex Rubr.	Lex Rubria de Gallia cisalpina
		Lex Salpens.	Lex municipii Salpensani
v. P.	de vita Pythagorica	Lex Urson.	Lex coloniae Iuliae Genetivae Ursonensis
Iav.	Iavolenus Priscus	Lex Visig.	Leges Visigothorum
Inst. Iust.	Corpus Juris Civilis, Institutiones (Krueger 1905)	Lex XII tab.	Lex duodecim tabularum
		Lib. epist.	Libanios, epistulae
Ioh. Chrys. epist.	Iohannes Chrysostomos, epistulae	or.	orationes
hom. ...	homiliae in ...	Liv.	Livius, ab urbe condita
Ioh. Mal.	Iohannes Malalas, chronographia	per.	periochae
Iord. Get.	Iordanes, de origine actibusque Getarum	Lk	Lukas
Ios. ant. Iud.	Iosephos, antiquitates Iudaicae (Ἰουδαϊκὴ ἀρχαιολογία)	Lucan.	Lucanus, bellum civile
		Lucil.	Lucilius, saturae (Marx 1904)
bell. Iud.	bellum Iudaicum (ἱστορία Ἰουδαϊκοῦ πολέμου πρὸς Ῥωμαίους)	Lucr.	Lucretius, de rerum natura
		Lukian.	Lukianos
c. Ap.	contra Apionem	Lv	Leviticus = 3. Mose
vita	de sua vita	LXX	Septuaginta
Iren.	Irenaeus (Rousseau/Doutreleau 1965–82)	Lyd. mag.	Lydos, de magistratibus (περὶ ἀρχῶν τῆς Ῥωμαίων πολιτείας)
Isid. nat.	Isidorus, de natura rerum	mens.	de mensibus (περὶ μηνῶν)
orig.	origines	Lykophr.	Lykophron
Isokr. or.	Isokrates orationes	Lykurg.	Lykurgos
Itin. Anton.	Itinerarium Antonini	Lys.	Lysias
Aug.	Augusti	M. Aur.	Marcus Aurelius Antoninus Augustus
Burdig.	Burdigalense vel Hierosolymitanum	Macr. Sat.	Macrobius, Saturnalia
Plac.	Placentini	somn.	commentarii in Ciceronis somnium Scipionis
Iul. Vict. rhet.	C. Iulius Victor, ars rhetorica		
Iul. epist.	Iulianos, epistulae	1 Makk, 2 Makk	Makkabäer
in Gal.	in Galilaeos	3 Makk, 4 Makk	Makkabäer
mis.	Misopogon	Mal	Maleachi
or.	orationes	Manil.	Manilius, astronomica (Goold 1985)
symp.	symposion	Mar. Victorin.	Marius Victorinus
Iust.	Iustinus, epitoma historiarum Philippicarum	Mart.	Martialis
		Mart. Cap.	Martianus Capella
Iust. Mart. apol.	Iustinus Martyr, apologia	Max. Tyr.	Maximos Tyrios (Trapp 1994)
dial.	dialogus cum Tryphone	Mela	Pomponius Mela
Iuv.	Iuvenalis, saturae	Melanipp.	Melanippides
Iuvenc.	Iuvencus, evangelia (Huemer 1891)	Men. Dysk.	Menandros, Dyskolos
Jak	Jakobusbrief	Epitr.	Epitrepontes
Jdt	Judith	fr.	fragmentum (Körte)
Jer	Jeremia	Pk.	Perikeiromene
Jes	Jesaja	Sam.	Samia
1 – 3 Jo	Johannesbriefe	Mi	Micha
Jo	Johannes	Mimn.	Mimnermos
Joël	Joël	Min. Fel.	Minucius Felix, Octavius (Kytzler 1982)
Jon	Jona	Mk	Markus
Jos	Josua	Mod.	Herennius Modestinus
Jud	Judasbrief	Mosch.	Moschos

Mt	Matthäus	Philod.	Philodemos
MY	Mykene (Fundort Linear B-Täfelchen)	Philop.	Philoponos
Naev.	Naevius (carmina nach FPL)	Philostr. Ap.	Philostratos, vita Apollonii
Nah	Nahum	imag.	Philostratos, imagines
Neh	Nehemia	soph.	vitae sophistarum
Nemes.	Nemesianus	Phm	Philemonbrief
Nep. Att.	Cornelius Nepos, Atticus	Phot.	Photios (Bekker 1824)
Hann.	Hannibal	Phryn.	Phrynichos
Nik. Alex.	Nikandros, Alexipharmaka	Pind. fr.	Pindar, Fragmente (Snell/Maehler)
Ther.	Theriaka	I.	Pindar, Isthmien
Nikom.	Nikomachos	N.	Nemeen
Nm	Numeri = 4. Mose	O.	Olympien
Non.	Nonius Marcellus (L. Mueller 1888)	P.	Pythien
Nonn. Dion.	Nonnos, Dionysiaka	Plat. Alk. 1	Platon, Alkibiades 1 (Stephanus)
Not. dign. occ.	Notitia dignitatum occidentis	Alk. 2	Alkibiades 2
Not. dign. or.	Notitia dignitatum orientis	apol.	apologia
Not. episc.	Notitia dignitatum et episcoporum	Ax.	Axiochos
Nov.	Corpus Juris Civilis, Leges Novellae	Charm.	Charmides
	(Schoell/Kroll 1904)	def.	definitiones (ὅροι)
Obseq.	Iulius Obsequens, prodigia	Dem.	Demodokos
	(Rossbach 1910)	epin.	epinomis
Opp. hal.	Oppianos, Halieutika	epist.	epistulae
kyn.	Kynegetika	erast.	erastae
or. Sib.	oracula Sibyllina	Eryx.	Eryxias
Oreib.	Oreibasios	Euthyd.	Euthydemos
Orig.	Origenes	Euthyphr.	Euthyphron
OrMan	Oratio Manasse	Gorg.	Gorgias
Oros.	Orosius	Hipp. mai.	Hippias maior
Orph. Arg.	Orpheus, Argonautika	Hipp. min.	Hippias minor
fr.	fragmentum (Kern)	Hipparch.	Hipparchos
h.	hymni	Ion	Ion
Ov. am.	Ovidius, amores	Kleit.	Kleitophon
ars	ars amatoria	Krat.	Kratylos
epist.	epistulae (heroides)	Krit.	Kriton
fast.	fasti	Kritias	Kritias
Ib.	Ibis	Lach.	Laches
medic.	medicamina faciei femineae	leg.	leges (νόμοι)
met.	metamorphoses	Lys.	Lysis
Pont.	epistulae ex Ponto	Men.	Menon
rem.	remedia amoris	Min.	Minos
trist.	tristia	Mx.	Menexenos
Pall. agric.	Palladius, opus agriculturae	Parm.	Parmenides
Pall. Laus.	Palladios, historia Lausiaca (Λαυσιακόν)	Phaid.	Phaidon
Paneg.	Panegyrici latini	Phaidr.	Phaidros
Papin.	Aemilius Papinianus	Phil.	Philebos
Paroem.	Paroemiographi Graeci	polit.	politicus
Pass. mart.	passiones martyrum	Prot.	Protagoras
Paul. Fest.	Paulus Diaconus, epitoma Festi	rep.	de re publica (πολιτεία)
Paul. Nol.	Paulinus Nolanus	Sis.	Sisyphos
Paul. sent.	Iulius Paulus, sententiae	soph.	sophista
Paus.	Pausanias	symp.	symposium
Pelag.	Pelagius	Thg.	Theages
peripl. m. Eux.	Periplus maris Euxini	Tht.	Theaitetos
m. m.	maris magni	Tim.	Timaios
m. r.	maris rubri	Plaut. Amph.	Plautus, Amphitruo
Pers.	Persius, saturae		(fr. jeweils nach Leo 1895 f.)
1 Petr, 2 Petr	Petrusbriefe	Asin.	Asinaria
Petron.	Petronius, satyrica (Müller 1961)	Aul.	Aulularia
Phaedr.	Phaedrus, fabulae (Guaglianone 1969)	Bacch.	Bacchides
Phil	Philipperbrief	Capt.	Captivi
Phil.	Philon	Cas.	Casina
Philarg. Verg. ecl.	Philargyrius grammaticus, explanatio in	Cist.	Cistellaria
	eclogas Vergilii	Curc.	Curculio

Epid.	Epidicus
Men.	Menaechmi
Merc.	Mercator
Mil.	Miles gloriosus
Most.	Mostellaria
Poen.	Poenulus
Pseud.	Pseudolus
Rud.	Rudens
Stich.	Stichus
Trin.	Trinummus
Truc.	Truculentus
Vid.	Vidularia
Plin. nat.	Plinius maior, naturalis historia
Plin. epist.	Plinius minor, epistulae
paneg.	panegyricus
Plot.	Plotinos
Plut.	Plutarchos, vitae parallelae (βίοι παράλληλοι) (Name ausgeschrieben, Kapitel und Seitenzahlen Stephanus 1572)
am.	amatorius (ἐρωτικός) (Kapitel und Seitenzahlen)
de def. or.	de defectu oraculorum (περὶ τῶν ἐκλελοιπότων χρηστηρίων)
de E	de E apud Delphos (περὶ τοῦ Εἶ τοῦ ἐν Δελφοῖς)
de Pyth. or.	de Pythiae oraculis (περὶ τοῦ μὴ χρᾶν ἔμμετρα νῦν τὴν Πυθίαν)
de sera	de sera numinis vindicta (περὶ τῶν ὑπὸ τοῦ θείου βραδέως τιμωρουμένων)
Is.	de Iside et Osiride (Kapitel und Seitenzahlen)
mor.	moralia (außer den eigens genannten; mit Seitenzahlen)
qu.Gr.	quaestiones Graecae (αἴτια Ἑλληνικά; Kapitel)
qu.R.	quaestiones Romanae (αἴτια Ῥωμαϊκά; Kapitel)
symp.	quaestiones convivales (συμποσίακα προβλήματα; Bücher, Kapitel, Seitenzahl)
Pol.	Polybios
Pol. Silv.	Polemius Silvius
Poll.	Pollux
Polyain.	Polyainos, strategemata
Polyk.	Polykarpbrief
Pomp.	Sextus Pomponius
Pomp. Trog.	Pompeius Trogus
Porph.	Porphyrios
Porph. Hor. comm.	Porphyrio, commentum in Horatii carmina
Poseid.	Poseidonios
Prd	Prediger
Priap.	Priapea
Prisc.	Priscianus
Prob.	Pseudoprobianische Schriften
Prok. aed.	Prokopios, de aedificiis (περὶ κτισμάτων)
BG	bellum Gothicum
BP	bellum Persicum
BV	bellum Vandalicum
HA	historia arcana
Prokl.	Proklos
Prop.	Propertius, elegiae

Prosp.	Prosper Tiro
Prud.	Prudentius
Ps (Pss)	Psalm(en)
Ps.-Acro	Ps.-Acro, in Horatium
Ps.-Aristot. lin. insec.	Pseudo-Aristoteles, de lineis insecabilibus (περὶ ἀτόμων γραμμῶν)
mech.	mechanica
Ps.-Sall. in Tull.	Pseudo-Sallustius, in M. Tullium Ciceronem invectiva
rep.	epistulae ad Caesarem senem de re publica
Ptol.	Ptolemaios
PY	Pylos (Fundort Linear B-Täfelchen)
4 Q flor	Florilegium, Höhle 4
4 Q patr	Patriarchensegen, Höhle 4
1 Q pHab	Habakuk-Midrasch, Höhle 1
4 Q pNah	Nahum-Midrasch, Höhle 4
4 Q test	Testimonia, Höhle 4
Q. Smyrn.	Quintus Smyrnaius
1 QH	Loblieder, Höhle 1
1 QM	Kriegsrolle, Höhle 1
1 QS	Gemeinderegel, Höhle 1
1 QSa	Gemeinschaftsregel, Höhle 1
1 QSb	Segenssprüche, Höhle 1
Quint. decl.	Quintilianus, declamationes minores (Shackleton Bailey 1989)
inst.	institutio oratoria
R. Gest. div. Aug.	Res gestae divi Augusti
Rhet. Her.	Rhetorica ad C. Herennium
Ri	Richter
Röm	Römerbrief
Rt	Ruth
Rufin.	Tyrannius Rufinus
Rut. Nam.	Rutilius Claudius Namatianus, de reditu suo
S. Emp. adv. math. P.H.	Sextus Empiricus, adversus mathematicos Pyrrhoneioi Hypotyposeis (Πυρρώνειοι ὑποτυπώσεις)
Sach	Sacharia
Sall. Catil.	Sallustius, de coniuratione Catilinae
hist.	historiae
Iug.	de bello Iugurthino
Salv. gub.	Salvianus, de gubernatione dei
1 Sam, 2 Sam	Samuel
Sch. (vor dem Autornamen)	Scholia zu dem betreffenden Autor
Sedul.	Sedulius
Sen. contr.	Seneca maior, controversiae
suas.	suasoriae
Sen. Ag.	Seneca minor, Agamemno
apocol.	divi Claudii apocolocyntosis
benef.	de beneficiis
clem.	de clementia (Hosius ²1914)
dial.	dialogi
epist.	epistulae morales ad Lucilium
Herc. f.	Hercules furens
Med.	Medea
nat.	naturales quaestiones
Oed.	Oedipus
Phaedr.	Phaedra
Phoen.	Phoenissae
Thy.	Thyestes
Tro.	Troades

Serv. auct.	Servius auctus Danielis		Dom.	Domitianus
Serv. Aen.	Servius, commentarius in Vergilii Aeneida		gramm.	Suetonius, de grammaticis (Kaster 1995)
ecl.	commentarius in Vergilii eclogas		Iul.	divus Iulius
georg.	commentarius in Vergilii georgica		Tib.	divus Tiberius
SHA Ael.	scriptores historiae Augustae, Aelius		Tit.	divus Titus
Alb.	Clodius		Vesp.	divus Vespasianus
Alex.	Alexander Severus		Vit.	Vitellius
Aur.	M. Aurelius		Sulp. Sev.	Sulpicius Severus
Aurelian.	Aurelianus		Symm. epist.	Symmachus, epistulae
Avid.	Avidius Cassius		or.	orationes
Car.	Carus et Carinus et Numerianus		rel.	relationes
Carac.	Antoninus Caracallus		Synes. epist.	Synesios, epistulae
Claud.	Claudius		Synk.	Synkellos
Comm.	Commodus		Tab. Peut.	Tabula Peutingeriana
Diad.	Diadumenus Antoninus		Tac. Agr.	Tacitus, Agricola
Did.	Didius Iulianus		ann.	annales
Gall.	Gallieni duo		dial.	dialogus de oratoribus
Gord.	Gordiani tres		Germ.	Germania
Hadr.	Hadrianus		hist.	historiae
Heliog.	Heliogabalus		Ter. Maur.	Terentianus Maurus
Max. Balb.	Maximus et Balbus		Ter. Ad.	Terentius, Adelphoe
Opil.	Opilius Macrinus		Andr.	Andria
Pert.	Helvius Pertinax		Eun.	Eunuchus
Pesc.	Pescennius Niger		Haut.	H(e)autontimorumenos
quatt. tyr.	quattuor tyranni		Hec.	Hecyra
Sept. Sev.	Severus		Phorm.	Phormio
Tac.	Tacitus		Tert. apol.	Tertullianus, apologeticum
trig. tyr.	Triginta Tyranni		nat.	ad nationes (Borleffs 1954)
Valer.	Valeriani duo		TH	Theben (Fundort Linear B-Täfelchen)
Sidon. carm.	Apollinaris Sidonius, carmina		Them. or.	Themistios, orationes
epist.	epistulae		Theod. epist.	Theodoretos, epistulae
Sil.	Silius Italicus, Punica		gr. aff. cur.	Graecarum affectionum curatio (Ἑλληνικῶν θεραπευτικὴ παθημάτων)
Sim.	Simonides			
Simpl.	Simplikios			
Sir	Jesus Sirach		hist. eccl.	historia ecclesiastica
Skyl.	Skylax, periplus		Theokr.	Theokritos
Skymn.	Skymnos, periegesis		Theop.	Theopompos
Sokr.	Sokrates, historia ecclesiastica		Theophr. c. plant.	Theophrastos, de causis plantarum (φυτικαὶ αἰτίαι)
Sol.	Solon			
Solin.	Solinus		char.	characteres
Soph. Ai.	Sophokles, Aias		h. plant.	historia plantarum (περὶ φυτικῶν ἱστοριῶν)
Ant.	Antigone			
El.	Electra		1 Thess, 2 Thess	Thessalonicherbriefe
Ichn.	Ichneutae		Thgn.	Theognis
Oid. K.	Oedipus Coloneus		Thuk.	Thukydides
Oid. T.	Oedipus Rex		TI	Tiryns (Fundort Linear B-Täfelchen)
Phil.	Philoctetes		Tib.	Tibullus, elegiae
Trach.	Trachiniae		1 Tim, 2 Tim	Timotheusbriefe
Soran.	Soranus		Tit	Titusbrief
Soz.	Sozomenos, historia ecclesiastica		Tob	Tobit
Spr	Sprüche		Tzetz. anteh.	Tzetzes, antehomerica (τὰ πρὸ τοῦ Ὁμήρου)
Stat. Ach.	Statius, Achilleis			
silv.	silvae		chil.	chiliades
Theb.	Thebais		posth.	posthomerica (τὰ μεθ᾽ Ὅμηρον)
Steph. Byz.	Stephanos Byzantios		Ulp. (reg.)	Ulpianus (Ulpiani regulae)
Stesich.	Stesichoros		Val. Fl.	Valerius Flaccus, Argonautica
Stob.	Stobaios		Val. Max.	Valerius Maximus, facta et dicta memorabilia
Strab.	Strabon (Bücher, Kapitel)			
Suda	Suda = Suidas		Varro ling.	Varro, de lingua Latina
Suet. Aug.	Suetonius, divus Augustus (Ihm 1907)		Men.	saturae Menippeae (Astbury 1985)
Cal.	Caligula		rust.	res rusticae
Claud.	divus Claudius		Vat.	Fragmenta Vaticana

Veg. mil.	Vegetius, epitoma rei militaris
Vell.	Velleius Paterculus, historiae Romanae
Ven. Fort.	Venantius Fortunatus
Verg. Aen.	Vergilius, Aeneis
catal.	catalepton
ecl.	eclogae
georg.	georgica
Vir. ill.	De viris illustribus
Vitr.	Vitruvius, de architectura
Vulg.	Vulgata
Weish	Weisheit
Xen. Ag.	Xenophon, Agesilaos
an.	anabasis
apol.	apologia
Ath. pol.	Athenaion politeia
equ.	de equitandi ratione (περὶ ἱππικῆς)
hell.	hellenica
Hier.	Hieron
hipp.	hipparchicus
kyn.	cynegeticus
Kyr.	Cyrupaideia
Lak. pol.	Lakedaimonion politeia
mem.	memorabilia (ἀπομνημονεύματα)
oik.	oeconomicus
symp.	symposium
vect.	de vectigalibus (πόροι)
Xenophan.	Xenophanes
Zen.	Zenon
Zenob.	Zenobios
Zenod.	Zenodotos
Zeph	Zephania
Zon.	Zonaras
Zos.	Zosimos

Karten- und Abbildungsverzeichnis

NZ: Neuzeichnung, Angabe des Autors und/oder der
zugrunde liegenden Vorlage/Literatur
RP: Reproduktion (mit kleinen Veränderungen) nach der
angegebenen Vorlage

Lemma
Titel
AUTOR
Literatur

Codex
Struktur des Codex
Einband der Nag Hammadi-Codices (Schema)
NZ: M. HAASE

Colonia Agrippinensis
Colonia Claudia Ara Agrippinensium: die röm. Stadt
NZ: K. DIETZ/REDAKTION
(Vorlage: B. Pfäffgen, S. Ristow)
B. PÄFFGEN, S. RISTOW, Die Römerstadt Köln zur
Merowingerzeit, in: A. WIECZOREK u. a. (Hrsg.), Die
Franken – Wegbereiter Europas I, 1996, 145–159; bes. 146
mit Abb. 100 · H. SCHMITZ, Colonia Claudia Ara Agrip-
pinensium, 1956 · H. HELLENKEMPER, Architektur als
Beitrag zur Gesch. der CCAA, in: O. DOPPELFELD, Das röm.
Köln I., Ubier-Oppidum und Colonia Agrippinensium, in:
ANRW II 4, 1975, 715–782 · G. RISTOW, Religionen und
ihre Denkmäler im ant. Köln, 1975 · M. RIEDEL, Köln, ein
röm. Wirtschaftszentrum, 1982 · H. GALSTERER, Von den
Eburonen zu den Agrippinensiern. Aspekte der
Romanisation am Rhein, Kölner Jb. für Vor- und
Frühgesch. 23, 1990, 117–126.

Colonia
Koloniegründungen in Italien bis zu den Gracchen
NZ: H. GALSTERER/REDAKTION
E. T. SALOMON, Roman Colonization under the Republic,
1969 · H. GALSTERER, Herrschaft und Verwaltung im
republikanischen Italien, 1976.
Koloniegründungen nach den Gracchen im Imperium
Romanum
Koloniegründungen nach den Gracchen in Italien
NZ: H. GALSTERER/REDAKTION
E. KORNEMANN, s. v. C., RE 4, 510–588 · F. VITTINGHOFF,
Röm. Kolonisation und Bürgerrechtspolitik unter Caesar
und Augustus, 1951 · L. KEPPIE, Colonisation and Veteran
Settlement in Italy, 47–14 B.C., 1983.

Constantinus
Die Familie des Constantinus des Großen
NZ: B. BLECKMANN

Corduba
Colonia Patricia Corduba
NZ: R. HIDALGO, J. F. MURILLO, A. VENTURA/REDAKTION
A. VENTURA, J. M. BERMÚDEZ, P. LEÓN, Análisis
arqueológico de Córdoba Romana, in: P. LEÓN ALONSO
(Hrsg.), Colonia Patricia Corduba, Coloquio internacional,
Córdoba 1993, 1996, 87–128, hier: 111 · A. IBÁÑEZ
CASTRO, Córdoba hispano-romano, 1983.

Cornelii Scipiones
Die Cornelii Scipiones und ihre Familienverbindungen
NZ: K.-L. ELVERS

Crypta
Tivoli, Villa Hadriana, Crypta unter dem Aphrodite-Tempel
RP nach: R. FÖRTSCH, Arch. Komm. zu den Villenbriefen
des jüngeren Plinius, 1993, Taf. 67,1.

Cursus honorum
Republikanischer Cursus honorum zur Zeit Ciceros
NZ: CHR. GIZEWSKI

Dakoi, Dakia
Die Provinz Dacia
NZ: E. OLSHAUSEN
TIR L 35, 1969 · N. GUDEA, Der Limes Dakiens und die
Verteidigung der obermoesischen Donaulinie von Trajan bis
Aurelian, in: ANRW II 6, 1977, 849–887 · D. PROTASE, Der
Forschungsstand zur Kontinuität der bodenständigen
Bevölkerung im röm. Dazien (2.–3. Jh.), in: ANRW II 6,
1977, 990–1015 · E. CHRYSOS, Von der Räumung der Dacia
Traiana zur Entstehung der Gothia, BJ 192, 1992, 175–194 ·
D. KNOPP, Die röm. Inschr. Dakiens, 1993 (Diss.).

Damaskos
Dimašqa/Damaskos
NZ: T. LEISTEN
J. SAUVAGET, Le plan antique de Damas, in: Syria 26, 1949,
314–358 · K.A.C. CRESWELL, Early Muslim Architecture I,
²1979 · D. SACK, Damaskus, 1989.

Daunische Vasen
Zusammenstellung Daunischer Vasen
NZ nach: E. M. DE JULIIS, La ceramica geometrica della
Daunia, 1977, Taf. 59, 65, 69, 87.

Defixio
Fluchtafel aus Hadrumentum (Tunesien)
RP nach: U. E. PAOLI, Das Leben im alten Rom, 1948, 331
Abb. 39.

Deinomeniden
Die Deinomeniden und Emmeniden
NZ: K. MEISTER

Deinostratos
Konstruktion der Quadratrix nach Deinostratos
NZ nach: F. KUDLIEN, s.v. Hippias [6], KlP 2,1158 · I.
BULMER THOMAS, s.v. Dinostratos, Dictionary of Scientific
Biography 4, 1971, 103–105.

Delphoi
Delphoi I, Übersichtsplan
Delphoi II, Heiligtum des Apollon, Detailplan
NZ nach Plänen von D. LAROCHE, in: M. MAASS (Hrsg.),
Delphi, Orakel am Nabel der Welt, 1996, 48 Abb. 52, 49
Abb. 53.

Deus ex machina
Hypothetische Rekonstruktion
NZ: M. HAASE

Diadochen und Epigonen

Die Diadochenreiche (um 303 v. Chr.)
> NZ: REDAKTION (Vorlage: TAVO B V 2, Autor: W. Orth, © Dr. Ludwig Reichert Verlag, Wiesbaden)
> W. ORTH, Die Diadochenreiche (um 303 v. Chr.), TAVO B V 2, 1992.

Didyma

Kultbezirk an der Heiligen Straße von Milet nach Didyma
> NZ nach: K. TUCHELT (Hrsg.), Didyma III 1,1996, 50 Abb. 32 (Rekonstruktion: Peter Schneider).

Topographischer Übersichtsplan
> NZ nach: P. SCHNEIDER, Topographischer Übersichtsplan, 1995.

Diocletianus

Diözesen und Provinzen im frühen vierten Jahrhundert
> NZ: B. BLECKMANN
> K. L. NOETHLICHS, Zur Entstehung der Diözesen als Mittelinstanz des spätröm. Verwaltungssystems, in: Historia 31, 1982, 70–81 · B. JONES, D. MATTINGLY, An Atlas of Roman Britain, 1990, 149 · T. D. BARNES, Emperors, Panegyrics, Prefects, Provinces and Palaces (284–317), in: Journal of Roman Archaeology 9, 1996, 532–552.

Reichsverwaltung nach Diocletianus und Constantinus
> NZ: B. BLECKMANN

Dipteros

Ephesos, jüngeres Artemision (schematischer Grundriß)
> NZ nach: W. SCHABER, Die archa. Tempel der Artemis von Ephesos, 1982, Taf. 4.

Diskos von Phaistos

Diskos von Phaistos
> NZ nach: J. P. OLIVIER, Le Disque de Phaistos, in: BCH 99, 1975, 32f.

Divination

Kommunikationsmodell nach Cicero, De divinatione
> NZ: M. HAASE

Dodona

Zeusheiligtum, Übersichtsplan
> RP: L. SCHNEIDER, CH. HÖCKER, Griech. Festland, 1996, 258.

Dorisch-Nordwestgriechisch

Dorisch-Nordwestgriechisch (im griech. Stammland)
> NZ: J. L. GARCÍA-RAMÓN
> BECHTEL, Dial. II · J. MÉNDEZ DOSUNA, Los dialectos dorios del Noroeste, 1985 · M. BILE, Le dialecte crétois ancien, 1988 · Ders. u.a., Bulletin de dialectologie greque, in: REG 101, 1988, 74–112.

Dorische Wanderung

Die Dorische Wanderung
> NZ: B. EDER
> E. KIRSTEN, Gebirgshirtentum und Seßhaftigkeit – die Bedeutung der Dark Ages für die Griech. Staatenwelt: Doris und Sparta, in: S. DEGER-JALKOTZY (Hrsg.), Griechenland, die Ägäis und die Levante während der »Dark Ages« vom 12. bis zum 9. Jh. v. Chr, 1983, 356–443.

Dorischer Eckkonflikt

Schematische Darstellung
> NZ: G. MÜLLER

Dreschen, Dreschgeräte

Auf- und Unteransicht von *tribulum* (Dreschschlitten) und *plostellum Poenicum*
> NZ nach: K. D. WHITE, Agricultural Implements of the Roman World, 1967, 156 Abb. 116f.

Duenos-Inschrift

Duenos-Inschrift (Schematische Aufsicht)
> NZ nach: CIL I², 4; Transkription: R. WACHTER, Altlat. Inschr., 1987, 70.

Dunkle Jahrhunderte

Griechenland und die Ägäis während der »Dunklen Jahrhunderte« (12.–9. Jh. v. Chr.): Die wichtigsten Fundorte
> NZ: S. DEGER-JALKOTZY/REDAKTION
> V. R. d'A. DESBOROUGH, The Greek Dark Ages, 1972 · F. SCHACHERMEYR, Die ägäische Frühzeit, Bd. III, 1979; IV, 1980 · G. KOPKE, Handel, ArchHom, Kap. M, 1990, bes. 78 · J. VANSCHOONWINKEL, L'Egée et la Mediterranée orientale à la fin du deuxième millénaire, 1991.

Dura Europos

Dura Europos
> NZ: T. LEISTEN
> A. PERKINS, The Art of D.-E., 1973 · P. LERICHE, Doura-Europos: études, 1986.

Echinos, Echinus

Echinosformen dorischer Kapitelle
> NZ nach: G. RODENWALDT (Hrsg.), Korkyra I. Der Artemistempel, 1940, Taf. 23 · F. KRAUS, Die Säulen des Zeustempels in Olympia, in: FS R. Boehringer, 1957, 384 · A. K. ORLANDOS, APXITEKTONIKH TOY ΠΑΡΘΕΝΩΝΟΣ, 1977, 183 · TH. WIEGAND, H. SCHRADER, Priene, 1904, 190 · J. T. CLARKE, F. H. BACON, R. KOLDEWEY, Investigations at Assos, 1902, 153 · R. DELBRUECK, Hell. Bauten in Latium II, 1907, Taf. 18.

Eierstab

Milet, reliefierter Eierstab
> NZ nach: G. KLEINER, Die Ruinen von Milet, 1968, 41 Abb. 22a.

Ekphrasis

Gartenarchitektur im Haus des Loreius Tiburtinus (Pompeji)
> NZ nach: E. SALZA PRINA RICOTTI, The Importance of Water in Roman Garden Triclinia, in: Ancient Roman Villa Gardens, Dumbarton Oaks Colloquium on the History of Landscape 10, 1987, Abb. 8.

Eleusis

Demeterheiligtum, Übersichtsplan
> NZ nach: H. R. GOETTE, Athen, Attika, Megaris, 1993, 228.

Entasis

Antiker Säulenkontur
> NZ nach: A. K. ORLANDOS, APXITEKTONIKH TOY ΠΑΡΘΕΝΩΝΟΣ, 1977, 164 Abb. 106 · D. MERTENS, in: Bathron. FS H. Drerup, 1988, 311 Abb. 4 · J. LEONI, The Ten Books on Architecture of Leone Battista Alberti, 1755, 148 (repr. 1955).

Autoren

Schafik **Allam** Tübingen	S. A.
Walter **Ameling** Würzburg	W. A.
Jean **Andreau** Paris	J. A.
Peter **Apathy** Linz	P. A.
Pierre **Aubenque** Fay-les-Étangs	P. AU.
Christoph **Auffarth** Stuttgart	C. A.
Ernst **Badian** Cambridge, Mass.	E. B.
Balbina **Bäbler** Bern	B. BÄ.
Tomris **Bakır-Akbaşoğlu** Izmir	T. B. – A.
Matthias **Baltes** Münster	M. BA.
Pedro **Barceló** Potsdam	P. B.
Catherine **Baroin** Paris	CA. BA.
Dorothea **Baudy** Konstanz	D. B.
Gerhard **Baudy** Konstanz	G. B.
Otto A. **Baumhauer** Bremen	O. B.
Andrea **Becker** Berlin	AN. BE.
K. **Belke** Wien	K. BE.
Walter **Berschin** Heidelberg	W. B.
Klaus **Bieberstein** Fribourg	K. B.
Gerhard **Binder** Bochum	G. BI.
Vera **Binder** Tübingen	V. BI.
A. R. **Birley** Düsseldorf	A. B.
Jürgen **Blänsdorf** Mainz	JÜ. BL.
Nicole **Blanc** Paris	NI. BL.
Michael **Blech** Madrid	M. BL.
Bruno **Bleckmann** Göttingen	B. BL.
René **Bloch** Basel	R. B.
Horst Dieter **Blume** Münster	H. BL.
István **Bodnár** Budapest	I. B.
Jean **Bollack** Paris	JE. BO.
Ewen **Bowie** Oxford	E. BO.
Francesca **Brancaleone** Bari	F. B.
Jan N. **Bremmer** Groningen	J. B.
Hanns **Brennecke** Erlangen/Nürnberg	H. BR.
Burchard **Brentjes** Berlin	B. B.
Stefan **Breuer M.A.** Bonn	ST. B.
Klaus **Bringmann** Frankfurt/Main	K. BR.
Dominique **Briquel** Paris	D. BR.
Luc **Brisson** Paris	L. BR.
Giovanni **Brizzi** Bologna	G. BR.
Sebastian P. **Brock** Oxford	S. BR.
Kai **Brodersen** Mannheim	K. BRO.
Marco **Buonocore** Roma	M. BU.
Leonhard **Burckhardt** Basel	LE. BU.
Alison **Burford-Cooper** Ashville, NC	A. B.-C.
Jan **Burian** Praha	J. BU.
Gian Andrea **Caduff** Zizers	G. A. C.
Gualtiero **Calboli** Bologna	G. C.
Lucia **Calboli Montefusco** Bologna	L. C. M.
Peter **Calmeyer** Berlin	PE. C.
J. B. **Campbell** Belfast	J. CA.
Paul **Cartledge** Cambridge	P. C.
Barbara **Cassin** Paris	B. C.
Michele **Cataudella** Firenze	M. CA.
Guglielmo **Cavallo** Roma	GU. C.
Angelos **Chaniotis** Heidelberg	A. C.
Michael **Chase** Victoria	MI. CH.
Johannes **Christes** Berlin	J. C.
Eckhard **Christmann** Heidelberg	E. C.
Kevin **Clinton** Ithaca, N. Y.	K. C.
Gudrun **Colbow** Liège	G. CO.

Christian-Friedrich **Collatz** Berlin	C.-F. C.
Carsten **Colpe** Berlin	C. C.
Mireille **Corbier** Paris	MI. CO.
Edward **Courtney** Charlottesville, Virginia	ED. C.
Heinz **Cüppers** Trier	H. C.
Giovanna **Daverio Rocchi** Milano	G. D. R.
Lorena **De Faveri** Venezia	L. D. F.
Giuseppe **De Gregorio** Roma	G. D. G.
Stefania **de Vido** Pisa	S. D. V.
Wolfgang **Decker** Köln	W. D.
Enzo **Degani** Bologna	E. D.
Sigrid **Deger-Jalkotzy** Salzburg	S. D.-J.
Wolfgang **Detel** Frankfurt	W. DE.
Massimo **Di Marco** Fondi (Latina)	M. D. MA.
Karlheinz **Dietz** Würzburg	K. DI.
Joachim **Dingel** Reutlingen	J. D.
Roald F. **Docter** Amsterdam	R. D.
Klaus **Döring** Bamberg	K. D.
Alice **Donohue** Bryn Mawr	A. A. D.
Tiziano **Dorandi** Paris	T. D.
Paul **Dräger** Trier	P. D.
Thomas **Drew-Bear** Lyon	T. D.-B.
Armenuhi **Drost-Abgarjan** Halle/Saale	A. D.-A.
J. **Duchesne-Guillemin** Liège	J. D.-G.
Pierre **Ducrey** Lausanne	PI. DU.
Martina **Dürkop** Potsdam	MA. D.
Werner **Eck** Köln	W. E.
Walter **Eder** Bochum	W. ED.
Birgitta **Eder** Wien	BI. ED.
Ulrike **Egelhaaf** Tübingen	UL. EG.
Beate **Ego** Tübingen	B. E.
Ulrich **Eigler** Freiburg	U. E.
Paolo **Eleuteri** Venezia	P. E.
Karl-Ludwig **Elvers** Bochum	K.-L. E.
Helmut **Engelmann** Köln	HE. EN.
Johannes **Engels** Köln	J. E.
Robert K. **Englund** Berlin	R. K. E.
Michael **Erler** Würzburg	M. ER.
Malcolm **Errington** Marburg	MA. ER.
Marion **Euskirchen** Bonn	M. E.
Giulia **Falco** Athen	GI. F.
Marco **Fantuzzi** Firenze	M. FA.
Gisela **Febel** Stuttgart	G. FE.
Martin **Fell** Münster	M. FE.
Ulrich **Fellmeth** Stuttgart	UL. FE.
Hans Jürgen **Feulner** Tübingen	H. J. F.
Beate **Fey-Wickert** Hagen	B. F.-W.
Peter **Flury** München	P. FL.
Reinhard **Förtsch** Köln	R. F.
Menso **Folkerts** München	M. F.
Sotera **Fornaro** Heidelberg	S. FO.
Bernhard **Forssman** Erlangen	B. F.
William W. **Fortenbaugh** New Brunswick	WI. FO.
Karl Suso **Frank** Freiburg	K.-S. F.
Christa **Frateantonio** Tübingen	C. F.
Dorothea **Frede** Hamburg	D. FR.
Michael **Frede** Oxford	M. FR.
Gérard **Freyburger** Muhlhouse	G. F.
Helmut **Freydank** Potsdam	H. FR.
Edmond **Frezouls** † Strasbourg	E. FR.
Peter **Funke** Münster	P. F.
William D. **Furley** Heidelberg	W. D. F.
Hans Armin **Gärtner** Heidelberg	H. A. G.

Hartmut **Galsterer** Bonn	H. GA.	Matthias **Köckert** Berlin	M. K.
Richard **Gamauf** Wien	R. GA.	Anne **Kolb** Frankfurt	A. K.
José Luis **García-Ramón** Köln	J. G.-R.	Fritz **Krafft** Marburg	F. KR.
Paolo **Gatti** Trento	P. G.	Johannes **Kramer** Trier	J. KR.
Hans-Joachim **Gehrke** Freiburg	H.-J. G.	Herwig **Kramolisch** Eppelheim	HE. KR.
Tomasz **Giaro** Frankfurt/Oder	T. G.	Jens-Uwe **Krause** Heidelberg	J. K.
Jost **Gippert** Frankfurt/Main	J. G.	M. **Krebernik** München	M. KR.
Christian **Gizewski** Berlin	C. G.	Christoph **Kugelmeier** Berlin	CHR. KU.
Franz **Glaser** Klagenfurt	F. GL.	Amélie **Kuhrt** London	A. KU.
Anne **Glock** Potsdam	A. GL.	Christiane **Kunst** Potsdam	C. KU.
Herwig **Görgemanns** Heidelberg	H. GÖ.	Heike **Kunz** Tübingen	HE. K.
Richard **Gordon** Ilmmünster	R. GOR.	Yves **Lafond** Bochum	Y. L.
Hans **Gottschalk** Leeds	H. G.	Marie-Luise **Lakmann** Münster	M.-L. L.
Marie-Odile **Goulet-Cazé** Antony	M. G.-C.	André **Laks** Lille	A. LA.
Fritz **Graf** Basel	F. G.	Joachim **Latacz** Basel	J. L.
Gerd **Graßhoff** Hamburg	GE. G.	Marion **Lausberg** Augsburg	MA. L.
Herbert **Graßl** Salzburg	H. GR.	Yann **Le Bohec** Lyon	Y. L. B.
Reinhard **Grieshammer** Dossenheim	R. GR.	Gunnar **Lehmann** Jerusalem	G. LE.
Joachim **Gruber** Erlangen	J. GR.	Thomas **Leisten** Tübingen	T. L.
Fritz **Gschnitzer** Neckargmünd-Dilsberg	F. GSCH.	Jürgen **Leonhardt** Bad Doberan	J. LE.
Linda-Marie **Günther** München	L.-M. G.	Hartmut **Leppin** Hannover	H. L.
Andreas **Gutsfeld** Berlin	A. G.	Anne **Ley** Xanten	A. L.
Volkert **Haas** Berlin	V. H.	Adrienne **Lezzi-Hafter** Kilchberg	A. L.-H.
Peter **Habermehl** Berlin	PE. HA.	Wolf-Lüder **Liebermann** Bielefeld	W.-L. L.
Ilsetraut **Hadot** Limours	I. H.	Cay **Lienau** Münster	C. L.
Pierre **Hadot** Limours	P. HA.	Stefan **Link** Paderborn	S. L.
Ruth E. **Harder** Schaffhausen	R. HA.	Bernhard **Linke** Dresden	B. LI.
Christine **Harrauer** Wien	C. HA.	A. W. **Lintott** Oxford	A. W. L.
Susanne **Heinhold-Krahmer** Feldkirchen	S. H.-K.	R. **Liwak** Berlin	R. L.
Marlies **Heinz** Berlin	M. H.	Hans **Lohmann** Bochum	H. LO.
Peter **Herz** Regensburg	P. H.	Michael **Maaß** Karlsruhe	MI. MA.
Bernhard **Herzhoff** Trier	B. HE.	Maria **Macuch** Berlin	M. MA.
Thomas **Hidber** Bern	T. HI.	J. P. **Mahé** Paris	J. P. M.
Friedrich **Hild** Wien	F. H.	Georgios **Makris** Bochum	G. MA.
Otto **Hiltbrunner** Gröbenzell	O. HI.	Wolfgang **Mann** New York	WO. M.
Konrad **Hitzl** Tübingen	K. H.	Ulrich **Manthe** Passau	U. M.
Christoph **Höcker** Hamburg	C. HÖ.	Silvia Maria **Marengo** Macerata	S. M. M.
Peter **Högemann** Erlangen	PE. HÖ.	Christoph **Markschies** Jena	C. M.
Karl-Joachim **Hölkeskamp** Köln	K.-J. H.	Peter **Marzolff** Heidelberg	P. MA.
Nicola **Hoesch** München	N. H.	Attilio **Mastino** Sassari	A. MA.
Heinz **Hofmann** Tübingen	H. HO.	Stefan **Maul** Heidelberg	S. M.
Jens **Holzhausen** Berlin	J. HO.	Andreas **Mehl** Halle/Saale	A. ME.
Martin **Hose** Greifswald	MA. HO.	Mischa **Meier** Bochum	M. MEI.
Wolfgang **Hübner** Münster	W. H.	Franz-Stefan **Meissel** Wien	F. ME.
Karl-Heinz **Hülser** Konstanz	K.-H. H.	Klaus **Meister** Berlin	K. MEI.
Christian **Hünemörder** Hamburg	C. HÜ.	Giovanni **Menella** Rapallo (Genova)	G. ME.
Rolf **Hurschmann** Hamburg	R. H.	Stefan **Meyer-Schwelling** Tübingen	S. M.-S.
Werner **Huß** Bamberg	W. HU.	Simone **Michel** Hamburg	S. MI.
Brad **Inwood** Toronto	B. I.	Alexander **Mlasowsky** Hannover	A. M.
Karl **Jansen-Winkeln** Berlin	K. J.-W.	Heide **Mommsen** Stuttgart	H. M.
Sarah Iles **Johnston** Ohio	S. I. J.	Franco **Montanari** Pisa	F. M.
Willem **Jongman** Groningen	W. J.	Claire **Muckensturm-Poulle** Besançon	C. M.-P.
Lutz **Käppel** Tübingen	L. K.	Christa **Müller-Kessler** Emskirchen	C. K.
Hansjörg **Kalcyk** Petershausen	H. KAL.	Dietmar **Najock** Berlin	D. N.
Klaus **Karttunen** Espoo	K. K.	Michel **Narcy** Paris	MI. NA.
Robert A. **Kaster** Chicago	R. A. K.	Anne **Nercessian** Paris	A. N.
Emily **Kearns** Oxford	E. K.	Heinz-Günther **Nesselrath** Bern	H.-G. NE.
Dietmar **Kienast** Neu-Esting	D. K.	Richard **Neudecker** Roma	R. N.
Wilhelm **Kierdorf** Köln	W. K.	Günter **Neumann** Würzburg	G. N.
Konrad **Kinzl** Peterborough	K. KI.	Hans **Neumann** Berlin	H. N.
Horst **Klengel** Berlin	H. KL.	Johannes **Niehoff** Merzhausen	J. N.
Heiner **Knell** Darmstadt	H. KN.	Herbert **Niehr** Rottenburg	H. NI.
Heidemarie **Koch** Marburg	H. KO.	Hans-Georg **Niemeyer** Hamburg	H.-G. N.

Karl Leo **Noethlichs** Aachen	K. L. N.	Udo W. **Scholz** Würzburg	U. W. S.
René **Nünlist** Basel	RE. N.	Martin **Schottky** Pretzfeld	M. SCH.
Vivian **Nutton** London	V. N.	Andreas **Schubert** Hamburg	AN. S.
John H. **Oakley** Williamsburg, Virginia	J. O.	Astrid **Schürmann** Mannheim	AS. S.
Joachim **Oelsner** Leipzig	J. OE.	Eckart E. **Schütrumpf** Boulder, Colorado	E. E. S.
Eckart **Olshausen** Stuttgart	E. O.	Christoph **Schuler** Tübingen	C. SCH.
Jürgen **Osing** Berlin	J. OS.	Heinz-Joachim **Schulzki** Mannheim	H.-J. S.
Edgar **Pack** Köln	E. P.	Andreas **Schwarcz** Wien	A. SCH.
Michael **Padgett** Princeton	M. P.	Anna Maria **Schwemer** Tübingen	A. M. S.
Johannes **Pahlitzsch** Berlin	J. P.	Hans **Schwerteck** Tübingen	HA. SCH.
Umberto **Pappalardo** Castellamare (Napoli)	U. PA.	Stephan Johannes **Seidlmayer** Berlin	S. S.
Robert **Parker** PhD Oxford	R. PA.	Christoph **Selzer** Dresden	C. S.
Maria Cecilia **Parra** Pisa	M. C. P.	Reinhard **Senff** Bochum	R. SE.
Christoph **Paulus** Berlin	C. PA.	Robert **Sharples** London	R. S.
Anastasia **Pekridou-Gorecki** Frankfurt/Main	A. P.-G.	Walter **Simon** Tübingen	W. SI.
Ulrike **Peter** Berlin	U. P.	Kurt **Smolak** Wien	K. SM.
Volker **Pingel** Bochum	V. P.	Holger **Sonnabend** Stuttgart	H. SO.
Robert **Plath** Erlangen	R. P.	Christiane **Sourvinou Inwood** Oxford	C. S. I.
Karla **Pollmann** St. Andrews	K. P.	Paul **Speck** Berlin	P. SP.
Beate **Pongratz-Leisten** Tübingen	B. P.-L.	Wolfgang **Speyer** Salzburg	WO. SP.
Robert **Porod** Graz	RO. PO.	Wolfgang **Spickermann** Bochum	W. SP.
Werner **Portmann** Berlin	W. P.	Friedrich **Spoth** München	F. SP.
Friedhelm **Prayon** Tübingen	F. PR.	Ines **Stahlmann** Berlin	I. ST.
Frank **Pressler** Viersen	F. P.	Karl-Heinz **Stanzel** Tübingen	K.-H. S.
Oliver **Primavesi** Frankfurt/Main	O. P.	Frank **Starke** Dusslingen	F. S.
Georges **Raepsaet** Brüssel	G. R.	Helena **Stegmann** Bonn	H. S.
Dominic **Rathbone** London	D. R.	Eva **Stehlíková** Praha	E. ST.
Christiane **Reitz** Ludwigshafen	CH. R.	Elke **Stein-Hölkeskamp** Köln	E. S.-H.
Johannes **Renger** Berlin	J. RE.	Dieter **Steinbauer** Regensburg	D. ST.
Peter **Rhodes** Durham	P. J. R.	Matthias **Steinhart** Lahr/Baden	M. ST.
John A. **Richmond** Dublin	J. A. R.	Wesley M. **Stevens** Winnipeg	W. M. S.
Josef **Riederer** Berlin	JO. R.	Marten **Stol** Leiden	MA. S.
Christoph **Riedweg** Zürich	C. RI.	Daniel **Strauch** Berlin	D. S.
Josef **Rist** Würzburg	J. RI.	M. P. **Streck** München	M. S.
Helmut **Rix** Freiburg i. Br.	H. R.	Karl **Strobel** Trier	K. ST.
Emmet **Robbins** Toronto	E. R.	Wilfried **Stroh** Freising	W. STR.
Michael **Roberts** Middletown	M. RO.	Meret **Strothmann** Bochum	ME. STR.
Klaus **Rosen** Bonn	K. R.	Klaus **Strunk** München	K. S.
Jörg **Rüpke** Potsdam	J. R.	Werner **Suerbaum** München	W. SU.
David T. **Runia** Leiden	D. T. R.	Giancarlo **Susini** Bologna	G. SU.
Klaus **Sallmann** Mainz	KL. SA.	Thomas A. **Szlezák** Tübingen	T. A. S.
Eleonora **Salomone Gaggero** Genova	E. S. G.	Maurizio **Taddei** Roma	MA. TA.
Michele Renée **Salzman** Riverside, CA	M. SA.	Gerhard **Thür** Graz	G. T.
Helen **Sancisi-Weerdenburg** Utrecht	H. S.-W.	Franz **Tinnefeld** München	F. T.
Antonio **Sartori** Sesto S. G. (Milano)	A. SA.	Malcolm **Todd** Durham	M. TO.
Marjeta **Šašel Kos** Ljubljana	M. Š. K.	Sergej R. **Tokhtas'ev** St. Petersburg	S. R. T.
Vera **Sauer** Stuttgart	V. S.	Renzo **Tosi** Bologna	R. T.
Kyriakos **Savvidis** Witten	K. SA.	Alain **Touwaide** Madrid	A. TO.
Mustafa H. **Sayar** Wien	M. H. S.	Susan **Treggiari** Stanford	SU. T.
Albert **Schachter** Montreal	A. S.	Hans **Treidler** Berlin	H. T.
Brigitte **Schaffner** Basel	B. SCH.	K. **Tuchelt** Berlin	KA. TU.
Dietmar **Schanbacher** Dresden	D. SCH.	Giovanni **Uggeri** Firenze	G. U.
Tanja **Scheer** Rom	T. S.	Jürgen **Untermann** Pulheim	J. U.
Ingeborg **Scheibler** Stockdorf	I. S.	Karl-Heinz **Uthemann** Amsterdam	K. U.
John **Scheid** Paris	J. S.	B. **van Wickevoort Crommelin** Hamburg	B. V. W. C.
Peter **Scherrer** Wien	P. SCH.	Ioannis **Vassis** Athen	I. V.
Gottfried **Schiemann** Tübingen	G. S.	Hendrik S. **Versnel** Warmond	H. V.
Renate **Schlesier** Berlin	RE. S.	Iris **von Bredow** Bietigheim-Bissingen	I. V. B.
Peter L. **Schmidt** Konstanz	P. L. S.	Hans-Markus **von Kaenel** Frankfurt	H.-M. V. K.
Winfried **Schmitz** Bochum	W. S.	Sitta **von Reden** Köln	S. V. R.
Notker **Schneider** Köln	NO. SCH.	Wulf Eckart **Voß** Osnabrück	W. E. V.
Helmuth **Schneider** Kassel	H. SCHN.	Beate **Wagner-Hasel** Darmstadt	B. W.-H.
Franz **Schön** Regensburg	F. SCH.	Christine **Walde** Basel	C. W.

Gerold **Walser** Basel	G. W.	Anne-Maria **Wittke** Kusterdingen	A. W.
Ralf-B. **Wartke** Berlin	R. W.	Michael **Zahrnt** Kiel	M. Z.
Peter **Weiß** Kiel	P. W.	Frieder **Zaminer** Berlin	F. Z.
Michael **Weißenberger** Düsseldorf	M. W.	Karl-Theodor **Zauzich** Sommershausen	K.-T. Z.
Karl-Wilhelm **Welwei** Bochum	K.-W. WEL.	Michaela **Zelzer** Wien	M. ZE.
Raymond **Westbrook** Baltimore	RA. WE.	Ulrike **Zimbrich** Frankfurt/Main	U. ZI.
Josef **Wiesehöfer** Kiel	J. W.	Bernhard **Zimmermann** Allensbach	B. Z.
Wolfgang **Will** Bonn	W. W.	Thomas **Zinsmaier** Tübingen	TH. ZI.
Reinhard **Willvonseder** Wien	R. WI.	Raimondo **Zucca** Roma	R. Z.
Eckhard **Wirbelauer** Freiburg	E. W.		

Übersetzer

A. Beuchel	A. BE.	C. Pöthig	C. P.
J. Derlien	J. DE.	T. Raubitschek	T. R.
S. Felkl	S. F.	N. Robinson	N. R.
G. Fischer-Saglia	G. F.–S.	L. v. Reppert-Bismarck	L. v. R.–B.
S. Görsch	S. G.	B. Schaffner	B. S.
T. Heinze	T. H.	M. A. Söllner	M. A. S.
F. Hofelich	F. H.	L. Strehl	L. S.
E. Kraus	E. KR.	V. Stohwasser	V. S.
R. P. Lalli	R. P. L.	R. Struß-Höcker	R. S.–H.
M. Mohr	M. MO.	A. Thorspecken	A. T.
S. Paulus	S. P.	A. Wittenburg	A. WI.

Mitarbeiter in den Fachgebietsredaktionen

Alte Geschichte:	Anne Kahn Mischa Meier Meret Strothmann	Orientalistik:	Helga Vogel
		Philosophie:	Barbara Botter
Griechische Philologie:	Raphael Sobotta	Religion und Mythologie:	Helen Kaufmann Brigitte Schaffner Dr. Christine Walde
Historische Geographie	Dorothea Gaier Vera Sauer M.A.	Sozial- und Wirtschaftsgeschichte:	Alexander Beuchel
Klassische Archäologie:	Ruth Nesemann Winfried Prehn	Sprachwissenschaft:	Manfred Brust M.A Christel Kindermann Dr. Robert Plath
Kulturgeschichte:	Hartwig Heckel Judith Hendricks Maren Saiko		
Lateinische Philologie, Rhetorik:	Bernhard Brehmer Martina Dürkop Bärbel Geyer		

C

Clanis. Rechter Nebenfluß des Tiber in Etruria, h. Chiana (Strab. 5,3,7; App. civ. 1,89), fließt südl. an Arezzo vorbei (Plin. nat. 3,54) und vereinigt sich mit der Paglia bei Orvieto. 15 n.Chr. widersetzte sich → Florentia dem Plan, den C. mit dem Arno zu vereinigen, um dem Hochwasser des Tiber vorzubeugen, obwohl selbst vom Hochwasser des Arno gefährdet (Tac. ann. 1,76; 1,79; Cass. Dio 57,14).

A. FATUCCHI, in: Atti e memorie dell'Accademia Patavina 43, 1973/74, 332 ff.　　　　　　　　　M.CA.

Clanius. Fluß in Campania (Lykophr. 718; Γλάνις, Dion. Hal. ant. 7,3), der in ant. Zeit wohl bei Liternum ins *mare Tyrrhenum* mündete; er gefährdete mit seinen Überschwemmungen Acerrae (Verg. georg. 2,225 mit Serv.). Zwei neolithische Siedlungen (4./3. Jt. v. Chr.), nur 4 km vom Fluß entfernt, bei Gricigliano und Orta di Atella lassen eine beachtliche Bevölkerungsdichte in der campanischen Ebene schon seit dem 4. Jt. vermuten.

NISSEN, 2, 713.　　　　　　　　　　　　U.PA.

Clarenna. *Statio* zw. Ad Lunam und Grinario (Tab. Peut. 4,1), evtl. die spätflavische Garnison Donnstetten-Römerstein, die nach ca. 150 bis ins 3.Jh. als Zivilsiedlung fortlebte.

J. HEILIGMANN, Der »Alb-Limes«, 1990, 80–87.　　　K.DI.

Clarissimus s. Vir clarissimus

Classicum s. Signale

Clastidium. Kelt.-ligurischer Hauptort der Anares (Pol. 2,34) im Süden von Ticinum, h. Casteggio. Verkehrsknotenpunkt. Bei C. siegten 222 v.Chr. die Römer über die Gallier (Pol. 2,69; Plut. Marcellus 6; Thema der gleichnamigen *praetexta* von Naevius [1. 30f.]). Etappe auf der Via Postumia, *vicus* von Placentia (CIL V 7357).

1 R. CHEVALLIER, La romanisation de la Celtique du Pô, 1979.

M. BARATTA, C., 1931.　　　　　　　　　　A.SA.

Claudia fossa s. Fossa Claudia

Claudia

I. REPUBLIKANISCHE ZEIT

[I 1] Eine der Töchter des Ap. Claudius Caecus. Ihr im Gedränge laut geäußerter Wunsch, ihr Bruder P. Claudius Pulcher (*cos.* 249 v.Chr.) möge leben und abermals eine Seeschlacht verlieren, damit die Masse des Pöbels abnehme, brachte ihr eine hohe Geldstrafe ein (Ateius Capito bei Gell. 10,6; Liv. per. 19; Suet. Tib. 2,3).

R. A. BAUMAN, Women and Politics in Ancient Rome, 1992, 19–20.

[I 2] Tochter des Ap. Claudius Pulcher, *cos.* 143 v.Chr., verheiratet mit Tiberius Gracchus (Plut. Tiberius Gracchus 4,1–4; App. civ. 1,55; Liv. per. 58).

[I 3] C. Quinta. Wahrscheinlich Tochter des P. Claudius Pulcher. Als sich 204 v.Chr. das Schiff mit dem hl. Stein der Magna Mater im Tiber festfuhr, soll sie es unter Berufung auf ihre Keuschheit befreit haben (Liv. 29,14,11 f.; Ov. fast. 4,305–22; Plin. nat. 7,120; Suet. Tib. 2,3). Zu Ehreninschr. und Bildnissen vgl. CIL VI 492–94; Val. Max. 1,8,11; Tac. ann. 4,64,3 und CUMONT, Religions, Taf. 1,5.

R. A. BAUMAN, Women and Politics in Ancient Rome, 1992, 28–29, 214.　　　　　　　　ME.STR.

[I 4] Tochter des P. Clodius Pulcher und der Fulvia, damit Stieftochter von M. Antonius. Auf Forderung der Soldaten im J. 43 v.Chr. als 10jährige mit Octavian (→ Augustus) verheiratet; dieser löste die Ehe im J. 41 aus polit. Gründen auf (Suet. Aug. 62,1; Cass. Dio 46,56,3; 48,5,3; PIR² C 1057).

II. KAISERZEIT

[II 1] Tochter des späteren Kaisers Claudius und von Plautia Urgulanilla, geb. 5 Monate vor der Scheidung beider; Claudius erkannte sie nicht an (Suet. Claud. 27,1).

[II 2] C. Augusta. Tochter Neros und Poppaeas, die sogleich nach der Geburt am 21.1.63 n.Chr. den Namen Augusta erhielt. Mit vier Monaten gestorben und divinisiert (PIR² C 1061) [1. 100].

[II 3] Frau des Dichters Statius, die aus einer früheren Ehe eine Tochter hatte. Statius schrieb silv. 3,5 an sie, um sie zu überreden, mit ihm nach Neapel zurückzukehren (PIR² C 1062).

[II 4] C. Acte. Kaiserliche Sklavin, aus Asia stammend, später Freigelassene. Aus Leidenschaft zu ihr verließ Nero seine Frau Octavia. Von Agrippina bekämpft (Tac. ann. 13,12 f. 14,2.63; Suet. Nero 28,1; Cass. Dio 61,7,1). Zahlreiche ihrer Sklaven sind bekannt, ferner Grundbesitz bei Puteoli und Velitrae (PIR² C 1067). 68 bestattete sie die Überreste Neros (Suet. Nero 50).

[II 5] C. Basilo. Senatorenfrau konsularen Ranges, verheiratet mit A. Iulius Proculus, *cos. suff.* unter Antoninus Pius. Aus Synnada in Asia stammend. Wohl von Commodus mit ihrem Mann zum Selbtmord gezwungen (SHA Comm. 7,7; RAEPSAET-CHARLIER Nr. 227) [2. 457 ff.].

[II 6] C. Caninia Severa. Frau senatorischen Ranges, Tochter des ersten Konsuls aus Ephesos, Ti. Claudius Severus; in ihrer Heimatstadt bekleidete sie mehrere Ämter in der 1. H. des 3.Jh. (I. Eph. III 639. 648. 892) [3. 103, Nr. 412].

[II 7] C. Capitolina. Tochter von Claudius Balbillus. Verheiratet mit C. Iulius Antiochus Philopappus, dem

Sohn des letzten Königs von Kommagene, später mit Iunius Rufus, *praef. Aegypti* 94–98 (PIR² C 1086; [4. 132] bringt die Ehen in falscher Reihenfolge).

[II 8] C. Marcella maior. Tochter von C. Claudius Marcellus, *cos.* 50 v. Chr., und Octavia, der Schwester Octavians. Geb. um 43 v. Chr., verheiratet mit Agrippa bis 21 v. Chr., als Augustus diesen zur Scheidung veranlaßte, damit er Augustus' Tochter Iulia heiratete. Marcella erhielt Iullus Antonius, *cos. ord.* 10 v. Chr., als Gemahl; aus beiden Ehen stammten Kinder (PIR² C 1102; RAEPSAET-CHARLIER Nr. 242) [5. 143 ff.].

[II 9] C. Marcella minor. Schwester von C. [II 8]. Geb. 39 v. Chr. nach dem Tod ihres Vaters [5. 147]. Verheiratet vielleicht mit einem Ignotus, dann mit M. Valerius Messalla Appianus, *cos. ord.* 12 v. Chr., danach mit Paullus Aemilius Lepidus, wohl dem *cos. suff.* 34 v. Chr. Ihre Kinder sind Valerius Messalla Barbatus, Claudia Pulchra und Paullus Aemilius Regillus, ihre Enkelin Valeria Messalina, die Frau von Claudius (PIR² C 1103) [5. 147 ff.; 6. 226 ff.]. Zu den Inschr. ihrer Sklaven und *liberti* CIL VI 4414 ff.; vgl. [6. 230 f.].

[II 10] C. Octavia. Tochter des Claudius [III 1], s. → Octavia.

[II 11] C. Pulchra. Tochter von C. [II 9] und M. Valerius Messalla Appianus; geb. spätestens 12 v. Chr. Verwandt mit Agrippina (Tac. ann. 4,52,1); verheiratet mit P. Quinctilius Varus, ihr Sohn Quinctilius Varus. Im J. 26 wurde sie wegen → *maiestas* und *impudicitia* angeklagt und verurteilt (Tac. ann. 4,52; 66,1) [5. 147 ff].

1 KIENAST 2 MÜLLER, in: Chiron 10, 1980 3 W. ECK, RE Suppl. 14 4 HALFMANN 5 SYME, AA 6 U. FUSCO, G. L. GREGORI, in: ZPE 112, 1996, 226 ff. W. E.

Claudianus

[1] [. . .]us C., s. M. → Arruntius Claudianus

[2] Claudius C. Griech.-lat. Dichter (um 400 n. Chr.) aus Alexandreia. C. schrieb erst griech. Gedichte; erh. ist der Anfang einer ›Gigantomachie‹, deren Praefatio in elegischen Distichen auf Rezitation in Alexandreia weist. Von den in der → *Anthologia Palatina* einem Klaudianos (s. Claudius → Claudianus [3]) zugeschriebenen sieben Epigrammen stammen vier von unserem C. (5,86; 9,140. 753 f.); er dürfte auch Verf. (verlorener) ep. Preisgedichte auf Städte in Palästina und Kleinasien sein [3. 7–12]. Somit ist C. einer jener »wandering poets« [4], die sich den Lebensunterhalt mit Abfassung und Vortrag solcher Epen verdienten und Karriere im Dienst verschiedener Auftraggeber machten. Über Konstantinopel, wo durch Anth. Pal. 9,140 eine Rezitation in der Bibl. bezeugt ist, kam er 393/4 nach Rom, wo er Anfang 395 sein erstes lat. Gedicht rezitierte, ein panegyrisches → Epos (p. E.) auf das Konsulat der noch im Knabenalter stehenden Brüder Olybrius und Probinus aus der *gens Anicia.* Dieser Auftritt sicherte ihm die Gunst des Hofes in Mailand, wo nach → Theodosius' Tod (395) der *magister militum* → Stilicho für dessen Sohn → Honorius (*384) die Regentschaft ausübte. Im Januar 396 rezitierte C. in Mailand das Festgedicht für

das 3. Konsulat des Honorius und gewann damit Stilichos Vertrauen; denn in einer fiktiven Szene jenes Epos (142–162) hatte er dargestellt, wie der sterbende Theodosius Stilicho *allein* zum Vormund seiner *beiden* Söhne Honorius im Westen und → Arcadius (*um 377) im Osten bestimmt und zum Regenten *beider* Reichshälften eingesetzt hatte. Diesen Anspruch verteidigte C. in allen Gedichten, die er als Hofdichter schrieb, wofür er das Amt eines *tribunus et notarius* erhielt und 400 mit einer Bronzestatue auf dem Trajansforum in Rom geehrt wurde, deren Inschrift erhalten ist (CIL 6,1710 = ILS 2949).

C. verfaßte p. E. auf die weiteren Konsulate des Honorius (*cos. IV* 398, *cos. VI* 404), des christl.-neuplatonischen Philosophen Mallius Theodorus (399) und des Stilicho (400, 3 B.) sowie anläßlich erfolgreicher Kriege gegen den afrikanischen Aufrührer Gildo (*Bellum Gildonicum,* 397, unvollendet) und gegen Alarichs Goten (*Bellum Geticum,* 402). Umgekehrt griff er die Machthaber im Osten, die Stilichos Herrschaftsanspruch ablehnten, in → Invektiven schonungslos an: 396/7 den *magister militum* → Rufinus (2 B.), 399 den Konsul → Eutropius (2 B.). Auch → Fescenninen und ein Epithalamium (→ Hymenaios) auf die Hochzeit des 13jährigen Honorius mit Stilichos 12jähriger Tochter Maria (398) dienen dem Preis Stilichos [8. 126–132]. Das einzige größere myth. Gedicht vom Raub der Proserpina (*De raptu Proserpinae,* 3 B.) blieb unvollendet und ist schwer datierbar. Dieselben Gattungen sind auch in der Sammlung der 52 *Carmina minora* vertreten: Lobgedichte (30 *Laus Serenae,* ca. 404), Invektiven (43 f.; 50), Epithalamium (25), Briefe (19; 31; 40 f.), myth. Gedichte (27 *Phoenix*; 53 *Gigantomachia*), dazu → Epigramme und → Ekphraseis von Städten, Flüssen, Kunstwerken, Tieren und Naturobjekten. Anlaß zu Spekulationen über C.' Haltung zum Christentum, von dem sich in seiner Dichtung keine Spur findet (Aug. civ. 5,26 nennt ihn *a Christi nomine alienus,* ›dem Namen Christi fern‹, Oros. 7,35,21 gar *paganus pervicacissimus,* ›einen äußerst starrsinnigen Heiden‹), gab carm. min. 32 *De Salvatore,* das als Auftragsarbeit jedoch kein persönliches Credo sein muß [5]. Daß sich kein Werk nach 404 datieren läßt und Stilichos 2. Konsulat 405 nicht von C. gefeiert wurde, nahm man, zusammen mit dem unvollendeten Zustand von *De Raptu, Laus Serenae* und der lat. *Gigantomachia,* als Beweis für C.' Tod im J. 404; freilich läßt sich nicht ausschließen, daß der »wandering poet« C. sich 404 neue Auftraggeber gesucht hat, von dieser Tätigkeit aber nichts erhalten blieb.

C. hat das histor.-polit. Epos der Spätant. auf Jh. hinaus geprägt und die Gattung des p. E. entwickelt, das für den Vortrag bei institutionalisierten Gelegenheiten (Konsulat, Siegesfeier) vor einer genau definierten Öffentlichkeit (*concilium principis,* Hof, Senat) verfaßt ist [14; vgl. 8; 15; 20]. In seiner Doppelfunktion als *laudator* und *narrator* unterwirft der panegyrische Dichter die histor. Ereignisse den Strukturen der Prosapanegyrik (→ Panegyrik), indem er den ästhetischen Anspruch der panegyrischen Funktion unterordnet und durch Komm., Reflexionen, Interpretationsvorgaben und Identifikationsangebote dem Publikum affirmative Rezeptionsanweisungen gibt. Daher wird das ep. Kontinuum durch »isolierte Bilder« [16. 106ff.], d.h. durch die breite Schilderung einzelner Szenen überwuchert, die als profane »Andachtsbilder« zu Sympathie und Identifikation einladen. Spezifischer Ausdruck dieser neuen Funktion sind die → Praefationen, deren festes Schema von einleitendem Bild, zentraler Allegorese und abschließender Thematisierung der Rezitationssituation dem Vortrag präludiert [13. 119ff.].

C.' Beziehungen zur spätant. griech. Epik bleiben wegen deren fragmentar. Überlieferung undeutlich; dafür ist seine Kenntnis der lat. Epik augusteischer und flavischer Zeit (1.Jh. n.Chr.) und deren kreative Rezeption um so evidenter. C. bedient sich bravourös aller tradierten sprachlichen und ep. Gestaltungsmittel: Götter, Dämonen und Personifikationen initiieren die ep. Handlung und treiben sie voran [9], in langen Reden macht er Personen zu Sprachrohren von Stilichos Politik, Ekphraseis vermitteln implizit Ideologie, philos. Diskurse begründen die histor. Sinngebung. So gelingen ihm großartige Bilder und Szenen (Höllenkonzil: Ruf. 1,25ff., Palast [2] und Meerfahrt der Venus: Epith. 49ff., *Spelunca Aevi*: Stil. 2,424ff., Jagd: Stil. 3,237ff., blumenpflückende Proserpina: rapt. 2,36ff.). Als Beschwörer von Roms großer Vergangenheit verficht C. für seine Auftraggeber den Glauben an das ewige Rom (6. Cons. 361ff.; *Laudes Romae*: Stil. 3,130ff.), versinnbildlicht in der Verjüngung der greisen Roma (Gild. 17ff.) [3. 349ff.; 18. 133ff.].

C.' Form des p. E. wurde von seinen Nachfolgern bis ins 6.Jh. (→ Corippus, → Venantius Fortunatus) gepflegt; seine Beziehungen zu Prudentius bleiben indes unklar. Die These einer von Stilicho veranlaßten postumen Ed. der auf ihn bezüglichen Epen [1] ist neuerdings fraglich geworden [11; 21]: Offenbar gelangten vier separate Codd. (rapt. Pros., carm. min., Invektiven/ Siegesepen [*In Rufinum; In Eutropium; Bellum Geticum; In Gildonem*], Festgedichte) ins MA, wo sie seit dem 8.Jh. in Bibliothekskat. (Hofbibl. Karls d.Gr., Bobbio, Reichenau, St.Gallen) auftauchen. Die ältesten Hss. (8./9.Jh.) bringen nur Teile der *Carmina minora*; im 11.Jh. setzen Hss. der *Carmina maiora* ein, im 12.Jh. von *De Raptu* [10;11]: Es war die eigentliche *aetas Claudianea*, was sich neben der sprunghaften Zunahme der Hss. (über 300) im Aufstieg von *De Raptu* (»C. minor«) zur Schullektüre [10. 69ff.], in Komm. [6] und produktiver Rezeption ausdrückt (Alain de Lille, *Anticlaudianus*, ca. 1183) [17]. Bes. Wirkung entfalten die o.g. Szenen bei Chaucer, Boccaccio, Petrarca, Poliziano, Petrus Martyr [12], Vida, Tasso, Milton u.a. [7]. Für das poetische Herrscherlob ist C. noch im 17.Jh. Autorität schlechthin [19], die fürstenspiegelartigen Ermahnungen des Theodosius an Honorius (*4. Cons.* 214ff.) werden oft aufgegriffen, die mythischen Bilder, Personifikationen und Sentenzen wirken in Lit. (Montaigne, Montesquieu,

Coleridge) und Malerei (Botticelli, Poussin) bis ins 18., z.T. 20.Jh. [22; 9a; 3. 419ff.]. Dem Historismus diente C. nur als histor. Quelle. Das Desinteresse des beginnenden 20.Jh. schwand mit dem Paradigmenwechsel der 60er Jahre und der verstärkten Hinwendung zur Spätant. Heute ist C.' Rang als eines der großen Dichter der lat. Lit. unbestritten.

ED. PRINC.: B. CELSANUS, 1482.
ED.: J.B. HALL, 1985 · J.-L. CHARLET, 1991ff.
LIT. 1 T. BIRT, Claudiani Claudii Carmina, 1892 (MGH AA 10) 2 G. BRADEN, C. and his influence, in: Arethusa 12, 1979, 203–231 3 A. CAMERON, C., 1970 4 Ders., Wandering Poets, in: Historia 14, 1965, 470–509 5 J.-L. CHARLET, Théologie, politique et rhétorique ... d'après ... C., in: La poesia tardoantica, 1984, 259–287 6 A.K. CLARKE, P.M. GILES, The Comm. of Geoffrey of Vitry on C., De raptu Pros., 1973 7 S.DÖPP, C. und die lat. Epik zwischen 1300 und 1600, in: Res Publica Litterarum 12, 1989, 39–50 8 Ders., Zeitgesch. in Dichtungen C., 1980 9 C. GNILKA, Götter und Dämonen in den Gedichten C.s, in: A&A 18, 1973, 144–160 9a H. HAASSE, Een nieuwer testament, 1966 10 J.B. HALL (Hrsg.), C., De Raptu Proserpinae, 1969 11 Ders., Prolegomena to C., 1986 12 U. HECHT, Der Pluto furens des Petrus Martyr Anglerius, 1992 13 R. HERZOG, Die allegorische Dichtkunst des Prudentius, 1966 14 H. HOFMANN, Überlegungen zu einer Theorie der nichtchristl. Epik der lat. Spätant., in: Philologus 132, 1988, 101–159 15 W. KIRSCH, Die lat. Versepik des 4.Jh.s, 1989 16 F. MEHMEL, Virgil und Apollonios Rhodios, 1940 17 P. OCHSENBEIN, Studien zum Anticlaudianus des Alanus ab Insulis, 1975 18 F. PASCHOUD, Roma Aeterna, 1967 19 P.L. SCHMIDT, Balde und C., in: Jacob Balde und seine Zeit, 1986, 157–184 20 Ders., Politik und Dichtung in der Panegyrik C.s, 1976 21 Ders., Die Überlieferungsgesch. von C.' Carmina maiora, in: Illinois Classical Studies 14, 1989, 391–415 22 Ders., Zur niederen und höheren Kritik von C.' carmina minora, in: De Tertullien aux Mozarabes (Mélanges J. Fontaine) Bd. 1, 1992, 643–660 22 H. SUDERMANN, Die Lobgesänge des C., 1914.   H.HO.

[3] (**Claudius C.**) Dichter des 5.Jh. n.Chr. (war mit Kyros von Panopolis am Hofe von Theodosios II., vgl. Euagrios hist. eccl. 1,19). Er verfaßte – abgesehen von verlorenen Πάτρια (*Pátria*) über Tarsos, Anazarbos, Berytos (Beirut) und Nikaia (schol. Anth. Pal. 1,19), die wahrscheinlich von Nonnos benutzt wurden (vgl. Nonn. Dion. 41,155), – 7 Epigramme (Anth. Pal. 1,19f.; 5,86; 9,139f.; 753f.), von denen einige den Einfluß nonnianischer Hexametertechnik erkennen lassen (bes. 1,19 und 9,139). Daß die Gedichte 9,753f. aus der Feder des berühmten Claudius → Claudianus [2] stammen, der unter anderem auch eine Γιγαντομαχία (*Gigantomachía*) verfaßte, läßt sich nicht ganz ausschließen (sie weisen einige Berührungspunkte mit dessen lat. Epigrammen auf, vgl. carm. min. 34,1–6).
→ PANEGYRIK

A. WIFSTRAND, Von Kallimachos zu Nonnos, 1933, 159f. ·
A. CAMERON, Claudian. Poetry and Propaganda at the Court of Honorius, 1970, 6–14.   E.D./Ü: T.H.

[4] C. Mamertus. Presbyter in Vienne (Gallien), in griech. und lat. Lit. bewandert, befreundet mit → Sidonius Apollinaris, dessen Epist. 4,3 und 4,11 einige Aufschlüsse über das Leben des C. liefern. Sein *De statu animae*, Sidonius um 470 n.Chr. gewidmet, ist eine gegen den Bischof Faustus von Reji (der die Körperlichkeit der Seele vertrat) gerichtete Streitschrift. C. benutzte für seine Beweise der Unkörperlichkeit der Seele neuplatonische Quellen (vor allem → Porphyrios). Seine Schrift wurde im MA viel benutzt.

> ED.: CSEL II, 1885 •
> LIT.: W. SCHMID, s.v. C. Mamertus, RAC, 3, 1957,
> 169–179 • P. COURCELLE, Les Lettres Grecques en
> Occident, ²1948, 223–235 • E.L. FORTIN, Christianisme
> et culture philosophique au Vᵉ siècle. La querelle
> de l'âme humaine en Occident, 1959. P.HA.

Claudius. Name eines röm. Geschlechtes (sabinisch *Clausus*, volkssprachliche Nebenform → *Clodius*, bes. im 1. Jh. v.Chr.). Die Claudii sind zu Beginn der Republik 504 v.Chr. angeblich aus der Sabinerstadt Regillum unter ihrem Ahnherrn Att(i)us Clausus (→ Appius) in Rom eingewandert und sofort in den Kreis der patrizischen Geschlechter aufgenommen worden (Liv. 2,16,4–6), weshalb den frühen Angehörigen die erfundenen Beinamen *Inregillensis* C. [I 5–6] und *Sabinus* C. [I 31–32] beigelegt wurden [1. 155f.]. Das Praenomen *Appius* wurde kennzeichnend für die Familie. Die nach ihnen benannte Tribus Claudia nördl. von Rom, jenseits des Anio, wurde vielleicht 495 wahrscheinlich als 20. Tribus eingerichtet, die Gentilen gehörten jedoch später auch zu anderen Tribus [2]. Die Claudier galten bis weit in die Kaiserzeit als ungewöhnlich adelsstolzes Geschlecht (Tac. ann. 1,4,3 *vetere atque insita Claudiae familiae superbia*), was in der Ausgestaltung der Überlieferung der frühröm. Geschichte dazu führte, daß die frühen Claudier, bes. der Dezemvir C. [I 5], zu typischen Vertretern einer volksfeindlichen Politik stilisiert wurden [3]. In der Geschichte der *gens* (Überblick bei Suet. Tib. 1,1 ff.; vgl. Tac. ann. 12,25,2) traten der patrizische Zweig um 300 mit dem Censor Ap. C. [I 2] Caecus bes. hervor. Auf ihn gehen die wichtigsten späteren Familien zurück: die Pulchri [I 20–29], die im polit. Leben des 1. Jh. v.Chr. eine bedeutende Rolle spielten, die Centhones [I 4] und die Nerones [I 16–19] (C. [I 19] wurde durch seine Ehe mit Livia zum Stammvater des julisch-claudischen Kaiserhauses). Neben ihnen steht der urspr. mit dem patrizischen verwandte (Cic. de orat. 1,176) plebeische Zweig mit der Hauptlinie der Marcelli [I 7–15]; diese ist im polit. Leben seit dem *cos.* 331 C. [I 10] faßbar, verdankt ihr hohes Ansehen dem Feldherrn des 2. Punischen Krieges C. [I 11] und erlöscht bald nach dem Bürgerkrieg mit M. Marcellus, dem Neffen und praesumptiven Nachfolger des Augustus C. [II 42]. Nicht zu den großen Familien gehört der Historiker C. [I 30]. Durch Bürgerrechtsverleihungen der Kaiser C. und Nero war der Name (häufig abgekürzt *Cl.*) in der Kaiserzeit – auch im griech. Osten – weitverbreitet.

1 B. LINKE, Von der Verwandtschaft zum Staat, 1995 2 L.R. TAYLOR, The Voting Districts of the Roman Republic, 1960, 36; 283–286 3 T.P. WISEMAN, Clio's Cosmetics, 1979, 57–139.
STAMMBÄUME: MÜNZER, s.v. C., RE 3, 2666; 2731 • DRUMANN/GROEBE 2, 140f. • SYME, AA, Stemma VI und VII.

I. REPUBLIKANISCHE ZEIT

[I 1] C., Q. brachte als Volkstribun mit der Unterstützung des C. → Flaminius 218 v.Chr. ein Gesetz ein, nach dem kein Senator oder Sohn eines Senators ein Schiff mit mehr als 300 Amphoren Laderaum besitzen dürfe (Liv. 21,63,3), was zum Rückzug der Senatoren aus reinen Handelsunternehmungen führte (→ *equites Romani*).

[I 2] C. Caecus, Ap. Bedeutendster Angehöriger seiner Familie um 300 v.Chr. erhielt sein Cognomen wegen Erblindung im Alter. Seine ungewöhnl. Ämterlaufbahn, die nur durch das augusteische Elogium (InscrIt. 13,3, Nr. 79) bekannt ist, beginnt direkt mit der Censur 312, die durch umfangreiche Reformvorhaben gekennzeichnet ist (Diod. 20, 36, 1–6 u.a.; MRR 1, 160): Errichtung der Aqua Appia und der → Via Appia; Übertragung des Herkuleskultes an der Ara maxima von der Familie der Potitier auf die Staatssklaven (Cic. Cael. 34 f. u.a.); Verbot an das Kollegium der *tibicines*, ihr Festmahl am Juppitertempel abzuhalten (Liv. 9,30,5); Aufnahme von Bürgern ohne Grundbesitz in alle Tribus (304 auf die vier städtischen Tribus wieder eingeschränkt) und Ergänzung des Senats durch Söhne von Freigelassenen (Liv. 9,46,10f.). Consul I 307 (Rom); 304 ließ er durch seinen Freigelassenen und Sekretär Cn. → Flavius einen Kalender der Gerichtstage und die bisher von den Pontifices tradierten Prozeßformeln veröffentlichen (*ius Flavianum*, Liv. 9,46; Gell. 7,9,2 ff.). Als Consul II 296 und Praetor 295 kämpfte er in Samnium und errichtete nach dem Krieg der Bellona einen Tempel am Circus Flaminius. Hochbetagt sprach er sich 280 nach der Niederlage der Römer bei Herakleia gegen die Friedensvorschläge des Pyrrhos aus (Plut. Pyrrh. 19; erste in Rom schriftlich überlieferte Rede: Cic. Brut 61; Sen. epist. 19,5,13; Tac. dial. 18). Er verfaßte weiterhin eine Sentenzensammlung in Saturniern (*fabrum esse suae quemque fortunae*, Ps.-Sall. rep. 1,1,2) und eine juristische Abhandlung.

> E. FERENCZY, From the Patrician to the Plebeian State, 1976 • HÖLKESKAMP • J. SUOLAHTI, The Roman Censores, 1963.

[I 3] C. Caudex, Ap. wurde als Consul 264 v.Chr. mit der Unterstützung der Mamertiner gegen Hieron II. und die Karthager beauftragt. Er ließ durch seinen Kriegstribunen C.C. die Stadt Messana besetzen und setzte dann nach Sizilien über; dies führte zum Ausbruch des 1. Punischen Krieges (Enn. ann. 223 VAHLEN; Pol. 1,10–12; 15 u.a.).

[I 4] C. Centho, Ap. Curulischer Aedil 179 v.Chr., Praetor im J. 175 in Hispania citerior, wo er 174 mit proconsularischem Imperium blieb und die Keltiberer besiegte (MRR 1, 404); später mehrfach Gesandter.

[I 5] C. Crassus Inregillensis Sabinus, Ap., der Decemvir. Fiktive Ämterlaufbahn: Consul I 471 v. Chr., Consul II (?) 451, Führer des Kollegiums der → *decemviri* zur Aufzeichnung der Zwölftafelgesetze 451–449 (→ Tabulae Duodecimae). In der annalistischen Überlieferung (Liv. 3,33 ff.; Dion. Hal. ant. 10,56; 11,24 ff.; MRR 1, 45–48) ist er der Anführer der Patrizier im Kampf gegen die Plebeier, gilt im ersten Dezemvirat 451 zunächst als plebeierfreundlich, entwickelt sich im zweiten zum plebeierfeindlichen Tyrannen, läßt den L. Siccius töten und stellt der Verginia nach; diese Verbrechen führen schließlich zum Sturz des Dezemvirats.

[I 6] C. Crassus Inregillensis, Ap., Enkel des Dezemvirn C. [I 5], angeblich 367 v. Chr. Gegner der Licinisch-Sextischen Gesetze und damit der Zulassung der Plebeier zum Consulat (Liv. 6,40–42), besiegte 362 als Dictator die Herniker (Liv. 7,7–8), starb 349 als Consul im Amt.

[I 7] C. Marcellus. Praetor 80 v. Chr., Proconsul in Sicilia, Augur bis 44. Vater von C. [I 8].   K.-L. E.

[I 8] C. Marcellus, C. Aedil 56 (MRR 3, 54), Praetor 53 (?), Consul 50, Vetter der Consuln von 49, → Claudius [I 9], und 51, → Claudius [I 15]. Trat während seines Amtsjahres 50 als entschiedener Gegner Caesars auf und betrieb dessen Abberufung aus Gallien (MRR 2, 247). Nach Beginn des Bürgerkrieges wechselte er nach Caesars Anfangserfolgen im Frühjahr 49 die Fronten (Cic. Att. 10,15,2). Polit. bedeutungslos starb er Anfang 40 (App. civ. 5,273).

[I 9] C. Marcellus, C. Vetter des Vorigen, spätestens 52 v. Chr. Praetor, 49 Consul (MRR 2, 256). Im Bürgerkrieg Kommandant in der Flotte des Pompeius (Caes. civ. 3,5,3). Nach 48 nicht mehr erwähnt.   w. w.

[I 10] C. Marcellus, M. Consul 331 v. Chr., Dictator (zur Abhaltung von Wahlen) 327, der erste plebeische Claudier, der zum Consulat aufstieg.

[I 11] C. Marcellus, M., der Eroberer von Syrakus. Er kämpfte bereits im 1. Punischen Krieg mit. Als Consul I 222 v. Chr. besiegte er die Kelten bei Clastidium (Thema der gleichnamigen Tragödie des → Naevius), wobei er ihren Anführer Viridomarus mit eigener Hand tötete und so die *spolia opima* gewann (Pol. 2,34–35; Triumph *de Insubribus* InscrIt. 13,1 79; Gelobung des Tempels für Honos und Virtus Liv. 27,25,7). Im 2. Punischen Krieg zunächst in Kampanien, 216 als Praetor II, 215 mit proconsularischem Imperium (MRR 1, 255). 214 Consul III, nachdem für 215 seine Wahl aus rel. Gründen kassiert worden war (MRR 1, 254). Er eroberte mit seinem Kollegen Q. → Fabius Maximus Verrucosus Casilinum und setzte dann nach Sizilien über, wo er zunächst Leontinoi eroberte. 213 begann er als Proconsul mit der Belagerung von Syrakus, das er nach starker Gegenwehr 212 einnahm (Liv. 25,23–31; Tod des → Archimedes). Die Stadt wurde geplündert und die Kunstschätze nach Rom geführt, wo sie das Interesse für griech. Kunst förderten. Auf ihn geht auch das starke

Interesse der Marcelli an Sizilien zurück. Nachdem er 210 als Consul IV und Proconsul 209 gegen Hannibal in Unteritalien gestanden hatte, fiel er im 5. Consulat 208 in der Nähe von Venusia in einem Hinterhalt (Pol. 10,32; Liv. 27,26–27).

[I 12] C. Marcellus, M., Sohn von C. [I 11], für den er die Leichenrede hielt (Liv. 27,27,13), hatte als Kriegstribun unter seinem Vater gedient, war Volkstribun 204, Aedil 200, Praetor 198 in Sicilia, Consul 196 (Triumph über Kelten), Censor 189, Pontifex 196–177.

[I 13] C. Marcellus, M. Volkstribun 171 v. Chr., Praetor und Propraetor 169/168 in Spanien, Consul I 166, II 155 (Kämpfe gegen Kelten), Consul III und Proconsul 152/151 in Spanien; seine Friedensbemühungen wurden vom Senat nicht gebilligt.

[I 14] C. Marcellus, M. Zeichnete sich 102 v. Chr. bei Aquae Sextiae aus (Frontin. strat. 2,6,4), war Legat im Bundesgenossenkrieg 90 und Praetor vor 73 (?, vgl. MRR 3, 55).

[I 15] C. Marcellus, M. Praetor spätestens 54 v. Chr.; versuchte als Consul 51, Caesar die gallische Statthalterschaft zu entziehen; nach Pharsalos im Exil in Mytilene, nahm er erst 46 nach Fürsprache Ciceros (*Pro Marcello*) Caesars Gnade in Anspruch, wurde aber 45 auf dem Rückweg nach It. im Piraeus ermordet und in Athen beigesetzt. Würdigung bei Cic. fam. 11,12.

[I 16] C. Nero, Ap. 197/196 v. Chr. Legat des T. Quinctius Flamininus in Griechenland, 195 Praetor in Hispania ulterior.

[I 17] C. Nero, C. Diente 214 v. Chr. als Legatus unter C. [I 11] Marcellus, beteiligte sich als Praetor 212 und Propraetor 211 an der Belagerung von Capua, sicherte dann 211/210 die Lage in Spanien nach dem Tod der Scipionen; als Consul 207 schlug er Hasdrubal am Metaurus (Liv. 27,43–51).

[I 18] C. Nero, Ti. Consul 202 v. Chr. (MRR 1, 315).

[I 19] C. Nero, Ti. Gemahl der Livia und damit Vater des späteren Kaisers Tiberius und des Drusus. Zunächst in Diensten Caesars (Quaestor 48 v. Chr., Proquaestor 47, Veteranenansiedlung in Gallien 46–45), 42 Praetor, kämpfte im Perusinischen Krieg 41 gegen Octavian (Suet. Tib. 4), 39 begnadigt. Er mußte sich 38 auf Wunsch des Octavian von Livia scheiden lassen; Pontifex ca. 46 bis zu seinem Tod 33.

[I 20] C. Pulcher, Ap. Sohn von C. [I 29], kämpfte 216 v. Chr. bei Cannae mit, war 215 Praetor, 214–213 Propraetor (?) in Sizilien, belagerte als Consul 212 Capua und starb 211 als Proconsul nach dem Fall der Stadt.

[I 21] C. Pulcher, Ap. Diente mehrfach in Griechenland (195–194 v. Chr. unter T. Quinctius Flamininus, 184/83 und 174–93 als Gesandter), Consul 185.

GRUEN, Rome.

[I 22] C. Pulcher, Ap. Consul 143 v. Chr., Censor (und *princeps senatus*) 136. Er war einflußreicher Gegner des jüngeren Scipio und unterstützte die Reformen seines Schwiegersohnes Ti. Sempronius Gracchus (*IIIvir agris dividendis* 133–130; ILLRP 472 f.; Plut. Ti. Gracchus 4; 9; 13).

[I 23] C. Pulcher, Ap. Sohn von C. [I 22], Quaestor 99, Aedil 91 (?), Praetor 89, als Anhänger Sullas 79 Consul, 77 Interrex, 77–76 Proconsul in Macedonia, wo er starb (MRR 2, 82; 89).   K.-L.E.

[I 24] C. Pulcher, Ap. Sohn des Vorigen, Bruder des Clodius [I 4], Schwiegervater des Caesarmörders Iunius Brutus. 72–70 v.Chr. war er Gesandter des Lucullus (Plut. Luc. 19; 21; 23). Er unterstützte als Praetor von 57 Ciceros Rückberufung nicht (Cic. Att. 4,1,6); 56 ging er als Promagistrat nach Sardinien (Plut. Caes. 21). 54 war er Consul und als solcher in den größten Bestechungsskandal der späten Republik verwickelt (Cic. Att. 4,17,2f.). Von 53–51 weilte er als Proconsul in Cilicia und plünderte in dieser Zeit seine Provinz in Dimensionen aus, die nur von Verres bekannt waren [1. 113]. Sein Nachfolger Cicero sprach bei seiner Ankunft von einer ›ruinierten, für alle Zeiten gänzlich verwüsteten Provinz‹ (Cic. Att. 5,16,2). Während seiner Censur im J. 50 schloß C. u.a. Sallust wegen unmoralischen Verhaltens aus dem Senat aus (Cass. Dio 40,63,4). Im Bürgerkrieg stellte er sich auf Pompeius' Seite (Proconsul in Griechenland 49 bzw. 48). Er starb vor August 48 (MRR 2, 261, 276).

1 E. BADIAN, Publicans and sinners, ²1976, 113–115.   W.W.

[I 25] C. Pulcher, Ap. Von Cicero mehrfach erwähnt und empfohlen (vgl. fam. 11,22). Consul 38 v.Chr. Proconsul in Spanien (Triumph 32). Er errichtete in Herculaneum das Theater (CIL X 1423f.). PIR I² C 982.
                                                        K.-L.E.

[I 26] C. Pulcher, Ap. Neffe des Clodius [I 4], zusammen mit seinem Bruder C. [I 25]) Ankläger des → Annius [I 14] Milo (Ascon. 34 Z. 9; 38 Z. 21; 54 Z. 9C).   W.W.

[I 27] C. Pulcher, C. Bedeutender Politiker und Feldherr; Praetor 180, als Consul 177 und Proconsul 176 kämpfte er in Nord-It. und Ligurien (Triumph); Censor 169 mit Ti. Sempronius Gracchus (Konflikt mit Steuerpächtern); Kommissionsmitglied zur Neuordnung von Makedonien 167. Augur 195 bis zu seinem Tod 167.

[I 28] C. Pulcher, C. Münzmeister 110 oder 109 v.Chr. (RRC 300), Quaestor um 105, Aedil 99, Praetor 95, Consul 92 (MRR 3, 57f.; Elogium: InscrIt 13,1, Nr. 70).

[I 29] C. Pulcher, P. Sohn von C. [I 2], Aedil 253 (Meilenstein von der via Appia ILLRP 448). Als Consul 249 erlitt er mit seiner Flotte bei Drepana eine schwere Niederlage (Pol. 1,49–51), angeblich weil er vorher unter Mißachtung der Auspizien die hl. Hühner ins Wasser geworfen habe, ›damit sie saufen sollten, wenn sie schon nicht fressen wollten‹ (Cic. nat. 2,7 u.a.); als er einen Dictator ernennen sollte, wählte er seinen *scriba* M. C. Glicia, der sofort abgesetzt wurde (Liv. per. 19; Suet. Tib. 2,2). Bald nach Verurteilung wegen Hochverrats starb er.   K.-L.E.

[I 30] C. Quadrigarius, Q. (von Livius nur C. genannt). Bedeutender Historiker der sullanischen Zeit (Vell. 2,9,6), vielleicht identisch mit dem bei Plutarch (Numa 1,2) erwähnten Clodius, Verf. eines *élenchos chrónōn* [1. 273; 2. 104 Anm. 18]. Über Herkunft und Stellung ist nichts bekannt (eine abhängige Stellung ist wegen der Ergebenheitsadresse fr. 79 wahrscheinlich). C. schrieb mindestens 23 B. *Annales*, die vom Angriff der Gallier auf Rom (ca. 390 v.Chr.) bis in die Zeit Sullas reichten (fr. 84: 82 v.Chr.); die Zeitgeschichte war sehr ausführlich dargestellt (etwa 10 B. für die letzten 20 Jahre) und vertrat anscheinend einen optimatischen Standpunkt (fr. 79; 83). C. schaltete relativ frei mit dem annalistischen Schema, komponierte größere Erzählungseinheiten und gestaltete Einzelszenen durch Anekdoten, (fiktive) Briefe und Reden aus; seine Schlachtbeschreibungen sind Schreibtischprodukte. Das Werk war neben → Valerius Antias eine Hauptquelle des Livius (ab B. 6) und wegen seines ansprechenden altertümlichen Stils (analysiert bei [3. 88f.; 4. 20]) sehr beliebt bei Archaisten des 2. Jh. n.Chr. Fragmente: HRR 1, 205–237; fr. 10b ermöglicht stilistische Vergleiche mit Livius (bes. [5. 110–126]).

→ Annalistik

1 A. KLOTZ, Der Annalist Q. Claudius Quadrigarius, in: RhM 91, 1942, 268–285 2 D. TIMPE, Erwägungen zur jüngeren Annalistik, in: A&A 25, 1979, 97–119 3 M. ZIMMERER, Der Annalist Qu. Claud. Quadrigarius, 1937 4 E. BADIAN, The Early Historians, in: T. A. DOREY (Hrsg.) Latin Historians, 1966, 1–38 5 M. V. ALBRECHT, Meister röm. Prosa, ²1983.

SCHANZ/HOSIUS, 1, 316ff.   W.K.

[I 31] C. Sabinus Inregillensis, C. Consul 495 v.Chr. Elogium InscrIt 13,3, Nr. 67; Liv 2,21,–27.

[I 32] C. Sabinus Inregillensis, C. Sohn von C. [I 31], Consul 460 v. Chr; wohl Bruder des Dezemvirn C. [I 5]. Wie bei C. [I 31] sind Einzelheiten annalistische Erfindung.   K.-L.E.

II. KAISERZEIT

[II 1] Vater des Claudius [II 29] Etruscus. Sein Name lautet Ti. → Iulius

[II 2] C. Acilius Cleobulus. Senator aus Ephesos, Sohn von C. [II 20], wohl Vater von Acilius Cleobulus, Statthalter von Syria Palaestina 276–282 (CIL IX 2334 = ILS 1134).

W. ECK, in: ZPE 37, 1980, 68–113 · Ders., in: ZPE 113, 1996, 141ff.

[II 3] Ti. C. Agrippinus. Aus Patara in Lykien stammend; sein Vater war Lykiarch. Von den senatorischen Ämtern ist nur der Suffectconsulat bekannt (unter Antoninus Pius, nach 151); ferner *frater Arvalis*, im J. 155 bezeugt [1; 2]; möglicherweise identisch oder verwandt mit dem gleichnamigen *procurator* in Asien im J. 119 n.Chr. [3].

1 HALFMANN 164f. 2 SCHEID, Collège 77f. 3 J. REYNOLDS, Aphrodisias and Rome, 1982, 116, 118.

[II 4] Ti. C. M. Appius Atilius Bradua Regillus Atticus. Sohn von C. [II 11]. Aufnahme unter die Patrizier durch Antoninus Pius; *cos. ord.* 185; *proconsul Asiae* (IRT 517 = AE 1981, 863 ist nicht auf ihn zu beziehen). Vom Vater verachtet. Lebte mindestens bis zum J. 209/210, wenn IG II² 1077 Z. 89 f. auf ihn zu beziehen ist [1]. PIR² C 785.

1 W. AMELING, Herodes Atticus, Bd. 2, 1983, 16 ff.

[II 5] Ti. C. Aristion. Bürger von Ephesos, der in der Heimat die Ämter des Prytanen, Gymnasiarchen und Grammateus des Volkes bekleidete; außerdem war er dreimal → Archiereus; alle Ämter fallen in die domitianisch-traianische Zeit. In Ephesos errichtete er zahlreiche öffentliche Bauten (I. Eph. 2, 234 f., 237, 239, 241, 424–25a, 461, 508; 3, 638; 5, 1498; 7, 3217, 4105, 5101, 5113). Plinius nennt ihn in epist. 6,31,3 *princeps Ephesiorum*; er wurde vor Traian von seinen innerephesinischen Gegnern vergeblich angeklagt (PIR² C 788) [1].

1 C. SCHULTE, Die Grammateis von Ephesos, 1994, 103 f., 158 f.

[II 6] C. Attalus. Proconsul von Creta-Cyrenae; unbekannt, in welcher Zeit (AE 1960, 262).

[II 7] C. Attalus. Euerget aus Pergamon; vielleicht Vater oder Bruder von C. [II 8].

[II 8] Ti. C. Attalus Paterculianus aus Pergamon. Praetorischer Statthalter von Thracia unter Commodus; von Septimius Severus aus dem Senat entfernt. Nach Cass. Dio (80,3,5; 4,3) Wiederaufnahme in den Senat durch Caracalla; 217/218 mit mindestens 65 Jahren Proconsul von Cypern (AE 1910, 104 = 1950, 9); auf Befehl Elagabals getötet (PIR² C 795). Vater oder Großvater von C. [II 9].

[II 9] Ti. C. Attalus Paterc(u)lianus. Consularer Statthalter von Bithynien im J. 244, Sohn oder Enkel von C. [II 8] [1]. Er müßte mit dem ILS 8836 erwähnten, gleichnamigen Legaten von Bithynien identisch sein. Auf wen sich IGR 4, 415; 416 (vgl. PIR² C 800) bezieht, ist unklar.

1 P. WEISS, in: E fontibus haurire. FS H. Chantraine, 1994, 362 ff.

[II 10] Ti. C. Atticus Herodes. Sohn von C. [II 35], Vater von C. [II 11], Athener. Unter Nerva soll er in seinem Haus einen Schatz gefunden haben; tatsächlich handelte es sich um einen Teil der Konfiskation entzogenen Vermögens seines Vaters (Philostr. soph. 2,1,2). In Athen und Sparta, wo er auch als Euerget tätig war, übernahm er munizipale Ämter; auch Korinth wurde gefördert. 132 war er bei der Eröffnung des Olympieion in Athen wohl Zeuspriester. Vom Senat erhielt er, vielleicht unter Traian, die *ornamenta praetoria* (AE 1919,8); unter Hadrian in den Senat aufgenommen, möglicherweise erst während dessen 2. Aufenthalts in Athen; *cos. suff.* wohl 132 oder 133 (RMD 3, 159; CIL XVI 174). Ein 2. Consulat, das auf Grund von Philostr. soph. 2,1,1 vermutet wurde, ist ausgeschlossen. PIR² C 801, [1; 2; 3].

1 HALFMANN 121 ff. 2 W. AMELING, Herodes Atticus, Bd. 1, 1983, 21 ff. 3 A. BIRLEY, in: ZPE 117, 1997, 229 f.

[II 11] L. Vibullius Hipparchus Ti. C. Atticus Herodes → Herodes Atticus

[II 12] M. Aurelius C. Gothicus → Aurelius [II 33]

[II 13] M. Aurelius C. Quintillus → Aurelius [II 9]

[II 14] T. C. Aurelius Aristobulus → Aurelius [II 3]

[II 15] Ti. C. Balbillus. Nach IEph. 7,3041/2 dürfte er aus Ephesos stammen. Ritterliche Laufbahn, beim Britannientriumph von Kaiser Claudius [III 1] ausgezeichnet; veranwortlich für den Empfang von Gesandtschaften und die Formulierung der Antworten; unter Claudius für die Verwaltung von Tempeln und des → Museions in Ägypten zuständig. Ab 55 bis mindestens 59 Praefekt von Ägypten; Anhänger Agrippinas (Tac. ann. 13,22,1). Zu seiner Herkunft und Laufbahn [1; 2]. Seine Tochter war Claudia Capitolina. Der Astrologe Balbillus bei Sueton (Nero 36,1) ist eher nicht mit ihm identisch (PIR² C 813).

1 PFLAUM I, 34 ff. 2 DEMOUGIN 447 ff.   W. E.

[II 16] Ti. C. Caesar Britannicus → Britannicus.

[II 17] Ti. C. Candidus. Nach einer ritterlichen Laufbahn, in der er eine niedrige Procuratorenstelle erreichte, wurde er Senator; von → Septimius Severus im J. 193 n. Chr. mit einem Sonderkommando gegen Niger beauftragt, gewann er die Schlacht bei Nikaia-Kios (Cass. Dio 74,6,6); 195 war er einer der drei röm. Feldherrn im 1. Partherkrieg des Severus (Cass. Dio 75,2,3). Inzwischen hatte er die Gegner des Severus in der Prov. Asia beseitigt; wohl auf dem Weg zum nächsten Bürgerkrieg – gegen Albinus – übernahm er eine ähnliche Aufgabe gegen Anhänger des Gegenkaisers in Noricum. Schließlich war er 197 an der Schlacht von Lugdunum beteiligt und wurde danach – inzwischen *cos. suff.* geworden – Statthalter der Prov. Hispania Tarraconensis. Hier hatte er zum dritten Mal *adversus rebelles hh.pp.* zu kämpfen (ILS 1140 und add.; hier auch der gesamte *cursus honorum*). PIR² C 823.

ALFÖLDY, FH, 43 ff.   A. B.

[II 18] A. C. Charax. Pergamener, wohl durch Hadrian in den Senat aufgenommen. Seine Laufbahn ist in AE 1961, 320 erhalten. Legat von Kilikien; Suffectconsul im J. 147 [1]. Nach Marc Aurel (8,25,2) Philosoph. Euerget von Pergamon [2].

1 VIDMAN, FO² 51 2 HALFMANN, 161 f.   W. E.

[II 19] Ti. C. Claudianus, aus Numidien stammend, ILS 1146–7 (Rusicade). C. war *candidatus Aug.* als Praetor, Legat der beiden dakischen Legionen (im J. 195 der *legio V Macedonia*, CIL III 905), Befehlshaber eines dakischen Expeditionskorps, wohl im Bürgerkrieg gegen D. → Clodius [II 1] Albinus, anschließend Statthalter von Pannonia inferior (CIL III 3745 vom J. 198). Cos.

suff. und Statthalter von Pannonia superior, nicht vor dem J. 201 [1]. PIR² C 834.

1 THOMASSON, 1, 106f., vgl. 115. A.B.

[II 20] Ti. C. Cleobulus. *Cos. suff.* wohl unter Caracalla, aus ephesischer Familie stammend, verheiratet mit Acilia Fristana (CIL IX 2334 = ILS 1134; I.Eph. 3, 636) [1]; vgl. C. [II 2].

1 W. ECK, in: ZPE 37, 1980, 66ff.

[II 21] C. Diognetus. *Procurator usiacus* in Ägypten, *praef. classis Ravennatis* 206, *praef. classis Misenensis* 209 (PIR² C 852; RMD 1, 73; 3, 189).

G. M. PARÁSSOGLOU, in: Chronique d'Égypte 62, 1987, 210f., 212f.

[II 22] C. Dionysius. *Praef. classis Misenensis* im J. 214 (RMD 2, 131). Vielleicht identisch mit Dionysius, *procurator Asiae* im J. 211 (AE 1993, 1505).

[II 23] C. Drusus. Sohn des späteren Kaisers Claudius [III 1] von Plautia Urgulanilla. Im J. 20 mit einer Tochter des Seianus verlobt, starb kurz danach (PIR² C 856).

W.E.

[II 24] Nero C. Drusus (= Drusus maior), urspr. Decimus C. Drusus, Sohn des Ti. C. Nero und der Livia Drusilla (die drei Monate vor der Geburt des C. den Octavian heiratete), Stiefsohn des → Augustus, jüngerer Bruder des Tiberius (Suet. Claud. 1,1). *11. April(?) 38 v. Chr. (nicht 14. Januar, wie bei Suet. Claud. 11,3, vgl. [1. 47ff.; 2. 91ff.]). C. kam zu seinem Vater, nach dessen Tod 34/32 in die Tutela Octavians (Cass. Dio 48,44,4f.), in dessen Haus er erzogen wurde. 19 v. Chr. ließ Augustus durch Senatsbeschluß bestimmen, daß C. fünf Jahre vor der Normalzeit den *cursus honorum* beginnen konnte (Cass. Dio 54,10,4; vgl. Tac. ann. 3,19,1). Quaestor im J. 18. Führte 16 nach dem Weggang seines Bruders Tiberius nach Gallien dessen praetorische Amtsgeschäfte weiter (Cass. Dio 54,19,5f.). Im J. 15 kämpfte er als *legatus Augusti pro praetore* gegen die Raeter; er durchzog das Tal der Etsch und der Eisach und besiegte sie zusammen mit Tiberius. Dafür erhielt er die *ornamenta praetoria* (Vell. 2,95,1–2; Cass. Dio 54,22; Hor. carm. 4,4,1–28; 4,14,8–24; vgl. [3]). Im J. 13 wurde C. Statthalter der Tres Galliae. Er hielt dort einen Census ab (Cass. Dio 54,25,1; ILS 212, 2,53ff.) und weihte am 1. August 12 bei Lugdunum (Lyon) die *ara Romae et Augusti* (Suet. Claud. 2,1). Angriffe der Germanen schlug er zurück und drang nach Anlegung der *fossa Drusiana* (Rhein-Nordsee, Tac. ann. 2,8,1) in das Gebiet der Usipeter, Friesen, Brukterer und Chauker vor (Cass. Dio 54,32,2; Tac. ann. 4,72,1; Germ. 34). Ende 12 kehrte er nach Rom zurück. Im J. 11 *praetor urbanus* (Cass. Dio 54,34,1), zog er schon im Frühjahr 11 gegen die Usipeter, Sugambrer, Cherusker, Tenkterer und Chatten (Liv. per. 140; Plin. nat. 11,55; Tac. ann. 1,56,1). Er erhielt die *ornamenta triumphalia* und die *ovatio* sowie das *imperium proconsulare*. Die Octavia minor hielt C. die Leichenrede (Cass. Dio 54,35,4f.).

Das J. 10 verbrachte er mit Kämpfen gegen die Chatten und kehrte mit Augustus und Tiberius nach Rom zurück (Cass. Dio 54,36,3f.); *cos. ord.* 9 v. Chr. (CIL V 3109; Vell. 2,97,3); Augur (CIL IX 2443; AE 1926, 42). Wieder zog C. nach Germanien, besiegte die Chatten, Sueben, Markomannen, verwüstete das Land der Cherusker bis zur Elbe und sicherte das Gebiet durch Besatzungen an Maas, Weser und Elbe. Das Rheinufer schützte er durch einen Damm und ›mehr als 50 Kastelle‹. Gesoriacum (Boulogne-sur-mer) und Bonn wurden durch Brücken verbunden und zu Flottenstützpunkten ausgebaut (Flor. 2,30; Tac. ann. 13,53,2; Cass. Dio 55,1,2ff.). Bei der Rückkehr von der Elbe brach er sich zwischen Saale und Rhein (Strab. 7,1,3) infolge eines Sturzes vom Pferde den Unterschenkel und starb 30 Tage später gegen Ende des J. 9 v. Chr. (Liv. per. 142). Der von Augustus entsandte Tiberius traf den C. noch lebend an und brachte seinen Leichnam später nach Ticinum (Pavia), von dort mit Augustus nach Rom, wo er eingeäschert und im Mausoleum Augusti beigesetzt wurde. Der Kaiser und Tiberius hielten die Leichenreden (Cass. Dio 55,1,2ff.; Tac. ann. 3,5,1; Suet. Claud. 1,5). Augustus verfaßte *elogia* in Versen und in Prosa (InscrIt 13,3 p. 15 Nr. 9, dazu [4]). Eine unter dem Namen Ovids erhaltene → Consolatio ad Liviam ist dem C. gewidmet. Vom Volk wurde er tief betrauert (Suet. Claud. 1,4; Tac. ann. 1,33,2). C. und seine Nachkommen erhielten das Cognomen Germanicus, einen Ehrenbogen an der via Appia [5. 71 ff.] und einen Kenotaph *apud Mogontiacum in ripa Rheni* (am Rheinufer bei Mainz), wo das rheinische Heer sowie Vertreter der gallischen und cisrhenanischen germanischen *civitates* jährlich eine Totenfeier veranstalten (Suet. Claud. 1,3; Cass. Dio 55,2,3; Eutr. 7,13,1; Tab. Siar. 1,26–34, dazu [6]). Von seiner Gattin → Antonia minor, der Tochter des Marcus Antonius, hatte C. die Kinder → Germanicus, Livilla (→ Livia) und → Claudius [III 1], den späteren Kaiser.

1 S. PRIULI, Tituli 2, 1980 2 G. RADKE, Fasti Romani, 1990 3 K. KRAFT, KS 2, 1978, 321ff. 4 A. VASSILEIOU, Drusus imperator appellatus in Germania, in: ZPE 51, 1983, 213–214 5 W. D. LEBEK, Ehrenbogen und Prinzentod 9 v. Chr.-23 n. Chr., in: ZPE 86, 1991, 47–78 6 Ders., Die Mainzer Ehrungen für Germanicus, den älteren Drusus und Domitian, in: ZPE 78, 1989, 45–82

D. KIENAST, Augustus, 1982, 105, 206, 295, 299f., 345, 357. MÜNZEN: RIC I², 124ff.; 127ff.; 132 • RPC I, 1031; 2500; 3628. PORTRÄTS: Z. KISS, L'iconographie des princeps Julio-Claudiens, 1975, 86ff. • K. FITTSCHEN, P. ZANKER, Kat. der röm. Porträts in Kapitolinischen Mus. 1, 1985, 27ff. Nr. 22

D.K.

[II 25] C. Drusus → Drusus [1].
[II 26] Ti. C. Nero → Tiberius.
[II 27] Nero C. Drusus Germanicus → Nero.
[II 28] Ti. C. Dryantianus Antoninus. Sohn von C. [II 3], Senator. Verheiratet mit Alexandria, der Tochter des Avidius Cassius; obwohl an dessen Aufstand betei-

ligt, von Marc Aurel geschont, das Vermögen aber eingezogen (Cod. Just. 9,8,6 pr.; PIR² C 859).

[II 29] C. Etruscus. Sohn des kaiserlichen Freigelassenen Ti. Iulius; bei dessen Tod im J. 92 richtete Statius das Gedicht silv. 3,3 an ihn. Ritterlichen Ranges, mit senatorischen Familien verwandt. Er bewegte Domitian, seinen verbannten Vater zurückzurufen. Sein Bad beschreiben Statius silv. 1,5 und Mart. 6,42.

[II 30] C. C. Firmus. Nach längerer procuratorischer Laufbahn wurde C. Finanzprocurator von Galatien (IGR 3,181 = MITCHELL, AS 27, 1977, 67 ff.). Wohl mit dem *praef. Aegypti* im J. 264 und vielleicht mit dem *corrector Aegypti* im J. 274 identisch (MITCHELL ebd.; [1]).

1 G. BASTIANINI, in: ZPE 38, 1980, 88.

[II 31] M. C. Fronto. Wohl aus Pergamon stammend; senatorische Laufbahn, Legat der *legio I Minervia* (Bonn), die er 162 in den Partherkrieg führte. 165 *cos. suff.*, danach mit verschiedenen Aufgaben im Krieg im Donauraum betraut, u. a. Legat von Moesia superior und der Tres Daciae. Er fiel im Kampf gegen Germanen und Iazygen; auf dem Forum Traiani wurde ihm eine Statue errichtet (CIL VI 1377 = 31 640 = ILS 1098, möglicherweise interpoliert; CIL III 7505 = ILS 2311). PISO 94 ff.

[II 32] C. Gallus. Praetorischer Statthalter von Numidien 202/203, *cos. suff.* 203?, consularer Statthalter von Dacia um 207 (AE 1957, 123) [1; 2].

1 PISO 162 ff. 2 B. E. THOMASSON, Fasti Africani, 1996.

[II 33] Ti. C. Gordianus. Senator aus Tyana in Cappadocia. Über einen Proconsulat in Macedonia kam er um 188 zum Kommando über die *legio III Augusta* in Numidien, danach *praef. aerarii Saturni* und zum Consul designiert (AE 1954, 138 f.) [1].

1 W. ECK, RE Suppl. 14, 100 f.

[II 34] C. Hieronymianus. Legat der *legio VI Victrix* in Britannien; Suffectconsul, Statthalter von Kappadokien vor 212. Erzürnt, weil seine Frau Christin wurde, ging er gegen Christen grausam vor (Tert. Scap. 3). Rechtlicher Ratschlag Papinians für ihn (Dig. 33,7,12,40 f.) [1].

1 LEUNISSEN, Konsuln 159, 234.

[II 35] Ti. C. Hipparchus. Athener, Vater von C. [II 10]. Konfiskation seines Vermögens unter Domitian (Philostr. soph. 2,1,2). PIR² C 889.

[II 36] C. Iulianus. Praefekt der Flotte von Misenum unter Nero; vielleicht *procurator ludi magni* in Rom (Plin. nat. 37,45). Die Flotte von Misenum versuchte er gegen den Auftrag des Vitellius auf die Seite Vespasians zu bringen; bei der Eroberung Terracinas durch Vitellius hingerichtet (Tac. hist. 3,57; 76 f.). PIR² C 893.

[II 37] C. Iulianus. *Praef. annonae* mit dem Rangtitel *perfectissimus vir* im J. 201, zwischen 203 und 205/6 *praef. Aegypti.*

H. PAVIS D' ESCURAC, Préfecture de l'annone, 1976, 354 ·
G. BASTIANINI, in: ZPE 17, 1975, 305.   W. E.

[II 38] Appius C. Iulianus, *cos. suff.*, *procos. Africae* (CIL VIII 4845), *cos. II ord.* 224 n. Chr., wohl gleichzeitig *praef. urbi* (Dig. 31,87,3). PIR² C 901.   A. B.

[II 39] Ti. C. Iulianus. Der Suffectconsul Iulianus um 130 könnte mit dem Senator von I.Eph. 7,2,5106/7, dem Enkel des Ti. Iulius Celsus Polemaeanus, identisch sein [1]. Wohl Vater von C. [II 40].

1 HALFMANN 147 f.

[II 40] Ti. C. Iulianus. Suffectconsul im J. 154 (RMD 3, 169). Statthalter von Germania inferior im J. 160 [1]. Fronto richtete an ihn Ad amicos 1,5 und 1,20. Wohl Sohn von C. [II 39].

1 ECK, Statthalter, 175 f.

[II 41] Ti. Iulius Aquilinus Castricius Saturninus C. Livianus. Ritter, aus Lykien stammend (PIR² C 913; [1]). Während des Krieges gegen die Daker zu Decebalus gesandt (Cass. Dio 68,9,2 f.); damals vielleicht schon *praef. praetorio*, im J. 108 bezeugt (AE 1980, 647). Mit Hadrian während des Partherkrieges freundschaftlich verbunden.

1 SYME, RP 3, 1276 ff.

[II 42] M. C. Marcellus. Sohn des gleichnamigen Consuls von 50 v. Chr. und der → Octavia, der jüngeren Schwester von Octavian-Augustus. *42, bereits 39 mit der Tochter des Sex. Pompeius verlobt (Cass. Dio 48,38,3). Beim aktischen Triumph im J. 29 ritt er auf dem rechten Pferd des Triumphalgespanns (Suet. Tib. 6,4). Während des kantabrischen Krieges in Augustus' Umgebung. 25 mit → Iulia, Augustus' Tochter, in Rom verheiratet; 24 ohne vorausgegangenes Amt zum Aedil designiert; Erlaubnis, sich 10 Jahre vor der gesetzlichen Zeit um den Consulat bewerben zu dürfen. Als Aedil gab er 23 prächtige Spiele, die Augustus finanzierte. Zwischen Marcellus und Agrippa soll es zu schweren Zerwürfnissen gekommen sein, da Augustus seinen Neffen als Nachfolger bestimmt haben soll. Daß dieser bei der Weiterführung der Herrschaft eine entscheidende Rolle gespielt hätte, ist unbestreitbar, auch wenn Augustus ihn nicht sichtbar als seinen »Nachfolger« bezeichnet hat. Im September 23 v. Chr. in Baiae gestorben. Beim *funus censorium* hielt Augustus die Leichenrede; Marcellus wurde als erster im Mausoleum des Augustus bestattet (AE 1928, 88 = [1]). Vergil verfaßte Aen. 6,860–886 auf Marcellus (Prop. 3,18). Zu seinem Gedenken (→ *memoria*) wurde von Augustus das *theatrum Marcelli* erbaut (R. Gest. div. Aug. 21); PIR² C 925.

1 H. v. HESBERG, S. PANCIERA, Das Mausoleum des Augustus, 1994, 88 ff.

H. BRANDT, in: Chiron 25, 1995, 1 ff. · SYME, RR 340 ff.   W. E.

[II 43] M. C. Marcellus Vielleicht *cos. suff.* 11 v. Chr., was jedoch unsicher ist. PIR² C 928.   M. MEI. u. ME. STR.

[II 44] M. C. Marcellus Aeserninus. Quaestor des Q. Cassius Longinus in Hispania Ulterior 48 v. Chr. (Bell. Alex. 57,4–64,1). Von Caesar verbannt, später wieder in Ansehen (Cass. Dio 42,15–16,2). *Cos. ord. II* 22 v. Chr. (InscrIt 13,1 p. 273 ff. Cass. Dio ind. 54). Magister der *XVviri sacris faciundis* bei den Saecularspielen 17 v. Chr. (InscrIt 13,1 p. 63).

[II 45] M. C. Aeserninus, Enkel von C. [II 44] und mütterlicherseits des Asinius Pollio (Sen. contr. 4 praef. 3 f.). Brach sich als Knabe beim Troia-Spiel ein Bein (Suet. Aug. 43,2). Im J. 16 n. Chr. *curator riparum et alvei Tiberis* (CIL VI 31544a–c). *Praetor peregrinus* 19 (InscrIt 13,1 p. 298). Im J. 20 weigerte er sich, die Verteidigung des → Piso zu übernehmen (Tac. ann. 3,11,2). Berühmter Redner (Sen. suas. 2,9 u.ö.).   D. K.

[II 46] Ti. C. Marinus Pacatianus, wohl Senator. Oberbefehlshaber der pannonischen und moesischen Prov., wurde 248 n. Chr. zum Kaiser ausgerufen (Zos. 1,20,2; Zon. 12,19) und nach kurzer Herrschaft (RIC 4,3 104 f.) von den Soldaten getötet (Zos. 1,21,2). PIR² C 930.

KIENAST, ²1996, 201   A. B.

[II 47] C. Maximus. Statthalter von Pannonia superior, von 150–154 bezeugt [1. 236]; Proconsul von Africa wohl 158/159; vor ihm verteidigte sich → Apuleius (PIR² C 933). Möglicherweise mit dem [- - -] Maximus von CIL III 10 336 = ILS 1062 (mit *cursus honorum* bis zur *cura aed. sacr.*) zu identifizieren; dann wäre er auch praetorischer Statthalter von Pannonia inferior ca. 137–141, *cos. suff.* ca. 142 [1. 143; 2. 483 ff.]. Er ist mit dem von Marc Aurel erwähnten Philosophen C. Maximus identisch [3].

1 ALFÖLDY, Konsulat 2 J. FITZ, Die Verwaltung Pannoniens, Bd. 2, 1993 3 A. BIRLEY, Marcus Aurelius, ²1987, 96 f.

[II 48] C. Modestus. Statthalter von Arabien ca. 167/9 (AE 1977, 834; zum Consulat [1]). Wohl Sohn von C. [II 49].

1 G. CAMODECA, in: ZPE 43, 1981, 207 ff.

[II 49] L. C. Modestus. *Frater Arvalis*, zwischen 150 und 155 bezeugt [1]. Wohl Vater von C. [II 48].

1 SCHEID, Collège 78, 403.

[II 50] Ti. C. Nero Germanicus. Kaiser → Claudius [III 1].

[II 51] Ti. C. Parthenius. Kaiserlicher Sklave, von Nero freigelassen (vgl. CIL VI 8761 = ILS 1736; CIL XV 7897; Mart. 4,45; 5,6). *Cubicularius* Domitians, bei dem er großen Einfluß hatte. Förderer des Dichters → Martial, der auch Parthenius' Sohn Burrus nennt. Im J. 96 Teilnehmer an der Verschwörung gegen Domitian; an Nervas Ausrufung zum Kaiser beteiligt. Wohl 97 gegen Nervas Willen von den Praetorianern umgebracht (PIR² 2, p. XXIf.).

[II 52] Ti. C. Pollio. Freund des jüngeren → Plinius. Ritterlicher Procurator, zuletzt für die Erbschaftssteuer (Plin. epist. 7,31; CIL VI 31 032 = ILS 1418, [1]).

1 PFLAUM, 1, 124.   W. E.

[II 53] Ti. C. Pompeianus, Tribun der *legio I Minervia*, der in Lugdunum/Lyon (wohl im J. 197 n. Chr.) einen Altar für das Wohl des Severus weihte (ILS 4794). Er war eher ritterlicher Offizier als der Sohn von C. [II 54] und der Lucilla Augusta, der als *cos. ord.* 209 L. Aurellius (sic) Commodus Pompeianus hieß (RMD 1, 73); dieser wurde von Caracalla nach 212 getötet (Herodian. 4,6,3; SHA Carac. 3,8). PIR² C 974.   A. B.

[II 54] Ti. C. Pompeianus. Aus Antiocheia in Syrien stammend; sein Vater war noch Ritter. Praetorischer Statthalter von Pannonia inferior im J. 167 (CIL XVI 123; RMD 3, 181). Suffectconsul. Nach dem Tod des Verus verheiratete Marc Aurel dessen Witwe Lucilla gegen deren Willen mit C.; dieser wurde damit Schwiegersohn des Kaisers. Aus dieser Ehe stammten mehrere Kinder. *Cos. II ord.* im J. 173 mit Cn. Claudius Severus. An den Kriegen an der Donau unter M. Aurel in leitender Position beteiligt; auf den Reliefs der Marcussäule häufig neben dem Kaiser abgebildet. Nach Herodian. 1,6,4–7 soll er Commodus vergeblich im J. 180 aufgefordert haben, den Krieg gegen die Germanen fortzusetzen. An der Verschwörung gegen Commodus 182 war er offensichtlich nicht beteiligt, deshalb überlebte er (Cass. Dio 72,4,2). Von Pertinax und Didius Iulianus wurde er zur Übernahme der Herrschaft aufgefordert, was er ablehnte (Cass. Dio 73,3,2 f.). C. [II 52] war sein Sohn. PIR² C 972.

H.-G. PFLAUM, in: Journal des Savants 1961, 31 ff. • HALFMANN 181 f. • A. BIRLEY, Marcus Aurelius, ²1987.

[II 55] C. Pompeianus (Commodus). *Cos. ord.* 231; unpubliziertes Militärdiplom. Sohn von C. [II 53]. PIR² C 972.

O. SALOMIES, in: Ktema 18, 1993, 104.

[II 56] C. Pompeianus Quintianus. Am ehesten Neffe von C. [II 54]; heiratete eine Tochter von Lucilla und L. → Verus; er soll auch mit Lucilla intime Beziehungen gehabt haben (Cass. Dio 72,4,4). Beteiligte sich an der Verschwörung gegen Commodus, mit dem er offiziell als Verwandter eng verbunden war; 182 hingerichtet. PIR² C 975. Sein Sohn war Ti. C. Aurelius Quintianus, *cos.* 235.

[II 57] Ti. C. Quartinus. Vielleicht aus Puteoli stammender Ritter; nach Aufnahme in den Senat längere Laufbahn, Statthalter der Lugdunensis und Suffectconsul 130. Consularer Legat von Germania superior (CIL XVI 80); danach vielleicht in Britannien [1]; vielleicht Proconsul von Asia [2].

1 BIRLEY, 110 ff. 2 ECK, Statthalter 56 f.

[II 58] C. Restitutus. Senator, im Prozeß gegen Caecilius Classicus. Anwalt des Angeklagten (Plin. epist. 3,9,16). PIR² C 996.

Syme, RP 3, 994f.

[II 59] Ti. C. Sacerdos Iulianus. *Frater Arvalis*, Suffectconsul im J. 100 n. Chr.

Halfmann, 116f.

[II 60] Ti. C. Saturninus. Praetorischer Legat der Belgica, Suffectconsul, consularer Legat von Moesia inferior zwischen 144/5 und 147 (PIR² C 1012; AE 1987, 867; RMD 3, 165).

[II 61] C. C. Severus. Wenn AE 1968, 525 ihm zugewiesen werden kann, wurde er von Domitian, Nerva oder Traian in den Senat aufgenommen. Erster Statthalter der neuen Prov. Arabia von 106 bis mindestens 115; 112 Suffectconsul. Aus Pompeiopolis in Paphlagonien stammend. Sein Sohn war C. [II 64]. PIR² C 1023.

Halfmann, 135f.

[II 62] Cn. C. Severus. Sohn von C. [II 64]. Aus Pompeiopolis in Paphlagonien stammend. Suffectconsul, vielleicht 167 [1], *cos. II ord.* 173. Vor 173 verheiratet mit Annia Galeria Aurelia Faustina, der zweiten Tochter Marc Aurels; als Schwiegersohn des Kaisers geehrt (ILS 8832; IGR 3, 1448; SEG 36, 1174). Begleitete Marc Aurel auf seinen Feldzügen. Zu seinen und Galerias Nachkommen PIR² C 1024 (vgl. [2; 3]). Vater von C. [II 65].

1 Alföldy, Konsulat 182f. 2 H.-G. Pflaum, in: Journal des Savants 1961, 29ff. 3 A. Birley, Marcus Aurelius, ²1987, 247.

[II 63] Ti. C. Severus. Erster Consul aus Ephesos, wohl Ende des 2. Jh. (I. Eph. 3,648); mit Caninia Gargonilla verheiratet; Claudia Caninia Severa war seine Tochter (I. Eph. 3, 892; 639; EOS 2, 628; [1]).

1 W. Eck, RE Suppl. 14, 102.

[II 64] Cn. C. Severus Arabianus. Sohn von C. [II 61]. Geboren vielleicht während der Statthalterschaft des Vaters in Arabien. *Cos. ord.* im J. 146. Er war einer der philos. Gesprächspartner des → Marcus Aurelius, wohl Peripatetiker [1]. Fronto schrieb an ihn ad amicos 1,1. Vater von C. [II 62].

1 A. Birley, Marcus Aurelius, ²1987, 95f.

[II 65] Ti. C. Severus Proculus. Sohn von C. [II 62], Enkel Marc Aurels. *Cos. ord.* 200. PIR² C 1028.

[II 66] Ti. C. Telemachus. Senator aus Xanthos in Lycia, *cos. suff.*; *procos. Africae* Anf. des 3. Jh. PIR² C 1037.

[II 67] Ti. C. Telemachus, verwandt mit C. [II 66]. Über ein Proconsulat von Zypern und ein Legionskommando gelangte er zu einem Suffectconsulat, wohl zu Beginn des 3. Jh. (AE 1993, 1550).

M. Christol, Th. Drew-Bear, in: Journal des Savants 1991, 195ff.　　　　　W. E.

III. Kaiser

[III 1] Kaiser 41–54 n. Chr. Jüngster Sohn von C. [II 24] und → Antonia minor, Bruder des Germanicus, Neffe des → Tiberius und Onkel des Caligula. *1. August 10 v. Chr. in Lugdunum (Lyon). Sein Name lautete zuerst angeblich Ti. Claudius Drusus, seit der Adoption seines Bruders Germanicus durch Tiberius dann Ti. C. Nero Germanicus (Suet. Claud. 2,1). Als Kind war C. stets kränklich; er war geh- und sprachbehindert, so daß ihm kaum jemand eine öffentliche Rolle zutraute, wie sie einem Mitglied der *domus Augusta* sonst selbstverständlich zufiel. Bezeichnend dafür sind die bei Sueton zitierten Briefe des Augustus (Suet. Claud. 4). Erzogen wurde er im Haus seiner Mutter und seiner Großmutter Livia; vor allem Freigelassene kümmerten sich um ihn. Frühzeitig beschäftigte er sich mit Lit., speziell mit Historiographie, publizierte auch manche Versuche (Suet. Claud. 3,1), darunter eine Gesch. Roms in 41 B. bis zum J. 14 n. Chr., eine Gesch. der Etrusker in 20 und eine Gesch. Karthagos in 8 B., die beiden letzten in griech. Sprache (Suet. Claud. 41f.; [1; 2]). Öffentliche Aufgaben wurden ihm nur ganz spärlich übertragen; Augustus verlieh ihm den Augurat; doch kam C. nicht in den Senat, blieb vielmehr Mitglied des Ritterstandes, der ihn mehrmals zu seinem Repräsentanten wählte (Suet. Claud. 6,1). Nach Augustus' Tod wurde C. *sodalis Augustalis*; auch als Mitglied der *sodales Titii* ist er bezeugt. Trotz seiner Zurücksetzung kam ihm dennoch, allein als Mitglied der *domus Augusta*, ein bes. Status zu, was sich u. a. daran zeigt, daß er im Dezember 20 nach Abschluß des Piso-Prozesses zunächst in der Danksagung an die herrschende Familie vergessen, dann aber auf Intervention von Nonius Asprenas nachgetragen wurde (Tac. ann. 3,18,2, vgl. [3]). Ebenfalls im J. 20 wurde sein Sohn (C. [II 23]), den er von seiner ersten Frau Plautia Urgulanilla hatte, mit einer Tochter des → Seianus verlobt (Tac. ann. 3,29,5).

Sobald → Caligula im März 37 zur Herrschaft kam, bestimmte er C. im Juli-August des Jahres zum Mitconsul. Doch auch von ihm wurde C. bald wieder gedemütigt (Suet. Claud. 9,2). Seit 39/40 war er mit Valeria Messalina verheiratet, die wohl im J. 40 eine Tochter Octavia, Anf. 41 den Sohn Britannicus gebar. In die Verschwörung, durch die Caligula am 24.1.41 beseitigt wurde, war C. vermutlich eingeweiht; doch ist sein Anteil nicht zu bestimmen [4]. Herodes Agrippa, dessen Rolle von Iosephos (ant. Iud. 19,162ff.; 212ff.) überbetont wird, war nicht der einzige, der ihn unterstützte. C. wurde von den Praetorianern als *imperator* akklamiert; ihre Rolle wurde auch auf Münzen herausgestellt. Am 25.1. stimmte auch der Senat, in dem es gegensätzliche Interessen gab, der Übernahme der Macht durch C. zu. Eine Amnestie, von der nur die unmittelbaren Mörder Caligulas ausgenommen wurden, schuf Voraussetzungen zum Abbau der Spannungen. Dennoch blieb C.' Verhältnis zum Senat immer belastet. C. erhielt unmittelbar die üblichen Rechte des Princeps: *tribunicia potestas, imperium proconsulare* (C. wird als erster

Kaiser gelegentlich *proconsul* genannt), Oberpontifikat. Den Titel eines *pater patriae* übernahm er Anfang 42. Consul wurde er noch insgesamt viermal (*cos. V* im J. 51). Er nahm insgesamt 27 Imperatorenakklamationen an, ein Zeichen, daß es für ihn ein starkes Kompensationsbedürfnis gab. Die Ausdehnung des röm. Reiches durch die Schaffung zahlreicher neuer Prov. ist teilweise wohl auch dadurch bedingt.

In Mauretanien wurden nach der Niederschlagung mehrerer Aufstände durch Suetonius Paulinus und Hosidius Geta zwei neue Prov., Mauretania Caesariensis und Mauretania Tingitana, eingerichtet, beide von ritterlichen Procuratoren geleitet. 43 wurde das Gebiet des lykischen *koinón* im Süden Kleinasiens von Q. Veranius mit mil. Macht eingezogen und zu einer praetorischen kaiserlichen Prov. gemacht. Kurz darauf wurde zwischen 44 und 47 das Königreich Thrakien zu einer procuratorischen Prov. umgewandelt; eine direkte Herrschaft schien C. dort richtiger als ständige Interventionen des moesischen Statthalters. Dagegen unternahm C. an der Ostgrenze gegenüber Armenien und Parthien keine weitergehenden mil. Unternehmungen, obwohl der röm. Einfluß dort wesentlich geschwächt worden war. Ebenso verbot er Domitius Corbulo, dem Befehlshaber des niedergermanischen Heeres, auf der rechten Rheinseite stärker gegen Germanenstämme vorzugehen und dort Truppen zu stationieren [5]. Auch das Königreich Noricum, das lange zum röm. Einflußgebiet gezählt hatte, wurde wohl im J. 46 zur procuratorischen Prov. gemacht.

Dauernden mil. Ruhm gewann C. durch die Eroberung von Britannien, die seit Caesars Versuch nicht durchgeführt worden war. Interne Streitigkeiten zwischen britannischen Königen boten den Anlaß. A. Plautius, *cos. suff.* im J. 29, erhielt das Kommando über die Invasionstruppen, rund 40 000 Mann. Als er fast bis zur Themse vorgedrungen war, hielt er an, um C. zu erwarten, der bei dem Sieg über die Feinde selbst den Oberbefehl führen sollte. Nach 16 Tagen auf der Insel und der Eroberung von Camulodunum verließ C. die neue Prov. und kehrte über Oberitalien und die Adria nach etwa sechs Monaten nach Rom zurück. Im J. 44 wurde der Triumph gefeiert; den Siegertitel »Britannicus« lehnte C. für sich ab, gab ihn vielmehr seinem Sohn. Die Legionslegaten des Feldzuges erhielten Triumphalinsignien, Plautius durfte 47 in einer *ovatio* in Rom einziehen. Unter Plautius' Nachfolgern wurden die Grenzen der Prov. nach Westen und Norden vorgeschoben; der König der Siluren, → Caratacus, wurde gefangengenommen und in Rom von C. wie in einem Triumph vorgeführt (Tac. ann. 12,36ff.). Im J. 50 wurde Camulodunum zur röm. Kolonie gemacht, ebenso wie das *oppidum Ubiorum* (h. Köln) in Niedergermanien; hier spielte freilich der Wunsch Agrippinas, die dort geboren war, die entscheidende Rolle (Tac. ann. 12,27,1; 32,2).

Obwohl C. persönlich nur einige Prov. von seiner Reise nach Britannien kannte, war seine Provinzpolitik im allg. rational und auf die Bedürfnisse der Untertanen

ausgerichtet. So verweigerte er zwar der jüd. Bevölkerung von Alexandreia das alexandrinische Bürgerrecht, doch schützte er sie vor den Übergriffen der Alexandriner und bestätigte Privilegien für alle jüd. Gemeinden (Ios. ant. Iud. 19,279ff.; P Lond. 1912 = OLIVER Nr. 19; vgl. [6]). Latinisches Recht verlieh er einigen Stämmen in den Alpes Graiae und Poeninae, ebenso Städten in Noricum. Volubilis in Mauretania Tingitana erhielt den Rang eines *municipium civium Romanorum* (FIRA I² Nr. 70), Caesarea in Mauretania Caesariensis wurde röm. Kolonie. Den Stämmen der Anauni, Tulliasses und Sinduni in den Alpen bestätigte er ihr zweifelhaftes Bürgerrecht (ILS 206).

Straßenbauten wurden in vielen Prov. initiiert, vor allem den gallischen Prov., ebenso auch in It., wo die Verbindung nach Rätien ausgebaut (ILS 208; CIL V 8003) und die *via Claudia* in Richtung Adria hin angelegt wurden (ILS 209; [7]). Zur besseren Getreideversorgung Roms ließ er in → Ostia eine künstliche Hafenanlage erbauen [8], die (nicht vollständig gelungene) Trockenlegung des Fucinersees sollte die Landwirtschaft in It. fördern.

In großem Maß verlieh C. das röm. Bürgerrecht an Provinziale; Beleg dafür ist weniger die Behauptung Senecas (apocol. 3,3), als vielmehr die zahlreichen Personen, die die Namen Ti. Claudius tragen, im Westen und im Osten. Dabei berief sich C. auf das Beispiel von Augustus und Tiberius, war aber dennoch weit unbefangener in der Vergabe. Ebenso scheint sich mit ihm die Vergabe des Bürgerrechts an Auxiliarsoldaten nach 25 Jahren Dienst endgültig durchgesetzt zu haben; aus dem J. 52 stammen die ersten Militärdiplome, in denen die Verleihung der *civitas Romana* dokumentiert wurde (CIL XVI 1–3).

Obwohl der Senat C. nach der Akklamation durch die Praetorianer zunächst zum Staatsfeind erklärt hatte und im J. 42 der Senator Furius Camillus Scribonianus als Statthalter von Dalmatien vergeblich gegen ihn revoltiert hatte, versuchte C., durch Entgegenkommen eine Zusammenarbeit zu ermöglichen. Höfliche Umgangsformen sollten dazu ebenso dienen wie die zahlreichen Suffectconsulate, aber auch ein zweiter Consulat für bes. wichtige Senatoren; L. Vitellius, der mit C. im J. 47/48 die Censur übernahm, wurde sogar *cos. III.* Ebenso zeichnete er viele Senatoren mit *ornamenta triumphalia* aus. C. trug viele Dinge an den Senat zur Entscheidung heran, die er auch allein hätte befehlen können; und er wollte eine sachliche Diskussion, nicht nur adulatorische oder feige Zustimmung (FIRA I² Nr. 44 III Z. 10ff.). So ließ er durch den Senat die Verleihung der Rechtsprechungsbefugnis an Procuratoren, wohl Patrimonial- und Freigelassenenprocuratoren, bestätigen (Tac. ann. 12,60; [9]). Ebenso trug er den Senatoren den Wunsch einiger gallischer Aristokraten vor, Aufnahme in den Senat zu erhalten, und setzte einen bejahenden Senatsbeschluß durch (Tac. ann. 11,23–25,1; CIL XIII 1668 = ILS 212; [10]). Selbst die *ornamenta praetoria* ließ er für seinen Freigelassenen Pallas durch den Senat beschließen (Plin. epist. 7,29,2; Tac. ann. 12,53,2 f.). Solches Handeln zeigt C.' Unvoreingenommenheit; doch verschärfte er dadurch die Spannungen, die im Senat ständig vorhanden waren, weshalb er den Senat nie ohne Schutztruppe betrat. Zahlreiche Senatoren wurden aus unterschiedlichen Gründen hingerichtet, im Zusammenhang teils mit Verschwörungen, teils mit den Intrigen und Kämpfen in der engeren Umgebung des Kaisers. Der Haß vieler Senatoren fand in → Senecas *Apocolocyntosis* seinen Ausdruck.

Ein Charakteristikum für C.' Regierung ist der Einfluß, den Freigelassene in seiner näheren Umgebung hatten. Genannt werden vor allem Pallas, der die Funktion des *a rationibus* einnahm und damit die Kontrolle der gesamten Finanzen des Kaisers hatte; Narcissus, *ab epistulis*; Callistus, *a libellis*; Polybius, *a studiis*. Ihre Macht beruhte aber nicht auf ihrer »amtlichen« Stellung, sondern auf dem Einfluß, den sie wegen ihrer Nähe zum Herrscher hatten. So ist auch kein wesentlicher organisatorischer Fortschritt in der Administration durch sie erzielt worden [11]. Ob C. von ihnen tatsächlich so abhängig war, wie die Überlieferung behauptet, ist strittig. Wesentlichen Einfluß hatten auf C. seine Frauen: Valeria → Messalina veranlaßte über ihn die Hinrichtung mancher ihrer Gegner, bis sie nach einer förmlichen Heirat mit C. Silius im J. 48 in einem formlosen Verfahren hingerichtet wurde. Wie ernst C. die Situation nahm, macht die kurzzeitige Unterstellung der Praetorianer unter das Kommando des Freigelassenen Narcissus deutlich (Tac. ann. 11,26–38). Kurz darauf heiratete C. auf Rat des Pallas seine Nichte → Agrippina die Jüngere. Ihr hat C. Ehrenrechte und faktische Macht zuerkannt, wie keine Frau eines Princeps sie zuvor hatte. Er adoptierte bereits im J. 50 ihren Sohn Domitius Ahenobarbus, den späteren Kaiser → Nero, der durch Zuerkennung von polit. Rechten deutlich als Nachfolger bezeichnet wurde, und verheiratete ihn mit seiner Tochter Octavia. Agrippina erhielt den Namen Augusta, ihr Portrait erschien auf röm. Reichsmünzen. Als C. die völlige polit. Zurücksetzung seines Sohnes Britannicus korrigieren wollte, ließ Agrippina, der es gelungen war, Narcissus als Beschützer des C. auszumanövrieren, ihn vergiften, angeblich mit einem Pilzgericht (Tac. ann. 12,66–69; Suet. Claud. 44 f.). C. starb am 13. Oktober 54. Durch Senatsbeschluß wurde er als *divus* konsekriert, ein Tempel auf dem Caelius mons beschlossen; Agrippina wurde zur Priesterin des *divus* ernannt.

1 P. L. SCHMIDT, in: STROCKA (s.u., Bibliographie), 119 ff.
2 J. MALITZ, in: STROCKA (s.u., Bibliographie), 133 ff.
3 W. ECK, A. CABALLOS, F. FERNÁNDEZ, Das s.c. de Cn. Pisone patre, 1996, 245 ff. 4 B. LEVICK, Claudius, 1990, 29 ff. 5 ECK, Statthalter 118 f. 6 H. BOTERMAN, Das Judenedikt des Kaisers C., 1996 7 W. ECK, Die staatliche Organisation It., 1979, 30 8 R. MEIGGS, Roman Ostia, ²1973, 54 ff. 9 M. T. GRIFFIN, C. in Tacitus, in: CQ 40, 1990, 482 ff. 10 F. VITTINGHOFF, Civitas Romana, 1994, 299 ff. 11 W. ECK, in: STROCKA (s.u., Bibliographie), 23 ff.

H. M. V. KAENEL, Münzprägung und Münzbildnis des Claudius, 1986 • B. LEVICK, C., 1990 • A. MOMIGLIANO, C., ²1961 • V. M. SARAMUZZA, The Emperor C., 1940 • V. M. STROCKA (Hrsg.), Die Regierungszeit des C. (41–54 n. Chr.), 1994
MÜNZEN: RIC I², 114 ff.
PORTRÄT: A.-K. MASSNER, Das röm. Herrscherbild 4, 1982, 126 ff.   W. E.

[III 2] C. Gothicus. Imperator Caesar M. Aurelius Valerius Claudius Augustus. * 10. Mai (fasti Philocali I² 255; 264) wohl um das J. 214 n. Chr. (Chronicon Paschale 508). Dalmatischer bzw. dardanischer Herkunft (SHA Claud. 11,9; vgl. 14,2 *Illyricianae gentis vir*), Angaben, die wahrscheinlich vom Verf. der Historia Augusta erfunden worden sind. Ebenfalls verdächtig sind die Nachrichten, daß er Sohn eines Gordianus war (Aur. Vict. epit. Caes. 34,1) und daß Probus ein Verwandter des C. war (SHA Prob. 3,2–4). Schließlich ist die angebliche Verbindung mit Constantius Chlorus, die erst vom Panegyriker des J. 310 (Paneg. 8,2; vgl. Eus. HE 10,8,4; SHA Claud. 13,2) bekannt gemacht wurde, als eine Erfindung zu bezeichnen. Die fiktive Verwandtschaft mit der zweiten flavischen Dynastie war sicherlich der Anlaß, ihn in der Historia Augusta Flavius zu nennen (SHA Claud. 7,8; vgl. 3,6; sonst nicht belegt, s. [1. 63 ff.], der mit Hinweis auf Iulianus mis. 367C und 350D eine Abstammung aus Dacia Ripensis für möglich hält). Zum Zeitpunkt des Todes von Gallienus 268 hielt A. sich als Tribun in Ticinum auf (Aur. Vict. Caes. 33,28; als Reiterführer bei Zon. 12,26). Weitere Einzelheiten über seine Laufbahn in der Historia Augusta sind fiktiv (SHA Claud. 14–16). Zur Ermordung des Gallienus hat er laut Zosimos beigetragen (1,40,2). Vermutlich im frühen Herbst wurde er zum Kaiser ausgerufen; er besiegte bald danach die Alamannen am Gardasee (Germanicus max., ILS 569). *Cos.* 269; in diesem Jahr besiegte er auch die Goten und Heruler bei Naissos (Zos. 1,42 ff.) und nannte sich Gothicus maximus (ILS 571). Er starb im September 270 an der Pest (SHA Claud. 12,2; Zos. 1,46,2). PIR² A 1626; PLRE 1, 209.

1 R. SYME, Historia Augusta Papers, 1983.

RIC 5,1, 201–237 • KIENAST, ²1996, 231–32 • R. SYME, Emperors and Biography, 1971, 208 ff.   A. B.

[III 3] Imperator Caesar M. C. Tacitus Augustus → Tacitus

IV. ÄRZTE, BILDHAUER, JURIST

[IV 1] C. Agathemerus. Griech. Arzt in Rom (IG 14,1750 = IGUR 1247), dessen Grabstein ein schönes Reliefporträt ziert, das ihn und seine Frau Myrtale darstellt. Die Gewandung deutet auf die Zeit um 110 n. Chr., die hohe Qualität der Steinmetzarbeit läßt auf beträchtlichen Reichtum des Auftraggebers schließen. Häufig wurde er mit Claudius Agathurnus von Lakedaimon, einem Philosophen, Arzt und Freund des

Aelius Cornutus und des Dichters Persius, verwechselt (Suet. Vit. Persi). Doch auch wenn die Emendierung zu Agathemeros verlockend ist, erscheint doch die Tatsache, daß dieser Arzt in den 50er Jahren bereits in hohem Alter gestanden haben soll, eine solche in der Vergangenheit immer wieder vorgenommene Identifizierung auszuschließen.

→ Persius

[IV 2] Ti. C. Menekrates. Wirkte um 50 n. Chr., Grieche, kaiserlicher Leibarzt (vielleicht von Tiberius, Gaius und Claudius) und Begründer eines eigenen, klar gegliederten und logisch durchdachten medizinischen Systems, das er in 156 B. entwickelte (IG 14,1759 = IGUR 686). Er sollte mit Ehrendekreten seitens »berühmter« Städte belohnt werden. Unter Umständen ist er mit Menekrates identisch, jenem Verf. des ›Der Herrscher‹ betitelten Arzneibuches, den → Galenos (12,846; 896; 13,502; 937; 995; 14,306 K.) gelegentlich zitiert. Ganz unwahrscheinlich ist jedoch seine Identifizierung mit dem gelehrten Arzt Menekrates von Sosandra, den seine Heimat für seine treuen Dienste und als Asiarch (IGRom. 4, 1359, vgl. ZPE 1976, 93–96) ehrte; denn die Ehren-Inschr. spricht mit keinem Wort von einer Beziehung zum Kaiserhof oder von Aktivitäten außerhalb Kleinasiens.   V.N./Ü: L.v.R.-B.

[IV 3] C. Pollio Frugianus. Bildhauer griech. Herkunft. Er firmiert mit dem Zusatz ›ἀπὸ μουσείου‹ an der Unterseite der Basis einer Kopie des sog. »Diomedes« des → Kresilas aus Cumae, gearbeitet im 2. Jh. n. Chr.

C. LANDWEHR, Juba II. als Diomedes, in: JDAI 107, 1992, 103–124 • A. MAIURI, Il Diomede di Cuma, 1930.   R.N.

[IV 4] C. Saturninus. Möglicherweise mit dem im 3. Jh. n. Chr. tätigen Kommentator des Kranzwesens (Tert. de corona 7,6) identischer Verf. des *Liber singularis de poenis paganorum* (Dig. 48,19,16; vom *Index Florentinus* fälschlich → Venuleius Saturninus zugeschrieben). PIR² C 1011.

D. LIEBS, Röm. Jurisprudenz in Africa, 1993, 23f.   T.G.

Claustra Alpium Iuliarum. System der spätröm. Befestigungen im transiten, karstigen Grenzgebiet, zum Teil sich an natürliche Sperren in der gebirgigen Landschaft stützend, am nordöstl. Übergang Italiens (Illyroital. Tor), zw. den Städten Emona, Forum Iulii, Tergeste und Tarsatica. Mehrmals erwähnt bei ant. Autoren von Herodianus bis Prosper Tiro und teilweise arch. erforscht. Lit. Beleg: Amm. Marc. 31,11,3.

B. SARIA, s.v. Nauportus (1), RE 16,2, 2011f. • J. ŠAŠEL, P. PETRU (Hrsg.), Claustra Alpium Iuliarum, 1971.   M.Š.K.

Clausulae s. Prosarhythmus

Clavus. Nagel, im Zusammenhang mit → Kleidung: Streifen. Die Verzierung einer → Tunika mit purpurfarbenen, von den Schultern vorn und hinten senkrecht zum unteren Gewandsaum führenden c. diente in Rom zur Rangabstufung. Die Tunika mit breiten Streifen (*lati clavi*) kam Senatoren, deren Söhnen (seit Augustus) und Beamten zu, diejenige mit schmalen Streifen (*angusti clavi*) dagegen den Rittern. Die *c.* konnten eingewebt, aber auch aufgenäht sein, vgl. → Dalmatica.

H. R. GOETTE, Studien zu röm. Togadarstellungen, 1990, 8–9 • J. BERGEMANN, Röm. Reiterstatuen, 1990, 23–24 • B. LEVICK, A Note on the latus clavus, in: Athenaeum 79, 1991, 239–244 • A. STAUFFER, Textilien aus Ägypten, Kat. der Ausstellung Fribourg 1991/92, Nr. 43, 63, 74 u.ö.   R.H.

Clearchus. Thesproter, Heide (Lib. epist. 1179). In Konstantinopel ausgebildet, hatte er Verbindung zu → Themistios und → Libanios (ebd. 67f.; 240f.). Er bekleidete um 360 n. Chr. nicht verifizierbare Ämter in Konstantinopel und war 363–366 *vicarius Asiae*. Er zeichnete sich im Kampf gegen den Usurpator Prokop aus und wurde von → Valens zum *procos. Asiae* (366–367) befördert (Eun. vitae soph. 7,5,3–5). 372/3 und 382/4 war er *praef. urbis Constantinopolitanae*. Bis zu seinem Konsulat 384 war er sehr einflußreich (Lib. or. 42,18). Er starb vor 388. An ihn sind 21 Briefe des Libanios gerichtet. PLRE 1,211f.   W.P.

Cledonius. Lat. Grammatiker, kompilierte im 5. Jh. in Konstantinopel einen Komm. zur Grammatik des → Donatus. Er ist uns in einem ziemlich ungeordneten Zustand überliefert, der z.T. zeigt, wie der Text, urspr. aus Marginalien und schulischen Notizen bei Donatus entstanden, in einer späteren Zeit kompiliert wurde.

ED.: GL 5, 9–79.
LIT.: G. GOETZ, s.v. C., RE 4, 10 • SCHANZ/HOSIUS 4,2, 207f. • V. DE ANGELIS, s.v. C., EV 1, 818f.   P.G./Ü: G.F.-S.

Clemens

[1] von Rom. In der röm. Bischofsliste seit → Irenaeus (haer. 3,3,3) als dritter Bischof von Rom verzeichnet, auch wenn die röm. Gemeinde am Ende des 1. Jh. wohl noch von einem Presbyterkollegium, nicht von einem Bischof allein geleitet wurde. Alle Nachrichten zu C. entstammen späteren Jh.; sie dokumentieren die histor. Entwicklung eines C.-Bildes, nicht aber die histor. Person des C. Dionysios v. Korinth (Eus., HE, 4,23,11) sah in C. den Verf. eines Briefs der röm. Gemeinde an ihre Glaubensbrüder in Korinth. Dieser sog. erste C.-Brief [1; 2. 1–107; 3. 77–151; 4] verlangt angesichts des Streits in der korinth. Gemeinde Unterordnung unter die von den Aposteln oder ihren Nachfolgern eingesetzten Leiter; er zählt zu den ältesten christl. Schriften außerhalb des NT (zu dem er in der syr. Kirche sogar hinzugerechnet wird) und ist ein zentraler Text für die Genese des Amtspriestertums [17; 18]. In der hsl. Überlieferung folgt ihm der sog. zweite C.-Brief [5; 3. 152–175; 6. 203–280], eine wohl im Osten verfaßte ermahnende Ansprache an eine christl. Gemeinde. Sie wird vor bzw. in der Mitte des 2. Jh. angesetzt und gilt als die älteste überlieferte christl. Predigt. Neben zwei Briefen *ad vir-*

gines (3.Jh., Syrien) [7] verbindet die Tradition auch den ältesten christl. → »Roman« mit C.: die sog. Ps.-Clementinen, deren rekonstruierte älteste Fassung, die sog. Grundschrift, wohl in Syrien um 230 abgefaßt wurde. Die hieraus abgeleitete griech. Version, die ὁμιλίαι (*Homiliai*) [8; 9], und die von → Rufinus übers. lat. *Recognitiones* [10; 11], denen im Griech. je ein Brief des Petrus und des C. an den Herrenbruder Jacobus, im Lat. nur der Brief des C. an Jacobus (*epistula Clementis = epCl*) vorausgeht. In die spätant. u. frühma. → *collectiones canonum* ging C. nicht nur mit der *epCl* ein, sondern auch mit einem weiteren an Jacobus gerichteten Schreiben (*Quoniam sicut a beato Petro*) [12]. C. wurde auch die Verbreitung von Kirchenordnungen zugeschrieben, insbes. der *canones apostolorum*, die → Dionysius Exiguus ins Lat. übersetzte [13].

Da C. von Anfang an als Schüler des → Petrus und als von ihm eingesetzter Nachfolger galt, besaß die hagiographische Tradition ein bes. Interesse an ihm, sei es als Angelpunkt in der röm. Sukzessionsliste (bereits seit dem 2.Jh.), sei es als Märtyrer (belegt seit dem 4.Jh., als schriftlich fixierte Legende spätestens im 6.Jh. [14]). Im 6.Jh. wird der *titulus Clementis* mit C. verbunden (zur Gesch. dieser Kirche in Rom [15]), wohin 867 auch die Reliquien des C. von den Slawenaposteln Kyrillos und Methodios aus Cherson (Krim) überführt werden [16]. Sein Gedenktag ist der 23. November.

1 CPG 1001 2 J. A. FISCHER, Schriften des Urchristentums 1, ¹⁰1993, (griech.-dt.) 3 A. LINDEMANN, H. PAULSEN (Hrsg.), Die Apostolischen Väter, 1992 (griech.-dt.) 4 Fontes Christiani 15, 1994 (griech.-lat.-dt.) 5 CPG 1003 6 K. WENGST, Schriften des Urchristentums, 1984 7 CPG 1004 8 CPG 1015 9 B. REHM, G. STRECKER, GCS 42, ³1992 10 H.J. FREDE, Kirchenschriftsteller. Verzeichnis und Sigel, ⁴1995, 734 (FREDE) 11 B. REHM, F. PASCHKE, GCS 51, 1965 12 F. MAASSEN, Gesch. der Quellen und Lit. des canonischen Rechts im Abendlande, 1870, § 536 (= CPG 1007 f.) 13 Ders., § 534 14 SOCII BOLLANDINI (ed.), Bibliotheca Hagiographica Latina antiquae et mediae aetatis, 2 Bde., 1898–1901, Suppl. editio altera, 1911 (BHL), 1848 (= CPL 2177, sowie FREDE, 57 f.) 15 San Clemente miscellany I–IV, 2, 1977–1992 16 BHL 2073 17 J. MARTIN, Die Genese des Amtspriestertums in der frühen Kirche, 1972 18 H. VON CAMPENHAUSEN, Kirchliches Amt und geistige Vollmacht in den ersten drei Jahrhunderten, 1953.

A. LINDEMANN, Die Clemensbriefe, 1992 · LMA 2, 2138 · LThK³ 2, 1227–1231 · RAC 3, 188–206 · TRE 8, 113–123.
E. W.

[2] Sklave des → Agrippa Postumus (1.Jh. n. Chr.). Er wollte diesen nach dem Tode des Augustus von Planasia zu den german. Heeren bringen. Als Agrippa tot war, gab er sich für diesen aus, wurde jedoch ergriffen und getötet (Tac. ann. 2,39–40; Suet. Tib. 25,1; Cass. Dio 57,16,3 f.). 　　　　　　　　　D. K.

[3] T. Flavius Clemens, von Alexandreia
A. LEBEN　B. DIE WICHTIGSTEN WERKE
C. BEDEUTUNG

A. LEBEN

Gest. vor 215/221 n. Chr., christl. Philosoph und Begründer der auf griech. Bildung beruhenden theologischen Literatur. Über das Leben des C. informieren wenige Selbstzeugnisse und bes. Eus. HE 5,11 und 6,6. Geb. in Alexandreia oder Athen (so Epiphanios, haereseum epitome 31,3); die Suche nach einem christl. Lehrer führt C. gegen 180 n. Chr. über Syrien, Palästina und Italien zu Pantainos nach → Alexandreia [1] (Clem. Al. stromateis 1,11,2), wo er schließlich selbst christl. Philos. lehrt. Daß C. Vorsteher einer (bischöflichen?) Schule wird (Eus. HE 6,6), ist in dieser Zeit unwahrscheinlich. Verfolgungen in Alexandreia (Eus. HE 6,1), möglicherweise auch die Feindschaft des Bischofs, veranlassen C., zu Alexandros, Bischof einer unbekannten Stadt in Kappadokien zu gehen, wo er (als Presbyter?) unterrichtet und Traktate schreibt. Um 211 überbringt C. einen Brief des Alexandros nach → Antiocheia [1], in einem Schreiben von 215/216 (oder 221?) spricht Alexandros von C. als einem Toten.

B. DIE WICHTIGSTEN WERKE

1) Προτρεπτικὸς πρὸς Ἕλληνας (*Protreptikós prós Héllēnas, protr.*): Apologetische Mahnrede an die »Heiden« mit dem Ziel der Bekehrung zum wahren *lógos*, der der Unver…ft und Unsittlichkeit heidnischer Rel. (insbes. ihrer Mysterien) entgegengestellt wird.

2) Παιδαγωγός (*Paidagōgós, paid.*, 3 B.): Forts. des *protr.* in Form einer Paränese, B. 1 über den *lógos* als Erzieher, B. 2 und 3 mit praktischen Lebensregeln, am Ende ein anapästischer Hymnus auf Christus als *lógos paidagōgós*.

3) Στρωματεῖς, lat. *Stromata* (*strom.*, 7 B.): ›Flickenteppiche‹, → Poikilographie mit den Zentralthemen a) griech. Philos. und Glaube (B. 1–2), b) Askese und Vollkommenheit (B. 3–4), c) Allegorie und Sinnbild (B. 5) und d) der wahre Gnostiker (B. 6–7). Das in der hsl. Überlieferung folgende B. 8 enthält Skizzen zur Logik, wohl Vorarbeiten zu den *strom.* oder zu anderen Werken.

4) Τίς ὁ σωζόμενος πλούσιος: Homilie (?) über Mk 10, 17–31.

5) *Excerpta ex Theodoto* gegen valentinianische Gnostiker.

6) Exeget. Schriften: *Eclogae propheticae* und Fr. der 8 B. Ὑποτυπώσεις (*Hypotypṓseis*, ›Schattenrisse‹), z. B. über die Entstehung des Mk-Evangeliums.

7) Brief-Fr. mit apokryphem Mk-Evangelium (zuerst publ. 1973; jetzt GCS 39, 17 f.).

C. BEDEUTUNG

C. versucht die erste, durch Bildung und Rhet. untermauerte, gleichwohl spannungsvolle Synthese aus griech. Philos. (→ Platonismus; Stoizismus) und christl.-jüd. Offenbarung. Zielgruppe ist die reiche Oberschicht der griech. Städte. Ontologische und epistemologische

Grundstruktur von C.' Philosophie ist der urspr. platonische, der Mysterienweihe verwandte Dreischritt von der Bekehrung über das sittl. Lernen zur geistigen Schau (ἐποπτεία, *epopteía*) durch die Offenbarung des göttlichen *lógos*. Erkenntnis vollzieht sich in der Angleichung des Schauenden an das Geschaute, der so zum wahren (im Unterschied zum häretischen) Gnostiker werde. Demselben Dreischritt hätte die von C. urspr. geplante Trilogie *Protreptikós-Paidagōgós-Didaskal(ik)ós* entsprochen. C. verzichtet jedoch auf die Darlegung rel. Lehren, die auch in der Hl. Schrift absichtsvoll verborgen seien. Aufgabe des Wissenden ist daher die allegorisch-symbolische Exegese nach der Methode des → Philon. Der Einfluß des C. zeigt sich bes. bei → Origines. Erst → Photios' Vorwurf der Heterodoxie hat C.' Ruf geschadet, bis er als weltoffener Denker und Übermittler sonst verlorener Lit. (Zitate aus ca. 360 Autoren!) wiederentdeckt wurde.

→ Gnosis; Gnosis; Gnostiker; Allegorie; Kirchenväter

Ed.: CPG 1, 1983, 135–140 • O. Stählin, L. Früchtel, U. Treu, GCS 12, 15, 17, 39, 1905–1936 (4 Bde.: Bd. 1, ³1972; Bd. 2, ⁴1985; Bd. 3, ²1970; Bd. 4 ²1980, teilw. neu) • C. Mondésert, H. I. Marrou u. a., SChr 2, 23, 30, 38, 70, 108, 158, 278/79 (7 Bde., griech.-frz.), 1948–1981 • M. Marcovich, 1995 (protr.) • C. Nardi, 1985 (ecl. proph.) • O. Stählin, BKV² 7, 8, 17, 19, 20 (dt.) • W. Wilson, Ante-Nicene Christian Library 4, 12, 22, 24 1882–1884 (engl.) • G. Pini, 1985 (strom.; it.).
Lit.: O. Stählin, HdA 7,2,2, 1924, 1310–1317 • M. Pohlenz, in: Nachrichten der Ges. der Wiss. zu Göttingen (phil.-histor. Klasse), 1943, 103–180 • Altaner/Stuiber, ⁹1978, 188–197 • A. Méhat, TRE 8, 101–113 • D. Wywra, Christl. Platonaneignung, 1983 • C. Riedweg, Mysterienterminologie, 1987, 116ff. • A. van den Hoek, C. of A. and his use of Philo, 1988 • Dihle, 338–340 • E. F. Osborn, The emergence of Christian Theology, 1993 • E. Procter, Christian Controversy, 1995.   DO. ME.

Clementia. Personifikation der Milde (ThlL, Onom. II, 487). Plinius (nat. 2,14) nennt C. in einer Reihe von vergöttl. Abstrakta. Berühmt war die C. Caesars [1; 2]: Der Senat ließ dem Divus Iulius und der vergöttl. C. einen gemeinsamen Tempel bauen, in dem Caesar und die Göttin sich die Hände reichend dargestellt waren (Plut. Caes. 57,4; App. civ. 2,106; Cass. Dio 44,6,4). Auf dem goldenen Schild des Augustus ist C. eine der vier ihm zugeschriebenen Tugenden (R. gest. div. Aug. 34). Zentrales Thema ist C. in Senecas Fürstenspiegel (*De clementia*).

1 M. Treu, Zur C. Caesars, in: MH 5, 1948, 197–217
2 S. Weinstock, Divus Julius, 1971, 234–240.

T. Hölscher, s. v. C., LIMC 3.1, 295–299.   R. B.

Clementinen s. Roman

Cleopatra Selene → Kleopatra

Cliens, clientes. Lat. Bezeichnung für freie Abhängige mächtiger röm. Bürger mit höherem sozialen Status. Obwohl eine solche Abhängigkeit in der Ant. ein weit verbreitetes Phänomen war (Dion. Hal. ant. 2,9 erwähnt die *pelátai* Athens und die *penéstai* Thessaliens), kann Rom insofern als Sonderfall gelten, als hier Rechte und Pflichten des *c.* genau definiert und sein Status dem *patronus* gegenüber im Zwölftafelrecht (8,21) geschützt war. Der *c.* befand sich in einem Treueverhältnis (*in fide*) zu einem *patronus*, oder anders formuliert, unter dessen Schutz. Es gibt keinen Hinweis auf eine bes. formale Prozedur, durch die ein solches Abhängigkeitsverhältnis geschaffen wurde. Von einem freigelassenen Sklaven und seinen Nachkommen wurde erwartet, *c.* des früheren Herrn zu sein, doch konnte auch ein freigeborener Mann durch Bitte um Schutz *c.* werden. Als Gegenleistung für Schutz und Rat waren *clientes* nach Dion. Hal. ant. 2,10 verpflichtet, den *patronus* finanziell zu unterstützen, indem sie sich an der Mitgift der Töchter oder an Lösegeldzahlungen im Fall einer Gefangennahme des *patronus* oder seiner Söhne beteiligten, dessen Geldstrafen bezahlten und außerdem seine bei der Ausübung öffentlicher Ämter entstehenden Kosten übernahmen. Die Geschenke der *clientes* bei den → Saturnalia waren aufgrund der *lex Publicia* (Macr. Sat. 1,7,33; vielleicht ein Gesetz des C. Publicius Bibulus, *trib. plebis* 209 v. Chr.) auf Wachslichter (*cerei*) beschränkt; andere Geschenke der *clientes* waren durch die *lex Cincia de donis* (wahrscheinlich 204 v. Chr.; MRR I 307) untersagt. C. und *patronus* durften einander nicht anklagen oder als Zeugen gegeneinander vor Gericht aussagen (Dion. Hal. ebd.); bestätigt wird dies durch die *lex repetundarum* aus der Zeit der Gracchen (CIL I², 583,10; 33). Ferner wurde erwartet, daß der *c.* seinem *patronus* Achtung erwies und durch seine Präsenz Schutz gewährte, indem er sich zur morgendlichen Begrüßung (*salutatio*) in dessen Haus einfand (Sen. benef. 6,33–34) oder ihn auf das Forum begleitete (Liv. 38,51,6).

Ursprünglich wurde der *c.* von seinem *patronus* in Rechtsfragen beraten und vor Gericht vertreten. In der späten Republik, als die Prozeßführung juristisch und rhet. immer anspruchsvoller wurde, wandten sich prozeßführende Parteien an professionelle Anwälte aus der Oberschicht, so daß die Terminologie der Beziehung zwischen *patronus* und *c.* eine spezielle Bed. erhielt. In dieser Zeit lockerte sich auch das Verhältnis zwischen *c.* und *patronus*; es ist schwer abzuschätzen, in welchem Ausmaß in der Republik ein *patronus* das Wahlverhalten seiner *clientes* kontrollieren konnte. Die im 2. Jh. v. Chr. zunehmenden Wahlbestechungen (*ambitus*) sind Indiz für eine Schwächung der Bindung zwischen *patronus* und *c.*; dieser Prozeß wurde durch die Tabellargesetzgebung, die 139 v. Chr. mit der *lex Gabinia* einsetzte, noch beschleunigt.

Mit der Ausweitung des Imperium Romanum weiteten die *clientelae* sich auch auf ital. Städte sowie auf Völker und Herrscher außerhalb It. aus. Die Terminologie der Beziehung zwischen *c.* und *patronus* ist bereits für die Zeit kurz nach 88 v. Chr. belegt (REYNOLDS, document 3,49 ff.). In einigen Regionen wie Spanien oder Gallien konnte an die einheimische Tradition der Gastfreundschaft (*hospitium*) und Abhängigkeitsverhältnisse angeknüpft werden. Die Beziehung Roms zu seinen Verbündeten wurde teilweise mit Hilfe der Terminologie des Verhältnisses zwischen *patronus* und *cliens* sprachlich erfaßt, wobei jedoch betont werden muß, daß dies eine Metapher ist, welche die Abhängigkeit wie auch die moralischen Verpflichtungen überbewertet. Zwar vervielfachten sich in der späten Republik die Klientel-Beziehungen zwischen einzelnen Römern und fremden Gemeinden, doch wurde in derselben Zeit der Einfluß der großen Machtpolitiker übermächtig.

Die Prinzipatszeit sah den Aufstieg eines einzelnen, alle polit. wichtigen Klientel-Beziehungen monopolisierenden *patronus*, des *princeps*, zu dessen *c.* seine eigenen Freigelassenen, die städtische *plebs*, Soldaten des Heeres und der Flotte sowie Angehörige provinzialer Oberschichten gehörten. Römer der imperialen Führungsschicht wurden hingegen als *amici* bezeichnet, auch wenn sie sich wie *c.* verhielten. Andere *clientelae* verschwanden jedoch nicht völlig. Fremde Gemeinden blieben *c.* röm. Senatoren. Nach Tacitus waren die großen Familien zur Zeit der julisch-claudischen *principes* noch immer daran interessiert, ihr Prestige durch ihre *clientelae* zu erhöhen (Tac. ann. 3,55,2; hist. 1,4). Obwohl die Darstellungen der *clientelae* bei Iuvenal (1,95 ff.) und Martial (6,88) als rücksichtsloser Kampf um *sportulae* und die wertvolleren Geschenke sowie eine Beziehung ohne *fides* nicht überbewertet werden sollten, verlor diese Institution schließlich doch ihre Bed. für das Prestige der Mächtigen und ebenso für den Schutz der sozial Schwachen. In der Prinzipatszeit werden *anteambulones* erwähnt, Männer, die ihre Herren in der Öffentlichkeit begleiteten (Suet. Vesp. 2,2; Mart. 2,18; 3,46). Es ist unklar, ob diese immer freie *clientes* waren oder auch Sklaven des Herren sein konnten.
→ Patronus

1 BADIAN, Clientelae 2 P. A. BRUNT, The Fall of the Roman Republic, 1988, 382–422 3 M. GELZER, Die Nobilität der röm. Republik, 1912 (=KS I, 68–75) 4 J. M. REYNOLDS, Aphrodisias and Rome, 1982, 49 ff.   A. W. L./Ü: A. BE.

Clipeus

[1] (*clipeata imago*). Die Büste auf Rundschild, ant. meist als *clipeus et imago* bzw. εἰκὼν ἐν ὅπλῳ bezeichnet, ist zu unterscheiden von Relief-Medaillons in der Kleinkunst. Auf Terrakotta gemalte *clipei* kommen aus Gräbern (Centuripe); die frühesten am Bau angebrachten Marmor-C. stammen aus Delos (Mithridates-Monument, um 100 v. Chr.). Verbreitung findet der C. ab dem 1. Jh. v. Chr. in Rom. Schriftliche Quellen zu ihrer Erfindung lassen eine Herkunft aus Ahnenkult und mil. Ehrung vermuten, Berichte über pun. C. des Hasdrubal sind jedoch fragwürdig. Die erste öffentliche Anbringung geschah am Bellona-Tempel und der → Basilica Aemilia in Rom 79/78 v. Chr., wohl als Übertragung

aus dem → Atrium. Aufgehängte C. aus Metall sind in der Wandmalerei wiedergegeben. Kleinformatige C. an *signa* und Schwertscheiden bezeugen die Bed. goldener, nicht erh. C. im Herrscherkult. Im 1. Jh. n. Chr. beginnt die Verbreitung von Marmor-C. als ehrende Form des → Porträts, die im 2. Jh. ihren Höhepunkt findet; Bronze-C. sind selten (Ankara). Von nun an werden sie auch für Götter-Galerien verwendet (Chiragan), für histor. und Intellektuellen-Porträts (Aphrodisias). Bereits ab dem 1. Jh. n. Chr. tauchen C. auf Grabsteinen auf und werden von dort auf Sarkophage übernommen, wo sie von Eroten oder Niken getragen werden.
→ Büste; Porträt; Toreutik

G. BECATTI, s. v. clipeate immagini, EAA 2, 718–721 · R. WINKES, *Clipeata imago*, 1969.   R. N.

[2] s. Schild

Cliternia

[1] Stadt der Aequiculi im Tal des Salto, h. Capradosso; *municipium* der *tribus Claudia*, verbunden mit den Aquae Cutiliae; später in der *regio IV Augustea* (Plin. nat. 3,107; Ptol. 3,1,56). CIL IX, p. 394, 4166–76.

NISSEN 2, 462.

[2] Stadt im äußersten Norden von Apulia bei Larinum am Tifernus, *regio II* (Plin. nat. 3,103; Mela 2,65: Claternia). Lage unsicher, wohl bei Nuova C. (Prov. Compobasso).

NISSEN 2, 784.

Clitumnus. Flüßchen in Umbria, Zufluß des Tiberis, h. Timia. Die Quellen des C. (zw. Spoletium und Fulginiae unterhalb von Trebia) hat Plin. epist. 8,8 berühmt gemacht; Caligula und Honorius haben sie besucht; sie waren umgeben von Kapellen für den gleichnamigen Gott und andere Orakel-Gottheiten, die von den Bürgern von Hispellum gepflegt wurden; *statio* Sacraria der *via Flaminia* (Itin. Burdig. 613); *villae* in der Umgebung. In S. Salvatore de Piscina (6. Jh. n. Chr.) sind Spolien und Inschr. verbaut (CIL II 4963).

H. HOLTZINGER, Der C.-Tempel bei Trevi, in: Zschr. für Bildende Kunst 16, 1881, 313–318 · W. HOPPENSTADT, Die Basilica San Salvatore, 1912 · A. P. FRUTAZ, Il tempietto del C., in: RACr 17, 1941, 245–264 · F. W. DEICHMANN, Die Entstehung von Salvatorkirche und C.-Tempel bei Spoleto, in: MDAI(R) 58, 1943, 106–148 · C. A. MASTRELLI, in: C. SANTORO (Hrsg.), Studi storico-linguistici, 1978, 105–115 · G. BENAZZI, A. BENAZZI, I dipinti murali e l'edicola marmorea del tempietto sul C., 1985.   G. U.

Clivus Capitolinus. Straße vom → Forum Romanum zum → Capitolium in Rom (Dion. Hal. 1,34,4; 6,1,4); begann in der Nähe des Carcer (Cic. Verr. 2,5,77). Der C. C. wurde von den Zensoren des Jahres 174 v. Chr. gepflastert (Liv. 21,27,7) und durch eine *porticus* nahe dem Saturn-Tempel geschmückt (Liv. 41,27,7), möglicherweise an der Stelle der flavischen *porticus* der *dei* *consentes*. Da man nach 88 v. Chr. öffentliche Grund-stücke an den Rändern des Kapitols als Bauland ver-kaufte, konnten am C.C. Privathäuser errichtet wer-den. In den spätrepublikanischen Bürgerkriegen lag hier oft der Kampfschauplatz (Cic. Rab. perd. 31; Ascon. 45 c; Cic. Att. 2,1,7; Sest. 28; Phil. 2,16; Mil. 64). Die vom Gebiet zwischen dem Saturn-Tempel und der *porticus* der *dei consentes* ausgehenden unteren Teile des C.C. blieben erh.; heute noch zu sehen ist die Fortsetzung dieses Abschnittes auf mittlerer Höhe. Der obere Teil, der von einer engen Kurve (Dig. 9,2,52,2) bis zum Ein-gang des Kapitols (Tac. hist. 3,71,2) reichte, ist nicht erh.; hier müssen die Bögen des Scipio Africanus (Liv. 37,3,7) und des Calpurnius (Vell. 2,3,2; App. bell. civ. 1,16,70; Oros. hist. 5,9,2) gestanden haben.

T. WISEMAN, in: LTUR 1, 280–281 · RICHARDSON, 89.

Clivus Publicius. Erste befahrbare Straße auf dem vor-wiegend plebeischen Aventin in Rom, von den ple-beischen Ädilen L. und M. Poblicius Malleolus (Varro ling. 5,158; Ov. fast. 5,275) zw. 241 v. Chr. und 238 v. Chr. (Vell. 1,14,8; Plin. nat. 18,286) aus Strafgeldern für Unterschlagungen (Fest. 276 L.) angelegt. Der C.P. verlief von der Porta Trigemina des Forum Boarium entlang der modernen Via di Santa Prisca bzw. des mo-dernen Clivo dei Publicii (Liv. 26,10,5; 27,37, 15; Fron-tin. Aqu. 5).

F. COARELLI, in: LTUR 1, 284 · RICHARDSON, 90.

Cloaca maxima. Die Erfindung der Kloaken (Strab. 5,8; Plin. nat. 36,24) wird in der ant. Lit. als eine der großen zivilisatorischen Leistungen hervorgehoben; Plinius (nat. 36,105) schreibt dies dem → Tarquinius Priscus zu, andere (Liv. 1,38,6; 1,56,2; Dion. Hal. 3,67,5; 4,44,1) dem → Tarquinius Superbus. Das in der röm. Lit. als C.m. bezeichnete Bauwerk (Liv. 1,56,2; Varro, ling. 5,157) ist nicht sicher lokalisiert, wird aber allg. mit dem in verschiedenen Bauphasen erh. größten Abwasserkanal Roms identifiziert, der aus der Subura unter dem späteren Forum des Nerva in Richtung auf das Zentrum der → Basilica Aemilia verläuft. Im ersten Abschnitt sind die Wände durch *opus signinum* wasser-dicht isoliert, unter der Basilica besteht der Kanal aus Travertin und Aniene-Tuff. Eine sekundäre Umleitung, die zur Bauzeit des Nerva-Forums in großen Peperin-blöcken ausgeführt wurde, umgeht die Basilica Aemilia, wohl wegen des unsicheren Baugrundes und berührt sie nurmehr durch einen Kanalanschluß an der Westecke. In der Nähe des Tempels der Venus Cloacina mündet der Kanal in die Via Sacra ein. Danach sind in der spätrepublikan. Ausführung Reste der ältesten Phase verbaut, in der mit kleinen Tuffblöcken ein falsches Gewölbe gebildet war (→ Gewölbe- und Bogenbau). Unter der → Basilica Iulia ist die C.m. als Tonnen-gewölbe ausgeführt; in der Nähe des → Pons Aemilius mündet sie mit bogenförmiger Öffnung in den Tiber.

H. BAUER, in: LTUR 1, 288–290 · RICHARDSON, 91–92.

R.F.

Cloatius Verus. Römischer Lexikograph mit antiqua-rischen Interessen, vielleicht aus frühaugusteischer Zeit. Er schrieb über die Bed. griech. Wörter (mindestens vier *Ordinatorum Graecorum libri*) und über griech. Lehn-wörter im Lat. (offenbar auch mindestens vier Bücher *Verba a Graecis tracta*). C. wird von → Gellius (16,12) und → Macrobius (sat. 3,6,2; 3,20,1) als Quelle zitiert. Er ist mit großer Sicherheit derjenige Cloatius, den → Pom-peius Festus (→ Verrius Flaccus) als einen Fachmann für Sakralsprache zusammen mit L.→ Aelius, wahrschein-lich C.' Quelle, zitiert.

GRF 467–473 · HLL § 283　　　　　R.A.K./Ü: M.MO.

Clodia

[1] Geb. um 94 v. Chr., Tochter des Ap. Claudius [I 23], Schwester des P. → Clodius [I 4] Pulcher, verheiratet mit Q. Caecilius [I 22] Metellus Celer. Im Urteil der meisten ant. (Plut. Cic. 29,2,–4; Quint. 6,3,25; 8,6,53; Schol. Bob. 135–6 STANGL) und modernen Autoren [1. 53–56] ist C. eine aus vornehmem Hause stam-mende, attraktive, aber »sittenlose« Lebedame [2], was sich z. T. auf die plausible Identifizierung C.s mit Lesbia, der Geliebten des Dichters Catull, stützt (c. 5; 7; 43; 51; 58; 72; 75 u. a.; [3. 273–275]); vor allem sorgte Cicero für C.s schlechten Ruf mit einer Rede, die er 56 v. Chr. im von C. mitinitiierten Prozeß für den Angeklagten M. → Caelius [I 4] Rufus hielt. C. wurde zur Ziel-scheibe gängiger Klischeees und Topoi der moralischen Diffamierung (Hurerei, Inzest mit ihrem Bruder; Cic. Cael. 30–38; 47–50; 62; 78). Sogar der plötzliche Tod ihres Ehemannes im J. 59 v. Chr. wurde zum Giftmord C.s (Cael. 60) [5. 106–151]. Der Grund für diese An-griffe mag in der Lebensweise C.s liegen, die sich von den traditionell für die röm. → Matrone geltenden Nor-men löste und öffentlich intensive, doch nicht stets erotische, sondern häufig lit. und polit. motivierte [4. 72–73] Verbindungen mit verschiedenen Männern einging. Ob C., deren Spur sich nach 56 verliert, in den 40er Jahren auch zu Cicero wieder in einem »normalen« Kontakt stand, muß zweifelhaft bleiben [3. 277–287; 5. 111–114].

1 D. BALSDON, Roman women, 1962 2 T. P. WISEMAN, C., in: Arion 2, 1975, 96–115 3 M. SKINNER, C. Metelli, in: TAPhA 113, 1983, 273–287 4 R. BAUMAN, Women and politics in ancient Rome, 1992 5 B. KRECK, Unt. zur polit. und sozialen Rolle der Frau in der späten röm. Republik, 1975.

[2] Tochter des Ap. Claudius [I 23] und jüngere Schwe-ster von Clodia [1], Gattin des L. → Licinius Lucullus. Aus Anlaß der Konflikte um ihren Bruder Clodius [I 4], dem C. polit. nahestand, trennte sich ihr Ehemann im J. 62 v. Chr. unter dem Vorwand der Untreue von ihr (Plut. Lucullus 38) und bezichtigte sie im J. 61 vor Ge-richt bezeichnenderweise des Inzests mit ihrem Bruder.

DRUMANN-GROEBE 2, 319.

[3] Ältere Schwester von Clodia [1] und Clodia [2], verheiratet mit Q. Marcius Rex. Auch sie wurde durch den Vorwurf des Inzests mit ihrem Bruder diffamiert (Cic. fam. 1,9,15). H.S.

Clodius. Im 1. Jh. v. Chr. volkssprachliche Namensform des Gentilnamens → Claudius (C. [I 4] und → Clodia), seit spätrepublikanischer Zeit auch eigenständiger Familienname.

I. REPUBLIKANISCHE ZEIT

[I 1] C., C. 43/42 v. Chr. Anhänger und Praefekt des M. Brutus; er ermordete den C. Antonius [I 3].

[I 2] C., Sex. Handlanger des P. Clodius [I 4] Pulcher, Sex. → Cloelius [2].

[I 3] C. Aesopus, tragischer Schauspieler in spätrepublikanischer Zeit (→ Aesopus, C.); das Gentile führte erst sein Sohn M. C. Aesopus in der frühen Kaiserzeit (SCHANZ/HOSIUS 1, 149). K.-L. E.

[I 4] C. Pulcher, P. Bruder des berüchtigten Consuls Ap. → Claudius [I 24], wurde um 93 v. Chr. geboren. 68 nahm er (als Legat?) am Krieg gegen Mithridates und dann an einer Meuterei des Heeres gegen den röm. Feldherrn, seinen Schwager Lucullus, teil (Cass. Dio 36,2,1; Plut. Lucullus 20,5). Nach einem Aufenthalt in Kilikien und Syrien mit zwischenzeitlicher Gefangennahme durch Seeräuber kehrte C. 65 nach Rom zurück. Dort verklagte er erfolglos den vermutlich von Cicero (Fenestella HRR 2, fr. 20) verteidigten Catilina nach der *lex repetundarum* [1. 48–52]. 64 war C. Militärtribun (?) in der Gallia Transalpina, 61 *quaestor* in Sizilien (MRR 2, 164, 180). Das Ereignis, das ihn bekannt machte, vollzog sich in der Nacht vom 4. auf den 5. Dez. 62, als er sich verkleidet bei der im Hause Caesars veranstalteten Bona Dea-Kultfeier, an der nur Frauen teilnehmen durften, einschlich. Er wurde wegen Religionsfrevels (*religio Clodiana*) angeklagt, nach finanzieller Einflußnahme des Crassus und Protesten der → *plebs urbana* aber freigesprochen [1. 51 ff.]. C.' Auftritt wurde in der Forsch. ausschließlich mit privaten Motiven erklärt (Verhältnis mit Caesars Frau Pompeia); tatsächlich aber besaß der Eklat nicht zuletzt eine polit. Dimension und war offenbar auch als Provokation gegen Cicero inszeniert: Am 5. Dezember 62 jährte sich die nicht nur in der Plebs als widerrechtlich empfundene Hinrichtung der Catilinarier, für deren Durchsetzung der damalige Consul Cicero auch angebliche Omina der Bona Dea benutzt hatte (Plut. Cic. 20 [1. 52–58]). Im J. 59 ließ sich C. per Curiatgesetz und mit Caesars Hilfe durch einen Plebeier adoptieren [2. 58–62], da er als Patrizier nicht für das Volkstribunat hätte kandidieren können (damals vermutlich auch Verzicht auf das aristokratische Gentilnomen Claudius und Annahme der plebeischen Form Clodius). Seit dem 10.12.59 als Volkstribun wirkend, beeinflußte C. mit einer Serie von Gesetzen die polit. Verhältnisse in Rom weit über seine einjährige Amtszeit hinaus. Ein Gesetz über die Wiederzulassung der alten und die Gründung neuer → Collegia sowie eine *lex frumentaria* (kostenlose Verteilung von Getreide), die ihrem Urheber naturgemäß große Popularität sicherte, dienten der polit. Aufwertung und der sozialen Absicherung der ärmeren Stadtbevölkerung. Mit einer *lex de auspiciis* (über die Anwendung der → Obnuntiatio) und einer *lex de censoribus* suchte C. der Willkür höherer Magistrate zu steuern. Das Gesetz über die consularischen Prov. verhieß ihm die Unterstützung der Consuln A. → Gabinius und L. → Calpurnius [I 19] Piso für ein weiteres Ziel, die Entfernung seiner (und Caesars) Gegner Cicero und Cato aus Rom. Eine *lex de capite civis Romani* (Strafandrohung der *relegatio* im Falle der Tötung eines röm. Bürgers ohne rechtmäßiges Urteil) erneuerte nicht allein ein altes Freiheitsrecht (→ *provocatio*), sondern richtete sich insbes. gegen Cicero, der in seinem Consulat (63) die Catilinarier *indemnati* hatte hinrichten lassen; mit einer *lex de exilio Ciceronis* (ca. 24.4.58)) wurde die Verbannung des Consulars schließlich durchgesetzt. Cato mußte Rom verlassen, da er per Plebiszit die ebenso ehrenvolle wie undankbare Aufgabe (*imperium extraordinarium*) erhielt, die Insel Zypern zu annektieren und den Kronschatz des Königs Ptolemaios zu beschlagnahmen (zu d. Gesetzen [3. 46–71; 2. 70–82].

Neben seiner Reputation als Abkömmling einer einflußreichen *gens* und seinen guten Beziehungen zu den *populares* wie auch zu einigen Optimaten diente C. vor allem das in seinem Tribunatsjahr in der Plebs gewonnene Ansehen als Rückhalt künftiger Versuche eigenständiger Politik. Zwischen Triumvirn und Optimaten lavierend, persönlichen Karriereabsichten ebenso verpflichtet wie den Anliegen seiner Klientel, der *plebs urbana*, die er dank der Organisation in Kollegien rasch mobilisieren konnte, war C. trotz seiner punktuellen Zusammenarbeit mit Caesar ein weitgehend eigenständiger Faktor in der röm. Politik.

Seit 57, als Caesars Erfolge in Gallien Pompeius nach einem Machtäquivalent suchen ließen, steuerte das polit. Gefüge Roms auf eine Krise zu. Die Lage entspannte sich zwar mit den Vereinbarungen von Luca (1. → Triumvirat), eskalierte aber endgültig 53, als nach Crassus' und Iulias Tod der Machtkampf zw. Pompeius und Caesar unausweichlich bevorstand. Mit Prozessen, → Demonstrationen und Straßenkrawallen bekämpften sich die Gegner mit wechselnden Koalitionen in verworrenen Fronten. Als das Jahr 52 anbrach, waren noch keine Magistrate gewählt. Auf offene Wirren im Staat spekulierte insbes. Pompeius, der sich dem Senat sodann als Retter zu präsentieren gedachte. C. bewarb sich (nach dem Aedilenamt von 56) um die Praetur, sein langjähriger Gegenspieler → Annius [I 14] Milo, Freund Ciceros und des Pompeius, um das Consulat. Am 18. Jan. 52 überfiel Milo mit einer Gladiatorentruppe C. auf der Via Appia in der Nähe von Bovillae. Bei dem zweifellos geplanten Mord blieb allein unklar, ob Pompeius eingeweiht war oder Milo sich nur dessen nachträgliche Zustimmung erhoffte. In Rom brachen schwere Unruhen aus, das Senatsgebäude, in dem die Plebs C. aufgebahrt hatte, wurde niedergebrannt. Pompeius, der sich von Milo distanzierte, erhielt am 25.2. die erstrebten außerordentlichen Vollmachten, er wurde *consul sine collega*; Milo wurde nach einem aufsehenerregenden Prozeß (dramatische Schilderung bei Ascon. 30 ff. C) wegen Mordes verbannt [3. 93–111].

Das Bild, das sich die Nachwelt von Clodius macht, ist von Cicero geprägt. Es ist das eines amoralischen Demagogen, der ›getrieben von Haß, Wut und kurzsichtigem Eigennutz‹ mit seinen Banden die Straßen Roms terrorisierte und damit ›stark zum Niedergang der Republik beitrug‹ [4. 647]; vgl. aber [5. 108 f.]. Die Invektiven in den Reden Ciceros bestehen nur aus einer Ansammlung all der Gemeinplätze, mit denen er seine Gegner stets bedachte (mehr noch z. B. Calpurnius Piso oder A. Gabinius). Sie besitzen keinerlei Glaubwürdigkeit und stehen auch nicht in Einklang mit den Schilderungen aus Ciceros privaten Briefen (vgl. Cic. Att. 14,13b,4). Clodianische Gewalttätigkeit entpuppt sich als Ciceronische Rhetorik; bei der Verabschiedung der *leges Clodiae* floß weniger Blut als bei der der *leges Iuliae* Caesars. Eine differenziertere Wertung des C., die auch seinen weitgespannteren Absichten Rechnung trägt, ist erforderlich.

1 PH. MOREAU, Clodiana religio, 1982 2 W. WILL, Der röm. Mob, 1991 (Quellen) 3 H. BENNER, Die Politik des P. C. Pulcher, 1987 4 CH. MEIER, s. v. C. Pulcher, LAW, 647 5 W. NIPPEL, Aufruhr und »Polizei« in der röm. Republik, 1988.   W.W.

[I 5] C. von Ancona. Fahrender Arzneiverkäufer, der um 85 v. Chr. auf einer seiner Verkaufsreisen Larinum besuchte (Cic. Cluent. 14,40; zu einem vergleichbaren fahrenden Heilkundigen s. CIL XI 5836). C. verkaufte Statius Oppianicus dem Älteren für HS 2000 ein Mittel, das letzterem zum Giftmord an seiner Schwiegermutter Dinaea dienen sollte. Nach diesem Handel verließ C. die Stadt umgehend.   V.N.

[I 6] C. Scriba. Bei Servius auctus (Aen. 1,176; 2,229; vgl. 1,52) als Glossograph zitiert. Das Agnomen wird korrupt sein; die seit [1] geübte Identifizierung mit Ser. → Clodius [III 1] bezweifelt [2. 70], weil das (statt *fomes*) glossierte *fomentum* in der anzusetzenden Bedeutung spät ist. Das kann aber Versehen eines späteren Kompilators sein.

1 GRF 96 2 R. A. KASTER, C. Suetonius Tranquillus De grammaticis et rhetoribus 1995   AN.GL.

II. KAISERZEIT

[II 1] D. C. Albinus = Imperator Caesar D. C. Septimius Albinus, afrikanischer Herkunft, aus Hadrumetum (SHA Alb. 1,3; 4,1); diese Angabe, wie vieles andere in der Vita, ist zwar manchmal als fiktiv bezeichnet (vgl. schon [1]), könnte aber wegen der außergewöhnlichen Goldmünze des C. mit dem *Saeculum Frugiferum* (die *colonia* Hadrumetum hat den Beinamen *frugifera*) verteidigt werden (vgl. [2] mit Hinweis auf [3]). Unter

→ Commodus kämpfte er um 182/84 in Dakien (Cass. Dio 72,8,1), wohl als Legionslegat (FPD 1, 267 ff.). Die Laufbahn in der → Historia Augusta ist erfunden (vgl. [1; 2]), *cos. suff.* und, wohl vor dem Tode des Commodus, Statthalter Britanniens (Cass. Dio 73,14,3; Herodian. 2,15,1, vgl. SHA Alb. 13,4; 6). C. akzeptierte von → Septimius Severus zum Zeitpunkt dessen Staatsstreichs im J. 193 den Caesarentitel, blieb aber in seiner Provinz. Münzen wurden für ihn als Caesar geprägt (Herodian. 2,15,5); er wurde *cos. II ord.* 194 als Kollege des Severus. Nach dem Sieg über Niger änderte sich das Verhalten des Severus (Herodian. 3,5,2–6,1). Da strebte C. Ende 195 nach der Alleinherrschaft und nannte sich Augustus: auf seinen Münzen behielt er auch den Namen Sep(timius) bei, den er wohl erst 193 angenommen hat. Im Dez. 195 zum *hostis* erklärt (Cass. Dio 75,4,1 ff. erwähnt eine Circusdemonstration gegen den neuen Bürgerkrieg in Rom), setzte er mit seinen drei Legionen nach Gallien über und besiegte den severischen Feldherrn Virius Lupus (Cass. Dio 75,6,2), doch am 19. Februar 197 schlug Severus bei Lugdunum die Truppen des C. Dieser selbst fiel auf der Flucht (Cass. Dio 75,5–7; Herodian. 3,7). PIR² C 1186.

1 J. HASEBROEK, Die Fälschung der Vita Nigri und Vita Albini, 1916 2 BIRLEY, 147 3 P. CINTAS, in: Rev. Afr. 91, 1947, 1 ff.

RIC 4,1, 40–53 • A. R. BIRLEY, The African Emperor Septimius Severus, ²1988 • KIENAST, ²1996, 160–161.
                                                            A.B.

[II 2] Fabius C. Agrippianus Celsinus. Consularer Statthalter von Caria et Phrygia zwischen 249 und 51 (AE 1991, 1508; 1509a; 1511; 1513; vgl. PIR² C 1161/2); zur Verwandtschaft vgl. [1].

[II 3] C. C. Crispinus. *Cos. ord.* im J. 113; identisch mit Crispinus, dem jüngeren Sohn von Vettius Bolanus, *suff.* 66; seine Mutter versuchte, ihn um das J. 93 zu vergiften (Stat. silv. 5,2,75 ff.). Sein Gentile dürfte er durch Adoption erhalten haben (PIR² C 1164) [2. V 470, 644].

[II 4] P. C. Laetus Macrinus. Senator, praetorischer Statthalter von Lusitania wohl im J. 261 (AE 1993, 914).

[II 5] T. C. Eprius Marcellus → Eprius.

[II 6] C. C. Licinus. Suffectconsul im J. 4 n. Chr. Lit. interessiert, mit Hyginus und Ovid befreundet; schrieb selbst eine röm. Gesch. in mindestens 21 Büchern; nur wenige Fragmente erhalten (HRR II 77 f.) [3. 112 f.]. PIR² C 1167.

[II 7] L. C. Macer. Legat der *legio III Augusta* in Africa im J. 69. Kurz vor Neros Tod fiel er von ihm ab, schloß sich dann Galba an. Er prägte Münzen, auf denen er sich *pro pr(aetore) Africae* nannte; Beschwörung der *libertas*. Er stellte eine weitere Legion mit dem Beinamen *Macriana* auf, die von Galba wieder aufgelöst wurde. Calvia Crispinilla hatte ihn zur Rebellion aufgefordert (Tac. hist. 1,73). Galba ließ ihn durch den Procurator Trebonius Garutianus töten (PIR² C 1170).

[II 8] C. C. Nummus. Senator, der in Ephesos während der Quästur verstarb (CIL III 429 = I.Eph. III 654).

[II 9] C. C. Nummus. *Cos. suff.* im J. 114 [4. 34]. Mit ihm ist vielleicht der Polyonymus von CIL X 1468 und III 429 = I.Eph. III 654 identisch; dann Sohn von C. [II 6] ([5. 38f.]).

[II 10] M. C. Pupienus Maximus → Pupienus

[II 11] L. Acilius Strabo C. Nummus. Vielleicht Legat der *legio III Augusta* in Africa im J. 116 oder consularer Sonderlegat (ILAlg I 2829. 2939bis. 2989); im ersten Fall mit C. [II 7] verwandt, im zweiten mit ihm identisch [6].

[II 12] C. Pompeianus. *Curator aedium sacrarum* im J. 244; wohl mit dem Consul von 241 identisch [7. 262f.].

[II 13] Q. C. Rufinus. Legat von Numidien im J. 191 oder 192. 193 in Rom anwesend. 197 von Septimius Severus wegen Verbindung mit Clodius Albinus hingerichtet (HA Sev. 13,5; PIR² C 1182).

[II 14] T. C. Saturninus Fidus. Statthalter von Thrakien nicht vor 236, Suffektconsul; wohl unter Gordian consularer Legat von Kappadokien (PIR² C 1185); zu einer möglichen Verwandtschaft mit Clodius Pupienus [8. 49ff.].

[II 15] P. C. Thrasea Paetus. Aus Patavium stammend; verheiratet mit Arria minor, der Tochter von Caecina [II 5], der an der Verschwörung des Arruntius Scribonianus im J. 42 teilgenommen hatte. Nach dessen Tod 42 nahm er das Cognomen Paetus an. Im J. 56 Suffectconsul, Mitglied bei den *XVviri sacris faciundis*. Bald schon machte sich seine Einbindung in die stoisch beeinflußte polit. Richtung bemerkbar. Er klagte Cossutianus Capito im J. 57 wegen Repetundenvergehen an. 59 verließ er den Senat, als dieser anläßlich der Ermordung Agrippinas Beschlüsse faßte (Tac. ann. 14,12,1). Er widersetzte sich 62 dem Todesurteil gegen den Praetor Antistius, wobei der Senat ihm folgte, obwohl Nero damit nicht einverstanden war (ann. 14,48f.). Ohne daß Thrasea sich gegen den Prinzipat aussprach, zeigte er immer wieder, wo auch für den Princeps die Grenzen gezogen waren. Schließlich grenzte Nero ihn aus seiner Umgebung aus; so wurde Thrasea nicht mit den anderen Senatoren zugelassen, als diese Nero zur Geburt seiner Tochter Glückwünsche aussprachen (ann. 15,23). Darauf zog er sich aus dem Senat zurück, auch bei wichtigen Entscheidungen wie der Divinisierung Poppaeas (ann. 16,21,2). Schließlich wurde er von Cossutianus Capito, der seinen Senatssitz wiedererhalten hatte, und Eprius Marcellus angeklagt, vom Senat verurteilt, die Todesart ihm aber freigestellt; er starb durch Öffnen der Pulsadern (ann. 16,21; 22; 24–29; 33–35). Seine Tochter Fannia heiratete Helvidius Priscus, der im J. 66 verbannt wurde (Tac. hist. 4,5–8). Eine Gedenkschrift auf Thrasea wurde von Arulenus Rusticus verfaßt (Tac. Agr. 2; Suet. Dom. 10,3). Er galt später als Prototyp des philos. motivierten Kritikers tyrannischen Herrschaftsverhaltens (vgl. z.B. M. Aur. 1,14,2; PIR² C 1187 [9. 176f.; 10]).

1 M. CORBIER, in: EOS II 719 **2** SYME, RP **3** SYME, History in Ovid, 1978 **4** DEGRASSI, FC **5** SALOMIES, Nomenclature, 1992 **6** B. E. THOMASSON, Fasti Africani, 1996 **7** A. KOLB,

Bauverwaltung, 1993 **8** W. ECK, in: ZPE 37, 1980 **9** M. GRIFFIN, Nero, 1984 **10** V. RUDICH, Political Dissidence under Nero, 1993.   W. E.

III. SCHRIFTSTELLER UND REDNER

[III 1] C., Ser. (auch Claudius), ca. 120–60, Ritter und Philologe, verschwägert mit L. → Aelius Stilo, wurde aber wegen Plagiats an diesem verstoßen, er verließ Rom und starb siech. Bezeugt sind für C. ein *Index* echter Plautinen und ein *Commentarius*; erhalten sind nur Glossen [1]. Strittig ist die Identität mit C. [I 6] Scriba [1. 96; 2. 70]. Sein Rang als Gelehrter ist unklar (vgl. das Plagiat): Ciceros Wertschätzung (Att. 1,20,7; 2,1,12; fam. 9,16,4) gilt zugleich C.' Verwandtem L. → Papirius Paetus; Sueton (gramm. 3,1) rühmt C. zu pauschal. Als Wissenschaftler in Rom war er freilich ein »Mann der ersten Stunde«.

1 GFR 95–98 **2** R. A. KASTER, C. Suetonius Tranquillus De grammaticis et rhetoribus 1995, 70–73. 78–80 AN. GL.

[III 2] C., Sex. Rhetor des 1. Jh. v. Chr. aus Sizilien, Lehrer des Triumvirn M. Antonius, bei dem er wegen seiner Eloquenz und seines Witzes beliebt war; bekannt für seine Angewohnheit, zweisprachig (lat. und griech.) zu deklamieren (Suet. gramm. 29; Sen. contr. 9,3,13f.). Cic. Phil. 2,8; 43; 101 äußert sich abschätzig über ihn.

J. BRZOSKA, s. v. C. (13), RE 4, 66f. CHR. KU.

[III 3] C. Sabinus. Rhetor augusteischer Zeit, der es verstand, am selben Tag kunstvoll griech. wie lat. zu deklamieren. Diese exzentrische Praxis brachte ihm Spott und Kritik der Rednerkollegen → Haterius, → Maecenas und → Cassius [III 3] Severus ein (Sen. contr. 9,3,13f.).
→ Declamationes

[III 4] C. Tuscus. Von Lydus, de ostentis 59–70 in depravierter griech. Version zitierter lat. Autor eines Sachgedichts über Wetterzeichen im Jahresablauf. C. ist vielleicht mit dem bei Gell. 5,20,2 erwähnten augusteischen Dichter C. Tuscus identisch, vielleicht aber auch von → Iohannes Lydus erfunden.

ED.: C. WACHSMUTH, Lydus, de ostentis, 1897, 117–158. LIT.: G. WISSOWA, s. v. C. (61), RE 4, 104 C. W.

Cloelia

[1] Junge Geisel bei dem Etruskerkönig → Porsenna (508 v. Chr.). Sie entkam, schwamm durch den Tiber (oder überquerte ihn zu Pferde) und rettete sich und eine Gruppe von Mädchen nach Rom; sie mußte dem König zurückgegeben werden, der jedoch in Anerkennung ihres Mutes sie und einen Teil der Geiseln freiließ. Die Tapferkeit der C. zeichneten die Römer nach Friedensschluß mit einer Reiterstatue an der Sacra Via auf der Velia aus (Liv. 2,13,6–11; Flor. epit. 1,4,7). Sie blieb eines der geläufigsten Exempla weiblicher Tapferkeit (Boccaccio, *De claris mulieribus*).

J. GAGÉ, Les otages de Porsenna, in: Hommages
à H. Le Bonniec, in: Latomus 201, 1988, 236–245.   R.B.

[2] Die dritte Frau Sullas (Plut. Sulla 6,20 f.).   K.-L.E.

Cloelius. Name eines röm. Patriziergeschlechts (auch
Cloulius, RRC 260, 332 und Cluilius), das angeblich
nach der Zerstörung von Alba Longa durch König Tullus Hostilius, wo ein C. C. die Herrschaft hatte (Liv.
1,22,3 f.), nach Rom übersiedelte (Liv. 1,30,2). Spätere
Tradition leitete die Gens von einem Gefährten des Aeneas ab (Fest. p. 48) und gab ihr in der ältesten Republik
ein bes. Ansehen. Der Zusammhang dieser Familie mit
den späteren republikanischen Namensträgern ist unklar.
[1] Feldherr der Volsker 443 v. Chr., bei Ardea geschlagen und im Triumph mitgeführt (Liv. 4,9,12).
[2] **C., Sex.** (Namensform umstritten), berüchtigter
Handlanger (*dux operarum*) des Volkstribunen P. Clodius
[I 4] Pulcher, der insbes. 58 v. Chr. und später den Stra-
ßenterror in dessen Sinne organisierte (Zerstörung von
Ciceros Haus, Cic. Cael. 78). Nach der Ermorderung
des Clodius 52 veranstaltete er unter großen Tumulten
dessen Leichenbegängnis, was zum Brand der Kurie
führte (Cic. Mil. 33; 90). Er wurde verurteilt und kehrte
erst 44 nach der Begnadigung durch M. Antonius aus
dem Exil zurück.

H. BENNER, Die Politik des P. Clodius Pulcher, 1987,
156–158 · C. DAMON, Sex. Cloelius, Scriba, in: HSPh 94,
1992, 227–250.

[3] **C., Tullus.** Mit drei Kollegen 438 v. Chr. Gesandter
an den Veienterkönig Lars Tolumnius und von diesem
getötet (Liv. 4,17,2). Eine berühmte Statuengruppe der
vier Gesandten stand bis in spätrepublikanische Zeit auf
den Rostren (Cic. Phil 9,4–5; dort Cluvius).
[4] **C. Siculus, P.** Consulartribun 378 (MRR 1, 107).
[5] **C. Siculus, Q.** Consul 498 v. Chr. zusammen mit
T. Larcius Flavus, den er zum ersten Dictator ernannt
haben soll (MRR 1,11 f.).
[6] **C. Siculus, Q.** Censor 378 v Chr. (Liv. 6,31,2).
[7] **C. Siculus, T.** Consulartribun 444 v. Chr., legte
442 in Ardea eine Kolonie an (Liv. 4,11,5–7).   K.-L.E.

Cluentius. Italischer Familienname, bes. im 1. Jh.
v. Chr. bezeugt (ThlL, Onom. 2, 505 f.).
[1] **C., L.** Italikerführer im Bundesgenossenkrieg, wurde bei dem zweimaligem Versuch, die Belagerung von
Pompeii aufzuheben, von Sulla geschlagen und fiel 89
v. Chr. (App. civ. 1,218–221).
[2] **C. Habitus, A.** Röm. Ritter aus Larinum in Apulien, bekannt durch Ciceros Rede *Pro Cluentio* 66
v. Chr. Nach dem Tod seines gleichnamigen Vaters im J.
88 hatte seine Mutter Sassia den Statius Abbius Oppianicus geheiratet. C. verdächtigte seinen Stiefvater, mit
Hilfe des C. Fabricius und dessen Freigelassenen Sca-
mander einen Mordversuch auf ihn unternommen zu
haben, und erwirkte deshalb 74 die Verurteilung aller

drei (Cluent. 43–61). Der Prozeß gegen Oppianicus
wuchs sich dabei zum innenpolit. Skandal in Rom aus,
weil offenbar beide Parteien die senator. Geschworenen
bestochen hatten, weshalb 70 zahlreiche Beteiligte von
den Censoren belangt wurden (Cic. Verr. 1,38–40; Cae-
cin. 28 f. u. a.; MRR 2,126) und C. eine censorische
Rüge erhielt (Cluent. 117 ff.). 72 starb Oppianicus unter
ungeklärten Umständen, von der Mutter Sassia wurde
C. für verantwortlich gehalten. 66 wurde C. von Statius
Abbius Oppianicus, dem jüngeren Stiefbruder, nach der
lex Cornelia de veneficiis et sicariis wegen Vatermordes
durch T. Accius angeklagt, aber erfolgreich von Cicero
verteidigt, der bes. den Vorwurf der Richterbestechung
74 zu widerlegen suchte.

C. J. CLASSEN, Recht – Rhetorik – Politik, 1985, 15–119 ·
J.-M. DAVID, Le patronat judiciaire au dernier siècle
de la république romaine, 1992, 740, 784 f., 852.   K.-L.E.

Clunia. Die bed. Ruinen von C. liegen ca. 40 km nordwestl. von Uxama Argaela (h. Osma bei Coruña del
Conde; CIL II p. 382). Der Name lautet auf augusteischen Mz. Clounioq, später C. [2. 111 ff.) und ist wohl
kelt. ([1. 131]; anders [3. 1048]). C. spielte eine Rolle im
Aufstand des → Sertorius (75 v. Chr.: Liv. per. 92; 72
v. Chr.: Exsuperantius 8; Flor. 2,10,9), in dem des J. 55
v. Chr. (Cass. Dio 39,54) und dem des → Galba 68
n. Chr. (Suet. Galba 9,2; Plut. Galba 6,4). Die Annahme,
daß C. damals von diesem den Beinamen Sulpicia erhielt, beruht nur auf Mz. [4. 449]. Ebenso unsicher ist
der Patronat Galbas laut CIL II 2779. C. war → *municipium* (vgl. die Magistrate auf Mz. und Inschr.; s. auch
Plin. nat. 3,18; 26 f.), spätestens unter Hadrian → *colonia*
(CIL II 2780). Die Bevölkerung von C. gehörte zu den
→ Arevaci (Plin. nat. 3,27; Ptol. 2,6,55). Im MA verödet
[1. 131].

1 A. SCHULTEN, Numantia 1, 1914 2 A. VIVES, La Moneda
Hispánica 4, 1924 3 HOLDER I 4 A. HEISS, Description
générale des monnaies antiques d'Espagne, 1870.

A. SCHULTEN, Fontes Hispaniae Antiquae, 1925 ff.,
4, 219–243; 5, 16; 8, 16; 19; 23 · TOVAR 3, 352 f.   P.B.

Clupea (Ἀσπίς). Evtl. vorpun. Stadt (Prok. BV 2,10,24)
der späteren Africa proconsularis im Nordosten der
Halbinsel Bon, h. Kélibia (Quellen: Mela 1,34; Plin. nat.
5,24; Ptol. 4,3,7 f.; Itin. Anton. 57,6; Tab. Peut. 6,2;
Stadiasmus Maris Magni 117 [GGM 1, 470]). Strab.
17,3,16, Sil. 3,243 f. und App. Lib. 519 nennen C. Aspis.
Trotz Ptol. 4,3,7 f. handelt es sich bei C. und Aspis nicht
um zwei Städte (vgl. Sol. 27,8). Inschr.: CIL VIII 1, 982–
986; 10,1, 6104; AE 1991, 1646–1658.

G. CAMPS, M. FANTAR, s. v. Aspis, EB, 977–980 ·
S. LANCEL, E. LIPIŃSKI, s. v. Kélibia, DCPP, 245.   W. HU.

Clusinius
[1] **C. Fibulus** stand um 10 v. Chr. im Mittelpunkt
eines berühmten Erbschaftsprozesses um die Erbmasse
einer Urbinia, von der der Anwalt des C., T. → Labie-

nus, behauptete, sie sei seine Mutter gewesen, während der Vertreter der übrigen Erben, C. → Asinius [I 4] Pollio, ausführte, C. sei ein Sklave namens Sosipater (Quint. inst. 7,2,4 f.; 26; Tac. dial. 38,2; Char. p. 98,3 ff. B. = 77,15 ff. K.).

[2] C. Gallus. Freund des jüngeren Plinius, der an ihn epist. 4,17 gerichtet hat (vgl. den Komm. von SHERWIN-WHITE zur Stelle).

SYME, RP 2, 714.   D.K.

Clusium (älterer Name *Camars*), etr. Stadt auf einem Hügel über der Valdichiana, h. Chiusi (Liv. 10,25,11), etr. *Clevsins*. Unerklärlich schon für ant. Historiker die Belegstelle Verg. Aen. 10,655 *Clusinis advectus... oris*. Die erste Siedlung war durch weithin verstreute (κατὰ κώμας) Habitate gekennzeichnet (vgl. die Verteilung der Nekropolen zw. 9. und 6. Jh.). Eine Blütezeit erlebte C. unter → Porsenna, als die Streusiedlungen aufgegeben wurden und sich ein städtisches Zentrum entwickelte. Anlage der Kolonie Padania. Von Bed. sind die zwischen E. 7. und E. 6. Jh. erstellten Bauten wie in Poggio Civitate (Murlo/Siena), einem griech.-oriental. »palazzo« nachempfunden. Aus dem 6. Jh. stammen auch reiche Gräber in Poggio und Gaiella unter künstlich angelegten Grabhügeln, wegen der Schönheit ihrer Verzierungen und der Vielzahl ihrer Grabkammern Porsenna zugeschrieben (Plin. nat. 36,19,91). Schon E. 6. Jh. gab es Import von Luxusgütern (so die François-Vase), Arbeiten von Künstlern aus Vulci und Tarquinia. War die Zeit Porsennas durch Zentralisierung des städtischen Lebens gekennzeichnet, so wurde in der Folgezeit der Stadtrand aufgewertet und bevölkert (vgl. dazu Liv. 5,36,3 für Anf. 4. Jh. v. Chr.). Seit 87 v. Chr. röm. *municipium*, *tribus Arnensis* (Plin. nat. 3,52). Noch 540 n. Chr. war C. eine befestigte Stadt (Prok. BG 2,11).

G. CAMPOREALE, Irradiazione della cultura chiusiana arcaica, Aspetti e problemi dell'Etruria interna, 1974, 99–130 · M. CRISTOFANI, Considerazioni su Pozzo Civitate (Murlo, Siena), Prospettiva 1, 1975, 9 ff.

M. CRISTOFANI, s. v. C., BTCGI, 1987, 283 ff.   M. CA.

Clutorius Priscus. Römischer Ritter, Verf. eines Gedichtes auf den Tod der Germanicus, für das er mit Geld belohnt wurde. Als Drusus minor, der Sohn des Tiberius, krank war und C. sich rühmte, für den Fall seines Todes gleichfalls ein Gedicht bereit zu haben, ließ ihn der Kaiser 21 n. Chr. hinrichten (Tac. ann. 3,49–51; Cass. Dio 57,20,3).

H. BARDON, La littérature latine inconnue, 2, 1956, 74 f.   D.K.

Cluvia Pacula (Facula bei Val. Max. 5,2,1). Prostituierte aus Capua; sie erhielt auf Senatsbeschluß nach 210 v. Chr. Eigentum und Freiheit zurück, da sie im 2. Punischen Krieg heimlich röm. Gefangene mit Lebensmitteln versorgt hatte (Liv. 26,33,8; 34,1).   ME. STR.

Cluviae. Hauptort der → Carricini in Samnium, für 311 v. Chr. erwähnt (Liv. 9,31,2 f.); *municipium* seit dem 1. Jh. v. Chr., *tribus Arnensis*; Heimatstadt des Helvidius Priscus (Tac. hist. 4,5). Arch. Monumente: Überreste auf dem Piano Laroma am Aventino bei Càsoli (Chieti); *opus incertum* und *reticulatum*; Theater in *opus reticulatum* mit an die Stadtmauern angrenzendem Zuschauerraum; Thermen; *domus suburbana* mit Mosaiken.

A. LA REGINA, C. e il territorio Carecino, in: RAL 22, 1967, 87–99 · A. PELLEGRINO, Il Sannio Carricino dall'età sannitica alla romanizzazione, in: ArchCl 36, 1984, 157–197.   G. U.

Cluvius. Italischer Familienname (SCHULZE, 483), in Kampanien seit dem 3. Jh., in Rom für Plebeier seit dem 2. Jh. nachweisbar.

I. REPUBLIKANISCHE ZEIT

[I 1] C., C. Praetor und wahrscheinlich Proconsul von Macedonia oder Asia um 104 v. Chr. (MRR 1,560).

[I 2] C. (Clovius), C. Münzmeister 45 v. Chr. (RRC 476) und gleichzeitig als Praefekt Caesars wohl zuständig für Landanweisungen in der Gallia Cisalpina (Cic. fam. 13,7; MRR 2,313); weitere Identifizierung, bes. mit dem in der sog. → *laudatio Turiae* erwähnten C. C., bleibt unklar (MRR 3, 59).

D. FLACH, Die sog. Laudatio Turiae, 1991.

[I 3] C., Sp. Praetor 172 v. Chr. (Sardinia).

[I 4] C. Saxula, C., Praetor 178 (?), Praetor peregrinus 173 v. Chr. (MRR 1, 395, 408).   K.-L. E.

II. KAISERZEIT

[II 1] P. C. Maximus Paullinus. Senator, dessen Grabtempel bei Monte Porzio in Latium gefunden wurde. Nach langer praetorischer Laufbahn *cos. suff.* um 143, Legat von Moesia superior und zum Prokonsul von Asia bestimmt; vermutlich zuvor gestorben (AE 1940, 99) [1. 105; 2. 146].

[II 2] P. C. Maximus Paullinus. Sohn von Nr. 1, *cos. suff.* 152 (AE 1971, 183; 1940, 99).

[II 3] P. C. Rufus (Praenomen in unpublizierter Inschr. aus Rom, Mitteilung I. di Stefano Manzella). *Cos. suff.* vor 65; er begleitete Nero auf seiner Fahrt nach Achaia. Wohl von Galba zum Legaten von Hisp. Tarraconensis ernannt; schloß sich Otho an. Bei Vitellius der Rebellion beschuldigt, dennoch unter die *comites* aufgenommen, ohne daß ihm die Tarraconensis entzogen wurde. An den Gesprächen des Vitellius mit Flavius Sabinus im Dez. 69 beteiligt (PIR² C 1206). Schrieb ein histor. Werk, das Tacitus verwendete [3. 178 f., 289–294].

1 W. ECK, RE Suppl. 14 2 ALFÖLDY, Konsulat 3 SYME, Tacitus.   W. E.

Cn. Abkürzung des seltenen lat. Praenomens *Gnaeus* (altlat. *Gnaivos*, oskisch *Gnaivs*, etr. *cneve*), von *(g)naevus*, »Muttermal«, auch *Gn* abgekürzt.

WALDE/HOFMANN, 1, 613 · SALOMIES, 29 f.   K.-L. E.

Cneorum (κνέωρον). Theophr. (h. plant. 6,1,4) versteht unter κνέωρος ebenso wie Dioskurides (4,172 [1. 2,320 ff.] = 4,170 [2. 464 f.]) mehrere Kleinsträucher der *Thymelaeaceae* mit einem kratzend wirkenden giftigen Saft (vgl. Plin. nat. 21,55), nämlich *Thymelaea tartonraira* und *hirsuta*, *Daphne gnidium* (Südlicher Seidelbast) und *oleifolia*. Die offizinell verwendeten roten Beeren (Plin. nat. 13,114 *grana Cnidia*) wurden noch im 19. Jh. als *semina Coccognidii* als Abführmittel verordnet.
→ Giftpflanzen

1 WELLMANN 2 2 BERENDES   C.HÜ.

Cniva. Gotenkönig, der zusammen mit anderen Stämmen 250 n.Chr. einen Beutezug über die Donau nach Mösien und Thrakien unternahm, dem zum Entsatz von Philippopolis (Plovdiv) anrückenden Kaiser Decius eine empfindliche Niederlage zufügte und die Stadt entgegen einem Abkommen mit dem Usurpator Priscus plündern ließ. Auf dem Rückzug wurde 251 von Decius und seinem Sohn Herennius bei Abrittos gestellt, C. lockte das röm. Heer jedoch in einen Sumpf, kesselte es ein und vernichtete es. Beide Kaiser fielen. Der Nachfolger Trebonianus Gallus (251–253) mußte die Goten mit der Beute ziehen lassen und überdies Jahrgelder bezahlen. PIR C 1208.

H. WOLFRAM, Die Goten, ³1990, 55–57.   W.ED.

Coabis. Straßenstation im Jordantal (Χωβα, Jdt 4,4; Χωβαι, Jdt 15,4), nach der *Tabula Peutingeriana* 12 Meilen von → Skythopolis und 12 Meilen vor → Archelais, was angesichts der Gesamtentfernung der beiden Orte (ca. 50 Meilen) nicht zutreffen kann. Daher nicht lokalisiert.

TIR/IP 105, s.v. C.   K.B.

Coactores. Die *c.*, die zuerst bei Cato (agr. 150) erwähnt werden, waren mit der Einziehung von Geld beauftragt. Sie hatten eine Mittlerfunktion zwischen Gläubigern und Schuldnern. Meist waren sie bei Versteigerungen tätig, teilweise zusammen mit *argentarii*. Sie führten die *tabulae auctionariae* und erhielten eine Gebühr, die sich meistens auf 1% des Kaufpreises belief. Mehrere Anzeichen sprechen dafür, daß ihr Beruf im Laufe des 2. Jh. n.Chr. verschwunden ist.

Die These, die *c.* und die *c. argentarii* seien identisch, ist nicht überzeugend. Die *c. argentarii* tauchten im 1. Jh. v.Chr. auf und waren gleichzeitig als *c.* bei den Versteigerungen und als *argentarii* im Bankgeschäft tätig. Die *c.* beschränkten sich hingegen gewöhnlich auf die Einziehung von Geld, gewährten aber keine Kredite. Bei den Versteigerungen übernahmen sie die Aufgabe, das Geld einzuziehen und den Verkäufern zu übergeben; sie liehen im Gegensatz zu den *argentarii* den Käufern aber kein Geld. Der Vater des Dichters Horaz war ein *coactor* und der Großvater des Vespasianus, Titus Flavius Petro, ein *coactor argentarius* (Suet. Vesp. 1,2). Caecilius Iucundus aus Pompeji war ein *argentarius* oder ein *coactor argentarius*, aber sicherlich kein *coactor*.

→ Argentarius; Auctio; Banken (III); L. Caecilius Iucundus

1 J. ANDREAU, La vie financière dans le monde romain, 1987 2 M. TALAMANCA, Contributi allo studio delle vendite all'asta nel mondo antico, in: Memorie dell'Accademia dei Lincei VIII 6, 1954, 35–251 3 G. THIELMANN, Die röm. Privatauktion, 1961.   J.A./Ü: C.P.

Coae Vestes. Prachtgewänder (→ Kleidung) von der Insel Kos, die den Körper wie entblößt durchscheinen ließen. Sie waren schon Aristoteles (hist. an. 5,19; vgl. Plin. nat. 4,62) bekannt und werden dann bes. in der röm. Kaiserzeit erwähnt. Die C.V. galten als Luxusgewänder der Lebedamen (z.B. Hor. sat. 1,2,101; Tib. 2,3,57), sie wurden jedoch auch von Männern als leichte Sommerkleidung getragen. Man rühmte u.a. ihren Glanz, die Purpurfarbe und Verzierungen mit Goldfäden. Das Gewebe wurde aus der Wildseide der Bombyx (→ Seide, → Schmetterling) hergestellt, deren Kokons nur kurze Fasern lieferten und daher vor einer weiteren Verarbeitung versponnen werden mußten. Die C.V. hatten in den amorgischen und Tarentiner Gewändern bereits Vorläufer, daneben gab es andere Seidengewänder und transparente Kleider, so daß ihr Nachweis in der Kunst im einzelnen problematisch ist.
→ Kleidung; Tarantinon

H. WEBER, C. v., in: MDAI (Ist) 19, 1969, 249–253 · R. KABUS-PREISSHOFEN, Die hell. Plastik der Insel Kos, 14. Beih., MDAI(A) 1989, 142–157.   R.H.

Cobades s. Cavades

Cocceianus s. Cassius [III 1]

Cocceius

[1] C. Auctus, L. Freigelassener des C. Postumius (Pollio). Architekt (CIL X 1614), der für M. Valerius → Agrippa [1] den Straßentunnel zwischen dem Avernersee und Cumae und den zwischen Puteoli und Neapel geschaffen hat (Strab. 5,5,245).

H. BENARIO, C. and Cumae, in: CB 35, 1959, 40–41 · D. KIENAST, Augustus, 1982, 347 Anm. 148, 348 Anm. 153.   D.K.

[2] C. C. Balbus. Cos. *suff.* 39 v.Chr. (InscrIt 13,1, p. 282; 291; 278; 135; 506; MRR 2, 386). Als Anhänger des M. → Antonius erhielt er in Asien den Imperatorentitel (IG II/III² 4110 [1. Nr. 124]).

[3] L. C. Nerva. Cos. *suff.* 39 v.Chr. Urgroßvater des Kaisers (vielleicht aus Narnia in Umbrien stammend, vgl. Aur. Vict. Caes. 12,1; [Aur. Vict.] epit. Caes. 12,1). Wohl Sohn des C. bei Cic. Att. 12,13,2 u.a. Als Freund Octavians (→ Augustus) wie des Marcus Antonius wurde er von jenem mit Caecina im Sommer 41 zu Verhandlungen mit Marcus Antonius nach Syrien geschickt (App. civ. 5,251). Er begleitete diesen nach It. und brachte mit anderen im Herbst 40 den Vertrag von Brundisium zustande (App. civ. 5,252–272). Im Früh-

jahr 37 reiste C. mit → Maecenas wieder zu Verhandlungen mit Marcus Antonius nach Brundisium (Hor.
sat. 1,5,27f.), wo sie den Vertrag von Tarent vorberei-
teten. C. besaß eine Villa bei Caudium (Hor. sat.
1,5,50f. [1. Nr. 125]).

[4] M. C. Nerva. *Cos. suff.* 36 v. Chr., Bruder von C.
[2]. Nach Münzen aus dem J. 41 v. Chr. *proq(uaestor)*
p(ropraetore) des Marcus Antonius im Osten (RRC 1,
525f. Nr. 517). Im perusinischen Krieg stand er auf Seiten des L. → Antonius [I 4]. Octavian begnadigte ihn
mit Rücksicht auf seinen Bruder (App. civ. 5,256). Er
kämpfte dann auf der Seite des Marcus Antonius in
Asien und wurde als *cos. designatus* zum Imperator ausgerufen (SEG 4, 604; ILS 8780). Bei der Saecularfeier des
J. 17 v. Chr. war er als *XVvir sacris faciundis* anwesend (ILS
5050, 151; [1. Nr. 126]).

   1 T. P. WISEMAN, New Men in the Roman Senate, 1971.
                                                   D. K.

[5] M. C. Nerva. Nachkomme von C. [4], aus Narnia
stammend. *Cos. suff.* im J. 21 oder 22 n. Chr. [1. 351f.],
curator aquarum 24 (Frontin. aqu. 102). Als einziger Senator begleitete er Tiberius im J. 26 nach Campanien
und Capri. Dort beging er im J. 33 Selbstmord (Tac.
ann. 6,26; Cass. Dio 58,21,4). C. war ein berühmter
Jurist (Fragmente bei [2. 787] gesammelt). PIR² C 1225
[3. 120].

[6] (M. C.) Nerva. Sohn von C. [5]. Jurist wie sein
Vater, wohl auch Senator, aber kein Amt bekannt (PIR²
C 1226) [3. 130].

[7] M. C. Nerva. Kaiser 96–98, s. → Nerva
[8] Sex. C. Severianus Honorinus. *Cos. suff.* 147
[4. 51]; Proconsul von Africa wohl 162/3 [5. I 382]. Er
wurde in Africa mit einem Sechsgespann geehrt; Apuleius hielt vor ihm eine Rede (Apul. flor. 37–40). Sein
Sohn war C. Honorinus (PIR² C 1230).

[9] Sex. C. Vibianus. Suffectconsul gegen Ende des 2.
Jh. Er nahm als *XVvir sacris faciundis* an den Säkularspielen
im J. 204 teil; später Proconsul von Africa (PIR² C 1232)
[6. 166, 219].

   1 SYME, RP 4 2 LENEL, Palingenesia 1 3 KUNKEL 4 VIDMAN,
FO² 51 5 THOMASSON, Lat. 6 LEUNISSEN, Konsuln.   W. E.

Cochlear(e)

[1] (χήμη, *chémē*, »Löffel«). Kleinste Einheit der röm.
Hohlmaße, bes. als Arzneimaß. In Ausnahmefällen wird
das *c.* anders berechnet: im *Carmen de ponderibus* als ⅙ des
mystum (1,9 ml); bei Isidor (orig. 16,25) beträgt das *c.*
2,3 ml.

1 Cochlear		11,4 ml
4 Cochlearia	1 Cyathus	45,5 ml
6 Cochlearia	1 Acetabulum	68,2 ml
12 Cochlearia	1 Quartarius	136,4 ml
24 Cochlearia	1 Hemina	272,9 ml
48 Cochlearia	1 Sextarius	546,0 ml

Trockenmaße:

8 Sextarii	1 Semodius	4,366 l
16 Sextarii	1 Modius	8,732 l
3 Modii	1 Quadrantal	26,196 l

Flüssigkeitsmaße:

12 Heminae	1 Congius	3,275 l
4 Congii	1 Urna	13,090 l
2 Urnae	1 Quadrantal	26,196 l
40 Urnae	1 Culleus	524,000 l

→ Acetabulum; Amphora; Congius; Culleus; Cyathus;
Hemina; Hohlmaße; Modius; Quadrantal; Quartarius;
Semodius; Sextarius; Urna

   F. HULTSCH, Griech. und röm. Metrologie, ²1882 • Ders.,
s. v. C. (2), RE 4, 157 • LAW, s. v. Maße und Gewichte,
3422–3426.   A. M.

[2] s. Eßbesteck

Cocles. »Der Einäugige« (Enn. scaen. 67f. V.² bei Varro ling. 7,71; Plin. nat. 11,150), als Spitzname vorkom-
mend. Cognomen des → Horatius C.

   A. HUG, s. v. Spitznamen, RE 3A, 1828.   K.-L. E.

Cocytus s. Kokytos

Codex

I. KULTURGESCHICHTE   II. RECHTSSAMMLUNGEN

I. KULTURGESCHICHTE
A. HOLZTAFEL-CODEX

Urspr. ist der C. (von *codex*, »Baumstamm«, »Holz«)
ein Stapel von Holztafeln, die für die Beschriftung vorbereitet waren. Schreibtafeln sind im Ägypt. der Pharaonen zusammen mit Papyrusrollen seit alter Zeit
nachgewiesen, ebenso im Nahen Osten (mindestens
vom 8. Jh. v. Chr. an haben sich Tafeln erhalten). Sie
sind (ebenfalls indirekt) schon im archa. und klass. Griechenland bezeugt, in hell. Zeit werden die ältesten erh.
Funde in griech. Sprache datiert. Bei den Griechen blieb
der Gebrauch dieses Schriftträgers jedoch beschränkt
auf Dokumente, die zur Archivierung bestimmt waren,
oder auf nicht zum Aufheben bestimmte Alltagsnoti-
zen. Der aus Ägypten eingeführte → Papyrus wurde innerhalb kurzer Zeit das meistverwendete → Schreibmaterial, beim → Buch in Form der → Rolle, bei Urkunden in verschiedenen Formen.

In Rom und der röm. Welt dagegen hatten zu einem
Block zusammengebundene Tafeln (→ *tabula*) eine weitere Verbreitung und vielseitigere Verwendung, wie
sich aus arch. Funden seit der Kaiserzeit ergibt (nach
anderen Quellen schon früher: ORF, no. 8, fr. 173;
Dion. Hal. ant. 1,73,1; Liv. 6,1,2; Plin. nat. 35,7): Diese
Tafeln kommen vor als *dealbatae*, geweißt und beschrieben; *ceratae* (→ *cera*), mit innen vertiefter Oberfläche und
mit Wachs gefüllt, auf die man mit einem spitzen Stift

aus Metall, dem → *stilus*, schrieb bzw. kratzte; einfache, ziemlich dünne Tafeln ohne Wachsüberzug, *non ceratae*, bei denen die Schrift mit Tinte aufgetragen wurde, entweder mit dem → *calamus* oder mit einer Metallfeder.

Meist wurden die Tafeln paarweise mit Fäden zu einem Diptychon zusammengefügt. Es konnten aber auch mehr als zwei Tafeln zu Triptychen oder Polyptychen zusammengebunden werden, sogenannte *tabellae*, *pugillaria*, *codicilli*, die man wie die Seiten eines Notizblocks oder eines richtigen Buches umschlug. Zu Polyptychen zusammengebundene Tafeln des letzten Typs sind in Herculaneum gefunden worden und gehen somit auf eine Zeit nicht später als 79 n. Chr. zurück. Sie sind sorgfältig gearbeitet; beschrieben längs der kurzen Seite jeder *tabella*, verbunden durch eine Art Scharnier aus Doppelfäden. Zwei äußere Tafeln dienten als Einband, so daß echte C. aus Holz entstanden, ganz ähnlich den späteren C. aus → Pergament oder Papyrus. Wie die sorgfältige Bearbeitung erkennen läßt, waren Erzeugnisse dieser Art weniger für alltägliche Notizen und Konzepte bestimmt als für lit. und bes. wichtige juristische Texte. Funde aus Vindolanda in Britannien belegen, daß solche *tabellae*, wenn sie aus sehr dünnem Holz waren, ziehharmonikaartig gefaltet und verbunden werden konnten, so daß die Seiten sich umblättern ließen wie bei einem Buch, jedoch paarweise.

Man darf annehmen, daß der C. die urspr. Form des röm. Buches war, verwendet in archa. Zeit für Texte der ersten lat. Prosa (*annales pontificum*; → Annales, → *commentarii* der Magistrate, juristische und lit. Werke, wie z. B. die des älteren Cato). Erst vom 3.–2. Jh. v. Chr. an kam die bei den Griechen schon lange verbreitete Papyrusrolle auch bei den Römern in Gebrauch und trat im Buchwesen in kurzer Zeit an die Stelle des C. Dieses Phänomen ist Teil eines allg. Prozesses der »Hellenisierung« der röm. Kultur seit der Epoche der Scipionen. In der Zeit, in der die Rolle die normale Form des Buches war, blieb der C. in Gebrauch, wie auch bei den Griechen, wurde aber vielseitiger verwendet, so für Konzepte, gelegentliche oder tägliche Notizen, oder auch im öffentlichen und privaten Aktenwesen.

B. Pergament- und Papyrus-Codex

Sicher leitet sich die entwickeltere Form des C. aus Pergament oder Papyrus, die vom 1.–2. Jh. n. Chr. an immer häufiger vorkommt, aus den Typen des urspr. Tafel-C. her: Am Ende des 4. Jh. n. Chr. hat sie dann endgültig den Platz der Rolle in der Buchproduktion eingenommen. Alles läßt darauf schließen, daß es die Römer waren, die bei der Herstellung des C. die Holztafeln durch gefaltete Pergamentblätter ersetzten. Nachdem sich diese Form bei allen Arten von Büchern durchgesetzt hatte, wurde der C. auch in dem für Rollen typischen Material, dem Papyrus, hergestellt, vor allem in Ägypten und benachbarten Gebieten, wo *charta* aus Papyrus produziert und exportiert wurde. Der alte Typus des C. mit Tafeln blieb jedoch noch lange im täglichen Gebrauch (Notizbücher, Konzepte, Schultafeln).

Technisch gesehen besteht der normale C. aus gefalteten Papyrusblättern (von handelsüblichen Rollen abgeschnitten) oder Pergamentblättern (aus speziell gegerbten Tierhäuten, hauptsächlich von Schaf oder Rind), zusammengelegt in Lagen (Faszikel), beschrieben auf beiden Seiten und mit dem Falz an den Buchrücken gebunden. In den ersten Jh. der Verwendung von C. (2.–4. Jh. n. Chr.) finden sich oft Exemplare, die aus einer einzigen Lage von variabler Größe, und solche, deren Lagen jeweils aus einem einzigen Bogen bestehen. Wenn der C. aus mehreren Faszikeln besteht, folgen diese in verschiedenen Exemplaren keiner übergeordneten, relativ stabilen Norm; die Faszikel können sich sogar bei ein und demselben Exemplar unterscheiden. Nach der Standardisierung besteht der C. aus mehreren Lagen, die in der Regel jeweils vier gefaltete Bögen, d. h. acht Blätter enthalten; doch gibt es in jeder Epoche auch Ausnahmen. Der älteste Typ des C. aus Papyrus zeigt – aufgeschlagen auf gegenüberliegenden Seiten – eine entgegengesetzte Anordnung der horizontalen bzw. vertikalen Fasern; später jedoch ist der Verlauf der Fasern auf beiden Seiten gleich. Beim auf-

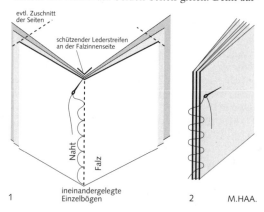

Struktur des Codex
1. Struktur der einzelnen Lage: Bindung nach »Schulheft-Prinzip«.
2. Verbindung mehrerer Lagen (Faszikel) zum Codex: etwa entsprechend der modernen Buchbindung.

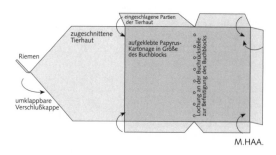

M.HAA.

Einband der Nag Hammadi-Codices
Schema: Aufsicht der Innenseite.

geschlagenen C. aus Pergament ist die Innenseite der Haut gegenüber einer Innenseite, die Außenseite gegenüber einer Außenseite (sog. »Gregory-Regel«), eine Strukturierung, die mit der Faltungsart der Tierhaut vor dem Schnitt oder einer absichtlichen Schichtung der einzelnen Bögen zusammenhängt.

Man vermutete, daß – wenigstens vom 2. Jh. n. Chr. an – die Christen die Verdrängung der Rolle durch den C. begünstigten; eher waren jedoch Faktoren dafür verantwortlich, die allg. mit den Veränderungen der Gesellschaft und der Kultur zusammenhingen, wobei auch das Christentum eine wichtige Rolle spielte. Der Erfolg des C. – seine Verfügbarkeit für die Allgemeinheit und für jede Art von Buch – wurde endgültig sichergestellt durch sein Fassungsvermögen: Er konnte wesentlich mehr Text aufnehmen als die Rolle und so sowohl den kanonischen Schriften der neuen Rel. eine einheitliche Form geben als auch den großen Gesetzessammlungen und Autorencorpora der Spätantike – einer Zeit der Systematisierung von Wissen und Texten. Von der Ant. ging die Buchform des C. in das MA über, in dessen Verlauf im Osten wie im Westen zum Pergament das → Papier als Schreibmaterial trat.

→ KODIKOLOGIE

A. BLANCHARD (Hrsg.), Les debuts du c., 1989 · A. K. BOWMAN, J. D. THOMAS, Vindolanda: the Latin Writings-Tablets, 1983 · G. CAVALLO, Libro e cultura scritta, in: Storia di Roma IV, Caratteri e morfologie, 1989, 693–734 · Ders., Testo, libro, lettura, in: Ders., P. FEDELI, A. GIARDINA (Hrsg.), Lo spazio letterario di Roma antica, II, La circolazione del testo, 1989, 307–341 · E. PÖHLMANN, Einführung in die Überlieferungsgesch. und in die Textkritik der ant. Lit., Bd. 1: Alt., 1994 · G. PUGLIESE CARRATELLI, L'instrumentum scriptorium nei monumenti pompeiani ed ercolanesi, in: Pompeiana. Raccolta di studi per il secondo centenario degli scavi di Pompei, 1950, 266–278 · C. H. ROBERTS, T. C. SKEAT, The Birth of the C., 1983 · W. SCHUBART, Das Buch bei den Griechen und Römern, ³1962 · E. G. TURNER, The Typology of the Early C., 1977.   GU. C./Ü: F. H.

ABB.-LIT.: H. BLANCK, Das Buch in der Ant., 1992, 86–96.
     M. HAA.

II. RECHTSSAMMLUNGEN

A. ALLGEMEINE BEDEUTUNG B. CODEX GREGORIANUS UND HERMOGENIANUS C. DIE AMTLICHEN KONSTITUTIONENSAMMLUNGEN

A. ALLGEMEINE BEDEUTUNG

C. ist zunächst nur Bezeichnung für das aus → Pergament-Blättern (membrana) zusammengeheftete Buch im Gegensatz zum liber, der Papyrusrolle, die bis zum 4. Jh. n. Chr. fast allein üblich war. Das Wort c. beruht vielleicht darauf, daß die Bücher mit Holzbrettchen zusammengehalten wurden. Diese Buchform war vor allem für Nachschlagewerke geeignet und wurde daher in Justiz und Verwaltung für Sammlungen von kaiserlichen Anordnungen (→ constitutiones) verwendet. Daraus ist c. bald zum Synonym für solche Sammlungen geworden. Zuvor war im Rechtsleben bereits seit der späten Republik der c. accepti et expensi als Hausbuch über die Einnahmen und Ausgaben des pater familias gebräuchlich (dazu → litterarum obligatio).

B. CODEX GREGORIANUS UND HERMOGENIANUS

Die älteste als c. bezeichnete Sammlung von Kaisergesetzen ist der C. Gregorianus, privat zusammengetragen von Gregorius, wohl magister libellorum von 284 bis 290 n. Chr. Dieser C. wurde 291 in Rom ediert und enthält die Kaiserkonstitutionen seit Hadrian, nach Büchern und Titeln systematisch gegliedert. Die Constitutionum libri XX des Papirius Iustus (um 170) könnten das Vorbild gewesen sein. Die wenigen Reste sind in den Vatikan. Fragmenten, der → Collatio, der → Consultatio, der lex Romana Burgundionum und im Breviar (→ lex Romana Visigothorum) überliefert. Aus dem Cod. Greg. stammen vermutlich die Konstitutionen bis 291 im C. Iustinianus. Gregorius wird als Privatmann den Wortlaut, aber kaum den Regelungsgehalt des Kaiserrechts geändert haben. Gegen E. des 4. Jh. sollen erweiterte Überarbeitungen im Umlauf gewesen sein [1. 653, 670; 6. 391; 7; 8. 135].

→ Hermogenianus hat die wohl von ihm selbst verfaßten Konstitutionen der Jahre 291 bis 294 privat gesammelt, nach Titeln systematisch geordnet, redigiert und diesen Cod. Herm. 295 (mit einem Umfang von ca. einem Drittel des Cod. Greg.) publiziert. Ca. 1000 Reskripte sind – in den gleichen Quellen wie die Reste des Cod. Greg. – erhalten. Noch Hermogenianus hat zwei Auflagen mit Ergänzungen aus 295 bis 305 und aus 314 bis 319 herausgebracht. Spätere Ergänzungen stammen von 364 und 365 [1. 665; 6. 392; 8. 36, 137].

C. DIE AMTLICHEN KONSTITUTIONENSAMMLUNGEN

Am 15.2.438 wurde der C. Theodosianus als amtliche Sammlung der Kaiserkonstitutionen von 313 bis 438 zum ius publicum, ius privatum und zum Kirchenrecht publiziert und galt seit dem 1.1.439 im Osten [5], nach Akklamation im Senat (wohl schon 25.12.438) auch im Westen [2. 1]. Er ist in 16 B. nach Titeln systematisch, innerhalb der Titel chronologisch geordnet. Nach seinem ursprünglichen, sehr viel umfassenderen Vorhaben (Cod. Theod. 1,1,5) hatte Theodosius II. geplant, neben den leges generales und edicta auch das Juristenrecht zu kodifizieren. Die Kommission hat in erheblichem Umfang von ihrer Ermächtigung zur Kürzung und inhaltlichen Änderung der Gesetze Gebrauch gemacht. Bis auf ein Siebtel kann der einst ca. 3400 Konstitutionen umfassende C. Theodosianus mit Hilfe des Breviars, wo den Gesetzen interpretationes beigegeben sind, und der stark bearbeiteten Fragmente des Cod. Iust. ergänzt werden [2; 3; 6. 392; 9; 10].

Am 7.4.529 wurde mit der Constitutio Summa (De Iustiniano codice confirmando, über den Erlaß des C. durch Justinian) nach den Vorarbeiten durch die genannten C. die Sammlung des Kaiserrechts von Hadrian bis zu Justinian als erster Teil des Corpus iuris publiziert. POxy. 15, 1814 enthält einen Auszug der Titelrubriken und Inskriptionen 1,11–16 dieses C. vetus. Justinian hatte für diese Kompilation mit der Constitutio *Haec* (*De novo codice componendo*: ›über die Zusammenstellung eines neuen C.‹) am 13.2.528 eine Kommission aus hohen Beamten und Juristen eingesetzt. Nachdem eine weitere Kommission ihre Arbeit zur Anpassung des *C. vetus* an die am 16.12.533 (Cod. Iust. 1,17,2) publizierten Digesten und zu seiner Aktualisierung abgeschlossen hatte, wurde die zweite Auflage (*c. repetitae praelectionis*) mit der Constitutio *Cordi* (*De emendatione codicis Iustiniani et secunda eius editione*: ›über die Vermehrung und die 2. Ausgabe‹) am 16.11.534 publiziert [4; 6. 392; 11].

→ Keilschriftrechte; KODIFIKATION

ED.: **1** J. BAVIERA, FIRA II, ²1940 **2** J. GOTHOFREDUS, C. Theod., 6 vol., 1665 **3** TH. MOMMSEN, Theodosiani libri XVI..., 1905 **4** P. KRÜGER, Cod. Iust., 1877 **5** Leges Novellae ad Theodosianum pertinentes, ed. P. M. MEYER ²1954 (nov. 1 von 439).
LIT.: **6** A. BERGER, Encyclopedic Dictionary of Roman Law, 1953, repr. 1980 **7** T. HONORÉ, Emperors and Lawyers, 1981, 114 **8** D. LIEBS, Jurisprudenz im spätant. Italien, 1987 **9** G. ARCHI, Teodosio II e la sua Codificazione, 1976 **10** T. HONORÉ, The Making of the Theodosian Code, in: ZRG 103, 1986, 133–222 **11** G. ARCHI, Problemi e modelli legislativi all'epoca di Teodosio II e di Giustiniano, in: SDHI 50, 1984, 341–354. W. E. V.

Codex Hermopolis.

Mit diesem Namen wird eine etwa 2 m lange, von S. GABRA in Tuna-el-Gebel entdeckte Papyrusrolle bezeichnet, die zehn Kolumnen eines juristischen Textes in demot. Sprache enthält. Der Text stammt aus der 1. H. des 3. Jh. v. Chr., doch dürften einzelne Bestimmungen in die pharaonische Zeit zurückreichen; in POxy 46,3285 sind zwei Fragmente einer griech. Version erhalten, die in die 2. H. des 2. Jh. n. Chr. zu datieren sind. Den Inhalt kann man nach heutigem Verständnis in vier Abschnitte einteilen: 1. Bodennutzung und -pacht, Pacht von Unternehmungen (mit einem Exkurs über den Protest), 2. Unterhaltsurkunden, 3. Störung fremden Besitzes, 4. Erbrecht des ältesten Sohnes. Es handelt sich also um keine systematische Aufzeichnung des gesamten Privatrechts, weshalb der vom Herausgeber [1] gewählte Titel ›Legal Code‹ sicher falsch ist. Von Rechtshistorikern wird das Werk jedenfalls dem einheimischen ägypt. Recht zugeordnet. SEIDL [2. 17, 19] spricht von einer privaten Arbeit, einem lemmatischen Komm. zu einem (daraus zu rekonstruierenden) Gesetz, WOLFF [3. 268 ff.] von einem großen demot. Gesetzesfragment, dessen griech. Version zum Gebrauch der → Chrematisten zusammengestellt wurde. Der C. H. wird auch als gelehrter Rechtsspiegel gedeutet, zum Gerichtsgebrauch und zur Rechtslehre für Priester und Notare verfaßt [5. 357]. Auffällig ist der häufige Gebrauch des Eides in Privatprozessen. Die dt. Übers. [4] sollte nicht ohne die ausführliche Besprechung [5] benutzt werden.

1 G. MATTHA, The legal code of Hermopolis West, Kairo 1975 **2** E. SEIDL, Eine demotische Juristenarbeit (Rez. Mattha), in: ZRG 97, 1979, 17 ff. **3** H. J. WOLFF, Neue Juristische Urkunden, in: ZRG 97, 1979, 258 ff. **4** ST.

GRUNERT, Der Kodex Hermopolis und ausgewählte private Rechtsurkunden, 1982 **5** T. Q. MRSICH, Rez. zu [4], in: ZRG 99, 1982, 357 ff. **6** SCH. ALLAM, Zum Rechtsbuch von Hermopolis, in: Das Alt. 33, 1987, 177 ff. G. T.

Codex Salmasianus.

Der nach seinem früheren Besitzer Claude de Saumaise (1588–1653) benannte Codex Parisinus lat. 10318 (Ende 8. Jh.) enthält u. a. eine um 534 n. Chr. in Nordafrika entstandene Gedichtslg. Sie umfaßt neben zeitgenössischem Material wie dem Epigrammbuch des → Luxurius auch ältere Texte (u. a. → Hosidius Geta, → Pentadius, → Pervigilium Veneris, → Symphosius).

ED.: Anth. Lat. I, 1: ed. D. R. SHACKLETON BAILEY, 1982 (ohne Nr. 7–18 RIESE).
LIT.: **1** A. J. BAUMGARTNER, Unt. zur Anthologie des C. S., 1981 **2** W. SCHETTER, Kaiserzeit und Spätant., 1994, 451–465 **3** M. SPALLONE, Il Par.Lat. 10318 (Salmasiano), in: Italia medioevale e umanistica 25, 1982, 1–71. MA. L.

Codicilli.

Die in einem formlosen Schriftstück enthaltene letztwillige Verfügung. Im Kodizill konnten nur Einzelverfügungen vorgenommen werden, nicht jedoch Erbeinsetzungen und Enterbungen. In Ergänzung eines Testamentes waren *c.* wirksam, wenn ihre Errichtung in einem früheren Testament vorbehalten oder wenn sie in einem späteren bestätigt wurden (*c. testamento confirmati*); nichtkonfirmierte *c.* (Intestatkodizill) konnten nur Fideikommisse enthalten. Eine sog. Kodizillarklausel des Inhalts, daß ein Testament auch bei Formfehler gelten sollte, erlaubte die Umdeutung eines fehlerhaften Testamentes in ein, soweit möglich, wirksames Intestatkodizill (Dig. 29,7; Cod. Iust. 6,36).

→ Erbrecht; Fideicommissum

1 H. HONSELL, TH. MAYER-MALY, W. SELB, 461 f. **2** KASER, RPR I, 693 f. U. M.

Coelius.

Plebeischer Gentilname, auch *Coilius*, in der handschriftlichen Überlieferung häufig mit *Caelius* verwechselt (SCHULZE 155; ThlL, Onom. 2, 523–525). Namensträger sind seit dem 2. Jh. v. Chr. bezeugt, meist zur Tribus Aemilia gehörig. K.-L. E.

I. REPUBLIKANISCHE ZEIT

[I 1] C. Antipater, L. Vielleicht Bruder des Senators C. Coelius C.f. [1; 2. 16], hochgebildeter Kenner des Rechts und der Beredsamkeit (Cic. Brut. 102; Dig. 1,2,2,40), galt als Lehrer und Freund des Redners L. Licinius Crassus (Cic. Brut. 102; de orat. 2,54). Schrieb im letzten Drittel des 2. Jh. v. Chr., wenigstens teilweise nach 121 (Tod des C. Gracchus: HRR I, fr. 50), die erste histor. Monographie in Rom, sieben Bücher über den zweiten Pun. Krieg (Titel nach Cic. orat. 230 *Bellum Punicum*; viele bevorzugen *Historiae*). Das Werk, dem Grammatiker L. Aelius Stilo gewidmet (fr. 1; 24B), zeichnete sich nicht nur durch Materialreichtum und breite Quellenbenutzung aus (neben Fabius Pictor und Cato auch das hannibalfreundliche Werk des Silenos), sondern vor allem durch eine lebendige und dramatische Darstellung, die in Anlehnung an hell. Historiographie wörtliche Reden (fr. 16; 26), ep. Formelemente (Träume: fr. 11; 34; Seesturm: fr. 40), und rhet. Kunstprosa asianischer Stilrichtung (Hyperbeln: fr. 39; Klauselrhythmus: [3. 339]) einsetzte. Cicero rechnet ihn trotz Vorbehalten zu den *exornatores rerum*, sowohl den Vorgängern als auch den Nachfolgern deutlich überlegen (de orat. 2,54; leg. 1,6). Wurde von Brutus epitomiert (Cic. Att. 13,8), von Livius in der 3. Dekade, bes. in den Büchern 21/22 ausgiebig herangezogen [4; 5; 6], von Kaiser Hadrianus über Sallust gestellt (SHA Hadr. 16,6). Fragmente: HRR 1, 158–177 und bei [7].

1 SHERK 12, Z. 27 2 E. BADIAN, The early Historians, in: T. A. DOREY (Hrsg.), Latin Historians, 1966, 1–38 3 LEO, 336 ff. 4 H. SRAGO, De L. Coelio Antipatro Livii in libro XXI auctore, 1927 5 P. G. WALSH, Livy, 1961, 124 ff. 6 R. JUMEAU, Un aspect significatif de l'exposé livien dans le livres XXI et XXII, in: M. RENARD, R. SCHILLING (Hrsg.), Hommage à J. Bayet, 1964, 309–333 7 W. HERRMANN, Die Historien des Coelius Antipater, 1979.

ED.: W. A. SCHRÖDER, in: AAHG 39, 1986, 57–61   W.K.

[I 2] **C., P.** *Praetor urbanus* 74 v. Chr., zusammen mit Verres (Cic. Verr. 2,1,130).

[I 3] **C. Caldus, C.** Gelangte als *homo novus* (Cic. de or. 1,117) gegen heftige Widerstände als erster der Familie zum Consulat. Als Volkstribun 107 v. Chr. klagte er den P. → Popillius Laenas wegen Hochverrates an und führte dabei mit einer *lex tabellaria* die geheime Stimmabgabe auch in Perduellionsprozessen ein (Cic. leg. 3,36 u. a.; Münzen seines Enkels C. [I 4] RRC 437/1); vielleicht Münzmeister 104 (RRC 318); vor 103 sprach er einen Angeklagten frei, der den Dichter C. Lucilius auf der Bühne beleidigt hatte (Rhet. Her. 2,19); etwa 99/98 Praetor und Propraetor in Hispania citerior; 94 Consul zusammen mit L. Domitius Ahenobarbus (MRR 2,12), 93–87 Proconsul in Gallien (MRR 3,59 f.); er war Augur und *Xvir sacris faciundis*.

[I 4] **C. Caldus, C.** Enkel von C. [I 3], dessen Porträt er auf seinen Münzen prägen ließ, Münzmeister 51 v. Chr. (RRC 437); Quaestor 50, übernahm die Provinz Kilikien 50 von Cicero (fam. 2,15,4 u. ö.). Sein Vater war der *VIIvir epulonum* L. C. Caldus.

W. HOLLSTEIN, Die stadtröm. Münzprägung der Jahre 78–50 v. Chr., 1993, 361–369.

[I 5] **C. Vinicianus, M.** Quaestor um 56 v. Chr., Volkstribun 53. Im Bürgerkrieg bei Caesar, Praetor 48 (?), kommandierte 47 mit proconsularischem Imperium zwei Legionen in Bithynien und Pontus (Laufbahn: ILS 883; MRR 3,60).   K.-L. E.

II. Kaiserzeit

[II 1] **P. C. Apollinaris.** *Cos. suff.* 111 [1. 47]. Wohl Vater von C. [II 3] (PIR² C 1239).

[II 2] **P. C. Apollinaris.** *Cos. ord.* 169, wohl Sohn von C. [II 3].

[II 3] **P. C. Balbinus Vibullius Pius.** Sohn von C. [II 1]. Von Hadrian unter die Patrizier aufgenommen. Seine Laufbahn in CIL VI 1383 = ILS 1063 erhalten. *Cos. ord.* 137 zusammen mit L. Aelius Caesar. Zur Herkunft der Familie [2. 346].

[II 4] **L. C. Festus.** Durch Hadrian in den Senat aufgenommen; *procos. Ponti et Bithyniae, praef. aerarii Saturni, cos. suff.* 148 (CIL XI 1183 = ILS 1079) [1. 51].

[II 5] **L. C. Rufus.** Vielleicht verwandt mit C. [II 4]. Wohl *cos. suff.* Ende 119, consularer Legat von Moesia superior 120 (Inscr. Més. sup. 6, 195; PIR² C 1246) [3. 154 f.]; consularer Statthalter von Germania inferior im J. 127 [4].

1 VIDMAN, FO² 2 CABALLOS, Senadores 3 W. ECK, in: Chiron 13, 1983 4 W. ECK, I. PAUNOV, in: Chiron 1997 (im Druck).   W. E.

Coemptio. Wohl der übliche Geschäftstyp zur Begründung einer Ehe, in der die Frau in dem Gewaltverhältnis der → *manus* stand. Als Brautkauf – und sei es auch nur in einer sehr frühen Entwicklungsphase – wird man die *c.* nicht ohne weiteres deuten können, da sie an das Formalgeschäft der → *mancipatio* anknüpft, das sich schon sehr früh von dem in der Form selbst abgebildeten Lebensvorgang gelöst hat. Urspr. dürfte der Brautvater die Gewalt über seine Tochter auf den Bräutigam »übertragen« haben. Später trat wohl die Frau selbst als der übertragende Teil des Geschäftes auf. Bei Justinian ist die *c.* nicht mehr vorgesehen. Hauptquelle für die *c.* ist Gai. inst. 1. 113–115. Dort wird auch eine treuhänderische *c.* an einen anderen Mann erwähnt. Sie dient dem Wechsel des Geschlechtsvormundes (→ *tutela*).

KASER, RPR I, 77 f. · TREGGIARI, 25–28.   G. S.

Coercitio. Befugnis der röm. Magistrate, im Falle der Verletzung der öffentlichen Ordnung durch Bürger und Nicht-Bürger nach Ermessen in deren Rechte einzugreifen und hoheitlichen Zwang auszuüben. Diese Befugnis reicht von einstweiligen Anordnungen (*interdicta*) über die Zwangseintreibung öffentlicher Ansprüche, die Verhängung von Geldbußen (*multae*), Verhaftungen (*vincula, prensio*), Pfandnahmen (*pignoris capio*), Züchtigungen (*verbera*) bis zur Verhängung der Todesstrafe (*c. plenissima, c. capitalis,* Dig. 7,1,17,1; 50,16,200). Sie wird schon seit der früheren Republik durch spezielle Jurisdiktionsbereiche begrenzt. Ferner geben die Provokationsgesetze (*leges Valeriae* und *Porciae de provocatione* der J. 509, 300 und 195 v. Chr.) – legendär bereits von Anfang der Republik an – allen röm. Bürgern das Recht, sich wegen Lebensstrafen, später auch wegen körperlicher Züchtigung aufgrund magistratischer *c.*, an die Volksversammlung zu wenden (Liv 2,8; 10,9; Cic. rep. 1,40,63; 2,31,53), und die Volkstribunen können gegen alle Akte magistratischer *c.* interzedieren. Auch die später die Comitialgerichtsbarkeit ersetzenden Strafgerichte (→ *quaestiones*) schränken die Reichweite der *c.*-Gewalt ein. Doch ist die *c.* stets wesentlicher Bestandteil generell der → *potestas* und speziell eines → *imperiums*

der Magistrate, wobei der Imperiumsträger im Rahmen seines mil. Amtskreises größere Befugnisse bei der *c.* gegen Römer (z. B. Todesstrafe als Disziplinarmaßnahme) hat. Gegen Nicht-Römer können alle kompetenten Magistrate nach ihrem Ermessen strafrechtliche *c.*-Maßnahmen ausüben. Als richterliche Instanz sind Magistrate trotz Freiheit in der Verfassungsgestaltung dabei aber dennoch grundsätzlich von Amts wegen zur Untersuchung (*inquisitio*) der Sachlage und zur Unparteilichkeit verpflichtet. Diese *extraordinaria cognitio* wird in der Kaiserzeit die für die gerichtliche Tätigkeit des Kaisergerichts übliche Form des strafgerichtlichen Verfahrens. Sie prägt über die spätere Rezeptions-Rechtsgeschichte das heutige Strafprozeßrecht.
→ Iurisdictio

MOMMSEN, Staatsrecht, 136–161 · Ders., Strafrecht, 35 ff., 142 ff., 260 ff. · J. L. STRACHAN-DAVIDSON, Problems of the Roman Criminal Law 1, 1912, 96 ff.   C. G.

Cogidubnus, Cogidumnus. Britannischer Klientelkönig (CIL VII 11: *rex magnus Britanniae* [1]) in Sussex (evtl. urspr. über die → Atrebates), der bis in flavische Zeit über mehrere *civitates* gebot (Tac. Agr. 14,1) und vermutlich zu den 11 von Claudius unterworfenen Königen zählte (CIL VI 31537d).

1 J. E. BOGAERS, King C. in Chichester, in: Britannia 10, 1979, 243–254.

A. A. BARRETT, The Career of Tib. Claudius C., in: Britannia 10, 1979, 227–242.   C. KU.

Cognatio. Nach röm. Recht die durch Blutsverwandtschaft begründete Verwandtschaft auch der Nichtagnaten; der Grad bestimmte sich durch die Zahl der vermittelnden Zeugungen oder Geburten. Die *c.* gewann seit der *l. Cincia* (204 v. Chr.) rechtliche Bedeutung: die *cognati* bis zum 6. Verwandtschaftsgrad (*sobrini*, vom selben Urgroßvater abstammende Urenkel) waren vom Schenkungsverbot dieses Gesetzes ausgenommen. Die *l. Furia* (Anf. 2. Jh. v. Chr.) nahm diese *cognati* sowie im 7. Grad die Kinder von *sobrini* von ihren Beschränkungen aus. Denselben Personen gewährte später der Praetor die → *bonorum possessio intestati*, wenn kein ziviler Erbe Anspruch auf die Erbschaft erhob (Gai. inst. 3,37). Die durch Geburt im Sklavenstand begründete *servilis cognatio* hatte auch bei späterer Freilassung keine Rechtsbedeutung. Vgl. Dig. 38,8; 38,10.
→ Agnatio; Erbrecht; Legatum

1 KASER, RPR I, 350 f. 2 U. MANTHE, in: Gnomon 66, 1994, 525 ff.   U. M.

Cognitio ist von *cognoscere* abgeleitet und bedeutet eine in Richterfunktion vorgenommene Untersuchung oder Entscheidung. Im Strafprozeß wird mit diesem Begriff sowohl die Untersuchung einer Straftat einschließlich des Erkenntnisverfahrens (Dig. 47,20,3 pr.) als auch das Verhör eines Verhafteten (Dig. 1,16,6 pr.) bezeichnet. Im Zivilprozeß bedeutet *causae c.* eine meist summarische, magistratische Prüfung; als Prozeßform wandelt sich die *c.* von einer außergewöhnlichen Verfahrensart (*extraordinaria c.*) zum ausschließlichen Prozeß (sog. Kognitionsverfahren).

1) Die *causae c.* ist ein Vorbehalt zugunsten einer eigenen Sachprüfung des Praetors, *causa cognita iudicium dabo* (Dig. 47,10,15,43); statt sich auf die Prüfung der für die Formelerteilung maßgeblichen Rechtsfrage zu beschränken, prüft der Magistrat selbst auch die Sachfrage. Dabei handelt es sich oft um Zulässigkeitsvoraussetzungen für eine Klage: etwa wenn der Praetor aus Gründen der Einzelfallgerechtigkeit eine im Edikt nicht vorgesehene Formel erteilen will (z. B. Dig. 4,4,1,1); oder bei der *in integrum* → *restitutio*, der *missio in bona*, in Vormundschaftssachen oder bei Cautionen.

2) Die *c. extra ordinem* entwickelte sich seit Augustus als bes. Gerichtsverfahren für bislang nicht klagbare Rechtsverhältnisse (Fideikommiß, Unterhaltsansprüche, etc.) im strikten Kontrast (vgl. Dig. 50,16,178,2), zum herkömmlichen zivilprozessualen Formularverfahren. Anstelle der herkömmlichen Zweiteilung (Gerichtsmagistrat für den Abschnitt *in iure*, privater *iudex* für die eigentliche Tatsachenfeststellung) erledigte der Kognitionsbeamte als staatlicher Amtsträger das gesamte, nunmehr einheitliche Verfahren. Als (selbst erstinstanzlicher) Richter begegnet immer wieder auch der *Princeps*. Entscheidende Folge der Einheitlichkeit ist das Vordringen der Amtlichkeit (Ladung, Säumnis, Naturalvollstreckung, etc.). Im J. 342 wird das Formularverfahren endgültig abgeschafft (Cod. Iust. 2,57,1).
→ Ordo

I. BUTI, La »cognitio extra ordinem«, in: ANRW II 14, 1982, 29–59 · J. M. KELLY, Princeps Iudex, 1957 · G. I. LUZZATO, Il problema d'origine del processo extra ordinem I, 1965.   C. PA.

Cognomen. Das C. ist im röm.-mittelital. PN das jüngste und meist an letzter Stelle aufgeführte Namenglied; allgemein üblich ist es erst am Ende der Republik geworden. Nach Ursprung und Wesen ist das C. ein Individualname, der das → Praenomen in seiner Bezeichnungsfunktion zunächst ergänzt und seit Beginn der Kaiserzeit immer mehr ersetzt. Das Wort *cognomen*, bei Plautus noch meist *cognomentum* (z. B. Persa 60), ist als »Mittel, die Identität zu erkennen« von *cognoscere* abgeleitet und erst sekundär als »Bei-Name« auf *nomen* bezogen worden. Beim Adel im republikanischen Rom und in Etrurien wurde das Individual-C. oft vererbt, also zum Familien-C., welches als eine Art zweites → Gentile die *stirpes* einer *gens* unterschied (*Dolabella, Scipio, Lentulus, Sulla, Cinna* bei den *Cornelii*). Das (Individual-)C. wurde seit Ende der Republik meist bei der Geburt verliehen; dabei wurden gerne Namen mit guter Vorbedeutung gewählt (*Faustus, Victor*). Älter war die Benennung nach einem erst im Laufe des Lebens auftretenden, nicht notwendig positiven individuellen Merkmal (*Cato* »Schlaukopf«, *Blaesus* »Stammler«, *Censorinus* [der zweimal Censor war]).

Zu *Cognomina* konnten Appellativa wie EN (*Helena*) oder Ableitungen von solchen (*Mart-ialis*, *Capitol-inus*) gewählt werden. Die Appellativa waren gewöhnlich Adj. oder unmittelbar zur Personenbezeichnung geeignete Subst. (*Faustus*, *Pictor*), seltener metonymische Bezeichnungen für bes. Merkmale (*Sura* »der mit der auffälligen Wade«, *Felicitas* »die Gedeihen haben soll«). Gern wurden, vor allem nach der Generalisierung des C. (s.o.), schon vorhandene C. gewählt, bes. solche mit guter Vorbedeutung der appellativen Basis; einzelne C. sind so zu Modenamen mit hoher Frequenz geworden (*Ianuarius* nach dem ersten Monat des Jahres, *Primus*, *Vitalis*). Im Rom der Republik waren die meisten C. lat. Ursprungs; einzelne kamen aus dem Griech. oder dem → Etruskischen (*Philo*, *Sophus*: griech. Φίλων, Σοφός; *Thalna*: etr. Göttername Θalna; der etr. Anteil wurde lange überschätzt). In der Kaiserzeit sind griech. C. (*Hermes*, *Agatho*, *Cleopatra*) häufiger als lat.; daneben gab es »barbarische« C. aus dem Semit., Kelt. oder Illyr. (*Malchio*, *Blesamus*, *Epicadus*).

Für die ca. 250 etr. C. (5.–1. Jh. v. Chr.) und für die wenigen osk.-umbr. C. gilt *mutatis mutandis* das gleiche wie für die lat. C. der Republik. Bei den Etruskern sind viele C. ital. Herkunft (*Lusce*, *Crespe*, *Macre*, *Pacre* aus lat. *luscus* »schielend«, *crispus* »kraus«, *macer* »mager«, umbr. *pacer* »gnädig«). Auch konnten dort Neubürger das Gent. ihres *patronus* als C. annehmen (in *Au Tite Marcna* ist das Patronutsgent. *Marcna* C. des Neubürgers *Au[le] Tite*).

→ Gens; Personennamen: Rom und Italien

KAJANTO, Cognomina · SOLIN/SALOMIES · H. SOLIN, Namen im alten Rom, in: E. EICHLER et al. (Hrsg.), Namenforschung, 1995ff. · Ders., Die griech. PN in Rom, 1982 · H. RIX, Das etr. C., 1963.   H. R.

Cohors. Während der frühen Republik unterstellten die → Bundesgenossen der röm. Armee 500 Mann starke Einheiten, die später *cohortes* genannt wurden und dem Befehl eines Praefekten aus der betreffenden Stadt unterstanden. Es bleibt unklar, wann die *c.* als taktische Einheit in das Heer integriert wurde. Polybios bezeichnet eine *c.* als eine aus drei → Manipeln bestehende Einheit (Pol. 11,23; Schlacht von Ilipa 206 v. Chr.), in seiner berühmten Beschreibung des röm. Heeres werden jedoch die *c.* nicht erwähnt. Livius erwähnt in seiner Darstellung der Feldzüge in Spanien im 2. Jh. v. Chr. *c.*, manchmal in Verbindung mit Manipeln, doch ist dies wohl anachronistisch. Archäologische Untersuchungen des Lagers von → Scipio Aemilianus vor Numantia weisen darauf hin, daß um 133 v. Chr. die Legionen noch immer in Manipeln organisiert waren. Die *c.* löste den Manipel gegen Ende des 2. Jh. endgültig ab; zur Zeit Caesars war die *c.* die grundlegende taktische Einheit der röm. Fußtruppen. Sie bestand aus 480 Mann, die in sechs *centuriae* jeweils unter dem Befehl eines → *centurio* eingeteilt waren; der Manipel wurde allerdings für administrative Zwecke beibehalten. Eine Legion bestand aus zehn *c.*, spätestens seit den Flaviern war die erste

Kohorte einer Legion größer, vielleicht doppelt so groß als die anderen *c.* Unter dem Principat entwickelte sich die Praxis, anstelle der ganzen Legion zeitweilig nur einzelne *c.* an einen neuen Standort zu verlegen.

In der Republik stand die *c. praetoria* vor dem Quartier des Legionsbefehlshabers Wache. Augustus schuf dann 27 v. Chr. seine eigene Leibwache (Praetorianer), die aus neun *c.* zu je 500, vielleicht sogar 1000 Mann bestand und von einem Militärtribun kommandiert wurde. Die *c. urbanae* bestanden zunächst aus drei, später aus vier *c.*, während die → *vigiles* sieben *c.* umfaßten. Die → *auxilia* waren in *c.* zu 480–500 Mann aufgeteilt, die allg. von Praefekten kommandiert wurden. Wahrscheinlich wurden unter den Flaviern größere Einheiten (*milliaria*) geschaffen, die zwischen 800 und 1000 Soldaten umfaßten.

In dem Heer des Diocletianus dienten *c.*, wahrscheinlich 500 Mann stark, weiterhin in den Provinzen. Unter Constantinus wurde die Anzahl der *c.* reduziert und die Soldaten, die in ihnen dienten, wurden im Rang den Grenztruppen (*limitanei*) gleichgestellt, sie standen dem Rang nach aber unter dem Feldheer (*comitatenses*).

In der Republik verstand man unter einer *c.* auch das Personal oder Gefolge eines Magistrates oder eines Provinzstatthalters, das oft aus persönlichen Freunden bestand (z. B. Cic. Att. 7.1.6.); dies ist der Ursprung der *c. amicorum* – einem formell definierten Kreis der Freunde des Princeps.

1 G. L. CHEESMAN, The Auxilia of the Roman Imperial Army, 1914 (Ndr. 1971) 2 Y. LE BOHEC, L'armée romaine, 1989 3 M. DURRY, Les cohortes prétoriennes, 1938 4 P. A. HOLDER, Studies in the Auxilia of the Roman Army from Augustus to Trajan, 1980 5 L. KEPPIE, The Making of the Roman Army, 1984 6 H. M. D. PARKER, The Roman Legions, 1958 7 G. WEBSTER, The Roman Imperial Army, 1985.   J. CA./Ü: A. BE.

Cohortatio s. Adlocutio

Coiedius Maximus. Praesidialprocurator von Mauretania Tingitana unter Marc Aurel und Verus, spätestens Mitte 168; er war an der Bürgerrechtsverleihung beteiligt, die in der *tabula Banasitana* geschildert ist (AE 1971, 534 = ILMar. 2, 94).   W. E.

Coitio. Im röm. Strafrecht eine Art kriminelle Vereinigung, z. B. zw. Dieben und Gastwirten, wie Ulpian (Dig. 4,9,1,1) sie erwähnt, vor allem aber das strafbare Wahlbündnis (ein qualifizierter Fall des Wahlbetruges, → *ambitus*). Wahlbündnisse zwischen Kandidaten waren wohl unbedenklich, solange bloß die persönlichen Beziehungen, Freundschaften und Klientelbindungen zum gemeinsamen Wahlerfolg gebündelt wurden. Gegen die gemeinsame Wählerbestechung im großen Stil richtete sich aber die *lex Licinia* des Crassus (55 v. Chr.) gegen das *crimen sodaliciorum*, das nicht nur die organisierten Wählervereinigungen (→ *sodalicium*), sondern auch die *c.* der Kandidaten unter Strafe stellte.

Im allgemeinen Sinne wird *c.* im röm. Recht für jedes Zusammengehen mehrerer Personen verwendet, z. B. in Gesellschaften oder Vereinen (→ *collegia*). In diesem Zusammenhang erwähnen die röm. Juristen ausdrücklich ein *ius coeundi*, also ein Recht zur Vereinsbildung.

W. KUNKEL, Staatsordnung und Staatspraxis der röm. Republik, II, 1995, 84. G. S.

Colentum. Dalmatische Insel (h. Murter, Kroatien), zum *conventus* von → Salona gehörig; Plin. nat. 3,140; Ptol. 2,13,3; Geogr. Rav. 408,13.

J. J. WILKES, Dalmatia, 1969, 487 • S. ČAČE, Colentum insula (Plinio Nat. Hist. 3,140), in: Diadora 10, 1988, 65–72. D. S.

Collatia. *Colonia Latina* von Alba Longa am linken Ufer des Anio zw. Rom und Tibur. Von den Sabini besetzt, von Rom unter Tarquinius Priscus unterworfen. Bekannt durch die Vergewaltigung der Lucretia durch S. Tarquinius. Nach C. ist ein Tor in Rom (vgl. Paul. Fest. 33,18 ff.) und die *via Collatina* (Frontin. aqu. 5) benannt. Nachdem die Stadt verfallen war (Plin. nat. 3,68), wurde das Gebiet mit herrschaftlichen *villae* bebaut (arch. Funde). C. wird identifiziert mit der Burg von Lunghezza auf einem Hügel links des Anio, wo architektonische Terrakotta aus der Zeit um 500 v. Chr. und später gefunden wurde. In der Umgebung Gräber aus der Eisenzeit.

L. QUILICI, C., 1974 • M. MONTALCINI, Precisazioni topografiche per il territorio di Lunghezza, in: Arch. Laziale 4, 1981, 166–170. G. U.

Collatio legum Mosaicarum et Romanarum. Die in drei Hss. des 9. und 10. Jh. überlieferte, möglicherweise nur unvollständig erscheinende Gegenüberstellung ausgewählter röm. Rechtsnormen zumeist familien-, erb- und vor allem strafrechtlichen Inhalts (coll. 6,71: *humana sententia, lex:* ›Rechtsmeinung und Gesetz der Menschen‹) mit entsprechenden Normen des AT (coll. 6,71: *divina sententia; lex Dei*) dürfte wegen coll. 5,3 zu Cod. Theod. 9,7,6 nach 390 und vor 438 von einem christl. (und wohl nicht jüd.) Anon. unter dem möglicherweise unvollständigen Titel *Lex Dei quam Deus praecepit ad Moysen* in mindestens 16 Titeln abgefaßt worden sein. Der Autor wendet sich als Kenner des mosaischen Rechts offenbar an röm. Juristen (coll. 7,1: *scitote iuris periti*), um ihnen die Priorität (coll. 7,1) der *lex Dei* (Gesetz Gottes) des AT gegenüber den seinen Adressaten besser vertrauten parallelen Zitaten (*leges humanae*, menschliche Gesetze) aus echten und unechten Schriften des Paulus, Ulpian, Modestinus, Papinianus, Gaius und der beiden Codices Gregorianus und Hermogenianus vor Augen zu halten. Er dürfte aus christl. Absicht geschrieben haben, wofür auch schon die Nähe seiner Übersetzung aus dem Pentateuch zu solchen lat. Versionen (*versiones Latinae*) vor Hieronymus spricht, die von einigen Kirchenvätern benutzt worden zu sein scheinen [1. 131 ff.].

ED.: **1** TH. MOMMSEN, Collectio III, 1890, 107–198 **2** PH. E. HUSCHKE, B. KÜBLER, Iurisprudentiae anteiustinianae reliquiae II 2, 1927, 327–394 **3** J. BAVIERA, FIRA II, ²1940, 541–589.
LIT.: **4** M. LAURIA, Lex Dei, in: SDHI 51, 1985, 257–275 **5** D. LIEBS, Jurisprudenz im spätant. Italien, 1987, 162. W. E. V.

Collatio lustralis. Die *c. l.* wurde urspr. wohl als *collatio auri et argenti*, χρυσὸς καὶ ἄργυρος in den Gesetzen als *collatio, oblatio, aurum et argentum, pensio* oder *functio auraria* bezeichnet (das den Fälligkeitsrhytmus bezeichnende *lustralis* erscheint erstmals 379 n. Chr. im Cod. Theod. 13,1,11). Die *c. l.* trat in der Spätant. an die Stelle älterer Reichs- oder lokaler Steuern auf Handel und Gewerbe und erfaßte die vornehmlich von der städtischen Bevölkerung praktizierten Berufe. Zosimos (2,38) schreibt die Schaffung dieser Steuer, deren familien- und städtezerstörende Wirkung dem ›geldgierigen und verschwenderischen Christenkaiser gleichgültig gewesen sei‹, Constantinus zu, doch sprechen manche Beobachtungen dafür, daß sie zunächst im Herrschaftsbereich des Licinius eingeführt wurde, wo sie vielleicht einen Ausgleich für die Abschaffung der *capitatio plebeia* der einfachen Stadtbevölkerung im J. 313 (Cod. Theod. 13,10,2) bieten sollte. Jedenfalls muß sie vor 324 existiert haben, da Constantinus sie für das J. seiner Vicennalien erläßt (Chronicon Paschale 525 B.).

Die Papyri deuten darauf hin, daß zumindest in Ägypten die praktische Einziehung schon früh im Jahresrhythmus, bisweilen sogar monatlich erfolgte, was der Zahlungsfähigkeit der kleinen Steuerpflichtigen wohl eher entsprach als die Bereitstellung einer größeren Summe alle vier oder fünf Jahre. Diese Eintreibungsweise wurde im J. 410 (Cod. Theod. 13,1,20) bei Aufrechterhaltung des Mehrjahreszyklus reichsweit verpflichtend gemacht. Zahlungspflichtig waren die in der *matricula negotiatorum* (Cod. Theod. 16,2,15) registrierten, städtischen Händler, Handwerker und Gewerbetreibenden. Die Rechtsquellen führen im Handel tätige Personengruppen auf, die vollständig oder partiell von der *c. l.* befreit wurden: *navicularii*, Veteranen, Freiberufler wie Ärzte, Professoren, sogar Lehrer der Malerei (Cod. Theod. 13,4,4; 374), christl. Kleriker und Totengräber, auch etwa landsässige Handwerker, *coloni* etc. auf kurialen oder senatorischen Gütern bzw. Kuriale selbst.

Der Einzug erfolgte nach formeller *indictio* zunächst durch Umlegung auf die in der *matricula* Erfaßten durch die lokalen *curiae* (vgl. z. B. P. Oxy. 3577 vom J. 342) und durch die von ihnen benannten → *exactores* nebst deren Helfern (P. Lugd. Bat. XXV 65). Gegen Ende des 4. Jh. (vgl. Cod. Theod. 13,1,17 vom J.) wurde die *c. l.* gewohnheitsmäßig im Rahmen der Handwerker- und Händlerkorporationen durch von diesen benannte *mancipes* eingezogen. Seit Valentinian scheint bei der Zahlung Gold gegenüber Silber das erwünschte und privilegierte Metall gewesen zu sein, was den in den lit. Quellen hervortretenden Eindruck einer bes. drückenden Steuer verstärkt haben mag.

Für den Osten des Reiches hob Anastasius die *c. l.* im Mai 498 mit großer Geste unter allseitigem Beifall auf und wendete deren Erträge, soweit für deren Aufbringung Stiftungen eingerichtet worden waren, städtischen Aufgaben zu. Der Verlust an Eingängen in der Kasse der *sacrae largitiones* wurde durch Umwidmung von Einkünften aus den Patrimonialgütern der *Res privata* ausgeglichen. In den westlichen Nachfolgereichen wurde wahrscheinlich von den Handwerkern weiterhin eine Goldsteuer erhoben (Cassiod. var. 2,26,30). Im Osten scheint ein *chrysargyron* im 7. Jh., vielleicht von Heraklios aufgrund des hohen Goldbedarfs für die Perserfeldzüge, für einige Zeit wiederbelebt worden zu sein; kurioserweise so, daß es prinzipiell auch in Naturalien gezahlt werden konnte.

→ Aurum coronarium; Capitatio-iugatio; Steuern

1 R. S. Bagnall, Egypt in Late Antiquity, 1993, 153 f., 158 2 P. A. Brunt, Roman Imperial Themes, 1990, 336, 534 3 R. Delmaire, Largesses sacrées et res privata, 1989, 354–374 u. ö. 4 A. Demandt, Die Spätant., 1989, 77, 238, 301, 343, 350 f., 381, 408 5 L. De Salvo, Economia privata e pubblici servizi nell'impero romano. I corpora naviculariorum, 1992 6 J. Durliat, Les finances publiques de Dioclétien aux Carolingiens, 1990 7 Ders., Les rentiers de l'impôt, 1993, 36 f. 8 M. Hendy, Studies in the Byzantine Monetary Economy c. 300–1450, 1985, 175–178; 192–201 9 Jones, LRE 431 f., 465, 871 f. u. ö. 10 Jones, Economy, 35 f., 41 f., 170 f., 176, 217 f., 220 f. 11 J. Karayannopulos, Das Finanzwesen des frühbyz. Staates, 1958, 129–137 12 J. Martin, Spätant. und Völkerwanderung, ³1995, 25, 68–70, 185 13 O. Seeck, RE 4, 370–375 14 F. Tinnefeld, Die frühbyz. Ges., 1977, 137 f. u. ö. 15 S. L. Wallace, Taxation in Egypt from Augustus to Diocletian, 1938, 191–213. E. P.

Collectio Avellana. Zwischen 556 und 561 wurde in Rom von privater Hand eine Sammlung von 243 Papst- und Kaiserbriefen, kaiserlichen Edikten und Reskripten, Beamtenberichten, Synodalabschieden und Glaubensformeln (Inventar mit Nachweisen [1. 274–281]) angelegt. Ihr Name leitet sich von einer früher im umbrischen Kloster S. Croce di Fonte Avellana befindlichen Handschrift her; sie wird h. in Rom aufbewahrt (Vat. lat. 4916). Das Werk geht auf ein (verlorenes) Dokument zurück, das ein offiziöses Produkt der Kirchenpolitik des röm. Papstes → Hormisdas im ersten Schisma zwischen östl. und westl. Kirche (→ Akakios [4]) darstellte.

Ed.: 1 O. Günther, CSEL 35/1–2, 1895–98. Lit.: 2 E. Schwartz, Publizistische Slgg. zum acacianischen Schisma, 1934, 280–287 3 H. J. Frede, s. v. Kirchenschriftsteller, VL 1/1, 1995, 406–414. C. M.

Collectiones canonum. Slgg. von Konzilbeschlüssen, später auch päpstlichen Schreiben disziplinarischen Inhalts mit normativem Anspruch (Übersicht: [1]), die in Rechtsstreiten, Konzilen und innerkirchlichen Konflikten [3] zitiert wurden. C. entstanden seit dem 4. Jh. an verschiedenen Orten, darunter in Antiochia eine C.

griech. Konziltexte, die in teils divergenten Übers. maßgebenden Einfluß auf den Westen ausübte [2]. Unter den zahlreichen lat. C.c. des 5. u. 6. Jh. aus Afrika, Gallien, Spanien und Italien stellen die Slgg. des → Dionysius Exiguus einen Höhepunkt kanonistischen Arbeitens dar. Kritische Editionen der ant. C.c. fehlen zumeist (eine Ausnahme: die → C. Avellana), so daß die Unterschiede aus den Editionen der Einzeltexte abgelesen werden müssen. Im 6. Jh. begegnen die ersten C.c. die sich unter Auflösung der historischen Ordnung um eine umfassende Systematisierung bemühen: die afrikanische *Breviatio canonum* des → Fulgentius Ferrandus, die wohl ital. *Concordia canonum* des → Cresconius [5] und die *Vetus Gallica* [6].

Lit.: 1 F. Maassen, Gesch. der Quellen und der Lit. des canonischen Rechts im Abendlande, 1870 2 Ed. Schwartz, GS 4, 1960, 159 ff. 3 E. Wirbelauer, Zwei Päpste in Rom, 1993 4 K. Zechiel-Eckes, Die Concordia c. des Cresconius, 1992 5 H. Mordek, Kirchenrecht und Reform im Frankenreich, 1975. E. W.

Collega. *C.* meint allg. denjenigen, der gemeinsam mit anderen etwas regelt (von *con-* und *leg*), also z. B. auch das Mitglied eines Vereins oder einer Körperschaft (Dig. 27,1,42; 46,3,101 pr., 50,16,85). Im polit. Bereich ist *c.* vor allem der Amtsgenosse in Gericht, Verwaltung und Herrschaft (Dig. 50,16,173 pr.: *collegarum appellatione hi continentur, qui sunt eiusdem potestatis*).

Die *c.* der republikanischen Ämter Consulat, Praetur, Censur, Aedilität, Quaestur und Volkstribunat sind zu selbständigen Entscheidungen, zugleich aber auch zur Abstimmung berechtigt und verpflichtet: Gremienentscheidungen der *c.* sind zwar nicht nötig, doch kann jeder gegen jede noch nicht bestandskräftige Amtshandlung eines anderen einschreiten (*intercessio*). Ferner haben die Consuln wegen höherer Amtsmacht das Recht zur Interzession (*ius prohibendi, intercedendi*) gegen Amtshandlungen der Praetoren, Aedilen und Quaestoren, Volkstribunen können gegen Amtshandlungen aller Magistrate interzedieren. Von der Interzession sind mil. Maßnahmen aufgrund eines *imperium* ausgenommen. So liegt es den *c.* faktisch nahe, sich zu arrangieren (*comparatio*) und dafür fallweise geeignete Verfahren (z. B. das Losverfahren, *sortitio*) und eine geeignete Geschäftsverteilung zu finden. Das Kollegialitätsprinzip sichert ferner eine vollgültige Vertretung, selbst eines ausgefallenen *c.* Nur das → Censoren-Amt setzt stets zwei nebeneinander handlungsfähige *c.* voraus. Bei der Dictatur sind die Interzessionsrechte der weiter amtierenden Consul-*c.* suspendiert; ebenso kann es bei extraordinären Amtsgewalten sein, z. B. bei Sullas Amt als *vir legibus scribendis et constituendae rei publicae* nach der lex Valeria des J. 88 v. Chr.; anders aber z. B. bei der Ermächtigung der *tresviri constituendae rei publicae* durch die lex Titia des J. 43 v. Chr.).

Die histor. Entwicklung der Amtskollegialität an der Regierungsspitze beginnt wohl mit dem Consulamt; ob schon mit einer lex Iunia des J. 510 v. Chr. (Liv. 1,59;

Dion. Hal. ant. 4,76) ist aber fraglich (Liv. 7,3,5). Nach der Geschichtsüberlieferung entstehen im 5. Jh. v. Chr. weitere polit. Amtskollegien: der → *tribuni plebis* und der → *aediles plebis* (seit dem J. 494; Liv. 2,33; Dion. Hal. ant. 6,90), der *decemviri legibus scribundis* (seit dem J. 451; Gell. 14,7,5), der → *quaestores* (wohl seit dem J. 447; Liv. 4,4), der → Consulartribunen (seit dem J. 445; Liv. 4,6,8) und der → *censores* (seit dem J. 443; Liv. 4,8). Doch läßt die Überlieferungskritik einige Fragen offen. Die Forderung der Plebejer, mit Vertretern an der Besetzung der höheren Ämter beteiligt zu sein, die seit dem J. 399 für den Consulartribunat, seit den *leges Liciniae Sextiae* des J. 367 für das Consulat und seit dem J. 300 für die Priesterämter (*pontifices, augures*) berücksichtigt wird, ist allerdings nur bei kollegialer Amtsstruktur zu realisieren. Das im J. 367 eingeführte Amt des → *praetor* ist zunächst ein singulärer Gerichtsmagistrat – eines *collega minor* der Consuln –, bis im J. 242 der *praetor peregrinus* und später weitere *c.* hinzukommen. Die im J. 367 geschaffene kurule Aedilität ist stets ein Kollegialamt.

Das Kollegialprinzip findet außerdem bei einer Vielzahl von »Mehrmänner-Kollegien« (*tresviri, quattuorviri* etc.) für unterschiedliche Gerichts- und Verwaltungszwecke Anwendung; für deren Willensbildung ist aber nicht das Interzessionsprinzip, sondern gegebenenfalls das der Mehrheitsentscheidung ausschlaggebend. In der Kaiserzeit, insbes. der späteren Ant., werden die von einem Kaiser berufenen Mit-Kaiser ebenfalls als *c.* gedacht und grundsätzlich gleich behandelt (Tac. ann. 1,3; Eutr. 9,27); das Kaisertum kann insoweit nicht uneingeschränkt als Monarchie klassifiziert werden.
→ Magistratus; Collegium

JONES, LRE, 325 · KASER, RPR I, 302 ff. · E. MEYER, Röm. Staat und Staatsgedanke, ⁴1975, 112 ff. · MOMMSEN, Staatsrecht, I, 27–61.   C. G.

Collegium

[1] Unter einem *c.* versteht man einen Zusammenschluß von Personen aus rel., beruflichen und sozialen Gründen. Die gesetzliche Grundlage für die *collegia* findet sich bereits im Zwölftafelrecht (8,27 = Gaius Dig. 47,22,4): *His (sodalibus) potestatem facit lex, pactionem quam velint sibi ferre, dum ne quid ex publica lege corrumpant; sed haec lex videtur ex lege Solonis translata esse.* Die *c.* waren in ihrer inneren Organisation ein Abbild der bürgerlichen Gemeinde mit Magistraten, Rat und *plebs*. Das Vermögen der *c.* umfaßte neben den Einkünften aus Mitgliedsbeiträgen auch als *fideicommissum* übertragene Geldbeträge und Immobilien; sogar eigener Sklavenbesitz ist nachweisbar (CIL XIV 367), der gemeinsames Eigentum aller Mitglieder war (*res communis*). Neben den eigentlichen Gründungszwecken sind die zusätzlichen Ziele im sozialen und rel. Bereich zu beachten: Man feierte die Geburtstage und sorgte für den Totenkult. Gemeinsames Essen und die Verteilung von Geldgeschenken (*sportulae*) an die Mitglieder gehörten zum sozialen Leben des *c.* ebenso wie das gemeinsame Auftreten bei öffentlichen Anlässen (*pompae*). Wie bürger-

liche Gemeinden wählten sich *c.* einflußreiche Personen der Gemeinde oder des Staates als *patroni*, die in Einzelfällen hochrangige Magistrate oder Angehörige des *ordo equester* oder *senatorius* waren (vgl. CIL XIV 250). Daneben verlangte man teilweise – wie die Gemeinden – *summae honorariae* für den Eintritt in das *c.* oder die Bekleidung von Ämtern. Am besten ist das soziale Leben der *c.* durch die Inschriftenfunde aus → Ostia bekannt, wo neben Listen von Mitgliedern auch Stiftungstexte und Ehreninschr. überliefert wurden.

Der Senat überwachte die *c.* vor allem unter dem Gesichtspunkt einer unerwünschten polit. Betätigung, was zur Auflösung des *c.* führen konnte (→ Senatus Consultum de Bacchanalibus). In der späten Republik wurden mehrere *leges* erlassen, die die Zulassung bzw. Aufhebung von *c.* regelten. In den polit. Konflikten der nachsullanischen Zeit spielten vor allem die *c. compitalicia* eine wichtige Rolle. 64 v. Chr. wurden diese *c.* vom Senat verboten, dann von P. Clodius 58 v. Chr. durch ein Gesetz wieder zugelassen, das außerdem die Gründung neuer *c.* vorsah (Cic. Pis. 8 f.; Ascon. 8C). Diese *c.*, in die auch Sklaven und Freigelassene aufgenommen werden konnten, unterstützten die Politik des Clodius auch nach Ende seines Tribunats und trugen so zur Destabilisierung der Republik bei. Unter Caesar wurden die meisten *c.* aufgelöst (Suet. Iul. 42,3) und von Augustus erneut verboten (Suet. Aug. 32,1); eine *lex Iulia* des Augustus legte schließlich fest, unter welchen Bedingungen die Bildung eines *c.* erlaubt wurde (CIL VI 2193 = ILS 4966). Die *c. funeraticia*, die vornehmlich eine würdige → Bestattung ihrer Mitglieder zum Ziel hatten, wurden normalerweise zugelassen (vgl. ILS 7212). Offiziell genehmigte *c.* führen den Zusatz *quibus ex s.c. coire licet* im Titel (so CIL XIV 169 u. ö.). *C.* dieser Kategorie sind vor allem in der Gruppe der für den Staat wichtigen Berufkollegien zu finden. Gegen die Neugründung von *c.* bestanden in der Principatszeit aber auch Vorbehalte; so untersagte Traianus generell die Bildung von *c. fabrorum* in Bithynien (Plin. epist. 10,34). In der Spätant. sind die *c.* vor allem als Organisationsform wichtig, durch die der Staat sich die Leistung bestimmter Berufsgruppen sichern konnte (*navicularii, pistores, negotiatores suarii* usw.).

1 F. M. AUSBÜTTEL, Unt. zu den Vereinen im Westen des röm. Reiches, 1983 2 A. GRAEBER, Unt. zum spätröm. Korporationswesen, 1983 3 P. HERZ, Studien zur röm. Wirtschaftsgesetzgebung. Die Lebensmittelversorgung, 1988 4 A. W. LINTOTT, Violence in Republican Rome, 1968, 74–88 5 R. MEIGGS, Roman Ostia, ²1973 6 S. MROZEK, Les distributions d'argent et de nouriture dans les villes italiennes du Haut Empire romain, 1987 7 H. L. ROYDEN, The magistrates of the Roman professional collegia in Italy from the first to the third century A. D., 1988 8 F. M. DE ROBERTIS, Storia delle corporazioni e del regime associativo nel mondo romano I–II (ohne J.) 9 L. DE SALVO, Economia privata e pubblici servizi nell'impero Romano. I corpora naviculariorum, 1992 10 B. SIRKS, Food for Rome, 1991 11 A. STUIBER, Heidnische und christl. Gedächtniskalender, JbAC 3,

1963, 24–33 **12** J. P. Waltzing, Etude historique sur les corporations professionelles chez les Romains, 1895 ff.   P. H.

[2] C. poetarum. Parallel zur ersten Verschriftlichung der röm. Lit. ist ein *collegium scribarum (et) histrionum* nachgewiesen, denen der Senat nach dem Erfolg eines Kultliedes des Schauspielers → Livius Andronicus (207 v. Chr. oder eher 249, vgl. [2] und Liv. 31,12,10 im J. 200) gestattete, sich im Minervatempel auf dem Aventin mit den Kanzleibeamten zu versammeln (vgl. Fest. p. 446, im Detail ungenau). Da sich die Dichter später im Templum Herculis Musarum auf dem südlichen Marsfeld trafen, scheint eine Reorganisation und Übertragung des Collegiums mit der Zensur (179) des Fulvius Nobilior (und dem Einfluß des Ennius) zusammenzugehören, der einen älteren Hercules-Tempel mit einer Porticus umgab und dort die 189 aus Ambrakia geraubten Musengruppe dedizierte [3. 332 ff.]; die Schauspieler, deren gesellschaftliches Ansehen gesunken war [4, 91 ff.], wurden durch die Dichter ersetzt. Ein Subalternbeamter ist in augusteischer Zeit als *magister scribarum poetarum* inschr. nachgewiesen (s. [5; 6]). Als Mitglieder traten vor allem Theaterdichter hervor (Val. Max. 3,7,11, hier nur *c. poetarum*); zu einer im Tagungslokal aufgestellten Statue des Accius vgl. Plin. nat. 34,19. Dort fanden Rezitationen von Theaterstücken, bei denen Maecius Tarpa als Kunstrichter gefürchtet war (Hor. ars 387; sat. 1,10,37 ff.), zur Auswahl für die *ludi*, aber auch »freie« Dichterlesungen anderer Gattungen statt (Hor. epist. 2,2,91 ff.); Terenz mag ebendort die fortwährenden Proteste seines Konkurrenten Luscius erlitten, Martial sich mit seinen Dichterfreunden in der *schola poetarum* (3,20,8 ff.; 4,61,3 f.) unterhalten haben.

1 N. Horsfall, The C. Poetarum, in: BICS 23, 1976, 79–95 (zu skeptisch) **2** C. Cichorius, Röm. Stud., 1922, 1–7. **3** J. Rüpke, Kalender und Öffentlichkeit, 1995 **4** H. Leppin, Histrionen, 1992 (Lit. 93, Anm. 12) **5** J. H. More, Cornelius Surus, in: GB 3, 1975, 241–262 **6** S. Panciera, Ancora sull'iscrizione di Cornelius Surus magister scribarum poetarum, in: BCAR 91,1, 1986, 35–44.   P. L. S.

Colonatus. *Colonus* bezeichnet den Bauern, speziell den Landpächter, in der Spätant. den von einem Grundherrn abhängigen schollenpflichtigen Pachtbauern (→ Pacht).

A. Frühe Kaiserzeit

Die Verpachtung von Land war schon in der späten Republik und im frühen Prinzipat neben der Bewirtschaftung der Güter durch → Sklaven weit verbreitet (vgl. u. a. Dig. 19,2; Colum. 1,7). Die Pachtverträge wurden in der Regel auf 5 Jahre (*lustrum*) abgeschlossen. Die Pacht wurde in It. zumeist in Geld entrichtet; daneben kam auch Natural(Teil)pacht vor (Dig. 19,2,19,3; 19,2,25,6; Plin. epist. 9,37,3). Wie die in den Quellen häufig bezeugten Bitten von *coloni* um Pachtnachlässe (Plin. epist. 9,37,2; 10,8,5; zu den rechtlichen Voraussetzungen vgl. Dig. 19,2,15) zeigen, war die wirtschaft-

liche Situation der meisten Pächter recht prekär. Viele *coloni* waren bei den Grundbesitzern permanent verschuldet, die in einem solchen Fall die von den *coloni* gestellten Pfänder verkauften; dadurch wurde aber die wirtschaftliche Situation der Pächter noch weiter verschlechtert. Ein Pächter, der den Pachtzins schuldig blieb, konnte vertrieben werden; dies kam wohl nur selten vor, denn es war schwierig, geeignete Pächter zu finden (Plin. epist. 3,19,6; 9,37,2). Nach Ablauf des Pachtvertrages stand es den Grundbesitzern frei, sich neue Pächter zu suchen; normalerweise wurde aber ein Pächterwechsel vermieden (Colum. 1,7,3). Bereits im 2. Jh. n. Chr. sind Pächterfamilien epigraphisch bezeugt, die über mehrere Generationen auf einem Gut lebten. Spätestens seit dem 3. Jh. galt ein Pachtvertrag nach Ablauf der Pachtzeit stillschweigend als verlängert, wenn er nicht explizit gekündigt worden war (Dig. 19,2,13,11; 19,2,14; Cod. Iust. 4,65,16). Es war im 3. Jh. gesetzwidrig, *coloni* gegen ihren Willen auf dem Land festzuhalten (Cod. Iust. 4,65,11), was vermutlich oft im Fall einer Verschuldung geschah.

Die Situation der *coloni* auf den kaiserlichen Gütern in Nordafrika wurde durch die *lex Manciana* geregelt; die *coloni* hatten ein Teil der Ernte (ein Drittel des Weizens, der Gerste, des Weins und des Olivenöls) abzuliefern und darüber hinaus an sechs Tagen im Jahr Arbeiten (*operae*) für die *conductores* zu verrichten (CIL VIII 25902). Die Kultivierung von Brachland wurde dadurch begünstigt, daß die *coloni* für solches Land mehrere Jahre lang keine Pacht entrichten mußten (CIL VIII 25943). Über einen Konflikt zwischen den *coloni* und den *conductores*, die den Umfang der *operae* erhöhen wollten, informiert eine Inschr. aus der Zeit des Commodus (CIL VIII 10570).

Die in der Forsch. oft vertretene Auffassung, es habe im Prinzipat in der Landwirtschaft eine Entwicklung von der Sklaven- zur Kolonenwirtschaft gegeben, dürfte kaum der Realität entsprechen: Einerseits war bereits im frühen Prinzipat der Einsatz von Sklaven in der Landwirtschaft in weiten Regionen des Reiches die Ausnahme, andererseits hielt sich die Sklaverei in den Gebieten, in denen sie im frühen Prinzipat verbreitet war, auch in der Spätantike. Der Einsatz von Sklaven oder *coloni* hing davon ab, welche Arbeitskräfte in einer Region verfügbar waren.

B. Spätantike

In der Spätant. wandelte sich der Charakter des *c.* Ein Teil der Pächter wurde durch Gesetz an den Boden gebunden, wobei fiskalische Motive im Vordergrund standen (Vereinfachung der Steuererhebung; Sicherstellung regelmäßiger Steuereingänge). Die *coloni* wurden in den Steuerregistern unter dem Namen des Grundbesitzers geführt; sie waren *censibus adscripti* (hieraus leitete sich der seit der 2. H. des 5. Jh. in den Rechtsquellen begegnende Terminus *adscripticius* ab; in den westl. Rechtsquellen erscheint hierfür der Begriff *originalis*). Pächter, die selbst Land besaßen, wurden unter eigenem Namen in den Registern geführt und zahlten selbst Steuern

(Cod. Theod. 11,1,14). Die Bodenbindung, die angesichts des Arbeitskräftemangels im Interesse der Grundbesitzer lag, wurde daher in Gebieten, in denen die → *capitatio* abgeschafft wurde, beibehalten (Cod. Iust. 11,52,1). Die Schollenbindung (*glebae adscriptio*) hatte für den *colonus* zwar Nachteile, sie schützte ihn aber zugleich vor einer Vertreibung durch den Grundbesitzer. Der Pachtzins wurde zumeist in Naturalien entrichtet (Cod. Iust. 11,48,5; zur Geldpacht vgl. Cod. Iust. 11,48,20 pr.; 1).

Der personenrechtliche Status der *coloni* bzw. *adscripticii* verschlechterte sich im 4. und 5. Jh. Sie durften Eigenbesitz (*peculium*) nur mit Zustimmung des Grundbesitzers verkaufen (Cod. Iust. 11,50,2,3; 11,48,19) und konnten gegen den Grundbesitzer nur wegen *superexactio* (Einforderung eines zu hohen Pachtzinses) oder in Strafsachen prozessieren (Cod. Iust. 11,50,1; 11,50,2,4). Manche Grundbesitzer suchten Einfluß auf die Religionszugehörigkeit ihrer Bauern zu nehmen; flüchtigen *coloni* drohten Züchtigung und Fesseln (Cod. Theod. 5,17,1; Cod. Iust. 11,53,1). Gleichwohl kam es nicht zu einer völligen Angleichung der personenrechtlichen Stellung der *coloni* an die der Sklaven. Noch im 6. Jh. etwa wandten sich viele *adscripticii* weiterhin an die Gerichte (Nov. Iust. 80 pr.; 1 f.), was Sklaven verwehrt war. Es kann aber keinem Zweifel unterliegen, daß die Beziehungen zwischen *colonus* und *possessor* durch eine weitreichende Asymmetrie gekennzeichnet waren. Klagen über Ausbeutung und ökonomische Bedrückung der *coloni* durch die Grundbesitzer begegnen häufig (Aug. epist. 247; Ioh. Chrys. hom. Matth. 61 [62],3; Theod. hist. eccl. 14,3; Vita Theod. Syc. 76).

Die Bindung der *coloni* an den Boden konnte allerdings nur begrenzt verwirklicht werden. Zahlreiche *coloni* fanden Aufnahme in Armee, Verwaltung oder Klerus, obgleich mehrere Gesetze dies zu verhindern suchten und etwa die Aufnahme von *coloni* in den Klerus nur mit Zustimmung des Grundbesitzers zuließen (Cod. Iust. 1,3,36 pr.). Seit 419 erlangte ein flüchtiger *colonus*, der während 30 Jahren nicht von seinem Grundbesitzer zurückgefordert worden war, seine Unabhängigkeit (Cod. Theod. 5,18,1; kaiserliche *coloni*: Nov. Val. 27). Seit 451 galt im Westen die Regelung, daß ein flüchtiger *colonus* nach 30 Jahren *originalis* des Grundbesitzers wurde, auf dessen Land er sich niedergelassen hatte (Nov. Val. 31), während im Osten die Verjährungsfrist von 30 Jahren bis Justinian galt (Cod. Iust. 11,48,22,3 ff.; 11,48,23 pr.). Die Zahl der *adscripticii* nahm im 5. Jh. wohl ab; daher bestimmte Anastasius, daß Freie, die sich auf einem Gut niederließen, nach 30 Jahren an das Land gebunden waren. Sie wurden keine *adscripticii*, sondern konnten über ihr Eigentum verfügen und gegen ihren Grundbesitzer prozessieren; begrenzt war allein ihre Bewegungsfreiheit (Cod. Iust. 11,48,19; 11,48,23,1 ff.; Nov. Iust. 162,2). Seit der 2. H. des 5. Jh. ist eine Differenzierung zwischen »freien« *coloni* und *adscripticii* belegt.

Der *c.* hatte für die spätant. Landwirtschaft wohl kaum die überragende Bed., die ihm in der Forsch. lange Zeit zugeschrieben wurde: Es bestand ein freies Kleinbauerntum fort; auf vielen Großgütern arbeiteten Sklaven, und es gab in weiten Teilen des Reiches weiterhin freie Pachtverhältnisse. Die früher vertretene Auffassung, in dem spätant. *c.* zeigten sich Feudalisierungstendenzen und die spätant. *coloni* seien die Vorläufer mittelalterlicher Leibeigener, darf heute als widerlegt gelten.

1 J.-M. CARRIÉ, Le »colonat du Bas-Empire«: un mythe historiographique?, in: Opus 1, 1982, 351–370 2 J.-M. CARRIÉ, Un roman des origines: les généalogies du »colonat du Bas-Empire«, in: Opus 2, 1983, 205–251 3 D. EIBACH, Unt. zum spätant. Kolonat in der kaiserlichen Gesetzgebung, 1977 4 M. I. FINLEY, Private Farm Tenancy in Italy before Diocletian, in: Ders., Property, 103–121; 188–190 5 D. FLACH, Inschr.-Unt. zum röm. Kolonat in Nordafrika, in: Chiron 8, 1978, 441–492 6 K.-P. JOHNE, J. KÖHN, V. WEBER, Die Kolonen in It. und den westl. Prov. des röm. Reiches, 1983 7 JONES, LRE, 795–808 8 A. H. M. JONES, The Roman Colonate, in: Past and Present 13, 1958, 288–303; Ndr. in: M. I. FINLEY (Hrsg.), Studies in Ancient Society, 1974, 288–303 9 D. P. KEHOE, The Economics of Agriculture on Roman Imperial Estates in North Africa, 1988 10 J.-U. KRAUSE, Spätant. Patronatsformen im Westen des Röm. Reiches, 1987, 88 ff. 11 A. MARCONE, Il colonato tardoantico nella storiografia moderna, 1988 12 P. W. DE NEEVE, Colonus. Private Farm-Tenancy in Roman Italy during the Republic and the Early Principate, 1984 13 B. SIRKS, Reconsidering the Roman Colonate, in: ZRG 110, 1993, 331–369.   J.K.

Colonia Agrippinensis. Das h. Köln, Hauptort (Tac. ann. 1,36,1; 37,2; 71,1) der nach *deditio* von Agrippa 38 v. Chr. aus dem Neuwieder Becken ins ehemalige Eburonenland übersiedelten Ubii (Strab. 4,3,4; Tac. ann. 12,27,1; Germ. 28,4). Gelegen auf der Schotterplatte der h. Altstadt (arch. ist das *oppidum Ubiorum* erstmals um Christi Geburt datiert). Oppidum (*Civitas*) *Ubiorum*, seit 50 n. Chr. Colonia *Claudia Ara Agrippinensium* (zum Namen [1. 125f.]). Mittelpunkt des Kaiserkults wurde der Altar der Ubii mit gewähltem Priester (*ara Ubiorum*: Tac. ann. 1,39,1; 57,2) [1]. Bei (*apud*) diesem Altar überwinterten seit ca. 10 n. Chr. die tiberische *legio I* und die *legio XX Valeria victrix*, die später (vor 43 n. Chr.) nach Bonna bzw. Novaesium abzogen. Die Lokalisierung der frühen Siedlungsteile ist strittig; vermutlich bildete die Marienburg, die seit flavischer Zeit ein ca. 4 ha großes Steinlager beherbergte, schon um 14 n. Chr. einen mil. Schwerpunkt, Divitia evtl. einen frühen Brückenkopf; kein Wandel innerhalb des Siedlungsareals in claudischer Zeit [2]. In C. A. residierte wohl von Anf. an die niedergerman. Heeresleitung und seit ca. 85 n. Chr. der niedergerman. Statthalter (ausgegrabenes Praetorium) [3]; das Flottenkommando befand sich 3 km rheinaufwärts beim Kastell der *classis Germanica* in Köln-Marienburg.

Auf Veranlassung seiner Gattin, der ca. 15 n. Chr. im *oppidum Ubiorum* geborenen Agrippina der Jüngeren,

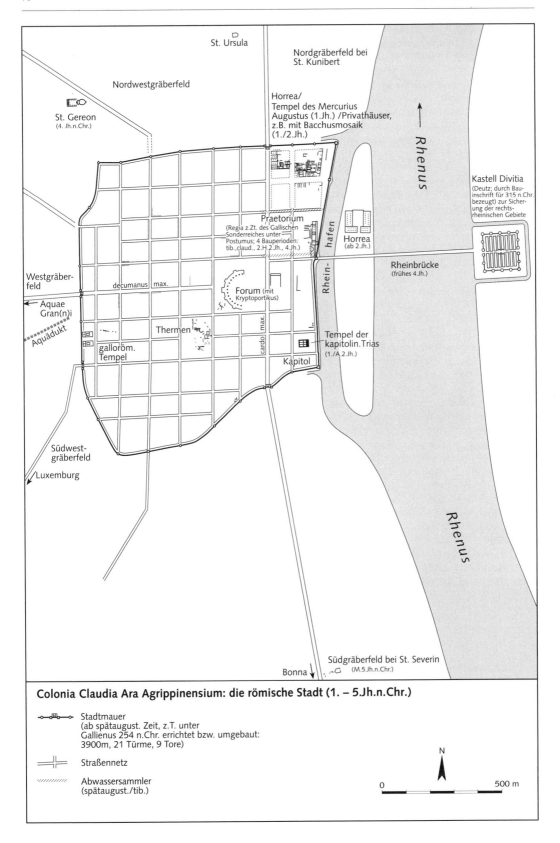

St. Ursula

Nordgräberfeld bei
St. Kunibert

Nordwestgräberfeld

St. Gereon
(4. Jh.n.Chr.)

Horrea/
Tempel des Mercurius
Augustus (1.Jh.) /Privathäuser,
z.B. mit Bacchusmosaik
(1./2.Jh.)

Rhenus

Kastell Divitia
(Deutz; durch Bau-
inschrift für 315 n.Chr.
bezeugt) zur Sicher-
ung der rechts-
rheinischen Gebiete

Praetorium
(Regia z.Zt. des Gallischen
Sonderreiches unter
Postumus; 4 Bauperioden:
tib.,claud., 2.H.2.Jh., 4.Jh.)

Rhein-
hafen

Horrea
(ab 2.Jh.)

Rheinbrücke
(frühes 4.Jh.)

Westgräber-
feld

decumanus max.

Rhein-

Forum (mit
Kryptoportikus)

Aquae
Gran(n)i

Aquädukt

Thermen

cardo max.

Tempel der
kapitolin.Trias
(1./A.2.Jh.)

galloröm.
Tempel

Kapitol

Südwest-
gräberfeld

Luxemburg

Rhenus

Südgräberfeld bei St. Severin
(M.5.Jh.n.Chr.)

Bonna

Colonia Claudia Ara Agrippinensium: die römische Stadt (1. – 5.Jh.n.Chr.)

Stadtmauer
(ab spätaugust. Zeit, z.T. unter
Gallienus 254 n.Chr. errichtet bzw. umgebaut:
3900m, 21 Türme, 9 Tore)

Straßennetz

Abwassersammler
(spätaugust./tib.)

N

0   500 m

erhob Kaiser Claudius C. A. zur Veteranenkolonie (Tac. ann. 12,27,1 [4]). Trotz gelegentlicher Rückschläge durch Katastrophen (z. B. Schadensfeuer 58 n. Chr., Tac. ann. 13,57,3) und Bürgerkriege (bes. im → Bataveraufstand) [5] blühte die Siedlung bis Mitte des 3. Jh. zu einem wirtschaftlichen Oberzentrum [6] mit starken Handelskontakten zu den translimitanen Regionen auf. Die 96,8 ha umschließende Stadtmauer [7] beherbergte um 200 n. Chr. ca. 15000 Bewohner, weitere ca. 5000 lebten außerhalb der Mauern. Arch. und epigraphisch [8] nachgewiesen sind ein rechtwinkliges Straßennetz mit Forum, Kapitol, Praetorium, Rheinhafen und -brücke, Wohnviertel, Gewerbebetriebe (Töpfereien, Glas- und Lederwaren); in den Randbezirken größere *villae* und zahlreiche Gutshöfe; die Gräberfelder lagen kranzförmig um die Stadtmauer, bes. an den nach Süden, Westen und Norden führenden Hauptstraßen.

In C. A. begann die Usurpation des → Vitellius am 2.1.69 n. Chr. (Tac. hist. 1,56 ff.), Traianus wurde hier am 27.1.98 zum Augustus erhoben (Eutr. 8,2,1). Seit 257 hatte C. A. eine eigene Münzstätte (Zeichen: CCAA). Im Herbst 260 konnte C. A. mit dem von Kaiser Gallienus (vgl. [1. 125 f.]) minderjährig zurückgelassenen Saloninus der Belagerung des Usurpators Postumus nicht widerstehen und wurde so zum Ausgangspunkt des Gallischen Sonderreiches. Postumus' Nachfolger Victorinus wurde hier 271 mit seinem Sohn aus privaten Gründen ermordet. Unter Constantinus d. Gr. erfreute sich C. A. der kaiserlichen Förderung (→ Divitia). Von zehnmonatiger Plünderung 355/356 (Amm. 15,8,19; Schuttschichten) erholte sich C. A. nie mehr richtig; die letzte öffentliche Bautätigkeit im Namen des Gegenkaisers Eugenius besorgte der fränkische Heermeister Arbogast, der im Winter 392/393 in C. A. den Rhein überschritt (CIL XIII 8262 [8. Nr. 188]). Im 5. Jh. mehrfach zerstört, verlor der Feldherr Aegidius C. A. 456 n. Chr. an die Franci, die unter Sigibert das erste fränkische Königreich um Köln gründeten (511 eine *aula regia* für Theoderich I., Sohn Chlodovechs); um 540 fränkische Münzen. C. A. war im 4. Jh. Bischofssitz (der Dom wohl schon Bischofskirche); wichtige Ausgrabungen unter St. Severin, St. Gereon und St. Ursula [9].

1 H. GALSTERER, Von den Eburonen zu den Agrippinensern, in: Kölner Jb. Vor- und Frühgesch. 23, 1990, 117–126 2 B. PÄFFGEN, W. ZANIER, Überlegungen zur Lokalisierung von Oppidum Ubiorum und Legionslager im frühkaiserzeitlichen Köln, in: FS G. Ulbert, 1995, 111–129 3 R. HAENSCH, Das röm. Köln als »Hauptstadt« der Prov. Germania inferior (Gesch. in Köln 33), 1993, 5–40 4 W. ECK, Agrippina, 1993 5 D. TIMPE, Romano-Germanica, 1995, 71–78 6 E. FREZOULS, Gallien und röm. Germanien, in: F. VITTINGHOFF (Hrsg.), Hdb. der Europ. Wirtschafts- und Sozialgesch. 1, 1990, 429–509 7 K. BACK, Unt. an der röm. Stadtmauer unter der Sakristei des Kölner Doms, in: Kölner Jb. Vor- und Frühgesch. 23, 1990, 393–400 8 B. GALSTERER, H. GALSTERER, Die röm. Steininschr. aus Köln, 1975 und Nachträge 9 E. DASSMANN, Die Anf. der Kirche in Deutschland, 1993, 104–140.

H. HELLENKEMPER, Arch. Forsch. in Köln seit 1980, in: Arch. in Nordrhein-Westfalen, 1990, 75–88 • Ders., Köln: Großstadt-Arch., in: Bodendenkmalpflege im Rheinland 1, 1992, 24–29 • Ders. et al., in: H. G. HORN (Hrsg.), Die Römer in Nordrhein-Westfalen, 1987, 459–519 • Laufende Berichte in BJ und Kölner Jb. Vor- und Frühgeschichte. K. DI.
KARTEN-LIT.: B. PÄFFGEN, S. RISTOW, Die Römerstadt Köln zur Merowingerzeit, in: A. WIECZOREK u. a. (Hrsg.), Die Franken – Wegbereiter Europas I, 1996, 145–159; bes. 146 mit Abb. 100 • H. SCHMITZ, Colonia Claudia Ara Agrippinensium, 1956 • H. HELLENKEMPER, Architektur als Beitrag zur Gesch. der CCAA, in: O. DOPPELFELD, Das röm. Köln I., Ubier-Oppidum und Colonia Agrippinensium, ANRW II 4, 1975, 715–782 • G. RISTOW, Religionen und ihre Denkmäler im ant. Köln, 1975 • M. RIEDEL, Köln, ein röm. Wirtschaftszentrum, 1982 • H. GALSTERER, Von den Eburonen zu den Agrippinensern. Aspekte der Romanisation am Rhein, in: Kölner Jb. für Vor- und Frühgesch. 23, 1990, 117–126.

Coloniae A. DEFINITION B. GRÜNDUNG UND VERFASSUNG C. BÜRGERKOLONIEN D. LATINISCHE KOLONIEN E. GESCHICHTE

A. DEFINITION

Eine *colonia* war eine Ansiedlung von Bürgern (mit einer mehr oder weniger großen Beimischung von Nichtbürgern) zur mil. und polit. Festigung der röm. Herrschaft, später zur Versorgung von Veteranen und gelegentlich stadtröm. Proletariat, fast immer in einer eroberten Stadt, deren Bürger in irgendeiner Form an der Kolonie beteiligt werden (vgl. die Definition bei Serv. Aen. 1,12).

B. GRÜNDUNG UND VERFASSUNG

C. werden aufgrund von Volksgesetz durch Beamte, meist *IIIviri c. deducendae*, ab Marius mehr und mehr durch die mil. Machthaber, dann die Kaiser gegründet. Die Kolonisten werden aus Freiwilligen rekrutiert, nur gelegentlich hört man von Zwang. Der Zug aus Rom an den gewählten Ort (*deductio*) geschah in mil. Ordnung. Nach Ausmessung von Land und Stadtgebiet (→ *centuriatio*) erfolgt die eigentliche Gründung *ritu Etrusco*, analog derjenigen Roms [1]. Vor Ort werden zunächst Befestigungen und öffentliche Gebäude, erst später Privathäuser errichtet (zu Cosa vgl. [2]). Die *IIIviri* erlassen auch das erste Koloniestatut (*lex c.*). Gegenüber früheren Vorstellungen von einer generellen Vertreibung oder Unterdrückung der Vorbevölkerung wird aus arch. (Aquileia) und epigraphischen (Brundisium) Befunden immer deutlicher, daß mehr oder weniger große Teile von ihr integriert wurden, selbst in die Führungsschicht.

C. BÜRGERKOLONIEN

C. civium Romanorum waren zunächst sehr klein; es gab wohl eine Standardzahl von 300 Kolonistenfamilien, von denen jeder die kaum zum Lebensunterhalt ausreichende Fläche von 2 *iugera* (*bina iugera*), d. h. ein halbes Hektar, erhalten haben soll. Sie waren an der

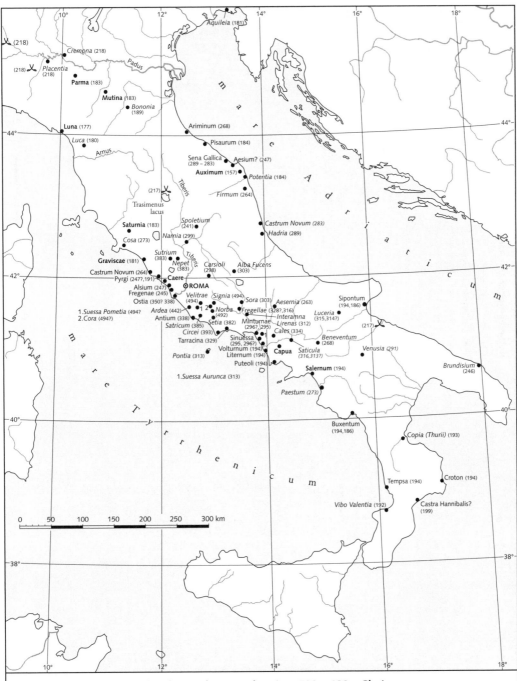

Koloniegründungen in Italien bis zu den Gracchen (um 500 – 133 v.Chr.)

Salernum
(196)
colonia civium Romanorum (röm. Gründung
nach dem Hannibalkrieg; mit Jahreszahl)

Tarracina
(329)
colonia civium Romanorum (römische Klein-
kolonie, sog. Colonia maritima; mit Jahreszahl)

Brundisium
colonia Latina (gemeinsame Gründung durch Rom und
seine latinischen Bundesgenossen; mit Jahreszahl)

(217)
Schlacht (mit Jahreszahl)

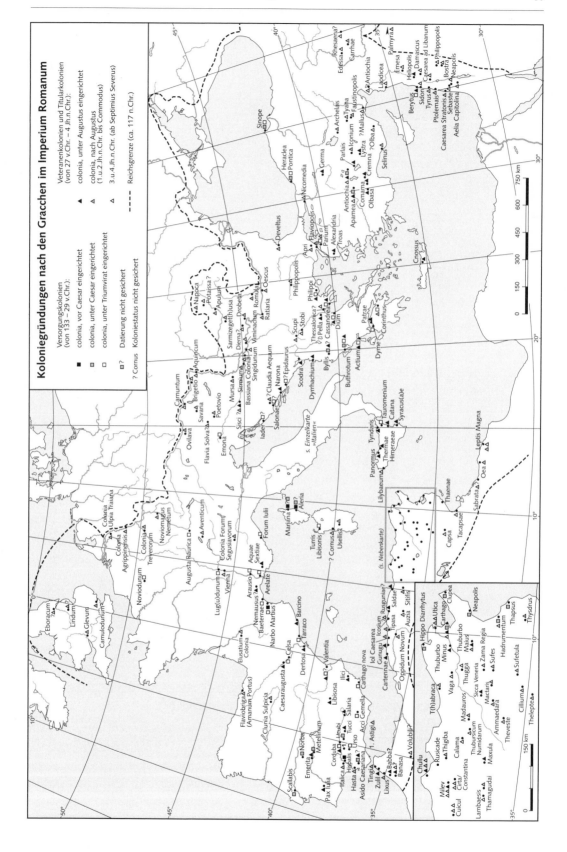

Koloniegründungen nach den Gracchen im Imperium Romanum

Versorgungskolonien
(von 133 – 29 v.Chr.):

■ colonia, vor Caesar eingerichtet

□ colonia, unter Caesar eingerichtet

□ colonia, unter Triumvirat eingerichtet

Veteranenkolonien und Titularkolonien
(von 27 v.Chr. – 4 Jh.n.Chr.):

▲ colonia, unter Augustus eingerichtet

▲ colonia, nach Augustus
(1. u. 2 Jh.n.Chr. bis Commodus)

▲ 3 u. 4.Jh.n.Chr. (ab Septimius Severus)

--- Reichsgrenze (ca. 117 n.Chr.)

▣? Datierung nicht gesichert

? Cornus Koloniestatus nicht gesichert

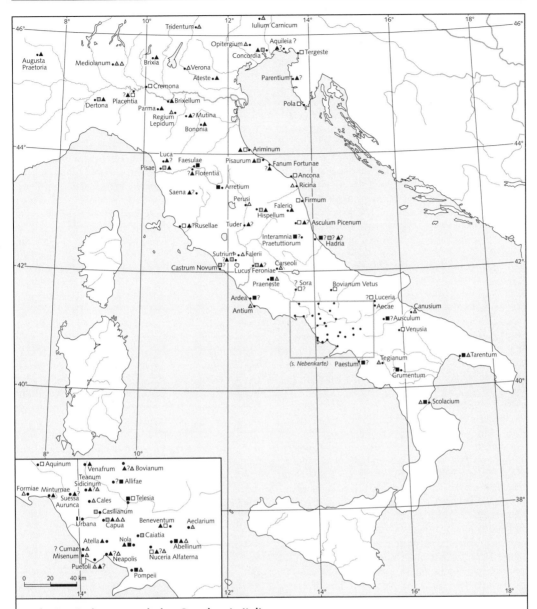

Koloniegründungen nach den Gracchen in Italien

Versorgungskolonien
(von 133 – 29 v.Chr.):

■   colonia, vor Caesar eingerichtet

▣   colonia, unter Caesar eingerichtet

□   colonia, unter Triumvirat eingerichtet

▣? Datierung nicht gesichert

? Sora   Koloniestatus nicht gesichert

Veteranenkolonien und Titularkolonien
(von 27 v.Chr. – 4.Jh.n.Chr.):

▲   colonia, unter Augustus eingerichtet

△   colonia, nach Augustus (1.u.2.Jh.n.Chr. bis Commodus)

△   3. u. 4.Jh.n.Chr. (ab Septimius Severus)

0   100   200   300 km

Küste gelegen, der Ausdruck *c. maritimae* (bei Siculus Flaccus p. 99 TH.) ist jedoch wohl kein t.t. Ob sie eine Rolle beim Schutz der Küste spielten, oder ob dies nur Rückschluß aus dem Namen ist, bleibt unklar. Ab dem 2. Jh. v. Chr. (183 Mutina und Parma) nähern sich die Bürgerkolonien den latinischen in Siedlerzahl, Landquote und Lage an. Die Kolonisten in der Bürgerkolonie bleiben Vollbürger, wohl zunächst in ihrer alten Tribus, und das ihnen assignierte Land wurde Eigentum quiritarischen Rechts und damit *censui censendo*. Landanweisungen in Bürgerkolonien konnten sich also auf die polit. Zusammensetzung der röm. Bürgerschaft auswirken; vermutlich deshalb blieb die Assignationsquote für die Kolonisten gering; man stattete sie lieber mit *census*-unschädlichem → *ager publicus* aus. Die Selbstverwaltung der Bürgerkolonien war am Anfang vielleicht gering, doch wenn man ihnen eine mil. Rolle, z.B. beim Küstenschutz, zuspricht, können sie nicht ganz ohne eigene Magistrate gewesen sein. Die noch in der → *lex c. Genetivae Iuliae* (103 CRAWFORD) belegte Befehlsgewalt des kolonialen *IIvir* im Verteidigungsfall mag wie der an anderer Stelle des Gesetzes belegte *tumultus Italicus Gallicusve* (62) die Verhältnisse im republikanischen Italien widerspiegeln. Oberbeamte aller Kolonien waren zunächst *praetores* (Castrum Novum, CIL IX 5145), später die üblichen *IIviri*. Eine generelle Rechtsprechung von römischen *praefecti iure dicundo* läßt sich nicht nachweisen.

D. LATINISCHE KOLONIEN

Nach der Beendigung der Latinerkriege 338 v. Chr. setzt Rom die bislang vom Latinerbund beschlossene und durchgeführte Gründung von latinischen Kolonien alleine fort. Wie bei den Bürgerkolonien werden sie aufgrund eines Volksbeschlusses von röm. Magistraten, meist *IIIviri*, deduziert. Latinische Kolonien sind Festungen an der Grenze zu oder im Feindesland, wie etwa Venusia oder Aquileia: deshalb sind sie, was die Zahl der Kolonisten und auch was das Territorium betrifft, viel größer dimensioniert als die frühen Bürgerkolonien. Sie sind selbständige Staaten (→ *civitates*) röm. Bürger, die den Hauptteil der Kolonisten stellen, verlieren deshalb bei der Deduktion ihr röm. Bürgerrecht (das allerdings bei einer Rückkehr nach Rom wieder auflebt). Die latinischen Kolonien besitzen eigene mil. Einheiten (*alae* und *cohortes*, manche auch Schiffe), die unter den röm. Bundesgenossen (*socii*) kämpften. Zur Aufstellung dieser Truppen besaßen die latinischen Kolonien einen eigenständigen → *census*. Da die soziale und polit. Position des einzelnen Kolonisten von seinem Platz im lokalen, nicht röm. *census* abhing, bekamen die neuen Kolonisten bei der Gründung der latinischen Kolonie Land entsprechend ihrem Rang zugewiesen (nach Liv. 40,34,2 erhielten in Aquileia die einfachen Kolonisten 50, die *centuriones* 100 und die *pedites* sogar 140 *iugera* Land zugewiesen). Eine Teilung in bevorrechtigte und weniger bevorrechtigte latinische Kolonien ist nicht nachzuweisen.

E. GESCHICHTE

Sowohl Rom als auch seine latinischen Nachbarn gründeten im 5. und 4. Jh. v. Chr. zur Versorgung der eigenen überschüssigen Bevölkerung und zur Sicherung unterworfener Städte auf beschlagnahmtem Land *c.*, teils allein, teils gemeinsam im Rahmen des *nomen Latinum*. In dieser Zeit gehen wohl → Ostia sowie Sutrium und Nepet an der etr. Grenze zurück, doch ist ihre damalige Rechtsstellung unklar. Ab 338 v. Chr. werden dann von Rom Bürgerkolonien und latinische Kolonien im oben beschriebenen Sinn gegründet, wobei die Zahlen der Kolonisten immer größer wurden. Im 2. Jh. hören Koloniegründungen im eigentlichen It. weitgehend auf. In der Gallia Cisalpina setzt sich die Zahl der *c.* aber fort, und als 90/89 v. Chr. alle Gemeinden südl. des Po das Bürgerrecht erhalten, werden die gallischen und venetischen *civitates* nördl. ohne Deduktion in den Status von latinische Kolonien überführt (Ascon. 3 C), ein Modell, das dann unter Caesar und Augustus in Gallien und Hispanien weite Verbreitung fand. Die ersten Bürgerkolonien außerhalb It. waren die *colonia Iunonia* Karthago, die ihr Koloniestatut allerdings nach dem Fall des C. Gracchus 121 v. Chr. wieder verlor, und dann 118 Narbo Martius, an der Straße von It. nach Spanien. Seit Marius und Sulla werden Kolonien zur Versorgung von → Veteranen üblich (vgl. die Legionsnummern augusteischer Kolonien in der Narbonensis bei Plin. nat. 3,36). Die Deduktion von latinischen Kolonien hatte schon im 1. Jh. v. Chr. und die Neueinrichtung überhaupt im 1. Jh. n. Chr. aufgehört. Am Ende dieses Jh. unter Domitian und Traian, werden dann auch die letzten Bürgerkolonien deduziert. Seitdem werden bereits bestehende Städte (meist → *municipia*) durch Verleihung des Titels geehrt, sog. »Honoratkolonien« (eine der letzten war Nicomedia unter Diokletian, CIL III 326). Insgesamt betrug die Zahl der Kolonien schließlich an die 400. So wie sie nach einem in der Kaiserzeit verbreiteten Gefühl als *effigies parcae simulacraque populi Romani* höheres Ansehen genossen als die Municipien (Gell. 16,13), erhoben sich über einfache *c.* solche, die → *immunitas* oder gar *ius Italicum* genossen. Auch Beinamen, meist mit Hinweis auf kaiserliche Gründer, zeichneten einzelne *c.* aus. Die *c.* waren einer der wichtigsten Kanäle der Romanisation, durch die das Mittelmeergebiet ein *orbis Romanus* wurde.

1 C. MOATTI, Archives et partages de la terre dans le monde romain, 1993 **2** P. BROWN, The world of the late antiquity, 1971 **3** G. ZACCARIA, Novità epigrafiche del foro di Aquileia, in: Epigrafia romana in area adriatica 1997 (im Druck).

QUELLEN: Cicero, De lege agraria · M. H. CRAWFORD (Hrsg.), Roman Statutes 1, 1996, nr. 25, Lex c. Genetivae Iuliae, · Corpus agrimensorum, hrsg. von LACHMANN, BLUME und RUDORFF, Liber coloniarum
LIT.: H. GALSTERER, Herrschaft und Verwaltung im republikanischen It., 1976 · B. GALSTERER-KRÖLL, Unt. zu den Beinamen der Städte des Imperium Romanum, 1972 · L. KEPPIE, Colonisation and Veteran Settlement in Italy

47–14 BC, 1983 • E. Kornemann, s. v. C., RE 4, 510–588 (Liste der *c.*) • B. Levick, Roman Colonies in Southern Asia Minor, 1967 • Misurare la Terra, 1984 ff. • E. T. Salmon, Roman Colonization under the Republic, 1969 • A. N. Sherwin-White, The Roman Citizenship, 1973 • F. Vittinghoff, Röm. Kolonisation und Bürgerrechtspolitik unter Caesar und Augustus, 1950. Karten-Lit: E. Kornemann, s. v. C., RE 4, 510–588 • F. Vittinghoff, Röm. Kolonisation und Bürgerrechtspolitik unter Caesar und Augustus, 1951 • E. T. Salomon, Roman Colonization under the Republic, 1969 • H. Galsterer, Herrschaft und Verwaltung im republikanischen Italien, 1976 • L. Keppie, Colonisation and Veteran Settlement in Italy, 47–14 B. C., 1983. H. GA.

Colossus Neronis (Colossus Solis). Ca. 40 m hohe, brn. Porträtstatue des Nero in Rom (Plin. nat. 34,45; Suet. Nero 31; Mart. epigr. 2) als Parallele zu seinem 120 Fuß hohen Porträtgemälde auf Leinwand in den *horti Maiani* (Plin. nat. 35,51), im Bereich des *vestibulum* der → *domus aurea* konzipiert. Beauftragter Künstler war → Zenodoros; Plinius besuchte seine Werkstatt und sah ein Tonmodell des C. N. (nat. 34,46). Nach der → *damnatio memoriae* des Nero wurde der Koloß in eine Statue des Sol umgewandelt (Plin. nat. 34,45; Suet. Vesp. 18), nach anderer Überlieferung soll er Züge des Titus erh. haben und auf die Via Sacra verlagert worden sein (Cass. Dio 66,15,1). Hadrian ließ die Figur vor dem Kolosseum aufstellen (SHA Hadr. 19,12), was nach Ausweis der → Ziegelstempel in der Basis nach 123 n. Chr. geschah. Commodus soll versucht haben, die Statue an seine Porträts bzw. seine eigene Herakles-Imitation anzugleichen (Cass. Dio 72,22,3; SHA Comm. 17, 9–10). In severischer Zeit trat der Sol-Aspekt, bes. in seiner syrisch-teleologischen Prägung, verstärkt in Erscheinung, was den Koloß zu einem Abbild der Richterschaft des Sol über das Schicksal der Menschen und des röm. Imperium werden ließ. Die einzigen gesicherten Darstellungen finden sich auf Mz. des Alexander Severus (RIC IV 2, 104 Nr. 410–411 Taf. 8 Nr. 2; BMC Emp. VI Sev. Alex. Nr. 156–158 Taf. 6) und Gordians III. (Cohen V2 37 Nr. 165).

C. Lega, in: LTUR I, 295–298 • Richardson, 93–94.
             R. F.

Columbarium s. Grabbauten

Columella A. Biographie B. Werke
C. Sprache und Stil D. Überlieferung und Nachwirkung

A. Biographie

L. Iunius Moderatus C. stammte aus Gades in der Baetica (Colum. 8,16,9; 7,2,4) und gehörte dem *ordo equester* an. Wie eine Inschr. aus Tarent zeigt, war C. *tribunus militum* der *legio VI Ferrata* (CIL IX 235 = ILS 2923). C. lebte von der spätaugusteischen Zeit bis zum Prinzipat des Vespasianus (1. Jh. n. Chr.). Sein Werk, das zum Teil zu Lebzeiten Senecas verfaßt wurde (Colum.

3,3,3) hat bereits Plinius ausgewertet (nat. 8,153; 15,66; 18,70; 18,303). Sprache und Stil verraten eine gute rhetor. Ausbildung und eine umfassende Kenntnis der Schriften Ciceros sowie der röm. Dichtung. Der Onkel von C., M. Columella, ein Gutsbesitzer in der Prov. Baetica, war neuen landwirtschaftlichen Methoden gegenüber aufgeschlossen. C. besaß in It. mehrere Güter (Caere: Colum. 3,3,3; Ardea, Carsioli, Alba: Colum. 3,9,2), auf denen Wein angebaut wurde.

B. Werke

1. Die Schrift *Adversus astrologos* (Colum. 11,1,31) ist verloren.

2. Erhalten ist hingegen das Buch *De arboribus*, das in den Hss. von *De re rustica* zwischen B. 2 und 3 überliefert ist, aber Teil eines eigenen, wohl früheren Werkes von C. darstellt.

3. Der Plan, ein Buch über die für den Anbau wichtigen rel. Bräuche zu schreiben (Colum. 2,21,5 f.), ist wahrscheinlich nicht realisiert worden.

4. Das Hauptwerk C.s, *De re rustica*, bietet eine umfassende Darstellung der röm. Landwirtschaft; ältere Autoren und ihre Schriften wurden von C. in großem Umfang benutzt, darunter der Karthager → Mago, → Cato, das Handbuch des Cornelius Celsus und nicht zuletzt die *Georgica* des Vergilius, den C. als Fachautor durchaus ernst nahm. In der *praefatio* von *De re rustica* äußert C. zwei für sein Denken grundlegende Einsichten: Die zunehmende Unfruchtbarkeit des Bodens, die von den Zeitgenossen mit der Alterung der Erde erklärt wurde, geht nach C. auf den Einsatz von Sklavenarbeit und auf die allg. Vernachlässigung der Landwirtschaft durch die Grundbesitzer zurück (Colum. 1, praef. 1–3; vgl. 2,1). Gleichzeitig wird der Landwirtschaft, die der *sapientia* verwandt ist, eine hohe Dignität zugeschrieben (Colum. 1, praef. 4); sie gilt, wie bei Cato, als die angemessenste Methode, das Vermögen zu vermehren. Als wichtige Voraussetzungen einer erfolgreichen Landwirtschaft gelten bei C. Sachkenntnis, finanzielle Leistungsfähigkeit und Arbeitswille (Colum. 1,1,1). Dementsprechend ist das Studium der älteren Lit. für einen Landbesitzer ebenso notwendig wie seine Anwesenheit auf dem Gut. Die Kritik C.s richtet sich zuerst gegen den Großgrundbesitz, der nicht intensiv bewirtschaftet werden kann, die Abwesenheit der Großgrundbesitzer und den Einsatz arbeitsunwilliger Sklaven.

Das Werk ist systematisch aufgebaut und stellt alle wesentlichen Bereiche der Landwirtschaft dar (Getreideanbau: B. 2; Weinanbau, Olivenbäume, Obstbäume: B. 3–5; Viehzucht: B. 6–7; Geflügel- und Bienenzucht: B. 8–9; Gartenbau: B. 10), nach dem Vorbild Vergils in Versen. Später hinzugefügt wurde zunächst B. 11 über die Pflichten des *vilicus* und schließlich B. 12 über die *vilica*: 11,1,2; 11,3,65). Buch 11 enthält außerdem einen ausführlichen Arbeitskalender mit astronomischen und meteorologischen Angaben sowie eine Übersicht über die in einem bestimmten Monat zu verrichtenden Arbeiten (11,2). Die von C. beschriebenen Güter produzieren für den Markt und sind daher auf gute Transportwege zu den Städten angewiesen. Daneben darf die Produktion für den Eigenbedarf nicht übersehen werden (4,30,1; 11,3,1; 12,3,6). Die Arbeit der Sklaven soll so organisiert werden, daß sie möglichst gut überwacht werden kann; um dies zu erreichen, werden die Sklaven in Gruppen von 10 Mann eingeteilt (1,9,5–8). Nicht nur die Arbeitszeit ist geregelt (11,1,14–18; vgl. 12,1,3; zu den an Feiertagen erlaubten Arbeiten: 2,21), sondern auch die Arbeitsgeschwindigkeit: Für einzelne Arbeiten ist eine genaue Zeitnorm vorgegeben (2,12,1; vgl. 11,2,12f.; 11,2,26; 11,2,40; 11,2,44; 11,2,46). C. versucht seine Sklaven durch freundliche Behandlung für ihre Arbeit zu motivieren und empfiehlt zu kontrollieren, ob sie mit Nahrung und Kleidung gut versorgt werden (1,8,15–18). Gleichwohl gehört auch bei C. zu den Gebäuden eines Gutes ein unterirdisches *ergastulum* für die gefesselten Sklaven (1,6,3; vgl. 1,9,4f.). Längere Ausführungen werden auch der Verpachtung gewidmet, die vor allem für entfernt gelegene, schwer kontrollierbare Besitzungen ratsam sei (1,7). Obwohl C. sich durchgehend an den älteren Fachschriftstellern orientiert (→ Agrarschriftsteller), ist ihm an der Kritik älterer Irrtümer, der Auswertung eigener Erfahrungen und der Mitteilung von Neuerungen gelegen (vgl. 3,7; 3,10; 7,2,4f.). C. ist an hohen Einkünften aus der Landwirtschaft interessiert, wobei er anders als etwa Celsus nicht nur hohe Kosten zu vermeiden sucht, sondern die Kosten in Relation zu den Erträgen setzt (2,2,23f.) Das Einkommen aus der Landwirtschaft wird am Zinsertrag bei der Darlehenvergabe gemessen. C. glaubt, mit Weinanbau eine Verzinsung des für die Investitionen aufgewendeten Geldes von mehr als 6% erzielen zu können (3,3,8–15). Charakteristisch für C. ist die durchgehende Intellektualisierung: Der überkommene Lehrstoff wird rational, ohne Rücksicht auf die *maiores*, durchleuchtet.

C. SPRACHE UND STIL

C. zeigt sich sprachlich und stilistisch ambivalent – einerseits erstrebt er als »Cicero der Agronomie« (MARTIN) für das Fach einen Platz im röm. Bildungskanon; andererseits hat man Umgangs- und Fachsprachliches erkannt, auch Linien zum Spätlatein (obliquer Indikativ, vulgäre Abschwächung des Superlativs: *eximie optimum; bene* statt *valde; ne* in Konsekutivsätzen; unklass. Partikelgebrauch, Disjunktive koordinierend; umgangssprachliche Pleonasmen). Im Schnittpunkt von Bauern-, Fach- und Dichtersprache steht die sehr häufige *personificatio*. Auf stilistischen Höhepunkten (vgl. etwa 1, praef. 3–33 oder 4,8–10) vermag C. den Leser durchaus mitzureißen. Ängstlich werden Wortwiederholungen – sogar über Buchgrenzen hinweg – vermieden. So gibt es eine Synonymenflut zum Pflanzenleben, Pflügen, Säen etc. Auch Wechsel von Simplex/Kompositum, von Numerus und Kasus gelten als Variation.

Nach der Bewunderung der Humanisten bleibt die moderne Beurteilung von B. 10 gespalten. Die Glätte des Aufbaues, auch der Hexameter mit ovidischer Elision muß wohl als kritische Weiterführung Vergils ver-

standen werden. An Stelle eines dichterischen Aufbaues geht es jetzt in einem einzigen sachlich-zeitlichen Zug von Herbst zu Herbst. Die dunklen Seiten des Landlebens läßt C. zu Gunsten seiner optimistischen Weltsicht beiseite, paßt sich jedoch Vergils kleinbäuerlichem Rahmen an.

D. ÜBERLIEFERUNG UND NACHWIRKUNG

C. galt bereits in der Ant. als Autorität auf dem Gebiet der Landwirtschaft; er wird von Plinius, Palladius und in Werken der spätant. Tiermedizin zitiert; im frühen MA findet C. bei Cassiodorus und Isidorus Erwähnung. Die wichtigsten Hss. sind Sangermanensis Petropolitanus 207 (S) und Ambrosianus L 85 (A; beide aus dem 9. Jh.); beide Hss. weisen leider Lücken auf, in die 10 von den R-Hss. aus dem 15. Jh. als gültige Zeugen eintreten, allerdings mit einem Zug zu Korrekturen und Normalisierungen.

ED.: 1 V. LUNDSTRÖM, A. JOSEPHSON, S. HEDBERG u. a., 1897–1968 2 I. M. GESNER, Scriptores rei rusticae veteres Latini, 1735 3 J. G. SCHNEIDER, Scriptores rei rusticae veteres Latini 2, 1794 4 H. ASH, E. S. FORSTER, E. H. HEFFNER, 1941–1955 5 W. RICHTER, 1981–1983.

LIT.: E. CHRISTMANN, Zur ant. Georgica-Rezeption, in: WJA 8, 1982, 57–67 · DUNCAN-JONES, Economy, 33–59 · R. MARTIN, Etat présent des études sur C., ANRW II. 32,3, 1985, 1959–1979 · Ders., Recherches sur les agronomes latins et leurs conceptions économiques et sociales, 1971, 287–385 · Richter, Ed. 3,569–656 · W. SCHEIDEL, Grundpacht und Lohnarbeit in der Landwirtschaft des röm. It., 1994 · R. SUAUDEAU, La doctrine économique de C., 1957 · K. D. WHITE, Roman Farming, 1970. E. C.

Columna

[1] Antonini Pii s. Säulenmonumente
[2] Maenia. 318 v. Chr. während der Zensur des Plebejers C. Maenius, Konsul des Jahres 338 v. Chr., im Rahmen einer größeren Umgestaltung des → Forum Romanum in Rom errichtetes → Säulenmonument (Plin. nat. 34,20; Fest. 120L; Isid. orig. 15,3,11); nahe der *curia Hostilia* (Cic. Sest. 8,18 et Schol Bob. ad loc.; 58,124 et Schol. Bob. ad loc.) im Gebiet des späteren Bogens des Septimius Severus gelegen. Hier wurden säumige Schuldner von ihren Gläubigern ausgeschrieben (Cic. Sest. 8,18; 58,124) und Sklaven für Diebstahl und andere Delikte bestraft (Cic. div. in Caec. 16,50).

M. TORELLI, in: LTUR I, 301–302 · RICHARDSON, 94–95.
R. F.

[3] Marci Aurelii Antonini s. Säulenmonumente
[4] Minucia s. Säulenmonumente
[5] Phocae s. Säulenmonumente
[6] Rostrata M. Aemilii Paulli s. Säulenmonumente
[7] Rostratae Augusti s. Säulenmonumente
[8] Traiani s. Forum Traiani, s. Säulenmonumente

Comboiomarus (Conbolomarus, Combogiomarus). Keltisches Namenskompositum »mit großer Kampfkraft«? (SCHMIDT, 178). König der galatischen Tektosagoi oder Trocmi, die 189 v. Chr. auf seleukidischer Seite gegen Cn. → Manlius Vulso kämpften und sich auf den Bergen Olympos und Magaba verschanzt hatten (Liv. 38,19,2).

Combutis (Κόμβουτις). Galaterführer im Gefolge des → Brennus [2] beim Einfall in Griechenland 279 v. Chr. [1. 178]. C. und Orestorios wurden gemeinsam als Führer eines starken Aufgebots durch Thessalien nach Aitolia gesandt. Dort begingen sie große Grausamkeiten gegen die Bewohner der Stadt Kallion und erlitten beim Rückzug zu den Thermopylen erhebliche Verluste durch die herbeigeeilten Aitoler (Paus. 10,22,2–7).

1 SCHMIDT.   W. SP.

Comes, comites A. RÖMISCHE REPUBLIK UND KAISERZEIT   B. BYZANTINISCHE ZEIT

A. RÖMISCHE REPUBLIK UND KAISERZEIT

C. (von *com-* und *ire*, »mitgehen«) ist im weiteren Sinn der Begleiter, Vertraute oder mit Schutz- und Hilfsaufgaben für einen anderen Betraute (Dig. 47,10,1; 47,11,1,2). Im öffentlichen Bereich meint *c.* schon seit der republikanischen Zeit den zum Gefolge eines reisenden Amtsträgers, vor allem eines Provinzialmagistrats, Gehörenden (griech. ἑπόμενος); dabei kann es sich um Amtspersonen oder persönliche Freunde, Sklaven, Freigelassene, Klienten oder auch höchste Würdenträger handeln (Suet. Iul. 42; Dig. 1,18,16).

In einem spezielleren Sinne bezeichnet *c.* seit Beginn der Kaiserzeit den Angehörigen des kaiserlichen Gefolges (*comitatus*), wobei für dessen Zusammensetzung zunächst nichts anderes gilt als sonst bei Amtsträgern. Doch wirkt sich die bloße Nähe zum Kaiser – wie bei seiner Verwandtschaft und seinen *amici* – generell bei seinen *c.* oft politisierend auf ihre Position aus. Insbes. gibt es einen Kreis von Beratern und Mitarbeitern des Kaisers, die in einem engeren Sinne als *c.* gelten. Sie können, müssen aber nicht dem *consilium principis* angehören, dem zumindest seit Traians Regierungszeit eher formell organisierten Hof-Rat (Cass. Dio 52,33; Dig. 27,1,30).

Im Rahmen spätant. Zeremonialisierung und rechtlicher Formalisierung hofnaher Dienst- und Rangverhältnisse wird *c.* zu einem die drei Rangstufen des → *ordo dignitatum* bezeichnenden Titel (*comitivae primi ordinis* = Senatoren, *clarissimi*; *comitiva secundi* und *tertii ordinis* = *equites/perfectissimi*, Cod. Iust. 12,13,1; Cod. Theod. 12,1, 127). Mit der *comitiva primi ordinis* verbinden sich die senatorischen Ehren- und Immunitätsrechte (Cod. Iust. 12,14; 10,48,12); sie wird auch an eine größere Zahl ritterlicher Hof- oder verantwortlicher provinzialer Verwaltungsbeamter nach ihrer Emeritierung verliehen. Die *comitiva tertii* erhalten ehrenhalber etwa verdiente *decuriones* der städtischen *curiae* (Cod. Theod. 12,1,127).

C. dient ferner als Amtsbezeichnung für bes. wichtige, vom Vertrauen des Kaisers getragene Stellungen nicht nur in der Hof-, sondern auch in der Provinzialverwaltung, in der Zivil- und in der von ihr in der Spätant. getrennten Militärverwaltung. An den Höfen selbst erhalten einige vormalige ritterliche Dienststellungen im Verlaufe der Spätant. senatorischen Rang, wobei sie sich dann fast nur in den beiden obersten senatorischen Rangstufen – der *illustres* und der *spectabiles* – wiederfinden, während der einfache senatorische Rang – der *clarissimi* – im allg. den zivilen Regierungsvertretern in den Prov. zukommt.

Die Rangstufe eines *illustris* haben folgende *c.* in höfischen Diensten: (1) Der *c. sacrarum largitionum:* in der die Namen und Zuständigkeiten der Ämter teilweise markant wechselnden spätant. und frühbyz. Ämtergesch. zu Zeiten mit unterschiedlichem Gewicht zuständig für Steuererhebung, Zollwesen, Münzwesen, Staatswerkstätten, Bergwerke, Monopole und Besoldungswesen (Not. dign. or. 13; Cod. Iust. 1,32). (2) Der *c. sacri patrimonii:* zu Zeiten zuständig für opportun definierte Teile des eher zur persönlichen Verfügungsmasse des Kaisers gehörenden staatlichen Vermögens, vor allem an Landbesitz (Cod. Iust. 1,34). (3) Der *c. rerum privatarum:* zu Zeiten zuständig für größere, nach Bedarf aus den vorgenannten Amtsbereichen ihm unterstellte Teile des kaiserlich-staatlichen Vermögens und bes. für Komplexe von Fiskalinteressen (Not. dign. or. 14; Cod. Iust. 1, 33). (4) Die *c. domesticorum:* zu Zeiten Befehlshaber der kaiserlichen Leibgarde am Hofe (Not. dign. or. 15). Es gibt ferner mehrere *c.* der zweiten senatorischen Rangstufe *spectabilis:* (5) Die *c. consistoriani* (Mitglieder des kaiserlichen → *consistorium*, Cod. Iust. 12,10). (6) Die *c. tribuni scholarum:* Befehlshaber der hofnahen Gardetruppen (Cod. Iust. 12,11). (7) Die *c. et archiatri sacri palatii* (Cod. Iust. 12,13).

Am häufigsten sind *c.* mit ritterlichem Rang (*perfectissimatus*) und einer *comitiva secundi ordinis* an den Höfen vertreten, so etwa (8) *c. commerciorum:* zuständig u. a. für den Handel in Grenzprov. (Not. dign. or. 13,6ff.). (9) *C. largitionum per omnes dioeceses:* Teilressorts von (1), s. o. (Not. dign. or. 13,5). (10) *C. metallorum:* zuständig u. a. für Bergwerksnutzung (Not. dign. or. 13,11), (11) *c. rationales:* zuständig u. a. für die Verwendung von Naturaleinkünften, z. B. aus Ägypten (Not. dign. or. 13,12); (12) *c. domesticorum equitum* bzw. *peditum:* Unterbefehlshaber der kaiserlichen Leibgarde (Not dign. or. 15,9f.; Cod. Iust. 12,12). (13) *c. domorum:* Verwalter der dem persönlichen Bedarf der kaiserlichen Familie dienenden Vermögenskomplexe, vor allem der Güter in Kappadokien, im Kubikularbereich (Not. dign. or. 14,3; Cod. Iust. 12,5,2); (14) *c. sacrae vestis:* zuständig im Kubikularbereich für die »Kleiderkammer«, zeitweilig aber umfassender für die Hoforganisation (Cod. Theod. 11,18,1). (15) *C. (tribunus) stabuli:* unter dem *magister officiorum* zuständig für Pferde- bzw. Transportfragen des Hofes; zeitweilig aber mit weitergehender Zuständigkeit (Cod. Theod. 11,18,1).

Im Bereich provinzialer Regierungsämter finden sich in der Spätant. als ranghöchste *c.* (16) der *c. Orientis* als *vicarius* des *praef. praetorio Orientis* (Not. dign. orient. 22); (17) eine Anzahl weiterer *c.* als Leiter von Provinzregierungen (Cod. Iust. 1,40,3). (18) Auch einige nachgeordnete höhere Provinzialbeamte, wie z. B. die unter den *vicarii* der Diözesen stehenden *c. thesaurorum* tragen die Amtsbezeichnung *c.* (Cod. Iust. 12,23,2).

Beim Militär meint *c. militum sive militaris* den in Rang und Verantwortungsbereich über dem *dux*, aber unter dem *mag. militum* stehenden Befehlshaber, so etwa (19) den *c. militaris per Aegyptum* (Not. dign. orient. 28). *C.* dient zugleich als Ehrentitel für bes. mil. Leistungen (Not. dign. or. 1,35–37; Cod. Iust. 12,12).

↪ Amicus; Consilium; Palatium

J. BLEICKEN, Verfassungs- und Sozialgesch. des Röm. Kaiserreiches 1, ²1981, 127 ff. · JONES, LRE 366 ff., 411 ff., 607 ff. · MOMMSEN, Staatsrecht, 2.1, 988–992 · R. SCHNEIDER, Das Frankenreich, ²1990, 44 ff. · P. SCHREINER, Byzanz, 1986, 46 ff.   C. G.

B. BYZANTINISCHE ZEIT

Seit → Constantinus [1] I. Titel für höhere Beamte und Heerführer, vor allem für Angehörige des von ihm neu geschaffenen, in drei *ordines* gegliederten ständigen Beraterstabes (*consistorium*), der aber seit dem 5. Jh. an Bed. verlor. Bis zum 7. Jh. war der *c. sacrarum largitionum* der Chef des Fiskus, der *c. rerum privatarum* für die kaiserlichen Domänen verantwortlich. Ab dem 7. Jh. bleibt der gräzisierte Titel κόμης (*kómēs*) vornehmlich mil. Rängen vorbehalten, so dem Oberkommandanten des Thema (byz. Militärprov.) Opsikion (in Bithynien), entsprechend dem → στρατηγός (*stratēgós*) der übrigen Themen. Die sonstigen κόμητες (*kómētes*) sind niedrigeren Ranges, z. B. der κ. τῶν τειχέων (Bewacher der Palastmauern), der κ. τοῦ σταύλου (kaiserlicher Stallmeister), der κ. τῆς κόρτης, ein Stabsoffizier zur bes. Verfügung des στρατηγός. Allg. bezeichnet κ. nun den Anführer einer Grundformation (βάνδον) der byz. Armee.

LMA 1, 71 · ODB 1, 484 f. · J. F. HALDON, Byzantine Praetorians, 1984 · H.-J. KÜHN, Die byz. Armee im 10. und 11. Jh., 1991 · N. OIKONOMIDÈS, Les listes de préséance byzantines des IXᵉ et Xᵉ siècles, 1972 · P. B. WEISS, Consistorium und comites consistoriani, 1975.   F. T.

Cominianus. Lat. Grammatiker der 1. H. des 4. Jh. n. Chr. in Konstantinopel. Er war Lehrer des → Charisius, der in seiner *Ars grammatica* weitgehend auf ihn zurückgriff. Das h. verlorene Werk des C., das dem Lateinunterricht für Griechen diente [1. 123], war von → Plotius Sacerdos beeinflußt. Möglicherweise in Form von Überarbeitungen wurde es auch von späteren Autoren verwendet, wie z. B. von → Dositheus, dem Anonymus Bobiensis und → Beda. Im MA kursierten Texte unter dem Namen »Cominianus«, die aber mit seinem Schüler Charisius in Zusammenhang zu bringen sind.

1 HLL § 523.1.   P. G./Ü: G. F.–S.

Cominium. Stadt in *Latium adiectum*; h. Val di Comino im Norden von → Atina [1] (evtl. San Donato). Im 3. Samnit. Krieg 293 v. Chr. vom Consul Sp. Carvilius Maximus erobert (Liv. 10,39–44) und zerstört (evtl. 291 vom Consul L. Postumius Megellus: Dion. Hal. ant. 16,4,5). Wohl nicht identisch mit C. Ceritum (Ocritum?), wo Hanno von der Niederlage bei → Beneventum 212 v. Chr. erfuhr (Liv. 25,14,14). Plin. nat. 3,108 zählt C. unter die verfallenen Ortschaften der Aequiculi. CIL X p. 507, 5143–56.

NISSEN 2, 669 · G. DEVOTO, Gli Antichi Italici, ²1951, 118.
                    G. U.

Cominius

I. REPUBLIKANISCHE ZEIT

Italischer Familienname (ThlL, Onom. 2, 543); seine Träger gehörten seit dem 2. Jh. v. Chr. zum röm. Ritterstand und stiegen in der Kaiserzeit vereinzelt in den Senat auf.

[I 1] C., P. Röm. Ritter aus Spoletium und Bekannter Ciceros, klagte zusammen mit seinem Bruder C. C. 74 v. Chr. den L. Aelius Staienus (Cic. Cluent. 100), 66 und 65 den von Cicero verteidigten Volkstribunen C. Cornelius [I 2] erfolglos wegen *maiestas* an (Ascon. 59–62C; Cic. Brut. 271); wohl deshalb auch von Catull, Freund des Cornelius, angegriffen (108).

J.-M. DAVID, Le patronate judiciaire au dernier siècle de la république romain, 1992, 827–829.

[I 2] C., Pontius soll 387 v. Chr. als Melder während der Belagerung des Kapitols durch die Gallier den Tiber durchschwommen und so die Blockade durchbrochen haben (Diod. 14,116,3 f.; Liv. 5,46,8–10; Plut. Camillus 25 u. a.).

[I 3] C. Auruncus, Postumus. Nach annalistischer Überlieferung Patrizier; Consul I 501 v. Chr und II 493, führte Krieg gegen die Volsci. Unter seinem Kommando soll durch die Eroberung von Corioli C. → Marcius den Beinamen Coriolanus erhalten haben (Liv. 2,33,4–9 u. a.). Ihm wird auch die Weihung des Saturntempels auf dem Forum zugeschrieben (Dion. Hal. ant. 6,1,4).
                    K.-L. E.

II. KAISERZEIT

[II 1] C. C. Röm. Ritter. Verfaßte Spottgedichte auf Tiberius, wurde aber auf Bitten seines senatorischen Bruders nicht verurteilt (Tac. ann. 4,31,1; PIR² C 1261).

[II 2] M. Aurelius C. Cassianus. Senator, nach längerer praetorischer Laufbahn (CIL VIII 7033 = ILAlg II 1, 617 ist auf ihn zu beziehen) 247/248 Statthalter von Numidien und Suffectconsul (IRT 880) [1. 125 ff.; 2. Bd. 1, 405, Bd. 2, 45].

[II 3] P. C. Clemens. Ritter aus Concordia. Zahlreiche prokuratorische Ämter, schließlich Praefekt der Flotte von Ravenna und Misenum unter Marc Aurel (PIR² C 1266) [3. Bd. 1, 501 ff.].

[II 4] T. C. Proculus. Senator, wohl Bruder von C. [II 1]; *procos.* von Zypern unter Claudius (PIR² C 1270) [2. Bd. 1, 296].

[II 5] C. Secundus. Praetorischer Legat von Pannonia inferior 148–150 [2. Bd. 1, 113]; *cos. suff.* 151 (Militärdiplom, wird von D. Isac publiziert). ·

1 Rebuffat, in: Libya Antiqua 15/16, 1978/79
2 Thomasson 3 Pflaum   W. E.

Comissatio. Das Trinkgelage der Römer, schloß regelmäßig an eine festliche → cena an und dauerte oft bis tief in die Nacht. Lange Zeit blieb sie nur Männern vorbehalten, seit Ende der röm. Republik konnten aber auch Frauen am Trinkgelage teilnehmen. Die *c.*, eine in sozialer Hinsicht höchst bedeutsame Form der Geselligkeit, drang spätestens Ende des 3. Jh. v. Chr. nach Rom. Ihr Name leitet sich vom griech. Wort für Gelage, κῶμος (*kṓmos*), ab; ihre Struktur und Regeln entsprachen weitgehend denen des Symposions (→ Gastmahl). Neben dem Trinken bestand die Unterhaltung in zwanglosen bis geistvollen Gesprächen, Akroamata des Gastgebers (Musik, Tanz, Schauspiel, Rezitationen) oder Einlagen der Gäste (Rätsel, Spiele). Einzelheiten der *c.* erörtert Plutarch in seinen *Quaestiones convivales*. Wegen gelegentlicher Trinkexzesse stand die *c.* insgesamt in keinem guten Ruf.

J. Marquardt, Das Privatleben der Römer 1, ²1886 ·
A. Mau, s. v. C., RE 4, 610–619.   A. G.

Comitatenses. Die *c.* waren die Einheiten, die das Feldheer des spätant. röm. Reiches ausmachten. Ihr Name leitet sich vom *comitatus* ab, dem Verwaltungsapparat, der dem Princeps diente und ihn auf seinen Reisen begleitete. Die *c.* waren an kein bestimmtes Territorium gebunden und konnten Territorialtruppen, die ständig in bestimmten Prov. standen (*limitanei* oder *ripenses*), zugefügt werden. Es ist wahrscheinlich, daß → Diocletianus ein Feldheer aufgestellt hat, das allerdings nur eine begrenzte Größe hatte. Doch → Constantinus vergrößerte die *c.* und verlieh ihnen eine neue Bed., indem er zum einen neue Einheiten schuf, zum anderen ihnen aber Teile des diocletianischen Feldheeres eingliederte und einen Teil der Grenztruppen auflöste. Das neue Feldheer bestand aus Legionen, von denen einige nur 1000 Mann stark waren, neu geschaffenen Einheiten, die *auxilia* genannt wurden und *vexillationes* der Reiterei.

Ein Gesetz aus dem Jahre 325 n. Chr. unterstrich die formelle Unterscheidung zwischen *c.* und Grenztruppen (Cod. Theod. 7,20,4). Den *c.* und den *limitanei* wurde eine doppelte Steuerfreiheit (für den Soldaten und seine Ehefrau) nach einer 24jährigen Dienstzeit sowie eine einfache Steuerfreiheit nach 20jähriger Dienstzeit gewährt, die *c.* hatten jedoch bei einer vorzeitigen Entlassung aus medizinischen Gründen eine privilegierte Position. Außerdem bestimmte ein Gesetz aus dem Jahre 372 n. Chr. (Cod. Theod. 7,22,8), daß Rekruten je nach körperlicher Eignung zu den *c.* oder zu den *limitanei* abkommandiert werden sollten.

Die *c.* wurden von einem *magister peditum* (Infanterie) und einem *magister equitum* (Reiterei) kommandiert.

Mit der Tetrarchie wurden die *c.* in verschiedene Armeen aufgeteilt, von denen jede einen eigenen Kommandeur hatte, außerdem wurden regionale Feldheere unter *magistri equitum* und *comites rei militaris* geschaffen. Folgerichtig wurden Einheiten dieser Feldheere von denjenigen Einheiten unterschieden, die direkt beim Princeps dienten und *palatini* genannt wurden. Manchmal wurden Soldaten von Grenzeinheiten zum Feldheer versetzt, ohne daß jedoch ihr Status dadurch erhöht worden wäre; diese erstmals 365 n. Chr. erwähnten Soldaten wurden *pseudocomitatenses* genannt. Soldaten der *c.* wurden in der Regel in den Städten einquartiert.

Zu Ende der Regierungszeit von Theodosius I. bestand das Feldheer der östl. Hälfte des Imperiums aus fünf Einheiten, von denen zwei beim Kaiser dienten, während die anderen in Thrakien, im Illyricum und in der östl. Grenzregion stationiert waren. Jede dieser Einheiten wurde von einem *magister utrius militiae* kommandiert. Im Westen war → Stilicho zwischen 395 und 408 n. Chr. der einflußreichste Befehlshaber, die wichtigsten Feldheere waren in It. und Gallien stationiert.

Die Entwicklung des Feldheeres bedeutete zunächst keinen fundamentalen Wandel in der röm. Militärstrategie. Die *limitanei* waren zunächst noch immer wie unter Diocletianus organisiert; dennoch sanken ihr Status und ihre Effektivität langsam ab, als die Kaiser immer mehr Mittel für das Feldheer aufwendeten, das als eine Truppe mit hohem Prestige auf mil. Anforderungen flexibel reagieren konnte.

1 D. Hoffmann, Das spätröm. Bewegungsheer und die Notitia Dignitatum, 1969 2 Jones, LRE, 607–686.
J. CA./Ü: A. BE.

Comitia. Die in der röm. Verfassungsgesch. hervortretenden unterschiedlichen Typen der Volksversammlung unterliegen trotz des röm. Traditionalismus im Laufe der Zeit einerseits einer starken entwicklungsgeschichtlichen Veränderung und sind andererseits in ihrem jeweiligen funktionellen Zusammenspiel zu beobachten. Es gibt folgende Typen: die *c. curiata*, die *c. centuriata*, das → *concilium plebis*, die *c. tributa* und die → *contiones*. Wegen der grundsätzlichen methodischen und tatsächlichen Einwände gegen die relativ späten histor. Quellen über die frühen Epochen der röm. Gesch., sind über die Volksversammlungen dieser Zeit darüber hinaus teilweise nur unsichere Aussagen zu machen.

C. (von *com-ire,* »sich versammeln«; sg. »Versammlungsplatz«; pl. »Wahl- oder Beschlußkörper«) bedeutet die Versammlung aller wahlberechtigten röm. Bürger in den für die Willensbildung des gesamten *populus Romanus* eingerichteten Beschlußkörpern. Frauen, Kinder, ihres Bürgerrechts für verlustig Erklärte und Nicht-Bürger können daher nicht an *c.* teilnehmen. Die *c.* dienen nur der Beschlußfassung oder Wahl, nicht der Diskussion oder einer alternativen Antragstellung aus der Volksmenge heraus. Letzterem dient die *contio*. Beschlüsse, die die versammelte Plebs seit der lex Hortensia des J. 287 v. Chr. mit Wirkung für das ganze röm. Volk fassen kann, werden in einem *concilium plebis* verabschiedet.

1. Den wohl älteste Typ vertreten die *c. curiata*, deren Ursprung in Rom bis auf Romulus zurückgeführt wird (Dion. Hal. ant. 2,12,14). Es ist nicht sicher, ob dieser Typ urspr. die ihm zugeschriebenen umfassenden Kompetenzen – Übertragung der Königsmacht auf den König, später auf die Imperiumsträger in einer *lex de imperio*, die Magistratswahlen, die Sanktionen von Gesetzen und die Entscheidung über Krieg und Frieden auf Antrag des Königs, später des *interrex*, des *pontifex maximus* oder eines *consul* – gehabt hat. Doch waren die *c. curiata* gewiß eine frühe Form geschlechterverbandlich organisierten polit. Lebens in Rom, die über eine *curiatim* erfolgende Abstimmung zu einer gesamtstaatlichen Willensbildung beitrugen. Ob sie bereits anfänglich die später vorhandenen 30 *curiae* als Stimmkörper hatten und wie das Verhältnis zu den urspr. drei *tribus*-Organisationen und einer frühen Form der Heeresversammlung war, in denen die Basis für die anderen Typen der *comitia* anzunehmen ist, ist unklar. Von urspr. möglicherweise umfänglicheren Kompetenzen ist jedenfalls später nur das Recht geblieben, Gesetzesbeschlüsse und Magistratswahlen, die in anderen *comitia* zustandegekommen waren, in einer (nur) sakralrechtlich wichtigen Zeremonie zu sanktionieren sowie in Adoptions-, Emanzipations- und einigen Testamentsangelegenheiten (*testamentum calatis comitiis*), die urspr. die Belange auch der Gentilverbände tangierten, Beschlüsse zu fassen. Ihre Tätigkeit ist noch in der späten Kaiserzeit nachweisbar.

2. Die *c. centuriata* werden in der Geschichtstradition der augusteischen Zeit auf die Einrichtung durch den König Servius Tullius zurückgeführt (Liv. 1,42,5; Cic. rep. 2,21) – ebenso wie wohl eine Veränderung der *tribus*-Verfassung in Richtung auf nicht mehr geschlechterverbandlich, sondern territorial abgegrenzte Stadtbezirke (Dion. Hal. ant. 4,22). Es könnte sich jedenfalls bei der »servianischen Verfassungsreform« um die Verlagerung der polit.-institutionellen Schwerpunkte von einer mehr durch einflußreiche Gentilverbände geprägten Stadtorganisation hin zu einer mehr gesamtstaatlich gefaßten handeln, in der bisher unzureichend vertretene Gentes oder auch nicht-gentil zugeordnete Bürgergruppen (*plebei*) ein größeres Gewicht erhalten haben könnten als bisher; ein Vorgang, der Affinitäten zur kleisthenischen Verfassungsreform Athens im J. 509 aufwiese. Als einigermaßen sicher kann aber nur gelten, daß die *c. centuriata* als eine mit polit. Fragen befaßte Heeresversammlung (die wohl deswegen traditionell auf dem → *campus Martius* zu tagen pflegte) im Laufe der Jh. verschiedene größere Veränderungen erfuhr, bis sie die uns genauer bekannte Form des 2. und 1. Jh. v.Chr. (Pol. 6,14; Cic. rep. 2,21) annahm. So ist etwa eine urspr. nur geringe Differenzierung, etwa zwischen den *centuriae* der *equites* (der berittenen, vornehmen Waffenträger) einer *classis* (der schwerbewaffneten Fußkämpfer) und denen *infra classem* (der Leichtbewaffneten) an-

zunehmen. Auch die Anzahl der *centuriae* wird sich erst allmählich auf die Zahl von 193 entwickelt haben. Das Gewicht der Wählergruppen und die Reihenfolge der Stimmabgabe veränderten sich. Allerdings ist anzunehmen, daß die Gruppen der begüterten *equites* und die der wohlhabenderen Bürger insgesamt stets ein quantitatives Übergewicht ihrer Centurien gegenüber denen der anderen Wählergruppen hatten; die *c. centuriata* haben, wie die Ekklesia Athens in vorthemistokleischer Zeit, eine timokratische Struktur (Servius *equitum ... numero separato ... reliquum populum distribuit in quinque classis ... eosque ita separavit, ut suffragia non in multitudinis, sed in locupletium potestate essent*, Cic. rep. 2,22), selbst nachdem eine um das J. 215 v.Chr. anzusetzende Reform die (*prima*) *classis* von 80 auf 70 Centurien reduzierte.

Bis zur Zeit Ciceros setzten sich dem folgend die *c. centuriata* aus 18 Rittercenturien und 175 Centurien Fußsoldaten zusammen (*prima classis*: 70 *centuriae*; *secunda – quinta classis*: nicht feststehend, jeweils 20 oder 30 centuriae, zusammen 90; dazu fünf *centuriae tignariorum, fabrum, tubicinum, cornicinum, adcensorum velatorum*: Cic. rep. 2,20). Generell enthalten die Centurien der Ritter und der *prima classis* weitaus weniger Angehörige als die der folgenden *classes*, haben aber als Stimmkörper nicht nur dasselbe Stimmgewicht, sondern geben auch bei den Abstimmungsvorgängen als erste die ihnen zukommende Stimmkörperstimme ab, wobei der Abstimmungsvorgang immer nur solange fortgeführt wird, bis eine Mehrheit der Stimmen feststeht. In die *centuria adcensorum velatorum* z.B. fallen dagegen sowohl die große Menge der unterhalb des besteuerbaren Minimums (1 500 *asses*) liegenden *proletarii* als auch andere, gerade noch besteuerbare ärmere Bürger, die einen Großteil der stadtröm. Bevölkerung ausmachen. Die theoretisch zuletzt abstimmenden Centurien kommen dennoch praktisch nie zum Zuge.

Die *c. centuriata* treffen polit. zentrale Entscheidungen, so über Krieg und Frieden, die Wahl der höchsten Magistrate, Gesetzesbeschlüsse, gerichtliche Urteile in polit. in der Regel wichtigen Comitialprozessen. In diesem Typ der Volksversammlung zeigt sich einerseits deutlich das fast völlige Fehlen eines Einflusses der breiten, armen Volksschichten, zum anderen aber auch eine Eingrenzung des Einflusses aristokratischer Wählergruppen des senatorischen Standes und mit ihm der *equites* zugunsten der etwas größeren Schicht eines grundbesitzenden oder sonst etwas vermögenden »Mittelstandes«,

3. Die *c. tributa* sind ein möglicherweise im Zusammenhang mit der oben gen. Reform der *c. centuriata* um das Jahr 215 v.Chr. stehender, auf eine Neuordnung der *tribus*-Verfassung (nunmehr vier *tribus urbanae* und 31 *tribus rusticae*) zurückzuführender neuer Typus von Volksversammlung, in dem das röm. Volk, in 35 *tribus*-Wahlkörpern abstimmend, niedrigere Magistrate (Aedile, Quaestoren) zu wählen pflegt und, wenn der zur Einberufung berechtigte Magistrat dies für richtig hält, über Gesetzesanträge abstimmen kann. Da die *tribus ru-*

sticae die grundbesitzenden Bürger Roms zusammenfassen, in den *tribus urbanae* dagegen die gesamte Menge der grundbesitzlosen röm. Bürger eingeordnet ist, kommt auch in diesem Typ Volksversammlung ein timokratisches Moment bes. zur Geltung. Da die Stimmkörper gleichzeitig abstimmen und ihre Zahl geringer ist, lassen sich *c.* tributa leichter durchführen als *c.* centuriata. Sie ist vom → *concilium plebis* zu unterscheiden, das zwar ebenfalls nach *tribus* abstimmt, aber nur von den Volkstribunen einberufen und mit deren Anträgen befaßt werden kann; allein darin liegt seine »plebiszitäre« Besonderheit gegenüber den *comitia*.

Das Comitialverfahren wird in seinem Ablauf im wesentlichen von dem zur Einberufung befugten Magistrat bestimmt. Sein *ius agendi cum populo* gestattet ihm die Terminierung (*promulgatio*), die Formulierung und Vorlage (*rogatio*) der zur Abstimmung gestellten Anträge (z. B. *legisactiones*), die Leitung der Abstimmung einschließlich ihrer Unterbrechung oder Verschiebung, die Auswertung und Bekanntgabe (*renuntiatio*) des Ergebnisses (*suffragia*). Daß in den *c.* selbst nur die Abstimmung über vorgelegte Anträge stattfinden darf, nicht deren Diskussion oder die Stellung alternativer Anträge aus der Versammlung heraus, gibt diesem polit. Willensbildungsprozeß einen obrigkeitlich geprägten Charakter. Allerdings darf man dabei die legalen Möglichkeiten polit. Meinungsäußerung und -bildung, z. B. in einer → *contio* nicht übersehen; auch polit. Gesten und Demonstrationen aus der Bevölkerung heraus sind nicht durchweg mit Strafe bedroht und finden jedenfalls in kritischen polit. Situationen immer wieder statt. Die Stimmabgabe erfolgt urspr. mündlich, seit der lex Papiria des J. 131 v. Chr. jedoch geheim. Jeder Bürger erhält zwei Stimmtäfelchen (*tabellae*), beschriftet mit UR (*uti rogas* = Zustimmung) bzw. A (*antiquo* = Ablehnung) und wirft eines davon in die Urne (*cista*). Bei Beamtenwahlen schreibt der Bürger selbst den Namen seines Kandidaten auf eine *tabella*. In comitialen Gerichtsverfahren erfolgt die Abgabe von *tabellae* mit der Aufschrift A. (*absolvo*) oder C. (*condemno*).

→ Centuria; Tribus; Curia

E. GJESTADT, Innenpolit. und mil. Organisation in frühröm. Zeit, in: ANRW I.1, 136–188 · D. KIENAST, Die polit. Emanzipation der Plebs und die Entwicklung des Heerwesens im frühen Rom, in: BJb 175, 1975, 83–112 · MOMMSEN, Staatsrecht, 3, 300ff. · L. R. TAYLOR, Roman Voting Assemblies from the Hannibalic War to the Dictatorship of Caesar, 1966 · A. ROSENBERG, Unt. zur röm. Zenturienverfassung, 1911.　　　　　C.G.

Comitium s. Versammlungsbauten

Commeatus. C. hat zwei verschiedene Bedeutungen:
Es beschreibt entweder eine zeitlich begrenzte Beurlaubung (im Gegensatz zur endgültigen Entlassung, der *missio*) oder bestimmte Teile der Versorgung. Der Begriff *stellatura* bezeichnet den Mißbrauch beider Einrichtungen.

1. Die Beurlaubung bedeutete für die Soldaten, sich von den Feldzeichen entfernen zu dürfen (Tac. hist. 1,46,4). Fälschlicherweise wurde der *c.* mit der → *immunitas* oder *vacatio munerum* verwechselt, die die Befreiung von den üblichen Arbeitsdiensten, die die Soldaten zu verrichten hatten, bezeichneten. Eine solche Befreiung hing von den Centurionen ab (Tac. ann 1,17,4; 1,35,1; hist. 1,46,2ff; 1,58,1). Zu Zeiten der Republik wurde die Beurlaubung von den Tribunen oder dem Kommandant der Armee auf eine schriftlich eingereichte Anfrage hin bewilligt (Liv. 21,21; 28,24; 43,11). Um den Mißbrauch auszuschließen, wurden die Bewilligungen von Urlaub genau registriert (Veg. mil. 2,19). Constantinus untersagte im Jahre 323 die Bewilligung von Urlaub durch die Offiziere der Decurien oder Cohorten (Cod. Theod. 7,12,1).

2. Der *c.* umfaßt Lieferungen, die Kleidung (Liv. 32,27,2), Getreide oder *frumentum* nicht einschlossen. Zweifellos zählten zum *c.* Lebensmittel wie Fleisch, Linsen, Käse und Salz, evtl. Waffen und Pferde. In einem befreundeten Land wurden solche Güter bezahlt und requiriert, in feindlichem Gebiet von den Legionen als Kriegsbeute entwendet. In der republikanischen Zeit waren die *frumentarii* für die Versorgung zuständig. Oft kämpften die Soldaten hungrig, da die Versorgung vor Caesar schlecht organisiert war. In der Principatszeit wurde der Versorgung der Legionen eine große Aufmerksamkeit gewidmet (vgl. Veg. mil. 3,3). Das System war sehr komplex geworden und ermöglichte den Transport von Versorgungsgütern aus ferngelegenen Prov. – etwa von Öl aus der Prov. Baetica – zu den Legionslagern an der Rheingrenze. Zu Lande war die Versorgung des Heeres schwierig, aber nicht unmöglich; dabei übernahmen die → *annona* und die Flotte wichtige Funktionen.

1 J. HARMAND, L'armée et le soldat, 1967, 179–194
2 A. LABISCH, Frumentum commeatusque, 1975
3 Y. LE BOHEC, L'armée romaine ²1990, 53　4 M. REDDÉ, Mare nostrum, 1986, 370–399　5 J. REMESAL RODRÍGUEZ, La annona militaris y la exportación de aceite bético a Germania, 1986.　　　　　Y. L. B./Ü: C. P.

Commendatio. (1) Die Empfehlung einer Person
oder Sache (Dig. 4,3,37), (2) die Übergabe einer Sache zur Aufbewahrung (Dig. 50,16,136) und (3) die Führung des Beweises für eine Behauptung (Cod. Iust. 6,22,2). (4) Im Rahmen einer honorarischen, d. h. prinzipiell beiderseitig nicht klagweise durchsetzbaren Absprache ist *c.* ein Akt, mit dem ein Klient einem Patron seine Angelegenheiten zur Vertretung oder Erledigung anvertraut und sich zu einer ehrenhalber geschuldeten Dankensleistung verpflichtet (*se alicui in clientelam, fidem commendare*, Ter. Eun. 577; Petron. 140; Caes. Gall. 4,27,7; Lex Visig. 5,3,8), eine röm.-rechtliche Vorform der für das mittelalterliche Lehnsrecht konstitutiven Kommendation. (5) Im polit. Bereich ist *c.* speziell eine Adresse, mit der der röm. Kaiser der Volksversammlung bzw. – schon seit Tiberius – dem Senat einen *candidatus*

für ein Amt empfiehlt. Wie kaiserlichen Gesetzesanträgen, so wird solchen Empfehlungen ohne Einwände und Abänderungen Folge geleistet (Tac. ann. 1,15: *sine repulsa et ambitu designandos*; lex de imp. Vespasiani, FIRA I, S. 154–156: *quos magistratum potestatem imperium ... petentes senatui populoque Romano commendaverit ..., eorum ratio habeatur*).

→ Mandatum; Clientes; Patronus; Magistratus

> F. F. Abbott, History and Description of the Roman
> Political Institutions, ³1963, 276 • Kaser, RPR 2, 372 •
> Mommsen, Staatsrecht 2,2, 921 f.   C. G.

Commentarii. Protokollartige, fortlaufende Aufzeichnungen (→ *acta*), die die Tätigkeiten von Verbänden und Verbandsorganen (Magistrate, *collegia*, Stadträte), aber vielleicht auch wirtschaftlicher Unternehmen, d. h. großer Privathaushalte (Cic. Att. 7,3,7), dokumentieren; für eigentliche Abrechnungen ist der Begriff aber nicht belegt. Aufzeichnungsinteresse, und damit -inhalt (bis hin zum privaten »Merkbuch«, Cic. de orat. 1,208), Institutionalisierung der Aufzeichnung und Publikation können stark variieren. Charakteristisch für den *c.us* – wie eine einzelne, aber fast immer in größeren Reihen stehende Aufzeichnungsschrift heißen kann – ist gerade, daß Dokumentation und Publikation nicht streng erforderlich sind, anders als bei Verträgen, Testamenten und → *leges*. So wird *c.* spätestens seit der späten Republik auch als Übers. von griech. → *hypómnēma* verwendet (vgl. [1]) und kann Texte im Bereich »gestützter Mündlichkeit« bezeichnen, Redeentwürfe, Mitschriften mündlicher Vorträge sowie Berichte, die eigenes Erzählen ersetzen sollen (Cic. Brut. 164; Quint. inst. 10,7,32; 3,8,68). Aus dieser Art sekundärer Schriftlichkeit und als »Fall-Sammlung« erklärt sich die Verwendung von *c.* als Bezeichnung von → Kommentaren primärschriftlicher Texte, bes. im juristischen Bereich (*c. in XII tabulas*) und in der christl. → Exegese (zu AT/NT).

Den vermutlich frühesten Fall bilden die *c. pontificum*. Die wachsende Politisierung der Priesterschaft nach der → *lex Ogulnia* (300 v. Chr.) dürfte das Aufzeichnungsinteresse in der Mitte des 3. Jh. v. Chr. bedingt haben; notiert werden die Mitglieder und Rituale bis hin zu → Prodigienbeobachtungen; ein Auszug wird als → *tabula* vor dem Wohnhaus des *pontifex maximus* publiziert (s. Cato orig. HRR 77; [2. 167–172]). Ähnliche Aufzeichnungen sind auch für andere Priesterkollegien bezeugt (Auguren: Cic. div. 2,42; *quindecimviri s.f.*: Cens. 17,10f.; Fetialen: Fest. 178,3–6L; *fratres Arvales*: *acta*). Die Dokumentation der Mitglieder, die u.U. um fiktive Vorgänger bereichert wird, kann prestigeerhöhend wirken; einzelne Entscheidungen und Vorfälle können als Präzedenzfälle legitimieren: Über die *c.* hinaus lassen sich keine normativen Texte für röm. Priesterschaften nachweisen (zu den *libri sacerdotum* s. [3]). Interne Interessen sind maßgeblich: Das längste erhaltene Zitat der *c. pontificum* (Macr. sat. 3,13,10–12) überliefert Teilnehmerliste und vor allem detaillierte Speisefolge eines Inaugurationsbanketts; es zeigt, daß die *c.* nach Amtsjahren

des *pontifex maximus* geordnet waren. In vielen Kollegien läßt sich ein *commentariensis* nachweisen (auch bei den *septemviri epulones*, CIL VI 2319).

Persönliche Aufzeichnungen von Magistraten scheinen in der späten Republik üblich gewesen zu sein (Cic. Sull. 40–45); auch wenn sie primär dem eigenen Gedächtnis dienen, erlangen sie für die schriftliche Fixierung von Senatsbeschlüssen oder Gesetzen, die erst nach der Sitzung durch einen kleinen Ausschuß erfolgte, auch öffentliche Bedeutung. In Anbetracht der geringen Zahl öffentlicher Ausfertigungen amtlicher Texte dürften private *c.* die primäre Form der schriftlichen Verbreitung in der polit. Führungsschicht sein. Systematisierte *c.* vermitteln technisches Wissen über Amtsführung und Sachbereiche an Nachfolger, Söhne oder Freunde, tragen dann einführenden Charakter (Varros *Eisagoge* für Pompeius; Q. Ciceros *Commentariolum petitionis* für seinen Bruder; → Agrippa; → Frontinus; → Gaius). Dieser technische Charakter prägt auch jene *c.*, die als Rechtfertigungs- und Lobschriften den Autor einem größeren Publikum vorstellen und entsprechend aufwendige sprachliche Gestaltung nicht ausschließen (→ Caesar bildet eine Ausnahme, vgl. Hirt. Gall. 8, pr.; [4]); die Konzentration auf die Amtsführung definiert die Grenzen des autobiographischen Charakters solcher Werke.

Überliefert sind im allg. nicht die *c.* selbst, sondern Exzerpte etwa mit dem Wortlaut einzelner Beschlüsse (u.U. mit Verweis auf den Fundort im Protokoll-Codex, CIL XI 3614), fortlaufende Zusammenfassungen (*acta arvalia*, zur schwankenden Verdichtung s. [5]; CIL VI 2004) und systematische Aufbereitungen (Sukzessionslisten: CIL VI 1984). Bei derartigen epigraphischen und auch lit. Publikationen, aber auch bei den – nicht immer – zugrundeliegenden C. ist quellenkritische Analyse der Aufzeichnungsmotive bes. angezeigt; weder »Geheim-Lit.« noch »Aktenproduktion aus Routine« haben sich als Arbeitshypothesen bewährt.

→ hypomnema

> 1 F. Bömer, Der C.us, in: Hermes 81, 1953, 210–250
> 2 J. Rüpke, Livius, Priesternamen und die annales maximi, in: Klio 74, 1993, 155–179 **3** J. Scheid, Les archives de la piété, in: La mémoire perdue 1, 1994, 173–185 **4** J. Rüpke, Wer las Caesars bella als C.?, in: Gymnasium 99, 1992, 201–226 **5** M. Beard, Writing and Ritual, in: PBSR 53, 1985, 114–162.

> Liebenam • F. Sini, Documenti sacerdotali di Roma antica 1, 1983.   J. R.

Commentariis, a. Die Offizialorganisation schon der röm.-republikanischen Magistrate und Pontifikalkollegien schließt vielfach die spezielle Führung und Lagerung von Verhandlungsprotokollen, Journalen (*acta diurna*), Urkunden, amtlichen Vermerken und Verfügungen (→ *memoria, commentarii, diplomata, codicilli, mandata, hypomnemata*), Rechtssammlungen oder Verzeichnissen (*tabulae, regesta, notitiae*) ein (Varro ling. 6,88 – Consuln; Cic. Verr. 1,1,71; Brut. 55 – Provinzialstatthalter; Cic.

dom. 117 – *pontifices*). Die Amtsbezeichnungen für die Subaltern-Bediensteten, die in ihrem Bereich Aktenbearbeitung und Archivierung erledigen, wechseln, wobei unterschiedliche Namen unterschiedliche Ränge in der Matrikelordnung und die Präp. »a« einen Aufgabenbereich einer Verwaltung markieren: *a commentariis, ab actis, act(u)arii, chartularii, referendarii*. Die Amtsbezeichnung und die Zuordnung zu bestimmten Funktionen lassen dabei nicht immer genaue Rückschlüsse auf die Gesamtheit der wirklich ausgeführten Verwaltungsarbeiten zu. In der Kaiserzeit ist auch für die Aktenverwaltung des Hofes im Bereich einzelner *officia* (später *scrinia* genannt) eine größere Anzahl Subalternbeamter erforderlich, darunter wohl auch immer *a.c.* Dasselbe gilt für die Praefekturverwaltungen (Cod. Theod. 8,1,2). Hier kommen ihnen teilweise sehr spezielle Aufgaben zu, z.B. in der Gefängnisaufsicht zugunsten Inhaftierter (Cod. Theod. 9,3,6). In der Spätantike zählen sie dort nach ihrem Einkommen (23 *solidi*) zu der Klasse der *ducenarii* und damit zu den höheren Offizialen (Cod. Iust. 1,27,25). Der Arbeitsbereich *a.c.* findet sich damals generell auch in den *officia* aller Provinzverwalter und Militärbefehlshaber, entweder verkörpert durch einzelne Beamte (*commentarienses*), wobei der *a.c.* in der Matrikelordnung unter einem *princeps* (Büroleiter), einem *cornicularius* und anderen Vorgeordneten zu stehen pflegt, oder in Gestalt spezieller Büros *a commentariis* mit mehreren – so z.B. beim *praef. praet. Africae* mit 12 – Offizialen (Not. dign. pass.; Cod. Iust. 1,27,25; Lyd. mag. 3,8; 18).

→ Acta; Actis, ab; Archiv; Codex; Commentarii; Memoria

HIRSCHFELD 325 · JONES, LRE 497, 522, 587 · MOMMSEN, Staatsrecht, 1, 346ff.; 2, 1004ff.   C.G.

Commercium ist primär Handel und, davon abgeleitet, das Recht zu wirksamer Vornahme bestimmter Rechtsgeschäfte des Güterumsatzes (Ulp. 19,5: *emendi vendendique invicem ius*) bzw. die Fähigkeit, Gegenstand eines Privatrechtsgeschäftes zu sein. Die Latiner des latinischen Bundes haben seit alters das *c.* mit den Römern, das ihnen zwar nicht alle Geschäfte, vor allem aber die *mancipatio* (einschließlich des *testamentum per aes et libram*) eröffnet (Ulp. 19,4). *Latini colonarii* und andere *peregrini* erlangen das *c.* durch Verleihung. Dies erweitert den Anwendungsbereich des *ius civile* in Teilbereichen auf Nichtbürger, was bis zur allgemeinen Bürgerrechtsverleihung durch die *constitutio Antoniniana* (212 n. Chr.) bedeutsam ist.

C. findet sich auch in der Formel zur *interdictio* des Verschwenders durch den Prätor: *ea re commercioque interdico* (Paul. sent. 3,4a,7). Eine dem Handelsverkehr entzogene Sache (*res extra commercium*; Inst. Iust. 2,20,4; Dig. 20,3,1,2), etwa ein sakraler Gegenstand (*res divini iuris*), eine in Gemeinbesitz (*res communis omnium*) oder Staatsbesitz (*res publica*) befindliche Sache kann nicht Gegenstand privater Rechte sein. Davon zu unterscheiden ist, wenn einer Person hinsichtlich einer bestimm-

ten Sache das *c.* fehlt. Sie kann diese Sache – außer als Erbe – nicht erwerben (Dig. 31,49,2; 41,1,62; 45,1,34). Fehlt dem Erben das *c.* hinsichtlich einer vermachten Sache, die dem Testator nicht gehört hat, so schuldet er dem Legatar den gemeinen Handelswert (*aestimatio*; Dig. 31,49,3); auch haftet ein Stipulationsschuldner, dem das *c.* fehlt (Dig. 45,1,34).

A. GUARINO, C. e ius commercii, Le origine quiritarie, 1973, 266–282 · M. KASER, Ausgewählte Schriften I, 1976, 271–309 · KASER, RPR I² · A. N. SHERWIN-WHITE, The Roman Citizenship, ²1973 · WIEACKER.   P.A.

Commius. Keltischer Name (»schön gekleidet«?) [1. 335–336]. Der Atrebate C. wurde 56 v. Chr nach der Unterwerfung seines Stammes von Caesar zum König eingesetzt. 55 v. Chr. nach Britannien gesandt, um die dortigen Stämme zum Bündnis mit Rom zu überreden, wurde er zunächst in Fesseln gelegt, bei der Ankunft Caesars aber freigelassen. Er diente Caesar danach in Britannien und in Gallien als Reiterführer und Unterhändler, wofür dieser ihm u. a. die Herrschaft über die → Morini gewährte (Caes. Gall. 4,21,6–8; 27,2–3; 35,1; 5,22,3; 6,6,4; 7,76,1).

52 v. Chr. wechselte C. die Seite und versuchte, → Vercingetorix vor Alesia zur Hilfe zu kommen. Hierauf führte er zunächst die Belgae in mehreren Schlachten gegen die Römer. Bei einem von T. → Labienus gegen ihn initiierten Mordanschlag konnte er schwerverletzt fliehen. 51 v. Chr. leitete er zusammen mit → Correus den letzten großen Aufstand gegen Caesar und warb dazu german. Truppen an. Nach Niederlage und Tod des Correus floh er zu den Germanen und setzte den Kampf allein fort, bis er zuletzt von M. → Antonius die Zusicherung erreichte, an einem angewiesenen Ort bleiben zu können und nie mehr einen Römer sehen zu müssen (Caes. Gall.7,75,5; 76,3–6; 79,1; 8,6,2; 7,5; 10,4; 23,3–7; 47–48; Cass. Dio 40,42,1; 43,3). Nach kurzer Zeit scheint er mit einem Teil seines Stammes nach Britannien geflohen zu sein (Frontin. 2,13,11). Sein Name erscheint auf Münzen der → Atrebates des Festlandes und aus dem Südosten Britanniens, die u. a. von seinen Söhnen Tincommius, Epillus und Verica stammen [2. 427–428; 3. 35–54].

1 EVANS 2 B. COLBERT DE BEAULIEU, Monnaies Gauloises au nom des chefs ment. dans les Communautes de César, in: Hommages A. Grenier, 1962, 419–446 3 R. P. MACK, The Coinage of Ancient Britain, 1964.

S. C. BEAN, The coinage of the British Atrebates. The sons of C., in: Act. XIe Congr. int. numismatique, Bd. 3, 1993,1–5 · F. MÜNZER, s. v. C., RE 4, 770–771.   W.SP.

Commodianus. Christlicher lat. Dichter unbekannter Herkunft (es ist zweifelhaft, ob die Angabe der Überschrift von instructiones = inst. 2,35, *nomen Gasei*, originär ist und auf Gaza im eigtl. Sinn verweist; es könnte eine Bescheidenheitsäußerung des »Sünders« nach Amos 1,6f. sein); die Ansätze schwanken zwischen dem 3. Jh. (Erwähnung von *Gothi*, carmen apologeticum

810, Problem des Abfallens bei Christenverfolgungen, vgl. die Diskussion in Africa unter Cyprian nach 250) und dem 5. Jh. (Bezugnahme auf die Einnahme Roms durch Alarich 410?). 480 wird C. von Gennadius (vir. ill. 15) genannt. Die archa. Dogmatik, die Polemik gegen ›judaisierende Götzenverehrer‹ (inst. 1,37) und der konsequente Chiliasmus (in Hinblick auf Roms Kämpfe mit dem neuentstandenen Sassanidenreich?) machen eine Frühdatier. eher wahrscheinlich. Dazu kommt die dezidiert antiklass. Form und Sprache der in weitgehend akzentuierenden Hexametern (→ Metrik) abgefaßten Dichtungen, die nicht Unfähigkeit, sondern eine gegenüber der griech.-röm. Kultur feindselige Einstellung verrät (vgl. den Prosastil → Tertullians). Überlieferte Dichtungen: (1) 2 Bücher *instructiones* mit 45 bzw. 35 kurzen akrostichischen Merkgedichten; B. 1 bietet apologetische Argumente gegen ›Heiden‹ (z. B. inst. 1,15 euhemeristisch gegen den Herkules-Kult in Rom, mit Bezugnahme auf Verg. Aen. 8,184–305) und gegen Juden, B. 2 praktische Verhaltensregeln für Christen (z. B. 2,8 über den *miles Christi*). (2) Das *carmen apologeticum* (oder *carmen de duobus populis*, sc. über die Juden und Christen; 1060 Hexameter) übt scharfe Kritik an ›heidnischen‹ Kulten und laxer Moral, vertritt eine streng asketische Haltung und droht den Weltuntergang als Ausdruck des göttl. Zornes an. C. nimmt häufig auf die Bibel Bezug, kennt aber auch die klass. Dichtung der Römer, bes. Vergil.

ED.: J. MARTIN, CCL 128, 1960 • A. SALVATORE, 1965–1968 (instructiones 1–2).
LIT.: L. KRESTAN, s. v. C., RAC 3,248–252 • K. THRAEDE, Beiträge zur Datier. C.', in: JbAC 2, 1959, 90–114 • J. FONTAINE, Naissance de la poésie dans l'occident chrétien, 1981, 39–52 • D. NORBERG, La versification de C., in: Munera philologica et historica Mariano Plezia oblata, 1988, 141–146.   K. SM.

Commodus. Römischer Kaiser 180–192 n. Chr.. Sohn von Marc Aurel und Faustina II. Geb. am 31. Aug. 161 in einer Villa bei Lanuvium; sein Zwillingsbruder T. Aurelius Fulvus Antoninus starb mit vier Jahren (PIR² A 1512). Sein Name lautete zuerst L. Aurelius Commodus; am 12. Okt. 166 erhielt er zusammen mit seinem Bruder den Caesartitel: L. Aurelius Commodus Caesar. Er wurde damit ganz selbstverständlich, ohne daß das ideologische Konzept des → Adoptivkaisertums eine Rolle gespielt hätte, als präsumptiver Nachfolger bezeichnet; demselben Zweck diente die Aufnahme in alle Priesterkollegien sowie die Benennung als *princeps iuventutis* (HA Comm. 12,1; 2,1). Marc Aurel nahm ihn im J. 175 in den Krieg gegen die Germanen mit an die Donau; nach der Revolte des Avidius Cassius begleitete C. den Vater in den Osten. Dies diente der Herrschaftssicherung. Bei der Rückkehr feierte C., bereits mit dem Titel *imperator* ausgestattet, am 23.12.176 wohl gemeinsam mit dem Vater einen Triumph über Germanen und Sarmaten (HA Comm. 2,4; 12,5). *Cos. ord.* 177; er war mit 15 Jahren der jüngste Consul, der bis zu diesem

Zeitpunkt in Rom ernannt worden war. Im selben Jahr, vielleicht am 1. Jan., Verleihung der *tribunicia potestas*; von dieser Zeit an auch *Augustus* und → *pater patriae* genannt; der volle Name lautete Imperator Caesar L. Aelius Aurelius C. Augustus; nur den Titel *pontifex maximus* erhielt er nicht (vgl. z. B. RMD III 185); damit war C. als Mitherrscher des Vaters herausgestellt. Bevor Marc Aurel mit C. im J. 178 wiederum an die Donau zum Kampf gegen die Germanen aufbrach, verheiratete er ihn mit Bruttia Crispina (Cass. Dio 71,33,1; HA Comm. 12,6). Vor seinem Tod empfahl er C. den versammelten Freunden und Heereskommandeuren.

Während seiner Alleinherrschaft (seit dem 17. März 180) übernahm C., der 179 cos. II geworden war, noch fünf Mal den Consulat (*cos. VII* im J. 192); er erhielt acht Imperatorenakklamationen (*imp. VIII* 186); ab 182 führte er den Siegerbeinamen Germanicus maximus, seit 184 war er auch Britannicus. Seit Ende 182/Anf. 183 führte er das Epitheton Pius, seit 185, dem Sturz des Praetorianerpräfekten Perennis, auch Felix (HA Comm. 8,1). Sein Name lautete seit 180: Imperator Caesar M. Aurelius Commodus Antoninus Augustus, womit der enge Anschluß an den Vater herausgestellt werden sollte. In den ersten Monaten des J. 191 [1. 866 ff.] veränderte er ihn zu Imperator Caesar L. Aelius Aurelius Commodus Augustus, um sich der Gestalt des L. Verus und der Prägung der kaiserlichen Stellung durch ihn anzuschließen.

C. blieb nach dem Tod Marc Aurels nur kurze Zeit an der Donaugrenze. Mit Markomannen, Quaden, Dakern und Buren schloß er Frieden, angeblich gegen den Widerstand der mil. Berater seines Vaters. Doch ist dies abhängig davon, ob Marc Aurel tatsächlich zwei neue Provinzen nördl. der Donau einrichten wollte (vgl. [2. 389 ff.; 3. 473 ff.; 4. 254 f.]. An den Grenzen blieb es während seiner Regierungszeit weitgehend ruhig. Allerdings kam es in Gallien, Obergermanien, Africa und in Dakien zu Unruhen, deren ernsteste das sogenannte *bellum desertorum* war [5. 367 ff.]. C. selbst hatte kein oder wenig Interesse an der Lenkung des Reiches. Schon der Entschluß zum Frieden mit den Germanen dürfte u. a. durch seinen Wunsch bestimmt gewesen sein, nach Rom zurückzukehren und dort sein Leben nach seinen privaten Wünschen zu gestalten. Dem entsprach es auch, daß er während der meisten Zeit seiner Regierung die Politik und das Reich anderen überließ, zunächst den Praetorianerpraefekten Tarrutienus Paternus und Tigidius Perennis sowie dem *cubicularius* Saoterus, dann M. Aurelius Cleander, schließlich den Praetorianerpräfekten Eclectus und Aemilius Laetus sowie seiner *concubina* Marcia. Saoterus, Cleander und Eclectus waren ehemalige Sklaven gewesen. Während Perennis zunächst Saoterus, dann Paternus beseitigen ließ, wurde er selbst angeblich wegen einer Meuterei britannischer Truppen von C. preisgegeben. Cleander wurde von C. einer Intrige des *praef. annonae* Aurelius Papirius Dionysius geopfert.

Als erster »purpurgeborener« Kaiser (vgl. Herodian. 1,5,6) stand er, ganz im Gegensatz zu Marc Aurel, frühzeitig in einem sehr gespannten Verhältnis zum Senat, spätestens seit der Verschwörung von 182, an der C.' Schwester Lucilla beteiligt war. Viele Senatoren wurden hingerichtet (ebenso erneut ab 187 sowie im J. 192), aber auch nicht wenige hochgestellte Ritter, vor allem Praetorianerpraefekten, ferner auch Mitglieder der kaiserlichen Familie, darunter seine Frau, Bruttia Crispina. Viele lebten in Furcht vor seinen unberechenbaren Ausbrüchen. Manche der Hinrichtungen waren offensichtlich auch durch Geldmangel bedingt, der einerseits durch die Maßnahmen seiner Favoriten, andererseits durch seine maßlose Leidenschaft für Kämpfe im Amphitheater bedingt war. C. trat selbst in der Pose und mit den Attributen des Hercules in der Arena auf (Cass. Dio 72,17–19). Sein rel. Mystizismus brachte ihn mit vielen Kulten in Verbindung, u. a. mit Isis, Serapis, Mithras, Iupiter Dolichenus, die teilweise sogar auf den röm. Reichsmünzen erschienen. C. selbst sah sich als *auctor pietatis* (BMC Emp. IV 809. 818). Vor allem aber verehrte er Hercules, dem er sich immer mehr anglich; schließlich wurde er selbst zum »Hercules Romanus« (Cass. Dio 72,15,6. 20,2 f.). Der Senat erkannte ihn als Gott an, ein *flamen Herculaneus Commodianus* wurde für ihn eingesetzt. Nicht nur Rom wurde, als wäre es seine Gründung, nach ihm unbenannt – Colonia Lucia Aurelia Nova Commodiana –, sondern auch der Senat, das Volk von Rom sowie lokale Dekurionen erhielten seinen Namen (vgl. ILS 400). Am 31.12.192 wurde C. durch eine Verschwörung von Eclectus, Aemilius Laetus und Marcia beseitigt; der Ringkämpfer Narcissus erwürgte ihn im Bad, nachdem Gift nicht gewirkt hatte. Ob der Mord an C. wegen der von ihm geplanten Ermordung der *consules ordinarii* von 193 so improvisiert geschah, wie es die Quellen vermitteln, ist zweifelhaft; eher dürfte die Verschwörung von langer Hand vorbereitet gewesen sein (vgl. [6. 81 ff.]). Die Erinnerung an C. wurde zunächst getilgt (→ *damnatio memoriae*), doch wurde sein Leichnam von Pertinax im *mausoleum Hadriani* beigesetzt (CIL VI 902). Die Eradierung seines Namens wurde wieder aufgehoben, als → Septimius Severus ihn in seine Genealogie aufnahm und divinisierte (HA Comm. 17,11).

1 C. Letta, in: Latomus 54, 1995   2 G. Alföldy, in: R. Klein (Hrsg.), Marc Aurel, 1979   3 A. R. Birley, in: wie Anm. 2   4 Ders., Marcus Aurelius², 1987   5 G. Alföldy, in: BJ 171, 1971   6 A. R. Birley, The African Emperor Septimius Severus, 1988².

F. Grosso, La lotta politica al tempo di Commodo, 1964 · H. G. Pflaum, La valeur d'information historique de la vita Commodi à la lumière des personnages nommément cités par le biographe, in: Bonner Historica-Augusta-Colloquium, 1970, 1972, 199 ff. · M. R. Kaiser-Raiss, Die stadtröm. Münzprägung während der Alleinherrschaft des C., 1980.

Mz.: BMC Emp. IV, 641 ff.
Statuen und Porträts: M. Wegner, Das röm. Herrscherbild II 4, 1939. · Fittschen/Zanker, I 81 ff.   W. E.

Communio. Das gemeinsame Eigentum mehrerer an einer Sache im röm. Recht.

A. Vorgeschichte

Die wichtigsten Verhältnisse, in denen es zur Bildung einer *c.* kam, waren die Erwerbsgesellschaft (*societas quaestus*) und die Erbengemeinschaft. Für beide hat sich die *c.* erst spät, gegen E. der Republik, durchgesetzt. Zuvor bestand, wie wir durch den Gaius-Fund von 1933 (Gai. inst. 3,154 a, b) wissen, bei mehreren Erben die Gemeinschaft *ercto non cito* (von *erctum ciere*: eine Teilung vornehmen). Sie war urspr. ungeteilte Gütergemeinschaft ohne jedes Eigenvermögen ihrer Mitglieder, nämlich Fortsetzung der Vermögensherrschaft eines → *pater familias* unter mehreren gleichberechtigten Söhnen. In dem Ausdruck *consortium* (»Schicksalsgemeinschaft«) wird die vollständige Verbundenheit nicht nur vermögens-, sondern auch familienrechtlicher Art unter den Gemeinschaftern deutlich. Durch einen nachgeformten Zivilprozeß, vielleicht ähnlich der → *in iure cessio* oder der altröm. → Adoption, konnte ein *consortium ercto non cito* auch außerhalb des Erbrechts und ohne schon bestehende Verwandtschaft begründet werden. Die hierdurch entstandene Gemeinschaft war eine *societas omnium bonorum*, also Gebundenheit des gesamten gegenwärtigen und künftigen Vermögens. Schon die XII Tafeln (5. Jh. v. Chr.) sehen freilich eine *actio familiae erciscundae*, eine Klage zur Aufteilung des Familiengutes vor (Dig. 10,2), und möglicherweise ist das ohne Erbfall begründete *consortium* gerade aus der Fortsetzung (rechtlich: Neuschöpfung) der Gemeinschaft unter denjenigen Gemeinschaftern entstanden, die nicht die Auseinandersetzung wollten.

B. Prinzipatszeit

Im klass. röm. Recht war die *c.* die einzige rechtliche Gestalt, in der mehrere Personen eine Sache innehaben konnten. Jedem stand ein ideeller Anteil (*pars pro indiviso*, Dig. 50,16,25,1) an der Sache zu, der selbst veräußert und belastet werden konnte. Ein einzelner Gemeinschafter konnte aber weder von sich aus über die ganze Sache verfügen, noch sich einen realen Teil der Sache (z. B. eines Grundstücks) gleichsam herausschneiden und für sich selbst verwerten. Praktisch sind die Gemeinschafter zum Einvernehmen gezwungen. Rechtlich hat jeder von ihnen ein Vetorecht (*ius prohibendi*, Dig. 8,2,27,1; 10,3,28) gegen einseitige Maßnahmen eines andern. Kommt keine Einigung zustande, bleibt nur die Klage auf Auflösung der *c.*: die *actio communi dividundo* (Dig. 10,3). Sie führt – wie bereits die *actio familiae erciscundae* – zur Liquidation der *c.* durch richterliche Gestaltung (→ *adiudicatio*). Mit ihr kann dann auch eine reale Teilung der Sache vorgenommen oder die Sache einem (bisherigen) Gemeinschafter als Alleineigentum zugewiesen werden. Dazu ist außer der sachenrechtlichen Anordnung eine schuldrechtliche Liquidation erforderlich, z. B. die Zuerkennung eines Ausgleichsanspruchs, wenn Gemeinschafter A aus der Liquidationsmasse einen wertvolleren Gegenstand zugewiesen bekommen hat als Gemeinschafter B. Daher ist die Klage auf Auflösung der *c.* rechtlich zugleich auf eine Gestaltung (z. B. die neue Eigentumslage) und auf Leistungen (z. B. Zahlungen) gerichtet.

C. NACHWIRKUNG

In der Spätant. wurde das *ius prohibendi* eingeschränkt. Stattdessen wurde von Rechts wegen eine Regelung durch Mehrheitsentscheidungen eingeführt, zu diesem Zweck auch die *actio communi dividundo* auf die Bereinigung von Streitigkeiten ohne Liquidation der *c.* ausgedehnt. Zudem wurde bei Justinian die *c.* ohne Bestehen einer *societas* als ein »Quasi-Kontrakt« bezeichnet, um die Entstehung schuldrechtlicher Leistungsansprüche bei einer *c.* ohne Gesellschaftsvertrag besser erklären zu können (Inst. Iust. 3,27,3). Erst in der Neuzeit ist die *c.* zurückgedrängt worden zugunsten der gemeinsamen Berechtigung ohne ideelle Anteile an einzelnen Gegenständen. Diese Gesamthand hat sich schließlich im Recht der Personengesellschaft und der Erbengemeinschaft durchgesetzt (z. B. §§ 719, 2033 Abs. 2 BGB). Daneben lebt die *c.* als Miteigentum (z. B. von Eheleuten am Grundstück mit dem Familienwohnhaus) fort.

KASER, RPR I, 99–101, 590–592 · H. HONSELL, TH. MAYER-MALY, W. SELB, Röm. Recht, ⁴1987, 149–151 · F. WIEACKER, Societas I, 1936 · COING I, 293 f. · G. MACCORMACK, The actio communi dividundo in Roman and Scots law, in: A. D. E. LEWIS, D. J. IBBETSON (Hrsg.), The Roman law tradition, 1994, 159–181.   G. S.

Comparatio publica ist urspr. wohl kein t. t. (daher auch *c. venalitium, c. specierum*) für den Kauf durch die öffentliche Hand zum Zwecke der Versorgung des röm. Staates, vor allem für die Ausrüstung des Militärs und die öffentliche Getreideversorgung (→ Heeresversorgung, → cura annonae). Als rechtliche Kategorie wird *c. p.* erst greifbar im Cod. Theod. (Rubrik 11,15). Dort ist sie ein nahezu vollständig reguliertes Geschäft mit Verkaufspflichten (modernrechtlich: Kontrahierungszwang) und genauen Preisvorschriften. Der Sache nach hat es aber die *c. p.* schon in republikanischer Zeit gegeben (Liv. 2,9,34; 10,11). Nur so konnte der Staat insbes. seine zunehmenden Aufgaben in der Getreideversorgung der Stadtbevölkerung erfüllen.

S. BRASSLOFF, s. v. C.p., RE 4, 781–784.   G. S.

Compendiariae (von lat. *pictura compendiaria*, vorteilhaft kurze Malweise; »abgekürzte« Malerei). Ant. t.t., oft mit »Schnellmalerei« übersetzt. Art, Einsatz und Wirkung dieser griech. Maltechnik des späten 4. Jh. v. Chr. ist wegen des Fehlens genauerer Erklärungen in den Quellen (bes. bei Plin. nat. 35, 110; Petron. 2) umstritten. Mehrere Verfahren werden diskutiert: impressionistische »Farbfleckenmalerei«; eher skizzenhafte Bildausführung; durch Überschneidung und ausschnitthafte Komposition bloße Teilwiedergabe einzelner Elemente; allg. rasche Arbeitsweise durch Kombination solcher Techniken. All dies findet sich auf zeitgenössischer Keramik und bei späterer röm.-kampanischer

→ Wandmalerei. Nachlässig schraffierte Kontur und unruhiger Duktus einzelner Partien, z. B. der Bilder des Persephone-Grabes in Vergina (→ Aigai), die mit → Nikomachos, auch einem »Schnellmaler« verbunden werden, machen eine spezielle Pinselführung für Entwurf und Modellierung wahrscheinlich. So sind C. auch im ökonomischen Sinn zu verstehen: Mit geringem Arbeitsaufwand sollte maximaler Effekt im Bild und damit geldwerter Vorteil für den Maler erzielt werden.

M. ANDRONIKOS, Vergina, 2, 1994 · J. J. POLLITT, The Ancient View of Greek Art, 1974, 266–273 · A. ROUVERET, Histoire et imaginaire de la peinture ancienne, 1989, 119, 228–255 · I. SCHEIBLER, Griech. Malerei der Ant., 1994, 69 f.   N. H.

Compensatio. Die *c.* (Aufrechnung) ist im röm. Recht eine ziemlich verwickelte Institution. Dabei ist ihr Grundgedanke einfach: Stehen sich in einem Prozeß zwei Parteien gegenüber, die gegeneinander Forderungen zu erheben haben, werden die Forderungen nicht gesondert behandelt, sondern – soweit ihre Beträge sich decken – miteinander verrechnet. Beide Forderungen werden dann in diesem Umfang getilgt, so daß die Klage unbegründet wird und der Beklagte seinerseits seine (Gegen-)Forderung nicht mehr einklagen kann. Die Komplikation für das Verständnis des röm. Rechtes ergibt sich aus der unterschiedlichen prozessualen Lage bei den jeweiligen Gründen der eingeklagten Forderungen.

Gai. inst. 4,61–68 schildert die *c.* im Rahmen der *bonae fidei iudicia*, also derjenigen Zivilverfahren, die von den Praetoren entwickelt und hierbei insgesamt unter das Gebot von Treu und Glauben (bona → fides) gestellt wurden. Das Ermessen des Richters, das sich aus der Möglichkeit zum Rückgriff auf die *bona fides* ergab, umfaßte die Befugnis, Forderungen aus demselben Rechtsverhältnis (*ex eadem causa*) miteinander zu verrechnen: Da der Kläger nach dem Wortlaut der für sein Begehren einschlägigen Formel *ex fide bona* klagte, konnte der Richter sein Begehren so interpretieren, daß der Kläger nach Treu und Glauben nur das verlangte, was ihm nach vollständiger Abwicklung des Rechtsverhältnisses zustand. Weil das Urteil ohnehin auf einen Geldbetrag gelautet hätte (*condemnatio pecuniaria*), waren die gegeneinander stehenden Forderungen auch gleichartig und somit technisch ohne weiteres verrechenbar. Freilich mußte die Gegenforderung unbestritten oder bewiesen (liquide) sein.

Ähnlich wurden im klass. röm. Recht zwei bes. Fälle behandelt: 1) Ein Bankier (→ *argentarius*) durfte gegen einen Kunden keine Einzelforderungen geltend machen, sondern nur den Überschuß aus dem Kontokorrent. Dies mußte der Bankier bei der Angabe von Grund und Gegenstand seines Begehrens (→ *intentio*) beachten; andernfalls verlor er den Prozeß ganz (*pluris petitio*, Gai. inst. 4,68). 2) Wer bei Zahlungsunfähigkeit des Schuldners dessen Vermögen gegen das Versprechen übernahm, an die Gläubiger eine bestimmte Quote ihrer Forderung zu zahlen (*bonorum emptor*, → *bona*), mußte sich hinsichtlich der zu den *bona* gehörenden Forderungen des Zahlungsunfähigen die *c.* mit dem vollen Nennwert der Gegenforderung, nicht nur mit deren Quote, gefallen lassen (*agere cum deductione*, Klage unter Abzug, Gai. inst. 4,65). Hierfür brauchte die Gegenforderung weder gleichartig noch fällig zu sein. Die Gefahr der Sanktion wegen *pluris petitio* bestand für den *bonorum emptor* aber nicht.

Bei den *iudicia stricti iuris* (Klagen nach strengem Recht) scheint es eine *c.* im eigentlichen Sinne überhaupt nicht gegeben zu haben, sondern nur einen indirekten Zwang gegenüber dem Kläger, sich mit der *c.* in einem → *pactum* einverstanden zu erklären. So konnte der Praetor die Zulassung der Klage verweigern (*actionem denegare*), wenn die Aufrechnungsmöglichkeit materiell offensichtlich war und die Aufrechterhaltung des Klagebegehrens daher als Schikane erschien. Marc Aurel soll zudem (nach Inst. Iust. 4,6,30) eine *exceptio doli* (Arglistrede) wegen einer gleichartigen, fälligen Gegenforderung in das Klageformular eingefügt haben, um dem → *iudex* deren Prüfung zu ermöglichen; erwies sich die *exceptio* als begründet, war die Klage nach allg. Regeln wiederum insgesamt abzuweisen. Vielleicht konnte aber der Kläger hier ausnahmsweise im Verfahrensabschnitt vor dem *iudex* die Klage beschränken.

Justinian hat die *c.* vereinheitlicht und reformiert: Nun wurde generell die Verurteilung auf den Saldo der liquiden Forderungen beschränkt (Cod. Iust. 4,31,14). Hierdurch wurde der Beklagte in Höhe seiner Gegenforderung *ipso iure* vom zunächst eingeklagten Anspruch befreit. Zu einem Institut des materiellen Rechts hat sich die *c.* erst im 19. Jh. entwickelt. Keine Beziehung zur *c.* des röm. Rechts hat die gemeinrechtliche Bezeichnung *c. lucri cum damno* für die Vorteilsausgleichung im allg. Schadensrecht. Schon in der Ant. gebräuchlich war hingegen der Ausdruck *c.* für den Ausschluß des Ersatzanspruchs gegen einen fahrlässigen Schädiger, wenn der Geschädigte selbst fahrlässig war (Dig. 16,2,10 pr.).

KASER, RPR I, 644–647 · H. HONSELL, TH. MAYER-MALY, W. SELB, Röm. Recht, ⁴1987, 272–276.   G.S.

Comperendinatio bezeichnet nach Gai. inst. 4,15 die bereits in den XII Tafeln vorgesehene, im Anschluß an die Richterbestellung getroffene Vereinbarung der Parteien, am übernächsten Tag vor dem *iudex* zu erscheinen (Fest. 355,1; Prob. 4,9: *in diem tertium sive perendinum*; zur röm. Fristberechnung vgl. Gell. 10,24,9). Sie bedurfte nicht der Stipulationsform, weil die Säumnisfolgen bereits hinreichende Sanktion waren. Wie sich der Übergang des Verfahrens *in iure* zu dem *apud iudicem* im Formularverfahren im einzelnen gestaltete, ist unklar, weil *c.* in diesem Zusammenhang nicht mehr ausdrücklich genannt wird und das Wort überdies zunehmend die allg. Bedeutung einer Vertagung annimmt. Im comitialen Strafprozeß (→ *quaestio*) bezeichnet *c.* wohl die Zeitintervalle zwischen den vier Verhandlungsterminen (Cic. dom. 45).

→ Ampliatio; Denuntiatio

D. JOHNSTON, Three Thoughts on Roman Private Law and the Lex Irnitana, in: JRS 77, 1987, 70–77 · KASER, RZ, 274 · U. MANTHE, Stilistische Gemeinsamkeiten in den Fachsprachen der Juristen und Auguren der Röm. Republik, in: K. ZIMMERMANN (Hrsg.), Stilbegriffe der Altertumswiss., 1993, 70.   C. PA.

Compitalia.

A. BEGRIFF

Der Knotenpunkt von drei oder mehr Wegen heißt *compitum* (ThlL, s. v. 2075, 77 ff.); dort standen Altäre, Kapellen oder andere Male (ebenfalls *compita* genannt), an denen die Bauern und ihre Diener *in fundi villaeque conspectu* (Cic. leg. 2,27) zu den Laren beteten und Opfer darbrachten, und sich die Angrenzenden zu gemeinsamer Beratung trafen (Trebatius bei Serv. georg. 2,382). Welche älteren Vorstellungen man dahinter auch vermuten mag (zur Kontroverse WISSOWA-SAMTER [4. 224 ff.]), die ältesten bezeugten Kultpraktiken und -vorstellungen des *compitum* und der Compital-Laren beruhen auf dem Zusammentreffen von Wegen, Besitzungen und den darauf Lebenden und sind also ländlich-dörfliche Gemeinschaftsfeiern (daher stets der Plural der Compital-Laren), deren Höhepunkt das Fest der C. war. In der Spätrepublik wurden sie noch vom Praetor mit einer alten Formel (Gell. 10,24,3; Macr. Sat. 1,4,27) acht Tage vorher im Dezember angekündigt (als Wandelfest vgl. Varro ling. 6,25; 29) und fanden somit ›wenige Tage nach den Saturnalia‹ (Dion. Hal. ant. 4,14) statt: Bekannte Daten sind der 31. Dez. 67, 1. Jan. 58 und der 2. Jan. 50 v. Chr. (Ascon. p. 65 C; Cic. Pis. 8 ;Cic. Att. 7,7,3). Die ländlichen C. haben den Charakter einer dörflichen Jahresabschlußfeier (*finita agricultura*: schol. Pers. 4,28), bei der allein der Gutsverwalter die sonst nur dem Herrn vorbehaltenen kult. Pflichten übernehmen durfte (Cato agr. 5,3) und bei der (wie an den → Saturnalia) das Gesinde eine Extra-Ration Wein erhielt (Cato agr. 57). Als jeweils angeordnete Feiertage (*feriae conceptivae*) dem bäuerlichen Rhythmus anpaßbar, nicht von den nominellen Besitzern, sondern von den tatsächlich im Haus und auf dem Hof Arbeitenden begangen, waren diese ländlichen C. gemeinschaftlicher Dank für das vergangene und Gebet für das folgende Jahr, Abwehr schädigender Mächte, Reinigung und bes. ausgelassenes Feiern – letzteres immer stärker, so daß sie wegen des Fernbleibens der Besitzer (bezeichnend Cic. Att. 7,7,3) allmählich zu einem Fest für Gesinde und Sklaven herabsanken [1. 32 ff.].

B. ZEIT DER RÖMISCHEN REPUBLIK

Die stadtröm. C. soll König Servius → Tullius eingerichtet haben (Plin. nat. 36,204): Die Stadt wurde in vier Regionen (*tribus*, »Dörfer«) unterteilt, jedes »Dorf« erhielt einen Vorstand (als Kontrolleur für die strengen Tribus-Vorschriften). Zur kult. Bindung mußten an allen *compita* von den angrenzenden Nachbarn Compital-Kapellen errichtet werden, an denen jährlich ein Gemeinschaftsopfer dieser Nachbarn unter Beteiligung aller Sklaven vollzogen werden mußte (Dion. Hal. ant. 4,14; Macr. Sat. 1,7,34 ff.). Tatsächlich kennt die Spätrepublik *magistri vicorum* (mit dem Recht, die *toga praetexta* zu tragen: Cic. Pis. 8; Liv. 34,7,2), die mit wachsenden Aufgaben in ihrem *vicus* Compital-Kollegien vorstanden (illustriert werden kann dies durch die wohl analogen Verhältnisse in Kampanien und auf Delos: [2. 586ff.; 1. 43ff.]). Hauptaufgabe dieser *magistri* und ihrer *collegia*, aus deren Kreisen sich angesehene und freie Bürger immer mehr zurückzogen (Liv. 34,7,2: *infimum genus*), – ihr polit. Einfluß (vgl. Q. Cic., de petitione consulatus 30) und Mißbrauchsmöglichkeiten führten nach 64 v.Chr. zu deren zeitweiser Abschaffung [3] – waren die Vorbereitung und Durchführung der Compitalfeier und der dazu gehörigen Spiele, deren Beliebtheit zu einer Ausdehnung auf drei Tage drängte (Fest. p. 304f.; vom 3.–5. Jan. im Kalender des Philocalus und des Polemius Silvius).

An den C. wurden noch vor Tagesbeginn (*noctu*: Fest. p. 108) an den *compita* so viele Wollgebilde aufgehängt, wie Köpfe zur *compitum*-Gemeinde zählten, und zwar männliche und weibliche Gebilde für die Freien, Bällchen für die Sklaven (Fest. p. 273). Als Opfer dienten bei diesen *sacra publica* (Varro ling. 6,29; Fest. p. 284) Opferkuchen, die jedes Haus beisteuerte (Dion.Hal. ant. 4,14,3f.). Schweineopfer [7. 411; 2. 590ff.] sind für die C. nicht bezeugt, wohl aber für andere Larenkulte, vielleicht auch andere *compita*-Rituale; auch das Opfer von Knoblauchknollen und Mohnkapseln für Mania (sing. bei Macr. sat. 1,7,35) (von [4.214f.] mit Varro Men. 463 B. mit der Anfertigung der *effigies* vermengt) gehört nicht zu den C. [8]. Spiele (*ludi compitalicii*: Cic. Pis. 8; Ascon. p. 6f. C) und üppige Gastmähler (Verg. catal. 5,27f.; Dion. Hal. ant. 4,14,4 – Cicero genießt Spaziergänge und ein heißes Bad: Att. 2,3,4) rundeten das Fest ab.

C. AUGUSTEISCHE REFORM

Die heruntergekommenen, auch polit. mißbrauchten Compital-Kollegien und ihre Veranstaltungen wurden 7 v.Chr. von Augustus im Zusammenhang seiner Neugliederung Roms in 14 Regionen mit 265 *vici* = *compita* neu geordnet (Plin. nat. 3,66; [5]): Die jetzt zwei Laren, mit dem *Genius Augusti* verbunden, wurden das Zentrum des Kaiserkultes; bei den C. wurden wohl bes. die beliebten, jetzt dreitägigen Spiele gefördert (Suet. Aug. 31; Calp. Sic. 4,125f.).

Deutungen der augusteischen Zeit halten die Compital-Laren für die vergöttl. Seelen der Verstorbenen oder für Unterweltsgötter, für die an den C. Abbilder aufgehängt würden, um von den Lebenden abzulenken (Fest. p. 108; p. 273). Wie lange diese Abbilder, die sekundär als eine Art Volkszählung dienen konnten, aufgehängt blieben und was mit ihnen dann geschah, ist unbekannt. Das Prinzip »je ein Abbild pro Person« (*tot effigies-quot capita*) verbietet, an einen Ersatz für Menschenopfer (so [6]) zu denken, zeigt aber, daß es um die in einem Gemeindeverband lebenden und arbeitenden Menschen ging (daher müssen die Compital-Laren gegenüber dem *Lar familiaris* sekundär sein).

Die C. als Feier der Gesamtrepräsentanz der Menschen eines Gemeinwesens (rituelle Konstitution einer Gemeinde mit Reinigung, Dank, Gebet und Feier), gebunden an den Ort des täglichen Lebens und Arbeitens, müssen in die ältesten Zeiten menschlicher Gemeinschaft zurückreichen. Sie wurden aber aber bei zunehmender Auflösung dieser Wohn- und Arbeitsgemeinschaft und mit der Zunahme des Sklavenwesens zu einem Fest des niederen Volkes, des Gesindes und der Sklaven, waren aber für Augustus interessant genug, auf neu organisierter Grundlage mit dem Kaiserkult verbunden zu werden.

→ Lar(es); Collegium; Magister; Kaiserkult; Ludi; Genius

1 F. BÖMER, Unt. über die Religion der Sklaven in Griechenland und Rom, I 1957 2 PH. BRUNEAU, Recherches sur les cultes de Délos à l'époque hellénistique et à l'époque impériale, 1970, 586ff. 3 J.M. FLAMBARD, Clodius, les collèges, la plèbe et les esclaves, in: MEFRA 89, 1977, 115ff. • Ders., Collegia compitalicia, in: Ktema 6, 1981, 143ff. 4 K. MEULI, Altröm. Maskenbrauch, in: MH 12, 1955, 206ff. (= Gesammelte Schriften, 1975, 85ff.) 5 G. NIEBLING, Laribus Augusti magistri primi, Historia 5, 1956, 303ff. 6 E. SAMTER, Familienfeste der Griechen und Römer, 1901, 111ff. 7 G. WISSOWA, Religion und Kultus der Römer, ²1912, 171ff. 8 E. SYSKA, Stud. zur Theologie des Macrobius, 1993, 232f. U.W.S.

Complega. Keltiberische Stadt, nur von App. Ib. 42f. für die röm. Feldzüge der J. 181–179 v.Chr. erwähnt. A. SCHULTEN [2. 136] identifizierte C. mit → Contrebia (C. kelt. Variante; nicht identisch mit → Complutum, so noch [1. 795]).

1 E. HÜBNER, s.v. C., RE IV, 794f. 2 A. SCHULTEN, Numantia I, 1914.

TOVAR 3, 340. P.B.

Complutum. Keltiberische Stadt, deren Lage bei Alcalá de Henares aufgrund von Ruinen und Inschr. feststeht (CIL II p. 410; Suppl. p. 941). Der Name von C. ist nach HOLDER [1. 1087] wohl iberisch, nach HÜBNER [2. 795] aber röm. (»Regenstadt«). Die Bewohner waren → Carpetani (Ptol. 2,6,56). Bed. gewann C. erst in christl. Zeit (Paul. Nol. 31,607; Prud. 4,41ff.; Chron. Min. 3,648), bes. als Bischofsstadt [3. 444].

1 HOLDER 1 2 E. HÜBNER, s.v. C., RE 4, 795 3 A. SCHULTEN, Fontes Hispaniae Antiquae 9, 1947.

TOVAR 3, 238. P.B.

Compluvium. Nach Varro (ling. 5,161) und Vitruv (6,3,1f.) übliche Ausbildung der Dachöffnung an allen Typen des → Atriums am röm. → Haus. Die trichterartig nach innen geneigten Dachflächen des *c.* leiten das Regenwasser in das → Impluvium, ein Becken im Zentrum des Atrium. Beim älteren *displuvium* sind die Dachflächen nach außen geneigt.

E. M. Evans, The Atrium Complex in the Houses of Pompeii, 1980 · R. Förtsch, Arch. Komm. zu den Villenbriefen des jüngeren Plinius, 1993, 30–31.   C. HÖ.

Compsa, Cossa. Stadt der Hirpini in der *regio II* an der Grenze zu Lucania; h. Conza della Campania (Prov. Avellino). Auf einer Höhe am oberen → Aufidus, beim Übergang zum Tal des Sele (Sella di Conza). Involviert in den 2. Pun. Krieg, Hannibals Operationsbasis nach Cannae (216 v. Chr.), zurückerobert von Fabius Maximus (214 v. Chr.). Im Bundesgenossenkrieg auf seiten Roms (Vell. 2,16). *Municipium* der *tribus Galeria.* Kult der *Mater Deum* und des *Iupiter Vicilinus in agro Compsano* (Liv. 24,44,8). Inschr. Belege: CIL IX, p. 88, 963–993; röm. Sarkophage; Bischofssitz; die Mauern wurden von Karl d. Gr. zerstört, weitere Denkmäler durch verschiedene Erdbeben seit 980.

NISSEN, 2, 821 · RUGGIERO, 2, 563 · M. R. BARBERA (Hrsg.), C. e l'alta valle dell'Ofanto, 1994.   G. U.

Comum. Seit dem 12. Jh. v. Chr. besiedelter Hauptort eines ligurischen Stammes der Golasecca-Kultur (Nekropole der Ca' Morta), h. Como. Starker Einfluß der kelt.-padanischen Insubres [1. 207f.]. Kontrolle über den *lacus Larius* und einen der wichtigsten Pässe über die Alpes. Von den Römern 196 v. Chr. erreicht (Liv. 33,36f.), wurde C. zu einer »fiktiven« röm. *colonia* 89 (aufgrund der *lex Pompeia*: Strab. 5,1,6). Von einem der Scipiones ausgebaut (83 oder 77 v. Chr.) und von Caesar als Novum Comum neu gegründet (59 v. Chr.) [2. 441], war C. seit 49 *municipium* der *tribus Oufentina* in der *regio XI*. In der späten Kaiserzeit war C. Militärstützpunkt mit einem *praefectus classis* am *lacus Larius* (Not. Dign. 42,9).
→ Golaseccca

1 G. LURASCHI, C. oppidum, RAComo 152–155, 207f.
2 Ders., Foedus, ius Latii, civitas, 1979.

Novum C., 1993.   A. SA.

Concha. Lateinisch für Muschel, Schnecke (griech. κόγχη/*kónchē*); bezeichnet auch muschelförmig gebildete Gefäße oder große Trinkschalen, auch das schneckenförmige Tritonshorn (Verg. Aen. 6,171; Plin. nat. 9,9). In der frühchristl. Lit. steht *c.* für den oberen, halbkuppelförmigen Abschluß der → Apsis und das für Taufe und Bad verwandte Wasserbecken.

G. MATTHIAE, s. v. Conca, EAA 2, 779.   C. HÖ.

Conciliabulum. *C.* (von *concilium*) im rechtlichen Sinn ist ein Versammlungsplatz oder, häufiger, -ort (*locus ubi in concilium convenitur,* Fest. p. 33), an dem die Bürger zur Bekanntgabe von Gesetzen, zur Aushebung usw. zusammenkamen. Das Wort bezeichnet eine Siedlung mit rudimentärer Selbstverwaltung auf dem Gebiet einer *tribus rusticae.* Für den *ager Romanus* ist häufig von *per fora et conciliabula* die Rede (Liv. 25,22,4; 39,14,7 usw.), was – wie auch die *lex Poetelia* von 358 – die Parallele zu

den stadtröm. *nundinae* gut zeigt. In spätrepublikanischen Gesetzen begegnet es in einer Reihe mit → *praefectura, forum, vicus, castellum territoriumve* (vgl. die Belege bei [1]). Vermutlich handelt es sich hierbei nicht grundsätzlich um verschiedene Arten von Siedlungen, sondern um verschiedene Aspekte (administrativ-iuridisches Zentrum, Marktort, Befestigung), die durchaus auch denselben Ort bezeichnen können, aber nicht müssen: nicht jedes *c.* ist auch eine *praefectura.* Viele frühere *c.* auf röm. Gebiet wurden in den letzten Jh. der Republik in → *municipia* umgewandelt (Frontin. strat. 19 L.).

1 RUGGIERO 2, 566.

MOMMSEN, Staatsrecht 3, 798 f. · H. GALSTERER, Herrschaft und Verwaltung im republikanischen It., 1976, 26–35.
   H. GA.

Concilium. *C.* (von *con-calare*) ist eine einberufene Versammlung (Fest. p. 38); auch übertragen gebraucht (Cic. Tusc. 1,72; Lucr. 3,805).

1. Im polit. Sprachgebrauch bezeichnet *c.* unterscheidend von den verfassungsmäßigen → *contiones* und → *comitia* oft eine Volksversammlung ohne Rechtswirkung (*is qui non universum populum, sed partem aliquam adesse iubet, non comitia, sed concilium edicere iubet,* Gell. 15,27,4; Liv. 9,45,8). Es wird aber auch im Sinne von *contio* oder *comitia* gebraucht und dann öfters in Verbindung sowohl mit *populi* als auch mit *plebis* (Cic. Sest. 65; Lex Iulia municipalibus 132/FIRA 1,150). In der Kaiserzeit verliert sich die Sonderbedeutung von *c.*

2. In den Ständekämpfen der frühen Republik bildet sich eine Organisationsform der *plebs,* das *c. plebis,* welches der Beschlußfassung innerhalb der *plebs* und der Wahl ihrer Beamten (*tribuni* und *aediles plebis*) dient (Liv. 2,56,2f.; 2,60,4f.). Schon in älterer Zeit gelegentlich, wohl jeweils nach einer genehmigenden *sententia* des Senats (Liv. 2,56,16; ferner 3,55 betreffend die *lex Valeria Horatia de plebiscitis* des J. 449 v. Chr.), unbeschränkt seit der *lex Hortensia* des J. 286 v. Chr. wird den Beschlüssen der in einem *c. plebis* versammelten *plebs* (*plebis scita*) dieselbe Bindewirkung zuerkannt wie den *leges populi* der *comitia centuriata*. Das Wort bedeutet wohl seither dasselbe wie → *comitia tributa.* Dieser Versammlung pflegt nun ein mit dem *ius agendi cum populo* ausgestatteter Magistrat vorzusitzen, und vor ihrer Eröffnung müssen in derselben Weise Auspizien eingeholt werden wie bei den *comitia centuriata* (Liv. 1,36,6; 5,52,16f.; Cass. Dio 37,2f.; Dig. 1,2,2).

3. *C. provinciae* ist die in den röm. Prov. übliche Form einer Vertreterversammlung für ihre Städte und Völkerschaften unter formeller Leitung eines für den Kaiser- und Staatskult zuständigen Priesters und auf Veranlassen des Statthalters (Cic. Verr. 2,154; Tac. ann. 15,21f.; lex civ. Narb. 25/FIRA 1,201f.; Dig. 17,14,1). Diese Versammlung dient nicht der autonomen Beschlußfassung wie einige ihrer vorröm. Vorläuferformen (z. B. die *sýnodoi* der griech. *sympoliteíai* oder *koiná* oder die ge-

samtgallischen Stammestreffen – Liv. 36,28,7; Frontin. strat. 3,2,6; Caes. Gall. 6,13), wohl aber auch einer Erörterung provinzialer Angelegenheiten und der Verabschiedung gemeinsamer Loyalitäts-Adressen und Petitionen und die Bestimmung von Gesandtschaften an den Kaiser (Dig. 50,7; Cod. Iust. 10,65,5), außerdem den Feiern und Spielen im Zusammenhang mit dem Staats- und Kaiserkult. In der christl. Spätant. erfüllen die *concilia provinciarum* keine Kultaufgaben mehr. Ferner haben sie – anders als vor der die Provinzialen bürgerrechtlich gleichstellenden *constitutio Antoniniana* des J. 212 n. Chr. möglich – ein gewisses Eigengewicht im Rahmen der Provinzialverwaltung entwickelt (Cod. Theod. 12,12,16: *civitatum postulata, decreta urbium, desideria populorum liquido tua sublimitas recognoscit ad imperialis officium pertinuisse responsi*; ähnlich Cod. Iust. 10,65,5).

4. *C. ecclesiastica*, d. h. kirchliche »Synoden«, bilden sich analog zu den *c. provinciarum* schon im 3. Jh. n. Chr., dann aber verstärkt nach der offiziellen Zulassung des Christentums, im Rahmen der Prov. zur Wahl bzw. unter Leitung der Metropolitan-Bischöfe (can. IV »de ordinatione episcoporum« des *c.* Nicaenum/COeD 1 ff.). Schon vor Constantinus dem Gr. kommt es zu überregionalen Konzilien; seit seiner Regierung werden sie für die reichskirchliche Organisation aber wesentlich (Cod. Iust. 1,2,1). Das erste *c. oecumenicum* ist das im J. 323 n. Chr. von diesem Kaiser nach Nicaea einberufene (Eus. vita Const. 3,17 ff.).

MOMMSEN, Staatsrecht 1, 191 ff.; 3/1, 143 ff., 321 ff., 394 f. · F. F. ABBOTT, A History and Description of Roman Political Institutions ³1963, 251 ff., 302 · E. MEYER, Röm. Staat und Staatsgedanke, ⁴1975, 85 f., 406 · JONES, LRE 763 f. · K. BAUS, H. JEDIN, Von der Urgemeinde zur frühchristl. Großkirche, 1965, Bd. 1, 395 ff.   C. G.

Conclamatio. Altes Element des röm. Totenbrauchs: Wenn dem Verstorbenen die Augen geschlossen worden sind, rufen die anwesenden Verwandten ihn mehrfach laut beim Namen (Serv. Aen. 6,218; Lucan. 2,23; Sen. dial. 9,11,7; dasselbe meint Ov. trist. 3,3,43 *clamor supremus*; Ps.-Quint. decl. mai. 8,10 *conclamata suprema*). Da das Wort auch zur Bezeichnung normaler Totenklage dient (z. B. Tac. ann. 3,2,2; Orationes imperatoris Hadriani in CIL 14, 3579, 19; Sen. epist. 52,13 u. ö.), lassen sich viele Zeugnisse nicht eindeutig zuordnen. Der offenbar in histor. Zeit nicht mehr verstandene Brauch wurde rationalistisch als Versuch, Scheintote aufzuwecken, gedeutet (Serv. Aen. 6,218; implizit schon Quint. decl. min. 246,4). Der Namenruf wurde (später?) bis zur Einäscherung bzw. Grablegung wiederholt (Serv. Aen. 6,218; vgl. Verg. Aen. 6,506).
→ Bestattung

H. BLÜMNER, Die röm. Privataltertümer, 1911, 483 · W. KIERDORF, Totenehrung im republikanischen Rom, in: Tod und Jenseits im Alt., 1991, 71–87 (73) · J. M. C. TOYNBEE, Death and Burial in the Roman World, 1971, 44.
W. K.

Conclusio s. Partes orationis

Concolitanus (Κογκολιτάνος). Keltischer Name, »der, dessen Ferse breit ist« [1. 182]. Zusammen mit → Aneroëstes König der → Gaesati; geriet nach der Niederlage der Kelten bei Telamon (225 v. Chr.) in röm. Gefangenschaft (Pol. 2,22,2; 2,31).

1 SCHMIDT.   W. SP.

Conconnetodumnus. Keltisches Namenskompositum ungeklärter Bed. »der tiefe Wunden schlägt«? [1. 74–75; 2. 219]. C. war zusammen mit → Cotuatus Führer einer Carnutenschar, die 52 v. Chr. in → Cenabum die dort niedergelassenen röm. Geschäftsleute tötete und plünderte, darunter den Ritter C. → Fufius Cita (Caes. Gall. 7,3,1). C. ist nicht identisch mit dem in Saintes bezeugten Congonnetodubnus (CIL XIII 1040; 1042–1045) [2. 181].

1 EVANS 2 SCHMIDT.   W. SP.

Concordia. Entsprechend der griech. → Homonoia Personifikation und Vergöttlichung der Eintracht (Cic. nat. deor. 2,61; ThlL, Onom. 2, 555–558 s. v. C.). C. ist bezeugt auf einem der *pocula deorum* (Cucordia. pocolo) [1]. Eine Verehrung der C. ist in Rom seit dem 4. Jh. v. Chr. bezeugt. Die entscheidenden Phasen ihrer Geschichte sind mit der Suche nach innerer Einheit (vgl. die *c. ordinum*) verbunden. Ein erster Tempel wurde ihr angeblich 367/366 v. Chr. von → Camillus zur Feier der Beendigung des Ständekampfes an der Nordwestecke des Forums gelobt (Plut. Camillus 42,4) [2]. An gleicher Stelle weihte 121 v. Chr. der Consul L. Opimius nach der blutigen Gracchen-Verfolgung der C. einen Tempel, was die Beseitigung der Gracchen als Wiederherstellung des inneren Friedens propagandistisch auslegt; von der Gegnerschaft wurde dies als Zynismus empfunden (Plut. C. Gracchus 17,8; App. civ. 1,120; spöttisch Aug. civ. 3,25). Dieser Bau gilt gemeinhin als Erneuerung des Tempels des Camillus [3]; er wurde 7 v. Chr. von Tiberius als C. Augusta restauriert; seit Vespasian fand hier regelmäßig die *indictio* des Festes der Dea Dia durch die → Arvalen statt. Heute ist nur noch das Podium und die Schwelle zur Cella zu sehen. Schon 304 hatte in der Nähe der Aedil Cn. Flavius der C. eine *aedicula* (Kapelle) zur Wiederherstellung der inneren Eintracht geweiht (Liv. 9,46,6; Plin. nat. 33,19). Ein anderer C.-Tempel wurde vom Praetor L. Manlius 218 während einer Militärrevolte in Gallien gelobt (Liv. 22,33,7). Unsicher ist, ob der vom Senat für Caesar 44 gelobte Tempel der C. Nova je gebaut wurde (Cass. Dio 44,4).

Dem auf das Polit. ausgeweiteten Verständnis der C. als Göttin der interfamiliären Eintracht galt der von Livia in ihrer Porticus erbaute Tempel (Ov. fast. 6,637 f.) [4]. In der Kaiserzeit war ihr Kult auch außerhalb Roms weit verbreitet. Entsprechend häufig wird sie in der röm. Kunst dargestellt (zahlreiche Münzen). Zur jüd.-christl. Auffassung von C. vgl. [5].

1 R. WACHTER, Altlat. Inschr., 1987, 465–467
2 MOMIGLIANO 2, 89–104 3 DUMÉZIL, 406 4 J. SIMPSON,
Livia and the Constitution of the Aedes Concordiae, in:
Historia 40, 1991, 449–455 5 K. THRAEDE, s. v. Homonoia,
RAC 16, 176–289.

A. M. FERRONI, G. GIANELLI, s. v. C., LTUR 1, 316–321 ·
T. HÖLSCHER, s. v. Homonoia/C., LIMC 5.1, 478–498 ·
DUMÉZIL, 402–408 · E. SKARD, C., in: H. OPPERMANN,
Röm. Wertbegriffe, 1967 (1931), 173–208.   R. B.

Concubinatus. Im röm. Recht die dauerhafte Geschlechtsgemeinschaft ohne *affectio maritalis*, also ohne das Bewußtsein beider Teile, auf Dauer eine rechtliche Bindung zur Hausgemeinschaft und Kinderzeugung und -erziehung eingehen zu wollen. Seit den Ehegesetzen des Augustus wurde der *c.* ferner zunehmend zur Form des Zusammenlebens, wenn die Eingehung einer Ehe verboten war. So durften nach der *l. Iulia de maritandis ordinibus* Senatoren und deren Nachkommen keine Freigelassene und auch keine Schauspielerin oder Schauspielertochter heiraten. Freigeborene Römer konnten keine Ehe mit Ehebrecherinnen eingehen. Schließlich war den Soldaten bis zur Zeit des Septimius Severus aus Gründen der mil. Disziplin die Ehe verboten, ebenso Provinzialbeamten mit Frauen aus der verwalteten Provinz. In all diesen Fällen wählte man den Ausweg des *c.* Bei der Entlassung von Soldaten wurde ihren Konkubinen vielfach die Legitimation als rechtmäßige Ehefrau verliehen. Der *c.* war bis in die höchsten Kreise verbreitet. Überliefert sind *c.* der Kaiser Vespasian (Suet. Vesp. 3) und Marc Aurel (SHA Aur. 29,10). Verbindungen mit Sklaven waren hingegen kein *c.*, sondern unterlagen als → *contubernium* einer eigenen Beurteilung. Andererseits scheint auch die »Nebenfrau« eines verheirateten Mannes als *concubina* angesehen worden zu sein.

Trotz der sozialen Akzeptanz des *c.* begründete er bis zur Spätant. keinerlei rechtliche Wirkungen. Insbes. hatte die Frau nicht den *honor matrimonii* (die Ehrenstellung einer Ehefrau), wie die Juristen immerhin eigens betonen (Pap. Dig. 39,5,31 pr.; Paul. Dig. 25,7,4). Ihre Kinder waren daher unehelich (→ *spurius*), was aber ein Erbrecht nach dem Vater nicht ausschloß: Eine *epistula Hadriani* (119, BGU I 140) wird meist so verstanden, daß Soldatenkinder sogar ein nicht-testamentarisches Erbrecht hatten. Da die *concubina* keine väterliche Gewalt haben oder vermitteln konnte, wurden ihre Kinder »gewaltfrei« geboren (*sui iuris*), bedurften aber der Vormundschaft, vermutlich durch einen behördlich bestellten Vormund.

Constantin versuchte, den *c.* durch Verbote zu bekämpfen (Cod. Theod. 4,6,2 und 3). Als stärker erwies sich aber in der Spätant. die Tendenz, den *c.* an eine wirkliche Ehe möglichst anzunähern. Dies galt freilich nur, wenn die Partner unverheiratet waren und der Mann nur mit einer *concubina* verbunden blieb. Die Kinder aus solchen Verbindungen wurden nun als *liberi naturales* bes. gegenüber den (anderen) *spurii* (jetzt auch *vulgo quaesiti*) herausgehoben. Für sie wurde die Möglichkeit der Legitimation geschaffen, also der Gleichstellung mit ehelichen Kindern, zunächst im Falle nachträglicher Eheschließung der Eltern (Cod. Iust. 5,27,5 ff.). Justinian (Nov. 74 aus dem J. 538) führte zusätzlich eine Legitimation durch kaiserlichen Gnadenakt ein, die z. B. dann gewährt wurde, wenn keine ehelichen Kinder vorhanden waren und die Mutter der *liberi naturales* nicht mehr lebte, so daß eine Eheschließung unmöglich war. In der Nov. 18 bestimmte er zugunsten der überlebenden *concubina* und ihrer Kinder sogar ein gesetzliches Erbrecht, wenn der Mann kein Mitglied einer von ihm gegründeten ehelichen Familie hinterließ.

KASER, RPR I, 328 f., II, 183 f. · P. M. MEYER, Der röm. Konkubinat, 1895 (Neudr. 1966) · B. RAWSON, Roman concubinage and other de facto marriages, in: TAPhA 104, 1974, 279–305 · S. TREGGIARI, Concubinae, in: PBSR 49, 1981, 59–81.   G. S.

Concussio. Als *c.* (Erpressung) werden in den Dig. (Titel 47,13) Fälle einer erzwungenen Vorteilsgewährung an einen Amtsträger zusammengestellt. Möglicherweise handelt es sich um eine Weiterentwicklung des Repetundenverfahrens (→ *repetundarum crimen*). Das strafbare Verhalten im Amt durch *c.* wurde aber nicht in einem *iudicium publicum* verfolgt, sondern durch *extraordinaria* → *cognitio*. Es dürfte daher auch erst im Laufe des Prinzipats (2. Jh. n. Chr.) als eigenes Delikt erfaßt worden sein. Als Mittel der *c.* erwähnen die Quellen die Vorspiegelung einer (höheren) Amtsgewalt oder der Anordnung eines Vorgesetzten und die Drohung mit einer unbegründeten Anklage. Offenbar wurde die *c.* auch von Subalternbeamten begangen, da die Strafdrohung nach der Begehung durch *honestiores* (Deportation) oder *humiliores* (Todesstrafe) differenziert ausgestaltet ist (Paul. sent. 5,25,12). Die Schwere dieser Strafe beruht ersichtlich auf der Erwartung einer abschreckenden Wirkung und wahrscheinlich auf einem Überhandnehmen der Korruption.

V. GIUFFRÉ, La »repressione criminale« nell' esperienza romana, 1993, 134 f. · H. F. HITZIG, s. v. C., RE 7, 840.
                                          G. S.

Condatomagus. Stadt der → Ruteni in Aquitania am Zusammenfluß von Tarn und der Dourbie, seit dem 3. Jh. n. Chr. Aemiliavum gen. (daher h. Millau), h. La Graufesenque. Bedeutende Keramikproduktion, bes. *terra sigillata*, exportiert im 1. Jh. v. Chr., nach und nach durch Lezoux abgelöst (→ Arverni). Monumente: Viele Werkstätten, zwei *fana*, *nymphaeum*. Inschr. (»Brennverzeichnisse«) aus C. sind eine wichtige Quelle für die Wirtschaftsgesch. der ant. Keramikindustrie.

A. ALBENQUE, Les Rutènes, 1948 · F. HERMET, La Graufesenque, 1934 · R. LEQUÉMENT, in: Gallia 41, 1983, 476–479 · R. MARICHAL, Les graffites de La Graufesenque, 1988.   E. FR.

Condemnatio. Im Strafprozeß die Verurteilung des Angeklagten (Cic. Verr. 2,75). Im Zivilverfahren ist *c.* nach Gai. inst. 4,43 derjenige Teil der Prozeßformel, durch den einem privaten Richter im Rahmen des Klagebegehrens (→ *intentio*) und der Sachverhaltsbeschreibung (→ *demonstratio*) die Macht zu Verurteilung oder Freispruch eingeräumt wurde (*qua iudici condemnandi absolvendive potestas permittitur*). Sie ist nur bei Leistungsklagen erforderlich. Gai. inst. 4,48 ff. berichtet weiter, daß jede *c.* auf einen Geldbetrag gerichtet ist (*c. pecuniaria*). Diese (erst unter Justinian engültig aufgegebene, Iust. inst. 4,6,32) Ausschließlichkeit der Geldverurteilung mag eine Reminiszenz an den Prozeß der Frühzeit sein, in dem unmittelbar um die Lösungssumme und nur mittelbar um die Sachfrage gestritten wurde. Die *c.* konnte unterschiedlich ausgestaltet sein: Ihr Umfang war durch die *intentio* vorgegeben, sofern diese auf eine fixe Summe gerichtet war; richtete sie sich auf eine *incerta pecunia*, konnte der Richter entweder frei, *c. infinita,* schätzen (*aestimatio litis*) oder ihm wurde eine Höchstgrenze vorgegeben, *c. cum taxatione*. Bei einigen Klagen ging die Verurteilung auf ein Mehrfaches des Streitgegenstandswertes. Enthält die Formel die sog. Arbiträrklausel, wurde durch feststellenden Zwischenbescheid Naturalleistung angeregt. Leistete der Beklagte daraufhin, wurde er freigesprochen.
→ Arbiter

H. BLANK, C. pecuniaria und Sachzugriff, in: ZRG 99, 1982, 303–316 · KASER, RZ, 241, 256 · W. WALDSTEIN, Haftung und dare oportere, in: FS Wesener, 1992, 519–530.   C. PA.

Condicio. Eine *c.* (Bedingung, wie heute § 158 BGB) läßt die Wirkung eines Geschäfts von einem zukünftigen, ungewissen Ereignis abhängen, z. B. die Pflicht zur Rückzahlung eines Sachdarlehens, ›wenn das Schiff aus *Asia* zurückkommt‹. *Condiciones* können im röm. Recht den meisten Rechtsgeschäften beigefügt werden. Bedingungsfeindlich und als bedingte Geschäfte unwirksam sind jedoch die *actus legitimi* (Dig. 50,17,55). Unter *c.* verstehen die Römer insbes. die aufschiebende Bedingung, bei deren Eintritt das Geschäft wirksam wird. Bis dahin besteht ein Schwebezustand (*c. pendet*), bisweilen mit Vorwirkungen, z. B. bei der bedingten Novation (Dig. 23,3,80). Überträgt ein Verkäufer eine bedingt übereignete Sache nochmals, so ist die zweite Verfügung (erst) bei Eintritt der *c.* hinfällig. Aufschiebend bedingte Forderungen können noviert und erlassen werden (Dig. 46,2,14,1; 46,4,12). Der Eintritt einer auflösenden Bedingung beendet die Wirkung eines zunächst gültigen Geschäfts. Rechtspositionen wie die Freiheit, → *patria potestas,* Erbrecht lassen keine auflösende *c.* zu. Auflösend bedingtes Eigentum wird im Laufe der Klassik anerkannt.

Bei der *c. potestativa* (Gegensatz: *c. casualis*) kann der aus dem Geschäft Berechtigte auf den Eintritt der *c.* Einfluß nehmen. Letztwillige Zuwendungen unter einer negativen *c. potestativa* würde der Bedachte bisweilen erst bei seinem Tod erwerben. Dies vermeidet die *cautio Muciana* (→ *cautio*).

Unmögliche und unerlaubte Bedingungen machen das Geschäft nichtig. Bei Legaten betrachten die Sabinianer und spätere Juristen die unmögliche oder unerlaubte *c.* als nicht beigesetzt. Seit dem Spät-MA wird die röm. Lehre von der *c.* wieder angewendet, der von Bartolus aufgestellte Grundsatz der Rückwirkung des Bedingungseintritts freilich erst im 19. Jh. überwunden.

W. FLUME, Rechtsakt und Rechtsverhältnis, 1990 · A. MASI, Studi sulla condizione nel diritto romano, 1966 · H. PETER, Das bedingte Rechtsgeschäft, 1994.   P. A.

Condictio.

A. KLAGEART DES IUS CIVILE

Mit der → *legis actio per condicionem* konnte seit dem 3. Jh. v. Chr. die Verurteilung zu einer bestimmten Leistung erreicht werden: *certa pecunia* aufgrund einer *l. Silia,* andere *certae res* aufgrund einer *l. Calpurnia* (vgl. Gai. inst. 4,17 b–19). *C.* (»Ansage«) selbst ist eine bloß prozessuale Bezeichnung: Der Gerichtstermin wurde nicht sofort anberaumt, sondern nach Ablauf einer »angesagten« Frist von 30 Tagen, die dem Schuldner die Möglichkeit zur Erfüllung ohne Gerichtsverfahren ließ.

Bei dem *certum* dieser Klage hat es sich wohl in erster Linie um die Rückgewähr eines formlos empfangenen Darlehens (→ *mutuum*) gehandelt, z. B. an Geld oder Saatgut. Da die Klage keinen Verpflichtungsgrund nennt, war sie aber auch für andere Rückgewährbegehren geeignet, z. B. nach irrtümlicher Erfüllung einer Verpflichtung, die in Wahrheit nicht bestand. Darüber hinaus wurde die *c.* jedenfalls in klass. Zeit die Klage auf Erfüllung des abstrakten Schuldversprechens der → *stipulatio,* wenn deren Gegenstand ein *certum* war. Dann wurde, wie eine Urkunde aus Pompeji zeigt, der Kondiktionsformel (nunmehr eine Klageart des Formularprozesses) eine → *praescriptio* vorangestellt, die auf die Stipulation hinwies (*ea res agatur de sponsione* [1. 143, 147]). Ferner fand die *c.* auf die → *litterarum obligatio* (die Forderung aus dem Hausbuch des *pater familias*) Anwendung, weil diese wie eine Art fiktives Darlehen gehandhabt wurde (Cic. Q. Rosc. 4,13; 5,14).

B. AUSGLEICH RECHTSGRUNDLOSEN ERWERBS

Die klass. Juristen des Prinzipats haben die *c.* wegen eines rechtsgrundlosen Vermögenserwerbs ausführlich erörtert und hiermit den Grund für die Kondiktionslehre noch des gegenwärtigen bürgerlichen Rechts (z. B. §§ 812 ff. BGB) gelegt. Am allgemeinsten hat den Gerechtigkeitsgehalt der Ansprüche aus *c.* Pomponius (Dig. 50,17,206) formuliert: *iure naturae aequum est neminem cum alterius detrimento et iniuria fieri locupletiorem* (›nach naturrechtlicher Billigkeit soll niemand mit dem Schaden eines anderen und durch Unrecht reicher werden‹). In dieser Verallgemeinerung folgt die Juristenlehre einer bis zur Stoa zurückreichenden rechtsphilosoph. Tradition (Cic. off. 3,21 und dazu [2]). Die röm. Juristen haben hiermit jedoch nicht ein Institut des allg. Billigkeitsausgleichs begründet. Der klass. *c.* ist vielmehr aus ihrem strengrechtlichen (→ *ius*) Erbe eine Beschränkung auf klar definierbare Einzeltatbestände erh. geblieben.

Im Mittelpunkt der klass. *c.* stehen Sachverhalte, die auf eine *datio*, urspr. die Verschaffung quiritischen Eigentums, zurückgehen. Die einzige echte Ausnahme hiervon bildet die *c. furtiva*: ein »Herausgabeanspruch«, der aber praktisch auf den Sachwert gerichtet war. Er stand dem Eigentümer gegen den Dieb zu. Allen Fällen der *c.* ist, wie bereits die *veteres* (vor dem 1. Jh. v. Chr.) erkannt haben, gemeinsam, daß jemand etwas *ex iniusta causa* erlangt hat (Dig. 12,5,6). → *Causa* ist hier im doppelten Sinne eines Grundes und eines (Tilgungs-)Zweckes zu verstehen. Die *datio* als Voraussetzung der Hauptgruppe der *c.* ist im Laufe der Entwicklung wesentlich erweitert worden: In hochklass. Zeit steht ihr z. B. der Erlaß einer Schuld (→ *acceptilatio*) ebenso gleich wie der Eigentumserwerb durch Ersitzung, Vermischung oder Verbrauch. Insbes. kannte man bereits die Bereicherung aufgrund einer Anweisung gegenüber einem Dritten, an den Gläubiger zu leisten (→ *delegatio*, Dig. 16,1,8,3). Die Gewährung einer *c.* bei Leistung rechtsgrundloser Dienste war hingegen umstritten (vgl. den Bericht von Ulp. Dig. 12,6,26,12).

C. TYPEN DER CONDICTIO

Hinsichtlich der *c.* aufgrund einer *datio sine causa* unterschied das klass. röm. Recht drei Typen: Am wichtigsten war die *c. indebiti* für Fälle irrtümlicher Leistungen auf eine Nichtschuld (Dig.-Titel 12,6). War die Leistung nicht zur Tilgung einer Schuld (*solvendi causa*) bestimmt, kam dennoch eine *c.* in Betracht, wenn der Schuldner aufgrund formloser Abrede eine – ihrerseits nicht geschuldete – Gegenleistung erwartet hatte, die dann ausgeblieben war (später sog. Innominatkontrakt). Diese *c. ob rem* ist nachklass. als *c. causa data causa non secuta* (Dig.-Titel 12,4) bezeichnet worden. Den dritten Typ bildet die *c. ob turpem vel iniustam causam* (Dig.-Titel 12,5). Mit ihr konnte, wenn auf die *datio ob rem* hin die Gegenleistung erbracht worden und die *c. ob rem* daher ausgeschlossen war, die Leistung dennoch zurückgefordert werden wegen der *turpis causa* (der Sittenwidrigkeit) oder der Rechtswidrigkeit des Empfängers. Diese *c.* war freilich wiederum ausgeschlossen, wenn beide Partner der Abrede rechts- oder sittenwidrig gehandelt hatten: *in delicto pari melior causa erit possidentis* (bei beidseitigem Delikt ist die *causa* des Besitzes besser, kombiniert Dig. 12,7,5 pr. und 3,6,5,1). Dieser Grundsatz war Ausdruck der Vorstellung, daß die staatliche Rechtsschutzgewährung nicht dazu bestimmt sein könne, sittenwidrige Ansprüche durchzusetzen – während der »Besitzer« (*possidens*) aufgrund einer sittenwidrigen *causa* nur einen tatsächlichen, nicht einen rechtlich anerkannten Vorteil hat. Einige Spezialfälle, die nicht in das geschilderte Schema passen, sind von den Kompilatoren Justinians als *c. sine causa* zusammengefaßt worden. Hierzu gehörte eine *c. incerti* wegen des rechtsgrundlosen Eingehens einer (abstrakten) Verbindlichkeit und eine *c. ob causam finitam*, wenn eine zunächst bestehende Verpflichtung nachträglich weggefallen ist. Kaum noch etwas mit der klass. *c.* zu tun haben die in den Dig. vorkommenden *c. ex lege* (Dig. 13,2,) und *c. generalis* (Dig. 12,1,9).

D. INHALT DES ANSPRUCHES

Auf Grund der *c.* war im allg. nicht die (noch) vorhandene Bereicherung, sondern das urspr. Erlangte herauszugeben. Nur bei der nichtigen Schenkung unter Ehegatten und beim Erwerb durch ein Mündel ohne Mitwirkung seines Vormunds scheint eine Beschränkung der Haftung aus *c.* durch Wegfall oder Minderung des Empfangenen anerkannt worden zu sein.

1 J. G. WOLF, Aus dem neuen pompejanischen Urkundenfund: Die Kondiktionen des C. Sulpicius Cinnamus, in: SDHI 45, 1979, 141–177 2 C. WOLLSCHLÄGER, Das stoische Bereicherungsverbot in der röm. Rechtswiss., in: Röm. Recht in der europ. Tradition, Symposion für F. Wieacker, 1985, 41–88.

KASER, RPR I, 592–600 · H. HONSELL, TH. MAYER-MALY, W. SELB, Röm. Recht, ⁴1987, 350–356 · W. PIKA, Ex causa furtiva condicere im klass. röm. Recht, 1988.   G. S.

Condrusi. German. Volk, von Caesar (Gall. 2,4,10) mit den → *Eburones*, Caerosi und Paemani zu den *Germani cisrhenani* gerechnet; lebten als Klienten der → *Treveri* (ebd. 4,6,4) zw. diesen und den Eburones (ebd. 6,32,1). Die in ma. Urkunden *pagus Condrustus* gen. Landschaft *Condroz* an der Maas von Namur bis Lüttich erinnert an die C.

G. NEUMANN et al., s. v. C., RGA 5, 78–80.   K. DI.

Conductores s. locatio conductio

Confarreatio. Die Bezeichnung *c.* beruht nach Gai. inst. 1,112 darauf, daß bei dieser sakralen Handlung ein *farreus panis* (Brot von Emmer, nicht von Dinkel oder Spelt) von den Brautleuten dem *Iuppiter farreus* geopfert wurde (→ *far*). Neben der → *coemptio* und dem einjährigen gültigen Bestand einer Ehe (*usus*) war die *c.* die dritte Möglichkeit, die → *manus* (Mannesgewalt) über die Ehefrau zu begründen. Wahrscheinlich war diese Wirkung nur die Nebenfolge der *c.*; im Vordergrund dürfte die hoch feierliche Eheschließung selbst gestanden haben. Sie geschah vor 10 Zeugen, dem Jupiterpriester (*flamen Dialis*, → *flamines*) und dem obersten Priester (*pontifex maximus*). Eine derart aufwendige Zeremonie war vermutlich dem Patriziern oder der Nobilität vorbehalten. Zuletzt wurde die *c.* wohl nur noch für die Eheschließung von Priestern angewandt. Ob Gai. (2. Jh. n. Chr.) eine bereits ganz außer Gebrauch geratene Zeremonie schildert, ist ungewiß. Die Scheidung einer durch *c.* begründeten Ehe erfolgte durch eine *diffarreatio*, wohl wieder mit priesterlichem Ritual (Plut. qu. R. 50).

TREGGIARI, 21–24.   G. S.

Confessio. Wörtlich das Geständnis, im modernen Sinne aber auch ein Anerkenntnis, führte anstelle eines Urteils unmittelbar zum Vollstreckungsverfahren entsprechend dem Grundsatz, daß der Geständige als verurteilt anzusehen sei: *confessus pro iudicato habetur (est)* (Dig. 42,2,1; 3; 6; Cod. Iust. 7,59,1). Von diesem Grundsatz gab es freilich Ausnahmen:

1) Im Strafprozeß wurde der geständige Angeklagte bestimmter schwerer Verbrechen (z. B. *crimen laesae maiestatis*: am berühmtesten Jesus vor Pilatus, Mk 15,2 ff.) als verurteilt behandelt; ihm blieb lediglich ein Gnadengesuch, *deprecatio*, an den Proconsul (vgl. Dig. 48,18,1,27). Bei leichteren Vergehen beschränkte man sich offenbar auf eine (freie) Beweiswürdigung, wie insgesamt eine Überprüfung des Wahrheitsgehalts eines Geständnisses zulässig war (Dig. 48,18,1, 17; 23; 27).

2) Im Zivilprozeß ist nach den Verfahrensarten zu unterscheiden: Im Legisaktionenverfahren führt die (auch durch Schweigen mögliche) *c.* vor dem Magistrat (*in iure*), eine bestimmte Summe zu schulden oder eine Sache herausgeben zu müssen (nach Gai. inst. 2,24 ist das die Grundlage der → *in iure cessio*), zur unmittelbaren Anwendbarkeit der Zwangsvollstreckungsklage der *legis actio per manus iniectionem* (Gai. 4,21 ff.), bzw. zuvor des *arbitrium litis aestimandae*. Im Formularverfahren ist nach den Quellen zwischen der *c. in iure* und der *c. apud iudicem* zu differenzieren. Über letztere ist wenig bekannt, doch dürfte das Geständnis vor dem Richter wie ein Beweis der zugestandenen Tatsache gewirkt haben, der freilich nicht unabänderbar war (Dig. 42,2,2). Die *c. in iure* mußte in der → *litis contestatio* festgehalten werden, um ihre Wirkung (moderner t.t »Präklusion«) in dem Umfang des Zugestandenen entfalten zu können. Der Richter verurteilte dann sofort – ohne Beweisaufnahme (Dig. 42,2,3; 5) – oder beschränkte das Verfahren auf die nicht zugestandenen Fragenkomplexe. Im Kontext der *lex Aquilia* ist eine *actio confessoria* erwähnt (Dig. 9,2,23,11), die möglicherweise aus dem *arbitrium litis aestimandae* hervorgegangen ist, und die nach dem Anerkenntnis des Beklagten bei unbestimmtem Wert der beschädigten Sache zum Gegenstand des richterlichen Verfahrens wurde. Im Verfahren der → *cognitio* wird das Geständnis zunehmend – bei fließenden Übergängen im einzelnen – zu einem Beweismittel.

W. LITEWSKI, C. in iure e sententia, in: Labeo 22, 1976, 252–267 · D. NÖRR, Zur Interdependenz von Prozeßrecht und materiellem Recht am Beispiel der l. Aquilia in: Rechtshistor. Journ. 6, 1987, 99–116 · C. PAULUS, Einige Bemerkungen zum Prozeß Jesu bei den Synoptikern, in: ZRG 102, 1985, 437–445 · N. SCAPINI, La confessione nel diritto romano I, 1973, II, 1983 · D. SIMON, Unt. zum Justinianischen Zivilprozeß, 1969, 202.   C. PA.

Confirmatio s. Argumentatio

Confluentes

[1] Heute Koblenz; Verkehrsknoten und Handelshafen, am Zusammenfluß (*ad C.*) von Mosel und Rhein, an der Rheintalstraße Mainz – Köln und den von Trier über den Hunsrück und das Maifeld zum Rhein führenden Routen (CIL XVII 2,675). Eine gerade Pfahljochbrücke überquerte den Rhein nach Ehrenbreitenstein seit 49 n. Chr. (Dendrodaten [1]), die Moselbrücke mit Steinpfeilern auf Pfahlrost ist dendrochronologisch jünger (104/176 n. Chr.). Für die Altstadt ist ein 70 n. Chr. aufgegebenes, spättiberianisch-frühclaudisches Kastell mit *vicus* zum Rhein postuliert, auf der rechten Rheinseite sicherte im 2./3. Jh. die Verbindung zw. Brücke und Limes das Kohortenkästell von Koblenz-Niederberg (2,8 ha). Die wenig bekannte Siedlung in der Altstadt behauptete sich bis zur Zerstörung durch die Germaneneinfälle ca. 260. Danach lag C. am Rheinlimes und wurde durch eine 354 noch bestehende (Amm. 16,3,1), unregelmäßige Altstadt-Festung (8,5 ha) mit *milites defensores* als Besatzung geschützt (Not. dign. occ. 41,24). Um die Mitte des 5. Jh. war C. bereits fränkisch. Bemerkenswert ist ein großes gallo-röm. Heiligtum am Westhang des Kühkopfes (1. Jh. bis ca. 400).

1 ECK, 20 f.

H.-H. WEGNER, Koblenz, in: H. CÜPPERS (Hrsg.), Die Römer in Rheinland-Pfalz, 1990, 418–424.   K. DI.

[2] In Raetien. Nach Not. dign. occ. 35 ein *praefectus numeri barcariorum Confluentibus sice Brecantia* bezeugt, h. Koblenz am Zusammenfluß von Aare und Rhein. STAEHELIN [1] vermutet die Örtlichkeit an der Einmündung des Obersees in den Untersee bei Konstanz, nach BERGK [2] lag der Ort an der Mündung des Rheins in den Bodensee, h. Rheineck.

1 F. STAEHELIN, Die Schweiz in röm. Zeit, 1948, 313 · TH. BERGK, Zur Gesch. und Topogr. der Rheinlande, 1882, 98.   H. C.

[3] s. Lugdunum

Confusio. Bei der *c.* (dem »Zusammenfließen«) ist dieselbe Person zugleich Gläubiger und Schuldner oder Eigentümer und Inhaber eines beschränkten dinglichen Rechtes, z. B. eines Nießbrauchs geworden. Die *c.* führt nach röm. Recht zum Erlöschen der Forderung oder des Rechtes. Für die dingliche *c.* verwenden die Spätklassiker (3. Jh. n. Chr.) gelegentlich auch den Begriff *consolidatio*, ohne daß sachliche Unterschiede begründet werden. Die Wirkung der *c.* konnte nicht durch den Willen der Parteien verhindert werden. Die röm. Juristen nehmen freilich gelegentlich eine Pflicht zur Wiederbegründung der Forderung oder des Rechtes an. Nicht hierzu gehört aber wohl die Meinung der Prokulianer (→ Rechtsschulen), daß die → *noxalis actio* gegen den Eigentümer eines Sklaven, der einen Schaden angerichtet hat, wiederauflebt, wenn der Geschädigte, der den Sklaven inzwischen erworben hatte, diesen an einen Dritten weiterveräußert (vgl. Gai. inst. 4,78 am E.): Da die Schadensersatzpflicht des Eigentümers als persönliche Verpflichtung mit der Innehabung des Eigentums selbst jeweils neu entstand, sprechen die Römer beim Geschädigten nicht von *c.* Auch die Gegenmeinung der Sabinianer, wonach der weiterveräußernde Geschädigte keinen Schadensersatzanspruch gegen den Erwerber hat, wird nicht mit einer *c.* begründet, sondern dürfte auf der Erwägung beruhen, daß er sein Ersatzinteresse gerade durch die Veräußerung verwirklicht hat.

P. KIESS, Die c. im klass. röm. Recht, 1995.   G. S.

Confutatio s. Argumentatio

Conger (γόγγρος, manchmal, z.B. Athen. 8,356a: γρύλλος), Meeraal, der wie der → Aal beliebte und deshalb teure Seefisch (Plaut. mil. 760; Persa 110; vgl. die Angaben bei Athen. 7,288c). Aristoteles erwähnt u.a. zwei farblich unterschiedliche Arten (hist. an. 8,13, 598a13), seine ungewöhnliche Länge, Dicke und Glätte, den großen Magen und das talgartige Fett. Der C. lebt von Fischen, auch der eigenen Art, und Polypen und wird selbst Beute von Muränen und Krabben (vgl. Plin. nat. 9,185). Nach Aristot. hist. an. 8,15,599b6 hält er Winterschlaf; die Trächtigkeit des Weibchens soll beim Hineinlegen ins Feuer erkennbar werden (hist. anim. 6,17,571a28–b2).
→ Fische

KELLER II, 360. C. HÜ.

Congiarium. Abgeleitet von *congius* (ein Maß für Flüssigkeit), bezeichnete der Begriff *c.* in der Zeit der Republik die von röm. Beamten organisierte Verteilung von Wein und Öl, in der Principatszeit hingegen die Verteilung von Geld an die *plebs urbana*. Selten wird der Begriff *c.* im Zusammenhang mit den außerordentlichen Geldzuwendungen an Soldaten (*donativum*; CIL VIII 18042) gebraucht. Im Laufe des 2. Jh. n. Chr. wird der Begriff *c.* durch den Terminus *liberalitas* und im 4. Jh. durch *largitio* ersetzt. Die Verteilung fand anläßlich von Triumphen, des Regierungsbeginns eines Princeps, des *tirocinium* des künftigen Nachfolgers, der *decennalia* (von Septimius Severus 202 n. Chr. und von Constantinus 315 n. Chr. gefeiert), auf testamentarische Verfügung eines verstorbenen Princeps und bei anderen Gelegenheiten statt. Aufgrund von lit. und epigraphischen Zeugnissen, Gedenkmünzen und der Liste des Chronographen von 354 n. Chr. konnten die *c.* der ersten drei Jh. n. Chr. erfaßt und ihre Häufigkeit, die jeweils ausgezahlten Summen (von 75 Denaren im 1. Jh. bis zu 250 Denaren in der Mitte des 3. Jh.) sowie die Zusammensetzung der Münzen (Silber oder Gold) festgestellt werden. Die lit. Texte und die Reliefs des Konstantinbogens bestätigen die Bed. der Präsenz des Princeps bei den *c.* ebenso wie die seit Nero zu diesem Anlaß ausgegebenen Münzen. Hier wird die Legende CON, CONG, CONGIAR oder CONGIARIVM mit der Schenkungsszene verbunden. Der Beschenkte ersteigt die Stufen des Podiums (*suggestum*), auf dem der Princeps sitzt, und streckt einen Zipfel seiner Toga aus, um die von einem Helfer mit Hilfe eines Zählbrettes ausgeteilten Geldstücke zu empfangen. Auf Münzen von Nero, Titus, Nerva und später Marcus Aurelius ist in zentraler Position Minerva mit Helm abgebildet; auf anderen Münzen erscheint die Personifizierung der stehenden *liberalitas*, erkennbar an ihren typischen Attributen, Zählbrett und Füllhorn.

Seit Hadrian wird die Legende *liberalitas* bald mit der Verteilungsszene, bald mit der Darstellung der *liberalitas* selbst verbunden. Die Reliefs des Konstantinbogens in

Rom zeigen die Verteilungen von Marc Aurel und Constantinus und ordnen sie in den Rahmen der Kaiserforen ein. Das letzte *c.* in Rom ist auf die Regierungszeit von Theodosius datiert (13. Juni 389).
→ Donativum; Liberalitas

1 D. VAN BERCHEM, Les distributions de blé et d'argent à la plèbe romaine sous l'Empire, 1939 2 J.-P. CALLU, La politique monétaire des empereurs romains de 238 à 311, 1969 3 M. CORBIER, Trésors et greniers dans la Rome impériale, in: Le système palatial en Orient, en Grèce et à Rome, 1987, 411–443 4 H. KLOFT, Liberalitas Principis, 1970 5 F. MILLAR, Les congiaires à Rome et la monnaie, in: A. GIOVANNINI (Hrsg.), Nourrir la plèbe, 1991, 43–65 6 G. SPINOLA, Il »c.« in età imperiale, 1990 7 P. VEYNE, Le pain et le cirque, 1976 8 C. VIRLOUVET, Tessera frumentaria. Les procédures de la disribution du blé public à Rome, 1995 9 R. VOLLKOMMER, *Liberalitas*, LIMC 6.1, 1992, 274–278 und 6.2, 141–143. MI. CO./Ü: C. P.

Congius. Ausgehend von der Amphora (= 8 *congii*) bezeichnet *c.* ein röm. Hohlmaß für Flüssigkeiten und entspricht 3,275 l, die bei Wasser- bzw. Weinfüllung auf 80 Pfund zu 327,45 g genormt ist, so daß ein *c.* zu 10 Pfund 3,275 kg wiegt. Der sog. farnesinische *c.*, der 75 n. Chr. unter Vespasian hergestellt worden ist und u. a. in der Inschr. das Kürzel *p(ondus)* X (für 10 Pfund) aufweist, liegt mit 3,265 l knapp unter der Norm (ILS 8628). Für die Stückelung des *c.* vgl. → *cochlear*. Der *chus* wird dem röm. C. gleichgesetzt.
→ Amphora; Chus; Eichung; Hohlmaße

F. HULTSCH, Griech. und röm. Metrologie, ²1882 • Ders., s. v. C., RE 4., 880–881 • H. Chantraine, s. v. Quadrantal, RE 24, 667–672 • O. A. W. DILKE, Mathematik, Maße und Gewichte in der Ant., 1991. A. M.

Connacorix (Κοννακόριξ). Galater mit kelt. Namen [1. 182; 2. 155], 73 v. Chr. Befehlshaber des → Mithradates in → Herakleia (Memnon 29,4; 34,4; 35,1–4; 7; 36=FGrH 3 Nr. 434).

1 SCHMIDT 2 L. WEISGERBER, Galatische Sprachreste, in: Natalicium. FS J. Geffken, 1931. W. SP.

Consabura. Reste dieser wohl kelt. Stadt [1. 1105] bei Consuegra südl. von Toledo (CIL II p. 431; [3. 177]). Frontin. strat. 4,5,19 erwähnt C. im Zusammenhang mit dem Sertorius-Krieg zum J. 78 v. Chr. Weitere Zeugnisse: Plin. nat. 3,25; Ptol. 2,6,57; Itin. Anton. 446,6; Geogr. Rav. 313,15; CIL II 2,2166; 4211.

1 HOLDER 1 • E. HÜBNER, s. v. C., RE 4, 889
3 A. SCHULTEN, Fontes Hispaniae Antiquae 4, 1937.

TOVAR 3, 222–224. P. B.

Consanguinei. Geschwister mit gemeinsamem Vater (*uterini* haben die Mutter gemeinsam). Nach röm. Zivilrecht hatten konsanguine Schwestern gesetzliches Erbrecht, während Agnatinnen höheren Verwandtschafts-

grades (Tanten, Nichten usw.) von der Intestaterbfolge ausgeschlossen waren (Gai. inst. 3,14; Inst. Iust. 3,2,3a).
→ Agnatio; Erbrecht

H. L. W. NELSON, U. MANTHE, Gai Institutiones III 1–87, 1992, 65 f.   U. M.

Conscripti (von *conscribere* in der bes. Bed. »zusammen«- oder »hinzuschreiben«, »registrieren«) meint allg. die in ein Verzeichnis Eingetragenen. So bezeichnet *c.* etwa die in das Bürgerverzeichnis eingetragenen *cives Romani*, ferner die registrierten Kolonisten einer *colonia*, die in die Matrikelrolle einer mil. Einheit oder Behörde eingetragenen Soldaten oder Beamten und schließlich die in die *census*-Listen eingetragenen Steuerpflichtigen (Liv. 1,12,8; 37,46,10; Suet. Iul. 8; Dig. 50,16,239,5; Cod. Iust. 6,21,16; 11,48,4).

In der Wortverbindung *patres c.* läßt sich *c.* auf die bes. kenntlich gemachte plebeische Gruppe beziehen, die während der letzten Phase der Ständekämpfe (vor der *lex Hortensia* des J. 287 v. Chr.) zwar als Mitglieder in den Senat aufgenommen wurden, aber nicht mit allen Rechten ausgestattet worden sein könnten, die patrizischen Senatoren zukamen; zu den ihnen verschlossenen Tätigkeiten könnte etwa die Gesetzesgenehmigung (*auctoritas senatus*) gehört haben. In diesem Sinne läßt sich etwa Festus (p. 7 M.) verstehen; *nam patres dicuntur qui sunt patricii generis, conscripti qui in senatu sunt scriptis adnotati.* Eine andere eher legendäre Deutung bietet Livius (2,1). Näher liegt wohl die Annahme, *c.* kennzeichne lediglich aus Traditionsgründen – und nicht aus polit., die ja den Konflikt fortgesetzt hätten –, die neuaufgenommenen Senatsmitglieder bes.: Wie die Dauer der Senatszugehörigkeit und der Rang ausgeübter Ämter, so wirkte sich – auch nach der vollen Gleichstellung von Patriziern und Plebejern im J. 287 v. Chr. – das Alter des Adels immer noch ein wenig in prozeduralen oder zeremonialen Regeln wie z. B. in der Redeordnung des Senats rangdifferenzierend aus (Liv. per. 11; Cass. Dio, fr. 37,2, lib. IX; Diod. 21,18,2).
→ Tabulae publicae; Censuales; Senatus; Patricii; Plebeii

F. F. ABBOTT, A History and Description of Roman Political Institutions, ²1963, Nr. 267 · MOMMSEN, Staatsrecht 3, 835.   C. G.

Consecratio. Verbalnomen zu *consecrare*, »weihen, als *sacrum* erklären«; von Magistraten – häufig zusammen mit → *pontifices* – vorgenommener Rechtsakt, der den geweihten Gegenstand dem weltlichen/menschlichen Gebrauch entzog. Spezifisch röm. Verfahren, da nach röm. Verständnis weder einem Tempel, Kultbild, Altar noch Kultgeräten eine »autogene« Sakralität eigen war. Eine inhaltliche Differenzierung zwischen *c.* und → *dedicatio* wird zuweilen für die republikanische Zeit unterstellt (z. B. [1. 399]); seit der späten Republik werden die beiden Begriffe jedenfalls syn. verwendet (Dig. 24,1,5,12; SHA Hadr. 13,7). Die *c.* ist in verschiedenen Kontexten belegt:

1. Die *c.* von Altären, Tempeln, Grundstücken, Kultbildern, Geldern etc. (vgl. Festus p. 424) in Verbindung mit der Konstituierung oder Erweiterung öffentlicher Heiligtümer (*sacra publica*; vgl. Dig. 1,8,6,3; Gai. inst. 2,2,4). Wie zahlreiche andere rel. Einrichtungen auch wird das Verfahren der *c.* von der röm. Annalistik auf König → Numa zurückgeführt (Liv. 1,21,1 ff.), der als erster durch die *c.* eine in profane und sakrale Zonen gegliederte (»geordnete«) *urbs* geschaffen haben soll, nachdem Romulus durch die Grenzziehung des → *pomeriums* die ersten Voraussetzungen für die Organisation einer polit. Gemeinschaft geschaffen hatte. In republikanischer Zeit ging mit der Abschaffung des Königtums die Kompetenz zur *c.* auf die höchsten röm. Beamten über. Sie konnte zudem durch Volksbeschluß oder eine entsprechende *lex* für einzelne Objekte an ehemalige Beamte verliehen werden (Cic. de domo 44–52). Bis zum Prinzipat war die *c.* als letzter Schritt bei der Etablierung neuer Kultstätten – etwa nach erfolgtem → *votum* vor der Schlacht – Teil der rel. Aktivitäten der polit. Elite Roms. Alle späteren bedeutenden Tempel wurden durch die Kaiser selbst erbaut und konsekriert. Diese waren schließlich auch die einzigen, die die Genehmigung zur Umwandlung von öffenlichen in geweihte Grundstücke (*loca sacra*) geben konnten (Dig. 1,8,9,1–3). Das Verfahren der röm. *c.* wurde von der katholischen Kirche später in christl. modifizierter Form rezipiert (vgl. Inst. Iust. 2,1,8: *sacra sunt, quae rite et per pontifices deo consecrata sunt . . .*) [2. 30 f.].

2. Als *c. bonorum* war die *c.* Teil eines Strafverfahrens (Kapitalprozeß) oder der polit. → *coercitio*, indem durch die Weihung (zumeist) Grundstücke zugunsten eines öffentlichen Tempels enteignet wurden. Die *c. bonorum* wurde durch Volkstribune (Liv. 8,20,8; Cic. de domo 123; Plin. nat. 7,143 f.) durchgeführt. In diesen Bereich gehört auch die *c. capitis* als Teil einer Verwünschungs- oder Selbstverwünschungsformel, die jedoch keinen Eingang in die Rechtspraxis bzw. -sprache fand (vgl. Liv. 3,48,5; Plin. paneg. 64).

3. Formell und inhaltlich verschieden von den vorgenannten Arten ist die *c.* verstorbener Kaiser im Rahmen ihrer Divinisierung. Diese *c.* war ein (auf Antrag des nachfolgenden Kaisers gefaßter) Senatsbeschluß, durch den der Verstorbene zum *divus* erklärt wurde [3]; in späterer Zeit geschah die *c.* zusammen mit der Bestattung (→ Kaiserkult).

1 A. MUTEL, Reflexions sur quelques aspects de la condition juridique des temples en droit romain classique, in: Mélanges offerts à L. Falletti, 1971, 389–412 2 J. L. MURGA, La venta de las »res divini iuris« en el derecho romano tardio, 1971 3 CH. SAUMAGNE, La lex de dedicatione aedium (450–304) et la divinitas Christi, in: Studi in onore di E. Volaterra, 1971, 383–407.

W. KIERDORF, *Funus* und *c.* Zu Terminologie und Ablauf der röm. Kaiserapotheose, in: Chiron 1986, 43–69 · F. SALERNO, Dalla *c.* alla *publicatio bonorum*, 1990 · G. WISSOWA, s. v. C., RE 4, 896–902.   C. F.

Consensus ist der übereinstimmende Wille der Parteien eines Vertrages (→ *contractus*). Im röm. Recht bildete er die Grundlage für die Verbindlichkeit von Kauf (→ *emptio venditio*), Miet-, Werk- und Dienstvertrag (→ *locatio conductio*), Auftrag (→ *mandatum*) und Gesellschaft (→ *societas*). Die »Entdeckung« des *c.* als zentrales Element einer Privatrechtsordnung ist eine der ›großartigsten und für die weitere Entwicklung wirkungsvollsten juristischen Leistungen‹ [1. 180]. Die Verbindlichkeit aus *c.* bedarf weder einer Form noch einer Vorleistung noch der Erfüllung. Im Prinzip des *c.* haben auf eigenartige Weise spezifische röm. Rechtsvorstellungen mit der Notwendigkeit zusammengewirkt, über Geschäfte unter Beteiligung von Personen außerhalb des Bürgerverbandes zu entscheiden: Die Vorstellung des *c.* ist vom → *praetor peregrinus*, dem Gerichtsmagistrat für Streitigkeiten mit Nicht-Römern, die zu den Geschäftsformen des *ius civile* nicht zugelassen waren, entwickelt worden. Ihre Grundlage bildet aber die röm. → *fides*. Daher sind die durch *c.* entstandenen Verträge klagbar geworden *ex fide bona* (»aus guter Treue«).

Der Gedanke des *c.* hat im klass. röm. Recht der Prinzipatszeit weit über die vier Konsensualkontrakte (s.o.) hinaus Bedeutung erlangt. Z.B. führte nunmehr der Irrtum einer Partei beim streng formalen Geschäft der → *stipulatio* zu deren Nichtigkeit (Inst. Iust. 3,19,23); ebenso wurde für Real- und Litteralverträge (→ *contractus*) ein *c.* verlangt. Auch für die gar nicht als eigentlicher Vertrag angesehene Eheschließung war der *c.* als *affectio maritalis* (beiderseitiger Ehewille) maßgeblich (Ulp. Dig. 24,1,32,13; 35,1,15).

Nach Rückschlägen im Recht des frühen MA wurde das Prinzip des *c.* unter dem Einfluß des entwickelten Kirchenrechts immer weiter ausgebaut, bis es in den naturrechtlichen Vertragslehren des 17./18. Jh. zur wichtigsten Grundlage nicht nur des Rechts, sondern der Vorstellung vom Staat überhaupt wurde.

1 M. KASER, Röm. Privatrecht. Ein Studienbuch, [16]1992.

G. GROSSO, Il sistema romano dei contratti, [3]1963.　　G.S.

Consentes Dei. Römischer Gruppenname von zwölf Göttern, sechs männlichen und sechs weiblichen, wohl von **con-sens* (»zusammen-seiend«) herzuleiten [1]. Die Götter fallen wenigstens seit Varro mit den griech. zwölf Olympiern zusammen [2], wobei die Namensform (einschließlich des archa. Plur. *deum consentium*) auf Älteres weist. Ihr Tempel (*aedes deum consentium*: Varro ling. 8,70) ist wohl identisch ist mit der Porticus *deum consentium* am Nordende des Forums und ihren sechs goldenen Statuen (Varro, rust. 1,1,4), die Vettius Agorius → Praetextatus 367 n.Chr. restaurierte (CIL VI 102 = ILS 4003) [3]. Dieselbe Gruppe wurde gelegentlich auch in der Prov. (Dakien: [2. 124f.]) verehrt; als → Interpretatio Romana fanden sie röm. Vertreter in der Gruppe von zwölf anon. göttl. Beratern des etr. Iupiter (Tinia; Varro bei Arnob. 3,40, vgl. A. Caecina bei Sen. quaest. nat. 2,41) [4. 31].

1 LEUMANN, 523 2 CH.R. LONG, The Twelve Gods of Greece and Rome, 1987, 235–243 3 NASH 2, 241 4 PFIFFIG.
　　　　　　　　　　　　　　　　　　　　　　　　F.G.

Consentia. Ort am Zusammenfluß von → Crathis und Basentus (Plin. nat. 3,72), h. Cosenza. In strategisch günstiger Position kontrollierte C. Verbindungen nach Sybaris und zum *mare Tyrrhenum*. Das früheste Datum, das Strab. 6,1,5 mit C. als Metropolis des 356 v.Chr. gegr. Bruttischen Bundes bietet, scheint überboten durch wenige Prägungen von Br.-Obolen mit der Legende KOS (oder KWS), traditionell auf 400/356 v.Chr. datiert. 330 v.Chr. Eroberung von C. durch Alexandros, den Molosser (getötet bei Pandosia von Lucani und bestattet in C.; Liv. 8,24,4; 14; 16; Strab. l.c.). Im 2. Pun. Krieg wechselte C. mehrmals das Bündnis mit Rom bzw. Karthago bis zur Kapitulation 204 v.Chr. (Liv. 23,30,5; 25,1,2; 28,11,13; 29,38,1; 30,19,10). C. war in den Sklavenaufstand von 73 v.Chr. verwickelt (Oros. 5,24,2) und wurde 40 v.Chr. durch Sex. Pompeius verwüstet (App. civ. 5,56; 58). *Colonia* unter Augustus, *regio III* (liber coloniarum 1,209,16); berühmt, aber noch nicht lokalisiert das Grab des → Alaricus (gestorben 410 n.Chr.) im Flußbett des Busento bei C. (Iord. Get. 30,158). Wenige arch. Reste (Siedlungskontinuität bis h.): Einige Steine der ant. Stadtmauer sind in das normannische Kastell eingebaut; ein Gräberfeld vom E. des 4.Jh. n.Chr., Hercules-Kultstätte. C. wird erwähnt im Elogium von Polla (CIL XI 6950) zw. den *stationes* entlang der *via Popilia Annia* (Itin. Anton. 105,4; 110,7).
→ Bruttii

BTCGI 5, 431–441 s.v. Cosenza • P.G. GUZZO, I Bretti, 1989, 80f. • M. PAOLETTI, Occupazione romana e storia della città, in: Storia della Calabria antica, 1994, 481–485.
　　　　　　　　　　　　　　　　　　　　　　　　M.C.P.

Consentius. Name eines lat. Grammatikers des 5.Jh. n.Chr., möglicherweise aus Narbo (erwähnt in seiner *Ars*, GL 346,5; 348,35). Wahrscheinlich identisch oder verwandt mit dem gleichnamigen Freund des → Sidonius Apollinaris, der unter Avitus *curator palatii* war (455–456). Von letzterem C. wissen wir, daß er wie sein gleichnamiger Vater, der Dichter und Philosoph war, mit Sicherheit aus Narbo stammte und lat. wie griech. Verse schrieb; dank seiner hervorragenden Griech.-Kenntnisse wurde er als Botschafter nach Konstantinopel geschickt (Nachrichten bes. bei Sidon. carm. 23; epist. 8,4; 9,15). Der Grammatiker C. war Verf. zweier Abh. *De nomine et verbo* und *De barbarismis et metaplasmis* (Ed.: [2]); letztere ist für die Zeugnisse der Vulgärsprache wichtig. Beide Abh. waren Teil einer umfangreicheren *Ars grammatica*. Der Grammatiker C. wurde für einen Großteil der ma. Sammlungen verwendet, z.B. für die *Ars Ambrosiana*, Malsacanus, Cruindmelus, Tatuinus, Anonymus ad Cuimnanum, Clemens Scotus, Erchembertus und Ermenricus.

Ed.: **1** GL 5, 338–404 **2** M. Niedermann, 1937.
Lit.: **3** Schanz/Hosius, 4,2, 49. 56. 58. 210–213
4 O. Seek, G. Goetz, s. v. C. 1–3, in: RE 4,911 f.

P. G./Ü: G. F.–S.

Considius. Italischer Eigenname (Schulze, 158, 456; ThlL, Onom. 2, 566 f.), bezeugt seit dem 1. Jh. v. Chr. (C. [I 1] ist wohl unhistor.).

I. Republikanische Zeit

[I 1] C., Q. Volkstribun 476 v. Chr.; nach späterer Tradition soll er mit seinem Kollegen T. Genucius ein Akkergesetz beantragt und einen Prozeß gegen den Consul von 477, T. Menenius, angestrengt haben, weil er den Fabiern an der Cremera keine Hilfe gebracht habe (Liv. 2,52; Dion. Hal. ant. 9,27,2); von zweifelhafter Historizität.

[I 2] C., Q. 74 v. Chr. Richter im Prozeß gegen Statius → Abbius Oppianicus, 70 im Verres-Prozeß ausgeschlossen (Cic. Verr. 1,18). Er besaß ein großes Vermögen (Cic. Att. 1,12,1) und gewährte umfangreiche Darlehen, die er in den innenpolit. Konflikten des J. 63 nicht kündigte, so daß es nicht zu einer Schuldenkrise kam und er durch einen Senatsbeschluß belobigt wurde (Val. Max. 4,8,3). 59 kritisierte er im Senat während der Vettius-Affäre offen Caesar wegen dessen Pressionen auf die Körperschaft (Cic. Att. 2,24,4; Plut. Caes. 14,13–15).

Nicolet 2,848 f. · T. P. Wiseman, New Men in the Roman Senate 139 B. C.-A. D. 14, 1971, 225 f.

[I 3] C. Longus, C. Praetor vor 54 v. Chr., 53(?)–50 Statthalter von Africa (MRR 3,61), 50 erfolglose Bewerbung um das Consulat (Cic. Lig. 2); Pompeianer, ging 49 als *legatus pro praetore* nach Africa (ILS 5319), wo er u. a. gegen C. → Scribonius Curio kämpfte (Caes. civ. 2,23,4). 46 wurde er nach der Schlacht von Thapsus von gaetulischen Hilfstruppen erschlagen (Bell. Afr. 93,1 f.).

[I 4] C. Nonianus, M. Praetor spätestens 54 oder 50 v. Chr., sollte urspr. als Propraetor 49 die Gallia Cisalpina übernehmen und war als Anhänger des Pompeius in Kampanien (Cic. fam. 16,12,3; Att. 8,11B,2).

[I 5] C. Paetus, C. Sohn v. C. [I 3], Anhänger des Pompeius, wurde 46 von Caesar in Africa gefangen, aber begnadigt (Bell. Afr. 89,2); ob 46 auch Münzmeister (RRC 465) ist zweifelhaft.

K.-L. E.

II. Kaiserzeit

[II 1] Senator praetorischen Ranges, der im J. 31 Pomponius Secundus wegen Freundschaft mit → Aelius Gallus anklagte (Tac. ann. 5,8,1); möglicherweise identisch, sicher aber verwandt mit C. Proculus, der im J. 33 auf Anklage von Q. Pomponius, dem Bruder des P. Secundus, vom Senat verurteilt und hingerichtet wurde (Tac. ann. 6,18,1); vgl. PIR² C 1278. 1281.

[II 2] C. Aequus. Röm. Ritter, der im J. 21 den Praetor Magius Caecilianus fälschlich anklagte; auf Antrag des Tiberius vom Senat bestraft (Tac. ann. 3,37,1).

[II 3] C. Proculus → C. [II 1]. Seine Schwester Sancia wurde verbannt (Tac. ann. 6,18,1). W. E.

Consilium

1. *c. propinquorum*: Verwandte und Freunde berieten nach altem Herkommen (Gell. 17,21) den *pater familias*, wenn er als Familiengericht über Kinder oder Frauen zu urteilen hatte (Val. Max. 5,9,1; Sen. clem. 1,15). Zur Einberufung eines *c.* bestand keine Pflicht; ein ungerechter Urteilsspruch unterfiel aber zensorischer Rüge (Cic. rep. 4,6).

2. *c. magistratuum*: Die Höchstmagistrate beriefen ein *c.* zu ihrer Beratung in Rechtsprechung und Verwaltung. Daß ihrer Entscheidung eine Beratung vorausgegangen war, wurde mitgeteilt (Cic. Att. 4,2,5). Kriegsgerichte entschieden ebenfalls nach Beratung (Liv. 29,20,5). Statthalter setzten ein *c.* aus Senatoren und Bürgern ein, das sie in Verwaltungs- und Justizfragen beriet. *In iure* (im Verfahren zur Einsetzung des Gerichts) ließ sich der Praetor regelmäßig von Juristen beraten.

3. *c. principis*: Seit Augustus wurde ein zunächst vom Senat durch Los besetztes, später vom Kaiser frei gewähltes *c.* zur festen Einrichtung, in das neben Senatoren auch Experten aus dem Ritterstand berufen wurden. In Hadrians Kronrat waren nach SHA Hadr. 18,1 u. a. Celsus, Iulianus und Neratius Priscus tätig. Schon Tiberius hatte Cocceius Nerva (Tac. ann. 4,58; 6,26) und Domitianus Pegasus (Iuv. 4,77) als Juristen in ihre Umgebung gezogen. Unter Marcus veränderten die *comites* das *c.* in einen Generalstab. Seit Septimius Severus stiegen die bedeutendsten Juristen wie Papinian, Paulus und Ulpian bis zum *praefectus praetorio* auf und waren so ständige Mitglieder im *c.* Diokletians Verwaltungsreform veränderte das Hofzeremoniell. Der Kronrat wurde zum → *consistorium*, in dem der Kaiser nur noch stehend beraten wurde.

W. Liebenam, s. v. C., RE 7, 915–922 · F. Amarelli, Consilia principum, 1983. W. E. V.

Consistere ist *t. t.* u. a. zur Bezeichnung des von der → *origo* verschiedenen Aufenthaltsorts. Dies kann der Wohnsitz (→ *domicilium*) sein (Cod. Iust. 3,19,1). Ferner heißt es in Dig. 5,1,19,2 zur Niederlassung außerhalb des *domicilium*: *at si quo constitit, non dico iure domicilii, sed tabernulam pergulam horreum armarium officinam conduxit ibique distraxit egit*: ›aber wenn er sich irgendwo niedergelassen hat – ich rede nicht vom Recht des Wohnsitzes, sondern wenn er einen kleinen Laden, eine Bude, einen Speicher, ein Lager oder eine Werkstatt gemietet und dort Handel getrieben oder gearbeitet hat‹. Dort muß sich der Händler dann verteidigen (*defendere*), d. h. er kann dort ebenso verklagt werden wie an seinem Wohnsitz. *C.* wird auch in bezug auf den Versammlungsort der *collegia* gesagt. P. A.

Consistorium meint u. a. einen Versammlungsort (*consistere* heißt u. a. über etwas diskutieren: Cic. fin. 4,72). Wohl seit Kaiser Constantinus [1] dem Gr. wird als neue

Bezeichnung für das zuvor → *consilium principis* genannte Gremium enger Mitarbeiter und Berater des Kaisers das Wort *c.* (*sacrum c.*, gegebenenfalls auch *auditorium*, griech. θεῖον συνέδριον, Cod. Iust. 1, 14,8; [Aur. Vict.] epit. Caes. 14) üblich. Im *c.* finden sowohl Beratungen über polit. und administrative Angelegenheiten als auch bei Bedarf Gerichtsverfahren und in bes. feierlicher Form die Sanktionierung kaiserlicher Gesetze statt (Cod. Iust. 1,14,8 und 12). Die Arbeitsweise des *c.* ist zwar formalisiert, hängt aber letztlich ausschließlich vom Willen des Kaisers ab. Dasselbe gilt für seine Zusammensetzung. Zu den Sitzungsteilnehmern gehören nach Bedarf: (1) Speziell ernannte Angehörige des *c.* (*comites consistoriani*), im 6. Jh. im Range von *spectabiles* (Cod. Iust. 12,10). (2) Mitglieder kraft Amtes (*magister officiorum, quaestor sacri palatii, comes sacrarum largitionum, comes rerum privatarum* und andere *proceres nostri palatii* (Cod. Iust. 1,14,8 pr.). (3) Weitere herangezogene Amtsträger oder Vertrauenspersonen des Kaisers. Das *c.* ist damit gewöhnlich der institutionelle Ort, an dem sich Interessen, Richtungen und Sachverstand der verschiedenen hohen Staats- und Hofämter sachlich und personalpolit. Geltung zu verschaffen vermögen, auch wenn seine Bed. vom Regierungsstil der Kaiser – etwa einem mehr autoritär-mil. oder einem eher administrativ-zivilen (vgl. Amm. 25,4,7 u. 30,8,1 ff.) – abhängen kann.

→ Consilium (principis); Constitutiones

KASER, RZ, 232 ff. · JONES, LRE, 333 ff. · MOMMSEN, Staatsrecht, 2.2, 988 f.   C.G.

Consolatio ad Liviam (Epicedion Drusi).

Etwa 1450 wurde eine jetzt verlorene Hs. nach Rom gebracht, die Quelle [1] der in mehreren Hss. aus der 2. H. des 15. Jh. erh. Schrift *P. ... Ovidii Nasonis ... ad Liviam de morte Drusi*. Dieses Gedicht wurde seit 1471 in Ovid-Ed. aufgenommen. Es hat die Form einer Rede an → Livia Drusilla: Der Tod ihres Sohnes Nero → Claudius Drusus in Germanien 9 v. Chr. wird beklagt (1–166), die Bestattungsfeierlichkeiten werden beschrieben (167–264 oder 298), dann wird zu (meist herkömmlichen) Trostthemen übergegangen (265/299–474). Die → *Elegiae in Maecenatem* spielen vielleicht auf dieses Gedicht an. Eine Bezugnahme auf den röm. Castor-und-Pollux-Tempel (283–288) weist auf ein Abfassungsdatum nach 6 n. Chr. hin. Wahrscheinliche Nachahmungen von Ovids Exilgedichten rücken den *terminus post quem* auf 12 n. Chr. Die beherrschte Sprache dieses faden Gedichts, der gemessene Stil und die gute Metrik sprechen gegen nachaugusteische Zeit. Es gibt einige unbeholfene Übergänge. Das Gedicht stammt kaum von → Ovid selbst (anders [2]), obwohl die Sprache ovidischen Einfluß zeigt.

→ Elegie

ED.: → Appendix Vergiliana.
KOMM.: H. SCHOONHOVEN, The Pseudo-Ovidian Ad Liviam de morte Drusi, 1992.
LIT.: 1 M. D. REEVE, The Tradition of Consolatio ad Liviam, in: Revue d'histoire des textes 6, 1976, 79–98 2 G. BALIGAN, Appendix Ovidiana, 1955, 95–97.
        J.A.R./Ü: M. MO.

Consolatio s. Konsolationsliteratur

Constans

[1] Flavius Iulius C., röm. Kaiser. * um 320 n. Chr. als jüngster Sohn des Constantinus [1] und der Fausta, am 25.12.333 zum Caesar erhoben und etwa um die gleiche Zeit mit Olympias, der Tochter des → Ablabius [1] verlobt. Seit dem 9.9.337 Augustus, erhielt C. bei einem Treffen der Brüder in Pannonien (Iul. or. 1,19a) It., Illyricum und Africa (Zon. 13,5). Die Vormundschaft des ältesten Bruders Constantinus [2] II erkannte C. nicht an [1]. Constantin II., der im Besitz der nordwestl. Prov. war, forderte bald eine Korrektur der Territorialverteilung (Zon. 13,5), fiel 340 in Oberit. ein, verlor aber gegen die Generäle des C. bei Aquileia Schlacht und Leben. C. hielt sich um diese Zeit in Naissus auf (Cod. Theod. 12,1,29; 10,10,5; Zon. 13,5). Nach vorübergehendem Aufenthalt in Mailand kämpfte er 341/2 am Rhein gegen die Franken, kurze Zeit später inspizierte er Britannien (Amm. 27,8,4; 28,3,8; Lib. or. 59, 141). C. scheint auf Grund langer Abwesenheit – etwa bei Jagden, die er in ausschließlicher Gesellschaft seiner german. Leibwache verbrachte (Zos. 2,42,1) – die Kontrolle über den Hof verloren zu haben. Auf Veranlassung des *comes rei privatae* Marcellinus wurde am 18.1.350 der halbbarbarische Offizier → Magnentius zum Kaiser erhoben. C. ergriff die Flucht, wurde aber in dem Pyrenäenort Helena (Elne) von Gaiso getötet (Aur. Vict., epit. Caes. 41,23). Das Rundgebäude von Centcelles ist wohl nicht als Mausoleum des C. aufzufassen [2]. C., der im Unterschied zu seinen Brüdern getauft war, ging in seiner Gesetzgebung gegen Heiden vor (Cod. Theod. 16,10,2 f.), verfolgte die → Donatisten (Optat. 3,3) und war entschiedener Anhänger des Athanasius [3]. Von orthodoxer Seite wird ihm bescheinigt, er habe die Unabhängigkeit der Kirche respektiert (Hosius apud Athan. hist. Ar. 44,6). PLRE 1, 220 Nr. 3.

1 H.R. BALDUS, Ein Sonderfall höfischer Repräsentation der spätconstantinischen Zeit, in: R. GÜNTHER, S. REBENICH (Hrsg.), E fontibus haurire, 1994, 255–262 2 R. WARLAND, Status und Formular in der Repräsentation der spätant. Führungsschicht, in: MDAI(R) 101, 1994, 175–202, 192 ff. 3 J. MOREAU, C., in: JbAC 1, 1959, 180–184.

KIENAST, ²1996, 312 f.   B. BL.

[2] C. (Konstans) II., byz. Kaiser (641–668), Enkel des → Herakleios, mit dem Beinamen »Pogonatos« (der Bärtige), kämpfte gegen die islamischen Araber und gegen die Slaven, gab entscheidende Anstöße für die Einrichtung von Militärprov. (Themen), residierte ab 663 in Syrakus/Sizilien, wo er ermordet wurde.

ODB 1, 496 f.   F.T.

[3] Wurde 409/10 beauftragt, für den Usurpator → Attalus Africa zu erobern, scheiterte aber an dem Honorius noch treuen → Heraclianus und fiel (PLRE 2, 310).

[4] Sohn des Usurpators → Constantinus [3] III., anfangs Mönch, 408 n. Chr. zum Caesar erhoben, 409/10 zum Augustus. Eroberte als Caesar Spanien; er ließ dort, als er zum Kampf gegen Germanen abzog, den *mag. mil.* seines Vaters, → Gerontius, zurück und beauftragte barbarische Truppen der Honoriaci, die Pyrenäenpässe zu bewachen. Beide wurden untreu. Beim Versuch, 410 wieder nach Spanien vorzudringen, wurde C. von Gerontius geschlagen und auf der Flucht bei Vienna ermordet (PLRE 2, 310).

[5] 412 n. Chr. *mag. militum per Thracias*, 414 Consul im Osten. Strittig ist, ob er mit dem Briefpartner des Synesios (epist. 27) identisch ist [1.281 f.] PLRE 2, 311.

1 v. HAEHLING.   H. L.

Constantia

[1] **Flavia Iulia C.**, Tochter des Constantius [1] I. und der Theodora, Halbschwester des Constantinus [I], wurde 312 n. Chr. mit → Licinius verlobt (Lact. mort. pers. 43,2). Die Hochzeit fand Anfang 313 bei einem Treffen von Constantinus und Licinius in Mailand statt (Lact. mort pers. 45,1; Eus. HE 10,5,3; Anon. Vales. 13; Zos. 2,17). Aus dieser Ehe ging im Juli 315 der Sohn Licinianus Licinius hervor. 316 begleitete sie ihren Gemahl bei seinem Krieg gegen ihren Halbbruder und floh mit ihm von Sirmium nach Adrianopel (Anon. Vales. 17). Im zweiten Konflikt vermittelte sie bei der Kapitulation ihres Gemahls in Nikomedeia (Aur. Vict. epit. Caes. 41,7; Anon. Vales. 28) Obgleich 325 Licinius und 326 sein Sohn hingerichtet wurden, behielt C. am Hofe Constantinus' eine einflußreiche Position als *nobilissima femina*. Angeblich beriet sie im Umfeld des Konzils von → Nikaia (Philostorgios, hist. eccl. 1,9–10) die Fraktion um Eusebios von Nikomedeia und versuchte noch auf dem Sterbebett, Constantinus im Sinne der Arianer zu beeinflussen (Rufin. hist. 10,12). Postum wurde sie durch Münzen (RIC 7, 571) und durch die Umbenennung der Hafenstadt Maiuma (bei Gaza) in C. geehrt (Eus. vita Const. 4,38; Soz. 2,5,7). PLRE 1, 221 Nr. 1.

H. A. POHLSANDER, C., in: Anc. Soc. 24, 1993, 151–167.
                                                                       B. BL.

[2] → Constantina

[3] Postume Tochter des → Constantius [2] II. von dessen dritter Gemahlin → Faustina. *361/2. Zur Vermählung mit Kaiser → Gratianus 374 nach Gallien geschickt (Amm. 21,15,6; 29,6,7), starb sie jedoch ca. 20jährig. Danach heiratete Gratian († August 383) erneut (Zos. 5,39,4). Ihr Leichnam wurde 383 nach Konstantinopel überführt (chron. min. 1, 244). PLRE 1, 221 Nr. 2.

Constantianus

[1] Schwager → Valentinianus' I. Er nahm 363 n. Chr. als Führer der Euphratflotte an Iulians Perserfeldzug teil (Amm. 23,3,9; Zos. 3,13,3). Um 370 wurde er (als *tri-*

bunus stabuli) während der Feldzüge Valentinians in Gallien bei einem Hinterhalt erschlagen (Amm. 28,2,10). PLRE 1,221.   W. P.

[2] *Comes sacri stabuli* (Oberaufseher über die kaiserlichen Stallungen), byz. Heerführer im Gotenkrieg → Iustinianus I., ab 536 in Dalmatien, nach der Absetzung des → Belisarios 540 in Ravenna, bat 543/44 den Kaiser um Abberufung aus It.; unterlag 551 mit dem General Scholastikos bei Adrianopel einem Slavenheer (PLRE 3 A, 334–337 Nr. 2).   F. T.

Constantina. Älteste Tochter des Constantinus [1] d. Gr., 335 n. Chr. mit → Hannibalianus verheiratet und vermutlich erst in Constantinus' Nachfolgeordnung als Augusta vorgesehen (Philostorg. hist. eccl. 3,22). Nach der Ermordung des Hannibalianus lebte sie im Reichsteil des Constans [1]. Sie wirkte 350 bei der Erhebung des Vetranio mit und heiratete 351 ihren zum Caesar erhobenen Cousin → Gallus. Gemeinsam mit ihm residierte sie in Antiocheia und nahm an der Führung der Regierungsgeschäfte regen Anteil. Ammianus Marcellinus zeichnet sie dabei als tyrannische »Megaera« (Amm. 14,1,2). 354 starb sie auf der Reise zu ihrem Bruder Constantius, mit dem sie angesichts der Krise im Verhältnis zu Gallus verhandeln wollte. Die ebenfalls überlieferte Namensform Constantia ist wegen ILCV 1768 abzulehnen (PLRE 1, 222 Nr. 2).

B. BLECKMANN, C., Vetranio und Gallus Caesar, in: Chiron 24, 1994, 29–68.   B. BL.

Constantinopolis s. Konstantinopolis

Constantinus

[1] **C. I.**, »der Große«, 306–337 n. Chr. röm. Kaiser. *ca. 275 (Eus. vita Const. 4,53; Aur. Vict. Caes. 41,16; Aur. Vict. epit. Caes. 41,15, anders Eus. vita Const. 2,51) in Naissus (Anon. Vales. 2) als Sohn des Constantius [1] I. und der Helena. Nach der Erhebung seines Vaters zum Caesar diente C. im Stab des → Diocletianus und des → Galerius (Paneg. 7[6] 5,3; Lact. mort. pers. 18,10; Anon. Vales. 2). 305 reiste C. vom Hof des Galerius zu seinem zum Augustus des Westens aufgestiegenen Vater nach Gesoriacum, um nach Britannien überzusetzen und gegen die Picten zu kämpfen. Als Constantius am 27.7.306 in Eburacum (York) starb, wurde C. vom Expeditionsheer sofort zum Augustus ausgerufen. Der ranghöchste Augustus Galerius hatte keine Möglichkeit, den Verstoß gegen die Thronfolgeordnung der → Tetrarchie zu ahnden, erkannte C. aber nur als Caesar an. Ende 307 heiratete C. Fausta, die Tochter des → Maximianus Herculius, und ließ sich von seinem in die aktive Politik zurückgekehrten Schwiegervater erneut die Augustuswürde bestätigen, ohne deshalb mit Galerius offen zu brechen (Paneg. 7[6]). Nach einem gescheiterten Putschversuch des Maximian in Arles (310 n. Chr.) fühlte sich C. nicht mehr der herculischen Dynastie zugehörig, sondern fand in der fiktiven Abstammung von Kaiser → Claudius Gothicus

eine neue Legitimierung außerhalb des tetrarchischen Systems (Paneg. 6[7] 2,1–5).

Als seine Kollegen Licinius und Maximinus Daia ihre Kräfte gegenseitig wegen ihrer Ansprüche auf das Erbe des 311 verstorbenen Galerius paralysierten, nutzte C. die Gelegenheit, sein Territorium durch einen Feldzug gegen den über It. und Africa herrschenden → Maxentius bedeutend zu vergrößern. Im Frühjahr 312 zerschlug C. in Kämpfen bei Susa, Turin und Verona die oberit. Streitmacht des Maxentius, zog im Herbst nach Rom und besiegte am 28.10.312 Maxentius an der Milvischen Brücke. Prominente Angehörige des Senats wie → Ceionius [8] ließ C. trotz ihres Eintretens für Maxentius demonstrativ weiter befördern. Im Gegenzug bestätigte ihm der Senat ausdrücklich den ersten Platz im Mehrkaiserkollegium, vor Maximinus Daia (Lact. mort. pers. 44,11). Im Frühjahr 313 traf er sich mit Licinius in Mailand, um diesem seine Halbschwester → Constantia [1] zur Frau zu geben. Dabei wurden die seit 312 bereits im Reichsteil von C. praktizierten Grundlinien der Christenpolitik zw. beiden Herrschern abgesprochen, was vor allem gegen die christenfeindliche Politik des → Maximinus Daia gerichtet war (Inhalt der Absprache nach dem Sieg über Maximinus in Nikomedeia publiziert: Lact. mort. pers. 48,2–12; Eus. HE 10,5,2–14).

Nachdem Licinius den Reichsteil des Maximinus für sich gewonnen hatte, kam es vor allem wegen der Gebietsaufteilung und der Organisation der Samtherrschaft zu Spannungen mit C., die auch der Kompromißvorschlag, It. dem → Bassianus [3] zuzuweisen, nicht beheben konnte. Wohl nicht 314, sondern erst 316 konnte C. in einem ersten Bürgerkrieg den Licinius bei → Cibalae und im campus Ardiensis besiegen, willigte aber wegen der Bedrohung der eigenen Nachschublinien in Friedensverhandlungen ein. Licinius mußte den gesamten Balkan mit Ausnahme der thrak. Diözese abtreten. Am 1. März 317 erhob C. in dem bis 322 als Residenz bevorzugten Serdica (Sofia) seine Söhne → Crispus und Constantinus [2] II. zu Caesares, während Licinius nur einen Caesar haben durfte. Der zweite Krieg mit Licinius brach aus, als C. bei der Bekämpfung eindringender Goten das Territorium des Licinius berührte. In einem Parallelunternehmen, in dem die Flotte unter dem Kommando des Crispus und das Heer entlang der Küstenlinie auf die Meerengen vorrückte, gelang es C., Licinius in Adrianopel und in Chrysopolis zu besiegen und in Nikomedeia zur Kapitulation zu zwingen (Sommer 324).

Die Erringung der Alleinherrschaft wurde durch die Annahme des Titels victor (statt des heidnisch konnotierten invictus), die Umbenennung von Byzanz in Constantinopolis ob insigne victoriae (Anon. Vales. 30) sowie die Annahme des Diadems als neues Insigne der Kaiserherrschaft gefeiert. Im Rahmen der Siegesfeierlichkeiten wurden am 8.11.324 Constantius zum Caesar sowie Fausta und Helena zu Augustae erhoben. Die dynastische Politik erlitt bald einen schweren Rückschlag, als

C. kurze Zeit nach der Ermordung des Licinius (um 325) seinen eigenen Sohn Crispus und kurze Zeit später seine Gattin Fausta hinrichten ließ (Frühjahr 326). Erst 333 und 335 ließ C. mit Constans [1] und dem Neffen Dalmatius neue Caesares erheben. Die vier Caesares waren in verschiedenen Gegenden des Reichs tätig, jedoch ohne größere Machtbefugnisse, sondern von Amtsträgern kontrolliert, die von der monarchischen Zentrale bestellt wurden. Die Zuordnung eines praef. praetorio an die Caesares (ein zusätzlicher praef. praet. amtierte in Africa), war ein wichtiger Schritt auf dem Weg zur regionalisierten Praetorianerpraefektur.

In der langen Regierungszeit des C. wurde die institutionelle Entwicklung zum spätant. Staat entscheidend gefördert, etwa durch die Ausbildung der vier großen Hofämter (der mag. officiorum ist allerdings auch für Licinius belegt), sowie die durch die Umwandlung der für die Bürgerkriege mobilisierten Elitetruppen in ein dem Kommando eines mag. militum bzw. equitum unterstelltes Bewegungsheer.

Außenpolit. gelang es C., die Grenzen zu sichern. In den ersten Regierungsjahren krönte er 310 seine Erfolge gegen die Franken mit dem Bau einer Brücke bei Köln. An der unteren Donau wurden bes. ab 328 (Errichtung der Donaubrücke von Oescus) Befestigungen angelegt (in diesem Zusammenhang ab 328/330 Annahme der Titulatur victor ac triumphator), 332 wurden die Goten durch C. [2] Caesar besiegt und zu einem Bündnis gezwungen, 334 Konflikte unter den Sarmaten zur Festigung der röm. Position an der unteren Donau ausgenutzt. In seinen letzten Regierungsjahren bereitete C. den Krieg gegen die Sasaniden vor. 335 war sein Neffe Hannibalianus zum rex regum erhoben worden, um Armenien und die benachbarten Königreiche als Klientel Roms zu halten. Als C. selbst zum Perserfeldzug aufbrach, starb er am 22.5.337 bei Nikomedeia.

Die welthistor. Bed. der Regierung C.' besteht in der Zuwendung des Kaisers zur christl. Religion, wobei die »constantinische Wende« äußerst kontrovers diskutiert wird. Die persönliche Religiosität des Kaisers ist dem Historiker unzugänglich. Aus dem Selbstzeugnis (vor allem Eus. vita Const. 4,9) geht hervor, daß der späte C. den christl. Gott vor allem als seinen Schutzgott betrachtete, der mil. Erfolg garantierte, doch scheint die Annäherung nicht Ergebnis einer Bekehrung gewesen zu sein, etwa durch das von Lactantius (mort. pers. 44,5) und Eusebius (vita Const. 1,28–30) ganz verschieden dargestellte Visionserlebnis von 312. Aufgrund seines distanzierten Verhältnisses zur Tetrarchie hatte C. schon vor dem Toleranzedikt des Galerius (311) keine Veranlassung, die Christenverfolgung fortzusetzen. Seit 310 wurde in der kaiserlichen Selbstdarstellung ein solarer Monotheismus bevorzugt, der auch bei der spätestens 324 abgeschlossenen Annäherung an das Christentum immer noch prägend bleibt, etwa in der in Constantinopolis aufgestellten Kolossalstatue des Kaisers mit dem Strahlenkranz. Mit Bischöfen der christl. Gemeinden seines Reichsteils (Köln, Trier, Arles, Cordoba), hatte

Stemma der Familie von Constantinus dem Großen

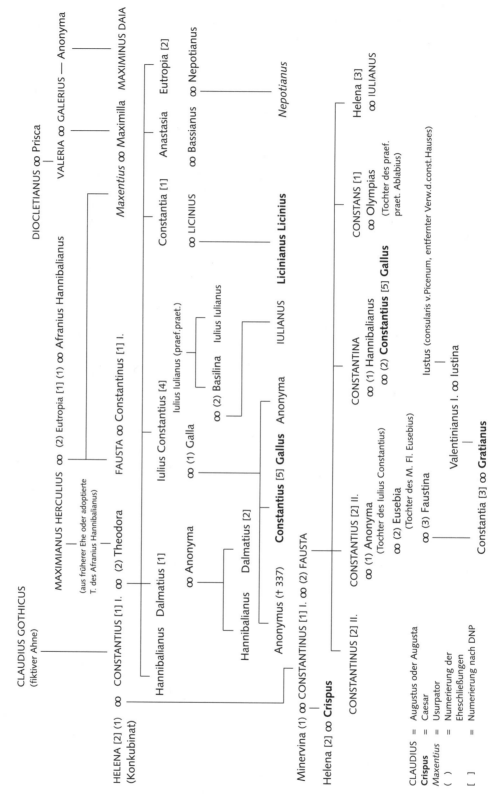

C. schon in den ersten Jahren seiner Regierung Kontakt und zog sie als Berater hinzu, als er mit der Übernahme It. und Afrikas 312 sich mit den inneren Problemen des großen christl. Bevölkerungsanteils Afrikas konfrontiert sah. Im Donatistenstreit wirkte C. vor allem durch die organisatorische Förderung der Synoden von Rom (313) und Arles (314) am Aufbau eines überregionalen Zusammenhangs der Kirche mit, scheiterte aber bei dem Versuch, die streitenden Parteien miteinander zu versöhnen (→ Donatisten). Angesichts der Auseinandersetzungen mit Licinius bemühte sich der einem philosophischen Monotheismus zuneigende C. bewußt in seiner Gesetzgebungstätigkeit, aber auch durch die Übernahme christl. interpretierbarer oder christl. Symbole (RIC 7,364 Nr. 36; Silbermedaillon von Ticinum mit Christenmonogramm) um die Integration der Christen.

Mit der Übernahme der östl. Prov., in denen jahrelang die Christen verfolgt worden waren und erneute Verfolgungen durch Licinius gedroht hatten, konnte C. eine Parteinahme nicht vermeiden, etwa in der Auseinandersetzung zw. dem mehrheitlich von Christen bewohnten Orkistos gegen Nakoleia [1]. Trotz umfangreicher Konfiskationen von Tempelbesitz und der Schließung einzelner Tempel blieb aber der heidnische Kult erlaubt (Lib. or. 30,6). Auch in den innerkirchlichen Konflikten der östl. Kirchen (insbes. dem Streit um → Areios) erstrebte C. eine maximale Integration und wirkte in der Reichssynode von Nikaia (325) daran mit, durch eine Glaubensformel die Kircheneinheit wiederherzustellen. Als C. versuchte, den in Nikaia zunächst exkommunizierten, 327/328 durch eine Synode in Nikomedeia wieder aufgenommenen Areios nach Alexandreia zurückzuführen, stieß er auf den Widerstand des seit 328 amtierenden Bischofs Athanasios, den er 335 verbannte. Das Bestreben, die Kircheneinheit zustandezubringen, ist als Abfall zum arianischen Glauben mißverstanden worden, zumal sich C. 337 auf dem Sterbebett vom mit Areios sympathisierenden Bischof Eusebios von Nikomedeia taufen ließ. C. wurde als erster christl. Kaiser bald zur mythischen Figur. Die östl. Kirchen feiern sein Fest am 21. Mai (PRLE 1, 223–224 Nr. 4).

1 A. CHASTAGNOL, L'inscription Constantinienne d'Orcistus, in: MEFRA 93, 1981, 381–416.

T. D. BARNES, Constantine and Eusebius, 1981 • Ders., The New Empire of Diocletian and Constantine, 1982 • B. BLECKMANN, Konstantin der Große, 1996 • J. BLEICKEN, Constantin der Große und die Christen, 1992 • G. BONAMENTE, F. FUSCO (Hrsg.), Constantino il Grande dall'antichità all'umanesimo, 2 Bde, 1992–1993 • TH. GRÜNEWALD, Constantinus Maximus Augustus, 1990 • K. M. GIRARDET, Kaisergericht und Bischofsgericht, 1975 • KIENAST, ²1996, 298–303 • H. KRAFT (Hrsg.), Konstantin der Große, 1974 • J. L. MAIER, Le dossier du donatisme I. Des origines à la mort de Constance II (303–361), 1987 • E. SCHWARTZ, Kaiser Constantin und die christl. Kirche, ²1936.

[2] C. II. Sohn von C. [1], röm. Kaiser (Augustus) 337–340 n. Chr. * 316 in Arles, am 1.3.317 in Serdica zum Caesar erhoben. 328 nach Trier geschickt, kämpfte er gegen die Franken und Alamannen (AE 1934, 158); 332 führte er im Auftrag seines Vaters die Operationen gegen die Goten (Anon. Vales. 31; Iul. or. I 9d), kehrte aber dann nach Trier zurück (Athan. c. Ar. 87). Obgleich C. der älteste überlebende Sohn des Constantinus [1] war, konnte er gegenüber seinen beiden Brüdern Constantius [2] II. und Constans [1], mit denen er am 9.9.337 gemeinsam den Titel eines Augustus annahm, nur einen Ehrenvorrang beanspruchen (CIL III 6963 und 7207). Im Besitz von Spanien, Gallien und Britannien versuchte er, von Constans eine Neuregelung der Territorialverteilung durchzusetzen, und fiel vor dem 29.4.340 (Cod. Theod. 11,12,1) bei Aquileia im Kampf gegen die Generale seines Bruders (Aur. Vict. epit. Caes. 41,21; Zon 13,5). PLRE 1, 223 Nr. 3.

KIENAST, ²1996, 310 f.   B. BL.

[3] Flavius Claudius C. III. Kaiser (Usurpator) 407–411 n. Chr. im Westen. Offenbar als gewöhnlicher Soldat in Britannien zum Augustus ausgerufen. Er behauptete, Nachkomme des → Constantinus [1] zu sein; erhob seinen Sohn → Constans [4] zum Caesar, dann zum Augustus, machte → Gerontius zum *mag. militum*. Erlangte die Herrschaft über Britannien, Gallien (wobei er Germanen zurückdrängte und die Rheinlinie sicherte) und durch seinen Sohn Constans über Spanien. Gerontius fiel 409 ab. Die Anerkennung durch → Honorius gewann C. nur für begrenzte Zeit. 411 wurde sein *mag. militum* → Edobicus von → Constantius [6] III. geschlagen. Daraufhin gab C. auf. Als Gefangener bei Ravenna umgebracht (PLRE 2, 316 f.).

[4] Politiker im Osten. Praetorianerpraefekt 447, 456, 459 n. Chr. 457 *cos.*, *patricius*. Machte sich 447 um den Wiederaufbau der durch ein Erdbeben zerstörten Mauern Konstantinopels verdient, 464/5 Gesandter beim Perserkönig. PLRE 2, 317 f.

v. HAEHLING, 97 f.   H. L.

[5] Thraker, byz. Heerführer im Gotenkrieg → Iustinianus I. in It. unter → Belisarios, 535–537 n. Chr. erfolgreich, 537/38 wegen eines Anschlages auf Belisarios hingerichtet. PLRE 3 A, 341 f. Nr. 3.

[6] C. IV. Byz. Kaiser (668–685), Sohn, Mitkaiser (seit 654) und Nachfolger Constans' [2] II., zwang den Kalifen Muawiya, der Konstantinopel 674–678 belagerte, schließlich zur Vereinbarung eines 30jährigen Waffenstillstands, mußte sich aber mit der Ansiedlung der Bulgaren südl. der Donau abfinden. Von ihm einberufen fand 680/81 in Konstantinopel ein Konzil statt, das den Monotheletenstreit beilegte.

LMA 5, 1376 • ODB 1, 500 f.

[7] C. V. Byz. Kaiser (741–776), Sohn und Nachfolger Leos III., setzte sich 743 gegen seinen Schwager und Rivalen → Artabasdos durch. Er ließ, wohl in Reaktion auf die Pest 746/47, die rel. Kultbilder entfernen und gestattete allein die Verehrung des Kreuzes, in dem er wie sein Vater das christl. Sieges- und Heilszeichen schlechthin sah. Das von ihm einberufene Kirchenkonzil von Hiereia 754 bestätigte seine bilderfeindliche Auffassung. Schwerpunkte seiner Innenpolitik waren mil. und wirtschaftliche Reformen sowie eine rege Bautätigkeit. Außenpolit. hatte er, vor allem im Kampf gegen die Bulgaren, einige Erfolge zu verzeichnen. Sein Andenken wurde von den Anhängern des Bilderkultes in extremer Weise diffamiert.

LMA 5, 1376 · ODB 1, 501 · I. ROCHOW, Kaiser Konstantin V., 1994.

[8] C. VI. Byz. Kaiser (780 bzw. 790–797), Sohn Leos IV. und der → Irene, nach Leos Tod Regentin für den Neunjährigen. 790 zwang er die Mutter, ihm die Herrschaft zu überlassen, und ging nun auch gegen die auf dem Konzil von Nicaea 787 sanktionierte Bilderverehrung vor. Doch mußte er sie ab 792 als Mitkaiserin anerkennen. 797 wurde er von ihr durch Blendung endgültig entmachtet.

R.-J. LILIE, Byzanz unter Eirene und Konstantin VI. (780–802), 1996 · LMA 5, 1376 (und 644f., s.n. Irene) · ODB 1, 501f.

[9] C. VII. = **Konstantin(os) VII. Porphyrogennetos.** Byz. Kaiser, *906, † 959, Sohn und Thronerbe Leons VI. († 912). Er gelangte erst nach der Herrschaft bzw. Regentschaft anderer, zuletzt seines Schwiegervaters → Romanos I. Lakapenos, 945 zur selbständigen Herrschaft. Er wurde bekannt als Förderer der Wissenschaften, vor allem eines neuen histor.-antiquarischen Bewußtseins mit kompilatorischer Tendenz. Die dafür beliebte Bezeichnung »Enzyklopädismus« wird neuerdings in Frage gestellt [1]. Ferner wird die frühere Annahme, er habe in diesem Rahmen auch eigene Werke beigesteuert, neuerdings bezweifelt [2]. Dies gilt sowohl für die legendenreiche, enkomiastische *vita* seines Großvaters Basileios I. wie für das Staatshandbuch *De administrando imperio* und das sog. Zeremonienbuch, eine in seinem Auftrag zusammengestellte und nach seinem Tod ergänzte disparate und unvollständige Kompilation (kritische Neu-Ed. eines wichtigen Teiles [4]), deren Verwendung in der Praxis des Hofzeremoniells kaum anzunehmen ist [3].

1 P. ODORICO, La cultura della συλλογή, in: ByzZ 83, 1990, 1–21 2 I. ŠEVČENKO, Re-reading Constantine Porphyrogenitus, in: Byzantine Diplomacy, 1990, 167–195 3 A. MOFFATT, The master of Ceremonies' Bottom Drawer, in: Byzantinoslavica 56, 1995, 377–388 4 J. F. HALDON, Const. Porph., Three treatises on Imperial Military Expeditions, 1990.

HUNGER, Literatur 1, 360–367.

[10] C. VIII. Byz. Kaiser (1025–28), Bruder, Mitkaiser (seit 962) und Nachfolger Basileios' [4] II. Er war der letzte männliche Abkömmling der »Maked. Dynastie«,

die unter seinen Töchtern → Zoe (bzw. deren Ehemännern und Liebhabern) und Theodora bis 1055 fortbestand.

ODB 1, 503 f.

[11] C. IX. Byz. Kaiser (1042–1055), zweiter Gatte der Zoe, der Tochter Constantinus' VIII., unkriegerischer, dem Luxus ergebener Herrscher, aber Förderer der Künste und Wissenschaften. Er war den Gesandten des Papstes 1054 freundlich gesonnen, konnte aber ihren Streit mit Patriarch Michael I. Kerullarios von Konstantinopel nicht beilegen.

ODB 1, 504 · LMA 5, 1378 · W. CONUS-WOLSKA, Les écoles de Psellos et de Xiphilin sous Constantin IX Monomaque, in: Travaux et Mémoires 6, 1976, 223–243 · Dies., L'École de droit et l'enseignement du droit à Byzance au XIᵉ siècle: Xiphilin et Psellos, in: Travaux et Mémoires 7, 1979, 1–103 (zur Bildungspolitik des Kaisers).

[12] C. X. Byz. Kaiser (1059–67) aus der kleinasiatischen Magnatenfamilie der Dukas, verschleuderte die Staatsfinanzen an Günstlinge und erwies sich als unfähig, die schwierige Situation des Reiches zu meistern, die durch die Einfälle der seldschukischen Türken entstanden war.

LMA 5, 1378 · ODB 1, 504.   F.T.

Constantius

[1] C. I., Flavius Valerius C., C. oder M., Caesar (293–305) und Augustus (305–306), in später Tradition mit Beinamen Chlorus versehen, * um 250 in der späteren Dacia Ripensis. Im Stab der illyr. Soldatenkaiser zunächst *protector*, dann *tribunus*. Während der Herrschaft des → Carinus ritterlicher *praeses Dalmatiarum* (Anon. Vales. 1; SHA Car. 17,6). Vermutlich mußte er nicht erst 293 (so Aur. Vict. Caes. 39,24; Eutr. 9,22,1), sondern schon vor 289 als *praef. praet.* des → Maximianus seine erste Frau → Helena verstoßen, um Theodora, die Tochter oder Stieftochter des Westaugustus, zu heiraten. Aus dieser zweiten Ehe gingen sechs Kinder hervor (→ Constantin, Stemma). Am 1. März 293 wurde C. vermutlich in Mailand zum Caesar erhoben (→ Tetrarchie), mit der Aufgabe, den Usurpator → Carausius zu besiegen und die Rheingrenze zu verteidigen. Seine bevorzugte Residenz war Trier. Im Sommer 293 konnte C. den Carausius aus seinem gallischen Brückenkopf vertreiben (Paneg. 8[5], 6–7), aber erst 296 wurde Britannien zurückgewonnen, nachdem der *praef. praet.* Asclepiodotus den Nachfolger des Carausius, → Allectus, besiegt hatte. Die in Paneg. 6 (7),6 erwähnte Siegesserie gegen Franken und Alamannen (Invasion in das Gebiet der Franken, Sieg bei den Lingonen und in der Nähe von Vindonissa) ist kaum zu datieren (zw. 300 und 304? [1. 61]). Wegen seines höheren Alters wurde nach dem Rücktritt Diocletians und Maximians der Herculier C. gegenüber dem Iovier Galerius ranghöchster Augustus. Gemeinsam mit seinem Sohn Constantin setzte er 305 von Gesoriacum nach Britannien über und kämpfte gegen die Picten. Im Hauptquartier von Eburacum (York) verstarb er am 25.7.306. Da die Christen im Reichsteil des C. nur eine kleine Minderheit bildeten, ist über Verfolgungen nichts bekannt. Im christl. Geschichtsbild der Zeit Constantins ist deshalb später verbreitet worden, C. habe selbst schon mit dem Christentum sympathisiert (Eus. vita Const. 1,13 ff.). PLRE 1, 227–228 Nr. 12.

KIENAST, ²1996, 280–282.

[2] C. II. Röm. Kaiser (Augustus) von 337–361. * am 7.8.317 als Sohn des Constantinus [1] und der Fausta, am 8.11.324 zum Caesar erhoben. Vermutlich wurde er 332 nach Gallien geschickt, wenig später im Zusammenhang mit Vorbereitungen zu einem Perserfeldzug nach Antiochien (Zon. 13,4,10). Nach dem Tode Constantins leitete C. die Bestattungszeremonien (Eus. vita Const. 4,70). Daß C. für die Ermordung der meisten Angehörigen der Nebenlinie des constantinischen Hauses durch die Soldaten verantwortlich sei, wird in tendenziös gegen C. eingestellten Quellen behauptet (vgl. Iul. epist. ad Athen. 270c; Zos. 2.40; Amm. 21,16,8). C. hat die Beseitigung zumindest geduldet (Eutr. 10,9,1). Gemeinsam mit seinen beiden Brüdern Constantinus II. und Constans wurde er am 9.9.337 zum Augustus erhoben.

Gemäß der Territorialverteilung, über die man sich vermutlich ebenfalls 337 bei einer Konferenz in Viminacium geeinigt hatte, erhielt C. Thrakien, Kleinasien und die Diözese Oriens. Bis 350 hielt sich C. überwiegend wieder in Antiocheia auf, um von dort die Verteidigung der Ostgrenze zu organisieren, wo ihm in zahlreichen Kämpfen in Mesopotamien (344 Schlacht bei Singara: Lib. or. 59,99–120) kein entscheidender Erfolg gelang. Auf die Nachricht von den Usurpationen des → Magnentius und des → Vetranio (Anfang 350) konnte C. erst im Herbst in den Westen ziehen, nachdem Schapur II. die Belagerung von Nisibis abgebrochen hatte. Nach erfolglosen Verhandlungen in Herakleia (September 350) gelang es C. bei einer Begegnung mit Vetranio in Naissus, diesen am 25.12.350 zum Rücktritt zu bewegen. Am 15.3.351 ließ C. in Sirmium seinen Cousin Constantius Gallus zum Caesar erheben. Er schickte ihn an die Ostgrenze, um selbst den Kampf gegen Magnentius fortführen zu können. In der verlustreichen Schlacht von Mursa (54 000 Gefallene) wurde Magnentius geschlagen (28.9.351), doch dauerte es noch bis zum August 353, bevor C. nach der Schlacht bei Montsaléon in Gallien und dem anschließenden Selbstmord des Magnentius das gesamte Reich kontrollierte. Mit erfolgreichen Feldzügen gegen die Alamannen (354–356) und gegen die Sarmaten (357–358) wurde die Schwächung der Grenzverteidigung durch den Bürgerkrieg nur teilweise wieder wettgemacht.

Seine Versuche, nach dem Modell der Regierung Constantinus' ein Mehrherrschaftssystem mit untergeordneten Caesares einzurichten und so Usurpationen zu vermeiden, scheiterten: Den in Antiocheia zu selbständig agierenden Gallus ließ C. Ende 354 hinrichten.

Sein zweiter Vetter → Iulianus, der spätere Iulianus Apostata, den er kurz nach der Niederschlagung der Usurpation des Silvanus 355 zum Caesar erhoben und nach Gallien geschickt hatte, wurde Anfang 360 in Paris zum Augustus erhoben. Durch Kämpfe gegen die Perser gebunden, konnte C. erst im Herbst 361 gegen Iulianus ziehen, starb aber unterwegs am 3.11.361 im kilikischen Mopsukrene.

C. neigte der gemäßigten (homöischen) Spielart des Arianismus zu. Er wollte ihr gegen die nicaenische Richtung (→ Athanasius, → Hilarius) zum Durchbruch verhelfen, wobei der Gegensatz zu der von → Constans [1] vertretenen religionspolit. Linie im gescheiterten Konzil von Serdica 343 kulminierte. Durch den Sieg von Mursa in der Auffassung von seiner göttl. Sendung bestätigt, versuchte C. gewaltsam ein einheitliches Bekenntnis zu erzwingen, zuletzt durch das Doppelkonzil von Rimini und Seleucia (359), das ein kurz zuvor durch eine kleine Kommission in Anwesenheit des Kaisers erarbeitetes Glaubensbekenntnis annehmen sollte (Athan. Nic. syn. 8,3). Man hat die religionspolit. Bemühungen von C. mit Stichworten wie »Reichskirche« oder »Caesaropapismus« [1] charakterisiert. Gegenüber den Heiden hat C. nach scharfen Verbotsmaßnahmen (Cod. Theod. 16,10,4–6) aufgrund der Eindrücke seines Rombesuchs 357 und im Wunsch, sich mit dem Senat zu verständigen, wieder zu einem toleranteren Kurs gefunden. PLRE 1, 226 Nr. 8.

1 C. PIÈTRI, La politique de Constance II, in: L'Eglise et l'empire au IV'siècle, 1989, 113–172.

T. D. BARNES, Athanasius and C., 1993 · KIENAST, ²1996, 314–317 · R. KLEIN, C. II. und die christl. Kirche, 1977 · Ders., Die Kämpfe um die Nachfolge nach dem Tode Constantins des Großen, in: ByzF 6, 1979, 101–150 · C. VOGLER, Constance II et l'administration impériale, 1980.

[3] Flavius C. 324–327 *praef. praetorio* des Constantinus [1] mit Residenz in Antiocheia (?), 327 Consul. Vielleicht verhandelte er im Auftrag Constantinus' unmittelbar vor 316 mit dem Augustus → Licinius (Anon. Vales. 14). PLRE 1, 225 Nr. 5.

[4] Iulius C. Sohn des C. [1] aus der Ehe mit Theodora, Halbbruder Constantins d. Gr. Die Annahme, C. habe in den ersten Jahren der Regierung seines Halbbruders im Exil gelebt, ist fragwürdig (vgl. vielmehr Lib. or. 18,8). Erst in den letzten Lebensjahren Constantinus' erhielt C. die Würde eines *patricius* und bekleidete 335 das Consulat. Nach dem Tode Constantinus' wurde er als potentieller Prätendent von den Soldaten umgebracht, sein Vermögen von Constantius [2] II. beschlagnahmt (Iul. epist. ad Athen. 270c; 273b). Von seinen Kindern überlebten die späteren Kaiser Constantius [5] Gallus (aus der Ehe mit Galla) und Iulianus (aus der Ehe mit Basilina). PLRE 1, 226 Nr. 7.

[5] C. Gallus, als Caesar Flavius Claudius C. * 325 als Sohn von C. [4] und der Galla. Nach den Verwandtenmorden wurde er in der Verbannung christl. erzogen, am 15.3.351 von seinem Vetter Constantius [2] II. in

Sirmium zum Caesar erhoben und mit → Constantina vermählt. Seine Tätigkeit in Antiocheia, wo es zu gravierenden Konflikten mit den Kurialen und der Zivilverwaltung kam, wird von Ammianus Marcellinus übertrieben als Tyrannis geschildert (14,1). Wegen Differenzen über seine Machtbefugnisse als Caesar ließ ihn Constantius abberufen und Ende 354 in Flanona hinrichten (Amm. 14,11). PLRE 1, 224 Nr. 4.

KIENAST, ²1996, 318.   B. BL.

[6] C. III. Hatte sich als Soldat hochgedient, wohl seit 410, spätestens 411 n. Chr. *mag. mil.; cos.* 414, 417, 420, *patricius* seit 414/5. Besiegte → Constantinus [3] III., drängte die Goten 415 nach Spanien ab und stabilisierte so das Westreich. Er gewann maßgeblichen Einfluß auf → Honorius. 417 mit → Galla Placidia vermählt, wurde er 421 zum Augustus erhoben, aber im Osten nicht anerkannt. Schon 421 gestorben; Vater von → Valentinianus III. (PLRE 2, 321–325).   H. L.

[7] von Antiocheia s. Iohannes Chrysostomos

[8] von Lugdunum (vgl. Sidon. epist. 3/2,3: *religione venerabilis*; 2/10,3: *eminens poeta*) schilderte um 475 n. Chr. in der *Vita S. Germani Autisidoriensis* [1; 2] das Leben des Bischofs Germanus von Auxerre († um 445) in knappem, zu Abstracta neigendem Nominalstil. Neu ist in der Bischofsbiographie die Schilderung der Reisen, auf denen Germanus gleich Hieronymus' *Hilarion* unablässig Wunder tut (Reiseäretalogie). Die Vita galt als Muster [2. 232–234], wurde in der ersten Hälfte des 9. Jh. erweitert und diente in dieser Form Heiric von Auxerre (um 875) als Grundlage für die anspruchsvollste metr. Vita der Karolingerzeit [3,1. 358–361].

ED.: 1 R. BORIUS, 1965 2 W. LEVISON, in: MGH Scriptores rerum Merovingicarum 7, 225–283.
LIT.: 3 W. BERSCHIN, Biographie und Epochenstil im lat. MA, 1 und 3, 1986 und 1991.   W. B.

Constitutio s. Status [1]

Constitutio Antoniniana.
Erlaß des → Caracalla (212 n. Chr.), durch den er fast allen Reichsangehörigen das röm. Bürgerrecht erteilte (Cass. Dio 77,9,5; Dig. 1,5,17); vgl. Aur. Vict., Caesares 16,12, der versehentlich diese Maßnahme dem → Marcus Aurelius statt M. Aur. Antoninus Caracalla zuschreibt. Ob der viel diskutierte PGiss. 40 I das Edikt beinhaltet, wurde von [1] bezweifelt. Das Problem der im Papyrus offenbar vom → Bürgerrecht bzw. von damit verknüpften Rechten bzw. Privilegien ausgeschlossenen *[de]diticii* wird möglicherweise durch die sog. Tabula Banasitana (AE 1971, 5344) erklärt: die maurischen Häuptlinge, die von Marcus Aurelius das Bürgerrecht erhielten, blieben weiterhin steuerpflichtig. Cassius Dio (77,9,4–5) betont, daß finanzielle Motive Caracalla veranlaßt hatten, indem er die nur von röm. Bürgern bezahlte Erbschaftssteuer verdoppelte. Andere Gründe (z. B. der Wunsch, das Rechtssystem des Reiches zu vereinheitlichen) werden gelegentlich in der modernen Forsch. erörtert. Unmit-

telbare Folge der C. A. war, daß das Gentiliz des Kaisers, Aurelius, das häufigste im Reich wurde.

1 H. WOLFF, Die C. A. und Papyrus Gissensis 40 I, 1976.

A. N. SHERWIN-WHITE, The Roman Citizenship, ²1973, 380ff.   A. B.

Constitutiones.
Der aus der Verwaltungs- und Rechtsprechungspraxis der Republik stammende Begriff ist für kaiserliche Anordnungen (*edicta*), Urteile (*decreta*) und schriftliche Verwaltungs- und Gerichtsbescheide (*epistulae*) erst im 2. Jh. n. Chr. gebräuchlich (Gai. inst. 1.5). Es fallen aber auch kaiserliche Dienstanweisungen (*mandata*: Plin. epist. 10,111), Erlasse (*orationes*: Dig. 23,2,60,3) und sonstige, vom Kaiser persönlich unterschriebene Verfügungen, etwa Gnadenbeweise (*adnotationes*: Cod. Iust. 9,16,4 von 290) darunter. Für eine darüber hinausgehende Befugnis des Kaisers zu allg. Gesetzgebung gibt die *lex de imperio* (→ *imperium*, → *civitas*) urspr. nichts her. Die strenge Auffassung, daß den Rechtsakten des Kaisers nicht die Geltung von Gesetzen zukomme, mußte erst überwunden werden (vgl. Cod. Iust. 1,14,12,2 von 529) bis man in jenem Ermächtigungsgesetz dann doch die Grundlage für die Gesetzeskraft zumindest der kaiserlichen Dekrete, Edikte und schriftlichen Anordnungen sah (Gai. inst. 1,5; Fronto, epist. 1,6 p. 14 NABER). Im 3. Jh. dient die gleiche Begründung für eine noch weitere Erstreckung der *lex*. Nun ist bereits jeder schriftlich fixierte Wille des Kaisers Gesetz (Ulp. Dig. 1,4,1). Im Dominat werden *c.* und *lex* syn. gebraucht (Cod. Theod. 1,1; Cod. Iust. 1,14), im Sinne von *l. generalis* (Cod. Theod. 1,1,5; Cod. Iust. 1,14,7, 440; 12.1, 529; cons. 7.3), *sanctio pragmatica* ([1.] *c.* 1.1, von 438) und *lex personalis* ([1.] Nov. Val. 8,2 von 441). Die *c.* werden nun gesammelt herausgegeben oder amtlich bestätigt als → *codex.* Eine kleinere Sammlung von 16 *c.* aus den Jahren 333–408 mit meist kirchenrechtlichem Inhalt trägt nach ihrem ersten Hrsg. die Bezeichnung *c. Sirmondianae* [2]. Wohl die berühmteste aller *c.* ist die Bürgerrechtsverleihung durch Caracalla in der *Constitutio Antoniniana.*

ED.: 1 Novellae Valentinianae, in: Leges Novellae ad Theodosianum pertinentes, ed. P. M. MEYER, ²1954.
2 TH. MOMMSEN, Theodosiani libri XVI cum Constitutionibus Sirmondianis, vol. II, 1905, 907–921.
LIT.: 3 P. JÖRS, s. v. c. principum, RE 7, 1106–1110
4 D. LIEBS, Das Gesetz im spätröm. Recht, in: Gesetz in Spätant. und frühem MA, AAWG III 196, 1992, II.   W. E. V.

Constitutiones apostolorum s. Apostolische Konstitutionen

Consualia.
Die beiden Festtage (*feriae*) des → Consus, die C., fielen auf den 21. August und auf den 15. Dezember. Am 21. August wurde eine Art Erntefest gefeiert: Der *flamen Quirinalis* und die Vestalinnen opferten am unterirdischen Altar des Consus Erstlinge der Ernte. Danach veranstalteten die Priester Spiele mit

Zugpferden und Maultieren; man spricht auch von Hirtenspielen (der Raub der Sabinerinnen soll während dieser Spiele geschehen sein). Vom zweiten Festtag wissen wir nichts; wahrscheinlich wurden an diesem Tag die Getreidevorräte rituell geöffnet.

DUMÉZIL, 168 · LATTE, 72 · P. POUTHIER, Ops et la conception divine de l'abondance dans la religion romaine jusqu'à la mort d'Auguste, 1981 · G. WISSOWA, Religion und Kultus der Römer ²1912, 202.   J. S.

Consul(es). Das Wort *c.* ist etym. ungeklärt (Herkunft möglich von *con-* und *sal-* = »eilig zusammenkommen« oder von *con-* und *sell-/sedl-* = »zusammen«- bzw. »beisitzen«). Die in späterer republikanischer Zeit gefestigte Geschichtstradition (Liv. 1,60,3–4), seit der Vertreibung des letzten Königs Tarquinius Superbus im J. 510 v. Chr. habe es zwei *c.*-Kollegen an Roms Spitze gegeben, ist angesichts einiger gegenläufiger Indizien in derselben Geschichtsüberlieferung nicht sicher. Möglicherweise waren anfänglich einem einzigen auf Zeit gewählten *praetor maximus* (Fest. 249 L.; Liv. 3,5–9) *c.* als Berater beigegeben. Späterhin hat sich die oberste Magistratsgewalt gelegentlich gleichmäßig auf größere Gremien verteilt: nicht nur im extraordinären 10–Männer-Kollegium der 12–Tafel-Gesetzgebung (→ Tabulae Duodecim) der J. 451–449 v. Chr., sondern auch in dem zwischen den J. 445 und 367 überwiegend praktizierten → Consulartribunat (Liv. 4,7,1 ff.). Seit den licinisch-sextischen Gesetzen des J. 367 v. Chr. (Liv. 6,34–42) erscheint das Zweier-Kollegium der *c.* aber aus Gründen der zuvor lange polit. umkämpften und nun für das Consulat durchgesetzten Paritätsansprüche der Plebeier gegenüber den Patriziern als sicher.

Die amtlichen Kompetenzen der beiden *c.*-Kollegen sind in republikanischer Zeit so stark, daß Polybios (6,11,11–12) in ihnen eine Art königlicher Gewalt sieht; sie umfassen alle staatliche Entscheidungsmacht, soweit sie nicht kraft Herkommens oder Gesetzes bei → Senat, → Volksversammlungen, bes. Gerichten oder bes., mit eigenen Kompetenzen ausgestatteten → Magistraten liegt. Sie bestehen aus der Koerzitionsgewalt (*imperium domi*), dem Kommando über das röm. Heer (*imperium militiae*), dem Interzessionsrecht gegenüber allen noch nicht vollzogenen Amtshandlungen eines *c.*-Kollegen und aller nachgeordneten Magistrate (d. h. der Praetoren, Aedilen, Quaestoren; nicht der Censoren), dem Antragsrecht bei Gesetzen und dem Wahlvorschlagsrecht bei Beamtenwahlen gegenüber der Volksversammlung, dem Einberufungs-, Rede- und Antragsrecht für Senatssitzungen (*ius agendi cum senatu, cum populo*) sowie dem Recht, im Notfall einen ausgefallenen Amtskollegen zu ersetzen (*sufficere*) und (gegebenenfalls gegen den Willen eines amtierenden *c.*-Kollegen) einen *dictator* einzusetzen. Begrenzt ist die Consulgewalt in ihrer Ausübung durch das Interzessionsrecht des jeweiligen Kollegen oder eines Volkstribuns (→ Tribunus). Gegen in Leben und Freiheit eingreifende strafrechtliche Entscheidungen eines *c.* kann jeder röm. Bürger an

die Volksversammlung appellieren (*provocatio*). Diese Begrenzungen der Amtsgewalt ebenso wie die jährliche Wahl der *c.* durch die *comitia centuriata* verfolgen deutlich den Zweck der Gewaltenteilung und Herrschaftskontrolle in normalen Zeiten. Ausnahmsweise sind aber die *c.* nach einer – wenn auch partiell umstrittenen (Sall. Catil. 51,25 ff.) – Verfassungstradition berechtigt, mit Ermächtigung des Senats (*senatus consultum ultimum*) außergesetzliche Notstandsmaßnahmen zu ergreifen. Auch kann – abweichend von der regelmäßigen Annuität des *c.*-Amtes (Liv. 3,21) – ausnahmsweise die Amtsdauer verlängert werden (*prorogatio imperii*), wie z. B. bei Marius (Cic. Sest. 37 f.: Liv. 8,23,12). Dies steht in einer Reihe mit anderen Verfassungsabweichungen – nicht erst im spätrepublikanischen Rom – bei unabweislichem polit. Bedarf.

Seit Beginn der Kaiserzeit tritt das *c.*-Amt in den Schatten der Kaiserherrschaft. Es bleibt zwar formell das höchste Staatsamt. So werden etwa weiterhin die Jahre nach den für sie eponymen *c.* benannt, und es bleibt formell bei den traditionellen Insignien der höchsten Magistratsmacht (12 Liktoren mit *fasces* und *secures, sella curulis, toga praetexta* u. a.) doch werden als *c.* seither nur noch *candidati principis* gewählt, und die Amtsausübung hat sich völlig den Vorgaben der kaiserlichen Politik untergeordnet, der nunmehr die zuvor vor allem den *c.* zustehenden materielle Initiative in allen wichtigen außen- und militärpolit., finanz-, rechts- und personalpolit. Fragen zukommt (Tac. ann. 1,1–4). Das Amt wandelt sich seither von einer konstutiven Teilgewalt der republikanischen Staatsmacht zu einer reinen Karrierestation in der kaiserzeitlich-aristokratischen Ämterlaufbahn; das *c.*-Amt wird eher wegen des Zugangs zu den hochangesehenen und gutbesoldeten »consularischen« Ämtern der Provinzialregierung, in der Spätant. auch in den kaiserlichen Regierungszentralen und Hofverwaltungen angestrebt. Bereits unter Caesar setzt eine nicht notstandsbedingte Mehrfachbesetzung des Amtes während eines Amtsjahres mit zwei »*c. ordinarii*« und mehreren rein ehrenhalber berufenen Paaren von »*c. suffecti*« ein; die Intervalle verkürzen sich im Laufe der Zeit von vier auf einen Monat. In der Spätant. werden die *c.* durch rangmäßige Gleichstellung der *praefecti praetorio*, der *magistri militum* und der in Rom und Konstantinopel amtierenden *praefecti urbi* auch aus ihren repräsentativen Spitzenstellungen verdrängt (Cod. Iust. 12,3,3; 12,4 tit.); doch bleibt ihr Amt noch bis zum J. 537 n. Chr. (Nov. Iust. 49) hauptsächlich eponym.

J. BLEICKEN, Verfassungs- und Sozialgesch. des röm. Kaiserreiches, 60 ff., 303 ff. · JONES, LRE, 532 f., 558 f. · MOMMSEN, Staatsrecht 1, 8 ff., 2, 174 ff., 702 ff.   C. G.

Consularis bezeichnet substantivisch einen ehemaligen → *consul* oder einen Senator, dem die Würde eines ehemaligen *consul* zuerkannt worden ist, ferner adjektivisch alle Kompetenzen, Ehrenrechte und Pflichten eines amtierenden oder eines ehemaligen *consul*. Da das Amt des *consul* das höchste Staatsamt in der Republik und nominell (d.h. eponymisch) auch in der Kaiserzeit ist, kommt auch den gewesenen Consuln eine in der Rede- und Abstimmungsordnung des Senats nach den jeweils amtierenden höchsten Beamten vorgeordnete Rolle zu, vor den Senatoren praetorischen, tribunizischen, aedilizischen oder quaestorischen Ranges. Der consularische Rang, der vom Senat, später vom Kaiser auch zur Anerkennung für Verdienste ohne zuvor ausgeübtes Consulat verliehen werden kann, ist ferner die Voraussetzung für die Wahl zum *censor*, zum *dictator* und für die Ausübung einiger hochangesehener – proconsularischer – Provinzialregierungsämter wie etwa in Africa, Achaia und Asia, wobei in der Zeit der Unterscheidung zwischen kaiserlichen und Senatsprovinzen letztere öfters, erstere – wegen ihrer Abhängigkeit vom proconsularischen Imperium des Kaisers – nie einen Verwalter proconsularischer Amtskompetenz haben.

→ Proconsul; Senatus; Cursus honorum

JONES, LRE, 106f. · MOMMSEN, Staatsrecht, 2, 74ff., 145 und 243ff.; 3, 966.   C.G.

Consulartribun(i), genauer lat. *tribuni militum consulari potestate*, werden erstmalig wohl im Jahre 443 v.Chr. (Liv. 4,7,1f.) – bald nach der zweijährigen Regierung der *XII viri legibus scribundis* (in den J. 450/449) – erstmals von den Centuriatcomitien gewählt, um die consularische Amtsgewalt auf mehr als zwei Kollegen zu verteilen. Livius meint, wegen damals mehrerer Kriegsfronten sei eine größere Zahl Imperiumsträger benötigt worden. Andere Autoren sehen in diesem Institut den Ausdruck widerstreitender Interessen des Ständekampfs zw. Patriziern und Plebejern (Pomp. Dig. 1,2,2,25). Dagegen spricht, daß erst im J. 404 ein Plebeier *c.* wird (Liv. 5,12,2f.), dafür u.a., daß die »einfachen« Militärtribunen jener Zeit mit der jährlichen Aushebung des Heeres (*legio*) aus dem ganzen Volke bestellt werden und eine patrizische Herkunft – anders beim Consulamt bis zu den *leges Liciniae Sextae* des J. 387 v.Chr. – dabei unnötig ist. Mit letzteren werden sowohl die paritätische Besetzung des Consulats als auch eine Praetur eingeführt und das nunmehr offenbar unnötige Institut der *c.* abgeschafft. In den 56 Jahren seiner konstitutionellen Zulässigkeit gibt es immerhin eine Mehrheit von *c.*-Kollegien – gegen 22 von Consuln.

Die *c.* werden nach Zustimmung des Senats von der Volksversammlung gewählt (Dion. Hal. ant. 11,60) und haben dieselben Kompetenzen – allerdings nicht dieselben Ehrenrechte (so zum Triumph und zu Präsenz und Rang im Senat) – wie die Consuln. Ihre Zahl beträgt mindestens drei, öfter vier, nie fünf und wahrscheinlich höchstens sechs; doch werden gelegentlich wohl auch Beamte mit censorischer Befugnis dem Kollegium der *c.* hinzugerechnet.

In der spätrepublikanischen Zeit (im J. 53/2) wird vorübergehend die Einführung des Instituts erwogen, es kommt aber nicht dazu (Cass. Dio 40,45,4).

F.F. ABBOTT, A History and Description of Roman Political Institutions, ³1963, Nr. 194–196 · MOMMSEN, Staatsrecht 2.1, 181–192.   C.G.

Consultatio veteris cuiusdam iurisconsulti. Die Unterrichtsschrift wird in Gallien noch im 5.Jh. n.Chr. entstanden sein. In einem Gutachten werden die Aussichten der Klage aus einer schriftlichen Teilungsvereinbarung zwischen Erben (und Geschwistern) entsprechend der rhet. Statuslehre erörtert. Mögliche Hindernisse, die bei den Parteien und ihren Bevollmächtigten, dem Gegenstand, der Klage, der Prozeßleitung und bei Dritten, soweit sie auf den Prozeß und seine Entscheidung Einfluß nehmen, liegen, werden schulmäßig durchgespielt und aus den *Cod. Gregorianus*, *Cod. Hermogenianus*, den *Pauli sententiae* und dem *Cod. Theodosianus* belegt.

ED.: P. KRÜGER, Collectio III, 1890, 199 · J. BAVIERA, FIRA II, ²1940, 591.
LIT.: K.H. SCHINDLER, Consultatio, in: Labeo 8, 1962, 16–61.   W.E.V.

Consultus Fortunatianus (C. Chirius F. geht auf einen mißverstandenen Werktitel zurück: *enchiridion/enchiriadis*). Verf. eines lat. Lehrbuchs *Ars rhetorica* in 3 B. in der Form von Frage und Antwort. In B. 1 und 2 wird die *inventio* behandelt *(status, partes orationis)*, mit Schwergewicht auf der Status-Lehre, in B. 3 *dispositio*, *elocutio*, *memoria* und *pronuntiatio*. Das Werk stellt ein wohl eher im 5. als im 4.Jh. n.Chr. anzusetzendes [6], der Deklamatorenschule entstammendes (s. 2,20), stark systematisierendes und umfassendes Kompendium dar, das in der Status-Lehre in der durch jüngere Bearbeiter vermittelten → Hermagoras-Tradition steht, zugleich aber unübersehbar in den weiteren Teilen auf lat. Quellen zurückgeht [3. 45ff.; CALBOLI, Ed., 21ff.]. Trotz beachtlicher hsl. Verbreitung (Schulbetrieb; Verbindung mit Aug., *De rhetorica*; von Cassiodor ausgiebig benutzt) verlor das Werk, das am Ende des 8.Jh. noch Bestandteil einer repräsentativen Einführung in die → *artes liberales* war (Par. Lat. 7530), in dem unter dem Einfluß von Boethius', *De differentiis topicis* stehenden MA zunehmend an Bedeutung, wurde dann aber unter verändertem Rhet.-Verständnis von den Humanisten wieder eifrig abgeschrieben.

ED.: HALM p. 79–134; L. CALBOLI MONTEFUSCO, Ars rhetorica, 1979 (hiernach zit.; Bibl.).
LIT.: **1** H.-W. FISCHER, Unt. über die Quellen der Rhet. des Martianus Capella, Diss. 1936, bes. 88ff. **2** M.C. LEFF, The topics of argumentative invention in Latin rhetorical theory from Cicero to Boethius, in: Rhetorica 1,1, 1983, 23–44, bes. 36f. **3** K. MÜNSCHER, s.v. F. 7, in: RE 7,1, 44–55 **4** A. REUTER, Unt. zu den röm. Technographen F., Julius Victor, Capella und Sulpitius Victor, in: Hermes 28, 1893, 73–134 **5** W. SCHÄFER, Quaestiones rhetoricae, Diss. 1913, 82ff. **6** U. SCHINDEL, HLL § 616–617.1.
ÜBERLIEFERUNG: **7** G. BILLANOVICH, Il Petrarca e i ret. lat. min., in: IMU 5, 1962, 103–164 (mit Lit.) **8** R. GIOMINI, I Principia rhetorices di Agostino …, in: Filologia e forme letterarie. Studi F. Della Corte 4, 1987, 281–297.   W.-L.L.

Consus ist der Gott der eingebrachten Getreideernte. Sein Name ist von *condere* (»einbringen«) abgeleitet. Sein Fest waren die → *consualia*, sein unterirdischer Altar befand sich im Circustal, südl. des Palatinfußes. Die von Tertullian (de spectaculis 5,7) überlieferte C.-Inschr. stammt kaum von diesem Altar und scheint nicht sehr alt. Am selben Ort wurden auch Göttinnen, die mit dem Schutz des Getreides zu tun hatten (Seia, Segetia, Tutilina), verehrt. Im J. 272 v. Chr., nach seinem Triumph über Tarent, baute L. Papirius Cursor dem C. auf dem Aventin einen Tempel [1], dessen Gründungsfeiertag (*natalis*) unter Augustus auf den 21. Dezember fiel.

1 A. ZIOLKOWSKI, The Temples of Mid-republican Rome, 1993, 24.

DUMÉZIL, 168f. · G. WISSOWA, Religion und Kultus der Römer, ²1912, 201 ff.   J. S.

Contarii waren mit einer schweren, etwa 3,5m langen Lanze (*contus*) bewaffnete Reiter der Auxiliartruppen. Sie hielten die Lanze quer über dem Widerrist des Pferdes entweder von unten oder von oben in beiden Händen, wobei sie nicht von einem Schild geschützt waren. Diese Lanze ist wahrscheinlich von den Sarmaten übernommen worden. Seit der Zeit des Traianus oder des Hadrianus gab es eigene Einheiten der *c.*, wie beispielsweise die *ala I Ulpia contariorum milliaria*. Obwohl die *c.* zunächst keine schwere Rüstung trugen, haben sie wohl zur Entwicklung der gepanzerten Reiterei beigetragen.

1 J. W. EADIE, The development of Roman mailed cavalry, in: JRS 57, 1961, 167–73.   J. CA./Ü: A. BE.

Contestani(a). Landschaft und Stamm zw. Cartagena und dem Júcar in den Prov. Murcia und Valencia; der Name scheint kelt. zu sein [1. 1107]. C. wird im Zusammenhang des Sertorius-Kriegs erwähnt (Liv. fr. B. 91), außerdem Plin. nat. 3,19f.; Ptol. 2,6,14,61; s. auch [2. 131; 3. 222].

1 HOLDER 1   2 A. SCHULTEN, Fontes Hispaniae Antiquae 1, ²1955   3 Ders., Fontes Hispaniae Antiquae 6, 1952.

L. CONESA, Contestania ibérica, 1972 · TOVAR 3, 31.   P. B.

Contio. C., von »co-ventio« (allg. Bed.: öffentliche Versammlung) meint in einem speziellen Sinne eine nicht beschließende, sondern nur zu Informations- und Erörterungszwecken von einem Magistrat einberufene Versammlung röm. Bürger. Sie geht einer späteren, nur der Abstimmung, einer Wahl oder einem förmlichen comitialen Gerichtsverfahren dienenden Volksversammlung voraus. Das Verfahren ist formlos, richtet sich aber an dem späteren Beschlußverfahren aus. Einem comitialen Gerichtsverfahren müssen sogar jeweils drei *c.* vorausgehen. Von einem freien Rederecht jedes später stimmberechtigten Bürgers ist auszugehen. Es können auch kontroverse Anträge zur Diskussion gestellt werden (Beispiel: Liv. 34,1–8). Zweck einer *c.* ist es dabei, die öffentliche Diskussion polit. und gerichtlicher An-

gelegenheiten in geordneter, nicht-demagogischer Form stattfinden zu lassen, insbes. außer Kontrolle geratenden Versammlungen (*c. turbulentae, seditiosae*) außerhalb des Forums oder eines amtlich dafür vorgesehenen Termins dadurch möglichst vorzubeugen (Cic. rep. 2,29).

Der Fortfall der allgemeinpolit. Bed. der Volksversammlungen in Rom nach Einführung des Prinzipats gegen Ende des 1. Jh. n. Chr. bedeutet einen entsprechenden Funktionsverlust auch der *c.*, nicht aber deren Verschwinden. Dies gilt bes. außerhalb Roms, wo in den verfaßten Städten röm. oder griech. Typs nach Bedarf ordentlich von Amts wegen einberufene und erlaubte *c.* und → *comitia* in städtischen Angelegenheiten stattfinden und auch wählen und beschließen können (Dig. 48,19 e contr.). Nur für Rom und andere Vorbehaltsfälle liegt etwa die Kompetenz der *creatio* der Magistrate beim Kaiser. Einen weiteren Fall der *c.* stellen die von einem Feldherrn einberufenen Soldatenversammlungen dar, einen extraordinären Fall verfassungsrelevanter *c. apud milites habita* die in mil.-politisch kritischen Situationen stattfindenden Heeresversammlungen, die etwa schon in republikanischer Zeit notfalls etwa Befehlshaber wählen (Liv. 25,37) und insbes. in der späteren Kaiserzeit immer wieder mit einer Kaiserausrufung (*declaratio augusta*) hervortreten (Amm. 20,4; 26,2).

F. F. ABBOTT, A History and Description of Roman Political Institutions, ³1963, 251 ff. · MOMMSEN, Staatsrecht 3, 305 · L. R. TAYLOR, Roman Voting Assemblies, 1966, 13–38.   C. G.

Contiomagus. *Vicus* der zur *civitas Treverorum* gehörenden *Contiomagienses* (AE 1959,76) in der Nähe eines Saarübergangs an der röm. Straße Divodurum – Mogontiacum beim h. Pachten (Stadtteil von Dillingen an der Saar). Von kultureller Bed. ist ein Theaterbau mit Namensinschr. auf den Sitzsteinen (BRGK 58, 1977, 476, 27). 275/76 n. Chr. zerstört, wurde C. Anf. 4. Jh. als rechteckiges Wehrkastell (1,9 ha) wieder errichtet.

G. SCHMIDT, Das röm. Pachten, 1986.

Contionacum. In Konz bei Trier befand sich oberhalb der Saarmündung in die Mosel eine Mitte des 4. Jh. n. Chr. entstandene und bis ins frühe 5. Jh. benutzte Palastanlage, die mit der kaiserlichen Sommerresidenz C. identifiziert wurde, wo Valentinianus I. 371 n. Chr. mehrere Verfügungen erließ (Cod. Theod. 2,4,3; 4,6,4; 9,3,5; 11,1,17); auch Auson. Mos. 369 ist wohl auf C. zu beziehen.

A. NEYSES, Die spätröm. Kaiservilla von Konz, 1987.
    F. SCH.

Contra. Bezeichnung von Militärposten an röm. Heerstraßen, bes. in Oberägypten und im von Rom abhängigen Unternubien, die den Orten, deren Namen mit *contra* verbunden sind, am jenseitigen Nilufer gegenüberlagen: 1. *C. Copto* gegenüber Koptos (Itin. Anton 159). 2. *C. Lato* gegenüber Esna (ebda., 165). 3. *C. Apollonos* gegenüber Edfu (ebda., 165). 4. *C. Thumis* gegenüber einer bislang unbekannten Stadt zw. Edfu und Kom Ombo (ebda., 160). 5. *C. Ombos* gegenüber Kom Ombo (ebda., 160). 6. *C. Syene* gegenüber Assuan (ebda., 167). 7. *C. Taphis* gegenüber Tafa (ebda., 164). 8. *C. Talmis* gegenüber Kalabscha (ebda., 164). 9. *C. Pselcis* gegen über Dakka (ebda., 164). R. GR.

Contra paganos s. Polemik

Contractus. Bei Gai. inst. 3,88 bildet *c.* neben dem Delikt eines der beiden Glieder der obersten Einteilung des gesamten röm. Schuldrechts. Dies hat manche Interpreten dazu verleitet, *c.* einfach mit »Vertrag« zu übersetzen. *C.* ist aber in Wahrheit urspr. nicht auf die Verbindlichkeit als Vertrag beschränkt, bedeutet er doch wörtlich nur überhaupt »sich (eine Verpflichtung) zuziehen«. In der Prinzipatszeit war das Verständnis des *c.* freilich mit einer Einigung (*consensus, conventio*) verbunden (Dig. 2,14,1,3). Auch dann noch führte aber keineswegs jede Einigung zum *c.* Da im röm. Recht keine volle Vertragsfreiheit herrschte, blieb die Entstehung einer Verbindlichkeit an bestimmte Voraussetzungen des objektiven Rechts gebunden. Die bloße Einigung genügte nur für die vier anerkannten Konsensualverträge (→ *consensus*). Als weitere Gründe für die Entstehung von Obligationen aus *c.* zählt Gai. inst. 3,89 abschließend auf: *re* (durch die Leistung selbst), *verbis* (durch Gebrauch vorgeschriebener Wortformeln) und mit sehr viel geringerer praktischer Bedeutung *litteris* (→ *litterarum obligatio*). Realverträge des röm. Rechts waren Darlehen (→ *mutuum*), Leihe (*commodatum*), Verwahrung (→ *depositum*) und Verpfändung (→ *pignus*). Die Übergabe der Sache(n) bei Einigkeit über die Überlassung begründet eine vertragliche Verpflichtung zur Rückgewähr (Dig. 44,7,1,2–6). Bei weitem wichtigster Anwendungsfall der Verbalkontrakte ist die → *stipulatio*. Außerdem wird von Gai. inst. 3,95a; 96 nur die *dotis dictio*, ein neben der *stipulatio* eigentlich überflüssiges Geschäft zur Mitgiftbestellung (→ *dos*), sowie die *promissio operarum*, das eidliche Versprechen von Dienstleistungen durch einen Freigelassenen gegenüber seinem Patron, aufgezählt. Im Gegensatz zum *c.* ist das → *pactum* eine Einigung ohne die Wirkung, Verpflichtungen zu begründen. Schon in der Spätant. werden aber die *pacta* mehr und mehr dem *c.* angenähert, und am E. des MA ersetzt das *pactum* den *c.* als Oberbegriff der nicht-deliktischen (später: nicht-gesetzlichen) Schuldverpflichtungen. Erst aus dieser Zeit stammt der Satz: *pacta sunt servanda.*

KASER, RPR I, 522–527 · G. GROSSO, Il sistema romano dei contratti, ³1963 · S. E. WUNNER, C., 1964. G. S.

Contrebia (keltisch für »gemeinsame Wohnung« [1. 1109]). Fluchtburg der keltiberischen → Lusones [1. 136]. Ihre Lage läßt sich nicht genau bestimmen; wohl nicht identisch mit h. Daroca, doch lag C. in der

Nähe, im Tale des Hiloca südwestl. von Zaragoza ([1. 136; 2. 212]; s. auch die Vermutungen in [4. 247]). Inschr. fehlen fast ganz (nur CIL II 4935?), dagegen fanden sich Mz. mit iberischer Legende [5. 93]. Im Zusammenhang mit den Keltiberer-Kriegen wird C. öfters erwähnt (181 v. Chr.: Liv. 40,33; App. Ib. 42 [*Complega* wohl = *Contrebia*]; Diod. 29,28; 33,24 [*Kemelon* wohl = *Complega*]. 143 v. Chr.: Aur. Vict. 61; Val. Max. 2,7,10; 7,4 ext. 5; Ampelius 18,14; Vell. 2,5,2; Flor. epit. 1,33,10. 77 v. Chr.: Liv. fr. Buch 91; vgl. [2. 212–214; 6. 34f., 181]). C. hatte mil. Bed. (→ Complega).

Von dieser Stadt zu unterscheiden ist C. Leucada, nur erwähnt für 76 v. Chr. (Liv. fr. B. 91). Der Beiname ist kelt. [7. 192]. Über die Lage der Stadt nördl. von → Numantia vgl. [6. 189; 1. 128].

1 A. SCHULTEN, Numantia 1 2 Ders., Fontes Hispaniae Antiquae 3, 1925 ff. 3 HOLDER 1. 4 Enciclopedia Universal Ilustrada 15 5 A. VIVES, La Moneda Hispánica 2, 1924 6 A. SCHULTEN, Fontes Hispaniae Antiquae 4, 1937 7 Holder 2.

TOVAR 3, 414–416. P. B.

Controversiae. Übungsreden zu Rechtsfällen (*genus iudiciale*), neben den → *suasoriae* (*genus deliberativum*) eine der beiden Spezies der → *declamatio*. Zunächst primär der Vorbereitung auf die Gerichtsreden (Quint. 2,10,7) dienend, bilden die *c.* als anspruchsvollste Übungsform (Tac. dial. 35) den Abschluß der kaiserzeitlichen Rednerausbildung. Frühe griech. Vorläufer sind die Musterplädoyers der sophistischen Antilogik [3. 110–114]; einzelne Themen von *c.* in den ältesten röm. Rhetoriken (z. B. Cic. inv. 2, 144) weisen auf unmittelbare hell. Vorbilder. Ihre Bezeichnung erhalten die *c.* erst in augusteischer Zeit (Sen. contr. 1 praef. 12).

Von Cicero noch als privates Redetraining praktiziert (Sen. contr. 1,4,7), entwickeln sich die *c.* unter den polit. Bedingungen des Prinzipats zu einer auf öffentliche Unterhaltung ausgerichteten quasilit. Gattung mit hohem artistischen Anspruch (Prunkdeklamation: Sen. contr.; Ps.-Quint. declamationes maiores), dienen daneben aber auch weiterhin zu Schulzwecken (z. B. Einübung des Statussystems, → Rhetorik; Schuldeklamation: Ps.-Quint. declamationes minores [5. XVI; 2. 1–2]).

In ihrer überlieferten Gestalt bestehen die *c.* aus einer summarischen Überschrift, dem der *causa* zugrundeliegenden Gesetz, einem → *argumentum* (Themenangabe) und der Ausführung des Themas. Das stoffliche Spektrum erstreckt sich von histor., pseudohistor. und myth. Musterfällen bis zu romanesk-phantastischen und ausgeklügelten Fiktionen mit einem festen Repertoire von typischen Figuren (Tyrannenmörder, Piraten, Priesterinnen, Prostituierte, verstoßene Söhne und dergleichen). Spezifisch für die *c.* sind subtile Gliederungen der Streitfrage (*divisiones*) und parteiische Ausmalungen der skizzenhaften *argumenta* (*colores*).

Die *c.* bleiben neben den *suasoriae* bis zum Ausgang der Spätant. Bestandteil der rhet. dominierten höheren

Schulbildung (Himerios; Libanios; Ennodius, Dictiones 14–28). Im MA geraten die *c.* als rhet. Übung außer Gebrauch; an ihre Stelle tritt an den Universitäten die juristische *disputatio*. Die überlieferten *c.* werden als Lit. rezipiert, ihre abenteuerlichen Sujets finden Verwendung als Predigtmärlein (*Gesta Romanorum*) und regen zu poetischer Ausgestaltung an: Die Versnovelle *Mathematicus* des Bernardus Silvestris (12. Jh.) schöpft aus Declamatio maior 4. Durch die Neubelebung der gesamten klass. Rhet. in der Renaissance gelangen auch die *c.* wieder in den Unterricht (vgl. Erasmus, *De ratione studii*; Rudolf Agricolas *De inventione dialectica*, ca. 1485). Ein modernes Beispiel für die dunkle Faszination ihrer oft grotesken Konstrukte ist P. QUIGNARDS lit. Biographie → *Albucius* (1990; vgl. Sen. contr. 7, praef.).

1 S. F. BONNER, Roman declamation in the late republic and early empire, 1949 (ND 1969) 2 J. DINGEL, Scholastica materia, 1988 3 J. FAIRWEATHER, Seneca the elder, 1981 4 F. H. TURNER, The theory and practice of rhetorical declamation from Homeric Greece through the Renaissance, 1972 5 M. WINTERBOTTOM, The minor declamations ascribed to Quintilian, 1984 6 L. A. SUSSMAN, The Declamations of Calpurnius Flaccus, 1994.　　TH. ZI.

Contubernium bedeutete im eigentlichen Sinne des Wortes eine Gemeinschaftsunterkunft von Soldaten; entweder handelte es sich um ein Zeltlager während einer *expeditio* oder um Baracken in einem ständigen Lager (Tac. ann. 1,41,1). Daraus ergaben sich zwei weitere Wortbedeutungen: Der Begriff wurde auch für eine Gruppe von Soldaten benutzt, die eine Unterkunft teilten, und er bezeichnet außerdem ein daraus entstandenes Gefühl der Zusammengehörigkeit, des Vertrauens und der Solidarität (Suet. Tib. 14,4; Caes. civ. 2,29). Dies schloß auch die Offiziere ein. Das *c.* scheint keine taktische Einheit gewesen zu sein, obwohl *c.* bei Vegetius (Veg. mil. 2,13) als Syn. für *manipulus* steht. Das *c.* zählte zuerst 8 Mann (Ps.-Hyg. 1), später 10, die dem Befehl eines von ihnen, des *decanus*, unterstellt waren (Veg. mil. 2,8; 2,13). Bei Leo dem Taktiker (tact. 20,194) umfaßt das *c.* 16 Mann.

1 H. VON PETROKOVITS, Die Innenbauten röm. Legionslager, 1975.　　Y. L. B./Ü: C. P.

Contumacia. Abgeleitet von *contemnere* (mißachten; diese Wortbed. lebt bis heute fort in *contempt of court* des engl. Rechts). Im röm. Recht bedeutete *c.* vor allem den Ungehorsam des Beklagten gegenüber einer gerichtlichen Ladung im Amtsprozeß der *extraordinaria* → *cognitio*. Vor Einführung dieser Verfahrensart im Prinzipat und der *c.* wohl unter Claudius ist keine ähnliche Verwendung des Wortes *c.* zu erkennen. Eine vergleichbare Funktion hatte freilich schon im älteren Zivilprozeß seit den XII Tafeln (5. Jh. v. Chr.) die Entscheidung des Richters zugunsten einer Partei gegen die nicht erschienene andere Partei (→ *addicere*). Die → *vocatio in ius* der XII Tafeln ist jedoch nur eine private Ladung, und auch die Säumnis im Verfahren *in iure* ist nur eine Un-

terwerfung unter das private Begehren der anderen Partei. Das Nichterscheinen auf die Ladung zum Termin der *cognitio* hingegen ist Ungehorsam gegen die kaiserlichen Richterbeamten, wenn nicht gegen den Kaiser selbst. Vor Eintritt der *c.* ist aber zunächst ein recht kompliziertes Verfahren einzuhalten, in dem die Partei regelmäßig erst dreimal geladen werden muß, ehe der Richter entscheiden kann (Ulp. Dig. 5,1,68–73). Selbst dann noch bleibt eine Entscheidung zugunsten des Säumigen möglich, wenn seine Sache eine *bona causa* ist, also die besseren Rechtsgründe für sich hat. Ist aber gegen den Säumigen entschieden worden, hat er kein Rechtsmittel: *si appellat non esse audiendum, si modo per contumaciam defuit* (›mit der Berufung sei er nicht zu hören, wenn er nur wegen *c.* abwesend war‹, Dig. 5,1,73,3). Justinian hat die *c.* auf den säumigen Kläger ausgedehnt.

KASER, RZ, 376–379 · H. HONSELL, TH. MAYER-MALY, W. SELB, Röm. Recht, ⁴1987, 557.　　G. S.

Conubium. In Rom ist die Ehefähigkeit (*c.*) eine Voraussetzung der rechtsgültigen Eheschließung. Beide Partner mußten das *c.* besitzen: *C. est uxoris iure ducendae facultas. C. habent cives Romani cum civibus Romanis: cum Latinis autem et peregrinis ita, si concessum sit. Cum servis nullum est c.* (›C. ist die rechtliche Fähigkeit eine Frau zu ehelichen. Das *c.* haben röm. Bürger untereinander, mit Latinern und Fremden hingegen nur aufgrund bes. Verleihung. Mit Sklaven gibt es kein *c.*‹; Ulp. 5,3–5). Ausgespart werden in dieser Umschreibung gewisse Ehehindernisse, die es auch unter röm. Bürgern gegeben hat, die freilich im Prinzipat bereits weitgehend jede Bed. verloren hatten: Erst durch die *lex Canuleia* (445 v. Chr.) ist das *c.* zw. Patriziern und Plebejern eingeführt worden. Einem Teil der Freien blieb aber weiterhin das *c.* versagt: so den Angehörigen von ital. Stadtgemeinden mit minderem Bürgerrecht (*civitates sine suffragio*) und den Freigelassenen (*libertini*). Freigelassene röm. Vollbürger konnten mit Angehörigen dieser Gruppen keine legitime Ehe schließen. Spätestens nach dem Bundesgenossenkrieg (91–89 v. Chr.) erhielten das ital. Stadtbewohner das *c.* Durch die *lex Papia Poppaea* des Augustus (vgl. Dig. 23,2,23; 44) wurde den röm. Freigelassenen endgültig das *c.* zuerkannt. Unwirksam blieben oder waren von nun an aber Ehen zwischen Mitgliedern der senatorischen Familien und Freigelassenen.

C. konnte wie das Bürgerrecht und das → *commercium* solchen Personen oder Gruppen verliehen werden, die es nicht von Haus aus hatten. Überliefert sind Verleihungen des *c.* an ital. Gemeinden (Liv. 8,13; 23,4) und – aus der Kaiserzeit – an Veteranen beim Ausscheiden aus dem Militärdienst (*missio honesta*) zur Eheschließung mit nichtröm. Frauen (reiches Material in CIL XVI). Durch die Ausdehnung des Bürgerrechts in der Kaiserzeit verbreitete sich auch das *c.* Bei Verlust des vollen Bürgerrechts (→ *deminutio capitis*) ging auch das *c.* verloren. Die Eheverbindung wurde dadurch illegitim. Verbindungen ohne *c.* waren der → *concubinatus* und – unter Sklaven – das → *contubernium*.

Die wichtigste Wirkung hatte das *c.* für die in der legitimen Ehe geborenen Kinder: Sie waren frei geborene röm. Bürger. Aber auch das Ehegüterrecht der → *dos* war nur zw. Eheleuten mit *c.* möglich.

KASER, RPR I² 75, 315 · H. HONSELL, TH. MAYER-MALY, W. SELB, Röm. Recht ⁴1987, 388 f. · TREGGIARI, 43 ff. · M. HUMBERT, Hispala Fecenia et l'endogamie des affranchis sous la République, in: Index 15, 1987, 131–148. G.S.

Convivium s. Gastmahl

Cooptatio. (von *co-optare*: »hinzuwählen«) kann u. a. die Aufnahme einer Person in eine Gens, in ein Klientelverhältnis, in einen Verein (*collegium*) oder in eine öffentliche Körperschaft (*corpus, corporatio, collegium*) bezeichnen (Liv. 2,33,2; Suet. Tib. 1, 1–2; Plin. epist. 4,1,4; Cic. Verr. 2,2,120; Dig. Iust. 50,16,85 *tres faciunt collegium*; Lex col. Genetivae 67=FIRA I, 177 ff.; SC de collegiis, FIRA I, 291: *coire, convenire, collegiumve habere*).

Im polit. Bereich bezeichnet *c.* eine Form legitimer, aber oft außerordentlicher Ergänzungswahl. (1) Schon in republikanischer Zeit, vor allem aber in der Kaiserzeit kann der → Senat prinzipiell selbst über die *c.* neuer Mitglieder entscheiden (Cic. leg. 3,27; Liv. 4,4,7). In der Regel findet aber eine → *lectio senatus* in republikanischer Zeit durch den → Consul oder → Censor, später durch den Kaiser statt. (2) Ähnlich können → *decuriones* Mitglieder einer *curia* kooptieren, auch wenn sie normalerweise von den Gemeindemagistraten ernannt werden (Cic. Verr. 2, 2, 120; Plut. Sulla 37; Lex Iulia municipalis 83–88=FIRA I, 147; spätant. *adscriptio* in das *album decurionum* als öffentlich-rechtliche Pflicht: Cod. Iust. 10,32,62).

(3) Die staatlichen Priesterkollegien ergänzen sich zumeist durch *c.* Nur wichtigere Amtsinhaber (z. B. der *pontifex maximus*) werden gewählt oder – in der Kaiserzeit – vom Kaiser ernannt (Dion. Hal. ant. 2,73; Liv. 3,32, 3; Cic. leg. agr. 2,7,16; Cass. Dio 51,20). Hinzu kommt die Gruppe der magistratischen und tribunizischen *c.*: (4) Consuln können einen ausgefalllenen Amtskollegen durch *c.* eines anderen ersetzen sowie einen *dictator* – als befristet übergeordneten dritten Kollegen – kooptieren, wobei grundsätzlich die Zustimmung der Comitien einzuholen ist (Liv. 2,2,11; 3,19,2; umstritten). Kraft bloßer Amtsgewalt können Consuln ferner nachgeordnete Magistrate (wie Praetoren, Aedilen und Quaestoren) ergänzungshalber provisorisch einsetzen, ohne daß es in diesem Fall prinzipiell einer Wiederholung der Volkswahl bedarf (vgl. Gell. 13,16,1; Liv. 3,29,2 f.); davon sind aber die Censoren stets ausgenommen (Liv. 9,34,25). (5) Volkstribunen können ohne Einschränkung anstelle ausgefallener Kollegen andere kooptieren (Liv. 3,64,10).
→ Creatio

KASER, RPR, I, 302 ff. · W. LANGHAMMER, Die rechtliche und soziale Stellung der Magistratus municipales und der Decuriones, 1973, 196 · MOMMSEN, Staatsrecht, I, 215 ff., 221 f.; 3.2, 854. C.G.

Copa s. Appendix Vergiliana

Copia. Personifikation der Fülle, dargestellt mit Füllhorn (Plaut. Pseud. 671; 736; → Amaltheia), später auch *cornucopia* (Amm. 22,9,1) genannt. C. erscheint mit einem Füllhorn auf Münzen von zwei Städten namens *Colonia C.*, was jedoch nicht auf einen Kult deuten muß [1; 2]. C. wird auch in einer Inschr. von Avennio erwähnt (h. Avignon, CIL XII 1023). Nach Ovid (met. 9,85–88) erhielt C. das von Najaden mit Früchten und Blumen gefüllte Horn, das Hercules dem → Acheloos abgebrochen hatte.

1 G. WISSOWA, Religion und Kultus der Römer, ²1912, 332
2 H. L. AXTELL, The Deification of Abstract Ideas in Roman Literature and Inscriptions, 1907, 43.

F. BÖMER, Metamorphosen B. 8–9 (Komm.) 1977, 277 · M. HERNANDEZ INIGUEZ, s. v. C., LIMC 3.1, 304 · P. POUTHIER, Ops et la conception divine de l'abondance dans la religion romaine jusqu'à la mort d'Auguste, 1981. R.B.

Coponius. Römischer Famlienname (SCHULZE, 168, 276, A.7; ThLL, Onom. 2, 587), volksetym. mit *copo* »Wirt« verbunden (Mart. 3,59), seit dem 1. Jh. v. Chr. bezeugt.

[1] C., C. Er und sein Bruder T. C. wurden 56 v. Chr. von Cicero als *adulescentes* lobend hervorgehoben (Balb. 53; Cael. 24); er war 53 *praefectus* in Syria, unter Pompeius 49 Praetor und Münzmeister (RRC 444), und verlor 48 als Propraetor seine Flotte im Seesturm. Wohl identisch mit dem 43 proskribierten C., der sein Leben dem Gnadengesuch seiner Frau an M. Antonius verdankte (App. civ. 4,170) und dem *vir e praetoriis gravissimus* und Gegner des Munatius Plancus 32 (Vell. 2,83,3).

T. P. WISEMAN, New Men in the Roman Senate 139 B. C.-A. D. 14, 1971, 226. K.-L.E.

[2] Röm. Bildhauer; schuf 55 v. Chr. für die Portiken des Pompeius-Theaters in Rom 14 z. T. erh. Statuen, → Personifikationen der von Pompeius unterworfenen Völker.

F. COARELLI, Il complesso pompeiano del Campo Marzio e la sua decorazione scultorea, in: RPAA 44, 1971–72, 99–122 · OVERBECK, Nr. 2271 (Quellen). R.N.

[3] Römischer Ritter; 6 n. Chr. als *praefectus* nach Iudaea gesandt, das er als Teil der Prov. Syria verwaltete. Er besaß das *ius gladii,* war aber als *praef.* dem Legaten von Syrien unterstellt (Ios. bell. Iud. 2,117 f.; ant. Iud. 18, 2,29–31). W.E.

Cora. Latinische Stadt auf einem Ausläufer südöstl. der *montes Lepini* über der pontinischen Ebene, verbunden mit der *via Appia*, h. Cori (Prov. Latina). Kolonie von Alba Longa; beteiligt an der Gründung des *lucus Dianae* bei Aricia. Vorposten an der Grenze zu den Volsci, *prisca colonia Latina* (ca. 501 v. Chr., Liv. 2,16,8); Silbermünzen. Zerstört von Sulla, dann *municipium* der *tribus*

Papiria. Arch. Monumente: Reste der Stadtmauer mit Türmen, Mauern der Akropolis in *opus polygonale* mit nachsullanischen Ausbesserungen in *opus incertum* (runde Türme), verschiedene Terrassierungen in *opus polygonale* zum Schutz gegen Bergrutsch; sog. Herkules-Tempelchen (gut erh.), dor. viersäuliger Pseudoperipteros (1 v. Chr.); weiter unten Überreste des Tempels von Kastor und Pollux (CIL X 6505 f.), korinth. Prostylos mit sechs Säulen aus Travertin auf hohem Podium aus Tuffstein; unterhalb von C. der Ponte della Catena mit einem Bogen (republikanische Zeit). Verschiedene *villae rusticae* in der Umgebung. Inschr. Belege: CIL X, p. 645, 6505–52.

A. VON GERKAN, Die Krümmungen im Gebälk des dor. Tempel in Cori, in: MDAI(R) 40, 1925, 167–180 · P. BRANDIZZI-VITTUCCI, C., 1968.

Corbio

[1] Archaische Stadt in Latium auf einem Ausläufer nordöstl. des *mons Albanus*, evtl. h. Roccapriora. Verwickelt in die Kriege der Römer mit den → Aequi: von Cincinnatus 458 v. Chr. erobert (Sieg am *mons Algidus*), von den Aequi zurückerobert, 457 zerstört vom Consul C. Horatius Pulvillus (Liv. 3,30). Bei C. wurden die Aequi 446 von T. Quinctius Capitolinus geschlagen. Arch. Monumente: Einige Überreste, kaiserzeitliche röm. *villa*.

A. NIBBY, Analisi storico-topographico-antiquaria della carta de'dintorni di Roma 2, 1837, 21–24 · NISSEN 2, 596.
G. U.

[2] Stadt der → Suessetani bei → Tarraco [1. 51, 209; 2]. C. wird nur einmal im Zusammenhang mit den Keltiberer-Kriegen bei Liv. 39,42,1 erwähnt: 184 v. Chr. wurde C. von A. → Terentius Varro erobert und zerstört. Ihre Lage ist unbekannt, Vermutungen darüber bei [3. 504]. Der Name ist kelt. [4. 1117].

1 A. SCHULTEN, Fontes Hispaniae Antiquae 3, 1935 2 Ders., s. v. Suessetaner, RE 4 A, 588 3 Enciclopedia Universal Ilustrada 15 4 HOLDER 1.

TOVAR 3, 435. P. B.

Corbulo s. Domitius [II 11]

Corduba. Heute Córdoba am Ufer des Guadalquivir (→ Baetis), der von C. bis zur Mündung schiffbar ist; die Stadt liegt inmitten einer landwirtschaftl. äußerst fruchtbaren Gegend. Ihre Bed. verdankt C. auch den günstigen Verkehrsverbindungen, der alten *via Herculea*, und dem Bergbau der Umgebung. In vorröm. Zeit lagen hier bed. Zentren der tartessischen Kultur (Colina de los Quemados, Montoro). Im Zusammenhang mit den Keltiberer-Kriegen gründete der *consul* → Claudius [I 17] 152 v. Chr. die röm. Stadt. In der Bürgerkriegszeit unterstützte sie Caesar, später Pompeius. C. wurde Hauptstadt der Prov. Baetica; ihre Einwohner gehörten der Tribus Galeria an. Ihr beeindruckendes Stadtbild ist

uns mittlerweile gut bekannt (vgl. Karte). Berühmte Persönlichkeiten der röm. Gesch., wie die beiden → Seneca oder → Lucanus, wurden hier geb., ferner der Bischof Ossius, eine der zentralen Kirchengestalten des 4. Jh., ein Beleg für die Bed. von C. in der Spätantike. Die westgot. Könige Agila und Athanagild versuchten vergeblich, die Stadt zu erobern, die sich mit Hilfe der Byzantiner behaupten konnte. Erst Leovigild konnte sie 584 n. Chr. einnehmen. Seine Blütezeit erlebte C. erst nach der arab. Eroberung im 10. Jh., als es Sitz des Kalifats der Ommayyaden wurde.

H. V. HESBERG, Cordoba und seine Architekturornamentik, in: W. TRILLMICH, P. ZANKER (Hrsg.), Die Monumentalisierung hispanischer Städte zw. Republik und Kaiserzeit, 1990, 283–287 · A. STYLOW, Apuntes sobre el urbanismo de la Córdoba romana, in: Ebd., 259–282 · TOVAR, 1, 86–92 · R. WIEGELS, Die Tribusinschr. des röm. Hispanien, 1985, 30–33. P. B.

KARTEN-LIT.: A. VENTURA, J. M. BERMÚDEZ, P. LEÓN, Análisis arqueológico de Córdoba Romana, in: P. LEÓN ALONSO (Hrsg.), Colonia Patricia Corduba, Coloquio internacional, Córdoba 1993, 1996, 87–128, hier: 111 · A. IBÁÑEZ CASTRO, Córdoba hispano-romano, 1983.

Corellia. C. Hispulla. Tochter von Corellius [2]; verheiratet mit einem Neratius; ihr Sohn war Corellius [1]. PIR² C 1296. W. E.

Corellius

[1] L. Neratius C. Pansa. *Cos. ord.* 122 n. Chr. Sohn von Corellia Hispulla, einer Tochter von C. [2], und wohl einem der *Neratii* aus Saepinum; verwandt mit der Familie des Domitius Apollinaris, *cos. suff.* 97 [1; 2. 487, 598].

[2] Q. C. Rufus. Vielleicht aus Laus Pompeia stammend [3]. Suffectconsul wohl im J. 78 n. Chr.; Statthalter von Germania superior im J. 82; nach Plin. epist. 1,12,6f. innerlich ein Gegner Domitians. Von Nerva erhielt er den Auftrag, Land in It. aufzukaufen und zu verteilen (Plin. epist. 7,31,4). Wohl im J. 98 tötete er sich durch Nahrungsverweigerung. Mit Plinius d. J. befreundet (PIR² C 1294) [2 passim; 4. 38]. Eine Münze mit seinem Namen aus Hierapolis ist wohl kein Hinweis auf ein Proconsulat in Asia (vgl. [5. 117f.]).

1 CAMODECA, in: EOS 2, 112f. 2 SYME, RP 7 3 ALFÖLDY, in: EOS II 355f. 4 ECK 5 WEISER, in: EA 20, 1992. W. E.

Corfinium. Hauptort der Paeligni am Aternus, h. Corfinio (Prov. L'Aquila). 90 v. Chr. unter dem Namen Italia oder Italica (Diod. 37,2,4; Strab. 5,4,2; Vell. 2,16,3) Hauptstadt der aufständischen Italici; Mz.-Prägung mit der Legende *viteliu*. *Municipium, tribus Sergia*; vom Bürgerkrieg in Mitleidenschaft gezogen (Caes. civ. 1,16–23). *Regio IV* (Plin. nat. 3,106). Knotenpunkt der *via Valeria, via Claudia Valeria* und *via Minucia* (Itin. Anton. 310). Arch. Befund: Reste unter San Pelino e Pèntima; Mauern, *forum, curia*; Thermen (CIL IX 3152–54). Spuren von zwei Tempeln, Theater, Amphitheater, *macel-*

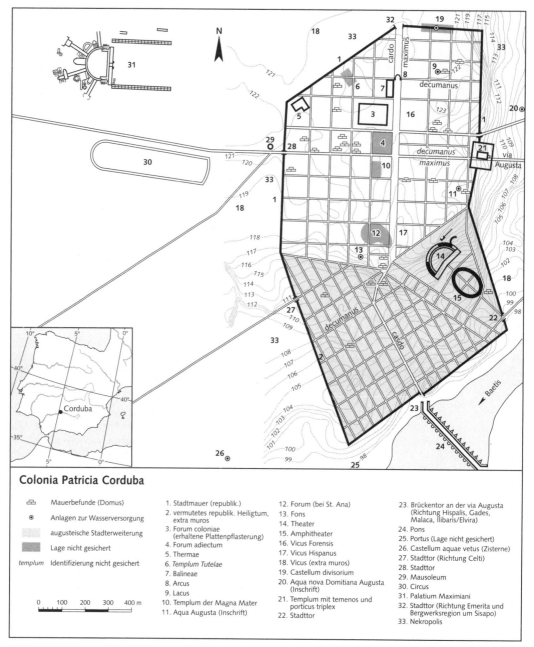

Colonia Patricia Corduba

⌷	Mauerbefunde (Domus)	
⊙	Anlagen zur Wasserversorgung	
▒	augusteische Stadterweiterung	
■	Lage nicht gesichert	
templum	Identifizierung nicht gesichert	

0   100   200   300   400 m

1. Stadtmauer (republik.)
2. vermutetes republik. Heiligtum, extra muros
3. Forum coloniae (erhaltene Plattenpflasterung)
4. Forum adiectum
5. Thermae
6. *Templum Tutelae*
7. Balineae
8. Arcus
9. Lacus
10. Templum der Magna Mater
11. Aqua Augusta (Inschrift)

12. Forum (bei St. Ana)
13. Fons
14. Theater
15. Amphitheater
16. Vicus Forensis
17. Vicus Hispanus
18. Vicus (extra muros)
19. Castellum divisorium
20. Aqua nova Domitiana Augusta (Inschrift)
21. Templum mit temenos und porticus triplex
22. Stadttor

23. Brückentor an der via Augusta (Richtung Hispalis, Gades, Malaca, Ilibaris/Elvira)
24. Pons
25. Portus (Lage nicht gesichert)
26. Castellum aquae vetus (Zisterne)
27. Stadttor (Richtung Celti)
28. Stadttor
29. Mausoleum
30. Circus
31. Palatium Maximiani
32. Stadttor (Richtung Emerita und Bergwerksregion um Sisapo)
33. Nekropolis

lum Lucceianum (CIL IX 3162), Zisterne; *campus* (237 × 143 m) außerhalb der Stadt, angrenzende *piscina* (51 × 34 m); Aquädukt vom Aternus her. Nekropole aus dem 5. Jh. v. Chr.; röm. Mausoleen. Kulte: Vetedina, Pelina, Minerva, Venus, Ceres, Magna Mater und Attis, Bellona, Liber Pantheus, Isis, Fons.

N. COLELLA, C., 1933 · M. A. SYDENHAM, The Coinage of the Roman Republic, 1952, Nr. 617–624, 634 · G. PACI, in: Epigraphica 42, 1980, 31–64 · F. VAN WONTERGHEM, Superaequum, 1984 · Ders., Der Campus, in: ZPE 54, 1984, 195 ff. · M. BUONOCORE, C., Suppl. It. 3, 1987, 93 ff. ·

EAA 2, Suppl. 2, 1994, 296–298.   G. U.

Corinthium aes s. Korinthisches Erz

Coriolanus. Marcius C., Cn, erhielt den Beinamen C. 493 v. Chr. aufgrund seiner Heldentaten bei der Eroberung von Corioli (Liv. 2,33,5). Der Vorschlag des unbeugsamen Patriziers, eine Hungersnot zu nutzen, um die Plebs gefügig zu machen, führte zur Verbannung 491 und zum Versuch, an der Spitze der feindlichen Volsker in die Heimat zurückzukehren. Nach der Tradition (Liv. 2,39–41; Dion. Hal. ant. 8,14–36) bewogen ihn seine Mutter Veturia und die Gattin Volumnia vor den Toren Roms zur Umkehr, was ihn das Leben kostete. Der histor. Kern dieses romantisch ausgeschmückten Heldenliedes liegt in der existentiellen Bedrohung Roms durch die Bergstämme der Volsker am Beginn des 5. Jh. In der Figur des C. mag die mündliche Tradition die Erinnerung an einen »Condottiere« bewahrt haben, wie er etwa in der Person des Poplios Valesios auf dem etwa gleichzeitigen → Lapis Satricanus bezeugt ist.

A. REICHENBERGER, Die Coriolan-Erzählung, in: E. BURCK (Hrsg.), Wege zu Livius, 1967, 382–391. W. ED.

Corioli. Stadt der Volsci in *Latium adiectum*, evtl. beim Monte Giove zu lokalisieren. Heimatstadt des → Coriolanus; im Zusammenhang mit den Ereignissen von 490 v. Chr. wird C. (Liv. 2,39; 3,71) erwähnt. Im Laufe des 5. Jh. untergegangen; keine Spuren mehr z.Z. des Plinius (nat. 3,69).

S. GSELL, Top., Jahr, 180 f. · A. NIBBY, Analisi storico-topographico-antiquaria della carta de'dintorni di Roma 1, 1837, 512 f. · NISSEN 2, 631. G. U.

Corippus, Flavius Cresconius. Lat. Epiker (6. Jh. n. Chr.) aus Africa. Nach poetischen Versuchen in der Prov. fand er erste Anerkennung mit einem auch histor. wichtigen panegyrischen → Epos (p. E.; → Panegyrik) über die Niederwerfung aufständischer Nomadenstämme durch Justinians Feldherrn Johannes Troglita (*Iohannis*, 8 B. = *Ioh.*), dessen 1. B. er um 550 in Karthago rezitierte. Seine Karriere als »wandering poet« [1] führte ihn nach Konstantinopel, wo er 566/8 ein p. E. auf → Iustinus II. vortrug (*Laudes Iustini*, 4 B. = *Laud.*). Ein sog. Panegyricus auf den Quaestor und Magister Anastasius ist nur Praefatio eines verlorenen p. E. [3. 211 ff.]. In den Bibliothekskat. von Lorsch und Murbach (9. Jh.) werden drei Bibelepen eines Cresconius genannt, der mit C. identisch sein dürfte [4. 371 ff.]. In der *Ioh.* übernimmt C. Erzählstrukturen der *Aeneis*, führt aber hier und in den *Laud.* → Claudians Form des p. E. fort, u. a. mit den die Rezitationssituation thematisierenden Praefationen. Sprache und Erzählkunst erweisen C. als letzten großen Vertreter röm. Epik [2; 6]. Er wirkte bis ins Früh-MA [7], seine *Laud.* wurden im 16.–18. Jh. oft kommentiert [5]. Trotz mehrfacher ma. Bezeugung existieren nur zwei Hss.: Trivult. 686, 14. Jh. (*Ioh.*); Matrit. 10029, 10. Jh. (*Laud.*).

ED.: M. RUIZ AZAGRA, 1581 (*Laud.*) · P. MAZZUCCHELLI, 1820 (*Ioh.*) · *Ioh.*: J. DIGGLE, F. R. D. GOODYEAR, 1970 · M. A. VINCHESI, 1983 (B. 1 TÜK) · AV. CAMERON, 1976 (TÜK) · U. J. STACHE, 1976 (K) · S. ANTÈS, 1981 · A. RAMÍREZ DE VERGER, 1985.
LIT.: 1 A. CAMERON, Wandering Poets, in: Historia 14, 1965, 470–509 2 W. EHLERS, Ep. Kunst in C.' *Johannis*, in: Philologus 124, 1980, 109–135 3 H. HOFMANN, Rez. zu: S. ANTÈS, ed. 1981, in: Mnemosyne 40, 1987, 209–219 4 Ders., C. as a Patristic Author?, in: VChr 43, 1989, 361–377

5 Ders., Cornelius van Arckel und sein C.-Komm., in: Philologus 134, 1990, 111–138 6 M. LAUSBERG, *Parcere subiectis*: Zur Vergilnachfolge in der *Johannis* des C., in: JbAC 32, 1989, 105–126 7 D. SCHALLER, Frühkarolingische C.-Rezeption, in: WS 105, 1992, 173–187. H. HO.

Cornelia

I. REPUBLIKANISCHE ZEIT

[I 1] Jüngere Tochter des P. Cornelius Scipio Africanus und der Aemilia Tertia, * um 190 v. Chr.; ca. 176/5 heiratete sie Tiberius → Sempronius Gracchus. Von ihren 12 Kindern überlebten nur drei, Tiberius, Gaius und Sempronia, die frühe Kindheit.

Bekannt ist C. als ›Mutter der Gracchen‹ (CIL VI 31610), mit deren Politik sie schon in der Ant. in Verbindung gebracht wurde [1. 108–120; 127; 2. 48–89]. Die Quellen vermitteln in teils popularer, teils optimatischer Tradition ein uneinheitliches Bild von Einstellung und Einfluß C.s. Sie habe die Vorhaben gutgeheißen, unterstützt, ja forciert (Plut. Tib. 8,4; Plut. Gaius 4,1–3; 13,2; Diod. 34,25,2), andererseits ist von mäßigendem Einfluß, sogar von deutlicher, einen offenen Bruch jedoch vermeidender Ablehnung zumindest einzelner polit. Vorhaben des jüngeren Gracchus die Rede (Plut. Gaius 13,2). Letzteres zeigt sich in den bei Nepos überlieferten Brieffragmenten C.s, deren Echtheit jedoch mit Recht angezweifelt wird [1. 120–124]. Fast allg. sehen die ant. Zeugnisse C. als röm. Matrone mit vorbildlicher Lebensführung [3. 65–70], was wohl auf ihren Sohn Gaius zurückgeht [1. 118–120; 127–132] und noch in kaiserzeitlichen Quellen (Tac. dial. 28,1–3; Val. Max. 4,4;) erkennbar ist: C. widmete sich ganz der Erziehung ihrer Söhne, deren Tod sie später mit äußerster Selbstbeherrschung ertrug (Plut. Gaius 19,1–3; Sen. Consolatio ad Helviam 16,6; ad Marciam 16,3); nach dem Tod ihres Gatten im J. 153 blieb sie »sittsam« und unvermählt, angeblich lehnte sie »sogar« einen Antrag des Ptolemaios VIII. Euergetes II. ab (Plut. Tib. 1,7). C. war hochgebildet (Cic. Brut. 211; Quint. inst. 1,1,6; Plut. Gaius 13,1), kunstinteressiert und kontaktfreudig (Plut. Gaius 19,1–3) und führte anscheinend – jedenfalls nach ihrem Umzug nach Misenum – ein sehr selbständiges Leben innerhalb der geltenden Grenzen. Wohl noch in republikanischer Zeit errichtete man ihr eine Ehrenstatue mit Inschrift [1. 128–131; 2. 66–70].

1 L. BURCKHARDT, J. V. UNGERN-STERNBERG, C., Mutter der Gracchen, in: M. DETTENHOFER, Reine Männersache?, 1994, 97–132 2 B. KRECK, Unt. zur polit. und sozialen Rolle der Frau in der späten Republik, 1975 3 B. V. HESBERG-TONN, Coniunx Carissima, 1983.

[I 2] Tochter des Cornelius Sulla mit seiner ersten Frau Ilia (Plut. Sulla 6). Frau des Q. Pompeius Rufus, mit dem sie zwei Kinder hatte: Q. Pompeius Rufus und Pompeia. Die geschäftstüchtige Frau kaufte für einen geringen Preis die Villa des Marius bei Misenum und verkaufte diese später mit großem Gewinn an Licinius Lucullus (Plut. Marius 34,4).

[I 3] Tochter des L. Cornelius Cinna, verheiratet mit dem jungen C. Iulius → Caesar, mit dem sie eine Tochter, Iulia, hatte. Sie starb etwa 68 v. Chr. (Suet. Iul. 1; 6; Plut. Caesar 1,1; 5,3).

[I 4] Tochter des P. Cornelius Scipio Nasica. Nach dem Tod ihres ersten Gatten P. Cornelius Crassus heiratete sie 52 v. Chr. Cn. → Pompeius, den sie im J. 48 auf der Flucht bis nach Ägypten begleitete, wo sie seine Ermordung miterleben mußte. Sie kehrte später nach Rom zurück (Plut. Pomp. 55,1; 74,1–75,1; 76,1; 80 Lucan. 8,577–595a; 637–662).

[I 5] C. Fausta. Tochter → Sullas, zunächst mit C. Memmius, nach der Scheidung von diesem um 54 v. Chr. mit T. → Annius [I 14] Milo verheiratet. Ihr wurde »Sittenlosigkeit« und Ehebruch mit C.→ Sallustius Crispus nachgesagt (Macr. Sat. 2,2,9; Gell. 17,18).

H.S.

II. KAISERZEIT

[II 1] Gattin des C. Norbanus Flaccus, cos. 24 v. Chr., Tochter des L. Cornelius Balbus (CIL VI 16357; PIR² N 167).

[II 2] Tochter von Scribonia und P. Cornelius (Scipio), cos. suff. 35 v. Chr.; ihre Halbschwester war Augustus' Tochter Iulia; verheiratet mit Paullus Aemilius Lepidus, cos. suff. 34; im Consulatsjahr ihres Bruders P. C. Scipio starb sie; Properz schrieb elegiae 4,11 über ihren Tod (PIR² C 1475) [1. 110 f.; 246 ff.].

[II 3] Aus der Familie der → Scipionen, Frau von L. Volusius Saturninus, cos. suff. 3 n. Chr., Mutter von Q. V. Saturninus, cos. ord. 56 (Plin. nat. 7,62), RAEPSAET-CHARLIER Nr. 270 [1. 298].

[II 4] Frau von Calvisius [8]; unter Caligula angeklagt, in Pannonien Einfluß auf das Heer genommen zu haben, tötete sie sich mit ihrem Mann (Cass. Dio 59,18,4; PIR² C 1479) [3].

[II 5] *Virgo vestalis maxima*, unter Domitian wegen Inzest verurteilt und lebendig begraben (Plin. epist. 4,11,6–13; Suet. Dom. 8,4; RAEPSAET-CHARLIER Nr. 274. 275).

[II 6] C. Cratia. Tochter von Cornelius Fronto [2. 214 f.]; verheiratet mit Aufidius [II 7], Mutter von drei Söhnen (PIR² G 219; RAEPSAET-CHARLIER Nr. 282).

[II 7] C. Orestilla oder Orestina. Frau von Calpurnius Piso; von → Caligula während der Hochzeit dem Ehemann weggenommen, zwei Jahre später verbannt (Cass. Dio 59,8. 7; Suet. Cal. 25; RAEPSAET-CHARLIER Nr. 285; [3. 23 ff.] vgl. AE 1992, 186 = CIL VI 41050).

1 SYME, AA 2 MUSTILLI, in: Epigraphica 2, 1940 3 KAJAVA, in: Arctos 18, 1984. W.E.

Cornelianus

[1] Adressat von Plinius epist. 6,31, vgl. [1]. PIR² C 1301.

1 A. N. SHERWIN-WHITE, Comm. ad loc.

[2] *Ab epistulis Graecis* in der kaiserlichen Kanzlei unter Marc Aurel und Commodus. Phrynichos widmete C. seine Ekloge und rühmte ihn als Erneuerer der klass. Rhet. (p. 55, 306, 474–75, 482, 492–93 RUTHERFORD).

Er ist wohl nicht identisch mit dem bei Fronto genannten C. (ad am. 1,1; 1,2, vgl. [1. 29–30]). PIR² C 1303.

1 E. CHAMPLIN, Fronto and Antonine Rom, 1980.

G. W. BOWERSOCK, Greek Sophists in the Roman Empire, 1969, 54–55.

[3] Wahrscheinlich L. Attidius C., wohl Italiker, cos. suff. zwischen 180–182 n. Chr. (CIL VIII 10570 = ILS 6870). Gestorben 198 (CIL VI 2004,5; 8). PIR² A 1342; PIR² C 1304.

LEUNISSEN 129, 355, 371. M. MEI. u. ME. STR.

Cornelius. Name eines der ältesten und bekanntesten Patriziergeschlechter Roms, in der röm. Republik die größte und weitestverzweigte Gens, Namengeber der *tribus Cornelia*. Die patrizischen Zweige stammen wohl von den im 5. Jh. v. Chr. häufig bezeugten Maluginenses (C. [I 57–58]) ab, und zwar wohl in der folgenden zeitlichen Reihe: Im 5. Jh. die Cossi [I 20–22], im 4. Jh. die Scipiones [I 65–85], Rufini [I 62], Lentuli [I 31–56], ab dem 3. Jh. die Dolabellae [I 23–29], Sullae [I 87–90], Blasiones [I 8–10], Cethegi [I 11–15], und Merulae [I 60–61]. Die Zugehörigkeit zu den patrizischen Familien ist zweifelhaft bei den Cinnae [I 17–19], Mammulae, Sisennae [I 86]. Plebeisch waren die Balbi [I 6–7] und alle Cornelii, die das Bürgerrecht durch Sulla oder später erhielten (s. u., C. [I 1]), z. B. die Galli und die Nepotes. Die patrizischen Cornelii feierten eigene Feste (Macr. sat. 1,16,7) und pflegten die Erdbestattung der Toten (Cic. leg. 2,56 f.; Plin. nat. 7,187), wie das Scipionengrab an der Via Appia in Rom zeigt; Sulla (C. [I 90]) ließ sich als erster verbrennen. Der umfangreichste Zweig war der der Lentuli, der berühmteste der der Scipiones. Die wichtigsten Angehörigen: P. C. Scipio Africanus (»der ältere Scipio«): C. [I 71]. P. C. Scipio Africanus (»der jüngere Scipio«): C. [I 70] L. C. Sulla, der Dictator: C. [I 90].

I. REPUBLIKANISCHE ZEIT

[I 1] Cornelii. Die Freigelassenen des L. C. [I 90] Sulla – angeblich über 10000 –, ehemals Sklaven der Proskribierten, die von ihm das röm. Bürgerrecht erhielten (ILS 871, als Kollegium organisiert?; Ascon. 75C; App. civ. 1,469; 489).

S. TREGGIARI, Roman Freedmen during the Late Roman Republic, 1969, 171.

[I 2] C., C. Quaestor etwa 71 v. Chr., Volkstribun 67. Als Sympathisant des Pompeius brachte er mehrere vom konservativen Teil des Senats heftig bekämpfte Gesetzesvorhaben ein: Verbot von Darlehen an Gesandte fremder *nationes*, ein verschärftes Vorgehen gegen Amtsbestechung, die Dispensation von Gesetzen nur durch die Volksversammlung (modifiziert angenommen), Rechtsprechung des Praetors nur auf der Grundlage seines Ediktes. Ein deshalb gegen ihn angestrengter *maiestas*-Prozeß wurde 66 abgesetzt (→ Cominius [I 1]), aber 65 durchgeführt, wobei C. durch Cicero erfolgreich verteidigt wurde. Die Fragmente der verlorenen Rede *Pro Cornelio* und der Kommentar des Asconius bilden die Hauptquelle für C.

> M. T. GRIFFIN, The Tribune C. Cornelius, in: JRS 63, 1973, 196–213.

[I 3] C., C. Röm. Ritter, Catilinarier, wollte Cicero 63 v. Chr. ermorden helfen, blieb – wohl zum Lohn für Denunziationen – straflos (Sall. Catil. 28,1–3; Cic. Sull. 18; 52).

[I 4] C., C. Weissager, der 48 v. Chr. den Ausgang der Schlacht bei Pharsalos vorausgesagt haben soll (Gell. 15,18).

[I 5] C. Arvina, P. Consul 306, siegte über die Samniten (Liv. 9,43,1–22). 304 Censor, 288 *cos. II.*

[I 6] C. Balbus, L. Der erste gebürtige Nichtbürger als Consul (40 v. Chr.). Er stammte aus Gades und erhielt auf Grund seiner Verdienste im Kampf gegen Sertorius 72 von Pompeius das röm. Bürgerrecht. Er wurde Ritter und diente unter Caesar 61 als *praef. fabrum*; in Rom bemühte er sich 60 um das Zustandekommen des sog. 1. Triumvirats und ließ sich von Theophanes von Mytilene, einem Freund des Pompeius, adoptieren; dann diente er vorübergehend bei Caesar in Gallien (oder Rom?) wieder als *praef. fabr.* 56 wurde er wegen widerrechtlicher Anmaßung des Bürgerrechts angeklagt und von Crassus, Pompeius und Cicero (*Pro Balbo*) erfolgreich verteidigt. Anschließend vertrat er Caesars Interessen und wurde vor Ausbruch des Bürgerkrieges mit C. → Oppius gleichsam dessen Stellvertreter in Rom. 50/49 suchte er Cicero für Caesar zu gewinnen, nahm nicht am Bürgerkrieg teil und setzte sich später erfolgreich für Aussöhnungen, bes. die Begnadigung Ciceros, ein. Nach dem Tod Caesars schloß er sich Octavian an, der ihn 40 – sicher mit Rücksicht auf geleistete Dienste – zum *cos. suff.* machte. Er war Patron von Gades und Capua und lebte noch 32. Er war mit Cicero und Varro befreundet und veranlaßte → Hirtius zur Herausgabe des 8. Buches *de bello Gallico* (Hirt. Gall. 8,1). .

> NICOLET 2, 853–855.

[I 7] C. Balbus, L. (d.J.). Neffe von C. [I 6], wie dieser aus Gades und seit 72 v. Chr. röm. Bürger. Seit 49 befand er sich bei Caesar (oft in diplomatischer Mission), 47 in Alexandria, 45 in Spanien; 44 Quaestor, 43 Proquaestor in Hispania ulterior 40, stand er wieder als Promagistrat (Propraetor?) in Spanien. 21/20 Proconsul in Africa (Sieg über Garamanten). 19 triumphierte er als erster, der bei seiner Geburt noch nicht Römer war, und zugleich als letzter Privatmann (InscrIt 13,1,87). 13 weihte er in Rom ein von ihm erbautes steinernes Theater ein. C. dichtete eine → Praetexta und verfaßte *Exēgētiká* [1]. PIR² C 1331.

> 1 SCHANZ/HOSIUS I, 141, 146, 351.

[I 8] C. Blasio, Cn. Consul 270 (Triumph über Rhegion), Censor 265, *cos.* II 257 (Sicilia).

[I 9] C. Blasio, Cn. Proconsul mit *imperium extra ordinem* im diesseitigen Spanien 199–196 v. Chr. (*ovatio*, MRR 1,336), Praetor 194 (Sicilia), Gesandter 196 (MRR 3,63).

[I 10] C. Blasio. Praetor in den 140er (?) Jahren v. Chr. (SHERK 34). MRR 3,64 (Datierung).

[I 11] C. Cethegus, C. Proconsul in Spanien 200 v. Chr. (Liv. 31,49,7), 199 Aedil, 197 Consul (Triumph über Insubrer und Cenomanen, MRR 1,332 f.); führte als Censor 194 zum ersten Mal getrennt Sitze für Senatoren bei den Spielen ein (Ascon. 69C); 193 Gesandter nach Africa. Elogium: InscrIt 13,3, Nr. 64 [1. 211–219].

> 1 A. DEGRASSI, Scritti vari di antichità 1, 1962.

[I 12] C. Cethegus, C. Catilinarier, Senator 63 v. Chr., blieb nach der Abreise Catilinas aus Rom dort als radikalster Anführer zurück und sollte Cicero ermorden (Cic. Cat. 4,13; Sall. Catil. 43,2–4 mit Charakteristik); er wurde nach Haussuchung (Waffenfunde) und Belastungen durch die Allobroger verhaftet und am 5. Dezember 63 im Tullianum hingerichtet (Sall. Catil. 55,6).

[I 13] C. Cethegus, M. Der erste bedeutende Namensträger, Flamen bis ca. 223 v. Chr., Pontifex 213 bis zu seinem Tod 196, Aedil 213, Praetor 211 (Sicilia), Censor 209 (strenges Vorgehen gegen Defaitisten und Kriegsdienstverweigerer), 204 Consul, 203 Proconsul in Oberitalien, wo er Mago besiegte (Liv. 30,18,1–5). Bereits von Ennius (ann. 304–308 SK., Cic. Brut. 57–59) als Redner (*suaviloquente ore*) gefeiert.

[I 14] C. Cethegus, P. Erließ als Consul 181 v. Chr. mit M. Baebius [I 10] Tamphilus das erste Gesetz gegen Amtserschleichung (MRR 1,383 f.).

[I 15] C. Cethegus, P. Wurde 88 v. Chr. als Senator von Sulla geächtet, aber später begnadigt; in den 70er Jahren spielte er als berüchtigter Intrigant eine wichtige Rolle in der röm. Innenpolitik (Cic. Cluent. 84 f.; parad. 5,40 u. a.; MRR 3,64).

[I 16] C. Chrysogonus, L. → Chrysogonus.

[I 17] C. Cinna, L. Consul 127 v. Chr. (MRR 1,507).

[I 18] C. Cinna, L., der Gegner Sullas, Sohn von C. [I 17]. Seine frühe Karriere ist unbekannt; Praetor war er spätestens 90 v. Chr. Im Bundesgenossenkrieg kämpfte er als Legat wohl unter dem Kommando des Cn. Pompeius Strabo (Cic. Font. 43; Liv. per. 76). Obwohl er als Anhänger des Marius bekannt war, duldete L. C. [I 90] Sulla 88 seine Wahl zum Consul für 87 unter der eidlichen Zusage, Sullas Gesetze nicht anzutasten. Sofort nach Amtsantritt versuchte er gegen den Widerstand seines Kollegen C. → Octavius, die sullanischen Gesetze zu unterlaufen (Einbürgerung der Freigelassenen, Stimmrecht der Neubürger, Rückkehr des Marius), wurde schließlich gewaltsam aus Rom vertrieben und (widerrechtlich) L. C. [I 61] Merula an seine Stelle gewählt. Cinna sammelte darauf Truppen und die vertriebenen Marianer um sich und eroberte Rom, wobei Octavius getötet wurde.

Die folgenden drei Jahre, die sog. *dominatio Cinnae* (Cic. Att. 8,3,6) oder das *Cinnanum tempus* (Cic. dom.

83 u. a.), galten später – wohl nur teilweise berechtigt – als Zeit des nackten Terrors (Cic. Brut. 227: *sine iure fuit et sine ulla dignitate res publica*): Maßgeblich auf Betreiben des Marius wurden zahlreiche ihrer polit. hochstehenden Gegner ermordet, die sullanischen Gesetze aufgehoben und Sulla selbst zum Staatsfeind erklärt. Nach dem Tod des Marius im Jan. 86 regierte Cinna praktisch allein in Rom. Seine Herrschaft wurde vor allem durch die von ihm begünstigten Ritter und Neubürger gestützt, er versuchte aber, die polit. und wirtschaftliche Ordnung allg. zu stabilisieren. Auf Ablehnung stieß die fortwährende Bekleidung des Consulats 86–84 (86 mit Marius, nach dessen Tod mit L. → Valerius Flaccus, 85/84 mit Cn. → Papirius Carbo). 85 begann Cinna in Erwartung der Rückkehr Sullas aus dem Osten mit Rüstungen, wurde aber Anfang 84 von meuternden Truppen in Ancona getötet. Caesar heiratete 85 seine Tochter Cornelia [3].

E. BADIAN, Waiting for Sulla, in: JRS 52, 1962, 47–61 · CHR. BULST, Cinnanum Tempus, in: Historia 13, 1964, 307–337 · H. BENNETT, Cinna and his Times, 1923 · CHR. MEIER, Res publica amissa, 1966, 229 ff.

[I 19] C. Cinna, L. Sohn von C. [I 18], wie dieser Gegner Sullas, Schwager Caesars. Nach 78 v. Chr. bei Sertorius in Spanien, um 73 wieder in Rom, erst 44 durch Caesar Praetor; er gehörte nicht zu den Verschwörern, verhielt sich aber so ungeschickt, daß bei Caesars Leichenbegängnis die aufgebrachte Menge den Volkstribunen C. Helvius Cinna mit ihm verwechselte und erschlug (MRR 2,320 f.).

[I 20] C. Cossus, A. Militärtribun 437 v. Chr., Consul 428, Consulartribun 426, berühmt durch seinen Zweikampf mit dem Veienterkönig Lars → Tolumnius, dessen Rüstung er als → *spolia opima* dem Iuppiter Feretrius darbrachte (Liv. 4,19 f. u. a.); das Jahr der Tat und das Amt des C. waren bereits in der ant. Überlieferung umstritten (MRR 1,59), wurden aber unter Augustus innenpolit. bedeutsam (M. → Licinius Crassus, *cos.* 30 v. Chr.).

[I 21] C. Cossus, A. Besiegte 385 als Dictator die Volsker und triumphierte (Liv. 6,11–14). Anschließend soll er die Unruhen der *plebs* durch Verhaftung des M. → Manlius Capitolinus unterdrückt haben (Liv. 6,15–16).

[I 22] C. Cossus Arvina, A. 353 und 349 *mag. equitum*, 343 Consul; er soll im 1. Samnitenkrieg durch Aufopferung des P. Decius [I 1] Mus gerettet worden sein, einen Sieg errungen und triumphiert haben (Liv. 7,32; 34–38 u. a.), vielleicht alles annalistische Erfindung; 332 *cos.* II, 322 Dictator (Sieg und Triumph über die Samniten, unhistor.), 320 Fetialis.

CORNELII DOLABELLAE
Patrizischer Zweig der Cornelii, seit dem 3. Jh. v. Chr. bezeugt; das Cognomen »kleine Hacke« ist abgeleitet von *dolabra* (WALDE/HOFMANN I[3], 364; KAJANTO, Cognomina 342).

E. BADIAN, The Dolabellae of the Republic, in: PBSR N. S. 20, 1965, 48–51 (mit Stammbaum).

[I 23] C. Dolabella, Cn. Aedil 165 v. Chr., Praetor spätestens 162, Consul 159 (Gesetz *de ambitu*, Liv. per. 47).

[I 24] C. Dolabella, Cn. Flottenbefehlshaber Sullas 83–82 v. Chr. (riet vom Angriff auf Rom ab), Consul 81, Proconsul in Macedonia 80–77 (MRR 3,65), Triumph, anschließend Erpressungsanklage durch den jungen Caesar (Tac. dial. 34; Vell. 2,43,3 u. a.; [I. 71]), Freispruch nach Verteidigung durch C. Aurelius [I 5] Cotta und Q. Hortensius.

[I 25] C. Dolabella, Cn. Praetor 81 v. Chr., Proconsul in Cilicia 80–79, nach Rückkehr Verurteilung wegen Erpressungen, wobei ihn sein Proquaestor C. Verres stark belastete [I. 69].

1 ALEXANDER.

[I 26] C. Dolabella, L. Praetor um 100 v. Chr., Statthalter in Spanien 99–98, Triumph über die Lusitaner (InscrIt 13,1,85).

[I 27] C. Dolabella, P. Consul 283 v. Chr. (Sieg am Vadimonischen See über die Senonen und Etrusker, Triumph), Gesandter an Pyrrhos 280/79 (MRR 1,188; 192 f.).

[I 28] C. Dolabella, P. Praetor 69 oder 68 v. Chr., dann Proconsul von Asia (MRR 2,139).

[I 29] C. Dolabella, C. Wohl Sohn von C. [I 28], der Schwiegersohn Ciceros. Er wurde früh von Cicero in zwei Prozessen verteidigt und klagte selbst 50 den Ap. Claudius [I 24] Pulcher an. In dieser Zeit heiratete er in 2. Ehe ohne Billigung Ciceros dessen Tochter → Tullia, von der er sich 46 wieder scheiden ließ. Polit. zunächst ohne Ambitionen, aber von aufwendigem Lebenswandel, trat C. D. 49 auf die Seite Caesars und kämpfte mit ihm in Griechenland. Nach der Rückkehr nach Rom ließ sich C. D. durch einen Plebeier adoptieren und wurde 47 Volkstribun. Er begann in populärer Tradition für Schuldenerlaß und Mietminderung zu agitieren und lieferte sich (wie sein Vorbild P. Clodius [I 4] Pulcher, dessen Statue er aufstellte, Cic. Att. 11,23,3) Bandenkämpfe mit seinem Gegner L. Trebellius, die der Stellvertreter Caesars in It. M. Antonius [I 9] auf Drängen des Senats schließlich nur mit Gewalt eindämmen konnte. Caesar nahm ihn trotzdem 47/46 auf seine afrikanischen und spanischen Feldzüge mit und bestimmte ihn dann gegen den Widerstand von C. D.s Konkurrenten M. Antonius für 44 zum *cos. suff.* und damit zu seinem Nachfolger im Amt. Nach den Iden des März erlangte er von den Caesarmördern wie von Antonius die Bestätigung seines Consulats und unterdrückte Unruhen der caesarfreundlichen *plebs* in Rom. Bei der Neuverteilung der Prov. im April erhielt C. D. Syria zugelost, im Juli ein fünfjähriges *imperium proconsulare*. Noch im Herbst brach er zu einem Partherfeldzug auf, gelangte am Jahresanfang 43 nach Asia und ließ dort den Statthalter C. Trebonius in Smyrna töten. Im Februar erklärte ihn der Senat deswegen zum Staatsfeind. C. D. begann unterdessen mit Rüstungen gegen den Caesarmörder C. Cassius [I 10], der Syria besetzt hielt, wurde aber auf dem Marsch durch Kilikien von Cassius in Laodikeia eingeschlossen und ließ sich töten.

M. H. DETTENHOFER, Perdita Iuventus, 1992.

[I 30] C. Epicadus. Freigelassener Sullas, vielleicht sein Bibliothekar, vollendete dessen Memoiren und schrieb *De cognominibus*, *De metris* und wohl auch ein antiquarisches Werk (Suet. gramm. 12; SCHANZ/HOSIUS 1,581).

CORNELII LENTULI

Bedeutender Zweig der patrizischen Cornelii seit der 2. H. des 4. Jh. v. Chr. und bis weit in die Kaiserzeit bezeugt. Das Cognomen ist wohl nicht von *lens* »Linse« abgeleitet (Plin. nat. 18,10), sondern Diminutiv von *lentus* »träge« (KAJANTO, Cognomina 249). Die Gens usurpierte in der frühen Kaiserzeit die Cognomina anderer ausgestorbener Zweige der Cornelier (Cossus, Maluginensis, Scipio, s. u. II).

Stammbäume: G. V. SUMNER, The Orators in Cicero's Brutus, 1972, 143 · SYME, AA, Stemma XXI und XXII · PIR 2², S. 328 (Kaiserzeit).

[I 31] C. Lentulus (Praenomen unklar). 137 v. Chr. (?) Praetor (?) in Sicilia, wurde von Sklaven unter → Eunus geschlagen (Flor. 2,7,7); evtl. identisch mit C. [I 38].

[I 32] C. Lentulus, Cn. Nahm als Militärtribun an der Schlacht von Cannae teil, 212 v. Chr. Quaestor in Lukanien, 205 Aedil, 201 Consul (Kommando über die Flotte bei Sizilien), 199 IIIvir *coloniae deducendae* nach Narnia, 196/95 Mitglied der Zehnerkommission in Griechenland; Augur vor 217 bis zu seinem Tod 184.

[I 33] C. Lentulus, Cn. 161 v. Chr. Gesandter in Kyrene, 146 Consul.

[I 34] C. Lentulus, Cn. Consul 97 v. Chr. (MRR 2,6).

[I 35] C. Lentulus, L., der älteste Vertreter des Zweiges. Consul 327 v. Chr. (kämpfte gegen Samniten), soll nach Livius (9,4,7–16) bei Caudium 321 zur Kapitulation geraten haben (erfunden), Dictator 320.

[I 36] C. Lentulus, L. Erhielt 206 v. Chr. ein consularisches *imperium* zum Kampf gegen die Karthager in Spanien, obwohl er vorher noch kein Amt bekleidet hatte (und feierte deshalb 200 nur eine *ovatio*, MRR 1,324); 205 mit seinem Bruder C. [I 32] Aedil (?, MRR 3,66), blieb aber in diesem und den nächsten J. in Spanien. 199 Consul, unbedeutende Kämpfe in Oberitalien (bis 198). 196 ging er als Gesandter zu Antiochos nach Syrien (Pol. 18,49ff.; MRR 1,337).

[I 37] C. Lentulus, L. Überbrachte 168 v. Chr. die Siegesmeldung von Pydna nach Rom; wohl identisch mit dem Praetor von 140 und vielleicht mit C. [I 38] (MRR 1,501 f.).

[I 38] C. Lentulus, L. Consul 130 v. Chr.

[I 39] C. Lentulus, L. Praetor (Jahr unbekannt), Proconsul (von Asia?) 82 v. Chr., (SIG³ 745; MRR 2,68).

[I 40] C. Lentulus, P. Praetor 214 v. Chr., Propraetor in Westsizilien bis 212, soll 201 angeblich gegen das Friedensgesuch der Karthager gesprochen haben (App. Lib. 62–64).

[I 41] C. Lentulus, P. 172 v. Chr. Gesandter in Griechenland, kämpfte 171 gegen Perseus; 169 curulischer Aedil (erstmaliges Auftreten afrikanischer Raubtiere bei Spielen in Rom, Plin. nat. 8,64 u. a.); 168 führte er als Gesandtschaftsmitglied nach der Schlacht von Pydna die Verhandlungen mit Perseus (Liv. 45,4,7); als *praetor urbanus* 165 mit der Aufgabe betraut, unrechtmäßig besetztes Staatsland gegen Entschädigung einzuziehen und gegebenenfalls Privatland dazuzukaufen (Cic. leg agr. 2,82; Granius Licinius p. 8 f. CRINITI). 162 *cos. suff.*, 156 an der Spitze einer Gesandtschaft im Osten; *princeps senatus* seit 125 (Cic. div. in Caec. 69; leg. agr. 2,82 u. a.). 121 beteiligte er sich als alter Mann am Kampf gegen C. Gracchus und wurde dabei verwundet (Cic. Cat. 4,13; Phil. 8,14 u. a.).

[I 42] C. Lentulus, Ser. 172 v. Chr. Gesandter nach Griechenland, 169 Praetor (Sicilia).

[I 43] (C.) Lentulus Batiatus (oder **Vatia**), **C.** Besitzer einer Gladiatorenschule in Capua, aus der 73 v. Chr. einige Sklaven unter Führung des → Spartacus ausbrachen (Plut. Crass. 8).

[I 44] C. Lentulus Caudinus, L. Consul 275 v. Chr., kämpfte, während sein Kollege M'. Curius [4] Dentatus den Pyrrhos besiegte, offenbar erfolgreich gegen die Samniten, triumphierte und nahm den Siegerbeinamen *Caudinus* an (InscrIt 13,1,41; MRR 1,195), den er an seine Söhne C. [I 45, 46] vererbte.

[I 45] C. Lentulus Caudinus, L. Consul 237 v. Chr., Censor 236, *princeps senatus* wohl 220, *pontifex* vor 221, *pontifex maximus* 221–213.

[I 46] C. Lentulus Caudinus, P. Consul 236 v. Chr., triumphierte über die Ligurer (InscrIt 13,1,77).

[I 47] C. Lentulus Caudinus, P. Wohl Sohn von C. [I 46], 210 v. Chr. unter Scipio in Spanien, Aedil 209, Praetor (Sardinia) 203, ging als Propraetor 202 von dort mit seinen Schiffen nach Afrika. Mitglied von Zehnerkommissionen; 196 nach Griechenland und Kleinasien und 189–188 wieder nach Kleinasien (MRR 1,363).

[I 48] C. Lentulus Clodianus, Cn. Adoptivsohn von C. [I 34], kämpfte 89 v. Chr. im Bundesgenossenkrieg unter Cn. Pompeius Strabo (MRR 3,67), Münzmeister (?) 88 (RRC 345), kehrte 82 mit Sulla nach Rom zurück (Cic. Brut. 308; 311), Praetor spätestens 75, brachte als Consul 72 ein Gesetz über die Gültigkeit der Bürgerrechtsverleihungen des Pompeius ein (Cic. Balb. 19; 32–33) und schritt gegen die Provinzverwaltung des Verres ein. Er erlitt eine schwere Niederlage gegen → Spartacus (Sall. hist. 3,106), wurde trotzdem Censor 70 mit seinem Kollegen im Consulat L. Gellius Poplicola, wobei sie 64 Senatoren aus dem Senat ausstießen. 67 Legat des Pompeius im Seeräuberkrieg; 66 unterstützte er das Gesetz des Manilius für Pompeius' Kommando im Osten (Cic. Manil. 68); Patron von Oropos und Temnos (Cic. Flacc. 45), als Redner nicht unbegabt (Cic. Brut. 230; 234).

[I 49] C. Lentulus Clodianus, Cn. Sohn von C. [I 48], Gesandter 60 (nach Gallien), Praetor 59 (Vorsitz der *quaestio de maiestate*, MRR 3,67).

[I 50] C. Lentulus Crus, L., der Gegner Caesars. 61 v. Chr. Hauptankläger im Prozeß gegen P. Clodius [I 4] Pulcher wegen Religionsfrevels (Cic. har. resp. 37 u. a.); als Praetor 58 trat er für Cicero ein; 51 bewarb er sich vergeblich um die Priesterstelle eines *XVvir sacris faciundis*. 49 Consul mit C. Claudius [I 9] Marcellus. Caesar suchte ihn bei Ausbruch des Bürgerkrieges vergeblich auf seine Seite zu ziehen. Er verließ im Januar Rom und ging im März mit Pompeius nach Griechenland, dann nach Asia, wo er zwei Legionen rekrutierte (Caes. civ. 3,4,1; dabei Freistellung von Juden, Ios. ant. Iud. 14,228 u. a.) und überwinterte mit den anderen Caesar-Gegnern in Thessalonike. Als Proconsul 48 nahm er an der Schlacht von Pharsalos teil, floh dann über Rhodos und Zypern nach Ägypten, wo er nach Pompeius festgenommen und getötet wurde (Caes. civ. 3,104,3; MRR 2,276).

[I 51] C. Lentulus Lupus, L. Curulischer Aedil 163 v. Chr., Gesandter 162–161 nach Griechenland, Praetor 159 (*SC de Tiburtibus*, ILS 19), Consul 156, 154 Verurteilung wegen Erpressungen (Val. Max. 5,9,10), trotzdem 147 Censor, *Xvir sacris faciundis* 143, *princeps senatus* 131 bis vor 125; nach seinem Tod vom Dichter → Lucilius wegen seines Lebenswandels im 1. Satirenbuch verspottet. MRR 1,447.

[I 52] C. Lentulus Marcellinus, Cn. Quaestor und Münzmeister 76 oder 75 v. Chr. (in Spanien?, RRC 393), vielleicht 68 Volkstribun (?, MRR 3,68), 67 *legatus pro praetore* unter Pompeius im Seeräuberkrieg an der Küste Africas (daher Patron von Kyrene, SIG³ 750), 60 Praetor, Propraetor in Syrien 59–58. 56 Consul, zeigte sich als Förderer Ciceros, Gegner des Clodius (wie schon 61), war energischer Wortführer der Optimaten im erfolglosen Widerstand gegen Pompeius, Caesar und Crassus (Cic. Brut. 247). Nach dem Consulat zog er sich zurück und starb wohl bald. Er war *VIIvir epulonum* und verheiratet mit → Scribonia, der ersten Frau des Augustus.

[I 53] C. Lentulus Niger, L. *Flamen Martialis*, wohl schon vor 69 v. Chr. (vgl. Macr. sat. 3,13,11) bis zu seinem Tod im J. 56. Praetor spätestens 61, bewarb sich erfolglos um das Consulat für 58 und war 56 Richter im Sestius-Prozeß (Cic. Vatin. 25).

[I 54] C. Lentulus Spinther, L. (so angeblich wegen der Ähnlichkeit mit einem Schauspieler gleichen Namens, Plin. nat. 7,54; Val. Max. 9,14,4), Bruder von C. [I 50], Anhänger des Pompeius. Quaestor und Münzmeister 74 v. Chr. (?, RRC 397 und MRR 3,69), curulischer Aedil 63 (unterstützte Cicero gegen die Catilinarier), Praetor 60, Statthalter in Hispania citerior 59, mit Unterstützung Caesars (dem er wohl auch den Pontificat um 60 verdankte), Consul 57 (setzte Ciceros Rückberufung durch, Cic. Sest. 107 u.ö., Gesetz über Übertragung der Getreideversorgung Roms an Pompeius), Proconsul in Cilicia 56–53 (Imperator, Triumph

51), kämpfte 49 gegen Caesar, von dem er bei Corfinium gefangen und begnadigt wurde, ging wieder zu Pompeius, kämpfte 48 bei Pharsalos mit, war 47 in Rhodos und wurde wohl darauf auf Geheiß Caesars getötet.

[I 55] C. Lentulus Spinther, P. Sohn von C. [I 54], seit 57 v. Chr. Augur, im Bürgerkrieg wohl kein offener Gegner Caesars, schloß sich nach den Iden des März den Caesarmördern an, wurde Quaestor 44, stand 43 als Proquaestor *pro praetore* in Asia (Kämpfe mit Dolabella, Cic. fam. 12,14; 15; Münzprägung: RRC 500), war 43–42 *legatus* unter Cassius (Unternehmungen gegen Rhodos und Myra) und fand bald nach Philippi 42 sein Ende.

[I 56] C. Lentulus Sura, P., der Catilinarier. 81 Quaestor, 74 Praetor, 71 Consul, wurde aber bei der großen Senatssäuberung 70 von den Censoren wegen seines Lebenswandels aus dem Senat ausgestoßen. 65/64 schloß er sich Catilina an, wurde 63 erneut Praetor und galt als der Führer der Catilinarier in Rom. Er versuchte, eine Gesandtschaft der Allobroger zu gewinnen, wurde aber von diesen an den Consul Cicero verraten und darauf gefangengesetzt. Nach einem Verhör im Senat am 3. Dezember mußte er die Praetur niederlegen und wurde er auf Befehl Ciceros mit vier weiteren Verschwörern am 5. Dezember hingerichtet (Sall. Catil. passim).

CORNELII MALUGINENSES
Patrizischer Zweig der Cornelii, bes. hervorgetreten im 5. und 4. Jh. v. Chr. und bis ins 2. Jh. bezeugt; das Cognomen wurde in der frühen Kaiserzeit von den C. Lentuli wieder aufgenommen (s. C. [II 30]).

Stammbaum: MÜNZER, s. v. Cornelius, RE 4, 1290.

[I 57] C. Maluginensis, Ser. Sechsmal Consulartribun zwischen 386 v. Chr. und 368; *magister equitum* des Dictators T. Quinctius 361 (Liv. 7,9,3).

[I 58] C. Maluginensis Uritinus, L. Consul 459 v. Chr. (Triumph über die Volsker, InscrIt 13,1,67); sein Sohn M. war 450 Mitglied des Kollegiums der *decemviri* (MRR 1,46).

[I 59] C. Merenda, Ser. Zeichnete sich 275 v. Chr. bei der Einnahme von Caudium aus, Consul 274 (MRR 1,196).

[I 60] C. Merula, L. Unterdrückte als Praetor 198 v. Chr. einen lokalen Sklavenaufstand, 194 *triumvir coloniae deducendae* (Tempsa), 193 Consul (schlug die Boier bei Mutina, durfte aber nicht triumphieren).

[I 61] C. Merula, L. *Flamen Dialis*, Praetor spätestens 90 v. Chr., *cos. suff.* 87 für den vetriebenen L. C. [I 18] Cinna, legte nach Rückkehr der Marianer dieses Amt und die Priesterwürde, die dann 75 J. unbesetzt blieb, nieder und ging vor dem Gerichtsverfahren gegen ihn in den Freitod (MRR 2,47).

[I 62] C. Rufinus, P. *Cos. I* 290 v. Chr., beendete mit seinem Kollegen M'. Curius [4] Dentatus den Samnitenkrieg (Triumph), dann – vor 285 – Dictator, *cos. II* 277 (eroberte Kroton), berüchtigt wegen seiner Habgier, wurde er 275 durch den Censor Fabricius aus dem

Senat gestoßen, weil er 10 Pfund silbernes Tafelgeschirr besaß (MRR 1,196).

[I 63] C. Rutilus Cossus, P. Dictator 408 v.Chr., Consulartribun 406.

[I 64] C. Scapula, P. Consul 328 v.Chr. (Liv. 8,22,1).

CORNELII SCIPIONES

Berühmtester Zweig der Gens (wohl auf die Maluginenses o. C. [I 57] zurückgehend), am einflußreichsten in der Zeit der Pun. Kriege. Am Ende der Republik ging er in den Cornelii Lentuli auf, die in der Kaiserzeit auch das Cognomen (dazu u. C. [I 67]) wiederbelebten (s. C. [II 32, 33]) [1. 244–253]. Ihr berühmtes Familiengrab lag an der Via Appia vor der Porta Capena (Cic. Tusc. 1,13), wo die Leichen unverbrannt in Sarkophagen in unterirdischen Kammern beigesetzt wurden (Plin. nat. 7,187). Es wurde 1614 gefunden und 1780 ganz aufgedeckt (Veröffentlichung von G.B. PIRANESI), die Funde (Inschr., Sarkophage und Skulpturenschmuck) gelangten größtenteils in die Vatikanischen Museen [2]. Der ältere Africanus (C. [I 71]) soll dort eine Büste des Dichters → Ennius aufgestellt haben (Cic. Arch. 22; Liv. 38,56,4; Plin. nat. 7,114). Inschr. *elogia*: ILLRP 309–317; s. [1, Stemma XIX].

1 SYME, AA 2 F. COARELLI, Il sepolcro degli Scipioni a Roma, 1988.

[I 65] C. Scipio, L. Aedil vor 259 v.Chr., Consul 259 (Eroberung von Aleria auf Korsika, nahm Sardinien ohne das von Karthagern tapfer verteidigte Olbia, Triumph?), Censor 258, Weihung des Tempels der Tempestas wegen der Verschonung der Flotte. Ältestes poetisches Elogium der Scipionengräber (ILLRP 310, ohne Erwähnung des Triumphes).

[I 66] C. Scipio, L. Sohn des älteren Scipio Africanus (C. [I 71]), geriet 192 v.Chr. in Gefangenschaft von Antiochos [5] III., der ihn 190 nach ehrenvoller Behandlung entließ (Einzelheiten unklar, Liv. 37,34; 36f.). 174 Praetor, aber im selben Jahr von den Censoren aus dem Senat ausgestoßen (Liv. 41,27,2).

[I 67] C. Scipio, P. Der überlieferte erste Träger des Individualcognomens, weil er seinem erblindeten Vater als »Stab« gedient haben soll (Macr. sat. 1,6,26). Nach der Tradition war er Consulartribun 395 v.Chr., alle weiteren Ämter sind unsicher.

[I 68] C. Scipio, P. Bruder von C. [I 77], war 218 v.Chr. Consul und befand sich auf dem Weg nach Spanien, als er von dem Anmarsch Hannibals nach It. erfuhr; er schickte das Gros seines Heeres unter seinem Bruder nach Spanien und kehrte selbst nach It. zurück (Pol. 3,49,4). Im Herbst 218 wurde er von Hannibal am Ticinus geschlagen und verwundet, mit seinem Kollegen T. → Sempronius Longus erlitt er erneut an der Trebia eine schwere Niederlage (Pol. 3,64–75; Liv. 21,45–56). 217 ging er als Proconsul nach Spanien, wo er 211 gegen die Karthager fiel; Nachfolger wurde sein Sohn P.C. [I 71] Africanus.

[I 69] C. Scipio, P. Ältester Sohn des P.C. [I 71] Scipio Africanus, 180 v.Chr. Augur, adoptierte vor 168 den Sohn des L. Aemilius [I 32] Paullus, den späteren jüngeren Africanus [I 70]. Infolge schwacher Konstitution war er nicht polit. tätig, verfaßte aber Reden und ein griech. Geschichtswerk (Cic. Brut. 77 [1]). Die Inschr. des Scipionengrabes ILLRP 311 ist nicht auf ihn zu beziehen.

1 SCHANZ/HOSIUS 1,176.

[I 70] C. Scipio Aemilianus Africanus (Numantinus), P. * 185/84 v.Chr. als zweiter Sohn des L. Aemilius [I 32] Paullus, noch als Kind adoptiert vom Sohn des älteren Africanus (C. [I 71]), P.C. [I 69] Scipio. 168 nahm er unter seinem Vater an der Schlacht von Pydna (Plut. Aem. 22) teil und erhielt aus der Beute die Bibliothek des Königs → Perseus (Plut. Aem. 28). Nach Rom zurückgekehrt, schloß er Freundschaft mit → Polybios, der sein Mentor wurde (berühmte Schilderung der ersten Begegnung und Charakteristik des jungen Scipio bei Pol. 31,23–30). 151 kämpfte er als Militärtribun unter L. → Licinius Lucullus in Spanien und gewann die *corona muralis* (Vell. 1,12,4). 150 wurde er zur Requirierung von Elefanten für den spanischen Kriegsschauplatz nach Afrika gesandt; dabei erneuerte er den auf den älteren Africanus zurückgehenden Patronat über den Numiderkönig Massinissa. Ein Versuch, zwischen Numidern und Karthagern zu vermitteln, schlug fehl. 149/48 diente er als Militärtribun unter M'. → Manilius in Afrika und erlangte erneut höchste mil. Auszeichnungen (*corona graminea*, Plin. nat. 22,6–13). 148 kehrte er nach Rom zurück, um sich zum Aedil wählen zu lassen, wurde aber auf Drängen des Volkes und schließlich mit Zustimmung des Senats, der ihn von den Regeln des *cursus honorum* freistellte, zum Consul für 147 gewählt und erhielt ausdrücklich den Krieg gegen Karthago übertragen. Seine Truppen erstürmten im Frühjahr 146 nach langer und heftiger Gegenwehr die Stadt. Karthago wurde völlig zerstört und eine Wiederbesiedlung mit einem Fluch belegt. Die Einwohner wurden in die Sklaverei verkauft, die von den Karthagern aus Sizilien und Unteritalien geraubten Kunstschätze den dortigen Gemeinden zurückgegeben (Cic. Verr. passim; Syll.[3] 677). Afrika wurde mit Hilfe einer Senatskommission als Provinz (Africa) organisiert. Scipio veranstaltete aufwendige Spiele, feierte in Rom einen glanzvollen Triumph und erhielt wie sein Großvater den Ehrennamen Africanus.

Wohl in den Jahren 144/3 [1. 491–495] unternahm Scipio eine Gesandtschaftsreise in den griech. Osten zur Regelung von Streitfragen und zur Bekämpfung der Seeräuber, zunächst nach Ägypten, dann über Rhodos nach Syrien bis nach Babylon und Ekbatana in das Grenzgebiet von Seleukiden und Parthern (Lucil. 465); der Rückweg führte über Pergamon nach Griechenland. Sein Begleiter war der Philosoph → Panaitios (Cic. ac. 2,5).

Die Cornelii Scipiones und ihre Familienverbindungen (3./2. Jh. v. Chr.)

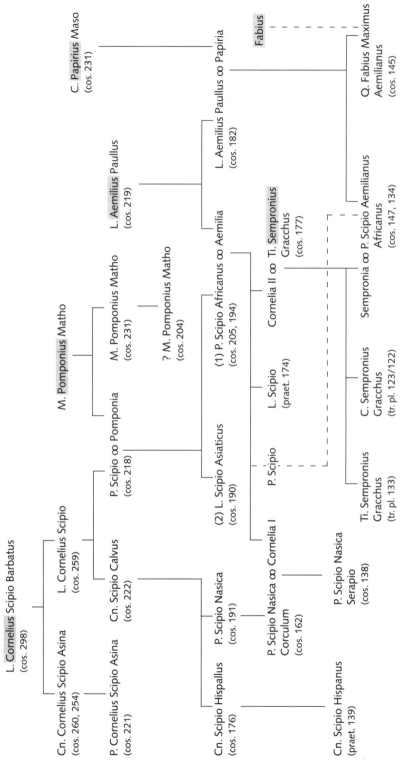

142 bekleidete Scipio mit L. Mummius die Censur (Ausbau des *pons Aemilius* und Ausschmücken des Kapitols). Unhistor. ist die Anekdote, daß Scipio den Text des Schlußgebetes des Censors abgeändert habe und nicht mehr für die Mehrung des Reiches, sondern nur noch für seine Erhaltung gebetet habe (Val. Max. 4,1,10a). 137 unterstütze er das Gesetz über geheime Abstimmung in den Volksgerichten des Volkstribunen L. Cassius [I 17] Ravilla. 136 verhinderte er die Annahme des von C. → Hostilius Mancinus mit den Numantinern geschlossenen Friedens, den Scipios Schwager Tib. → Sempronius Gracchus ausgehandelt hatte. Dies verletzte Gracchus und begründet z. T. den späteren Widerstand des Scipio gegen die gracchischen Reformen. 134 wurde Scipio unter Aussetzung des Verbotes der Iteration erneut Consul und übernahm das Kommando in Spanien. Trotz mangelnder Unterstützung aus Rom (z. T. Einsatz von Freiwilligen und eigenen Klienten in der Armee, App. Ib. 363–365) begann er mit der Belagerung Numantias, das 132 ausgehungert kapitulieren mußte, worauf er in Rom triumphierte und (inoffiziell) den Beinamen Numantinus erhielt. Er rechtfertigte die Ermordung des Tib. Gracchus und verhinderte auch im J. 131 die Aufhebung des Iterations- und Kontinuationsverbots für das Volkstribunat durch C. → Papirius Carbo (Cic. Lael. 96; Liv. per. 59). Mit einem Senatsbeschluß entzog er zudem der gracchischen Ackerkommission die Entscheidung über die Verteilung von Staatsland in den Händen der Bundesgenossen und übertrug sie den (gracchenfeindlichen) Consuln. Scipio machte sich dadurch bei den Reformanhängern äußerst unbeliebt; als er 129 aus ungeklärter Ursache zu Hause tot aufgefunden wurde, machte man daher sofort die Anhänger der Gracchen oder sogar seine eigene Frau Sempronia, die Schwester der Gracchen, verantwortlich. Sein Leichenbegängnis richteten seine Neffen Q. → Fabius Maximus und Q. Aelius [I 16] Tubero aus; die Leichenrede schrieb C. → Laelius. Der Bestattungsort ist unbekannt.

Zweifellos besaß Scipio kulturelle Interessen – so war er Förderer von Terentius (Suet. vit. Ter. 1; 3, vgl. Ter. Adelph. prol. 13–21) und Lucilius (594 MARX) – und ausgedehnte griech. Bildung, ohne dabei ein Philhellene zu sein und röm. Machtinteressen zurückzustellen. Polybios, die Hauptquelle für sein Leben (B. 31–39), auf den direkt oder mittelbar alle späteren Quellen (bes. Appian) zurückgehen, stilisiert ihn zum empfindsamen Politiker, der bereits die Vergänglichkeit der röm. Herrschaft vor Augen hatte (bes. Pol. 38,21–22); spätere Tradition, vor allem Cicero in *De re publica*, wo Scipio Hauptredner ist, erweiterte dieses Bild unhistor. zu einem Zirkel human und konservativ gesinnter röm. Freunde um Scipio, dem sog. »Scipionenkreis« [2]. Redefragmente: ORF I⁴, 122–134.

1 H. B. MATTINGLY, Scipio Aemilianus' Eastern Embassy, in: CQ N. S. 36, 1986, 491–495 2 H. STRASBURGER, Der »Scipionenkreis«, in: Hermes 94, 1966, 60–72.

A. E. ASTIN, Scipio Aemilianus, 1967 • J.-L. FERRARY, Philhellénisme et impérialisme, 1988 • CAH 8, ²1989, Index s. v.

[I 71] C. Scipio Africanus, P. Sohn von [I 68], geb. 236 v. Chr., nahm an den Schlachten am Ticinus 218 und bei Cannae 216 gegen die Karthager teil (Liv. 21,46,7ff.; 22,53). 213 war er Aedil, 210 wurde ihm nach dem Tod seines Vaters und Onkels C. [I 77] in Spanien ein consularisches *imperium* übertragen, obwohl er vorher weder Praetor noch Consul gewesen war, und ging nach Spanien. 209 eroberte er Carthago Nova (modern Cartagena; dort angeblich erste Akklamation eines röm. Feldherrn zum *imperator*, Pol. 10,40), 208 schlug er nördl. des Baetis (Guadalquivir) → Hasdrubal Barkas, der aber nach Norden entkam. 206 besiegte er → Mago und Hasdrubal, Sohn des Geskon, bei Ilipa (nördl. von Sevilla); damit war die Herrschaft der Karthager in Spanien zusammengebrochen. Nachdem er eine Meuterei seiner Truppen beigelegt hatte, ging er nach Afrika und traf dort mit → Syphax und → Massinissa zusammen, um die Numider zu gewinnen. Zum Consul für 205 gewählt, wollte er den Krieg nach Afrika tragen, was ihm nach erheblichem Widerstand des Senats schließlich gestattet wurde (Liv. 28,40–45). Er eroberte in Süditalien zunächst Lokroi; das von ihm verteidigte skandalöse Verhalten seines dortigen Legaten Q. → Pleminius und angebliches unmil. Auftreten gefährdeten zeitweise seine eigene Stellung (Liv. 29,6–9; 16–22). 204 landete er bei Utica auf afrikanischem Boden, vereinigte sich 203 mit Massinissa und schlug Hasdrubal und Syphax, der gefangengenommen wurde. Nachdem ein Waffenstillstand und Friedensverhandlungen mit den Karthagern gescheitert waren und Hannibal aus It. zurückgekehrt war, kam es 202 zur Entscheidungsschlacht bei Zama, in der Hannibal geschlagen wurde (Pol. 15,5–16; Liv. 30,29–35). Nach Abschluß des Friedensvertrages triumphierte Scipio in Rom und erhielt den Ehrennamen Africanus (Pol. 16,23; Liv. 30,45,6f. u. a.).

Scipios Erfolge führten bald zu Widerstand innerhalb der röm. Nobilität, der von M. → Porcius Cato angeführt wurde. So wurde er zwar 199 Censor und *princeps senatus* (erneut 194 und 189), ohne aber bemerkenswert in Erscheinung zu treten. 194 wollte er als Consul II den Oberbefehl gegen Antiochos [5] III. erhalten, doch kam er im Senat nicht durch (Liv. 34,43). 190 unterstütze er dann seinen Bruder C. [I 72] im Kampf gegen Antiochos als Legat und galt als eigentlich verantwortlich für den Feldzug. Er nahm zwar an der Schlacht von Magnesia 190 nicht teil, handelte aber den Frieden mit dem König aus (Liv. 37,45,11–19). Schon bald nach der Rückkehr der Brüder nach Rom wurden Vorwürfe laut, sie hätten Teile der Kriegsentschädigung und der Beute veruntreut oder wären vom König bestochen worden (Pol. 23,14; Liv. 38,50–53 [nach Valerius Antias]; Gell. 4,18; 6,19 [aus Cornelius Nepos]). Die jahrelangen Auseinandersetzungen mit den Gegnern, deren sachliche Details und Chronologie nicht restlos geklärt sind, führten zunächst zu einer Anklage Scipios vor dem Senat. 187 wurde sein Bruder trotz seiner Fürsprache wegen Bestechung verurteilt, die Geldstrafe aber auf Initiative des Tib. → Sempronius Gracchus nicht vollstreckt. 184 folgte ein Prozeß gegen Scipio, der eingestellt wurde, als er sich auf sein Landgut bei Liternum in Campanien zurückzog, wo er 183 starb und begraben wurde.

Scipio war verheiratet mit der Tochter des L. Aemilius [I 32] Paullus; die ältere Tochter Cornelia heiratete P. C. [I 83] Scipio Nasica, die jüngere Cornelia wurde als Ehefrau des Tib. Sempronius Gracchus die Mutter der beiden Volkstribunen Tib. und C. → Sempronius Gracchus.

H. H. SCULLARD, Scipio Africanus, 1970 · Ders., Roman Politics 220–150 B. C., ²1973, 290–303 (Prozesse).

[I 72] C. Scipio Asiagenes, L. Jüngerer Bruder des P. C. [I 71] Scipio Africanus. Er nahm als Legat an den Felzügen seines Bruders in Spanien, Afrika und Sizilien teil (207–202 v. Chr.) und war 193 Praetor auf Sizilien. 191 kämpfte er unter M'. Acilius [I 10] Glabrio bei den Thermopylen. 190 erhielt er als Consul den Oberbefehl gegen Antiochos [5] III. (Liv. 37,1,7–10); sein Bruder begleitete ihn als Legat und galt als eigentlich verantwortlich für den Feldzug. Nach dem Friedensschluß 189 kehrte C. nach Rom zurück, triumphierte 188 und nahm das Cognomen Asiagenes (oder Asiagenus) an (Asiaticus ist erst in augusteischer Zeit belegt). 187 wurde von den Gegnern seiner Familie gegen ihn ein Prozeß wegen Bestechung durch Antiochos angestrengt, der seine polit. Laufbahn beendete; 184 wurde ihm im Zusammenhang mit dem Prozeß gegen seinen Bruder von den Censoren M. → Porcius Cato und L. → Valerius Flaccus das Staatspferd entzogen.

J. P. V. D. BALSDON, L. Cornelius Scipio, in: Historia 21, 1972, 224–234.

[I 73] C. Scipio Asiagenes, L. Enkel von [I 72], wohl Münzmeister 106 v. Chr. (RRC 311), Augur ab 88, Praetor spätestens 86, kämpfte als Proconsul 85 in Macedonia (MRR 3,71). Als Consul 83 mußte er sich L. C. [I 90] Sulla ergeben, nachdem sein Heer zu diesem übergelaufen war (MRR 2,62). Nach einem erneuten Widerstandsversuch wurde er von Sulla proskribiert, entkam aber nach Massilia (MRR 2,65 Anm. 1).

[I 74] C. Scipio Asina, Cn. (erfundene Erklärung des 2. Cognomens bei Macr. sat. 1,6,29). Consul 260 v. Chr., bei Lipara von den Karthagern gefangen, später ausgetauscht, Consul II 254 (Erfolge in Sizilien, Einnahme von Panormos), Triumph 253 (MRR 1,210).

[I 75] C. Scipio Asina, P. Wohl Sohn von C. [I 74], Consul 221 (Unterwerfung der Histrer), Interrex 217.

[I 76] C. Scipio Barbatus, L. Der älteste im Erbbegräbnis beigesetzte Namensträger, der wohl als Stammvater der Familie galt (Peperinsarkophag h. im Vatikan: NASH 2, Abb. 1131). Aedil 301?, Consul 298, kämpfte in Etrurien; nach dem (späteren?) Elogium (ILLRP 309)

›nahm er Taurasia und Cisauna, kurz Samnium, und unterwarf ganz Lukanien‹. Propraetor 295, Censor 280 (?), *pontifex maximus* von vor 304 bis nach 280.

E. T. SALMON, Samnium and the Samnites, 1967, 260f. · R. WACHTER, Altlat. Inschr., 1987, 301–341.

[I 77] C. Scipio Calvus, Cn. Bruder von C. [I 68], 222 v. Chr. Consul. Als Hannibal 218 der Übergang über die Rhône gelang, wurde er von seinem Bruder mit dem Hauptteil der Armee nach Spanien weitergeschickt, um weitere karthagische Unterstützung zu verhindern. Er kämpfte dort zunächst allein, ab 217 als Proconsul zusammen mit seinem Bruder sehr erfolgreich, bis 211 zuerst sein Bruder, dann er selbst von den Karthagern geschlagen und getötet wurde (Liv. 25, 34–36). Der Nachfolger wurde seine Neffe P. C. [I 71] Scipio Africanus.

J. BRISCOE, in: CAH 8, ²1989, 56–59.

[I 78] C. Scipio Hispallus, Cn. Sohn von C. [I 77], *pontifex* 199 v. Chr., Praetor 179, Consul 176, im selben Jahr gestorben (InscrIt 13,1,49; Liv. 41,15 f.).

[I 79] C. Scipio Hispanus, Cn. Sohn von C. [I 78], wies als Praetor 139 v. Chr. Chaldäer und Juden aus Rom aus (Val. Max. 1,3,3). Elogium: ILLRP 316.

[I 80] C. Scipio Maluginensis M. Praetor 176, ging nicht in seine Prov. und erhielt deswegen eine censorische Rüge (Liv 41,15,10; 27,2).

[I 81] C. Scipio Nasica, P. Vater von C. [I 83], holte 204 v. Chr. die → Mater Magna von Ostia nach Rom (Liv. 29,14,8 ff.); 194 Praetor in Hispania citerior, unterwarf als Consul 191 die Boier und triumphierte (Liv. 36,38–40); 189 und 184 bewarb er sich vergeblich um die Censur, 181 beteiligte er sich als *IIIvir coloniae deducendae* an der Gründung Aquileias (Liv. 39,55,6; 40,34,3).

[I 82] C. Scipio Nasica, P. Praetor 93 v. Chr., verheiratet mit Licinia, der Tochter des Redners L. → Licinius Crassus; sein gleichnamiger Sohn wurde um 64 von Q. Caecilius [I 31] adoptiert.

[I 83] C. Scipio Nasica Corculum, P. Sohn von C. [I 81], nahm unter L. Aemilius [I 32] Paullus 168/67 v. Chr. am Krieg gegen Perseus teil (eigener Tatenbericht als Quelle für Plut. Aem. 15–22). 165 Praetor, 162 Consul, mußte aber wegen eines rel. Fehlers bei den Wahlen mit seinem Kollegen abdanken (InscrIt 13,1,51). Als Censor 159 stellte er die erste Wasseruhr in Rom auf (Plin. nat. 7,115) und ließ ungenehmigte Statuen vom Forum entfernen (Plin. nat. 34,30). Als *cos.* II 155 unterwarf er die Delmater und triumphierte (Liv. per 47). 154 verhinderte er den Bau eines festen Theaters in Rom (Liv. per. 48). Er setzte sich energisch für die Verschonung Karthagos ein. 150 organisierte er den Widerstand gegen → Andriskos in Griechenland. 150 *pontifex maximus*, 147 und 142 *princeps senatus*. Bekannt auch als Redner und durch seine juristischen Kenntnisse (Cic. Brut. 79).

M. GELZER, KS 2, 1963, 39–79.

[I 84] C. Scipio Nasica Serapio, P. Sohn von C. [I 83], spätestens 141 v. Chr. Praetor (Niederlage gegen die Skordisker?, MRR 3,72), wurde 138 als Consul von den Volkstribunen kurzzeitig wegen Mißachtung ihrer Rechte inhaftiert. Als 133 Ti. → Sempronius Gracchus seine Wiederwahl als Volkstribun gewaltsam durchzusetzen suchte und der amtierende Consul P. → Mucius Scaevola nicht einschritt, rief Scipio eigenmächtig im Senat auf, ihm zur »Rettung des Staates« zu folgen und führte die senatorischen Gegner und deren Gefolgschaft gegen Ti. Gracchus, der in den Unruhen getötet wurde (Rhet. Her. 4,68; Liv. per. 58; Plut. Ti. Gracch. 19 f. u. a.). Danach ging Scipio an der Spitze einer Gesandtschaft nach Asia, um dem Unwillen des Volkes über den Tod des Gracchus zu entgehen, und starb 132 in Pergamon. *Pontifex maximus* seit 141 (132?, Plut. Ti. Gracch. 21).

[I 85] P. C. Scipio Nasica Serapio. Sohn von C. [I 84], Praetor spätestens 114 v. Chr., Consul 111, starb im Amt (MRR 1,540).

[I 86] C. Sisenna, L. Praetor 78 v. Chr., der Historiker → Sisenna.

Cornelii Sullae

Die Familie ist seit dem 3. Jh. v. Chr. bezeugt, im 1. Jh. n. Chr. mit C. [II 60] (*cos.* 52) erloschen. Das Cognomen Sulla ist wohl etr. Herkunft [1.106], nach ant. Tradition von roten Gesichtsflecken (Plut. Sulla 2,1) oder nach Familienüberlieferung Kurzform von »Sibylle« (Macr. sat. 1,17,27; → C. [I 88]).

1 KAJANTO, Cognomina

Stammbaum: MÜNZER, s. v. C., RE 4, 1515 · PIR 2², 362.

[I 87] C. Sulla, Faustus. Sohn des Dictators C. [I 90] und der Caecilia [I 7] Metella, geb. vor 86 v. Chr.; sein Praenomen und das seiner Zwillingsschwester Fausta sollte die Glückhaftigkeit seines Vaters symbolisieren. Er war Anhänger des → Pompeius und verlobt mit dessen Tochter → Pompeia (Suet. Iul. 27,1; Plut. Pomp. 47,4). Als Militärtribun unter Pompeius erstürmte er 63 den Tempel in Jerusalem, gab 60 prächtige Spiele zu Ehren seines Vaters (Cass. Dio 37,51,4), wurde Augur vor 57 (Cass. Dio 39,17,2); seine Münzprägung 56 (RRC 426) feierte seinen Vater und Pompeius; Quaestor 54; 52 erhielt er den Auftrag zum Wiederaufbau der Curia Hostilia (Cass. Dio 40,50,2 f.). Im Bürgerkrieg stand er 49–47 als Proquaestor *pro praetore* auf der Seite des Pompeius, entkam aus den Schlachten von Pharsalos (48) und Thapsus (46), wurde dann von P. → Sittius gefangen und getötet (Bell. Afr. 95).

[I 88] C. Sulla, P. Praetor 212 v. Chr., hielt (nach einer wohl manipulierten Weissagung aus den sibyllinischen Büchern) erstmals die *ludi Apollinares* ab (Liv. 25,12,3–15; 27,23,5).

[I 89] C. Sulla, P. Als Verwandter des Dictators bereicherte er sich bei den Proskriptionen (Cic. off. 2,29). 65 v. Chr. war er zusammen mit P. Autronius [I 2] Paetus *consul designatus*, wurde aber vom Sohn des durchgefallenen Mitbewerbers L. → Manlius Torquatus *de ambitu* angeklagt, weshalb beide ihr Amt nicht antreten konnten und aus dem Senat ausgestoßen wurden (Cic. Sull. 11,49 f.; Sall. Catil. 18 u. a.). Er lebte zurückgezogen in Neapel (Cic. Sull. 17,74) und soll sich an der sog. 1. Catilinarischen Verschwörung beteiligt haben (Cic. Sull. 67 u. a.). 62 wurde er neuerlich von L. Manlius Torquatus wegen seiner Verbindugen zu Catilina *de vi* angeklagt, von Q. → Hortensius und Cicero, der bei C. hoch verschuldet war (Gell. 12,12,2 f.), verteidigt und freigesprochen. 57 diente sein Haus dem P. Clodius [I 4] als Hauptquartier im Kampf gegen T. Annius [I 14] Milo (Cic. Att. 4,3,3). Im Bürgerkrieg stand C. auf der Seite Caesars und verteidigte 48 das Lager bei Dyrrhachion gegen die Pompeianer (Caes. civ. 3,51 ff.). Bei Pharsalos befehligte er den rechten Flügel der Caesarianer (Caes. civ. 3,89,2; 99,4; App. civ. 2,317). Beim Verkauf der Güter der Geächteten konnte er sich neuerlich bereichern (Cic. off. 2,29; fam. 15,19,3). Sein Tod wurde nicht bedauert (Cic. fam. 9,10,3; 15,17,2).

D. H. BERRY (Hrsg.), M. T. Cicero: Pro P. Sulla oratio, 1996.   K.-L. E.

[I 90] C. Sulla Felix, L. * 138 v. Chr., aus alter, aber mäßig begüterter patrizischer Familie, die seit den Samnitenkriegen (→ Cornelius [I 62] Rufinus) nicht mehr polit. hervorgetreten war. Nach einer wüst verlebten Jugend ermöglichte ihm das Erbe seiner Stiefmutter den Beginn einer standesgemäßen Karriere. 107 zum Quaestor gewählt, kämpfte er unter dem Consul → Marius erfolgreich als Führer einer Reitertruppe im Numidischen Krieg. Dabei gelang es ihm, durch geschickte Diplomatie den König → Bocchus [1] zur Auslieferung seines Schwiegersohnes → Iugurtha zu bewegen, was den Krieg faktisch beendete (Sall. Iug. 102–113). 104 und 103 diente er unter Marius als Legat bzw. Kriegstribun im Krieg gegen die Germanen in Gallien und wechselte 102, wohl mit Billigung des Marius, zu Q. → Lutatius Catulus nach Oberitalien. Trotz anfänglicher Mißerfolge gegen die Kimbern trug er 101 bei Vercellae erheblich zum Sieg des Marius bei. Dennoch scheiterte sein Versuch, unter Umgehung des Aedilenamtes für 98 zum Praetor gewählt zu werden. Erst 97 gelangte er durch Bestechung in dieses Amt (zur Datierung vgl. [4]). 96 setzte er im Auftrag des Senats als Proconsul in Cilicia den Ariobarzanes [3] als König von Cappadocia ein, stieß dabei bis zum Euphrat vor und knüpfte erste diplomatische Kontakte zwischen Rom und den Parthern, wobei ihm ein chaldäischer Seher eine große Zukunft vorhergesagt haben soll (Plut. Sulla 5). Eine Anklage wegen Erpressung nach seiner Rückkehr (wohl 92) lief ins Leere, weil der Senat Sulla als Gegenspieler des Marius nutzen wollte. Dafür spricht auch die durch Bocchus und mit Willen des Senats 91 auf dem Capitol aufgestellte Statuengruppe der Übergabe des Iugurtha an Sulla, die diesen zum Sieger im Numidischen Krieg stilisierte [3. 114–121]. Einen ernsthaften Zwist mit Marius verhinderte der ausbrechende → Bundesgenossenkrieg, in dem Sulla als Legat erneut seine mil. Fähigkeiten bewies, wobei er wie seine Vorfahren den Krieg gegen die Samniten zu seiner Sache machte (App. civ. 1,51).

Unterstützt von den Metelli, wurde er für 88 zum Consul gewählt, verband sich mit mächtigen Familien (er heiratete in 4. Ehe Caecilia [7] Metella, die Witwe des M. Aemilius [I 37] Scaurus, sein Sohn die Tochter des Mitconsuls Q.→ Pompeius Rufus) und wurde als Exponent optimatischer Politik mit dem Krieg gegen Mithridates betraut. Dieser Kräfteverschiebung setzte der Volkstribun P.→ Sulpicius Rufus den Plan entgegen, die Neubürger in Italien in alle 35 röm. Tribus einzugliedern, um neues polit. Potential zu gewinnen. Der Versuch der Consuln, dies durch einen rel. begründeten Geschäftsstillstand (→ iustitium) zu verhindern, scheiterte; Sulla zog sich zum Heer nach Nola zurück. Dort erhielt er die Nachricht, der Krieg gegen Mithridates sei an Marius übertragen worden. Als Sulla in einer vorgeblich beruhigenden Rede andeutete, ein anderes Heer würde in das reiche Asien ziehen, forderten die Soldaten den Marsch auf Rom, worauf alle Offiziere bis auf einen Quaestor (wohl L. → Licinius Lucullus) die Gefolgschaft versagten. Rom wurde gegen heftigen Widerstand eingenommen, Gegner Sullas zu Staatsfeinden erklärt, Sulpicius getötet, seine Gesetze aufgehoben und seine Anhänger gejagt, wobei es Marius gelang, nach Africa zu entkommen. Die damals unter mil. Druck erlassenen Gesetze (App. civ. 1,59,266f.: Zustimmung des Senats zu Gesetzesvorlagen der Tribunen, Gesetzgebung nur durch die → comitia centuriata, Vergrößerung des Senats) sind nicht unbedingt Doppelungen späterer Gesetze des Dictators Sulla; erwähnt werden auch ein Gesetz zur Kolonisation (Liv. epit. 77) und ein Schuldengesetz. Auf Druck auch seiner Anhänger schickte Sulla sein Heer nach Nola und ließ Consulwahlen für das Jahr 87 zu. Seine sinkende Popularität zeigte sich in der Wahl seines Gegners L. Cornelius [I 18] Cinna und dem Scheitern seines Versuchs, das Heer des Proconsuls Cn. Pompeius Strabo an seinen Amtskollegen Q. Pompeius Rufus zu übergeben. Sulla begnügte sich mit einem Eid Cinnas, keine feindseligen Handlungen zu begehen, und setzte nach Griechenland über, wo sich bereits Truppen des Mithridates befanden.

Die Strategie Sullas ist kaum durchschaubar: Anscheinend wollte er sein Heer schonen, aber zugleich die Soldaten bereichern, um sich ein gefügiges Instrument zum Kampf gegen das Regime Cinnas zu schmieden. Denn obwohl Mithridates in der sog. »Vesper von Ephesos« an die 80000 Römer und Italiker hatte töten lassen, zeigte Sulla keine Eile, ihm entgegenzutreten; den Q. → Braetius Sura, den Legat des Statthalters von Macedonia, der bereits Erfolge gegen den Feldherrn des Königs, Archelaos [4], erzielt hatte, schickte er zurück. Andererseits ließ er das von Cinna und dem Senat entsandte Heer unter dem Consul L. → Valerius Flaccus ungehindert gegen den König ziehen. Als dieses Heer

jedoch unter C. → Flavius Fimbria den Mithridates besiegte und in Pitane einschloß, ließ ihn die sullanische Flotte unter Lucullus bewußt übers Meer entkommen. Sulla, der inzwischen den Piräus und Athen eingenommen und die Truppen des Königs in zwei Treffen in Boiotia (86) besiegt hatte, ließ es nicht zur Schlacht gegen Mithridates kommen und gewährte ihm in Dardanos (85) einen günstigen Frieden: Er hatte seine Eroberungen aufzugeben und 2000 Talente zu bezahlen, blieb aber straflos und im Besitz seines Reiches, bekam sogar den Status eines röm. Bundesgenossen (App. Mithr. 56–58). Von den Städten in Asia verlangte Sulla jedoch 20000 Talente und hohe Aufwendungen für seine Soldaten.

Sulla, der noch in Asia nach dem Tod Cinnas (84) alle Verhandlungen mit dem röm. Senat abgebrochen hatte, setzte in offener Rebellion im Frühjahr 83 nach Brundisium über und erfuhr sofort den Zuzug von polit. Freunden (Q. Caecilius [I 31] Metellus; M. → Licinius Crassus), früheren Feinden (P. Cornelius [I 15] Cethegus) und Überläufern (L. → Marcius Philippus; C. → Verres mit der Kriegskasse des Consuls Cn. → Papirius Carbo; Cn.→ Pompeius mit drei Legionen aus den Veteranen seines Vaters). Obwohl Sulla die Bürgerrechtsgesetze Cinnas anerkannte, um die feindselige Stimmung in Italien zu mildern, brauchte er mehr als ein Jahr, um sich in den Schlachten am Berg Tifata (83), bei Sacriportus (Sommer 82) und schließlich vor Rom am Collinischen Tor (1. November 82) durchzusetzen.

Im unangefochtenen Besitz Roms begann Sulla, die auch von ihm zerrüttete Republik zu ordnen. Angesichts der auf mos maiorum und Präzedenzfällen ruhenden Verfassung, deren Flexibilität er von Jugend auf kannte, können seine Maßnahmen durch den formalen Gebrauch traditioneller Institutionen als legal und somit Sulla selbst bis heute als »letzter Republikaner« [8] oder ernsthaft um die republikanische Verfassung bemühter Staatsmann [7] erscheinen. Der Senat hatte seine Akte als Consul und Proconsul (88–82) als rechtmäßig erklärt, seine Ernennung zum dictator durch eine vom interrex L. → Valerius Flaccus eingebrachte lex Valeria bewegte sich noch im Rahmen der Verfassung. Die vage Beschreibung der Aufgabe des Dictators (rei publicae constituendae = »Einrichtung des Staates«) konnte jede Maßnahme legalisieren (dazu [12]), selbst die → Proscriptionen, die durch listenmäßige Erfassung der straflos zu Tötenden das wahllose Morden zum geregelten Massaker machten, dem insgesamt 4700 vor allem reiche Personen zum Opfer fielen (Val. Max. 9,2,1), darunter 40 Senatoren und 1600 Ritter (App. civ. 1,95,442). Ihr Besitz wurde konfisziert und meist an Freunde Sullas verschleudert (→ Chrysogonus), ihre Söhne und Enkel wurden für amtsunfähig erklärt. Dieser letzte, dem republikanischen Recht völlig fremde Zug der »Sippenhaft« legt den Schluß nahe, daß die im Jahr 81 von den comitia centuriata beschlossenen Gesetze Sullas auch und vor allem die persönliche Sicherheit Sullas gewährleisten sollten (vgl. [13] und [6. 256]).

Das Gesetzeswerk läßt drei Ziele erkennen: Die Stärkung des Senats, die Schwächung aller Nebenkräfte (Volkstribunat, Volk, Magistrate) und die flächendeckende Absicherung des »Systems« durch die Nutznießer, nämlich 10000 freigelasse Sklaven der Proskribierten (Cornelii) in der röm. Volksversammlung und die auf konfisziertem Gebiet ital. Städte angesiedelten Veteranen. Im Zentrum stand die Vergrößerung des Senats von 300 (aber faktisch ca. 150) Mitgliedern auf 600, die häufig aus der ital. Ritterschicht kamen und ihr Leben, ihren Senatssitz oder beides Sulla verdankten. Diesem Senat übertrug er 1. die Kontrolle über alle polit. und einige kriminelle Delikte in nun sieben Geschworenengerichten (→ *quaestiones*), 2. die verschärfte Aufsicht über die Statthalter in den Prov., deren Verwaltung er zudem durch eine *lex de repetundis* bis in Einzelheiten regelte, 3. die Kontrolle über die Gesetzgebung, indem er die Beschlußvorlagen der Volkstribunen der Zustimmung des Senats unterwarf. Mit dieser Maßnahme, der Einschränkung des Vetorechts der Volkstribunen und ihrem Ausschluß von weiteren Ämtern beseitigte er das Tribunat als polit. Instanz, wie er das Volk durch die *quaestiones* aus der polit. Gerichtsbarkeit entfernt hatte. Bei der Einschärfung der Regeln der Ämterlaufbahn, die nun verpflichtend von der Quästur über die Praetur zum Consulat mit Mindestalterstufen und Iterationsbeschränkungen verlief (→ *cursus honorum*), erhöhte er die Zahl der Quaestoren auf 20 und verfügte ihren automatischen Eintritt in den Senat, womit er den Censoren (die er nicht abschaffte) den Einfluß auf dessen Zusammensetzung nahm. Die Praetoren, deren Zahl er auf acht erhöhte, und die Consuln sollten jeweils nach Ablauf ihres Amtsjahrs in die vom Senat bestimmten Prov. gehen, um langfristige auswärtige Kommanden zu vermeiden – eine Regelung, die bereits zu Sullas Lebzeiten durchbrochen wurde und scheitern mußte, sobald sich die Zahl der Prov. erhöhte.

Gestützt auf »seinen« Senat und die Veteranen trat Sulla wohl 80 von der Dictatur zurück (zum Zeitpunkt [10. 74 f.]; für 81 plädiert [11. 205]), stellte sich vorgeblich jeder Anklage und suchte sich 80 als Consul zusammen mit Metellus Pius formal wieder in die Nobilität ein. Nach Ablauf seiner Amtszeit zog er sich als *privatus* nach Puteoli zurück, ohne die Politik aus den Augen zu verlieren, und starb dort 78 an einer schon lange währenden Krankheit.

Eine abschließende Bewertung der Person und der Leistung Sullas ist kaum möglich, da die Hauptquellen Appian und Plutarch stark von der (verlorenen) Autobiographie Sullas abhängig sind [2. 401; 3.], sich Livius und die nachlivianische Tradition auf die sullafreundliche Darstellung des Cornelius Sisenna stützen und Ciceros Darstellung stark subjektiv gefärbt ist [5]. Trotz ausgeprägter Selbstbezogenheit und abergläubischem Vertrauen auf sein Glück (*fortuna, felicitas*; er ließ sich stark von Weissagungen und Träumen leiten, führte seit 81 den Beinamen »Felix«, wurde als »Liebling der Venus« – Epaphroditos – bezeichnet und benannte seine

Kinder Faustus und Fausta) strebte Sulla wohl nie eine Dictatur auf Lebenszeit oder eine Monarchie an, sondern wollte sich im weiten Rahmen einer republikanischen Ordnung eine herausragende Stellung sichern. Die Furcht vor einem weiteren Bürgerkrieg gab seiner Verfassung vorerst Bestand, auch wenn seine polit. Erben (vor allem → Pompeius) die Volkstribunen 75 und 70 wieder in ihre Rechte einsetzten [9]. Das drängende innenpolit. Problem, die Veteranenversorgung, löste er zwar für sich, traf aber keine dauerhafte gesetzliche Regelung, so daß die Militarisierung der Politik fortschritt. Die prekäre außenpolit. Lage im Osten hat Sulla weiter destabilisiert; denn die milde Behandlung des Mithridates und die ruinöse Ausplünderung Kleinasiens verstärkten die Expansionsgelüste des Königs und die Seeräuberplage. Im erfolgreichen Kampf gegen beide geriet Pompeius in eine herausgehobene Position, die zum Konflikt mit Caesar, zum nächsten Bürgerkrieg und schließlich zum Untergang der Republik führte.

1 E. BADIAN, Lucius Sulla, 1970 2 Ders., s. v. Sulla, OCD ³1996, 400 f. 3 H. BEHR, Die Selbstdarstellung Sullas, 1993 4 T. C. BRENNAN, Sulla's Career in the Nineties, in: Chiron 22, 1992, 103–158 5 H. DIEHL, Sulla und seine Zeit im Urteil Ciceros, 1988 6 U. HACKL, Senat und Magistratur in Rom..., 1982 7 TH. HANTOS, Res publica constituta, 1988 8 A. KEAVENEY, Sulla, the Last Republican, 1982 9 U. LAFFI, Il mito di Sulla, in: Athenaeum 45, 1967, 177–213, 255–277 10 MRR 3, 1986, 73–76 11 R. SEALEY, Sulla, in: CAH 9, ²1994, 165–207 12 R. WITTMANN, Res publica recuperata, in: D. NÖRR, D. SIMON (Hrsg.), Gedächtnisschrift für W. Kunkel, 1984, 563–582 13 D. J. WOOLLISCROFT, Sulla's Motives, in: Liverpool Classical Monthly 13/3, 1988, 35–39.   W. ED.

II. KAISERZEIT

[II 1] Bischof in Rom 251–253 n. Chr. Aufgrund seiner Nachsicht gegenüber den unter → Decius abgefallenen Christen, die dem Opfergebot nachgekommen waren, kam es zur Wahl eines Gegenbischofs, des → Novatianus (CSEL 3/2, epist. 44–52). 252 Verbannung; später als → Märtyrer verehrt.

P. I. KAUFMAN, Church, Book, and Bishop. Conflict and Authority in early Latin Christianity, 1996, bes. 53 f. • B. MONDIN, s. v. C., Dizionario Enciclopedico dei Papi, 1995, 24 f.   C. F.

[II 2] Ankläger des Mamercus Aemilius Scaurus im J. 34; kein Senator. Wohl noch im selben Jahr auf eine Insel verbannt (Tac. ann. 6,29,3 f.; 30,1).

[II 3] P. C. Anullinus. Senator aus Iliberri in der Baetica. Seine lange Laufbahn führte ihn zum Suffectconsulat um 175, zur consularen Statthalterschaft von Germania superior wohl Ende der Regierungszeit Marc Aurels und zum Proconsulat in Africa im J. 193. Teilnahme an den Bürgerkriegen auf Seiten des Septimius Severus; *praef. urbi* und *cos. II* 199 (CIL II 2073 = 5506 = ILS 1139 = II² 5, 623); enger Freund des Septimius Severus [1. 71 f.; 2. Bd. 1, 99 ff.; 3; 4].

[II 4] P. C. Anullinus. Sohn von C. [II 3]. Patrizier. *Cos. ord.* 216; *salius Palatinus* und *augur* (PIR² C 1323).

[II 5] Ser. C. Cethegus. *Cos. ord.* im J. 24. Wohl Proconsul in Africa am Ende der Regierungszeit des Tiberius (CIL VIII 23264; PIR² C 1336) [5. 115ff.].

[II 6] L. C. Cinna. Quaestor im J. 44 v.Chr. bei Dolabella in Asia; wechselte auf die Seite von M. Antonius; *cos. suff.* 32 v.Chr.; auf ihn bezieht SCHEID [6. 23 ff.] den Bericht bei Sen. benef. 4,30 und clem. 1,9. *Frater Arvalis* (PIR² C 1338). C. [II 7] war nach SCHEID sein jüngerer Bruder, sonst als sein Sohn angesehen. Entweder Sohn der Tochter des Pompeius oder mit ihr verheiratet [7. 46ff.].

[II 7] Cn. C. Cinna Magnus. Mit Pompeius verwandt, vgl. C. [II 6]. Ob er oder C. [II 6] von Octavian geschont wurde, ist strittig (vgl. C. [II 6]). Angebliche Verschwörung gegen Augustus (Sen. clem. 1,9; Cass. Dio 55,14ff.) [7. 266]. *Cos. ord.* 5 n.Chr. Sein Erbe ging an Augustus (Sen. clem. 1,9,12; PIR² C 1339).

1 ECK, Statthalter 2 CABALLOS, Senadores 3 ALFÖLDY, in: Fundberichte Baden-Württemberg 12, 1987, 305ff.; 14, 1989, 289ff. 4 B.E. THOMASSON, Fasti Africani, 1996 5 VOGEL-WEIDEMANN 6 SCHEID, Recrutement 7 SYME, AA 46f.

[II 8] Sex. C. Clemens. Sohn eines Sex., Tribus Palatina, aus Caesarea in Mauretania. *Cos. suff.* zwischen ca. 161 und 169, Statthalter der Tres Daciae ca. 171/2 (CIL VIII 9365 = ILS 1099) [1. 103ff.].

[II 9] Cn. Pinarius C. Clemens. Vielleicht aus Spanien stammend; unter Nero in den Senat aufgenommen. *Cos. suff.* vielleicht im J. 70. Legat des obergerman. Heeres ca. 72–74; → *ornamenta triumphalia* für Erfolge in den rechtsrheinischen *agri Decumates* (vgl. CIL XIII 9082 = ILS 5832). Begraben bei Hispellum (CIL XI 5271 = ILS 997) [2. 35–37; 3. Bd. 1, 102f.].

[II 10] C. Dolabella. Vertrauter Octavians, der im J. 30 v.Chr. mit Cleopatra in gutem Kontakt stand und ihr mitteilte, daß sie in Rom im Triumphzug mitgeführt würde (Plut. Ant. 84,1). Möglicherweise bei Quint. inst. 6,79 als Augustus' Vertrauter erwähnt (PIR² C 1345).

[II 11] Cn. C. Dolabella. Wohl Enkel von C. [II 12]. Mit → Galba verwandt, weshalb Freunde diesem rieten, Dolabella zu adoptieren (Plut. Galba 23). → Otho verbannte ihn nach Aquinum (Tac. hist. 1,88,1). Als er nach dessen Tod seinen Verbannungsort verließ, wurde er von Plancius Varus bei → Vitellius denunziert, der ihn ermorden ließ (PIR² C 1347 [4. 231 A. 506].

[II 12] P. C. Dolabella. Sohn von C. [II 10]. Patrizier. *Cos. ord.* 10 n.Chr. (CIL VI 1384). Consularer Statthalter von Illyricum superius = Dalmatien unter Augustus und Tiberius bis ca. 20 [5. I 89]; seine Truppen bewahrten bei Augustus' Tod Ruhe (Vell. 2,125,5). Proconsul von Africa 23/24; er besiegte → Tacfarinas endgültig, doch Tiberius verweigerte ihm die Triumphalinsignien (Tac. ann. 4,23–26). Im J. 27 klagte er im Senat Quinctilius Varus an, mit dem er verwandt war; im Senat stellte er öfter Anträge, die im Sinn des Tiberius für mehr Effek-

tivität in der Provinzialverwaltung sorgen sollten (PIR² C 1348) [6. 85ff.].

[II 13] Ser. C. Dolabella Metilianus Pompeius Marcellus. Sohn von C. [II 14]. Patrizier. Seine Laufbahn in CIL IX 3154 = ILS 1049 erhalten. *Cos. suff.* im J. 113, (PIR² C 1350 [7. 48, 108; 8. 107].

[II 14] Ser. C. Dolabella Petronianus. *Cos. ord.* im J. 86. Sohn von C. [II 11]. PIR² C 1351; [7. 44].

[II 15] M. C. Fronto. *Cos. suff.* 142; → Fronto

[II 16] C. Fuscus. Senatorischer Herkunft, der aber eine ritterliche Laufbahn einschlug. Brachte seine Heimatstadt im J. 68 auf → Galbas Seite [9. Bd. 4, 128f.]. Procurator in Illyricum; Anschluß an Vespasian; die von → Vitellius abgefallene Flotte von Ravenna erwählte ihn als ihren Praefekten (Tac. hist. 3,12). Unter Domitian Praetorianerpraefekt, als Teilnehmer am *consilium* Domitians bei Iuv. 4,112 geschildert. Befehligte 86/87 eine Armee gegen die Daker, von diesen vernichtet (PIR² C 1365 [10. 46ff., 53ff.]).

[II 17] C. C. Gallicanus. Proconsul der Baetica 79/80 (AE 1962, 288). Legat der Lugdunensis im J. 83, *cos. suff.* 84. Traian übertrug ihm die Einrichtung der Alimentarinstitution in der Regio VIII (PIR² C 1367).

1 PISO 2 ECK, Statthalter 3 CABALLOS Senadores 4 W. ECK, Senatoren, 1970 5 THOMASSON 6 VOGEL-WEIDEMANN 7 VIDMANN FO² 8 W. ECK, RE Suppl. 14 9 SYME, RP 10 K. STROBEL, Die Donaukriege Domitians, 1989. W. E.

[II 18] C. Gallus Schöpfer der röm. Liebeselegie, geb. 69/68 v.Chr. (Hier. chron. a. Abr. 1990; zum Geburtsort: [4. 6–12]). Er stieg auf aus bescheidenen Verhältnissen (Suet. Aug. 66,1) als Freund des → Augustus (Prob. Verg. ecl. praef. p. 328,2 HAGEN) und → Asinius Pollio (Cic. fam. 10,32,5); so soll er sich für Vergils Landbesitz eingesetzt haben (Prob.). Er führte erfolgreich ein Kommando im alexandrinischen Krieg (Dio Cass. 51,9) und wurde 30 v.Chr. erster Präfekt von Ägypten (Suet., ebd.). Wegen maßloser Selbstverherrlichung in Wort und Bild (Dio Cass. 53,23; vgl. CIL III 14147,5 [7]) sowie unvorsichtiger Äußerungen (Ov. trist. 2,446) fiel er bei Augustus in Ungnade und nahm sich, von einem Prozeß bedroht, im J. 27 (Hier.) oder 26 (Dio Cass.) das Leben.

Wohl im J. 45 (nach Cic. Tusc. 3,45; vgl. [13. 216–218]) veröffentlichte er ein nach Euphorion (Serv. ecl. 6,72; Verg. ecl. 10,50) verfaßtes Hexametergedicht über den »Gryneischen Hain« (an einen Teil der *Amores* denken [4. 77–83; 10. 43–46] u.a., aber vgl. Serv. ecl. 10,1), dem Vergil in der Dichterweihe der 6. Ekloge (V. 64–73) huldigt. Der Schauspielerin Cytheris (unter dem Namen *Lycoris*) gelten vier Elegien-B. *Amores*, die Gallus noch unter Caesar begann [1. 151ff.; 13. 213ff.] und durch die er den spezifisch röm. Typ der → Elegie begründete (Ov. trist. 4,10,53; vgl. bes. [6]): Ein Papyrusfund [1] hat bestätigt, daß schon Gallus als Diener einer *domina* aufgetreten ist und die Dichtung als Instrument der Liebeswerbung aufgefaßt hat [13. 227ff.]. Eine Elegie, in der er sich mit Milanion als Muster der Fügsamkeit (*obsequium*) verglich, ist noch kenntlich aus Vergils 10. Ekloge (vgl. Serv. ecl. 10,46) sowie Prop. 1,1 und 1,8 A [vgl. bes. 10; 5; 14]. Parthenios schrieb für Gallus seine myth. Ἐρωτικὰ παθήματα (*Erōtiká pathḗmata*).

→ Vergil soll *laudes Galli* aus Georgica 4 entfernt haben (Serv. ecl. 10,1; georg. 4,1). → Properz huldigt dem Toten (2,34,91f.), kühner Ovid (am. 3,9,63f.); → Quintilian schätzt ihn weniger (inst. 10,1,93: *durior Gallus*). In der Renaissance wurden ihm Verse untergeschoben [12. 1349f.]. Ins Interesse der Wiss. rückte er wieder bes. durch [11] und sensationelle Funde von Inschr. (z.B. auf dem Obelisken vor St. Peter) und einem Papyrus [1; 7; 13; 3]. Trotz seines Schicksals ist Gallus als Sujet der Dichtung noch nicht entdeckt worden; nur in einem der Einführung in das röm. Privatleben dienenden Roman ist er Titelheld [2].

1 R. D. ANDERSON, P. J. PARSONS, R. G. M. NISBET, Elegiacs by G. from Qasr Ibrim, in: JRS 69, 1979, 125–155 2 W. A. BECKER, G., (1838) ³1863 3 J. BLÄNSDORF, Der Gallus-Papyrus – eine Fälschung?, in: ZPE 67, 1987, 43–50 (gegen F. BRUNHÖLZL, in: CodMan 10, 1984, 33–40) 4 J.-P. BOUCHER, C. C. G., 1966 5 G. B. CONTE, Il genere e i suoi confini, 1980, 11–43 6 F. JACOBY, Zur Entstehung der röm. Elegie, in: RhM 60, 1905, 38–105 · 7 L. KOENEN, D. B. THOMPSON, Gallus as Triptolemos on the Tazza Farnese, in: Bulletin of the American Society of Papyrologists 21,1984, 111–156 · 8 G. E. MANZONI, Foroiuliensis poeta, 1995 9 L. NICASTRI, C. G. e l'elegia ellenistico-romana, 1984 10 D. O. ROSS, Backgrounds to Augustan poetry, 1975 11 F. SKUTSCH, Aus Vergils Frühzeit, 1901 12 A. STEIN, F. SKUTSCH, s. v. C. 164; in: RE 4,1, 1342–1350 13 W. STROH, Die Ursprünge der röm. Liebeselegie, in: Poetica 15, 1983, 205–246 14 Ders., in: Tredici secoli di elegia latina, 1989, 53–62 · 15 G. GRIMM, in: JDAI 85, 1970, 158–170 (zu einer möglichen Porträtbüste).   W. STR.

[II 19] C. Labeo. Autor von Werken über Religion, wie *De diis Penatibus, De diis animalibus,* ›Über das Orakel des klarischen Apollo‹. Christl. Autoren wie Arnobius und Augustinus polemisieren gegen ihn. Eher 3. als 2. Jh. (PIR² C 1373; Testimonia und Fragmente gesammelt von [1]).

[II 20] C. Laco. Ritterlicher *assessor* in der Begleitung Galbas in der Hispania Tarraconensis; als Praetorianerpraefekt Galbas hatte er großen Einfluß. Nach Galbas Tod verbannt; auf Befehl Othos getötet (PIR² C 1374).

[II 21] (C.) Latinianus. Finanzprocurator von Moesia inferior 105, Praesidialprocurator von Rätien bis ins J. 116, noch in diesem Jahr abgelöst ([2]; RMD III 155). Vater von C. [II 22].

H. WOLFF, Ein neues Militärdiplom aus dem Straubinger Vicus vom 16. August 116 n. Chr. (im Druck).

[II 22] L. C. Latinianus. Sohn von C. [II 21]. Praetorischer Statthalter von Pannonia inferior [3. Bd. 1, 112], consularer Legat von Pannonia superior im J. 126 [4. 74ff.]; Proconsul von Asia gegen Ende der Herrschaft Hadrians (SEG 35, 1365 = AE 1986, 671). Auf ihn ist Dig. 48,5,28,6 zu beziehen.

[II 23] Imperator Caesar Ulpius C. Laelianus Augustus → Laelianus

[II 24] Cn. C. Lentulus. Sohn eines L. *Cos. ord.* 18 v. Chr. (PIR² C 1378) [5. 286ff.].

[II 25] Cn. C. Lentulus Augur. Sohn eines Cn. *Cos. ord.* 14 v. Chr. Legat des Augustus in Kämpfen an der Donau, vielleicht ca. 10–6 v. Chr.; für seine Erfolge erhielt er die *ornamenta triumphalia* (Tac. ann. 4,44,1; zum Zeitpunkt [5. 290ff.; 6. Bd. 6, 435ff.]. *Procos. Asiae* 2/1 v. Chr. [3. Bd. 1, 207]. Mitglied im Kollegium der → Auguren und Arvalen. 14 n. Chr. begleitete er Drusus nach Dalmatien zur Niederschlagung der Revolte der Legionen. Unter Tiberius öfter im Senat aktiv, in Kenntnis der Absichten des Princeps. Einen Maiestätsprozeß im J. 24 überstand er ohne Schaden; 25 gestorben. Das große Vermögen, das er durch Augustus erworben hatte, fiel, wie häufig bei → *liberalitates*, an den Princeps zurück (Tac. ann. 4,44,1; Suet. Tib. 49,1; Sen. ben. 2,27,1. PIR² C 1379). Zum Vermögen [7. Bd. 1, 475ff.].

[II 26] Cossus C. Lentulus. *Cos. ord.* 1 v. Chr. Als Proconsul von Africa für zwei Jahre ca. 6–8 n. Chr. besiegte er die Gaetuler. Dafür erhielt er die *ornamenta triumphalia* und den Siegernamen Gaetulicus. Mitglied bei den *XVviri sacris faciundis* (IRT 301); Stadtpraefekt ca. 33–36; enger Vertrauter des Tiberius (PIR² C 1381) [5. 297ff.]. Seine Söhne C. [II 26] und [II 29].

[II 27] Cossus C. Lentulus. Sohn von C. [II 28] *Cos. ord.* 25; sein gleichnamiger Sohn *cos. ord.* 60. Wahrscheinlich Legat des obergerman. Heeres zwischen 25 und 30 ([8. 8f.]; PIR² C 1381).

[II 28] L. C. Lentulus. *Cos. ord.* 3 v. Chr.; *flamen Martialis.* Ob er Proconsul von Africa war, ist sehr unsicher, nur aus Inst. 4,25 geschlossen (PIR² C 1384 [9. 249ff.; 10]).

[II 29] Cn. C. Lentulus Gaetulicus. Sohn von C. [II 26], Bruder von C. [II 27]. *Praetor peregrinus* 23, *cos. ord.* 26; *XVvir sacris faciundis* (EOS I 603ff.). Befehlshaber des obergerman. Heeres für 10 Jahre von ca. 29–39 (Tac. ann. 6,30,2f.; dazu [11. 127ff.]). Obwohl mit Seianus verschwägert, geschah ihm trotz Anklage durch Abudius Ruso nichts. Unter Caligula wahrscheinlich an einem Putsch gegen den Herrscher beteiligt, so jedenfalls die offizielle Version (CIL VI 2029d= 32346h [12. 210f.; 8. 10ff.]. Verheiratet mit Apronia, deren Vater ca. 28–34 Legat des niedergerman. Heeres war. Verf. von Gelegenheitsgedichten und erotischen Epigrammen (PIR² C 1390). Sein Sohn war Cn. C. Lentulus Maluginensis *cos. suff.* 55 (PIR² C 1391).

[II 30] Ser. C. Lentulus Maluginensis. *Cos. suff.* 10 n. Chr. Obwohl *flamen Dialis*, forderte er im J. 22, zur Losung um den Proconsulat von Asia zugelassen zu werden, was aber abgelehnt wurde (Tac. ann. 3,58f.). Im J. 23 gestorben. Seine Schwester war mit Seius Strabo, dem Vater Seianus', verheiratet [5. 297].

[II 31] P. C. Lentulus Marcellinus. Sohn eines P. *cos. ord.* 18 v. Chr. (PIR² C 1396 [5. 287]).

[II 32] P. C. Lentulus Scipio. *Cos. suff.* 2 n. Chr. (PIR² C 1397 [5. 252, 297 f.]).

[II 33] P. C. Lentulus Scipio. Sohn von C. [II 32]. *Praetor aerarii* im J. 15 n. Chr., Legat der *legio IX Hispana*, mit der er in Africa 21–23 an den Kämpfen gegen Tacfarinas teilnahm. *Cos. suff.* 24. Proconsul von Asia unter Claudius, wohl 41/42 (EA 6, 1985, 17 ff.). Verheiratet mit Poppaea Sabina, über die er sich im J. 47 im Senat diplomatisch äußerte (Tac. ann. 11,4; PIR² C 1398). Sein Sohn war C. [II 49].

[II 34] C. Lupus. Proconsul von Creta-Cyrenae unter Tiberius, *cos. suff.* 42. Obwohl *amicus* des Claudius, von ihm auf Anstiften von Suillius Rufus getötet (PIR² C 1400).

[II 35] C. C. Minicianus. Ritter aus Bergomum, Freund des Plinius, einer der ersten bekannten *curatores rei publicae* (CIL V 5126 = ILS 2722; PIR² C 1406).

[II 36] M. C. Nigrinus Curatius Maternus. Ritter aus Liria in der Tarraconensis. Von Vespasian in den Senat aufgenommen, Statthalter von Aquitania, *cos. suff.* 83 (vgl. CIL XIV 4725), consularer Legat von Moesia, dann Moesia inferior ca. 85–89; in den Donaukriegen ausgezeichnet; 95–97 Legat von Syria, wo er Teil einer Fronde gegen Nerva war (Plin. epist. 9; 13,10 f.). Von seinem Posten abgelöst, zog er sich nach Liria zurück (CIL II² 14, 124; vgl. 125–127 [12. 139 ff.; 13 Bd. 1, 105 f.]).

[II 37] P. C. Orestinus. Sohn von P. C. Scipio [II 47]. *Comes* des Tiberius oder Germanicus (AE 1992, 186); wohl Vater von Cornelia [II 7] (AE 1992, 186=CIL VI 41050).

[II 38] A. C. Palma Frontonianus. *Cos. ord.* im J. 99, was auf eine enge Verbindung mit Traian schließen läßt. Consularer Legat von Hispania citerior um 101, etwa von 104/5–108 von Syrien. Von dort aus annektierte er 105/106 Arabien als neue praetorische Prov.; dafür erhielt er die Triumphalinsignien und eine Bronzestatue auf dem Forum Augusti (Cass. Dio 68,16,2); ob ILS 1023 ihm zuzuschreiben ist, erscheint unsicher. 109 *cos. ord.* II. Angeblich am Ende der Zeit Traians verdächtig, nach der Herrschaft zu streben. Er wurde in den ersten Monaten Hadrians auf Senatsbeschluß hingerichtet; die Gründe dafür sind unklar (PIR² C 1412 [14. Bd. 4, 297 ff.]).

[II 39] Sex. Subrius Dexter C. Priscus. Zum vollen Namen [15. 154]. *Cos. suff.* wohl im J. 104. Am Prozeß gegen Varenus Rufus beteiligt (Plin. epist. 5,20,7). Proconsul von Asia 120/121. Plin. richtete epist. 3,21 über den Tod Martials an ihn. Einer seiner Vorfahren vielleicht Q. C. Priscus, Legat von Galatien unter Tiberius (AE 1981, 827). Zu den Cornelii Prisci [16. 92 ff.].

1 P. Mastandrea, Cornelio Labeone, un neoplatonico latino, 1979 2 Fink, Military Records on Pap. Nr. 63 II 26 3 Thomasson 4 W. Eck, M. Roxan, in: FS H. Lieb, 1995 5 Syme, AA 6 Ders., RP 7 P. A. Gianfrotta, in: EOS 8 Eck, Statthalter 9 E. Champlin, in: ZPE 62, 1986 10 B. E. Thomasson, Fasti Africani, 1996 11 D. Krömer, in: ZPE 28, 1978 12 Scheid, Recrutement 13 K.-H. Schwarte, in: BJ 179, 1979 14 Caballos, Senadores 15 W. Eck, in: Chiron 13, 1983 16 Ders., in: Epigraphica 41, 1979.

[II 41] Cn. Arrius C. Proculus. Praetorischer Statthalter von Lycia-Pamphylia ca. 138–140, *cos. suff.* 145 (PIR² C 1422).

[II 42] Q. C. Proculus. Zum vollen Namen PIR² C 1423 [1. 106 ff.]. *Cos. suff.* 146; *procos. Asiae* wohl 161/162 [2. 216].

[II 43] Cn. C. Pulcher. Ritter aus Epidaurus. Procurator von Epiros unter Traian; unter Hadrian *iuridicus* in Ägypten. Mit Plutarch und Epiktet bekannt (PIR² C 1424) [3. Bd. 1, 178 f.; 4. Bd. 4, 26 f.].

[II 44] L. C. Pusio. Seine Laufbahn bis zum Legionskommando (ca. 54–56 [5. 149 ff.]) bekannt. *Cos. suff.* in der Anfangszeit Vespasians [1. Bd. 1, 108 f.].

[II 45] L. C. Pusio Annius Messala. Sohn von C. [II 44]. *Cos. suff.* 90; *septemvir epulonum*, Proconsul von Africa ca. 103/104 [1. Bd. 1, 110 f.].

[II 46] Q. C. Quadratus. Bruder von C. [II 15]. *Cos. suff.* 147 (PIR² C 1426 [6. 51]).

[II 47] Sex. C. Repentinus. Ritter, der vom *advocatus fisci* über mehrere Ämter in Rom bis zur Praetorianerpraefektur unter Antoninus Pius und Marc Aurel aufstieg; am Ende erhielt er den Rang eines *clarissimus vir* (PIR² C 1428 [7. 43 ff.]). Sein Sohn wahrscheinlich C. Repentinus, Senator. Heiratete Didia Clara, die Tochter von Didius Iulianus. Als dieser 193 für kurze Zeit die Herrschaft übernahm, ernannte er Repentinus zum *praef. urbi* (EOS 2, 730). PIR ² C 1472.

[II 48] P. C. Scipio. Quästor in Achaia 1 oder 2 n. Chr. (AE 1967, 458 [8. 252]). Vielleicht mit ihm der homonyme Senator identisch, der es bis zu einem praetorischen Proconsulat brachte (AE 1992, 186).

[II 49] P. C. Scipio Asiaticus. Sohn von C. [II 33]. *Cos. suff.* 68. Das Cognomen Asiaticus erhielt er wohl im Rückgriff auf den Sieg über Antiochos III. Eine Geburt während des Proconsulats des Vaters in Asia (vgl. C. [II 33]) ist ausgeschlossen. PIR² C 1440.

[II 50] P. C. (Scipio) Salvidienus Orfitus. Patrizier. Zur Verwandschaft [9. 199 ff.]. Quaestor des Claudius, *cos. ord.* 51, *procos. Africae* wohl 62/3 (IRT 341). Von Aquilius Regulus im Senat angeklagt und hingerichtet (PIR² C 1444; [10]).

[II 51] Ser. C. Scipio Salvidienus Orfitus. Sohn von C. [II 50]. *Cos. suff.* vielleicht schon vor 82. Nach Suet. Dom. 10,2 als *molitor rerum novarum* hingerichtet (PIR² C 1445).

[II 52] Ser. C. Scipio Salvidienus Orfitus. Sohn von C. [II 51], *cos. ord.* 110; *praef. urbi* unter Hadrian und Antoninus Pius (PIR²C 1446; [11]).

[II 53] Ser. C. Scipio Salvidienus Orfitus. Sohn von C. [II 52]. *Cos. ord.* 149; *procos. Africae* wohl 163/4 (IRT 232); Apuleius hielt eine Rede zu seinen Ehren (PIR ² C 1447; [10]. Sein gleichnamiger Sohn wurde *cos. ord.* im J. 178 (PIR ² C 1448).

[II 54] Q. C. Senecio Annianus. Senator, der aus Carteia in der Prov. Baetica stammte; er gelangte über einen Proconsulat in Pontus-Bithynien bis zu einem Suffectconsulat, wohl in antoninischer Zeit (CIL II 1929 [12. 201 f. Anm 570]: nicht *suff.* im Jahr 116).

1 CABALLOS, Senadores 2 ALFÖLDY, Konsulat 3 PFLAUM
4 SYME, RP 5 W. ECK, in: BJ 1984 6 VIDMAN, FO²
7 G. CAMODECA, in: ZPE 43, 1981 8 SYME, AA
9 VOGEL-WEIDEMANN 10 B. E. THOMASSON, Fasti Africani,
1996 11 VIDMAN, in: EOS 12 W. ECK, in: Chiron 13,
1983.   W. E.

[II 55] C. Severus. Augusteischer ep. Dichter, von dem
16 Fragmente erh. sind (zwei wohl in Prosa). Das Gedicht über Könige, das ihm sein Freund Ovid (Pont.
4,16,9; vgl. 4,2,1) zuschreibt, könnte der erste Teil einer
langen Verschronik namens *Res Romanae* gewesen sein
(Probus, gramm. 4,208 zitiert einen halben V. unter diesem Titel). Die 25 von Sen. suas. 6,26 zitierten V. auf
Ciceros Tod stammen vielleicht aus dem späteren Teil
dieses Werks. Wenn Quint. inst. 10,1,89 von ihm auch
allg. als *versificator quam poeta melior* spricht, lobt er doch
die Qualität des 1. Buches seines Gedichts über den sizilischen Krieg von 38–36 v. Chr. (vielleicht unvollendet). Eine Beschreibung des Aetna, auf die sich Seneca
bezieht (epist. 79,6; ihm zufolge später als Ovids Beschreibung in met. 15,340 ff.), könnte Teil dieses Werks
gewesen sein.
→ Carmen de bello Aegyptiaco

H. DAHLMANN, C. S., in: AAWM 6, 1975 · COURTNEY, 320.
                                             ED. C./Ü: M. MO.

[II 56] Cn. Pinarius C. Severus. Sohn von C. [II 9].
Patrizier. *Cos. suff.* 112 (PIR² C 1453 [1. Bd. 1, 114 ff.]).
[II 57] Faustus C. Sulla. *Cos. suff.* im J. 31. Verheiratet
mit Domitia Lepida, somit Stiefvater von Valeria Mes-
salina, der Gattin des Kaisers Claudius (PIR² C 1459
[2. 267]).
[II 58] L. C. Sulla. *Cos. ord.* 5 v. Chr. zusammen mit
Augustus (PIR² C 1460).
[II 59] C. Sulla Felix. Nachkomme des Dictators Sulla.
Frater arvalis, im J. 21 gest. [3. 117 ff.]. Vater von C. [II
61] und [II 60].
[II 60] Faustus C. Sulla Felix. Sohn von C. [II 59].
Cos. ord. 52; Halbbruder von Valeria Messalina, Schwa-
ger des Claudius, dessen Tochter Antonia er heiratete.
Frater Arvalis. Konkurrent Neros; 58 nach Massilia ver-
bannt, dort 62 auf Befehl Neros getötet (PIR² C 1464
[3. 251 ff.]).
[II 61] L. C. Sulla Felix. Wohl Sohn von C. [II 59]. *Cos.
ord.* im J. 33. Schwiegersohn des Germanicus; vielleicht
für kurze Zeit mit Agrippina verheiratet (PIR² C 1465
[2. 172]).
[II 62] P. C. Tacitus → Tacitus.
[II 63] Q. C. Valens Cu[...] Honestianus Iunianus.
Praetorischer Legat von Numidia ca. 210/13 [4. 109; 5].

1 CABALLOS, Senadores 2 SYME, AA 3 SCHEID,
Recrutement 4 W. ECK, RE Suppl. 14 5 B. E. THOMASSON,
Fasti Africani, 1996.   W. E.

Cornelius Bocchus. Vom älteren Plinius als Quelle für
Teile seiner *Naturalis historia* erwähnt (Plin. nat. 16,216;
37,24; 97; 127); auch Solinus stützt sich mehrfach auf
einen C. B. als Gewährsmann für chronologische An-

gaben (vgl. Solin. 1,97; 2,11; 2,18), doch ist dessen Identität mit dem bei Plinius genannten C. B. (vermutet von
[1. XIV]) nicht beweisbar [2. 646 f.]. Wahrscheinlich beziehen sich auf den Gewährsmann des Plinius aber die
Inschr. CIL II 35 und 5184 (=ILS 2920 und 2921) aus
Lusitania (1. Jh. n. Chr.), wonach ein Lucius C. B. *flamen
provinciae* und *tribunus militum legionis III Augustae* war.
PIR² C. 1333.

1 TH. MOMMSEN, C. Iulii Solini collectanea rerum memora-
bilium, ²1895 2 SCHANZ/HOSIUS, Bd. 2.
                                       M. MEI. u. ME. STR.

Cornelius Gallus s. Cornelius [II 18]

Cornelius Longinos (oder C. Longus). Verf. zweier
mittelmäßiger Epigramme: Die nach einer leonidei-
schen Vorlage (Anth. Pal. 6,300) ausgeführte Weihung
einiger bescheidener Gaben eines Bauern für Aphrodite
(6,191) und die Beschreibung eines Gemäldes (Anth.
Plan. 16,117). Über den Dichter, bei dem es sich vielleicht um einen Zeitgenossen des Gaetulicus (1. H. des
1. Jh. n. Chr.) handelt, ist nichts bekannt.

FGE 67–70.   E. D./Ü: T. H.

Cornelius Sisenna s. Sisenna

Cornicines. Die *c.* gehörten zu den Militärmusikern
(*aeneatores*), sie spielten auf dem *cornu*, einem kreisför-
mig gebogenem Blasinstrument aus Bronze; schwierig
ist die Abgrenzung zur *bucina*. Diese Soldaten wurden
unter den ärmsten Bürgern ausgehoben und waren bereits in der Servianischen Centurienordnung vertreten
(Liv. 1,43). Allein gaben die *c.* die Befehle für die Feldzeichen, die Stellung zu wechseln, gemeinsam mit den
→ *tubicines* die Signale im Kampf (Veg. mil. 2,22;3,5).
Unter dem Prinzipat besaßen die *c.* ein höheres Ansehen
als in der Republik, wie ihre Erwähnung bei Ios. (bell.
Iud. 5,48) zeigt.

1 O. FIEBIGER, s. v. Cornicines, RE 4, 1602–1603.
                                          Y. L. B./Ü: C. P.

Corniculum, cornicularii. In der Zeit der Republik
gehörte das *c.* zu den → *dona militaria* (Liv. 10,44,5; Suet.
gramm. 9; CIL I² 709 = ILS 8888); in der Prinzipatszeit
sind die *cornicula* nur noch ein Rangabzeichen. Die genaue Bed. des Wortes ist umstritten. Entweder wird es
von *cornus* (Kornellkirsche) oder von *cornu* (Horn) hergeleitet. Es handelte sich dementsprechend entweder
um zwei kleine Speere (vgl. Pol. 6,39) oder aber um
kleine Hörner, die von den Helmen herunterhingen.
Die *c.* stellten die Elite der → *principales* und erfüllten
ohne Zweifel Verwaltungsaufgaben, denn es sind zivile
c. nachgewiesen (Val. Max. 6,1,11; Suet. Dom. 17,2 und
Frontin. strat. 3,14,1). Man findet sie an der Spitze der
officia sämtlicher höherer Offiziere, in der Marine (bei
dem *praef. classis*), bei den Auxiliartruppen, in den Legionen (bei den *tribuni*, dem *praef. castrorum* und den
legati), in Rom (beim *praef. vigilum*, dem *praef. annonae*,

dem *praef. urbi* und dem *praef. praetorio*) sowie bei den *procuratores*.

1 DOMASZEWSKI/DOBSON 2 V. MAXFIELD, The Military Decorations of the Roman Army, 1981. Y.L.B./Ü. C.P.

Cornificius. Plebeischer Gentilname (auf Münzen auch Cornuficius, RRC 509); urspr. wohl Gewerbebezeichnung (SCHULZE, 417), seit dem 1. Jh. v. Chr. histor. bezeugt.

[1] C., L. Sohn von C. [2], Anhänger Octavians (→ Augustus), klagte 43 v. Chr. als Volkstribun M. Iunius Brutus wegen der Ermordung Caesars an (Plut. Brut. 27,2), kämpfte 38 und 36 als Legat (?) gegen S. → Pompeius in der Adria und auf Sizilien (App. civ. 5,339f.; 360ff; 462ff.; Vell. 2,79,4). Er war 35 Consul (MRR 2,406), dann Proconsul von Africa und triumphierte 32 (MRR 2,419). Er erneuerte den Diana-Tempel auf dem Aventin (Suet. Aug. 29,5), der fortan nach ihm benannt wurde (ILS 1732). PIR² C 1503.

J.-M. DAVID, Le patronate judiciaire au dernier siècle de la république romain, 1992, 893.

[2] C., Q. Volkstribun 69 v. Chr., Praetor um 66 (?), bewarb sich als *homo novus* mit Cicero für 63 erfolglos um das Consulat (Ascon. 82C); er bewachte 63 den Catilinarier C. Cornelius [I 12] Cethegus (Sall. Catil. 47,4) und berichtete 62 im Senat über den Skandal des P. Clodius [I 4] (Cic. Att. 1,13,3). K.-L. E.

[3] Q. C. Sohn von C. [2], vermutlich seit 47, spätestens 46 v. Chr. Augur (CIL 6,1300a; Cic. fam. 12,17f.; [3. 292]). 48/47 als *quaestor pro praetore* in Illyricum, 46 in Kilikien, wohl 45 Praetor [3. 306], 44–42 als Proconsul in Africa, wo er vor Utica auf der Seite der Caesarmörder fiel (Cic. Phil. 3,26; fam. 12,22; App. civ. 327f.; vgl. Hier. chron. a. Abr. 1976 [3. 327f.]). Er war Redner (Cic. fam. 12,18,1), wohl Attizist (fam. 12,17,2), und gehörte als Dichter zum Kreis der Neoteriker (Catull. 38; Ov. trist. 2,436).

1 F.L. GANTER, Q. C., in: Philologus 53, 1894, 132–146 2 W. STERNKOPF, Die Verteilung der röm. Prov. vor dem Mutinischen Krieg, in: Hermes 47, 1912, 321–401 3 MRR 2 4 E. RAWSON, Roman Culture and Society, 1991, 272–288 5 COURTNEY, 225–227 6 FPL³, 1995, 224f. CHR. KU.

[4] C. Longus. Ein im 3. Viertel des 1. Jh. v. Chr. tätiger röm. Gelehrter (er zitierte Cic. nat. deor. und wurde seinerseits von Verrius Flaccus zitiert). Er schrieb mindestens drei Bücher über rel. Altertümer, die Priscian und Macrobius unter dem Titel *De etymis deorum* (oder *Etyma*) kannten und die auch von → Verrius, → Arnobius, und → Servius Danielis zitiert wurden.

GRF 473–480. R.A.K./Ü:M.MO.

Cornus
[1] (Itin. Anton. 84,1; Corni: Anonymus Ravennas 5,26; Guido 64; bei Ptol. 3,3,7). Karthagische Siedlung an der Westküste von Sardinia, 18 Meilen von Tharros und 18 Meilen von Bosa entfernt, h. S'Archittu (Cugli-

eri). E. des 6. Jh. v. Chr. gegr., wurde C. zu einer von mächtigen Mauern geschützten Stadt ausgebaut, die Liv. 23,40f. als *caput eius regionis* bezeichnet, Hauptstadt jener an Wäldern reichen Region (der Montiferru). Im Sommer 215 v. Chr. fand dort die Schlacht zw. T. Manlius Torquatus und Ostus, dem Sohn von Ampsicora, einem Verbündeten Hannibals, statt. Die geschlagenen sardisch-pun. Kräfte zogen sich in die Stadt zurück, doch gelang es den Römern, dieses letzte *receptaculum* der Rebellen zu erobern. Wohl seit der frühen Kaiserzeit *municipium* der *tribus Quirina, colonia* im 2. Jh. n. Chr. Inschr. aus der Zeit der Kaiser Hadrianus, Septimius Severus und Gratianus bezeugen einen *flamen* und einen *sacerdos provinciae* für den Kaiserkult. 379–383 n. Chr. wurden die *Thermae aestivae* und der nahegelegene *fons* restauriert; Aquädukt in *opus vittatum mixtum* des 2./3. Jh. n. Chr. In byz. Zeit lag nahe C. die Stadt Columbaris mit dem Baptisterium des hl. Johannes, mit zwei Basiliken und einem episkopalen Komplex, evtl. Sitz der Diözese von Sanafer, die von Bischof Bonifatius auf dem Konzil von Karthago 484 vertreten wurde. An einen Boethius Cornensis episc(opus) wird noch beim Lateranischen Konzil 649 erinnert. Der Bischofssitz dürfte Mitte des 11. Jh. von Bosa nach C. verlegt worden den sein.

A. MASTINO, C. nella storia degli studi, 1982 • R. ZUCCA, C. e la rivolta del 215 a.C. in Sardegna, in: L'Africa Romana 3, 1986, 363–387 • Ders., Un vescovo di C. (Sardinia) del VII secolo, ebd., 388–395 • L. PANI ERMINI, A.M. GIUNTELLA, Complesso episcopale e città nella Sardegna tardo romana e altomedievale, in: Scavi e ricerche 7, 1989, 77–80. A. MA.

[2] Name einer in Süd- und Mitteleuropa vorkommenden Strauchgattung (κράνον, *kránon* oder κράνεια, *kráneia* bei Hom. Il. 16,767 und Theophr. h. plant. 3,12,1–2; κύρνος, *kýrnos* bei Hesych.) mit zwei Arten: 1) dem Frühblüher C. mas (vgl. Plin. nat. 16,105 u.ö.) mit seinen roten, wohlschmeckenden Steinfrüchten (κράνειον, *kráneion*, Theophr. h. plant. 4,4,5), den Kornelkirschen, dem Schweinefutter der Kirke (Hom. Od. 10,242); 2) dem Sommerblüher C. sanguinea (C. femina, Plin. nat. 16,105; θηλυκράνεια, *thēlykráneia*, Theophr. h. plant. 1,8,2) mit schwarzen, ungenießbaren Früchten. Das zurecht »Hartriegel« gen. Holz wurde seit der Ant. u. a. zu Radspeichen (Plin. nat. 16,206), Stöcken [1. 37] und Speerschäften (Plin. nat. 16,186) verarbeitet. Eine Sage bei Paus. 3,13,5 behauptet, das Troianische Pferd sei daraus hergestellt worden. Ein Speer aus ihm habe den Priamossohn Polydoros (Verg. Aen. 3,22ff.) getötet. Viele Orts- und Flurnamen hängen mit κράνεια bzw. C. zusammen sowie der urspr. Name für → Corsica mit κύρνος (*kýrnos*).

1 H. BAUMANN, Die griech. Pflanzenwelt, 1982. C. HÜ.

Cornutus
[1] Freund des Dichters → Tibullus, an den er *elegiae* 2 und 3 des 2. Buches richtete.

[2] C. Aquila. Praetorischer kaiserlicher Statthalter von Galatien im J. 6 v. Chr. [1. 253].

[3] Cognomen vieler Senatoren (PIR² II p. 375).

1 THOMASSON, I.   W. E.

[4] L. Annaeus C. (Vorname nur bei Char. 162,9). Geb. in Leptis (Afrika), lebte er unter Nero als berühmter stoischer Philosoph und Gelehrter in Rom; zwischen 63 und 65 n. Chr. verbannt (Cass. Dio 62,29,2f.). Lehrer des → Persius, der ihm *satura* 5 widmete, und des → Lucanus (Vita Persii); er war mit → Silius Italicus bekannt (Char. 159,27). C. wurde von Persius testamentarisch bedacht, ordnete dessen Nachlaß und übergab ihn → Caesius Bassus zur Herausgabe (Vita Persii). Erh. ist von ihm eine Ἐπιδρομὴ (*Epidromé*) τῶν κατὰ τὴν Ἑλληνικὴν θεολογίαν (θεωρίαν codd.) παραδεδομένων (Überblick über die Traditionen der griech. Gotteslehre), eine als Schulbuch angelegte allegorisierende Erklärung griech. Götternamen und -vorstellungen. Weitere Schriftenthemen: a) Über die aristotelischen Kategorien, b) Περὶ ἑκτῶν (Titel in POxy. 3649, ed. 1984), c) Vergilkomm. und eine Schrift über Vergil, d) *De figuris sententiarum*, e) *De enuntiatione vel orthographia*, f) Ῥητορικαὶ τέχναι (Lehrbuch der Rhet.). Eine anon. rhet. Schrift, die auch unter dem Namen eines Cornutus ediert wurde (Text bei SPENGEL-HAMMER 1,352–398) stammt nicht von ihm; unter seinem Namen überlieferte Scholien zu Persius und → Iuvenal gehören erst dem MA an.

ED.: C. LANG, 1881 (Epidrome) · GRF (add), 167–209.
LIT.: D. NOCK, s. v. Kornutos, in: RE Suppl. 5, 995–1005 ·
R. S. HAYS, L. A. C. Epidrome, Diss. Austin 1983 ·
P. MORAUX, Der Aristotelismus bei den Griechen 2, 1984 ·
G. W. MOST, C. and Stoic Allegoresis, in: ANRW II.36,3,
1989, 2014–2065 (mit Bibl.).   J. LE.

Corolamus. Kleinkönig der → Boii mit kelt. Namen [1. 184]. Er schlug 196 v. Chr. den im Boiergebiet in Oberitalien operierenden Consul M. → Claudius [I 12] Marcellus (Liv. 33,36,4–8).

1 SCHMIDT.   W. SP.

Corona
[1] s. Kranz
[2] s. Auszeichnungen, militärische; Dona militaria
[3] s. Sternbilder

Coronius C. Titianus. *Vir perfectissimus*, Statthalter der *provincia vetus* Epirus zwischen 293 und 305 n. Chr. (AE 1993, 1406).   W. E.

Corpus Caesarianum. Moderne Bezeichnung für die chronologisch angelegte Sammlung → Caesars eigener oder über seine Kriege berichtender *commentarii*: B. 1–7 (58–52 v. Chr.) und 8 (52/51) des *Bellum Gallicum* (BG), 3 B. *Bellum civile* (49/48; BC), *Bellum Alexandrinum* (48/47; BAl), *Afric(an)um* (47/46; BAfr), *Hispaniense* (45; Schluß verstümmelt; BHisp). Die fast vollständig erh.

Sammlung lag in der heutigen Form bereits Sueton vor (Suet. Iul. 56,1); allein in dieser Form sind Caesars *commentarii* dem MA überliefert worden. Aufschluß über die Entstehungsgesch. geben interne Indizien und der von → Hirtius [1] wohl Ende 44 v. Chr. geschriebene Brief an Balbus, der in der Sammlung dem 8. B. des BG vorangestellt ist, aber als Vorwort des gesamten C. C. gedacht war. Hirtius, Kanzleimitarbeiter Caesars, kündigt in Form einer *excusatio* an, sich in dessen Œuvre hineinzudrängen (*me mediis interposuerim Caesaris scriptis*), indem er selbst die Reihe der Feldzugsberichte *(commentarii)* bis zu Caesars Tod vervollständigen wolle. Die – aus sprachlichen Gründen – unterschiedlichen Verf. der 3 letzten B. zeigen, daß das Werk von Hirtius († 21.4.43 v. Chr.) nicht mehr abschließend redigiert wurde. Während BG 8 sicher und das eng mit BC 3 verbundene BAl wahrscheinlich von Hirtius stammen, könnte es sich beim sprachlich isolierten BAfr um einen von Hirtius angeforderten Augenzeugenbericht handeln. BHisp weist am Anfang einen redaktionell wirkenden Übergang auf (1,1); mit der Rede Caesars, der seine Laufbahn seit der Quaestur Revue passieren läßt und sein Heer als Träger seiner Sache noch nach seinem Tod vorstellt (42), wird ein Finale für das ganze C. C. geboten. Für diese Schlußredaktion und die Publikation kommt am ehesten L. → Cornelius [I 9] Balbus in Frage.

Sprachlich knüpfen die nachcaesarianischen *bella* an das BG, die allg. → *commentarii*-Tradition (z. B. häufige Tagesdaten) und Darstellungsmittel der tragischen → Geschichtsschreibung an (bes. Schlachtschilderungen). Wo, vor allem in BAfr und BHisp, Erzählfortschritte oder Verknüpfungen mehrerer Handlungsstränge monoton mit *tum ... interdum ... interea* markiert werden, ist ein Abfall gegenüber Caesar handgreiflich. Beibehalten wurde aber dessen anonymer, nur als caesarianischer Kriegsteilnehmer charakterisierter Erzähler. Wenn sich die Verf. zu erkennen geben wollten, blieb ihnen nur die überproportionale Darstellung ihrer selbst als Akteure. Unter dieser Hypothese ist L. → Munatius Plancus Verf. des BAfr, ein spanischer Reiteroffizier Clodius Arguetius (Arquitius?) Verf. des BHisp.

Das C. C. bietet die Möglichkeit, rezeptionsgesch. Prozesse und handwerkliche Qualitätsunterschiede auf engstem Raum zu untersuchen. Für die Herausgeber der Sammlung und die ersten Rezipienten scheinen diese Differenzen dem Bedürfnis, ein Stück zusammenhängender Partei- und Identifikationslit. zu besitzen, untergeordnet gewesen zu sein.

ED.: → Caesar.
KOMM.: R. SCHNEIDER, BAfr, 1905 · G. PASCUCCI, BHisp,
1965.
LIT.: K. BARWICK, Caesars Commentarii und das C. C.,
1938 · L. CANALI, Problemi della prefazione irziana, in:
Maia 17, 1965, 125–140 · Ders., Osservazioni sul C. C., in:
Maia 18, 1966, 115–137 · J. MALITZ, Die Kanzlei Caesars,
in: Historia 36, 1987, 51–72 · J. RÜPKE, Wer las Caesars
bella als commentarii?, in: Gymnasium 99, 1992, 201–226.
         J. R.

Corpus Hermeticum A. Überblick
B. Hermetische Traktate C. Asclepius
D. Exzerpte E. Autoren F. Lehren der
hermetischen Texte

A. Überblick

Seit hell. Zeit gab es in Ägypt. ein umfangreiches Schrifttum, das man unter den Namen des Gottes → Hermes stellte, der mit dem ägypt. Gott Thot (Theuth, Thout), dem Gott der Weisheit und Schreibkunst, identifiziert wurde. Neben den sog. technischen Schriften astrologischen, alchemistischen, magischen und medizinischen Inhalts [1] sind im C.H. rel.-philos. Texte gesammelt. Dabei handelt es sich um 17 griech. Traktate, um den lat. *Asclepius* (Ascl.) und um 29 griech. Exzerpte (Exc.) aus der Anthologie des → Stobaios (weitere Testimonien und Fragmente bei Lactantius, Kyrillos, Jamblichos, Zosimos u.a.). Zu ergänzen ist diese Sammlung durch drei kopt. Texte aus dem Papyrusfund von Nag Hammadi (NHCod. VI 6–8), durch die sog. *Hermetischen Definitionen* (DH, armen.), einige neue Exzerpte aus einer Oxforder Hs. (Clark. 11) und zwei Fragmente (A, B) aus einem Wiener Papyrus.

B. Hermetische Traktate

Durch eines dieser Fragmente wird die Existenz hermetischer Sammlungen für das 2./3. Jh. n.Chr. gesichert: Fragment B 4–5 enthält die Zählung eines 9. und 10. Traktats; vgl. Kyrillos c. Jul. PG 76, 548B, der einen athenischen (!) Kompilator von 15 hermetischen Schriften nennt. Die erhaltenen Texte verweisen auf die sog. *Genikoi Logoi* (CH XIII 1; Exc. III 1 VI 1; NHCod. VI, 6 63,2, Wiener Fragment B 6; CH X gibt sich als Auszug aus diesen), *Diexodikoi Logoi* (Kyrillos c. Jul. PG 76, 553A, vgl. NHCod. VI, 6 63,3) u.a., deren Inhalt wohl einführenden Charakter besaß [2. 97–194]. Für die Datierung gibt es wenig äußere Anhaltspunkte. Neben den genannten Wiener Papyri (2./3. Jh. n.Chr.) ist das Zitat des Hymnus im → *Poimandres* (CH I 31) in einem christl. Papyrus (PBerl. 9794) vom Ende des 3. Jh. zu nennen. Die ersten Erwähnungen des Namens Hermes Trismegistos finden sich bei → Athenagoras (suppl. 28,4) und → Philon von Byblos (FGrH 790 F 2,17). Die ersten Zitate aus hermetischen Schriften stehen bei → Tertullian (Adversus Valentianos 15,1; De anima 2,3; 28,1; 33,2; vgl. Ps.-Iustinos, Cohortatio ad Graecos 38,2). So nimmt man das 1.–3. Jh. n.Chr. als Entstehungszeitraum der hermetischen philos. Texte an. Die Zusammenstellung der erhaltenen 17 Traktate dürfte aber erst im 10./11. Jh. in Byzanz vorgenommen worden sein [3].

Die vorhandenen Hss. aus dem 14.–16. Jh. gehen alle auf einen einzigen Archetyp zurück. 1463 unternahm Marsilio Ficino die erste lat. Übers. des C.H. (I–XIV) aufgrund der Hs. A (Laurentianus 71,33) unter dem Titel *Pimander*. Die erste griech. Ausgabe aller 17 Traktate erfolgte 1554 durch Adrianus Turnebus, der die Stobaios-Exzerpte II A, I und einen Abschnitt aus Ascl. 27 im griech. Original (Stob. 14.52,47) an die noch nicht numerierten Traktate I–XIV anhängte. Flussas (François Foix de Candalle) hat diese Stobaios-Texte und ein Suda-Exzerpt in seiner zweisprachigen Ausgabe von 1574 als 15. Traktat gezählt. Diese Zählung wird bis heute beibehalten, auch wenn die entsprechenden Texte von CH XV an ihre eigentliche Stelle gesetzt werden, so daß man den 15.–17. Traktat als CH XVI–XVIII zählt.

C. Asclepius

Der lat. *Asclepius* ist unter den Werken des → Apuleius überliefert (erste Ed. 1469). Es handelt sich um eine sehr freie lat. Übers. des griech. Λόγος τέλειος (*Lógos téleios*) aus dem 2./3. Jh. n.Chr.; Reste des griech. Originals bei Lactantius, Kyrillos, Stobaios u.a. Die Übers. muß vor 410 entstanden sein, da Augustin in *De civitate Dei* längere Passagen aus ihr zitiert. Eine kopt. Übers. eines Teils des griech. Textes (=Ascl. 21–29) ist in NHCod. VI 8 erhalten (um 350 n.Chr. entstanden). Darin ist eine apokalyptische Voraussage vom Untergang und Wiederaufleben Ägypt. und seiner Rel. enthalten. Das Schlußgebet (Ascl. 41) steht in kopt. Übers. in NHCod. VI 7 und in griech. Fassung im Papyrus Mimaut (Louvre 2391 = PGM III 591–609).

D. Exzerpte

Neben Exzerpten aus CH II, IV, X und Ascl. überliefert Stobaios weitere Textstücke unterschiedlicher Länge. Zu ihnen gehört das umfangreiche Exc. XXIII mit dem Titel Κόρη Κόσμου (→ *Kórē Kósmu*). Durch den Fund von → Nag Hammadi besitzen wir eine neue, bisher unbekannte hermetische Schrift in kopt. Übers. mit dem Titel ›Über die Ogdoas und Enneas‹ (NHCod. VI 6). In ihr wird der geistige Aufstieg durch Hymnen und Gebete in die achte und neunte Himmelssphäre geschildert. Die ›Hermetischen Definitionen‹ enthalten kurze Lehrsätze über Gott, Welt und Mensch (vgl. Exc. XI 2). Die armen. Übers. wurde wahrscheinlich im 6. Jh. angefertigt, die ältesten Hss. stammen vom Ende des 13. Jh. Nach Mahé [4. II 407–436] gehören diese Lehrsätze, die aus der ägypt. Weisheitstradition herzuleiten seien, zur ältesten Schicht der hermetisch philos. Literatur (ab 1. Jh. v. Chr.); aus solchen Gnomologien seien dann die späteren Traktate entstanden. Die Betonung der ägypt. Ursprünge der hermetischen Texte charakterisiert die neuere Forschung [5; 2; 4].

E. Autoren

Bei den hermetischen Texten handelt es sich um eine pseudepigraphische Literatur. Über die Autoren und deren Umfeld besitzen wir keinerlei Nachrichten (Vermutungen bei [2. 155–195]). Sie benutzen die lit. Fiktion, daß Hermes in Vorzeiten seine Söhne unterwiesen habe und diese Gespräche auf Stelen in den ägypt. Heiligtümern aufschreiben ließ (s. Exc. XXIII 5–7; NHCod. VI,6 61,18–63,32; Ps.-Manethon bei Synk. 72 Waddell, 208–11; Jambl. de myst. VIII 5). Neben den Dialogen des Hermes mit Tat (CH II A: Text verloren; IV, V, X, XII, XIII, Ascl., Exc. I–XI, NHCod. VI 6) und mit Asklepios (CH II, VI, VIII, IX, XIV, Ascl., DH) gibt es Texte (und Briefe), die an den König Ammon gerichtet sind (CH XVI, XVII, Ascl., Exc. XII–XXI), und Gespräche, in denen Isis ihrem Sohn Horus die Weisheiten des Hermes kundtut (Exc. XXIII-XXVII). Außerdem wird Hermes vom höchsten Geist (*nus*) selbst belehrt, der auch als »Poimandres« oder »Guter Dämon« (→ Agathós Daímōn) erscheint (CH I, III [?], XI, vgl. CH XII). CH VII ist eine »Missionsrede« an alle Menschen (vgl. CH I 28) und CH XVIII ein rhet. Übungsstück zum Preise der Könige (s. Exc. XXIV 1–5).

F. Lehren der hermetischen Texte

Das eigentliche Ziel und der wesentliche Inhalt aller hermetischen Schriften liegt in der Erkenntnis Gottes als des Schöpfers von Welt und Mensch (vgl. CH I 3). Wer Gott erkennt, ist fromm und gut und erlangt Heil (CH I 27, VI 5, X 15, Exc. II B 2). Unwissenheit bedeutet dagegen Schlechtigkeit und Verderben für den Menschen (CH VII, X 8, XI 21, Ascl. 22). Die Hermetiker sehen sich als Elite, die bei der Masse auf Unverständnis stößt (CH IX 4, XIII 13, Exc. XI 4). Die hermetischen Texte werden nicht müde, den Unterschied zwischen Geschöpf und Schöpfer zu betonen (CH XIV): Gott ist unkörperlich, vollkommen, ewig, unsichtbar und unwandelbar (Exc. I–IIA). Er ist Wahrheit, er ist der Vater (oder von doppeltem Geschlecht, vgl. CH I 9, V 9, Ascl. 21) und das Gute (CH II 14–17, VI 1, X 3, XIV 9). Als solcher schafft er durch seinen Geist alles, weil er in seinen Geschöpfen sichtbar werden will (CH V, XI 22, XII 21, XIV 3, Ascl. 41). Bes. der Mensch wird zu dem Zwecke geschaffen, daß er Gott erkennt und preist (CH III 3, Ascl. 9). Zur Fundierung dieser Lehren werden wahrscheinlich aus der alexandrinischen Schulphilos. vor allem mittelplatonische Lehren herangezogen, oft in simplifizierter Form (daneben auch astrologische Lehren, CH II 6–7, V 3–4, Exc. VI). So entwirft CH II eine an platonischen Lehren orientierte Theorie vom Raum als der umfassenden Energie (*enérgeia*), um die Existenz Gottes und seines Geistes (*nus*) zu beweisen (vgl. Ascl. 34), oder CH XI entwickelt eine Theorie über den → Aion, die letztlich auf Plat. Tim. 37d beruht (vgl. Ascl. 30–31). Bes. die Lehre von der Materie und den Ideen als prägenden Kräften steht oft im Hintergrund (CH I 4–8, Ascl. 14, Exc. IX, XV).

Bei dieser Aufnahme philos. Lehren streben die hermetischen Autoren aber kein einheitliches System an. So gibt es zahlreiche Widersprüche zwischen den hermetischen Texten, z. B. in der Frage, ob Gott allein (CH XI 11–14, XIV 4) oder mit Hilfe eines Mittlers (CH I 9, XVI 5, Exc. II A 14, NHCod. VI,8 75,8–17) die Welt geschaffen hat [6]. Die Bewertung der Welt differiert ebenfalls. Als Geschöpf Gottes ist der Kosmos in seiner Ordnung und Vielfalt ein vollkommener Gott (CH V, VIII 2, Ascl. 8), in dem es den Tod im Sinne wirklichen Vergehens nicht gibt (CH VIII, XII 15–18, Exc. IV 13), andererseits ist er im Vergleich zu Gott geschaffen, materiell und nur ein Abbild (CH VI 4 nennt ihn deshalb sogar »Fülle des Schlechten«, IX 4 beschränkt dies auf die Erde). Diese Spannung, die von gnostischen Positionen deutlich geschieden werden muß, ist für die hermetischen Texte charakteristisch. Der Kosmos und bes. der Himmel sollen als Werk Gottes gepriesen werden, aber

der Mensch darf sich nicht an ihn und seine sinnlich wahrnehmbare Materialität verlieren (CH IV 5, Ascl. 15). Denn es besteht die Gefahr, daß er seine Begierden auf das Sichtbare richtet (CH I 19–20, XII 3) und damit der Macht der Dämonen und des Schicksals unterliegt (CH IX 3, XVI 15–16). Insofern ist allen hermetischen Texten eine Polemik gegen die Körperlichkeit und die Sinneswahrnehmungen eigen (CH VII, XIII 6). Auch die Seelenlehre ist nicht einheitlich; in einigen Texten wird die platon. Dreiteilung übernommen (CH XVI 15, Exc. IIB 6, III 7, XVII), in anderen werden Geist (*lógos*), Seele und Pneuma unterschieden (CH X 13–16, XII 13–14). Unterschiedlich wird auch die Frage behandelt, ob alle Menschen Geist (*nus*) besitzen (CH I 22, XII 12) oder nicht (CH IV 3). In den Kreislauf der Inkarnationen werden in CH X 7–8, Exc. XXIII 39–42 die Tiere einbezogen, in CH X 19–20 wird dies abgelehnt. Einige Texte lehren ein postmortales Gericht und Strafen für die Seele (Exc. VII, Ascl. 27–28), andere sehen in der Ungerechtigkeit selbst die Strafe (CH I 23, X 20).

Um den Akt der Gotteserkenntnis zu beschreiben, haben die hermetischen Autoren aus ihrer rel. Umwelt verschiedene Bilder aufgenommen. So wird diese Erkenntnis, die erst nach vorbereitenden Unterweisungen erfolgen kann, als Geisttaufe (CH IV) und als Wiedergeburt und Vergöttlichung (CH XIII, in I 26 erst nach dem Tod, vgl. X 7, XII 12) beschrieben [7]. Sie wird als ekstatische Vision oder geistiger Aufstieg verstanden (CH X 4–5, XI 20, XIII 11; Ascl. 29; NHCod. VI,6); umstritten ist, inwieweit erlebte Erfahrung zugrundeliegt. Die Herkunft dieser Bildersprache wird im → Synkretismus des 2./3. Jh. n. Chr. gesucht, wobei der Anteil hell.-jüd. Theologumena am größten sein dürfte [8; 9]. Die Berührungen mit christl. oder christl.-gnostischen Formulierungen und Gedanken lassen sich durch diesen gemeinsamen Wurzelboden erklären [anders 10].

→ Hermetik

1 A.-J. Festugière, La Révélation d'Hermès Trismégiste, 1949–1954, I 89–308 2 G. Fowden, The Egyptian Hermes, 1986 3 J. F. Horman, The text of the Hermetic literature and the tendencies of its major collections, Diss. Hammond, 1974 4 J.-P. Mahé, Hermès en Haute-Égypte I–II, 1978–1982 5 F. Daumas, Le fonds égyptien de l'hermétisme, in: Gnosticisme & monde hellénistique, 1982, 3–25 6 J.-P. Mahé, La création dans les Hermetica, in: Recherches Augustiniennes 21, 1986, 3–53 7 K.-W. Tröger, Mysterienglaube und Gnosis in C. H. XIII, 1971 8 C. H. Dodd, The Bible and the Greeks, 1935, 99–200 9 H. J. Sheppard et al., s. v. Hermetik, RAC 14, 1988, 794–5 10 J. Büchli, Der Poimandres. Ein paganisiertes Evangelium, 1987.

Ed. und Übers.: R. v. d. Broek, G. Quispel, C. H., 1991 • C. Colpe, J. Holzhausen, C. H., 1997 • B. P. Copenhaver, Hermetica, 1992 • P. A. Dirkse, J. Brashler, D. M. Parrott, NHCod. V,2–5 and VI, 1979, 341–451 (NHCod. VI,6–8) • J.-P. Mahé (s. o. 6), I 61–87, I 157–167, II 145–207, II 355–405 (NHCod. VI,6–8 u. DH) • Ders.,

Fragments hérmetiques dans les Pap. Vind. gr. 29456r° et 29828r°, in: Antiquité païenne et chrétienne, 1984, 51–64 · C. MORESCHINI, Apul., opera III (BT), 1991, 39–86 · A.D. NOCK, A.J. FESTUGIÈRE, C.H. (Budé, 4 Bde), 1945–54 (maßgeblicher Text) · J. PARAMELLE, J.-P. MAHÉ, Extraits hérmetiques inédits dans un manuscrit d'Oxford, in: REG 104, 1991, 109–139 · W. SCOTT, Hermetica I–IV, 1924–1936.

LIT.: H.D. BETZ, Schöpfung und Erlösung im hermetischen Fragment »Kore Kosmou«, in: Gesammelte Aufsätze I, 1990, 22–51 (zuerst 1966) · A.-J. FESTUGIÈRE, Hermétisme et mystique païenne, 1967 · S. GERSH, Theological doctrines of the lat. Asclepius, in: Neoplatonism & Gnosticism, 1992, 129–166 · A. GONZÁLEZ BLANCO, Hermetism. A bibliographical approach, ANRW II 17.4, 2240–97 · W.C. GRESE, C.H. XIII and early Christian literature, 1979 · J. HOLZHAUSEN, Der Mythos vom Menschen im hell. Ägypt. Eine Studie zum »Poimandres«, 1994 · J. KROLL, Die Lehren des Hermes Trismegistos, 1914 · R. REITZENSTEIN, Poimandres, 1904 · A. WLOSOK, Laktanz und die philos. Gnosis, 1960 · TH. ZIELINSKI, Hermes und die Hermetik, in: ARW 8–9, 1905–6, 321–72 und 25–60. J. HO.

Corpus Hippocraticum s. Hippokrates

Corpus iuris. Nur bei Liv. 3,34,7 wird für die Zwölftafeln und in Cod. Iust. 5,13,1. pr. (530 n. Chr.) für die Gesamtheit des röm. Rechts *c.i.* gebraucht. *Totum corpus* heißt in Const. Omnem, § 1 (533) das in Const. Deo auctore § 11 (530) und in Const. Cordi § 5 (534) mit seinen Teilen (*institutiones, digesta seu pandecta, cod. Iustinianus repetitae praelectionis*) genannte Reformwerk Iustinians. Zur amtlichen Sammlung der Novellen seit 535 traf Iustinian keine Vorkehrung. Diese bezogen erst die Glossatoren in das von ihnen *c.i.* genannte Gesamtwerk ein: *Digestum vetus, Infortiatum, Digestum novum*. Codex (I–IX), Volumen (parvum) mit Tres libri codicis (X–XII), Institutiones, Authenticum (IX Collationes) und den Libri feudorum (als Coll. X seit dem 13. Jh.). *Corpus Iuris Civilis* heißt 1583 die erste einbändige, von D. GOTHOFREDUS besorgte Gesamtedition des *c.i.*

P. WEIMAR, Legistische Lit. der Glossatorenzeit, in: Hdb. der Quellen und Lit. der neueren europ. Privatrechtsgesch. I, 1973, 155 ff. W.E.V.

Corrector. Das Wort *c.* (von *corrigere*, »verbessern«) bezeichnet allg. den Kritiker, der Tadel oder Strafe verhängt, oder den Reorganisator, so z. B. Pädagogen, Aufseher, Militär oder Politiker der derartigen Aufgaben (Plin. paneg. 1,6,2; Sen. dial. 4,10,7; Amm. 31,4,9). Seit der Zeit Traians wird mit *c.* ein senatorischer Legat des Kaisers bezeichnet, der mit einer Sondermission z.B. *ad ordinandum statum liberarum civitatum* (Plin. epist. 8,24) in eine Prov. gesandt wird. Daraus geht eine bereits im 3. Jh. n. Chr. ausgeprägte Form eines ordentlichen Provinzialverwaltungsamtes hervor (Dig. 1,18,20: *legatus Caesaris, id est praeses vel corrector provinciae*), dessen Inhaber auch noch nach der spätant. Rangordnung senatorischen Ranges (*clarissimus*) sein

muß, wobei er aber hinter anderen *rectores* steht: den *praesides*, den *consulares* und den wenigen *proconsules* u. a. *spectabiles* in Provinzregierungen (Cod. Iust. 1,49). In der *Notitia dignitatum* (*orient.* und *occident.*, Indices) werden für ihre Zeit die folgenden *c.* erwähnt: Im östl. Rechtsteil zwei *c.* (für die Prov. Augustamnica/Ägypten und Paphlagonia) neben 40 *praesides*, 15 *consulares*, zwei *proconsules* (in Asia und Achaea), dem *comes Orientis* und dem *praef. Augustalis* in Ägypten. Im Westen drei (für die Prov. Savia/Pannonien, Apulia et Calabria, Lucania et Bruttii) neben 31 *praesides* (davon sieben in It.), 22 *consulares* (davon acht in It.) und einem *proconsul* (in Africa). Für die Dienstpflichten der *c.* gilt prinzipiell dasselbe wie für die der höherrangigen Provinzverwalter (Cod. Theod. 1,16 und 22; Cod. Iust. 1,40 und 45).

JONES, LRE, 45, 525 ff. · LIEBENAM, 482 f. C.G.

Correus. Keltischer(?) Name eines Häuptlings der → Bellovaci, »Zwerg«? [1. 339–340]. C. führte 51 v. Chr. zusammen mit → Commius den letzten größeren Aufstand mehrerer gallischer Stämme gegen Caesar, der auch von german. Truppen unterstützt wurde. Nachdem zunächst die romfreundlichen → Remi geschlagen und durch geschicktes Taktieren eine offene Schlacht mit den Römern vermieden werden konnte, scheiterte schließlich ein von C. gelegter Hinterhalt. Die Gallier wurden geschlagen und C. fiel im Kampf (Caes. Gall. 8,6–21; Oros. 6,11,12–14). Der Name erscheint auch auf einer britannischen Goldmünze [2. 1134 f.; 3. 153].

1 EVANS 2 HOLDER, 1 3 R.P. MACK, The Coinage of Ancient Britain, 1964. W. SP.

Corsica (Κύρνος). Mittelmeerinsel, die im Norden und Westen vom Mare Ligusticum, im Osten vom Mare Thyrrhenum, im Süden vom C. von Sardinia trennenden *fretum Gallicum* umschlossen wird. Die ant. Bezeichnungen der Insel könnten eine Umbenennung eines einheimischen (korsischen?) Toponyms durch Griechen (evtl. aus Euboia) und Römer darstellen (vgl. die Wurzel *kurn-/korn-*, h. noch auf C. verbreitet). Die Besiedlung von C. ist vom 8. Jt. v. Chr. an dokumentiert. Im Neolithikum Kontakte mit Sardinia und der etr. wie ligurischen Küste. Höhepunkt der aeneolithischen Kultur von Terrina bei Aleria. Mit dem Aeneolithikum entsteht auf C. die Megalithkultur (Dolmen, Menhire und Menhir-Statuen). In der Bronzezeit entstehen befestigte Siedlungen (Burgen mit Türmen). Oft von Sardinien vermittelte Kontakte mit Kulturen der ital. Halbinsel der Älteren Eisenzeit führten auf C. nicht zur Verstädterung, die erst mit einer phönizischen Siedlergemeinschaft um 565 v. Chr. einsetzte. Nach Hdt. 1,165–167 haben Siedler aus Phokaia in Kleinasien sich in der Gegend um Alalie niedergelassen und dort ein Stadtzentrum errichtet. Zur Zeit der Belagerung von Phokaia durch den Perser Harpagos um 545 v. Chr. verließ ein Teil der Einwohner die Stadt, segelte nach Alalie und ließ sich dort nieder. Die neuen Siedler störten mit Handel und Piraterie die etr.-pun. Wirtschaftshegemonie in Etruria und Sardinia so nachhaltig, daß die Etrusker (bes. Caere) und die Karthager sich verbündeten und 120 Schiffe ausrüsteten, um Alalie zu zerstören. Den Alliierten kamen aber die Phöniker mit einer überraschenden erfolgreichen Aktion zuvor. Die Griechen verließen C. und ließen sich im campanischen Velia nieder, während die Karthager nun in Sardinia frei walten konnten und die Etrusker C. beherrschten. Alalie wurde Anf. des 6. Jh. etruskisiert, evtl. durch eine Militärexpedition, die Velthus Spurinna aus Tarquinia leitete. Rom interessierte sich früh für C. (vgl. den Bericht vom Exil des Galerius Torquatus in Alalie: Theophilos 1 FGrH 296; mißlungene röm. Stadtgründung: Theophr. h. plant. 5,8,2; die etr. Inschr. von *Klautie* (Claudius) auf einer att. Kylix von 425 v. Chr. aus der Nekropole von Casabiada).

Die röm. Eroberung von C. ging in zwei Phasen vor sich: zuerst nahm L. Cornelius Scipio 259 v. Chr. Aleria ein und unterwarf einige korsische Stämme, dann dehnte der Consul Ti. Sempronius Gracchus die röm. Herrschaft 238–237 v. Chr. zumindest theoretisch auf Sardinia und C. aus, seit 227 v. Chr. zur Prov. *Sardinia et C.* zusammengefaßt. Die einheimische Bevölkerung erhob sich wiederholt gegen Rom. Im 1. Jh. v. Chr. kam es auf C. zur Gründung röm. *coloniae.* Um 100 gründete Marius die *colonia Mariana* im Nordosten von C., wo die Vanacini (CIL X 8038) lebten. Zw. Dezember 82 und 1. Januar 80 führte Sulla eine Abteilung von *coloni* nach Aleria. Während der Bürgerkriege ging C. von Pompeius an Caesar über. Zw. 40 und 38 besetzte Sex. Pompeius mit seinem Legaten Menas C.; die Insel fiel schließlich an den nachmaligen Augustus und verblieb bei diesem bis zur Reorganisation der Prov. 27 v. Chr. Dabei wurde die Prov. *Sardinia et C.* dem Senat zugeteilt, der sie durch einen Proconsul im Rang eines Praetors verwalten ließ. Die Konstituierung der Prov. C. durch Abtrennung von Sardinia fand 6 n. Chr. statt, als Augustus die Verwaltung von Sardinia persönlich übernahm, bzw. 67 n. Chr. anläßlich der Rückgabe von Sardinia an den Senat. Seit 69 n. Chr., so scheint es, wurde C. von einem Procurator verwaltet. Nach Tac. hist. 2,16 schlug sich Decumus Pacarius, der Gouverneur von C., auf die Seite des Vitellius mit der Folge einer internen Rebellion, die ihn das Leben kostete. Die Verwaltungsreform des Diocletianus behielt C. als Prov. unter einem *praeses* bei. C. wurde Anf. des 5. Jh. n. Chr. von den Vandali erobert. 536 erfolgte die Rückeroberung durch byz. Truppen.
→ Aleria; Mariana

J. Jehasse, L. Jehasse, La nécropole préromaine d'Aléria, 1973 · J. Ducat, Herodote et la Corse, in: Hommages à F. Ettori, 1982, 49–82 · Ph. Pergola, Corse, in: Topographie chrétienne des cités de la Gaule, 1986, 95–105 · M. Gras, Marseille, la bataille d'Alalia et Delphes, DHA 13, 1987, 161–181 · O. Jehasse, Corsica classica, 1987 · C. Vismara, Funzionari civili e militari nella Corsica romana, in: Studi per L. Breglia 3, 1987, 57–68 · S. A. Amigues, Une incursion des Romains en Corse d'après Théophraste,

H. P. V 8,2, in: REA 92, 1990, 79–83 · J. Lehasse, L. Jehasse, La Corse antique, 1993 · J. Cesari, Corse des origines, 1994.   R. Z.

Corstopitum. Ortschaft im Tal des North Tyne, h. Corbridge. Während der Eroberung durch Agricola (77–84 n. Chr.) wurde hier ein großer Stützpunkt errichtet, den anschließend ein Lager weiter östl. ersetzte (ca. 125 durch Feuer zerstört). Nach der Errichtung des Hadrianswalls 7 km nördl. wurde C. zur Versorgungsbasis ausgebaut. C. spielte im frühen 3. Jh. eine bed. Rolle im Zusammenhang mit den Feldzügen des Septimius Severus. An den Stützpunkt angrenzend, entstand im 3. und 4. Jh. hier eine bed. Stadt [1].
→ Limes; Britannia

1 M. Bishop, J. N. Dore, Corbridge, 1988 2 E. B. Birley, Research on Hadrian's Wall, 1961, 149 f.   M. TO.

Cortona (Κρότων, (ἡ) Κυρτώνιος, Κόρτωνα, Γορτυναία; Corythos, etr. curthute).
[1] Etr. Stadt auf einem Hügel nördl. des *lacus Trasumenus*, h. Cortona. Im Zusammenhang mit der Sage von → Dardanos, dem Sohn des Korythos, hat C. das bes. Interesse hell. Gelehrter erregt (vgl. Verg. Aen. 3,167 ff.; 7,206 ff.; Serv. Aen. 1,380; Plin. nat. 3,63). Die pelasgische Herkunft ist bei Hdt. 1,57 überliefert, bei Hellanikos (FGrH 4 F 4) die tyrrhenische, gekoppelt an die oriental. Herkunft der Etrusker. Ein dreißigjähriger Friede mit den Römern 310 v. Chr. ist bei Livius überliefert (9,37,12). C. wurde Teil der *tribus Stellatina*, *regio VII* und gehörte in der Kaiserzeit zu den *XV populi Etruriae*; über die geogr. Ausdehnung ihres Gebiets ist nichts bekannt (ein *cippus* mit der Inschr. *tular rasnal* gibt keinen weiteren Aufschluß). Anordnung der Gräber und reiche Grabbeigaben zeugen für eine gentilizische Sozialstruktur.

P. Bruschetti, Nota sul popolamento antico del territorio cortonese, in: Ann. Acc. Etr. Cort. 18, 1979, 85 ff. · G. Colonna, Virgilio, Cortona, e la leggenda etrusca di Dardano, in: AC 32, 1980, 1 ff. · M. Cristofani, s. v. C., BTCGI, 1987, 422 ff. · A. Cherici, in: C., 1987, 139 ff. · Ders., in: P. Zamarchi Grassi, La Cortona dei Principes, 1992, 3 ff.   M. CA.

[2] Plin. nat. 3,24 nennt unter den *stipendiarii* des *conventus Caesaraugustanus* die Cortonenses; C. war demnach eine peregrine Gemeinde. Die Lage ist unbekannt; man könnte an das h. Cardona [1. 431] oder an Odón, Prov. Teruel, denken.

1 A. Schulten, Fontes Hispaniae Antiquae 8, 1959.

Tovar, 3, 410.   P. B.

Coruncanius, Ti. *Consul* 280 v. Chr., erster plebeischer *pontifex maximus* 254, erteilte Responsen erstmals öffentlich und in Verbindung mit Rechtsunterweisung (Dig. 1,2,2,35), verfaßte jedoch keine Schriften (Dig. 1,2,2,38).

Wieacker, RRG, 528, 535.   T. G.

Corvinus

[1] Freund des Dichters → Iuvenalis, der ihm *satura* 12 widmete.

[2] Von Iuvenalis als verbannter Senator erwähnt (1,108).

[3] C. Celer. Städtischer Quästor im afrikanischen Oea (Apul. apol. 101).   W.E.

Corvus

[1] Die Erfindung des *c.* (»Rabe«) wird C. Duilius, *cos.* 260 v.Chr. und Sieger über die Karthager in der Schlacht bei Mylae, zugeschrieben. Es handelte sich um eine Enterbrücke, die am Bug des Schiffes angebracht war und mit Hilfe einer Rolle und eines Seils dirigiert wurde. Wenn man sie auf das feindliche Schiff niederfallen ließ, blieb ein Metallhaken fest im Verdeck stecken; so konnte die Takelage des Gegners beschädigt werden, die röm. Soldaten konnten das Schiff entern (Pol. 1,22,23). Mit der Erfindung des *c.* wurde der Taktik des Enterns der Vorzug vor dem Rammstoß gegeben.

1 L. POZNANSKI, Encore le *corvus*; de la terre à la mer, in: Latomus 38, 1979, 652–661 2 M. REDDÉ, *Mare nostrum*, 1986, 100 und 661.   Y.L.B./Ü:C.P.

[2] s. Sternbilder

Cosa(e) (Κόσσαι). Ortschaft in fester Lage hoch über dem Meer, *colonia* 273 v.Chr. (Plin. nat. 3,51; Vell. 1,14,6) im Gebiet von Vulci, verstärkt 196 v.Chr. (Liv. 32,2,7; 33,24,8), h. Ansedonia. Sonderbarerweise bringt Verg. Aen. 10,168 C. mit Aeneas in Verbindung; das etr. Ethnikon *cusate* und früher etr. Einfluß könnten Verwirrung verursacht haben (evtl. gab es eine etr. Stadt beim h. Orbetello). Von 90 v.Chr. an *civitas Romana*; im 5. Jh. n.Chr. wegen einer Rattenplage verlassen (Rut. Nam. 1,285ff.). Reste der Stadtmauer mit Türmen.

F.E. BROWN, C., 1980.   M.CA./Ü:R.P.L.

Cosconia Gallitta. Tochter des Cornelius Lentulus Maluginensis, *cos. suff.* 10 n.Chr.; Frau des Praetorianerpraefekten Seius Strabo [1. 307ff.]. PIR² C 1528.

1 SYME, AA.   W.E.

Cosconius. Plebeische Familie, seit dem 3. Jh. v.Chr. bezeugt (ThlL, Onom. 2,663f.).

I. REPUBLIKANISCHE ZEIT

[I 1] C., C. Kämpfte 89 v.Chr. im Bundesgenossenkrieg in Apulien erfolgreich (als Praetor oder Legat ?, Liv. per. 75), Proconsul in Illyrien 78–76 (Cic. Cluent. 97 u.a.); vielleicht identisch mit dem bei Valerius Maximus erwähnten C. (8,1 abs. 8).

[I 2] C., C. War als Praetor 63 v.Chr. Protokollführer in den Senatsverhandlungen gegen die Catilinarier (Cic. Sull. 42). 62 Proconsul in Hispania ulterior (Cic. Vatin. 12), gest. 59 als Angehöriger eines Fünfmännerkollegiums für Caesars Ackergesetzgebung (MRR 2, 192).

[I 3] C., C. Freund Ciceros, Volkstribun 59 v.Chr., Aedil 57, Richter im Prozeß gegen P. → Sestius 56, Praetor 54 (?), Proconsul in Macedonia ca. 53–51 (MRR 2, 233, Anm. 1; 3, 77); wohl identisch mit dem 47 von Caesars Veteranen erschlagenen C.C. (Plut. Caes. 51,1).

[I 4] C., M. Praetor 135 v.Chr. in Macedonia (Kampf gegen Skordisker, Liv. per. 56), wo er auch als Proconsul bis 132 (?) blieb (MRR 3,77).

[I 5] C., Q. Gewährsmann für den Tod des Dichters Terenz 159 v.Chr. in einem Seesturm (Suet. Vita Terentii 5), wohl identisch mit dem bei Varro (ling. 6,36; 89) und Solin 2,13 (?) erwähnten Grammatiker.

SCHANZ/HOSIUS 1, 119, 584f.   K.-L.E.

II. KAISERZEIT

[II 1] C. Gentianus. Statthalter von Moesia inferior in den frühen Jahren des Septimius Severus.

LEUNISSEN, 198f., 250f.   W.E.

Cosilinum. *Statio* an der *via Popilia* (Tab. Peut. 7,1), nach der Sala Consilina benannt ist, im *liber regionum* 120 *praefectura Consiline in provincia Lucaniae*. Belebte Marktstätte (Cassiod. var. 8,33) bei einer alten Quelle (Marcellianum). Im 5. Jh. n.Chr. Bischofssitz. Das bei Plinius erwähnte alte Kastell (Plin. nat. 3,95) ist evtl. mit Padula im Tal des Tanagro in Verbindung zu bringen (so schon [3]), wo man auf einem Hügel einen Festungsring sowie im Tal prähistor. Gräber (archaische des 7.–5. Jh. und lukanische des 4.–2. Jh. v.Chr.) gefunden hat.

1 D. ADAMASTEANU, Vie di Magna Grecia, 1963, 57
2 E. KIRSTEN, Süditalienkunde 1, 1975, 463–466
3 NISSEN, 2, 904 4 V. PANEBIANCO, s.v. Padula, EAA 5, 1963, 815–816.   U.PA. u. H.SO.

Cos(s)inius. Italischer Eigenname, mit und ohne Gemination des s bezeugt (SCHULZE, 159; ThlL, Onom. 2,667f.).

I. REPUBLIKANISCHE ZEIT

[I 1] C., L. Praetor (?) 73 v.Chr., fiel gegen Spartacus (Sall. hist. 3,94; Plut. Crassus 9,4f.).

F. RYAN, The Praetorship of Varinius, Cossinius and Glaber, in: Klio 78, 1996, 376.

[I 2] C., L. Spricht als Dialogpartner bei Varro (rust. 2) über Viehzucht, wohl identisch mit einem zwischen 60 und 45 v.Chr. von Cicero (Att. 1,19,11; 13,46,4 u.ö.) erwähnten L.C., der auch mit Atticus befreundet war.

NICOLET 2, 856f.   K.-L.E.

II. KAISERZEIT

[II 1] P.C. Felix. Consularer Statthalter von Pannonia inferior im J. 252 n.Chr. (CIL III 3421; AE 1953, 12).

J. FITZ, Die Verwaltung Pannoniens III, 1994, 1044ff.

[II 2] C. Marcianus. Senatorischer Statthalter von Numidien unter Gordian III. (AE 1967, 563).

[II 3] C. Maximus. Senator, vielleicht aus Cuicul oder Carthago stammend (PIR² C 1531).

[II 4] C. Rufinus. Suffectconsul, Proconsul von Asia, vielleicht Ende des 2./Anf. des 3.Jh.n.Chr. (IGR IV 1162).

LEUNISSEN, 203.   W.E.

Cossura. Mittelmeerinsel zw. Sizilien und Afrika mit gleichnamigem *oppidum*. Belegstellen: Pol. 3,96; Strab. 17,3,16; Mela 2,120; Ptol. 4,3,47. Die Namensform *Cossyra* bzw. *Cosyra* erscheint bei Plin. nat. 3,92 und Ov. fast. 3,567. Die Triumphalfasten (CIL I² S. 47) erwähnen einen Triumph über die Bewohner von C. 254 v.Chr. Inschr.: CIL X 7512.   H.KAL.

Cossus. Cognomen, vielleicht etr. Herkunft und wohl zunächst Praenomen (SCHULZE, 158, 519; KAJANTO, Cognomina 178); Beiname eines der ältesten Zweige der Cornelii (→ Cornelius [I 20–22]). Die Deutung als Spitzname »Holzwurm« ist unsicher [1]; in der frühen Kaiserzeit auch wieder als Praenomen bei einigen Cornelii Lentuli (Cornelius [II 26–27]).

1 WALDE/HOFMANN 1,281   K.-L.E.

Cossutia. Tochter eines reichen Ritters, mit der sich Caesar wohl aus finanziellen Gründen verlobte [1. 16], aufgrund seines Priesteramtes aber wieder scheiden ließ [2. 14] (Suet. Iul. 1,1).

1 G. WALTER, Caesar, 1955 2 W. WILL, Caesar, 1992.
                                                          W.K.

Cossutianus Capito. Senator mindestens seit dem J. 47 n.Chr.; 57 vom Senat wegen Erpressung in einer Prov., vielleicht in Lycia-Pamphylia, verurteilt (Tac. ann. 13,33; 16,21; [1]). Als Schwiegersohn des Ofonius Tigellinus wieder in den Senat aufgenommen, wo er Antistius Sosianus und Thrasea Paetus anklagte (PIR² C 1543).

1 SYME, RP 2, 1150ff.   W.E.

Cossutius. Röm. Familienname, seit dem 1.Jh. v.Chr. bezeugt [1. 189–203]. Der *gens* gehörten verschiedene Künstler an.

[1] Der bei Vitruv (7, praef. 15ff.) als *civis romanus* bezeichnete → Architekt C., der wohl unter → Antiochos [6] IV. Epiphanes (Regierungszeit 176/5–164 v.Chr.) in → Athen ›den Bau des Olympieions unter Anwendung eines großen Grundmaßes nach korinthischen Symmetrien und Proportionen übernommen hat‹ (Vitr. 7, praef. 17). Der urspr. von den Peisistratiden begonnene, spätarcha. Neubau des Zeustempels als dor. → Dipteros blieb unfertig und wurde von C. zu einem Bau korinth. Ordnung verwandelt, der jedoch ebenfalls unfertig liegen blieb und erst unter → Hadrian vollendet und geweiht wurde (Cass. Dio 69,12,2). Vitruv bedauert, daß C. keine Schrift hinterlassen habe; hieraus wurde gefolgert, daß unter C. der Bau immerhin so weit vorangebracht worden sei, daß für eine Vollendung keine schriftliche Dokumentation mehr notwendig war.

1 RAWSON, Family.

A. GIULIANO, s. v. C., EAA 2. • E. RAWSON, Architecture and Sculpture: The Activities of the Cossutii, in: PBSR 63, 1975, 36–48 • R. TÖLLE-KASTENBEIN, Das Olympieion in Athen, 1994, 17–74, 142–152.   C.HÖ.

[2] Kossutios Kerdon, M. Griech. Bildhauer, Libertus des C. Er signierte zwei bei Rom gefundene Kopien eines klass. Pan-Typus. Deren Datierung innerhalb des 1. Jh. v. Chr. ist umstritten, ebenso die Identität mit einem Markos Kossutios aus Aphrodisias.

D. ARNOLD, Die Polykletnachfolge, 1969, 49–54; 247 • E. RAWSON, Architecture and sculpture. The activities of the Cossutii, in: PBSR 43, 1975, 36–47.

[3] C. Menelaos, M. Griech. Bildhauer und Libertus. Bekannt durch eine heute verschollene Signatur, wird er meist mit Menelaos identifiziert, angeblich Schüler des im 1. Jh. v. Chr. tätigen → Stephanos und Schöpfer der eklektischen Gruppe »Orestes und Elektra«.

E. RAWSON, Architecture and sculpture. The activities of the Cossutii, in: PBSR 43, 1975, 36–47 • P. ZANKER, Klassizistische Statuen, 1974, 57–58.   R.N.

Cotini. Kelt. Völkerschaft, die im 1. Jh. n. Chr. neben anderen kleineren Stämmen nördl. von den Markomannen (→ Marcomanni) und Quaden (→ Quadi) siedelte. Sie waren, als Bergleute bekannt, offenbar den Quaden zinspflichtig. Neben dem Abbau von Eisenerz ist bei ihnen die Herstellung von Waffen anzunehmen. Die Lokalisierung ist umstritten, wohl in der Mittel-Slowakei nahe dem Slowakischen Erzgebirge. In den Markomannen-Kriegen standen die C. den Römern zur Seite (Cass. Dio 72,12) und wurden später zw. Donau und Drau angesiedelt (Tac. Germ. 43,1; Ptol. 2,11,11).

J. DOBIÁŠ, The History of Czechoslovak Territory before the Appearance of the Slavs (tschech. mit engl. Zusammenfassung), 1964, 174; 182; 370.   J.BU.

Cotiso. König im unteren Donauraum um 40 v. Chr., nach Flor. 2,28 über die Daker (nach Suet. Aug. 63,2 über die Geten). Aus Florus und Horaz (carm. 3,8,18) wissen wir, daß er durch die Römer eine Niederlage erlitt, wohl 30/29 (vgl. [1]). Aus der Luft gegriffen sind wohl die Angaben des Antonius über frühere Pläne des Octavian, mit C. familiäre Bindungen einzugehen (Suet. ebd.).

1 A. MÓCSY, Der vertuschte Dakerkrieg des M. Licinius Crassus, in: Historia 15, 1966, 511–514.

A. MÓCSY, Pannonia and Upper Moesia, 1974, 23f.   D.K.

Cotta. Cognomen in der *gens Aurelia* (→ Aurelius [I 2–12 und II 13]).

KAJANTO, Cognomina 106.   K.-L.E.

Cottia. Frau des Consulars Vestricius Spurinna, an die Plin. epist. 3,10 gerichtet ist. Vielleicht aus der Transpadana stammend [1].

> 1 SYME, RP 7, 488, 542 f.   W. E.

Cottiae. *Mutatio* (»Pferdewechselstation«) zw. Ticinum und Augusta Taurinorum (Itin. Anton. 340,3; Itin. Burdig. 557,5), h. Cozzo. Abzweigung nach Vercellae (Tab. Peut. 4,1; vgl. Geogr. Rav. 4,30; CIL XI, 3281–3284); *miliarium* (CIL V, 8063); *municipium* (CIL XI, 416).

> NISSEN, 2, 176 · MILLER, 226 · RUGGIERO, 4, 1254.
>   G. BR./Ü: R. P. L.

Cottius. Keltischer Name aus *cot(to)*– »alt« [1. 186–187; 2. 184].

[1] M. Iulius C. Sohn des Königs M. Iulius Donnus, Herrscher der Alpes Cottiae, die seinen Namen tragen (Strab. 4,1,3; 4,6,6; Vitr. 8,3,17; Suet. Tib. 37,3; Cass. Dio 60,24,4). Während der augusteischen Alpenfeldzüge 15/14 v. Chr. scheint er den Römern zunächst Widerstand geleistet, sich aber dann unterworfen zu haben und schließlich von Augustus in die ritterliche Reichsbeamtenschaft aufgenommen worden zu sein. Auf der Inschr. des 8/9 v. Chr. zu Ehren des Augustus errichteten Bogens von Segusio (Susa) führt er den Titel *praef. civitatium* von 14 namentlich genannten und weiteren Volksstämmen (CIL V 7231), von denen sich sechs auch unter den unterworfenen Stämmen auf dem Tropaeum Alpium wiederfinden (CIL V 7817). C. hat sein Reich nun in röm. Diensten lebenslang verwaltet und für den Bau einer Paßstraße gesorgt (vgl. CIL XII 5497). Er soll in Susa bestattet worden sein (Amm. 15,10; Plin. nat. 3,138).

> 1 EVANS 2 SCHMIDT.

> J. PRIEUR, La province romaine des Alpes Cottiennes, 1968 · G. WALSER, Studien zur Alpengesch. in ant. Zeit, 1994.

[2] M. Iulius C. Sohn von C. [1], der zunächst wohl als Erbe seines Vaters das Praefektenamt bekleidete, dann aber von Claudius 44 n. Chr. den Königstitel verliehen bekam, was wohl auch mit einer Vergrößerung seines Territoriums einherging (Cass. Dio 60,24,4; vgl. CIL V 7269). Nach seinem Tod um 63 n. Chr. verwandelte Nero sein Reich endgültig in eine röm. Prov. (Suet. Nero 18; Eutr. 7,14,5; Hier. chron. 184b; Aur. Vict. Caesares 5,2; Cassiod. var. 685; Chron. min. p. 138 MOMMSEN).

[3] Sohn des → Vestricius Spurinna.

Cotuatus. Keltisches Namenskompositum aus *cot-* »alt« (EVANS, 340–342).

[1] Führer einer Schar von Carnutes, der 52 v. Chr. zusammen mit Conconnetodumnus in Cenabum röm. Geschäftsleute überfiel und ermordete. Caesar ließ ihn dafür zur Abschreckung grausam hinrichten (Caes. Gall. 7,3; 8,38).

→ Conconnetodumnus   W. SP.

Covinnus s. Streitwagen

Crassicius Pasicles (Pansa), L. Stammte aus Tarent, wurde versklavt und später freigelassen. Tätig in den 30er–20er Jahren v. Chr., war er zunächst Gehilfe für Mimographen, dann Grammaticus in bescheidenen Verhältnissen. Sein Komm. zu → Helvius Cinnas *Zmyrna* verschaffte ihm Bekanntheit und zog Schüler aus angesehenen Familien an (z. B. Iullus → Antonius [II 1], den Sohn des Triumvirn). Auf dem Gipfel seines Erfolgs schloß er jedoch seine Schule und folgte der Sekte des stoisch-pythagoreischen Philosophen Q. → Sextius. Es ist nicht bekannt, wann er seinen Namen *Pasicles* zu *Pansa* (Suet. gramm. 18) änderte.

> R. A. KASTER, Suetonius, De Grammaticis et Rhetoribus, 1995, 196–203 · T. P. WISEMAN, Who was Crassicius Pansa?, in: TAPhA 115, 1985, 187–196.   R. A. K./Ü: M. MO.

Crassus. Cognomen, zunächst Individualbeiname zur Bezeichnung abnormer Körpergröße, gelegentlich wohl mit Anklang an die übertragene Bed. »grob, derb, plump«, bald auch als Familienname, in republikanischer Zeit bei den Aquilii, Calpurnii, Canidii, Claudii, Licinii, Otacilii, Papirii, Veturii, in der Kaiserzeit bei den Galerii, Iulii, Sulpicii. Die wichtigsten Namensträger gehören zu den plebeischen → Licinii Crassi (L. Licinius C., cos. 95 v. Chr., der Redner; M. Licinus C., cos. 70 und 55 v. Chr., der Triumvir).

> A. HUG, s. v. Spitznamen, RE 3A, 1828 · KAJANTO, Cognomina 244.   K.-L. E.

Crathis. Fluß in Bruttium, der bei → Consentia entspringt und bei Thurioi ins Meer mündet, h. Crati. Mit seinem Wasser konnten der Sage nach Menschen wie Tiere ihre Haare blond einfärben (Eur. Tro. 228; Ail. nat. 12,36; Aristot. mir. 169). Sein Tal bildete die Hauptverbindung zw. dem inneren Bruttium und der Ebene von → Sybaris. Den Namen gaben ihm achaische Kolonisten nach einem Fluß in ihrer Heimat (Hdt. 1,145); nach anderen (Ail. nat. 6,42) leitete sich sein Name von einem in Sybaris verehrten Hirtenknaben her. Am C. fand 510 v. Chr. die verheerende Niederlage der Sybariten im Kampf gegen → Kroton statt; nach Diod. 12,9,2 (vgl. Strab. 6,1,13) leiteten die Sieger den C. über die Ruinen von Sybaris hinweg, was arch. nicht zu bestätigen ist. Zum Tempel der Athena Κραθία (*Krathía*) vgl. Hdt. 5,45. Fraglich ist die Gleichsetzung des C. mit dem Stier auf den Mz. von Sybaris.

> G. GIANELLI, Culti e miti della Magna Grecia, 1924, 123 f. · P. G. GUZZO, Le città scomparse della Magna Grecia, 1982, 46, 102 · Ders., L'archeologia delle colonie arcaiche: Storia della Calabria antica, 1987, 147.   M. C. P.

Creatio (von *creare*: »schaffen«, »erzeugen«) hat die Bed. »Ernennung«, »Berufung« bei Funktionen im privaten (*tutor*: Dig. 26,7,39,6) und Ämtern im öffentlichen Bereich (→ *magistratus*: Dig. 48,14,1 pr.); syn., aber nicht deckungsgleich mit *nominatio* und *vocatio* verwendet, verbindet es sich gegebenenfalls mit *lectio, electio* (Cic. Verr. 2,2,49; Tac. Agr. 9; Dig. 1,11,1, pr.) oder *cooptatio* (Liv. 2,33,2; 3,64,10). Im Begriff ist ein Akt der Einsetzung vorausgesetzt, der die Legitimation mitbegründet. Das Prinzip der *c.* gilt für alle polit. (administrativ, iurisdiktionär, mil. agierenden) und die wichtigsten Priesterämter der röm. Republik und der Kaiserzeit (Dig. 50,8,2,7; Vell. 2,12,3) und auch die Kaiser. Nicht »kreiert« in diesem Sinne, sondern nur »legiert« werden die Senatoren, anfänglich von den Consuln, seit dem 4. Jh. von den Censoren (siehe aber Liv. 4,43,3; App. civ. 1,100 und Cic. div. 2,23). Als Voraussetzung für die *c.* können gelten: röm. Bürgerrecht, freie Geburt, Geschäftsfähigkeit, fehlende Infamie, vorweg bekleidete Ämter, Mindestalter, Mindestvermögen, Standeszugehörigkeit. In unterschiedlichen Verfahren führen folgende Instanzen die *c.* durch:

a) Der Senat: In der republikanischer Zeit ernennt er, wohl über seinen Vorsitzenden, die vom Senat gewählten Mitglieder von Kommissionen und Gesandtschaften (Liv. 33,24,5–7). In der Kaiserzeit kann der Senat Mitglieder kooptieren und Magistrate wählen und ernennen, sofern nicht der Kaiser von seinen Auswahl- und Ernennungsrechten Gebrauch macht (Gai. inst. 1,3,4 und 5; Inst. Iust. 1,2,5 f.)

b) Die Volksversammlung: Die *comitia centuriata* ernennen die von ihnen gewählten Amtsinhaber und Priester, die *comitia tributa* die Volkstribunen u. a. Beamte über die wahlleitenden, das Ergebnis verkündenden Beamten (*renuntiatio;* Liv. 1,60,4; 6,41,6 und 9; Cic. leg. 3,10).

c) Magistrate: Aufgrund eines *imperium* kann ein Magistrat notfalls die *c.* eines Kollegen oder untergeordneten Magistrats, ein Consul oder Praetor auch die eines *dictator* vornehmen (Liv. 2,2,11; 2,18,6–8; 3,64,9 f.; 32,27,5). Alle Magistrate können und müssen rechtlich vorgesehene Amtsvertreter und nachgeordnete Offizialbeamte einsetzen, sofern diese nicht vom Volk bestimmt werden (Suet. Iul. 7; Dig. 1,21,1). Auch außerordentliche Magistrate können das Recht zur *c.* von Magistraten erhalten, so etwa die Dictatoren Sulla und Caesar sowie 43 v. Chr. die *triumviri* (App. civ. 1,99; Cass. Dio 41,36,1; 47,66,55).

d) Der Kaiser: Er setzt formell nur die seinem *imperium* unterstehenden Legaten und Offizialbeamten ein, die Wahl und Ernennung der Amtsträger, auch der *candidati principis,* liegt zunächst noch bei der Volksversammlung (Suet. Aug. 40), später auch und schließlich nur beim Senat (Gai. inst. 1,3,4). Faktisch wächst dem Kaiser mit dem Fortfall der republikanisch-senatorischen Traditionen allmählich auch das Recht zur Direkternennung aller Zivil- und Militärbeamten zu (Dig. 48,14,1: *ad curam principis magistratuum creatio pertinet;* Novell. Anthemius 3,1). Bereits in der Prinzipatszeit, vermehrt aber in der Spätant. seit Diocletianus, setzen legitim kreierte Kaiser bei Bedarf einen nachgeordneten Kaiserkollegen oder Unterkaiser ein, wohl eine Fortentwicklung des Rechts außerordentlicher Magistrate zur *c.*

e) Die Heeresversammlung (*exercitus*) und andere symbolische Repräsentanten des Staates (*proceres palatii, senatus, populus*). Die in der Prinzipatszeit gelegentlichen, seit der Zeit der sog. Soldatenkaiser (3. Jh. n. Chr.) häufigen Ausrufungen röm. Kaiser (Eutr. 9,1) unter Mißachtung der Rechte des Senats (und der Volksversammlung) sind zwar im einzelnen unterschiedlich, zeigen aber, daß beim Herrschaftsübergang verschiedene symbolische Repräsentanten des Staates aufgrund mil. Bedeutung oder polit. Autorität und mit situationsbedingter bes. Verantwortung für den Gesamtstaat mitwirken können.

f) Die Organe verfaßter Städte (Cod. Iust. 10,68,1) oder zugelassener Vereine und Körperschaften (Dig. 3,4,1).

→ Candidatus; Comitia; Cooptatio; Dictator; Ingenuus; Magistratus; Renuntiatio

F. F. ABBOTT, A History and Description of Roman Political Institutions, ³1963, 277 · W. ENSSLIN, Der Kaiser in der Spätant., in: HZ 177, 449 ff. · JONES, LRE 321 ff. · W. KUNKEL, Staatsordnung und Staatspraxis der röm. Republik, 1995, Bd. 2, 36, 198 · E. MEYER, Röm. Staat und Staatsgedanke, ⁴1975, 200 f. · MOMMSEN, Staatsrecht 1, 213 ff., 221 ff., 646 ff.; 2, 418 ff., 675 ff., 733, 915 ff., 1147; 3, 217 ff.   C. G.

Creditor. Wer aus einem Schuldverhältnis (→ *obligatio*) zur Forderung berechtigt ist, ist *c.*, Gläubiger. Der Verpflichtete ist Schuldner, → *debitor.* Ein *c.* kann seine Rechte nach röm. Auffassung nicht so ohne weiteres übertragen (→ *cessio*). Vielfach wird das Wort *c.* prägnant gebraucht und bezeichnet dann den durch ein → Pfandrecht gesicherten Gläubiger. Davon kommt *iure creditoris vendere* (Dig. 17,1,59,4), der Verkauf der Pfandsachen, bei dem der verkaufende Gläubiger zulässigerweise die Gewährleistung ausschließt, um nicht als Verkäufer der Sache dem Käufer zu haften. Zum Verzug (*mora creditoris*) → *mora.*   R. WI.

Crematio (Feuertod) war eine Vollstreckungsart der röm. Todesstrafe. Dabei mag urspr. dem Verletzten selbst und seinen Agnaten (→ *agnatio*) die Ausführung im Wege einer gleichsam »kanalisierten« Privatrache überlassen worden sein. Das gerichtliche Strafverfahren diente dann nur zur Feststellung der Berechtigung des Anklägers, die private Strafe vorzunehmen. In diesem Sinne dürfte der Bericht des Gaius in seinem Komm. zu den Zwölf Tafeln (Dig. 47,9,9) zu verstehen sein, wonach dieses Gesetz (Taf. 8,10) gegen den vorsätzlichen Brandstifter die Hinrichtung durch das Feuer angeordnet habe: *igni necari iubetur* (Deutung nach [1], kritisch dazu aber [2; 3]). Die Verhängung gerade der *c.* entsprach mit der Spiegelbildlichkeit der Strafe zum begangenen Delikt dem Prinzip der Talion (→ *talio*). In späterer Zeit wird die *c.* – nun als »öffentliche Strafe« – auch bei anderen Verbrechen verhängt, so in der Republik für Hochverrat (Liv. 3,53; Val. Max. 6,3,2), wohl schon im Prinzipat außerdem beim Majestätsverbrechen (*cri-*

men laesae maiestatis; Paul. sent. 5,29,1). *C.*, Kreuzigung (→ *crux*) und Enthauptung (→ *decollatio*) galten in der Zeit der klass. Jurisprudenz als schwerste Strafen überhaupt (*summa supplicia*, nach Callistratus Dig. 48,19,28 pr., um 200 n.Chr.). Sie wurden nur oder doch ganz überwiegend gegen Unfreie und gegen Angehörige unterer Schichten (*humiliores*) verhängt. In der Spätant. ist die *c.* häufig bezeugt. Dies wird mit der Abschaffung der Kreuzigungsstrafe unter Konstantin zusammenhängen. Den Vollzug der *c.* schildert Tert. apol. 50: Der (meist nackte) Straftäter wird an einen Pfahl gebunden; dann wird das um ihn herum oder unter ihm geschichtete Holz angezündet.

1 W. KUNKEL, Unt. zur Entwicklung des röm. Kriminalverfahrens in vorsullanischer Zeit, 1962, 42 ff. 2 B. SANTALUCIA, Diritto e processo penale nell' antica Roma, 1989, 42 f. 3 WIEACKER, RRG, 254 mit Anm. 86.

G. MACCORMACK, Criminal Liability for Fire in Early and Classical Roman Law, in: Index 3, 1972, 382–396 · DULCKEIT, SCHWARZ, WALDSTEIN, § 12 I 3 · TH. MAYER-MALY, s.v. vivicomburium, in: RE 9A, 497 f.

G.S.

Cremera. Bach, der von Baccano an Veii vorbei südostwärts fließt und bei Fidenae in den Tiber mündet. Von histor. Bed. z.Z. des Bündnisses zw. Veii und Fidenae: er erleichterte die Verbindung zw. diesen Städten und mit der Küste, engte so die Bewegungsfreiheit Roms ein. Das erklärt den wohl histor. Krieg Roms mit Veii, in dessen Zusammenhang die C. als Schauplatz der Kämpfe mit den Fabii und deren Tod überliefert ist (Liv. 2,49 ff.; Dion. Hal. ant. 9,15).

M.CA./Ü:R.P.L.

Cremona. Erste lat. *colonia* (Pol. 3,40,5) nördl. des Po im Gebiet der Cenomani [1. 57]. Ital. Brückenkopf gegen die Insubres und Boii (Tac. hist. 3,34) sowie gegen Hannibal (Liv. 21,25 etc.). 190 v.Chr. neu besiedelt (Liv. 37,46), war C. wichtiger Verkehrsknotenpunkt der *via Postumia*, Sitz eines großen Marktes (Tac. hist. 3,30). Im J. 90 v.Chr. *municipium* der *tribus Aniensis*, 81 wohl Hauptstadt der *prov. Gallia Cisalpina*. C. hatte unter Beschlagnahmungen und Landverteilungen [3. 20 f.] zugunsten der Veteranen des nachmaligen Augustus 41 v.Chr. schwer zu leiden; *colonia* der *regio* X (Plin. nat. 3,130; Ptol. 3,1,31). Zusammen mit Bedriacum in die Auseinandersetzungen um J. 69 n.Chr. verwickelt – zuerst Basis der Vitellianer gegen Otho, dann deshalb von den Flaviern geplündert (Tac. hist. 3,33). Unter Vespasian wiederaufgebaut, erreichte C. nie wieder die frühere Bedeutung. In der Spätant. Sitz von Truppen und Militärdiensten (Not. Dign. 9,27.42.55). Zerstörung durch die Langobardi im J. 605 (Paul. Diac. hist. Lang. 4,28).

1 N. NEGRONI, Indigeni, etruschi e celti nella Lombardia orientale. C. Romana, 1985 2 A. BERNARDI, C., 1985 3 P.L. TOZZI, Storia Padana antica, 1972.

G. PONTIROLI, Cremona e il suo terrritorio, Atti del Centro Studi dell' Italia Romana 1, 1969, 163 f. · Ders. (Hrsg.), C. romana, 1985.

A.SA./Ü:R.P.L.

Cremutius Cordus. Römischer Geschichtsschreiber (und Senator?) der augusteisch-tiberischen Zeit. Er zog sich den Haß des L. → Aelius [II 19] Seianus zu und wurde 25 n.Chr. vor dem Senat *lege maiestatis* angeklagt, weil er in seinen *Annales* die Caesarmörder Brutus und Cassius verherrlicht hatte. Nach freimütiger Verteidigung nahm er sich durch Nahrungsverzicht das Leben. Seine Schriften wurden in Rom und im Reich konfisziert und verbrannt. Seine Tochter Marcia, die Adressatin von Senecas Trostschrift, konnte jedoch einige Bücher retten. Unter Caligula erschien dann eine neue »gereinigte« Ausgabe (Sen. consolatio ad Marciam 1,2–4; 22,4–7; Tac. ann. 4,34; Suet. Tib. 61,3; Suet. Cal. 16,1; Quint. inst. 10,1,104; Cass. Dio 57,24,2–5). Sein von republikanischer Gesinnung geprägtes Werk stellte die → Bürgerkriege (seit Caesars Tod?) und mindestens die Anfänge der Herrschaft des Augustus dar; die spärlichen Fragmente, darunter ein Stück über den Tod Ciceros, in den HRR 2, 87 ff.

H. BARDON, La littérature latine inconnue 2, 1956, 162 ff. · L. CANFORA, Studi di storia della storiografia romana, 1993, 221 ff. · H. TRÄNKLE, Zu Crem. Cor., in: MH 37, 1980, 231–241.

D.K.

Crepereius

[1] **C. Gallus.** Vertrauter Agrippinas [3] d.J., der bei dem von Nero inszenierten Schiffsunfall im Golf von Baiae im J. 59 n.Chr. getötet wurde (Tac. ann. 14,5,1).
[2] **L. C. Proculus.** Suffektconsul und Proconsul einer unbekannten Prov. (PIR² C 1573); nach [1. 27 f.] vielleicht Proconsul auf Cypern.

1 M. LE GLAY, CCEC 1986, Nr. 6.

W.E.

Crepundia. Meist metallenes Schmuck- und Spielzeug kleiner Kinder in Rom; neben der Bulla (→ Lebensalter) trugen sie, an einer Kette aufgereiht, um den Hals oder über die Schulter verschiedene solcher Miniaturgegenstände als → Amulett. Die *c.* waren gleichzeitig Erkennungsmerkmal für ausgesetzte Kinder und wurden in einer *cistella* (Kistchen) zusammen mit anderen Kindersachen aufbewahrt (Plaut. Cist. 634 ff., Plaut. Rud. 1151 ff.).
→ Amulett; Schmuck

E. SCHMIDT, Spielzeug und Spiele im klass. Altertum, 1971, 18–21 m. Abb. 1.

R.H.

Crescens

[1] Freigelassener Neros, der im J. 69 n.Chr. in Carthago aus Anlaß von Othos Erhebung zum Kaiser dem Volk ein Festmahl gab (Tac. hist. 1,76,3; PIR² C 1576).
[2] Kynischer Philosoph in der Mitte des 2. Jh., der Iustin und das Christentum angegriffen hat (Iust. Mart. apol. 2,3; Eus. HE 4,16).

W.E.

Cresconius. Schuf wohl im 6. Jh. n. Chr. (in Afrika oder Rom) eine systematische Sammlung (*Concordia canonum*) der Synodalgesetze (*Canones*) und päpstlichen Entscheidungen (*Decretales*). Sie beruht auf der Sammlung des → Dionysios Exiguus. Aus karolingischer Zeit liegt eine mit Texten aus Gallien erweiterte Fassung vor (sog. Gallischer Cresconius).

ED.: PL 88, 829–942 (kritische Ed. fehlt.)
LIT.: H. MORDEK, s. v. C., LMA 3, 345 f.   J. GR.

Creta et Cyrenae. Nach Eroberung durch Q. Caecilius Metellus (69–67 v. Chr.; Liv. per. 100; Plut. Pompeius 29) wurde → Kreta als Doppelprov. mit der → Kyrenaika (seit 74 v. Chr. röm. Prov.) organisiert (*C. et C.*). Kurzfristige Trennung aufgrund der Freiheitserklärung des M. Antonius (43 v. Chr.). 27 v. Chr. stellte Augustus den alten Zustand wieder her (senatorische Prov.). Sitz der Administration ist → Gortyn. Durch die diokletianische Neuordnung Auflösung der Doppelprov. (Cyrenae zur Libya Pentapolis). Wichtiges Dokument für die rechtliche Privilegierung der Griechen ist das Kyrene-Edikt des Augustus von 7/6 v. Chr. (FIRA I Nr. 68).
→ Kreta

G. PERL, Die röm. Provinzbeamten in Cyrenae und Creta zur Zeit der Republik, in: Klio 52, 1970, 319–354 · W. ORTH, Ein vernachlässigtes Zeugnis zur Gesch. der röm. Prov. C. et C., in: Chiron 3, 1973, 255–263 · I. F. SANDERS, Roman Crete, 1982, 3–15.   H. SO.

Creticus. Cognomen (urspr. Siegerbeiname) in der Familie der Caecilii Metelli (→ Caecilius [I 23] und [II 16]) und des M. Antonius [I 8] C.   K.-L. E.

Crimen A. ÖFFENTLICHE STRAFVERFOLGUNG
B. VERHÄLTNIS ZUM PRIVATDELIKT C. KAISERZEIT

A. ÖFFENTLICHE STRAFVERFOLGUNG

Die rechtstechnische Kategorie der klass. röm. Jurisprudenz der Prinzipatszeit für das im öffentlichen Strafverfahren (*iudicium publicum*) auf Anklage (→ *accusatio*) verfolgte Verbrechen. Ähnlich wie privatrechtliche Rechtsfiguren im röm. Recht nicht als Merkmale alltäglicher Rechtsverhältnisse, sondern als Angriffs- und Verteidigungsmittel im Prozeß (→ *actio*, → *exceptio*) aufgefaßt werden, gehört auch der Begriff des *c.* vor allem in ein prozessuales Bedeutungsfeld. Daher taucht *c.* in den Quellen am häufigsten im Zusammenhang mit Anklagen oder Klagebefugnissen, teilweise geradezu anstelle des Ausdrucks *accusatio* auf. Die Straftat, die im *iudicium publicum* verfolgt wird, erhält auf diese Weise selbst die Bezeichnung *c. publicum*, z. B. in einem Reskript des Kaisers Gordian (242 n. Chr., Cod. Iust. 8,34,3). Bes. deutlich tritt der Bezug des *c.* zu seiner prozessualen Verfolgung auch in der Gegenüberstellung von *c. publicum* und *c. extraordinarium* hervor, z. B. in der Konstitution des Kaisers Septimius Severus aus dem J. 196 n. Chr. (Cod. Iust. 3,15,1): *quaestiones eorum crimi-*

num, quae legibus aut extra ordinem coercentur (die Strafverfahren, die nach den Gesetzen oder außerhalb der herkömmlichen Prozeßordnung durchgeführt werden).

B. VERHÄLTNIS ZUM PRIVATRECHT

Der Sprachgebrauch von *c.* ist freilich nicht immer streng technisch. Dies gilt sogar für die grundlegende Unterscheidung zwischen *c.* als Gegenstand eines öffentlichen Verfahrens und → *delictum*, dem durch private Klage verfolgten Unrecht. So bezeichnet Gai. inst. 3,197 die »privatrechtliche« Sachentwendung gelegentlich als *c. furti*. Zur Zeit der Zwölftafelgesetze (5. Jh. v. Chr.) herrschten die *delicta privata* durchaus noch vor. Nur für die Verbrechen gegen die Gemeinschaft selbst, wie Hoch- und Landesverrat (→ *perduellio*), sowie gegen die sakrale Ordnung ist mit Sicherheit eine öffentliche Strafverfolgung seit der Frühzeit anzunehmen. Ein mögliches Beispiel für die Sakralverbrechen schildert Liv. 3,55,7: Wer die Sakrosanktheit des Volkstribuns verletzt, dessen »Kopf« wird Juppiter geweiht, er selbst ist also »vogelfrei«, und sein Vermögen wird dem Tempel der Ceres, des Liber und der Libera überwiesen (*eius caput Iovi sacrum esset, familia ad aedem Cereris Liberi Liberaeque venum iret*). Alle anderen Schwerverbrechen wie Mord oder Brandstiftung dürften hingegen bis in das 1. Jh. v. Chr. Gegenstand privater Rechtsverfolgung geblieben, also als *delicta* (*privata*) aufgefaßt worden sein. [1; 2]. Die genaue Abgrenzung zwischen öffentlichen und privaten Straftaten in der Frühzeit ist aber in der Sekundärlit. umstritten. Jedenfalls seit der Gerichtsreform des Augustus (*lex Iulia iudiciorum publicorum*, 17 v. Chr.) sind im röm. Recht die gegen Privatleute begangenen Schwerverbrechen wie Mord, Vergewaltigung und Menschenraub *c. publica*. Schließlich wurden seit dem 2. Jh. n. Chr. z. B. auch schwere Formen des Diebstahls wie Viehdiebstahl (*c. abigeatus*, Dig. 47,14), Diebstahl in öffentlichen Bädern oder zur Nachtzeit (*furtum balnearium, nocturnum*, Dig. 47,17) und Einbruchdiebstahl (→ *effractor*, Dig. 47,18) von Staats wegen verfolgt.

C. KAISERZEIT

Die zuletzt genannten Fälle öffentlicher Strafverfolgung gehörten nicht zum *ordo iudiciorum publicorum*, also zu den gesetzlich geregelten Straftatbeständen. Vielmehr führte die Anwendung des Kognitionsverfahrens (→ *cognitio*) im Strafrecht zur Einführung kaiserrechtlicher und sogar zur Entwicklung gewohnheitsrechtlicher *c.* (letztere erwähnt von Macer Dig. 47,15,3 pr.). Diese *c. extraordinaria* dienen nicht nur der »Verstaatlichung« privater Delikte, sondern auch dem Ausbau des Strafrechts durch neue Tatbestände. Hierhin gehört die »juristische Grenzenlosigkeit« [3] der Majestätsverbrechen (*c. laesae maiestatis*) in der Kaiserzeit [4]: Nachdem Augustus diese Straftat in der *lex Iulia de maiestate* (wohl 27 v. Chr.) noch einmal gesetzlich hatte regeln lassen, wurden im Verfahren *extra ordinem* solche Schutzgüter strafrechtlich sanktioniert, von denen in der *lex* keine Rede war: beleidigende Erwähnung von Person und

Name des Kaisers, Verunglimpfung seiner Statue oder seine Bildes, mil. Ungehorsam gegen den Imperator, Befragung von Astrologen oder Wahrsagern über die Zukunft des Herrschers (vgl. insbes. Paul. sent. 5,29,1). Der Charakter dieser Straftat als *c. extra ordinem* zeigt sich ferner in der »Freiheit« des Verfahrens: Es bedurfte keiner förmlichen Anklage mehr, sondern die Anzeige (oder besser: Denunziation) durch jedermann, einschließlich der Sklaven, genügte zur Einleitung der Strafverfolgung. Auch die Entscheidung über die Sanktion wurde zunehmend im jeweiligen Einzelfall nach der Willkür des Entscheiders bestimmt. Hier öffnet sich ein Einfallstor für die Differenzierung der Sanktion nach dem sozialen Status als Angehöriger der Schicht von *humiliores* oder → *honestiores* [5].

Das weite Ermessen des Richters bei der Entscheidung über das Strafmaß bleibt eine wichtige Besonderheit des *c. extraordinarium* noch in der Kodifikation Iustinians. Im übrigen sind in der Spätant. die Unterschiede zwischen *c. publica* und *c. extraordinaria* weitgehend verwischt. Der Digestentitel über die *c. extraordinaria* (47,11) ist ebenso wie derjenige über *publica iudicia* (48,1) histor. Reminiszenz; die dort wiedergegebenen Fragmente zeigen aber auch, daß die Juristen der Spätklassik (nach 200), vor allem → Marcianus, um eine gewisse Systematisierung des gesamten Strafrechts bemüht waren. Eine Frucht davon ist insbesondere die Herausarbeitung des subjektiven Elements des *c.*: Einheitliche Voraussetzung ist die Begehung mit Vorsatz (*dolus*, vgl. dazu [6]).

1 W. KUNKEL, Unt. zur Entwicklung des röm. Kriminalverfahrens in vorsullanischer Zeit, 1962 2 DULCKEIT, SCHWARZ, WALDSTEIN, § 12 I 3 3 MOMMSEN, Strafrecht, 951 4 B. SANTALUCIA, Diritto e processo penale nell'antica Roma, 1989, 118 5 R. RILINGER, Humiliores-Honestiores, 1988, 207 ff. 6 V. GUIFFRÈ, La 'repressione criminale' nell' esperienza Romana, ³1993, 165 ff. G. S.

Crispinus

[1] Aus Ägypten stammend, vielleicht ehemals Sklave. Bei Iuvenal 4,108 wird er als Teilnehmer am Consilium Domitians auf dem Albanum erwähnt (vgl. [1. 532, Anm. 76]: vielleicht *praef. annonae*; [2. 69 f.]: Höfling). Da Martial 7,99 an ihn gerichtet ist, war er in jedem Fall ein einflußreicher Mann am Hof Domitians (PIR² C 1586).

1 SYME, RP 7 2 B. W. JONES, The Emperor Domitian, 1992.

[2] **A. A[..]cius C.** (IEphes. III 517; VII 3045) s. A. → Larcius Crispinus. W. E.

Crispus

[1] **Flavius Iulius C.** Ältester Sohn des Constantinus [1] aus der Verbindung mit Minervina, * ca. 300 n. Chr.; am 1. März 317 gemeinsam mit seinem Halbbruder Constantinus [2] II. und Licinianus Licinius in Serdica zum Caesar erhoben, im gleichen Jahr im Unterschied zu seinem Halbbruder schon *princeps iuventutis* und 318

als erster der neuerhobenen Caesares Consul. Der offenkundig zum Thronfolger designierte C. wurde unmittelbar nach seiner Erhebung zum Caesar nach Gallien geschickt, wobei ihm ein eigener *praef. praet.* beigegeben wurde. Er heiratete eine nicht weiter bekannte Helena (Cod. Theod. 9,38,1). Nach erfolgreichen Kämpfen gegen die Franken und Alamannen übernahm C. im zweiten Krieg gegen Licinius 324 das Kommando über die Flotte (Anon. Valesianus 23; 26 f.) und besiegte Amandus, den Admiral des Licinius, am Hellespont. Obgleich nach dem Sieg über Licinius in herausragender Weise geehrt, wurde C. plötzlich im Frühjahr 326 auf Befehl des Vaters in Pola hingerichtet (Amm. 14,11,20). Kurze Zeit später wurde seine Stiefmutter Fausta umgebracht. Die griech.-röm. spätantike Tradition hat die beiden zweifellos miteinander in Verbindung stehenden Morde durch das → Phaidra-Motiv erklärt (Zos. 2,29,1–2; Aur. Vict. Epitome de Caesaribus 41,11–12; Philostorgios hist. eccl. 2,4a; Zon. 13,2,38–41). PLRE 1, 233 Nr. 4.

KIENAST, ²1996, 305 f. · H. POHLSANDER, C., in: Historia 33, 1984, 79–106. B. BL.

Critognatus (Ecritognatus). Keltisches Namenskompositum unterschiedlicher Lesart: »mit Zittern vertraut« oder »zum Angreifer geboren« [1. 78–79; 2. 185].

Arvernischer Adliger, der 52 v. Chr. seine Mitkämpfer im belagerten Alesia zum Ausharren aufforderte, als es durch das Ausbleiben des gallischen Entsatzheeres zu ernsthaften Versorgungsschwierigkeiten kam. Caesar (Gall. 7,77,2–16) gibt die Rede des C. als Beispiel für die Grausamkeit der Gallier im vollen Wortlaut wieder, da er dazu aufforderte, sich notfalls von den Leibern der Alten und Gebrechlichen zu ernähren, um nur nicht in ewige röm. Knechtschaft zu fallen.
→ Alesia

1 EVANS 2 SCHMIDT.

B. KREMER, Das Bild der Kelten bis in augusteische Zeit, 1994, 191–195. W. SP.

Crocus s. Krokus

Crumerum. Militärlager und *vicus* an der Donau-Uferstrasse östl. von Brigetio in der Pannonia Superior, h. Nyergesújfalu (Komárom, Ungarn). Der Ort wurde E. 2. Jh. errichtet, er war im 2./3. Jh. Standort der *cohors V Callaecorum Lucensium* (CIL III 3662–3664), im 4. Jh. der *equites promoti* (Not. dign. occ. 33,30). In constantinischer Zeit umgebaut und durch Ecktürme befestigt (Itin. Anton. 246,2; 266,8; Not. dign. occ. 33,9,30; CIL III 3662–3666, 10602; Κοῦρτα bei Ptol. 2,11,5; 15,4).

C. PATSCH, s. v. C., RE 4, 1726 · A. GRAF, Übersicht der ant. Geogr. von Pannonien, 1936, 94 · TIR L 34 Budapest, 1968, 50 (Bibl.) · S. SOPRONI, s. v. C., in: J. FITZ (Hrsg.), Der röm. Limes in Ungarn, 1976, 43. J. BU.

Crus. Spitzname (»Unterschenkel«) nach der Besonderheit der Beine; Cognomen in der Familie der Cornelii (→ Cornelius [I 50]) Lentuli.

A. Hug, s. v. Spitznamen, RE 3A, 1828 · Kajanto, Cognomina 225.   K.-L. E.

Crusta, Crustae. Antiker t.t. aus der → Bautechnik. Nach Vitruv (2,8,7 u.ö.) Bezeichnung für die Schal- bzw. Verblendmauern von Gußzementkonstruktionen (→ opus caementicium), ferner allg. für die Verkleidung von Fußböden, Decken und Wänden mit → Stuck, Marmor, Travertin oder → Mosaik. In der → Toreutik bezeichnet c. auch den reliefgeschmückten »Mantel«, gewissermaßen die »Hülle« des eigentlichen Gefäßkörpers.

Georges I, s. v. c., 1775f. · A. Rumpp, s. v. C., KlP I, 1336 · H.-O. Lamprecht, Opus Caementicium – Bautechnik der Römer, ⁴1993, 38–44.   C. Hö.

Crustumerium (*Crustumeria, Crustumium*), h. Crustumeri. Stadt in Latium auf dem Hügel der Marcigliana Vecchia in einem seit der frühen Eisenzeit besiedelten Gebiet. Der widersprüchlichen Überlieferung nach sehr frühe Gründung: Kolonie von Alba (Diod. 7,5,9; Dion. Hal. ant. 2,36,2), sikulische Gründung (Cassius Hemina, vgl. Serv. Aen. 7,631), sabinische (Plut. Romulus 17,1) oder etr. Gründung (Paul. Fest. 48). Von Rom 500 v. Chr. unterworfen, gab sie der *tribus Crustumina* den Namen. Eine *secessio Crustumerina* erwähnt Varro (ling. 5,81). Nach Plin. nat. 3,68 berühmtes latin. *oppidum* längst vergangener Zeit.

L. Quilici, St. Quilici Gigli, C., 1980.   M. CA./Ü: R. P. L.

Crux. Herkunft und Verbreitung der Kreuzigung in den ant. Rechten sind wenig bekannt. Für das klass. Griechenland ist sie wohl nicht nachweisbar [1]. Herodot (1,128; 4,43; 202) berichtet über sie als Vollstreckungsart bei den Barbaren, Polybios (1,24,6) bei den Puniern. Wenig wahrscheinlich ist die Rezeption gerade des pun. Beispiels durch die Römer [2] (anders aber noch [3; 4]). C. als Todesstrafe kommt bei den Römern allerdings etwa seit 200 v. Chr. vor (vgl. Plaut. Mil. 359). Vermutlich haben damals die → *tresviri capitales* zur Abschreckung der stark zunehmenden Kriminalität die Strafe der c. gegen Sklaven eingeführt [5] (anders aber schon im Ansatz [6]). Noch 300 Jahre später bei Tac. hist. 4,11 ist c. das *servile supplicium*, also die höchste Strafe für Sklaven.

Die Anwendung der c. auf nichtröm. freie Provinzbewohner, die seit Cicero (z. B. Verr. 2,5,72) bezeugt ist, mag sowohl an die örtlichen Gepflogenheiten als auch an die »Bewährung« dieser Strafe gegenüber Sklaven angeknüpft haben. Zu den schweren Verbrechen, bei denen c. verhängt wurde, gehörte die Anstiftung zum Aufruhr (→ *seditio*), wie man sie Jesus von Nazareth vorwarf. In der Spätant. wurde c. neben dem Feuertod (→ *crematio*) und der Enthauptung (→ *decollatio*) als schwerste Strafe (*summum supplicium*) nunmehr ohne weiteres auch für röm. Bürger aufgezählt (Paul. sent. 5,17,2). In die Digesten aufgenommene spätklass. Juristenfragmente aus der 1. Hälfte des 3. Jh., die dasselbe besagten, sind aus christl. Ehrfurcht vor dem Kreuzestod verfälscht worden: Dort steht statt c. der Galgen (*furca*), den Konstantin (nach 314) anstelle der c. angeordnet hat.

1 K. Latte, s. v. Todesstrafe, RE Suppl. 7, 1606ff. 2 E. Cantarella, I Supplizi capitali in Grecia e a Roma, 1991, 186ff. 3 F. Raber, s. v. C., KlP I, 1337 4 H. F. Hitzig, s. v. C., RE 4, 1729 5 W. Kunkel, Unt. zur Entwicklung des röm. Kriminalverfahrens in vorsullanischer Zeit, 1962, 75ff. 6 W. Nippel, Aufruhr und »Polizei« in der röm. Republik, 1988, 46.

J. Blinzler, Der Prozeß Jesu ⁴1964 · O. Betz, Probleme des Prozesses Jesu, ANRW II 25.1, 565ff.   G. S.

Crypta, Cryptoporticus. Von griech. κρυπτή; bezeichnet in der bei Athenaios 5, 205a überlieferten Beschreibung des Nilschiffes Ptolemaios' IV. einen abgeschlossenen, durch Fenster beleuchteten Wandelgang. In lat. Texten können mit c. verschiedene Architekturen wie Keller (Vitr. 6, 8), Gewölbe (Iuv. 5, 106) oder auch unterirdische, überwölbte Kult- oder Grabanlagen gemeint sein. In der modernen arch. Terminologie wird der Begriff *cryptoporticus* synonym zu c. verwandt; unter dieser allein bei Plinius (epist. 2,17,20; 5,6,27f.; 7,21,2) und Sidonius (epist. 2,2,10f.) überlieferten Wortsynthese aus *crypta* und → *porticus* werden langgestreckte, überwölbte Wandelgänge verstanden, die – oft als Teil der Gartenanlage – einen der Muße dienlichen Gebäudetrakt der röm. → Villa darstellten (bisweilen aber auch an öffentlichen Bauten begegnen, z. B. am großen Theater und am »Gebäude der Eumachia« in Pompeii). Sie konnten oberirdisch, gänzlich unterirdisch oder auch nur teilweise versenkt angelegt sein, dienten im Sommer für einen kühlen Aufenthalt, hatten aus diesen klimatischen Gründen meist sehr kleine Türen, waren

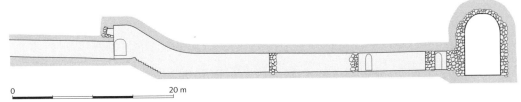

Tivoli, Villa Hadriana, Crypta unter dem Aphrodite-Tempel.

z. T. luxuriös ausgestattet und durch raffinierte Licht-führungen illuminiert.

F. Coarelli, C., Cryptoporticus, in: Les Cryptoportiques dans l'Architecture Romaine, Kongr. Rom 1972 (1973), 9–20 · R. Förtsch, Arch. Komm. zu den Villenbriefen des Jüngeren Plinius, 1993, 41–48.　　　　C. Hö.

Cubicularius (von *cubiculum*, wörtl. »Schlafgemach«, auch »privater Lebensbereich«, vgl. Varro ling. 8,54) konnte ein Hausklave, ein persönlicher Bediensteter, aber auch der für den Zugang zu einer *persona publica* Verantwortliche heißen (Dig. 50,16,203). *C.* in diesen Bed. hatten schon Amtspersonen der Republik (Cic. Verr. 2,3,8) und die Kaiser von Anfang an als Be-dienstete und Vertrauenspersonen in ihrem persönli-chen Bereich (Suet. Iul. 4,1; Suet. Dom. 17,2). In den höheren Rängen des Dienstes beim Kaiser fanden sich in der Regel Eunuchen (Zos. 4,37), in den unteren Rängen offenbar eher Nicht-Eunuchen (Cod. Iust. 12,25). Zumeist gab es nur ein *cubiculum* (zuweilen zwei, jeweils für Kaiser und Kaisergattin: Not. dign. or. 1,9; Not. dign. occ. 1,8; Cod. Iust. 12,5,5); der Aufbau der Funktionen wechselte. Mit der seit Diocletianus einset-zenden zeremonialen Überhöhung (*sacrum cubiculum*) des Kaisers (Eutr. 9,26) kam den leitenden *c.* (*praepositus s.c.*) und seinen Vertretern (*primicerius* und *castrensis s.c./comes domesticorum*) eine zentrale Rolle am Hof zu. Sie leiteten verschiedene Dienste, so etwa der *castrensis* die *paedagogia* (»Pagendienst«; Cod. Theod. 8,7,5; Cod. Iust. 12,59,10,5), die *ministeriales dominici* (»Kammerher-ren«: Cod. Iust. 12,25) und die *c.* der *curae palatiorum* (Zeremonialdienste; Cod. Iust. 12,16). Hochrangige *c.* waren auch der *spatharius* als Befehlshaber der Wache, der *saccelarius* als Kassenverwalter und der *comes sacrae vestis* (Cod. Theod. 11,18,1). *C.* waren privilegiert, und zwar im Dienst (so wurden Sklaven durch Eintritt in den Dienst statusfrei) und nach der Entlassung (generelle Befreiung von Sondersteuern und Hand- und Spann-diensten, Cod. Iust. 12,5).
→ Palatini

Alföldi 25 ff. · Jones, LRE 566 ff. · Mommsen, Staatsrecht 2, 834 ff.　　　　C. G.

Cubitus bezeichnet den Ellenbogen, d. h. den Un-terarm bis zur Spitze des Mittelfingers und wird neben dem üblichen röm. Maß *pes* als »Elle« im Betrag von 1 ½ Fuß (444 mm) verwendet. Im Griech. wird der *c.* mit πῆχυς (*péchys*) übersetzt.
→ Längenmaße; Pes

F. Hultsch, Griech. und röm. Metrologie, ²1882, 76 f., 98 · H. Nissen, Metrologie² = HB Altertumswiss. I², 1892, 838, 865 · A. Oxé, Die röm. Meile eine griech. Schöpfung, BJ 131, 1926, 213–244, bes. 233 ff.　　　　A. M.

Cubulteria. Samnit. Stadt (das Ethnikon *Kupelternum* auf osk. Mz.), *civitas foederata* nach dem 2. Pun. Krieg, nach dem Bundesgenossenkrieg *municipium* mit *IIviri*. 599 n. Chr. zum Bischofssitz erhoben. C. wird ca. 2 km

nördl. von Alvignano nahe den Kirchen S. Ferdinando oder S. Ferrante vermutet.

G. Couquer (Hrsg.), Structures agraires en Italie Centroméridionale (Collection de l'École Française de Rome 100), 1987, 149 f. · H. Solin, Le iscrizioni antiche di Trebula, Caiatia e C., 1993, 145–173.　　　　M. BU./Ü: R. P. L.

Cuicul. Berberischer Ort in Numidia zw. Cirta und Sitifis, h. Djemila. Belegte Namensformen: Κούλκουα, Ptol. 4,3,29; *Cuiculi*, Itin. Anton. 29,1; *Culchul*, Tab. Peut. 2,4; *Chulchul*, Geogr. Rav. 39,25. Unter Nerva wurde eine Veteranenkolonie gegr. (CIL VIII Suppl. 3, 20713), die zum Aufschwung von C. wesentlich beitrug. Im 5. Jh. ging die Bed. von C. zurück. Erh. sind bed. Ruinen: Tempel (Venus Genetrix, Liber, Saturnus, Frugifer, Gens Septimia), Theater, Foren, Basiliken, Bögen, Thermen, Brunnen, Privathäuser (mit beacht-lichen Mosaiken), Kirchen. Inschr.: CIL VIII 1, 8300–8348; 2, 10894–10904; Suppl. 2, 20135–20179; CRAI 1915, 316–323; 1943, 376–386; AE 1971, 79 Nr. 510; 1989, 290 Nr. 893; 1992, 531 Nr. 1889; [1. 338–340].

1 Bull. Archéologique du Comité des Travaux Historiques, 1946–1949.

Y. Allais, Djemila, 1938 · P.-A. Février, Djemila, ²1978 · C. Lepelley, Les cités de l'Afrique romaine […] II, 1981, 402–415 · L. Leschi, Djemila, 1953 · E. Lipiński, s. v. Djemila, DCPP, 133 · P. Monceaux, C. chrétien, in: Atti della Pontificia Accademia Romana di archeologia III. Memorie I,1, 1923, 89–112, T. VIIf.　　　　W. HU.

Culex. ›Die Mücke‹, lat. Kurzepos (→ Epos), als ver-gilisches Pseudepigraphon Octavian gewidmet (v. 1) und als Jugendwerk Vergils seit Lukan [1. 157 ff.; 6] und der Sueton-Vita rezipiert, jedoch wohl aus tiberischer Zeit [1. 57 ff.; 7]: Eine Mücke sticht einen schlafenden Hirten, rettet ihn so vor einer Schlange, wird jedoch von ihm erschlagen; sie berichtet ihm im Traum von der Unterwelt und erhält endlich zum Dank ein förmliches Begräbnis. Bukolisches Milieu und Epenparodie (→ Parodie) sind prägende Elemente [2]; als → Allegorie würde das Werk auf Augustus (*pastor*) und Marcellus (*culex*) verweisen [5]. Die Echtheit (zur Diskussion [1. 1 ff., 241 ff.]) wird durch nachträgliche Anspielun-gen auf Vergils Gesamtwerk (Bucolica, v. 42–97 = Mor-gen; Georgica, v. 98–201 = Mittag; Aeneis, v. 202–414 = Nacht) ausgeschlossen [7]. Der Text ist in der → Appen-dix Vergiliana in einem spätant. Corpus tradiert.

Ed.: W. V. Clausen, Appendix Vergiliana, 1966, 15–36. Lit.: 1 D. Güntzschel, Beitr. zur Dat. des C., 1972 (Bibl. 209 ff.) 2 D. O. Ross, The C. as Post-Augustan Literary Parody, in: HSPh 79, 1975, 235–253 3 J. Richmond, in: ANRW II.31,2, 1981, 1125–1130 (Forsch.-Ber.) 4 M. Bonjour, s. v. C., EV I, 1984, 948 f. 5 W. Ax, Die pseudovergilische Mücke, in: Philologus 128, 1984, 230–249; 136, 1992, 89–129 6 G. Zanoni, Testimonianze antiche sul C., in: MD 19, 1987, 145–168 7 G. Most, The 'Virgilian' C., in: Homo Viator. FS J. Bramble, 1987, 199–209 8 A. Salvatore, Virgilio e Pseudovirgilio, 1994, 211–285.　　　　P. L. S.

Culina. Lat. Begriff für Küche. In der griech. Ant. war ein eigenständiger Raum im → Haus mit Herdstelle und anderer Infrastruktur (Rauchabzug, Wasserabfluß) zur Herstellung von Speisen lange Zeit unbekannt; meist diente die Herdstelle als Mittelpunkt des Hauptraums eines Hauses, wo sie zugleich Zentrum gesellschaftlicher Kommunikation war. Küchen im engeren Sinne finden sich als funktional definierte, abgegrenzte Raumteile erstmals in den spätklass. Häusern von Olynthos, als eigenständige Räume dann zunehmend in hell. Häusern (Dura Europos, Delos, Priene), wo dies auf markante Weise einen Wandel im Verhältnis von Privatheit und Öffentlichkeit in der Wohnarchitektur spiegelt.

In den ältesten röm. Häusern wurde im → Atrium gekocht; in ländlichen Regionen hat sich dieser Brauch gehalten, so daß hier sogar der Hauptraum des Hauses *c.* heißen konnte (Varro rust. 1,13,2; Vitr. 6,9,1f.). Seit dem 2. Jh. v.Chr. findet sich in wohlhabenderen röm. Stadthäusern fast regelmäßig ein kleiner Raum mit gemauerter Herdstelle (Rauchabzug durch das Fenster), oft mit der → Latrine verbunden; die Raumgröße in Pompeii schwankt zwischen 6 und 20 m². Ausstattung und Raumgröße wurden zu Indikatoren des sozialen Status (vgl. Sen. epist. 114,26). In mehrstöckigen Miethäusern kochte man in den kleinen Wohnungen meist an einem transportablen Ofen im Wohnraum; für eine separate *c.* war hier kein Platz.

E. BRÖDNER, Wohnen in der Antike,²1993, 40–41 · W. HOEPFNER, E. L. SCHWANDNER, Haus und Stadt im klass. Griechenland, 1986, 54; 245; 273 · K. W. WEEBER, Alltag im Alten Rom, 1995, 219–221. C.HÖ.

Culleus. *C.* bezeichnet eigentlich den aus aus einem Rinderfell angefertigten Ledersack und wird bei den Römern als größte Einheit der Hohlmaße für Flüssigkeiten (besonders bei Wein) verwendet. Ursprünglich wohl vom Volumen der zusammengenähten Rinderhaut ausgehend, beträgt der *c.* 524 l. 20 *amphorae*, 40 *urnae* bzw. 160 *congii* gehen auf den *c.*, wobei 1 *congius* 3,275 l entspricht.

→ Amphora; Congius; Hohlmaße; Urna

F. HULTSCH, Griech. und röm. Metrologie, ²1882 · F. OLCK, s.v. C. (Nr. 2), RE 4.2, 1901, 1746–1747 · O. A. W. DILKE, Mathematik, Maße und Gewichte in der Ant., 1991. A.M.

Culpa. Eine Verpflichtung zu Schadenersatz setzt nach röm. Recht grundsätzlich Verschulden (*c.*, Fahrlässigkeit, oder → *dolus*, Vorsatz) voraus.

Bei der Interpretation der *lex Aquilia* (wohl 286 v.Chr.) entwickelt die Jurisprudenz die Unterscheidung zwischen den Verschuldensformen *dolus* und *c.*: C. ist der Verstoß gegen einen objektiven Sorgfaltsmaßstab (*diligentia*, Sorgfalt eines *diligens / bonus pater familias*). Daneben wird *c.* weiterhin für Verschulden allg. verwendet. Das röm. Strafrecht kennt nur wenige Delikte, deren Begehung auch bei Fahrlässigkeit bestraft wird.

Bei den *bonae fidei iudicia* wird zunächst nur für arglistigen Treuebruch (*dolus malus*) gehaftet. Später wird eine Haftung – je nach Vertragstyp – auch durch andere Verstöße gegen die *bona fides* begründet. Im Prinzipat werden diese anhand der Kategorien *dolus* und *c.* unterschieden, die letzteren dann abgestuft nach *c. (levis)* und *c. lata.* (In der Spätant. wird daneben die → *custodia*-(Überwachungs-)Haftung als Haftung für *c. levissima* verstanden.)

Die Haftung für *c.* kann abbedungen werden (Ulp. Dig. 9,2,27,29). Auswahlverschulden (*c. in eligendo*) begründet eine vertragliche Haftung für Hilfspersonen. Wenn für Verstöße gegen den subjektiven Maßstab der *diligentia quam in suis* gehaftet wird (unröm. *c. in concreto* genannt), kann dies entweder eine Verschärfung der Haftung für → *dolus* (Dig. 16,3,32) bedeuten oder ein Haftungsprivileg gegenüber der Haftung für *c.* sein: z.B. bei *dos* (Mitgift), *tutela* (Vormundschaft), *societas* (Gesellschaft). Die klass. Jurisprudenz bleibt bei einer kasuistischen Handhabung der *c.*; erst in nachklass. und byz. Zeit kommt es zu einer vereinheitlichenden Theoriebildung und Systematisierung. Die *c.* des röm. Rechts ist der Ausgangspunkt der Haftung für fahrlässige Schadenszufügung im modernen Recht.

→ Damnum

KASER, RPR I, 503–513, 346–357 · H. HONSELL, TH. MAYER-MALY, W. SELB, Röm. Recht, ⁴1987, 229–238 · A. WACKE, Fahrlässige Vergehen im röm. Strafrecht, in: RIDA 26, 1979, 505–566. R.GA.

Culter (griech. μάχαιρα, *máchaira*). Urspr. das → Messer, speziell das Messer der Schlachter und von daher das Schlachtgerät beim → Opfer (Hom. Hym. Apoll. 535f. für *máchaira*). Auf den griech. und röm. Darstellungen läßt der *hiereús* bzw. der *victimarius* sich das Opfermesser auf einem Tablett nachtragen oder hält es in der Hand. Mit dem *c.* wurden die Halsschlagader des Opfertieres geöffnet und die Eingeweide herausgeschnitten. Nach dem Opfermesser wurde der opfernde *victimarius* auch *cultrarius* genannt. Daneben war *c.* auch Attribut der durch ihren Kampfesmut bekannten oriental. Völker (→ Amazonen; → Schwert).

→ Messer; Rasiermesser

G. ROUX, Meurtre dans un sanctuaire sur l'amphora de Panaguristé, in: AK 7, 1964, 30–40 · F. FLESS, Opferdiener und Kultmusiker auf stadtröm. histor. Reliefs, 1995, 19–20; 73–74. R.H.

Cumae s. Kyme

Cunobellinus. Britannischer König (*Britannorum rex*, Suet. Cal. 44) zw. ca. 10–40/43 n.Chr. Sohn des → Tasciovanus. Die Interpretation seiner Münzen ergibt, daß es C. gelang, von Verulamium aus, den Südosten Britanniens weitestgehend unter Kontrolle zu bringen und sich in Camulodunum im Gebiet der → Trinovantes (Essex) zu etablieren, ohne Roms Eingreifen zu provozieren. Sein Tod mag die Lage verändert haben, da es das Primärziel der claudischen Invasion (43 n. Chr.) war, das Reich des C. zu erobern (Cass. Dio 60,20). Eine allg. Identifikation als König der Catuvellauni beruht lediglich auf Textkonjekturen des Cassius Dio.

→ Adminius; Caratacus

S. FRERE, Britannia, ³1987, 27–47 · R. P. MACK, The Coinage of Ancient Britain, ³1975.   C. KU.

Cupido s. Eros

Cupra Maritima. Stadt im Picenum (*regio V, tribus Velina*) an der Küste bei La Civita nördl. des h. Cupra marittima. C. M. leitet sich von einem *sanctuarium* vorröm. Ursprungs der Göttin Cupra ab; *IIviri* nachgewiesen. Arch. Reste: Forum augusteischer Zeit, Frg. von Konsul-Listen.

G. PACI (Hrsg.), Cupra Marittima e il suo territorio in età antica (Atti del Convegno, maggio 1992), 1993 (Picus Suppl. 2).   S. M. M./Ü: R. P. L.

Cura

[1] Personifikation der Sorge (ThlL, Onom. 2,753). In der ersten Römerode des Horaz ist C. eine schwarze, geisterhafte Begleiterin des Menschen (Hor. carm. 3,1,40: *post equitem sedet atra C.*). Aeneas begegnet den »rächenden Sorgen« (*ultrices Curae*) am Eingang des Hades (Verg. Aen. 6,274 und Serv. Aen. zur Stelle). Nach Hygin fab. 220 hat C. aus einem Stück Erde den Menschen gebildet. Saturn bestimmt, daß der Mensch im Leben C. gehört, nach seinem Tod dem Iuppiter. Die Fabel ist griech. Ursprungs [1]. C. ist höchstwahrscheinlich auf einem *poculum deorum* (CIL I² 442: *Coira pocolo* [2]) bezeugt. Die Vorstellung von C. als personifizierte Gestalt ist auch in der dt. Lit. (Goethe, Hans Sachs) aufgenommen worden [3].

1 J. BERNAYS, Ges. Abh., 1885, 2, 320 **2** R. WACHTER, Altlat. Inschr., 1987, 465 **3** M. HAUSER, Der röm. Begriff C., Diss. Basel 1954, 84–88.

P. FEDELI, s. v. C., EV I, 961 f.   R. B.

[2] C., **curatores**. Während der röm. Republik bedeutete *c.* im politisch-rechtlichen Bereich allgemein die Durchführung öffentlicher Aufgaben; im spezifischen Sinn sind damit Aufgaben bezeichnet, die nicht selbstverständlich und regelmäßig mit den ordentlichen Magistraturen (→ *magistratus*) verbunden waren. Sie konnten entweder Jahresmagistraten zusätzlich oder speziell gewählten außerordentlichen Amtsträgern zugewiesen werden. Eine präzise Terminologie entwickelte sich für die Träger zunächst noch nicht; vielmehr konnten unterschiedliche Bezeichnungen verwendet werden wie z. B. *IIIviri agris dandis assignandis* oder *curator restituendi Capitolii* (Varro bei Gell. 2,10,2). Bei der Einsetzung von Sonderbeauftragten war konstitutiv, daß sie durch Volkswahl geschah und daß üblicherweise nicht eine Einzelperson, sondern ein *collegium* von mehreren Männern (*IIIviri, Vviri, Xviri*) dazu bestimmt wurde. Die

Übertragung der *curatio annonae* auf Pompeius war somit exzeptionell und Reflex der veränderten polit. Situation. So konnte *c.* zu einem allgemeinen Begriff der Verantwortung für die *res publica* werden, womit auch in propagandistischer und ideologischer Überhöhung die Stellung des *princeps* seit Augustus beschrieben werden konnte.

Schon in der Endphase der röm. Republik wurde gelegentlich Sonderbeauftragten in Rom die Amtsbezeichnung *curatores* verliehen; v. a. findet sich die Bezeichnung *curator viarum* als selbständige Aufgabe ohne weiteres Amt oder als zusätzliche Aufgabe neben einer ordentlichen Magistratur (CIL I² 808 = ILLRP I² 465; CIL I² 744 = D. 5800 = ILLRP I² 465a). Seit Augustus werden *curatores* eine allgemeine Erscheinung in Rom selbst, aber auch in den sonstigen röm. organisierten Städten. Augustus setzte *curatores* senatorischen Ranges ein, um begrenzten staatlich-administrativen Notwendigkeiten in der Stadt Rom Kontinuität zu verleihen; gleichzeitig wurden so mehr Senatoren in eine offizielle Tätigkeit eingebunden, mit der sie Prestige erwerben konnten.

Die *curatores viarum*, die als einzige außerhalb Roms tätig waren, wurden seit 20 v. Chr. ernannt, als Augustus selbst die *cura viarum* übernahm [4. 25 ff.]. Sie waren kollegial organisiert und gemeinsam für alle großen Staatsstraßen in It. zuständig. Erst ab claudischer Zeit wurde je einem *curator* eine bestimmte Straße zugewiesen; von da an haben sieben oder acht *curatores* gleichzeitig gewirkt [5]. Zuständig waren sie für Reparaturen an den Straßen; im Fall der *via Traiana* leitete der erste *curator*, Pompeius Falco, auch den Neubau (ILS 1035). Doch als Bauherr erscheint auf Meilensteinen und Bauinschr. stets der Kaiser. Die Haupttätigkeit der *curatores* bestand in der Vergabe der Bauarbeiten an Unternehmer und der Regelung der Finanzierung durch das *aerarium* oder die Städte. Vermutlich wurden die *curatores viarum* zunächst auf Grund eines Senatsbeschlusses vom *princeps* ernannt, wie es für die *curatores aquarum* bezeugt ist (Frontin. aqu. 100,1); später war der Senat bei der Bestellung wohl nicht mehr beteiligt.

In gleicher Weise erfolgte bis in die claudische Zeit hinein auch die Bestimmung der anderen stadtröm. *curatores*. 11 v. Chr. wurden drei *curatores aquarum* für die Leitung der stadtröm. Wasserversorgung bestimmt, die auch die von Agrippa aufgestellte Truppe von 240 Sklaven als Arbeitspersonal erhielten; Claudius erhöhte die Truppe um 460 weitere Sklaven. Doch auch dieses relativ zahlreiche Personal wurde nur für gelegentliche Reparaturen herangezogen; größere Baumaßnahmen wurden an Unternehmer vergeben. Das Personal hatte insbesondere die tägliche Versorgung aller Stadtteile durch Regelung des Zuflusses zu gewährleisten. Einen detaillierten Einblick gibt Frontinus' *de aquis urbis Romae* [1; 6].

Ebenfalls augusteisch sind die *curatores locorum publicorum iudicandorum*, die zunächst über das öffentliche Grundeigentum in Rom zu entscheiden hatten; diese *c.* wurde spätestens unter Claudius verändert und erweitert und umfaßte schließlich die *cura aedium sacrarum et operum locorumque publicorum* [5]. Während das *collegium* zunächst aus fünf *curatores* bestand, wurden seit der Mitte des 1. Jh. n. Chr. offensichtlich nur noch zwei consulare *curatores* ernannt [10]. Ihre Aufgabe bestand in der Überwachung des öffentlichen Grundeigentums sowie der Erhaltung der Tempel und öffentlichen Bauten; die Arbeit selbst wurde an freie Unternehmer verpachtet. Ähnlich haben die *curatores alvei Tiberis* gewirkt, deren Einsetzung in die ersten Jahre des Tiberius gehört und die vor allem die Freihaltung des Tiberufers und die Feststellung des öffentlichen Grundes nach Überschwemmungen gewährleisten sollten [11]. Alle *curatores* unterstanden den Direktiven des Kaisers, was sich u. a. in der dauernden oder zeitweiligen Ernennung von ritterlichen *procuratores* zeigt.

Ähnlich wie in Rom wurden auch in den röm. Städten mehr und mehr *curatores* für verschiedene Sonderaufgaben durch den Dekurionenrat bestimmt, z. B. für die Lebensmittelversorgung, für die Abhaltung von Spielen oder auch die Wasserversorgung ([3]; vgl. auch ILS III 2, 684–686).

Zwei Typen von *curatores* in den Städten außerhalb Roms wurden bis zum Ende des 3. Jh. durch den Kaiser ernannt: die *curatores kalendarii*, die sich um die Zinseinnahmen der Gemeinde zu kümmern hatten, und die *curatores rei publicae* oder *civitatis*, die seit Domitian zunächst in Italien, dann auch in den Provinzen eingesetzt wurden. Sie hatten senatorischen, ritterlichen oder auch nur munizipalen Status. Ihre Aufgabe war es, das Vermögen und die Finanzen der Städte zu kontrollieren; sie traten aber nicht an die Stelle der Munizipalmagistrate [9]. Am zahlreichsten sind sie aus It. bekannt, wo es keine staatlichen Amtsträger gab, die regelmäßig vor Ort erschienen [4. 190ff]. In manchen Prov. waren *curatores* relativ häufig wie in Asia [2] oder in Africa, wo allerdings der erste *curator* erst unter Commodus bezeugt ist [7]. Erst zu Beginn des 4. Jh. wandelte sich der *curator rei publicae* von einem kaiserlichen Abgesandten zum höchsten munizipalen Magistrat, der vom Dekurionenrat selbst bestimmt wurde.

→ Cura annonae

1 CHR. BRUUN, The Water Supply of Ancient Rome, 1991 2 G. P. BURTON, The Curator Rei Publicae: Towards a Reappraisal, Chiron 9, 1979, 465 ff. 3 M. CORBIER, De Volsinii à Sestinum, Cura aquae et évergétisme municipal de l'eau en Italie, REL 62, 1984, 236–274 4 W. ECK, Die staatliche Organisation Italiens in der Hohen Kaiserzeit, 1979 5 Ders., *Cura viarum* und *cura operum publicorum* als kollegiale Ämter im frühen Prinzipat, Klio 74, 1992, 237ff. = Ders., Die Verwaltung des Röm. Reiches in der Hohen Kaiserzeit 1, 1995, 281ff. 6 Ders., Organisation und Administration der Wasserversorgung Roms, in: Ders., Die Verwaltung des Römischen Reiches in der Hohen Kaiserzeit 1, 1995, 161ff. 7 G. L. GREGORI, Un nuovo senatore dell'età di Commodo, in: ZPE 106, 1995, 269–279 8 M. HAUSER, Der röm. Begriff cura, 1954. 9 F. JACQUES, Le privilège de liberté, 1984 10 A. KOLB, Die kaiserliche Bauverwaltung in der Stadt Rom, Gesch. und Aufbau der *cura operum publicorum* unter dem Prinzipat, 1993 11 J. LE GALL, Le Tibre, fleuve de Rome dans l'antiquité, 1953.

W. E.

Cura annonae I. REPUBLIKANISCHE ZEIT
II. PRINZIPAT UND KAISERZEIT III. ORGANISATION
IV. SPÄTANTIKE UND BYZANTINISCHE ZEIT

I. REPUBLIKANISCHE ZEIT

Aufgabe der *c. a.* war die Organisation der Versorgung der stadtröm. Bevölkerung mit Lebensmitteln. In ihrer entwickelten Form bezeichnet die *c. a.* die Einziehung des Getreides als Steuer in den Prov. (hauptsächlich in Ägypten und Nordafrika), den Transport des Getreides nach Rom sowie die Lagerung und freie Verteilung an etwa 200000 Menschen in der Stadt. Aufgrund seines starken Bevölkerungswachstums im 2. und 1. Jh. v. Chr. wurde Rom zunehmend von Getreidelieferungen aus den Prov. abhängig. Die Republik griff in die Getreideversorgung Roms mit der Zeit immer stärker ein: Seit der Neuordnung der Prov. Sizilien im Jahre 210 v. Chr. wurde auf der Insel Getreide als Steuer eingezogen, und seit dem Jahre 146 v. Chr. mußte auch die Prov. Africa Getreide liefern. Das auf diese Weise zur Verfügung stehende Getreide mußten sich allerdings die Stadt Rom und die Legionen teilen. Das Frumentargesetz des C. Gracchus sah den Verkauf von Getreide zu einem festen, niedrigen Preis (6 ⅓ *as* pro *modius*) an röm. Bürger und außerdem den Bau von öffentlichen Getreidespeichern vor. Die Getreideverteilung war bei den Senatoren unbeliebt; von 81–73 v. Chr. wurde sie sogar außer Kraft gesetzt. Die nachdrücklichen Forderungen der *plebs urbana* machten schließlich eine Verbesserung der Getreideversorgung unumgänglich. Die *lex Clodia frumentaria* aus dem Jahre 58 v. Chr. schaffte die Bezalung für das von der Republik verteilte Getreide ab. Im September 57 v. Chr. übertrug der Senat nach gewaltsamen Ausschreitungen der *plebs urbana* Pompeius umfassende Vollmachten für einen Zeitraum von fünf Jahren zur Sicherung der Getreideversorgung der Stadt Rom. In den folgenden Jahren stieg die Zahl der Getreideempfänger beträchtlich, bis Caesar sie im Jahre 46 v. Chr. von etwa 320000 auf 150000 reduzierte. Unter Augustus stieg die Zahl der Getreideempfänger bis zum Jahre 5 v. Chr. wieder auf 320000 an; im Jahre 2 v. Chr. wurde ein *recensus* der Bürger abgehalten, um diese Zahl abermals zu verringern. Seitdem blieb ihre Zahl konstant bei 200000. Als Konstantinopel im 4. Jh. n. Chr. Hauptstadt im Osten wurde, hat man auch hier Getreide kostenlos verteilt.

II. PRINZIPAT UND KAISERZEIT

Augustus erkannte bald, daß er die Getreideverteilung verbessern und kontrollieren mußte; 22 v. Chr. übernahm er während einer Versorgungskrise in Rom auf Drängen der *plebs urbana* entsprechend dem Vorbild des Pompeius die *curatio annonae*. Die Aufsicht über die Getreideversorgung wurde zunächst zwei gewesenen Praetoren und später zwei Consularen übertragen; wäh rend der letzten Regierungsjahre des Augustus wurde hingegen zum ersten Mal ein *eques* zum *praefectus annonae* ernannt. Diese Praefectur gehörte im frühen Prinzipat zu den wichtigsten Ämtern, die von *equites* bekleidet werden konnten. Es entwickelte sich eine Verwaltung, die Berechtigungsmarken (*tesserae frumentariae*, → Eintritts- und Erkennungsmarken) ausstellte und diejenigen, die ein Anrecht auf eine Getreideration hatten, in Listen erfaßte. Eine Ration von 5 *modii* (etwa 33 kg) monatlich reichte fast für zwei Personen aus. Allerdings kamen die Getreideverteilungen nicht allen der etwa 800 000 Einwohner Roms zugute. Ein mögliches Kriterium für die Berechtigung zum Empfang von kostenlosem Getreide fand keine Anwendung: Die Verteilung richtete sich nicht in erster Linie an die Bedürftigen. Nur in Rom ansässige Bürger wurden berücksichtigt, während Sklaven, Frauen und (zumindest bis Traianus) Kinder unter elf (vielleicht auch vierzehn) Jahren ausgeschlossen waren. Eine röm. Herkunft, ein Platz auf einer Liste mit einer festgesetzten Zahl von Personen oder der Status eines Freigeborenen sind als mögliche Kriterien für die Empfangsberechtigung in Betracht gezogen worden. Welche Auswirkungen derartige Beschränkungen hatten, hängt entscheidend von der Größe der stadtröm. Bevölkerung ab. 200 000 männliche Empfangsberechtigte, die älter als elf Jahre waren, stehen für etwa 600 000 freie röm. Bürger beiden Geschlechts und aller Altersstufen. Es ist unwahrscheinlich, daß die freie stadtröm. Bevölkerung erheblich größer war. Dennoch waren die Kriterien für die Berechtigung zum Empfang des Getreides von Bedeutung. Die Sterblichkeit in Rom war hoch, und die Bevölkerung blieb nur aufgrund einer beträchtlichen Zuwanderung konstant. Freigelassene und Zuwanderer waren oft genug dieselben Personen. Das Problem bestand nicht im Ausschluß von einer Liste von Empfangsberechtigten, sondern in der geordneten Aufnahme der Zuwanderer oder ihrer Nachkommen in die *plebs frumentaria*. Ein großer Teil des in Rom konsumierten Getreides wurde so aufgrund politischer Maßnahmen der freien Bevölkerung zur Verfügung gestellt. Wahrscheinlich reichte es aber nicht aus, um den Bedarf vieler Familien vollständig zu decken, und so mußte Getreide zusätzlich auf dem Markt gekauft werden.

III. ORGANISATION

Während des Prinzipats stammte der größte Teil des in Rom verteilten Getreides aus Nordafrika und Ägypten; allerdings diente das ägypt. Getreide während der Spätant. der Versorgung von Konstantinopel. Eingezogen wurde das Getreide als Steuer, ferner auch als Pacht für öffentliches Land oder, besonders in Nordafrika, als Ertrag aus den Ländereien des *princeps*. Von Zeit zu Zeit wurde über die Steuer hinaus zusätzlich auch Getreide auf dem Markt aufgekauft. Der Seetransport von Nordafrika oder von Ägypten wurde von der Verwaltung organisiert; da nur wenige hundert Schiffsladungen benötigt wurden, konnten private Schiffseigner (*navicularii*) diesen Transport bewältigen. Die *principes* haben diese Dienstleistung auch in Jahren der Getreideknappheit, wenn ein privater Handel mehr Gewinne versprach, zu sichern versucht, indem sie die Schiffseigner durch die Vergabe von mit Verpflichtungen verbundenen Privilegien an die *annona* banden, bis die *navicularii* wie auch die Bäcker unter öffentlicher Kontrolle standen. In der Zeit der Republik und des frühen Prinzipats wurde das Getreide zuerst nach Puteoli gebracht, von wo es in kleineren Schiffen bis zur Tibermündung transportiert wurde. Der Hafen von Ostia wurde nach 42 n. Chr. unter Claudius und später unter Traian ausgebaut. Gleichzeitig wurden in Ostia und Rom größere Speicher (*horrea*) für die Lagerung von öffentlichem und privatem Getreide errichtet. Damit wurde Ostia Roms wichtigster Hafen für die Getreideversorgung.

Zunächst wurde das Getreide einmal monatlich, vermutlich an verschiedenen Plätzen der Stadt, ausgegeben. Seit der Mitte des 1. Jh. konzentrierten sich die Verteilungen auf die *Porticus Minucia*. Hier wurde das Getreide während des ganzen Monats verteilt; einmal in diesem Zeitraum konnte jeder empfangsberechtigte Bürger an dem ihm zugeteilten Tor (*ostium*) seine Ration abholen. Insgesamt gab es 45 Tore; an jedem Tor wurden somit 150–200 Getreideempfänger täglich abgefertigt. Unter Septimius Severus wurden die Getreiderationen erstmals auch durch Olivenöl ergänzt; unter Aurelianus schlossen die Lebensmittellieferungen dann auch Schweinefleisch und Wein ein, wofür jedoch ein eigener Verwaltungsapparat zuständig war. Weiterhin wurde unter Aurelianus anstelle von Getreide Brot verteilt; damit kamen auch die Bäcker und die Bäckereien unter eine stärkere öffentliche Aufsicht. Die *Porticus Minucia* erwies sich nun als zu klein, das Brot mußte deshalb täglich an vielen verschiedenen Stellen (*gradus*, daher *panis gradilis*) verteilt werden.

→ Bäcker; Ernährung; Frumentargesetze; Getreide; Hunger

1 P. GARNSEY, Famine and Food Supply in the Graeco-Roman World, 1988 2 A. GIOVANNINI (Hrsg.), Nourir la plèbe, 1991 3 P. HERZ, Studien zur röm. Wirtschaftsgesetzgebung – die Lebensmittelversorgung, 1988 4 JONES, LRE, 695–705 5 W. JONGMAN, R. DEKKER, Public Intervention in the Food Supply in Pre-Industrial Europe, in: P. HALSTEAD & J. O'SHEA (Hrsg.), Bad Year Economics: Cultural Responses to Risk and Uncertainty, 1989, 114–122 6 H. P. KOHNS, Versorgungskrisen und Hungerrevolten im spätant. Rom, 1961 7 H. PAVIS D'ESCURAC, La préfecture de l'annone. Service impérial d'Auguste à Constantin, 1976 8 G. RICKMAN, The Corn Supply of Ancient Rome, 1980 9 B. SIRKS, Food for Rome: The Legal Structure of the Transportation and Processing of Supplies for the Imperial Distributions in Rome and Constantinople, 1991 10 E. TENGSTRÖM, Bread for the People. Studies in the Corn-Supply of Rome during the Late Empire, 1974 11 D. VAN BERCHEM, Les distributions de blé et d'argent à la plèbe romaine sous l'Empire, 1939 12 C. VIRLOUVET, Famines et émeutes à Rome des origines de la République à la mort de Néron, 1985. W. J.

IV. Spätantike und byzantinische Zeit

Unter Diocletianus hatten sich infolge der Geldabwertung die Steuern in Form von Naturallieferungen zur *annona* (*a.*), der bedeutendsten Einnahmequelle für den Fiskus, entwickelt. Die Bedeutung der *a.* nahm seit der Konsolidierung des Währungssystems unter Konstantin dem Gr. ab. *A.* (ἀννῶνα) können in mittelbyz. Zeit sogar Naturalabgaben in Form von Geldzahlungen oder der als Proviant gezahlte Teil des Lohns heißen.

H. GEISS, Geld und naturwirtschaftliche Erscheinungsformen im staatlichen Aufbau It. während der Gotenzeit, 1931 · A. CERCATI, Caractère annonaire et assiette de l'impôt foncier au Bas-Empire, 1975.   G. MA.

Curator rei publicae. Das seit der Wende vom 1. zum 2. Jh. n. Chr. erstmals bezeugte Amt des *c. r. p.* gehört zu den kaiserlichen Diensten, die von Rittern wahrgenommen werden, und entspricht ungefähr dem aus hell. Zeit bekannten Amt eines λογιστής (*logistés*; Cod. Iust. 1,54,3; Dig. 1,22,6). Sofern vom Kaiser eingesetzt (Dig. 50,8,12), nimmt der *c. r. p.* – wenn nötig – in den formell autonomen peregrinen *civitates* oder röm.-rechtlich verfaßten *municipia* und *coloniae* die Aufgaben eines staatlichen Procurators (Dig. 1,19, tit. *de officio procuratoris Caesaris vel rationalis*) wahr, falls die Stadt steuerlichen oder anderen Verpflichtungen gegenüber dem *fiscus* nicht nachkommt. Seit Constantinus I. gibt es den *c. r. p.* als Bestandteil der internen städtischen Ämterstruktur, dem die Aufgabe der örtlichen Steuererhebung und -exekution für das Reich obliegt (Dig. 50,4,18,9). Das in der Spätant. entstehende Amt eines *defensor civitatis* hat einen anderen Zweck und ist deshalb mit dem Amt des *c. r. p.* nicht zu verwechseln.

→ Cura; Defensor civitatis

JONES, LRE 728 ff. · KASER, RZ 156 f. · LIEBENAM, 481 ff. · E. MEYER, Röm. Staat und Staatsgedanke, ⁴1975, 422.   C. G.

Cures. Sabin. Stadt am linken Tiberufer, 24 Meilen von Rom entfernt an der *via Salaria*. Aus C. stammten zwei Könige von Rom (Titus Tatius, Numa Pompilius), die Bezeichnung der Römer als *Quirites* (Strab. 5,3,1) und der Name des *mons Quirinalis* (Varr. ling. 5,51). Die Römer eroberten C. unter M'. Curius Dentatus (290 v. Chr.). Als *municipium* wurde C. der *tribus Sergia* eingegliedert. Sulla und Caesar haben *coloniae* nach C. deduziert. Gehörte zur *regio IV* (Ov. fast. 2,135; Strab. 5,3,1), wurde in der Kaiserzeit C. *Sabini* gen. Frühchristl. Bischofssitz. Von den Langobarden zerstört. Spuren des Namens in S. Maria degli Arci (*arx*) und in Correse (Ort, Fluß, Paß). Einfache Hüttensiedlung seit dem 9. Jh. v. Chr., seit dem 7. auf beiden Anhöhen, verteidigt durch Gräben. Arch. Befund: → *cippus* mit archa. sabin. Inschr., Tempel, Forum, Theater, röm. Thermen; *villae* mit Zisternen in der Umgebung. Inschr.: CIL IX 4952–5012.

M. P. MUZZIOLI, C. Sabini, 1980 · T. LEGGIO, Da C. Sabini all'abbazia di Farfa, 1992 · A. GUIDI, in: EAA, 2. Suppl. 1994, II, 342.   G. U./Ü: S. GÖ.

Curia. Vorröm. Station der Straßenverbindungen vom Oberrhein zu den Alpenpässen (Bernardino, Splügen, Julier) nach Italien, h. Chur. Der Platz dürfte seit dem augusteischen Alpenfeldzug röm. *vicus* sein. Aber trotz der bed. Verkehrslage ist die Romanisierung zw. Bodensee und Alpen schwach [1. 67–72]. Arch.: Bescheidene röm. Funde im »Welschdörfli«. Im 4. Jh. n. Chr. Bau des spätant. Kastells, in dessen Umgebung frühchristl. Anlagen. Bischofssitz seit dem 5. Jh.

1 G. WALSER, Der Gang der Romanisierung in einigen Tälern der Zentralalpen (Stud. zur Alpengesch.), 1994.

W. DRACK, R. FELLMANN, Die Römer in der Schweiz 1988, 380–384 · A. HOCHULI-GYSEL, Chur in röm. Zeit aufgrund der arch. Zeugnisse (Beitr. zur Raetia Romana), 1987, 109–146.   G. W.

Curiae. Die *c.* gehören zu den wichtigsten Institutionen des archa. Rom. Die heute vorherrschende Etym. von *c.* ist die Herleitung von **co-viria* = »Männerbund«. Für die moderne Datierung ihrer Entstehungszeit ist es wichtig, daß das Kompositum *c.* kein gesamtindogerman. Ausdruck, sondern ein ital. Spezifikum war. Hieraus läßt sich schließen, daß die *c.* erst nach dem Auseinanderfallen der indogerman. Sprachfamilie entstanden sind. Allerdings weist die Nachricht, daß die *c.* ihren urspr. Sitz auf dem Palatin hatten (Tac. ann. 12,24), darauf hin, daß diese »Männerbünde« schon in der Frühphase der röm. Kultur entstanden sind.

Die *c.* waren Personenverbände, die vielfältige Spuren im rel. und polit. Leben späterer Epochen hinterlassen haben. Aber schon für die Römer waren ihre Ursprünge und die Konturen ihrer alten Funktionen in einen Nebel von Legendenbildungen und ungewissen Deutungen fortbestehender Riten gehüllt: So soll Romulus das Volk in 30 *c.* eingeteilt haben (Liv. 1,13,6; Plut. Romulus 14). Die genauen Anlässe für die Bildung der ersten *c.* und deren Organisationsprinzipien zu klären ist äußerst kompliziert. Von den 30 in klass. Zeit vorhandenen kennen wir nur von sieben den Namen: Rapta, Foriensis, Veliensis, Velitia, Acculeia, Faucia, Titia. Die Deutung ergibt, daß die ersten vier nach Örtlichkeiten, die letzten drei nach Personenverbänden benannt sind.

Allen *c.* war die Verehrung der Juno gemeinsam. Bei den Kulthandlungen der *c.* wurde neben der Anwesenheit der Priester ausdrücklich die Gegenwart von Frauen und von Kindern, deren Eltern noch leben mußten, verlangt (Dion. Hal. ant. 2,22,1). Jede *c.* besaß ein eigenes Gebäude, das ebenfalls die Bezeichnung *curia* trug. In diesem Versammlungsraum wurden die rel. Riten durchgeführt und die gemeinschaftlichen Gastmähler veranstaltet. Offensichtlich verehrte jede *c.* neben Juno noch eine eigene Gottheit, deren Kult zu den *sacra publica* zählte. Zur Wahrnehmung dieser Funktion wurde ein *flamen curialis* gewählt (Fest. p 56 L). Mitte Februar jedes Jahres feierten die *c. die fornacalia*, ein Fest, das die Gemeinschaft der Angehörigen jeder *curia* jeweils separat in ritueller Form zelebrierte. In der Zugangsberechtigung lag zugleich die Anerkennung der Zugehörigkeit des Betreffenden zur *curia* (Ov. fast. 2,513–530; Plin. nat. 18,8). In späterer Zeit wurde für die Römer, die ihre *c.* nicht mehr kannten, der 17. Februar als Festtag festgesetzt, der im Volksmund den Namen *stultorum feriae* bekam.

Für die Leitung und Oberaufsicht der gemeinschaftlichen Aktivitäten wählten die Mitglieder der *c.* einen → *curio*. Äußerst aussagekräftig sind die Kriterien, die ein potentieller Kandidat für dieses Amt erfüllen mußte: Gewählt werden konnten nur Männer, die über 50 Jahre alt waren, keine körperlichen Mängel aufwiesen und über einen erheblichen Wohlstand verfügten (Dion. Hal. ant. 2,21,3). Dieser Anforderungskatalog offenbart vom Standpunkt der institutionellen Evolution einen intermediären Charakter: Alter und physische Integrität unterstreichen das Überleben typischer Anforderungen früher Gesellschaften, da diese Kriterien nicht die individuelle Stellung und Leistung des Einzelnen reflektieren; das materielle Kriterium ist ohne eine deutliche soziale Differenzierung mit ihren Folgen für die Einordnung des Einzelnen in eine gesellschaftliche Hierarchie nicht denkbar. Aus alledem läßt sich schließen, daß das Amt des *curio* Ausdruck eines institutionellen Umbruchs war: Der soziale Status des Einzelnen hing nicht mehr nur von seinem Alter ab, doch wurde das hohe Alter als wirksame Sperre gegen eine Machtkonzentration genutzt, die sich aus einem Vererbungsmechanismus bei der Amtsausübung hätte ergeben können.

Die Tendenz zu einer stärkeren Institutionalisierung der Machtausübung führte zu der Ernennung eines *curio maximus* aus den Reihen der *curiones*, der die Oberaufsicht über die Aktivitäten der *c.* hatte. Offensichtlich wurden auch die Führungskräfte der *c.* als Garanten für die Durchsetzung der Entscheidungen angesehen. So wurde jedem *curio* als Amtsdiener ein *lictor* beigegeben (Gell. 15,27,2). Diese Entwicklung dürfte auch die Grundlage für die Ausbildung eines neuen Verfahrens zur Übertragung mil. Kompetenzen gewesen sein. Den auf dem *comitium* tagenden → *comitia curiata* oblag es noch in republikanischer Zeit, das *imperium* der Obermagistrate durch die *lex curiata* zu bestätigen. In der modernen Forsch. hat sich die Auffassung durchgesetzt, daß es sich hierbei um eine archa. Form der Machtlegitimation für den *rex* handelte, der in späterer Zeit neuere Mechanismen vorgeschaltet wurden, ohne daß der institutionelle Konservatismus der Römer sich von den alten Riten hätte trennen können. Schon zu Beginn der Republik hatten die *c.* ihre polit. Bed. weitgehend verloren und galten als rechtliche Relikte aus früher Zeit.

T.J. CORNELL, The Beginnings of Rome, 1995 · B. LINKE, Von der Verwandtschaft zum Staat, 1995 · G. PRUGNI, Quirites, in: Athenaeum 75, 1987, 127–161. B.LI.

Curialis, Curiales

[1] *C.* (von *curia*) bezeichnet sowohl einzelne Mitglieder des Gemeinderats als auch den Rat in seiner Gesamtheit als Institution (*decuriones*; Dig. 29,2,25,1; 37,1,3,4; 50,16,239,5).
→ Curia; Decuriones

[2] *C.* heißen die Angehörigen des städtischen Curialen-Standes, d. h. die Mitglieder von Familien, die aufgrund ihrer Abstammung (*curiali obstricti sanguine*; Cod. Iust. 10,32,43), oder der Amtstätigkeit ihres Familienoberhaupts als *c.* (Cod. Iust. 10,32,62) die Aufgaben eines Ratsmitglieds und städtischen Amtsträgers übernehmen können und sollen, in der Spätant. sogar müssen, sofern sie neben weiteren Voraussetzungen bes. ein größeres Vermögen besitzen (*curialis nexus*: Cod. Iust. 10,32,63,1; generell tit. 32).

[3] *C.* sind in der Spätant. Bedienstete am kaiserlichen Hofe (*curia*); das Wort wird syn. mit *palatini, aulici* oder *comitatus* gebraucht (Amm. 21,12,20; Salv. gub. 3,50).

JONES, LRE 572ff., 737 · LIEBENAM 226ff., 489ff. C.G.

Curiata lex. Rechtskräftiger Beschluß der nach *curiae* gegliederten *comitia curiata*, des wohl ältesten Typs der röm. Volksversammlung. Die frühe Form ist aus den Quellen kaum zu erschließen (vgl. Cic. rep. 2,25). Vermutlich wurden urspr. alle Fragen der Geschlechterordnung, des Kultwesens, des Bürgerrechts, des Militäraufgebots (*legio*), der Abgaben, der Inauguration von Königen und Priestern, und später der Zuständigkeiten der Ämter durch *leges curiatae* geregelt (Liv. 1,17,8f.; 1,22,1). Wahlen und Rechtsprechung sind dagegen erst den sich in der frühen Republik ausbildenden Versammlungen des Gesamtvolks (*comitia centuriata*) zugefallen bzw. von der Plebs in den *comitia tributa* (*concilia plebis*) im sog. Ständekampf beansprucht worden. In der Zeit der mittleren und späten röm. Republik übernehmen hauptsächlich letztere die Volksgesetzgebung, so daß im 1. Jh. v.Chr. nur noch folgende Bereiche als Gegenstand der *c.l.* geblieben sind: die Aufnahme einer Person in eine *gens* und die Entlassung daraus (Gell. 5,19,9), die Genehmigung von Testamenten, die im archa. Verfahren *calatis comitiis* (*curiatis*) errichtet werden (Gai. inst. 2,103), die zeremonielle Inauguration der schon gewählten, bestimmten oder kooptierten *pontifices, augures* und Vestalinnen (Cic. rep. 2,9,16; Fest. p.462) sowie der von den *comitia centuriata* gewählten obersten Magistrate mit *imperium* (Liv. 3,27,1; 4,14,1; Gell. 13,15,4). Nach Cicero (leg. agr. 2,29) konstituiert die *lex curiata* nicht Amtslegitimation, sondern wirkt nur rel. bestärkend. Dies weist ebenso auf den inzwischen eingetretenen verfassungsrechtlichen Bedeutungsverlust der *c.l.* hin wie die damals übliche Zusammenkunft von 30 Liktoren und drei Auguren, die symbolisch für die Versammlung der ehemals 30 *curiae* stehen (Cic. leg. agr. 2,31). Trotz der Minderung der polit. Bed. der Comitialverfahren in der frühen Kaiserzeit schwindet die zeremoniale Funktion der *c.l.* nicht völlig, doch gehen ihre Aufgaben im Testaments- und Gentilrecht allmählich in gerichtlichen Verfahren oder der kaiserlichen Reskriptpraxis auf (Gai. inst. 2,101–108; 4,17; Cod. Iust. 6,23,9; 8,47,2,1).

→ Comitia; Curia

F. F. ABBOTT, A History and Description of Roman Political Institutions, ³1963, 18 ff., 249 ff. • KASER, RPR 1, 678; 2, 207, 481 • B. LINKE, Von der Verwandtschaft zum Staat, 1995 • MOMMSEN, Staatsrecht 3, 89 ff., 316 ff.　　　C.G.

Curiatius. Italischer Familienname (SCHULZE, 355); nach röm. Sage wurde der Krieg Roms gegen Alba Longa unter König Tullus Hostilius durch den Kampf der Drillingsbrüder der Curiatii aus Alba gegen die Drillingsbrüder der Horatii (→ Horatius) aus Rom entschieden, wobei jene getötet wurden (Liv. 1,24 f.; Dion. Hal. ant. 3,16–20). Nach der Zerstörung Albas soll die Familie nach Rom übergesiedelt und unter die patriz. Geschlechter aufgenommen worden sein (Liv. 1,30,2; Dion. Hal. ant. 3,29,7). Der in den Fasten verzeichnete Consul 453 v. Chr., Mitglied des 1. Kollegiums der Decemvirn zur Abfassung der 12-Tafeln, P. C. Fistus Trigeminus (MRR 1,43 f.; 45), ist wohl unhistor.; auf ihn führte sich die polit. unbedeutende plebeische Familie der C. im 2./1. Jh. v. Chr. zurück (RRC 223; 240; Cic. leg. 3,20; Val. Max. 3,7,3).　　　K.-L. E.

Curictae (auch *Curica*, Tab. Peut.; Κυρικτική, Strab. 2,5,20). Insel an der dalmatischen Küste (h. Krk, kroat.) mit zwei Städten: C. (Κούρικον, Ptol. 2,16,13) beim h. Ort Krk und Fertinates (Φουλφίνιον, Ptol. l.c.) beim h. Omišalj. Zw. den Truppen des Pompeius und Caesar umkämpft (Caes. civ. 3,10,5), seit Augustus zu Illyricum gehörig. Claudius erteilte den Bewohnern das *ius Italicum* (Plin. nat. 3,139, *tribus Claudia*).

G. ALFÖLDY, Bevölkerung und Gesellschaft in [...] Dalmatien, 1965 • J. J. WILKES, Dalmatia, 1969.　　　D. S.

Curio
[1] Cognomen in der *gens Scribonia* (→ Scribonius).

ThlL, Onom. 2, 757–760 • KAJANTO, Cognomina 318.　　　K.-L. E.

[2] C. bezeichnet nach der Tradition den Vorsteher jeder der 30 *curiae*, der alten, zwischen den *tribus* und den *gentes* stehenden Abteilungen des röm. Volkes. Der *c.* wird in seiner rel. Funktion von einem *flamen curialis* unterstützt; an der Spitze der *c.* steht ein vom Gesamtvolk gewählter *c. maximus* (Liv. 27,8,1; CIL VIII 1174). Der vermutlich breite Aufgabenbereich der *c.* in der röm. Frühzeit läßt sich im einzelnen nicht sicher abgrenzen, in späterer Zeit bleiben den *c.* im wesentlichen kultische Dienstleistungen innerhalb der gentilen *sacra* und des *sacrum* ihrer eigenen *curia*, insbes. an dem Fornicalia-Fest im Februar (Varro ling. 5,83; 6,46; Ov. fast. 2,527). In der späten Republik können sie die *curiae* in den von einem Magistrat oder dem *curio maximus* einberufenen *comitia curiata* bei bestimmten Gentil- und Testamentsangelegenheiten sowie bei der rel. Bekräfti-

gung von Wahlen mittels einer *curiata lex* repräsentieren, sofern nicht ohnehin 30 *lictores* symbolisch agieren (Cic. leg. agr. 2,29 ff.).

→ Curiae; Curiata lex; Tribus

F. F. ABBOTT, A History and Description of Roman Political Institutions, ³1963, 18 ff., 252 ff. • LATTE, 143, 399 f. • MOMMSEN, Staatsrecht 3, 89 f.　　　C.G.

Curiosi (von *curiosus* »sorgfältig«, »wißbegierig«) werden in der Spätant. Bedienstete des kaiserlichen Hofes aus der Gruppe der bis zu 1300 *agentes in rebus* genannt (Cod. Iust. 12,20,3), denen verschiedene Spezialaufgaben am Orte der zentralen Reichsregierung, aber auch in den Prov. oder im Ausland übertragen werden. Als Sondergruppe sind die *c.* als *agentes in rebus in curis agendis et evectionibus publici cursus inspiciendis* (Cod. Iust. 12,22,2) definiert, die vor allem eine mißbräuchliche Benutzung der Staatspost (Cod. Iust. 12,22,4) zu verhindern und von ihnen festgestellte Gesetzwidrigkeiten (*crimina*) in den Prov. zu prüfen und an die zuständigen Provinzverwalter (*iudices*) zu melden haben (vgl. Cod. Iust. 12,22 tit. *de curiosis*). Bei ihren Erkundungs- und »Spitzel«-Aufgaben arbeiten sie unabhängig von örtlichen Behörden (*nihil prorsus commune aut cum iudicibus aut cum provincialibus habeant*), dürfen sich aber nicht in deren Zuständigkeiten einmischen (Cod. Iust. 12,22,4). Im Büro des *magister officiorum* leitet ein *curiosus cursus publici praesentalis* die *c.* in allen Provinzen (Not. dign. or. 11,50 f.; Not. dign. occ. 9,44 f.)

→ Cursus publicus; Magister officiorum

W. BLUM, C. und Regendarii, Diss. 1969 • JONES, LRE 578 ff.　　　C.G.

Curiosum urbis Romae. Verzeichnis der Sehenswürdigkeiten der 14 Stadtbezirke (*regiones*) von Rom. Neben dem im Kern konstantinischen *C.u.R.* sind eine jüngere, stärker itp. *Notitia* und eine *Classis commixta* überliefert.

A. NORDH, Prolegomena till den romenska regionskatalogen, 1936 • Ders., Libellus de regionibus urbis Romae, 1949 • HLL 5, 1989, § 520.　　　K. BRO.

Curius. Plebeischer Gentilname, seit dem Anfang des 3. Jh. v. Chr. bezeugt (ThlL, Onom. 2, 760–762).
[1] Sonst unbekannter Proconsul zwischen 47 und 45 v. Chr (Adressat von Cic. fam. 13,49).
[2] C., M. Volkstribun 198 v. Chr., erhob Einspruch gegen die Wahl des T. → Quinctius Flamininus zum Consul (Liv. 32,7,8).
[3] C., Q. 70 v. Chr. als ehemaliger Quaestor (?) aus dem Senat ausgestoßen (MRR 2,127), später Anhänger Catilinas, verriet 63 über seine Geliebte → Fulvia dem Cicero die Verschwörung (Sall. Catil. 23,2 ff.; 26,3; 28,2; Suet. Iul. 17).
[4] C. Dentatus, M'. Aus bis dahin unbekannter Familie (Cognomen, weil er angeblich mit Zähnen geboren wurde, Plin. nat. 7,68), Consul 290 v. Chr., 284 (*suff.*), 275, 274. Er besiegte im 1. Consulat die Sabiner

(Verleihung des Halbbürgerrechtes) und beendete den 3. Samnitenkrieg (zweifacher Triumph, MRR 1,183 f.). 283 besiegte er die Senonen in Oberitalien, wo danach die Kolonie Sena Gallica angelegt wurde (Pol. 2,19,9–12). 275 siegte er über Pyrrhos (MRR 1,195); im Triumph wurden erstmals Elefanten mitgeführt (Flor. epit. 1,13,28). Als Censor 272 begann er mit dem Bau der zweitältesten Wasserleitung nach Rom, des → *Anio vetus*, starb jedoch noch 270 vor der Vollendung (Frontin. aqu. 1,6). Seine sprichwörtliche Unbestechlichkeit und Bescheidenheit wurden vom Älteren → Cato als Vorbild idealisiert, der damit die späteren Quellen prägte.

G. FORNI, Manio Curio Dentato uomo democratico, in: Athenaeum N. S. 31, 1953, 170–240. K.-L. E.

Curriculum s. Schule

Cursor. Cognomen (»Läufer, Kurier«) in der *gens Papiria*.

KAJANTO, Cognomina 361. K.-L. E.

Cursus honorum bezeichnet allg. die aufsteigende Laufbahn röm. Politiker in einer Reihe bes. ehrenvoller Ämter (Cic. fam. 1,9,17; 3,11,2; Amm. 22,10,6), im bes. Sinne einen Komplex von Rechtsregeln für Politiker der röm. Republik, die ausgehend von Amtsstationen, die einen Sitz im Senat begründen, über eine Reihe von Ämtern bis zur höchsten senatorischen Rangstufe, der eines Consularen, d. h. eines ehemaligen Consuls, gelangen wollen. Der Gesamtkomplex regelt demnach a) den Erwerb der Senatszugehörigkeit durch die Führung eines Eingangsamtes, b) die Reihenfolge der Ämter, c) den zeitlichen Mindestabstand zwischen den Ämtern und d) das jeweilige Mindestalter der Bewerber. Zweck der Regeln ist es, die Chancengleichheit der polit. Klasse bei der Konkurrenz um höchste Staatsämter durch die Eingrenzung bes. Formen des polit. Ehrgeizes und der öffentlichen Selbstdarstellung (*ambitus*) zu sichern und damit die Funktionsfähigkeit der hierarchisch gegliederten Ämterstruktur und das Ansehen des Senatorenstandes zu stärken.

Die Regeln entstehen allg. im Zusammenhang mit den Wahlkämpfen der mittleren und späteren röm. Republik, im bes. als Folge von polit. bedrohlich erscheinenden »Blitzkarrieren« junger *nobiles* in und nach dem 2. Punischen Krieg, und sind erstmals 180 v. Chr. in der *lex Villia annalis* belegt, die zumindest Regelungen zum Mindestalter trifft (Liv. 40,44,1); doch ist schon zuvor ein 10-jähriger Militärdienst als Bewerbungsvoraussetzung für ein hohes Amt gefordert (Pol. 6,19,4). Nach 180 schließt der vielfach ungeklärte *c. h.* auch Ädilität, Prätur und Konsulat ein, ferner – wohl seit gracchischer Zeit – auch ein Volkstribunat bei Bewerbern aus der *plebs*. Die Reformen Sullas (Cic. leg. 3,3,9) beziehen – wohl erstmalig (Tac. ann. 11,22) – die Quästur neben den bereits stufenweise zu bekleidenden Ämtern der *aediles, praetores* und *consules* in den *c. h.* ein und schließen

das Volkstribunat vollständig aus; es konnte ohnehin wegen der Beschränkung auf die *plebs* nie zum regelmäßigen *c. h.* gehört haben, obwohl seine Bekleidung das Recht auf einen Senatssitz gab (Gell. 24,8,2; App. civ. 1,28).

Republikanischer Cursus honorum zur Zeit Ciceros

1. Station:	**die Quästur** (Mindestalter 31 Jahre) 20 Quästoren (seit Sulla)
	Intervall (2 Jahre)
2. Station:	**die Ädilität** (Mindestalter 37 Jahre) 4 Ädilen (unter Caesar: 6 Ädilen)
	Intervall (2 Jahre)
3. Station:	**die Prätur** (Mindestalter 40 Jahre) 10 Prätoren (seit Sulla; unter Caesar 12 Prätoren)
	Intervall (2 Jahre)
4. Station:	**das Konsulat** (Mindestalter 43 Jahre) 2 Konsuln

Zur Zeit Ciceros beträgt das Mindestalter für Quästoren 31, Ädilen 37, Prätoren 40 und Konsuln 43 Jahre mit obligatorischen Intervallen von je zwei Jahren zwischen den Ämtern (App. civ. 1,100,466; Cic. off. 2,17,59; Cic. fam. 10,25,2; Phil. 5,7,47;), s. Abb. Nicht in den geregelten *c. h.* eingebunden sind Zensoren, Dictatoren, rein mil. Führungsämter, Legaten, Promagistrate und die Angehörigen administrativer, priesterlicher oder gerichtlicher Kollegien vom Duumvirat bis zum Centumvirat. Doch können vor, zwischen und nach den Stationen des *c. h.* im eigentlichen Sinne weitere mil. und zivile Ämter die Karriere eines röm. Politikers bestimmen. Am Ende der Republik führt die Übertragung außerordentlicher Vollmachten etwa für Pompeius, Caesar oder Octavian zur zeitweiligen Aufgabe der Regeln (Plut. Pompeius 14,1; App. civ. 3,88,361; Suet. Aug. 27), in der Kaiserzeit verlieren sie ihren früheren Sinn als Mittel der Funktionsverteilung innerhalb der Oberschicht, weil trotz fortbestehender Wahl durch das Volk bzw. später durch den Senat die Ämter letztlich nach dem Willen des Kaisers besetzt werden. Die übliche »Wahl« der vom Princeps nominierten → *candidati* schafft ein neues Karrieremuster im kaiserlichen Staatsdienst. Demgemäß verändern sich, wohl schon seit Augustus, die Stationen der Laufbahn in hohen polit. Ämtern (Cass. Dio 54,26; Tac. ann. 3,29). Der *c. h.* beginnt nun mit dem Vigintisexvirat (später Vigintivirat), führt über das Militärtribunat zu der bereits mit 25 Jahren erreichbaren Quästur und dann im Prinzip nach den Regeln des republikanischen *c. h.* weiter. Doch befreien die Kaiser öfters von den Regeln des *c. h.* oder verleihen Ämter und Rangplätze im Senat nach polit. Opportunität. Dabei kann das bes. Ansehen, das ein *candidatus principis* genießt, und die Tätigkeit im direkten kaiserlichen Dienst, etwa als *legatus principis*, Stationen im *c.h.* ersetzen.

In der Spätant. ist der traditionelle *c.h.* fast völlig verdrängt durch einen *ordo dignitatum*, innerhalb dessen die höchsten Staatsämter die höchsten Hofämter sind und z.B. das Konsulat im wesentlichen nur noch eponyme oder titular ehrende Bed. hat (Cod. Iust. 12,8; 12,3).

→ Magistratus; Senatus; Candidatus

JONES, LRE 378 ff. · W. KUNKEL, Staatsordnung und Staatspraxis der röm. Republik, 1995, Bd. 2, 43 ff. · E. MEYER, Röm. Staat und Staatsgedanke, ⁴1975, 100 f., 385 ff. · MOMMSEN, Staatsrecht 1, 523 ff., 536 ff.; 2, 915 ff., 937 ff. C.G.

Cursus publicus. Der Begriff *c.p.*, der erst seit dem 4. Jh. n. Chr. belegt ist (Cod. Theod. 8,5,1), aber schon früher aufkam (vgl. P Panop. Beatty 2,275: 28.2.300), bezeichnet das staatliche Nachrichten- und Transportsystem des *Imperium Romanum*; im 1.–3. Jh. n. Chr. beschrieb man Ämter, Aufgaben und Pflichten des Systems durch die Verbindung mit *vehicula* oder *vehiculatio* (CIL III 7251; RIC II 93). Augustus richtete zunächst als reines Kommunikationssystem einen Kurierdienst ein, der aus sich abwechselnden Boten bestand. Den Dienst baute er zu einem leistungsfähigen Beförderungssystem aus, indem entlang der Hauptverbindungswege in bestimmten Abständen Transportmittel zur Verfügung gestellt wurden, die von den Benutzern des *c.p.* im Wechsel gebraucht werden konnten (Suet. Aug. 49,3–50). Der *c.p.* war keine Post im modernen Sinn, da es weder regelmäßige Beförderungen noch die Nutzung durch Private gab, sondern allein die Fortbewegung, Nachrichtenübermittlung oder den Transport im öffentlichen Auftrag (Beamte, Militär, Güter).

Die Grundlage des Systems bildete das röm. Straßennetz, an dem Rast- und Wechselstationen (*mansiones* und *mutationes*) angelegt wurden. Finanziert wurde der *c.p.* zum Großteil über eine Leistungsverpflichtung der Bevölkerung (*angaria*), die gegen eine vom Statthalter festgelegte Entschädigungszahlung Fahrzeuge und Tiere bereitstellen, die Straßenstationen bewirtschaften und kostenlos Unterkunft gewähren mußte. Somit lastete diese Unterhaltspflicht für den *c.p.* als *munus* auf den Reichsbewohnern, die spätestens im 4. Jh. für ihre Leistungen offenbar nicht mehr entschädigt wurden. Seitdem erscheint auch das Amt eines Stationsleiters (*manceps*), dem diverse Staatssklaven (*muliones, mulomedici, carpentarii*) als Personal zur Verfügung standen, unter den Zwangsverpflichtungen. Die administrative Leitung des *c.p.* lag wohl seit der Einrichtung unter Augustus für Italien beim *praef. vehiculorum* [1. 89–94], dem verschiedene subalterne Funktionsträger zur Seite standen, z. B. der *tabularius a vehiculis*, der *a commentariis vehiculorum* sowie der *a vehiculis* (CIL VI 8543. 8542). Seit dem Ende des 2. Jh. n. Chr. amtierten gleichzeitig mehrere *praefecti vehiculorum*, die offenbar für bestimmte Re-

gionen zuständig waren. In den nordwestl. Prov. wurden sie evtl. nur bei bes. Bedarf eingesetzt. Üblicherweise waren in den Prov. die Statthalter und die Finanzprocuratoren für den *c.p.* verantwortlich. Diese regelten den Bedarf und die Tarife der bereitzustellenden Transportmittel, legten diese Lasten auf die einzelnen Gemeinden um (SEG 16, 754; 26, 1392) und versuchten dem Mißbrauch durch Nutzer entgegenzuwirken. Ferner trugen sie Sorge für die Stationsgebäude. Mit der Kontrolle von Erlaubnisscheinen (*diploma*, seit dem 4. Jh. *evectio*, *tractoria*), die jeder mit *c.p.* Reisende vorweisen mußte und die nur der Kaiser (im 4. Jh. auch wenige hohe Beamte) ausstellen konnte, wurden im 4. Jh. auch die *curiosi* aus der *schola* der *agentes in rebus* (Cod. Theod. 6, 29) betraut. Den häufigen Mißbrauch konnten diese Untergebenen des *magister officiorum*, der nach dem Princeps die oberste Kontrollinstanz des *c.p.* darstellte, offenbar auch nicht eindämmen. Daneben oblag damals die organisatorische Leitung letztinstanzlich den *praef. praet.* Spätestens seit Beginn des 4. Jh. gliederte sich der *c.p.* in den schnelleren *cursus velox* und den für Gütertransporte geeigneten, langsameren *cursus clabularius* (Cod. Theod. 8,5,1; P. Oxy. 2675). Den Benutzerkreis dehnten die Kaiser durch Gunsterweise öfters aus, so etwa auf die Bischöfe. Die kaiserlichen Edikte zum *c.p.*, die eine Vielzahl von Einzelheiten regelten und eine mißbräuchliche Nutzung unterbinden sollten, finden sich in Cod. Theod. 8,5.

→ Angaria; Mansio

1 E. W. BLACK, C.p., The Infrastructure of Government in Roman Britain, BAR 241, 1995 2 W. ECK, Die staatliche Organisation It. in der hohen Kaiserzeit, 1979, 88–110 3 E. J. HOLMBERG, Zur Gesch. des c.p., 1933 4 JONES, LRE, 830–834 5 S. MITCHELL, Requisitioned Transport in the Roman Empire. A new Inscription from Pisidia, JRS 66, 1976, 106–131 6 H. G. PFLAUM, Essai sur le c.p. sous le Haut-Empire romain, Mémoires de l'Académie des Inscriptions et Belles Lettres 14, 1940 7 H.-CHR. SCHNEIDER, Altstraßenforsch., 1982, 90–115 8 P. STOFFEL, Über die Staatspost, die Ochsengespanne und die requirierten Ochsengespanne, 1994. A.K.

Curtia Flavia Archelais Valentilla. Frau consularen Ranges, die in Lydien begütert war [1].

1 G. PETZL, in: EA 26, 1996, 9 ff. W.E.

Curtilius

[1] T. C. Mancia. Suffectconsul im J. 55 n. Chr. [1. 267]; Statthalter und Kommandeur des obergermanischen Heeres von 56 bis mindestens 58 [2. 25 f.]. Ob er Proconsul von Africa wurde, ist nicht sicher (PIR² C 1605; [3. 214 ff.]). Zur Vererbung seines Vermögens siehe Domitia [II 7].

G. CAMODECA, L'archivio Puteolano dei Sulpicii I, 1992 2 ECK, Statthalter 25 f. 3 VOGEL-WEIDEMANN. W.E.

Curtisius

T. C. Ehemaliger Praetorianer, der im J. 24 n. Chr. einen bald niedergeschlagenen Sklavenaufstand in Brundisium anzettelte (Tac. ann. 4,27). D.K.

Curtius. Röm. Familienname (SCHULZE 78; ThlL, Onom. 2,765–770). Die erfundenen frührepublikanischen Angehörigen C. [I 1–3] sollen den Namen des *lacus Curtius* erklären [1. 75 ff.].

I. REPUBLIKANISCHE ZEIT

[I 1] C., M. Held der röm. Sage. Als im J. 362 v. Chr. sich auf dem Forum ein Spalt öffnete und ein Orakel kündete, er werde sich erst schließen, wenn Roms höchstes Gut geopfert wäre, um die Ewigkeit Roms zu gewährleisten, deutete C. dies auf die kriegerische Tapferkeit und sprang in voller Rüstung mit seinem Pferd in den Spalt, der sich darauf wieder schloß (Varro ling. 5,148). An dieser Stelle soll ein See, der → *lacus C.*, entstanden sein.

In der frühen Kaiserzeit war der See ausgetrocknet (Ov. fast. 6,403 f.), diente aber der stadtröm. Bevölkerung dazu, jährlich Münzen als Glück- und Segenswünsche für den Kaiser hineinzuwerfen (Suet. Aug. 57,1) [2. 229 f.].

1 R. M. OGILVIE, A Commentary on Livy. Books 1–5, 1965
2 L. RICHARDSON, A New Topographical Dictionary of Ancient Rome, 1992.

[I 2] C., Mettius. Sabiner, kämpfte unter T. Tatius gegen die Römer unter Romulus und entkam durch ein Sumpfloch auf dem Forum (Varro ling. 5,149 nach C. Calpurnius [III 1] Piso; Liv. 1,12,8 ff.).

[I 3] C. Chilo, C. (Name unsicher), angeblich Consul 445 v. Chr. und Gegner der *lex Canuleia* (Liv. 4,1–7; → Canuleius [1]); er soll den See nach einem Blitzschlag geweiht haben (Varro ling. 5,150).

[I 4] C. Nicias. Grammatiker und Tyrann von Kos in spätrepublikanischer Zeit (→ Nikias).

[I 5] C. Peducaeanus, M. Quaestor 61 v. Chr., Volkstribun 57, Bekannter Ciceros (ad Q. fr. 1,4 u. a.).

NICOLET 2, 861 f.

[I 6] C. Postumus, M. (?), 54 Militärtribun bei Caesar (Cic. ad Q. fr. 2,14,3; 3,1,10); identifiziert mit dem Anhänger Caesars C. → Rabirius Postumus, Praetor ca. 47/6 v. Chr..

NICOLET 2, 863 · D. R. SHACKLETON BAILEY, Two Studies in Roman Nomenclature, ²1991, 21, 82. K.-L. E.

II. KAISERZEIT

[II 1] Ritter der augusteischen Zeit (Macr. Sat. 2,4,22); vielleicht mit dem in einem *senatus consultum* vom J. 19 genannten C. identisch (EOS I 517).

[II 2] C. Atticus. Röm. Ritter, der Tiberius im J. 26 n. Chr. nach Campanien und Capri begleitete; von Seian vernichtet (PIR² C 1609; zur Identifizierung [1. 72]).

1 R. SYME, History in Ovid, 1978.

[II 3] C. C. Iustus. Senator. Seine Laufbahn ist in CIL III 1458 = Inscr. Daciae Romanae III 2, 91 erhalten: Aufnahme in den Senat unter Hadrian; nach längerer prae-

torischer Laufbahn Statthalter von Dacia superior um 148/150; *cos. suff.*, consularer Legat von Moesia superior um 158/159 (PIR² C 1613; Piso 58 ff.).

[II 4] C. Montanus. Senator, der sich im J. 70 n. Chr. für das Andenken des Piso Licinianus einsetzte und dabei von Aquilius Regulus angegriffen wurde (PIR² C 1615).

[II 5] C. Montanus. Sohn von C. [II 4], ebenfalls Senator; wegen satirischer Gedichte im J. 66 im Senat angeklagt, aber wegen seines Vaters nicht verurteilt (PIR² C 1616).

[II 6] C. Paulinus. Ritterlicher Militärtribun in Ägypten im J. 57/58 (P Oxy. 3279; Devijver, V p. 2084). Mit Paulinus bei Ios. bell. Iud. 3,344 ist er nicht identisch (Demougin, Nr. 532, 599).

[II 7] Q. C. Rufus. Von niederer Herkunft, gelang es ihm, durch Patronage unter Tiberius in den Senat zu gelangen (Tac. ann. 11,21); die Praetur erreichte er als *candidatus* des Tiberius. Wohl 44 n. Chr. *cos. suff.* (AE 1975, 366; [1. 18]). Legat von Germania superior zwischen 47 und 49, wo er die *ornamenta triumphalia* erwarb; er starb unter Nero als Proconsul von Africa [2; 3]. Ob AE 1986, 475 sich auf ihn bezieht, bleibt unsicher.

1 ECK, Statthalter 2 VOGEL-WEIDEMANN, 184 ff.
3 B. E. THOMASSON, Fasti Africani, 1996, 38 f. W. E.

[II 8] Q. C. Rufus. Verf. der einzigen bekannten Alexander(Al.)-Monographie in lat. Sprache (10 B.; Lücken in B. 3, 5, 6, 10; B. 1–2 fehlen vollständig). Das Werk (*Historiae Alexandri Magni Macedonis*) ist in mehr als 100 Hss. unterschiedlichster Qualität aus der Zeit zwischen dem 9. und 15. Jh. überliefert. Nur in den Hss. wird C. als Verf. genannt, von ant. Autoren wird weder sein Name noch sein Werk erwähnt. Die Identifikation mit dem aus Tac. ann. 11,20 f. und Plin. epist. 7,27,1–3 bekannten Parvenue C. R. oder mit dem Rhetor (Suet. rhet. 33) Q. C. R. ist unsicher. Vom 1. bis 4. Jh. sind nahezu alle Datier. vertreten worden. Die berühmte Digression (Curt. 10,9,1–6), in der der Zustand des maked. Reiches nach Alexanders Tod mit der aktuellen polit. Lage in Rom verglichen wird, ist für eine gesicherte Datier. zu unspezifisch. Die meisten Vertreter hat die Datier. in die Zeit des Claudius gefunden, doch macht die Kongruenz der Metaphorik mit der Bürgerkriegssituation des Vierkaiserjahres (68/69 n. Chr.) die Entstehung des Werkes unter Vespasian (69–79) äußerst wahrscheinlich [4].

Was dem modernen Betrachter am Werk romanhaft erscheinen mag, ist durch den Stoff und dessen Gestaltung in den primären Al.quellen (→ Alexanderhistoriker) vorgegeben. Als Roman nach ant. Maßstäben kann erst die Phantastik des → Alexanderromans bezeichnet werden. C. hat zu gewissenhaft nach den Quellen, einem von verschiedensten Traditionen überlagerten auf → Kleitarchos zurückgehenden Grundstock, gearbeitet, als daß man von bloßer → Unterhaltungslit. sprechen könnte.

Die wesentlich auf Effekte abzielende literarische Gestaltung (Reden, Einzelszenen) ist jedoch Zutat des C. Das Werk besitzt beträchtliche erzählerische Qualitäten, die an den Traditionen der Epik (v. a. → Vergils), an der griech.-römischen Historiographie aller Epochen (bes. → Livius) und an der röm. Rhet. geschult sind, sowie eine moralisierende Tendenz ganz nach dem Zuschnitt röm. → Geschichtsschreibung [III]. Sachliche Ungenauigkeiten und Widersprüche sind nicht auf Nachlässigkeit zurückzuführen, sondern veranschaulichen das (in der Forschung vernachlässigte) lit. Interesse des C., dem die Gestaltung wirkungsvoller Einzelszenen wichtiger war als Geschlossenheit des gesamten Werkes.

Ant. Erwähnungen des C. sind nicht bekannt; dem entspricht der literarische Befund: Nirgendwo läßt sich mit Bestimmtheit Beeinflussung eines ant. Autors durch C. feststellen. Parallelen bei → Tacitus beruhen eher auf allg. bekannten Topoi.

EDD. UND ÜBERS.: E. HEDICKE , 1908 (Ndr. 1919) ·
K. MÜLLER, H. SCHÖNFELD, 1954 (mit dt. Übers.) ·
G. JOHN, Die Gesch. Al. d. Gr. von Q. C. R. und der
Al.-roman, 1987.
KOMM.: J. E. ATKINSON, A comm. on Q. C. R.' Historiae
Alexandri Magni 3–4, 1980.
LIT.: 1 S. DOSSON, Étude sur Quinte-Curce, 1886
2 R. POROD, Der Literat C., 1987 3 W. RUTZ, Zur
Erzählungskunst des Q. C. R., in: ANRW II.32,4, 1986,
2329–2357 4 J. STROUX, Die Zeit des C., in: Philologus 84,
1929, 233–251 5 J. FUGMANN, Zum Problem der Datier.
der Historiae Alexandri Magni des C. R., in: Hermes 123,
1995, 233–243.   R.O. PO.

[II 9] C. Severus. *Praef. equitum* im syr. Heer, der gegen die Cietae eine Niederlage erlitt (PIR² C 1620).   W. E.

[II 10] C. Valerianus. Lat. Grammatiker vermutlich des 5. Jh. n. Chr., nach → Papirianus und vor → Cassiodorus. Von seinem Werk haben wir nur die Exzerpte des Cassiodorus in dessen *De orthographia*. Dort erscheinen sie unter dem Titel *ex Curtio Valeriano ista collecta sunt*. Es handelt sich um einige orthographische Anmerkungen, die relativ ordnungslos gesammelt sind und eine starke Abhängigkeit von Papirianus aufweisen.

ED.: GL 7,155–158
LIT.: SCHANZ/HOSIUS, 4,2,218.   P. G./Ü: G. F.–S.

Curubis. Stadt in der *Africa Proconsularis*, an der Ostküste der Halbinsel Bon gelegen, h. Korba. Zur Zeit Caesars *colonia*. Lit. Belege: Plin. nat. 5,24; Ptol. 4,3,8 (Κουραβίς, Κούροβις); Itin. Anton. 56,7; 57,5; 493,9. Inschr.: CIL VIII 1, 977–981; Suppl. 1, 12451–12453; Suppl. 4, 24099–24102; [1. 386].
→ Cap Bon

1 Bull. Archéologique du Comité des Travaux Historiques
1930–1931.

S. LANCEL, E. LIPIŃSKI, s. v. Cap Bon, DCPP, 88 f.   W. HU.

Curvius. Sex. C. Silvinus. Quaestor in der Prov. Baetica, vielleicht in augusteischer Zeit (AE 1962, 287; [1]).

1 W. ECK, RE Suppl. 14, 110.

Cuspius
[1] L. C. Camerinus. Pergamener, der unter Nerva oder Traian in den Senat kam; Suffectconsul im J. 126 n. Chr. [1]. Vater von C. [2].

1 W. ECK, M. ROXAN, in: FS H. Lieb, 1995, 77ff.

[2] L. C. Pactumeius Rufinus. Sohn von C. [1]. *Cos. ord.* im J. 142 n. Chr. Hielt sich öfter in Pergamon auf, wo er auch den Tempel des Asclepius errichtete. Mit Aelius Aristides befreundet (PIR² C 1637).
[3] L. C. Rufinus. Wohl Enkel von C. [2]. *Cos. ord.* im J. 197 n. Chr. (PIR² C 1638).   W. E.

Custodia. »Bewachung«, »Beaufsichtigung«. Im Privatrecht ist damit meist eine bes. Haftung gemeint; im Strafrecht bezeichnet *c.* die Aufsicht über einen Gefangenen.

Im röm. Schuldrecht kommt *c.* als t. t. für die Pflicht eines Vertragspartners vor, im Hinblick auf eine (meist) fremde Sache *c.* zu üben, z. B. des Entleihers (Gai. inst. 3,206) und bestimmter Werkunternehmer (Gai. inst. 3,205), des Speichervermieters (Dig. 19,2,60,9), des Mieters (vgl. Inst. Iust. 3,24,5), des Faustpfandgläubigers (Dig. 13,7,13,1), des sich anbietenden Verwahrers (Dig. 16,3,1,35), des Gesellschafters (Dig. 17,2,52,3), des Nießbrauchers (Dig. 7,9,2) sowie des Verkäufers zwischen Kauf und Übergabe der Ware (Dig. 19,1,31 pr.). Im Rahmen der → receptum-Haftung müssen Gastwirt (*caupo*), Schiffer (*nauta*) und Lagerhalter (*stabularius*) für *c.* einstehen (Dig. 47,5,1,4). Der Sprachgebrauch der Juristen ist nicht immer technisch: So heißt es von dem zu verwahrenden Objekt beim → depositum in Dig. 16,3,1 pr., daß es *custodiendum* übergeben wird, ohne daß damit eine Bewachungspflicht im obigen Sinn gemeint ist (vgl. Gai. inst. 3,207).

Entscheiden die röm. Juristen, daß jemand für *c.* haftet (*custodiam praestare*), so bedeutet dies, daß er für den Untergang oder die Verschlechterung einer Sache einstehen muß, was durch Bewachung der Sache hätte verhindert werden können. Damit fällt unter die *c.*-Haftung v. a. der Diebstahl der Sache (Gai. inst. 3,205 ff), aber auch die Flucht von Sklaven (Dig. 13,6,5,6) sowie Sachbeschädigung durch Dritte (sofern sie durch *c.* hätte abgewendet werden können, vgl. Marcellus/Ulp. Dig. 19,2,41, anders Iulian. Dig. 13,6,19). Dem *c.*-Pflichtigen wird dafür (sofern er solvent ist) anstelle des Eigentümers die *actio furti* gegen den Dieb gewährt (Gai. inst. 3,203 ff). Keine Haftung für *c.* tritt ein, wenn der Schadensfall durch ein Ereignis von → vis maior (höhere Gewalt) herbeigeführt wurde.

Umstritten ist, wie sich die *c.*-Haftung zur Haftung für → culpa verhält: eigenständiger Haftungsgrund oder nur bes. Ausprägung einer Haftung für Pflichtverletzung? Ferner: objektives *c.*-Konzept (Erfolgshaftung wegen des bloßen Diebstahls) oder subjektives *c.*- Konzept (Verschuldenshaftung, weil der Schaden konkret auf mangelhafter Bewachung durch den *c.*-Pflichtigen beruht)? Die objektive Vorstellung hat sich vermutlich im Prinzipat – zumindest bei einem Teil der Juristen – zur subjektiven fortentwickelt (*c.* als Unterfall der *culpa*). Sie wurde in der Spätant. verallgemeinert und systematisiert.

    C. begegnet weiter im Sachenrecht als Nähe einer Person zu einer Sache, z.B. im Sinne des für den Besitzerwerb notwendigen *corpus possessionis*: Besitz wird erworben, indem der Erwerber für eine Bewachung der Sache sorgt (vgl. Dig. 41,2,51). Besitz an beweglichen Sachen (mit Ausnahme von Sklaven) bleibt bestehen, solange man *c.* über sie hat. Nach Dig. 41,2,3,13 handelt es sich bei *c.* in diesem Zusammenhang um die Fähigkeit einer Person, den natürlichen Besitz an der Sache beliebig herstellen zu können.

    Im Erbrecht wird als *custodela* die Stellung des *familiae emptor* (Erbschaftstreuhänder) hinsichtlich der ihm anvertrauten Sachen bezeichnet (Gai. inst. 2,104).

    Im Strafrecht bedeutet *c.* die Inhaftierung von Beschuldigten, insbes. im → *carcer* (*c. carceralis, c. publica*). Die *c. libera* ist eine weniger strenge Haft, bei der durch magistratische *coercitio* Hausarrest angeordnet wird. Bei der *c. militaris* (→ Militärstrafrecht) wird der Beschuldigte Soldaten zur Bewachung übergeben.

→ Furtum; Commodatum; Possessio

KASER, RPR I, 506–511; II 352–355 · H. HONSELL, TH. MAYER-MALY, W. SELB, Röm. Recht, [4]1987, 233–238 · R. ROBAYE, L'obligation de garde, 1987 · P. VOCI, »Diligentia«, »custodia«, »culpa«, in: SDHI 56, 1990, 29–143 · G. MACCORMACK, Custodia and Culpa, in: ZRG 89, 1972, 149–219.

Custos. Wächter, Hüter, Aufseher. C. ist auch ein Beiname des Iuppiter, der auf Münzen der Kaiser Nero bis Hadrian erscheint. Für die Rettung nach dem Vitellianersturm soll Domitian dem Iuppiter C. einen Tempel errichtet haben, in dem ein Bild aufgestellt war, das den Kaiser unter dem Schutz des Gottes stehend zeigt (Tac. hist. 3,74). *Corporis c.* ist die Bezeichnung für Leibwächter ant. Potentaten, insbes. für die german. Leibwache des iulisch-claudischen Hauses (CIL VI 8803; 8804). *C. urbis* findet sich öfters als Synonym für den *praefectus urbi*.   F. ME.

Cusus. Fluß, Ost- oder Westgrenze des 19 n. Chr. *inter Marum* (March) *et Cusum* gegr. Reichs des Quaden Vannius (Tac. ann. 2,63,6), meist mit der *Duria* identifiziert, also mit Hron (Gran), Ipel' (Eipel) oder – arch. am wahrscheinlichsten – Váh (Waag [1. 186[104]]).

1 H.-W. BÖHME, Arch. Zeugnisse zur Gesch. der Markomannenkriege, in: JRGZ 22, 1975, 153–217.

TIR M 33,35f. · G. NEUMANN, s.v. C., RGA 5, 112f. Ipel';   K. DI.

Cutilia. Sabin. Stadt zw. Reate und Interocrium, gegr. von den Aborigines, berühmt durch Varro; von C. haben ihren Namen die *Aquae Cutiliae* und der *lacus Cutiliensis*, der, im Zentrum der Halbinsel gelegen, als *umbilicus Italiae* (»Nabel von Italia«) galt (Varro ling. 5,71; Plin. 3,109).

NISSEN, 2, 475.   G. U./Ü:S. GÖ.

Cutius

[1] T. C. Ciltus. Suffectconsul wohl im J. 55 n. Chr. mit L. Iunius Gallio (AE 1960, 61f.; [1]).

1 W. ECK, RE Suppl. 14, 110.

[2] C. Lupus. Quaestor, der in Unter-It. die *calles* zu kontrollieren hatte. Schlug im J. 24 n. Chr. in Apulien einen Sklavenaufstand nieder (Tac. ann. 4,27,2; [1]).

1 W. ECK, in: Scripta Classica Israelica 13, 1994, 60ff.   W. E.

Cyathus. Ein Schöpf- oder Trinkgefäß, das, hergeleitet vom griech. κύαθος, speziell ein röm. Hohlmaß für Trockenes und Flüssigkeiten zu 45,6 ml darstellt. Der *c.* bildet ¹⁄₁₂ des *sextarius* (= 0,55 l). Die Anzahl der getrunkenen *c.* wird nach dem Vielfachen der *uncia* gezählt, z.B. 4 *c.* werden *trientes* (= ⅓ des Sextarius) oder 11 *c. deunx* genannt. Eine beim Gelage beliebte röm. Sitte sieht vor, daß soviel *c.* getrunken werden müssen wie der Name des zu Ehrenden Buchstaben hat. Es werden auch größere Kelche benutzt, die ein Mehrfaches des *c.* bilden.

→ Deunx; Gastmahl; Hohlmaße; Kyathos; Sextarius; Uncia

F. HULTSCH, Griechische und römische Metrologie, [2]1882, 117ff. · J. MARQUARDT, Das Privatleben der Römer, [2]1886, 334ff.   A. M.

Cybele s. Kybele; Mater Magna

Cynamolgus. Plinius (nat. 10,97 = Sol. 33,15) berichtet im Anschluß an Ps.-Aristoteles (hist. an. 9,13 p. 616a 6–13 = 8,5 der arab.-lat. Übers. von Michael Scotus) vom Zimtvogel *cinnamolgus* (κιννάμωμον ὄρνεον) in Arabien, der sein Nest auf hohen Bäumen aus Zweigen von → Zimt erbaue, welche die Einwohner mit Bleipfeilen des Gewinnes wegen herabschössen. Über Isid. orig. 12,7,23 gelangte dieses Märchen in den erweiterten lat. → Physiologus des Ps.-Hugo von St. Viktor (3,30 [1. 95], vgl. [2. 103f.]) und zu den naturkundlichen Enzyklopädikern des 13. Jh., u.a. zu Thomas von Cantimpré (5,25 [3. 188] = Albertus Magnus, animal. 23,32 [4. 1446f.]) und Vinzenz von Beauvais (Spec. nat. 16,51 [5. 1186f.]), erweitert um Angaben, die sich tatsächlich auf den *kóttyphos* (κόττυφος, → Amsel; = *foccokoz* mit falscher Marginalglosse *cinamolgus* bei Scotus) und die *kítta* (κίττα; *citita* bei Scotus, »Eichelhäher«) beziehen, z.B. über das kugelförmige Nest (Ps.-Aristot. hist. an. 9,14 p. 616a 3–6), und über die Färbung und Nahrung des → Eisvogels (*alkyón*, ἀλκυών, ebda. 616a 14–15, 32).

1 Ps.-Hugo de Sancto Victore, De bestiis aliisque rebus, PL 177, 1879 2 F. McCulloch, Mediaeval Latin and French Bestiaries, 1960 3 H. Boese (ed.), Thomas Cantimpratensis, Liber de natura rerum, 1973 4 H. Stadler (ed.), Albertus Magnus, De animalibus, 2, 1920 5 Vincentius Bellovacensis, Speculum naturale, 1624 (Ndr. 1964).   C. Hü.

Cyprianus

[1] C. Gallus s. Heptateuchdichter

[2] C. Thascius Caecili(an)us.

A. Biographie   B. Werke   C. Theologie
D. Wirkungsgeschichte

A. Biographie

Caecilius Cyprianus qui et Thascius (so der überlieferte Name; er enthält das ursprüngliche punische Cogn. Thascius C. und das nach dem Taufpaten Caecilianus – so Pontius, vita 4 – bzw. Caecilius – so Hier. vir. ill. 67 – gewählte neue christl. Cogn. [1. 110, Anm. 1]) stammte aus einem reichen Elternhaus. Vor seiner Bekehrung zum Christentum (nach 240 n. Chr.) arbeitete er als Rhetor, gab dann den Beruf zugunsten eines enthaltsamen Lebens auf und verzichtete auf den Großteil seines Vermögens. Gegen den länger anhaltenden Widerstand einer kleineren Gruppe von Presbytern wurde er kurz nach seiner Bekehrung selbst Presbyter und bald darauf Bischof von Karthago (248/9). Zu Beginn der decischen Christenverfolgung versteckte sich C. (wie auch z. B. → Dionysios von Alexandreia), hielt aber ständigen brieflichen Kontakt mit seiner Gemeinde. Sein Besitz wurde beschlagnahmt; trotzdem verfügte er weiter über Geld. Evtl. wurde er von der karthagischen Gemeinde genötigt, sich zu verbergen; allerdings traf dieser Schritt auf die äußerst ironische und scharfe Kritik der röm. Gemeinde, die nach Nordafrika schrieb: Mit seinem Schritt ›mag er recht getan haben, denn er ist ja eine hervorragende Persönlichkeit‹ (epist. 8,1). Diese Meinungsverschiedenheit, zu der noch innergemeindliche Auseinandersetzungen kamen, überlagerte aber bald die Frage, ob in der Verfolgung »Gefallene« (d. h. vom Glauben abgefallene; *lapsi*) wieder in die Gemeinde aufgenommen werden sollten: Rom votierte – u. a. unter Einfluß des → Novatianus – scharf dagegen, die karthagischen Konfessoren meinten, Friedensbriefe ausstellen zu können, C. vermittelte. 251 wurde auf einer Synode in Karthago beschlossen, nur diejenigen, die sich durch Bestechung den Opferbescheid verschafft hatten (*libellatici*), sofort aufzunehmen, die jedoch tatsächlich Opfer geleistet hatten (*sacrificati et turificati*) erst nach längerer Bußfrist. Während der Amtszeit des röm. Bischofs Stephanos I. (254–256) kam es zwischen Karthago und Rom zu einem Streit über die Notwendigkeit der Taufe für ehemalige Häretiker, die als bereits Getaufte zur Kirche überwechseln wollten. C. und eine nordafrikan. Synode (Protokoll: CPL 56) votierten 256 (offenbar im Einklang mit afrikan. Traditionen) für die Wiedertaufe,

Rom für eine Handauflegung. Eine definitive Lösung des Konfliktes fand sich nicht, allerdings entspannte sich das Verhältnis offenbar bald wieder. In der ersten Phase der Valerianischen Christenverfolgung wurde C. zunächst ins Exil nach → Curubis geschickt (August 257); nach der Hinrichtung des röm. Bischofs Sixtus (6.8.258) nach Karthago zurückbeordert und dort am 14.9.258 hingerichtet (*Acta proconsularia*, CPL 53).

B. Werke (Auswahl)

Eine kirchengesch. Quelle ersten Ranges ist der umfangreiche, aber nicht vollständige Briefwechsel (CPL 50; unter 81 Briefen sind 16 an C. oder den Klerus von Karthago gerichtete). Kurz nach der Bekehrung C.', über die in der Schrift *Ad Donatum* (CPL 38) berichtet wird (dort in Kap. 6–7 u. 14 auch eine der schärfsten zeitgenössischen Beschreibungen der Reichskrise, obwohl C. damals noch nicht mit dem baldigen Zusammenbruch des röm. Reiches rechnete [2]), entstand eine nach Stichworten geordnete Sammlung von Bibelstellen *Ad Quirinium*, auch *Testimonia* genannt (CPL 39). Bei seiner Rückkehr nach Karthago (März 251) hielt C. eine Ansprache *De lapsis* (CPL 42), in denen die Abgefallenen den Standhaften gegenübergestellt sind und zur Buße gemahnt werden. Bes. Bedeutung besitzt der wohl ebenfalls 251 entstandene Traktat *De ecclesiae catholicae unitate* (unit., CPL 41), in dem C. die Einheit der Kirche unter ihrem einen Bischof betont: ›Wer die Kirche nicht zur Mutter hat, kann auch Gott nicht mehr zum Vater haben.‹ (unit. 6; zur Diskussion über unit. 4 [3; 4]: Doppelfassung des Autors (anders [5]); selbst die wohl urspr. Rede von einem *primatus*, der Petrus verliehen worden sei u. so eine Kirche u. einen Bischofsthron vorstelle, darf man nicht im Sinne der modernen Auffassung vom »Jurisdiktionsprimat« des röm. Bischofs lesen, so daß die Kennzeichnung des C. als »Papalist« in jedem Fall an der Sache vorbeigeht).

C. Theologie

Kennzeichnend für das bischöfliche Selbstbewußtsein des gut gebildeten C. ist sein Satz *Christianus sum et episcopus* (Act. Cypr. 1,2). Es verbindet sich mit dem Kirchenbegriff, der einen bes. Schwerpunkt der Theologie des C. bildet (man kann vorsichtig fragen, ob die Kirche bei ihm an die Stelle des Staates im röm. Weltbild getreten ist): Die monarchischen Bischöfe sind in weltweiter Gemeinschaft verbunden, garantieren die wahre Lehre und dokumentieren so die Einheit (*unitas*) innerhalb der Weltkirche wie die mit der Urkirche. C. hält das für eine Folge eines aus sich selbst wirkenden »Heilsgeheimnisses« Kirche, die er daher in Übersetzung des griech. *mystérion* von Eph 5 her *unitatis sacramentum* nennen kann (unit. 7; vgl. Epist. 73,21: *salus extra ecclesiam non est*, »es gibt kein Heil außerhalb der Kirche«).

D. Wirkungsgeschichte

Ein erstes Zeugnis der Wirkung des C. ist die wenige Monate nach seinem Tode abgefaßte Biographie, verfaßt von dem karthagischen Diakon → Pontius (CPL 52), wahrscheinlich die erste lit. gestaltete lat.-christl. Biographie, ferner die verschiedenen Pseudo-Cyprianica (z. B. CPL 58–61, 67, 75–76, 1106, 2276); noch Erasmus schreibt unter C.' Namen *De duplici martyrio ad Fortunatum*. Der vielschichtige Kirchenbegriff des C. ist gern in mehr oder minder einseitiger Weise von verschiedensten Richtungen in Anspruch genommen worden.

→ Decius; Dionysios von Alexandreia; Novatianus; Quod idola dii non sint; Stephanos; Valerianus

1 H. GÜLZOW, C. und Novatian, 1975 2 G. ALFÖLDI, Der hl. C. und die Krise des röm. Reiches, in: Ders., Die Krise des röm. Reiches, 1989, 295–318 3 M. BÉVENOT, St. C.'s De Unitate, Chap. 4 in the Light of the Mss., Rom 1934 4 Ders., The Tradition of Mss., 1961 5 U. WICKERT, Sacramentum Unitatis (BZNW 41), 1971.

ED.: Cyprian; CPL 38, 40–57 · W. HARTEL, CSEL 3/1–3 · R. WEBER u. a., CCL 3–3B, 1972–1994 · Pontius, ed. A. A. R. BASTIAENSEN, in: CH. MOHRMANN (Hrsg.), Vite dei Santi II, ³1989, 4–49 · LIT.: M. BÉVENOT, s. v. C., TRE 8, 1981, 246–254 · M. SAGE, C., 1975 · CH. SAUMAGNE, Saint C., évêque de Carthage, »pape« d'Afrique, 1975.   C. M.

Cyprus. Die Insel → Kypros (h. Zypern) wurde 58 v. Chr. von Rom eingezogen und war bis 48/47 v. Chr. Teil der Prov. Cilicia. Kurzzeitig von Caesar und Antonius dem Ptolemaierreich zurückgegeben, blieb C. ab 30 v. Chr. endgültig in röm. Besitz. Als eigene Prov. zunächst von einem *legatus*, seit 22 v. Chr. vom Senat durch einen jährlich wechselnden *procurator* verwaltet; nach der diocletian. Neuordnung der Prov. dem *consularis* der *dioecesis Oriens* in Antiocheia [1] unterstellt. Nach anfänglicher finanzieller Ausbeutung in der späten Republik zeugen viele Bauten in den größeren Städten und Heiligtümern von Prosperität in der Kaiserzeit. Nur der jüd. Aufstand von 115/6 und mehrere Erdbeben richteten Verwüstungen an. Nach völliger Zerstörung durch ein Erdbeben 342 n. Chr. wurde Salamis unter dem Namen Constantia wiederaufgebaut und löste Paphos als Sitz der Verwaltung ab. Christl. Mission (schon 45 n. Chr. durch Barnabas und Paulus) begründete die Autokephalie der Kirche von C.

G. HILL, A History of Cyprus 1, ²1972, 226–256 · T. B. MITFORD, Roman Cyprus, in: ANRW II 7.2, 1980, 1285–1384.   R. SE.

Cyrus s. Kyros

D

D wird im Lat. zur Abkürzung des röm. Praenomens → Decimus gebraucht. Als Zahlzeichen steht der Buchstabe D für den Wert 500. Wie das Zahlzeichen → C (= 100) ist es aus einem im lat. Alphabet nicht verwendeten Buchstaben des westgriech. Alphabets entstanden, und zwar aus Φ (Phi), das für den Wert 1000 steht; durch Halbierung (rechte Hälfte) wurde die Form des Buchstabens D gewonnen, die den halben Wert von 1000 anzeigt.   W. ED.

D (sprachwissenschaftlich). Der vierte Buchstabe des griech. und lat. → Alphabets bezeichnete einen stimmhaften Verschlußlaut (wie in nhd. *Ding*); er ging erst spät z. T. in einen Reibelaut über (ngriech. δέκα mit ð wie in engl. *there*). Daß die → Aussprache im Griech. und Lat. ähnlich war, zeigen auch die → Lehnwörter: *diadēma*, κουστωδία.

In griech. und lat. Erbwörtern setzt *d* häufig uridg. *d* fort: δέκα, *decem* < **dekm̥*; ἰδ-εῖν, *uid-ēre* < **uid-*; δεξιτερός, *dexter* usw. Dagegen gehen z. B. lat. *medius* und *uidua* auf **medhi̯o-* bzw. **u̯idheu̯ā* mit *dh* zurück; im Griech. kann *d* auch aus dem Labiovelar *gʷ* entstanden sein: δελφ-ύς < **gʷelbh-*; s. → Gutturale.

Geminiertes *dd* ist im ganzen selten: lat. *ad-dīcere*; dor. boiot. δικάδδω = att. δικάζω [1; 2]; homer. ἔδδεισα < **e-du̯eisa* (ein Sonderfall) und καδ-δῦσαι = att. καταδῦσαι. Zu κάδδιξ (→ *kadískoi*) und daraus entsprechend umgestaltetem καταδίχιον s. [3].

Im Lat. schwand auslautendes *-d*, doch nur nach Langvokal: *mēd* > *mē*, aber *aliud*.
→ Italien: Alphabetschriften

1 SCHWYZER, Gramm., 331 2 C. BRIXHE, Rez.: R. Arena, Note linguistiche a proposito delle tavole di Eraclea (1971), in: Kratylos 20, 1975, 60 3 J. WACKERNAGEL, KS II, 1955, 1042.   B. F.

Daai (Δάαι, *Dahae*, altpers. *daha*). Iran. nomad. Reitervolk, zu dem auch die Parner (die späteren Parther) gehörten. Nach Ptol. 6,10,2 siedelten sie urspr. im Steppengebiet der Margiana, nach Mela 3,42 an der großen NW-Wendung des Oxos; z. Z. Alexandros' [4] d. Gr. im Norden von Hyrkania, östl. der Kaspia Thalatta (Strab. 11,9,2). Eine Inschr. des Xerxes nennt sie als pers. Untertanen. Dareios III. wollte sie am Oxos gegen Alexandros d. Gr. einsetzen (Curt. 7,4,3 f.), sie dienten auch unter Spitamenes (Arr. an. 3,28,8; 10). Nach dem Aufstand in der Sogdiana nahmen sie unter Alexandros am Indien-Feldzug als berittene Bogenschützen teil (Arr. an. 5,12,2; Curt. 7,7,32). Im Heer → Antiochos' [5] III. kämpften sie gegen die Römer (Pol. 5,79; App. Syr. 32). Nach 206 v. Chr. fiel ihr Stammesgebiet wohl an die Graeco-Baktrier unter Euthydemos, es wurde 155 v. Chr. von dem Partherkönig Mithradates I. gewonnen; 133–129 v. Chr. wurde es von Sakai und Massagetai überrannt und kam unter Mithradates II. wieder ins Partherreich. Zu ihren Lebensgewohnheiten s. Strab. 11,8,3.

J.Junge, Saka-Studien, 1939 · F. Altheim, R. Stiehl, Gesch. Mittelasiens im Alt., 1970. I.v.B.

Dachinabades. Teil Indiens im Süden von → Barygaza, mit den Städten Paithana und Tagara. Nur im peripl. m. r. 50f. genannt, wo man auch δάχανος richtig als ind. Wort für Süden, altind. dakṣiṇa, erklärt hat. Wohl nach mittelind. Dakkhiṇābadha (altind. śakṣiṇāpathaś) Bezeichnung der indischen Peninsula. K.K.

Dachkonstruktion s. Überdachung

Dachs. Ein den Griechen wahrscheinlich unbekanntes [1] nachtaktives Raubtier aus der Familie der Marder (*Mustelidae*), das die Römer *meles* (*maeles*, Varro rust. 3,12,3; *melo*, Isid. orig. 12,2,40) nannten. Plinius behauptet fälschlich (nat. 8,138), er verteidige sich durch Aufblasen gegen Mensch und Hund, und erwähnt ihn sonst nur im Vergleich mit anderen Tieren. Ohne die Hinweise des Mediziners Marcellus Empiricus (36,5) zu berücksichtigen, der unter der nach Isidoros (orig. 20,2,24 mit Zitat des Komikers Afranius) kelt. Bezeichnung *adeps taxoninus* das Fett des D. empfiehlt, verordnet Plinius den abgekochten Kot innerlich gegen den Biß eines tollwütigen Hundes (nat. 28,156) und seine Leber in Wasser bei Halsentzündung (nat. 28,190). Erst der spätant. *Anonymus de taxone* [2] verwendet weitere Bestandteile organotherapeutisch. Eine Schilderung seiner Lebensweise finden wir zuerst im bisher unentdeckten *Liber rerum* im Zitat bei Thomas von Cantimpré (4,32 [3. 125f.]).

1 Keller 1, 173ff. 2 E. Howald, H. E. Sigerist (Hrsg.), Anon. de taxone, 1927 (CML 4) 3 H. Boese (ed.), Thomas Cantimpratensis, Liber de natura rerum, 1973. C.HÜ.

Dacicus. Den Siegerbeinamen D. hat Domitianus [1], anders als bei Mart. 8 pr. berichtet, nicht angenommen. D. hieß offiziell erst Traianus seit 102; Maximinus nannte sich und seinen Sohn Maximus 236 D. Maximus. Bei späteren Kaisern war der Titel wohl inoffiziell: Decius (D. maximus seit 250, aber nur auf spanischen Meilensteinen), Gallienus (D. max. nur ILS 552, vom J. 257), Aurelianus [3] (ILS 581, vom J. 275). Constantinus [1] I. nannte sich D. Maximus im J. 336 (AE 1934, 158), wohl wegen seiner kurzfristigen Eroberungen nördl. der Donau (Iulianus, De Caesaribus 329C, vgl. Fest. Brev. 26). A.B.

Dadastana (Δαδάστανα, auch *Dabastana*). Ort in Galatia an der Grenze zu Bithynia, ca. 20 km westl. von Nallıhan an der Straße Nikaia – Ankyra [2. 31, 106f.]; seit Augustus zu Bithynia gerechnet, seit Diocletian zur *prov. Galatia I* (Amm. 25,10,12) [1. 160]. Am 17.2.364 n.Chr. starb hier Kaiser Iovianus auf dem Rückmarsch vom Perserkrieg. 365 Übergang eines Korps des Usurpators Prokopios zu Valens (Amm. 25,10,12; 26,8,5).

1 Mitchell 2 2 D. French, The Pilgrim's Road, 1981.

Belke 154f. · K. Strobel, Galatien und seine Grenzregionen, in: Forsch. in Galatien. Asia Minor Stud. 12 (1994), 29–40. K.ST.

Daduchos s. Mysteria

Daedalus s. Daidalos

Dämonen I. Mesopotamien
II. Ägypten III. Syrien-Palästina
IV. Iran in vorislamischer Zeit
V. Griechenland und Rom

I. Mesopotamien

Ein übergeordneter Begriff für D. wurde in Mesopotamien nicht entwickelt. Bekannt ist eine Vielzahl unsterblicher Wesen, die jeweils einen eigenen Namen tragen und als Diener der Götter und Feinde oder Helfer der Menschen auftraten. Gegenstand eines eigenen Kultes waren sie nicht. Da D. ihre beschränkte Macht, die sich etwa in Krankheiten physischer und psychischer Art manifestierte, nur mit Billigung der Götter ausüben konnten, waren sie Teil der Weltordnung. So wurde in der babylon. Erzählung von der Sintflut (→ Atraḫasis-Mythos, s. TUAT 3, 644 vii 3) die für Kindbettfieber und Kindersterblichkeit verantwortlich gemachte D.in Lamaštu – nach dem Versprechen, nie wieder eine alles vernichtende Flut zu beschließen – von den Göttern eingesetzt, um eine übermäßige Vermehrung der Menschen zu verhindern. Andere D. wurden »Aufpasser« gen. und wirkten im Auftrage der Götter zugunsten oder zu Lasten der Menschen. In einigen altorient. Mythen wird beschrieben, daß d.-artige Wesen des Urchaos von den Heldengöttern, die die geordnete Welt geschaffen hatten, besiegt und als Hüter von Heiligtümern eingesetzt wurden. Viele der bösen D. sind Personifikationen von Krankheiten, Seuchen oder Winden, die als Krankheitsbringer angesehen wurden. Anders als die stets anthropomorph gedachten Götter stellte man sich die D. als furchteinflößende → Mischwesen vor. So stehen z.B. Löwenkopf und Löwenpranken, Flügel und Vogelklauen der blutsaugenden Lamaštu [2] für ihre Gefährlichkeit und ihren schnellen Zugriff. Als Aufenthaltsort der bösen D. galt die dem Kulturland feindliche Wüstensteppe oder die Unterwelt. In ihrem Wirken sind die bösen D. oft nicht deutlich von rachsüchtigen Totengeistern geschieden, die auf die Erde zurückkehren. Häufig sind sie gemeinsam mit diesen genannt. Anders als die übrigen D. galt Lamaštu als eine aus dem Himmel verwiesene Tochter des höchsten Gottes Anu. In der Keilschriftlit. spielen exorzistische Rituale eine bed. Rolle. In ihnen wurde einerseits die erneute Gunst der Götter für den betroffenen Menschen erwirkt und andererseits der D. unschädlich gemacht und – oft mit Proviant für die Reise versorgt – wieder in die Unterwelt gebannt. Mit → Amuletten schützte man sich dann vor erneutem Zugriff der D. Babylon. D.-Glaube lebt im Vorderen Orient bis h. fort.

1 J. BLACK, A. GREEN, Gods, Demons and Symbols of Ancient Mesopotamia, 1992 **2** W. FARBER, s. v. Lamaštu, RLA 6, 1980/1983, 439–446. S. M.

II. ÄGYPTEN

D. gibt es in Ägypten sowohl im Diesseits wie auch im Jenseits, meist nach der jeweiligen Funktion benannt, ohne generelle Gattungsbezeichnung. Unterwelts-D. (und D. überhaupt) spielen im offiziellen Götter- und Totenkult keine Rolle, wohl aber in der Totenlit., v. a. als Wächter an Toren und sonstigen Übergangsbereichen. Sie sind nur für diejenigen Verstorbenen gefährlich, denen die Voraussetzungen für das Betreten der Unterwelt fehlen. D. der diesseitigen Welt sind v. a. aus magischen Texten bekannt. Häufig sind sie Boten der Götter oder Krankheits-D. Sie unterscheiden sich durch ihre Eigenschaften (z. B. blind, stumm oder taub) und Lebensweise (oft in Randzonen wie Wüste, Ausland, Dunkelheit, Sümpfen, Wasserstellen) von Menschen und Göttern und gehören nicht zur »geordneten« Welt. Sie können dem Menschen nützlich sein, sind aber meist eine Gefahr, die man auf vielfältige Weise abzuwehren sucht. Dargestellt werden D. als Menschen, Tiere oder → Mischwesen, oft bewaffnet mit Messern, Feuer oder Schlangen. Auch die Geister der Toten können die (nützliche oder bedrohliche) Funktion von D. haben.

H. TE VELDE, s. v. D., LÄ 1, 980–984 • L. KAKOSY, Zauberei im alten Ägypten, 1989, 66–84. K. J.-W.

III. SYRIEN-PALÄSTINA

Im 14./13. Jh. v. Chr. lassen sich in → Ugarit anhand von Beschwörungen (KTU 82, 169 [1]) Krankheits-D. und Totengeister ausmachen. Gegen sie helfen Beschwörungen, in denen die Götter Anat und → Baal gebeten werden, diese zu vertreiben. Phönik. D. sind auf Amuletten aus → Arslantaş (1. Jt. v. Chr.) gen., deren Echtheit aber bezweifelt wird.

In Juda und Israel lassen sich u. a. die D. → Rešep und Deber (»Pest«), Qeṭeb (»Zerstörung«), Liliṯ, Šed, Ašmundai, Azāzel und Behemōṯ nachweisen (Dt 32,17; 33,24; Hab 3,5 ; Jes 28,2; 34,14; Ps 91,3; 6; Hos 13,14; Tob 3,8; Lv 16,8; 10; 26; Hiob 40,15 u. ö.). Es handelt sich dabei z. T. um Personifikationen von Krankheit oder Not. Des weiteren finden sich böse Geister (1 Sam 16,14), Lügengeister (1 Kg 22,21–23), Wüsten-D. (Jes 13,21; 34,12; u. ö.), Bocksgeister (Lv 17,7 u. ö.), Verderber (Ex 12,23) und Vernichtungsengel (2 Sam 24,14–16 u. ö.). Auf das Motiv der »gefallenen Engel« (Gn 6,1–4; 1 Hen; Test XII Patr) kann nur verwiesen werden. Exorzismen sind bezeugt in 1 Sam 16 und Tob 8,2 f. In der Wirkungsgesch. des AT stehen die aram. Amulette und Zauberschalen des 4.–7. Jh. n. Chr. zur Vertreibung von D. Hier sind auch die mandäischen Zaubertexte zu nennen, in denen auch mesopot. Vorstellungen zum Tragen kommen. Ebenfalls in der Wirkungsgesch. des AT steht das NT, wo die D. dem Satan unterstellt sind (1 Kor 10,20; Lk 10,19). Im NT spielt das Thema der mensch-lichen Besessenheit von D. als Verursachern von Krankheiten eine große Rolle; damit verbunden ist die Wichtigkeit des Exorzismus. Die Dämonisierung fremder Götter findet sich sowohl im AT als auch im NT belegt (Ps 95,5 LXX; Dt 32,17 LXX; 1 Kor 10,20 f.).

1 M. DIETRICH, O. LORETZ, J. SANMARTIN, Die keilalphabetischen Texte aus Ugarit einschließlich der keilalphabetischen Texte außerhalb Ugarits I (AOAT 2,4), 1976.

A. CAQUOT, Sur quelques démons de l'AT, in: Semitica 6, 1956, 53–68 • C. COLPE, J. MAIER, s. v. Geister (D.), RAC 9, 562–585 • W. CULICAN, Phoenician Demons, in: JNES 35, 1976, 21–24 • W. FAUTH, Lilits und Astarten in aram., mandäischen und syr. Zaubertexten, in: WO 17, 1986, 66–94 • M. GÖRG, W. KIRCHSCHLÄGER, s. v. D., Neues Bibel-Lexikon I, 375–378 • B. JANOWSKI, Repräsentationen der gegenmenschlichen Welt, in: D. TROBITSCH (Hrsg.), FS Theißen, 1993, 154–163 • J. C. DE MOOR, K. SPRONK, More on Demons in Ugarit, in: Ugarit-Forsch. 16, 1984, 237–250 • C. MÜLLER-KESSLER, The Story of Bugzan-Lilit, in: Journal of the American Oriental Society 116, 1996, 185–195 (mit Lit.) • J. NAVEH, S. SHAKED, Amulets and Magic Bowls, 1985 • K. VAN DER TOORN, B. BECKING, P. W. VAN DER HORST (Hrsg.), Dictionary of Deities and Demons in the Bible, 1995 • D. TRUNK, Der messianische Heiler, 1994. H. NI.

IV. IRAN IN VORISLAMISCHER ZEIT

Der zentrale Begriff für D. in der iran. rel. Tradition, altpers. daiva- (avest. daēuua-, mpers. dēw, neupers. dīw), entspricht etym. dem altind. devá- »Gott«. Das Wort hat im iran. Sprachraum über eine Entwicklung von »Gott« > »falscher Gott«, »Götze« > »D.«, »Teufel« eine gründliche Umwertung erfahren, die aufgrund der spärlichen Hinweise in den Quellen sowohl zeitlich als auch in religionsgesch. Hinsicht nur schwer einzuordnen ist. In den Gathas des Avesta, mehrheitlich um ca. 1000 v. Chr. datiert, erscheinen die daēuuas noch nicht als D., sondern als eine gesonderte Kategorie von abzulehnenden Göttern. Nach Ansicht der meisten Forscher geht die Dämonisierung der daēuuas auf eine Reform → Zoroastres zurück, der deren Macht, die auf Willkür und Stärke baute, brechen wollte. Möglicherweise hat der Umwertungsprozeß bei den ostiran. Stämmen, unter denen er wirkte, bereits angefangen, und er hat nur zu dessen Beschleunigung beigetragen.

In den einige Jh. jüngeren jungavest. Texten wird daēuua- für die Wesen, die im Rahmen des zoroastrischen Dualismus dem Heer des »Bösen Geistes« angehören, verwendet. Sie treten als Seuche und Tod bringende D.-Scharen auf, die die Welt verunreinigen, sogar Zoroastres selbst zu vernichten suchen, und u. a. durch Aufsagen hl. Gebetsformeln sowie durch Einhaltung von Reinigungsvorschriften abgewehrt werden müssen.

In der Pahlavi-Lit. des 9. bis 11. Jh., die rel. Vorstellungen der Sāsānidenperiode (3.–7. Jh.) wiederspiegelt, gehört die Bekämpfung der D., die als Gegenschöpfung des »Bösen Geistes«, → Ahriman, fast jedes vorstellbare Übel personifizieren, zu den Hauptaufgaben des gläubigen Zoroastriers. Unzählige D. durchdringen die heile Schöpfung Ohrmazds (→ Ahura Mazda) auf allen Ebenen, wodurch die Welt in den Zustand der »Vermischung« gerät, aus der sie schließlich am Ende der Zeit durch Trennung der Kräfte des Guten und des Bösen befreit werden wird.

D. werden zuweilen als Geschöpfe mit Gesichtern, Haaren, Krallen und Füßen beschrieben, zuweilen als Personifizierung abstrakter Begriffe, wie z.B. Häresie, oder Verkörperungen klimatisch bedingter Übel, wie z.B. Dürre. Abzuwehren sind die D., die auch in Form von Krankheit, Leiden, Verunreinigungen usw. in den Körper eindringen können, durch gute Taten, Gebete und das Einhalten ritueller Reinigungsvorschriften. Abgeschreckt werden sie auch durch Feuer sowie das Schließen von Inzestehen, die als das wirksamste Mittel zur Vernichtung von D. gelten.

E. BENVENISTE, Que signifie *vidēvdāt?*, in: Henning Memorial Vol., 1970, 37–42 • A. CHRISTENSEN, Essai sur la démonologie iranienne, 1941 • L.H. GRAY, The Foundations of the Iranian Rel., in: Journ. of the Cama Oriental Institute 15, 1929, 1–228 • S. SHAKED, Bagdāna, King of the Demons, and other Iranian Terms in Babylon. Aramaic Magic, in: Acta Iranica 25, 1985, 511–525.
M.MA.

V. GRIECHENLAND UND ROM
A. DEFINITION B. ENTWICKLUNG DES WORTGEBRAUCHS C. VOLKSGLAUBE

A. DEFINITION

»Dämon« (δαίμων) wird oft von δαίω (*daíō*) »teilen, verteilen« hergeleitet, unter Verweis auf die Rolle, die er gelegentlich bei der Zuteilung des Schicksals spielt; doch ist diese Etym. eher unsicher [1. 1, 247; 2. 1, 369]. Ebenso unklar ist häufig, welche Wesen mit dem Begriff D. gemeint waren. Oft bezeichnete er eine Wesenheit, die anderswo θεός (*theós*, Gott) genannt wurde (Hom. Il. 1,222; Eur. Bacch. 42, vgl. 84 passim). Schon bei Hes. (erg. 121–126) wurde das Wort D. auch für die Seele eines Toten verwendet. In philos. Texten seit Platon (symp. 202d-e) kann sich D. auf ein Wesen beziehen, das sich hinsichtlich seiner Macht zwischen Göttern und Menschen befindet und zwischen ihnen vermittelt. Spätere Autoren verbanden manchmal platonische und hesiodeische Vorstellungen, indem sie die vermittelnden D. mit Seelen gleichsetzten (Phil. de gigantibus 16; Plut. de def. or. 415f; 419a). In der griech. und röm. Ant. konnte D. Wesen sowohl mit guten als auch bösen Absichten bezeichnen; doch schon bei Hom., vor allem in der Od., wurden D. häufiger mit unangenehmen Ereignissen in Verbindung gebracht (vgl. [4. 2073–79] zu früheren Diskussionen).

1 CHANTRAINE I, 247 2 WILAMOWITZ I, 369 3 F. ANDRES, s.v. Daimon, RE Suppl. 3, 267–322 4 F. BRENK, In the Light of the Moon: Demonology in the Early Period, in: ANRW II 16.3, 2068–2145.
S.I.J./Ü: N.R.

B. ENTWICKLUNG DES WORTGEBRAUCHS

Eine Zusammenfassung des homerischen Wortgebrauchs findet sich in [1. 2071–82]. Zwei Punkte sind hier bes. wichtig: Erstens wurden D. genannt, wenn der Sprechende nicht weiß, welcher Gott ein bestimmtes Ereignis verursacht hat. Hom. selbst z.B. verwendet es selten, da er als allwissender Erzähler die handelnde Gottheit immer benennen kann. Dies ist wohl auch der Grund dafür, daß D. nie in physischer Erscheinung beschrieben werden. D. bezeichneten also göttl. Kräfte, die von gewöhnlichen Sterblichen nicht genauer identifizierbar sind. Zweitens werden D. häufig für psychische Phänomene wie Verblendung und Wahnsinn verantwortlich gemacht (Hom. Od. 14,488; 12,295), jedoch selten für physische Handlungen (Ausnahmen: Hom. Il. 15,468; Hom. Od. 12,169 und vielleicht Od. 5,396).

Hes. steuert zwei wichtige Ideen bei: D. helfen bei der Bestrafung von Missetätern, und sie sind die Seelen der Toten (erg. 122–26). Klass. Quellen, bes. Tragödien, liefern zahlreiche Beispiele für die erste (Aischyl. Pers. 601; Eur. Alc. 1003; Eur. Rhes. 971; Plat. rep. 469b; 540c; vgl. Emp. fr. 31 B 115, 5 und 13 D.-K.). Die Vorstellung von D. als Rächern von Unrecht scheint sich in klass. Texten zum → Alastor (Aischyl. Pers. 354; Aischyl. Ag. 1501) und zu den → Erinyen (Aischyl. Choeph. 1048–62; Eur. Med. 1389) entwickelt zu haben; diese beiden standen, wie die D., in Verbindung mit den Seelen der Toten. Erzürnte Tote konnten sich ebenso auch selbst rächen (Plat. leg. 865d-e). In klass. Zeit wurden die Taten eines D. mit Unglück oder sogar Tod verknüpft (Aischyl. Ag. 1175; Aischyl. Sept. 812; Soph. Oid. K. 76; Antiph. 3,3,4), obwohl D. im weiteren Sinn nach wie vor für jegliche Schicksalsveränderung stehen konnten (Lys. 13,63; Hdt. 5,87; vgl. Pind. P. 5,123).

Das verwandte Konzept des »persönlichen« D., der das Leben jedes Individuums positiv oder negativ beeinflußt oder lenkt, begegnet schon in archa. Quellen (z.B. Thgn. 1, 161–4; Herakl. 22 B 119 D.-K.), trat jedoch erst in der klass. Periode klar hervor (Pind. O. 13,28; 105; Soph. Trach. 910f.; Eur. Med. 1347; Plat. Phaid. 107d). Obwohl *olbiodaímōn* (ὀλβιοδαίμων) und *eudaimoníē* (εὐδαιμονίη) je einmal bei Hom. vorkommen (Il. 3,182; h. 11,5), weisen die größere Häufigkeit von *eudaimoníē* und seinen Ableitungen ebenso wie das Aufkommen der Gegenbegriffe *dysdaímōn* (δυσδαίμων) und *kakodaímōn* (κακοδαίμων) in klass. Zeit auf ein zunehmendes Interesse an der Vorstellung eines persönlichen D. Auch die Tendenz, D. als eine von den Göttern getrennte Wesensklasse anzusehen, verstärkt sich in der klass. Zeit (Aristoph. Plut. 81), gleichzeitig entstand das verwandte philos. Konzept der D. als Vermittler zwischen Göttern und Sterblichen (s.u.).

Die populäre Bed. von D. hielten bis zum Ende der griech.-röm. Ant. Erst unter dem Einfluß des Christentums und einiger Formen neuplatonischer Philos. wurde er fast nur mit schädlichen Wesen in Verbindung gebracht; dies führte zum modernen Gebrauch des Begriffs »D.«.

C. Volksglaube

Zusätzlich zu den Wesen, die explizit D. genannt wurden, gab es eine Anzahl unsterblicher oder langlebiger Wesen, die weder als D. noch als Gott bezeichnet wurden, denen man aber klar übermenschliche Kraft zusprach; diese werden in der Forsch. oft unter der griech. → Dämonologie behandelt [2]. Manchmal hiessen solche Wesen → *eídola* (εἴδωλα) oder *phásmata* (φάσματα), Begriffe, die auch für Träume und Trugbilder verwendet wurden; dies scheint ihre flüchtige und oft trügerische Erscheinung in der menschlichen Welt widerzuspiegeln. Häufig verwenden ant. Autoren jedoch gar keine bestimmte Bezeichnung.

Die meisten dieser Wesen sind heimtückisch, verursachen Probleme, welche von Kindstod (Gello, Lamia, Mormo) über Alpträume (Ephialtes) und Zerbrechen von Töpfen in Brennöfen (Ps.-Hdt. vit. Hom. 32 = Hom. Epigr. 14) bis zu Niederlagen in athletischen Wettkämpfen oder Gerichtsprozessen [3. Kap. 1 und 3] reichen. Insbes. wurden sie für unerwartete oder schwer anders erklärbare Mißgeschicke verantwortlich gemacht. Der sog. »Mittags-D.« [2. 121] und Empusa gehören auch hierher, obwohl ihre Funktionen nicht ganz klar sind [4]. Viele solche Wesen wurden für die Seelen von Toten gehalten, welche aus Neid, Wut oder Ruhelosigkeit zurückkehrten (→ Ahoroi). Manche wurden Heroen genannt (Paus. 6,6,7; Aristoph. fr. 322), wobei heroisierte Tote sowohl Glück als auch Unglück brachten [5. 192–201].

Daß viele dieser Wesen adj. Namen haben, welche die Natur oder Aktivität des Dämons beschreiben (Lamia von λαιμός, »Gurgel, Schlund«; Mormo von μόρμω, »fürchten«; Ephialtes von ἐφάλλομαι, »aufspringen«), und viele dieser Bezeichnungen im Pl. vorkommen, zeigt, daß die durch eigene Mythen und Genealogien individualisierten Einzelwesen jeweils nur Repräsentanten von als bedrohlich vorgestellten »Geistern« sind. → Hekate wird manchmal als ihre Anführerin dargestellt (Adespota fr. 375 TGF; PGM 4, 2708–84) [6], wozu paßt, daß sie ein Individuum vor ihnen schützen konnte [7]. Schutz gewährten auch die Inschr. über der Haustür, die Herakles Kallinikos als Hausbewohner anzeigte [8], sowie Amulette, die man am Körper trug oder im Haus aufhängte [9]. Das Bewußtsein, daß unsichtbare, potentiell zerstörerische Kräfte immer präsent waren, zeigt sich sowohl in Platons Aussage, daß *kḗres* (κῆρες) über allen guten Dingen des Lebens hängen (Plat. leg. 937d), als auch in der Personifikation von Übeln und Krankheiten schon seit Hes. (erg. 100–104; vgl. Eur. Phoen. 950 und Soph. Phil. 42, wo die *kḗres* Erblindung und Krankheit bringen). In der späteren Ant. stellte man sich diese Übel als körperliche Gestalten vor: der »Pest-D.« in Ephesus manifestierte sich erst als ekelerregender Bettler, dann als großer, angsterregender schwarzer Hund (Philostr. Ap. 4,10). Viele derartige dämonische Wesen sind in byz. Zeit und auch noch heute in ländlichen Gebieten Griechenlands gut bezeugt [10].

In der Magie konnten dämonische Wesen – vor allem entkörperte Seelen – für verschiedene Aufgaben angerufen werden (*áhoroi*, → Nekydaimon). Die Seelen der Toten, einschließlich der toten Heroen, hielt man auch für prophetisch (Plut. de def. or. 431e–432e; → Trophonius).

Ikonographisch schliessen sich viele dieser dämonischen Wesen an D. anderer Kulturen an: sie sind häßlich, von schreckenerregendem Anblick und oft halb Mensch, halb Tier. Manchmal glaubte man auch, sie könnten ihre Gestalt ändern (→ Mormo, → Empusa) [11. 429f.; 4].

Die auf brz. Siegeln dargestellten Wesen werden oft als D. oder »*genii*« bezeichnet. Sie sind manchmal als halb Mensch, halb Tier (bes. mit hunde- und schlangenartigen Zügen) dargestellt. Gelegentlich scheinen sie einer anderen, völlig anthropomorphen Gestalt dienstbar zu sein, die als Gottheit interpretiert wird. Versuche, diese Wesen z. B. mit den → Erinyen zu verbinden, sind interessant, aber letztlich unbeweisbar [12; 13. 196–200].

Der einzige D., der mit traditionellem Kult verehrt wurde, war der *agathós daímōn*, der die erste Weinlibation erhielt (Aristoph. Equ. 85; Vesp. 525; Plut. symp. 655e; LSCG 134). Er wurde in der ant. Kunst als Schlange dargestellt [14. 213–218].

→ Dämonologie

1 F. Brenk, In the Light of the Moon: Demonology in the Early Period, in: ANRW II 16.3 2068–2145 2 H. Herter, Rhein. Jb. Volksk. 1, 1950, 112–43 3 J. Gager, Curse Tablets and Binding Spells from the Ancient World, 1992 4 S. I. Johnston, Defining the Dreadful: Remarks on the Greek Child-Killing Demon, in: P. Mirecki, M. Meyer (Hrsg.), Ancient Magic and Ritual Power, 1995, 361–87 5 A. Henrichs, Namenslosigkeit u. Euphemismus. Zur Ambivalenz der chthonischen Mächte im att. Drama, in: H. Hofmann, A. Harder (Hrsg.), Fragmenta Dramatica, 1991, 161–201 6 S. I. Johnston, Hekate Soteira, 1990 7 Dies., Crossroads, in: ZPE 88, 1991, 217–24 8 O. Weinreich, De dis ignotis quaestiones selectae, in: ARW 18, 1915, 8–15 9 R. Kotansky, Incantations and Prayers for Salvation on Inscribed Greek Amulets, in: C. Faraone, D. Obbink (Hrsg.), Magika Hiera, 1991, 107–137 10 C. Stewart, Demons and the Devil, 1991 11 J. Z. Smith, Towards Interpreting Demonic Power in Hellenistic and Roman Antiquity, in: ANRW II 16.1, 425–39 12 D. Sansone, The Survival of the Bronze age demon, in: Illinois Classical Studies 13, 1988, 11–17 13 N. Marinatos, Minoan Religion, 1993, 196–200 14 Nilsson, GGR, Bd. 2.

H. Nowak, Zur Entwicklungsgesch. des Begriffes Daimon, Eine Unt. epigraphischer Zeugnisse vom 5. Jh. v. Chr. bis zum 5. Jh. n. Chr., Diss. 1960 · J. ter Vrugt-Lenz, s. v. Geister (D.), Vorhell. Griechenland, RAC 9, 598–615.

S. I. J./Ü: N. R.

Dämonologie
A. Definition B. Vorplatonisch
C. Platon und Platonismus
D. Chaldäische Orakel E. Christlich

A. Definition
D. ist die philos. Lehre von den *daímones* (→ Dämonen), den Zwischenwesen zwischen Göttern und Menschen, die im Anschluß an die Problematik des Sokratischen *daimónion* (δαιμόνιον) zuerst systematisch in der Platonischen Akademie entwickelt wurde.   M.BA.

B. Vorplatonisch
Es ist nicht möglich, eine systematische vorplatonische D. zu rekonstruieren, obwohl spätere Philosophen, wie z.B. Aetius (1,8,2), Aristoxenus (fr. 34), Aristoteles (fr. 192 Rose) und Plutarch (Is. 360e) glaubten, daß gewisse für spätere dämonologische Systeme wichtige Konzepte erstmals von → Pythagoras formuliert worden seien: so die Stufung Gott-Dämon-Heros-Mensch oder Gott-Dämon-Mensch, der Glaube an die Omnipräsenz der Dämonen und evtl. die Verbindung mit dem Mond (zu den Argumenten für pythagoreischen Ursprung einzelner Konzepte [2], vgl. [1. 2094–98; 3. 65–66; 169–70]). Manche der pythagoreischen Lehrsätze wollen, wie auch der Volksglaube, die rechte Beziehung zwischen dämonischen Wesen und Sterblichen bewahren: So ging ein vorsichtiger Pythagoreer schweigend an Heroenheiligtümern (ἡρῷα) vorbei, um die »höheren Mächte« (κρείττονες) nicht zu stören (Epicharm. fr. 165 CGF; vgl. Hesych. s.v. *kreíttones*). Die Pythagoreer glaubten, daß der Gründer ihrer Schule selbst ein »Dämon«, d.h. ein Wesen von übermenschlicher Intelligenz und Reinheit, gewesen sei. (Aristot. fr. 192 Rose).

1 F. Brenk, In the Light of the Moon: Demonology in the Early Imperial Period, in: ANRW II 16.3, 2068–2145
2 M. Detienne, De la pensée religieuse à la pensée philosophique. La notion de daïmon dans le pythagorisme ancien, 1963 3 W. Burkert, Weisheit und Wiss.: Studien zu Pythagoras, Philolaos und Platon, 1962.   S.I.J./Ü:N.R.

C. Platon und Platonismus
C.1 Xenokrates C.2 Philon C.3 Plutarch
C.4 Apuleius
Platon definierte den *daímōn* als Mitte und Vermittler zwischen den Göttern und den Menschen und als ein Wesen, das beide Bereiche verbindet (Plat. symp. 202d ff.; vgl. Tim. 40d ff.; leg. 717a f.). Im Gesamt der Wirklichkeit üben die Dämonen untergeordnete Funktionen aus, als Schöpfergottheiten (Tim. 42d ff.), Herrscher über Teile des Kosmos, Schutzgottheiten von Völkern (polit. 271d ff.; 272e f.; 274b; Tim. 24c f.; 42e; Kritias 109b f.; leg. 713c ff.) oder einzelner Menschen (Phaid. 107d ff.; 113d; rep. 617d f.; 620d f.; leg. 877a). Die Kluft zwischen Dämonen und Menschen ist nicht unüberbrückbar, denn schon im Leben ist das Innerste des Menschen ein *daímōn*, dessen Wohlsein die *eudaimonía* (»Glück, Wohlstand«) des Menschen ausmacht (Tim.

90c); nach dem Tode werden die Seelen großer Menschen als *daímones* verehrt (rep. 540b f.; Krat. 398b f.).
M.BA.

Die Platonischen Dialoge enthalten die beiden wichtigsten Bausteine späterer philos. D.: 1. die Rolle von Dämonen als Vermittler zwischen Göttern und Menschen und 2. die Zuweisung eines individuellen Dämon an jede Seele, deren Leben er lenkt (Phaid. 107d). Die berühmte Variation dieses Gedankens (apol. 40a) ist das Sokratische *daimónion* (δαιμόνιον): Etwas »Dämonisches« habe Sokrates immer wieder davon abgehalten, Dinge zu tun, die er nicht tun sollte (vgl. Plat. Tht. 151a; Plat. Euthyphr. 3b; Xen. mem. 1,1,2). Wesen, Wirkungsweise und Absicht dieser Kraft sind in vielen späteren philos. Spekulationen, vor allem von Plutarch (*De Genio Socratis*) und Apuleius (*De deo Socratis*), umschrieben worden; beide neigten dazu, die Kraft als Gott oder zumindest als einen Dämon von bes. hoher Qualität und hohem Rang zu verstehen. Die D. der pseudoplatonischen *Epinomis* (gewöhnlich Platons Schüler Philippos von Opus zugeschrieben) entwickelte die Idee, daß verschiedene Arten von Wesen unterschiedliche Teile des Kosmos bewohnten; bes. die Luft war Aufenthaltsort von Dämonen. Dies hatte bedeutenden Einfluß auf den nachfolgenden Platonismus (z.B. Apul. De Platone 9–12 p. 233–38; Phil. De gigantibus 6–12; zur Epinomis und Nachwirkungen vgl. [1]).

1 L. Tarán, Academia: Plato, Philip of Opus and the Pseudo-Platonic Epinomis, Philadelphia 1975.
S.I.J./Ü:N.R.

Die Ansätze Platons werden in seiner Schule, in der Stoa und im Platonismus zu einer systematischen D. ausgebaut [1. 640ff.]: Nunmehr werden die Dämonen mit den Göttern der Mythologie gleichgesetzt (Xenokrates, fr. 225; 228 Isnardi Parente); man unterscheidet große und geringe (Xenokrates, fr. 225 I.P.; Ps.-Plat. *Epinomis* 984e [1. 640]; vgl. schon Plat. symp. 202d) sowie gute und böse Dämonen, denn im Gegensatz zu den Göttern sind sie den Leidenschaften ausgesetzt (Xenokrates, fr. 225ff. I.P.; Ps.-Plat. epin. 985a [1. 614, 642, 646f.]). Man weist ihnen einen Platz in der Reihe »Götter – (Engel – Iynges –) Dämonen – (Halbgötter – Heroen –) Menschen« zu (Ps.-Plat. epin. 984d ff., vgl. Plat. leg. 717a f.; Plut. de defectu oraculorum 415b; [1. 642, 648, 655f., 660, 665]). Zu den Aufgaben der Dämonen gehören die Aufsicht über kosmische Regionen [1. 642, 647, 650, 656, 658], die Vermittlung von Orakeln und Träumen, der Schutz der Heiligtümer, die Mitwirkung bei Opfern und Mysterien [1. 641, 643f., 646], die Bestrafung der Übeltäter [1. 646f., 653]. In psychologisierender Sicht sind sie das innerste Wesen des Menschen, sein Gewissen [1. 643, 654f.].

Die wichtigsten Informationen über die systematisierte Dämonenlehre finden sich in den erh. Platonischen Spezialschriften [1. 644ff.; 2. 315ff.] und zusammenfassenden Darstellungen ([Alkinoos] Albinos, Didaskalikos 15; Porph. De abstinentia 2,36ff.; Prokl. In

Platonis Alcibiadem 67,19ff.; Olympiodoros, In Alk. 15,5ff.; 17,10ff.). Zur Fortwirkung vgl. [3].

1 C. COLPE u. a., s. v. Geister (Dämonen), RAC 9, 546–797 2 DÖRRIE/BALTES III, 1993 3 H. M. NOBIS, s. v. D., HWdPh 2, 5–9.

F. ANDRES, s. v. Daimon, RE Suppl. 3, 267–322 · R. HEINZE, Xenokrates, 1892, 78–123.   M.BA.

C.1 XENOKRATES

→ Xenokrates versuchte die Stellung von Göttern, Dämonen und Menschen zu systematisieren; er betonte die Mittelstellung der Dämonen durch eine geometrische Metapher: Götter gleichen gleichseitigen, Menschen unregelmässigen, Dämonen aber gleichschenkligen Dreiecken: sie seien weniger ausgeglichen als die gleichseitigen, aber ausgeglichener als die unregelmässigen Dreiecke. Entsprechend schrieb Xenokrates den Dämonen gottgleiche Kraft, aber störende menschliche Emotionen zu (fr. 23 HEINZE = Plut. de def. or. 416c-d); ihr natürlicher Aufenthaltsort liege in der Mitte dreier kosmischer Bereiche. Damit meinte er wohl den Mond und die Luft darum herum (fr. 56 HEINZE = Plut. mor. 943f). Eine andere wichtige Entwicklung war seine Einteilung der Dämonen in die zwei Kategorien der guten und bösen. Die letzteren fordern jene rituelle Verstümmelung, Trauer und Menschenopfer, die törichte Menschen den Göttern zuschreiben (fr. 25 HEINZE = Plut. Is. 361b; de def. or. 417c).

C.2 PHILON

→ Philon versuchte, Elemente des jüdischen Schriftglaubens mit der mittelplatonischen D. zu verbinden. Er betonte die Vermittlerfunktion der D. zwischen Gott und Menschheit, indem er bes. ihre Rolle als Wächter über die Menschheit hervorhob. Er verwendete die Begriffe *angeloi* und *daimones* mehr oder weniger syn. und setzte beide mit individuellen Seelen gleich, die von Körperlichkeit gereinigt und mit göttl. *logoi* ausgestattet waren. Diese *angeloi*/Dämonen erfüllen die Luft, obwohl einige schließlich »eingekörpert« würden (De gigantibus 6–16; De somniis 1,134–5; 141–2; Legum allegoriae 3, 177). Böse Dämonen (De gigantibus 17–18) verstand er als Bestrafer von Sündern im Auftrag Gottes (Quaestiones in Exodum 1,23). Er nahm an, daß jedes Individuum nicht nur über einen, sondern zwei persönliche Dämonen verfüge – einen guten und einen bösen –, welche um die Vormachtstellung kämpften (Quaestiones in Exodum 1,23, vielleicht nach Plat. leg. 896e).

C.3 PLUTARCH

Plutarch betonte in ähnlicher Weise die Vermittlerrolle der Dämonen zw. Erde und Himmelreich, die zur Bewahrung der Gemeinschaft zwischen Gott- und Menschheit nötig sei. Er folgte Xenokrates auch in der Vorstellung, daß die Dämonen auf dem Mond und in der Luft zwischen Mond und Erde ihren Aufenthaltsort besitzen (de def. or. 416d-f). Wie die meisten Platoniker ging er davon aus, daß Dämonen entkörperte Seelen seien, obwohl er das Wort »Dämonen« auch für Pan,

Osiris und Isis verwendete (de def. or. 419b-e; Is. 360e), die er nicht für richtige Götter, sondern nur für eine höhere Form von Dämonen hielt. Bezüglich der Frage, ob böse Dämonen gibt, scheint er unschlüssig zu sein; wie Philon schlägt er vor, daß, wenn es sie gäbe, sie im Auftrag Gottes handeln. An anderer Stelle sagt er, daß Dämonen »böse« werden, wenn sie durch körperliche Freuden in einen Körper gelockt würden (de def. or. 417b; mor. 944c-d; Is. 361b; vgl. [1. 223–24]). Plut. versuchte, die platonische D. mit dem Volksglauben in Einklang zu bringen, indem er Dinge wie Pest und Mißernten als Werk böser Dämonen interpretierte (de def. or. 417d-e).

C.4 APULEIUS

Apuleius verfolgte etwa die gleichen Linien; er arbeitete die Vorstellungen von Dämonen als Vermittler und Seelenbeschützer in seinen Werken *De Platone* und *De Deo Socratis* aus. Er postulierte drei voneinander verschiedene Arten von Dämonen: 1. die menschliche Seele im Körper, 2. die Seele, die den Körper verlassen hat, und 3. Dämonen, welche nie in einen Körper eintreten, einschließlich Wesen wie Hypnos und Eros, welche gewöhnlich *theoi* (»Götter«) genannt wurden (Socr. 14–16 p. 150–56). Er versuchte auch, die Platonische D. mit dem traditionellen röm. Glauben an die Macht der Toten (*larvae, lemures und manes*; Sokr. 15 p. 152–54) zu verbinden.

D. CHALDÄISCHE ORAKEL

Die D. der chaldäischen Orakel veranschaulicht drei Tendenzen, die sowohl in philos. wie auch volkstümlichen Glaubensvorstellungen der Spätant. und der byz. Zeit wichtig wurden. Erstens wird »Dämon« fast nurmehr zur Bezeichnung eines Wesens mit bösen Absichten gebraucht; wohltätige, vermittelnde Wesen werden *iynges* oder auch, wie bei Philon, *angeloi* genannt [3. 68–85]. Zweitens können Dämonen nicht nur der physischen oder psychischen Gesundheit eines Individuums schaden, sondern auch von spirituellen Anstrengungen, die seiner Seele nützen könnten, weglocken (orac. Chald. fr. 135 und [4. 134–37]). Die dritte ist eine stärkere Verbindung von Dämonen mit der physischen Natur, im Gegensatz zur mentalen und spirituellen Welt (orac. Chald. fr. 88, vgl. [4. 139–40]). Die Orakel verbinden die Dämonen mit den dämonischen Hunden, die im Volksglauben zu → Hekates Gefolge gehörten [4. Kap. 9].

1 J. DILLON, The Middle Platonists, 1977 2 R. WALLIS, Neoplatonism, 1972 3 F. CREMER, Die chaldäischen Orakel und Jamblich, De Mysteriis, 1969 4 J. GAGER, Curse Tablets and Binding Spells from the Ancient World, 1992.

P. HABERMEHL, »Quaedam divinae mediae potestates«. Demonology in Apuleius' »De Deo Socratis«, in: Groningen Colloquium on the Novel 7, 1996, 117–142 · C. ZINTZEN, s. v. Geister (Dämonen), Hell. und kaiserzeitliche Philos., RAC 9, 640–668.   S. I. J./Ü: N. R.

E. Christlich

In ihrer Auseinandersetzung mit den paganen Religionen greifen die frühchristl. Autoren bewußt auf die philos. Dämonologie zurück, interpretieren sie jedoch aus neuer Perspektive (u. a. Tert., apol. 22–23; Orig. Contra Celsum; Aug. civ. 8–10; De divinatione daemonum). Dem alten Pluralismus der Geistwesen begegnen sie mit einer an Gn 6,1 ff. anknüpfenden Scheidung der Geister, die sie »angelisieren« oder »dämonisieren«. Die Mittlerfunktion zwischen Gott und Menschen ist nun Aufgabe der Engel, die dunklen Wesenszüge der Geisterwelt werden den gefallenen Anhängern Satans zugeschrieben, zu denen auch die ant. Götter zählen. Gleichzeitig wird der negative Charakter der Dämonen zum dualistischen Prinzip verschärft: Da sie sich gegen das Heilswerk Gottes aufgelehnt haben, sind sie verantwortlich für das Böse in der Welt.

Eine folgenschwere Rolle in innerchristl. Auseinandersetzungen gewinnt mit der konstantinischen Wende (frühes 4. Jh. n. Chr.) die Vorstellung, hinter »Häretikern« und »Schismatikern« stünden Dämonen, welche die Lehre Christi zu verfälschen suchten. Allgegenwärtig bleiben die Dämonen im Volksglauben, wie etwa die Erzählungen der Eremiten und Mönche belegen, die sich seit der Versuchung des → Antonios [5] dem Kampf wider Satan und die Seinen verschrieben haben.

→ Dämonologie

J. B. Russell, Satan. The Early Christian Tradition, Ithaca 1981 · B. Teyssèdre, Le diable et l'enfer au temps de Jésus, Paris 1985 · P. G. van der Nat u. a., s. v. Geister (Dämonen), RAC 9, 1976, 626–640 und 668–797.   PE. HA.

Daesitiates. Eines der bedeutensten Völker im Inneren der prov. Dalmatia (→ Dalmatae, Dalmatia), urspr. evtl. im losen Verband der → Autariatae. Sie bewohnten das Tal des oberen Bathinus (Bosna) vom Tal des oberen Urbanus (Vrbas) im Westen bis Rogatica im Osten; ihre Position wurde durch den Fund einer Inschr. (ILJug 1582 [1] eines *Valens Varron(is) f(ilius), princeps Desitiati(um)* in Breza (22 km nordwestl. von Sarajevo) bestätigt. Die D. wurden vielleicht vom nachmaligen Augustus 35 v. Chr. angegriffen (s. Schweighäusers Emendation zu App. Ill. 17, wo die Hss. *Daísioi te kaí Paíónes* bieten). Cass. Dio 55,29,2 nennt sie unter der Führung des Bato als eines der führenden rebellierenden Völker beim großen pannonischen Aufstand. Sie waren auch unter röm. Herrschaft bed., denn Plinius (nat. 3,143) merkt an, daß sie in frühaugusteischer Zeit 103 *decuriae* innerhalb des *conventus* von Narona zählten. Strabon (7,5,3) betrachtete sie als pannonisches Volk, was aber weder durch arch. noch durch onomastisches Material bestätigt wird. Von ihren Siedlungen ist eine Schwefel-Thermalbad-Anlage bekannt, die *res publica Aquarum S*(——) beim h. Ilidža nahe Sarajevo, das *municipium* → *Bistua Nova* in Bugojno, eine *col. Ris*. . . in Rogatica, während eine Siedlung in Breza (möglicherweise Hedum) auch arch. bezeugt ist. Eine röm. Straße wurde unter dem frühen Prinzipat von Salona nach Hedum, dem *castellum* der D. (CIL III 3201 = 10159), gebaut. Der *praefectus* könnte auf einer bruchstückhaften Inschr. von *Bovianum Undecimanorum* in Samnium genannt sein: ein Marcellus, *centurio* der *legio XI* (CIL IX 2564: [. . .pr]aef. *civitatis Maeze[ior(um) et civitat(um) Daesit]iatium*). E. 1. Jh. n. Chr. lassen sich die aus der Armee ausgetretenen Soldaten immer noch durch die Ethnonyme identifizieren (*Temans Platoris, Daesitias*, CIL III 9739; *Nerva Laidi f. Desidias*, CIL XVI 11, 18), während röm. Bürger nicht früher als unter Traian dokumentiert sind, die meisten dabei Aurelii.

1 A. Šašel, J. Šašel (Hrsg.), Inscriptiones Latinae Jugoslaviae, 1986.

I. Bojanovski, Bosna i Hercegovina u antičko doba (Bosnien und Herzegowina in der Ant.), Akademija nauka i umjetnosti Bosne i Hercegovine, Djela 66, Centar za balkanološka ispitvanja 6 (Monographies, Acad. des sciences et des arts de Bosnie-Herzegovine 66, Centre d'études balk. 6), 1988, 144–154.   M. Š. K./Ü: I. S.

Dagalaifus. Wurde 361 n. Chr. von Iulian zum *comes domesticorum* (Amm. 21,8,1) und 364 von Iovian zum *magister equitum* ernannt, war einflußreich bei der Wahl Iovians und Valentinians I. (Amm. 25,5,2; Philostorgios 8,8). 364–366 kämpfte er als *magister peditum* (*equitum* ?) gegen die Alamannen (Amm. 26,5,9), 366 war er *consul.* PLRE 1, 239.   W. P.

Dagan (akkad. *Dagān*, hebr. *dāgōn*, griech. *Dagṓn* [1]). Die Etym. des Wortes ist unbekannt. Gleichsetzungen mit dem hurritischen Gott Kumarbi, der als *halki*, »Korn«, bezeichnet wird, legen jedoch auch einen agrarischen Charakter nahe [2]; dies wird wieder aufgenommen bei Philon von Byblos, der D. als den dritten der vier Söhne des Uranos nennt und als ›Dagan, der Weizen ist‹ bezeichnet (Eus. Pr. Ev. 1,10,36b [3]). In der westsemit. Mythologie als Sohn des → El und Vater des → Baal bezeugt, gehört D. zu den zentralen Gottheiten des westsemit. Pantheons. Erstmals wird D. in Texten aus → Mari und → Ebla (24. Jh. v. Chr.) erwähnt [4] und erscheint in der Akkad-Zeit im babylon. Onomastikon. Die Könige Sargon und Narām-Sîn von Akkad führen ihre Eroberung des nordwestl. Mesopotamiens auf ihn zurück. In der Ur III-Zeit weisen Kult und Onomastikon auf eine Verehrung D.s vornehmlich in der Mittel- und Oberschicht [5]. In der altbabylon. Zeit ist D. einer der wichtigsten Götter der Amoriter-Dyn., so im Reich von Mari mit Kultzentren in Terqa und Tuttul, in Assyrien und in Babylonien für die Dynastie von Isin [3]. Dort ist D. auch Šala, sonst als Gemahlin des Wettergottes bezeugt, zugeordnet. Einer der beiden Haupttempel in → Ugarit war D. bestimmt. In der Stadt → Assur ist im 1. Jt. v. Chr. »das Haus des D.« eine Art Schlachthaus [6]. Bei den Philistern wurde D. um 1100 v. Chr. wahrscheinlich als Kriegsgott und Hauptgott des Pantheons verehrt (Ri 16,23 ff.; 1 Sam 5; 31,10; 1 Chr 10,10). Noch in der Zeit des Makkabäers Jonathan war ein Tempel des D. in Ašdod bezeugt, den dieser niederbrannte (1 Makk 10,83 ff.; 11,4) [7].

1 W. RÖLLIG, Syrien, WbMyth 1, 1965, 276 f.
2 P. MANDER, J.-M. DURAND, Mitología y Religión del
Oriente Antiguo II/1, 1995, 149 3 N. WYATT, The
Relationship of the Deities Dagan and Hadad, Ugarit
Forsch. 12, 1980, 377 4 G. PETTINATO, H. WAETZOLD,
Dagan, in: Orientalia 54, 1985, 234–256 5 M. HILGERT,
erubbatum im Tempel des Dagan, in: JCS 46, 1994, 29–39
6 K. DELLER, Köche und Küche des Aššur-Tempels, in:
BaM 16, 1985, 362 ff. 7 J. F. HEALEY, Dagon, in: K. VAN
DER TOORN et al. (Hrsg.), Dictionary of Deities and
Demons, 1995.   B. P.-L.

Dagisthaios (Δαγισθαῖος). D., wahrscheinlich got.
Herkunft, belagerte als junger Feldherr der Römer
548/9 n. Chr. erfolglos das persisch besetzte Petra im
Gebiet der Lazen (Prok. BP 2,29 bes. 33–43). Später
wurde er deshalb bei Iustinian wegen perserfreundlicher
Gesinnung verklagt und vom Kaiser arrestiert (Prok. BG
4,9,1–4). Für den Narses-Zug nach It. wurde er aus der
Haft entlassen und nahm an der Entscheidungsschlacht
gegen Totila bei Busta Gallorum 552 n. Chr. teil (Prok.
BG 4,31,3–4). Auch an der anschließenden Eroberung
des von den Goten kaum noch verteidigten Rom war er
maßgeblich beteiligt (Prok. BG 4,33,24).
                                         M. MEI. u. ME. STR.

Dagon s. Dagan

Daher (Δάαι, Δάοι).
[1] (Lat. *Dahae*), Zweig der zentralasiatischen Noma-
den, bei Strab. 11,8,2 östl. des Kaspischen Meeres; Hdt.
1,125 nennt D. in der Persis; in der Persepolis-Inschrift
als *Daha* bezeichnet; Teilstamm der Parner, der die
Satrapie Parthava (→ Parthia) besetzt.
[2] Wahrscheinlich eine medische Volksgruppe, die in
der skythischen Wanderung zugrunde ging.

J. JUNGE, in: Klio 41, Beiheft 28, 1939 · P. L. KOHL, Central
Asia, Palaeolithic Beginnings to the Iron Age, 1984,
200–208.

Dahistan. Landschaft am unteren → Atrek, Westturk-
menien, nach den → Dahern benannt. In der späten
Bronze- und frühen Eisenzeit 1500–600 v. Chr. eine
entwickelte Bewässerungskultur mit mehr als 30 nachgewiesenen Siedlungen.

P. L. KOHL, Central Asia, Palaeolithic Beginnings to the Iron
Age, 1984, 200–208.   B. B.

Daidala (Δαίδαλα).
[1] Befestigte Siedlung nordwestl. von Telmessos im
lyk.-kar. Grenzgebiet, östl. Teil der rhod. Peraia [2. 54–
57, 97 f.]. Belegstellen: Strab. 14,2,2; 3,1; Liv. 37,22,3;
Steph. Byz. s. v. D.; Plin. nat. 5,103. D. wird mit den
Ruinen von Inlice Asarı identifiziert [1. 32 f.]; zur Lokalisierung vgl. Ptol. 5,3; Stadiasmos maris magni 256 f.;
Inschr. fehlen (Herkunft von TAM II 163 aus D. unsicher). D. besaß zwei vorgelagerte Inseln (Plin. nat.
5,131). Östl. D. gleichnamiger Berg (Strab. 14,3,2; 4),
wohl der h. Kızıl Dağ.

1 G. E. BEAN, Lykien, 1980 2 P. M. FRASER, G. E. BEAN,
The Rhodian Peraea and Islands, 1954.   C. SCH.

[2] Stadt auf Kreta, nur bei Steph. Byz. s. v. D. erwähnt,
nicht lokalisierbar.

P. FAURE, La Crète aux cent villes, in: Kretika Chronika 13,
1959, 195.   H. SO.

[3] Von Curt. 8,10,19 als *Daedala regio* und von Iust. 12,7
als *montes Daedali* bezeichnete Gebiete im Rahmen der
Feldzüge Alexanders d. Gr., beide am Unterlauf des
→ Choaspes (h. Kunaṛ) unweit des Flusses Κωφήν (h.
Kabul).   H. T. u. B. B.
[4] Nur bei Ptol. 7,1,49 N. erwähnt, im Lande der
Κασπειραῖοι im Bereich des h. (Neu-) Delhi gelegen,
vielleicht mit dem h. Dudhāl identisch.   H. T.
[5] s. Hera

Daidalidai (Δαιδαλίδαι). Att. Asty-Demos der Phyle
Kekropis, von 307/6 bis 201/0 v. Chr. der Phyle De-
metrias, ab 126/7 n. Chr. der Hadrianis. Ein → Buleut.
Mit dem nur in der Poletai-Inschr. [1] erwähnten Dai-
daleion, wohl dem Heiligtum des eponymen Heros von
D., grenzte D. im Süden an den Demos Alopeke.

1 J. YOUNG, Greek Inscriptions, in: Hesperia 10, 1941, 14 ff.,
bes. 20 f. Nr. 1, Z. 10 f.

TRAILL, Attica 10 f., 50, 70, 109 Nr. 30, Tab. 7, 12, 15 · J. S.
TRAILL, Demos and Trittys, 1986, 14, 135.   H. LO.

Daidalion (Δαιδαλίων). Sohn des Heosphoros (Luci-
fer), Bruder des Keyx, Vater der → Chione [2]. Aus
Trauer über den Tod seiner einzigen Tochter, welche
die Schönheit der Diana verachtete und von ihr getötet
wurde, wirft er sich vom Gipfel des Parnassos. Apollon
jedoch verwandelt ihn in einen Falken (Ov. met.
11,291–345; Hyg. fab. 200). Nach Paus. 8,4,6 ist D. der
Vater des → Autolykos [1].

F. BÖMER, Komm. zu Ov. met. B. X–XI, 1980, 313.   R. B.

Daidalos (Δαίδαλος).
[1] Mythischer Handwerker, Bildhauer und Erfinder;
schon sein Name gehört in ein semantisches Feld, das
auf Scharfsinn und geschickt hergestellte Objekte hinweist. In den Erzählungen wird er mit Athen, Kreta und
Sizilien in Verbindung gebracht. Betrachtet man die
Entwicklung der künstlerischen Techniken, ist es nicht
unmöglich, daß die Ursprünge der Überlieferung wenigstens teilweise in Kreta liegen, obwohl es umstritten
ist, ob D.' Name in den Linear B-Texten nachgewiesen
werden kann [1]. Der erste lit. Hinweis auf D. (Hom. Il.
18,592) verbindet ihn mit Kreta; alle Quellen jedoch,
die seine Herkunft erwähnen, stimmen darin überein,
daß er gebürtiger Athener war. Die Namen seiner Eltern variieren, doch die meisten spiegeln D.' Intelligenz
und manuelle Geschicklichkeit wider: Metion, Eupa-
lamos, Palamaon; Iphinoe, Metadusa, Phrasimedes und
– weniger deutlich – Merope. Alle Genealogien führen

D.' Herkunft übereinstimmend auf → Erechtheus zurück. Trotzdem werden nur wenige von D.' Leistungen in Athen angesiedelt; der Klappstuhl, den er im Erechtheion weihte (Paus. 1,27,1), läßt sich kaum mit Berichten von seinen Werken auf Kreta und Sizilien vergleichen. Tatsächlich stellt die einzige Erzählung, die von seinem Aufenthalt in Athen handelt, D. in ein eher ungünstiges Licht. Nachdem er → Talos, Kalos oder Perdix, den Sohn seiner Tochter, aufgezogen hatte, tötete er den Knaben aus Eifersucht wegen dessen größerer Erfindungsgabe. Als er von einem der frühen Gerichtsprozesse des Aeropags (Hellanikos FGrH 323a F 22) des Totschlags für schuldig befunden worden war, floh er nach Kreta oder wurde dorthin verbannt, wo er sich mit König → Minos befreundete. Dort baute er u. a. die künstliche Kuh, in welcher → Pasiphae ihre Leidenschaft für den Stier befriedigte und später das → Labyrinth, in welchem der aus dieser Verbindung entstandene → Minotauros gefangen gehalten wurde. D. wurde wieder zur Flucht gezwungen, als Minos von seiner Rolle bei dieser Affäre erfuhr, und entkam gemäß der populären Version mit seinem Sohn → Ikaros auf künstlichen Flügeln (rationalisierende Alternative bei Diod. 4,77). Ikaros' Sturz und Tod durch Ertrinken sind weithin bekannt; Parallelen zur Geschichte des → Talos wurden im Motiv des Sturzes aus der Höhe und der Verwandlung in eine Vogelgestalt gesehen. D., der den richtigen Kurs besser halten konnte, soll in Sizilien gelandet sein, wo er bei König Kokalos in Kamikos (Hdt. 7,170; Soph.: Kamikoi) Zuflucht fand. Seiner Erfindungsgabe werden eine Anzahl technischer Einrichtungen überall auf Sizilien zugeschrieben, die häufig mit Wasser zu tun haben, zu denen aber auch die Umwandlung von Kamikos in eine uneinnehmbare Zitadelle zählt. Als Minos nach Sizilien segelte und D.' Auslieferung verlangte, wurde er von Kokalos oder seinen Töchtern getötet, die kochendes Wasser in sein Bad leiteten – Reflex von D.' hydraulischen Erfindungen.

D. ragte zweifellos unter den *technítai* (τεχνῖται) der griech. Myth. heraus; von anderen »Erfindern« wird gesagt, daß sie seine Schüler waren (vgl. Paus. 1,26,4; 2,15,1). Sein Metier waren technische wie auch künstlerische Errungenschaften, die man grundsätzlich derselben Sphäre zuordnete: Es war daher selbstverständlich, daß die Ursprünge verschiedener Werkzeuge und Techniken vom ihm hergeleitet wurden, wie man auch glaubte, daß er viele der ältesten Holzstatuen (ξόανα) in ganz Griechenland hergestellt hatte (Paus. 9,40,3 zählt diejenigen auf, die er als echt betrachtet). Auch in der Bildhauerei soll D. Neuerungen eingeführt haben: Diodorus (4,76) sagt, er sei der erste gewesen, der Statuen mit offenen Augen und in schreitender Haltung geschaffen habe. In dieser Rolle ist er als panhellenische Figur zu betrachten; durch seine Intelligenz und Begabung paßt er jedoch auch gut zum athenischen Selbstbild, und da alle Erzählungen ihn zum Athener machen, finden wir auch in Attika den einzigen Heroenkult des D. (Alopeke, nahe der Deme → Daidalidai, vgl. [2]).

1 M. GÉRARD-ROUSSEAU, Les mentions religieuses dans les tablettes mycéniennes, 1968, 51 2 M. CROSBY, Greek Inscriptions, in: Hesperia 10, 1941, Nr. 1 11–12 (367/6 v. Chr.).

G. BECATTI, La leggenda di Dedalo, in: MDAI(R) 60/1, 1953/4, 22–36 · M. DELCOURT, Héphaistos ou la légende du magicien, 1957, 157–162 · F. FRONTISI-DUCROUX, Dédale, 1975.   E. K.

Aus der myth. Gestalt D. wird der legendäre Ahnherr aller Bildhauer, Handwerker und Architekten geschaffen. Seine künstliche Biographie mit den Stationen Kreta, Athen und Sizilien spiegelt die lokale Entstehung griech. Großplastik wieder (→ Plastik). Spätere Künstlergenealogien über → Dipoinos und Skyllis sind bis zu → Endoios nicht historisch, ebensowenig spätere Zuschreibungen alter anonymer Holzbildwerke, doch die ant. Charakterisierung seiner Werke als erste Kuroi trifft annähernd die früheste Stilstufe. In der Klass. Arch. wird daher die früharcha. Plastik des 7. Jh. v. Chr. als »dädalisch« bezeichnet. D. wird in allen Medien der bildenden Kunst dargestellt, in der Kleinkunst als Handwerker, in Reliefs und Malerei beim Bau der Flügel und beim fatalen Flug. Rundplastische Darstellungen glaubte man in einer Statue aus Amman und im »Jüngling von Mozia« zu erkennen.

FUCHS/FLOREN, 120–121, 236–237 · S. P. MORRIS, Daidalos and the Origins of Greek Art, 1992 · J. E. NYENHUIS, LIMC 3, 313–321 s. v. D. Nr. 1–11 · OVERBECK, Nr. 67, 68, 70–142, 261, 332, 340, 345, 348, 349, 428 (Quellen).   R. N.

[2] Bronzebildner aus Sikyon. Als Sohn und Schüler des → Patrokles wird er der späteren Polykletnachfolge zugerechnet. Er schuf olympische Siegerstatuen von 396/5 und 388/7 v. Chr. Er war am Siegesdenkmal der Eleer in Olympia (399 v. Chr.) und demjenigen der Arkader in Delphi (369 v. Chr.) beteiligt. Basen mit Standspuren sind in Halikarnassos und Ephesos erhalten. Auf dieser Grundlage bleiben Zuweisungen so unbestätigt wie der Vorschlag, unter seinen von Plinius erwähnten *pueri destringentes se* den bronzenen Schaber aus Ephesos zu identifizieren.

D. ARNOLD, Die Polykletnachfolge, in: 25. Ergh. JDAI, 1969, 168–183 · LOEWY, Nr. 88, 89, 103 · J. MARCADÉ, Recueil des signatures de sculpteurs grecs, 1, 1953, Nr. 22–24. · OVERBECK, Nr. 987–994 (Quellen) · L. TODISCO, Scultura greca del IV secolo, 1993, 54–55.   R. N.

Daimachos (Δαίμαχος).

[1] aus Plataiai, griech. Historiker im 4. Jh. v. Chr. Er war Verf. einer Zeitgeschichte, von JACOBY schwerlich zu Recht als Autor der Hellenika von Oxyrhynchos betrachtet. FGrH 65 (mit Komm.).

F. JACOBY, The Authorship of the Hellenica of Oxyrhynchus, in: CQ 44, 1950, 1–11 · S. HORNBLOWER, in: Proc. of the Second Internat. Congr. of Boiotian Studies (erscheint demnächst; verteidigt JACOBY) · K. MEISTER, Die griech. Geschichtsschreibung, 1990, 65 f.

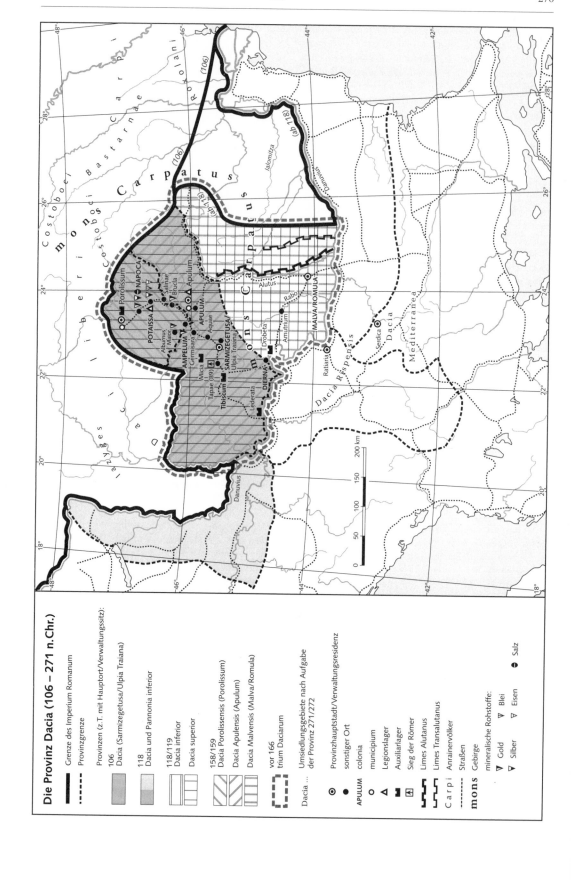

Die Provinz Dacia (106 – 271 n.Chr.)

	Grenze des Imperium Romanum
	Provinzgrenze

Provinzen (z.T. mit Hauptort/Verwaltungssitz):

106 Dacia (Sarmizegetusa/Ulpia Traiana)

118 Dacia und Pannonia inferior

118/119 Dacia inferior
Dacia superior

158/159 Dacia Porolissensis (Porolissum)
Dacia Apulensis (Apulum)
Dacia Malvensis (Malva/Romula)

vor 166 trium Daciarum

Dacia ... Umsiedlungsgebiete nach Aufgabe der Provinz 271/272

⊙ Provinzhauptstadt/Verwaltungsresidenz
● sonstiger Ort

APULUM
○ municipium
△ colonia
◢ Legionslager
◮ Auxiliarlager
Ⓐ Sieg der Römer

Limes Alutanus
Limes Transalutanus

Carpi Anrainervölker

mons Gebirge
‒ ‒ ‒ Straßen

mineralische Rohstoffe:
▽ Gold ▽ Blei
▽ Silber ▽ Eisen ◉ Salz

[2] D. aus Plataiai, griech. Geschichtsschreiber im 3. Jh. v. Chr. Er war Gesandter des Antiochos [2] Soter am indischen Königshof in Palimbothra (FGrH 716 T 1). D. schrieb *Indiká* mit polemischer Kritik an seinem Vorgänger Megasthenes (FGrH 715), war jedoch selbst nach Eratosthenes (bei Strab. 2,1,9 bzw. 19) ganz unglaubwürdig. FGrH 716.

O. LENDLE, Einführung in die griech. Geschichtsschreibung, 1992, 273 · K. MEISTER, Die griech. Geschichtsschreibung, 1990, 142.   K. MEI.

Daimon s. Dämonen

Daiphantos (Δαίφαντος). Sohn des Bathyllios aus Hyampolis. D. war einer der Anführer der Phoker in den Auseinandersetzungen mit den Thessalern kurz vor den Perserkriegen (Hdt. 8,27–31). Dem glänzenden Sieg, den das phokische Heer bei diesen Kämpfen errang, wurde in der Heimatstadt des D. noch zu Plutarchs Zeit beim jährlichen Fest der Elaphebolien gedacht (Plut. mor. 244B-C).
→ Elaphebolos; Hyampolis   E. S.-H.

Daitondas. Bronzebildner aus Sikyon. Er schuf im späteren 4. Jh. v. Chr. Sieger- und Porträtstatuen in Olympia und Theben sowie eine Aphrodite in Delphi.

LIPPOLD, 299 · J. MARCADÉ, Recueil des signatures de sculpteurs grecs, 1, 1953, Nr. 25 · OVERBECK, Nr. 1582 (Quellen).   R. N.

Dakisch s. Balkanhalbinsel: Sprachen

Dakoi, Dakia (röm. Prov. *Dacia*).
A. URSPRÜNGE B. BIS ZUR EINRICHTUNG DER RÖMISCHEN PROVINZ C. DIE RÖMISCHE PROVINZ D. KULTUR UND WIRTSCHAFT IN RÖMISCHER ZEIT E. DACIA IN SPÄTANTIKER ZEIT

A. URSPRÜNGE

Der dakische Stammesverband besiedelte urspr. ein ausgedehntes Gebiet nördl. der unteren Donau; im Westen reichte es an den Pathisus (Theiss), im Osten etwa an den Hierasus (Sireth) bzw. den Pyretus (Pruth), im Norden war es vom Karpatenbogen begrenzt. Die D. zählten zu thrak. Völkerschaften. Die Lage ihrer Siedlungen ermöglichte es ihnen, unterschiedliche Beziehungen zu den Nachbarvölkern aufzunehmen, z.B. zu den Skythai und Gepidae, mit denen sie in den ant. Quellen oft verwechselt werden, seit E. des 3. Jh. v. Chr. u. a. zu den german. (?) Bastarnae. Die D. beschäftigten sich mit Viehzucht und Agrikultur, bauten jedoch in bestimmtem Maß auch die in Siebenbürgen vorkommenden Erze ab. Seit E. des 3. Jh. v. Chr. machte sich unter ihnen griech. Einfluß geltend. Zugleich entwikkelten sich auch die Kontakte mit ital. Kaufleuten und kelt. Stämmen.

B. BIS ZUR EINRICHTUNG DER RÖMISCHEN PROVINZ

Im 1. Jh. v. Chr. wurden die D. unter der Führung des Königs Burebista vereinigt. Das Königtum repräsentierte eine beachtliche Macht, deren Angriffe sich gegen griech. Kolonien an der Pontosküste und im Westen gegen die damals in der *Pannonia superior* siedelnden kelt. Boii richteten (Strab. 5,1,6; 7,3,11). Die aus D. drohende Gefahr wollte Caesar beseitigen (Suet. Caes. 44,3), sein Tod hat diese Absicht aber zunichte gemacht. Etwa zur gleichen Zeit wurde auch Burebista ermordet; sein Reich, das keine feste Staatsbildung war, zerfiel. Ein neuer dakischer Verband entstand erst wieder in der 2. H. des 1. Jh. n. Chr. unter dem König Decebalus. Unter Domitian kam es zu bewaffneten Zusammenstößen, in deren Verlauf die D. 85/86 n. Chr. Moesia angriffen. Nach anfänglichen Erfolgen wurden sie aber bei Tapae besiegt, Decebalus mußte die röm. Oberherrschaft anerkennen. Die bestehenden Spannungen wurden jedoch durch den Friedensschluß nicht beseitigt, die Kämpfe brachen unter Traian erneut auf. 101/2 schlugen die Römer Decebalus und eroberten den wichtigsten Teil seines Königreichs (etwa Banat und Oltenien). Decebalus gab jedoch nicht auf, was 105 und 106 zu neuem Krieg führte, in dem er geschlagen wurde und Selbstmord beging (Cass. Dio 67,6f.; 68,6–14). Durch diesen röm. Sieg geriet das Gebiet der seitdem bestehenden *provincia Dacia* (das rumänische Siebenbürgen, Oltenien und der Banat) unter röm. Kontrolle. Hervorragende Quelle für die sich unter Traian in D. abspielenden Kämpfe und das Wesen des röm. Sieges sind die Traianssäule in Rom und das Tropaeum Traiani in Adamklissi. Ein Teil der dakischen Stämme (»freie Dakoi«) lebten weiterhin außerhalb des röm. Provinzialsystems.

C. DIE RÖMISCHE PROVINZ

Die sich in D. konstituierende röm. Macht mußte den Widerstand der Nachbarvölker (Einfälle der Jazygen und Roxolani) überwinden. Aus diesem Grund wurde 118/9 an die Spitze von Pannonia und D. ein Vertrauter des Kaisers Hadrian, Q. Marcius Turbo, gestellt (vgl. CIL III 1462 bzw. ILS 1324). In dieser Zeit wurde die Prov. in D. *inferior* (Oltenien mit dem östl. Teil des Banats) und D. *superior* (etwa Siebenbürgen und das Gebiet nordwestl. von Aluta) geteilt. Wohl 124 wurde von D. *superior*, auch als D. *Apulensis* bekannt, der nördl. Teil als D. *Porolissensis* abgetrennt. D. *inferior* wurde seit 168 auch als D. *Maluensis* (nach Romula Malua, wo das Zentrum lag) bezeichnet. Die Selbständigkeit der *Maluensis* und *Porolissensis* war aber beschränkt, ihre Verwalter (*procuratores vice praesidis*) waren dem kaiserlichen *legatus pro praetore*, der die D. *superior* verwaltete, unterstellt. Die Kriege gegen die Marcomanni haben auch D. bedroht; die Verwaltung des Landes wurde in diesem Zusammenhang wohl seit 168 einem *consularis III Daciarum* anvertraut.

D. Kultur und Wirtschaft
in römischer Zeit

Unter röm. Herrschaft ist in D. eine rasche und vielseitige Entfaltung zu verzeichnen: Aufschwung des Städtewesens, Ausbau eines relativ dichten Straßennetzes, Intensivierung des Binnen- und Außenhandels, womit die Entstehung mehrerer Zollstationen verbunden war. Im wirtschaftlichen Leben spielten Goldbergwerke eine bed. Rolle (*Alburnus maior* mit *vicus Pirustarum, Ampelum*). Außerdem wurde Silber, Blei und Eisen abgebaut. In der Nähe von Cluj (Ocna Mures) lagen Salzbergwerke. Die Gewerbetätigkeit war auf örtliche Holz-, Eisen- und Stein-Bearbeitung und auf die Keramik-Erzeugung beschränkt. Die Romanisierung setzte sich rasch und dauerhaft durch. In D. ist u.a. das Bestehen eines gemeinsamen Provinzial-Landtages und -Kultes seit Marcus Aurelius bezeugt. Brennpunkte der Romanisierung waren v.a. größere Städte, unter welchen Sarmizegetusa, der Hauptstützpunkt des röm. Einflusses, zu betonen ist. Die Garnison in D. bildete urspr. die in Apulum stationierte *legio XIII Gemina*, die 166/7 durch die *legio V Macedonica* in Potaissa verstärkt wurde. Die röm. mil. Präsenz war bes. gegen die D. von außen bedrohende Gefahr gerichtet. Bereits unter Hadrian wurde deswegen im Osten ein zusammenhängendes Netz von Stützpunkten der Aluta entlang (*limes Alutanus*) erbaut und in severischer Zeit durch ein System nach Osten vorgeschobener Posten verstärkt (*limes Transalutanus*). Obwohl in D. neben den Legionen starke Hilfstruppen stationiert waren, wurde die Verteidigung bes. gegen die vom NO angreifenden Stämme immer schwieriger.

TIR L 34 Budapest, 1968 (Bibl.) · TIR L 35 Bucarest, 1969 (Bibl.) · TIR K 34 Sofia, 1976 (Bibl.) · A. STEIN, Die Reichsbeamten von Dazien, 1944 · C. DAICOVICIU, D. PROTASE, in: JRS 51, 1961, 63 ff. · Ders., Siebenbürgen im Alt., 1943 · Ders., D., 1969 · D. TUDOR, Oltenia romana, 1959 · A. KERÉNYI, Die PN von Dazien, 1944 · V. CHRISTESCU, Istoria militară a Daciei romane, 1937 · I. ROSSI, Trajan's column and the Dacian wars, 1971 · A. ALFÖLDY, Stud. zur Gesch. der Weltkrise des 3. Jh. n. Chr., 1967 · V. I. VELKOV, Die thrak. und dak. Stadt in der Spätant. (bulgarisch mit dt. Zusammenfassung), 1959 · Dacia. Revue d'archéologie et d'histoire ancienne, Inst. d'Arch. V. Pŕvab de l'Acad. Roumaine (versch. Beitr.).
J. BU.

KARTEN-LIT.: TIR L 35, 1969 · N. GUDEA, Der Limes Dakiens und die Verteidigung der obermoesischen Donaulinie von Trajan bis Aurelian, ANRW II 6, 1977, 849–887 · D. PROTASE, Der Forschungsstand zur Kontinuität der bodenständigen Bevölkerung im röm. Dazien (2.–3. Jh.), in: ANRW II 6, 1977, 990–1015 · E. CHRYSOS, Von der Räumung der Dacia Traiana zur Entstehung der Gothia, BJ 192, 1992, 175–194 · D. KNOPP, Die röm. Inschr. Dakiens, 1993 (Diss.).

E. Dacia in spätantiker Zeit

Im Zuge seiner Bemühungen, die Reichseinheit durch Niederwerfung der gallischen und palmyren. Sonderreiche wiederherzustellen, sah sich Aurelian 271 n. Chr. gezwungen, die Lage an der unteren Donau durch Aufgabe der exponierten Provinz D. zu stabilisieren. Teils wird nur vom Rückzug der Armee und der Übertragung des Namens *Dacia* auf Gebiete südl. der Donau berichtet (Iord. De summa tempore ... Romanorum 217: *Aurelianus imperator euocatis exinde legionibus in Mysia conlocauit ibique aliquam partem Daciam mediterraneam Daciamque ripensem constituit*), die meisten ant. Autoren sprechen jedoch von einer vollständigen Evakuierung der röm. Bevölkerung und ihrer Neuansiedlung am südl. Donauufer (Eutr. 9,15,1: *prouinciam Daciam, quam Traianus ultra Danubium fecerat, intermisit uastato omni Illyrico et Moesia desperans eam posse retineri abductosque Romanos ex urbibus et agris Daciae in media Moesia collocauit*). Es ist gut möglich, daß gewisse Reste einer lat.-sprachigen Bevölkerung nördl. der Donau zurückblieben, aber eine Weiterexistenz organisierten röm. Lebens (mit Schul-, Kult- und Munizipalstrukturen) ist kaum denkbar; all das verlagerte sich ans südl. Donauufer, und in den meisten Fällen, in denen in der Spätant. von D. die Rede ist, sind die aus propagandistischen Gründen *Dacia ripensis* und *Dacia mediterranea* gen. Provinzen gemeint (z. B. Paul. Nol. carm. 17); gelegentliche Militärexpeditionen in norddanubische Zonen (z. B. im J. 332) ändern nichts daran, daß das Gebiet den Westgoten und später den → Gepiden und → Slaven überlassen blieb, während die Donau als Nordgrenze des Oström. Reiches erst im Laufe des 6. Jh. aufgegeben werden mußte. Der Großteil der roman. Bevölkerung, auf die die späteren Rumänen zurückgehen, kam erst im frühen MA im Zusammenhang mit den durch die Slavenansiedlung verursachten Bevölkerungsbewegungen aus dem Gebiet südl. der Donau in den Karpathenraum.

QUELLENSAMMLUNG: Fontes historiae Dacoromanae 1–2, 1970 (Original mit rumän. Übers. und Komm.).
LIT.: Römer in Rumänien, 1969 · DACOROMANIA 1, 1973 · G. SCHRAMM, Frühe Schicksale der Rumänen, in: Zschr. für Balkanologie 21, 1985, 223–241; 22, 1986, 104–125; 23, 1987, 78–94.
J. KR.

Daktyloi Idaioi (Δάκτυλοι Ἰδαῖοι). In der *Phoronis* (3) (PEG fr. 2; vgl. Diod. 17,7,5; Strab. 10,3,22) als *góēs* (»Zauberer«) bezeichnete Entdecker der Schmiedekunst [1. 1054–5] (Zunft mythischer Schmiede: [2. 269]). Nicht für die Troas (=Phrygien), sondern Kreta bezeugen dasselbe Hes. fr. 282 M-W, Marmor Parium FGrH 239 A 11 (Ephoros?) und Diod. 5,64,3;5, der sie als kretisches Urvolk kennt. Ihren Namen (»Finger«) führte Soph. fr. 366 TrGF ausgehend von zehn D. auf die Zahl der Finger zurück, Hellanikos FGrH 4 F 89 auf Fingerkontakt mit der Göttin Rhea. Trotzdem waren D. urspr. wohl Kobolde (»Fingermännchen«; Paus. 8,31,3: ›eine Elle groß‹ gegen Phoronis); Kleinwüchsigkeit von Goldschmieden zeigen bildliche Darstellungen in Ägypten [3. 79, 83–4]. Das Epitheton leitet sich nicht direkt von *ídē* (ἴδη, »Waldung«), sondern vom einst waldreichen kleinasiatischen bzw. kretischen Idamassiv her. Die Lokalisierung der D. geht parallel zur Bezeugung des Kybelekultes. Die *Phoronis* nennt die D. ›Diener der Adresteia vom Berg‹, d. h. der dort als »Mutter vom Berg« (Eur. Hel. 1301 f.) oder »Ida« (Eur. Or. 1453) verehrten Kybele, die bei Diod. 17,7,5 ihre Lehrmeisterin ist und auf Kreta als Berggöttin Rhea (Eur. fr. 472 TGF, Schol. Apoll. Rhod. 1,1126) minoische Traditionen fortsetzte [4. 353]. Obwohl nach Diod. 5,65,1 die Kureten evtl. Söhne der D. waren, setzte Paus. 5,7,6 diese mit jenen Helfern Rheas in der kretischen Idahöhle gleich. Die D. wurden außerdem verbunden mit Olympia (über den Idäischen Herakles: Paus. ebd.) und Zypern (Clem. Al. Stromateis 1,16,75,4), alles Örtlichkeiten mit reichen arch. Belegen für Metallimport aus dem Orient im 8.–7. Jh. v. Chr. [5. 15–9]. Als Besitzer eines Spezialwissens, das Metall zum Klingen brachte, sollen sie die Musik erfunden (Plut. mor. 1132F), die Zauberei beherrscht (Pherekydes FGrH 3 F 47) und die Einweihung in Mysterien durchgeführt haben (Porph. vita Plotini 17); auf Samothrake übernahmen sie nach dem Mythos als Lehrer von Orpheus die Rolle der Kabiren (Ephor. FGrH 70 F 104) [6. 39–41]. Andere Identifikationen: Telchinen (Eust. 771,44 f.); Faunus, Picus (Plut. Numa 15,4 p. 70c); Laren (Arnob. 3,41).

1 A. S. Pease (Hrsg.), M. T. Ciceronis de natura deorum, 1955–58 2 Burkert 3 R. J. Forbes, in: Stud. in Ancient Technology 8, 1964 4 M. P. Nilsson, MMR 5 W. Burkert, Orientalizing Revolution, 1992 6 Ders., ΓΟΗΣ, in: RhM 105, 1962.   G. A. C.

Daktylos (δάκτυλος).
[1] Der *d.*, lat. *digitus*, bezeichnet als Längenmaß die Fingerbreite, wobei vier *dáktyloi* eine Handfläche (παλαιστή, lat. *palmus*), 16 *d.* einen Fuß (πούς, lat. *pes*) und nur in Griechenland 12 *d.* eine Handspanne (σπιθαμή) ausmachen. Daneben kann jedoch in Rom der *d.* entsprechend des Duodezimalsystems der *uncia* gleichgesetzt und bis zum *as* (= *pes*) gezählt werden. Der *d.* orientiert sich nach dem Fuß, der zwischen 29,4 und 35,4 cm gemessen wird. Er schwankt somit zwischen 1,84 und 2,21 cm. Kleinere Strecken werden in Bruchteilen des *d.* gemessen. Quadrat- und Kubik-*d.* hatten keine praktische Bedeutung.
→ Längenmaße; Palaiste; Palmus; Pes; Pus; Spithame

F. Hultsch, Griech. und röm. Metrologie, ²1882, 28 f., 74 f. · O. A. W. Dilke, Digit measures on a slab in the British Museum, in: The Antiquaries Journal 68, 1988, 290–294.   A. M.

[2] s. Metrik

Dalheim. Röm. *vicus* im Großherzogtum Luxemburg, möglicherweise identisch mit Ricciacus (Tab. Peut.); Hinweise auf eine spätlatènezeitliche Siedlung (ca. 1. Jh. v. Chr.). Als Etappenort (*mansio*) beim Bau der Straße Metz-Trier in augusteischer Zeit neu gegr. [1]. Nach dem Aufstand der Treveri 69/70 n. Chr. entwickelte sich der Ort zum wirtschaftlichen, vor allem rel. Zen-

trum der Region (CIL 13,1,2 p. 635–638) [2; 3]; in der 2. H. des 3. Jh. erlebte er Verwüstungen durch Germaneneinfälle (260, um 268/270, um 275/6); die wiederaufgebaute kleinere Straßenstation ging nach erneuter Zerstörung 353/355 Anf. 5. Jh. endgültig unter.

1 J. Krier, Zu den Anf. der röm. Besiedlung auf dem Pëtzel bei D., in: Publications de la Section Historique de l'Inst. Grand-Ducal de Luxembourg 94, 1980, 141–194 2 Espérandieu, Rec. 5, 330–374 3 J. Krier, Neue Zeugnisse der Götterverehrung aus dem röm. vicus D., in: Hémecht 44, 1992, 55–82.   F. SCH.

Dalisandos (Δαλισανδός). Name mehrerer Städte, die in der Kilikia Tracheia, vermutlich bei Sinabıç [1], bei Belören in Lykaonia [2] bzw. im Osten von Pamphylia [3] lagen.

1 Hild/Hellenkemper, s. v. D. 2 D. H. French, The site of Dalisandus, in: EA 4, 1984, 85–98 3 J. Darrouzès, Notitiae episcopatuum Ecclesiae Constantinopolitanae, 1981.   F. H.

Dalmatae, Dalmatia (Delmatae, Delmatia).
I. Allgemein II. Historische Entwicklung

I. Allgemein

Bedeutendes Volk des späteren Illyricums (Grad der Keltisierung unsicher) im Hinterland von Salona zw. Tit(i)us (Krka) und Nestos/Hippius (Cetina) auf der Glamočko, Livanjsko, Duvanjsko und Imotsko polje. Gab der röm. *prov.* Dalmatia den Namen. Administrativ von Illyricum am Anf. der Herrschaft der flavischen Kaiser abgetrennt. Diese Gebiete wurden beherrscht vom illyr. Königreich, berüchtigt für seine Piraterie (unter der Dynastie der Ardiaier, Agron und Teuta), das 229 v. Chr. durch die Römer bekriegt (1. illyr. Krieg gegen Teuta und Pinnes, 2. illyr. Krieg 219 v. Chr., hauptsächlich gegen Demetrius von Pharos) und 168 v. Chr. unterworfen wurde (Gefangennahme des Genthius).

II. Historische Entwicklung
A. Griechische und römisch-republikanische Zeit B. Römische Provinz
C. Geographie D. Verwaltung
E. Gesellschaft F. Spätantike
G. Byzantinische Zeit

A. Griechische und römisch-republikanische Zeit
Die röm. Intervention im östl. Adria-Raum verdrängte weithin griech. Besiedlung und Einfluß in D.; z. Z. Plinius' d. Ä. wurden viele einst blühende griech. Städte aufgegeben. Die Griechen hatten den südl. Adria-Raum im späten 7. Jh. v. Chr. kolonisiert, als sie Epidamnus und Apollonia gründeten. Nach Hdt. waren die Phokaioi die ersten, die den Adria-Raum erkundeten; mit folgenden Völkern kamen die griech. Kolonisten in Kontakt (Hekat. FGrH 1): Kaulikoi,

Liburnoi, Mentores, Syopioi (sonst unbekannt) und Hythmitai (sonst unbekannt). Der erste zusammenhängende Bericht über die Völker im Adria-Raum ist die Beschreibung der ost-adriatischen Küste bei Ps.-Skylax (4. Jh. v. Chr.), wo (von Norden nach Süden) die Liburnoi, Hierastamnai (sonst unbekannt), Hylloi, Boulinoi, Nestoi, Manioi, Autariatai, Illyrioi, Encheleis und die Taulantioi erwähnt werden. Die liburnische Thalassokratie wurde mit der griech. Expansion beendet: Im 8. Jh. v. Chr. wurden sie durch die korinth. Kolonisten von Korkyra vertrieben. Auf die knidische Kolonie auf Korkyra Melaina (Korčula) im 6. Jh. v. Chr. folgte die Kolonisation unter Dionysios I. im 4. Jh. v. Chr. : Pharos (Hvar), teilweise eine parische Kolonie, und Issa (Vis), die ihrerseits Korkyra Melaina und das Festland besiedelten: Tragurium (Trogir) und → Epetium (Stobreč).

Nach dem Zerfall des illyr. Königreichs und der Bildung des röm. Protektorats in Süd-Illyricum, mit Aous (Vjose) im Süden (später wurde das südl. Gebiet bis Drilon Teil von Makedonia) und mit Naro (Neretva) als Grenzfluß im Norden, wurden die D. mit ihrem Zentrum → Delminium Hauptfeinde des röm. Staates. Wegen ihrer Angriffe auf die Kolonien Tragurium und Epetium – deren Mutterstadt Issa war mit Rom verbündet – und auch auf die → Daorsi, die röm. Schutz genossen, marschierte das röm. Heer unter P. Cornelius Scipio Nasica 156–155 v. Chr. in D. ein (die Quellen über diese Feldzüge in [1]), ihre Hauptstadt Delminium (auf Duvanjsko polje) wurde zerstört. Der consul Ser. Fulvius Flaccus kämpfte 135 v. Chr. gegen die Ardiaei (=Vardaei); 129 kämpfte der consul C. Sempronius Tuditanus gegen die Iapodes, Carni und Taurisci, möglicherweise auch gegen die Liburni, 119/8 L. Caecilius Metellus gegen die D. In den J. 78–76 v. Chr. führte C. Cosconius wieder Krieg gegen die D., eroberte Salona und befreite die Stadt von den D. Illyricum wurde als unabhängige Prov. spätestens unter Caesar 59 v. Chr. eingerichtet. Als proconsul (seit 58) hielt er eine Legion in Illyricum. 56 v. Chr. wurde eine Gesandtschaft von Issa zu Caesar nach Aquileia geschickt, der wohl den Status von Issa als freie Verbündete bestätigte. Nach einem Aufstand der Pirustae 54 v. Chr. besuchte Caesar die Prov. zum zweiten Mal. Die liburnische Stadt Promona wurde 50 v. Chr. durch die D. erobert. Zentren der Romanisierung waren damals Issa, wo Caesars Legat Q. Numerius Rufus tätig war (ILLRP 389), als auch Caesars praesidium → Epidaurum und conventus civium Romanorum in Salona, Narona und Lissus. Außer Issa ergriffen diese nach dem Ausbruch des Konflikts mit Pompeius Partei für Caesar. Die D. schlossen sich Pompeius an und kämpften bei Synodium siegreich gegen Caesars Legaten A. Gabinius. Grundsätzlich erging es der Partei Caesars (P. Cornelius Dolabella, Q. Cornificius, P. Vatinius, der gegen die D. teilweise erfolgreich war) in D. schlechter als den Anhängern des Pompeius (M. Octavius, L. Scribonius Libo, M. Calpurnius Bibulus). Vatinius mußte 43 seine drei Legionen Brutus übergeben.

Weitere Kämpfe gegen die D. (Rückeroberung von Salona) und die Parthini erfolgten unter Cn. Asinius Pollio 40–39 v. Chr.

B. RÖMISCHE PROVINZ

Der nachmalige Augustus eroberte die gesamte Küstenregion in seinen illyr. Feldzügen 35–33 v. Chr., aber seine angeblichen Erfolge im Hinterland sind umstritten. Im Laufe seiner Militäraktionen wurde eine Verteidigungslinie im Hinterland der dalmat. Küste errichtet, um die bereits teilweise romanisierten Küstenstädte vor den Angriffen aus dem Inneren von D. zu schützen, eine Art dalmat. limes. Dieser verband vielleicht Burnum mit Siscia und führte über Promona, Kadijina Glavica, Magnum, Andetrium, Tilurium nach Bigeste im Gebiet von Narona. Entschlossener als die Kriege des nachmaligen Augustus dürften die des Tiberius geführt worden sein (11–9 v. Chr.; erster Aufstand der D. 16 v. Chr., in dessen Verlauf Agrippa im J. 12 v. Chr. gegen sie geschickt wurde), während die endgültige Befriedung nach dem großen pannonischen Aufstand 6–9 n. Chr. stattfand; unter den führenden Aufständischen waren die → Daesitiates (Bellum Dalmaticum in ILS 3320). Nach der endgültigen Niederlage wurde Illyricum möglicherweise in Superior und Inferior geteilt (vgl. ILS 938, leider nur eine hsl. Kopie, wo civitates superiori provinciae Hillyrici erwähnt sind; C. Vibius Postumus als praepositus Delmatiae, Vell. 2,116,2, aber wohl nur in geogr. Sinn). Jedoch ist bis Vespasianus nur ein legatus Augusti pro praetore für das gesamte Illyricum gesichert, denn in keinem Fall sind zwei zur selben Zeit im späteren Pannonia und Dalmatia dokumentiert.

C. GEOGRAPHIE

D. ist ein dinarisches Karstgebiet, scharf getrennt in den Küstenstreifen mit mehreren tausend Inseln und mediterranem Klima und in sein gebirgiges, wildes Hinterland, das mit dem Küstengebiet nur über wenige schmale Flußtäler verbunden ist. Infolgedessen waren die nordöstl. Regionen von D. geogr. und ethnisch eng mit Pannonia verbunden; die Grenze zw. den Prov. erstreckte sich südl. des Savus (Sava). Beide Gebiete waren durch Straßen verbunden, von denen die meisten während der Herrschaft des Tiberius unter P. Cornelius Dolabella erbaut waren.

Liburnia, der nördl. Küstenabschnitt von D., ein romanisierter und urbanisierter Teil der Prov., mehrfach in der Gesch. beinahe eine unabhängige Einheit, erstreckte sich vom Arsia (Raša) in Histria über die Alpes Delmaticae/Albius Mons (Velebit) bis zum Zrmanja; die Einwohner standen in Verbindung mit den venetisch-etr. Völkern. Das Zentrum war die caesarische oder die Kolonie des nachmaligen Augustus von Iader (Zadar), andere wichtige Städte waren Alvona, Flanona und Tarsatica im liburnischen Teil von Histria; Städte auf den nördl. dalmat. Inseln: Crexi, Absorus, Fulfinium, Curicum, Arba und Cissa, ebenso Senia, Lopsica, Vegium, Aenona, Corinium, Nedinum, Asseria, Varvaria und Scardona auf dem Festland. Die weniger romanisierten Iapodes siedelten östl. davon, mit nur wenigen urbanen Siedlungen (Metulum, Terponus, Monetium, Avendo, Arupium); sowohl die Liburni als auch die Iapodes gehörten zum *conventus* von Scardona. Die Iapodes wurden im Verlauf des 3. Jh. bes. mächtig und eroberten zeitweise einen Teil der liburnischen Küste unterhalb des Velebit. Früheres dalmat. Gebiet mit den Städten Aequum (eine claudische Kolonie, die einzige Veteranenkolonie in D., obwohl Veteranen in allen großen Kolonien und wichtigen Küstenstädten angesiedelt wurden, so auch in Andetrium, Bigeste, Novae, Rider, Siculi und Tragurium), Delminium, Salvium, Rider, Magnum gehörten zum *conventus* von Salona, während Städte in Süd-D. dem *conventus* von Narona zugeteilt wurden; die wichtigsten urbanen Zentren waren die Kolonien von Epidaurum und Scodra, die *municipia* Diluntum, Risinium, Acruvium, Butua, Olcinium und Lissus. Das Innere der Prov. wurde von den Maezaei, D., Daesitates, Dindari, Pirustae und einer Zahl kleinerer Völker wie den Ditiones, Deuri, Siculotae, Glinditiones, Melcumani besiedelt. Die Urbanisierung dieser Gebiete, reich an Bodenschätzen, schritt langsam voran, mit nur einigen größeren urbanen Siedlungen wie Raetinium, Salvium, Pelva, → Baloia, → Bistua Nova und Vetus, → Domavia, Maluesa, die meisten sind als metallurgische Zentren bekannt, oder Siedlungen entlang wichtiger Straßen; für manche sind keine vorröm. Siedlungen belegt. Bergbau war eine der wichtigsten Aktivitäten; Bergarbeiter aus D. waren so erfahren, daß sie in Bergbaugebiete in der *prov. Dacia* geschickt wurden. Während das röm. Bürgerrecht an die Bewohner der Küstenstädte hauptsächlich unter Augustus verliehen wurde, setzte die Bürgerrechtsverleihung im Inneren erst unter den flavischen Kaisern ein und endete mit der *constitutio Antoniana* unter Caracalla. Die Küstenstädte florierten dank ihrer guten Häfen.

D. Verwaltung

D. war eine consularische Prov., geleitet von *legati Augusti pro praetore*, die in Salona residierten. 42 n. Chr. revoltierte L. Arruntius Camillus Scribonianus gegen Claudius; nach seiner Niederlage bekamen die Legionen *XI* (in Burnum – sie blieb 68/9 n. Chr. in der Prov.) und *VII* (in Tilurium – sie verließ D. unter Claudius oder Nero), den Titel *Claudia pia fidelis*. Nach Abzug der *III* oder *IV Flavia* aus Burnum nach Moesia ca. 86 n. Chr. hatte D. keine ständige Legionsgarnison mehr. Die *legio VIII Augusta* wurde zeitweise in der Prov. neben einer relativ kleinen Zahl von Hilfstruppen stationiert, von denen die Cohorten *III Alpinorum*, *Aquitanorum*, *I Belgarum*, *I Campana*, *I* und *II Milliaria Delmatarum* und *VIII Voluntariorum* erwähnt werden sollten. Im 1. Jh. n. Chr. war die *ala Claudia nova* ebenfalls lange in der Prov. stationiert. Ein wichtiger mil. Vorposten wurde in Bigeste (Humac) im Hinterland von Narona (wahrscheinlich unter dem nachmaligen Augustus) errichtet und war eine ständige Garnison der Hilfstruppen und eine wichtige Veteranensiedlung (Pagus Scunasticus).

Die Markomannenkriege betrafen – im Gegensatz zu Pannonia – D. nicht, da die Prov. durch die hohen Berge (h. Bosnien-Herzegowina) geschützt war; dennoch sind Abordnungen der *legio II* und *III Italica* für diese Zeit in Salona bezeugt. Seit den Reformen des Gallienus wurde die Prov. durch ritterliche *praesides* verwaltet. Unter Diocletian wurde der südl. Teil von der Prov. abgetrennt und eine unabhängige *Praevalitana* bzw. *Praevalis* mit der Hauptstadt Scodra geschaffen. Während D. in der *dioecesis Pannoniarum* blieb, gehörte die neue Prov. zur *dioecesis Moesiarum*.

E. Gesellschaft

Salona entwickelte sich bald zu einem florierenden Verwaltungs-, Handels-, Religions- und Kulturzentrum und war eine der größten Städte des röm. Reichs (mit außerordentlich reichem epigraphischem Material), ebenso ein blühendes Zentrum des frühen Christentums. Die Sozialstruktur der Bevölkerung in D. war vielschichtig, vergleichbar mit der ital. Gesellschaft. Der erste Senator aus D. scheint Tarius Rufus, ein Anhänger des Augustus, gewesen zu sein, der zweite der bekannte Jurist Iavolenus Priscus (E. 1./Anf. 2. Jh. n. Chr.); zu nennen ist hier der Kaiser Diocletian, der sich nach Spalatum (h. Split) in den neuen prächtigen Palast zurückzog. Seine Residenz beeinflußte und formte den urbanen Grundriß des modernen Split entscheidend, der Palast existiert teilweise noch in seiner urspr. Form. Der Hl. Hieronymus wurde in Stridon (nicht lokalisiert, im Grenzgebiet zu Pannonia) im nördl. D. geboren.

F. Spätantike

Die Prov. D. blieb nach der Niederlage Theodosius' I. und der Reichsteilung im westl. Teil, während Praevalitana als ein Teil der dakischen Diözese zum öst. Teil gehörte. Der Verwaltungsstatus von D. änderte sich; Mitte 5. Jh. war es unter dem *magister militum* Marcellinus sogar unabhängig. Sein Nachfolger war der letzte röm. Kaiser im Westen, Iulius Nepos, ermordet 480 n. Chr. in Spalatum.

1 Broughton, MRR.

M. Zaninović, Ilirsko pleme Delmati I (The Illyrian Tribe of the D.), in: Godišnjak 4 (Centar za balkanološka ispitivanja 2), 1966, 27–92; II, in: ebd. 5/3, 1967, 5–101 · G. Alföldy, Bevölkerung und Gesellschaft der röm. Prov. D. (mit einem Beitrag von A. Mócsy), 1965 · J.J. Wilkes, D., 1969 · M. Suić, Antički grad na istočnom Jadranu, 1976 · M. Zaninović, The Economy of Roman D., in: ANRW II.6, 1977, 767–809 · I. Bojanovski, Bosna i Hercegovina u antičko doba (Bosnien und Herzegowina in der Ant.) Akademija nauka i umjetnosti Bosne i Herzegovine, Djela 66, Centar za balkanoška ispitivanja 6), 1988 · D. Rendić-Miočević, Iliri i antički svijet, 1989 · E. Marin (Hrsg.), Salona christiana (Starokršćanski Solin), 1994 · S. Čače, Civitates Dalmatiae u »Kozmografiji« Anonima Ravenjanina (The »civitates« Dalmatiae in the »Cosmographia« of the Anonymous Geographer of Ravenna), in: Diadora 15, 1993, 347–440.   M.Š.K./Ü:I.S.

G. Byzantinische Zeit

Der Krieg gegen die Ostgoten [1. 21 ff.] brachte D. wieder unter die Herrschaft Ostroms. Ausführliche Nachrichten, nicht nur über das kirchliche Leben am

Ende des 6. Jh., bieten die Briefe des → Gregorius. Der entscheidende Einschnitt, der bis weit in das MA D. prägen sollte, ist die vom Binnenland aus erfolgte Einwanderung der → Slaven [1. 24 ff.] im Gefolge der avarischen Zerstörungen: im J. 582 wurde → Sirmium von den Avaren zerstört, zu Beginn des 7. Jh. muß die Metropolis → Salona das gleiche Schicksal getroffen haben. Die Byzantiner konnten nur einige Küstenplätze und die Inseln halten, wohin sich die christl. romanisierte Bevölkerung flüchtete: so von Salona in die alte griech. Kolonie Ἀσπάλαθος/Spalatum, h. Split, wohin auch der Bischofssitz verlegt wurde. Nach dem Frieden von Aachen (812) mußte Karl d.Gr. D. wieder an Byzanz abtreten. Erst in den späten sechziger Jahren des 9. Jh. richtete Basileios [5] I. dort ein → Thema Δελματία (Metropolis: Zadar; vgl. die Diskussion bei [2]) ein, die lokalen Magnaten (ἄρχοντες) scheinen aber ihre Herrschaft weitgehend unangefochten ausgeübt zu haben [2; 3]. Sehr bald geriet das weitgehend sich selbst überlassene D. in das Spannungsfeld zw. Venedig, Kroatien, Ungarn und Byzanz. Dabei blieb seine ethnisch-polit. Struktur über Jh. (im wesentlichen bis ins 19. Jh.) gleich: In Städten wie Διάδωρα/Jadera/Zadar/Zara konnte sich die roman. Bevölkerung bis in das Spät-MA halten, im Binnenland saßen die verschiedenen slav. Stämme wie Kroaten, Serben, etc. Auf diese Weise konnte die roman.-byz. Kultur D.s einen bed. Einfluß auf die entstehenden Reiche des Hinterlandes ausüben.

1 K. JIREČEK, Die Romanen in den Städten Dalmatiens während des MA, 2 Bd., 1902 bzw. 1904 2 J. FERLUGA, L'amministrazione bizantina in Dalmazia (bes. Verwaltungsgesch.) 3 L. STEINDORFF, Die dalmatinischen Städte im 12. Jh., 1984 4 B. KREKIĆ, s. v. Dalmatia, ODB, 578 f. J.N.

Dalmatica. Langärmelige, bis zu den Knien fallende → Tunica, benannt nach ihrem Herkunftsland Dalmatien; erstmals lit. an der Wende zum 2. Jh. n. Chr. erwähnt. Nach Ausweis der Schriftquellen und Denkmäler war die D. weiß mit purpurnem → *clavus*, der von den Schultern senkrecht zum Saum führte; als Material dienten Wolle, Seide, Halbseide und Leinen. Die D. wird von Männern (im Dienst mit einem *cingulum militiae*) und Frauen getragen. Bereits im 3. Jh. n. Chr. wird sie in die liturgische Gewandung der Kirche übernommen und zur typischen Bekleidung der Diakone, erfährt allerdings im MA als *korerock* oder *leßrock* starke Veränderungen.

J. P. WILD, Clothing in the North-West Provinces of the Roman Empire, in: BJ 168, 1968, 222–223. R.H.

Dalmatius

[1] Fl. D. Sohn des → Constantius [1] und der Theodora, Halbbruder Constantins I. Über seine Rolle in der ersten Zeit Constantins ist nichts bekannt, vermutlich ca. 320–324 n.Chr. wurde ihm während der Spannungen mit Licinius Toulouse als Aufenthalt zugewiesen (Auson. Prof. 16,11–12). 333 Consul, wurde er um die

gleiche Zeit mit dem archaisierenden Titel eines *censor* nach Antiocheia geschickt (Athan. c. Ar. 65,1 ff.). Dort war er mit Mordanklagen gegen Athanasius befaßt. In Tarsos ließ er → Calocaerus durch Verbrennung hinrichten. 337 wurde er mit anderen Mitgliedern der jüngeren Linie des constantinischen Hauses umgebracht.

[2] Fl. D. Sohn von D. [1]. Nach seiner Erziehung in Narbonne durch den Redner Exsuperius (Auson. Commemoratio professorum Burdigalensium 17,8–11) wurde er am 18.9.335 n.Chr. nach den drei Söhnen Constantins zum vierten Caesar erhoben (Consularia Constantinopolitana a. 335 in Chron. min. 1). Dabei wurde ihm die Verteidigung der unteren Donau (*ripa Gothica*) gegen die Goten anvertraut (Anonymus Valesianus 35), zunächst für die Dauer des von Constantin geplanten Perserfeldzugs. In der Nachfolgeregelung Constantins sollte er vermutlich weiterhin die Verwaltung von Thrakien, Makedonien und Achaia innehaben (Aur. Vict. epitome de Caesaribus 41,20), wurde jedoch unmittelbar nach dem Tod Constantins wie sein Vater umgebracht, vermutlich mit Wissen oder sogar auf Befehl seines Cousins Constantius. B.BL.

[3] Ehemaliger Gardeoffizier, dann Schüler des Asketen Isaak. Nach 48jährigem Reklusentum stellte er sich 431 n.Chr. beim Konzil von Ephesos auf die Seite Kyrills von Alexandria gegen seinen Bischof Nestorios und brachte die Mönche Konstantinopels auf seine Seite. Seither unbestritten führender Mönch in der Hauptstadt (Ausgabe seiner Schriften in Clavis Patrum Graecorum 3, 5776–8). PLRE 2,341.

G. DAGRON, Les moines et la ville. Le monachisme à Constantinople jusqu'au concile de Chalcédoine (451), in: Travaux et mémoires du Centre de recherches … byzantines 4, 1970, 229–276 • Ders., La romanité chrétienne en Orient, 1984, Nr. 8, 266 ff. H.L.

Damagetos (Δαμάγητος). Mittelmäßiger Epigrammdichter aus dem »Kranz« des Meleager (Anth. Pal. 4,1,21), wahrscheinlich der peloponnesischen Schule zuzurechnen, lebte zur Zeit des Krieges zw. dem Achäischen und dem Aitolischen Bund (220–217 v. Chr.). Seine 12 Epigramme lassen sich fast alle direkt (7,438; 541) oder indirekt (Preis Spartas und seiner Verbündeten: 7,432; 540 f., und in dorisierender Sprache 7,231; 16,1) auf dieses Ereignis zurückführen (so vielleicht auch 6,277 auf Arsinoe, die Tochter des Ptolemaios Euergetes), angesichts der guten Beziehungen, die sich in jenen Jahren zwischen Ägypten und Sparta entwickelten.

GA I,1,76–79; 2,223–230. E.D./Ü:T.H.

Damania (Name auf iberischen Mz. [1. Nr. 86]: *dmaniu*) war ein *oppidum stipendiarium* des *conventus* von Caesaraugusta (Plin. nat. 3,24) und rechnete zum Stamm der Sedetani oder der Edetani (Ptol. 2,6,62); HÜBNER [2] vermutet hier zwei verschiedene Stämme, während SCHULTEN beide identifiziert (vgl. [3. 229]). Trotz Inschr. (CIL II 2960; 3990; 4249) läßt sich die Lage nicht genauer feststellen. Span. Lokalforscher haben sie mit h. Mediana (Prov. Zaragoza), andere mit Domeño (Prov. Valencia) identifiziert [4. 859].

1 E. Hübner, Monumenta Linguae Ibericae 1, 1893 2 Ders., s. v. D., RE 4, 2029 3 A. Schulten, Fontes Hispaniae Antiquae 8, 1959 4 Enciclopedia Universal Ilustrada 17.

Tovar, 3, 1989, 410. P. B.

Damaratos (Δαμάρατος, Δημάρητος). Spartanischer König, Eurypontide, Sohn und Nachfolger (um 510 v. Chr.) des Königs Ariston. Die Wende in seinem Leben brachte die Feindschaft mit Kleomenes I., dessen Absicht, mit Hilfe eines Heerzuges 506 ein spartanisches Satellitenregime in Athen einzurichten, er noch bei Eleusis durch Obstruktion vereitelte (Hdt. 5,74f.). Offen bleibt, ob damals athenische Sondierungen beim persischen Satrapen in Sardeis bekannt wurden [3. 273–276]. 491 intrigierte D. gegen Kleomenes, der angesichts des drohenden Angiffs der Perser die Aigineten als mögliche Kollaborateure isolieren wollte (Hdt. 6,50f.). Im Gegenzug erreichte Kleomenes, daß D. nicht mehr als rechtmäßiger Sohn des Ariston anerkannt und abgesetzt wurde, indem er die Ephoren beeinflußte und die Pythia in Delphi bestach (Hdt. 6,61–66). D. wurde nicht rehabilitiert, als die Intrige wenig später aufgedeckt wurde, und floh, auch von seinem Nachfolger Leotychidas gekränkt, zu Dareios I., der ihm großen Besitz in Mysien schenkte (Hdt. 6,70; 7,3). D. begleitete auch Xerxes 480 auf dem Zug gegen Hellas (Hdt. 7,101–104; 209; 234f.; 239; 8,65; Plut. mor. 864 E-F; Diog. Laert. 1,72), seine Rolle als Ratgeber ist jedoch legendär ausgeschmückt [2. 156f., 166], obgleich sich Herodot auf die sog. Damaratosquelle (eine auf D. zurückgehende mündliche Tradition) gestützt haben wird [1. 404, 476].

1 F. Jacoby, s. v. Herodotus, RE Suppl. 2, 205–520 2 J. F. Lazenby, The Defence of Greece 490–479 B. C., 1993 3 M. Zahrnt, Der Mardonioszug des Jahres 492 v. Chr. und seine histor. Einordnung, in: Chiron 22, 1992, 237–279. K.-W. Wel.

Damarete (Δαμαρέτη). [1] Tochter des Theron von Akragas und Frau des Gelon von Syrakus, nach dessen Tod des Polyzalos. Diodor (11,26,3) und die schol. 15 (29) zu Pindar (O. 2) berichten, D. sei nach der Schlacht von Himera 480 v. Chr. für den Frieden mit den Karthagern und deren humane Behandlung eingetreten. Vom Erlös des goldenen Kranzes im Gewicht von 100 Talenten, den sie dafür von diesen erhielt, habe sie sog. Damareteia, Gedenkmünzen im Wert von 10 att. Drachmen bzw. 50 Litren, prägen lassen (17 Exemplare erh.). Aus numismatischen Gründen wird h. überwiegend eine spätere Datierung der Münzen und damit auch ein anderer Anlaß für die Prägung angenommen, wobei die Daten zwischen den frühen siebziger Jahren und 461 schwanken. [1] schlägt 465 vor = Sturz der Tyrannis in Syrakus und Leontinoi. Forschungsüberblick [1. 1, Anm. 1].

1 H. B. Mattingly, The Damareteion Controversy, in: Chiron 22, 1992, 1–12

[2] Tochter Hierons II. von Syrakus, Frau des Adranodoros, einem der Vormünder des Hieronymos; nach dessen Tod 215 v. Chr. im Zuge der inneren Wirren in Syrakus ermordet (Liv. 24,22–25). K. Mei.

Damas (Δάμας). [1] Heros von Aulis, der mit Arkesilaos nach Troia fuhr und dort von Aineias getötet wurde (Q. Smyrn. 8,303–305: Dymas? [1]).

1 P. Vian, Q. Smyrn., 1966.

[2] (Δαμᾶς). Eponymer Gründer von → Damaskos in Syrien. Er begleitete Dionysos nach Asien, wo er ihm in Syrien ein Heiligtum in Form einer Hütte (σκηνή) stiftete, genannt Δαμᾶ σκηνή (Damá skēné, »Hütte des Damas«), daher Damaskos (Etym. m. s. v. Δαμσκός 247 Gaisford). R. B.

[3] Wohlhabender Syrakuser und Gönner des Agathokles [2]. In einem Krieg gegen Akragas zum Strategen gewählt, ernannte er Agathokles zum Chiliarchen und gab ihm erstmals Gelegenheit, sich auszuzeichnen. Nach dem Tode des D. heiratete Agathokles dessen Witwe und wurde so einer der reichsten Männer von Syrakus (Diod. 19,3,1–2; Iust. 22,1,12f.).

K. Meister, in: CAH 7,1, ²1984, 385. K. Mei.

[4] Deklamator der augusteischen Zeit mit dem Beinamen ὁ σκόμβρος (»Makrele«), erwähnt bei Seneca (contr. 2,6,12; 10,4,21. 10,5,21; suas. 2,14); vermutlich identisch mit dem bei Strabon (14,1,42) genannten Damasos aus Tralles. D. war Asianer (→ Asianismus), wie die wenigen bei Seneca überlieferten Aussprüche erkennen lassen.

H. Bornecque, Les déclamations et les déclamateurs d'après Sénèque le père, 1902 (Ndr. 1967), 164f. M. W.

Damasia. Hauptort der → Licates, eine ›wie eine Burg aufragende Polis‹ (Strab. 4,6,8). Versuchsweise mit der frühkaiserzeitlichen, befestigten Bergsiedlung auf dem Auerberg (1055 m) bei Bernbeuren gleichgesetzt (FO metallverarbeitender Werkstätten und Töpferöfen), die im 2. Jahrzehnt n. Chr. von Rom besiedelt und bereits um 40 n. Chr. aufgeben wurde.

G. Ulbert, Auerberg, in: W. Czsyz, K. Dietz, Th. Fischer, H.-J. Kellner (Hrsg.), Die Römer in Bayern, 1995, 417–419. K. Di.

Damasias (Δαμασίας). Athenischer Archon 582/1 v. Chr. Ihm gelang es, sein Amt über die übliche Jahresfrist hinaus zu kontinuieren. Erst nach weiteren 14 Monaten konnte er mit Gewalt aus dem Amt vertrieben werden. Für den Rest der Amtsperiode 580/79 soll ein Kollegium von zehn Archonten regiert haben, von denen fünf zu den eupatrídai, drei zu den agroikoí und zwei zu den dēmiourgoí gehört haben sollen (Aristot. Ath. pol.

13,2). Die Historizität dieses »Archontatskompromisses«
ist umstritten. TRAILL, PAA 300925.
→ Archontat

DEVELIN, 40 · RHODES, 180ff. E.S.-H.

Damasichthon (Δαμασίχθων).
[1] Einer der Söhne der → Niobe (Apollod. 3,45), der
wie seine Brüder von Apollon getötet wird (Ov. met.
6,254–260).

F. BÖMER, Komm. zu Ov. met. 6–7,1976, 78.

[2] Sohn des Atheners Kodros. Zusammen mit seinem
Bruder Promethos, der ihn später ermordete, war er
Anführer der ionischen Kolonie in Kolophon (Paus.
7,3,3).

Damasistratos (Δαμασίστρατος). König von Plataiai,
der den von Oidipus erschlagenen → Laios begrub
(Paus. 10,5,4; Apollod. 3,52). R.B.

Damasithymos (Δαμασίθυμος). Dynast von Kalynda
in Karien. Sein Vater, Kandaules, trug einen lydisch bezeugten Namen. D. nahm 480 v.Chr. als Taxiarchos
eines karischen Flottenkontingents am Zug des Xerxes
gegen Griechenland teil (Hdt. 7,98). In der Seeschlacht
bei Salamis fand er den Tod, als Artemisia [1] von Halikarnassos sein Schiff versenkte, um der Verfolgung
durch ein athenisches Schiff zu entgehen (Hdt. 8,87;
Polyain. 8,53,2).

J. MELBER, in: Jahrbuch für Philol. Stud. 14, 1885, 480–484.
PE. HÖ.

Damaskios A. LEBEN B. WERKE 1. INDIREKT
ERHALTENE SCHRIFTEN 2. ›ABHANDLUNG ÜBER DIE
ERSTEN PRINZIPIEN‹ 3. PARMENIDES-KOMMENTAR
C. WÜRDIGUNG

A. LEBEN
Neuplatoniker, letzter Leiter der → Akademie in
Athen, geb. um 462 n.Chr. in Damaskus, studierte um
479/80 bei einem gewissen Theon in Alexandreia Rhet.
und verkehrte dort auch im Kreis der Platoniker. Um
482/3 ging er nach Athen, um dort Rhet. zu lehren. Um
491/2 gab er diese Karriere auf und studierte zunächst
bei → Marinos, der 485 die Nachfolge des Proklos angetreten hatte, propädeutische Wissenschaften, dann bei
→ Zenodotos Philosophie. Um 515 kehrte D. nach
Athen zurück, um Zenodots Nachfolge zu übernehmen. Infolge der justinianischen Erlasse (Schließung
der Akademie und Verbot des philos. Unterrichts) ging
D. in Begleitung anderer Neuplatoniker im Jahre 529
zum König Chosroes nach Persien. Enttäuscht von ihm
baten die Philosophen jedoch um Erlaubnis, heimkeh-
ren zu dürfen, und erhielten diese Ende 532. Chosroes
verlangte von Justinian eine Schutzgarantie für sie und
das Recht, den Rest ihrer Tage in völliger Denkfreiheit
verbringen zu dürfen – ohne jedoch zu lehren. Wann
und wo D. starb, ist unbekannt.

B. WERKE
1. INDIREKT ERHALTENE SCHRIFTEN
Die Werke des D. lassen sich in drei Gruppen einteilen: a) solche, die nur aus Verweisen oder Anspielungen des D. selbst in seinen übrigen Schriften bekannt
sind; b) solche, die aus anderen Autoren bekannt sind:
Das wichtigste Werk dieser Gruppe ist das durch Notizen des Photios (*Bibliotheke*, cod. 181; cod. 242) und
Auszüge in der Suda bekannte ›Leben des Isidor‹ (Βίος
Ἰσιδώρου, *vita Isidori*), das nach 517 und vor 526 verfaßt
wurde und Theodora, einer Schülerin des D. und des
Isidor, gewidmet ist; tatsächlich stellt es eine Gesch. der
neuplatonischen Schule zu Athen seit dem Ende des 4.
Jh. dar; c) Die dritte Gruppe umfaßt Werke, die fast
vollständig entweder in der Redaktion einiger Schüler
oder der des D. selbst bekannt sind:
(a) Der *Phaidon*-Komm. setzt sich aus zwei Vorle-
sungsnachschriften zusammen. Olympiodoros redigier-
te seinen eigenen *Phaidon*-Komm. unter Heranziehung
einer dritten, von den ersten beiden verschiedenen Fassung des Komm. des D.
(b) Der *Philebos*-Komm. ist eine Notizensammlung,
die dem Hörer zu verdanken ist, der die zweite Fassung
des *Phaidon*-Komm. schriftlich festgehalten hat.
(c) Die ›Abhandlung über die ersten Prinzipien‹ und
der *Parmenides*-Komm. sind die beiden wichtigsten
Werke des D. Aufgrund ihrer Darbietung des Materials
und Inhalts stellt sich die Frage, ob es sich bei diesen
beiden Werken tatsächlich um zwei getrennte handelt.
2. ›ABHANDLUNG ÜBER DIE ERSTEN PRINZIPIEN‹
(Περὶ τῶν πρώτων ἀρχῶν, *de principiis* = princ.) Sie
füllt die Lücke eines Komm. zur ersten Hypothese im
›Parmenides‹-Kommentar. Ihr Ziel besteht in der Suche
nach den Gründen jedes Vorgangs: Sie erörtert die
Möglichkeit, diese Gründe zu benennen und somit den
Grund aller Gründe zu entdecken. Dieses Unternehmen wird in absteigender Folge durchgeführt: 1. Es beginnt mit der Frage nach den höchsten Prinzipien, dem
Unsagbaren, ἀπόρρητον, und dem Einen, ἕν (princ. § 1 –
42); 2. Dann führt die Erörterung zu einer Unt. der
Prinzipien, die das Eine verändern: das begrenzende
Eine, die unbegrenzte Vielheit, das Geeinte, ἡνωμένον,
§ 43 – 89); 3. Die Abhandlung widmet sich dann den
Problemen des Hervorgangs des Geeinten, das mit dem
Intelligiblen identifiziert wird, und der Frage der Beziehungen zwischen den verschiedenen Theologien und
der Philosophie (princ. § 90 – 125), um mit einer Diskussion der Teilhabe abzuschließen (§ 126).
3. PARMENIDES-KOMMENTAR
(= in Parm.) Dieser setzt die Diskussion über die
Teilhabe fort (in Parm. § 127–138). Die zweite Hypothese beginnt demgemäß mit der ersten intelligiblen
Triade, die sich nach Proklos aus dem Einen, der Mäch-
tigkeit und dem Sein zusammensetzt und der D. zufolge
die Triade des Geeinten entspricht: Eines, Nicht-Eines,
Geeintes. Sodann geht er hinab bis zu den denkenden
Seelen, aus denen diese höheren Wesen wie Dämonen,
Engel und Heroen bestehen (§ 139 – 196). Gegenstand

der dritten Hypothese ist nach D. die menschliche Seele (§ 397–415). Die vierte Hypothese beschreibt die materiellen Formen, die die Seele in das Werden projizieren kann. Die materiellen Formen, die noch nicht mit der Materie vermischt sind, wodurch sie von den wahrnehmbaren Formen unterschieden werden können, warten darauf, von ihr aufgenommen zu werden (§ 416–423). Gegenstand der fünften Hypothese ist die Materie als Prinzip, das sich diesseits jeder Form und jeder Bezeichnung zurückzieht (§ 424–431). Die sechste Hypothese behandelt das nichtseiende Eine in Bezug auf das Phänomen, das sich aus der Materie und den materiellen Formen zusammensetzt (§ 432–440). Gegenstand der siebten Hypothese ist das Prinzip des Unmöglichen des Einen, in der rein imaginären Art und Weise seiner absoluten Aufhebung (§ 441–447). Die achte Hypothese betrifft die »Anderen« des nichtseienden Einen, des Phänomens (§ 448–454). Gegenstand der neunten Hypothese ist schließlich das Prinzip des Unmöglichen der »Anderen« des Einen, in der rein imaginären Art und Weise ihrer absoluten Aufhebung (§ 455–60).

C. Würdigung

D. nahm im wesentlichen das metaphysische System auf, das → Syrianos ausgearbeitet hatte und dem Proklos seine vollendete Form verlieh. Sein hyperkritischer Geist, der Schwierigkeiten multiplizierte, um sie besser überwinden zu können, ließen ihn etliche von Proklos' Meinungen überdenken. Seine Originalität zeigte D. im wesentlichen, wenn er dem Einen auf gewisse Weise ein Prinzip, das Unsagbare, zuweist, welches ganz und gar in einem Abgrund der Stille begraben liegt. Darüber hinaus ist D. der einzige Neuplatoniker, der den Hervorgang durch die negativen Hypothesen des *Parmenides* verlängert: Sie stellen die Struktur des Wahrnehmbaren dar.

Edd. und Übers.: Vitae Isidori reliquiae, ed. C. Zintzen, 1967 · R. Asmus, Das Leben des Philosophen Isidoros von Damaskios aus Damaskos, 1911 · The Greek commentaries on Plato's Phaedo. Vol. II: Damascius, ed., transl. L. G. Westerink, 1977 · Lectures on the Philebus, wrongly attributed to Olympiodorus, ed., transl. L. G. Westerink, ²1983 · Damascii successoris Dubitationes et Solutiones de primis principiis, In Platonis Parmenidem, ed. C. A. Ruelle, Paris 1889 · Damascius le Diadoque, Problèmes et Solutions touchant les Premiers Principes (...), transl. A. Ed. Chaignet, 1898, Ndr. 1964. · Traité des Premiers principes, ed. L. G. Westerink, transl. J. Combès, vol. I 1986, vol. II 1989, vol. III 1991.   L. Br./Ü: T. H.

Damaskos   A. Alter Orient
B. Perserzeit und Hellenismus
C. Römische Zeit und früher Islam

A. Alter Orient

Am Ostrand des Antilibanon gelegene Oase, bewässert vom abflußlosen Barada, wird erstmals in Listen syr. Orte der Pharaonen Thutmosis III. und Amenophis III.

(*tmsq, Tamasqu*) sodann in den → Amarna-Briefen (*Di/Dumašqu*) genannt. Auch im 13. Jh. v. Chr. stand D. unter ägypt. Kontrolle. An der Wende vom 2. zum 1. Jt. v. Chr. wurde D. zu einer von den Aramäern beherrschten Stadt. In der at. Tradition wird für die Zeit von David und Salomo ein starker aram. Staat Aram-Zoba erwähnt, zu dem auch D. gehörte und der sich mit David um die Kontrolle wichtiger Handelswege auseinandersetzte. Nach dem Sieg Davids wurde D. zeitweilig Teil seines Reiches. Als eigene polit. Einheit erscheint D. dann erstmals unter einem Fürsten Rezon, der den Tod Davids und den Machtverfall von Israel-Juda unter Salomo nutzen konnte. Wirtschaftlich profitierte D. vor allem von dem mittels Kamelkarawanen betriebenen Handel, der Mesopotamien mit der phönik. Küste verband und in dem D. eine wichtige Station war. In der assyr. Überlieferung erscheint Hadadezer als erster König von D., der sich gemeinsam mit dem König von Hamath (Epiphaneia [2]) an der Spitze eines Bündnisses erfolgreich Salmanassar III. in der Schlacht von Qarqar am Orontes (853 v. Chr.) entgegenstellte. Nach 845 löste sich das Bündnis auf. D. wurde 841 bei einem erneuten assyr. Angriff zwar selbst nicht eingenommen, die Gärten der Oase D. wurden aber verwüstet. In der Folgezeit wurde D. Assyrien tributär, bewahrte aber seine Unabhängigkeit, bis Tiglatpilesar III. im Jahre 732 D. einnahm und zur Hauptstadt einer assyr. Prov. machte. Später gehörte D. zum neubabylon. Reich Nebukadnezars II. (604–562) und zum Achämenidenreich (→ Achaimenidai [2]), bis Parmenion, ein General Alexanders d. Gr., D. eroberte.

W. T. Pitard, Ancient Damascus, 1987.   H. Kl.

B. Perserzeit und Hellenismus

Dank seiner Stellung als Handelsknotenpunkt erholt sich D. von der assyr. Zerstörung rasch. Schon Ez 27,18 kennt D. wieder als wichtige Handelsstadt und Strab. 16,2,20 charakterisiert die Stadt als bedeutendste und glänzendste Stadt des gesamten Perserreiches. → Dareios [3] III. brachte hier seine Familie und Schätze vor dem Feldzug gegen Alexander d. Gr., unter. Als Folge der Eroberung der Levante nach 333 v. Chr. durch Alexander wird D. maked. Kolonie (Eus. chronicon 1,260 Schoene). Die griech. Siedlung wird v. a. im Norden und Osten der aram. Stadt, die ihren Schwerpunkt im Süden hatte, gelegen haben. Ausgebaut und befestigt unter den Ptolemäern, erhob der Seleukide → Antiochos [11] IX. Kyzikenos sie 111 v. Chr. zur Hauptstadt von Coelesyrien und Phönikien. Von der hell. Siedlung sind bis auf ein Hippodrom im Osten der Stadt keine nennenswerte Reste gefunden worden. Auf einer hippodamischen Anlage basieren jedoch Teile des Straßennetzes der h. Altstadt östl. der Umayyadenmoschee. Eine erste Phase nabat. Kontrolle über D. (85–66 v. Chr.) wurde von → Aretas (al-Ḥārit) [3] III. Philhellenos aus Petra eingeleitet. Damals entstand ein drittes Quartier im NO von D., das im MA zum Christenviertel wurde.

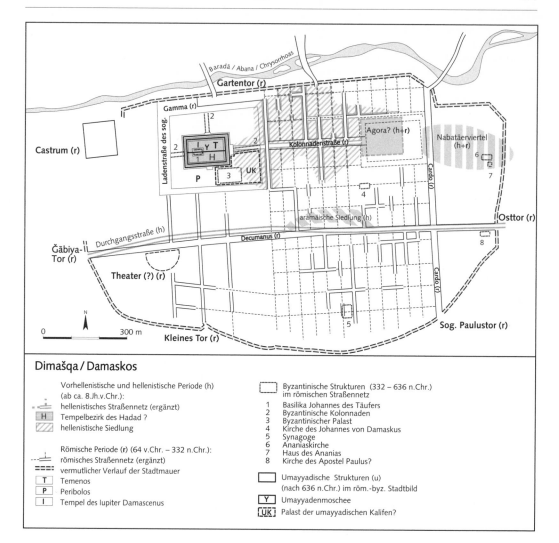

Dimašqa / Damaskos

Vorhellenistische und hellenistische Periode (h)
(ab ca. 8.Jh.v.Chr.):

hellenistisches Straßennetz (ergänzt)

H Tempelbezirk des Hadad ?

hellenistische Siedlung

Römische Periode (r) (64 v.Chr. – 332 n.Chr.):

römisches Straßennetz (ergänzt)

vermutlicher Verlauf der Stadtmauer

T Temenos

P Peribolos

I Tempel des Iupiter Damascenus

Byzantinische Strukturen (332 – 636 n.Chr.)
im römischen Straßennetz

1 Basilika Johannes des Täufers
2 Byzantinische Kolonnaden
3 Byzantinischer Palast
4 Kirche des Johannes von Damaskus
5 Synagoge
6 Ananiaskirche
7 Haus des Ananias
8 Kirche des Apostel Paulus?

Umayyadische Strukturen (u)
(nach 636 n.Chr.) im röm.-byz. Stadtbild

Y Umayyadenmoschee

[UK] Palast der umayyadischen Kalifen?

C. Römische Zeit und früher Islam

Nach der röm. Eroberung im Jahre 66 v. Chr. wurde D. zusammen mit Syrien von Pompeius dem röm. Reich eingegliedert (Ios. ant. Iud. 14,27 ff.; 33; Ios. bell. Iud. 1,127; 131). Nach Plinius (nat. 5,47) und Ptolemaios (geogr. 5,14–22) gehörte D. als freie Stadt zur → Dekapolis, wurde aber von Antonius zusammen mit Coelesyrien Kleopatra geschenkt (38 v. Chr.). Mit röm. Duldung fiel D. erneut an die Nabatäer (37–54 n. Chr.). In die Zeit kurz zuvor (15/6 und 37/8) fiel, inschr. belegt, die Erbauung des Iupiter-Damascenus-Tempels, mit großer Wahrscheinlichkeit an der Stelle des Heiligtums der aram. Stadtgottheit Hadad/Ramman. Der Tempel war durch einen von Kolonnaden gesäumten Peribolos (380 m × 310 m) umschlossen, der im 2. Jh. im Westen und Norden durch Ladenstraßen zu einer dem griech. Buchstaben Gamma entsprechenden Form verbreitert wurde. Darin konzentrisch gelegen, umfaßte ein Temenos (156 m × 97 m) das Heiligtum. Dessen Osttor mit seinem guterhaltenen Propylon sowie das

Westtor bilden h. die Zugänge der Umayyadenmoschee. Der Peribolos umgab nicht wie üblich eine Marktanlage, sondern stellte die Außengrenze des Tempelbezirkes dar. Die Agora von D. wird östl. davon im Norden des Hügels Zufle Tellet lokalisiert und war wohl auf die Tempelachse bezogen. Aufgrund ihrer steigenden Bed. erhielt D. von Hadrian den Rang einer Metropolis verliehen; diesen mußte sie aber im Zuge der Neuordnung der syr. Provinzialverwaltung im 2. Jh. an → Emesa/Ḥimṣ abgeben. Severus Alexander gab nach 222 n. Chr. D. den Status einer *colonia*. Die Anlage eines *castrum* westl. des Tempels sowie die Einrichtung von Waffenschmieden und Magazinen unter Diocletian unterstreicht die strategische Bed. von D. bei der Sicherung der Euphratlinie gegen die Sasaniden am E. des 3. Jh. n. Chr. Bed. Veränderungen in byz. Zeit betreffen v. a. den Bezirk des Iupiter-Tempels und die Gründung einer Kirche über den Reliquien Iohannes des Täufers durch Theodosius (379–395). Ob hierbei der Tempel zerstört oder nur umgestaltet wurde, ist ungewiß. D. fiel

636 n. Chr. nach nur schwachem Widerstand an die
Muslime und wurde 656 unter → Muʿāwiya I. zur
Hauptstadt des umayyadischen Weltreiches. Der Kalif
al-Walīd (705–715) entfernte alle Bauten aus dem Inneren des Temenos und benutzte ihn als Hülle für den
Neubau der ersten monumentalen Moschee des Islam,
für dessen Fertigstellung zahlreiche ant. Spolien (Säulen,
Kapitelle), Bau- und Dekorationselemente (Satteldach,
Mosaike, Marmorpaneele) übernommen wurden.
Durch das gewaltsame Ende der Umayyaden (750) und
die Verlagerung des Machtzentrum unter den → ʿAb-
bāsiden in den ʿIrāq verlor D. Bedeutung und auch
weitgehend die Förderung durch die neuen Herrscher.

K. A. C. Creswell, Early Muslim Achitecture I, ²1979, ·
Encyclopaedia of Islam II, 277 ff. · K. Freyberger, Unters.
zur Baugesch. des Jupiter-Heiligtums in Damaskus, in:
Damaszener Mitt. 4, 1989, 61–86 · D. Sack, Damaskus,
1989 · J. Sauvaget, Le plan antique de Damas, in: Syria 26,
1949, 314–358 · C. Watzinger, K. Wulzinger, Damaskus.
Die ant. Stadt, 1921.
Karten-Lit.: J. Sauvaget, Le plan antique de Damas, in:
Syria 26, 1949, 314–358 · K. A. C. Creswell, Early Muslim
Architecture I, ²1979 · D. Sack, Damaskus, 1989.   T. L.

Damastes (Δαμάστης). Sohn des Dioxippos aus Si-
geion, griech. Geograph und Historiker des 5.
Jh. v. Chr., wohl Schüler des → Hellanikos (Agathemeros 1,1). Seine Werke sind bis auf geringe Fragmente
verloren.

FGrH 5.   K. BRO.

Damasus. Bischof von Rom (Papst), * 305, † 384
n. Chr. Sohn eines Klerikers der röm. Gemeinde; die
Mutter Laurentina erhielt nach dem Tod ihres Gatten
die Witwenweihe [1. 10], eine Schwester Irene lebte als
gottgeweihte Jungfrau [1. 11]. Seit 355 Diakon, wurde
D. 366 gegen eine starke Opposition zum Bischof von
Rom gewählt (Gegenbischof Ursinus). Es kam zu blutigen Krawallen zw. beiden Parteien, bei denen D. sich
gegen die Gegner behaupten konnte.
    Während seiner Amtszeit erfolgte ein zielstrebiger
Ausbau der Vorrangstellung des röm. Bischofs, deren
Konsequenz die folgenreiche Grundlegung einer röm.
»Petrinologie« war (röm. Synode von 382, erhalten im
sog. → *decretum Gelasianum*). D. förderte die christl.
Repräsentation in Rom (Kirchenbau, Ausschmückung
der Märtyrergräber); er übertrug Hieronymus die Revision altlat. Bibeltexte (→ Vulgata).
→ Epigrammata Damasiana

1 A. Ferrua, Epigrammata Damasiana, 1942.

J. Deckers, C. Carletti, D. und die röm. Märtyrer, 1956 ·
Ch. Pietri, Roma Christiana I, 1971, 407–884.   K.-S. F.

Dameas
[1] (auch: Demeas). Bildhauer aus Kroton. Er schuf in
Olympia 532 v. Chr. die von Pausanias beschriebene
Siegerstatue des Milon, der eine erh. Basis mit frag-
mentarischer Inschr. zugewiesen wird.

Fuchs/Floren, 428 · Loewy, Nr. 414 · Overbeck, Nr.
484 (Quellen).

[2] Bronzebildner aus Kleitor, Schüler des Polyklet. In
Delphi schuf er für das Siegesdenkmal der Spartaner
nach Aigospotamoi (405 v. Chr.) die Statuen der Artemis, des Poseidon und des Lysander, dessen Basis erhalten ist und den Cicero rühmt (div. 1,75).

D. Arnold, Die Polykletnachfolge, 25. Ergh. JDAI, 1969,
6–7, 13, 33 · Overbeck, Nr. 978, 979 (Quellen) ·
C. Vatin, Monuments votifs de Delphes, 1991, 103–138.
                                                    R. N.

Damghan (Dāmġān). Stadt in Iran an den Südausläu-
fern des Alborz, 342 km östl. von Teheran an der Straße
nach Nīšāpūr. Der Name entstand möglicherweise aus
Kontraktion von Deh-e Moġān (Dorf der Magi). Prä-
hist. Vorläufer D.s ist der Tepe Ḥeṣār mit Schichten zwischen 5. Jt. und frühem 2. Jt. v. Chr. Nach einem Hiatus
von 1500 Jahren wurde D. die Hauptsiedlung der parth.
und sāsānidischen Provinz Qūmes, Sitz eines der hl.
Staatsfeuer (ātaxš-ī xwarišnīh, »Feuer ohne Nahrung«,
daher Zoroastrier in D. bis in das 9. Jh.). Dennoch ist die
traditionelle Gleichsetzung mit Hekatompylos (Šahr-e-
Qūmes) unberechtigt [1]. Der sasanidische Palast wurde
in umayyadischer Zeit weiterbenutzt. Wichtige islamische Moschee- und Funeralarchitektur datiert aus der 1.
Hälfte des 11. Jh.

1 J. Hansmann, The problems of Qūmis, in: Journal of
the Royal Asiatic Society 1968, 111–139 2 C. Adle, A. S.
Melikian Chirvani, Les monuments du XIe siècle
du Dâmġân, in: Studia Iranica 1/2, 1972, 229–297
3 E. F. Schmidt, Tepe Hissar Excavations, 1937.   T. L.

Damia s. Charites; Demeter

Damianos (Δαμιανός).
T. Flavius D. Sophist aus Ephesos, wo er öffentliche
und private Bauten finanzierte, darunter ein Speisesaal
und *stoaí* von der Länge eines Stadions (Philostr. soph.
2,23). Vor seinem Tod mit 70 Jahren (ca. 210 n. Chr.?)
lieferte er seinem Schüler Philostratos in drei Gesprächen den Stoff für die Biographie seiner Lehrer Ailios
Aristeides und Hadrianos von Tyros. Als γραμματεύς
(*grammateús*) beherbergte er röm. Truppen, die von den
Partherkriegen 166/7 zurückkehrten (IK 17.1,3080)
und ehrte den *proconsul Asiae* Nonius Macrinus 170/1
mit einer Statue (ebd., 3029). Er heiratete in die Familie
der Vedii Antonini ein; drei Söhne wurden *consules suffecti*, zwei Töchter heirateten Konsuln (ebd., S. 90).
→ Philostratos, Zweite Sophistik

G. W. Bowersock, Greek Sophists in the Roman Empire,
1969, 27 f. · PIR F 253.   E. BO./Ü: L. S.

Damippos (Δάμιππος). Spartiat im Dienst des Hieronymos von Syrakus, dem er 215 v. Chr. zu einem Festhalten am Bündnis mit Rom riet (Pol. 7,5,3). Später
diente er auch dem Epikydes, wurde 212 als Gesandter

zu Philipp V. von Makedonien gesandt und fiel dabei den Römern in die Hände. Die Verhandlungen über seine Freilassung, bei denen M. Claudius [I 11] Marcellus auf einen von den Syrakusanern nur schwach bewachten Turm aufmerksam wurde, hatten schließlich den erfolgreichen röm. Angriff auf Epipolai zur Folge (Liv. 25,23,8 ff.; Plut. Marcellus 18; Polyain. 8,11).

M. MEI.

Damnameneus (Δαμναμενεύς). Einer der → Daktyloi Idaioi, die das Eisenschmieden erfanden (Phoronis fr. 2,3 EpGF = fr. 2,3 PEG I; Strab. 10,3,22). R. B.

Damnatio memoriae

I. Historisch

D.m. ist die Auslöschung der (öffentlichen) Erinnerung an eine Person (in der Regel eines röm. Kaisers), dessen Name und Bildnisse aus öffentlichen Inschr. und Bauwerken entfernt werden. Grundlage dieser Maßnahme ist die in der röm.-hell. Welt verbreitete rel. Annahme, verdiente Herrscherpersönlichkeiten kämen, wie Heroen, aus der Götterwelt und kehrten nach dem Tod wieder dorthin zurück (Cic. rep., *somnium Scipionis*; Verg. Aen. 6,734 ff.). Zeigt sich jedoch die göttl. Herkunft nicht deutlich genug in den Erfolgen, Wohltaten und Tugenden eines Politikers oder Herrschers, so kann sie in öffentlichen Zweifel geraten. In Rom trifft der Senat, zuweilen auch der Nachfolger des Kaisers, das Urteil über die göttl. Qualität des verstorbenen Kaisers (Suet. Claud. 11; Cass. Dio 60,4). Dies kann gemäß der Vorstellung vom göttl. Genius des Kaisers und seiner nach dem Tode erneut angenommenen göttl. Qualität zur *consecratio*, der kultischen Verehrung des »Divinisierten« (*divus Augustus*), aber auch zur offiziellen Verurteilung in Form eines Hochverrats- und Ehrminderungsverfahren führen, wie es auch gegen gewöhnliche röm. Amtsträger möglich ist (*hostis iudicatio*: Dig. 48,19,8,1). Die dabei festgestellten Verbrechen und Laster bieten den Anlaß zur *d.m.* Rechtssetzungen, Gerichtsentscheidungen und Benefiziengewährungen des Verurteilten können ganz oder teilweise widerrufen werden (*rescissio actorum*), was jedoch selten ist. Die Kaiser Domitianus (96 n.Chr.), Commodus (192), Didius Iulianus (194), Maximinus Thrax (238), Maximianus Herculius (310) und Maximinus Daia (313) werden mit einer *d.m.* belegt, bei anderen wird es diskutiert (z.B. Caligula: Suet. Cal. 60), wieder andere unterliegen der *hostis iudicatio* (z.B. Nero: Suet. Nero 49). Zugrunde liegen jeweils polit. Konflikte und Gegensätze (vgl. Senecas Schmähschrift *Apocolocyntosis* gegen Claudius), so daß eine *d.m.* nicht notwendigerweise etwas über die tatsächlichen Leistungen und Verdienste eines Kaisers aussagt.

CHRIST 426, 213 ff., 239 ff., 282 ff., 348, 653 ff., 734, 742 · LATTE 313 ff. · E. MEYER, Röm. Staat und Staatsgedanke, ⁴1975, 407 · MOMMSEN, Staatsrecht 2, 755, 1129 ff.; 3, 1189 ff. C.G.

II. Archäologisch/Münzen

Die *d.m.* erstreckt sich neben Inschr. und Bildnissen auch auf das Münzwesen. Neben dem Einschmelzen von Münzen konnten diese auch absichtlich verändert werden. Auf Prägungen von der *d.m.* verfallenen Kaisern wie Caligula, Nero und Elagabal sind Einhiebe auf dem Gesicht im Bereich der Schläfen, Wangen und Mund zu beobachten; z.T. wird auch die Umschrift eradiert. Die Münzfunde von Kalkriese bei Osnabrück belegen mutwillige Zerstörungen auch auf Münzen des Augustus. Bildnisumarbeitungen auf Münzen sind vereinzelt belegt, so das Umschneiden eines Nero-Dupondius auf Galba [1. 20 ff.]. Ein Teil der Gegenstempel sowie die Umprägungen, wie z.B. Claudius oder sogar ein frühtiberischer Divus Augustus [2] über Caligula mögen die gleiche Absicht erfüllen, dienen jedoch in diesem wie auch in anderen Fällen hauptsächlich zur Wiederherstellung des vollen Wertes der durch die Münzverrufung des Senats 43 n.Chr. entwerteten Prägungen des Caligula (Cass. Dio 60,22,3).

→ Gegenstempel

1 V. ZEDELIUS, Nero calvus? Ant. Veränderungen an Bronzemünzen des Kaisers Nero, in: Das Rheinische Landesmus. Bonn 2, 1979, 20–22 2 C. M. KRAAY, Die Münzfunde von Vindonissa, 1962, 34 mit Anm. 2.

F. VITTINGHOFF, Der Staatsfeind in der röm. Kaiserzeit. Unt. zur »damnatio memoriae«, 1936 · A. KINDLER, The Damnatio Memoriae of Elagabal on City-coins of the Near East, in: SM 30, 1980, 3–7 · H. JUCKER, Die Bildnisstrafen gegen den toten Caligula, in: Praestant Interna. FS U. Hausmann, 1982, 110–118. A. M.

Damnum A. Begriff
B. Gründe für Schadensersatz
C. Inhalt des Schadensersatzes

A. Begriff

Urspr. »Aufwand«, »Vermögenseinbuße«; im juristischen Sprachgebrauch »Schaden.« Nach röm. Recht kommt als ersatzfähiges *d.* nur ein Vermögensschaden in Betracht. Widerrechtlich zugefügte Beeinträchtigungen anderer Rechtsgüter, z.B. eine Körperverletzung an einem freien Römer oder die Ehrenbeleidigung, sind nach röm. Auffassung nicht in Geld bewertbar (*liberum corpus non recipit aestimationem*, Gaius Dig. 9,1,3). In diesen Fällen steht dem Opfer u.U. eine *actio iniuriarum* zu, welche nicht Schadensersatz, sondern Genugtuung durch eine Bußgeldzahlung verschaffen soll (→ *iniuria*).

B. Gründe für Schadensersatz

Die Hauptgründe für die Entstehung einer Verpflichtung zu Schadensersatz sind Delikt und Vertragsverletzung. Delikte verpflichten nach röm. Recht zu Geldbußen (mit Straffunktion) an den Geschädigten. Bußklagen können daher neben Klagen, welche dem Schadensausgleich dienen, erhoben werden. Beim Delikt *damnum iniuria datum* der (ca. 286 v.Chr.) *lex Aquilia* tritt die Strafe gegenüber dem Schadensausgleich bereits in den Hintergrund: Obwohl die *actio legis Aquiliae* noch als Pönalklage verstanden wird (vgl. Gai. inst. 4,9), geht sie grundsätzlich auf die Wertminderung der beschädigten Sache, bietet damit im wesentlichen nur Schadensersatz. Deliktische Schadensersatzansprüche setzen neben der Schadensverursachung auch Verschulden des Täters voraus. Für einige Delikte (z.B. *damnum iniuria datum*) reicht → *culpa*, bei anderen ist → *dolus* erforderlich (z.B. *furtum*). Eine verschuldensunabhängige Haftung tritt aufgrund der sog. Quasidelikte (Inst. Iust. 4,5) ein.

Auch vertragliche Schadensersatzansprüche setzen grundsätzlich Verschulden voraus. In der Regel haftet der Schuldner für Vorsatz (*dolus*) und Fahrlässigkeit (*culpa*); manchmal aber bereits für die Verletzung der Überwachungspflicht (→ *custodia*; z.B. bei Leihe, *commodatum*). Mitunter wird nur für *dolus* gehaftet (z.B. bei Verwahrung, *depositum*). In Sonderfällen sind auch zufällig eingetretene Schäden zu ersetzen (z.B. bei → *mora*, Verzug).

C. INHALT DES SCHADENSERSATZES

Der Umfang des vertraglichen Schadensersatzes richtet sich nach dem Klagetypus. Bei strengrechtlichen Klagen, welche auf *certum* (einen bestimmten Betrag) gerichtet sind, ist dies primär der Wert des geschuldeten Gegenstandes; jedoch läßt sich die Tendenz zur Einbeziehung weiterer Nachteile des Gläubigers in die Schadensberechnung beobachten. Der Ermessensspielraum der *bonae fidei iudicia* erlaubt den röm. Juristen in bes. Maße die differenzierende Behandlung der Umstände des Einzelfalles und führt zur Berücksichtigung des konkreten → Interesses an der vertraglich geschuldeten Leistung (*id quod interest*). Der Ersatz kann die Minderung des vorhandenen Vermögens umfassen (*damnum emergens*); die Folgeschäden der mangelhaften Leistung (z.B. Ulp. Dig. 19,1,13 pr.) oder weitere mittelbare Nachteile berücksichtigen und auch den entgangenen Gewinn (*lucrum cessans*) beinhalten. Bei der verspäteten Erbringung einer Leistung sind die durch den Verzug verursachten Schäden zu ersetzen. Die typischen Nachteile aus einer verspäteten Bezahlung von Geldschulden werden durch Verzugszinsen abgegolten (vgl. Dig. 18,6,20).

Zum Ersatz des Vertrauensschadens (negatives Interesse) verpflichten manche Juristen den Verkäufer, der bei Vertragsabschluß Kenntnis von einem Umstand hat, welcher die Ungültigkeit des Vertrages bewirkt (Dig. 18,1,62,1; 18,1,70).

Ein vertraglicher Schadensersatzanspruch verringert sich, wenn der Geschädigte die Möglichkeit gehabt hätte, eine Ausweitung des Schadens zu verhindern. Ein Mitverschulden des Geschädigten führt nicht zu Schadensteilung, sondern kann einen deliktischen Schadensersatzanspruch zur Gänze ausschließen (z.B. Dig. 50,17,203). Manchmal kann der Schädiger von einer Schadensersatzforderung den in diesem Rechtsverhältnis erzielten Gewinn abziehen (sog. *compensatio lucri cum damno*; Dig. 3,5,10). Für Schäden, die von Gewaltunterworfenen oder bestimmten Tieren verursacht wer-

den, haftet der Gewalthaber bzw. Eigentümer. Er hat jedoch die Wahl zwischen der Zahlung des Schadensersatzes und der Auslieferung des Schädigers bzw. Tieres (*noxae deditio*).

Wegen des Grundsatzes der Geldverurteilung im röm. Zivilprozeß kann der Schädiger nicht zu Naturalrestitution (wie nach § 249 S. 1 BGB), sondern nur zur Zahlung von Geldersatz verurteilt werden. Immaterielle Nachteile haben auf die Höhe des Ersatzes grundsätzlich keinen Einfluß (Dig. 9,2,33 pr.).

→ Delictum; Iniuria; Noxa; Pauperies

KASER, RPR I, 498–502 · H. HONSELL, TH. MAYER-MALY, W. SELB, Röm. Recht, ⁴1987, 223–228 · I. REICHARD, Die Frage des Drittschadensersatzes im klass. röm. Recht, 1993 · R. ZIMMERMANN, The Law of Obligations, 1990, 824–833.　R. GA.

Damocharis (Δαμοχάρις). Epigrammdichter aus justinianischer Zeit, *grammatikós*, Freund und Schüler des Agathias (so das Lemma von Anth. Pal. 7,206, ein Grabepigramm auf das vom Meister geliebte Rebhuhn, vgl. Agathias 7,204 f.). Auf Kos geboren, wie man aus dem Epitaphios des Paulus Silentiarius erfährt (7,588), war er Proconsul und Statthalter von Asien, der sowohl in Smyrna (vgl. das anon. Gedicht 16,43) als auch in Ephesos besondere Verehrung erfuhr (vgl. SEG 18,474). Erh. sind vier Epigramme von mittlerem Niveau aus dem »Kyklos« des Agathias.

AV. und A. CAMERON, The Cycle of Agathias, in: JHS 86, 1966, 11.　E.D./Ü: T.H.

Damokles (Δαμοκλῆς). Höfling und Schmeichler des Tyrannen → Dionysios [1] I. (nach Timaios FGrH 566 F 32 des Dionysios II.). Die Anekdote vom »Damoklesschwert« wurde durch Cicero (Tusc. 5,61 f.) berühmt: Da D. den mächtigen und reichen Tyrann für den glücklichsten Menschen hielt, ließ dieser ihm ein luxuriöses Mahl bereiten, doch über seinem Nacken ein Schwert an einem Roßhaar aufhängen, um ihm das wahre »Glück« des Tyrannen zu zeigen.　K. MEI.

Damokrates (Δαμοκράτης).
(M.?) Servilius D., Freigelassener des M. Servilius (*cos. ord.* 3 n. Chr.), dessen Tochter er heilte (Plin. nat. 24,7,28). Er verfaßte unter Nero und Vespasian Rezepte in iambischen Trimetern in der didaktischen Tradition des → Apollodoros [7]; einige davon sind bei → Galenos erhalten.

ED.: F. CATS BUSSEMAKER, Poetae bucolici et didactici, 1862.　E. BO./Ü: L. S.

Damokritos (auch: Demokritos). Bildhauer aus Sikyon, tätig in der 1. H. des 4. Jh. v. Chr. Pausanias sah von ihm in Olympia eine Siegerstatue. Bei Plinius ist mit Demokritos, Schöpfer von Philosophenstatuen, die attische Namensform gewählt. In Rom stand innerhalb eines verschollenen Ensembles von Kopien nach Werken des 4. Jh. sein Name an der Statue der Lysis aus Milet.

OVERBECK, Nr. 463, 466–468 (Quellen) · LOEWY, Nr. 484 · LIPPOLD, 247–248. R.N.

Damon (Δάμων).

[1] Fürst der → Telchinen. Schwiegervater des Minos und Ahn des Miletos. Während die Telchinen vom Blitz des Iuppiter erschlagen werden, weil sie Feldfrüchte vergiftet haben, wird D. mit seiner Familie zum Dank für erwiesene Gastfreundschaft verschont. Nur seine Tochter Macelo und deren Gatte sind ebenfalls unter den Opfern (Nik. im schol. Ov. Ib. 475). R.B.

[2] Pythagoreer aus Syrakus, Freund des Phintias, für den er mit seinem Leben bürgte. Laut Aristoxenos (fr. 31 WEHRLI = Iamblichos de vita Pythagorica 233–237; vgl. Porph. vita Plotini 59–61), der die Gesch. von dem in Korinth verbannten Dionysios II. selbst gehört haben will, bezweifelten syrakusanische Hofangehörige die moralische Integrität u. Freundestreue der Pythagoreer und stellten sie durch eine fiktive Anklage der Verschwörung auf die Probe. Der zum Tode verurteilte Phintias (laut Diod. 10,4,3 hatte er tatsächlich einen Tyrannenmord geplant) habe um Aufschub zur Regelung der häuslichen Angelegenheiten gebeten und Damon als Bürgen gestellt; wider Erwarten sei Phintias rechtzeitig zurückgekehrt. Dionysios, tief beeindruckt, habe vergeblich gewünscht, als dritter in den Freundesbund aufgenommen zu werden. Zum Verhältnis von Aristoxenos' und Diodoros' Fassungen sowie den übrigen Quellen (u. a. Polyain. 5,2,22; Cic. off. 3,45. Tusc. 5,63. fin. 2,79; Val. Max. 4,7,1; bei Hyg. fab. 257, der Vorlage für SCHILLERS Bürgschaft, heißen die Freunde Moerus u. Selinuntius) s. [1], v. a. [2].

→ Pythagoreische Schule

1 W. BURKERT, Lore and Science in Ancient Pythagoreanism, 1972, 104 Anm. 36 **2** E. GEGENSCHATZ, Die »pythagoreische Bürgschaft« – zur Gesch. eines Motivs von Aristoxenos bis Schiller, in: P. NEUKAM (Hrsg.), Begegnungen mit Neuem und Altem, 1981, 90–154.

C.RI.

Damophilos (Δαμόφιλος).

[1] Koroplast und Maler, vermutlich aus der Magna Graecia. Gemeinsam mit Gorgasos schmückte er den Ceres-Tempel in Rom (493 v. Chr.) mit Wandmalerei und Giebelfiguren aus Terrakotta aus und fügte Künstlerepigramme hinzu. Bei einer späteren Erneuerung sei beides aufbewahrt worden.

FUCHS/FLOREN, 427, 440 · OVERBECK, Nr. 616, 1647 (Quellen) · I. SCHEIBLER, Griech. Malerei der Ant., 1994. R.N.

[2] Reicher Gutsbesitzer aus Enna, der wie seine Frau Megallis die Sklaven äußerst inhuman behandelte und dadurch ca. 136 v. Chr. den Anstoß zum ersten sizilischen Sklavenkrieg gab. Nach der Besetzung Ennas durch die Aufständischen wurde er dort im Theater umgebracht, seine Frau von einem Felsen gestürzt (Poseid. FGrH 87 F 7 bei Athen. 12,542b; Diod. 34,2,10ff., aus Poseid.).

K.R. BRADLEY, Slavery and Rebellion in the Roman World 140 B.C.–70 B.C., 1989, 48 ff., 58, 62, 81, 105 · W. Z. RUBINSOHN, Die großen Sklavenaufstände der Ant., 1993, 50 · J. VOGT, Sklaverei und Humanität, ²1972, 26. K.MEI.

Damophon. Bildhauer aus Messene. Seine Tätigkeit ist aus prosopographischen und historischen Gründen vom E. des 2. Jh. v. Chr. bis 168 v. Chr. anzusetzen; vor dem Erdbeben 183 v. Chr. dürften die meisten seiner schriftlich überlieferten Götterbilder in Arkadien entstanden sein. Er arbeitete kolossale Akrolithe und wurde mit der Reparatur des phidiasischen Zeus in → Olympia beauftragt. Von einem Götterensemble im Asklepiosheiligtum von Messene sind Kopf und Fuß des Apollon und des Herakles erhalten. Am bedeutendsten ist seine kolossale Kultgruppe in → Lykosura mit Despoina, Demeter, Artemis und Anytos. Drei Köpfe und ein reliefiertes Mantelfragment sind erhalten. Die Rekonstruktion stützt sich auf ein kaiserzeitliches Münzbild.

P. MORENO, Scultura ellenistica, 1994, 502–519 (Abb.) · OVERBECK, Nr. 745,2, 1557–1564 (Quellen) · R. R. R. SMITH, Hellenistic sculpture, 1991, 240–241 (Abb.) · STEWART 94–96, 303–304 · P. THEMELIS, Damophon von Messene, in: AK 36, 1993, 24–40 · Ders., D. of Messene, in: K. A. SHEEDY (Hrsg.), Archaeology in the Peloponnese, 1994, 1–37. R.N.

Damostratos (Δαμόστρατος). Verf. eines Epigramms aus dem »Kranz« des Meleager (Anth. Pal. 9,328): Ein ›Damostratos, Sohn des Antilas‹ (V. 3) weiht den Naiaden Holzstatuen und Eberfelle. Die Zuweisung kann nur verdächtig erscheinen und mit ihr die Existenz des sonst unbekannten Dichters selbst (D. von Apameia, Verf. von *Halieutiká* (Αλιευτικά), stammt aus nachmeleagrischer Zeit, d. h. vor der 1. H. des 1. Jh. v. Chr.).

GA I,1,80; 2,230 f. E.D./Ü:T.H.

Damoxenos. (Δαμόξενος). Att. Komödiendichter des 3. Jh. v. Chr., von dem ein Dionysiensieg [1. test. 2] und zwei Stücke bezeugt sind. Aus seinen Σύντροφοι stammt die längste aus einer Komödie erh. Rede eines Kochs (fr. 2: 68 Verse); der Sprecher stellt sich als Schüler des Demokrit und vor allem des Epikur vor und blickt auf alle herab, die dies nicht sind, auch auf die Stoiker.

1 PCG V, 1986, 1–7. H.-G.NE.

Dan (hebr. *Dān*, griech. Δάν, bei Ios. Δάνα, Δάνος).

[1] Sohn Jakobs und Eponym eines israelitischen Stammes (Gn 30,1–6), der sein endgültiges Siedlungsgebiet bei der Stadt Lajisch/Leschem fand, die nach ihm umbenannt wurde (Ri 18,2–9; Ios 19,40–48).

[2] Stadt am Fuße des Hermon, 20 km nördl. des Hule-Sees, aufgrund einer griech.-aram. Bilingue (3./2. Jh. v. Chr.), der Kontinuität des Namens und der Angaben (Eus. On. 76,6–8; Ios. ant. 5,178; 8,226) mit Tall al-Qāḍī an der mittleren Jordanquelle identifiziert. Als nördlichste Stadt Israels begegnet sie in formelhaften Beschreibungen der Landesgrenzen (1 Sam 3,20; 1 Kg

5,5 u.ö.; → Bersabe). Unter ihrem vorisraelitischen Namen Lajisch/Leschem erscheint sie in den ägypt. Ächtungstexten (18. Jh. v. Chr.) und in einer Ortsliste Thutmosis' III. (15. Jh. v. Chr.). Ausgrabungen haben eine nicht-kontinuierliche Besiedlung seit Frühbrz. II nachgewiesen. Ein Podium (18,5 m × 18,5 m) aus Bossenquadern mit großer Freitreppe aus Eisenzeit II wird entweder als Substruktion eines Palastes [5] oder als Freilichtheiligtum bzw. Tempel gedeutet und mit den Kultmaßnahmen Jerobeams I. (1 Kg 12,26–33) in Verbindung gebracht [1; 4]. Umstritten ist, ob der möglicherweise vor-deuteronomistische Kern in 1 Kg 12 (V. 29a; 30b?) histor. Schlüsse auf ein »Reichsheiligtum« in D. erlaubt, da in den biblischen Texten nur Bethel so genannt wird (Am 7,13; vgl. Hos 10,5). Die negative (!) Heiligtumsaitiologie in Ri 17–18 übt Kritik am Ortskult von D. (aus der Perspektive Bethels?), dessen Existenz nun auch durch eine griech.-aram. Bilingue aus dem 3./2. Jh. v. Chr. gesichert ist: ›Dem Gott, der in D. ist, hat Zoilos ein Gelübde ...‹ (vgl. Am 8,14). Ein aram. Stelenfrg. [1] beleuchtet die verwickelte Situation des Nordreichs Israels in den Aramäerkriegen des 9. Jh. (1 Kg 20; 22). D. wurde wahrscheinlich 733/32 von Tiglatpileser III. der Provinz Megiddo eingegliedert (2 Kg 15,29; Ri 18,30).

→ Daphne [3]; Juda und Israel

1 A. BIRAN, Die Wiederentdeckung der alten Stadt Dan, in: Antike Welt 15, 1984, 27–38 2 Ders., An Aramaic Stele Fragment from Tel Dan, in: IEJ 43, 1993, 81–98 3 H. M. NIEMANN, Die Daniten, 1985 4 W. I. TOEWS, Monarchy and Religious Institution in Israel under Jerobeam 1, 1993 5 H. WEIPPERT, Palästina in vorhell. Zeit, 1988, 540 · Fortlaufende Ausgrabungsberichte in: IEJ. M. K.

Danacia

D. Quartilla Aureliana. Frau des Senators Aiacius (AE 1968, 518, 523). W. E.

Danae (Δανάη). Mythische Tochter des → Akrisios, des Königs von Argos, und der Eurydike oder Aganippe (Hom. Il. 14,319f.; Hes. fr. 129; 135MW; Hyg. fab. 63). Aufgrund des Orakels, daß sein Enkel ihn töten werde, sperrte ihr Vater sie ein, um jeden Kontakt mit der Außenwelt zu verhindern. Zeus näherte sich D. in Form eines Goldregens, worauf sie → Perseus gebar (Pind. P. 10,44f.; 12,9ff.; Soph. Ant. 944ff.; Isokr. 10,59; Ov. met. 4,610f.). Als Akrisios dies entdeckte, warf er sie mit ihrem Kind in einem Kasten ins Meer (Sim. fr. 543 PMG). Sie wurde in Seriphos angeschwemmt und von Diktys, dem Bruder des Königs Polydektes, aufgenommen. D. wehrte sich, von Perseus unterstützt, gegen eine Ehe mit Polydektes. Dieser schickte darauf den Perseus aus, um die Medusa zu töten und versuchte während dessen Abwesenheit, D. zu überwältigen; sie konnte in ein Heiligtum entfliehen. Perseus versteinerte Polydektes nach seiner Rückkehr mit dem Gorgonenhaupt und machte Diktys zum König. D. kehrte mit ihrem Sohn nach Argos zurück (Pherek. FGrH 3F10ff.;

Apollod. 2,26; 34ff.). Nach Verg. Aen. 7,410ff. wurde D. nach → Latium verschlagen, wo sie sich niederließ und Ahnfrau des → Turnus wurde. Der D.-Mythos war ein beliebter Stoff im att. und röm. Drama (Aischyl., Soph., Eur., Kratin., Liv. Andron., Naev.).

J. ESCHER, s. v. D., RE 4, 2084–2086 · J.-J. MAFFRE, s. v. D., LIMC 3.1., 325–337. R. HA.

Danais (Δαναΐς) oder **Danaïdes** (Δαναΐδες). Der Titel eines Epos, das das Schicksal der → Danaiden, ihre Flucht vor den Söhnen des Aigyptos nach Argos, in 6500 Hexametern behandelte.

EpGF 141. C. S.

Danake (δανάκη). In ant. Schriftquellen (Hesych. 219; Poll. 9,82 u. a.) ist die d. eine persische Silbermünze, hergeleitet von *danak*, im Gewicht etwas über dem eines att. *obolós* (ca. 0,9 g). Zusammen mit dem silbernen Halbstück (ἡμιδανάκιον (*hēmidanákion*)) wird die d. wohl als Provinzialprägung mit Münzen von Sidon (¹⁄₁₆ Shekel) und Arados, die vornehmlich in der Levante gefunden werden, in Zusammenhang gebracht. Die d. diente gelegentlich als Totenobolos.

→ Charonsgeld; Obolos; Siqlu

F. HULTSCH, Griech. und röm. Metrologie, ²1882, 592f. · BMC, Gr., Arabia cxxiv · SCHRÖTTER, s. v. D., 119. A. M.

Danaoi (Δαναοί). Mittelhelladisches Ethnikon [1] mit unsicherer Etym.; in Ägypt. im 14. Jh. v. Chr. auf dem Denkmalsockel Amenophis III. in Karnak als *Danaja* (*tnjw*) für die Argolis/Peloponnes belegt [2], evtl. auch mit den *Danuna* der Seevölker zu identifizieren, die von Ramses III. 1190 v. Chr. besiegt wurden [3]. In den homer. Epen als metrische Variante eine mit »Argeioi« und → »Achaioi« gleichwertige Bezeichnung für die Gesamtheit der Griechen (z. B. Il. 9,34ff.; 9,370f.) [4]. In dieser Tradition bei Pindar Sammelbegriff für Argeier, Mykener und Spartaner (P. 4,48). Erst später scheint die Anknüpfung an Danaos [5], den mythischen Gründer von Argos, nach dem die Pelasger in D. umbenannt wurden, erfolgt zu sein (Hdt. 7,94; Eur. Archelaos, fr. 228 TGF; Strab. 5,221; Steph. Byz. s. v. Ἄργος). Bei Pausanias (7,1,7) sind die D. als Sondername der Argeier erwähnt. Sprichwörtlich wurden – in Anspielung auf das hölzerne Pferd – die übelbringenden Geschenke der D. (Verg. Aen. 2,49).

→ Seevölkerwanderung

1 F. SCHACHERMEYER, Griech. Frühgesch., 1984, 51 2 E. EDEL, Ortsnamenlisten aus dem Totentempel Amenophis III., 1966 3 G. A. LEHMANN, Umbrüche und Zäsuren im östl. Mittelmeeraum und Vorderasien z. Z. der »Seevölker«-Invasionen um und nach 1200 v. Chr., in: HZ 262, 1996, 14, Anm. 18 4 G. STEINER, s. v. Δαναοί, Lex. des frühgriech. Epos, 1982, 217ff. · 5 F. SCHACHERMEYR, Die griech. Rückerinnerung im Lichte neuer Forsch., 1983, 105.

G. A. LEHMANN, Die polit.-histor. Beziehungen der Ägäis-Welt des 15.–13. Jh. v. Chr. zu Ägypt. und Vorderasien, in: J. LATACZ (Hrsg.), Zweihundert Jahre Homerforsch., 1991, 105–126. B. SCH.

Danaos, Danaiden (Δαναός, Δαναίδες).

Zerstritten mit seinem Zwillingsbruder Aigyptos, flüchtete D. dem Mythos nach mit seinen 50 Töchtern (den Danaiden) von Ägypt. in die Argolis und erhielt dort Asyl (Aischyl. Suppl. 1; Danaiden TrGF 3 fr. 43–46; T 70 [1; 2]). Doch die 50 Söhne des Aigyptos verfolgten die Mädchen bis Argos und wollten sie zwingen, sie zu heiraten. D. überredete die Töchter, zum Schein darauf einzugehen, in der Hochzeitsnacht aber die Bräutigame zu enthaupten. Nur eine, Hypermestra, führte den Plan nicht aus, sondern rettete ihren Lynkeus (Pind. N. 10,6). Unterschiedliche Lösungen der Mordtat sind überliefert: a) Die D. begruben ihre Männer und wurden auf Zeus' Anordnung von ihrer Blutschuld durch Athene und Hermes befreit (Apollod. 2,22 nach Aischyl. Suppl). b) D. wurde König von Argos, als Nachfolger des Pelasgos. Dann stellte er Hypermestra vor Gericht, das Kriterion in Argos; sie wurde jedoch freigesprochen (Paus. 2,19,6). Die anderen Töchter, für die kein Gatte mehr zu finden war, wurden als Siegespreise bei Wettkämpfen ausgesetzt (mit gutem, Pind. P. 9,111–116, oder zögerlichem Erfolg, Paus. 3,12,2) [3]. Damit entstand das Volk der Danaer, das die Pelasger ablöste. c) Lynkeus tötete die Mörderinnen seiner Brüder; sie bereiteten ihr Brautbad in der Unterwelt, indem sie endlos Wasser in ein Faß schütteten, da es Löcher im Boden hatte. Dies wurde später als »spiegelnde Strafe« verstanden (Ov. met. 4, 462 u. a.) [4], die auf unterit. Tradition zurückging, in der die D. als Modell der nicht in die Mysterien Eingeweihten darstellt wurden [5]; zuerst auf dem Unterweltsgemälde des Polygnot in Delphi (Paus. 10,31,9). In der Argolis wurden die D. dagegen als Bild von Quellen verstanden, segensreich im trockenen Teil der Argolis, so auch der Amymone-Quelle, die sich mit Poseidon vermählte [6; 7].

Genealogisch betonte die Abstammung von Belos (Baal) und der Neilos-Tochter Anchinoe das hohe Alter der Kultur der → Argolis und das Primat der Kulturtechniken wie den 50-Ruderer oder die Bewässerungstechnik (Strab. 1,23) und der → Thesmophorien, welche die D. aus Ägypt. mitgebracht haben sollen (Hdt. 2,171). Dagegen konnte polemisch auch die Fremdheit der D. hervorgehoben werden, etwa gegen Athens Autochthonie (schon im Epos *Danais* PEG fr. 2; Isokr. 10,68; Plat. Menex. 245 D). In Aischyl. Suppl. können die D. (mit schwarzer Hautfarbe: V. 71) jedoch ihre Herkunft aus Argos erklären: Io auf der Flucht vor Hera gebar in Ägypten den Zeus-Sohn Epaphos, dessen Tochter Libye Mutter des Belos gewesen sei (Aischyl. Suppl. 291–325). Die historisierende Deutung, die D. seien in der Bronzezeit aus Ägypten eingewandert, ist bei Hdt. angelegt; die Verbindung von Argos zu Rhodos wird als »Station auf der Reise« integriert (Hdt.

2,181 vgl. [8. 151]). Das Zeugnis auf einer ägypt. Inschr., daß in Griechenland ein Reich der Danaer gab, führte aber nicht zu dem Mythos [8; 9; 10].

Deutungen des Mythos: a) Erzählmotiv, welches bes. in einem hethitischen Mythos, in dem 30 Jungen ihre 30 Schwestern suchen, vorgegeben war [11; 12]. b) Zahlreiche metamythische Verknüpfungen, die lokal durch die Quellen mit Namen der D. (→ Amymone) verbunden waren, sowie mit dem Lichterfest der Lyrkeia, der Landungsstelle (Paus. 2,38,4) oder aber auch dem Heroon des D. (Paus. 2,20,6–9) [13]. Auch die → Gerusie wurde in röm. Zeit von D. abgeleitet (IG IV 579). c) Soziale Institution der Altersklasse (50er Gruppe, polemisch Hekataios FGrH 1 F 19) der zur Familiengründung berechtigten jungen Frauen [14].

1 A. F. GARVIE, Aeschylus, Supplices, 1969 2 H. F. JOHANSEN, E. W. WHITTLE, Aeschylus, Supplices, 1980 3 L. R. FARNELL, Pindar 2, 1932 4 F. BÖMER, Ovids Met. 4, 1976, zu V. 462 5 PARKER, Miasma, 1983, 212 f., 381 6 A. B. COOK, Zeus 3, 1940, 355–370 7 M. PIÉRART, Argos assoiffée, in: Ders. (Hrsg.), Polydipsion Argos, BCH-Suppl. 22, 1992, 119–156 8 E. MEYER, Forsch. zur Alten Gesch. 1, 74 9 F. SCHACHERMEYR, Die griech. Rückerinnerung, in: SAWW 404, 1983, 91–121 10 G. A. LEHMANN, in: J. LATACZ (Hrsg.), 200 Jahre Homer-Forsch., 1991, 105–126; 11 W. BURKERT, Typen griech. Mythen auf dem Hintergrund myk. und oriental. Tradition, in: D. MUSTI u. a. (Hrsg.), La transizione dal Miceneo al alto arcaismo, 1991, 527–536, hier 534 12 H. OTTEN, Eine althethit. Erzählung um die Stadt Zalpa, 1973 13 W. K. PRITCHETT, Topography 6, 1989, 98 14 K. DOWDEN, Death and the Maiden, 1989, 153–165; 224–229.

G. STEINER, s. v. D., Lex. des frühgriech. Epos 2, 217–219 · M. BERNAL, Black Athena 1, 1987 · M. L. WEST, The Hesiodic Catalogue of Women, 1985, 154 · O. WASER, s. v. Danaiden, RE 4, 2087–2091 · P. FRIEDLÄNDER, Argolica, Diss. 1905, 5–30 · G. A. MEGAS, Die Sage von D., in: Hermes 68, 1933, 415–428 · F. GRAF, Eleusis und die orphische Dichtung, in: RGVV 33, 1974, 107–119 · E. KEULS, The Water Carriers in Hades, 1974 · Dies., s. v. Danaides, LIMC 3.1, 337–341; 3.2, 249–253. C. A.

Dandamis.

Ein indischer Weiser, der Anf. 326 v. Chr., als Alexanders Heer in Taxila weilte, mit Griechen in Berührung gekommen sein soll. Diese waren entweder anon. Kundschafter (so nach Megasthenes bei Strab. 15,1,68 und Arr. an. 7,2,2–4, nach Onesikritos bei Strab. 15,1,64–65, dort der Name Mandanis; Plut. Alexander 65,1–3), oder noch Onesikritos und Alexander selbst (so im PGenev. 271 [1; 2], der Grundlage ist für den 2. Teil des Palladios-Briefes über die Brahmanen [3]). D. war zugleich ein Lehrmeister und ein Gelehrter. Er erscheint in fast allen Berichten als Gegenspieler des indischen Weisen → Kalanos. Dieser macht sich (bei Strabon) über Onesikritos lustig; D. dagegen ist höflich und geistig aufgeschlossen: er stellt ihm Fragen über die Weisheit der Griechen. Kalanos nimmt die Einladung Alexanders an, ihm in sein Land zu folgen. D. hingegen bleibt in Indien und zeigt dadurch, daß er als Weiser dem Herrscher gegenüber seine Freiheit zu wahren weiß. In späteren Texten erscheint D. als ›der weiseste aller Menschen‹, der sich auszeichnet durch Frömmigkeit, Menschenliebe, Selbstlosigkeit und Mäßigkeit.

Werke des D. sind nicht überliefert, abgesehen von zwei apokryphen lat. Briefen aus dem frühen 4. Jh. n. Chr., die Bestandteile eines fiktiven Briefwechsels zwischen Alexander und dem hier Dindimus genannten D. sind. s. [4].

1 V. Martin, Un recueil de diatribes cyniques; PGenev. inv. 271, in: MH 16, 1959, 77–115 2 W. H. Willis, K. Maresch, The Encounter of Alexander with the Brahmans, in: ZPE 74, 1988, 59–83 3 W. Berghoff, in: Beitr. zur klass. Philol. 24, 1967, 1–55 4 B. Kübler (Hrsg.), Alexandri Magni regis Macedonum et Dindimi regis Bragmanorum de philosophia per litteras facta collatio, 1888.

J. André, Echos poétiques d'un brahmane, in: REL 60, 1983, 43–49 · B. Berg, D. An Early Christian Portrait of Indian Asceticism, in: CeM 31, 1970, 269–305 · B. Berg, The letter of Palladius on India, in: Byzantion 44, 1974, 5–16 · G. Ch. Hansen, Alexander und die Brahmanen, in: Klio 45, 1965, 351–380 · U. Wilcken, Alexander der Große und die ind. Gymnosophisten, in: SBAW 1923, 150–183.

C. M.-P.

Daneion (δάνειον). Das → Darlehen, die befristete Überlassung vertretbarer Sachen (Naturalien oder Geld) war als Geschäft des täglichen Lebens im gesamten griech. Raum bekannt. Es fand sowohl unter Privatleuten als auch im öffentlichen Leben statt. Kreditgeber waren oft Banken oder Tempel, Kreditnehmer oft Staaten, die manchmal auch bei Privatpersonen verschuldet waren (z. B. IG VII 3172: Orchomenos schuldet Nikareta). Die übliche Bezeichnung war D., aber auch → chrésis; eine Sonderform ist das → eranos-Darlehen. Das D. wurde mit festem Rückgabetermin hingegeben, Zinsen von 1–2 Drachmen pro Mine monatlich (= 12–24 % p.a.) waren üblich. Beim Naturaldarlehen war zur Zeit der nächsten Ernte eine Zinsmenge von 50 % (hēmiólion) zu zahlen. Zur Finanzierung des Seehandels diente das D. als »Seedarlehen« (in Athen nur für den Getreideimport zugelassen), bei dem als Risikoprämie ein erhöhter Zinsfuß verlangt wurde. Doch mußte das Kapital samt Zinsen nur zurückgezahlt werden, wenn das Schiff wohlbehalten an das Ziel der Reise kam, für die das D. aufgenommen worden war. Das Schiff, manchmal auch die Ladung, hafteten für die Rückzahlung dieses D. Sonst war in Athen beim D. die → blabes dike gegen den Kreditnehmer zulässig, mit dem Vorwurf, er »beraube« den Kreditgeber. In den Papyri sind zahlreiche »fiktive Darlehen« zu finden, in denen ein Schuldner bewußt falsch bestätigt, eine bestimmte Summe als D. empfangen zu haben, die er tatsächlich z. B. als Kaufpreis schuldet.

H.-A. Rupprecht, Unt. zum Darlehen im Recht der graeco-ägypt. Papyri, 1967, 6 ff. · Ders., Einführung in die Papyruskunde, 1994, 118 f. · G. Thür, Hypothekenurkunde eines Seedarlehens, in: Tyche 2, 1987, 229 ff.

G. T.

Danthaletai (Δανθηλῆται, Dentheletí). Thrak. Stamm am Oberlauf des → Strymon und westl. bis zum Axios. Früheste Erwähnung bei Theopompos (FGrH 115 F 221) für 340/339 v. Chr. Philippos V. verwüstete auf seinen Thraker-Feldzügen ihr Gebiet zweimal (184 und 181 v. Chr.: Liv. 39,53,12; 40,22,9; Pol. 23,8,4). 88 v. Chr. waren die D. Bundesgenossen Roms bei der Niederwerfung eines maked. Aufstandes. Sie griffen 86/5 zusammen mit Maidoi, Dardani und Scordisci diese Prov. an. In den J. 57 und 56 brachte der proconsul von Macedonia, L. Calpurnius Piso, die D. gegen Rom auf (Cic. Pis. 84; prov. 4; Sest. 94). 29 und 28 v. Chr. fielen die → Bastarnae zweimal in ihr Gebiet ein; jedes Mal kam ihnen auf Bitten ihres Königs Sitas der proconsul von Macedonia, M. → Licinius Crassus, zu Hilfe (Cass. Dio 51,23,4; 25,3). Nicht bekannt ist, ob sie vor 45 n. Chr. zum thrak. Vasallenstaat gehörten. Zum letzten Mal finden sie sich als Stammesverband bei Cass. Dio 54,20 Erwähnung zum J. 16 v. Chr., als sie zusammen mit den Scordisci Macedonia überfielen. Im 1. Jh. n. Chr. wurden viele D. für die auxilia beider Germaniae ausgehoben. In röm. Zeit bestand in Thrakien eine Strategie Δανθηλητική, die zeitweilig geteilt war (ὀρεινή und πεδιασία, IGR 1,677).

B. Gerov, Proučvanija vărhu zapadnotrakijskite zemi prez rimsko vreme, in: Annales de l'université de Sofia 54,3 (1959/60), 1961, 74 ff. · Ders., Zum Problem der Strategien im röm. Thrakien, in: Klio 52, 1970, 130 f. · Ch. Danov, Die Thraker auf dem Ostbalkan von der hell. Zeit bis zur Gründung Konstantinopels, in: ANRW VII.1, 1979, 90, 117, 124.

I. v. B.

Daochos (Δάοχος).

[1] D. I., aus Pharsalos, Sohn des Agias, stand als → Tagos 27 Jahre lang dem thessalischen Koinon vor (ca. 431–404 v. Chr.?); seine Tageia galt als Phase des Friedens und Wohlstandes (Syll.³ 273) [1. 110 f.].

[2] D. II., vornehmer Thessaler, Enkel von D. [1]. Philipp II. sandte ihn 338 v. Chr. zusammen mit anderen zu den Thebanern, um Unterstützung gegen Athen zu erwirken (Pol. 18,4,4; Demosth. or. 18,211; Plut. Demosth. 18,1; Theopomp. FGrH 115 F 209 [2. 191]). Nach 336 war er Vertreter des thessalischen Koinon in der delphischen Amphiktyonie und spielte eine wichtige Rolle bei der Einrichtung des neuen Tamiai-Kollegiums (FdD 3,5, 47 I 2, Index s. v. D.).

1 M. Sordi, La lega tessala, 1958 2 J. R. Ellis, Philipp II and Macedonian Imperialism, 1976. M. Mei. u. Me. Str.

Daoi (Δάοι). Nomadenstamm in der → Persis, wie die Mardoi, Dropikoi und Sagartioi von Hdt. (1,125) mit der Erhebung des → Kyros II. 550 v. Chr. gegen → Astyages in Verbindung gebracht.

E. O.

Daorsi. Eine »illyr.« civitas mit nur 17 decuriae im conventus von Narona (prov. Dalmatia h. in Bosnien-Herzegowina, z. T. Kroatien), eines der am stärksten hellenisierten Völker entlang der Küste von Dalmatia. Die D.

siedelten am linken Naro-Ufer (Neretva) von Bijelo polje bis Trebinjska Šuma, d. h. im Hinterland zw. Narona und → Epidaurum, mit einem Zugang zum Meer, das Zentrum in Gradina bei Ošanići nahe Stolac (Herzegowina), in megalithischer Technik mit Kyklopenmauern, teilweise noch bis 6 m hoch, erbaut; Ausgrabungen brachten große Mengen importierter griech. Ware zutage, hauptsächlich aus hell. Zeit. Stolac ist das nachmalige *municipium Diluntum* (wenn man von mehreren anderen Lokalisierungsvorschlägen absieht), das die Hauptsiedlung der D. in Ošanići fortführte (von EVANS, TRUHELKA und BOJANOVSKI lokalisiert, epigraphisch auch durch eine *beneficiarii consularis*-Inschr. bestätigt). Es ist nicht bekannt, wann die D. in den Rang eines *municipiums* erhoben wurde; aus der Sicht von kaiserzeitlicher Gentilicia evtl. unter den flavischen Kaisern oder unter Hadrian. Im 2. Jh. v. Chr. prägten die D. eigene Mz. mit der Legende *Daorson* und einem Schiff auf der Rückseite. Hekataios (FGrH 1 F 175) betrachtete sie als thrak. Volk, was weder durch arch. Funde (z. B. Körperbestattung) bestätigt wird, noch durch toponomastisches oder onomastisches Material (süd-illyr. Namen wie *Epicadus, Gentius*, Pinnes, Monunius, *Plassus, Bato*). Namensformen auf Mz. und in lit. Quellen: *Dáorsoi* (Pol. 32,9,2); *Daorsei* (Liv. 45,26,14); *Daórizoi* (Strab. 7,5,5); *Dársioi* (App. Ill. 2); *Daoúrsioi* (Ptol. 2,16,8); *Daursi* in röm. Quellen, lit. und epigraphisch; *Duersi/Daversi* (Plin. nat. 3,143); *Daverzus* (CIL XIII 7507); *Daversus* (CIL XVI 38, ex. tab. I, v. 26, aus Salona). Abhängig vom illyr. Königreich, schlugen sich die D. auf die Seite der Römer noch vor dem Fall des Genthius 168 v. Chr. und wurden mit der Immunität belohnt; diese müssen sie im Laufe des 2. oder 1. Jh. v. Chr. aber verloren haben. Ihre Hauptfeinde waren die → Dalmatae, die ihre Festung in Ošanići zerstörten. Die D. wurden wahrscheinlich vom nachmaligen Augustus 34–33 v. Chr. unterworfen. In der Kaiserzeit waren sie eine der unbed. *civitates*, was sich am spärlichen epigraphischen Material auf dem Gebiet der D. zeigt.

I. BOJANOVSKI, Bosna i Hercegovina u antičko doba [Bosnien und Herzegowina in der Ant.], Akademija nauka i umjetnosti Bosne i Hercegovine, Djela 66, Centar zu balkanološka isptivanja 6, [Monographies, Academie des sciences et des arts de Bosnie-Herzegovine 66, Centre d'études balk. 6], 1988, 88–102 • Z. MARIĆ, Die hell. Stadt oberhalb Ošanići bei Stolac (Ostherzegowina), Ber. der Röm.-German. Kommission 76, 1995, 31–72 (Taf. 1–24).
M. Š. K./Ü: I. S.

Daphitas (Δαφίτας, daneben auch Δαφίδας). Griech. Grammatiker (für Val. Max. 1,8 ein »Sophist«), wahrscheinlich aus dem 2. Jh. v. Chr., wenn man die Zeitgleichheit mit Attalos III. akzeptiert (s. unten). Die Suda (δ 99 s. v. Δαφίδας) besagt, daß er aus Telmessos in Karien stammte und in einem Werk über Homer behauptete, der Dichter sage Falsches, weil die Athener nicht an der Expedition gegen Troja teilgenommen hätten. Strabon (14,647) erzählt, daß D. auf dem Berg Thorax bei Magnesia am Mäander gekreuzigt worden sei, weil er ein die Attaliden beleidigendes Epigramm geschrieben habe (SH 370–371): Das Ereignis scheint sich in das Bild der Feindseligkeiten gegenüber dem Herrscherhaus von Pergamon zur Zeit Attalos' III. zu fügen. D.' Schicksal wurde in der Ant. in anekdotischen Tönen erzählt (außer Strabon ebd., vgl. Suda und Val. Max. ebd.): Er wird auch als Beleidiger der Götter hingestellt, deren Strafe unter anderem auf seine Fehldeutung eines Orakels zurückgeht.
→ Philologie

D. C. BRAUND, Three Hellenistic Personages: Amynander, Prusias II, Daphidas, in: CQ 32, 1982, 350–57 • O. CRUSIUS, s. v. D., RE 4, 2134–35 • J. FONTENROSE, The crucified Daphidas, in: TAPhA 91, 1960, 83–99 • SH 370–371 • B. VIRGILIO, Epigrafia e storiografia, 1988, 105–108 • Ders., Gli Attalidi di Pergamo, 1993, 14–15 • U. v. WILAMOWITZ, Commentariolum grammaticum III, 1889, 11–12 = KS IV, 631–32.
F. M./Ü: T. H.

Daphnai. Ägypt. Ort am Rand des Ostdeltas, h. Tall Dafana (ägypt. Ṯbn?). Nach Hdt. 2,30 Grenzfestung → Psametichos' I.; arch. Funde aus dem NR, der 26. Dyn. und späterer Zeit, u. a. Befestigungen, Waffen und griech. Keramik. Möglicherweise handelt es sich um eines der bei Hdt. 2,154 erwähnten *stratópeda* der griech. und karischen Söldner. Die Gleichsetzung mit dem at. Thachpanches ist umstritten.

A. B. LLOYD, Herodotus, Book II, Commentary 99–182, 1988, 137 • ST. TIMM, Das christl.-kopt. Ägypten in arab. Zeit, 1984–92, 551–555 (vgl. 2510–2514).
K. J.-W.

Daphnaios (Δαφναῖος).
[1] Stratege in Syrakus, sollte 406 v. Chr. das von Karthagern belagerte Akragas entsetzen, was aber fehlschlug, angeblich wegen seiner Korruptheit (Diod. 13,86,4 ff.). Dieser Mißerfolg führte zur Absetzung des Feldherrenkollegiums, der Ernennung des → Dionysios [1] zum bevollmächtigten Strategen und damit zu dessen Tyrannis. 405 brachte Dionysios den D. um (Diod. 13,96,3).
K. MEI.
[2] Epiklese Apollons (Anth. Pal. 9,477; Nonn. Dion. 13,82). Wichtig ist sein Heiligtum in Daphne, der Vorstadt von Antiocheia [1].

BURKERT 227 • O. JESSEN, s. v. D. (1), RE 4, 2135 f.
R. B.

Daphne
[1] (δάφνη). In der Ant. Bezeichnung des dem Apollon und der Artemis hl. → Lorbeer *Laurus nobilis L.* aus der Familie der *Lauraceae*, nicht der h. Thymelaeaceen-Gattung des Seidelbastes (→ Cneorum).
C. HÜ.
[2] (Δάφνη). Die keusche, jagdliebende, der → Artemis ergebene Nymphe D., Tochter des Flußgottes Ladon (oder Peneios) und der → Gaia, flieht vor Apollon, der sie mit seiner Liebe bedrängt, und verwandelt sich in den Lorbeerbaum, mit dessen Zweigen sich Apollon bekränzt (Palaiphatos 50, Mythographi Graeci p. 309 WESTERMANN). Der Mythos erläutert die Funktion des

Lorbeers in den apollinischen Kulten; er interpretiert den Heischezweig als Brautsymbol. Der Initiationscharakter der Metamorphose, die das Mädchenleben beendet, wird noch deutlicher in der erweiterten Fassung: Zunächst ist es → Leukippos, der die Jägerin (nun Tochter des Spartanerkönigs Amyklas) begehrt; er verkleidet sich als Mädchen, um ihr nahezukommen. Apollons Eifersucht führt zu seiner Entlarvung (Parthenios, Erotika pathemata 15, nach Diodor von Elaia und Phylarch, FGrH 81 F 32; Paus. 8, 20, 1–4); daran schließt sich die bekannte Verfolgungsszene an. Ein verwandtes Mädchenschicksal hat die mit D. identifizierte → Manto bzw. → Sibylle (Plut. Agis 9 p. 799; Diod. 4, 66, 5–6). Der Mythos wurde auch auf Antiocheia übertragen (Philostr. Ap. 1, 16; Lib. or. 11 R 302). Die größte Wirkungsgesch. entfaltete die Version Ovids (met. 1, 452–467).

→ Daphnephoria; Lorbeer; Nymphai

K. Dowden, Death and the Maiden, 1989, 174–179 · J. Fontenrose, Orion, 1981, 48–86 · Y. Giraud, La fable de D. Essai sur un type de métamorphose végétale dans la littérature et dans les arts jusqu' à la fin du XVIIe siècle, 1968 · O. Palagia, s. v. D., LIMC 3.1, 344–348 mit Abb. in LIMC 3.2, 255–260 · W. Stechow, Apollo und D., ²1965 · J. Wulff, Die ovidische D. und ihre Rezeption in der engl. Lit. des 16. und 17. Jh., 1987.   D. B.

[3] Ort am Nahr Laddan, dem wasserreichsten Quellfluß des → Jordan, 3 km südwestl. von → Dan, h. Ḥirbat Dafna (Ios. bell. Iud. 4,3; Hier. comm. in Ez 47,18). Arch. Befund: Zwei kleine Siedlungshügel und Grabanlagen aus röm. Zeit.

TIR/IP 108.

[4] Vorstadt von → Antiocheia [1] mit berühmtem Heiligtum für → Apollon Daphneios und Artemis, gegr. von → Seleukos Nikator (Strab. 16,749 f.).   K. B.

Daphnephoria (Δαφνηφορία). Ritus, der wohl überall dort vollzogen wurde, wo Apollon das Epitheton *daphnēphóros* (»Zweigträger«) trug (z. B. IG IX 2, 1027). Belegt ist nur das thebanische Ritual; Quellen sind Pindar, Proklos und Pausanias, die je ein anderes Stadium in seinem Verlauf behandeln. Die detaillierteste Beschreibung stammt von Proklos, der die von einem Mädchenchor gesungene daphnephorische Ode erklärt (Photios 321a–321b). Der Ritus soll enneaterisch (neunjährlich) abgehalten worden sein. Ein *pais amphithalḗs* (»ringsumblühtes Kind«) führte die Prozession an; hinter ihm trug sein nächster männlicher Verwandter ein Scheit aus Olivenholz (κωπώ), das wie eine Frau gekleidet war; nach diesem folgte der eigentliche Daphnephoros, der den Lorbeer hielt. Er trug die Haare offen, ein Gewand, das bis auf den Boden reichte und bes. Schuhe; ihm folgte der Mädchenchor. Die Prozession führte zu den Heiligtümern von Apollo Ismenios und Galaxios. Diese Version stammt wohl aus dem 4. Jh. v. Chr. Bei Pindar (1; fr. 94b) wird ein Junge beschrieben, dessen Vater die Prozession und dessen Schwester den Chor anführt. Sie trägt hier den Lorbeer (Z. 8). Pausanias erwähnt lediglich, daß jedes Jahr ein Knabe aus guter Familie und von hervorragender Gestalt zum Priester des Apollo Ismenios geweiht und Daphnephoros genannt wurde (9,10,4). Einige oder sogar alle Daphnephoroi sollen Apollo Ismenios Dreifüße geweiht haben (s. IG XIV 1293b = FGrH 40F1).

Mindestens vier Stadien lassen sich in der Entwicklung dieses Ritus unterscheiden: 1. Die Verbindung einer Prozession, die den Lorbeer zu Apoll als göttl. Patron der Polis Theben bringt mit einer zweiten, die ein geschmücktes Holzscheit, evtl. ein Kultbild, zum Heiligtum trägt. Dieser Ritus, der auch am Fest der Daidala (→ Hera) vorkommt, könnte zur Gründungszeit der Polis nach Theben gelangt sein. 2. Das Ritual, wie es bei Pindar beschrieben wird. 3. Eine Neuorganisation im 4. Jh. (als Theben die führende Macht in der delphischen → Amphiktyonie war), die Elemente des delphischen → Septerion einführte [2; 3]. 4. Eine späte Reorganisation in der röm. Kaiserzeit [4; 5].

1 L. Lehnus, Pindar, in: BICS 31, 1984, 61–92
2 J. Defradas, Les thèmes de la propagande delphique, 1972, 97–101 3 G. Roux, Delphes, 1976, 166–168
4 I. Loucas, in: Kernos 3, 1990, 213 5 Schachter 83–85.
      A. S./Ü: B. S.

Daphnephorikon (δαφνηφορικόν). Von Jungfrauen gesungenes Lied an den → Daphnephoria, einem Fest des Apollo Ismenios in Theben (Paus. 9,10,4). Proklos (Phot. 321a34) berichtet von *daphnēphoriká* als Teil der Partheneia Pindars; die Suda s. v. Πίνδαρος zählt D. zu den 17 Büchern (zusätzlich zu den Partheneia). Ein maßgebliches Fragment eines D. ist POxy. 4,659 (1904) = Pind. fr. 94b Snell-Maehler. Das Gedicht wurde zu Ehren von Agasikles, dem Enkel eines Aiolada (Z. 9) verfaßt, an den offensichtlich fr. 94a gerichtet ist. Auch Pagondas, der Sohn des Aiolada und Vater des Agasikles, bekannt aus Thuk. 4,91–93, wird erwähnt (10). Die Mutter des Agasikles, der als *daphnēphóros* ein παῖς ἀμφιθαλής sein muß, d. h. kein Waise sein darf (Phot. 321b23 f.), ist wahrscheinlich Andaisistrota (71). Die Führerin des Mädchenchores ist Damaina, die Schwester des Jungen (66). Fr. 94c scheint für Pindars eigenen Sohn Daïphantos geschrieben zu sein, ›dem er auch ein d.-Lied schrieb‹ (Vita Ambrosiana 3,3–5 Drachmann). Das Fragment stammt aus einer Pindar-Vita (POxy. 2438,24 ff.), die auch vermuten läßt, daß Pindars Töchter Protomache und Eumetis im Jungfrauenchor waren. Fr. 104b ist ein Zitat aus Plut. De Pythiae oraculis 29, angeblich an Apollon Galaxios gerichtet; Pindargelehrte neigten dazu, es aufgrund der Aussage des Proklos (Phot. 321b30–32), daß die Daphnephoria auch zu Ehren des Apollon Chalazíu gefeiert wurden, Pindar zuzuweisen; eine andere Ansicht vertritt PMG 997 adespoton.

L. Lehnus, Pindaro: Il Dafneforico per Agasicle, in: BICS 31, 1984, 61–92.   E. R./Ü: L. S.

Daphnis (Δάφνις).

[1] Mythischer Kuhhirt in der sizilischen Tradition, Sohn des → Hermes (Stesich. fr. 102 PMG = Ail. var. 10.18; Timaios, FGrH 566 F 83; Diod. 4,84,2). Er kam als Jüngling aufgrund einer unglücklichen Liebesbeziehung zu einer → Nymphe ums Leben und wurde mit rituellen Trauergesängen vom Typus der Adonisklage verehrt (Theokr. 1,64ff.; 7,73ff.). Er fungierte in der bukolischen Dichtung als Idealbild des adoleszenten Hirten und galt als Erfinder des Hirtenlieds (z.B. Diod. 4,84,3). Trotz des griech. Eigennamens (von → *dáphnē*: »Lorbeer«) stammt die Figur des D. nicht aus griech.-mutterländischer Tradition, sondern wurde als lokale Variante eines adonis/tammuzartigen Gottestypus vermutlich von phönizischen Kolonisten nach Sizilien gebracht [1. 27ff.; 2. 285]. In soziologischer Hinsicht repräsentiert D. männliche Initianden, die beim Ausscheiden aus dem jugendlichen Hirtendienst symbolisch starben, bevor sie einen bäuerlichen Erwachsenenstatus erlangten [2. 299ff.]. In einem Satyrspiel des → Sositheos entgeht der junge D. bezeichnenderweise bei der Getreideernte knapp dem Tod, heiratet dann und erbt das Gut des phryg. Urbauern → Lityerses (TrGF I 99 F 1–3 SNELL). Einen analogen positiven Ausgang erhält der traditionelle Stoff in → Longos' Roman ›Daphnis und Chloe‹. Als mythische Überhöhung des sozialen Statuswechsels zw. Jugend und Erwachsenenalter deutbar ist die Apotheose des D., bei welcher sich die bei seinem Tod verdorrte Natur wiederbelebt (Verg. ecl. 5,56ff.). Zur Erinnerung an seine Entrückung in den Himmel empfing D. in Sizilien jährliche Opfer an einer ebenfalls D. genannten Quelle (Serv. ecl. 5,20). In Vergils 5. Ekloge scheint der D.-Mythos als typologische Folie einer auf Caesar/Octavian bezogenen polit. Soteriologie benutzt zu sein [2. 311ff.].
→ Adonis; Bukolik

1 I. TRENCSÉNYI-WALDAPFEL, Werden und Wesen der bukolischen Poesie, in: Acta antiqua Academiae Hungaricae 14, 1966, 1–31 2 G. BAUDY, Hirtenmythos und Hirtenlied, in: Poetica 25, 1993, 282–318.

W. BERG, D. and Prometheus, in: TAPhA 96, 1965, 11–23 • G. CIPOLLA, Folk Elements in the Pastoral of Theocritus and Vergil, in: Journal of the University of Durban-Westville 3, 1979, 113–21 • D. M. HALPERIN, The Forebears of D., in: TAPhA 113, 1983, 183–200 • R. MERKELBACH, Die Hirten des Dionysos, 1988 • CH. SEGAL, Poetry and Myth in Ancient Pastoral, 1981, 25–65 • F. G. WELCKER, D. (in Stesichoros), in: Ders., KS zur griech. Literaturgesch. I, 1844, 188–202 • U. v. WILAMOWITZ-MOELLENDORFF, D., in: Ders., Reden und Vorträge 1, 1925, 259–91 • G. WOJACZEK, D. Unt. zur griech. Bukolik, in: Beitr. zur klass. Philol. 34, 1969.   G.B.

[2] Architekt aus Milet; genannt bei Vitruv (7 praef. 16) zusammen mit → Paionios aus Ephesos als Erbauer eines milesischen Apollontempels, wohl des → Dipteros im Apollonheiligtum von → Didyma. Da Paionios laut Vitruv zuvor am spätklass. Neubau des Artemistempel von Ephesos tätig war, wird der ansonsten unbekannte D. wohl mit dem um 300 v. Chr. begonnenen Neubau des Didymeion zu verbinden sein, keinesfalls aber mit dem archa. Vorgänger. Überlegungen zur konkreten Tätigkeit des D. sowie zur Arbeitsteilung zwischen D. und Paionios bleiben spekulativ.

H. SVENSON-EVERS, Die griech. Architekten archaischer und klass. Zeit, 1996, 74, 100 • W. VOIGTLÄNDER, Der jüngste Apollontempel von Didyma, 14. Beih. MDAI(I), 1975, 10, 20.   C.HÖ.

Daphnoides (δαφνοειδές bzw. χαμαιδάφνη). Name zweier Seidelbastarten bei Dioskurides (4,146 [1. 288 = 2. 444] bzw. 4,147 [1. 289f.= 2. 444]), wie *Daphne laureola* L. oder *alpina* L. aus der heutigen Familie der Thymelaeaceen mit lorbeerähnlichen, immergrünen Blättern. Diese sollten, getrunken, Brechreiz hervorrufen, schleim- und harntreibend sowie menstruationsfördernd sein. Sie wurden auch von ölbaumblättrigen Arten wie *camelaiva* (Dioskurides 4,171 [1. 320] = 4,169 [2. 464]), dem Bergseidelbast *D. oleoides* L., und *thymelaia*, und dem Südl. Seidelbast (*D. gnidium* L., → Cneorum [3. 119]) unterschieden sowie von dem kalkliebenden Frühblüher, dem Gemeinen Seidelbast *D. mezereum* L.

1 WELLMANN 2, 2 BERENDES 3 H. BAUMANN, Die griech. Pflanzenwelt in Mythos, Kunst und Lit., 1982.   C.HÜ.

Daphnus (Δαφνοῦς). Hafenstadt der Lokroi Epiknemidioi (Strab. 9,3,17; Plin. nat. 4,27), h. Ajios Konstantinos in der Küstenebene von Longos am Golf von Euboia. Seit dem 1. Hl. Krieg (etwa 590 v. Chr.) gehörte sie wie der gesamte Küstenstreifen zum phokischen Staat (Skyl. 61; Strab. 9,3,1), der sich durch D. einen Zugang zum Ägäischen Meer sicherte. Nach dem 3. Hl. Krieg fiel D. 346 v. Chr. wieder an Lokris zurück. 426 v. Chr. durch ein Erdbeben zerstört (Strab. 1,3,20).

J. M. FOSSEY, The Ancient Topography of Opountian Lokris, 1990, 7, 11, 84 • PRITCHETT, 4, 1982, 149–151 • F. SCHOBER, Phokis, 1924, 26f.   G.D.R./Ü:R.P.L.

Dara

[1] Stadt in der Gebirgslandschaft Apavortene in Parthien. Nach Pompeius Trogus (Iust. 41,5,2–4) soll dieser Platz, ausgezeichnet durch seine strategischen und geogr. Vorzüge (Plin. nat. 6,46), vom Partherkönig → Arsakes [1] I. gegr. worden sein. Da zwar die Region (als *Apauarktikene*, Isid. von Charax, 1,13, bzw. *Partautikene/Artakana* Ptol. 6,5), nicht aber die Stadt in anderen Zeugnissen erscheint, hat man vermutet, die Residenz habe in späterer Zeit an Bed. verloren [1. 199–201]. Ihre genaue Lage ist bis h. nicht bekannt.

1 M. L. CHAUMONT, Études d'histoire parthe II., in: Syria 50, 1973, 197–222.   J.W.

[2] Stadt in Nordmesopotamien (Δαραί bei Steph. Byz.) zw. Nisibis (h. Nusaybin) und Mardin, an der Grenze zw. byz. und neupers. Reich. Nach der Überlieferung wurde die Stadt 507 n. Chr. vom byz. Kaiser Anastasios I. gegr. (daher auch → Anastasiupolis). Iustinian baute die Befestigungen aus (Iustiniana Nea). In den Kriegen zw. Byzanz und dem Sāsānidenreich wurde D., das auch in syr. Texten häufig begegnet, wiederholt angegriffen und erobert, z. B. 573 n. Chr. unter Iustin, und schließlich von den Arabern eingenommen [2].

1 MILLER, 741 mit Skizze 240 2 S. FRAENKEL, s. v. Dara 2), RE 4, 2150.   J. OE.

Daras

[1] Fluß, der im Hohen Atlas (Δύρις) entspringt, das Gebiet südl. des Anti-Atlas durchfließt und in den Atlantischen Ozean mündet, h. Oued Dra. Belegte Namensformen: *Dyris*, Vitr. 8,2,6; *Darat*, Plin. nat. 5,9; Δάραδος oder Δάρας, Ptol. 4,6,6; 9; 14; *Dara*, Oros. 1,2,31. Evtl. ist der D. mit dem Λίξος von Hanno, periplus 6 (GGM 1,5) und dem Χιῶν von [Skyl.] 112 (GGM 1,93) zu identifizieren.

C. T. FISCHER, s. v. D. (1), RE 4, 2152.   W. HU.

[2] Von Ptolemaios (6,8,4 N.) und Marcianus aus Herakleia (periplus maris exteri, GGM I p. 531) erwähnter, in den Pers. Golf mündender Fluß (h. Daryāb, auch Dargabind gen.); bei Marcianus im Verlauf einer von Westen nach Osten gerichteten Küstendarstellung gen.; der D. wird von Ptolemaios zur Landschaft Karmanien gerechnet.

C. MÜLLER, GGM I, Tabulae, T. XXVIII · ANDRÉES, Allg. Handatlas 1924/5, 154 f.   H. T.

Dardai

Dardai (Dardae). Volk im NW Indiens, altind. *Darada*, h. Darden mit dem Landesnamen Dardistan am oberen Indus. Dort von Hdt. 3, 102 ff. lokalisiert, wo man auch die Δαράδραι von Ptol. 7,1,4 unterhalb der Indusquellen findet. Ebenso bei Plin. nat. 6,67 und 11,111 (*Dardae*, wohl aus Megasthenes), Dion. Per. 1138, Steph. Byz. u. a. erwähnt. Nach Megasthenes (F 23b bei Strab. 15,1,44) leben die Δέρδαι auf einer Hochebene im Osten und rauben Gold von den goldgrabenden Ameisen.

P. H. L. EGGERMONT, Orientalia Lovanensia Periodica 15, 1984.   K. K.

Dardanees

[1] Völkerschaft am Fluße → Gyndes (h. Diyālā), dessen Gebiet → Kyros II. bei seinem Zug nach Babylon durchquerte (Hdt. 1,189).   J. OE.
[2] Andere Namensform für die nordind. → Dardai (Δάρδαι).   H. T.

Dardani

Dardani (Δάρδανοι). Mächtiger illyr. Stammesverband im südwestl. Teil von Moesia Superior, bes. in seinem östl. Teil starkem thrak. Einfluß ausgesetzt. Das Gebiet gehörte zur Einflußsphäre des maked. Königreichs, das um 335 v. Chr. die Herrschaft über Dardania gewonnen hatte. Die D. bemühten sich jedoch weiterhin um ein gewisses Maß an Selbständigkeit. 284 v. Chr. wurden sie unter der Regierung eines einzigen Königs vereinigt

und führten langwierige Kämpfe gegen die Makedonen. 229 besiegten die D. Demetrios II., der bald nach seiner Niederlage starb. Rom setzte sich in Dardania im 1. Jh. v. Chr. durch (Sulla, Appius Claudius Pulcher, C. Scribonius Curio). Das Land wurde schließlich 29/8 von M. Licinius Crassus (*cos.* 30 v. Chr.) annektiert.

Die D. waren als kriegerisches Volk bekannt und sind in der röm. Kaiserzeit in verschiedenen Hilfstruppenabteilungen bezeugt. Ihr Land war wegen seines Reichtums an Erzen (Eisen, Blei, Silber) berühmt. Die dardanischen Erzbergwerke bildeten mit ihrer selbständigen Verwaltung einen wichtigen Bestandteil des kaiserlichen Besitzes. Seit Diocletian wurde Dardania als eigene Prov. mit Zentrum in Scupi verwaltet (Plin. nat. 3,149; Ptol. 3,9,2).

S. DUŠANIČ, s. v. D., Dardania TIR K 34 Sofia, 1976, 39 (mit Quellen und Lit.).   J. BU.

Dardanidai (Δαρδανίδαι). Abkömmlinge des troischen Stammvaters → Dardanos, aus denen das troische Herrschergeschlecht hervorgeht. Die Genealogie der D. – ohne die dazugehörigen Heroinen – zählt Aineias in der Ilias auf (Hom. Il. 20,215 ff.):

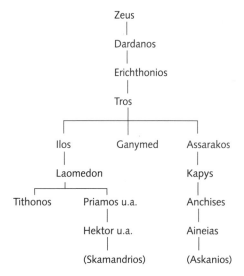

Als Sohn des Dardanos, des Königs von Dardania am Ida, gilt Erichthonios, der den Tros zeugt. Tros' drei Söhne sind Ilos, Assarakos und → Ganymed. Letzterer wird vom Adler des Zeus entführt, um den Göttern als Mundschenk zu dienen (Hom. Il. 5,265 f.). Ilos gründet Ilion (Konon narr. 12; Strab. 13,1,25), sein Grab soll vor der Stadt gelegen haben (Hom. Il. 11,166). Assarakos dachte man sich wohl weiter in Dardania wohnend. In der Urenkelgeneration spalten sich die D. Der ältere Zweig stellt die Könige von Troia, → Laomedon, unter dem Troia von Herakles das erste Mal zerstört wird, und seinen Sohn → Priamos, den die Ilias häufig als Dardaniden bezeichnet (Hom. Il. 3,303 u. ö.); diese Linie geht jedoch mit Troia unter. Dem jüngeren Zweig der D.

entstammen über Kapys Anchises und dann → Aineias; ihm sagt Poseidon für spätere Zeit die Herrschaft in der Troas voraus (Hom. Il. 20,302 ff. mit schol.; Hom. h. Ven. 5,196 f.). Aineias' Sohn Askanios erscheint als Herrscher am Ida bei Konon narr. 41. Skepsis galt als langfristiger Sitz von Hektoriden und Aineiaden (Strab. 13,1,52; Hellanik. FGrH 4 F 31). Die Sage von der ital. Herkunft des Dardanos bestärkte die Römer, die sich auf den Auswanderer Aineias als Ahnherrn beriefen, in ihrem Selbstverständnis als D. (Verg. Aen. 3,94 ff.; 7,195).

> P. GRIMAL, Le retour des Dardanides, une legitimité pour Rome, in: Journal des Savants 1982, 267–282 · T.J. WISEMAN, Legendary Genealogies in Late Republican Rome, in: Greece and Rome 21, 1974, 153–164. T.S.

Dardanoi (Δάρδανοι).

[1] Andere Bezeichnung für Troianer (→ Dardanidai), Hom. Il. 3,456; 7,348 u.ö. syn. verwendet; Hom. Il. 2,819 f. bezeichnet als D. bes. die Gefolgschaft des → Aineias.

[2] Bewohner der wohl mythischen Stadt Dardania am Berg Ida, die von → Dardanos als Vorgängersiedlung Troias gegr. (Hom. Il. 20,216) und von der Familie des Aineias beherrscht worden sein soll. Schon Strabon (13,1,24) suchte sie vergeblich.

[3] Bewohner der Landschaft Dardania oder der Stadt Dardanos am Hellespont zw. Zeleia und Skepsis (Apoll. Rhod. 1,931; Diod. 13,45; Strab. 13,1,50 f.; Apollod. 3,139).

[4] Mit den Dardani in Moesia Superior identifizierter Volksstamm, in dem man eingewanderte Troer sehen wollte (Solin. 2,51). T.S.

Dardanos (Δάρδανος).

[1] Sohn des Zeus, den dieser vor allen seinen sterblichen Söhnen liebt (Hom. Il. 20,215; 304), und einer Sterblichen oder der Atlantide Elektra/Elektryone (Hes. fr. 177/80 MW; Hellanik. FGrH 4 F 23). Namengebender Heros der → Dardanoi, die am Idagebirge wohnen, bei Homer mit den Troern verbündet sind und oft sogar mit ihnen gleichgesetzt werden. D. ist Vorfahr des troischen Königsgeschlechts. Evtl. schon in der *Iliupersis* stammt er aus Arkadien, wo er in einer Höhle geboren sein soll (Iliupersis fr. 1 PEG I; Strab. 8,3,19; Varro bei Serv. Aen. 3,167) und mit der Pallas-Tochter Chryse verheiratet ist. Mit ihr hat D. die Söhne Deimas und Idaios; Chryse hat ihm mit Willen des Zeus zwei Palladien und die späteren »Samothrakischen Heiligtümer« eingebracht. Zeus soll dem D. die von Hephaistos geschaffene Statue des Dionysos Aisymnetes geschenkt haben (Paus. 7,19,6). Eine große Flut zwingt D. zur Flucht und Ansiedlung in Samothrake, wo ihn andere Quellen (Hellanik. FGrH 4 F 23; Diod. 5,48) geboren werden lassen.

Nach Stiftung der Samothrakischen Mysterien wandert D. nach Asien aus – nach einigen ebenfalls wegen einer Flut (Strab. 7 fr. 50 und 13,1,25; Tzetz. Lykophr.

73), vor der er sich, eingenäht in einen Lederschlauch, rettet. Das → Palladion stellt er in seiner Neugründung Dardania am Idagebirge auf, ein Orakelspruch klärt ihn über seine Bed. als schützendes Herrschaftsunterpfand auf. Dardania wird nicht am Ort des späteren Troia angelegt, weil die Stelle von übler Vorbedeutung ist (Hellanikos FGrH 4 F 25; Lykophr. 29; vor allem Dion. Hal. ant. 1,68,3 f.; Apollod. 3,143). In Asien heiratet D. entweder die Kreterin Arisbe (Kephalon FGrH 45 F 4; Lykophr. 1308) oder Bateia, die Tochter des einheimischen Königs Teukros, dessen Herrschaft D. erbt; von ihr hat er den Sohn Erichthonios (Hellanikos FGrH 4 F 24; Diod. 4,75,1; Apollod. 3,140; Steph. Byz. s.v. Dardanos). Andere Kinder sind Zakynthos (Dion. Hal. ant. 1,50,3; Paus. 8,24,3; Steph. Byz. s.v. Zakynthos), Idaia (Apollod. 3,200) und Idaios (Dion. Hal. ant. 1,61). Mit seinem Neffen Korybras soll er den Kult der Göttermutter in Phrygien eingeführt haben (Diod. 5,49,2). Später bringt D.' Urenkel Ilos das Palladion in die Skamanderebene (oder erhält es gar erst von Zeus: Apollod. 3,145) und gründet Ilion, wo man später auch das Grab des Ahnen D. zeigte (Lykophr. 72 mit schol.). Dieser Ahn galt auch als Gründer der histor. Stadt D. am Hellespont (Hdt. 5,117; 7,43; Thuk. 8,104; Diod. 4,75; Strab. 13,1,28).

Die ital. Version der Sage, in augusteischer Zeit bes. forciert oder gar erst entstanden, ließ D. im tyrrhenischen Korythos (evtl. Cortona oder Cora: Plin. nat. 3,5,63) geboren werden und gab ihm einen Bruder namens Korythos. Während dieser nach Samothrake ausgewandert sein soll, habe D. seine ital. Penaten nach Phrygien mitgenommen (Verg. Aen. 7,205 ff.). Der Kommentator zu Lykophr. (1129 Tzetz.) nennt gar eine Stadt D. in It. Die ital. Sagenvariante ermöglichte die »Heimkehr« des Troers → Aineias mit Palladion und Penaten in das Land seiner frühesten Vorväter und diente somit der Legitimierung Roms als Vormacht in It. Wohl wegen der Beziehung zu den Mysterien galt D. auch als Autor eines Liebeszaubers, des »Schwert des D.« (s. D. [2]), in dem ein Bild von Eros und Psyche eine wichtige Rolle spielte (PGM IV 1716–1870). → Dardanidai; Dardanoi

> V. BUCHHEIT, Vergil über die Sendung Roms, 1963, 151 ff. · G.A. CADUFF, Ant. Sintflutsagen, 1986, 142 ff. u.ö. · L. KAHIL, s.v. D., LIMC 3.1, 352–353 · L. v. SYBEL, s.v. D., Roscher 1.1, 962. T.S.

[2] Galt als identisch mit D. [1]. Als Begründer der samothrakischen Mysterien und Zauberautorität ist er wohl nicht zu trennen von *Hekate Dardanía* (PGM 4,2612; PGM 7,695/695; D. alter Name für Samothrake nach Steph. Byz.). Der Philosoph Demokrit soll Schriften des D. in seinem Grab aufgefunden und erläutert haben (Plin. nat. 30,9). Apul. apol. 90,5 und Tert. anim. 57,1 zählen ihn zu berühmten *magi* wie Ostanes, Damigeron u.a. Noch Fulgentius erwähnt *volumina* des D. mit dämonologischem Inhalt (vgl. Fulgentius, expositio Virgilianea continentiae 86,2 HELM). In dieser Tradition

steht das ›Schwert des D.‹ (Δαρδάνου ξίφος), so der Titel eines Liebeszwangs im »Großen Pariser Zauberpapyrus« (4. Jh. n. Chr., vgl. PGM 4,1716–1870). Sein Eros-Hymnos erhält »unvergleichliche« Kraft durch einen bes. gravierten »mutbeseelten« Magnetstein, was den seltsamen Titel *Xíphos* verständlich machen dürfte. Die »siegreicherotische« Kraft des *mágnēs* gemeinsam mit dem Eros-»Schwert«, Symbol für die Verbindung von Aphrodite und Ares (vgl. das *Magnes*-Gedicht Claudians, carm. min. 29), soll den Zauber unwiderstehlich gemacht haben (anders [1]).

→ Hekate; Ostanes; Magie

1 K. PREISENDANZ, s. v. Xiphos, Roscher 6, 526 f. C. HA.

[3] aus Athen. Stoischer Philosoph; neben → Mnesarchos ein führender Stoiker in den 90er Jahren n. Chr. (Cic. ac. 2,69), Lehrer des Apollonios von Ptolemais [1. col. 58]. Er studierte zusammen mit → Antipatros von Tarsos und vielleicht mit → Diogenes von Babylon [1. col. 51, 53].

1 T. DORANDI (ed.), Filodemo, Storia dei filosofi: La stoà da Zenone a Panezio, 1994. B. I./Ü: J. DE.

[4] Die Stadt am asiat. Ufer des Hellespontos, 70 Stadien südl. von → Abydos auf dem Sehitlik Batarya gelegen, wurde vermutlich im 7. Jh. v. Chr. von den Aioloi gegr. Die Siedlung begann schon früh mit einer → Elektronprägung. Im Verlauf des Ion. Aufstandes wurde D. von den Persern erobert (Hdt. 5,117). 411 v. Chr. erlitten die Spartaner in den Gewässern vor D., das Mitglied des → Attisch-Delischen Seebundes war, eine verheerende Niederlage (Thuk. 8,104). In hell. Zeit trat D. dem *koinón* um die Athena Ilias bei. Später wurde D. kurzfristig von Abydos vereinnahmt (Strab. 13,1,28). Während des Krieges gegen → Antiochos [5] III. nahm D. Partei für die Römer, die die Küste bei D. als Landeplatz nutzten. Im Frieden von Apameia wurde D. deshalb zur *civitas libera* erklärt (Liv. 38,39,11). 84 v. Chr. traf hier Sulla mit Mithradates I., um den (1. Mithradatischen) Krieg zu beenden. D. blieb bis in byz. Zeit erh. Im MA wurden die Gebäude als Steinbruch benutzt, so daß h. nur noch vereinzelte Keramik- und Mz.-Funde gemacht werden. 1959 wurde immerhin 1 km südwestl. ein Grabhügel mit reichen Beigaben entdeckt [1. 59 f.]; [2].

1 J. M. COOK, The Troad, 1973 2 W. LEAF, Strabo on the Troad, 1923. HA. SCH.

Dardanus
Claudius Postumus D., *consularis Viennensis, mag. libellorum, quaestor sacri palatii, praef. praet. Galliarum, patricius.* Als Praetorianerpraefekt brachte er 412/3 n. Chr. → Athaulf dazu, auf der Seite des → Honorius gegen → Iovinus zu kämpfen; er ermordete den gefangenen Usurpator. Die Datierung seiner zweiten Praefektur ist strittig (401/04 oder 406/07 n. Chr. in der PLRE, E. 415 n. Chr. nach [1]). D. war Christ, Korrespondent von → Hieronymus und → Augustin. Er zog sich in eine vielleicht unter dem Einfluß Augustins *Theopolis* (»Gottesstadt«) genannte Siedlung zurück. PLRE 2, 346 f.

1 DELMAIRE, 185 f. H. L.

Dareikos (δαρεικός, δαρικός, δαριχός). Griechische Bezeichnung (Hdt. 4,166; 7,28 f.; Thuk. 8,28) für die meist bohnenförmigen Goldmünzen (στατήρ, *statér*) des persischen Großkönigs, abgeleitet von Dareios I. Die gelegentlichen Nennungen *dareikoí Philíppeioi* und *argypoí d.* sind inkorrekt. Die ersten, etwa 515 v. Chr. nach dem Gewicht des *Kroiseios* (ca. 8,05 g) einsetzenden Prägungen, die diesen erst 30 Jahre nach dem Untergang des Lyderreiches ersetzen, zeigen im Av. symbolhaft den Perserkönig, zunächst bogenschießend im Knielaufschema. Diese Figur trägt später in den gängigen Prägungen eine Lanze in der Rechten und gegen Ende des 5. Jh. v. Chr. schließlich einen Dolch (daher auch τοξότης genannt). Der Rv. besitzt eine oblonge, meist nicht unterteilte Vertiefung. Das Gewicht wird schon frühzeitig auf ca. 8,35 g erhöht (= 1 Shekel = 1/60 Mine) und zu den Silberstücken (*siglos*) in das Verhältnis 1:13 1/3 gebracht, wobei 20 *sigloi* auf den *d.* gehen. Die Feinheit beträgt 98. Teilwerte des *d.* sind der Goldobolos (1/12 *d.*) und ein unbestimmtes Nominal von 1/24 *d.* (= 1/40 *d.*?). Der doppelte *d.* wird wohl erst unter Alexander d. Gr. (in Babylon?) geprägt. Der *d.* ist die dominierende Goldmünze im Mittelmeerraum bis zur Ausprägung des *Philippeios* unter dem Makedonen Philipp II. um 345 v. Chr.

→ Kroiseios; Mina; Obolos; Philippeios; Siglos; Siqlu

E. BABELON, Les Perses Achéménides, les satrapes et les dynastes tributaires de leur empire Cypre et Phénicie, 1893 · SCHRÖTTER, 120–121 · J. H. JONGKEES, Kroiseios en Dareikos, Jaarbericht van het vooraziatisch-egypt. Gezelschap »Ex Oriente Lux« 9, 1944, 163–168 · E. S. G. ROBINSON, The Beginnings of Achaemenid Coinage, in: NC 6.18, 1958, 187–193 · Ders., A Hoard of Archaic Greek Coins from Anatolia, in: NC 7.1, 1961, 107–117, bes. 115 ff. A. M.

Dareios (altpers. *Dārayava(h)uš*, »das Gute behaltend«, griech. Δαρεῖος < Δαρειαῖος). Name verschiedener pers. Könige und Prinzen [3]. D., der Meder (Dan. 9), kann histor. nicht identifiziert werden.

[1] D. I., Sohn des → Hystaspes, Enkel des → Arsames [1], aus der Achaimeniden-Familie (→ Achaimenidai), wurde König (522 v. Chr.) [1], nachdem er mit sechs Verschwörern aus den einflußreichsten Familien des Landes den Usurpator → Gaumata gestürzt hatte. In seinem ersten Jahr mußte D. zahlreiche Aufstände niederschlagen, worüber er in der Inschr. von → Bīsutūn berichtet (TUAT 1, 421–441). Im zweiten und dritten Jahr kämpfte er gegen Skuncha, einen Fürsten der nördl. Skythen [TUAT 1, 442]. Dieser Feldzug ist nicht mit dem erfolglosen Skythenzug in Südrußland (513 v. Chr.), von dem Hdt. 4,83–143 berichtet, identisch. Durch die Vermählung mit → Artystone und → Atossa, Töchtern des → Kyros, und mit Parmys, Tochter des → Bardiya, suchte D. eine sichtbare Verbindung zur Familie des Reichsgründers Kyros herzustellen und dadurch seine Herrschaft zu legitimieren [3. 63].

Den 499 v. Chr. ausgebrochenen → Ionischen Aufstand schlug D. 493 nieder. Athen. Hilfe für die Ionier führte zum (erfolglosen) pers. Feldzug gegen Athen (→ Marathon, im J. 490). Nach seinem Tod im Jahre 486 wurde D. in einem Felsgrab in → Naqš-i Rustam beigesetzt. Die Inschr. am Grab sind ein wichtiges Zeugnis pers. Herrschaftsideologie. D. rühmt sich, die → altpersische Keilschrift »erfunden« zu haben [3. 333]. Sie diente wohl ausschließlich ostentativen Zwecken (Bisutun, Naqš-i Rustam). Er hat mit dem Bau der Palasttreppe zu → Persepolis und den dortigen Palästen begonnen. Auf D. gehen die Verwaltungsstrukturen des Perserreiches zurück (→ Satrap), die bis zum Ende des Reiches Bestand hatten und in den hell. Staaten des Orients ihre Fortsetzung fanden. Dazu gehörten u. a. die Umbildung des Heeres, regelmäßige Jahressteuern, die Einführung des → Dareikos, der Bau eines Kommunikationssystems im Reich (→ Königsstraße), die Verwendung des sog. → Reichsaramäischen als »Amtssprache«. In Ägypten hat er eine Sammlung ägypt. Gesetze veranlaßt, was aber nicht als eine allgemeine Kodifikation im ganzen Reich verstanden werden darf [4].

→ Bardiya; Oroites

1 BRIANT, 119–176, 982 2 R. SCHMITT, The Name of Darius, in: Acta Iranica 30, 1990, 194–199 3 J. WIESEHÖFER, Das ant. Persien, 1993 4 Ders., »Reichsgesetz« oder »Einzelfallgerechtigkeit«?, in: Zschr. für altoriental. und biblische Rechtsgesch. 1, 1995, 38–41.

[2] D. II., Thronname des Ochus, 6. König der → Achaimenidai (423–405 v. Chr.), Sohn → Artaxerxes' [1] I. und einer Babylonierin, daher von (späteren) griech. Autoren als *nóthos*, »Bastard«, bezeichnet; mit seiner Halbschwester → Parysatis vermählt [4. 64]. Die Datierungen babylon. Urkunden lassen seinen Regierungsantritt direkt dem Regierungsende seines Vaters folgen. Griech. Autoren dagegen erwähnen zwei Halbbrüder als Zwischenkönige [1. 605; 3. 114–124]. Das babylon. Murašû-Archiv spiegelt Unruhen um die Thronfolge wieder [3. 32–34]. Nur aus griech. Quellen weiß man über Aufstände, die mit den Namen Arsites, → Pissuthnes und Terituchmes verbunden werden. Ktesias' sensationeller Stil hat die Nachrichten stark verzerrt.

Die Zwistigkeiten zw. Sparta und Athen (→ Peloponnesischer Krieg) nutzten die Satrapen → Tissaphernes und → Pharnabazos zu mil. Erfolgen im Westen Kleinasiens. Unter Alkibiades' Einfluß entschied sich Sparta für Tissaphernes. Die Perser hielten auch weiterhin zu Sparta und sandten 408 Kyros d.J., den Lieblingssohn der Parysatis, zur Unterstützung Spartas, wodurch dieses die Oberhand über Athen gewann.

Von D. sind nur wenige altpers. Inschr. erhalten, die ausschließlich von seiner Bautätigkeit in Susa zeugen. Er war der letzte Achaimenide, der in → Nasqš-i Rustam bestattet wurde.

1 BRIANT, 605–629 2 H. SANCISI-WEERDENBURG, Darius II., in: EncIr 7, 1994, 50f. 3 M. STOLPER, Entrepreneurs and Empire, 1985 4 J. WIESEHÖFER, Das ant. Persien, 1993.

[3] D. III., Thronname des Artašata, letzter Achämenidenkönig (336–330 v. Chr.). Der Beiname *Kodomannus* (nur bei Iust. 10,3,3 ff.) bleibt problematisch. D. III. gehörte nicht zum engsten Kreis der → Achaimenidai (zur Abstammung s. [1. 792]), und kam nur nach der Ermordung seiner beiden Vorgänger (→ Artaxerxes [3] III. und IV.), angeblich durch den Eunuchen → Bagoas, an die Macht. Er wurde von → Alexandros [4] d.Gr. in zwei Schlachten (Issos, Gaugamela) besiegt. D. selbst wurde durch zwei seiner Generäle auf der Flucht nach Baktria ermordet. Der Mord erlaubte Alexander, sich als Rächer D.' und so als legitimer König der Perser darzustellen.

1 BRIANT.

E. BADIAN, Darius III., in: AchHist 11 (im Druck) · BRIANT, 837–891 · C. NYLANDER, Darius III. the Coward King, in: Alexander the Great: Reality and Myth, 1993, 145–159.

[4] Ältester Sohn → Xerxes' I.; im August 465 v. Chr. mit seinem Vater ermordet (Diod. 11,69).

[5] Ältester Sohn → Artaxerxes' [2] II., von seinem Vater hingerichtet (Plut. Artaxerxes 26–29).

A. KU. u. H.S.-W.

Dareios-Maler. Apulischer Vasenmaler der Zeit um 340/320 v. Chr., benannt nach der Hauptgestalt der → Perservase. Auf seinen z. T. monumentalen Gefäßen (Volutenkratere, Lutrophoroi, Amphoren u.a.) behandelt er überwiegend Szenarien der klass. Tragödie (Euripides) bzw. Themen des griech. Mythos; davon sind einige nur in seinem Œuvre belegt. Andere Vasen zeigen Hochzeits-, Frauen-, Erosszenen und dionysische Motive, seltener sepulkrale Darstellungen (→ Naiskosvasen). Bemerkenswert ist seine Neigung, Personen und Darstellungen inschr. zu benennen (*Persai, Patroklu Táphos, Kreusa*). Für seine vielfigurigen Bilder nutzt er die gesamte Fläche des Vasenkörpers und legt die Kompositionen in zwei oder drei Zonen an, die er durch z. T. opulente ornamentale Friese voneinander trennt. Einige seiner Bilder nehmen Bezug zur Zeitgeschichte.

TRENDALL/CAMBITOGLOU, 482–522 · Dies., Second Supplement to the Red-figured Vases of Apulia, 1992, 145–154 · CH. AELLEN, J. CHAMAY, A. CAMBITOGLOU, Le peintre de Darius et son milieu, Ausst.-Kat. Genf 1986 · A. GEYER, Gesch. als Mythos, in: JDAI 108, 1993, 443–455.
R. H.

Dares (Δάρης).

[1] Troischer Hephaistospriester, dessen Söhne Phegeus und Idaios den Kampf gegen → Diomedes eröffnen. Während jener von Diomedes getötet wird, wird Idaios von Hephaistos gerettet (Hom. Il. 5,9–26).

G. S. Kirk, The Iliad: A Commentary, Bd. 2, 1990, 54 ·
P. Wathelet, Dictionnaire des Troyens de l'Iliade, Bd. 1,
1988, 408f.

[2] Gefährte des Aeneas, ausgezeichneter Faustkämpfer.
Bei den Leichenspielen zu Ehren des → Anchises wird
er jedoch wider Erwarten von Entellus besiegt (Verg.
Aen. 5,362–484; Hyg. fab. 273,17). Die vergilische Dar-
stellung ist dem Faustkampf des Epeios und Euryalos
(Hom. Il. 23,665ff.) frei nachgebildet [1].

1 R. Heinze, Virgils ep. Technik, ³1915, 154f.

L. Polverini, s.v. Darete, EV 1, 1000.   R. B.

[3] Der »Phryger D.« ist der fiktive Verf. einer angeblich
zeitgenössischen Schilderung des Trojanischen Krieges
(*Historia de excidio Troiae*). Der anonyme lat. Autor
(5. Jh. n. Chr.?) gibt sich als Cornelius → Nepos aus. Er
habe den von ihm aufgefundenen Bericht des D. übersetzt und veröffentlicht, um die Darstellung Homers zu
korrigieren. Der Autor hatte vermutlich eine griech.
Vorlage. Die knappe Chronik (die wahrscheinlich keine
→ Epitome ist) wurde im MA sehr geschätzt und poetisch ausgestaltet.

Ed.: F. Meister, 1873 (Ndr. 1991).
Lit.: A. Beschorner, Unt. zu D. Phrygius, 1992.   J. D.

Dargamanes. Fluß in → Baktria, der im Paroponisos
entspringt und sich westl. vom Zariaspes (Balḫāb) dem
→ Ochos anschließen soll, um mit diesem vereint in den
Oxos (→ Araxes [2]) zu münden. Faktisch gab es zwei
verschiedene, von Ptolemaios verwechselte Flüsse namens Ochos: den Zariaspes (Balḫāb) und den Harērud
Nur der erste kann gemeint sein, mit dem der Oxos sich
vereinigt, nachdem der D. oder Qunduz-Fluß (arab.
Nahr al-Ḍarġm̃) in letzteren eingemündet ist. Ptolemaios (oder sein Vorganger Marinos) irrte sich weiter,
indem er diesen D. mit einem homonymen Kanal bei
Marakanda (Samarkand) verwechselte.

J. Markwart, Wehrot und Arang, 1938.   J. D.-G. u. B. B.

Dargoidos. Fluß in → Baktria, der im Paropanisos entspringt und in nordwärts gerichtetem Lauf östl. vom
Zariaspes dem Oxos (→ Araxes [2]) zufließt, der vorher
das Gebiet von Choana (h. Qunduz) mit Wasser versorgt hat.

W. Henning, Surkh Kotal, in: BSO(A)S, 1956, 366f. ·
Ders., The Bactrian inscription, in: BSO(A)S, 1960, 47–55.
                                                         J. D.-G. u. B. B.

Darioritum. Hauptort der Veneti in der Gallia Lugdunensis, h. Vannes am Golf von Morbihan. Belegstellen: Ptol. 2,8,6; Tab. Peut. (*Dartoritum*); Not. Galliarum
3,8 (*civitas Venetum*). Zur röm. Kaiserzeit wohlhabend,
wurde D. in den unruhigen Zeiten des 3. Jh. von einem
Mauerring geschützt, der – was die Überreste zeigen –
nur einen Teil von D. umschloß. Inschr.: CIL 13, 3140f.

L. Pape, La Bretagne romaine, 1995.   Y. L.

Dark Ages s. Dunkle Jahrhunderte; s. Textgeschichte

Darlehen
I. Alter Orient   II. Griechenland   III. Rom

I. Alter Orient

Als vertragliche Leistung, bei der der Empfänger von
Geld oder anderen vertretbaren Sachen zur Rückgabe
bzw. Gegenleistung verpflichtet wird, ist das D. in Mesopotamien von der Mitte des 3. Jt. v. Chr. [1. 141–145]
bis in hell. Zeit [2. 43–45; 3. 119] bezeugt [4. 189–203].
Als Gläubiger traten sowohl Privatpersonen als auch
(Vertreter von) Institutionen (Tempel, Palast) in Erscheinung. Gegenstand des D. waren vor allem Silber
und Gerste, daneben auch andere Metalle bzw. Naturalien oder Produkte. Das D., bei dem es sich zumeist
um ein Verbrauchs-D. handelte, konnte zinslos oder
zinspflichtig sein. Bei Gerste betrug der Zinssatz in der
Regel 33⅓ %, bei Silber 20 % (in Babylonien; in Assyrien waren die Sätze oft höher [5. 40–43]). Für den
Fall der nicht termingerechten Zahlung (häufig zur Ern-
tezeit) konnten Verzugszinsen bzw. strafweise zu er-
bringende Leistungen vereinbart werden. Als Mittel der
Vertragssicherung dienten → Bürgschaft und Pfand. Bezeugt sind Zins-Antichrese in Form von Dienstleistungen sowie die *datio in solutum* [6]. In Mesopotamien
dominierte der Realvertrag; allein im Rahmen des
Rechts- und Geschäftsverkehrs der altassyr. (19./18.
Jh. v. Chr.) und der neu- bzw. spätbabylon. Zeit (7.–4.
Jh. v. Chr.) war der Verpflichtungsschein als (abstrakte)
Schuldurkunde vorherrschend [7. 9–24]. Texte aus dem
Iran [8. 129f.] und aus Ägypten [9. 18, 30f.] bezeugen
auch für diese Regionen das D.

1 P. Steinkeller, The Renting of Fields in Early
Mesopotamia and the Development of the Concept of
»Interest« in Sumerian, in: Journ. of the Economic and
Social History of the Orient 24, 1981, 113–145
2 U. Lewenton, Stud. zur keilschriftlichen Rechtspraxis
Babyloniens in hell. Zeit, 1970 3 J. Oelsner, Recht im hell.
Babylonien: Tempel-Sklaven-Schuldrecht, in: M. J. Geller
H. Maehler (Hrsg.), Legal Documents of the Hellenistic
World, 1995, 106–148 4 J. Renger, On Economic
Structures in Ancient Mesopotamia, in: Orientalia 63, 1995,
157–208 5 J. N. Postgate, Fifty Neo-Assyrian Legal
Documents, 1976 6 H. Petschow, Die *datio in solutum* in
der keilschriftlichen Rechtsüberlieferung, in: ZRG 99,
1982, 278–296 7 Ders., Neubabylon. Pfandrecht, 1956
8 M. San Nicolò, s. v. D., RLA 2 9 E. Seidl, Altägypt.
Recht, in: HbdOr Erg.-Bd. 3, 1964, 1–48.

W. Helck, s. v. Darlehen, LÄ 1, 1975, 993 · H. Lutzmann,
Die neusumer. Schuldurkunden, 1976 · M. San Nicolò,
s. v. D., RLA 2, 1938, 123–131 · A. Skaist, The Old
Babylonian Loan Contract, 1994.   H. N.

II. Griechenland
(auch → *dáneion*). In der Subsistenzwirtschaft der archa. Zeit gewährten Bauern Natural-D. als Nachbar-
schaftshilfe (Hes. erg. 349–351). Um 600 v. Chr. führte
in Athen eine Schuldenkrise zu sozialen Unruhen.

Schuldsteine (→ *horoi*) auf den Feldern machten die hypothekarische Belastung kenntlich. Zahlungsunfähigkeit führte zum Verlust des Ackers oder zum Zugriff auf die Person des Schuldners, der in die Sklaverei verkauft werden konnte. Zum Schlichter eingesetzt, hob Solon alle Schulden auf (→ *seisachtheia*) und verbot durch Gesetz den Zugriff auf die Person des Schuldners (Aristot. Ath. pol. 6). Die Zinshöhe wurde nicht gesetzlich begrenzt. Der athenische Tyrann Peisistratos soll bedürftigen Bauern D. gewährt haben (Aristot. Ath. pol. 16,2–3). In anderen Städten bestand das Zugriffsrecht auf den D.-Schuldner fort; Zins- oder Schuldentilgung wurde gefordert.

Mit dem Aufkommen des Münzgelds nahm das D.-Geschäft zu. Neben Privatleuten waren Städte, Tempel, Banken, Vereine und Stiftungen D.-Geber. D. konnten mündlich und – mittels einer Schuldurkunde (συγγραφή; später auch χειρόγραφον) – schriftlich gewährt werden. In beiden Fällen war die Anwesenheit von Zeugen üblich. Häufig wurde ein Zinssatz von 12% gefordert, doch auch niedrigere und höhere Zinssätze sind belegt. In der Regel forderte der D.-Geber eine Bürgschaft oder ein Pfand als Sicherstellung. Neben lit. Quellen geben über 200 erhaltene *hóroi* Auskunft über die bei D. und Mitgiften gewährten Sicherheiten. D. wurden aufgenommen zur Finanzierung von → Leiturgien, Mitgiften und Bestattungen, Erwerb und Betrieb geschäftlicher Unternehmungen oder Minenanlagen, zu Kauf oder Melioration von Ackerland. Nach FINLEY und MILLETT sind – mit Ausnahme der See-D. – die weitaus meisten D. konsumtiv. Nach THOMPSON [20] und STANLEY [19] hingegen überwiegen in den wenigen Fällen, bei denen der Zweck bekannt ist, produktive D. Eine bes. Gruppe bilden See-D., welche ἔμποροι (→ *émporoi*) und ναύκληροι (→ *naúklēroi*) zum Kauf von Handelswaren aufnahmen (Demosth. 34,6f.; 35,10–13; 35,51). Die Ladung bzw. das Schiff dienten als Sicherheit, so daß bei Havarie oder Verlust der Ladung der D.-Geber die als D. gewährte Summe verlor. Wegen des hohen Risikos lag der Zinssatz über dem üblichen Wert. Seit dem 5. Jh. v.Chr. bezeichnet ἔρανος (→ *éranos*) ein durch Beiträge von Verwandten, Freunden oder Vereinsmitgliedern getragenes, zinsloses D., für das keine Sicherheiten gefordert wurden.

In hell. Zeit bestanden die unterschiedlichen D.-Formen fort: durch Bürgen gesicherte D., D. mit Sicherheitsübereignung einer Sache und D. mit Haftung des gesamten Vermögens, das bei Nichtrückzahlung der Vollstreckung des Gläubigers unterworfen war, sowie See- und Eranos-D. In Delos wurden von der Tempelkasse zeitlich nicht begrenzte D. zum Zins von 10% gewährt, deren Zweck meist unbekannt ist. In anderen griech. Städten gewährten mit Geldvermögen ausgestattete Stiftungen D.; aus den Zinsen wurden Getreideverteilungen und Opferfeste finanziert (IDidyma 488; Syll.³ 976). Im hell. und röm. Ägypten sind auf Papyri als D.-Form das δάνειον (*dáneion*) und als Verwahrung die παραθήκη (*parathékē*), deren Formular auch für Kredit-

zwecke benutzt wurde, bezeugt. Der Verwendungszweck der D. ist nur in wenigen Fällen bekannt.

III. ROM

Auch im frühen Rom stand dem Gläubiger ein Zugriffsrecht auf den zahlungsunfähigen Schuldner zu (→ *nexum*). Dieser wurde nach dem Zwölftafelgesetz (3,2–5) der → *manus iniectio* unterworfen. Fand er keinen Bürgen, konnte ihn der Gläubiger in Ketten legen und, wenn er nicht ausgelöst wurde, töten oder als Sklave verkaufen. In anderen Fällen übergaben sich Schuldner mittels *nexum* dem Gläubiger und leisteten ihm Arbeitsdienste. Die *lex Poetelia* (wohl 326 v.Chr.) verbot den Zugriff auf die Person des zahlungsunfähigen Schuldners (Liv. 8,28,8f.; Varro ling. 7,105). Im Zwölftafelgesetz (8,18) wurde der Zinssatz begrenzt (*fenus unciarium*), in späterer Zeit weiter gesenkt (Liv. 7,27,3: *fenus semunciarium*). Liv. 6,35,4; 7,42,1 und Tac. ann. 6,16 berichten von Zinstilgungen und grundsätzlichem Zinsverbot in der frühen Republik. Neben dem förmlichen *nexum* entwickelte sich das formlose *mutuum* als Gelegenheits- und Freundschafts-D., das im Laufe der Zeit das *nexum* verdrängte und allg. ein D.-Geschäft bezeichnete. Die röm. Republik nahm zur Deckung ihrer Ausgaben normalerweise keine D. auf. Neben Privatleuten traten auch Banken als D.-Geber auf. Röm. Senatoren hielten sich wegen des Risikos und aus Standesethos bei produktiven D. zunächst zurück. Die Beteiligung Catos d. Älteren an See-D. war eher atypisch (Plut. Cato 21,6).

In der späten röm. Republik gewährten Geldverleiher Angehörigen der Nobilität in gigantischem Ausmaß D. zur Finanzierung polit. Karrieren und für Zwecke des polit. Kampfes. Die Übernahme einer Promagistratur in einer Prov. gestattete die Rückzahlung der D. Reiche Senatoren wie M. Licinius Crassus oder C. Iulius Caesar haben sich Politiker durch Gewährung von teilweise zinslosen D. oder Begleichung von deren Schulden verpflichtet. *Equites* und Senatoren zogen große Gewinne aus D., die sie Provinzialstädten und Klientelkönigen zur Zahlung ihrer Steuern und Abgaben gewährten. Der von Sulla der Prov. Asia auferlegte Tribut von 20000 Talenten nötigte die Provinzialen zu hohen D., die erst nach zinsbegrenzenden Maßnahmen des Lucullus getilgt werden konnten (Plut. Lucullus 20). Wegen der hohen Verschuldung wurde im 1. Jh. v.Chr. Schuldentilgung (→ *tabulae novae*) gefordert, wie sie Catilina 63 v.Chr. versprach (Sall. Catil. 21,2). Um die Furcht vor einer allg. Schuldentilgung auszuräumen, ergriff Caesar Maßnahmen zur Feststellung, aber auch Minderung der Schulden (Caes. civ. 3,1,2–3; Suet. Iul. 42,2). Als 33 n.Chr. D.-Geber wegen Gesetzesverstößen angeklagt wurden, forderten sie alle D. gleichzeitig zurück. Die Schuldner liefen Gefahr, ihren Grundbesitz an die Wucherer zu verlieren. Um *dignitas* und *fama* der Schuldner zu erhalten, gewährte Kaiser Tiberius 100 Millionen HS als zinslose D. (Tac. ann. 6,16f.; Suet. Tib. 48,1).

Die spezifische Form des See-D. (*fenus nauticum; pecunia traiecticia*), aus dem Griech. übernommen, ist auch für die röm. Kaiserzeit belegt (Dig. 45,1,122,1); wegen des Risikos waren hohe Zinssätze berechtigt. Iustinian setzte maximale Zinssätze für See-, Geschäfts- und private D. fest.

→ Nexum; Tabulae novae; DARLEHENSRECHT

1 J. ANDREAU, La vie financière dans le monde romain, 1987 2 Ders., Modernité économique et statut des manieurs d'argent, in: MEFRA 97, 1985, 373–410 3 D'ARMS, 20–47 4 R. DUNCAN-JONES, Money and Government in the Roman Empire, 1994 5 FINLEY, Ancient Economy 6 Ders., Studies in Land and Credit in Ancient Athens (500–200 B. C.), ²1985 7 E. M. HARRIS, Women and Lending in Athenian Society, in: Phoenix 46, 1992, 309–321 8 JONES, Economy, 118 f. 9 KASER, RPR 1 10 H. KÜHNERT, Zum Kreditgeschäft in den hell. Papyri Ägyptens bis Diokletian, 1965 11 MARTINO, WG, 166–176 12 MILLETT 13 Ders., Maritime Loans and the Structure of Credit in Fourth-Century Athens, in: GARNSEY/HOPKINS/WHITTAKER, 36–52 14 G. REGER, Private Property and Private Loans on Independant Delos (314–167 B.C.), in: Phoenix 46, 1992, 322–341 15 RHODES, ¹1981 16 H. A. RUPPRECHT, Unt. zum D. im Recht der graeco-aegypt. Papyri der Ptolemäerzeit, 1967 17 H. SCHNEIDER, Wirtschaft und Politik, 1974, 205–241 18 I. SHATZMAN, Senatorial Wealth and Roman Politics, 1975, 75–83; 135–142 19 PH. V. STANLEY, The Purpose of Loans in Ancient Athens: A Reexamination, in: MBAH 9,2, 1990, 57–73 20 W. E. THOMPSON, The Athenian Entrepreneur, in: AC 51, 1982, 53–85 21 C. VIAL, Délos indépendante, 1984 22 K.-W. WELWEI, Athen, 1992.　　　　W.S.

Dasius. Messapischer Name in lat. Form (SCHULZE, 39, 44; ThlL Onom. s. v. D.). Angesehene Namensträger in Apulien (bes. aus Arpi und Salapia), waren noch im zweiten Punischen Krieg romfeindlich.　　　ME.STR.

[1] D. aus Brundisium, 218 v. Chr. Kommandant der bundesgenössischen Besatzung von → Clastidium mit großem röm. Vorratslager, das er an Hannibal nach dem Sieg am Ticinus gegen 400 Goldstücke verriet (Pol. 3,69; Liv. 21,48).

[2] Führer der prokarthagischen Partei in Salapia, ließ sich 210 von seinem proröm. Rivalen Blattius zum Verrat der Stadt an Claudius [I 11] Marcellus überreden, wobei die Karthager 500 numidische Reiter verloren (Liv. 26,38).

[3] D. Altinius, angesehener Aristokrat aus Arpi. Er verriet seine Stadt 216 v. Chr. an Hannibal und bot 213 deren Rückgewinnung den Römern an, die ihn in → Cales inhaftierten, indes seine Familie von der punischen Besatzung in Arpi getötet wurde (Liv. 24,45).　　L.-M.G.

Daskusa (Δασκοῦσα, *Dascusa*). Stadt und Festung am Euphrates-Limes in Kappadokien (Strategie Melitene) an der Grenze zur *Armenia minor* (Plin. nat. 5,84; 6,27; Oros. 1,2,23; Ptol. 5,6,19; 21 trennt irrig D. und Dagusa), später zur *Armenia II* gerechnet, an der Straße Satala – Melitene (Itin. Anton. 209,3), bei Ağın, Elazığ

lokalisiert. Im 4. Jh. Standort der *ala Auriana* (Not. dign. or. 38,22). Befestigter Siedlungshügel und spätant. Festung (Pağnık Öreni) [1; 2; 3]. Das Militärlager wurde 80/82 n. Chr. errichtet [4].

1 R. P. HARPER, Ü. SERDAROĞLU, in: Keban Project 1968–1972 (1970–1976) 2 AS 21, 1971, 48 f. 3 AS 23, 1973, 14 f. 4 T. B. MITFORD, Some inscriptions from the Cappadocian Limes, in: JRS 64, 1974, 172 f. (Truppe unrichtig ergänzt).

W. RUGE, s. v. D., RE 4, 2219 · R. P. HARPER, s. v. D., PE 258 f. · HILD/RESTLE, 169 f.　　　K.ST.

Daskyleion (Δασκυλεῖον, Δασκύλιον).
[1] Stadt in Bithynia, Mitglied des → Attisch-Delischen Seebundes, deren Name in dem ON Eşkel Liman (h. Esence) an der Küste der Propontis westl. von Apameia Myrleia vermutet wird (Plin. nat. 5,143; Steph. Byz. s. v. *Brýllion*).

[2] Eine bedeutendere Ortschaft D. am SO-Ufer des Daskylitis-Sees (h. Manyas oder Kuşgölü) bei Hisartepe nahe des Dorfes Ergili wurde 1952 von K. BITTEL und E. AKURGAL entdeckt (von AKURGAL begonnene Ausgrabungen 1954–1960, seit 1988 von T. BAKIR-AKBAŞOĞLU fortgeführt). Wie arch. Funde zeigen, war dieser Ort schon im 2. Jt. v. Chr. bewohnt und wurde nach dem Troian. Krieg von aiol. Kolonisten besiedelt (Strab. 13,1,3). Ausgrabungen brachten aus dieser Zeit Stadtmauern und polierte, graue Keramik, die Parallelen in Thrakia und Makedonia hat, zum Vorschein. Reste von Stadtmauern, Grundmauern eines Tempels der Kybele samt einem mit Kult-Objekten gefüllten *bóthros*, marmorne Votivinschr. in phryg. Sprache und Graffiti auf Tonscherben zeigen, daß dieser Ort bereits vom 8. Jh. v. Chr. an von phryg. Bevölkerung besiedelt war, ebenso wie die Umgebung nach lit. Quellen (Hom. Il. 24,545; Hdt. 3,90; Hell. Oxyrh. 22,3). Möglicherweise wurde die phryg. Bevölkerung durch Einwanderer aus dem nördl. Teil von Phrygia Megale in Zentral-Kleinasien verstärkt. Die Stadt geriet unter lyd. Herrschaft (Nikolaos von Damaskos, FGrH 90 F 63) und wurde nach Daskylos, dem Vater des lyd. Königs Gyges, benannt (Hdt. 1,8; Paus. 4,21): Zu dieser Zeit wurden att. Vasen nach D. importiert, wie z. B. Kratere des Lydos und des Gorgo-Malers.

D. ist v. a. berühmt als Residenz des pers. Satrapen des phryg. Hellespontos (Hdt. 3,120; 126; 6,33; Thuk. 1,129,1) und diente 395 v. Chr. → Agesilaos [2], dem spartan. König, als Winterquartier während seines Feldzugs gegen Pharnabazos. Lebendige Schilderung bei Xen. Hell. 4,1,15: viele reiche Ortschaften, *parádeisoi* (»eingezäunte Jagdparks«) ein fischreicher Fluß, Vögel in Hülle und Fülle; in der Nähe ist h. ein bed. Naturschutzgebiet (Kuşcenneti). Aus früher achäm. Zeit stammen ein ion. Votiv-Kapitell und andere architektonische Überreste; ferner findet sich eine griech.-pers. Stele mit Reliefs, die eine Zeremonienszene darstellen. Att. Vasen des Amasis-Malers, des Euphronios u. a., am Ort gefunden, bezeugen den Wohlstand und die Kultur der Satrapen. Eine aram. Inschr. auf einem »Türstein« aus dem 6. Jh. v. Chr. weist diesen als Grabstein eines Juden Pedejah, der in seiner Gemeinde ein rel. Amt innehatte, aus. Ein Heiligtum des Zarathustra, durch eine *témenos*-Mauer umfaßt, und Reliefs, die *mágoi* mit Opfertieren darstellen, stammen aus mittelachäm. Zeit. Nach der Schlacht am Granikos wurde der pers. Palast von Parmenion kampflos übernommen (Arr. an. 1,17,2): Im Gegensatz zum Bericht bei Arrian zeigen Ausgrabungen, daß D. gegen die Makedonen verteidigt wurde. Unter röm. Herrschaft war die Gegend um D. wahrscheinlich für gewisse Zeit Kyzikos unterworfen (Strab. 12,8,11). In byz. Zeit bischöfliche Diözese von Nikomedeia.

T. BAKIR-AKBAŞOĞLU, Phryger in D., in: M. SALVINI (Hrsg.), Atti del Convegno internazionale »Frigi e Frigio« (16–17 ottobre 1995), 1997 • W. RUGE, s. v. D. (5), RE 4, 220. T. D.-B. u. T. B.–A./Ü: I. S.

Daskylos (Δάσκυλος).

[1] Sohn des Tantalos und der Anthemoisia, Vater des Lykos, König der Mariandyner in Bithynien (schol. Apoll. Rhod. 2,724; 752). D. oder sein Sohn Lykos nehmen → Herakles während seines Zuges auf der Suche nach dem Gürtel der Hippolyte freundlich auf. Herakles hilft ihnen dafür, die benachbarten Völker zu unterwerfen (Apoll. Rhod. 2,775–791; Apollod. 2,100).

[2] Sohn des Lykos, Enkel des D. [1]. Sein Vater gibt ihn den → Argonauten als Wegführer mit. Auf der Rückfahrt wird er wieder abgesetzt (Apoll. Rhod. 2,802–805; 4,298); → Daskyleion.

[3] Vater des → Gyges (Hdt. 1,8; Paus. 4,21,5; Anth. Pal. 7,709, dort Daskyles). R. B.

Dassaretia. Region in Süd-Illyricum nahe der westl. Grenze von Makedonia (Liv. 42,36,9; vgl. Plin. nat. 3,145; 4,3; Mela 2,55; Strab. 7,5,7; 5,12; Steph. Byz. s. v. D.) zw. den Königreichen der Illyrioi und der Makedones, vom *Lychnidus lacus* (h. Ohrid See; Ptol. 3,13,32; Liv. 43,9,7) bis Antipatrea (h. Berati, Albanien) entlang des oberen (H)apsus (Semani, Albanien). Skerdilaidas und Philippos V. kämpften 217 v. Chr. um die Städte Antipatrea, Chrysondyon und Gertus (Polyb. 5,108), ansonsten werden nur *vici* und *castella* erwähnt. D. wurde von Philippos erobert. 200–199 v. Chr. wurde D. durch den *consul* Sulpicius und seinen Legaten L. Apustius im 2. Maked. Krieg durchquert (Liv. 31,33). 167 v. Chr. erklärten die Römer D. für frei; D. blieb als Teil des röm. Protektorats in Süd-Illyricum außerhalb der Grenzen von Macedonia. Ab Mitte des 2. Jh. v. Chr. gehörte D. zur *prov. Macedonia*. Ein *koinon* der Dassaretae ist bezeugt. Inschr. aus röm. Zeit zeigen an, daß D. eine Verwaltungseinheit mit eigenen Magistraten war; ihr Zentrum war Lychnidos.

G. ZIPPEL, Die röm. Herrschaft in Illyrien bis auf Augustus, 1877, 60 ff. • F. PAPAZOGLOU, Les villes de Macédoine à l'époque romaine, BCH Suppl. 16, 1988. M. Š. K./Ü: I. S.

Dasumia

[1] Möglicherweise Frau von Calvisius [4].

SYME, RP 5, 526 f.

[2] D. Polla. In CIL VI 10229 und AE 1976, 77 [= 1] (vgl. AE 1978, 16) genannt. Wohl Frau von Domitius [II 25] und vielleicht von Tullius Varro.

1 W. ECK, in: ZPE 30, 1978, 277 ff. 2 SYME, RP 5, 521 ff.

Dasumius

[1] Angeblich Erblasser in dem durch CIL VI 10229 überlieferten Testament; ein neues Fragment (AE 1976, 77 = AE 1978, 16) zeigt, daß dies nicht zutrifft [1]. Vgl. Domitius [II 25].

1 W. ECK, Zum neuen Fragment des sogenannten *Testamentum Dasumii*, in: ZPE 30, 1978, 277 ff.

[2] (L. D.) Hadrianus. Wohl aus Cordoba stammend; *cos. suff* im J. 93, *proconsul Asiae* ca. 106/107 [1; 2; 3]. Vermutlich mit Dasumia [2] verwandt.

1 VIDMAN FO², 44, 85 2 W. ECK, in: Chiron 12, 1982, 43 3 SYME, RP 5, 521 ff.

[3] P. D. Rusticus. Wohl adoptiert von D. [2], natürlicher Sohn von P. Tullius Varro aus Tarquinii; sein Sohn ist D. [4]. *Cos. ord.* im J. 119 mit Hadrian; Urheber des *senatus consultum Dasumianum.* PIR² D 15.

SYME, RP 5, 521 ff.

[4] L. D. Tullius Tuscus. Sohn von D. [3]. Seine lange Laufbahn ist in CIL XI 3365 = ILS 1081 überliefert. Quaestor von Antoninus Pius; nach nur einem praetorischen Amt als *praef. aerarii Saturni* wurde er im J. 152 *cos. suff.*, Legat von Germania superior ca. 155–158 und von Pannonia superior zu Anfang der Zeit Marc Aurels. PIR² D 16.

ECK, Statthalter 63 f. W. E.

Datames (Koseform aus altpers. *Datamithra-*). Sohn des Karers Kamisares, Satrap des südl. Kappadokien, und einer paphlagonischen Prinzessin, diente am Hof → Artaxerxes' [2] II. und nahm am Kadusierkrieg teil. Nach dem Tode des Vaters wurde D. Satrap des südl. Kappadokien. Seine Macht wuchs, bis er schließlich ganz Kappadokien für die Perser verwaltete. Er zeichnete sich bei der Unterwerfung Paphlagoniens und Kataoniens aus und wurde zum Feldherrn des gegen Ägypten aufgestellten Heeres ernannt. Trotz (oder wegen) dieser großen Verdienste traf ihn Verdacht am Hof; um 370 v. Chr. empörte er sich gegen den König; 362 v. Chr. wurde er ermordet. Sein Leben ist gut bekannt durch die Biographie, die ihm Cornelius Nepos gewidmet hat.

BRIANT, Index s. v. D. • N. SEKUNDA, Some Notes on the Life of Datames, in: Iran 26, 1988, 35–53.

Dataphernes (altpers. **Datafarnah-*). Sogdier, der zusammen mit → Spitamenes, → Bessos an Alexander d. Gr. auslieferte (329 v. Chr.); beteiligte sich am Aufstand gegen Alexander, bis die → Daher ihn gefangen an Alexander übergaben (328/7 v. Chr.). Quellen: Arr. an. 4,1,5; 4,17,7; Curt. 7,5,21; 8,3,1–16.

> F. HOLT, Alexander the Great and Bactria, 1989, 52, 65 · M. MAYRHOFER, Onomastica Persepolitana, 1973, 149, Nr. 8.367.   A.KU. u. H.S.-W.

Datetai (Δατηταί). »Aufteiler«, von den Parteien gewählte private Schiedsrichter, die in Athen die Auseinandersetzung unter Miterben durchzuführen hatten. Das Verfahren wurde durch eine private Teilungsklage, δίκη εἰς δατητῶν αἵρεσιν (Aristot. Ath.pol. 56,6), gegen den Miterben eingeleitet, der sich einer Auseinandersetzung widersetzte. Für die Annahme der Klage war gewöhnlich der Archon zuständig, ausnahmsweise der Polemarchos, wenn die Klage sich gegen einen Metoikos richtete (→ Archontes [I]). Über die Vornahme oder Ablehnung der Teilung entschied ein Gerichtshof (→ Dikasterion). Später wurde die Klage vermutlich auch auf die Teilung eines nicht auf Erbschaft beruhenden Miteigentums erstreckt (Harpokr. s. v. δατεῖσθαι).

> A.R.W. HARRISON, The Law of Athens I, 1968, 243 · P.J. RHODES, A Commentary on the Aristot. Ath. Pol., 1981, 631.   G.T.

Datianus. Freund des Libanios (Lib. epist. 409; 441 u. a.). Er war zunächst *notarius* (Lib. or. 42,24 f.), diente unter Constantinus [1] dem Gr., war später Ratgeber des Constantius II. (Lib. epist. 114; 490). Er wurde *patricius* und 358 n. Chr. *consul*. 346 suchte er als *comes* Athanasios zur Rückkehr nach Alexandreia zu bewegen (Athan. hist. Ar. 22). 351 war er in der Kommission, die über die Ketzerei des Photinus zu urteilen hatte (Epiphanios, adv. haer. 71). 364 befand er sich im Gefolge des Kaisers Iovian (Philostorgios hist. eccl. 8,8). Er hielt sich lange in Antiocheia auf und schmückte die Stadt mit prächtigen Bauten (Lib. epist. 114; 1033). D. war Christ (epist. 81). PLRE 1, 243 f. D. (1).
→ Libanios   W.P.

Datierung s. Handschriften; Papyri; Schriftstile

Datierungssysteme s. Zeitrechnung

Datis (Δᾶτις). Tragiker aus Thorikos, Sohn des Karkinos (Aristoph. Pax 289ff. mit schol. R V; s.a. TrGF 21); D. ist vielleicht ein Spitzname des Xenokles (TrGF 33), s.a. [1. 283–285].

> 1 DAVIES 2 TrGF 34.   F.P.

Daton (Δάτον, Δάτος). Thrakische Landschaft nordöstl. des Pangaiongebirges; hier lag die thasische Bergwerkskolonie Krenides, die ca. 356 v. Chr. von Philippos II. erobert wurde und in der Neugründung Philippoi aufging.   MA.ER.

Dattel s. Gartenbau

Daulis, Daulia (Δαυλίς, Δαυλία). Stadt der östl. Phokis, ca. 1 km südl. von Dhavleia. Ihre Lage auf einem Ausläufer des Parnassos machte sie auf natürliche Weise schwer zugänglich und verlieh ihr strategische Bed., weil durch sie sowohl der Engpaß zw. dem unteren und dem oberen Kephisos-Tal als auch die Straße von → Chaironeia nach → Delphoi kontrolliert werden konnten (Hell. Oxyrh. 13,5; Liv. 32,18,7). Etym. ist ihre Bezeichnung abzuleiten vom Namen der Nymphe D. (Paus. 10,4,7) oder aber von einer geogr. Bezeichnung (δαυλός, »dicht bewachsener Boden«, Strab. 9,3,13). Anfangs Sitz einer thrak. *dynasteía* (Thuk. 2,29,3), taucht sie im homer. Verzeichnis phokischer Städte auf (Hom. Il. 2,520). 480 v. Chr. von den Persern in Brand gesetzt, wurde sie 346 v. Chr. von Philippos II. zerstört. D. wird von Hierokles noch als *pólis* erwähnt (Synekdemos 643,10) und in byz. Zeit ebenfalls (Steph. Byz. s. v. D.; Konst. Porphyr. de them. 89). Vom 9. Jh. an war sie ein bed. Bischofssitz (Not. episc. 533). Auf der Akropolis befinden sich noch Reste des Stadtmauerrings, die auch Ruinen der Kirche des hl. Theodoros umschließen.

> J.M. FOSSEY, The Ancient Topography of Eastern Phokis, 1986, 46–49 · MÜLLER, 461 · N.D. PAPACHATZIS, Παυσανίου Ἑλλάδος Περιήγησις [Pausaníu Helládos Periégēsis], 5, ²1981, 461 · F. SCHOBER, Phokis, 1924, 27f. · TIB I, 142f. · L.B. TILLARD, The Fortifications of Phokis, in: ABSA 17, 1910/1, 54–75.   G.D.R./Ü:R.P.L.

Daunia (Δαυνία). Die Landschaft D. entspricht ungefähr dem nördl. Teil vom h. Apulien; ihr schließlich in die *regio II* eingegliedertes Gebiet (Plin. nat. 3,103) kann aber nicht leicht bestimmt werden. Angesichts der Bed. von Flüssen für die ant. Geogr. können als Grenze im Norden der Fortore (Fertor bei Ptol. 3,1,14), im Süden der Ofanto (*Aufidus* bei Plin. nat. 3,103–105) angesehen werden (Hor. sat. 2,1,34 f.: *Venusia* als Grenzstadt; vgl. auch Mela 2,66; Strab. 6,3,8; Pol. 3,88). Im Gegensatz zu dem histor. unbedeutenden Küstengebirge des *mons Garganus* lassen arch. Grabungen den Schluß zu, daß sich D. im Landesinneren bis nach Lavello, Melfi und Banzi erstreckte. Obgleich schon mit der Romanisierung (das erste röm.-apulische Bündnis von Liv. 8,25,3 auf 326 v. Chr. datiert) sich in D. wirkliche Städte bilden, sind doch erst während des 2. Pun. Krieges Städte wie z. B. Aecae, Arpi, Vibinum, Herdonia, Salapia, Canusium, Teanum Apulum und Ausculum entstanden, dazu zwei Kolonien (Luceria und Venusia, röm. Kolonie 291 v. Chr.) und ländliche *vici* wie Cannae und Gereonium. Das Straßennetz basierte auf der *via Litoranea*, der *via Traiana* (mit vorröm. Vorläufer; Liv. 9,2,6–8) und der *via Appia*, die das Landesinnere von D. parallel zur Küste durchquerte.

> G. ANGELINI, G. CARLONE, Atlante storico della Puglia 1. La Provincia di Foggia, 1986 · A. BOTTINI, P.G. GUZZO, Greci e indigeni nel sud della penisola dall' VIII secolo a.C. alla

conquista romana, in: Popoli e civiltà dell'Italia antica 8, 1986, 9–390 • E. M. DE JULIIS, L'origine delle genti iapigie e la civiltà dei Dauni, in: G. PUGLIESE CARRATELLI (Hrsg.), Italia omnium terrarum alumna, 1988, 591–650 • A. GRILLI, I geografi antichi sulla D., in: Atti del XIII Convegno di Studi Etruschi e Italici »La civiltà daunia nel quadro del mondo italico, Manfredonia 1980«, 1984, 83–92 • M. MARIN, Topografia storica della D. ant., 1970 • G. VOLPE, La D. nell'età della romanizzazione, 1990.

S. D. V./Ü: R. P. L.

Daunische Vasen. Keramikgattung der Italiker aus den heutigen Prov. um Bari und Foggia mit lokalen Produktionsorten bes. in Ordona und Canosa.

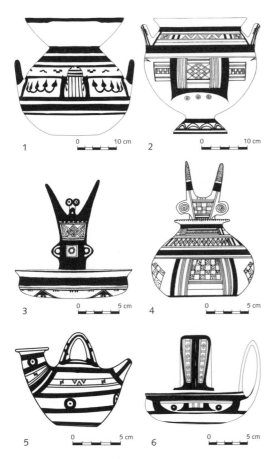

Daunische Vasen:
1. Trichtergefäß 2. Fußkrater 3. Schale mit anthropomorphem Griff 4. Kanne mit anthropomorphem Griff 5. Askos 6. Schale mit Schlangenhenkel

Seit der Frühphase (um 700 v. Chr.) zeigen die Gefäße ein vom griech. Motivschatz unabhängiges geom. Dekor, das in roter und braun bis schwarzer Erdfarbe auf die handgeformten Gefäße aufgetragen wird. Dazu gehören Rauten-, Dreiecksmuster und Bandornament, Wellenlinie, Kreis, Kreuz, Quadrat, Bogen, Swastika

u. a. (→ Ornament). Auch bei den Vasenformen erfolgte eine anfangs von griech. Vorbildern unabhängige Entwicklung. Die typischen Gefäße der in zwei Gruppen (nord- und süddaunische Keramik) eingeteilten D. V. sind der Fußkrater, Askos, Trichtergefäß und fußlose Schale mit Schlaufenhenkel; auffällig sind die Hand-, Tier- und anthropomorphen Protomen an den Wandungen und Henkeln bzw. deren zeichnerische Wiedergabe auf den Gefäßen. Im 5. Jh. v. Chr. übernimmt man die → Drehscheibe, im Verlauf des 4. Jh. v. Chr. auch griech. Dekorationsformen. Ab 330 v. Chr. sind Glocken-, Kolonettenkrater, Kantharos und Kalathos häufiger. In der Jung-Canosiner Stufe (ca. 350 – 250 v. Chr.) enden die traditionellen Dekorformen zugunsten von Efeu- und Palmettenfriesen, »Laufendem Hund«, figürlichen Darstellungen u. a. Dominant sind jetzt nur wenige Gefäßformen: Doppelgefäß, Kolonettenkrater, Amphora, Askos, Thymiaterion.

D. YNTEMA, The Matt-Painted Pottery of Southern Italy, [2]1990.

R. H.

Daunos (Δαῦνος).
[1] Namengebender Heros der Daunier (→ Daunia); Sohn des → Lykaon. Illyrischer Herkunft (Paul. Fest. p. 69), wanderte er zusammen mit seinen Brüdern Iapyx und Peuketios nach It. ein. Dort vertrieben sie die ansässigen Ausoner und gründeten drei Reiche: Messapien, Peuketien und Daunien, zusammen → Iapygien genannt (Nik. fr. 47 = Anton. Lib. 31). Als → Diomedes nach It. kommt, nimmt ihn D. freundlich auf und wird von ihm gegen die Messapier unterstützt. Diomedes erhält dafür einen Teil des Landes und D.' Tochter zur Frau (Anton. Lib. 37). Nach Tzetz. Lykophron 603 f. tötete D. nach einem Streit Diomedes.

J. BÉRARD, La colonisation grecque de l'Italie méridionale et de la Sicile dans l'antiquité, 1957, 368–372.

[2] Bei Verg. ist D. Vater des → Turnus und der Iuturna (Verg. Aen. 10,616; 688 u. ö.). Die Rutuler heißen nach ihm auch *gens Daunia* (ebd. 8,146).

A. RUSSI, s. v. D., EV 2, 1002–1005.

R. B.

Daversi s. Daorsi

David
[1] König D. Die Gestalt D.s erscheint in der biblischen Überlieferung als Sänger und Musikant (1 Sam 16,23), als begabter Kämpfer (1 Sam 17; 30; vgl. auch sein Freischärlertum in 1 Sam 22,1–5; 23) und schließlich als König über Juda, Israel, Jerusalem (2 Sam 2,–5,10), der auch die Nachbarstaaten Aram, Moab und → Edom [1] sowie Ammon unterwerfen kann (vgl. 2 Sam 8; 10; 12,26–31). Seiner Dynastie wurde von Gott die ewige Königsherrschaft zugesagt (vgl. die sog. Nathansweissagung 2 Sam 7,12). Nach dem Untergang Judas und dem Ende des Königtums durch den Babylonier Nebukadnezar (586 v. Chr.) wird D. zu einer Idealfigur, mit der sich sowohl messianische Hoffnungen auf eine Erlösung des Volkes

als auch spirituelle Dimensionen der Frömmigkeit und des Gebets verbinden. So wird bereits in exilisch-nachexilischer Zeit in der Prophetie die Hoffnung auf eine Restituierung der Davidsdyn. und die Herrschaft eines Friedenskönigs zum Ausdruck gebracht (Ez 34,23 f; 37,24 f; Am 9,11 ff; Mi 5,1–4; Hag 2,23; vgl. 4 Q Flor 1,12). Diese eschatologische Dimension der Davidgestalt tritt auch im NT ganz deutlich in Erscheinung, wenn Jesus aus → Bethlehem, der Stadt D.s, stammt (vgl. die Aufnahme von Mi 5,1 in Mt 2,6; Lk 2,4; 2,11) und auch genealogisch auf D. zurückgeführt wird (Mt 1,1–16; Lk 3,23–38; zudem trägt er den Titel »Sohn D.s« (Mt 9,27; 12,23; Mk 10,47; Joh 7,42; Röm 1,3 u.ö.; vgl. aber auch die Kritik an diesem Titel Mt 22,41 ff. und Parallelen).

Durch die Verbindung zahlreicher Psalmen mit dem Leben D.s (s. die Überschriften Ps 3; 7; 18; 34; 52; 54; 56; 57; 59; 60; 63) – fast die Hälfte aller Psalmen wird D. zugeschrieben – wird er zum idealen Sänger und Beter. Schließlich gilt er als Verf. des gesamten Psalmenbuches (vgl. den außerkanonischen Ps 151 sowie 11QPsa Dav-Comp).

Diese unterschiedlichen Entwicklungen finden ihre Ausprägung in der in den Jahrhunderten nach der Tempelzerstörung entstandenen rabbinischen Überlieferung; der »Sänger« D. als der Verf. des Psalmenbuches wird der ideale Beter (bBB 14a; bPes 117a; MTeh 1,6; vgl. auch die Darstellung D.s im byz. Kaiserornat als harfenspielender Orpheus im Synagogenmosaik von Gaza), an dessen Gottesverhältnis das ganze Volk partizipieren kann (MTeh 24,3; bPes 117a; bBer 3; MTeh 4,1; 35,2 u.ö.). Gleichzeitig erscheint er als Vorbild des Torastudiums (bMak 10a). D.s Schuldverstrickungen (vgl. die Episode mit Batsheba, der Frau des Hethiters Uria 2 Sam 11, seine Volkszählung 2 Sam 24 und Parallelen), für die er bestraft wurde, demonstrieren Gottes gerechte Weltordnung; gleichzeitig fungieren D.s Reue und Gottes Vergebung als ermutigendes Vorbild. D. kann sogar als Fürbitter erscheinen, dessen Gebet Israel seine Existenz verdankt (bSot 49a). Trotz der rabbinischen Zurückhaltung gegenüber messianischen Tendenzen und Endzeitspekulationen ist D. auch hier der Archetypus des endzeitlichen Messias (bMeg 17b; BerR 88,7; MTeh 5,4 u.ö.), für dessen baldiges Erscheinen in der 15. Bitte des Achtzehn-Bitten-Gebetes gebetet wird. Sowohl die Familie des Patriarchen in Palästina (Nāśī) als auch die des → Exilarchen in Babylonien beanspruchten für ihre Legitimierung die genealogische Abstammung aus dem Hause D.s.

A. ROSNER, D.s Leben und Charakter nach Talmud und Midrasch, 1907 • C. THOMA, s. v. D. II. Judentum, TRE 8, 384–387 (Lit.) • L. A. SINCLAIR, s. v. D. I. Altes Testament/ D. III. Neues Testament, TRE 8, 378–384, 387 f. (Lit.).
B. E.

[2] D. von Armenien. Kommentator der aristotelischen Logik; er scheint in der 2. H. des 6. Jh. n. Chr. in Alexandreia bei → Olympiodoros, dem Schüler des

→ Ammonios [12], studiert zu haben. Seine Werke wurden zwischen dem Ende des 6. und der Mitte des 7. Jh. ins Armen. übersetzt. Nach einer auf das 10. Jh. zurückführbaren armen. Überlieferung, der zufolge er aus dem (sonst unbekannten) Dorf Nergin im Tarawn stamme, sollen die Heiligen Übersetzer des 5. Jh. ihren Schüler D. zu Studienzwecken ins Ausland geschickt haben, wo er sich den Beinamen »der Unbesiegbare« (Dawit' Anyalt') verdiente, als er in Gegenwart des Kaisers Marcianus eine dialektische Auseinandersetzung gegen das Konzil von Chalkedon gewann. Nach seiner Rückkehr in die Heimat soll er das *Organon* und die Komm., die er zunächst auf Griech. verfaßt hatte, sowie viele andere Werke ins Armen. übersetzt haben.

Außerdem werden ihm ein Panegyricus auf das Heilige Kreuz und Scholien zur Gramm. des Dionysios Thrax zugeschrieben – die beiden Schriften stammen aber in Wirklichkeit von gleichnamigen Autoren; unter den David zugeschriebenen armen. Übers. der dialektischen Werke wurde die Übertragung des Komm. zu den Kategorien wohl von einem anderen Übersetzer erstellt.

D. weisen die griech. Hss. drei Titel zu: (1) Prolegomena zur Philos. (armen.), ›Definitionen und Einteilungen der Philos. gegen vier Einwände Pyrrhons‹; es handelt sich um eine Art protreptischer Schrift, die sechs traditionelle Definitionen der Philos. diskutiert; (2) Scholien zur *Isagoge* des Porphyrios, ebenfalls ins Armen. übersetzt; (3) Erklärung der zehn Kategorien; die Zuweisung dieses Werkes an D. ist im Armen. zufällig nicht direkt bestätigt, da der Text zu Beginn beschädigt ist; (4) ein viertes Werk, ein Komm. zur Analytik, ist andererseits nur auf Armen. erhalten.

A. BUSSE, der Herausgeber der griech. Fassungen dieser Texte, möchte (3) dem → Elias zuweisen, einem anderen Schüler des Olympiodoros, da dieser Text in Widerspruch zu gewissen Positionen von (2) stehe, doch sind seine Argumente keineswegs entscheidend. Andererseits weist der nur auf Armen. erh. Text (4) zahlreiche Parallelen zu (3) auf. Es gibt daher keinen Grund, an der hs. Überlieferung zu zweifeln, die diesen Text D. zuweist. Die Kohärenz des Werkes zeigt sich auch, wenn man es mit dem des Ammonios vergleicht, der ebenfalls vor der *Isagoge* die sechs Definitionen der Philos. in Gestalt eines Vorwortes zur Gesamtheit der verschiedenen Komm. zur Logik erörtert.

Obwohl die armen. Fassung oft eine ältere Überlieferung widerspiegelt als die griech. Hss., ist sie zu Zwecken der Textkritik noch nie systematisch ausgewertet worden.

A. BUSSE, ed., CAG 18.2, 1904 • B. KENDALL, R. W. THOMSON, Definitions and Divisions of Philosophy by D. the Invincible Philosopher, 1983 • J. P. MAHÉ, David l'Invincible dans la tradition arménienne, in: I. HADOT, Simplicius, Commentaire sur les Catégories I (Philosophia Antiqua, vol. 50), 189–207 (205–207: Verzeichnis der Ausgaben und Sekundärlit.).
J. P. M./Ü: T. H.

De Iona (105 Hexameter) gehört zu einer Gruppe pseudonymer Bibelgedichte, vermutlich aus dem 5. Jh. (in den Hss. → Tertullian zugewiesen). Es entstammt derselben Feder wie → *De Sodoma*, das es inhaltlich am Anfang durch eine Gegenüberstellung des Schicksals von Sodom und Gomorrha und dem Ninivehs ergänzt. Das Gedicht folgt der Erzählung in Jon 1,1–2,1 mit einer dichterisch vollendeten Schilderung des Sturms auf See. Die letzten Verse beschreiben Jona im Bauch des Meeresungeheuers, was als Symbol für Tod und Auferstehung Christi interpretiert wird. Das Gedicht dürfte unvollständig sein, da es keinen Bericht der Ereignisse in Niniveh enthält, wie die Einleitung den Leser erwarten läßt.
→ Bibeldichtung; De Sodoma

ED.: R. PEIPER, CSEL 23,221–226.　M.R.O./Ü:M.MO.

De orthographia s. Flavius Caper

De Sodoma (167 Hexameter, in den Hss. → Tertullianus oder → Cyprianus [2] zugewiesen) gehört zu einer Gruppe pseudonymer Bibelgedichte, die normalerweise ins 5. Jh. datiert werden. Das Gedicht entstammt derselben Feder wie → *De Iona*, das es inhaltlich ergänzt, und erzählt die Geschichte von Lot und Sodoms Zerstörung im Anschluß an Gn 19,1–29. Der Dichter verarbeitet myth. und geogr. Stoffe (v.a. einen Vergleich mit dem Phaetonmythos und Kuriosa über das Tote Meer).
→ Bibeldichtung; De Iona

ED.: R. PEIPER, CSEL 23, 212–220.
LIT.: R. HEXTER, The Metamorphosis of Sodom, in: Traditio 44, 1988, 1–35.　M.R.O./Ü:M.MO.

De verbis dubiis s. Flavius Caper

De viris illustribus. Lateinische Slg. von → Biographien bedeutender Autoren unter Ausschluß von Staatsmännern und Feldherrn (Ausnahme: → Aurelius Victor), zunächst als Werkeinführung. Die Ursprünge liegen im peripatetischen und alexandrinischen Lit.-Betrieb (z.B. → Neanthes; wichtig: → Kallimachos' *Pínakes*). Von dieser Tradition wurden die Biographienslgg. → Varros und → Hyginus', bes. aber → Suetonius' *D.v.i.* beeinflußt. Eine neue Blüte erfährt die Gattung bei → Hieronymus, der im Anschluß an Sueton (aber auch Ciceros *Brutus*) 392/3 n. Chr. 135 Kurzviten griech. und lat. christl. Autoren in chronologischer Reihenfolge zusammenstellt. Eine griech. Übers. wurde irrtümlich dem Patriarchen Sophronius († 638 n. Chr.) zugeschrieben. Fortsetzer sind → Gennadius von Marseille (477/8), → Isidor von Sevilla (615/618) und abschließend Ildefons von Toledo (ca. 605–667).
→ Literaturgeschichtsschreibung; PETRARCA

S. PRICOCO, Storia letteraria e storia ecclesiastica dal D.v.i. di Girolamo a Gennadio, 1979 • R.A. KASTER, C. Suetonius Tranquillus, De Grammaticis et Rhetoribus, 1995.
　U.E.

Dea Augusta Vocontiorum. Stadt der Vocontii in der Gallia Narbonensis, eines der zwei rel. Zentren mit *lucus Augusti* (Luc-en-Diois), h. Die. Ruinen: Wasserleitungen, Nekropolen (NO und NW), Bäder, Brücken, *villae* innerhalb und außerhalb der Mauer. Inschr. (CIL 12, 1556–1560; 1563) bezeugen die Existenz von Tempeln (Iuppiter, Kybele und Attis, Dea Augusta Andarta). Inschr.: CIL 12, 1554–1696.

GRENIER, 1, 1931, 557–560; 4, 1960, 106–111 • M. LEGLAY, s.v. D.A.V., PE, 259f.　Y.L.

Dea Dia. Eine sonst unbekannte weibliche Gottheit, an welche die → *Arvales fratres* das im Monat Mai stattfindende Opfer richteten; über den Zusammenhang der D.D. mit einer Dia aus Amiternum (CIL I² 2, 1546) und der griech. Dia ist nichts bekannt. Ihr Name wird vom Adj. *dius* abgeleitet und hängt mit dem Himmelsraum, wahrscheinlich mit dem »guten Himmelslicht«, zusammen. Die These, D.D. sei eine Indigitation (→ Indigitamenta) der Tellus oder der Ceres, ist nicht zu halten.

R. SCHILLING, Rites, cultes, dieux de Rome, 1979, 366–370.
　J.S.

Debitor. Der *d.* (Schuldner) ist dem → *creditor* (Gläubiger) zu einer Leistung verpflichtet. Zum Entstehen einer solchen Leistungspflicht durch Vertrag (→ *contractus*) oder unerlaubte Handlung (→ *delictum*) → *obligatio*. Der Gläubiger kann seine Ansprüche gegen einen säumigen Schuldner (→ *mora*) gerichtlich geltend machen (→ Prozeßrecht). Obsiegt der Gläubiger oder anerkennt der Schuldner, so verwirklicht sich die »persönliche Haftung« des Schuldners (→ *nexum*). Das mag nach Gellius (20,1, bes. 45ff.) im Recht der XII Tafeln (5.Jh. v.Chr.) noch durchaus wörtlich zu verstehen gewesen sein (tab. 3,1–6). War die Schuld 30 Tage nach dem Urteil oder dem Anerkenntnis noch nicht getilgt, so durfte der Gläubiger sich des Schuldners bemächtigen (→ *addictus*, → *manus iniectio*). An drei Markttagen mußte der Gläubiger den Schuldner zur Auslösung anbieten. Wurde der *d.* nicht ausgelöst und fand sich auch keiner, der zugunsten des Schuldners den Streit wieder aufnahm (→ *vindex*), so durfte der Gläubiger den Schuldner *trans Tiberim* in die Sklaverei verkaufen oder töten. Mehrere Gläubiger durften sich den Leichnam des Schuldners teilen. Im Gegensatz zu dieser sagenhaften Regelung ist die Schuldknechtschaft überlieferte Praxis. Ob diese durch die *lex Poetelia Papiria* (326 v.Chr.) abgeschafft wurde (vgl. Varro ling. 7,105; Cic. rep. 2,59), oder noch in der Kaiserzeit angewandt wurde (vgl. Quint. decl. 311), bleibt unklar. Typische Vollstreckungsform in der Jurisprudenz der Prinzipatszeit war der Konkurs über das Schuldnervermögen (*bonorum venditio*, Gai. inst. 3,78ff.). Die Vollstreckung in einzelne Vermögenswerte entwickelte sich aus der Anerkennung der Schutzwürdigkeit bestimmter Schuldner, wie z.B. dessen, der eine unentgeltliche Zuwendung klagbar versprochen hatte (→ *donatio*, → *stipulatio*), oder von Personen des Senatorenstandes.

H. HONSELL, TH. MAIER-MALY, W. SELB, Röm. Recht, [4]1987, 213–216, 519–523, 550.   R. WI.

Decanus. Als *d.* wurde ein Soldat bezeichnet, der ein → *contubernium* befehligte; der *d.* tauchte in dem Moment auf, als die Stärke dieser Einheit von acht auf zehn Mann erhöht wurde (nach Ps. Hyg.). Die Inschr. IGR I 1046 erwähnt δεκανοί, die entweder Personen dieses Ranges waren oder aber Befehlshaber eines Geschwaders von zehn Schiffen, was nicht mehr genau zu klären ist. Der *d.* ist noch für das 4. Jh. n. Chr. belegt, manchmal mit dem Titel *caput contubernii* (Veg. mil. 2,8; 2,13). In anderen Zeugnissen bezeichnet dieser Begriff Personen, die der niedrigsten Stufe der Palastwachen angehörten (Cod. Theod. 6,33; Cod. Iust. 12,26,1; 12,59). → Contubernium

1 O. FIEBIGER, s. v. D., RE 4, 2245 f. 2 D. KIENAST, Kriegsflotten, 1966 3 M. REDDÉ, Mare nostrum, 1986, 542.   Y. L. B./Ü: C. P.

Decebalus (Δεκέβαλος). D. war der letzte König der Daker von ca. 87–106 n. Chr. Sein Reich umfaßte neben dem heutigen West- und Zentralsiebenbürgen das Banat und die walachischen Ebenen. Nach Cass. Dio (67,6,1–2) ein ebenbürtiger Gegner Roms mit herausragendem mil. Geschick, einigte er die dakischen Stämme und gewann zudem sarmatische und german. Gruppen gegen Rom. Nachdem er Teile des Iazygengebietes erobert hatte und 85/86 in Moesien eingefallen war, kam es zum Krieg mit Domitian, der jedoch nach dem Ausbruch von Unruhen an der mittleren Donau abziehen mußte. So blieb der Sieg des Tettius Iulianus über D. bei Tapae ungenutzt und das Reich des D. wurde nach dem Friedensvertrag als Klientelfürstentum eingegliedert. D. bereitete aber weitere Angriffe auf Rom vor, die zu den beiden großen, für Dakien und Rom sehr verlustreichen Dakerfeldzüge Traians 101/102 und 105/106 führten und in der Einrichtung der Prov. Dacia endeten. Die röm. Haupterfolge des wesentlich ausführlicher dokumentierten ersten Krieges lagen in der Sicherung der Donaulinie, der Einnahme der Hauptstadt Sarmizegetusa und im Ausbau der Frontlinie nördl. der Donau. D. mußte folgende Bedingungen erfüllen: 1. Abgabe aller Waffen, 2. Auslieferung aller Römer, die er in großer Zahl für mil. und zivile Belange angeworben hatte, 3. Schleifung aller Festungen (Cass. Dio 68,9,4–6). Im zweiten Krieg wurde Dakien völlig unterworfen, D. beging Selbstmord (Cass. Dio 68,14,3; Bilder 142–145 der Traianssäule in Rom). Seine Schätze fand Traian trotz aufwendiger Verstecke (Cass. Dio 68,14,4–5).

W. SCHULLER (Hrsg.), Siebenbürgen zur Zeit der Römer und der Völkerwanderung, 1994 · K. STROBEL, Unt. zu den Dakerkriegen Trajans, 1984.   ME. STR.

Decempeda. Eine zehn Fuß lange Meßstange (*pertica*), hergeleitet von lat. *decem* (zehn) und *pes* (Fuß), die in der Architektur und bes. in der Landvermessung eingesetzt wird. Die Länge beträgt 2,96 m (10 x 1 röm. Fuß à 29,6 cm). 12 D. gehen auf einen *actus*. Als Flächenmaß bildet die *d. quadrata* als *scripulum iugeri* die kleinste Einheit in der Landvermessung = ¹⁄₂₈₈ des *iugerum* (8,76 m²). Es sind Meßstangen von mehr als zehn Fuß belegt, die nicht als D. bezeichnet werden. → Actus; Iugerum; Längenmaße; Pes; Scripulum

F. HULTSCH, Griech. und röm. Metrologie, [2]1882 · SCHULTEN, s. v. D., RE 4, 2253–2254.   A. M.

Decemprimi. Der Begriff bezeichnet die »zehn Ersten« einer Reihe (griech. δεκάπρωτοι, *dekáprōtoi*). [1] D. heißen die dem Range nach zehn ersten *decuriones* in der *curia* einer nach röm. oder peregrinem Recht verfaßten Stadt. Sie erfüllen verschiedenartige Aufgaben; insbes. treten sie bei Gesandtschaften hervor (Liv. 29,15,5; Cic. Verr. 2,2,162). In der röm. Kaiserzeit wächst dem D. auch allmählich die Rechtspflicht zu, bes. auf die städtische Finanzverwaltung zu achten und im Falle unordentlicher Bewirtschaftung des städtischen Vermögens oder ausstehender Steuerschulden als Vertreter der Korporation Stadt mit ihrem persönlichen Vermögen gesamtschuldnerisch zu haften. Je nach der städtischen Verfassung kann die Haftung auch bei 20 oder der ganzen *curia* liegen (Cod. Theod. 16,2,39; Dig. 50,4,18,26; Cod. Iust. 10,30,14), was in der Spätant. sowohl den Stand wie auch das an sich ehrenvolle Amt eines → *decurio* unbeliebt macht (vgl. Cod. Theod. 9,35,2; Cod. Iust. 10,38,1). [2] D. werden auch die Befehlshaber der dem *magister officiorum* unterstellten *scholae domesticorum*, der mil. Schutztruppe für den Hof, genannt (Cod. Iust. 12,17,2; Not. dign., or. 11,3 ff., occ. 9,3 ff.). → Curialis; Decemviri

JONES, LRE 731, 734 ff. · LIEBENAM, 267 · MOMMSEN, Staatsrecht 3, 842.   C. G.

Decemviri (»Zehn-Männer-(Gremium)«) treten in folgenden histor. überlieferten Formen auf: [1] D. *legibus scribundis* sind nach der Überlieferung die 451 und 450 v. Chr. gewählten Ausschüsse zur Aufzeichnung des gesamten in Rom gültigen Gewohnheits- und Gesetzesrechts (→ Tabulae Duodecim), gegen die eine → *provocatio* nicht zulässig war. Ein erster nur aus Patriziern gebildeter Ausschuß soll dabei 10 Tafeln, ein zweiter aus Patriziern und Plebeiern bestehender weitere zwei Tafeln (u. a. mit dem Eheverbot zwischen Patriziern und Plebeiern) verfaßt haben (Liv. 3,33–57; Cic. rep. 2,36 f.; Dion. Hal. ant. 10,1–6). Der Sache nach dürfte es sich um ein Experimentieren mit staatlichen Leitungsgremien im sog. Ständekampf der frühen Republik handeln, da auch die auf das Decemvirat folgende Entwicklung der Führungsämter bis zu den *leges Liciniae Sextiae* (367/6 v. Chr.), etwa im 4–6–stelligen Consulartribunat, noch nicht durchgängig das Zweier-

Prinzip des Consulats erkennen läßt. Einzelheiten zum Wirken der d. (täglicher Wechsel des *summum imperium*, Sturz des zweiten Ausschusses, Ratifizierung der Gesetze durch das Volk) sind ebenso umstritten wie die Historizität der zweiten *d.*

[2] D. (st)litibus iudicandis bilden nach der Überl. (Liv. 3,55,6f.) seit der *lex Valeria Horatia de tribunicia potestate* (449 v. Chr.) einen sakrosankten, wohl für Streitigkeiten mit der *plebs* zuständigen Gerichtsausschuß. Fraglich ist, ob sich das spätere Decemviralgericht, das in Streitfällen um den Status der Freiheit (*causae liberales*) entscheidet, daraus entwickelt hat. Diese *d.* sind *magistratus minores* und gehören mit weiteren Kollegien (u. a. den *tresviri capitales* und *tresviri aere flando feriundo*) zum XXVIvirat (Cic. leg. 3,3,6), der seit Augustus zum XXvirat verkleinert und zur ersten Karrierestation des → *cursus honorum* wird. Dabei gehen wohl die *causae liberales* von den *d.* auf die Consuln über, die nun den einzelnen Abteilungen (*hastae*) des Centumviralgerichts vorsitzen (vgl. Cass. Dio 54,26; Suet. Aug. 36).

[3] D. agris (dandis) assignandis sind zur Anweisung von Staatsland an röm. Bürger ermächtigte Kollegien. Derartige Ausschüsse können zwischen drei und 20 Mitglieder umfassen (Cic. leg. agr. 1,17; 2,16; Liv. 31,4,2; Dion. Hal. ant. 8,76).

[4] D. sacris faciundis bilden das für die Auslegung der sibyllinischen Bücher zuständige Priesterkollegium, dem urspr. nur zwei, seit Sulla 15 Mitglieder angehören (Gell. 1,19,11).

[5] D. können auch die Mitglieder einer Senatsgesandtschaft (Liv. 33,24,7) oder einer anderen Senatskommission (*decuria*) genannt werden (Cod. Theod. 3,17,3; Cod. Iust. 5,33,1 pr.: für Vormundschafts- und Pflegschaftsangelegenheiten).

→ Lex agraria; Sibylle; Tribuni

KASER, RZ 40f. • W. KUNKEL, Staatsordnung und Staatspraxis der röm. Republik, 1995, Bd. 2, 41, 326, 499, 533ff., 536, 559, 647, 654, 677 • LATTE, 160 • LIEBENAM, 267 • MOMMSEN, Staatsrecht 2, 592ff., 624ff., 702ff.; 3, 842.

C.G.

Decennalia. Festtage zur Feier der zehnjährigen Regierung eines Kaisers. *D.* wurden vermutlich zum ersten Mal unter Augustus gefeiert (Cass. Dio 53,16,3), mit Sicherheit unter Tiberius in den J. 24 und 34 n. Chr. (Cass. Dio 57,24,1; 58,24,1) und weit darüber hinaus: Cassius Dio verzeichnet sie insbes. noch für seine Zeit (frühes 3. Jh.: 53,16,3), die Acta der Arvalbrüder für die Kaiser Elagabal und Gordian [1]. Weitere Zeugnisse weisen in noch spätere Zeiten. Die *d.* bildeten die Erfüllung von zehn J. zuvor abgelegten Gelübden ›für das Wohl und die Unversehrtheit des Kaisers‹ [1]. Diese Gelübde wurden auf den Münzen der Adoptivkaiser durch einen von einem Eichenkranz umgebenen Schild (*clipeus*) symbolisiert. Eine Eichenkrone ist auch sichtbar auf den aus der Zeit des → Antoninus Pius stammenden Reliefs der Villa Medici, wo man eine weibliche Figur diese Gelübde auf einen Schild schreiben sieht: Bei ihr

handelt es sich wahrscheinlich um Venus, die das immerwährende Glück der Kaiser verkörperte. Die *d.* waren außerdem mit der *victoria* und der *providentia deorum* verbunden. Das Fest, das die Erfüllung solcher Gelübde feierte, war begleitet von Spielen (SHA Gall. 7,4).

→ Circus (II Spiele); Votum

1 W. HENZEN, Acta fratrum Arvalium, 1874, 106.

J.-P. MARTIN, Providentia deorum, 1982 • R. SCHILLING, L'évolution du culte de Vénus sous l'Empire romain, in: Dans le sillage de Rome, 1988, 162 • P. VEYNE, Vénus, l'univers et les voeux décennaux sur les reliefs Médicis, in: REL 38, 1960, 306–322 • G. WISSOWA, s. v. D., RE 4, 2265–2267.

G.F./Ü:A.T.

Decennovium. Geradliniger, 19 Meilen (vgl. den Namen) langer Abschnitt der *via Appia* von Forum Appii bis Tarracina, durch die *paludes Pontinae* aufgestockt auf ein Viadukt, erbaut evtl. unter P. Claudius [I 29] Pulcher (*aedilis curulis* 255–253 v. Chr.). Das D. wurde 110 n. Chr. (CIL X 6833–6835; 6839) unter Traian gepflastert. Die auf halber Strecke liegende *mutatio* hieß *Ad Medias*, h. Mesa. Das D. wurde begleitet von einem Treidelkanal, der die Sümpfe entwässerte; auf ihm reiste Horaz (vgl. die Beschreibung Hor. sat. 1,5,3–26; Strab. 5,3,6). Unter Theoderich bezog sich die Bezeichnung D. auf den Streckenabschnitt Tripontium – Tarracina, nachdem der Kanal vom *patricius* Caecina Mavortius Basilius Decius 507–511 n. Chr. (CIL X 6850–6852; Cassiod. var. 2,32ff.) trockengelegt worden war. Vgl. noch Prok. BG 1,11.

M. CANCELLIERI, Le vie d'acqua dell'area pontina, in: Il Tevere (Quaderni Archeologici Etrusco-Italici 12), 1986, 143–156 • Dies., Il territorio pontino e la via Appia, in: S. QUILICI GIGLI (Hrsg.), La via Appia, 1990, 61–72 • G. UGGERI, in: Ebd., 21–28 • A. MOSCA, in: Ebd., 102–105 • F. BURGARELLA, Decio Cecina Mavorzio Basilio, in: Dizionario Biografico degli Italiani 33, 1987, 551–553.

G. U./Ü:S.GÖ.

Decentius

[1] Magnus D., *Caesar* 350–353 n. Chr. Verwandter (evtl. Bruder) des Usurpators Magnus Magnentius ([Aur. Vict.] epit. Caes. 42,2; Zon. 13,8,2), der ihn Ende 350 in Mailand, als die von Constantius [2] II. dazu veranlaßten Germanen in Gallien eingefallen waren, zum *Caesar* ernannte. Mit unzureichenden Kräften ausgestattet, mußte er eine Niederlage gegen den Alamannenkönig Chnodomar hinnehmen (Iul. or. 1,35A; Amm. 16,12,4f.). Als er von Magnentius' Tod erfuhr, beging er am 18.8.353 Selbstmord in Sens (Eutr. 10,12,2; Aur. Vict. Caes. 42,10; Chron. min. 1,238). PLRE 1, 244f. D. (3).

[2] *Tribunus et notarius* am Hof Constantius' [2] II. Er sollte 361 n. Chr. dem *Caesar* Iulian Truppen abfordern (Amm. 20,4,2; 4,4; 4,11). Er hatte eine einflußreiche Stellung unter Valens, evtl. als *magister officiorum* (vgl. Lib. epist. 1310; 1317). Er war Nicht-Christ (ebd. 839). Zahlreiche Briefe des Libanios sind an ihn gerichtet (epist. 1463; 1476 u. a.). PLRE 1, 244 D. (1).

W.P.

Decetia. Stadt der Haedui (Caes. Gall. 7,33) in der Gallia Lugdunensis, Straßenknotenpunkt (Itin. Anton. 367: *Decetia*; 460: *Deccidae*; Tab. Peut.: *Degetia*; Geogr. Rav. 4,26: *Dizezeia*); h. Decize (Nièvre). CIL 13, 2814–2816.

Y. L.

Decianus. Freund Martials, der aus Emerita in der Prov. Lusitanien stammte, aber in Rom als Rechtsanwalt (*causidicus*) auftrat (Mart. 1,61,10; 2,5). Er war ein Freund der Lit., dem Martial das zweite Buch der Epigramme widmete. Anhänger der stoischen Philosophie. Bei Martial erscheint er nur in Buch 1 und 2. PIR² D 20.

W. E.

Deciates. Ligur. Volk an der südöstl. Küste der Gallia Narbonensis bei → Antipolis (Mela 2,76; Plin. nat. 3,35; Ptol. 2,10,8). Unbekannt ist die genaue Lage des *oppidum Deciatum* oder *Dekieton*. 154 v. Chr., als die D. mit den benachbarten Oxybii Nikaia und Antipolis belagerten, sandte Rom – auf Bitten der Stadt Massalia und nach der Verletzung eines röm. Legaten – den *consul* Q. Opimius, der die D. und die Oxybii besiegte, entwaffnete und das eroberte Gebiet Massalia übertrug (Pol. 33,8–10; Liv. per. 47).

Fontes Ligurum et Liguriae antiquae, 1976, s. v. D. · J.-E. Dugand, De l'Aegitna de Polybe au Trophée de la Brague, 1970 · Y. Roman, L'intervention romaine de 154 avant J.-C. en Gaule Transalpine, in: Rev. archéologique de Narbonaise 24, 1991, 35–38.   E. S. G./Ü: R. P. L.

Decidius. Italischer Eigenname, seit dem 1. Jh. v. Chr. histor. bezeugt (ThlL, Onom. 3,70).

[1] D. Saxa, L., aus Spanien gebürtig (so Cic. Phil. 11,5,12), aber wohl ital. Abstammung, kämpfte 49 v. Chr. gegen die Pompeianer in Spanien (Caes. civ. 1,66,3) und 45 wahrscheinlich gegen die Pompeiussöhne. Von Caesar zum Volkstribun für 44 bestimmt, schloß er sich nach dessen Tod M. Antonius [I 9] an und wurde Mitglied einer Kommission zur Landverteilung an Veteranen (MRR 2,324, 332f.); 42 kommandierte er mit C. Norbanus die Vorhut des Heeres der Triumvirn. 41 wurde er Statthalter des Antonius in Syria (wohl als *legatus pro praetore*, MRR 2,376), aber 40 von den Parthern unter der Führung des Q. → Labienus besiegt und getötet (MRR 2,376, 384).

Syme, RP 1, 31–41.   K.-L. E.

[2] T. D. Domitianus. *Procurator Caesaris Augusti* (AE 1935, 5), vermutlich in Lusitanien, wahrscheinlich unter Nero; verwandt mit Domitius Decidianus (Demougin, 468f. Nr. 563).   W. E.

Decimatio. Die d. ist eine im röm. Heer selten angewandte Form der Bestrafung einer ganzen Einheit (Pol. 6,38; Frontin. strat. 4,1,34; 4,1,37; Quint. decl. 348). Die Tribunen wählten durch Los jeden zehnten Mann aus; die Züchtigung konnte auch abgeschwächt werden, indem man nur einen Mann von hundert auswählte (SHA Opil. 12,2). Die auf diese Weise bestimmten Opfer wurden nicht durch das Beil, sondern durch Stockschläge hingerichtet (Tac. ann. 3,21,1). Diese als sehr streng geltende Strafe wurde bei schweren Verfehlungen der gesamten Einheit wie Ungehorsam (Suet. Galba 12,2 SHA Opil. 12,2) oder Zurückweichen vor dem Feind (Suet. Aug. 24,2; Tac. ann. 3,21,1) angewandt. Die Entscheidung für die d. wurde entweder vom Befehlshaber der Legion wie beispielsweise dem *proconsul* von Africa (Tac. l.c.) oder dem *princeps* getroffen. Die d. ist für die Zeit der Republik belegt; sie wurde, wenn auch selten, in der Prinzipatszeit praktiziert, erschien dann allerdings als ein Relikt einer längst vergangenen Epoche (Suet. Cal. 48,1. Galba 12,2. Tac. ann. 3,21,1; hist. 1,37,3; 1,51,5). Die letzte Erwähnung dieser Strafe findet sich in einem Text von 515 n. Chr., bezieht sich aber auf die Regierungszeit des Diocletianus (Alcimus Avitus, hom. 25).

1 O. Fiebiger, s. v. D., RE 4, 2272.   Y. L. B./Ü: C. P.

Decimius. Römischer Familienname, ältere Form und inschr. Decumus (Schulze, 159), abgeleitet von → Decimus. Histor. Namensträger sind seit der 2. H. des 2. Jh. v. Chr. bezeugt.

[1] D., C., 171 v. Chr. Gesandter nach Kreta, 169 *praetor peregrinus*, 168 Gesandter nach Ägypten.

[2] D., Num., aus Bovianum in Samnium, brachte 217 bei Gereonium mit einem Kontingent der Bundesgenossen dem von Hannibal schwer bedrängten *magister equitum* Q. Minucius rechtzeitige Hilfe (Liv. 22,24,11–14; Zon. 8,26).

[3] D. Flavus, C., *praetor urbanus* 184 v. Chr. (Liv. 39,32,14).   K.-L. E.

[4] P. D. Eros Merula, freigelassener Arzt in Assisi (CIL XI, 5399–5400 = ILS 7812, 5369), der im späten 1. bzw. frühen 2. Jh. n. Chr. lebte. Der ehemalige Sklave verdiente als *clinicus* (Arzt am Krankenbett), *chirurgus* (Chirurg) und *ocularius* (Augenarzt) Tausende von Sesterzen, die er dazu verwandte, seine Freiheit zu erkaufen, sein Priesteramt (*seviratus*) zu ermöglichen und auf kommunaler Ebene zu spenden. Auf seinem Grabstein finden sich seine Einnahmen ebenso prahlerisch aufgelistet wie seine verschiedenen Spezialgebiete.

V. N./Ü: L. v. R.–B.

Decimus. Römischer Vorname (ThlL, Onom. 3,73–76), gab wohl nicht die Reihenfolge (»der Zehnte«) der Geburt nach an, sondern den Geburtsmonat; abgekürzt D., in der Kaiserzeit auch Dec.; griech. Δέκμος, später Δέκιμος. Der Name ist nicht von patrizischen Familien verwandt worden und auch sonst selten (häufiger bei den Iunii [→ Iunius] Bruti und den Laelii); in der Kaiserzeit ist er auch als Cognomen (etwa bei Aurelius, Flavius, Pacarius) und als Nomen bezeugt.

Kajanto, Cognomina, 172 · Salomies, 27f., 113f., 170.

K.-L. E.

Decius. Plebeischer Gentilname, in der lit. Überlieferung seit dem 5. Jh. bezeugt; bedeutendste Familie sind
die Decii Mures (D. [I 1–3]), vielleicht aus Campanien
stammend [1], deren (z. T. unhistor.) Selbstaufopferung
in der Schlacht sie in der Tradition zu oft zitierten Exempla machte.

1 F. Càssola, I gruppi politici romani nell III secolo a.C.,
1962, 152–154.

I. Republikanische Zeit

[I 1] D. Mus, P. (Herkunft des Cognomens unbekannt), 352 v. Chr. Kommissionsmitglied zur Regelung
einer Schuldenkrise in Rom (Liv. 7,21,6); als Kriegstribun 343 soll er das Heer des Consuls A. Cornelius [I 22]
Cossus Arvina vor der Vernichtung durch die Samniten
bewahrt haben (Liv. 7,34–36; gewöhnlich als Dublette
zur Tat des M. Calpurnius [I 6] Flamma 258 angesehen).
Als Consul 340 kämpfte er gegen die Latiner in Campania bei Veseris und soll den röm. Sieg dadurch gesichert haben, daß er sich und seine Feinde den Göttern
der Unterwelt »weihte« (→ devotio) und den Opfertod
im Kampf fand (Liv. 8,6; 9–11). Dies wird gewöhnlich
als Rückprojektion einer ähnlichen Aufopferung seines
Sohnes [I 2] auf den Vater angesehen.

[I 2] D. Mus, P., Sohn von D. [I 1], einer der einflußreichsten röm. Politiker um 300 v. Chr. und aufgrund
des Mehrfrontenkrieges gegen Kelten, Etrusker und
Samniten vierfacher Consul (I 312, II 308, III 297, IV
295). 308 kämpfte er gegen die Etrusker; als Censor 304
mit Q. → Fabius Maximus Rullianus, dem Kollegen in
den drei letzten Consulaten, beschränkte er die Aufnahme von besitzlosen Bürgern auf die vier städtischen Tribus (Ap. → Claudius [I 2] Caecus); 300 unterstützte er
die lex Ogulnia und soll daher zu den ersten plebeischen
Pontifices gehört haben (Liv. 10,7; 9,2). 297 besiegte er
die Apuler bei Malventum und blieb auch 296 mit ver-
längertem Kommando in Samnium (Liv. 10,15–17). 295
entschied er die Schlacht bei Sentinum in Umbrien gegen die Kelten durch Selbstaufopferung (Duris FGrH 76
F 56; Liv. 10,26–30 u. a.; vgl. Pol. 2,19,5 f.; 6,54,4, ohne
Namensnennung). → Accius bearbeitete den Stoff in
einem Drama (Aeneadae sive D., TRF³ 326–328 [329–342
D.]).

Hölkeskamp • CAH 7², 2 (Index).

[I 3] D. Mus, P., Sohn von D. [I 2], Consul 279 v. Chr.,
wurde mit seinem Kollegen P. → Sulpicius Saverrio von
Pyrrhos bei Ausculum in Apulien geschlagen (Plut.
Pyrrh. 21). Die Überlieferung, daß er sich wie sein Vater
und Großvater in der Schlacht selbst geopfert habe (Cic.
fin. 2,61; Tusc. 1,89), ist unbegründet. Späte Überlieferung macht ihn zum cos. suff. 265 (Vir. ill. 36,2).

CAH 7², 2 (Index).

[I 4] D. Subulo, P., Anhänger der Gracchen und fä-
higer Redner, klagte als Volkstribun 120 v. Chr. erfolglos L. → Opimius (cos. 121) wegen der gewaltsamen
Unterdrückung des C. Gracchus an (Cic. de orat. 2,132–

136; Cic. Brut. 128). 119 (?) scheiterte ein Repetunden-
prozeß (?) gegen ihn wegen seiner Popularität [1]. Als
Praetor 115 wurde er vom Consul M. Aemilius [I 37]
Scaurus schwer gedemütigt (Vir. ill. 72,11).

1 Alexander, 16f.

E. Badian, P. Decius P.f. Subulo, in: JRS 46, 1956, 91–96.
K.-L. E.

II. Kaiserzeit

[II 1] C. Messius Quintus Traianus D., röm. Kaiser
249–251, * um 190 (Chron. pasch. 1 p. 505; anders [Aur.
Vict.] epit. Caes. 29,4) in Budalia, einem vicus der pan-
nonischen Colonia Sirmium (Eutr. 9,4; Eus.; Hieron.
Chronicon paschale 218 H; Aur. Vict. epit. Caes. 29,1).
Vor seinem Regierungsantritt hieß er C. M. Q. D.
Valerinus (Valerianus, AE 1951, 9; 1978, 440; wohl
Schreibfehler [1; 2]), aber häufig nannte er sich lediglich
Q. D., ein für das 3. Jh. n. Chr. (wohl absichtlicher) Ar-
chaismus (Salomies, 350 ff.; unerklärt Q. L. D. auf CIL
II 6222; AE 1966, 217). Vor seinem 1. Consulat (um 230)
war er in einem nicht näher bezeichneten Amt candi-
datus Aug. (AE 1985, 752), wo die Tilgung des Namens
D. die Identität des Senators mit dem künftigen Kaiser
bestätigt [2]. Er war consularischer Statthalter der Prov.
Moesia inferior (im J. 234, wohl ab 232, Thomasson 1,
142), Germania inferior (AE 1985, 752) und Hispania
citerior (im J. 238, wohl ab 235, Thomasson 1, 18). In
Spanien blieb er bis zum letzten dem Maximinus treu [3]
(AE 1978, 440). Erst unter Philippus taucht D. als Stadt-
präfekt wieder auf (Ioh. Ant. fr. 148, FHG 4, 597 ff.). Er
wurde 248 mit einem Sonderkommando zur Donau
geschickt, aber im Frühsommer 249 von den Truppen
zum Kaiser ausgerufen (Zos. 1,21,22; Zon. 12,19). D.
versuchte vergeblich, dem Philippus treu zu bleiben,
dann besiegte er ihn in einer Schlacht bei Beroia (Ioh.
Ant.), durch einen Schreibfehler in den lat. Quellen bei
Verona [4; 5]. Bald nahm D. den programmatischen
Namen Traianus an. Er erhob seine Söhne Herennius
Etruscus und Hostilianus zu Caesares, seine Frau Her-
ennia Cupressenia Etruscilla wurde Augusta. Nach Ausweis der Mz. wollte er ein friedliches Regime führen und
suchte vor allem in den Donauprov. Ruhe und
Ordnung zu halten. Wohl um die pax deorum und die
Einheit des Reiches wiederherzustellen (vgl. AE 1973,
235, Cosa, wo er als restitutor sacrorum gefeiert wurde),
verkündete D. im Herbst 249 einen allg. Opferbefehl
(supplicatio): Alle Reichsangehörigen mußten den
Staatsgöttern opfern und sich von den lokalen Behörden
Bescheinigungen (libelli) darüber ausstellen lassen (Beispiele aus Ägypten bei [6]). Dadurch löste D. die große
Christenverfolgung aus, weil viele Christen das Opfern
verweigerten (Eus. HE 6,41,9 f.; Lact. mort. pers. 4,2).
Das Opfergebot bestand bis zum Tode des D.; u. a. kamen Papst Fabian und Pionios von Smyrna um [7]. Über
D.' sonstige Tätigkeit in Rom wird wenig berichtet; er
baute Thermen (Eutr. 9,4); der spätere Kaiser Valerianus
war ein wichtiger Berater (Zon. 12,20). Cos. II 250,
mußte D. bald wegen der Goteninvasion zurück zum

Balkan gehen. Im Krieg gegen die Goten unter Kniva war er zunächst 250 bei Nicopolis in Niedermoesien erfolgreich (Dacicus max., CIL II 4949, Germanicus max., AE 1942/43, 55, beides wohl inoffiziell), erlitt eine schwere Niederlage bei Beroia in Thrakien, konnte aber sich selbst retten und das Heer reorganisieren [8]. Der Statthalter Thrakiens, T. Iulius Priscus, machte gemeinsame Sache mit dem Feind und versuchte sich zum Kaiser zu machen (Dexippos, FGrH 100, F 26; Iord. Get. 18,103; AE 1932, 28; in Rom erhob sich ein 2. Prätendent, Iulius Valens Licinianus: Aur. Vict. Caes. 29,3; epit. Caes. 29,5). Beide wurden beseitigt, aber im Sommer 251 wurden D. und Herennius (inzwischen Augustus geworden), die in diesem Jahr den Consulat gemeinsam (D. III, Herennius I) innehatten, von den Goten bei Abrittus (zw. Marcianopolis und Sexaginta Prista, nicht in der Dobrudscha (IGBulg. 2 p. 153) vernichtend geschlagen und kamen ums Leben (Aur. Vict. Caes. 29,2–5; Zos. 1,23; Iord. Get. 18,101–103; Zon. 12,20). In den christl. Quellen wird D. etwa als der »große Drache« bzw. der *metator antichristi* bezeichnet (Cypr. epist. 22,1; vgl. Apk 16,13), die paganen Autoren werten D. eher positiv (Aur. Vict. epit. Caes. 29,2; Zos. 1,21,1ff; 22,1; 23,3). In SHA Aur. 42,6 werden D. und Herennius den alten Deciern gleichgesetzt (*Vita et mors veteribus comparanda*).

1 BIRLEY 2 X. LORIOT, in: Actes du Colloque sur les empereurs illyriens, 1990 (im Druck) 3 G. ALFÖLDY, Eine Inschr. auf dem Montgó bei Dianium an der span. Ostküste, in: Epigraphica 40, 1978, 59–90 4 S. DUSANIČ, The End of the Philippi, in: Chiron 6, 1976, 427–439 5 R. ZIEGLER, Festschr. Opelt, 1988, 385ff. 6 J. R. KNIPFING, The Libellis of the Decian Persecution, in: Harvard Theological Review 1923, 345–390 7 L. ROBERT, Le martyre de Pionios prêtre de Smyrne, 1994 8 B. GEROV, Beitr. z. Gesch. der röm. Prov. Moesien und Thrakien, 1980, 93ff., 361ff.

RIC 4/3, 107–150 · KIENAST, ²1996, 204f. · K. WITTIG, s. v. Messius, RE 15, 1244–1284.   A.B.

[II 2] C. Messius Quintus D. Valerinus, identisch mit dem (späteren) Kaiser D. [II 1].   A.B.

[II 3] D. Mundus, verführte 19 n. Chr. mit Hilfe der Isispriester Paulina, die Frau des Sentius Saturninus (zum lit. Topos der Verführung [1. 144]). Daraufhin ließ Tiberius die Priester töten, den D. jedoch nur verbannen (Ios. ant. Iud. 18,66–80).

1 C. PHARR, The Testimony of Josephus to Christianity, in: AJPh 48, 1927.   ME. STR.

[II 4] Aelius D. Tricianus. Er brachte es vom Soldaten im pannonischen Heer zum Praefekten der *leg. II Parthica* und begleitete Caracalla in den Osten. D. war Mitwisser von dessen geplanter Ermordung (8. April 217). Von Macrinus zum *leg. Aug. pro praet. Pannoniae inf.* mit consularischem Rang ernannt (Cass. Dio 79,13,4; Inschr. bei THOMASSON, 116), von Elagabal im J. 219 getötet (Cass. Dio 80,4,3).   A.B.

Decke (griech. στρῶμα, *strṓma*; lat. *stragulum*). D. wurden gewöhnlich aus Leinen oder Wolle gefertigt, aber auch aus dem Fell des Maulwurfes (Plin. nat. 8, 226) und aus Pelzen (→ Textilkunst). Sie gehören zum → Hausrat; viele davon zu besitzen war Zeichen des Wohlstandes (Hom. Il. 16,224; Hom. Od. 3,348). D. wurden über die Matratze der Speisesofas gelegt und dienten zum Zudecken des Schlafenden (Hom. Il. 9,661; Hom. Od. 6,38; 11,189; 13,73). Auch legte man D. wie Kissen oder Felle über Stühle. Analog benannt wurden ferner Reit-D. und solche zum Bedecken der Toten. Bevorzugt waren bunte, purpurfarbene (z. B. Mart. 2,16,2; Liv. 34,7,3) und buntbestickte D., die auch parfümiert wurden (Athen. 2,48c). Für die Herstellung von D. waren u. a. Korinth, Sardes und Karthago (Athen. 1,27d; 2,48b; 1,28a) berühmt. Auf Reisen wurden D. in einem Sack mitbefördert. Auch Kleidungsstücke wurden als D. verwandt, wie z. B. die → Chlaina. Für das perfekte Legen der D. diente bei den Persern der στρώτης (*strṓtēs*, Athen. 2,48d); der Aufseher über D., Bett- und Tischzeug hieß στρωματοφύλαξ (*strṓmatophýlax*; Plut. Alexander 57,4). Nach der Buntheit der D. ist eine Schrift vermischten Inhalts στρωμάτεις (*strṓmáteis*) genannt worden, vgl. → Clemens v. Alexandreia. Darstellungen von bunten D. sind in der griech. und röm. Kunst im Kontext von Symposien- und Klinenmahlszenen häufig.

A. STAUFFER, Textilien aus Ägypten, Ausst.-Kat. Fribourg, 1991.   R.H.

Declamatio in Catilinam. Die fingierte Gerichtsrede, wohl eine rhetor. Übung der Spätant., wird in den Hss. sowohl → Cicero als auch → Sallust und M. → Porcius Latro zugeschrieben [4]. Die Annahme einer Humanistenfälschung [2; 3] wurde durch neuere Hss.-Funde (früheste Bezeugung 1439) widerlegt [1]. Dagegen sprechen auch inhaltliche Kriterien wie ein Zitat aus dem Zwölftafelgesetz (8,26), aus einer *lex Gabinia* und die Anspielung auf ein sonst nicht belegbares Saturnalienfest auf dem Aventin. Als histor. Quelle zu L. Sergius → Catilina wertlos, für die Wirkungsgesch. Ciceros jedoch nicht ohne Belang.

1 H. KRISTOFERSON, D. in L. Sergium C., Diss. 1928 2 A. KURFESS, Zur D. in L. Sergium C., in: PhW 57, 1937, 141–143 3 SCHANZ/HOSIUS 3, 154 4 R. HELM, s. v. Porcius 49, in: RE 22, 235.   W. SI.

Declamationes. Übungsreden als höchste Stufe der rhetor. Ausbildung, die in der Behandlung von (meist fingierten) Musterfällen (Suet. gramm. 25,9) auf die *pugna forensis* (Quint. inst. 5,12,17) vorbereiten sollten und in der Rhetorenschule griech. Provenienz praktiziert wurden; die Bezeichnung ist späteren Datums (Cic. Tusc. 1,7; Sen. contr. 1, pr. 12). Trotz Kritik an Auswüchsen beurteilt Quintilian ihre pädagogischen Möglichkeiten positiver als etwa Messalla (Tac. dial. 35), der vom republikanischen Bildungsideal ausgeht. Den → *suasoriae* (analog zum *genus deliberativum*) und → *con-*

troversiae (analog zum *genus iudiciale*) legte man histor. Themen bzw. ein festes Repertoire mehr oder minder fabulöser Begebenheiten (Giftmord, Piraterie, Enterbung usw.) zugrunde. Die *d.* blieben bis in die Spätant. bestimmendes Element der höheren Erziehung; zudem reizte diese Form bei der beschränkten polit. Wirkungsmöglichkeit der Kaiserzeit auch den artistischen Ehrgeiz der Redelehrer. Somit traten die *d.* in der Öffentlichkeit neben die Rezitationen von lit. Werken. Ein Bild dieses Virtuosenbetriebes vermittelt die Blütenlese → Senecas *d. Ä.* Aus dem Schulbetrieb sind zwei ps.-quintilianische Sammlungen (*d. maiores/minores*), außerdem Exzerpte von *d.* eines → Calpurnius Flaccus [III 2] erhalten. Der Übungstyp ist dann im Humanismus wieder aufgegriffen worden.

→ Quintilianus; Rhetorik

> H. BORNECQUE, Les D., 1902 · W. HOFRICHTER, Stud. zur Entwicklungsgesch. der D., 1935 · S. F. BONNER, Roman D., 1949 · Ders., Education in Ancient Rome, 1977, 277 ff.; 309 ff. · D. L. CLARK, Rhetoric in Greco-Roman Education, 1957, 213 ff. · F. H. TURNER, The Theory and Practice of Rhet. D. from Homeric Greece through the Renaissance, 1972 · P. L. SCHMIDT, Die Anfänge der institutionellen Rhet. in Rom, in: Monumentum Chilonense. FS E. Burck, 1975, 183–216 · M. WINTERBOTTOM, Roman D., 1980 (Textauszüge) · D. A. RUSSELL, Greek D., 1983 · M. G. M. VAN DER POEL, De D. bij de Humanisten, 1987.   P. L. S.

Decollatio. Im röm. Recht die »einfache« Todesstrafe der Enthauptung (daher auch: *capitis amputatio*) im Gegensatz zu Verbrennung bei lebendigem Leibe (→ *crematio*) und Kreuzigung (→ *crux*). Alle drei Hinrichtungsarten erscheinen in Paul. sent. 5,17,2 als *summa supplicia* (schwerste Strafen). Jedenfalls seit Caligula war ferner die Todesstrafe durch *damnatio ad bestias* (Tierkampf in der Arena) verbreitet. Typischerweise wird die *d.* an Freien der besseren Stände (→ *honestiores*), *crematio* und *crux* hingegen an einfachen Freien (→ *humiliores*) und Sklaven vollzogen. Die *d.* dürfte bereits in früher Zeit die Strafe bei den wenigen öffentlichen (also nicht: privaten) Kapitalstrafen gewesen sein, insbesondere bei Hoch- und Landesverrat (→ *perduellio*). In der späteren Republik wurde sie weitgehend durch die Verbannung (→ *deportatio*) ersetzt, blieb aber im mil. Bereich in Übung und kam unter Augustus wieder in allg. Gebrauch. Sie galt nun auch für Mord und viele andere Delikte, in der Spätant. z. B. sogar für Ehebruch (→ *adulterium*). Die *d.* wurde in frühen Zeiten durch das Beil, seit Augustus durch das Schwert ausgeführt.

> 1 E. CANTARELLA, I supplizi capitali in Grecia e a Roma, 1991, 154 ff. 2 MOMMSEN, Strafrecht, 916 ff.   G. S.

Decor(um) s. Kunsttheorie

Decretum. Entscheidung, Beschluß, obrigkeitliche Verfügung (von *decernere*). Im Sprachgebrauch der Rechtstexte, der nicht die Anforderungen moderner Begrifflichkeit erfüllt, ist von *d.* vor allem bei folgenden Entscheidungsträgern die Rede: 1. den Prätoren und Provinzstatthaltern, 2. den Kaisern, 3. dem Senat, 4. den Dekurionen, 5. Priesterkollegien, 6. den Konzilien (in christl. Zeit).

1. Gai. inst, 4,140 teilt die prozessualen Verfügungen des Prätors in *d.* und → *interdicta*, je nachdem, ob der Prätor etwas positiv anordnet, etwa die Vorlage eines Gegenstandes, oder etwas verbietet, wie Gewaltanwendung gegen den fehlerfreien Besitzer. *Decreta* sind vom Amtssitz des Prätors aus zu erlassen (*pro tribunali*: Dig. 37,1,3,8). Beispiele von Maßnahmen eines Prätors (in den Provinzen: des Provinzstatthalters), die als *d.* bezeichnet werden, sind die Maßnahmen zum Schutz von Unmündigen und Minderjährigen wie die Bestellung eines Tutors oder Kurators, dessen Abberufung, die Genehmigung von Verkäufen von Mündelgut, die Festsetzung der Alimentation des Mündels, die → *restitutio in integrum* für einen übervorteilten Minderjährigen, des weiteren Verfügungen des Prätors in erbrechtlichen Angelegenheiten wie die Einweisung des Erben in den Nachlaß (Erteilung der *bonorum possessio*), der Befehl an einen Erben, die Erbschaft, die er an einen Fideikommissar herauszugeben hat, anzutreten, die Sicherung des Nachlasses für einen ungeborenen Erben, aber auch die Einweisung der Gläubiger in einen überschuldeten Nachlaß. Durch *d.* verschafft der Prätor einem Sklaven, der sich – etwa durch Aufdeckung eines Verbrechens – verdient gemacht hat, die Freiheit. Durch *d.* geht der Prätor gegen einen Grundstückseigentümer vor, der nicht bereit ist, gegen von seinem Grundstück aus drohende Schäden dem betroffenen Nachbarn Sicherheit zu leisten (→ *cautio damni infecti*). Das erste *d.* verschafft dem zu schützenden Nachbarn den Besitz des Grundstücks, von dem die Gefahr droht (*missio in possessionem*), das zweite macht ihn zum (bonitarischen) Eigentümer. Wie wir z. B. aus Cic. Quinct. 63 wissen, konnten die Volkstribunen (→ *tribunus plebis*) so wie gegen andere magistratische Maßnahmen auch gegen die *d.* der Prätoren interzedieren [1. 210] und sie so ihrer Wirkung berauben.

2. Als *d.* eines Kaisers wird allg. jede beliebige verpflichtende Anordnung bezeichnet, typischerweise aber die Entscheidung eines Prozesses durch den Kaiser als Richter. Der Kaiser konnte in einen Prozeß in zweifacher Weise eingreifen: entweder durch eine den Richter bindende Lösung der Rechtsfrage (*rescriptum*, üblicherweise auf die Bitte einer Partei), wobei Sachverhaltsfeststellung und Entscheidung dem Richter blieben, oder durch Entscheidung in der Sache selbst, indem er den Prozeß an sich zog oder gegen das richterliche Urteil eine *appellatio* zuließ. Diese kaiserlichen *d.* gewinnen bald eine über den Anlaßfall hinausgehende Bed., sie werden zu Präjudizien, über die sich Richter in gleichgelagerten Fällen nicht hinwegsetzen können. Zugänglich waren diese *d.* wohl im kaiserlichen Archiv. Juristenschriften zu kaiserlichen *d.* sind allerdings nur spärlich überliefert [2. 181]. Nach Gai. inst. 1,2 und 1,5 sind die *d.* Teil der röm. Rechtsordnung, Papinian (Dig.

1,1,7 pr.) zählt sie neben den *leges* (→ *lex*) zum *ius civile*, für Ulpian (Dig. 1,4,1,1) sind sie, wie alle Formen der → *constitutiones*, selbst *leges*.

3. Durch *d.* des Senats wird z.B. ein Provinzstatthalter bestellt. Aber auch andere Beschlüsse des Senats werden mit *d.* bezeichnet. Nach dem Bericht des Festus (454,20 L.) hat sich schon Aelius Gallus gefragt, was denn der Unterschied zwischen einem → *senatus consultum* und einem *d. senatus* sei [1. 185]. In jurist. Texten erscheint *d. senatus* als bloße Variante von *senatus consultum* (z.B. Ulp. Dig. 14,6,9,2).

4. Beschlüsse der → *decuriones* zur Leitung einer Gemeinde werden in den Dig. mit *d.* bezeichnet, ebenso in der *lex Irnitana*, wo für Beschlüsse ein Quorum von zwei Dritteln der Mitglieder (so auch Ulp. Dig. 50,9,3) und gelegentlich eine qualifizierte Mehrheit vorgeschrieben ist [3].

5. Priesterkollegien wurden bei möglichen religiösen Implikationen um Rat gefragt und erteilten dazu Gutachten: entweder vorab (kautelar) [2. 18 ff.] oder über bereits vorliegende Umstände (judiziell); letztere banden die anderen Staatsorgane (z.B. Senat oder Konsuln). Cic. Att. 4,2,3 berichtet von dem *d.* der *pontifices* über die Wirksamkeit der Konsekration seines Hauses durch seine Gegner [2. 21]. In den Dig. findet sich noch der in christl. Zeit etwas anachronistisch wirkende Satz, daß die Entfernung menschlicher Knochen aus einem Grundstück nur auf ein *d.* der *pontifices* oder auf kaiserliche Ermächtigung hin erfolgen dürfe (Ulp. Dig. 11,7,8 pr.).

6. Mit der Benennung von Konzilsbeschlüssen als *d.* folgen die Rechtstexte aus christl. Zeit der Tradition der Kirchenväter, z.B. Augustinus.

Im Gegensatz zu den *d.* eines Prätors oder Kaisers heißen die Urteile des vom Prätor zur Entscheidung eines Falles eingesetzten *iudex* nicht *d.* Dieser spricht eine → *condemnatio* aus, wenn er zugunsten des Klägers, bzw. eine → *absolutio*, wenn er zugunsten des Beklagten urteilt. T.t. für sein Urteil ist *sententia* [1. 185]. Ebenfalls nicht verwendet wird das Wort *d.* für Beschlüsse der Volksversammlung [1. 184].

1 W. KUNKEL, R. WITTMANN, Staatsordnung und Staatspraxis der röm. Republik, 1995 2 SCHULZ 3 J. GONZÁLEZ, The lex Irnitana, in: JRS 76, 1985, 147–243. R. WI.

Decrius

[1] Verteidiger eines Kastells am Flusse Pagyda in Africa, das im J. 20 Tacfarinas eroberte, wobei D. tapfer kämpfend fiel (Tac. ann. 3,20,1 f.).

DEMOUGIN, Nr. 233.

[2] L.D., Gatte der Paconia Agrippina, von den Rhodiern geehrt (IGR 3,1126).

[3] D. Calpurnianus, *praef. vigilum*, im J. 48 wegen seines Verhältnisses zu Messalina getötet (Tac. ann. 11,35,3).

DEMOUGIN, Nr. 461.   D.K.

Decuma (=*decima sc. pars*). Die lex Papia Poppaea (9 n. Chr.) beschränkte die Fähigkeit, aus dem Testament eines anderen etwas zu erwerben (*capacitas*), für Ehegatten in *manus*-freier Ehe auf ein Zehntel des Nachlasses (mit Zuschlägen für Kinder); die in *manus*-Ehe lebende Frau war hierbei als *sua heres* ganz erwerbsfähig [2]. Die Beschränkung wurde 410 n. Chr. aufgehoben (Cod. Iust. 8,57,2). Außerhalb des Erbrechts findet sich der Zehnte als Gegenstand eines Gelübdes (Varro ling. 6,54; Dig. 50,12,2,2) und als Abgabe von Bodenerträgen von Provinzialland [1].

→ Caducum

1 KASER, Die Typen der röm. Bodenrechte in der späten Republik, in: ZRG 62, 1942, 61 f. 2 H.L.W. NELSON, U. MANTHE, Gai Institutiones III 1–87, 1992, 223. U.M.

Decumanus ist t.t. der röm. Landvermessung (→ Limitation) und bezeichnet im rechtwinklig angelegten Vermessungssystem die senkrecht verlaufenden Linien (*limites*); urspr. handelt es sich um eine Bezeichnung aus der Kosmologie für die Ost-West-Achse als Visierlinie der Himmelsbewegung [1. 199] im Gegensatz zum → *cardo* als Nord-Süd-Achse, die die Welt in eine Sonnenauf- und Sonnenuntergangshälfte bzw. Tag- und Nachthälfte teilt [2. 147]. In der gromatischen Praxis wurde der *d. maximus* als Orientierungsachse unabhängig von den Haupthimmelsrichtungen nach top. Gegebenheiten, nach bereits bestehenden Straßengrundlinien oder dort gelegt, wo das Gebiet die größte Ausdehnung hatte. In dem aufzuteilenden Gelände wurde mit einem Vermessungsinstrument (→ *groma*) ein Koordinatensystem eingerichtet, wobei die senkrecht orientierte Hauptachse (y-Achse) als *d. maximus* (*DM*), die zentrale waagrechte Achse (x-Achse) als *cardo maximus* (*KM*) bezeichnet wurde, die sich im Vermessungszentrum rechtwinklig schnitten. Der Ausbau des *DM* als breitestem und größtem *limes* der Vermessung erfolgte mit 40 Fuß (ca. 12 m) stets doppelt so breit wie beim *KM*. In der Technik des Lagerbaus wurden die *decumani* als *prorsi* (»dem Feind zugewandt«) bezeichnet, im Gegensatz zu den *cardines* (*transversi*).

1 O. BEHRENDS, Bodenhoheit und privates Bodeneigentum im Grenzwesen Roms. Feldmeßkunst, 1992 2 W. HÜBNER, Himmel- und Erdvermessung. Feldmeßkunst, 1992.

O. BEHRENDS, L. CAPOGROSSI COLOGNESI (Hrsg.), Die röm. Feldmeßkunst – Interdisziplinäre Beiträge zu ihrer Bed. für die Zivilisationsgesch. Roms, 1992 · O. DILKE, Archaeological and Epigraphic Evidence of Roman Land Survey, ANRW II.1, 564–592 · E. FABRICIUS, s. v. Limitatio, RE 13, 672–701 · U. HEIMBERG, Röm. Landvermessung, 1977 · A. SCHULTEN, s. v. D., RE 4, 2314–2316. H.-J. S.

Decumates agri. Strittige, nur bei Tac. Germ. 29,3 belegte Wendung: Nicht zu den german. Völkern rechnet Tacitus die jenseits von Rhein und Donau siedelnden Völker, nämlich *eos qui decumates agros exercent: levissimus quisque Gallorum et inopia audax dubiae possessionis solum occupavere; mox limite acto promotisque praesidiis sinus* *imperii et pars provinciae habentur*. Die teilweise phantasievolle Diskussion dieser sprachlich und sachlich schwierigen Stelle ist so umfangreich wie ergebnislos. Gilt *decumates* meist als attributives Adj. zu *agros* (Akk. Pl.), so ist auch subst. Nom. Pl. möglich (bevorzugt von [1], vgl. [13. 272, 274f.]). Konjekturen zu *decumanos* und *decumatos* sind gescheitert, kaum plausibel ist die jüngste [12] zu *desertos* (im Sinne von ⟨de⟩*relictos* »verlassen«). Der Bezug zum Begriff »zehnter« ist sicher, eine Verbindung zu *decem pagi* besteht indessen nicht [2]. Die übrigen komplexen Schwierigkeiten erläutert TIMPE, s. dazu die Forsch.-Übersicht bei LUND [12].

Nach Tacitus lag das betreffende Siedlungsland den → Chatti benachbart und gleichsam im Niemandsland (*limite acto*, [3. 108f.]), die Moderne sucht die *d.a.* im engeren Sinn im mittleren Neckargebiet mit seinen Domänen [4], im weiteren im gesamten Gebiet zw. Rhein und Donau, einschließlich der Wetterau. *Levissimus quisque Gallorum* und *sinus imperii* sind vor dem Hintergrund der domitianischen Germanen-Triumphe zu verstehen [5. 78ff.; 13. 275f.]. Diese bildeten den ersten Abschluß des Ausbaus der *d.a.* mit einem durch Militärposten geschützten Straßennetz, nachdem die mil. Besetzung des → Abnoba mons bis → Arae [1] Flaviae durch Pinarius Clemens 73/74 n.Chr. unter Augustus erhobene, dann vernachlässigte Besitzansprüche reklamierte (*dubia possessio* [3. 102, 102⁷]). Im Gebiet entwickelte sich ein blühendes Leben mit bed. Vororten (→ Aquae [III 6], Lopodunum, Sumelocenna, Arae [1] Flaviae) [7]. Seit dem Krieg zw. Gallienus und Postumus [8] folgte dem Abzug des Heeres der Zusammenbruch der wirtschaftlichen Grundstruktur und ein zunehmender Rückzug der Bevölkerung ([9], vgl. [6]). Der röm. Rechtsanspruch bestand im 4. Jh. fort, seit Iulianus war das röm. Ziel die Kontrolle der inzwischen seßhaften german. Stämme, bes. der → Alamanni und → Burgundiones (Amm. 18,2,15), außerdem die Möglichkeit der beliebigen Passage (Paneg. 8[5]2,1; Amm. 21,5,3; [10]). Provinzialröm. Siedlungskontinuität ist bis Anf. 5. Jh. nachweisbar [11].

1 G. PERL, Tacitus, Germania, 1990, 210f. 2 J.G.F. HIND, What ever happened to the Agri Decumates?, in: Britannia 15, 1984, 187–192 3 K. DIETZ, Die Blütezeit des röm. Bayern, in: W. CZYSZ, K. DIETZ, TH. FISCHER, H.-J. KELLNER (Hrsg.), Die Römer in Bayern, 1995, 100–176 4 R. WIEGELS, Solum Caesaris, in: Chiron 19, 1989, 61–102 5 R. WOLTERS, Eine Anspielung auf Agricola im Eingangskap. der Germania?, in: RhM 137, 1994, 77–95 6 P. KOS, Sub principe Gallieno ... amissa Raetia?, in: Germania 73, 1995, 131–144 7 J.C. WILMANNS, Die Doppelurkunde von Rottweil und ihr Beitr. zum Städtewesen in Obergermanien, in: Epigraphische Stud. 12, 1981, 1–182 8 E. SCHALLMAYER (Hrsg.), Niederbieber, Postumus und der Limesfall, 1996 9 K. STROBEL, Das Imperium Romanum im »3. Jh.«, 1993, 292f. 10 I. BENEDETTI-MARTIG, I Romani ed il territorio degli agri decumati nella tarda antichità, in: Historia 42, 1993, 352–361 11 H. CASTRITIUS, Das E. der Ant. in den Grenzgebieten am Oberrhein und an der oberen Donau, in: Archiv für

hessische Gesch. und Altertumskunde, N.F. 37, 1979, 9–32 12 A.A. LUND, Kritischer Forschungsber. zur »Germania« des Tacitus, ANRW II.33,3, 1991, 1989–2222, bes. 2109–2124 13 G. NEUMANN, D. TIMPE, H.U. NUBER, s.v. D.a., RGA 5, 271–286.

M. CLAUSS, s.v. D.a., LMA 3, 625f. K. DI.

Decuria s. Decurio [4]

Decuriales (von *decuria* = Menge von 10 Teilen oder der zehnte Teil einer Menge) sind Angehörige einer Zehner- oder Zehntelgruppe (Varro ling. 9,86; Vitr. 7,1,).

[1] *D.* heißen die Angehörigen einer Reiter-*decuria* unter dem Befehl eines → *decurio* (Varro ling. 5,91), in der Spätant. einer *decuria* von Fußsoldaten unter dem Befehl eines *decanus* (Veg. mil. 2,8).

[2] *D.* sind in republikanischer Zeit Angehörige bes. Gruppen innerhalb der Amtsdienerschaft, z.B. der *scribae*, *lictores* oder *viatores* (CIL II 3596; VI 1877; XIV 373).

[3] In der Spätant. heißen *d.* auch die dem Senat von Rom in mehreren *decuriae* dienenden Kanzleibeamten (Cod. Iust. 11,14).

[4] *D.* sind die Mitglieder von zeitweise im röm. Senat gebildeten Abteilungen (*decuriae*) und der dazu analog zuweilen in den römisch-rechtlich verfaßten Städten bestehenden Ausschüsse des Stadtrats (*decuriones*), denen bes. Aufgaben übertragen werden können (Isid. orig. 9,4,23; Vat. fr. 142,235; Dig. 29,2,25,1).

[5] *D.* sind Angehörige der Gerichtsabteilungen, welche seit der *lex Livia iudiciaria* (91 v.Chr.) zur Entschärfung des Parteienstreits über die Besetzung der Geschworenengerichte (*quaestiones perpetuae*) gebildet werden, um vor allem die Gruppen (*decuriae*) der Senatoren und der Ritter in gleich großer Anzahl daran zu beteiligen (Liv. per. 70, 71; Vell. 2,13,2; Suet. Aug. 32; Tac. ann. 3,30).

[6] *D.* werden auch Mitglieder bes. Abteilungen innerhalb von Vereinen genannt (CIL VI 2192; 6719).

→ Curia; Curialis; Decemprimi

KASER, RPR 2, 307ff. · W. KUNKEL, Staatsorganisation und Staatspraxis der röm. Republik, 1995, Bd. 2, 112ff., 117 · MOMMSEN, Staatsrecht, Bd. 1, 341ff., 368ff.; Bd. 3, 529ff.; 851. C.G.

Decurio, decuriones *D.* (wie *decuria*; → D. [4] über *decus(s)is* aus *dec*- und *as*) meint in allg. Bed. ein Mitglied oder den Repräsentanten einer Zehner- oder Zehntel-Gruppe (vgl. dazu Dig. 50,16,239,5); keine gemeinsame Wortgeschichte besteht mit dem teilweise bedeutungsähnlichen von *co-viria* abgeleiteten Wort *curialis*. Im speziellen Sinn bezeichnet *d.* verschiedene Funktionsträger:

[1] *D.* heißt das Mitglied einer → *curia* in den nach röm. Recht verfaßten *municipia* und *coloniae*. Die Bestellung der normalerweise 100 *d.* (gelegentlich auch kleinere Zahlen) erfolgt nach unterschiedlicher Regelung durch *leges municipales* (vgl. Tabula Heracleensis 85,126ff./

FIRA I, 147 ff.; Dig. 50,4,1) ohne Volkswahl entweder durch Auswahl (*lectio, conscriptio*) aus dem Kreis der angesehenen Bürger (*honestiores*) durch die städtischen → *duoviri* in ihrer censorischen Funktion als *quinquennales* oder als Folge einer durch Amtstätigkeit als städtischer → *duovir* oder → *aedilis* erworbenen Zugehörigkeit zum *ordo decurionum* oder auch aufgrund einer Kooptation durch den Stadtrat. Aus dem Kreis der *d.* kommen wiederum in der Regel die *duumviri* und *aediles* der Stadt und die städtischen Gesandtschaften (→ *decemprimi*). Für die Aufnahme in die *curia* wird vorausgesetzt, daß der Kandidat das Bürgerrecht der Stadt hat, nicht vorbestraft oder infamiert, als Sklave, Freigelassener oder Eunuch oder als Schuldner der Stadt amtsungeeignet ist (Dig. 50,4,11) und ein Mindestalter und ein Mindestvermögen besitzt. Das übliche Mindestalter liegt bei 25 Jahren (Dig. 50,4,8), das Mindestvermögen ist je nach Ort unterschiedlich, liegt etwa in Höhe des Rittercensus, kann aber in kleinen Städten weit unterhalb, in großen weit oberhalb des Durchschnittswertes von 100 000 Sesterzen liegen (Dig. 50,2,5–7; 12; 4,15). Der Dekurionat ist z.Z. der Republik und in der früheren Kaiserzeit ein trotz fehlender Besoldung bes. geschätztes Ehrenamt (*honor*), das zudem erhebliche Kosten zu bereiten pflegt (Dig. 50,4,14,1). Eine Zugehörigkeit zum hochangesehenen Stadtrat (ehrende Namen: *splendidissimus ordo, senatores*) vermittelte Ansehen weit über den städtischen Rahmen hinaus, was durch Ehrenplätze in öffentlichen Versammlungen und im Theater (Tabula Heracleensis 135/FIRA I,150), strafrechtliche Privilegierung (keine Zwangsarbeit, keine Verurteilung *ad bestias*: Cod. Iust. 9,47,3 und 12), Immunität von *munera sordida* (Dig. 50,1,17,7) unterstrichen wird. Allerdings bedeutet der Dekurionat auch Lasten und Pflichten (*munera*). Sie leiten sich teilweise aus vorröm. → *leiturgía*-Traditionen für städtische Honoratioren und Besitzer größerer Vermögen her. Dazu gehört insbes. die Verpflichtung, städt. Ämter in zumutbarem Wechsel mit anderen Honoratioren (Cod. Iust. 10,41 tit.; 10,42,1) zu übernehmen und in gewissem Umfang selbst Spenden für die ärmere Bevölkerung bereitzustellen oder für Baumaßnahmen und die Veranstaltung öffentlicher Spiele aufzukommen (Dig. 50,4,10 f.). Als große seit jeher bestehende Rechtspflicht der *d.* gilt, daß sie nicht nur für ihre eigene Amtsführung, sondern auch für das Steuer- und Finanzgebaren der ganzen Stadt mit ihrem persönlichen Vermögen in dem jeweils durch die städtische Satzung vorgesehenen Rahmen einstehen (Cod. Iust. 11,36 und 38; → *decemprimi*, → *curiales*). Zu ihren Aufgaben gehört auch die Beratung der städtischen Magistrate und die Beschlußfassung, teilweise mit Genehmigung des Statthalters, in Fragen der Gemeindeordnung und Ämterverteilung (Tabula Heracleensis 126/FIRA I,150; Cod. Iust. 10,32,2).

Die seit dem 3. Jh. n. Chr. in der Zeit der Soldatenkaiser öfters eintretende Überforderung der städtischen Finanzen durch kriegs- und notstandsbedingte Ausgaben und staatliche Lasten führt häufig auch zu einer finanziellen Überlastung des ehrenamtlichen Dekurionen-Systems. Der Dekurionat wird dadurch so unattraktiv, daß es immer wieder zu Versuchen kommt, den Ehrenpflichten zu entgehen. Solche Tendenzen gibt es allerdings auch schon früher (Dig. 50,1,38: Reskripte der Kaiser Marc Aurel und Verus; 50,2,1 und 50,4,9: Ulpian). Dagegen gerichtete gesetzliche Maßnahmen führen in der Spätant. im ganzen zu einer Verrechtlichung der Ehrenpflichten als korporativer Standespflichten der *curiales* einer Stadt. Es kommt u. a. zur öffentlich-rechtlich festgelegten erblichen Verbindung der Kurialenpflichten mit dem vererbbaren Kurialenvermögen (Cod. Theod. 12,1,53), zur Herabsetzung des Mindestalters für einen *d.* auf das unter der Volljährigkeit (25 Jahre) liegende Alter von 18 Jahren (Cod. Theod. 12,1,7 und 19; wohl nur temporär), zur Strafverpflichtung unwilliger oder gar infamer Standesmitglieder, nur die Lasten des Dekurionenstandes zu tragen (Cod. Theod. 12,1,66; Cod. Iust. 10,59), und zu einer strikten rechtl. Unterbindung der freiwilligen Aufgabe der *condicio* eines Curialen, was offenbar durch einfachen Ortswechsel oder einen Wechsel in kaiserliche Dienste, in andere Korporationen, aber auch in sozial inferiore, mönchische oder stadtferne bäuerliche Lebensverhältnisse immer wieder erstrebt wird (Cod. Theod. 12,1,29; 33 und 53; Dig. 50,2,1; Cod. Iust. 1,3,52; 10,38,1; 12,33,2). Grundsätzlich jedoch funktioniert die ehrenamtlich organisierte städtische Selbstverwaltung in der Spätant. und behält für spätere histor. Epochen Beispielcharakter.

[2] *D.* kann den Vorsteher einer *decuria* in einer öffentlich-rechtlichen Korporation bezeichnen (Cod. Iust. 11,14).

[3] *D.* heißen die Vorsteher des Zeremonialdienstes am Kaiserhof. In der Spätant. führen drei *d.* 30 *silentiarii* an (Suet. Dom. 17,2; Cod. Iust. 12,16).

JONES, LRE 737 ff. · LIEBENAM, 226 ff., 489 ff. · MOMMSEN, Staatsrecht 3, 800 ff., 814.　　　　　C.G.

[4] Decurio, decuria. Ein *d.* war ein Offizier des röm. Heeres, der eine Gruppe von zehn Reitern (*decuria*) befehligte. In der Zeit der Republik befehligten 30 *d.* die 300 Reiter einer Legion. Diese waren in zehn *turmae* eingeteilt (Pol. 6,25,1); eine *turma* unterstand jeweils drei *d.* In der Prinzipatszeit wurde die Reiterei einer Legion von *centuriones* befehligt, während *d.* als Kommandanten der *turmae* in der Reiterei der Hilfstruppen (*auxilia*) fungierten. Wahrscheinlich gab es sechzehn *turmae* in den *alae quingenariae* und vierundzwanzig in den *alae milliariae*. Die genaue Stärke einer solchen *turma* ist nicht bekannt, es ist jedoch offensichtlich, daß sie nicht wie urspr. eine Einheit von zehn Reitern darstellte. Der älteste *d.* wurde *decurio princeps* genannt; eine *cohors equitata quingenaria* hatte wahrscheinlich vier *d.*, eine *milliaria* acht. *D.* sind auch für die *equites singulares* und die *equites singulares Augusti* belegt. Normalerweise wurden zu *d.* Reiter der eigenen Einheit, der Legionen oder in einigen Fällen auch Angehörige der *equites sin-*

gulares Augusti befördert. Unter den rangniederen Offizieren der *auxilia* waren die *d.* der *alae* die wichtigsten; sie konnten auch zum *centurio* einer Legion aufsteigen. Die von Augustus zum Schutz der Familie des *princeps* eingerichtete german. Leibwache war ebenfalls in *decuriae* unterteilt (CIL VI 8802 = ILS 1729).

→ Ala; Auxilia; Equites militares; Turma

1 S. BELLINO, G. MANCINI, s.v. Decuria, Decurio, in: RUGGIERO, II.2, 1504–1552 2 K.R. DIXON, P. SOUTHERN, The Roman Cavalry, 1992, 20–31 3 J.F. GILLIAM, The Appointment of Auxiliary Centurions, in: TAPhA 88, 1957, 155–168 4 P.A. HOLDER, Studies in the Auxilia of the Roman Army from Augustus to Trajan, 1980, 88–90.

J.CA./Ü: A.BE.

Decursio s. Truppenübungen

Decussis (Decus). Der D. steht im allg. für die Zahl 10 (Zeichen: X) und leitet sich vom entsprechenden Betrag oder Wert in Assen ab. Ausgehend vom libralen Gewicht (1 röm. Pfund = 1 As = 327,45 g) wiegt der D. das Zehnfache eines As und bildet im Wert ⅝ eines Denars von 16 Assen. Numismatisch bedeutsam ist der D. lediglich als brz. 10–As-Stück im semilibralen Standard, gegossen in den Jahren 215–212 v.Chr. (→ *aes grave*). Die Münze »Roma im phrygischen Helm/Prora« existiert zeitgleich zu dem in dieser Zeit erstmals emittierten silbernen Denar zu 10 As [1.151]. Das Gewicht der drei erh. Exemplare schwankt zwischen 1106 und 652 g [2.37].

→ As; Denar; Kleingeldrechnung; Libra

1 RRC, ²1987 2 B.K. THURLOW, I.G. VECCHI, Italian cast coinage, Italian aes grave, Italian aes rude, signatum and the aes grave of Sicily, 1979.

HULTSCH, s.v. D., RE 4, 2354–2356. A.M.

Dedicatio (von *dedicere*, »[ein]weihen«). In den lat. Texten (inschr. und lit.) häufigste Bezeichnung für die Übereignung von Gegenständen und Immobilien (Grundstücke, Tempel, Altäre, Votivgaben) an eine Gottheit. Der Terminus wurde sowohl im Bereich der privaten als auch offiziellen → Weihungen verwendet (privat u.a. Suet. Vit. 7,10,3 und Dig. 24,1,5,12; offiziell u.a. Suet. Tib. 3,40,1 und Dig. 1,8,6,3). Der Unterschied zwischen privater und offizieller *d.* bestand vor allem darin, daß bei der offiziellen Weihung der Gegenstand oder die Immobilie den Status einer *res sacra* (*publica*) erhielt und damit eine rechtlich privilegierte Stellung (u.a. Unverkäuflichkeit: Dig. 18,1,62,1), während ein privat dediziertes Objekt unter juristischen Aspekten »profan« blieb [1.385f.]. Synonym und alternierend zu → *consecratio* wird *d.* bes. bei Cic. dom. 45ff. und 53f. gebraucht, aber auch in anderen Texten, wo beide Begriffe zusammen genannt werden (z.B. Festus p. 424).

1 G. WISSOWA, Religion und Kultus der Römer, ²1912.

W.J. TATUM, The Lex Papiria de dedicationibus, in: CPh 88, 1993, 319–328. C.F.

Dedikation s. Widmung

Dediticii. Angehörige eines im Krieg von Rom besiegten Gemeinwesens, das sich bedingungslos in die Verfügungsgewalt des röm. Volkes ergeben (→ *deditio*) und durch Verfügung Roms gegebenenfalls seine staatliche Existenz verloren hat (Gai. inst. 1,14) – soweit sie nicht das röm. oder latinische Bürgerrecht bereits erhalten haben und behalten können bzw. nun verliehen bekommen haben oder ihrer Gemeinde ein Autonomiestatus erneut zugestanden wurde. Die Auflösung bisheriger Organisationsstrukturen und polit. Zugehörigkeit ohne röm. Bürgerrecht (auch nicht in eingeschränkter Form) wird nach sporadischer Anwendung in It. zur Regelform beim Aufbau der provinzialen röm. Herrschaft außerhalb It. (App. Mithr. 114,558). Der Sache nach ist die röm. Provinzialregierung eine Art perpetuiertes Besatzungsregime, bei dem die Herrschaftsunterworfenen (*subiecti*) prinzipiell keine Bürgerrechte haben und bes. im Hinblick auf ihr Eigentum vom röm. Willen abhängen; röm. Kolonien werden zuweilen auf enteignetem früherem Gebiet von *d.* gegründet, wie überhaupt am gesamten Territorium der *d.* eine Art Obereigentum des röm. Staates besteht. Ortsübliche Formen etwa der Stadtverwaltung, des Steuerwesens oder des Rechtsbrauchs (*consuetudines*) können von der röm. Verwaltung zwar fortgeführt werden, sind jedoch immer röm. mitgeprägt und stehen unter dem Vorbehalt der Abänderung durch einseitige Anordnung des Statthalters (*edictum provinciale*). Wie wenig der Status der *d.* gilt, wird daran deutlich, daß in der früheren Kaiserzeit freigelassene Sklaven nicht wie üblich das röm. Bürgerrecht erhalten können, sondern in einer *condicio dediticia* verharren müssen, wenn sie aus unehrenhaften Gründen zu Sklaven geworden sind (Gai. inst. 1,13–15). Erst als seit 212 n.Chr. mit der *constitutio Antoniniana* den meisten Angehörigen des röm. Reichs das röm. Bürgerrecht verliehen wird, können sich diese als »Reichsbürger« verstehen; sogar die *condicio dediticia* der infamen *liberti* verschwindet später aus dem Rechtsgebrauch (Cod. Iust. 7,5). – Dennoch wirkt die urspr. provinziale Form des Subjektionsverhältnisses in der Spätant. fort, und zwar in relativ starken, mit der röm. Bürgerrechtstradition unvereinbaren Eingriffsrechten des Staats gegenüber seinen Bürgern (etwa in Bezug auf → *coloni* oder → *decuriones* [1]) und als Beispiel für spätere Formen des Untertanen- und Obrigkeitsstaates.

→ Provincia; Imperium Romanum

CHRIST, 462, 622 · W. DAHLHEIM, Gewalt und Herrschaft, 1977, 277ff. · JONES, LRE 737ff., 795ff. · MOMMSEN, Staatsrecht 3, 55f., 139ff., 655ff., 716ff. C.G.

Deditio. *D. in potestatem* oder – gleichbedeutend – *d. in fidem* (Pol. 20,9,10–12), ist die nominell immer freiwillige Selbstübergabe eines unabhängigen Staates an Rom. Sie war im Krieg die Vorbedingung eines Friedensschlusses und im Frieden die der Erwerbung des röm. Schutzes. Nach der förmlichen Annahme der *d.* durch den Senat oder einen dazu befugten (Pro-)Magistrat mit *imperium* verlor das dedierte Gemeinwesen seine Existenz. Seine Bürger, Götter und Habe wurden röm. Besitz, mit dem Rom nach Gutdünken verfahren konnte. Vorher gemachte Versprechen wurden zwar durch die *d.* ungültig, wurden aber zumeist gehalten, bes. da ihr Bruch in Rom, wohl als Bruch der *fides*, strafrechtlich verfolgt werden konnte. Die Folgen der *d.* erstreckten sich von der (seltenen) Vernichtung oder Versklavung bis zur (gewöhnlichen, aber im Krieg mit Bedingungen verbundenen) Rückgabe der Freiheit und des Besitzes und Wiederherstellung des Gemeinwesens, worauf ein Vertrag folgen konnte.

Wie man sich in der späten Republik das urspr. Verfahren vorstellte, erhellt aus Liv. 1,38,1–2; doch sah es in dieser Zeit sicher ganz anders aus. Eine bei Alcántara (Spanien) gefundene Bronzetafel enthält das Protokoll einer *d.* von 104 v. Chr. Hier muß die Entscheidung des Feldherrn anscheinend in Rom ratifiziert werden, und die Rückerstattung ist prekär (›solange es Volk und Senat von Rom so wollen‹). In den lit. Quellen wird nichts dergleichen erwähnt. Ob es nur in den spanischen Kriegen so war (vgl. entfernt App. Ib. 44,183) oder als selbstverständlich vorausgesetzt wurde, ist derzeit unbekannt.

→ Fides; Imperium

W. DAHLHEIM, Struktur und Entwicklung des röm. Völkerrechts, 1968, 1–109 (mit älterer Bibl.) · J. S. RICHARDSON, Hispaniae, 1986, 199–201 (Text der Tafel).   E. B.

Deductio. *D.* kommt in der juristischen Fachsprache in vielfältiger Bedeutung vor: Im Zivilprozeßrecht wird mit dem Ausdruck *in iudicium deducere* meist die Überleitung des Streits in das Urteilsverfahren bezeichnet und entspricht damit in etwa der modernen Rechtshängigkeit. *D. in domum* ist die feierliche Einführung der Gattin in das Haus des Gatten (Dig. 23,2,5). Ferner heißt *d.* vielfach »Abzug« bestimmter Schulden gegenüber einem Leistungsverpflichteten: so etwa der Abzug von Aufwendungen (Dig. 31,41,1); der Abzug gewisser Gegenforderungen von der Forderung, die der *bonorum emptor* (Vollstreckungsgläubiger) eingeklagt hatte (Gai. inst. 4,65 ff.; dort wird der Unterschied der *d.* gegenüber der Aufrechnung, *compensatio*, mit der Ungleichartigkeit der beiden Leistungssubstrate erklärt). *D.* bezeichnet schließlich auch bisweilen die Teilung, etwa einer Erbschaft (Dig. 37,4,13,3).

→ Comperendinatio

H. ANKUM, Deux problèmes relatifs à l'exceptio rei iudicatae vel in iudicium deductae ..., in: FS Petropoulos I, 1984, 173–195 · G. JAHR, Litis contestatio, 1960, 126–133 · G. THÜR: Vindicatio und Deductio im frühröm. Grundstücksstreit, in: ZRG 94, 1977, 293–305.   C. PA.

Defensor

I. ZIVILRECHTLICH

D. ist kein technischer Rechtsbegriff für den Verteidiger (so aber wohl bei Quint. inst. 5,3,13), sondern kommt in mehrfacher Bedeutung vor, insbes. als Sachwalter vornehmlich des zivilprozessual Beklagten, und hier speziell des abwesenden Beklagten (*indefensus*). Eine solche Verteidigung zu übernehmen war Freundespflicht (Dig. 4,6,22 pr.). Unter der Bezeichnung *d. civitatis* ist er auch vor Gericht der Sachwalter von Korporationen (*universitates*, Dig. 3,4,1,3), hierbei vor allem von öffentlich-rechtlichen Verbänden (z. B. Gemeinden, Provinzen; vgl. CIL X,1201 u. ö.).

→ Advocatus

R. M. FRAKES: Some Hidden Defensores Civitatum in the Res Gestae of Ammianus Marcellinus, in: ZRG 109, 1992, 526–532 · KASER, RZ, 164, 437 · D. SPENGLER, Studien zur Interrogatio in Iure, 1994, 42.   C. PA.

II. STAATSRECHTLICH

Aus den typischen Aufgaben eines *D.* als eines Interessenwahrers und Verteidigers vor Gericht für private Einzelpersonen und Korporationen (griech. σύνδικος) können sich, ähnlich wie beim → *advocatus*, auch Funktionen der Interessen- und Rechtsvertretung für öffentliche Auftraggeber ergeben (Dig. 50,4,18,13). Vermutlich aus diesen Funktionen entwickeln sich in der Spätant. verschiedenartige Amtsstellungen mit dem Namen *d.*, darunter der *d. civitatis* als staatlicher Beauftragter, der für den Bereich einer *civitas* fungiert, aber nicht der Stadtverwaltung eingeordnet ist (Cod. Theod. 1,29,1; Cod. Iust. 1,55 tit. *de defensoribus civitatum*; Nov. 15). Er soll die ländliche und städtische Bevölkerung gegen »ungerechtfertigte Steuerveranlagungen«, »Insolenz der Verwaltungsbediensteten« (*officiales*) und »Pflichtvergessenheit der höheren Richter« (*iudices*) auf geeignete Weise in Schutz nehmen (Cod. Iust. 1,55,4). Zu diesem Zweck werden diese *defensores* in iustinianischer Zeit zwar auf Vorschläge aus der *civitas* hin, aber von dem zuständigen *praefectus praetorio* auf fünf Jahre aus einem Kreis geeigneter Personen bestellt, die weder aus dem Dekurionenstand noch aus dem Büro des Statthalters kommen dürfen (Cod. Iust. 1,55,2 und 8). Sie sind als niedere Richter in öffentlich- und privatrechtlichen Fällen einschließlich der freiwilligen Gerichtsbarkeit mit einem Gegenstandswert bis zu 50 *solidi* (*tenuiores ac minusculariae res*) zuständig, nicht aber im Strafrecht (Cod. Iust. 1,55,1). Doch haben sie durch Anzeigen, Beweisaufnahmen und Überstellung Beschuldigter an das zuständige Gericht daran mitzuwirken, daß verbreitete Phänomene der Störung der öffentlichen Ordnung (*disciplina publica*) wie Räuberei, Erpressung, Fälschung von Maßen und Gewichten oder Begünstigung von Straftaten (*patrocinia scelerum*) konsequent verfolgt werden (Cod. Iust. 1,55,6; 7; 9). Das Amt ist nicht mit dem des → *curator rei publicae* der früheren Kaiserzeit zu verwechseln.

JONES, LRE 479 f., 600, 726 f. · KASER, RPR 2, 226, 288.   C. G.

Definitiones medicae. Die Verwendung von *definitiones* (»Erörterungen«) war in der medizinischen Lehre – sowohl in der griech. als auch in der röm. – weit verbreitet (Gal. 1,306 K.; 19,346–7 K.). Das umfangreichste erh. Werk dieser Art sind die Galen zugeschriebenen *d.m.* (19,346–462 K.), deren Echtheit bereits in der Spätant. angezweifelt wurde (Schol. in Oreib. Syn, CMG 6,2,1, 250,29). WELLMANN [1. 66] vertrat die Meinung, daß der Verf. gegen Ende des 1. Jh. n. Chr. lebte und der pneumatischen Schule angehörte. Aber auch wenn das Werk pneumatische Lehren enthält, läßt sich der theoretische Standort seines Verf. nicht aus der Zugehörigkeit zu einer einzigen Schule erklären. Eine Entstehungszeit vor 200 n. Chr. liegt nahe, da der im 1. Jh. n. Chr. lebende Agathinos von Sparta der jüngste der in den *d.m.* genannten Autoren ist (19, 353) und jeder Hinweis auf Galen fehlt. Der Autor beginnt seine Schrift mit der Definition allg. Grundbegriffe der Medizin, um dann zu Körperteilen, Vorgängen im Körper und schließlich Krankheiten überzugehen. Andere medizinische Einführungsschriften waren zwar formal Frage-Antwort-Dialoge, z.B. im Griech. Pap. Milan. Vogliano I,15 (1. Jh. n. Chr.) oder später im Lat. die *quaestiones medicinales* des Ps.-Soranos oder die *lectiones Heliodori* (5. Jh.), doch enthalten sie dasselbe Material in ähnlicher Anordnung wie die *d.m.*
→ Medizin

1 M. WELLMANN, Die Pneumatische Schule, 1895.
V. N./Ü: L. v. R. – B.

Defixio (griech. κατάδεσμος, »Bindezauber«). Häufigste Form von Schadenzauber, bei dem auf dünne Bleitäfelchen geschriebene Fluchtexte Handlungen oder Wohlergehen von Menschen (oder Tieren) negativ beeinflussen sollten. Neben Scherben, Kalkstein, Papyrus und Wachstäfelchen wurde Blei bevorzugt verwendet: Es war leicht zu bekommen und zu bearbeiten, wurde schon früh für den Briefverkehr benutzt (einige der frühesten Bindezauber bezeichnen sich selbst als *epistolé,* Brief), erhielt sich gut und wurde zudem mit Kälte und Dunkelheit assoziiert, auf die z. T. in den Verfluchungen Bezug genommen wird. Bei der Mehrzahl der Verfluchungen werden die Motive nicht explizit genannt, in den übrigen sind die Gründe Neid [1] und Rivalitätsgefühle, bes. in den Bereichen des Sports, des (Amphi-)Theaters, des Rechtsstreits, der Liebe und des Handels und Gewerbes [2]. Die Texte sind praktisch ausnahmslos anon. und versuchen auch nicht, sich zu rechtfertigen, indem sie z.B. auf die verdiente Bestrafung der verfluchten Person(en) hinweisen würden. Falls Gottheiten angerufen werden, so gehören sie der Sphäre des Todes, der Unterwelt und der Zauberei an (Demeter, Persephone, Gaia, Hermes, die Erinyen und → Hekate). In späteren Epochen überwiegen die Zaubernamen von exotischen → Dämonen und Gottheiten. Die Geister von Toten konnten ebenfalls angerufen werden, denn die Täfelchen wurden oft in den Gräbern von unzeitig Verstorbenen (→ Ahoroi) oder in chtho-

nischen Heiligtümern und Brunnen vergraben. Die Täfelchen wurden aufgerollt und mit einer Nadel durchstochen, z. T. wurden auch Zauberpuppen hinzugefügt. Zur Zeit sind über 1500 *d.*-Texte bekannt. Sie erscheinen erstmals im späten 6. Jh. v. Chr. in Sizilien und Olbia, etwas später auch in Attika, v. a. in Athen. Diese frühen Beispiele sind zugleich die einfachsten, da sie häufig nur die Namen der Verfluchten enthalten, gelegentlich ›ich binde‹ und den Namen der Gottheit, der sie »aufgetragen« werden, hinzufügen. Die späteren Verfluchungen entwickeln sich v. a. in der Kaiserzeit zu komplexen Texten mit gelegentlich ausgedehnten Folgen von *voces magicae* und Namen von Dämonen und Gottheiten, die häufig ägypt. oder semitisch sind.

Fluchtafel aus Hadrumentum (Tunesien).

Obwohl das Verb *defigere* in der Lit. und den Zaubertexten in der Bed. von »festheften«, »bannen« (ThlL 5.1, 342[E]31–41) sehr häufig ist, scheint das Wort *d.* nicht vor dem 6. Jh. n. Chr. belegt (ThlL 5.1, 356 82). Die Handlung des magischen Bindens hingegen ist bereits den homer. Epen bekannt, wo Götter, auch → Moira und Ate, Bindung und Blendung erwirken (*deín, pedán*). Die *d.* erfolgt hier fast immer durch die Kraft des göttl. Willens, ohne das Mittel der Verfluchung, doch wird sie auch auf menschliches Fluchgebet hin von Göttern ausgeführt (Hom. Il. 9,454–7; 568–72). Gelegentliche Erwähnungen von magischer Bindung finden sich in ganz unterschiedlichen Literaturgattungen; bes. in der Dichtung handeln ganze Werke von dem Thema (berühmt z. B. Theokrits 2. Idylle) [3].

Die Verfluchungen weisen durch alle Zeiten hindurch eine stark formelhafte Natur auf (manchmal deutlich zeitgleiche öffentliche Inschr. nachbildend) und lassen so auf Modelle und Formelbücher schließen, wie man sie tatsächlich in großen Mengen von den Zauberpapyri der Spätant. kennt [4]. Viele Formulierungen, die in diesen Formelbüchern vorgeschrieben werden, finden sich in den vorhandenen *defixiones* wieder. In der Lit. werden aber auch professionelle Schreiber und Spezialisten erwähnt. Platon weiß von Sehern und Zeichendeutern, die durch *katadéseis* (Behexungen) und Zauberpuppen andere Personen defigieren (Plat. leg. 933a-e; rep. 364c). Spezialisten sind auch in einer Serie von (außer den Namen) identischen *d.* faßbar, die zusammen gefunden und auch von derselben Hand geschrieben wurden; einfallsreiche Variationen könnten individuelle Kreativität verraten. In den formelhaften Elementen weisen die Bindezauber drei Hauptstile auf [2]: 1. Die direkte Bindeformel, eine performative Äußerung, durch die das Opfer direkt manipuliert werden soll, 2. eine Gebetsformel an eine Gottheit als Wunsch oder Befehl, aktiv zu werden und 3. eine sog. *similia similibus*-Formel, ein Akt von beschwörender Analogie, in der das Opfer einer Sache ähnlich werden soll, die machtlos oder gepeinigt ist (z.B. den Toten, einem gebundenen oder gefolterten Tier, dem kalten Blei). Bemerkenswert ist die Bevorzugung bestimmter Körperregionen, deren Funktion behindert werden soll: Verstand und Geist des Redners, Stimme des Schauspielers, Hände und Füße des Athleten etc. [5].

Ebenfalls in den bekannten Sammlungen von *d.* enthalten, jedoch ein eigenes Genus, sind die Gebete für Gerechtigkeit oder »Rachegebete« [6]. Oft ebenfalls auf Bleitäfelchen geschrieben, unterscheiden sie sich dadurch von echten *d.*, daß der Name des Autors erwähnt wird, die Handlung durch Hinweis auf irgendein durch den Verfluchten begangenes Unrecht (Diebstahl, Verleumdung) gerechtfertigt wird und insbes. dadurch, daß die Götter unterwürfig gebeten werden, den Schuldigen zu bestrafen und das Unrecht wieder gutzumachen. Diese Form wird erst im Hellenismus und der Römerzeit populär und war im ganzen Imperium Romanum, bes. in Britannien verbreitet. Sammlungen wurden u.a. in Knidos [7. Nr. 1–13] und Bath [7] gefunden. In diesen Verfluchungen werden die Listen von verfluchten Körperteilen zu umfassenden anatomischen Katalogen erweitert, indem sie nicht nur auf jeweils aktive Körperteile zielen, sondern den ganzen Körper der Folter und Bestrafung aussetzen.

1 H.S. VERSNEL, Punish those who rejoice in our Misery: On Curse Texts and Schadenfreude, in: D.R. JORDAN, H. MONTGOMERY, E. THOMASSEN (Hrsg.), Magic in the Ancient World (erscheint 1998) 2 C.A. FARAONE, The Agonistic Context of Early Greek binding spells, in: Ders., D. OBBINK (Hrsg.), Magika Hiera: Ancient Greek Magic and Religion, 1991, 3–32 3 L. WATSON, Arae: The Curse Poetry of Antiquity, 1991 4 PGM 5 H.S. VERSNEL, And Any Other Part of the Entire Body there may be: An Essay on Anatomical Curses, in: F. GRAF (Hrsg.) Ansichten griech. Rituale. FS W. Burkert (erscheint) 1998 6 H.S. VERSNEL, Beyond Cursing: The Appeal to Justice in Judical Prayers, in: wie Anm. 2, 60–106 7 A. AUDOLLENT, Defixionum Tabellae, 1904 8 R.S.O. TOMLIN, The Curse Tablets, in: B. CUNLIFFE, The Temple of Sulis Minerva at Bath II, The Finds from the Sacred Spring, OUCA Monograph 16, 1988, 59–265.

R. WÜNSCH, Defixionum Tabellae Atticae, IG III.3, Appendix, 1897 · W. SPEYER, Fluch, RAC 7, 1969, 1160–1288 · D.R. JORDAN, A Survey of Greek Defixiones Not Included in the Special Corpora, in: GRBS 26, 1985, 151–97 · J.G. GAGER, Curse Tablets and Binding Spells from the Ancient World, 1992 · F. GRAF, Gottesnähe und Schadenzauber, Die Magie in der griech.-röm. Ant., 1996, 108–154.   H.V./Ü:B.S.

Deianeira (Δηιάνειρα). Mythische Tochter des Königs Oineus von Kalydon (Soph. Trach. 6f.) oder des Dionysos (Apollod. 1,64; Hyg. fab. 129) und der → Althaia. D. behielt nach dem Tod ihres Bruders → Meleagros, anders als ihre Schwestern, ihre menschliche Gestalt (Ov. met. 8,542ff.; Ant. Lib. 2 nach Nikander; Hyg. fab. 174). Der Flußgott Acheloos warb um sie, später kam auch → Herakles als Freier hinzu, der Meleagros D. rühmen gehört hatte (Pind. fr. 249aSM; Bakchyl. 5,165ff. SM). Herakles besiegte Acheloos, der sich mehrfach verwandelt hatte (Archil. fr. 286ff. W; Soph. Trach. 9ff.; Diod. 4,35,3f.; Ov. met. 9,8ff; epist. 9,139f.; Sen. Herc. Oet. 495ff.; Apollod. 2,148; Hyg. fab. 31). Unter den Kindern des Paares sind Hyllos und Makaria am bekanntesten. Nach der Hochzeit siedelte das Paar in Herakles' Heimat Trachis über. An einem Fluß übergab Herakles D. dem Kentauren Nessos, der sie hinübertragen sollte. Als dieser sich an ihr vergreifen wollte, tötete ihn Herakles mit einem Giftpfeil. Sterbend riet Nessos der Braut, sein Blut als Liebeszauber aufzubewahren (Soph. Trach. 555f.; Ov. met. 9,101ff.; epist. 9,141f.; 161ff.; Sen. Herc. Oet. 500ff.; Hyg. fab. 34; etwas anders Archil. fr. 286ff. W; Diod. 4,36,2ff.). Das Paar zog weiter nach Trachis (Soph. Trach. 38ff.), von wo aus Herakles die Dryoper besiegte, wobei D. mitkämpfte (Apollod. 1,64; 2,153). Später eroberte er Oichalia und verliebte sich in die gefangene Königstochter → Iole, die er nach Trachis mitnahm. D. geriet in Angst, Herakles an Iole zu verlieren, und bestrich das für Herakles bestimmte Opfergewand mit dem Blut des Nessos. Als Herakles es anzog, zerfraß ihn das Gift langsam, so daß er sich zur Selbstverbrennung entschloß. D. beging daraufhin Selbstmord (Hes. fr. 25,14ff. MW; Bakchyl. 16,23ff. SM; Diod. 4,36; 38; Apollod. 2,157ff.; Hyg. fab. 35f.). Ihr Grab wurde in Herakleia an der Oite und in Argos gezeigt (Paus. 2,23,5).

J. BOARDMAN, s.v. Herakles, LIMC 4.1, 834–835 · F. DÍEZ DE VELASCO. s.v. Nessos, LIMC 6.1, 838–847 · J. ESCHER, s.v. Deianeira 1), RE 4, 2378–2382 · F. JOUAN, Déjanire, Héraclès et le centaure Nessos. Le cheminement d'un mythe, in: H. LIMET, J. RIES (Hrsgg.), Le mythe. Actes du Colloque Lièges, 1983, 225–243 · J.R. MARCH, The Creative Poet. Studies on the treatment of myths in Greek poetry, BICS Suppl. 49, 1987, 47–77.   R.HA.

Deïdameia (Δηιδάμεια).

[1] Tochter des Königs Lykomedes auf der Insel Skyros, Gattin des → Achilleus und Mutter des Neoptolemos (Pyrrhos). Nach einer älteren Überlieferung eroberte Achilleus Skyros, heiratete D. und zeugte Neoptolemos. Nach einer später belegten Version bringt Thetis ihren Sohn Achilleus als Mädchen verkleidet nach Skyros zu Lykomedes, um den ihm geweissagten Tod vor Troia zu verhindern. Achill verliebt sich in D. und heiratet sie (schol. Il. 9,668; Cypr. arg. PEG I; Apollod. 3,174). Nach dem Fall Troias gibt Neoptolemos D. dem Helenos zur Frau (Apollod. epit. 6,13). D. spielte eine zentrale Rolle in der verlorenen Tragödien *Skyrioi* des

Sophokles und des Euripides (TrGF 4,551–561; PSI 12,1286; [1]). Zu den ikonographischen Darstellungen vgl. [2].

1 A. LESKY, Die tragische Dichtung der Hellenen, ³1972, 261, 329 2 A. KOSSATZ-DEISSMANN, s.v. Achilleus, LIMC 1.1, Nr. 96–176.

[2] Tochter des → Bellerophon, von Euandros (oder Zeus) Mutter des → Sarpedon (Diod. 5,79,3). Bei Hom. Il. 6,197 heißt sie Laodameia.   R.B.

Deikeliktai (Δεικηλίκται). Nach Athen. 14,621d-f lakonische Bezeichnung für Darsteller im einfachen Straßentheater, die possenhafte Einzelszenen wie ›Obstdiebe‹ oder ›Der auswärtige Arzt‹ spielten (= μῖμοι, μιμολόγοι). Trotz variabler Schreibweise (δικηλισταί, δεικελισταί, δεικηλικταί) leiten Suda sowie Hss. das Wort D. von δίκηλον, δείκελον, »Nachahmung«, »Darstellung«, ab [vgl. 1]. Die Anekdote bei Plutarch (apophthegmata Laconica 212ef; vgl. Agesilaos 21) zeigt den niederen Rang eines D. einem trag. Schauspieler gegenüber.

1 I. CASAUBONUS, Animadversiones in Athenaei Deipnosophistas, 1805, Bd. 7, 379f.   W.D.F.

Deïleon (Δηιλέων). Sohn des Deïmachos aus Trikka. Zusammen mit seinen Brüdern → Autolykos [2] und Phlogios nimmt er am Amazonenzug des Herakles teil. In Sinope bleiben sie zurück und kehren später mit den Argonauten nach Thessalien zurück (Apoll. Rhod. 2,955–960; Val. Fl. 5,113–115). Bei anderen heißt er Demoleon (Plut. Lucullus 23,5; Hyg. fab. 14,30).   R.B.

Deilias graphe (δειλίας γραφή). Im att. Strafrecht die Klage wegen Feigheit. Die Existenz der *d.g.* neben weiteren mil. Straftatbeständen (λιποταξίου γραφή, ἀστρατείας γραφή, γραφή τοῦ ἀποβληκέναι τὴν ἀσπίδα) geht aus mehreren Erwähnungen (And. 1,74; Lys. 14,5–7; Aischin. 3,175f.; Aristoph. Ach. 1129; Equ. 368) hervor, wurde allerdings in der älteren Forsch. bestritten [2; 5]. Ein konkreter Fall einer *d.g.* ist allerdings nicht bekannt. Die Abgrenzung der allg. *d.g.* von den genannten präziser definierten Vergehen fällt freilich schwer; ihre Verfolgung wurde ohnehin in einem einzigen Gesetz geregelt (Lys. 14,5). Das Gericht für alle Vergehen im Militärdienst bildeten unter dem Vorsitz des verantwortlichen Strategen Teilnehmer des betreffenden Feldzugs, der Verurteilte wurde mit → *atimía* bestraft.

1 G. BUSOLT/SWOBODA, 1127² 2 J. H. LIPSIUS, Das att. Recht und Rechtsverfahren 2, 1908, ND 1966, 453⁶ 3 D. MACDOWELL, Andokides. On the Mysteries, 1989², 111f. 4 Ders., The Law in Classical Athens, 1978, 160 5 TH. THALHEIM, RE 4, 2384.   LE.BU.

Deima (Δεῖμα). Wie → Deimos und → Phobos Personifikation der Furcht. Pausanias beschreibt das eine schreckenerregende Frau darstellende Bild der D., welches noch zu seiner Zeit in Korinth beim Grab von → Medeias Söhnen zu sehen war. Es wurde von den Korinthern zur Sühne für den Mord an den Kindern aufgestellt (Paus. 2,3,7).

S. I. JOHNSTON, Medea and the Cult of Hera Akraia, in: J. J. CLAUSS, S. I. JOHNSTON (Hrsg.), Essays on Medea in Myth, Literature, Philosophy, and Art, 1997, 55–61 · TH. KYRIAKOU, s.v. D., LIMC 3.1, 361f. · E. WILL, Korinthiaka, Recherches sur l'histoire et la civilisation de Corinthe des origines aux Guerres Médiques, 1955, 92–94.

Deimos (Δεῖμος). Personifikation der Furcht, gewöhnlich mit → Phobos verbunden. Beide treiben zusammen mit → Eris die Krieger zum Kampf an (Hom. Il. 4,440) und schirren dem → Ares die Pferde an den Wagen (Il. 15,119f.). → Antimachos [3] mißverstand sie als die Rosse des Ares, die von der Thyella (»Sturm«) abstammten [1]; ähnlich sind Terror und Pavor bei Val. Fl. 3,89 die Pferde des Mars. Nach Hes. theog. 934 sind D. und Phobos Söhne des Ares und der Kythereia (Aphrodite). Bei Semos FGrH 396 F 22 ist D. der Vater der Skylla. D. und Phobos sind neben der Gorgo auf dem Schild Agamemnons dargestellt (Hom. Il. 11,36f.), beide stehen neben Ares auch auf dem Schild des Herakles (Hes. scut. 195f.; 463f.). Ikonographisch kann D. nirgends mit Sicherheit festgemacht werden [2; 3]. Vgl. bei den Römern Pallor und Pavor (Liv. 1,27) bzw. Metus und Terror (Apul. met. 10,31).

1 V. J. MATTHEWS, Antimachos of Colophon, 1996, 150f. 2 J. BOARDMAN, s.v. Phobos, LIMC 7.1, 393f. 3 H. A. SHAPIRO, Personifications in Greek Art, 1993, 208–215.
R.B.

Deinarchos (Δείναρχος).
A. LEBEN

Attischer Redner, geb. um 361 v. Chr. in Korinth, Sohn des Sostratos, gest. nach 292.

Quelle für seine Lebensdaten ist die (unvollständig überlieferte) Schrift *De Dinarcho* des Dionysios von Halikarnassos, der sich vor allem auf eine verlorene Rede des D. (›Gegen Proxenos‹) stützte; die übrigen Viten (Ps.-Plut., Photios, Suda) hängen von Dionysios ab. D. siedelte in jungen Jahren (ca. 340/38) nach Athen über, lebte dort als Metoike und hatte Verbindung zur peripatetischen Schule. Etwa seit 336/5 betätigte er sich als → Logograph.   M.W.
D. wurde trotz seiner erfolgreichen Logographen-Tätigkeit und Freundschaft zu Theophrast, Demetrios von Phaleron und Kassandros kein einflußreicher Politiker. Dies zeigt exemplarisch, daß ein Metoike in Athen trotz hervorragender rhet. Begabung und beachtlichem Wohlstand ohne das Bürgerrecht keine eigenständige polit. Rolle spielen konnte. Auch als Logograph wurde D. erst prominent, als er in den → Harpalos-Prozessen drei Anklagereden gegen die demokratischen Rhetoren Demosthenes, Aristogeiton und Philokles verfaßte. Die Notiz der Suda (Suda s. v. D.), Antipatros habe einen D. zum *epimelētēs* für die Peloponnes gemacht, betrifft nicht D. Die Vita D.' begründet den großen Erfolg D.'

in Athen nach 323 mit seiner Freundschaft zu Kassandros (Plut. mor. 850C). Diese Tradition mag aus der bekannten Freundschaft D.' zu Demetrios von Phaleron entstanden sein. Jedenfalls sind keine polit. Handlungen D.' im Interesse des Kassandros nachweisbar. D. darf wegen seiner Reden gegen demokratische Rhetoren nicht vereinfachend als Gegner der athenischen Demokratie eingeschätzt werden. Immerhin hatte er sich das demokratische Athen von ca. 340/338 bis 322 v.Chr. als Wohnort ausgesucht und 338 bei Chaironeia als Metoike für Athen gekämpft (Deinarch. 48 F 2 CONOMIS). Doch entzog sich D. nach dem Sturz des Demetrios 307 den Anklagen seiner Gegner wegen Kollaboration mit Antipatros und Kassandros und ging ins Exil nach Chalkis. 292 nach Athen zurückgekehrt, strengte er vor dem Gericht des Polemarchen (Plut. mor. 850D/E mit Aristot. Ath. pol. 58,2–3) einen Prozeß gegen seinen Gastgeber Proxenos an, der aber keinen erkennbaren polit. Hintergrund hatte. Über letzte Lebensjahre und Tod ist nichts bekannt.   J.E.

B. WERKE

Von den etwa 160 in der Ant. vorliegenden, zum großen Teil unechten (vgl. Dion. Hal.) Reden sind die drei genannten ›Gegen Demosthenes‹ (or. 1), ›Gegen Aristogeiton‹ (or. 2) und ›Gegen Philokles‹ (or. 3) erh.; or. 2 und 3 sind am Ende verstümmelt. Sie wurden von D. für unbekannte Sprecher in den Harpalos-Prozessen (324/23) geschrieben. Vier weitere von ant. Kritikern dem D. zugeschriebene Reden stehen im *Corpus Demosthenicum* (or. 39; 40; 47; 58).

D. gilt seit der Ant. als zweitrangiger Redner. Sein Stil ist geprägt von zahlreichen Anleihen bei seinen Vorgängern, bes. Demosthenes, überzogen scheinender Erregung und unmäßig ausufernden Perioden (z.B. or. 1,18–21), man vermißt Logik und klaren Aufbau (Gegenposition im Komm. von WORTHINGTON).
→ Rhetoren

GESAMT-ED.: N.C. CONOMIS, Dinarchus, Orationes cum fragmentis, 1975 · M. NOUHAUD, L. DORS-MÉARY, Dinarque. Discours, 1990.
EINZEL-ED.: or. 2 und 3: L. GIOVANNUCCI, 1971, 1973.
KOMM.: I. WORTHINGTON, A Historical Commentary on Dinarchus, 1992.
INDEX: L. L. FORMAN, 1897 (Ndr. 1962)
LIT.: BLASS, 3,2, 289 ff. · G. SHOEMAKER, Dinarchus, 1968 · D. WHITEHEAD, The Ideology of the Athenian Metic, 1977.   M.W.

Deinias (Δεινίας). Aus Argos, lebte im 3. Jh. v. Chr.; er war Verf. von *Argoliká* in mindestens neun Büchern. Sie reichten von der breit behandelten mythischen Zeit bis zur Schlacht von Kleonai (ca. 235), in der → Aratos [2] den Tyrannen Aristippos von Argos besiegte (FGrH 306 F 5). Seine Identität mit D., der 251/50 den Tyrannen Abantidas von Sikyon ermordete (T 1), ist nicht gesichert. FGrH 306 (mit Komm.).   K. MEI.

Deinokrates (Δεινοκράτης).

[1] Syrakusier. Von → Agathokles [2] bei seiner Machtergreifung 316 v. Chr. als Freund geschont (Diod. 19,8,6), wurde er bald zum Führer der Verbannten und aller Gegner des Agathokles, eroberte mehrere Orte Siziliens und kämpfte an der Seite der Karthager gegen den Tyrannen (19,103 f.). Er zog 309 mit Hamilkar gegen Syrakus (20,29,5), wurde nach dessen Tod von den Verbannten und den übrigen Griechen zum Strategen gewählt (20,31,2) und erreichte als dritte Macht auf Sizilien neben Agathokles und Karthago den Höhepunkt seiner Stellung, als die Akragantiner ihre Hegemoniepläne im Kampf gegen Feldherren des Agathokles begraben mußten. Nun ernannte sich D. zum »Führer der gemeinsamen Freiheit« und verstärkte seine Anhängerschaft so beträchtlich (20,57,1), daß ihm Agathokles nach dem Scheitern des Afrika-Zuges anbot, die Tyrannis aufzugeben und die Verbannten zurückzuführen (20,77,2 f.). D., der selbst nach Alleinherrschaft strebte, lehnte ab und forderte Agathokles zum Verlassen Siziliens auf (20,79,1–4). Nach dem Frieden des Agathokles mit Karthago 306/5 (20,79,5) und dem Sieg über D. bei Torgion ergab sich dieser und lieferte die besetzten Plätze aus. Agathokles begnadigte D., ernannte ihn zum Strategen und schenkte ihm bis zuletzt sein Vertrauen (20,89 f.).

K. MEISTER, in: CAH 7,1, ²1984, 392 f., 401 ff. · J. SEIBERT, Die polit. Flüchtlinge und Verbannten in der griech. Gesch., 1979 (Textteil 258 ff., Anmerkungsteil und Register 569 ff.).   K. MEI.

[2] Messenier, hoffte für eine Unabhängigkeit Messeniens von Achaia 183 v. Chr. vergeblich auf die Hilfe seines Freundes Quinctius Flamininus (Pol. 23,5) [1. 220, 494]. Als beim Feldzug der Achaier gegen die Abtrünnigen D.' alter Gegenspieler → Philopoimen 182 bei Korone in Gefangenschaft geriet, ließ er ihn schnell hinrichten (Liv. 39,49,12; 50,7; Plut. Philop. 18; 20) [2. 189–194], nahm sich aber nach dem baldigen Sieg des Lykortas das Leben (Pol. 23,16,3.13; Liv. 39,50,9; Plut. Philop. 21,2). Polybios charakterisiert D. als leichtfertigen Mann, dessen Lebenslust u. a. Flamininus befremdete (Pol. 23,5,4–5: Plut. Tit. 17,6).

1 GRUEN, Rome 2 R. M. ERRINGTON, Philopoemen, 1969.   L.-M.G.

[3] Architekt und Stadtplaner frühhell. Zeit; genauere Daten zu seiner Lebenszeit sind unbekannt. Wegen undeutlicher Schreibweise in Handschriften und bereits in der Ant. entstandenen Namensverwechselungen oder Namensverschmelzungen ist der Name nicht eindeutig überliefert [1]. Nach → Vitruvius (2 praef. 2) stammte er aus Makedonien, nach Pseudo-Kallisthenes 1,31,6 aus Rhodos. Mit seinem Namen werden sowohl konkrete Planungen als auch eher phantastisch anmutende Projekte in Verbindung gebracht. Von Alexandros [4] d.Gr. soll er mit Planungsaufgaben für → Alexandreia beauftragt worden sein (Vitr. 2 praef. 4; Plin. nat. 5,62,7; 125).

Mit einem orthogonalen Straßennetz entsprach der Stadtplan zu jener Zeit gängig gewordenen Vorstellungen [2]. Ungewöhnlicher ist das von D. für die Einäscherung des → Hephaistion entworfene, sechs-geschossige und ca. 60 m hohe Gerüst in Form eines gestuften Turms in Babylon (Diod. 17,114–115; Plut. Alexander 71). Irrtümlich wurde D. der Wiederaufbau des Artemistempels in → Ephesos zugeschrieben (Solinus 40,5). Nach Vitr. 2 praef. 1–3 soll D. als Herakles kostümiert Alexander d.Gr. den Vorschlag unterbreitet haben, den Berg Athos in eine überdimensionale Statue des Königs umzuwandeln [3]. Die hypertroph anmutende Erzählung dürfte durch die weit verbreitete Überhöhung Alexanders zustande gekommen sein; das Motiv ist in der Renaissance und im Barock mehrfach Gegenstand von Phantasie-Zeichnungen gewesen (z.B. J.B. Fischer von Erlach, 1721).

1 G.A. MANSUELLI, Contributo a D., Alessandria e il mondo ellenistico-romano, in: Studi in onore di Achille Adriani 1, 1983, 78–90 2 B.R. BROWN, D. and Alexandria, in: The Bulletin of the American Society of Papyrologists, 15, 1978, 39–42 3 H. MEYER, Der Berg Athos als Alexander. Zu den realen Grundlagen der Vision des D., in: RA 10, 1986, 22–30.

J.E.M. EDLUND, D. A Disappointed Greek Client, in: Talanta 8–9, 1977, 52–57 · E. FABRICIUS, s.v. D. (6), RE 4, 2392f. · W. MÜLLER, Architekten in der Welt der Ant., 1989, 153f. H.KN.

Deinolochos (Δεινολόχος). Dichter der dorischen Komödie, in unseren Zeugnissen auf die 73. Ol. (488–485 v.Chr.) datiert und als Sohn oder Schüler [1. test. 1], aber auch als Rivale [1. test. 2] des → Epicharmos bezeichnet. Er soll 14 Stücke geschrieben haben; dank eines Papyrus [2. Nr. 78] ist die Zahl der von D. bekannten Titel inzwischen auf 12 angewachsen, von denen zehn ein mythisches Sujet erkennen lassen. Über Inhalt und Aufbau dieser Stücke läßt sich kaum mehr etwas sagen (außer, daß sie wohl denen des Epicharmos vergleichbar waren). Ein einziges Versfragment ist erhalten.

1 CGF I 1, ²1958, 149–151 2 C. AUSTIN (Hrsg.), Comicorum Graecorum Fragmenta in Papyris Reperta, 1973, 50f. H.-G.NE.

Deinomache (Δεινομάχη). Tochter (Plut. Alk. 1,1) des Megakles (Sohn des Hippokrates aus Alopeke); Großnichte des Kleisthenes; Frau (Plat. Alk. 105d; Athen. 5,219c) des 447/46 v.Chr. gefallenen Kleinias; Mutter des Alkibiades [3] (Plat., Athen. ebd.; Prot. 320a). TRAILL, PAA 302530 · DAVIES 600, 9688, Table 1. K.KI.

Deinomachos (Δεινόμαχος). Philosoph, dessen Lebenszeit und Schulzugehörigkeit nicht genau zu bestimmen sind; doxographisch ist wenig faßbar. Er wird stets nur in Verbindung mit dem kaum klarer greifbaren Kalliphon genannt: Als Vertreter einer Position, die in einer Erweiterung der *divisio Carneadea* (→ Karneades)

bei Cic. fin. 5,21 erfaßt wird, sehen beide die an die Tüchtigkeit (*honestas*) gekoppelte Lust (ἡδονή) als Ziel des menschlichen Handelns an (Clem. Al. strom. 2,21,127; kritisch dazu auch Cic. off. 3,119; Tusc. 5,85). K.-H.S.

Deinomenes (Δεινομένης).
[1] D. aus Gela, Begründer der Dynastie der Deinomeniden, Vater der Tyrannen Gelon, Hieron, Polyzalos und Thrasybulos (vgl. Simonides, fr. 141 BERGK = PLG 3,1166; Pind. P. 1,79; 2,18; Hdt. 7,145; Timaios FGrH 566 F 97; Diod. 11,67,2; Paus. 6,12,1ff.; 8,42,8).
[2] Sohn des Tyrannen Hieron aus erster Ehe mit der Tochter des Syrakusiers Nikokles (Timaios FGrH 566 F 97) und als Knabe unter der Vormundschaft von Hierons Schwägern, Chromios und Aristonus, als König der 476 v.Chr. gegr. Söldnerkolonie Aitne (vgl. Diod. 11,76,3) eingesetzt (Pind. P. 1,58ff. mit schol.). Beim Tode des Vaters 467 ließ er zur Erinnerung an dessen Siege in Olympia Weihgeschenke aufstellen (Paus. 6,12,1; 8,42,8). Um 451 ermordet (Diod. 11,91,1).
[3] Syrakusier. 214 v.Chr. maßgeblich an der Ermordung von Hierons II. Nachfolger Hieronymos beteiligt und von den Syrakusiern zum Strategen gewählt. Er wurde beim Versuch, den Römerfeind Hippokrates aus Syrakus zu vertreiben, auf dessen Geheiß vom Volk getötet (Liv. 24,7,4ff.; 23,3; 30,6; 31,10; Paus. 6,12,4). K.MEI.

[4] Bronzebildner, dessen *Akmé* Plinius d.Ä. 400–396 v.Chr. ansetzt. Von den überlieferten Werken, Statuen des Athleten Pythodemos und des Protesilaos, wird letzterer häufig in einem Statuentypus in New York erkannt, der jedoch schwerlich nach 430 v.Chr. zu datieren ist und deshalb ebenso häufig als *vulneratus deficiens* des → Kresilas benannt wird. Pausanias sah auf der Akropolis die Statuen der Io und der Kallisto von D., die man wegen des Sujets gerne einem durch eine Basissignatur bekannten Homonymen des 2.–1. Jh. v.Chr. zuweist. Andererseits wurden Identifizierungen mit verschiedenen klass. Statuentypen vorgeschlagen, die alle unbestätigt blieben. Die Notiz des Tatian über ein Bildnis der Königin Besantis von D. beruht auf Fehlbenennung oder Phantasie.

D. ARNOLD, Die Polykletnachfolge, 25. Ergb. JDAI, 1969, 7 · J. DÖRIG, Deinoménès, in: AK 37, 1994, 67–80 · LIPPOLD, 203 · LOEWY, Nr. 233 · OVERBECK, Nr. 922–926, 983 (Quellen). R.N.

Deinomeniden. Ursprünglich geloische, später syrakusische Herrscherdynastie, begründet von → Deinomenes aus Gela und weitergeführt von dessen vier Söhnen Gelon, Hieron, Thrasybulos und Polyzalos. Durch die Hochzeit von Therons Tochter → Damarete mit Gelon traten die Deinomeniden in enge verwandtschaftliche Beziehungen zu den Emmeniden von Akragas (vgl. Abb.). K.MEI.

Die Deinomeniden und Emmeniden

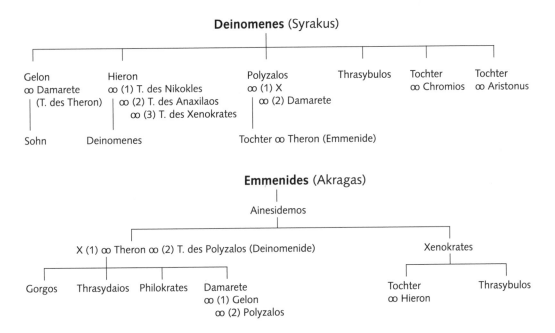

Deinomenes (Syrakus)

Gelon	Hieron	Polyzalos	Thrasybulos	Tochter	Tochter
∞ Damarete	∞ (1) T. des Nikokles	∞ (1) X		∞ Chromios	∞ Aristonus
(T. des Theron)	∞ (2) T. des Anaxilaos	∞ (2) Damarete			
	∞ (3) T. des Xenokrates				

Sohn   Deinomenes   Tochter ∞ Theron (Emmenide)

Emmenides (Akragas)

Ainesidemos

X (1) ∞ Theron ∞ (2) T. des Polyzalos (Deinomenide)   Xenokrates

Gorgos	Thrasydaios	Philokrates	Damarete	Tochter	Thrasybulos
			∞ (1) Gelon	∞ Hieron	
			∞ (2) Polyzalos		

Deinostratos. Im Mathematikerverzeichnis des Eudemos wird D. als Bruder des Menaichmos erwähnt, der ein Schüler von Eudoxos war (Prokl. in primum Euclidis elementorum librum comm., p. 67,11 FRIEDLEIN). Er lebte demnach Mitte des 4. Jh. v. Chr.

→ Pappos von Alexandreia berichtet (4,30, p. 250,33–252,3 HULTSCH), D. habe für die Quadratur des Kreises eine Kurve gebraucht, die deshalb Quadratrix (τετραγωνίζουσα) gen. wurde. Bei dieser Kurve, die schon Hippias von Elis für die Winkeldreiteilung benutzt haben soll, gleitet die Seite BC eines Quadrats mit konstanter Geschwindigkeit parallel zu sich, bis sie mit der gegenüberliegenden Seite AD zusammenfällt. In der gleichen Zeit dreht sich die Seite AB um A, bis sie mit AD zusammenfällt. Die Schnittpunkte beider Strecken ergeben die Quadratrix BFG. Pappos zeigt mit Hilfe eines indirekten Beweises, daß sich der Bogen BED zu AB wie AB zu AG verhält. Somit läßt sich die Länge des Viertelkreises (und damit der Kreisumfang und aus diesem wiederum die Kreisfläche) mit Hilfe des Endpunktes G der Quadratrix bestimmen. Wenn der Beweis, den Pappos bringt, von D. stammt, so wäre dies einer der frühesten indirekten Beweise in der griech. Mathematik.

Gegen die Definition der Quadratrix erhob Sporos (3. Jh.) zwei Einwände: 1) Die zeitliche Koordinierung der Verschiebungs- und Drehbewegung bei der Erzeugung der Quadratrix setzt die Kreisrektifikation (Konstruktion einer Strecke von der Länge des Umfangs eines gegebenen Kreises) bereits voraus. 2) Der Endpunkt G kann nicht als Schnittpunkt der gedrehten und paral-

lel verschobenen Strecke angesehen werden, weil beide am Ende der Bewegung zusammenfallen. Beide Einwände werden h. überwiegend als unbegründet angesehen, da man durch fortgesetzte Halbierung der Quadratseite und des Kreisbogens jede Menge von Kurvenpunkten erhalten und den Endpunkt der Quadratrix in beliebig enge Grenzen einschließen kann.

→ Mathematik

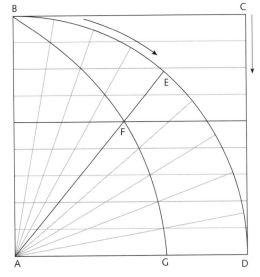

Konstruktion der Quadratrix nach Deinostratos.

1 O. Becker, Das mathematische Denken der Ant., 1957, 95–97 2 I. Bulmer-Thomas, s. v. Dinostratus, Dictionary of Scientific Biography 4, 1971, 103–105 (104 mit Fig.) 3 Th. L. Heath, A History of Greek Mathematics, I, 1921, 225–230 4 G. Loria, Le scienze esatte nell'antica Grecia, ²1914, 160–164 5 B. L. van der Waerden, Erwachende Wiss., ²1966, 314–317. M. F.

Deiokes (Δηιόκης). Nach Hdt. 1 erster Herrscher der → Medai, der 53 Jahre regiert haben soll; von den Medern zum Herrscher erwählt, habe er sich eine Festung (→ Ekbatana) bauen lassen, sich mit einer Leibwache umgeben und ein Hofzeremoniell eingeführt, das seine Untertanen daran gewöhnen sollte, ihren Herrscher als ein höheres Wesen zu betrachten. Herodots Bericht mischt zeitgenössische Elemente des achäm. Hofprotokolls mit griech. Ideen über das Auftreten eines Tyrannen (Hdt. 1, 96–101; [2]). Der griech. Namensform D.' entspricht der in neuassyr. Quellen gen. Name *Daiakku*. Es liegt aber keine Personenidentität vor. Daiukku ist ein Männäerfürst aus dem nordwestl. Zagros, von dem Sargon II. von Assyrien in einer Inschr. berichtet, er habe ihn nach Ḥamat deportiert (715 v. Chr.).

1 S. Brown, Media and Secondary State Formation in the Neo-Assyrian Zagros, in: JCS 38, 1986, 107–119 2 P. Helm, Herodotus' Medikos Logos and Median History, in: Iran 19, 1981, 85–90 3 H. Sancisi-Weerdenburg, Herodotos' Medikos logos, in AchHist 8, 39–55. A. KU. u. H. S.-W.

Deïon(eus) (Δηιών, Δηιονεύς).
[1] Sohn des Aiolos [1] und der Enarete, der Tochter des Deimachos. Er war König von Phokis, heiratete Diomede, die Tochter des → Xuthos. Aus dieser Ehe gingen Asterodia, Ainetos, → Aktor [2], → Phylakos und → Kephalos hervor (Apollod. 1,51; 86; Hyg. fab. 189,1; Kall. h. 3,209; Strab. 10,2,14). Die Namen der beiden letzteren zeigen ebenso wie Xuthos Beziehungen zu Attika.

F. Graf, Greek Mythology, 1993, 127.

[2] Häufig verschrieben für → Eioneus, Vater der → Dia [2]. S. auch → Ixion

Deïope(i)a (Δηιόπεια). Eine sich durch außerordentliche Schönheit auszeichnende Nymphe in der Umgebung der Kyrene, die in der Tiefe des Peneios wohnt (Verg. georg. 4,343). Iuno verspricht sie dem Aiolos zur Ehe (Verg. Aen. 1,71–73).

R. A. B. Mynors, Virgil. Georgics (Komm.), 1990, 303 · M. Scarsi, s. v. D., EV 2,17.

Deïopites (Δηιοπίτης). Trojaner, Sohn des → Priamos (Apollod. 3,153; Hyg. fab. 90,6). Von Odysseus verwundet (Hom. Il. 11,420), nach Diktys 3,7 von Agamemnon getötet.

P. Wathelet, Dictionnaire des Troyens de l'Iliade, 1988, Bd. 1, 414 f. R. B.

Deiotaros (Δηιόταρος). Φιλορώμαιος (zum keltisches Namenskomposit vgl. [4. 190; 5. 155]). * Ende des 2. Jh. v. Chr. als Sohn des Sinorix (IG III² 3429), Gatte der Berenike, Tetrarch der Tolistobogii, König der Galater, gest. um 40 v. Chr. D. war ein halb hellenisierter Klientelfürst der Römer, der eine energische und skrupellose Machtpolitik betrieb. Er gehörte zu den drei galatischen Tetrarchen, die 86 v. Chr. den Mordversuchen des Mithradates von Pontus entkamen. Fortan kämpfte er als Bundesgenosse der Römer und konnte 73 v. Chr. den pontischen General Eumachos aus Phrygien vertreiben (App. Mithr. 75; Liv. epit. 94). Pompeius erkannte ihn dafür 63/62 v. Chr. als alleinigen König der Tolistobogii an und verlieh ihm größere Teile des Königreichs Pontus sowie Kleinarmenien, was Caesar 59 v. Chr. als Consul durch den Senat bestätigen ließ (Strab. 12,3,13).

58–56 v. Chr. vertrieb D. den Brogitaros aus Pessinus und eignete sich 52 v. Chr. auch dessen Gebiet an (Cic. har. resp. 29; Sest. 56). Mit seinem röm. ausgebildeten beachtlichen Aufgebot von ca. 12 000 Fußsoldaten und 2000 Reitern, aus dem später die *legio XXII Deiotariana* hervorging, konnte er u. a. 51 v. Chr. in Kilikien seinen Freund Cicero gegen die Parther unterstützen (Cic. fam. 15,1,6–2,2; 4,5–7; Att. 5,18,2; 6,1,14; Phil. 11,33–34).

Während des Bürgerkrieges führte D. 49 v. Chr. persönlich 600 Reiter für Pompeius in die Schlacht bei Pharsalus und begleitete ihn auf seiner Flucht (Caes. civ. 3,4,3; App. civ. 2,71). Kurz darauf übernahm er das Gebiet des Domnilaus. In den anschließenden Auseinandersetzungen mit dem bosporanischen König Pharnakes II. (48 v. Chr.) verlor er auf der Seite des Domitius Calvinus die Hälfte seiner Truppen. Nach seinem Sieg bei Zela (47 v. Chr.) entzog Caesar in Nikaia seinem ehemaligen Gastfreund trotz der Intervention des Brutus Kleinarmenien. Die Trokmertetrarchie ging an Mithradates von Pergamon (Bell. Alex. 34–41; 67,1; Cic. Brut. 5,21; Cass. Dio 41,62,5–63,1).

D. sympathisierte weiterhin mit republikanischen Kreisen, während das Verhältnis zu Caesar distanziert blieb (Cic. Deiot. 8; Phil. 2,93–96). Im Frühjahr 45 v. Chr. schickte er eine Bittgesandtschaft zu Caesar nach Tarraco, um nach dem Tode des Mithradates das Trokmergebiet zurückzuerhalten (Cic. Deiot. 38). Darauf bezichtigte in Rom eine galatische Delegation unter Führung seines Enkels, Kastor II., den D. des Mordversuchs an Caesar. Die Ende November im Hause Caesars stattfindende Verhandlung, war ein Stück »Kabinettsjustiz«, das jeder rechtlichen Grundlage entbehrte [2. 72–88]. Seine erh. Verteidigungsrede nutzte Cicero geschickt, um den Freund in absentia zu verteidigen und gleichzeitig die monarchischen Tendenzen der Diktatur Caesars anzuprangern (Cic. Deiot.) [1. 320–344; 3. 109–123]. Es gelang ihm, die Mordanklage als fingiert zu entlarven, dennoch kam es zu keinem Urteil (Cic. Phil. 2,95).

Nach der Ermordung Caesars beseitigte D. seinen Schwiegersohn Kastor Saocondaros, um sich anschließend zum König von ganz Galatien zu machen (Strab. 12,5,1–3). Antonius [I 9] bestätigte diese Eroberung, indem er für Geld die Verfügungen Caesars fälschte (Cic. Phil. 2,94–96; Att. 14,12,1; 14,19,2). Bei Philippi (42 v.Chr.) wechselte der Feldherr des D., Amyntas [9], nach der 1. Schlacht von Brutus zu Antonius (Cass. Dio 47,24,3; 47,48,2). D. Philopator, der Sohn des D., der seit 51 v.Chr. zusammen mit ihm den Königstitel führte, dürfte zum Zeitpunkt der 2. Schlacht bereits verstorben sein (Cic. Deiot. 36; Grabinschrift aus Blukion (Karalar): J. COUPRY, RA 6, 1935, 142). Nach dem Tod des D. machte Antonius dessen Enkel und Ankläger Kastor II. zu dessen Nachfolger (Cass. Dio 48,33).

→ Amyntas [9]; Antonius [I 9]; Brogitaros; Domnilaus; Galater; Mithradates von Pergamon; Mithradates von Pontus; Pessinus; Pharnakes II.; Sinorix; Saocondaros; Tarraco; Tolistobogii

1 H. BOTERMANN, Die Generalabrechnung mit dem Tyrannen, in: Gymnasium 99, 1992, 320–344 2 K. BRINGMANN, Der Diktator Caesar als Richter? in: Hermes, 114, 1986 3 E. OLSHAUSEN, Die Zielsetzung der Deiotariana, in: FS. E. Burck, 1975 4 SCHMIDT 5 L. WEISGERBER, Galatische Sprachreste, in: Natalicium. FS J. Geffken 1931.

W. HOBEN, Unt. zur Stellung kleinasiatischer Dynasten in den Machtkämpfen der ausgehenden Republik, Diss. 1969 · HN 746.   W.SP.

Deïphobos (Δηίφοβος). Troischer Prinz und Anführer (Hom. Il. 12,94; 13,402–539), Sohn von Priamos und Hekabe (Apollod. 3,151). Wohl bei den Tragikern ist D. an der Wiedererkennung seines einst ausgesetzten Bruders → Paris beteiligt. Dieser flieht vor D., der ihn bedroht, auf den Altar und wird dort von → Kassandra erkannt (Hyg. fab. 91). D. ist Hektors Lieblingsbruder, dessen Gestalt Athena annimmt, als sie Hektor zum tödlichen Zweikampf mit Achilleus verleitet (Hom. Il. 22,226ff.; 294ff.). Er legt mit Paris den Hinterhalt, dem Achilleus wegen → Polyxena zum Opfer fällt (Dictys 4,11; Hyg. fab. 110). Als zweittapferster Held der Troer erringt er nach Paris' Tod die Helena, die Priamos dem Kampfesbesten bestimmt (Il. parv. p. 74 PEG I; Dictys 4,22; Tzetz. Lykophr. 168) und die D. schon zu Paris' Lebzeiten geliebt hat (Hom. Od. 4,276). Sein unterlegener Konkurrent → Helenos verläßt daraufhin die Stadt und gerät in griech. Gefangenschaft (Apollod. epit. 5,9; Q. Smyrn. 10,345ff.). Mit Helena versucht D. die Griechen im Trojanischen Pferd zu überlisten (Hom. Od. 4,276). Bei Dares (28) wird er in der Schlacht getötet, bei Vergil (Aen. 6,494ff.) verrät ihn Helena bei der Eroberung der Stadt an → Menelaos und Odysseus. Diese töten den Waffenlosen, seine Leiche wird verstümmelt und nicht bestattet (Hom. Od. 8,517; Apollod. epit. 5,22). Sein Körper wird in die Pflanze Akephalon verwandelt.→ Aineias läßt dem D. bei Rhoiteion einen Hügel aufschütten (Aen. 6,505), D.'

verstümmelter Schatten begegnet dem Aineias in der Unterwelt.
→ Hektor; Helena

C. FUQUA, Hector, Sychaeus and D. Three mutilated figures in Aeneid 1–6, in: CPh 77, 1982, 235–240 · L. KAHIL, s.v. D., LIMC 3.1, 362–367 · L.v. SYBEL, s.v. D., ROSCHER 1.1, 981 · R. WAGNER, RE 4, 2402–2405.   T.S.

Deïphontes (Δηιφόντης). Ururenkel des Herakles (Herakles-Ktesippos-Thrasyanor-Antimachos-D.). Er heiratete → Hyrnetho, die Tochter des Herakleiden → Temenos. Dieser hatte nach der Eroberung der Peloponnes bei der Landverlosung Argos zugesprochen bekommen. Temenos' Söhne, die sich gegenüber D. und Hyrnetho vernachlässigt fühlten, ließen ihren Vater töten. Sterbend übergab Temenos D. und Hyrnetho die Herrschaft. Die Temeniden gaben ihre Herrschaftsansprüche jedoch nicht auf. Deswegen zog D. nach Epidauros, dessen König Pityreus, ein Abkömmling des Ion, ihm das Land kampflos übergab. Die Temeniden versuchten Hyrnetho nach Argos zu entführen. Als es zum Kampf kommt, wird die schwangere Hyrnetho von ihrem Bruder → Phalkes ermordet. Ihr Grab wurde bei Epidauros und in Argos gezeigt (Nikolaos v. Damaskos FGrH 90 F 30; Apollod. 2,179; Paus. 2,19,1; 2,23,3; 26,1f; 28,3–7; Diod. 7,13,1; Strab. 8,8,5). Euripides schrieb *Temenos* und *Temenidai* (TGF 728–751; POxy. 2455 fr.8; 10f.).

M. SCHMIDT, s.v. Herakleidai, LIMC 4.1, 723–725 · H.W. STOLL, s.v. D., ROSCHER 1, 981–983.   R.B.

Deipnon (δεῖπνον). In frühgriech. Zeit Bezeichnung jeder Mahlzeit am Tag. Wohl infolge der Verstädterung hatte sich die Bed. von *d*. aber im 5. Jh. v.Chr. in Athen auf die Hauptmahlzeit, die bei Sonnenuntergang begann, verengt.

Das *d*. wies eine feste Ordnung auf. Es setzte sich aus dem eigentlichen Mahl mit mehreren möglichen Gängen und dem Nachtisch, der zum Trinkgelage (*sympósion*) überleiten konnte, zusammen; erst im zweiten Teil des *d*. trank man mehr Wein. Da die Griechen das *d*. als Ausdruck der Verbundenheit mit den Göttern verstanden, begannen und beendeten sie jedes *d*. mit einer Anrufung der Götter. Der Teilnehmerkreis eines privaten *d*. hing vom jeweiligen Anlaß ab: Im Alltag und zu Familienfesten aß die Familie zusammen, wobei die Frauen und Kinder saßen, während die Männer nach oriental. Vorbild seit dem 5. Jh. v.Chr. meist zu zweit auf Speisesofas lagen. Wenn der Hausherr fremde Gäste einlud, waren ehrbare Frauen ausgeschlossen. Der beim *d*. getriebene Aufwand unterschied sich von Ort zu Ort. Während das griech. Unterit. (insbes. Sybaris) sich schon in archa. Zeit durch eine hohe Eßkultur auszeichnete, speiste in Athen bis ins 4. Jh. v.Chr. selbst die Oberschicht relativ einfach. Im Hellenismus nahm der Tafelluxus in den gehobenen Kreisen generell zu.

Neben privaten *deipna* auf Einladung eines Gastgebers gab es auch *d*., zu denen sich Männer trafen und auf gemeinsame Kosten aßen (sog. *eranoi*), sowie offizielle *d.* städtischer Einrichtungen wie etwa der Phylen. Daß sich im *d.* der Gemeinsinn der Griechen ausdrückte, zeigt eine regelrechte *d.*-Lit., deren Kenntnis im wesentlichen Athenaios zu verdanken ist. Das *d.* war das Vorbild der *cena* der Römer, ohne deren Steifheit und strenge Etikette. Beispiele für *d.*-Schilderungen bieten Hom. Il. 2,399–432 und Athen. 4,128–131; 146f.

→ Cena

C. MOREL, E. SAGLIO, s. v. Cena, DS 1, 1269–1276 · J. MARTIN, s. v. D.-Lit., RAC 3, 658–663 · F. ORTH, s. v. Kochkunst, RE 21, 944–957.   A.G.

Deïpyle (Δηιπύλη). Tochter des → Adrastos [1] und der Amphithea, Schwester der → Argeia [2], mit der zusammen sie öfter dargestellt ist [1]. Adrastos gab D. dem → Tydeus zur Frau, aus welcher Verbindung → Diomedes hervorging (Apollod. 1,103; 3,59; Hyg. fab. 69A; 97,4).

1 G. BERGER-DOER, s. v. Argeia, LIMC 2.1, 587–590.   R.B.

Deïpylos (Δηίπυλος). Sohn des thrakischen Königs → Polymestor und der → Ilione, der ältesten Tochter des Priamos. Diese vertauschte ihn mit ihrem jüngsten Bruder → Polydoros, den ihr der Vater Priamos zur Erziehung übergeben hatte. Sie wollte so bei einem ungünstigem Kriegsverlauf den Tod ihres Bruders verhindern. Nach dem Fall Troias ließ sich Polymestor von Agamemnon dazu bewegen, den letzten Priamiden zu töten. So wurde er ahnungslos zum Mörder seines eigenen Sohnes. Als später der richtige Polydoros die Wahrheit erfuhr, brachte er auf den Rat seiner Schwester Polymestor um (Hyg. fab. 109).   R.B.

Deiradiotai (Δειραδιῶται). Att. Paralia-Demos der Phyle Leontis, von 307/6 bis 201/0 v. Chr. der Antigonis (→ Potamos Deiradiotai). Zwei → Buleutai. Funde eines Grab- und Hypothekar-Steins (IG II², 2650, 5965) bei Daskalio lokalisieren D. an der att. SO-Küste östl. Keratea.

TRAILL, Attica 44, 65, 68, 110 Nr. 31, Tab. 4, 11 · Ders., Demos and Trittys, 1986, 131.   H.LO.

Deisidaimonia (δεισιδαιμονία). Obwohl der Begriff urspr. eine positive Bed. hatte (»Gewissenhaftigkeit in rel. Belangen«, so bei Xen.; Aristot.), wurde er in erster Linie abschätzig verwendet und bezeichnete allg. übertriebenen Eifer in der Religionsausübung und Frömmelei. Theophrast (char. 16) [1] bezeichnete als erster *d.* als ›Feigheit gegenüber dem Göttlichen‹ und beschrieb sie folgendermaßen: quälende Furcht vor den Göttern, ein bigotter Hang zu Anbetung und Kulthandlungen, abergläubische Angst vor schlimmen Vorzeichen sowohl im täglichen Leben als auch in Träumen und gleichzeitig die Neigung, mögliche negative Auswirkungen durch magische oder rituelle Handlungen, insbes. andauernde Reinigungen, abzuwehren oder zu verhindern. Plut. gibt in *De superstitione* etwa das gleiche

Bild und führt *d.* auf fehlerhafte oder ungenügende Kenntnis der Götter zurück. Das glaubten auch röm. Beobachter wie Lucr., Cic. und Sen., die das lat. Wort *superstitio* dafür verwendeten [2], welches schon Enn. und Plaut. mit negativen Konnotationen wie privater Wahrsagung, Magie und noch allgemeiner mit *prava religio* (»verkehrter Religion«) in Verbindung gebracht hatten. Insbes. letztere Assoziation verbietet uns, *d.* und → *superstitio* einfach als »Aberglaube« abzutun. *Superstitio* entwickelte sich in einem weit größeren Ausmaß als *d.* zu einem Begriff, der das Gefälle von der »orthodoxen« Religion zu anderen, vor allem fremden und exotischen, Religionen ausdrückte (z. B. Iuv. 6,314ff; 511 f. zu fremden, bes. ägypt. und 14,96ff. zu jüd. Riten). Durch solche Hinweise auf die »verkehrte Religion« des anderen wurden Positionen gesellschaftlich klargestellt. Die Christen übernahmen beide Begriffe und wendeten sie umgekehrt an, bes. wenn sie Anhänger des »heidnischen« Glaubens oder die magische Anwendung des christl. Mythos und Rituals verurteilten.

→ ABERGLAUBE

1 H. BOLKENSTEIN, Theophrastos' Charakter der D., 1929. 2 S. CALDERONE, Superstitio, ANRW I 2, 377–396.

P. J. KOETS, D.: A Contribution to the Knowledge of the Religious Terminology in Greek, 1929.   H.V.

Deka (οἱ δέκα). D., »die Zehn«, Gremium von zehn Männern, die nach der Absetzung der Dreißig 403 v. Chr. gewählt wurden, um das oligarchische Athen zu regieren. Nach Lysias (12,58) und einigen anderen Quellen sollten sie auf einen Frieden hinwirken (akzeptiert von [2]), doch findet sich bei Xenophon (hell. 2,4,23 f.) darauf kein Hinweis. Vermutlich trifft es nicht zu (so [1]), obwohl die Demokraten um → Thrasybulos gehofft haben mochten, dem Regierungswechsel würde auch ein Richtungswechsel in Athen folgen. Sicherlich bemühten sich die D. nicht um Frieden, sondern erbaten von den Spartanern weitere Hilfe gegen die Demokraten. Nach dem Autor der *Athenaion Politeia* (38,3) wurden die D. durch eine zweite Gruppe von Zehn ersetzt, die zu verhandeln begannen, doch bieten andere Quellen dafür keine Stütze. Es handelt sich wohl um eine Verwechslung mit den zehn Männern aus der Stadt in der provisorischen Regierung der Zwanzig, die danach ernannt wurde (And. 1,81; [3]). Immerhin unterzog sich nach der Wiederherstellung der Demokratie einer der D., Rhinon, erfolgreich einer Überprüfung seines Verhaltens (→ Euthynai) und wurde zum *stratēgós* gewählt ([Aristot.] Ath. pol. 38,4).

Unter dem Regime der Dreißig war ein Gremium von zehn Männern speziell für den Piraeus verantwortlich; sie galten so weit in die Oligarchie verstrickt, daß sie sich wie die Dreißig einer Verhaltensprüfung unterziehen mußten, falls sie in der restaurierten Demokratie in Athen bleiben wollten ([Aristot.] Ath. pol. 35,1; 39,6).

→ Athenai

1 P. Cloché, La Restauration démocratique à Athènes, 1915
2 A. Fuks, Notes on the Rule of the Ten at Athens in 403
B. C., in: Mnemosyne⁴ 6, 1953, 198–207 3 Rhodes.
P.J.R.

Dekadarchia (Δεκαδαρχία).

[1] »Zehnerherrschaft«, Kommissionen von 10 Männern, die der oligarchisch gesinnte Spartaner Lysandros
405/04 v.Chr. vor allem im früheren athenischen Einflußbereich einsetzte; nach Diodor (14,13,1) hätte er
neben d. noch Oligarchien eingerichtet, doch bestanden nach Xenophon (hell. 3,5,13; 6,3,8), Plutarch (Lys.
13) und Nepos (Lys. 1,4–2,1) »überall« d. Dies ist wenig
wahrscheinlich, da Sparta Freiheit und Autonomie als
Ziel im Krieg gegen Athen proklamiert hatte, D. aber
nach griech. Verfassungsverständnis Tyrannien glichen,
während oligarchische Systeme zumindest formal als
verfassungsmäßig verankert galten. Die Zahl der d. läßt
sich nicht ermitteln. Sie sind auch in griech. Städten
Kleinasiens belegt. Da diese nach dem Peloponnesischen Krieg nicht sogleich unter spartanischer Herrschaft standen, spartanische Besatzungen also fehlten,
übernahmen wohl Truppen des jüngeren Kyros den
Schutz der dortigen d.

Die ersten d. wurden vermutlich nach der Schlacht
bei Aigospotamoi 405 eingerichtet. Trotz fehlender
Zeugnisse wurden vielleicht Institutionen bestehender
Verfassungen formal beibehalten, Jahresbeamte, Ratsmitglieder und sonstige Funktionsträger aber von den
d., wie von den »Dreißig« (→ Triakonta) in Athen nach
Belieben eingesetzt. Da d. nicht mit üblichen Oligarchien vergleichbar sind, kann eine angeblich spezifisch
spartanische Sympathie für Oligarchien ihre Existenz
nicht erklären. Der Hinweis bei Plutarch (Lys. 13), Lysandros habe die d. aufgrund alter Beziehungen und
Freundschaft eingesetzt, zeigt, daß das System der d.
ganz auf seine Person zugeschnitten und ihm dazu
gedacht war, seine Position in Sparta zu stärken; denn
auf der Größe Spartas basierte wiederum die Geltung
des Lysandros bei den Griechen. Insofern waren die d.
zugleich Instrumente spartanischer Interessenpolitik.
Als Lysandros im J. 403 seinen Einfluß auf die spartanische Politik verlor, suchten die Ephoren offenbar seinen neuerlichen Aufstieg durch die Auflösung der d. zu
verhindern (Xen. hell. 3,4,2). Lysandros' Versuch, die d.
396 in Kleinasien wiederherzustellen (Xen. hell. 3,4,7–
10), scheiterte am Widerstand des Agesilaos II.

J.-F. Bommelaer, Lysandre de Sparte, 1981, 209–211,
125–127, 165 · D. Lotze, Lysander und der
Peloponnesische Krieg, 1964, 68f.   K.-W. Wel.

[2] Nach Demosthenes richtete Philipp II. 344 v.Chr.
eine d. in Thessalien ein (or. 6,22), doch ist sonst nur
seine Neuordnung Thessaliens in Tetrarchien bezeugt.
Daß es sich bei der d. um ein Koinon der 10 wichtigsten
thessalischen Städte gehandelt haben soll (so [1. 99f.]),
ist unwahrscheinlich. Möglicherweise wurde nur eine
d. in Pherai eingerichtet [2. 763f.]. Wahrscheinlich ist
aber lediglich der überlieferte Demosthenestext korrupt
und nahm urspr. auf die Tetrarchienordnung Bezug
[3. 275ff.].

1 F. R. Wüst, Philipp II. von Makedonien und
Griechenland, 1938 2 J. R. Ellis, in: CAH 6, ²1994
3 M. Sordi, La lega tessala, 1958.   M. Mei.

Dekadrachmon (δεκάδραχμον). Silbermünze im Wert
von 10 Drachmen, die im att. Standard zu 43,7 g gelegentlich zu bes. Anlässen geprägt wird, so in Athen nach
den Schlachten von Salamis und Plataia, bzw. in Syrakus
nach dem griech. Sieg bei Himera (480/79 v.Chr.), hier
als Demareteion. Die kurz nach 413 v.Chr. entstandenen prachtvollen D. in Syrakus tragen Künstlersigna-
turen von Euainetos und Kimon. Im Hellenismus ist das
D. ein gängigeres Nominal. Unter Ptolemaios III. Euergetes werden für Berenike II. auch D. in Gold geprägt.
Die punischen D. in Sizilien des frühen 3. Jh. v.Chr.
folgen mit 36 bis 39 g einem leichteren Gewicht.
→ Demareteion; Drachme; Euainetos

Schrötter, 124 · C. T. Seltman, The Engravers of the
Akragantine Decadrachms, in: NC 6.8, 1948, 1–10 · M. N.
Tod, Epigraphical Notes on Greek Coinage, in: NC 6.20,
1960, 1–24 · W. B. Kaiser, Ein Meister der Glyptik aus
dem Umkreis Alexanders des Großen, in: JDAI 77, 1962,
227–239 · G. K. Jenkins, Coins of Punic Sicily, SNR 57,
1978, 5–68, bes. 36ff. · O. Mørkholm, Early Hellenistic
coinage, 1991, bes. 106.

Dekalitron. Der korinthische Stater wird auf Sizilien
abweichend nicht mit dem euböischen, später mit dem
att. Didrachmon gleichgesetzt und entsprechend ge-
stückelt, sondern mit dem auf der Insel spezifischen
Litrensystem in Verbindung gebracht, wobei zehn silberne Litren auf einen Stater (= 8,73 g nach att. Münzfuß) kommen. Das auch in Silber ausgeprägte D. entspricht dem Wert von zehn Pfund Kupfer (im Gewicht
von 109,15 g) und dem Verhältnis 1:250.
→ Didrachmon; Stater

F. Hultsch, Griech. und röm. Metrologie, 1882,
541. 660f. · Ders., s. v. Δεκάλιτρος στατήρ, RE 4, 2413f.
A. M.

Dekanummion (δεκανουμμίον). Nach den spätant.
und byz. Quellen stellt das D. eine Kupfermünze dar,
die in einem unterschiedlichen Verhältnis zur Rechen-
einheit Denar steht. Trotz dieser Unsicherheit scheint es
gewiß, daß das D. in der Reform des Anastasius 498
n.Chr. als ein 10–Nummus-Stück mit der Wertbe-
zeichnung I (oder X) im Gewicht von ca. 2,25 g eingeführt wurde. In späteren Münzreformen erhöhte sich
das Gewicht auf 6,24 g, um dann unter Constantin IV.
auf etwa 4,5 g und dann gegen Ende des 7. Jh. n.Chr.
auf ca. 2,1 g zu sinken. Bald danach wurde das Wertzeichen nicht mehr verwendet.
→ Denar; Münzreformen; Nummus

Ph. Grierson, Catalogue of the Byzantine coins in the Dumbarton Oaks Coll. and in the Whittemore Coll. 1, 1968, bes. 22 ff. · W. Hahn, Moneta Imperii Byzantini 1, 1973, bes. 22 ff. · M. F. Hendy, Studies in the Byzantine monetary economy c. 300–1450, 1985, bes. 476 f.   A. M.

Dekapolis (ἡ Δεκάπολις). Bezeichnung für den Territorialbereich einer wechselnden Anzahl von Städten mit vorwiegend griech. Bevölkerung, die sich im nördl. Transjordanien, Südsyrien und Nordpalästina konzentrierten. Obgleich einige Orte der späteren D. schon in vorhell. Zeit bestanden hatten, beanspruchten die meisten, von → Alexandros [4] d. Gr. gegr. worden zu sein. Arch. Unt. ergaben dagegen, daß die Entwicklung mancher Orte zu städtischen Zentren erst unter seleukidischer und ptolemäischer Verwaltung einsetzte. Nach Übergriffen und zeitweiliger Herrschaft von Hasmonäern und Nabatäern im 2. und 1. Jh. v. Chr. entstand die D. wahrscheinlich erst, nachdem Syrien 64/3 v. Chr. unter röm. Kontrolle geraten war (Annahme einer neuen Zeitrechnungsära auf Mz. der D.). Es bestehen jedoch keine Hinweise, die auf die Gründung der D. als eines polit., mil. oder wirtschaftlichen Städtebundes verweisen. Auch eine einheitliche, gemeinsame Verwaltung der Mitgliedsstädte bestand nicht. Inschr. belegt dagegen ist ein röm. *praefectus* der D., was diese zu einem der *prov. Syria* angegliederten Verwaltungsbereich macht, innerhalb dessen den einzelnen Städten und ihren Gebieten lokale, d. h. munizipale Autonomie zugestanden wurde. Die frühesten lit. Erwähnungen der D. finden sich in den Evangelien des Markus (Mk 5,20; 7,31) und des Matthäus (Mt 4,25). Plinius (nat. 5,74) bezeichnet die D. als an die röm. *prov. Iudaea* angrenzend und veröffentlicht eine erste Mitgliederliste. Danach gehörten zur D.: → Damaskos, Kanatha (al-Qanawāt nordöstl. von → Bostra), → Gadara (Umm Qais), → Gerasa (Ǧaraš), → Hippos (Qalʿat al-Ḥiṣn), → Pella (Ṭabaqat Faḥl auf der Ostseite des Jordantals), Abila (Quwailibī), Capitolias (Bait Raʾs), → Philadelphia (ʿAmmān), Raphana (vielleicht ar-Raʾfa in Südsyrien), Skythopolis (Beṯ-Šəʾān/→ Beisan, Südgaliläa), und Dion/Dium (verschiedene Gleichsetzungen mit Orten im nördl. Jordanien und Südsyrien). Eine Liste bei Ptolemaios (geogr. 5,14–22) rechnet 18 Städte zur D. Während des Jüd. Aufstandes dienten einzelne Städte der D. (z. B. Skythopolis) als Basen für röm. Militäroperationen. Eine Aufteilung des Territoriums der D. geschah unter Traian (106 n. Chr.) auf die Prov. Syria, Palaestina und die neugegr. Prov. Nabataea.

H. Bietenhard, Die syr. D. von Pompeius bis Trajan, in: ANRW II.8, 220–226 · B. Isaac, The Decapolis in Syria: A Neglected Inscription, in: ZPE 44, 1981, 67–84 · C. H. Kraeling (ed.), Gerasa. City of the Decapolis, 1938 · S. Th. Parker, The Decapolis Reviewed, in: Journal of Biblical Literature 94, 1975, 437–441 · A. Spijkerman, The Coins of the Decapolis and the Provincia Arabia, 1978.   T. L.

Dekaprotoi (δεκάπρωτοι). Kollegium der 10 dem Range nach ersten Decurionen (→ Decurio), seit Mitte des 1. Jh. n. Chr. für Gemeinden im Osten des röm. Reiches bezeugt. Den *d.*, denen im Westen die → Decemprimi entsprachen, oblagen regional unterschiedliche und im Laufe der Zeit sich wandelnde Aufgaben. In der Regel vertraten sie ihre Gemeinde vor den röm. Magistraten, nahmen die Rechenschaftsablegung abtretender Municipalbeamter ab und verwalteten das Gemeindevermögen. Seit dem 2. Jh. waren sie zunehmend für den Einzug der Steuern zuständig, was im 3. Jh. ihre Hauptaufgabe wurde. Da sie hierbei persönlich hafteten, entwickelte sich die Zugehörigkeit zu den *d.* allmählich zu einer hohen Belastung, die auch durch Privilegien wie die Verleihung des Clarissimats (→ Vir clarissimus, vgl. CIL VIII 2403; ILS 1273) oder Reduktion der Pflichtzeit von urspr. wohl lebenslanger Dauer auf 10, 15 oder weniger Jahre kaum gemildert wurde. Weitere Funktionen der *d.* konnten die Überwachung des Kornpreises, die Kontrolle paganer Gottesdienste (seit dem 4. Jh.) und ähnliche Aufsichtsfunktionen sein. Seit dem 3. Jh. führten sie die Decurionenlisten (*album decurionale*) und überwachten die Durchführung der *munera* (→ munus) der Decurionen. In Ägypten sind sie erst seit 202 n. Chr. belegt. Die Institution der *d.* ist grundsätzlich schon für die republikanische Zeit bezeugt (Liv. 29,15,5; Cic. S. Rosc. 25). Die Zahl der Mitglieder konnte mitunter zwischen 5, 10, 11 und 20 variieren. Die Aufnahme unter die *d.* erfolgte wohl durch Wahl seitens des *ordo* (Cod. Theod. 12,1,171), vielleicht auch durch → *cooptatio*.

Jones, LRE 730 f. · W. Langhammer, Die rechtliche und soziale Stellung der Magistratus Municipales und der Decuriones, 1973, 253 ff. · O. Seeck, Decemprimat und Dekaprotie, in: Klio 1, 1901, 147–187.   M. Mei.

Dekas (δεκάς). Von der homer. bis in die hell. Zeit Grundeinheit in griech. und maked. Fuß- und Reiterheeren (Hom. Il. 2,126; Hdt. 3,25,6; Xen. hell. 7,2,6; hipp. 4,9; Arr. an. 7,23,3; Anaximenes FGrH 72 F4; P. Cairo Zen. 1,7–11; 2,22–24; Frontin. strat. 4,1,6), die von einem Dekadarchen (Xen. hipp. 2,2–6) kommandiert wurde. Sie umfaßte im Normalfall zehn Mann mit einer möglichen Unterteilung in Gruppen à fünf; Abweichungen kamen vor.

1 Kromayer/Veith 90 f. 2 M. Launey, Recherches sur les armées hellénistiques, 1949, 560.   Le. Bu.

Dekasmu graphe (Δεκασμοῦ γραφή). In Athen Klage wegen aktiver Richterbestechung (Demosth. or. 46,26; s. a. Poll. 8,42; Harpokr. s. v. Δ. γ.). Sie betraf das Anbieten oder Gewähren von Vorteilen an einen Gerichtsvorstand, ein Mitglied eines Geschworenengerichtes, des Rates oder der Volksversammlung in der Absicht, eine Rechtssache, deren Leitung oder Entscheidung diesen oblag, zugunsten oder zum Nachteil eines Beteiligten zu leiten oder zu entscheiden. Der Tatbestand der *d. g.* war spezieller als jener der passiven Bestechlichkeit

(→ *dōrōn graphḗ*), der Amtsträger unabhängig von ihrer jurisdiktionellen Tätigkeit ausgesetzt waren. Für die Klage waren die → Thesmotheten zuständig, vermutlich mußte der Ankläger eine Gebühr (*parástasis*) erlegen. Mit dem Schuldspruch konnte das Gericht nach Antrag des Anklägers (→ Antitimesis) die Todesstrafe verhängen.

BUSOLT/SWOBODA, 1098 • A. R. W. HARRISON, The Law of Athens I, 1971, 15, 82.   G. T.

Dekate (δεκάτη), »der zehnte (Teil)«, steht vornehmlich für verschiedene Formen einer Zehntabgabe:

1. Bodenertragsteuer, etwa in Athen unter → Peisistratos (Aristot. Ath. pol. 16,4; doch vielleicht trifft das »Zwanzigstel«, *eikostē*, bei Thuk. 6,54,5 zu, und *d*. in der Ath. pol. ist ein Gattungsbegriff), in Krannon (Polyain. 2,34), in Delos (IG XI 2, 161, 27) und in Pergamon (IPergamon 158, 17–18; ein Zwanzigstel auf Wein und ein Zehntel auf andere Feldfrüchte). Auch die *lex Hieronica* für Sizilien sieht eine *d*. vor (Cic. Verr. 2,3,20).

2. Gebäudesteuer, etwa in Delos (IG XI 2, 161, 26), und Ägypten (P Tebt. 2,281).

3. Handelssteuer, etwa der Durchgangszoll am Bosporus, der von Athen 410 v. Chr. unter Alkibiades und 390 von Thrasyboulos erhoben wurde (Xen. hell. 1,1,22; 4,8,27).

4. Weihegabe an die Götter, speziell Beutewaffen besiegter Feinde (z. B. Xen. an. 5,3,4). Die Drohung der Griechen von 480 v. Chr., ein Zehntel des Eigentums der mit Persien sympathisierenden Städte zu weihen (Hdt. 7,132,2), setzte die Zerstörung dieser »medisierenden« Städte voraus [1].

5. *D*. hieß in Athen das Fest am zehnten Tage nach der Geburt eines Kindes, an dem es seinen Namen erhielt (z. B. Aristoph. Av. 494; Isaios or. 3,30; Demosth. or. 39,20).

1 W. K. PRITCHETT, The Greek State at War, 1. Bd., 1971, 93–100.   P. J. R.

Dekeleia (Δεκέλεια). Att. Mesogeia-Demos der Phyle Hippothontis; vier → Buleutai. Teil der att. Dodekapolis (Strab. 9,1,20). Im ehemals königlichen Schloßpark von Tatoï 120 Stadien (Thuk. 7,19,2) nördl. von Athen südl. des Passes, der östl. unterhalb des Katsimidi nach Oropos und Tanagra führt (Thuk. 7,28,1; Hdt. 9,15). 413 v. Chr. befestigten die Spartaner D. (Thuk. 7,19,2; [1. 15 Abb. 7; 3. 56f.; 4. 141f.]; danach Begriff des »Dekeleischen Krieges«); sie hielten D. bis 404 v. Chr. besetzt (Xen. hell. 2,3,3), ebenso den Paß am Katsimidi [2; 3. 57f.; 4. 142ff.]. Die Getreideroute von Oropos via D. nach Athen (Thuk. 7,28) verlief indes nicht über diesen Paß, sondern weiter östl. Die Inschr. der Phratrie der Demotionidai aus D. (IG II² 1237; Syll.³ III 921) bezeugt einen Altar des Zeus Phratrios, ein Versammlungshaus der Dekeleioi und ein Heiligtum der Leto; einen Heros Dekelos erwähnt Hdt. 9,73,2. Wein aus D. verspottet Alexis (fr. 286 PCG) als Essig.

1 TH. A. ARVANITOPOULOU, D., 1958 2 E. CURTIUS, Sieben Karten zur Top. von Athen, 1868, 62 Taf. 7 3 J. R. MCCREDIE, Fortified Military Camps in Attica, 1966 4 J. OBER, Fortress Attica, 1985, 115, 141ff., 184, 196, 213.

TH. A. ARVANITOPOULOU, Ὄστρακα ἐκ Δεκελείας [*Óstraka ek Dekeleías*], 1959 • TRAILL, Attica 21, 52, 59, 68, 110 Nr. 32 Tab. 8 • J. S. TRAILL, Demos and Trittys, 1986, 137 • WHITEHEAD, Index s. v. D. • F. WILLEMSEN, Vom Grabbezirk des Nikodemos in D., in: MDAI(A) 89, 1974, 173–191.   H. LO.

Deklination s. Flexion

Dekretalen. Ein Schriftstück, das ein *decretum* enthält, heißt im späteren Latein *decretale* (Sidon. epist. 7,9,6). *Decretum* (von *decernere* »entscheiden«) wird sowohl für Einzelfallenscheidungen als auch für generelle Regelungen gebraucht. Im Einzelfall ist es das gerichtliche Urteil oder der Bescheid eines Magistrats oder sonstiger Gerichtsinstanzen und Behörden (auch Kollegialentscheide), wodurch nach Prüfung des Sachverhalts (*causae cognitio*) eine rechtliche Entscheidung getroffen wird (Dig. 37,1,3,8), im Unterschied zum → *rescriptum*, das den vorgetragenen Sachverhalt ungeprüft unterstellt. Generelle Regelungen treffen staatliche Instanzen, auch der Senat oder ein *ordo decurionum* (→ *decurio*) im Rahmen ihrer Zuständigkeit (Dig. 4,4,3 pr.; 11,7,8 pr.; 14,6,9,2; 50,9,5).

Für wegweisende *decreta* prominenter Behörden gibt es Entscheidungssammlungen, die zwar neben *decreta* auch andere Formalakte (wie *rescripta, edicta, orationes*) enthalten können, aber manchmal *decretales (libri)* genannt werden (Siricius epist. 1,15,20: *ad servandos canones et tenanda decretalia constituta;* Sidon. epist. 1,7,4). Prominenteste Beispiele sind die Codices kaiserlicher Konstitutionen der Spätant. (Codd. Theod. und Iust.; Dig. 1,4,1,1), aber auch eher persönliche Sammlungen wie die *Variae* des → Cassiodorus. Seit Bischöfe in der Spätantike für den kirchlichen Bereich rechtsverbindliche Urteile fällen können (Cod. Iust. 1, 4, *tit. de episcopali audientia*), werden auch deren *decreta* und *rescripta*, sofern sie allg. Bed. haben, gesammelt. Bes. Prominenz erhalten sie dann in der Ant. neben den *canones*-Sammlungen der kirchlichen Konzilien im Westen des Reichs die *d*. im histor.-namentlichen Sinne des Wortes, nämlich die Sammlung der päpstlichen *decreta*. Im Auftrag des Papstes Gelasius erfolgt Anfang des 6. Jh. eine erste redaktionelle Gesamtbearbeitung der D. durch den Mönch Dionysius Exiguus, dessen Werk in den folgenden Jh. ständig erweitert wird, bis es 1170 zu einer erneuten Gesamtredaktion im sog. *Decretum Gratiani* kommt. Sie bildet eine Basis des kanonistischen Zweiges der Iurisprudenz *utriusque iuris*, die mit der Rezeption des röm. Rechts seit dem 12. Jh. entsteht. Das *decretum Gratiani* findet schließlich in redaktioneller Umgestaltung Eingang in das 1917 veröffentlichte *Corpus Iuris Canonici* der katholischen Kirche.

KASER, RZ 138, 352 · W. KUNKEL, Staatsordnung und Staatspraxis der röm. Republik, 1995, Bd. 2, 184f. · R. PUZA, Katholisches Kirchenrecht, 1991, 39ff. · WENGER, 427, 463 ff. C. G.

Delatio nominis. »Den Namen (eines Verdächtigen) anzeigen«, ist zunächst nur der allererste Anlaß für eine öffentliche Strafverfolgung in Rom. So kommt der Ausdruck etwa bei Plaut. Aul. 416 im Zusammenhang mit dem Kampf gegen die Unterschicht-Kriminalität durch die → *tresviri capitales* vor. Bei den Verfahren vor diesen Magistraten, einer Art Polizeijustiz, erschöpft sich die Bedeutung der *d. n.* – ganz im Sinne einer modernen Anzeige – offensichtlich darin, den kriminellen Vorgang überhaupt bekannt zu machen [1. 60, 78].

Nachdem neben die ältere, auf Privatklage beruhende Aburteilung durch Geschworenengerichte und das schwerfällige, vor allem für Staatsverbrechen vorgesehene Verfahren vor den Komitien (→ *comitia*) im 3. und vor allem im 2. Jh. v. Chr. mehr und mehr die staatliche Strafverfolgung in *quaestiones extraordinariae* (außerordentlichen Untersuchungs- und Bestrafungsverfahren, → *quaestio*) getreten war, strebten auch die Opfer »privater« Straftaten und deren Angehörige zunehmend nach staatlicher Strafverfolgung in einem *iudicium publicum*. Geradezu zwangsläufig reduzierte sich hierbei die Rolle des früheren Privatklägers auf die Erstattung der *d. n.* Vorteile bot das neue Verfahren u. a. durch öffentliche Ladung und Aussagepflicht der Zeugen und durch die staatliche Vollstreckung der Strafe [1. 92].

Für das *iudicium publicum* des 1. Jh. v. Chr., wie wir es vor allem aus der forensischen Tätigkeit Ciceros kennen, ist die Rolle der *d. n.* der früheren Privatklage teilweise angenähert: Durch die förmliche Zulassung der *d. n.* von seiten des Gerichtsmagistrats (die → *receptio nominis*) erhielt der → *delator* die Stellung eines Anklägers (→ *accusatio*). In solcher Gestalt tritt uns die *d. n.* auch in der *lex Acilia* für den Repetundenprozeß entgegen (123/2 v. Chr., Text bei [2]). Dies änderte aber nichts daran, daß die durch *d. n.* eröffnete *quaestio* bis in die Kaiserzeit hinein nunmehr ein Offizialverfahren blieb. In der ersten Zeit ist die *d. n.* neuer Funktion wie schon die Anzeige mündlich vorgebracht worden. Aus der Zeit der Spätklassik (3. Jh. n. Chr.) überliefert Paulus (Dig. 3,2,3 pr.) ein Formular für die jetzt schriftlich einzureichende *d. n.* Die zugelassene Anklage war bereits in republikanischer Zeit durch die Eintragung (*inscriptio*) des Beschuldigten schriftlich fixiert worden (vgl. z. B. Cic. Cluent. 31,86).

1 W. KUNKEL, Unt. zur Entwicklung des röm. Kriminalverfahrens in vorsullanischer Zeit, 1962 2 C. G. BRUNS (Hrsg. O. Gradenwitz), Fontes iuris Romani antiqui I, 1909, Nr. 10. G. S.

Delator. Derjenige, der bei einer röm. Behörde etwas »anzeigt«, im engeren Sinne aber insbes. der Ankläger bei Erhebung der → *delatio nominis*. Dem erfolgreichen *d.* winkten erhebliche Vorteile: In der Regel erhielt er

eine Geldbelohnung in Höhe eines Bruchteils des Vermögens des Verurteilten ([1]; mit Ergänzungen bei [2]). Daraus ergab sich offenbar vielfältiger Mißbrauch (vgl. Cic. S. Rosc. 55: Roscius war wohl mit polit. Rückendeckung angeklagt worden, um sich sein Vermögen zu verschaffen). Erwies sich die Anklage als mutwillig, machte sich der *d.* selbst wegen → *calumnia* (Verleumdung) strafbar. Schon das Fallenlassen der Anklage während des Prozesses konnte für den *d.* riskant sein: Verlangte der Angeklagte Fortsetzung des Verfahrens und wurde freigesprochen, konnte er seinerseits Bestrafung des *d.* verlangen (→ *tergiversatio*).

1 MOMMSEN, Strafrecht, 509ff. 2 W. KUNKEL, Unt. zur Entwicklung des röm. Kriminalverfahrens in vorsullanischer Zeit, 1962, 95[243]. G. S.

Delegatio. Im röm. Privatrecht ist die *d.* ein Dreipersonenverhältnis, bei dem der Anweisende (Delegant) den Angewiesenen (Delegat) ermächtigt, einem Dritten, dem Anweisungsempfänger (Delegatar), im eigenen Namen, aber auf Rechnung des Anweisenden, eine Leistung zu erbringen oder ihm gegenüber eine Verpflichtung einzugehen. Die *d.* beruht auf einer einseitigen, formfreien Erklärung (→ *iussum*), daß man die Handlung eines anderen gegen sich gelten lassen werde. Sie stellt eines der wichtigsten Geschäfte des röm. Kreditwesens dar und ist von den Juristen ausführlich diskutiert worden.

Bei der Zahlungsanweisung (*d. solvendi*) wird der Delegat angewiesen, an den Delegatar zu zahlen. Leistet der Delegat daraufhin an den Delegatar, so gilt dies im Deckungsverhältnis zwischen Delegant und Delegat als Leistung des Delegaten an den Deleganten, so daß mit der Zahlung an den Dritten die Schuld des Delegaten gegenüber dem Deleganten erlischt. Im Valutaverhältnis zwischen Delegant und Delegatar wirkt die real vom Delegaten erfolgte Leistung hingegen als Leistung des Deleganten an den Delegatar. Strittig ist, ob die röm. Juristen hier in einer »logischen Sekunde« eine Leistung des Delegaten an den Deleganten und sodann eine Leistung des Deleganten an den Delegatar angenommen haben (sog. Durchgangstheorie des Celsus, vgl. Ulp. Dig. 24,1,3,12). Neben der Schuldtilgung kommen sowohl im Deckungs- als auch im Valutaverhältnis die verschiedensten Leistungszwecke (z. B. Schenkung, *dos*-Bestellung, Darlehen) in Betracht. Bei irrtümlicher Leistung einer Nichtschuld und anderen Mängeln im Bereich des Leistungszweckes erfolgt die Rückabwicklung jeweils im Deckungs- oder Valutaverhältnis. Die Leistung im Deckungsverhältnis wird demnach durch einen Mangel im Valutaverhältnis nicht beeinträchtigt und umgekehrt.

Bei der Verpflichtungsanweisung (*d. obligandi*) wird der Delegat angewiesen, in Form einer → *stipulatio* dem Delegatar gegenüber eine Verpflichtung einzugehen. Soll diese Obligation eine bisher bestehende Verpflichtung des Deleganten gegenüber dem Delegatar ersetzen, so kommt es dadurch zu einer → *novatio* mit Schuldnerwechsel (*d. debiti*). Soll hingegen durch die *d.* eine bisher bestehende Schuld des Delegaten gegenüber dem Deleganten ersetzt werden, liegt eine Novation mit Gläubigerwechsel vor (*d. nominis*), welche eine Forderungsabtretung (→ *cessio*) vom Deleganten an den Delegatar bewirkt.

Im öffentlichen Recht begegnet die *d.* als Übertragung von Amtsgewalt (z.B. *iurisdictionem delegare*, vgl. Dig. 39,2,1, Cod. Iust. 3,1,5). In einer spezielleren Bedeutung versteht man im Steuerrecht seit dem 4. Jh. n. Chr. unter *d.* die Urkunde, in welcher der jährliche Steuerbetrag vom Kaiser festgesetzt und der Auftrag zu seiner Eintreibung erteilt wird (z.B. Cod. Iust. 10,23,4). Davon leitet sich die Bezeichnung *delegator* für den Steuerbeamten ab.

R. ENDEMANN, Der Begriff der D. im Klass. Röm. Recht, 1959 · G. SACCONI, Ricerche sulla delegazione in diritto romano, 1971 · H. HONSELL, TH. MAYER-MALY, W. SELB, Röm. Recht, ⁴1987, 270–272 · S. WEYAND, Der Durchgangserwerb in der juristischen Sekunde, 1989. F.ME.

Deliades, Deliastai s. Delios

Deliciae. (Auch *delicia*, bes. auf Inschr. [2]; vgl. aber [1. 2437]; s. auch Plut. Anton. 59,4, *delicium*, *delicati*). Kinder zumeist unfreier Herkunft, die vor allem während der Kaiserzeit – der *pupulus* von Catull. 56,5 dürfte indessen schon in diesem Sinne zu verstehen sein – in reichen Haushalten zur Unterhaltung ihrer Besitzer lebten und im *paedagogium* aufgezogen wurden. Bes. ihre *garrulitas*, kecke Geschwätzigkeit, wurde geschätzt (Suet. Aug. 83; Sen. de constantia sapientis 11,3; Stat. silv. 2,1,45). Bevorzugt wurden schöne, bartlose und langhaarige Knaben (Sen. epist. 47,7, 119,14; Mart. 3,58,30f.; Gegenbild bei Petron. 28) aus Ägypten (Suet. Aug. 83; Stat. 2,1,73, 5,5,66f.). Oft wurden sie prächtig ausstaffiert (Sen. de vita beata 17,2; tr. an. 1,8; Amm. 26,6,15). Unter den *d.* überwogen gekaufte Sklaven [4. 308 ff.]; viele warteten bei Tisch auf und dienten als Lustknaben (Sen. epist. 47,7, 95,24; Suet. Nero 28,1; zu den Folgen von sexuellem Mißbrauch [4. 310 f.]). Zwerge und Mißgebildete konnten ebenfalls als *d.* gelten (Quint. Decl. 298, vgl. [1. 2438; 2. 1600]); für sie gab es speziellere Bezeichnungen wie *nani*, *pumili*, *pumiliones* (Zwerge, oft mißgebildet), *fatui*, *fatuae*, *moriones* (Narren), *scurrae* (Possenreißer). Das spätere Schicksal der Kinder konnte sehr unterschiedlich sein. Trotz zu vermutender Übertreibungen sind hierfür fiktionale Texte aufschlußreich: Horaz (epist. 1,20,6–18) prophezeit scherzhaft seinem fertigen Buch das Schicksal eines Lustknaben, solange es jugendfrisch ist, danach die Existenz eines Vorstadtlehrers; Petrons Trimalchio bringt es bis zum *dispensator* (29,3–5) und Haupterben (76,1–2). Gänzlich aus dem Rahmen fällt das Schicksal des → Antinoos [2] im Umkreis Hadrians. Sen. epist. 12,3 zeigt den Abstieg eines *d.* innerhalb der Sklavenschaft. Das Vorhandensein der *d.* trug vielleicht zur Beliebtheit der Darstellung von Eroten als Kinder bei (vorsichtig [3. 135]). Daß den Gefühlen für die *d.* geringerer Wert beigemessen wurde als emotionalen Bindungen zu Familienangehörigen, zeigen Stat. silv. 5,5,66–87 (Adoptivsohn) und Dig. 7,7,6,2. Auf Inschr. wird der Ausdruck oft untechnisch für bes. geliebte Menschen, zumal Kinder gebraucht [2. 1596].

→ Familie; Sexualität; Sklaverei

1 F. MAU, s.v. D., RE 4, 2435–2438 2 S. AURIYEMMA, s.v. Delicium, Dizionario Epigrafico 2, 1594–1603 3 W.J. SLATER, Pueri, Turba minuta, BICS 21, 1974, 137–146 4 E. HERRMANN-OTTO, Ex ancilla natus (Forsch. zur ant. Sklaverei 24), 1994. H.L.

Delictum (*privatum*) ist eine verbotene Handlung, deren Ahndung nicht wie bei einem → *crimen* (z.B. Hochverrat, Mord) durch die staatliche Gemeinschaft in einem Strafprozeß erfolgt, sondern dem Verletzten selbst überlassen ist. Dabei wird die Rache schrittweise durch eine Klage auf Geldbuße (→ *poena*) abgelöst. Diese beträgt meist ein Vielfaches des Schadens. Es gibt sowohl *d.* nach *ius civile* (z.B. *iniuria*, *damnum iniuria datum*, *furtum*) als auch prätorische *d.* (z.B. *dolus*, *metus*, *rapina*). Obligationen aus *d.* sind auf Beklagtenseite unvererblich; mehrere Täter haften kumulativ. Für ein *d.* eines Gewaltunterworfenen muß der Gewalthaber einstehen (→ *noxa*). Im Laufe der Kaiserzeit werden *d.* auch strafrechtlich geahndet.

→ Actio; Lex Aquilia; Noxalis actio

KASER, RPR I, 609–614; II, 425–433 · H. HONSELL, TH. MAYER-MALY, W. SELB, Röm. Recht, ⁴1987, 223–226, 257–259 · R. ZIMMERMANN, The Law of Obligations, 1990, 913–921. R. GA.

Delikatessen. Bei den Griechen waren Muscheln, Fisch, Wild und Geflügel ausgesprochene D., → Archestratos [2] kann für jede von ihnen die beste Herkunft (Athen. 2,62c, 3,92d-e) und gute Zubereitung angeben (Athen. 9,384b). Im Rahmen der Eroberungen der Römer im Osten gelangte die hell. Gastronomie nach Rom und brachte neue Produkte mit (wie Gewürze), aber auch Ernährungsgewohnheiten, die fortan untrennbar mit der feinen Lebenskunst der führenden Schichten verbunden waren: So den Gebrauch des Garum, einer flüssigen Würze, die durch Auslaugen von Fischeingeweiden und kleinen Fischchen in Salz gewonnen wurde (Geop. 20,46). Die Lex Fannia (161 v. Chr.) war das erste einer ganzen Reihe von Gesetzen, durch die versucht wurde, den »Luxus« bei Tisch einzuschränken, indem die Ausgaben pro Mahlzeit begrenzt, ja sogar gewisse Nahrungsmittel verboten wurden (Gell. 2,24). Diese Produkte, die von den Moralisten verschmäht wurden und über die sich die Satiriker, die uns so die Rangfolge der Speisen mitteilen, lustig machten (vgl. Hor. Sat. 2,2,8), sind Gegenstand genauer Beschreibung in der ›Naturgeschichte‹ des Plinius (s.u.), ihre Produktion wird von den landwirtschaftlichen Fachschriftstellern geschildert. Sie waren Schmuck der in Malerei und Mosaik häufigen Stilleben oder Xenia.

Die Lage und Bed. Roms als politisches Zentrum des Reiches erlaubte dieser Stadt, alle Produkte des Mittelmeerraumes und darüber hinaus bevorzugt zu importieren. Man führte Gewürze ein – Pfeffer aus Indien, Silphium aus der Kyrenaika, das im 1. Jh. n. Chr. durch das parthische Laser (*Asa foetida*) ersetzt wird – oder gewisse exotische Früchte, wie Datteln aus Nordafrika, aber auch Nahrungsmittel, die, obwohl auch anderswo erzeugt, in ihrem Ursprungsland einen besseren Ruf genossen: Pflaumen aus Damaskus (*damascena*: Mart. 13,29), in Cartagena hergestelltes »Garum der Bundesgenossen« (Plin. nat. 31,94; Mart. 13,102), Kümmel aus Spanien und Äthiopien (Plin. nat. 19,161), Fischkonserven vom Pontos (Athen. 6,275a). Einige Gebiete waren auf ein Produkt spezialisiert, das ihren guten Ruf sicherstellte: Schnecken aus Afrika und Illyrien (Varro rust. 3,14; Plin. nat. 9,173–174), sequanische Pökelprodukte (Strab. 4,3,2), gesalzene Fische von Antibes (Plin. nat. 31,94). In It. selbst waren es Öl aus Liburnien, welches man nachzuahmen suchte (Apicius 1,5), Oliven von Picenum (Mart. 13,36), Spargel aus Ravenna (Plin. nat. 19,54,6f.) sowie geräucherter Käse des Velabrumviertels in Rom (Mart. 13,32).

Seit dem 2. Jh. v. Chr. bemühten sich die Römer, Früchte (Pfirsiche, Aprikosen) und Tierarten (Pfau; Vogel von Phasis: Fasan; Huhn von Numidien: Perlhuhn) in It. heimisch zu machen oder sogar an den Küsten nicht einheimische Fischarten wie den Papageifisch auszusetzen (Plin. nat. 9,62). Sie entwickelten in großem Maßstab, was ihnen die Natur nur sparsam oder nur zu bestimmten Jahreszeiten gab, und veränderten so die Wirtschaftsstruktur der *villa rustica*, die sich Luxusprodukten öffnete, mit denen sowohl die Tafel des Eigentümers als auch (mit den Überschüssen) der nahegelegene städtische Markt beliefert wurden: Man bevorzugte bestimmte Gemüseprodukte wie Spargel (Cato agr. 161) oder Tafeltrauben (Colum. 3,2,1), verkaufte in Käfigen (*gliraria*) gemästete Siebenschläfer (Varro rust. 3,15), brachte jung geschlachtete Tiere – Zicklein, Lamm, Ferkel – und bes. Teile des Mutterschweins, Saueuter (*sumen*) und Gebärmutter (*vulva*) in den Handel. Hühnerhof und Vogelhaus wurden durch unzählige Arten bereichert (Varro rust. 3,4–11), unter denen der Krammetsvogel den ersten Rang einnahm (Mart. 13,92); man mästete Hühner, Enten, aber auch Tauben, Wachteln und Pfauen (Colum. 8,1–15), nicht zu vergessen die wegen ihrer Leber gestopften Gänse (Plin. nat. 10,52; Pall. agric. 1,30). Die *leporaria* (»Wildgehege«: Varro rust. 3,12–13) korrigierten den Zufall der Jagd durch Lieferung nicht nur von Hasen, sondern auch von Wildschweinen, den beiden am höchsten geschätzten Wildsorten (Mart. 13,92) noch vor Reh und Hirsch. Die an der Küste gelegenen *villae* legten sich Fischteiche zu, die ebenso dem Vergnügen wie dem Ertrag dienten (Plin. nat. 9,168–172). Man züchtete dort Muränen, Seezungen, Goldbrassen und Steinbutte (Colum. 8,16–17); der gefragteste Fisch, die Meerbarbe (*mullus*), akklimatisierte sich dort jedoch

nicht. Von daher sind die unmäßigen Preise zu erklären (Plin. nat. 9,67; Iuv. 4,15f.). Sergius Orata (Plin. nat. 9,168) schreibt man die Erfindung der Austernparks zu, deren bekannteste die des Lucriner Sees in der Nähe von Baiae, die von Circei und die von Brundisium waren; die Begeisterung für dieses Weichtier, frisch oder gepökelt gegessen, ist durch viele arch. Zeugnisse belegt, die bis hinauf zum Limes gefunden wurden. Aber einige Nahrungsmittel blieben dem Zufall der Jagd unterworfen, wie die Feigendrossel (*ficedula*), oder dem Sammlerglück, wie die Pilze, deren begehrtester der Steinpilz war (Suet. Tib. 42). Fast alle diese D. wurden noch in Diokletians »Maximaltarif« (301 n. Chr.) erwähnt, der bezeugt, daß ihr Erfolg nicht nachgelassen hatte, auch wenn einige alltäglicher geworden zu sein schienen, wie die Siebenschläfer, die Schnecken oder auch das in mehreren Qualitäten verfügbare Garum (Edicta Diocletiani 3,6f.).

→ Fischspeisen; Gewürze

J. ANDRÉ, L'alimentation et la cuisine à Rome, ²1981 · N. BLANC, A. NERCESSIAN, La cuisine romaine antique, ²1994 · A. MICHA-LAMPAKIS, H Διατροφη των αρχαιων κωμωδιογραφους, 1984 · Recherches franco-tunisiennes sur la mosaïque de l'Afrique antique, 1, Xenia (Ecole Française de Rome), 1990 · E. SALZA PRINA RICOTTI, L'arte del convito nella Roma antica, 1983. NI.BL. u. A.N./Ü: A.T.

Delion (Δήλιον). Name mehrerer Heiligtümer des Apollon von Delos.

[1] Apollon-Heiligtum mit kleiner Siedlung (πολίχνιον) und Hafen an der boiot. Ostküste, südöstl. des h. Dilesi; zu Theben gehörig, später zu Tanagra. Der Ort war von myk. bis in byz. Zeit besiedelt, geringe Überreste davon sind erhalten. Kultgemeinschaft mit Artemis und Leto. In den Quellen v. a. wegen der empfindlichen Niederlage der Athener gegen die Boiotoi 424 v. Chr., an der u. a. Sokrates und Alkibiades beteiligt waren, häufig erwähnt. Belegstellen: Hdt. 6,118,2f.; Thuk. 4,76,4f.; 89–101,2; Strab. 9,2,7; Paus. 9,20,1; Liv. 35,51,1; Plat. symp. 220e–221b.

FOSSEY, 62–66 · PRITCHETT, II, 24–34, III, 295ff. · P. W. WALLACE, Strabo's Description of Boiotia, 1979, 27ff. · N. D. PAPACHATZIS, Παυσανίου Ελλάδος περιήγησις [Pausaníou Helládos periégesis] V, ²1981, 132f. · SCHACHTER, I, 44–47. M. FE.

[2] Heiligtum des Apollon in der Lakonia an der Ostküste der Parnon-Halbinsel südl. von Monemvasia, genaue Lage unsicher (Strab. 8,6,1; Paus. 3,23,2–4: *Epidélion*).

A. J. B. WACE, F. W. HASLUCK, South-Eastern Laconia, in: ABSA 14, 1907/08, 175f. Y. L.

Delios (Δήλιος). Beiname → Apollons, der seine Verbindung mit der Insel → Delos anzeigt: Hier ist er geboren, hier hat er mit → Leto und → Artemis zusammen eine zentrale Kultstätte. Die Epiklese D. ist bei Apollon ebenso häufig wie → Pythios, die seine Verbindung mit

→ Delphi anzeigt. Während in sehr vielen Fällen der Kult einer Pythios genannten Gottheit durch das delphische Orakel eingerichtet (d. h. sanktioniert) wurde, verfügt Delos über keine vergleichbare Institution: die Epiklese D. drückt vielmehr die von einem Kultort vorgenommene Herleitung des lokalen Kultes von Delos aus. Neben Apollon D. wird gelegentlich seine Schwester Artemis aus demselben Grund als Delia (Δήλια) bezeichnet; Delia ist zudem der Name einer der (fiktiven) Geliebten des Elegikers → Tibullus.

Ebenso von Delos, präziser von seinem zentralen Berg, dem Kynthos, leiten sich bes. die Apollon und Artemis beigelegten Epiklesen Kynthios und Kynthia ab (und der vom Elegiker Propertius in seinen Gedichten der Geliebten beigelegte Name Cynthia).

PH. BRUNEAU, Recherches sur les cultes de Délos à l'époque hellénistique et à l'époque impériale, 1970 · C. CALAME, Thésée et l'imaginaire athénien, 1990, 116–121.   F. G.

Delischer Seebund s. Attisch-Delischer Seebund

Delkos (Δέλκος, byz. Δέρκος). See im Norden von → Byzantion, h. Derkoz Gölü/Türkei. Nach Athen. 3,118b fing man dort den *delkanós* (δελκανός), einen Fisch, der aus dem in den D. mündenden *Délkōn* (Δέλκων) stammte. In röm. Zeit *oppidum* gleichen Namens.   I. v. B.

Dellius (handschriftlich auch Deillius, Deillios).
Q. D. (Name bei Cass. Dio 49,39,2), von Messalla Corvinus als *desultor bellorum civium* bezeichnet, da er 43 v. Chr. von P. Cornelius [I 29] Dolabella zu C. Cassius [I 10], im Jahr darauf zu M. Antonius und schließlich kurz vor der Schlacht von Actium mit wichtigen Informationen über die Truppen des Antonius in das Lager Octavians wechselte (Sen. suas. 1,7), bei dem er in hohem Ansehen stand (Sen. clem. 1,10,1; Horaz widmete ihm carm. 2,3). Für Antonius unternahm er zwischen 41 und 31 diplomatische Missionen in den Osten (MRR 2,559). 40 v. Chr. sandte Antonius D. zu Herodes dem Gr. nach Judäa, um ihn gegen den Thronanwärter Antigonos [5] zu unterstützen (Ios. ant. Iud. 14,394, bell. Iud. 1,290). Zu Beginn des Partherkrieges 36 v. Chr. suchte D. Kleopatra mit der Bitte auf, in das Hauptquartier des Antonius zu reisen. Nach der Niederlage gegen die Parther im J. 34 sollte D. den Armenierkönig Artavasdes [2] dazu bewegen, seine Tochter mit Alexander Helios, dem Sohn des Antonius, zu vermählen (Cass. Dio 49,39,2). D., selbst Feldherr des Antonius im Partherkrieg, schrieb eine Geschichte des Feldzuges (Fragmente HRR 2,53; Plut. Ant. 59; Strab. 14,13,3).

SCHANZ/HOSIUS, 2, 327f.   ME. STR.

Delmaticus. Siegerbeiname des L. Caecilius [I 24] Metellus D. (*cos.* 119 v. Chr.).   K.-L. E.

Delminium (Delminenses, Delminum). Hauptort der Dalmatae: Ptol. 2,16,11; App. Ill. 11; Florus 2,25; CIL III 3202; der Name D. ist evtl. auf das albanische Wort *delme*, »Schaf«, zurückzuführen. Strabon (*Délmion*, 7,5,5) beschreibt D. als große Stadt, die dem Volk den Namen gab. 156 v. Chr. wurde D. von C. Marcius Figulus belagert. 155 v. Chr. wurde D. von P. Cornelius Scipio Nasica erobert und zerstört (vgl. Strabons *pedíon mēlóboton*; Triumph über die Delmatae; ant. Quellen bei [1. 448]). Bisher wurden die Überreste von D. in Lib oberhalb von Borčani, südöstl. von Županjac (= Duvno, das h. Tomislavgrad) lokalisiert; nach ZANINOVIĆ könnte es auch mit Gradina bei Gaj oberhalb von Tomislavgrad gleichgesetzt werden. Im Namen Duvanjsko polje – die weitere Umgebung von Tomislavgrad – ist D. noch erh. Das röm. D., das unter Hadrian *municipium* wurde, konnte noch nicht mit Sicherheit lokalisiert werden; es muß in der Ebene innerhalb Duvanjsko polje gesucht werden, nach ZANINOVIĆ in Tomislavgrad, nach BOJANOVSKI [2. 216ff., 230] in Borčani, in der unmittelbaren Umgebung des prähistor. Delminium, wohingegen er Bistua Vetus in Tomislavgrad ansetzt; diese Lokalisierung paßt besser zu den Angaben in der Tab. Peut. Der Ort D. wurde auch als Prisoje in Buško blato (die weitere Umgebung von Tomislavgrad) lokalisiert, wegen des Grabsteins eines *IIvir* des *municipium Delminensium*.

1 BROUGHTON, MRR, 448 2 I. BOJANOVSKI, Bosna i Hercegovina u antičko doba [Bosnien und Herzegowina in der Ant.], Akademija nauka i umjetnosti Bosne i Herzegovine, Djela 66, Centar zu balkanološka isptivanja 6, [Monographies, Academie des sciences et des arts de Bosnie-Herzegovine 66, Centre d'études balk. 6], 1988 3 M. ZANINOVIĆ, Livanjsko polje u antici kao primjer delmatske zajednice (Das Livanjsko polje in der Ant. als Beispiel der delmat. Gemeinschaft), in: H. GJURAŠIN (Hrsg.), Livanjski kraj u povijesti, 1994, 45–50.
M. Š. K./Ü: I. S.

Delos (Δῆλος), auch Klein-D. (ἡ μικρὰ Δῆλος).
I. GEOGRAPHIE II. GESCHICHTE
III. ARCHÄOLOGIE

I. GEOGRAPHIE
Insel in der Mitte der Kyklades, von Rheneia oder Groß-Delos (17 km²) durch einen 1 km breiten Kanal getrennt. Die kleine, h. unbewohnte Insel ist etwa 6 km lang und 1,2 km breit; ihre Fläche beträgt 3,5 km². D. ragt als länglicher Felsrücken aus dem Meer, besteht in der Hauptsache aus Gneis, Granit und Gneisgranit. Die Westküste ist durch drei kleine Buchten erschlossen: die Bucht von Skardana, der kleine Hafen (in der Ant. der »Hl. Hafen«) und die Bucht von Phourne. An der NO-Küste liegt der Ankerplatz von Gourna. Das Innere der Insel ist gebirgig. Mit dem kahlen kegelförmigen Kynthos erreicht es eine Höhe von 113 m. Im SW liegt die trockene Schlucht des Inopos.

II. Geschichte

A. Frühgeschichte B. Klassische Zeit
C. Hellenistische Zeit D. Späte Republik und
Kaiserzeit E. Frühchristliche Zeit

A. Frühgeschichte

Auf dem Kynthos befand sich in frühkykladischer Zeit (3. Jt. v. Chr.) eine Siedlung, in gesch. Zeit Heiligtümer für Zeus und Athena. In der Ebene fand sich im Süden des Apollon-Bezirks bei der delischen Agora Keramik aus dem MH. Ware aus dem SH kam beim Schatzhaus V zutage. Im Zentrum des späteren hl. Bezirks konnte für spätmyk. Zeit eine Siedlung nachgewiesen werden, die ihre Existenz wohl dem Kult einer Vorläuferin der griech. Artemis verdankt. Beim Artemision befindet sich eine halbrunde, aus dem Felsen gemeißelte Plattform, wohl ein Kultplatz des SH. Evtl. war hier das »Sema«, das Grab der beiden hyperboräischen Mädchen Hyperoche und Laodike, die der Sage nach Apollon die ersten Opfer darbrachten. Ebenfalls auf die frühe Zeit weist die »Theke« (Hdt. 4,33 ff.) hin, möglicherweise jenes kreisrunde → ábaton (ein myk. Beinhaus bei der Stoa des Antigonos), wo der Sage nach Arge und Opis, ebenfalls zwei hyperboräische Mädchen, begraben sein sollen. Hier wurden Opferriten vollzogen, deren Ursprünge in die myk. oder vormyk. Zeit zurückreichen. Diese Sagen und Kulte dürften die Inbesitznahme der Insel durch Apollon widerspiegeln. Mit der älteren weiblichen Gottheit, die in Artemis aufging, wurde in der Zeit der Niederlassung der ion. Griechen um 1000 v. Chr. neben Apollon auch Leto zur delischen Götter-Trias verbunden, in der Apollon bald die erste Stelle einnahm. Nach der griech. Sage gebar die umherirrende Leto den Apollon unter einer Palme, nach einer anderen Version auf dem Gipfel des Kynthos. Daraufhin erst verankerte Poseidon die zuvor frei schwimmende Insel.

Das große Jahresfest der ion. Griechen mit den athletischen und musischen Agonen und Tänzen, bes. dem urtümlichen Geranos (»Kranich-Tanz«) am Keraton (»Ziegenhörner-Altar«), soll Theseus gestiftet haben. Es geht sicher auf die vor-, spätestens frühgriech. Zeit zurück. Der homer. Apollon-Hymnos kennt D. als Zentrum einer Amphiktyonie der Insel-Ionier. Das Apollon-Fest, die Delia, wurde jährlich mit Wettkämpfen von Chören und Faustkämpfen begangen. Im Bereich der früheren myk. Bauten gab es neben dem Bezirk der Artemis auch solche für Leto und Apollon. Der Tempel der Artemis, das Artemision, wurde um 179 v. Chr. an der Stelle eines archa. Vorgängerbaus, selbst Nachfolger eines myk. Tempels, errichtet. Leto erhielt spätestens Mitte 6. Jh. v. Chr. ihren Tempel nördl. des Hauptheiligtums nahe der Löwenterrasse. Im ältesten Tempel für Apollon, dem pórinos naós (»Kalksteintempel«), wohl von Peisistratos aus Athen gestiftet, stand auch das kolossale ca. 8,5 m hohe brn. Kultbild, von → Tektaios und → Angelion geschaffen. Auf dem See wurden Schwäne des Apollon und Gänse der Leto gehalten. Apollons Wächter waren die h. neun auf einer 50 m

langen Terrasse sitzenden Löwen aus Marmor von Naxos, gegen E. des 7. Jh. v. Chr. von Handwerkern aus Naxos geschaffen. Im 7. und 6. Jh. v. Chr erhielt der sich rasch vergrößernde Bezirk ›ein insel-ion. Gesicht‹ [1. 148], wobei die Insel Naxos die Hauptrolle bei Ausbau und Ausstattung spielte, was sich ganz bes. am naxischen oíkos erkennen läßt, einem einfachen, länglichrechteckigen »Haus« aus Granitquadern vom Anf. 6. Jh. v. Chr., als der Tempel des Apollon noch nicht stand. Der geschlossene oíkos, wie er auf D. errichtet wurde, ist schon mit Schatzhausfunktion von → Delphoi und Olympia her bekannt. Er begegnet aber in früharcha. Zeit auch häufig als Tempel. Vor der Ostfront des oíkos wurde ein älterer kapellenartiger Bau gefunden (wohl 2. Jt. v. Chr.). Vor der Ostfront stand das etwa 9 m hohe Marmorstandbild des Apollon (um 600 v. Chr.). Mitte des 6. Jh. v. Chr. löste Athen Naxos und Paros, dessen Einfluß sich gerade bei den Kuros- und Korenstatuen gezeigt hatte, in der Kontrolle der Insel ab.

B. Klassische Zeit

Peisistratos reinigte auf Geheiß des delph. Orakels die Insel, indem er sämtliche Gräber im Sichtbereich des Tempels, mit Ausnahme der bereits kult. verehrten, entfernen ließ (Hdt. 1,64; Thuk. 3,104,1). In diesem Zusammenhang ist die Schenkung von Rheneia durch Polykrates zu sehen. D. blieb von nun an unter att. Kontrolle und Verwaltung. 477 v. Chr. wurde D. Mittelpunkt des neuen Seebunds. Im selben J. wurde mit dem Bau des »Großen« Apollon-Tempels begonnen. 454 v. Chr. wurde die Bundeskasse, anfangs noch im alten Tempel untergebracht, nach Athen überführt. Der Tempelbau geriet ins Stocken und wurde erst im 3. Jh. v. Chr. vollendet. Athen nahm 426/5 v. Chr. eine 2. »Säuberung« der Insel vor, bei der die restlichen Gräber entfernt wurden; zugleich wurde ein Bestattungsverbot erlassen (Bestattungen nur noch auf Rheneia). Gleiches galt für Geburten. Im Anschluß daran erfolgte die Stiftung der penteterischen (fünfjährlichen) Delia. 422 wurden die Bewohner von D. vertrieben, doch schon ein J. später wieder zurückgeführt (Thuk. 5,1; 32,1).

C. Hellenistische Zeit

314 v. Chr. endete die att. Herrschaft. D. wurde unabhängiges Zentrum des »Bundes der Insel-Griechen«. In der Folge erlebte D. eine Blütezeit. Reiche Opfergaben flossen dem Heiligtum zu. Ehrendekrete für fremde Wohltäter bezeugen, wie bed. das Heiligtum war und wie weit seine polit. und wirtschaftlichen Beziehungen reichten. Inschr. ermöglichen einen genauen Einblick in Tempel-Verwaltung und Wirtschaft von D. Die demokratische pólis D. stand unter einem árchōn, einem Rat und einer Volksversammlung. Die Pflege des Heiligtums oblag vier jährlich gewählten hieropoioí. Um 250 v. Chr. siedelten sich die ersten Römer auf D. an; sie erreichten bald das Übergewicht über die anderen Einwanderer. Auf ihr Drängen hin und als Gegengewicht zum Handelszentrum Rhodos wurde D. 166 v. Chr. von Rom zum Freihafen erklärt und den Athenern zurückgegeben. Die einheimischen Bewohner wurden

zum zweiten Mal vertrieben; an ihre Stelle traten ein att. *epimelētēs* mit Kleruchen. D. nahm nochmals einen gewaltigen Aufschwung, viele fremde Kaufmannsgruppen siedelten sich an und errichteten prächtige Vereinshäuser. Ägäische und syr. Gottheiten wurden verehrt, D. erreichte die Ausdehnung, die sich noch h. in den Ruinen erkennen läßt (vgl. bes. Strab. 10,5,2; 4; 14,5,2). Auf dem del. Sklavenmarkt, dem größten in Griechenland, wechselten an manchen Tagen über 10000 Sklaven den Besitzer.

D. SPÄTE REPUBLIK UND KAISERZEIT

88 v. Chr. wurde D. durch Seestreitkräfte Mithradates' VI. verwüstet, wobei angeblich 20000 Menschen, v. a. Italici, umkamen (App. Mithr. 28; Paus. 3,23,3 ff.; zur Bevölkerungszahl [2]). Im J. darauf gewann Sulla D. zurück. Nach teilweisem Wiederaufbau verwüsteten 69 v. Chr. mit Mithradates verbündete Seeräuber unter Athenodoros D. erneut (Phlegon, FGrH 257 fr. 12,13). Davon hat sich D. nicht mehr erholt, wenngleich Stadt und Heiligtum durch C. Valerius Triarius eine Mauer erhielten [3]. D. verlor wegen der Änderung der polit. Verhältnisse in der Ägäis und der Handelsrouten an Bed. und wurde schließlich von seinen Bewohnern verlassen. Pausanias (8,33,2) berichtet, daß D. bis auf die Wächter der Heiligtümer unbewohnt war. Verschiedentliche Versuche Athens, die Insel zu verkaufen, scheiterten.

E. FRÜHCHRISTLICHE ZEIT

In frühchristl. Zeit setzte eine gewisse Belebung ein, soweit man diese aus der Existenz von mehreren kleinen Kirchen ableiten kann. Ab dem 7. Jh. werden die Siedlungsspuren wieder seltener, seit dem 14. Jh. war D. allem Anschein nach völlig verlassen.

III. ARCHÄOLOGIE
A. DAS HEILIGTUM B. PROFANE BAUTEN

A. DAS HEILIGTUM

Die Ausgrabungen der frz. Schule begannen 1874 und dauern bis h. an. Das Zentrum der Grabungen, das Apollonheiligtum, liegt im Westen der Insel am offenen, aber mit einem 150 m langen Wellenbrecher aus Granitblöcken (aus archa. Zeit) geschützten Hafen, noch h. unter Wasser gut sichtbar. Die Benennung der vielen ausgegrabenen, meist sehr zerstörten Gebäude ist oft unsicher, zumal es keine ant. Beschreibung von D. gibt. Der Haupteingang des Heiligtums lag im Süden rechts und links der Hl. Straße und war von zwei Säulenhallen flankiert. Die westl. davon hat Philippos V., der bis zu seiner Niederlage bei Kynoskephalai 197 v. Chr. über die Kykladen herrschte, gestiftet. Der älteste Teil der Anlage befindet sich im SW, nach Süden und Westen von der naxischen Stoa abgeschlossen. Hier dürfte auch der berühmte, später durch ein Gebäude geschützte Altar aus Ziegenhörnern gestanden haben. Das dazu gehörige Gebäude war wohl der große Bau aus Marmor von Paros im Norden des gepflasterten Platzes. Nördl. der Stoa stand die naxische Stoa, ein Versammlungsgebäude mit Vorhalle und einer inneren Säulen-

reihe, daran die Basis der etwa 8,5 m hohen naxischen Apollon-Statue. Der Gott war in charakteristischer archa. Weise als Kuros dargestellt, die Hände an den Schenkeln, mit einem Metallgürtel; die Basis ist h. noch sichtbar. Apollon geweiht waren drei kleine, nebeneinander geordnete Tempel. Der ältere Poros-Tempel mit dem Kultbild war wohl ein Antenbau; südl. daneben stand ein Peripteral-Tempel, der aber kaum bis zum Stufenbau gediehen war, als die Athener 454 v. Chr. den Bundesschatz verlegten. Er wurde erst nach langer Unterbrechung von den del. Bürgern nach 303 v. Chr. als Tempel in dor. Ordnung vollendet. Wie der Poros-Tempel war auch dieser nach Westen auf den alten Kultplatz ausgerichtet. 425/417 v. Chr. errichteten die Athener schließlich den dritten Tempel aus pentelischem Marmor. Manches daran weist auf das Wirken des → Kallikrates hin, der auch den Nike-Tempel auf der Akropolis erbaut hat. Nach Norden und Osten lagen in einem weiten Bogen fünf Gebäude, die man in Analogie zu ähnlichen Bauten in Olympia und Delphoi als »Schatzhäuser« bezeichnet. Die Fortsetzung nach Norden bildete ein als → Buleuterion gedeutetes längliches Gebäude. Nach NW schließt an das Apollon-Heiligtum das hell., von Säulenhallen abgeschlossene Artemision an, ein bes. Bezirk innerhalb des Gesamt-Heiligtums. Mittelpunkt war darin der kleine Tempel mit ion. Säulenfront aus der 2. H. des 2. Jh. v. Chr. Im Gegensatz zu den Apollon-Tempeln ist er ebenso wie schon sein Vorgängerbau nach SO orientiert. In hell. Zeit wurde der Hl. Bezirk nach Osten und Norden hin bed. erweitert. Um 300 v. Chr. entstand dort die sog. »Stierhalle«, ein langes Gebäude, in dem wahrsch. eine Trireme aufgestellt war. Die Halle war also eine Stiftung des maked. Königs Demetrios; sie wurde aber erst von seinem Sohn → Antigonos [2] Gonatas vollendet, der auch das Schiff zum Dank für seinen Sieg über die ptolem. Flotte Apollon weihte. Diese Schiffshalle bzw. deren im hinteren Teil liegende Cella wurde durch eine Dachlaterne ionischer Bauordnung belichtet. Den nördl. Abschluß des Bezirkes bildete die 120 m lange Säulenhalle des Antigonos [2] Gonatas, die etwa 253/250 v. Chr. errichtet wurde.

B. PROFANE BAUTEN

Markt und Anlagen, die dem Geschäftsleben und der Verwaltung der *pólis* dienten, lagen von jeher außerhalb des Hl. Bezirkes. So richtete der att. *epimelētēs* Theophrastes 126/5 v. Chr. vor der Westseite des Heiligtums und nördl. des Hafenkais einen neuen Markt ein. Weiter im Norden war schon um 208 v. Chr. von den delischen Bürgern eine große Säulenhalle errichtet worden. Dieses Areal war seit alters bewohnt, wenngleich sich hier keine geschlossene Wohnstadt entwickelte. Östl. der großen Säulenhalle und nördl. des Apollon-Heiligtums lag der »Italiker-Markt«. Der rechteckige, 70 × 100 m große Hof war von einer zweistöckigen Säulenhalle umgeben. Von der Hafenseite war er durch ein Tor zugänglich. Neben diesem Tor lagen die Fundamente des Leto-Tempels. Ehe dieser Markt errichtet

wurde, gehörte ihr wohl das gesamte Gebiet einschließ-
lich des Hl. Sees, an dessen Ufer Leto, nach der del.
Sagen-Version, auf eine Palme gestützt, Apollon und
Artemis geboren hatte. Der nach Süden orientierte
Tempel stammte aus der Mitte des 6. Jh. v. Chr. Das
Fundament des marmornen Sitzbilds der Göttin ist noch
erh. Zum See führte eine Prozessionsstraße mit einer
50 m langen Terrasse, auf der neun (h. stark verwitterte)
Löwen aus naxischem Marmor standen (wohl im 7.
Jh. v. Chr.). Der See wurde wegen der ständigen Seu-
chengefahr Anf. des 20. Jh. zugeschüttet; seine urspr.
Ausdehnung markiert h. eine niedrige neuzeitliche
Mauer. In der Ant. erhielt der See sein Wasser wohl
durch einen Zufluß des Inopos. In diesem Areal standen
die Häuser der fremden Kaufmannsgruppen, so das
Haus der Poseidoniasten von → Berytos, mehrere Privathäuser, Paläste, ein Hippodromos, Gymnasion und
nach 88 v. Chr. eine Synagoge. Bis E. des 3. Jh. v. Chr.
gab es auf D. nur einen Markt, den der delischen Bürger. Daran grenzten auch die Bauten der Gemein-
deverwaltung. Nach Süden und SO schloß sich an den
Hängen des Kynthos die Wohnstadt mit ihren engen
Straßen und reichen hell. Häusern an, meist zweistöckig
mit Peristyl, Zisterne und oft auch Mosaikböden. Das
Theater bot Platz für 4000–5000 Besucher. Auf beiden
Seiten des Inopos lagen, auf verschiedenen Terrassen,
Heiligtümer orientalischer Götter. Erwähnenswert ist
hier noch ein auf einem Vorgängerbau errichteter An-
tentempel der Hera aus dem 6. Jh. v. Chr. Inschr.: IG XI
2; 4, 1912/14 (mehr nicht erschienen); IDélos.

1 G. GRUBEN, Die Tempel der Griechen, 1966 (⁴1986),
146 ff. 2 P. ROUSSEL, La population de Délos à la fin du IIᵉ
siècle avant J.-C., in: BCH 55, 1931, 438–449 3 J. DELORME,
Chronique des fouilles, s. v. Délos, in: BCH 74, 1950, 364 ff.

D. VAN BERCHEM, Commerce et écriture, in: MH 48, 1991,
129 ff. • E. BETHE, Das archa. D., in: Die Ant. 14, 1938,
81 ff. • P. BRUNEAU, Recherches sur les cultes des Délos à
l'époque hell. et à l'époque impériale, 1970 • P. BRUNEAU,
Exploration arch. de D., 1972 • Ders., J. DUCAT, Guide des
Délos, ³1983 • P. BRUNEAU, Deliaca VIII, in: BCH 114,
1990, 553 ff. • Ders., La céramique pergaménienne à reliefs
appliqués de D., in: BCH 115, 1991, 597 ff. • Ders., Deliaca
IX, in: BCH 115, 1991, 377 ff. • A. CHAMDOR, D., l'île
d'Apollon, 1960 • F. COARELLI, D. MUSTI, H. SOLIN
(Hrsg.), Delo e l'Italia (Opuscula Instituti Romani
Finlandiae II), 1982 • P. L. COUCHOUD, J. SVORONOS, Les
monuments des »taureaux« à D., in: BCH 45, 1921, 270 ff. •
P. COURBIN, D., Fasc. XXXIII. L'Oikos des Naxiens (1980),
1982 • F. COURBY, Notes topographiques et
chronologiques sur le sanctuaire d'Apollon délien, in: BCH
45, 1921, 174 ff. • Délos. Études Déliennes publiées à
l'occasion du centième anniversaire du début des fouilles
de l'Ecole francaise d'Athèneà Délos, 1974 • W. DÉOMA,
La vie privée des Déliens, 1948 • Exploration archéologique
de D., 1902–1985 (35 Bde.) • H. GALLET DE SANTERRE, D.
primitive et archaïque, 1958 • Ders., La terrasse des lions, le
Létoon et le monument de granit à D., 1959 • C. HABICHT,
Zu den Epimeleten von D. 167–88, in: Hermes 119, 1991,
194 ff. • A. E. KALPAXIS, Die Pfostenlöcher unter dem
Naxieroikos auf Delos, in: F. KRINZINGER, B. OTTO,

E. WALDE-PSENNER (Hrsg.), FS Bernhard Neutsch
(Innsbrucker Beitr. zur Kulturwiss. 21), 1980, 237 ff. •
KIRSTEN/KRAIKER, 489 ff. • LAUFFER, 181 ff. •
D. MERTENS, Der Tempel von Segesta, 1984, 220–227 •
A. C. ORLANDOS, D. chrétienne, in: BCH 60, 1936, 68 ff. •
J. PARIS, Les établissements maritimes de D., in: BCH 40,
1916, 5 ff. • H. W. PARKE, Polycrates and D., in: CQ 46,
1946, 105 ff. • C. PICARD, J. REPLAT, Recherches sur la
topographie du hiéron délien, in: BCH 48, 1924, 217 ff. •
A. PLASSART, Les sanctuaires et les cultes du mont Cynthe,
1929 • N. K. RAUH, Was the Agora of the Italians an
»établissement du sport«?, in: BCH 116, 1992, 293 ff. •
PHILIPPSON/KIRSTEN, 4, 110 ff • G. REGER, Private property
and private loans on independent D. (314–167 B. C.), in:
Phoenix 46, 1992, 322 ff. • Ders., The Public Purchase of
Grain on Independent D., in: Classical Antiquity 12, 1993,
H. 2. 300 ff. • J. TRÉHEUX, L'administration financière des
»epi ta hiera a Delos«, in: BCH 115, 1991, 349 ff. • Ders.,
L'unité de pesée et l'unité de compte des hiéropes à D.
Economics of cult in the ancient Greek World. Proceedings
of the Uppsala symposium, 1990 • T. LINDERS, B. ALROTH
(Hrsg.), Uppsala: Acta universitatis Uppsaliensis. Boreas.
Uppsala studies in ancient mediterranean and Near Eastern
civiliations, 21, 1992, 21 ff. • R. VALLOIS, Topographie
délienne I, in: BCH 48, 1924, 411 ff.; II, 53, 1929, 185 ff. •
R. VALLOIS, L'architecture hellénique et hellénistique à D.
jusqu' à l'éviction des Déliens (166 av. J.-C.). I. Les
monuments, 1944; II. Les constructions antiques de Délos,
1953 • C. VIAL, D. indépandante (314–167 av. J.-C.),
1957 • Ders., Les sources de revenus de Déliens à l'époque
hellenistique. L'origine des richesses dépensées dans la ville
antique, in: PH. LEVEAU (Hrsg.), Actes du colloque organisé
à Aix-en-Provence par l'U. E. R. d'histoire, les 11 et 12 mai
1984 (Aix-en-Provence Cedex: Université de Provence),
1985, 47 ff. • F. DURRBACH, Choix d'inscriptions de Délos I,
Textes historiques, 1921/23 • H. PHILIPPART, Bibl., in:
Rev. belge de Philologie 1, 1912, 784 ff.   H. KAL.

Delphi s. Delphoi

Delphica. Die runden Prunktische auf drei Füßen
(→ Hausrat; → Möbel) wurden von den Römern D.
genannt in Anlehnung an den Delphischen Dreifuß
(Prok. BV 1,21). Die in der Lit. erwähnten D. (Mart.
12,66 f.; Cic. Verr. 2,4,131) sind evtl. mit den v. a. aus
den Vesuvstädten überlieferten Tischen zu identifizieren.

G. M. A. RICHTER, The Furniture of the Greeks, Etruscans
and Romans, 1966, 111–112.   R. H.

Delphin (δελφίς und δελφίν, lat. *delphinus* und *delphin*).
[1] Ein im Mittelmeer häufiger Vertreter der kleinen
lebendgebärenden → Wale, mit einem Spritzloch (αὐ-
λός), Lautäußerungen und Lungenatmung (Aristot. hist.
an. 1,5,489a 35–b 5; 4,9,535b 32–536a 4; 8,2,589a 31–b
11 mit Diskussion seiner Rolle als Wassertier, ἔνυδρος),
wurde hauptsächlich von den Griechen als »König der
Wassertiere« (bzw. der Fische; Ail. nat. 15,17; Opp. hal.
1,643 und 5,421 bzw. 441) bewundert. Man rühmte seine geringe Menschenscheu (Ps.-Aristot. hist. an.
9,48,631a 8 f.), seine Schnelligkeit und Luftsprünge

(631a 20–30) sowie seine geistigen Fähigkeiten, die er einerseits zum Entkommen aus einem Fischernetz (Ail. nat. 11,12) und andererseits zur Rettung von Sängern wie → Arion aus Methymna (bei Hdt. 1,23 f.; Plin. nat. 9,28; Cic. Tusc. 2,67; Ov. fast. 2,83; Prop. 2,26,17; Gell. 16,19; Paus. 3,25,7; Plut. sol. anim. 36 = mor. 984A – 985B u. a.) oder Koiranos aus Milet (Athen. 13,606e) einsetzte. Bekannt war seine Freude an der Musik (z. B. Eur. El. 435; Aristoph. Ran. 1317; Ail. nat. 2,6 und 11,12) und seine Anhänglichkeit an schöne Knaben (Ps.-Aristot. hist. an. 9,48,631a 10f.; Gell. 6(7), 8), denen er in manchen Fällen in den Tod folgte (Ail. nat. 6,15; Plin. nat. 9,25; Gell. l.c.). Mit Fischern arbeiteten D. angeblich gerne um ihres Fischanteils willen zusammen (Opp. hal. 5,425–447; Ail. 2,8; Plin. nat. 9,29–33). Wegen ihrer Intelligenz hielt man die den Griechen heiligen Tiere (Athen. 7,282e) für von Dionysos verwandelte Menschen (Opp. 1,648–651; Hom. h. 7,53). Fluß-D. kannte die Ant. im Ganges (Strab. 15,719 nach Artemidoros; Curt. 8,9,9) und Nil (Sen. nat. 4,2,13 f.; Plin. nat. 8,91; nach [1. 110] handelt es sich um Haie oder Welse); diese besiegten Krokodile. Am Schwarzmeer jagten z. B. Thraker den D., um ihn zu essen (Opp. hal. 5,519–588; Xen. anab. 5,4,27; Strab. 12,549) und seinen Tran zu verwenden. Myth. ist er im Gefolge → Poseidons anzutreffen und führt ihm → Amphitrite als Gattin zu (Hom. Od. 12,96; Bakchyl. 17,97; Aristoph. Equ. 560; Ov. fast. 2,81). Er wird aber auch in Verbindung gebracht mit → Apollon (Strab. 4,179,6), mit → Dionysos (s.o.; Hyg. fab. 134), → Aphrodite (Gell. 6 (7),8; Nonn. Dion. 13,439) und anderen Göttern. Das Motiv vom D.-Reiter ist häufig, z. B. bei Arion. In der Kunst begegnet der D. schon auf Kreta, vielfach auf Reliefs, Gemmen, Lampen usw., auf Mosaiken wie in Piazza Armerina auf Sizilien und auf Grabsteinen. Auch in frühchristl. Kunst leben viele ant. Motive fort. Teilweise steht er als Symbol für Christus [3. 1,503 f.].

1 LEITNER 2 W. RICHTER, in: RhM 104, 1961 3 LCI.

E. B. STEBBINS, The Dolphin in the Literature and Art of Greece and Rome, 1929 • M. RABINOVITCH, Der D. in Sage und Mythos der Griechen, 1947 • K. CZERNOHAUS, D.-Darstellungen von der minoischen bis zur geometrischen Zeit, 1988. C. HÜ.

[2] s. Sternbilder

[3] Delphine. Im röm. → Circus diente ein weithin sichtbar auf der → *spina* errichtetes Gestell mit sieben drehbaren Delphinfiguren oder Eiern zum Anzeigen der abgelaufenen bzw. noch verbleibenden Rennrunden. Die Delphine des Circus Maximus in Rom wurden nach Cass. Dio 49,43 im Jahr 33 v. Chr. von Agrippa gestiftet (oder restauriert); der Delphin symbolisierte die elegante »Geschwindigkeit« der Rennwagen und machte überdies die Beziehung der Circusspiele zu ihrem »Schirmherren« → Neptunus augenfällig. Im Hippodrom von Olympia befand sich am Ablaufpunkt eine einzelne bronzene Delphinfigur als Teil einer komplizierten, von Pausanias (6,20,10) beschriebenen Startvorrichtung.

A. BALIL, Ova, Delphini, Roman Circus, in: Latomus 25, 1966, 867–870 • S. CERUTTI, The seven eggs of the C. Maximus in: Nikephoros 6, 1993, 167–176 • W. K. QUINN-SCHOFFIELD, Ova and Delphini of the Roman Circus, in: Latomus 25, 1966, 99–100. C. HÖ.

Delphinios (Δελφίνιος, in Kreta auch Delphidios). Sowohl in ionischem wie dorischem (Kreta) Gebiet belegte Epiklese Apollons, die in der Ant. seit dem homer. Apollonhymnos oft mit Delphi und dem → Delphin verbunden wurde: Als Delphin habe er seine Priester nach Delphi geführt. Diese Herleitung nahm ein großer Teil der Forscher auf, obwohl die Kulte sie nicht bestätigen; hier wird der Gott durchwegs mit der Sorge um die jungen Bürger der Polis verbunden. In Milet (dann in → Olbia) ist er der Gott der → Molpoi, einer Gruppierung der städtischen Elite, im kretischen Dreros ist er mit einem männerhausartigen Tempel, in Athen mit Theseus' Erkennung durch seinen Vater und einem bes. Opferbrauch verbunden (Plut. Thes. 12,2–6; Paus. 1,19,1).

PH. BOURBOULIS, Apollo D., 1949 • A. S. RUSSJAJEVA, Religia i kultu antichnoi Olvii, 1992 • F. GRAF, Apollon D., in: MH 36, 1979, 2–22. F. G.

Delphinium. Gattung der Hahnenfußgewächse (Ranunculaceen) *delphínion* bei Dioskurides 3,73 (nur RV; [1. 84] = 3,77 [2. 310]). Sie ist wegen der den Delphinen oder Pferdchen ähnlichen Nektarien beim Rittersporn wahrscheinlich identisch mit *D. ajacis L.* (neugriech. καπουτσῖνος) und besteht aus etwa 200 Arten, von denen in Griechenland und It. acht vorkommen. Dazu gehört das häufige Ackerwildkraut *D. staphisagria L.* (στάφις ἀγρία bei Dioskurides 4,152 [1. 84] = 4,153 [2. 451 f.], neugriech. ψειρόχορτο, ψειροβότανο, lat. *astaphis agria* bei Plin. nat. 23,17, *herba pedicularis, passula mutula, granum capitis, rosa regis, pituitaria*, Lauswurz, Barfüßersamen usw.). Die Namensvielfalt zeigt an, daß die mit getrockneten Weinbeeren (Korinthen, στάφις) verglichenen, durch Alkaloide giftigen schwarzen Samen, entgegen der Warnung des Plinius (ebd.) sowohl als Brechmittel als auch gegen Läuse, Krätze und Zahnschmerzen eingesetzt wurden, außerdem gegen Schlangenbiß in Form von zerstoßenen Blüten in Wein.

1 WELLMANN 1 2 BERENDES C. HÜ.

Delphische Paiane s. Athenaios [NP 7]; Limenios; Musik

Delphisches Orakel s. Pythia

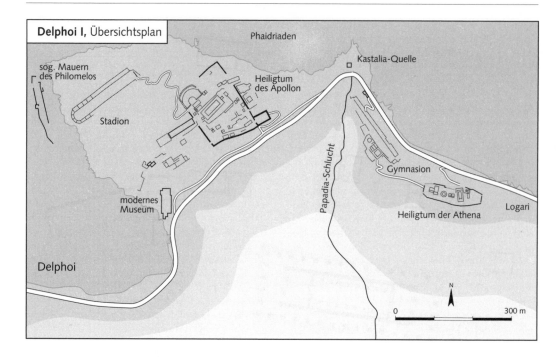

Delphoi I, Übersichtsplan

Phaidriaden

sog. Mauern des Philomelos

Kastalia-Quelle

Heiligtum des Apollon

Stadion

Papadia-Schlucht

Gymnasion

modernes Museum

Logari

Heiligtum der Athena

Delphoi

N

0   300 m

Delphoi (Δελφοί), Delphi.
I. TOPOGRAPHIE UND ARCHÄOLOGIE
II. ORGANISATION UND GESCHICHTE III. ORAKEL

I. TOPOGRAPHIE UND ARCHÄOLOGIE
A. LAGE B. APOLLON-HEILIGTUM
C. ATHENA-HEILIGTUM IN MARMARIA
D. SIEDLUNG E. STEINBRÜCHE F. NEKROPOLEN
G. ERFORSCHUNG UND AUSGRABUNG
H. LITERARISCHES ECHO

A. LAGE
Der Ort liegt mit dem Apollon-Heiligtum (in einer Höhe von 533 bis 600 m) an der Südflanke des Parnassos (Hauptgipfel 2457 m), am Einschnitt der Kastalia-Schlucht. Die Phaidriaden (um 1200 m) überragen seine felsige und theaterartige Lage (πετρῶδες χωρίον, θεατροειδές bei Strab. 9,3,3) mit dem Blick über die Pleistos-Schlucht auf die gegenüberliegende Kirphis. Mächtige geologische Verwerfungen und Brüche haben die Landschaft geformt. Die Terrasse besteht aus Konglomerat und Flysch über einem Sockel aus Kalkstein. Durch wasserführende Schichten ist der Baugrund instabil; wiederholt gingen auch Schutt oder Felsen auf das Gelände nieder. Der »Felsen der Sibylle« ist ein typisches älteres Bsp. (vgl. Detailplan, Nr. 23); in histor. Zeit ereigneten sich größere Bergstürze: um 373 v.Chr. auf den NW des Heiligtums, im J. 1870 auf die Kastalia, 1905 auf die Marmaria und 1935 durch den Ostteil des Apollon-Heiligtums.

B. APOLLON-HEILIGTUM
Eine Mauer aus dem späten 6. Jh. (mit Erneuerungen des 4. Jh.) umgrenzt das ungefähr rechteckige Heiligtum

(ca. 135 auf 190 m); sie nahm den Anstieg an der Ost- und Westseite in großen Stufen; einfache Durchlässe dienten als Tore. Auf der Mauerkrone standen Statuen (daher die Benennung des Heiligtums als χαλκοστέφανον, »erzumkränzt«: Diod. 11,14,4 und Anth. Pal. App. 242; CID II 182). Der Hauptzugang befindet sich im SO, von der röm. oder frühbyz. Marktplatz-Anlage aus (vgl. Detailplan, auf den sich die im folgenden genannten Nummern beziehen).

Den Apollon-Kult bezeugen Weihegaben seit dem frühen 8. Jh. v.Chr. und Bauwerke seit dem späteren 7. Jh. v.Chr. Die lit. Tradition beschreibt eine Abfolge von sechs Tempeln; verstreute dor. Baureste (frühes 6. Jh. v.Chr.) gehören zum vierten dieser Zählung. Der dor. Stil wurde für alle Nachfolgebauten beibehalten. Die ältere Mauer des Heiligtums (um 570 v.Chr.) verläuft im Osten und Westen je 13,30 m innerhalb der späteren Mauer. Aus dieser ersten monumentalen Phase stammen die Fundamente u.a. von Schatzhäusern (Nr. 26–30; v.a. im Areal der späteren Tempelterrasse), die feinen Bauglieder einer Tholos und eines kleinen baldachinartigen (?) Rechteckbaus mit originellem Metopenschmuck, die im Sikyonier-Schatzhaus (Nr. 10) verbaut wurden, die prächtige Sphinxsäule der Naxier (Nr. 24) aus Marmor, die Kolossalstatuen von Kleobis und Biton sowie die goldenen und silbernen Weihungen des Kroisos (Hdt. 1,50f., CID II 79, 81, vgl. 102, 108). Votive aus Edelmetall haben die Phokeis für den Krieg von 356–346 v.Chr. eingeschmolzen. Obwohl sie auch nach verborgenen Schätzen gegraben haben sollen, blieben die kostbaren, um 400 v.Chr. vor der Athenerhalle (Nr. 22) rituell bestatteten Werke erh., die 1939 wieder zutage kamen.

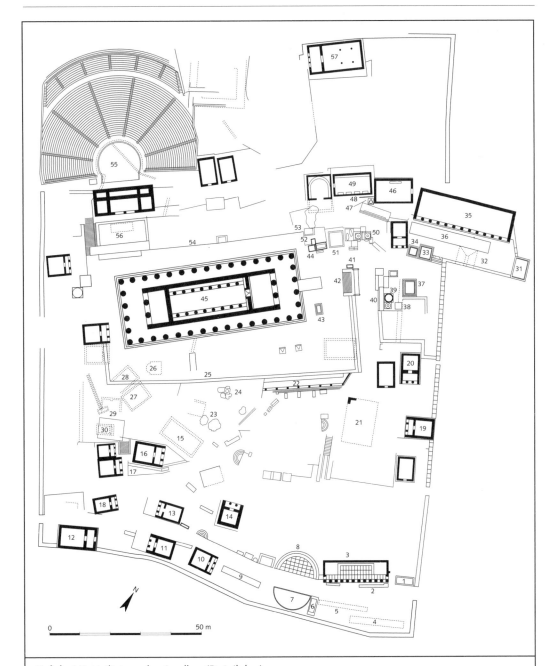

Delphoi II, Heiligtum des Apollon (Detailplan)

1 Untere Weihung der Korkyräer: Stier
2 Weihung der Arkader
3 Portikus
4 Weihung der Lakedämonier: »Nauarchen«
5 Weihung der Athener für Marathon: »Eponymen«
6, 7, 8 Weihungen der Argiver
9 Untere Weihung der Tarentiner
10 Schatzhaus der Sikyonier
11 Schatzhaus von Siphnos
12 Schatzhaus der Thebaner
13 Schatzhaus der Megarer
14 Schatzhaus von Knidos
15 Rathaus (?)

16 Schatzhaus der Athener
17 Weihung der Athener für Marathon
18 Schatzhaus der Boioter
19 Schatzhaus von Kyrene
20 Schatzhaus von Akanthos
21 Schatzhaus von Korinth
22 Portikus der Athener
23 Felsen der Sibylle
24 Sphinxweihung der Naxier
25 Polygonale Stützmauer der Tempelterrasse
26, 27, 28 nach 548/47 aufgegebene Bauten
29 Brunnen bei dem Asklepieion
30 Sog. etruskisches Schatzhaus

31, 32, 33, 34, 35, 36 Anlagen und Denkmäler der Attalosterrasse
37 Pfeiler mit Sonnenwagen der Rhodier
38 Dreifuß von Plataiai (?)
39 Dreifuß der Krotoniaten
40 Obere Weihung der Tarentiner
41 Pfeiler der Aitoler für Eumenes II.
42 Altar des Apollon
43 Früher sog. Pfeiler des Paullus Aemilius
44 Weihung der Athener: »Palme vom Eurymedon«
45 Tempel des Apollon
46 Sog. Bezirk des Neoptolemos
47 Akanthussäule

48 Archaische Stützmauer
49 Weihung des Daochos
50 Dreifußweihungen des Gelon und des Hieron
51 Apollon Sitalkas
52 Pfeiler des Prusias
53 Felsen und Brunnen (sog. »Kassotis«)
54 Stützmauer (»Ischegaon«)
55 Theater
56 Weihung des Krateros
57 Lesche der Knidier

Der Tempelbrand von 548/7 v. Chr. (Hdt. 2,180; Paus. 10,5,13) gab den Anlaß für Erneuerung und Erweiterung des Heiligtums. Hierzu gehörte die gewaltige »kurvenpolygonale« Tempelterrassen-Stützmauer (Nr. 25), die nach und nach, wie nahezu alle geeigneten Steinflächen, mit Inschr. bedeckt worden ist. Den Tempelneubau (Nr. 45) vollendeten die aus Athen verbannten Alkmaioniden gegen 500 v. Chr. (Hdt. 5,62); Künstler aus Athen wirkten dabei mit. Die Schatzhausbauten der Zeit bilden zwei Gruppen: die feine, festländ.-dor. Poros-Architektur und die unvergleichlich gut erh., mit Figuren und Ornamenten üppig verzierte kykladische Marmor-Architektur, allen voran das Schatzhaus der Siphnioi (Nr. 11). Die programmatische Synthese dor. Architektur und insularer Marmor-Kunst bildet das Schatzhaus der Athener (Nr. 16). Insgesamt stellten die Weihgeschenke gleichsam ein monumentales »Geschichtsbuch« der Griechen [1] dar. Den Vorplatz des Tempels mit dem großen Altar der Chioi (Nr. 42) säumten der große Dreifuß von Kroton (Nr. 39) und die Siegesdenkmäler aus den Perser- und Karthagerkriegen: goldene Dreifüße (Nr. 50) auf hohen Säulen (Bakchyl. 3,17: λάμπει δ' ὑπὸ μαρμαρυγαῖς ὁ χρυσός, ὑψιδαιδάλτων τριπόδων σταθέντων πάροιθε ναοῦ, ›im Licht strahlt das Gold der hochgebauten Dreifüße vor dem Tempel‹); von diesen steht die Schlangensäule des platäischen Dreifußes (Nr. 38) – seit Kaiser Constantinus – im Hippodrom von Konstantinopel; das letzte Perserkrieg-Denkmal war die Athena-Statue auf einer Palme für die Schlacht am Eurymedon (Nr. 44); alle überragte die kolossale Apollon-Statue für den Sieg bei Salamis. Später drängten sich andere Denkmäler hinzu: die 15 m hohe Statue des Apollon Sitalkas (Nr. 51) für den Sieg der Amphiktyonen über die Phoker von 346 v. Chr., der Pfeiler mit dem Helios-Gespann der Rhodier (Nr. 37) und die Pfeilerdenkmäler des Prusias (Nr. 52), sowie des Perseus (Nr. 49), deren letzteres sich Aemilius Paullus nach dem Sieg bei Pydna (168 v. Chr.) aneignete.

Die Verwüstung durch den Bergsturz um 373 v. Chr. erforderte die völlige Neuanlage des NW-Teils einschließlich des Tempels. Das Ischégaon (Nr. 54) stützte das durch Felstrümmer und Schuttmassen aufgehöhte Gelände ab. Der berühmte ›Wagenlenker‹ vom brn. Viergespann, das Polyzalos wohl für seinen Bruder Hieron errichtet hat, lag hier verschüttet. Neu sind alle Weihgeschenke und das Theater (Nr. 55) darüber ebenso wie der Tempel (Nr. 45). Er steht auf dem im SW verstärkten Fundament des Vorgängers und hatte, nach wiederholten Beschädigungen und zuletzt nur noch dürftigen Renovierungen, bis zum E. der Ant. Bestand. Die Bauabrechnungs-Inschr. berichten von Unternehmern, Künstlern, Technikern und Material-Lieferungen aus der Umgebung, der Peloponnesos, aus Attika und Makedonien. Für den Orakelbetrieb im Tempel geben die Baureste nur schwache und indirekte Anhaltspunkte, deren genauere Auswertung im Hinblick auf die Frage einer Öffnung des Daches über der Cella (vgl. Iust. 24,8,4: per aperta fastigia) noch aussteht. Der

Omphalos dürfte seinen Platz im Opisthodom des Tempels gehabt haben [2].

Die Denkmäler der Athener (Nr. 5; 16; 17) (›Marathon-Basis‹), Lakedämonier (Nr. 4, ›Nauarchen-Monument‹, für den Sieg von Aigos Potamos), Argiver (u. a. der ›Dureios Hippos‹, das ›Troianische Pferd‹, (Nr. 6; 7; 8) und Arkader (Nr. 2) bezeugen die Kämpfe der 5. und 4. Jh. v. Chr. um die Vorherrschaft in Griechenland; sie stehen entlang der sog. Hl. Straße. Deren Bezeichnung ist modern; ihr Verlauf ist im oberen Bereich nicht ant., sondern byz.; die Pflasterung enthielt Inschr. aus dem Heiligtum. Die Maked. und ihr Anhang erhielten Denkmäler oberhalb des Tempels: Das Monument des Krateros (Nr. 56) mit der Löwenjagd des Alexandros und das Weihgeschenk des Daochos (Nr. 49). Die »Tänzerinnen«- oder »Akanthussäule« mit einem Dreifuß (Nr. 47) geht auf die Pythaïs-Wallfahrt aus Athen von 336 v. Chr., die einzigartigen Aufzeichnungen von Hymnen mit musikalischen Noten am Athener-Schatzhaus (Nr. 16) auf die von 128 v. Chr. zurück.

Die Säulenhallen dienten wie die Schatzhäuser der Aufbewahrung von Weihgeschenken, aber auch der Bequemlichkeit der Pilger. Die Halle der Athener (Nr. 22) lehnte sich an die Tempelterrasse. Die Westhalle liegt außerhalb der Umfriedung des Heiligtums, die Attalos-Terrasse mit Dionysos-Tempel, Monumentalaltar, Pfeilermonumenten und Halle ragt dagegen von Osten in das Heiligtum hinein (Nr. 31–36). Die Lesche der Knidier (Nr. 57), ein geschlossener Bankett-Bau im NO des Heiligtums, enthielt die berühmten Gemälde des Polygnotos. Das Stadion der pyth. Spiele liegt über dem Heiligtum am Fuß der Felswand. Seine ältesten sichtbaren Teile gehen in die Zeit um 300 v. Chr. zurück; die letzte, jedoch nicht ganz fertiggestellte Ausstattung mit steinernen Sitzen, Brunnenanlage und Ehrentor stiftete Herodes Atticus (gest. 177 n. Chr.). Unsicher ist die Lage des Hippodroms.

C. ATHENA-HEILIGTUM IN MARMARIA

Das Heiligtum der Athena Pronaia (oder Pronoia) liegt auf einer Felsterrasse im Osten des Ortes (vgl. Übersichtsplan). Die ältesten Funde stammen aus myk. Zeit. Die Baugesch. läuft etwa parallel zu der des Haupt-Heiligtums: früharcha. dor. Tempel um 600 v. Chr., spätarcha. Nachfolger gegen 500 v. Chr., zwei Schatzhausbauten mit vorzüglichem Bauschmuck. Die glanzvolle Bautätigkeit des 4. Jh. vertreten die Tholos, ein lit. von seinem Architekten Theodoros (Vitr. 7, praef. 12) vorgestellter Musterbau, und ein prostyler, weiträumig gestalteter Tempel mit einer feinen Mischung von dor. Außen- und ion. Innenarchitektur. Die Deutungen der Anlagen sind wegen der sehr knappen Bemerkungen bei Pausanias weitgehend unsicher.

D. SIEDLUNG

Das Tal des Pleistos wies in myk. Zeit eine dichte Besiedlung auf. Die bed. Orte sind auf dem Bergsporn bei Chryso (Krisa) und der Hafenplatz von Kirrha; der Besiedlungsrückgang in den »dunklen Jh.« war in D. weniger einschneidend als in der Umgebung. Wohnbaureste vor allem im NO des späteren Heiligtums stammen aus der Zeit des 8. und 7. Jh. v. Chr.

Die wichtigsten profanen Monumentalbauten sind Brunnen, v. a. die Kastalia, und das Gymnasion, ein prächtiges und frühes Beispiel seiner Art (E. 4. Jh. v. Chr., röm. restauriert), mit offener und gedeckter Laufbahn, Schwimmbecken und Unterrichtsräumen (Bibl.: Syll.³ 823). Die Bauten der röm. und byz. Zeit, darunter Thermen und der Umbau der Attalos-Halle in eine Zisterne, haben wenig von der älteren Bebauung übrig gelassen. Eine systematische Befestigung der Stadt fehlt; befestigt wurde wohl im 4. Jh. v. Chr. nur der Hügel im Westen und in späterer, nicht genau bestimmbarer Zeit, der Zugang im Osten.

Aus christl. Zeit stammen Reste von Kirchen, verstreute Bauornamente und Kleinfunde, u. a. qualitätvolle Lampen aus lokaler Produktion. Der *extra muros* im Norden des modernen Ortes gefundene Baurest einer Kirche mit den vorzüglichen Bodenmosaiken wurde auf den Vorplatz des Museums übertragen.

E. Steinbrüche

Für die anspruchsvollen Bauten der älteren Zeit haben die nachweislich oder vermutlich auswärtigen Architekten großzügig Steinmaterial vom Festland und von den Inseln beschafft. Sehr guter einheimischer Kalkstein wurde seit dem 4. Jh. v. Chr. mit Steinbrüchen erschlossen, die zu den bes. Sehenswürdigkeiten der Umgebung zählen.

F. Nekropolen

Die Friedhöfe erstrecken sich im Westen von Heiligtum und Stadt über die Gegend des vorgelagerten Felsrückens und im Osten über die weniger schroffen Hänge des Pleistos-Tals; die Bestattungen enthielten reiche Funde von myk. Zeit an; über der Erde sind röm. Heroa, Arcosol- und Kammergräber sichtbar, aus denen stattliche Sarkophage stammen. Aus der jeweils zeittypischen Importkeramik ragt die weißgrundige Apollon-Schale heraus; berühmte Funde sind die Grabstele eines Athleten und der Meleager-Sarkophag; die vielen vorzüglichen Terrakotten sind erst z. T. publiziert [3].

G. Erforschung und Ausgrabung

Im folgenden ein kurzer Abriß: 1438 Besuch des Cyriacus von Ancona, seit 1676 erneut Besuche von abendländischen Reisenden. Ausgrabungen der griech. Regierung 1837/8, der Berliner Akad. durch K. O. Müller 1840, 1858 Umbenennung des Ortes von Kastri in Delphi; erste frz. Ausgrabung 1860–62. 1891 Verlegung des Ortes und Aufnahme der noch andauernden Ausgrabung und Erforsch. durch die École Française in Athen. 1903 Einweihung des Mus.-Neubaus. 1906 Aufrichtung des Athener-Schatzhauses; 1935/6 Erweiterung des Mus.; 1938 Aufrichtung von Säulen und Gebälk der Tholos, 1938–1941 der Säulen an der Ostfront des Tempels [4].

H. Literarisches Echo

D. ist der Inbegriff eines Ortes, wo dramatisches Landschaftserlebnis, Kult, Mythos, Legende, Poesie, Wiss., Kunst und Gesch. wie durch die göttliche Inspiration eines Orakels zusammengetreten sind: ›Paysage inspiré! il est enthousiaste et lyrique‹ (FLAUBERT). Die geistige Bed. des Ortes spiegelt sich vielfach in der Lit. wider: Hom. h. ad Apollinem 282ff.; Pind. P. 9,44–49; 8. Paian; Aischyl. Eum. 1–33; Hdt. 1,46ff., 92 u. ö.; Eur. Iph. T. 1234–1283; Eur. Ion; Plat. rep. 4,427Bf., Plat. leg. 5,738Bff., 6,759D, 8,828A; Plut. de E; Plut. de Pyth. or.; Paus. 10,5,5ff.; Heliodoros, Aithiopika 2,26ff.; 3,1; Angelos Sikelianos, Sibylla [5].

1 A. JACQUEMIN, Offrandes monumentales de Delphes (Doctorat d'Etat 1993, Microfiche Univ. Lille; demnächst in: BEFAR) 2 P. AMANDRY, Notes de top. et d'architecture delphique: IX. L'opisthodome du temple d'Apollon, in: BCH 117, 1993, 263–283 3 I. KONSTANTINOU, in: AD 1964, 218–221 Taf. 258–262 4 P. AMANDRY, Delphes oublié. Inst. de France, Académie des Inscr. et Belles-Lettres, Séance publique annuelle en commémoration du centenaire de la Grand Fouille de Delphes par l'École Française d'Athènes 1992, Nr. 16, 17–33 5 R. JACQUIN, L'esprit de Delphes: Anghélos Sikélianos, 1988.

J.-F. BOMMELAER, Guide de Delphes. Le site. Dessins de D. Laroche, 1991 (übersichtliche Erschließung früherer Lit.) · M. MAASS, Das ant. Delphi. Orakel, Schätze und Monumente, 1993 · O. PICARD (Hrsg.), Guide de Delphes. Le musée, 1991.　　　　　MI. MA.

II. Organisation und Geschichte
A. Stadt, Territorium und Heiligtum
B. Zivile Verwaltung und religiöse Ordnung
C. Geschichte

A. Stadt, Territorium und Heiligtum

In der Ant. breitete sich das Territorium von D. (*Delphís*) von den bewaldeten Hügeln des Parnassos bis zu den fruchtbaren Küstenebenen von Krisa aus, verbunden mit Zentralgriechenland über die Straße von Lebadeia, die über den Hügel von Arachova führte und sich mit der Straße Chaironeia-Panopeus-Daulis verband (Wegverzeichnis der athen. Festgesandten: Strab. 9,3,12). Weiter im Süden führte eine dritte Straße durch Ambryssos und Antikyra; von Thessalia aus war D. über eine Straße zu erreichen, die über den Parnassos nach Amphissa führte. Der Hafen von Kirrha (h. Itea) ermöglichte den vom Isthmos, der Peloponnesos und dem Westen Anreisenden einen leichten Zugang zu ihr.

Das Heiligtum des Apollon lag auf einem trapezförmigen Gelände, mit Hauptzugang im SO der Stadt und der Quelle Kastalia, von wo aus die Hl. Straße (*hierá hodós*) zum Tempel des Gottes führte (vgl. Übersichtsplan). Außer dem *témenos* mit seinen hl. und profanen Gebäuden beinhaltete das Heiligtum des Apollon: das hl. Land (ἱερὰ χώρα, *hierá chṓra*), welches das Bergland zum Parnassos hin umfaßte, eine Ebene, die bis nach Antikyra reichte, einen Teil des Pleistos-Tals und, nach dem 1. Hl. Krieg (s. u.), das geweihte Gebiet, das Tal von Krisa. Die beweglichen Güter (ἱερὰ χρήματα, *hierá chrḗmata*) vergrößerten sich durch die Spenden der Gläubigen (Privatleute und Staaten), durch Abgaben und durch Kriegsbeute sowie durch den *pélanos* (eine Steuer, die für die Inanspruchnahme des Orakels erhoben wurde). Die Koexistenz der *hierá chóra*, des geweihten Gebietes und der *Delphís* mit den *chórai* der benachbarten Städte (Antikyra, Ambryssos, Phlygonion, Amphissa) war schwierig, Schiedsurteile und Abstimmungen unter den Amphiktioneis versuchten von der klass. bis zur röm. Zeit, Ordnung in die umstrittenen Besitzverhältnisse zu bringen: FdD III 2,89,136,383; III 4, 276–283, 290–296; SHERK 37; [1].

Arch. Funde zeigen, daß D. Mitte des 9. Jh. v. Chr. eine Stadt war, die Wirtschaftsbeziehungen mit den benachbarten Gebieten unterhielt, die sich im 8. Jh. insbes. nordwärts ausbreitete und deren Bevölkerung im 7. Jh. zunahm. Die Verbreitung des Apollon-Kultes ging langsamer vonstatten. Erst im letzten Viertel des 8. Jh. findet sich im Heiligtum importierte Keramik (achai., thessal., euboi., boiot., att.), ein Beweis für die Expansion des Kultes über das Ursprungsgebiet hinaus, bis er sich dann infolge des 1. Hl. Krieges nach 590 v. Chr. als panhellenischen Kult durchzusetzen vermochte (s. u.).

B. Zivile Verwaltung und religiöse Ordnung

Die panhellenische Rolle des Heiligtums begünstigte die Distanzierung der Stadt D. von der phokischen Gesch. (nach Paus. 4,74,11 leugneten die Einwohner von D. ihre Abstammung von den Phokeis). Wie alle *póleis* besaß D. polit. und Verwaltungs-Institutionen: Die Versammlung der Bürger (*halía*), den Rat (*bulé*), Magistrate, darunter auch der eponyme *árchon*, den *gymnasíarchos* und zwei Schatzmeister (*tamíai*), die für die Verwaltung der öffentlichen Etats zuständig waren (CID II 31 f.). Die Regierung hatte aristokratischen Charakter. Das Heiligtum wurde der Überlieferung zufolge an jenem Ort errichtet, an dem Apollon, aus Delos kommend (Hom. h. ad Apollinem 285–374), die Schlange (*Pythón*) getötet haben soll – woraus sich der Beiname *Pýthios* für den Gott und der Name *Pythó* für das myk. D. herleitet –, einem Ort, der bereits Gottheiten geweiht (hauptsächlich Poseidon, Athena, Ge oder Gaia, Themis) und Sitz eines (vielleicht an lokale Gottheiten gebundenen) Orakels war. Hier befand sich auch der *omphalós*, der hl. Stein, der das Zentrum der Erde anzeigte. Die Autorität des Orakels und des rel. Zentrums insgesamt war für die polit. und gesetzgeberische Entwicklung der griech. Staaten von großer Bedeutung. Denn in seiner Funktion als *archēgétēs* leitete Apollon die Gründungen von Kolonien, als *nomothétēs* griff er mit eigenen Formulierungen oder aber zustimmend in die Gesetzgebung der *póleis* ein, und der Antwort des Orakels waren zahlreiche Entscheidungen staatlicher Stellen unterworfen, und zwar sowohl auf rel. als auch auf profanem Gebiet [3]. Im Heiligtum wurden alle vier Jahre Feste (*Pýthia*) mit Wettbewerben abgehalten, die hauptsächlich musikalischen und lyrischen Charakter hatten; der Überlieferung nach wurden sie erstmals 586/5 v. Chr. eingesetzt und mit der durch die Zerstörung von Krisa gewonnenen Kriegsbeute finanziert (Paus.

10,7,2–8; vgl. Strab. 9,3,8–10). Es gab ein Verzeichnis der Sieger (von 582/1 an), das von Aristoteles und Kallisthenes zusammengestellt wurde (Plut. Solon 11,1; Syll.³ 275) [4]. Das Heiligtum und sein Vermögen wurden vom Rat der Amphiktyones (*hieromnámones*) verwaltet [5]. Die Stadt D. stellte den Klerus, der unter der lokalen Aristokratie ausgewählt wurde, außerdem das kult. Personal und die Prophetin. Im Zusammenhang mit dem Wiederaufbau des Tempels nach 373 v. Chr. wurde das Kollegium der *naopoioí* geschaffen, dessen Aufgabe es war, die Arbeiten zu leiten und die Ausgaben zu überwachen (CID II 1–36, 46–66) [6]. Allen Griechen mußte der freie Zugang zum Heiligtum des Apollon garantiert sein (Thuk. 4,118,1; 5,18,1 f.)

C. Geschichte

Im Rahmen der oben beschriebenen Entwicklung weist die Gesch. des Heiligtums Phasen einer thessal. Vormachtsstellung auf (insbes. im 6. Jh. v. Chr.), eine kurze aber einschneidende Einflußnahme Philippos' II. (2. H. 4. Jh. v. Chr.) und eine lange Periode aitolischer Herrschaft (3./2. Jh. v. Chr.) bis zur Befreiung durch M'. Acilius Glabrio 191 v. Chr. Ein wichtiges Kapitel der Gesch. des archa. und des klass. D. stellen die »Hl. Kriege« dar. Der erste (ca. 600–590 v. Chr.) unter der Führung des Thessalers Eurilochos (Hyp.; Pind. P. 2) bestrafte die Stadt Krisa, deren Bürger die vom Hafen von Kirrha dem Tempel zuwandernden Pilger überfallen und beraubt hatten (Strab. 9,3,4). Die Stadt und der »verfluchte« Hafen wurden zerstört und die Ebene von Krisa wurde geweihtes Gebiet und mit einem Anbauverbot belegt (Aesch. 3,108; Demosth. or. 45,149–155; vgl. CID I 10). Mehrfach mußte die Stadt D. ihren »Separatismus« gegenüber den Ansprüchen der Phokeis verteidigen, welche die traditionelle phok. *prostasía* (»Leitung«) über das Heiligtum wieder errichten wollten (Diod. 16,25,5; 27,3). Einem erfolglosen delph. Versuch Mitte des 5. Jh. (2. Hl. Krieg) folgte 356 die Besetzung des Heiligtums und die Plünderung des Schatzes, nachdem die Phokeis die Zahlung einer Geldbuße verweigert hatten, die ihnen für die Bebauung der Ebene von Krisa auferlegt worden war, woraufhin der Rat der delph. Amphiktyonie ein mil. Eingreifen beschlossen hatte (3. Hl. Krieg, 356–346 v. Chr.). Dieser Krieg und der darauffolgende gegen die Lokroi von Amphissa, die sich ebenfalls der Bebauung des geweihten Gebietes schuldig gemacht und außerdem den Hafen Kirrha wiederaufgebaut hatten, boten Philipppos II. Gelegenheit, in Griechenland zu intervenieren. Die mythisch-historische Überlieferung erinnert an einen Überfall der Phlegyai aus Orchomenos auf den Tempel (Paus. 10,4,1 f.; vgl. 9,36,3). Überliefert sind auch der vergebliche Eroberungsversuch der Perser 480 (Hdt. 8,35–39; Diod. 11,14,3 f.), ferner die durch das Eingreifen der Aitoloi beendete Besetzung durch die Galatai (279 v. Chr.), was zum Anlaß genommen wurde, Gedenkfeiern einzurichten (*Sōtéria*) [7], außerdem die Plünderung durch Sulla (87–83 v. Chr.). Der Tempel wurde auch durch Naturkatastrophen geschädigt wie

Feuer, Erdbeben und Gebirgsstürze von den Phaidriadai (Hdt. 8,35–39; nach Diod. 11,14,3 f. dadurch Vereitelung des pers. Überfalls; Kallim. 44,172–185; nach Iust. 24,6–8 während des Angriffs der Galatai).

Unter röm. Herrschaft nahm D. seinen unaufhaltsamen Abstieg trotz kurzer Blütephasen, die dem Philhellenismus einiger röm. Kaiser zu verdanken war (Nero, Flavier, Nerva, Traian und Hadrian, der D. zur *hierà pólis* erklärte), und trotz Interesse von seiten gebildeter Männer wie Plutarch (Priester in D. zw. 105 und 126 n. Chr.) und Mäzenen wie Herodes Atticus. Eine kurze Blüteperiode nochmals im 4. Jh. wird von Amm. (22,12,8–13,4) bestätigt. D. wird im Itin. Anton. 325 als Station der Straße zw. Nikopolis und Athen genannt und wird in der Städte-Liste des Hierokles (643,13) geführt. Ein Edikt des Theodosius (391/2) führte zur Schließung aller paganen Kultstätten, und Arkadios ordnete die Zerstörung des Tempels an. Im 5. Jh. n. Chr. beherbergte D. eine christl. Gemeinde und war Bischofssitz (Not. Episc. 758). In byz. Zeit war sie nicht mehr als ein großes Dorf, das zw. E. 6. und Anf. 7. Jh. von slav. Banden überfallen wurde (Konst. Porph. de them. 89). Inschr.: FdD III 1–6; CID I–II.

→ Amphiktyonia; Apollon; Orakel; Pythia; Tempel

1 G. DAVERIO ROCCHI, La »hiera chora« di Apollo, la piana di Cirra e i confini di Delfi, in: Mél. P. Lévêque 1, 1988, 117–125 · Dies., Frontiera e confini nella Grecia antica, 1988, 134–142 2 I. MALKIN, Religion and Colonization in Ancient Greece, 1988 3 C. MORGAN, Athletes and Oracles, 1989 4 J. BOUSQUET, Delphes et les »Pythioniques« d'Aristote, in: REG 97, 1984, 374–380 · W. SPOERRI, Epigraphie et littérature: à propos de la liste des Pythioniques à Delphes, in: Comptes et inventaires dans la cité grecque, Actes Coll. Neuchâtel en l'honneur de J. Tréheux (1986), 1988, 111–140 5 G. ROUX, L'Amphictyonie, Delphes et le temple d'Apollon au IVᵉ siècle, 1979 6 M. SORDI, La fondation du collège des naopes et le renouveau politique de l'Amphictyonie au IVᵉ siècle, in: BCH 81, 1957, 38–75 7 J. FLACELIÈRE, Les Aitoliens à Delphes, 1937 · G. NACHTERGAEL, Les Galates en Grèce et les Soteria de Delphes, 1977 8 TIB I, 143–144.

G. DAUX, Delphes au IIᵉ et au Iᵉʳ siècles depuis l'abaissement de l'Etolie jusqu'à la paix romaine, 1936 · J. DEFRADAS, Etudes delphiques, in: BCH Suppl. 4, 1977 · J. FONTENROSE, The Delphic oracle, 1978 · H. W. PARKE, D. E. W. WORMELL, The Delphic Oracle, 1956.

G. D. R./Ü: R. P. L.

III. ORAKEL
Zum Delphischen Orakel s. → Apollon; → Mantik; → Pythia

Delphos (Δελφός). Namengebender Heros von → Delphoi. Er herrschte über das Gebiet am Parnassos, als → Apollon, von Delos kommend, in Delphi einzog (Aischyl. Eum. 16 mit schol.). Als sein Vater werden Apollon oder Poseidon, als seine Mutter Melaina, Kelaino oder Thyia genannt (Paus. 10,6,3–5; schol. Eur. Or. 1094; Hyg. fab. 161). Vereinzelt gibt es die Nachricht, D. sei der Anführer der nach Phokis gekommenen Kreter gewesen, die sich nach ihm *Delphi* nannten (Phylarchos FGrH 81 F 85). Nach seinem Sohn Pythes oder seiner Tochter Pythis wurde Delphi auch Pytho genannt (Paus. 10,6,5; schol. Apoll. Rhod. 4,1405). Ikonographisch kann D. nirgends mit Sicherheit festgemacht werden.

L. LACROIX, D. et les monnaies de Delphes, Études d'archéologie numismatique, 1974, 37–51 · E. SIMON, s. v. Delphos, LIMC 3.1, 369–371.　　　　　R. B.

Delta
[1] Bezeichnung des Mündungsgebietes des Nils aufgrund der Ähnlichkeit mit der Dreiecksform des griech. Buchstabens D. Begrenzt wird das D. im Westen durch den μέγας ποταμός (*mégas potamós*) mit der herakleotischen Mündung bei Alexandreia, im Osten durch den bubastidischen Arm des Nils unter Einschluß der Pelusischen Mündung.
[2] Ort an der Gabelung des Nils unterhalb von Memphis (Strab. 17,788).
[3] Als D. sind schon in der Ant. auch andere Flußmündungsgebiete bezeichnet worden (Indusmündung, Strab. 15,1,33; Arr. an. 5,4,1).

K. W. BUTZER, s. v. D., LÄ 1, 1975, 1043–1052.　　　R. GR.

Deltion, Deltos s. Schreibtafel

Delubrum. Eine der lat. Bezeichnungen für Heiligtum. Nach heutiger, z. T. auch schon ant. Auffassung wird der Begriff aus lat. *deluere* (»abwaschen«, »aufweichen«) abgeleitet (Serv. Aen. 2,225, vgl. ThLL, 471 s. v.); der Zusammenhang ergibt sich aus den in Heiligtümern bzw. Tempelanlagen vorhandenen Wasserstellen, in denen rituelle Waschungen vor Opferhandlungen stattfanden. Das älteste inschr. Zeugnis ist CIL I 1291 (3. Jh. v. Chr.?) aus Amiternum, wo *d.* zur Bezeichnung des hl. Hains der Feronia gebraucht wird. In der Verfassung von Urso aus dem 1. Jh. v. Chr. (*magistri ad fana templa delubra* [1. 415], Z. 6 f.) hatte *d.* wohl die Bed. von »Heiligtumsareal mit Tempel«, da *fana* (Haine) und *templa* (Tempelgebäude) gesondert genannt werden. In der von Varro (ling. 5,52) zitierten Opferliste der → Argeer wird *d.* (im Sinne von »Schrein«?) von *aedes* (als Göttertempel) unterschieden (vgl. Varro bei Non. p. 494); sonst ist *d.* in der lit. Verwendung Syn. von *aedes* in gehobenem Stil (seit Plaut. Poen. 1175 und Acc. trag. 593). Bei Cicero (leg. 2,19) erscheint *d.* als bewußt gewählter Begriff in der Bed. von »mit Tempeln bebaute, in Städten gelegene Heiligtümer«, der den ländlichen Hainen und tempellosen Kulten gegenübergestellt wird. Die Bezeichnung *d.* wurde, anders als etwa → *fanum*, → *sacellum* oder → *templum*, nicht in die nachant. rel. Terminologie übernommen.

1 M. CRAWFORD (Hrsg.), Roman Statutes (BICS Suppl. 64), 1996

Å. FRIDH, Sacellum, Sacrarium, Fanum and related Terms, in: S.-T. TEODORSSON (Hrsg.), Greek and Latin Studies in

Memory of Caius Fabricius, 1990, 173–187 ·
A. MOMIGLIANO, The Theological Efforts of the Roman
Upper Classes in the First Century B.C., in: CPh 79,
1984, 199–211. F.G. u. C.F.

Dema (neugriech. Δέμα). Unvollendete (?) turmlose
Polygonalmauer von 4,3 km Länge mit zahlreichen
Ausfallpforten und zwei Wachttürmen, die bei Ano
Liosia den nördl. Zugang zw. Parnes und Aigaleos von
der Thriasia ins Pedion sperrt. 404 v.Chr. nach Vertreibung der 30 Tyrannen [2] oder im Boiot. Krieg
378/375 v.Chr. [1] erbaut.

1 M.H. MUNN, The Defense of Attica, 1993 2 A. SKIAS, Tò
λεγόμενον Δέμα καὶ ἄλλα ἐρείπια
[Tó legómenon Déma
kaí álla ereípia], in: ArchE 1919, 35–36.

J.P. ADAM, L'architecture militaire grecque, 1982, 25 f.
Abb. 27, 205 Abb. 119, 243 · TRAVLOS, Attika 81–84
Abb. 92–94. H.LO.

Demades (Δημάδης). Redner aus Athen, * um 380
v. Chr., Sohn des Demeas (Demos Paiania), † 319. Neben Erwähnungen bei zeitgenössischen Rednern und
epigraphischen Zeugnissen (gesammelt bei [6]) informiert über ihn ein Suda-Artikel. Wie sein Vater war D.
zunächst Seemann, wandte sich dann zu einem nicht
sicher bestimmbaren Zeitpunkt der Politik zu, zunächst
und auch später noch (vgl. [4]) oft im Einvernehmen
mit Demosthenes. Nach 338 wurde D. zu einem der
Führer der promaked. Partei, erreichte die milde Behandlung Athens durch Alexander nach der Zerstörung
Thebens (335), verhinderte die Unterstützung des Agis
III. (330), beantragte für Alexander göttl. Ehren (324/3)
und vermittelte den Frieden mit Antipatros nach dem
Lamischen Krieg (322), verbunden mit Verbannung und
Tod des Demosthenes. 319 wurde D. selbst zusammen
mit seinem Sohn Demeas von Kassandros wegen ver-
räterischer Beziehungen zu Perdikkas getötet.

Ob seine Reden je schriftlich aufgezeichnet wurden,
ist unsicher, im 1. Jh.v.Chr. war jedenfalls keine mehr
vorhanden (Cic. Brut. 36), auch Titel sind nicht sicher
überliefert. Die unter D.' Namen erhaltene Rede
Ὑπὲρ τῆς δωδεκαετίας (Hypér tēs dōdekaetías) gilt allg. als
unecht. D.' Stärke war (im Gegensatz zu Demosthenes)
seine Improvisationskunst, er beeindruckte durch brillante und witzige Formulierungen, die bald gesammelt
und als Δημάδεια bekannt wurden. Zusammen mit Demosthenes wurde er beliebtes Thema für rhet. → declamationes.

ED.: F. BLASS, Dinarchi orationes, ²1888 (Ndr. 1967) ·
J.O. BURTT, Minor Attic Orators 2, 1954, 334–359 ·
V. DE FALCO, ²1954.
LIT.: 1 BLASS, ³1962, 3,2, 266–278 2 M. DIECKHOFF,
Zwei Friedensreden, in: Altertum 15, 1969, 74–82
3 M. GIGANTE, Fata D., in: Studi De Falco, 1971, 187–191
4 A. LINGUA, Demostene e D., in: Giornale italiana
di filologia 30, 1978, 27–46 5 M. MARZI, D. politico
e oratore, in: Atene e Roma 36, 1991, 70–83 6 A.N.

OIKONOMIDES, Δημάδου τοῦ Παιανιέως ψηφίσματα καὶ
ἐπιγραφικαί, περὶ τοῦ βίου πηγαί, in: Platon 8, 1956, 105–129
7 I. WORTHINGTON, The context of [D.] On the twelve
years, in: CQ 41, 1991, 90–95. M.W.

Demagoge (δημαγωγός, *dēmagōgós*, »Volks-Führer«).
D. wird von Aristophanes ein polit. Führer vom Schlag
eines → Kleon genannt (etwa in Equ. 191–193; 213–
222). Möglicherweise wurde das Wort in der 2. H. des 5.
Jh.v.Chr. in Athen für den neuen Typ populistischer
Politiker geprägt, deren Stellung nicht von der Bekleidung von Ämtern abhing, sondern von der Fähigkeit, in
Volksversammlungen und vor Geschworenengerichten
überzeugend zu sprechen.

Das ältere Wort für einen polit. Führer war *prostátēs*.
Thukydides und Xenophon verwenden in der Regel
prostátēs, aber auch je zweimal *dēmagōgós* in bezug auf
demokratische Führer (Thuk. 4,21,3; 8,65,2; Xen. hell.
2,3,27; 5,2,7). Im 4. Jh. benutzen die Redner das Wort
gelegentlich, und zwar als neutrale Bezeichnung für
»Politiker«; Isokrates verwendet es für die großen polit.
Führer, Platon überhaupt nicht. Bei Aristoteles aber
steht es pejorativ für Führer extrem demokratischer Prägung (bes. pol. 4, 1292a4–37); beim Autor der *Athēnaíōn
Politeía* hat das Wort immer einen demokratischen, doch
nicht immer feindseligen Unterton.

1 W.R. CONNOR, The New Politicians of Fifth-Century
Athens, 1971 2 M.I. FINLEY, Athenian Demagogues, in:
Past & Present 21, 1962, 3–24 = Studies in Ancient Society,
1974, 1–25 3 R. ZOEPFFEL, Aristoteles und die Demagogen,
in: Chiron 4, 1974, 69–90. P.J.R.

Demainetos (Δημαίνετος).
[1] Beiwort des → Asklepios in Elis, nach dem Namen
des Kultstifters (Paus. 6,21,4).
[2] D. aus Parrhasia, einer Stadt in Arkadien. Er soll in
einen Wolf verwandelt worden sein, nachdem er vom
Fleisch eines Knaben aß, den die Arkader dem Iuppiter
Lykaios geopfert hatten. Im 10. Jahr wieder Mensch
geworden, siegte er im Faustkampf in Olympia (Skopas
FGrH 413 F 1; Varro bei Aug. civ. 18,17). Bei Paus. 6,8,2
heißt er Damarchos. R.B.
[3] Athener aus dem Geschlecht der Buzygen. Fuhr im
Winter 396/5 v.Chr. mit einer athenischen Triere zu
→ Konon und riskierte damit einen erneuten Krieg mit
Sparta (sog. Demainetosaffäre). Auf den Rat des
→ Thrasybulos informierten die Athener Milon, den
spartanischen Harmosten auf Aigina, der ihn abzufan-
gen suchte, allerdings ohne Erfolg (Hell. Oxyrh. 9; 11
CHAMBERS; Aischin. or. 2,78). Als Stratege besiegte D.
gemeinsam mit Chabrias Ende 388 den spart. Harmosten Gorgopas, im Herbst 387 hielt sich D. als Stratege
im Hellespont auf (Xen. hell. 5,1,10; 26). TRAILL, PAA
306140. W.S.
[4] Syrakusischer Demagoge, der ca. 340 v.Chr. → Timoleon wegen seiner Feldherrentätigkeit heftig kritisierte (Plut. Tim. 37,1–3). K.MEI.

[5] Bürger von Ptolemais/Akko. Verhinderte 103 v. Chr. im Krieg mit Alexandros [16] Iannaios, daß sich seine Heimat dem zur Hilfe gerufenen Ptolemaios IX. unterwarf (Ios. ant. Iud. 13, 330).   W. A.

Demaratos (Δημάρατος).
[1] Korinthischer Aristokrat, Angehöriger der Familie der → Bakchiadai. D. gelangte um die Mitte des 7. Jh. v. Chr. als Kaufmann bes. durch den Handel mit Etrurien zu Wohlstand. Als er unter der Herrschaft des → Kypselos Korinth verlassen mußte, ließ er sich mit seinem Gefolge in Tarquinii nieder und heiratete eine etr. Aristokratin. Antiker Tradition zufolge gingen aus der Ehe zwei Söhne hervor, u. a. der erste etr. König Roms, → Tarquinius Priscus. Während der Etrurienhandel und die Auswanderung D.' wohl histor. sind, ist gegenüber der Überlieferung über seine Söhne zumindest Vorsicht geboten; möglicherweise versuchten griech. Autoren, eine frühe Verbindung zwischen der etr. und griech. Aristokratie zu konstruieren [1. 147f.] (vgl. Pol. 6,11a,7; Dion. Hal. ant. 3,46; Strab. 5,2,2; 8,6,20; Cic. rep. 2,19f.; Liv. 1,34,1ff.; 4,3,11; Plin. nat. 35,16; 152).
Die Geschichte des D. bezeugt nachdrücklich die frühen Kontakte zwischen Griechenland und Italien. Daß er das griech. Alphabet in Italien eingeführt haben soll, ist historiographische Fiktion.

1 A. Blakeway, »Demaratus«, in: JRS 25, 1935, 129–149.

M. Torelli, Die Etrusker, 1988, 144, 147ff.
                                    M. MEI. u. ME. STR.

[2] Athener. *Stratēgós* 414/13 v. Chr., der mit Pythodoros und Laispodias Argos Hilfe bringt (Thuk. 6,105,2). Traill, PAA 306310; Develin 153.   K. KI.

[3] (auch Damaretos [1. 218]). Aus Heraia, 520 v. Chr. (65. Ol.) erster Sieger in Olympia im neu eingerichteten Waffenlauf; zweiter Sieg bei den folgenden Olympien (Paus. 6,10,4) [2. Nr. 132, 138]. Die von Paus. 6,10,5 erwähnte, leicht verlesene Inschr. der Siegerstatue von ihm und seinem Sohn Theopompos (zweifacher Sieger im Pentathlon [2. Nr. 189, 200]), hat sich fragmentarisch erhalten [3. 151f.]. Auch seinem Enkel Theopompos gelangen zwei Siege in Olympia (Ringkampf) [4].

1 J. Jüthner, Philostratos, Über Gymnastik, 1909, Ndr. 1969 2 L. Moretti, Olympionikai, 1957 3 Ch. Habicht, Pausanias und seine »Beschreibung Griechenlands«, 1985 4 H.-V. Herrmann, Die Siegerstatuen von Olympia, in: Nikephoros 1, 1988, 119–183, Nr. 97–99.   W. D.

[4] Prominenter promaked. Korinther (Demosth. or. 18,295), hauptsächlich aus Plut. bekannt (Alex., Timol., Ages., mor.). Schenkte Alexandros [4] dem Gr. den berühmten → Bukephalos (Diod. 76,6). Kaum mit dem Hetairos bei Granikos (Arr. an. 1,15,6) identisch.

Berve Nr. 253 · A. B. Bosworth, Comm. Arr. ad loc.
                                                  K. KI.

[5] Rhodier, auf Fürbitte von → Phokion mit seinem Bruder und zwei anderen Griechen aus der Haft in → Sardeis entlassen (Plut. Phok. 18,6). 321 v. Chr. besiegte er mit einer rhodischen Flotte ein von Feinden des Antipatros [1] gesammeltes Geschwader (Arr. FGrH 156 F 11,1).   E. B.
[6] Sohn des Theogenes, Athener aus Athmonon (IG II² 2322, 224) [1. 151, 70]. 169 v. Chr. Gesandter an den ptolemaischen Hof, vom Kriegsrat mit anderen griech. Gesandten weitergeschickt zu Antiochos [6] IV. zur Vermittlung im 6. Syr. Krieg (Pol. 28,19,2.4; 20,3) [1. 151–152].

1 Habicht.   L.-M. G.

Demarchos (Δήμαρχος).
[1] Sohn des Taron, Lykier, wegen seiner Verdienste um die Samier (zur Zeit ihrer Verbannung) und um → Phila auf Samos mit Bürgerrecht und Ehrenvorrechten ausgezeichnet (Syll.³ 333).   E. B.
[2] Syrakusischer Stratege, der 411 v. Chr. als einer der Nachfolger des verbannten Hermokrates das Flottenkontingent der Syrakusier in der Ägäis kommandierte (Thuk. 8,85,3; Xen. hell. 1,1,29) und 405/4 von Dionysios I. als politischer Gegner beseitigt wurde (Diod. 13,96,3).   K. MEI.

[3] Funktionsträger mit polit. und/oder rel. Aufgaben in griech. Gemeinden.

I. Griechenland bis zur Spätantike

(1) In Athen war der *d.* der höchste Amtsträger in jeder der 139 Demen (→ Demos [2]), in die Kleisthenes die Polis gegliedert hatte ([Aristot.] Ath. pol. 54,8). Spätestens im 4. Jh. v. Chr. wurde der *d.* im jeweiligen → *dēmos* für ein Jahr erlost, der *d.* für den Piraeus dagegen von der Polis benannt (Ath. pol. 54,8). Er berief die Demenversammlung ein und führte den Vorsitz. Von der Polis konnte er aufgefordert werden, Verzeichnisse konfiszierten Vermögens zu führen, von den Bürgern mit Grundbesitz im *dēmos* die *eisphorá* einzuziehen (vor 387/86 v. Chr.), eine Liste der für den Ruderdienst verfügbaren Demengenossen aufzustellen (für 362: [Demosth.] or. 50,6) und rel. Aufgaben zu erfüllen einschließlich Sammelns von Weihegaben und der Auszahlung des *theōrikón*. Auch die Bestattung der im *dēmos* Verstorbenen hatte er sicherzustellen. Darüber hinaus konnte der *dēmos* seinem *d.* verschiedene finanzielle und rel. Aufgaben übertragen; falls nötig, hatte er den *dēmos* vor Gericht zu vertreten. Einige Demen, jedoch nicht alle, nutzten die *d.* als Datierungsgrundlage (z. B. Rhamnus: IG I³ 248).

(2) In Chios war im 6. Jh. v. Chr. der *d.* ein Beamter, der neben dem *basileús* genannt werden konnte und vielleicht über richterliche Gewalt verfügte (ML 8).

(3) In Eretria oblagen den *d.* rel. Aufgaben (IG XII 9, 90; 189).

(4) Im ital. Neapolis war der *d.* anfangs ein wichtiger Beamter (Strab. 5,4,7); der Titel erhielt sich für ein rel. Amt, das von den Kaisern Titus (z. B. IG XIV 729) und

Hadrian (etwa SHA Hadrian 19,1) bekleidet wurde und bis in das 4. Jh. n. Chr. bezeugt ist.

(5) In griech. Sprache diente *D.* zur Bezeichnung der röm. Volkstribunen (z. B. Pol. 6,12,2).

→ Basileus; Demos; Eisphora; Theorikon

WHITEHEAD, bes. Kap. 5. P. J. R.

II. BYZANTINISCHE ZEIT

Démarchoi sind in ihrer Funktion in byz. Zeit nicht eindeutig zu bestimmen. Sie waren zu verschiedenen Zeiten bezeugt: Sprecher der *factiones* (→ Demos [2]), Anführer einer Stadtmiliz, verantwortliche und mit Aufsichtsfunktionen betraute Vertreter einer *geitonía* (Bürgerschaft eines Stadtbereichs), gelegentlich aber auch als Beauftragte des Staates und als Träger von Hoftiteln.

K.-P. MATSCHKE, in: Jb. für Gesch. des Feudalismus 1, 1977, 211–231 · ODB 1, 602 f. F. T.

Demareteion. Berühmte Silbermünze aus Syrakus im Gewicht zu 10 att. Drachmen bzw. 50 Litren (42,3 g). Nach dem Sieg Gelons I. über die Karthager bei Himera, 480 v. Chr., stifteten diese seiner Gattin Demarete, weil sie sich für eine milde Behandlung der unterlegenen Karthager eingesetzt hatte, als Dank einen Goldkranz zu 100 Talenten (Diod. 10,26,3). Aus dem Erlös sind kurz nach 480/479 v. Chr. die Münzen geschlagen worden, von denen heute 18 Exemplare bekannt sind. Die Vs. zeigt einen Wagenlenker in der Quadriga, deren Pferde von einer fliegenden Nike bekränzt werden; die Rs. trägt das Bildnis der Arethusa, umgeben von vier Delphinen.

→ Dekadrachmon

E. BOEHRINGER, Die Münzen von Syrakus, 1929, 36 ff. · SCHRÖTTER, 125 · W. SCHWABACHER, Das D., 1958 (Rez. dazu: B. ANDREAE, in: Gymnasium 67, 1960, 270–272; P. A. CLEMENT, in: Gnomon 33, 1961, 823–826) · H. A. CAHN (u. a.), Griech. Münzen aus Großgriechenland und Sizilien. Basel, AM, und Slg. Ludwig, 1988, 125 · H. A. CAHN, Die bekränzte Arethusa. FS U. Westermark, 1992, 99–102 · H. B. MATTINGLY, The D. controversy. A new approach, in: Chiron 22, 1992, 1–12 · K. RUTTER, The Myth of the D., in: Chiron 23, 1993, 171–188. A. M.

Demenrichter (*dikastaí katá démous*) sind Wanderrichter, die in Athen die Demen besuchten, um dort kleinere Streitfälle zu entscheiden. Zuerst von Peisistratos eingesetzt ([Aristot.] Ath. pol. 16,5), um der Macht der Adeligen in ihren Wohnsitzen entgegenzuwirken, wurden sie vermutlich nach dem Fall der Tyrannis abgeschafft. Sie lebten 453/2 v. Chr. wieder auf (Ath. pol. 26,3), um den zunehmend belasteten Geschworenengerichten kleinere Fälle abzunehmen. Ihre Zahl betrug nun 30, vielleicht ein Richter pro Trittys. In den letzten Jahren des Peloponnesischen Krieges konnten sie wohl nicht mehr alle Demen aufsuchen; die Oligarchie von 404/3 hatte zudem die »Dreißig« zu einer wenig glückverheißenden Zahl werden lassen: Nach dem Krieg

wurde die Zahl auf vierzig erhöht. Sie amtierten nun in Athen. Je vier wurden den Beklagten aus einer Phyle zugewiesen; sie entschieden in Privatprozessen bis zu einem Streitwert von zehn Drachmen und überwiesen größere Privatprozesse an die *diaitetai* (Ath. pol. 53,1–2).

→ Demoi; Trittys

A. R. W. HARRISON, The Law of Athens, 2. Bd., 1971, 18–21. P. J. R.

Demeter (ion.-att. Δημήτηρ, dor.-boiot. Δαμάτηρ, aiol. Δωμάτηρ, att. Kurzform Δηώ). Göttin des Acker-, bes. des Getreidebaus, des Frauenlebens und der Mysterien.

A. NAME B. GENEALOGIE UND MYTHOS
C. FUNKTIONEN D. VERBINDUNG MIT ELEUSIS
E. KULTE F. IKONOGRAPHIE

A. NAME

Der Name ist nur teilweise verständlich. Im HG ist »Mutter« erkennbar, für das VG legen ant. Autoren zwei Deutungen vor, eine Verbindung mit »Erde« (*gê/gâ*) oder einem Wort für Getreide (kret. *dēaí*, »Gerste«). Die erste Deutung ist seit klass. Zeit verbreitet (Pap. von Derveni, col. 18), die zweite erst spätant. belegt (Etym. m. GAISFORD s. v. Δηώ). Auch wenn die moderne Forsch. je nach ihrem Bild der D. bald Varianten der einen, bald der anderen bevorzugte, hat sich keine durchsetzen können; eine Ableitung von *gê* ist sprachwiss. unmöglich, während *dēaí* eine sekundäre dial. Form von griech. *zeía* (**sdeía*) ist.

B. GENEALOGIE UND MYTHOS

D. ist Tochter von → Kronos und → Rheia, mit → Hera und → Hestia Schwester von → Zeus, → Poseidon und → Hades (Hes. theog. 454). Engstens mit ihr verbunden ist ihre Tochter von Zeus, → Kore (»Mädchen«), die auch → Persephone heißt und in ihrer Gestalt Mädchenhaftigkeit und Herrschaft über die Totenwelt verbindet. Daneben steht ihr Liebhaber → Iasion, den Zeus tötet (Hom. Od. 5,125–128, Eetion Hes. fr. 177) und von dem sie → Plutos (»Reichtum«), gebiert (Hes. theog. 969–971). Zentral ist der Mythos vom Raub der Kore-Persephone, den zuerst der homer. D.-Hymnos erzählt. Danach raubte Hades-Pluton die Tochter D.s, während diese mit ihren Gespielinnen Blumen pflückt, und macht sie zur Herrin der Unterwelt. D. sucht die Tochter (im D.-Hymnos zusammen mit → Hekate), erfährt von ihrer Entführung und verhindert daraufhin das Weiterwachsen des Getreides. Die daraus für Menschen und Götter folgende Hungersnot zwingt Zeus zur Vermittlung. Weil Persephone bei Hades jedoch bereits ohne ihr Wissen einen Granatapfelkern gegessen hat und damit an die Unterwelt gebunden ist, muß sie einen Teil des Jahres (ein Drittel im Hymnos) in der Unterwelt verbringen, darf aber im Frühjahr (Hom. h. 2, 401 ff.) zu ihrer Mutter zurückkehren. Der homer. D.-Hymnos verbindet dies mit der Aitiologie für die eleusinischen → Mysterien und die Sakralität des Getreides auf dem Rharischen Feld bei Eleusis, wo D.

zuerst wieder Getreide reifen ließ; doch ist dieser Teil der Erzählung auslösbar und fehlt in anderen Erzählungen (etwa Ov. met. 5,341–661 oder der sizilischen Version: Cic. Verr. 4,48,106f.). Die athenische Myth. schließt daran seit den Vasenbildern des späteren 6. Jh. die Erzählung an, daß D. den Eleusinier → Triptolemos mit dem Getreide in die gesamte Welt ausgesandt hatte [1]; daraus leitete Athen den Anspruch ab, Heimat des Getreidebaus zu sein und von allen Mitgliedern des Seebundes, wenn nicht überhaupt von allen Griechen, einen Getreidezehnten einfordern zu können (Aparchedekret von 423/22, LSCG 5; vgl. Diod. 5,4,4).

C. FUNKTIONEN

1. GETREIDE

Seit Homer ist unbestritten, daß D.s zentraler Machtbereich das Getreide und sein Anbau ist. »Brot« heißt bereits bei Homer. metonymisch *Dēmḗtros aktḗ* (Il. 13,322), ist später »D.s Frucht« (Hdt. 1,193); D. ist »blond« (*xanthḗ*), wie das reife Korn; der Ackerbauer besorgt »D.s Werke« (Hes. erg. 393). Eine Reihe von → Epiklesen verweist auf diesen Bereich: D. ist *amallophóros* (Eust. 1162,27) oder *karpophóros* (inschr. häufig), »Garben- bzw. Fruchtbringerin«, *anēsidṓra* (Paus. 1,31,4), »Gaben heraufsendend«, *sitṓ* »Getreidefrau« (Athen. Deipnosoph. 416 BC). Feste wie die att. Proerosia, Haloa und Kalamaia gelten dem Getreidebau; Ähren sind D.s festes Attribut in Lit. und bildender Kunst [2]; sie hilft bei den Arbeiten von Ackerbau (Hes. erg. 465f.) und Getreidernte (Hom. Il. 5,499–502), und seit der sophistischen Kulturtheorie gilt sie als Erfinderin des Getreidebaus (Prodikos, VS 84 B 5). Nicht zufällig ist Sizilien, die Kornkammer der ant. Welt, ›ganz der D. heilig‹ (Diod. 5,2,3).

Die Mythen bestätigen dies. Wenn D. den frevlerischen → Erysichthon mit Hunger straft (Kall. h. 6,24–117), steht ihre Macht über die Nahrungsgrundlagen im Hintergrund; dasselbe gilt für den Kore-Raubmythos. Ant. Allegorese liest diesen Mythos überhaupt als Allegorese des Getreidebaus: Die Zeit der Kore in der Unterwelt sei Bild für das Getreidekorn, das in die Erde versenkt werden muß, um wieder aufsprießen zu können; die neuzeitliche Mythendeutung ist lange gefolgt. Dem widerspricht aber, daß in Griechenland das Getreide nicht bereits im Spätherbst kurz nach der Saat zu sprießen beginnt. So hat bes. NILSSON das Los der Kore mit demjenigen des Getreides in den unterirdischen Silos verbunden, wohin es nach der Ernte im Frühsommer versenkt und vor der Aussaat im Herbst wieder herausgeholt wird [3]; das geht besser auf, widerspricht aber der griech. Deutung. Die Epiklese *Anēsidṓra* weist darauf, daß D. als Göttin agrarischer Fruchtbarkeit der Erdgöttin → Gaia nahekommen kann; Eur. identifiziert sie so überhaupt (Bacch. 275f.), doch ist dies wohl sekundäre Ausdehnung ihres Machtbereichs. Als Amme des unterirdischen Heros → Trophonios steht sie seiner Sphäre nahe (Paus. 9,39,4f.). In Olympia wird sie als *Chamýnē*, »Erdgöttin« (Paus. 6,21,1), in Sparta (Paus. 3,14,5) und Hermione als *Chthonía* (»Göttin der Erdentiefe« verehrt (mit dem Opfer einer trächtigen Kuh, die von einer Gruppe alter Frauen getötet wird, Paus. 2,35,4–8). In einigen ihrer Heiligtümer wurden Racheflüche (Knidos, Amorgos) und magische → *defixiones* niedergelegt (Lesbos, Knidos, Korinth), wie dies sonst nur bei Unterweltsgöttern geschieht.

2. FRAUENGÖTTIN

Neben dem Getreide ist das Leben bes. der verheirateten Frauen D. unterstellt, und zwar so spezifisch, daß die athenischen Frauen D. und ihre Tochter als »die beiden Göttinnen« (*tṓ theṓ*) anrufen, die Männer aber den → Herakles. Von manchen D.-Heiligtümern waren Männer ausgeschlossen (Cic. Verr. 4,45,99; Paus. 2,35,7); als Miltiades auf Paros in das D.-Heiligtum eindrang, zog er sich eine letztlich tödliche Verletzung zu (Hdt. 6,134). Zahlreiche D.-Feste stehen allein mit den Frauen in Verbindung; praktisch in allen griech. Städten verbreitet ist das Fest der → Thesmophoria, nach denen D. die häufige Epiklese *Thesmophóros* trägt [4; 5]. Die Thesmophoria sind ein mehrtägiges Frauenfest: In Athen, Sparta oder Abdera dauert es drei, in Syrakus zehn Tage. Rituale, in denen die alltägliche Ordnung aufgehoben wird, dominieren. In Syrakus würden die Frauen ›das urzeitliche Leben spielen‹ (so Diod. 5,4,7), in Eretria das Opferfleisch ohne Feuergebrauch an der Sonne braten (so Plut. qu. Gr. 298BC). Fasten (Athen, s.u.), obszönes Reden (*aischrología*) (Aristoph. Thesm. 539; Diod. 5,4,7; [7]) und eine oft radikale Ablehnung der Männerwelt sind weitere Eigenheiten. Zum Fest in Kyrene gehören »Schlächterinnen«, die König Battos entmannt hätten, als er sein ausspähen wollte (Ael. frg. 47a D-F), Aristomenes von Messene sei aus demselben Grund von den Frauen gefangen worden (Paus. 4,17,1).

In Athen findet das Fest vom 11.–13. → Pyanopsion statt. Der erste Tag heißt *ánodos*, »Aufstieg«: die Frauen ziehen sich ins Thesmophorion am Fuß der Akropolis zurück (zur Lage [6]) und bauen hier Laubhütten, in denen sie drei Tage auf Zweiglagern (*stibádes*) zubringen werden (Hütten oder Zelte, *skēnaí*, sind auch in Gela belegt [8]). Der zweite Tag ist ein Fasttag, *Nēsteía*; er soll an D.s Fasten nach dem Raub der Kore erinnern, ist entsprechend ein Trauertag, an dem man keine Kränze trägt. Dem setzt der dritte Tag reiche Opfer entgegen, bei denen man *Kalligéneia* anruft, die Göttin der »schönen Geburt«: Das Ziel des Festes ist die Sicherung der Fortpflanzung der Bürger.

Namengebender Bestandteil des Festes ist ein eigenartiger Ritus: In der Nacht (wohl nach dem 1. Tag) werden »Bilder von Schlangen und männlichen Gliedern«, dazu Fichtenzweige und Opferferkel in unterirdische Gruben (*mégara*) gebracht, aus ihnen gleichzeitig die Reste der Ferkel des Vorjahres entnommen – das sind *thesmoí*, das »Niedergelegte«; mischt man sie unter die Saat, ist deren Gedeihen gesichert (schol. Lukian. dial. meretr. 2,1 p. 275,23–276,28 RABE). Solche Gruben sind in wechselnden Formen in einigen D.-Heiligtümern belegt (Priene, Knidos, Agrigent, Syrakus); oft enthalten sie Ferkelknochen und tönerne Votivferkel.

Zur Sicherung der biologischen Geburten tritt als paralleles und untrennbares Anliegen des Festes dasjenige der agrarischen Fruchtbarkeit: Beide sind zur Kontinuität der Polis unentbehrlich. Die in der modernen Forsch. seit W. MANNHARDT beliebte Privilegisierung des Agrarischen ist als einseitig ebenso unzutreffend, wie die neuere Bevorzugung allein der sozialen Funktion [9].

Zwei Sonderbereiche fügen sich zur Frauengöttin. Gelegentlich gilt D. als Heilerin: Gliederweihungen aus D.-Heiligtümern weisen auf ihre Heilfunktion bei Krankheiten der Brüste oder des weiblichen Unterleibs [10. 142 f.], derentwegen sie auch mit → Asklepios verbunden wurde [11]; andere Zeugnisse weisen sie als Heilerin von Augenkrankheiten aus [10. 143 f.], was mit der zentralen Rolle des Sehens in den Mysterien zusammenhängen mag. Zudem ist sie bes. in der Peloponnes mit der Passage der Mädchen ins Erwachsenenleben verbunden und kann als Gottheit gentilizischer Verbände die Epiklese → Patrṓia tragen (Thasos).

D. VERBINDUNG MIT ELEUSIS

Der homer. D.-Hymnos verbindet den Koreraubmythos mit der Stiftung der eleusinischen Mysterien. Sie sind der älteste griech. Mysterienkult, auch wenn sich keine Kontinuität aus myk. Zeit nachweisen läßt [12]; Baureste führen auf kult. Aktivität seit dem 8. Jh. v. Chr., und die Mysterien in der später bekannten Form sind zur Zeit des homer. D.-Hymnos (mittleres 7. Jh.?) jedenfalls weitgehend ausgebildet. Kennzeichnend ist, daß der Kult dem Einzelnen in freier Entscheidung zugänglich ist, ohne soziale oder geschlechtliche Unterschiede und ohne Bindung an die Polis; weiter das Doppelversprechen von Wohlergehen im Diesseits und Hoffnungen für das Jenseits (seit Hom. h. 2,480–482); zentral sind geheime Riten (»unsagbar«, árrhēta oder »verboten«, apórrhēta) während einer Nachtfeier (→ Myesis, Epopteia), an der der Einzelne durch den Einsatz von Licht und Dunkel starken emotionalen Eindrücken ausgesetzt wird (Aristot. fr. 15 ROSE). Histor. lassen sich die Mysterien am ehesten von gentilizischen Initiationskulten ableiten, zumal da die seit dem 5. Jh. in Ionien (Ephesos) wie in der dor. Peloponnes (Sparta) belegte D. Eleusínia an keinem andern Kultort mit Mysterien, in der Peloponnes aber mit den Riten der jungen Frauen verbunden ist [13]. Das Modell des eleusinischen Kultes wird von anderen Kulten aufgenommen, von dem der Großen Götter in → Samothrake ebenso wie von einigen peloponnesischen Kulten der Großen Göttinnen, die als D. und Persephone zu deuten sind (ausdrücklich die im J. 92 v. Chr. reformierten Mysterien in → Andania, LSCG 65; bemerkenswert D. Eleusínia in Pheneos, Paus. 8,15,1). Am Ende des 4. Jh. v. Chr. wurde in Alexandria unter eleusinischer Beteiligung (→ Timotheos) eine Kultfiliale eingerichtet.

E. KULTE

Der Name der D. findet sich nicht in den Linear B-Texten; ein Elfenbeinbeschlag mit dem Bild zweier Göttinnen und eines Knaben stellt nicht zwingend die beiden Göttinnen und ein göttliches Kind dar [14]. Suggestiver ist ein in Mykene gefundenes Fresko mit der Darstellung einer ährentragenden Göttin [15]. Homer setzt Funktion und Myth. der D. weitestgehend voraus, nennt sie freilich bloß am Rande; das hängt mit der Stilisierung des Epos zusammen. D. bleibt während des ganzen Paganismus eine zentrale Gottheit des griech. Pantheons. Heiligtümer der D. sind zahlreich belegt, und zwar sehr oft (wie in Eleusis; vgl. Karte zu → Eleusis) in der halben Höhe eines Hügelhangs [16] und jedenfalls außerhalb des bewohnten Bereichs, oft auch überhaupt vor der Stadt (pró póleos). Eine Sonderstellung nehmen einige altertümliche arkadische Kulte von D. ein, in denen die Göttin oft mit → Poseidon verbunden ist und ihre Tochter Déspoina (»Herrin«) heißt [17], wie derjenige von D. Erinýs in Thelpusa (die nach der Vergewaltigung durch Poseidon in Pferdegestalt die Tochter und das Pferd Areion gebiert, Paus. 8,25,4–6), der Kult der »Schwarzen« D. (Mélaina) in Phigaleia (Kind von D. und Poseidon, Paus. 8,42,1–3) oder der Kult der D. Kidarís in Pheneos (rituelle Maskierung des Priesters, Paus. 8,15,3); in Lykosura ist D. der Hauptgottheit Despoina untergeordnet (Paus. 8,37,1–5). Da mögen Erinnerungen an bronzezeitliche Kulte weiterleben. – Seit Hdt. wird D. mit der ägypt. → Isis identifiziert: Das führt über den alexandrinischen D.-Kult (vgl. Kall. h. 6) dazu, daß seit den hell. Isis-Aretalogien der ägypt. Göttin eine Reihe von Eigenheiten der griech. D. unterlegt wird.

1 G. SCHWARZ, s. v. Triptolemos, LIMC 8.1, 56–68
2 L. BESCHI, s. v. D., LIMC 4.1, 844–892 3 M. P. NILSSON, Die eleusinischen Gottheiten, in: ARW 22, 1935, 106–114 = Opuscula Selecta 2, 1952, 577–588 4 NILSSON, Feste, 313–325 5 DEUBNER, 50–60 6 K. CLINTON, The Thesmophorion in Central Athens and the Celebration of the Thesmophoria in Attica, in: R. HÄGG (Hrsg.), The Role of Religion in the Early Greek Polis, 1996, 111–125 7 A. BRUMFIELD, Aporreta. Verbal and Ritual Obscenity in the Cults of Ancient Women, in: R. HÄGG (wie Anm. 6), 67–74. 8 U. KRON, Frauenfeste in Demeterheiligtümern: das Thesmophorion von Bitalemi. Eine arch. Fallstudie, in: ArchAnz 1992, 611–650 9 G. BAUDY, Ant. Religion in anthropologischer Deutung, in: E.-R. SCHWINGE (Hrsg.), Die Wiss. vom Alt. am Ende des 2. Jt., 1995, 241–248 10 B. FORSÉN, Griech. Gliederweihungen, 1996. 11 CH. BENEDUM, Asklepios und D. Zur Bed. weiblicher Gottheiten für den frühen Asklepioskult, in: JdI 101, 1986, 137–157 12 P. DARQUE, Les vestiges mycéniens découverts sous le télésterion d'Eleusis, in: BCH 105, 1981, 593–605 13 GRAF, 274–277 14 E. SIMON, Die Götter der Griechen, ³1985, Abb. 90f. 15 ST. HILLER, Spätbronzezeitliche Myth. Die Aussage der Linear B-Texte, in: Hellenische Myth./Vorgesch., 1996, 223–232 16 Y. BÉQUIGNON, Déméter, déesse acropolitaine, in: RA 1958/2, 149–177 17 R. STIEGLITZ, Die großen Göttinnen Arkadiens, 1967.

FARNELL, Cults 3, 29–213; 311–376 · H. FLUCK, Skurrile Riten in griech. Kulten, 1931 · NILSSON, GGR 456–481 · N. J. RICHARDSON (Hrsg.), The Homeric hymn to D., 1974 · BURKERT, 247–251 · P. BERGER, The Goddess Obscured. Transformations of the Grain Protectress from

Goddess to Saint, 1985 · G. SFAMENI GASPARRO, Misteri e culti mistici di Demetra, 1986 · S. G. COLE, D. in the Ancient Greek city and its countryside, in: S. E. ALCOCK, R. OSBORNE (Hrsg.), Placing the Gods. Sanctuaries and Sacred Space in Ancient Greece, 1994, 199–216.
KULTORTE: Eleusis: K. CLINTON, The sanctuary of D. and Kore at Eleusis, in: N. MARINATOS, R. HÄGG (Hrsg.), Greek Sanctuaries. New Approaches, 1993, 110–124 · Attika: s.o. Anm. 6 · A. C. BRUMFIELD, The Attic Festivals of Demeter and Their Relation to the Agricultural Year, 1981 · Boötien: L. BREGLIA PULCI DORIA, Aspetti del culto di Demetra in Beozia, in: G. ARGOUD, P. ROESCH, La Béotie antique, 1985, 159–168 · V. SUYS, Les cultes de Déméter Achaia en Béotie. État actuel des connaissances, in: AntClass 63, 1994, 1–20 · Eretria: P. AUBERSON, K. SCHEFOLD, Führer durch Eretria, 1972, 105 · Griechenland: H. PETERSMANN, D. in Dodona und Thrakien. Ein Nachtrag, in: WS 100, 1987, 5–12 · M. LILIBAKI-AKAMATI, Ἱερὰ τῆς Πέλλας, in: Mneme Lazaridi, 1988, 195–203 · Korinth: N. BOOKIDIS, R. S. STROUD, D. and Persephone in Ancient Corinth, American Excavations in Old Corinth, 1987 · Sparta: C. STIBBE, Das Eleusinion am Fuße des Taygetos in Lakonien, in: BABesch 68, 1993, 71–105 · Arkadien: s.o. Anm. 17 · Sizilien: M.-TH. LE DINAHED, Sanctuaires chthoniens de la Sicile de l'époque archaïque à l'époque classique, in: G. ROUX, (Hrsg.), Temples et sanctuaires, 1984, 137–152 · Gela: s.o. Anm. 8 · Syrakus: L. POLACCO, M. TROJANI, A. C. SCOLARI, Il santuario di Cerere e Libera ad summam Neapolin de Siracusa, 1989 · Paestum: A. CIPRIANI, A. M. ARDOVINO, Il culto di Demetra nella chora Pestana, in: G. BARTOLINI, G. COLONNA, C. GROTANELLI (Hrsg.), Anathema. Regime delle offerte e vita dei santuari nel mediterraneo antico, Scienze dell'Antichità. Storia, archeologia, antropologia 3/4, 1989/1990, 339–351 · Anatolien: M. U. ANABOLU, Sanctuaries of D. and the chthonic deities in Western Asia Minor, in: Akten des 13. Internationalen Kongr. für Klass. Arch., 1990, 471 · Priene: M. SCHEDE, Priene, ²1964, 90–95 · Libyen: D. WHITE, D. Libyssa. Her Cyrenaean cult in the light of recent excavations, in: QuadArchLibica, 12, 1987, 67–84.

F. G.

F. IKONOGRAPHIE

Reliefplastik, Vasenmalerei und zahlreiche Terrakottastatuetten überliefern das Bild der Göttin seit der Archaik (Götterversammlung zur Hochzeit der Thetis und des Peleus: François-Krater, Florenz, Uffizien, um 570 v. Chr.). Ihre Attribute, die eine Identifikation insbes. auf Vasenbildern ohne Beischriften erst ermöglichen, sind Polos, Kalathos, Schleier, Kopfbinde, Ähren, Fackel, Oinochoe oder Phiale; gekleidet ist D. meist in einen Chiton bzw. dorischen Peplos und Himation. Die D. Melaina des Onatas in Phigalia konnte nicht sicher nachgewiesen werden (480/465 v. Chr.; Paus. 8,42,7). In die Klassik gehören die originale D. von Eleusis (vielfach Agorakritos oder seiner Werkstatt zugeschrieben, um 420/410 v. Chr.), D. Cherchel (röm. Kopie, Orig. um 450/420 v. Chr.), umstritten die Deutung der D. Capitolina (Rom, KM, röm. Kopie, 1. Jh. n. Chr.); im Parthenon-Ostfries (442/38 v. Chr.) die trauernde D. zwischen Ares und Dionysos (vgl. die ungesicherte Deutung einer Zweifigurengruppe als D. und Kore im Parthenon-Ostgiebel, 438/432 v. Chr); etwa zeitgleich die Darstellung auf dem »Großen Eleusinischen Weihrelief« mit der Aussendung des Triptolemos (Athen, NM, um 440/430 v. Chr.); es schließen an die sog. Brückenbau-Urkunde von Eleusis (421/420 v. Chr.: D. und Persephone neben dem Demos von Eleusis und Athena) und das Relief der Nemesisbasis von Rhamnous (München, GL, um 425/420 v. Chr.: D. mit Persephone). In das 4. Jh. v. Chr. datieren die thronende D. von Knidos (um 350/340 v. Chr., London, BM), der Prototyp der röm. D. Doria Pamphili, das Wandgemälde mit der Trauernden im »Grab der Persephone« in Vergina (2. H. des 4. Jh. v. Chr.) sowie zahlreiche Weihereliefs, jetzt mit deutlicher Charakterisierung der älteren, auf einer Ciste sitzenden D. und der jüngeren, stehenden Persephone. Die kolossale Statuengruppe des Damophon aus Lykosura/Arkadien ist nur fragmentarisch erh. (2. H. des 2. Jh. v. Chr.; Paus. 8,37,3 f.: D. und Persephone nebeneinander thronend, von Artemis und dem Titanen Anytos flankiert). Auf dem großen Weihrelief des Lakratides (Eleusis, um 100 v. Chr.) sind die Figuren inschr. gesichert.

Die röm. D./Ceres ist auf republikanischen und kaiserzeitlichen Münzen, Gemmen und Kameen (mit Persephone: Sardonyx, Paris, CM, claudisch) oft dargestellt. Als Agrargöttin wird D./Ceres mit Annona zusammengebracht, erfährt Anlehnung an Fides Publica (Karneol, München, SM, 2./3. Jh. n. Chr.) und gelegentlich an Fortuna; seit der frühen Kaiserzeit werden Göttin und Kult zunehmend von der röm. Nobilität und dem Kaiserhaus vereinnahmt, so u. a. die an Ceres angeglichenen Porträts der Livia auf Kameen des 1. Jh. v. Chr. (z. B. »Grand Camée de France«, Paris, CM) oder verschiedener Kaisergattinnen: u. a. Faustina Maior (Statue: Paris, LV, 140/150 n. Chr.); Messalina mit Claudius als Ceres und Triptolemos (Sardonyx, Paris, CM, claudisch). Zahlreich sind Sarkophage des 2. und 3. Jh. n. Chr. mit dem Raub der Persephone (mit stereotyper Darstellung der D./Ceres, auf einem Wagen stehend, mit Fackeln in der Hand).

→ Agorakritos; Damophon; Onatas

ST. DE ANGELI, s. v. D./Ceres, LIMC 4.1, 893–908 · L. E. BAUMER, Betrachtungen zur »D. von Eleusis«, in: AK 38, 1995, 11–25 · L. BESCHI, LIMC 4.1, s. v. D., 844–892 (mit ält. Lit.) · T. HAYASHI, Bed. und Wandel des Triptolemosbildes vom 6.–4. Jh. v. Chr., 1992 · L. H. MARTIN, Greek goddesses and grain. The Sicilian connection, in: Helios 17, 1990, 251–261 · M. MERTENS-HORN, Bilder hl. Spiele, in: AW 28, 3/1997, 221–224, 227–230 · G. SCHWARZ, Athen und Eleusis im Lichte der Vasenmalerei, in: Proceedings of the 3rd Symposium on ancient Greek and related pottery, Kongr. Kopenhagen 1988, 575–584 · B. S. SPAETH, The goddess Ceres in the Ara Pacis, AJA 98, 1994, 65–100.   A. L.

Demetrias (Δημητριάς).

[1] Entstanden um 290 v. Chr., kann D. als die westlichste der großen Stadt-Schöpfungen des Hell. gelten. Den Namen gab der maked. Gründer, Demetrios I. Die Ortswahl in der annektierten thessal. Randlandschaft

Magnesia, auf dem Gebiet von Iolkos, wurde durch den Wunsch bestimmt, dem europ. der drei ostmittelmeerischen Großreiche eine Basis nahe des zentralen → Aigaion Pelagos zu schaffen. So diente D. der Antigonidendynastie ›lange Zeit als Flottenstation und als (zweite) Residenz‹ (Strab. 9,5,1). Zugleich aber war D. *pólis* im griech. Sinne, mit einer differenzierten Verfassung; während die städtebauliche Analyse eine eigentümliche Verzahnung dynastischer und ziviler Elemente erweist, ist das alltägliche Funktionieren dieses Nebenoder Ineinanders wenig deutlich geworden. Bevölkert anfangs durch einen *synoikismós*, hier die Zusammenlegung (fast) aller Altgemeinden von Magnesia, und dann durch Zuzug aus aller Welt, gefördert durch Handelsprivilegien, war D. nach kaum 100 J., in Römeraugen, eine *urbs valida et ad omnia opportuna* (Liv. 39,23,12). Als solche mußte D. in die röm.-maked. Auseinandersetzung hineingezogen werden. Nach 168 v. Chr. erhält sich D. als das Haupt des jüngeren Magnesischen Bundes, d. h. als ein Regionalzentrum von allmählich doch abnehmender Bed. Im neugeordneten spätröm. Reich rangiert D. immerhin als die zweite Stadt der Thessalia; dabei spaltet sich D. in mehrere Kerne auf, den Schwerpunkt an die Stelle von Iolkos (h. Altstadt von Volo) verlagernd. Dort nimmt der Bischof Sitz, dort errichtet Iustinian I. eine Festung, dort überdauert D. die dunklen Zeiten, um im Hoch-MA als recht bekannter Militär- und Handelsplatz eine Rolle zu spielen, die unter den Türken sich wandeln, aber nicht enden wird.

Der Raum von D. hat eine bes. lange Siedlungstradition. Die ant. Stadt selbst nahm den ab dem Spätneolithikum existierenden Hafenplatz »Pevkákia Maghoúla« in sich auf. Kurz zuvor war es schon auf dem nahen Ghorítsa-Berg zu einem beachtlichen städtebaulichen Wurf gekommen. Die diesen ablösende Neugründung übertraf aber alles um ein Vielfaches; das wiederholt modifizierte Befestigungssystem war eines der größten und stärksten der griech. Welt. Das Stadtinnere war weitgehend orthogonal geordnet; der − seinerseits mehrmals umgestaltete, architektonisch innovative − Residenzbereich wurde in dieses System miteinbezogen. Der mutmaßliche Grab-Kultbezirk des Gründerkönigs bietet nur einen von mancherlei Bezügen, die nach Osten verweisen. Kunstgesch. ist der Fundus wohlerhaltener bürgerlicher Grabmalerei wertvoll. In dem frühchristl. Siedlungskomplex heben sich, außer dem Kastro von Volo, einige gut ausgestattete sakrale und profane Anlagen heraus, wovon die sog. Damokratia-Basilika u. a. aufgrund eines »anikonischen«, von nichtkonformer biblischer Überlieferung gespeisten Bilderzyklus interessant ist.

A. S. Arbanitopulos, Γραπταὶ στῆλαι Δημητριάδος-Παγασῶν [Graptaí stélai Dēmētriádos-Pagasṓn], 1928 • P. Marzolff, D. und seine Halbinsel. D. III, 1980 (mit Karten) • Ders., Développement urbanistique de Démétrias, in: Actes du Coll. Int. »La Thessalie«. Lyon 1990, II, 1994, 57−70 (mit ausführlicher Bibl.) • F. Stählin, E. Meyer, A. Heidner, Pagasai und D., 1934. P. MA.

[2] Eine der fünf nachkleisthenischen Phylen von Attika, 307/6 v. Chr. mit der Antigonis zu Ehren des → Demetrios [2] geschaffen. Sie übernimmt wie diese aus sieben kleisthenischen Phylen insgesamt 15 Demoi [1. 28 Tab. 11]. Näheres s. → Antigonis.

1 Traill, Attica, 25 ff., 31 ff. H. LO.

Demetrios (Δημήτριος).
I. Politisch aktive Persönlichkeiten
II. Christen III. Sophisten, Philosophen
IV. Dichter, Historiker
V. Grammatiker VI. Künstler
Bekannte Persönlichkeiten: der maked. König D. [2] Poliorketes; der Politiker und Schriftsteller D. [4] von Phaleron; der jüd.-hell. Chronograph D. [29].

I. Politisch aktive Persönlichkeiten
[1] Offizier unter Alexandros [4], kämpfte bei Gaugamela als Führer einer Ile der → Hetairoi und in Indien als Kommandeur einer Hipparchie.

Berve 2, Nr. 256. E. B.

[2] D. Poliorketes. Sohn von → Antigonos [1], geb. 337/6 v. Chr. (Diod. 19,96,1). Er heiratete 320 → Phila, die ihm → Antigonos [2] gebar. Er nahm am Krieg gegen → Eumenes [1] teil. Als Kommandeur gegen → Ptolemaios wurde er bei Gaza vernichtend geschlagen. Ein Feldzug gegen die Nabataioi mißlang ebenfalls. Nach dem Frieden von 311 sandte Antigonos ihn zur Verteidigung der östl. Satrapien gegen → Seleukos (Diod. 19,100, mit falscher Chronologie). Er besetzte Babylon, doch als Ptolemaios in Kleinasien einfiel, wurde er abberufen; Seleukos setzte seine Eroberungen fort. Ptolemaios wurde aus Kleinasien vertrieben, gewann aber Korinth und Sikyon. Darauf sandte Antigonos D. mit einer Flotte und 5000 Talenten nach Europa, wo er → Demetrios [4] von Phaleron aus Athen vertrieb. Antigonos und D. wurden als Götter begrüßt: die erste spontane Vergottung durch Griechen in Europa. Wieder vom Vater abberufen, besiegte er Ptolemaios in einer entscheidenden Seeschlacht bei → Salamis. Da inzwischen der Tod von → Alexandros [5] bekannt geworden war, legte Antigonos sich und D. 306 den Königstitel bei. Nach Rhodos gesandt, konnte D. es Ptolemaios nicht abtrünnig machen; eine lange, erfolglose Belagerung brachte ihm den Namen Poliorketes (»der Belagerer«) ein. 303 erschien er mit der Flotte wieder in Griechenland und erneuerte unter seiner und des Vaters Führung den Hellenenbund (StV 3, Nr. 446; s. Philippos). Dem Siege nahe, verspielte Antigonos die Gelegenheit. Seine Feinde verbündeten sich gegen ihn, und D. mußte ihm zu Hilfe eilen. Bei → Ipsos ließ D. sich mit der Kavallerie vom Schlachtfeld ablocken, und Antigonos verlor Schlacht und Leben. D. blieb Herr des Meeres und der Küsten, verlor aber fast alle Griechenstädte.

Das Bündnis seiner Feinde zerfiel bald. 299/8 schloß Seleukos mit D. ein Bündnis und heiratete dessen Tochter → Stratonike. Dieses Bündnis dauerte nicht lange, da D. ihm die Küste von Kilikia und Phoinikien nicht abtrat. Doch nach → Kassandros' Tod begann D., einen Angriff auf Makedonien zu planen. 295–4 eroberte er wieder Athen. Von Kassandros' Sohn Alexandros gegen den Bruder → Antipatros zu Hilfe gerufen, ermordete er Alexandros, vertrieb Antipatros und war 294 König von Makedonien, verlor aber die Küste von Kleinasien. Am Golf von → Pagasai erbaute er die Festungsstadt → Demetrias [1].

Aus einem von → Pyrrhos unterstützten Aufstand in Boiotia entwickelte sich ein schlecht bezeugter Krieg, in dem auch Ptolemaios die Hand im Spiel hatte. → Lanassa verließ Pyrrhos, heiratete D. und übergab ihm → Korkyra. Doch fielen 288 Pyrrhos und → Lysimachos in Makedonien ein, und das kriegsmüde Heer verließ D. Er räumte das Land, übergab die griech. Festungen Antigonos [2] und suchte sein Glück mit einer Söldnerarmee in Asien. In einem Stellungskrieg von → Agathokles [5] mattgesetzt, ergab er sich 286 an Seleukos, der ihn mit königlichen Ehren internierte, bis er sich 283 zu Tode trank. Seine Urne begrub Antigonos nach einem Leichenzug zu Schiff in Demetrias. Seine Flotte ging zu Ptolemaios über, der jetzt das Meer beherrschte. Hauptquelle: Plut. Demetrios.

R. A. BILLOWS, Antigonus the One-Eyed, 1990 · E. WILL, in: CAH 7,1,²1984, 101–109.

[3] Sohn von → Antigonos [2], nach einigen Jahren als Mitregent 239 v. Chr. dessen Nachfolger als König von Makedonien. Der Bund der → Aitoloi, der mit Antigonos nie Krieg geführt hatte, verbündete sich gegen D. mit den → Achaioi: so begann der »Demetrische Krieg«. D. heiratete Phthia, Tochter des eben verstorbenen → Alexandros [10] von Epeiros, und half Epeiros bei der Verteidigung von Nordakarnania gegen die Aitoloi. Er unterstützte Athen und Argos gegen die Handstreiche von → Aratos [2] und machte Boiotia und das opuntische Lokris den Aitolern abtrünnig, konnte aber den Beitritt von → Megalopolis zum Achaischen Bund nicht verhindern. Nach dem Aussterben des epeirotischen Königshauses gewannen die Aitoloi dessen Hauptstadt → Ambrakia (233 v. Chr.) und griffen dann Nordakarnania an. Mit dem Krieg im Norden beschäftigt, lud D. die → Ardiaei ein, den Akarnanen zur Hilfe zu kommen. Dies führte zum Ausgreifen Roms nach dem Osten (→ Teuta). 229 starb D. plötzlich. Für seinen achtjährigen Sohn → Philippos V. übernahm → Antigonos [3] die Regierung eines sehr geschwächten Reiches.

WALBANK bei HM 3, 317–336.   E. B.

[4] D. von Phaleron (einem att. Demos), Sohn des Phanostratos, ca 360–280 v. Chr. Schüler des → Theophrastos. 322 (zusammen mit Phokion und Demades) Mitglied der athenischen Gesandtschaft, die

nach der Niederlage bei Krannon mit den maked. Siegern → Antipatros und → Krateros über Friedensbedingungen verhandelte. Als D. 318 wie → Phokion und seine Anhänger zum Tode verurteilt worden war, entzog er sich der Vollstreckung. Nachdem → Kassandros an die Macht gekommen war, setzte er seinen Vertrauensmann D. als Statthalter Athens (Titel vielleicht *epimelétēs* oder *epistátēs*) ein. 309/8 war D. eponymer Archon. Die Eroberung des Piräus im Sommer durch → D. [2], den Sohn des Antigonos I. beendete die Herrschaft des D. über Athen. Er fand Exil zunächst in Theben, nach Kassandros' Tod (297) in Ägypten, wo er Berater des Königs → Ptolemaios I. wurde. Berichte über eine Schlüsselrolle bei der Gründung der Bibliothek in Alexandreia sind unglaubwürdig [1]. Ein Zerwürfnis mit → Ptolemaios II. Philadelphos (seit 283 Nachfolger des Ptolemaios I.) soll zu D.' Zwangsaufenthalt auf dem Lande geführt haben, wo er durch einen Schlangenbiß starb.

In die Zeit der Regentschaft des D. in Athen fiel die Einrichtung (oder Erweiterung der Aufgaben) der auf ein Jahr gewählten sieben »Gesetzeswächter« (*nomophýlakes*). Auch für Gesetze zur Beschränkung des Luxus bei Bestattungen und Grabdenkmälern, bei Hochzeiten und Gastmählern (unter der Kontrolle des neu eingerichteten Amtes der → *gynaikonómoi*) war D. verantwortlich. Dem Rat auf dem Areiopag (→ Areios Pagos) wurde die Kontrolle des religiösen und moralischen Verhaltens zugewiesen. Die → Choregie, eine die Reichen belastende Liturgie, wurde abgeschafft; die entsprechenden Aufgaben versah ein *agonothétēs* aus Mitteln der Staatskasse. Inwieweit D.' Demokratiereform (Strab. 9,1,20), die die begüterten Kreise begünstigte, von der polit. Theorie des → Aristoteles beeinflußt war (ablehnend [2]), ist umstritten.

Als Schriftsteller war D. produktiv (Schriftenverzeichnis bei Diog. Laert. 5,80–81). Seine philos. Werke beschränkten sich auf Ethik und Staatstheorie und legen ebenso wie seine Unt. zur Verfassungsgesch., Rhet. und Dichtung den Einfluß des Aristoteles nahe. Hinzu kommen historische Werke (z. B. die Archontenliste) und Sammlungen (z. B. der Aussprüche der sieben Weisen, der Fabeln des Aisopos, aber auch von Reden).

Von Cicero wurde D. hoch geachtet, da er sich sowohl in philos. Studien als auch in der Leitung des Staates auszeichnete (leg. 3,14). Für Quintilian war D. der letzte att. Redner (inst. 10,1,80).

ED.: WEHRLI, Schule · DORANDI, FORTENBAUGH, SCHÜTRUMPF, STORK, Rutgers University Studies in Classical Humanities 10 (1998?, in Vorbereitung) · FGrH 228 (Fragmentsammlung der histor. Schriften).
LIT.: 1 Pfeiffer, KP ¹1970, 128–133 2 H.-J. GEHRKE, Das Verhältnis von Politik und Philos. im Wirken des D. von Phaleron, in: Chiron 8, 1978, 149–199 3 CH. HABICHT, Athen. Die Gesch. der Stadt in hell. Zeit, 1995, 762–75 4 F. WEHRLI, D. von Phaleron, in: GGPh 3, 559–564.   E. E. S.

[5] Sohn → Philipps V., 197/6–191 v. Chr. Geisel in Rom (Pol. 18,39,5 f.; 21,3,3); dorthin im J. 184/3 mit Apelles [2] und Philokles entsandt, wo D. vom Senat und von → Quinctius Flamininus hofiert wurde (Pol. 22,14; 23,1–2). Als Kandidat der maked. Römerfreunde für die Thronfolge wurde D. hochverräterischer Umtriebe verdächtigt und 180 hingerichtet (Pol. 23,7; 10; Liv. 40,7–16; 20; 23–24) [1. 67–76; 2. 190; 3. 471 f.].

1 H. J. DELL, in: Ancient Macedonia 3, 1983 2 ERRINGTON 3 HM 3. L.-M. G.

[6] D. »der Schöne« (ὁ καλός). Sohn des D. [2] Poliorketes und der Ptolemais, Halbbruder des Antigonos [2] Gonatas, Vater des Antigonos [3] Doson (Plut. Demetr. 53,8). Nach dem Tod des Magas (wohl 250/249 v. Chr.) wurde D. von dessen Witwe → Apama nach Kyrene gerufen, um ihre Tochter → Berenike [3], die von Magas als Gattin des Ptolemaios (III.) bestimmt war, zu heiraten und somit eine Herrschaft der Ptolemaier über Kyrene zu verhindern. D.' Abenteuer war sicherlich im Sinne des Antigonos Gonatas, doch wurde er nach kurzer Herrschaft wegen eines Verhältnisses mit Apama auf Betreiben Berenikes getötet, die schließlich die Ehe mit Ptolemaios einging (Iust. 26,3; Anspielung auf die Ermordung D.' bei Catull. 66,27 f.).

WILL, Bd. 1, 243 ff. M. MEI. u. ME. STR.

[7] D. I. Soter, Sohn Seleukos' IV. Beim Tod seines Onkels Antiochos [6] IV. 164 aufgrund des Friedens von Apameia (188 v. Chr.) als Geisel in Rom und vom Senat als Thronfolger nicht und später als König nur zögerlich und mit Hintergedanken anerkannt, entkam D. 162 mit Hilfe des in Rom internierten späteren Historikers Polybios nach Syrien und ließ seinen von Rom als König anerkannten und dennoch polit. bedrängten minderjährigen Vetter Antiochos [7] V. sowie dessen Kanzler Lysias töten (Pol. 31,2; 11–15; 32,2; Ios. ant. Iud. 12,389 f.; App. Syr. 46 f.; Iust. 34,3,6–9). Gegen den revoltierenden, von Rom diplomatisch geförderten Generalgouverneur der Oberen Satrapien Timarchos und 160 gegen die aufständischen Juden unter Judas Makkabaios war D. erfolgreich (»Soter«). In Judaea herrschte daraufhin eine auch von frommen Juden positiv bewertete Ruhe (1 Makk. 7 ff.; 2 Makk. 14 ff.; Diod. 31,27a; Ios. ant. Iud. 12,391 ff.; 13,1 ff.). Im kappadokischen Thronstreit (bis 156 v. Chr.) stand D. auf der Seite des letztlich erfolglosen Orophernes gegen den von Attalos II. unterstützten Ariarathes V., der die Heirat mit D.' Schwester Laodike, Witwe des Perseus von Makedonien, abgelehnt hatte (Pol. 32,10; Diod. 31,32; Iust. 35,1–5). Als Attalos II. seit ca. 158 gegen den als Mensch schwierigen und in seiner Hauptstadt bald unbeliebten D. Alexander I. (Balas) als (vorgeblichen) Sohn Antiochos' IV. in den Kampf um den Thron schickte, wurde Alexander bald von Ariarathes V. und Ptolemaios VI., schließlich auch von den Makkabäern (Jonathan) unterstützt und von Rom anerkannt. Nach Niederlagen seit 153 kam D. im Winter 151/0 nahe Antiocheia um

(Pol. 33,19; Diod. 31,32a; Ios. ant. Iud. 13,35 ff.; 58 ff.). Iust. 35,1,6 ff.).

[8] D. II. Theos Nikator Philadelphos, kurz vor 160 geborener Sohn D.' [7] I., kämpfte seit 147 in Syrien gegen Alexander I. (Balas) mit Unterstützung Ptolemaios' VI., erhielt dessen mit Alexander verheiratete Tochter Kleopatra Thea zur Frau, wurde von Ptolemaios in Antiocheia als König eingesetzt und besiegte zusammen mit dem dabei verwundeten und alsbald gestorbenen Schwiegervater 145 Alexander am Oinoparas (SEG 13,585; 1 Makk. 11,9 ff.; Diod. 32,9c-d; Ios. ant. Iud. 13,109; 116; Iust. 35,2). Der Stratege Diodotos Tryphon rief gegen den vor allem in Antiocheia als Despoten empfundenen D. 145 den kleinen Sohn des Alexander Balas als Antiochos VI. und bald sich selbst zum König aus. Weitere makkabäische Expansion beendete D. nur durch Anerkennung des Hohepriesters Simon, Gewährung von Steuerfreiheit und Räumung Jerusalems (Diod. 33,4a; App. Syr. 68: abweichende Datierung; Iust. 36,1; 3,9). Im Kampf gegen den nach Annexion Mediens in Babylonien eingedrungenen Partherkönig Mithridates I. wurde D. nach anfänglichen Erfolgen 140/139 gefangen und später mit der parthischen Prinzessin Rhodogune verheiratet (1 Makk. 14,1–3; Ios. ant. Iud. 13,219; App. Syr. 67; Iust. 38,9). Vom neuen König Phraates wurde D. 129 gegen seinen die Parther bedrängenden Bruder Antiochos [9] VII. in den Kampf um den Seleukidenthron geschickt. Nach Antiochos' Tod im Partherkrieg verfügte D. nur über Nordsyrien und Kilikien. Zur Unterstützung seiner Schwiegermutter Kleopatra II. zog er vergeblich gegen Ptolemaios VIII. nach Ägypten. 126 wurde D. bei Damaskos durch den von Ptolemaios VIII. aufgestellten Gegenkönig Alexander II. (Zabinas) besiegt und nach dem Abfall der syr. Städte bei Tyros getötet (Liv. per. 60; App. Syr. 68; Iust. 39,1).

[9] D. III. Eukairos, Sohn Antiochos' [10] VIII., wurde 95 von dem damals nur über Zypern gebietenden Ptolemaios IX. in Damaskos als König eingesetzt und teilte sich die Herrschaft über das kleine Reich mit seinem Bruder Philippos I. Im Kampf gegen ihren Verwandten Antiochos X. waren beide erfolgreich. D. half den Juden gegen Alexander Iannaios, kämpfte 88 gegen Philippos, wurde 87 dem Partherkönig Mithridates II. ausgeliefert und starb später bei diesem (Ios. ant. Iud. 13,370; 376 ff.; 384 ff.). Weitere Herrscherbeinamen nach BMC, Sel. Kings 101: Theos Philopator Soter oder Philometor Euergetes Kallinikos.

E. BEVAN, The House of Seleucus, 1902 · A. R. BELLINGER, The End of the Seleucids, in: Transactions of the Connecticut Academy 38, 1949, 51–102 · K. BRINGMANN, Hell. Reform und Religionsverfolgung in Judäa, 1983 · A. BOUCHÉ-LECLERCQ, Histoire des Séleucides (323–64 avant J.-C.), 1913/14 · TH. FISCHER, Unt. zum Partherkrieg Antiochos' VII. im Rahmen der Seleukidengesch., 1970 · GRUEN, Rome · E. GRZYBEK, Zu einer babylon. Königsliste aus der hell. Zeit (Keilschrifttafel BM 35603), in:

Historia 41, 1992, 190–204 · G. HÖLBL, Gesch. des
Ptolemäerreiches, 1994 · O. MØRKHOLM, Antiochus IV of
Syria, 1964 · W. ORTH, Die frühen Seleukiden in der
Forsch. der letzten Jahrzehnte, Gedenkschrift H. Bengtson,
1991, 61–74 · A.J. SACHS, D.J. WISEMAN, A Babylonian
King List of the Hellenistic Period, in: Iraq 16, 1954,
202–211 · H.H. SCHMITT, Unt. zur Gesch. Antiochos'
des Großen und seiner Zeit, 1964 · S. SHERWIN-WHITE,
A. KUHRT, From Samarkand to Sardis, 1993 · WILL.

A. ME.

[10] D. I., Sohn des baktrischen Königs Euthydemos,
führte um 206 v. Chr. eine Gesandtschaft seines Vaters
zu Antiochos [5] III., als dieser den Osten zurückzuge-
winnen versuchte, und wurde mit einer von dessen
Töchtern verlobt (Pol. 11,34,8). Wohl um 184 drang D.
über den Hindukusch in das Punjab und weiter in Indien vor und erweiterte das ererbte Reich: König auch
»der Inder«. Er regierte mit seinen Söhnen Euthydemos
III., Demetrios II. [8], Pantaleon und Agathokles als Un-
terkönigen die aus Griechen, Iranern und Indern ge-
mischte Bevölkerung. Münzen wurden im att. Standard
mit Legenden in Griech. und Prakrit geprägt. Den Tod
fand D. um 170 im Kampf gegen Eukratides, der sich
Baktriens bemächtigt hatte (Strab. 11,11,1; Iust. 41,6,4).

The Cambridge History of Iran 3, 1984 · A.N. LAHIRI,
Corpus of Indo-Greek Coins, 1965 · A.K. NARAIN, The
Indo-Greeks, 1957 · W.W. TARN, The Greeks in Bactria
and India, ²951 · WILL · G. WOODCOCK, The Greeks in
India, 1966. A. ME.

[11] stammte aus Gadara (östl. vom See Genezareth).
Als Freigelassener des Pompeius begleitete er ihn auf
dessen Feldzügen im Osten (Plut. Pomp. 2; 40). Haupt-
städtischen Gerüchten zufolge war er reicher als Pompeius (Sen. de tranq. anim. 8,6) und finanzierte mit seinen Geldern den Bau des Pompeius-Theaters (Cass.
Dio 39,38,6).
[12] (C. Iulius), Freigelassener des Caesar, dem M.
→ Antonius [I 9] im J. 39 v. Chr. die Verwaltung von
Zypern übergab (Cass. Dio 48,40,5f.; MRR 2, 390).

W.W.

[13] Gesangslehrer für Mädchen, der schlecht über Horaz sprach (Hor. sat. 1,10,79; 90).
[14] D., der, vielleicht in Capua, unter Nero die Preise
für Waren hochgetrieben hatte, wurde deshalb in Rom
vor den Consuln angeklagt (Plin. nat. 33,164).
[15] Führender alexandrinischer Jude, der Mariamne,
die Tochter von König Agrippa I., heiratete (Ios. ant.
Iud. 20,147).
[16] Befehlshaber einer Vexillatio in Kappadokien unter
dem Statthalter Flavius Arrianus (Arr. ἐκτ. 1). PIR² D 42.

W.E.

II. CHRISTEN

[17] Von Thessalonike, Hl. Großmärtyrer, Stadt-
patron von → Thessalonike. In der mittelalterlichen ha-
giographischen D.-Gestalt sind zwei Märtyrer kontaminiert, ein griech. Anthypatos aus Thessalonike unter

Maximianus (306) und ein Diakon aus Sirmium. Es ist
nicht mehr feststellbar, ob der bereits in der Spätant.
erfolgte Kulttransfer von Thessalonike nach → Sirmium
[1. II, 202] oder umgekehrt [2. 348] vonstatten ging.
Zentrum des Kultes [3] ist seit dem 5. Jh. bis h. Thessalonike mit der D.-Basilika (1493–1912 als Moschee
genutzt) [4]. D. wird in ganz Ost- und SO-Europa, bes.
jedoch bei den Bulgaren und Griechen, verehrt. Kaum
einem Hl. der Ostkirche sonst sind hagiographische und
hymnographische Werke in so hoher Zahl wie ihm gewidmet [5; 6]. Er wird meistens als mil. Hl., im Frie-
denskostüm stehend oder thronend, seltener auf dem
Pferd sitzend dargestellt [7].

1 P. LEMERLE, Les plus anciens recueils des miracles de Saint
Démétrius, I–II, 1979/1981 2 M. VICKERS, Sirmium or
Thessaloniki? A Critical Examination of the St. Demetrius
Legend, in: ByzZ 67, 1974, 337–350 3 A. MENTZOS,
Τὸ
προσκύνημα τοῦ Ἁγίου Δημητρίου Θεσσαλονίκης στὰ
βυζαντινὰ χρόνια [Die Kultstätte des Hl. D. von
Thessalonike in byz. Zeit], 1994 (mit engl.
Zusammenfassung) 4 CH. MPAKIRTZES, Ἡ βασιλικὴ τοῦ
Ἁγίου Δημητρίου Θεσσαλονίκης [Die Basilica des Hl. D. in
Thessalonike], 1986 5 F. HALKIN, Bibliotheca
hagiographica graeca, ³1957, 152–165 (Nr. 497–547z)
6 Ders., Novum auctarium, 1984, 61–63
7 A. XYNGOPULOS, Ὁ εἰκονογραφικὸς κύκλος τῆς ζωῆς τοῦ
Ἁγίου Δημητρίου [Der Bilderzyklus des Lebens des
Hl. D.], 1970.

H. DELEHAYE, Les légendes grecques des saints militaires,
1909, 103–109 · A. KAZHDAN, N. PATTERSON-ŠEVČENKO,
s. v. D., ODB 1, 605–606. G. MA.

[18] Im Zusammenhang mit der Biographie des Origenes bekannt, ist D. (189–231/2 n. Chr.) der erste histor. faßbare Bischof von → Alexandreia [1]. In gutem
Einvernehmen mit Origenes übertrug er diesem 203
den Katechumenenunterricht (Eus. HE 6,3,8). Später
wandte sich D. gegen seinen begabten Mitarbeiter, hielt
diesem diverse Verfehlungen (Laienpredigt und Priesterweihe in Palästina, Selbstverstümmelung) vor und
zwang ihn mittels Synodalbeschluß zur Aufgabe der
Lehrtätigkeit und zum Verlassen Ägyptens. Neben persönlichen Animositäten (Eus. HE 6,8,4: Eifersucht auf
den Erfolg des Origenes) dürften doktrinäre Gegensätze
eine Rolle gespielt haben. Nach späterer (alexandri-
nisch-kopt.) Überlieferung ist E. Verfasser mehrerer
nicht erh. Briefe zur Osterfestfrage. Unter D. erfolgte
der Aufbau einer ägypt. Episkopalstruktur mit Zentrum
Alexandreia.

BARDENHEWER, GAL II, 158–160 · C.W. GRIGGS, s. v. D.,
in: Early Egyptian Christianity, 1990, 259 · V. GRUMEL, s. v.
D., patriarche d'Alexandrie, in: DHGE 14, 198f. J. RI.

[19] Aus Tarsos. Bei Diog. Laert. 5,85 als Dichter von
Satyrstücken (σατυρογράφος) erwähnt.

F. SUSEMIHL, Gesch. der griech. Litt. in der Alexandrinerzeit
I, 1891–1892. F. M.

III. SOPHISTEN, PHILOSOPHEN

[20] Sophist in der Mitte des 4. Jh. n. Chr. (Lib. epist. 33). Er stammte aus Tarsos (epist. 1123), war *consularis Phoenices* (epist. 234) und stand in regem Briefwechsel mit Libanios, der ihn als größten Redner der Zeit feierte (epist. 606; 621). Er war ›Heide‹ (epist. 710). PLRE I, 247 Demetrius (2). → Libanios

SCHMID/STÄHLIN II, 987 · O. SEECK, Die Briefe des Libanios, Ndr. 1967, 117–119.   W. P.

[21] D. Lakon. Epikureer, Schüler des Protarchos von Bargylia und Zeitgenosse des Zenon von Sidon (ca. 150–175 v. Chr.). Es ist ausgeschlossen, daß er nach Apollodoros Kepotyrannos Schuloberhaupt der epikureischen Schule war: Er hatte eine Schule für Philos. in Milet, lebte aber wahrscheinlich auch in Athen. Die Widmung zweier seiner Schriften an röm. Persönlichkeiten (Nero und Quintus) allein reicht als Beweis dafür nicht aus, daß er sich auch in Italien aufgehalten hat: D. konnte sie auch in Athen oder Milet kennengelernt haben. Reste seines umfangreichen Werkes sind durch Papyri aus Herculaneum überliefert. D. beschäftigte sich mit Physik, Kosmologie, Theologie (über göttlichen Anthropomorphismus: PHerc. 1055), mit Ethik (Die Physiologie ist ein Mittel zur Bekämpfung von Verwirrungen und Leidenschaften: PHerc. 831), mit Philol., die er bei den Texten Epikurs anwandte (die Wiederherstellung der korrekten Lesart der Schriften des Meisters ist wesentliche Bedingung für Nutzen und Genuß: PHerc. 1012), mit Poetik (gegen peripatetische Gegner: PHerc. 188 und 1014), Rhet. (PHerc. 128) und mit Geometrie (gegen die euklidischen Theoreme, angefangen bei der epikureischen Theorie der Minima: PHerc. 1061). Eine solche Breite der Interessen und Wiederaufwertung vor allem der *enkýklia mathḗmata* (Poetik, Rhet. und Mathematik) können eine intellektuelle Abkehr des D. vom orthodoxen Epikureismus nicht beweisen. Die antiepikureische Polemik des Sextos Empeirikos zielte auch auf D.
→ Epikureische Schule; Herculanensische Papyri

T. DORANDI, in: GOULET 2, 1994, 637–641 · ERLER, 256–265.   T. D./Ü: E. KR.

[22] D. aus Byzantion. Peripatetiker des 1. Jh. v. Chr., von Diog. Laert. 5,83 genannt und 2,20 als Quelle einer Nachricht über Sokrates zitiert. Sein Buch über die Dichtkunst wird von Philodemos (Poem. 5,IX,34 ff.), Athenaios (452d, 548d, 633a) und einem Unbekannten im PHerc. 1012 zitiert. Vielleicht war er derselbe D., welcher Cato d. J. noch am Tag vor seinem Selbstmord 46 v. Chr. Gesellschaft leistete (Plut. Cato Min. 65; 67 ff.).

E. MARTINI, s. v. D. (87), RE 4, 2841 f. · F. WEHRLI, in: GGPh 3, 1983, 594, 598.   H. G.

[23] D. Kythras. Philosoph (Nichtchrist) aus Alexandria, unter Constantius II. 359 n. Chr. in Skythopolis des heidnischen Opfers wegen angeklagt und gefoltert, aber freigesprochen (Amm. 19,12,12).

C. VOGLER, Constance II, 1979, 190.   ME. STR.

[24] Kynischer Philosoph des 1. Jh. n. Chr., Freund des Seneca, bei dem er zum Vorbild des kynisch-stoischen Weisen wird. Man kennt ihn vor allem aus dem Werk Senecas, aber auch Tacitus, Cassius Dio, Sueton, Epiktet, Lukian und Philostratos erwähnen ihn. Er gehörte dem Kreis um den Stoiker Thrasea Paetus an; im Prozeß gegen P. → Egnatius Celer, einen der Ankläger des Barea Soranus, stellte er sich auf die Seite des Angeklagten. D. trat in herausfordernder Haltung gegenüber den Herrschern Caligula, Nero und Vespasian auf; letzterer verbannte ihn auf eine Insel. Seine praxisbezogene kynische Philos. beruhte auf den Prinzipien des → Diogenes [14] von Sinope: eine Askese, die auf die Unterdrückung der Bedürfnisse abzielte; der Wille, Taten und Worte in Übereinstimmung zu bringen, und schließlich die Umkehrung der Werte und die freimütige Rede. Wie die Stoiker vertrat er die Meinung, man müsse stets Lebensregeln (*praecepta*) bereithalten (*in promptu et in usu*), die uns, täglich neu überdacht, innere Ruhe und damit Glück bescheren. D. wurde unterschiedlich beurteilt, wie das Lob bei Seneca oder die Vorbehalte des Tacitus und des Cassius Dio zeigen. Das Bild, das Philostratos in seinem ›Leben des Apollonios von Tyana‹ zeichnet, zeugt mehr von romanhafter Ausgestaltung als von histor. Wirklichkeit.
→ Kynische Schule; Seneca

M. BILLERBECK, Der Kyniker Demetrius. Ein Beitrag zur Gesch. der frühkaiserzeitlichen Popularphilos., 1979 · J. F. KINDSTRAND, Demetrius the Cynic, in: Philologus 124, 1980, 93–98.   M. G.-C./Ü: A. WI.

IV. DICHTER, HISTORIKER

[25] Dichter der Alten Komödie, von dem noch zwei Stücktitel [1. test. 2] und fünf Fragmente bekannt sind; die Σικελία (auch einmal als Σικελικοί zitiert) läßt sich nach 404 v. Chr. datieren (vgl. fr. 2).

1 PCG V, 1986, 8–10.   H.-G. NE.

[26] Autor eines Satyrspiels *Hesiónē* (?), Ende des 5. Jh. v. Chr. (Vas Neapol. 3240, s. BEAZLEY ARV² II 1336); evtl. Sieg um 400 v. Chr. in Athen; wahrscheinlich nicht identisch mit einem Satyrspieldichter gleichen Namens aus Tarsos (s. Diog. Laert. 5,85).

TrGF 49 und 206.   F. P.

[27] Dichter der Neuen Komödie, von dem noch vier Fragmente (davon zwei unsicher) und ein Stücktitel (Ἀρεοπαγίτης) bekannt sind; das Stück läßt sich nach 294 v. Chr. datieren (vgl. fr. 1,8). In fr. 1 spricht ein Koch, der sich rühmt, bei König Seleukos, bei dem sizilischen Tyrannen Agathokles und bei dem athenischen Machthaber Lachares kulinarisch gewirkt zu haben.

1 PCG V, 11–13.   H.-G. NE.

[28] D. aus Byzantion. Griech. Geschichtsschreiber, 1. H. 3. Jh. v. Chr. Er beschrieb als Zeitgenosse in 13 B. den ›Übergang der Galater von Europa nach Asien‹ (278/7) sowie in acht B. die Geschichte des Antiochos

Soter (280–261) und Ptolemaios Philadelphos (285/4–247) und die Administration Libyens unter diesen beiden Herrschern (FGrH 162 T 1).　　　　　K. MEI.

[29] Jüd.-hell. Chronograph (E. 3. Jh. v. Chr.). Der früheste bekannte jüd. Autor, der in griech. Sprache in → Alexandreia [1] schrieb. In seiner Schrift Περὶ τῶν ἐν τῇ Ἰουδαίᾳ βασιλέων (›Über die Könige in Judaea‹) berechnete er unter Verwendung der → Septuaginta und ihrer Zeitangaben die jüd. Chronologie. Anders als → Berossos und → Manethon ist er in seinen Berechnungen nüchtern. Die Widersprüche in der at. Überlieferung löst D. nach der von alexandrinischen Philologen entwickelten Methode der ἀπορίαι καὶ λύσεις (*aporíai kaí lýseis*). → Alexandros' [23] Polyhistors Exzerpte seines Werks sind überliefert bei Eusebios (Pr. Ev. 9,19,4; 9,21,1–19; 9,29,1–3.15.16c) und Clemens Alexandrinus (stromateis 1,141,1–2 [F 6]). D.' Schrift stellte einen Abriß der jüd. Gesch. von → Adam (F 2) bis in die Zeit → Ptolemaios' IV. Philopator (221–204 v. Chr.) (F 6) dar und sollte das hohe Alter des jüd. Volkes und seiner Schriften beweisen (Eus. HE 6,13,7).
→ Chronik

FGrH 3 C 722 · N. WALTER, Fragmente jüd.-hell. Historiker, in: JSHRZ III,2, ²1980, 280–292 · J. HANSON, Demetrius, in: J. H. CHARLESWORTH (Hrsg.), The Old Testament Pseudepigrapha 2, 1985, 843–854 · SCHÜRER 3,1, 1986, 521–525 · G. F. STERLING, Historiography and Self-definition, 1992, 153–167 (Lit.).　　　A. M. S.

[30] **D. von Kallatis**, griech. Historiker und Geograph, Ende 3. Jh. v. Chr. D. verfaßte ein Werk ›Über Europa und Asien‹ in 20 B. (Diog. Laert. 5,83), eine ›allg. Geschichte (…) in geographischer Anordnung‹ [1. 2807]; Endpunkt unbekannt, in F 3 (5) ist der Tod Hierons II. von Syrakus 215 erwähnt. Es ist u. a. von → Agatharchides benutzt worden (FGrH 85 T 3) und hat vielleicht dessen Darstellungsprinzip (Universalgesch. nach geogr. Schwerpunkten) beeinflußt. FGrH 85 mit Komm.

1 ED. SCHWARTZ, s. v. D. (77), RE 4, 2806 f.　　K. MEI.

[31] Epiker, der von Diog. Laert. 5, 85 in einer Homonymenliste genannt wird. Dort sind drei Hexameter zitiert, die gegen Neider gerichtet sind.

SH 174.　　　　　　　　　　　　　　　C. S.

[32] Undatierbarer Epigrammdichter aus Bithynien, Verf. eines kurzen und wirkungsvollen, von → Ausonius ins Lat. übersetzten (epist. 30 PEIPER) Gedichtes über die Kuh des Myron (Anth. Pal. 9,730). Die Gleichsetzung des sonst unbekannten Dichters mit dem Philosophen D. von Bithynien (Sohn des Stoikers Diphilos und Schüler des Panaitios, vgl. Diog. Laert. 5,84) oder mit dem hell. Epiker D. (SH 373) bleibt reine Konjektur.

FGE 37.　　　　　　　　　　　E. D./Ü: T. H.

[33] Argivischer Lokalhistoriker, wird von Clemens von Alexandria zitiert (Protreptikos 4,47,5 = I 36,13 STÄHLIN: ἐν δευτέρῳ τῶν Ἀργολικῶν); s. bes. JACOBY [1]. Er hat nichts mit → D. von Troizen zu tun.

1 FGrH 304 2 FHG IV 383 3 E. SCHWARTZ, s. v. D. (82), RE 4, 2817.　　　　　　　　　　F. M./Ü: T. H.

V. GRAMMATIKER

[34] **D. Skepsios** (ὁ Σκήψιος). Gelehrter und Altertumswissenschaftler aus Skepsis in der Troas. Um 205 v. Chr. in eine vornehme und reiche Familie hineingeboren, lebte er bis ungefähr 130 zurückgezogen in seiner Stadt (wir wissen, daß er seinem Mitbürger Metrodoros von Skepsis half: Diog. Laert. 5,84), wo er sich der Abfassung seines Τρωικὸς διάκοσμος widmete. Es handelte sich um einen enormen Komm. (30 B.) zum Katalog der Trojaner in Hom. Il. 2,816–77, in dem er eine große Menge von topographischen und antiquarischen Nachrichten über seine Heimat ausbreitete (unter anderem wies er die Gleichsetzung des Ilion seiner Zeit mit der homer. Stadt zurück) und der von Apollodoros von Athen benutzt wurde. Die erhaltenen Fragmente finden sich vor allem bei Strabon und Athenaios. D. zufolge war die Gesch. von der Flucht des Aineias in den Westen falsch, dieser habe den trojanischen Krieg nicht überlebt: Ein trojanisches, von Hektor und Aineias abstammendes Geschlecht habe nach dem Fall der Stadt über die Region geherrscht: daraus folgte die Ablehnung der trojanischen Ursprünge der Stadt Rom.
→ Apollodoros [1] von Athen; Athenaios [7] von Athen; Strabon

ED.: R. GAEDE, Demetrii Scepsii quae supersunt, Diss. 1880.
LIT.: E. GABBA, Storiografia greca e imperialismo romano (III–I sec. a. C.), in: Rivista Storica Italiana 86, 1974, 630–633 = Aspetti culturali dell'imperialismo romano, 1993, 17–21 · B. KREBBER, Ναυστολόγοι bei Strabon, ein neues Papyrusfragment, in: ZPE 9, 1972, 204–221 = B. KRÄMER, P. Köln I, 1976, 27–32 (Nr. 8) · F. MONTANARI, Pergamo, in: Lo spazio letterario della Grecia antica, I 2, 1993, 651–52 · F. MONTANARI, Demetrius of Phaleron on Literature, in: Dicaearchus of Messene and Demetrius of Phaleron, Rutgers University Studies in Classical Humanities IX, 1997 · PFEIFFER, KPI, 303–305, 312–314 · E. SCHWARTZ, s. v. D. (78), RE 4, 2807–2813 = Griech. Geschichtsschreiber, 1957, 106–114 · R. STIEHLE, Der Τρωϊκὸς διάκοσμος des D. von Skepsis, in: Philologus 5, 1850, 528–546 · F. SUSEMIHL, Gesch. der griech. Litt. in der Alexandrinerzeit, 1891–1892, I, 681–85.

[35] **D. Ixion** (ὁ Ἰξίων). Aus Adramyttion (Mysien), griech. Grammatiker aus alexandrinischer Zeit. Die Suda (δ 430, s. v. Δημήτριος ὁ ἐπίκλην Ἰξίων) sagt, daß er Schüler des Aristarchos [4] von Samothrake war und mit dem Meister in Konflikt geriet, weswegen er nach Pergamon ging (vermutlich zu Krates). Schwierig daher die Datierung in augusteische Zeit (Suda ebd.); es ist wahrscheinlicher, daß er im 2. Jh. v. Chr. lebte, sicher vor Tryphon von Alexandria (wie das Zitat bei Apoll. Dyskolos, De Pronominibus 89,14 SCHNEIDER zeigt). Er schrieb verschiedene exegetische Werke über Homer, zum Teil anscheinend gegen Aristarchos polemisierend; bezeugte Titel: Πρὸς τὰς ἐξηγήσεις, (oder Πρὸς Ἀρίσταρχον), Πρὸς τοὺς ἠθετημένους (ungefähr dreißig Fragmente davon sind in den Homerscholien, durch Didymos und Herodian überliefert). Nur in der Suda (ebd.) wird ein Komm. zu Hesiod erwähnt. In den Aristophanesscholien ist ein Zitat sicher (Schol. Aristoph. Ran. 308 a), doch bleibt die Zuweisung einiger anderer Scholien an ihn, in denen nur der Name D. genannt wird, zweifelhaft. Von anderen Werken haben wir nur wenige Fragmente: Ἐτυμολογούμενα (oder Ἐτυμολογία); Ἀττικαὶ λέξεις; Περὶ τῆς Ἀλεξανδρέων διαλέκτου; Περὶ ἀντωνυμιῶν; Περὶ τῶν εἰς μῑ ληγόντων ῥημάτων.

→ Aristarchos [4] von Samothrake; Krates von Mallos

ED.: T. STAESCHE, De Demetrio Ixione grammatico, Diss. 1883.
LIT.: A. BLAU, De Aristarchi discipulis, 1883, 19–20 · L. COHN, s. v. D. (101), RE 4, 2845–47 · F. MONTANARI, Demetrius of Phaleron on Literature, in: Dicaearchus of Messene and Demetrius of Phaleron, Rutgers University Studies in Classical Humanities IX, 1997 · M. VAN DER VALK, Iliad III 35 and the Scholia, in: Mnemosyne 25, 1972, 80.

[36] D. Chloros (Δημήτριος ὁ Χλωρός). Griech. Grammatiker aus ungewisser Zeit, wahrscheinlich dem 1. Jh. v. Chr., Nikander-Exeget, der mehrfach in den Schol. zu den *Thēriaká* (158b; 377–378a; 382a; 541a; 585a; 622c; 748; 781b) erwähnt wird; wahrscheinlich ist er der Grammatiker D., Sohn des Menekles, der in schol. Nik. Ther. 869a [vgl. 3] zitiert wird. Auf ihn muß auch das Fragment bei Steph. Byz. 375,11, s. v. Κορόπη, bezogen werden, wo ein Hypomnema zu Nikandros irrtümlicherweise dem D. von Phaleron zugewiesen wird, in Verwechslung mit dem unsrigen. S. Emp. adversus mathematicos 1,84, gibt eine seiner Definitionen der Gramm. wieder.

→ Nikandros; Stephanos von Byzantion

1 V. DI BENEDETTO, Demetrio Cloro e Aristone di Alessandria, in: ASNP 35, 1966, 321–324 2 C. GUHL, Die Fragmente des Alexandrinischen Grammatikers Theon, Diss. 1969, 4 3 W. KROLL, s. v. Nikandros (11), RE 17, 262, 1 ff. 4 W. KROLL, s. v. Demetrios (100a), RE Suppl. 7, 124 5 F. MONTANARI, Demetrius of Phaleron on Literature, in: Dicaearchus of Messene and Demetrius of Phaleron, Rutgers University Studies in Classical Humanities IX, 1997 6 F. SUSEMIHL, Gesch. der griech. Litt. in der Alexandrinerzeit, 1891–1892, II, 20.

[37] D. von Magnesia (ὁ Μάγνης). Grammatiker und gelehrter Kompilator aus dem 1. Jh. v. Chr.; Dion. Hal. De Dinarcho 1, berichtet von seinem Ruf als *polyhístōr*. Er widmete seinem Freund T. Pomponius Atticus eine Schrift ›Über die Eintracht‹ (Περὶ ὁμονοίας), die Cicero mehrfach erwähnt. In einigen Einträgen des Stephanos von Byzanz wird seine Schrift ›Über gleichnamige Städte‹ (Περὶ ὁμωνύμων πόλεων) benutzt. Sein bekanntestes

Werk ist die Schrift ›Über gleichnamige Dichter und Schriftsteller‹ (Περὶ ὁμωνύμων ποιητῶν τε καὶ συγγραφέων), aus der Dion. Hal. ebd. einen Abschnitt über verschiedene Personen namens Deinarchos polemisierend wiedergibt und die von Diog. Laert. 1,112 ausdrücklich zitiert wird. Das Werk wird einen kompilatorischen Charakter mit spärlicher Kritik gehabt haben: Sicher ist, daß es eine der Quellen des Diogenes Laertios gewesen ist, dessen Philosophenbiographien im allg. mit einer Liste homonymer Personen und einer kurzen Charakterisierung einer jeden enden.

→ Diogenes Laertios; Dionysios von Halikarnassos; T. Pomponius Atticus; Cicero; Stephanos von Byzantion

ED.: J. MEJER, Demetrius of Magnesia. On poets and authors of the same name, in: Hermes 109, 1981, 447–472. LIT.: F. ARONADIO, Due fonti Laerziane: Sozione e Demetrio di Magnesia, in: Elenchos 11, 1990, 203–255 · M. GIGANTE, Demetrio di Magnesia e Cicerone, in: Ciceroniana 5, 1984, 189–197 · J. JANDA, D'Antisthène, auteur des Successions des philosophes, in: Listy Filologické 89, 1966, 341–364 · F. LEO, Die griech.-röm. Biographie nach ihrer lit. Form, 1901, 39–45 (Ndr. 1990) · J. MEJER, Diogenes Laertius and his Hellenistic Background, 1978, passim, bes. 38–39 · G. A. SCHEURLEER, De Demetrio Magnete, 1858 · E. SCHWARTZ, s. v. D. (80), RE 4, 2814–17.

[38] D. von Tarsos. Eine der Personen in Plutarchs Schrift *De defectu oraculorum*, wo er ›der Grammatiker‹ (ὁ γραμματικός (410a) genannt wird. Zum Vorschlag der Gleichsetzung mit einem [S]crib(onius?) Demetrios, der im britannischen Eboracum (York) zwei Täfelchen mit griech. Inschr. (IG XIV 2548) weihte, vgl. [4]. Mit D. [41], dem Verf. von Περὶ ἑρμηνείας, möchte ihn [2] gleichsetzen.

→ Plutarchos

1 L. COHN, s. v. D. (107), RE 4, 2847 2 W. RHYS ROBERTS, Demetrius. On Style, Loeb, ²1932, 270–281 3 SCHMID/STÄHLIN II, 425 und Nr. 4 4 A. STEIN, s. v. Scribonius (12), RE 2 A, 876.

[39] D. Gonypesos (ὁ Γονύπεσος). Griech. Grammatiker aus ungewisser Zeit, jedoch vor dem 2. Jh. n. Chr., weil Herodian ihn zitiert (schol. Hom. Il. 8,233 b). Erwähnt wird er auch schol. Hom. Il. 13,137 b; 15,683–4 (Eust. ad Hom. Il. 1037, 57).

→ Herodianos

L. COHN, s. v. D. (102), RE 4, 2847 · F. MONTANARI, Demetrius of Phaleron on Literature, in: Dicaearchus of Messene and Demetrius of Phaleron, Rutgers University Studies in Classical Humanities IX, 1997.

[40] D. Pyktes (ὁ Πύκτης). Griech. Grammatiker aus ungewisser Zeit, jedoch vor dem 1. Jh. n. Chr., weil → Apollonios Sophistes (121,24 f.) sein Werk Περὶ διαλέκτων zitiert. Eine weitere Erwähnung findet sich in Etym. m. 592,54.

L. COHN, s. v. D. (103), RE 4, 2847 · M. SCHMIDT, Die Grammatiker Demetrius ὁ Πύκτης und Zenodotus Mallotes, in: RhM 20, 1865, 456. F. M./Ü: T. H.

[41] Verfasser der Schrift ›Über den Stil‹ (Περὶ ἑρμηνείας), in den wichtigsten Hss. (darunter auch der ältesten, dem berühmten Parisinus graecus 1741, 10. Jh. n. Chr.) fälschlich mit D. von Phaleron gleichgesetzt. Die Datierung ist umstritten, die Hypothesen reichen vom 3. Jh. v. Chr. bis zum 2. oder Anfang des 1. Jh. n. Chr. (vgl. [3], der D. von Alexandreia oder von Syrien für den Verf. hält; Diog. Laert. 5.84; Cic. Brut. 315). Nach einer Einleitung (§§ 1–35: Definition von Wortgruppe, Satzteil, Satz, Gedanke (κῶλα, κόμμα, περίοδος, ἐνθύμημα) behandelt das Werk die vier Stilarten (§§ 36–304): den erhabenen Stil (μεγαλοπρεπής), den eleganten (γλαφυρός), den schlichten (ἰσχνός), und den eindringlich-vehementen (δεινός) und deren jeweilige Abart: den frostigen Stil (ψυχρός), den affektierten (κακόζηλος), den trockenen (ξηρός), den abstoßend-reizlosen (ἄχαρις) unter den drei Aspekten des Inhalts, des Stils und der Komposition (πράγματα, λέξις, σύνθεσις). D. widersetzt sich rigiden Schematismen (vgl. § 37), seine komplexe Methode der Analyse entspricht nicht der eines Lehrbuches. Die Schrift ist der Tendenz nach vor allem peripatetisch ausgerichtet (Aristoteles, Theophrast), weist aber auch stoische Einflüsse auf (z. B. die naturalistische Theorie vom Ursprung der Sprache). D. behauptet, der erste zu sein, der den eleganten Stil behandele (deswegen scheinbar vor Dion. Hal. comp. 23). Die Abschnitte über den Briefstil §§ 223–235 wurden im 16. Jh., von J. Sambucus (1567) bis J. Lipsius (1591), separat gedruckt und übersetzt. Obwohl D.' Schrift schon in einer lat. Übers. aus dem MA [11] zu lesen war und im 16. Jh. eine bes. Wirkung entfaltete (ed. princeps: Aldus Manutius 1508–09; Komm. von Pier Vettori, 1562), stand sie später mehr oder weniger im Schatten der Schrift ›Über das Erhabene‹ (Περὶ ὕψους); die Gesch. ihres reichen Nachlebens und ihrer ästhetischen Aktualität muß erst noch geschrieben werden [8. 163–205].

ED.: 1 L. Radermacher, 1901 2 W. Rhys Roberts, 1902 (Ndr. 1927 und 1953) 3 P. Chiron, 1993 4 D. C. Innes, 1995.
Lit.: 5 H. Gärtner, Demetriana varia, in: Hermes 118, 1990, 213–236 6 G. M. A. Grube, A Greek Critic, 1961 7 G. A. Kennedy, in: The Cambridge History of Literary Criticism, I, 1990, 196–198 8 G. Morpurgo-Tagliabue, D., dello stile, 1980 9 K. Paffenroth, A note on the dating of D.' On style, in: CQ 44, 1994, 280–281 10 D. M. Schenkeveld, Studies in D.' On Style, 1964 11 B. V. Wall, A medieval latin version of D.' De elocutione, 1937.
S. Fo./Ü: T. H.

[42] D. aus Troizen (ὁ Τροιζήνιος). Griech. Grammatiker aus ungewisser Zeit, jedoch vor dem 3. Jh. n. Chr.: Diog. Laert. 8,74 zitiert anläßlich des Todes des Empedokles sein Werk ›Gegen die Sophisten‹ (Κατὰ σοφιστῶν). Ohne Werktitel wird er zweimal von Athenaios zitiert: 1,29a zum Titel der zweiten ›Thesmophoriazusen‹ des Aristophanes; 4,139c zu Didymos' [1] Epitheton βιβλιολάθας (dieses Zeugnis nicht bei Schmidt, Didymi Chalc. Fragmenta). Mit dem von

Clemens von Alexandreia, Protreptikos 4,47,5 (I 36,13 Stählin) erwähnten homonymen Historiker aus Argos hat er nichts zu tun.
→ Demetrios [33]; Diogenes Laertios

L. Cohn, s. v. D. (106), RE 4, 2847 · Pfeiffer, KPI, 332 n. 140 · FHG IV 383 = Diels, Poetarum Philosophorum Fragmenta, fr. 1. F. M./Ü: T. H.

[43] D. Triklinios (ca. 1280 bis ca. 1340 n. Chr.; Namensform bis 1316: Triklines). In Thessalonike geb. und tätig; Lehrer, Kopist, Editor und Kommentator klass. Texte, der bedeutendste Philologe und Konjekturalkritiker der frühen Palaiologenzeit; Nachfolger (und Schüler?) des Thomas Magistros. Er gehörte für kurze Zeit auch zum Kreis des Maximos Planudes. Neben seiner Tätigkeit als Kopist (Hss. von → Aphthonios und → Hermogenes, → Theokritos, → Hesiodos), revidierte er die älteste Hs. des → Babrios und erstellte eine vollständige Ausgabe der Anthologia Planudea (→ Anthologie [1]). Sein Ansehen verdankt er seinen Rezensionen von → Aristophanes [3] und den Tragikern [1; 2], wobei er sich als erster mit Werken befaßte, die in der Schule nicht gelesen wurden. Für seine kommentierten Texteditionen (einige davon liegen autograph vor) legte er wie Planudes mehrere Textzeugen zugrunde. In der Regel verband er eigene Scholien mit ant. und solchen von Thomas Magistros und Manuel Moschopulos. Seine Stärke lag jedoch in der Kenntnis der ant. Versmaße, die ihm als Hauptstütze für seine Konjekturaleingriffe diente. Charakteristisch für D. Triklinios ist, daß er seine Texteditionen, z. B. von Aristophanes (vgl. [3]) und Euripides (vgl. [4]), über mehrere Jahre sukzessiv ausarbeitete. Sein Traktat über den Mond [5] zeugt von seinen astronomischen Interessen.

1 O. L. Smith, Studies in the Scholia on Aeschylus. I: The Recensions of Demetrius Triclinius, 1975 2 R. Aubreton, Démétrius Triclinius et les recensions médiévales de Sophocle, 1949 3 W. J. W. Koster, Autour d'un manuscrit d'Aristophane écrit par Démétrius Triclinius, in: Études paléographiques et critiques sur les éditions d'Aristophane de l'epoque byzantine tardive, 1957 4 G. Zuntz, An Inquiry into the Transmission of the Plays of Euripides, 1965 5 A. Wasserstein, An unpublished treatise by Demetrius Triclinius on lunar theory ed. with introduction and notes, in: Jb. der Österr. Byzantinistik 16, 1967, 153–174.

Hunger, Literatur, II, 73–77 · N. G. Wilson, Scholars of Byzantium, 1983, 249–256 · Prosopograph. Lexicon der Palaiologenzeit, 1976, 29317 · A.-M. Talbot, s. v. Triklinios, D., ODB 3, 2116. I. V.

VI. Künstler
[44] Sohn des Glaukon, inschr. belegter Bildhauer in Milet um 100 v. Chr. Die Gleichsetzung mit einem Priester, der Statuen in Didyma weihte, ist nicht zwingend.

E. Thomas, Demetrios Glaukou Milesios, in: MDA I(Ist) 33, 1983, 124–133.

[45] Bildhauer oder Werkstattinhaber, der in Emerita Augusta um 155 n. Chr. die Statue eines Dadophoros in einem Mithräum signierte. Weitere Statuen aus dem Fundkomplex wurden ihm zugeschrieben. In Sparta sind von einem »D., Sohn des Demetrios« drei antoninische Hermen bzw. Basen von Ehrenstatuen signiert.

LOEWY, Nr. 347–349 · G. LIPPOLD, s. v. D., RE Suppl. 3, 331 Nr. 127a. R. N.

[46] Griech. Maler der 1. H. des 2. Jh. v. Chr., am Ptolemäerhof in Alexandreia, später in Rom tätig, wo sein Aufenthalt 164 v. Chr. überliefert ist. Nach seinem Beinamen ὁ τοπογράφος (›der Topograph‹) malte er Landschaften, in denen geogr. Charakteristika einer Region, in seinem Fall Ägyptens, lehrbuchartig illustriert waren, vergleichbar den lit. Topographien. Ein Vertreter dieser Malereigattung ist in der mit Menschen, Flora und Fauna bevölkerten Nillandschaft einer Mosaikkopie in Praeneste erhalten. Einflüsse dieses hell.-alexandrinischen Genres auch in sakral-idyllischen Landschaftsbildern der röm.-campanischen Wandmalerei mit zahlreichen Aegyptiaca.

L. GUERRINI, s. v. Demetrios 6, EAA 3, 70 · H. MEYER, Kunst und Gesch., 1983, 116–118 · OVERBECK, Nr. 2141–2142 (Quellen) · J. J. POLLITT, The Ancient View of Greek Art, 1974, 333 · I. SCHEIBLER, Griech. Malerei der Ant., 1994, 179 f. N. H.

[47] Sohn des D., Bildhauer aus Rhodos. Gemeinsam mit Theon aus Antiochia signierte er in Lindos eine Bronzestatue und in Alexandria ein Marmorpferd. Der nicht seltene Name erschwert die Einordnung in eine epigraphisch gestützte Genealogie, die jüngst vom 1. Jh. in die 1. H. des 2. Jh. v. Chr. verschoben wurde. Einer Zuweisung hell. Meisterwerke (Laokoon, Skylla-Gruppe) fehlen weitere Indizien.

V. GOODLETT, Rhodian sculpture workshops, in: AJA 95, 1991, 669–681 · P. MORENO, Scultura ellenistica, 1994, 605, 638, 682 · O. ROSSBACH, s. v. D. (124), RE 4, 2851 · G. LIPPOLD, s. v. D. (124), RE Suppl. 3, 330.

[48] Bronzebildner aus dem att. Demos Alopeke, wegen des Verismus seiner Porträts als *anthropopoiós* (»Menschen schaffend«) berühmt. Überliefert sind eine Athenastatue mit lebensechten Schlangen an der Ägis und Porträts von Simon (Hipparch 424/423 v. Chr.), Pelichos (Flottenführer in Korinth 434 v. Chr.) und die Priesterin Lysimache in hohem Alter. Deren Porträt wird meist in der Kopie eines Greisinnenkopfes in London (BM) erkannt. Eine Basis von der Akropolis, die das Bildnis der Syeris (Dienerin der Lysimache) trug, kann nicht mit dem Werk des D. verbunden werden. Andere, meist ergänzte Basissignaturen aus dem frühen 4. Jh. v. Chr. sind ebenfalls nicht sicher zuzuweisen.

LIPPOLD, 226 · LOEWY, Nr. 62–64 · OVERBECK, Nr. 897–903 (Quellen) · A. E. RAUBITSCHEK, Dedications from the Athenian Akropolis, 1949, 488, Nr. 143 · L. TODISCO, Scultura greca del IV secolo, 1993, 61–62. R. N.

Demeusis (Δήμευσις). Vermögenseinziehung durch den Staat.

1. Im griech. Strafrecht begegnet sie als Nebenstrafe neben der Todesstrafe oder der lebenslänglichen Verbannung sowie neben den Strafen für schwere Verbrechen, wobei allerdings der Terminus D. nicht immer verwendet wurde. Vereinzelt kam D. in Athen auch als selbständige Strafe vor (vgl. Demosth. or. 47,44). Platon (leg. 855a) lehnte die Konfiskation, offenbar wegen der Ungerechtigkeit gegenüber den am Verbrechen unschuldigen Erben, radikal ab [1]. Die Einziehung des Gutes erfolgte immer zugunsten der Gemeinde, auch wenn die Summe ganz oder teilweise einem Tempel verfiel [2]. Eine Vorstufe der späteren Konfiskation ist in SIG³ 527,124 erfaßbar [3]. Regelmäßig wurde das ganze Vermögen, nur ausnahmsweise wurden einzelne Vermögensteile eingezogen.

2. Im Vollstreckungsverfahren Athens war die D. die letzte Maßnahme gegenüber säumigen Staatsschuldnern, um die nach Fristversäumung verdoppelte Schuld aus dem Erlös des Vermögens beizutreiben [4].
→ Demioprata

1 T. J. SAUNDERS, Plato's Penal Code, 1991, 290 2 G. THÜR, H. TAEUBER, Prozeßrechtliche Inschr. Arkadiens, 1994, Nr. 8 3 K. LATTE, Beiträge zum griech. Strafrecht, in: Hermes 66, 1931, 143 (= KS, 1968, 280) 4 A. R. W. HARRISON, The Law of Athens II, 1971, 178 f. und 186.
G. T.

Deminutio capitis
A. ANTIKE B. MITTELALTER UND NEUZEIT

A. ANTIKE

D. c. ist eine Minderung der Rechtsstellung und Veränderung im *status* (Gai. inst. 1,159: *prioris status permutatio*; Inst. Iust. 1,16 pr.). Die Differenzierung der Rechtsfähigkeit im röm. Recht nach dem *status libertatis,* dem *status civitatis* und dem *status familiae* hat zur Folge, daß es drei *genera* von *d.c.* gibt (Dig. 4,5,11). Die röm. Juristen unterscheiden schulmäßig zwischen einer *d.c. maxima* (Freiheitsverlust), *minor sive media* (Bürgerrechtsverlust) und *minima* (Änderung der Familienzugehörigkeit; Gai. inst. 1,159 ff.; Inst. Iust. 1,16).

Der Freiheitsverlust und damit völlige Rechtsunfähigkeit tritt ein bei Kriegsgefangenschaft (*captivitas*), in der Kaiserzeit auch als Strafe, z. B. bei Verurteilung zur Zwangsarbeit, *ad metalla*. Damit verbunden ist der Verlust des Bürgerrechts und der Familienzugehörigkeit. Umgekehrt wird die Freilassung eines Sklaven nicht als *d.c.* verstanden (Inst. Iust. 1,16,4). Das Bürgerrecht geht ferner bei Abwanderung durch Verlegung des Wohnsitzes verloren sowie durch → *aqua et igni interdictio* (Gai. inst. 1,161). Zu einer *d.c. minima* führen alle Rechtsgeschäfte, die *patria potestas* und agnatische Verwandtschaft beenden, also → *emancipatio, adoptio, conventio in manum, remancipatio,* Hingabe eines Hauskindes in das *mancipium* sowie Akte, durch die eine rechtsfähige (*persona sui iuris*) zur nicht rechtsfähigen Person (*persona alieni iuris*) wird (*adrogatio, manus*-Begründung). In ihren Wirkungen wird die *d.c.* dem Tod gleichgestellt (Gai. inst. 3,153: Auflösung einer *societas*), so daß bisherige Rechtsbeziehungen nach *ius civile* erlöschen. Der Prätor schützt aber die Gläubiger nach *adrogatio* (Adoption) oder *conventio in manum* (Übergang in die eheherrliche Gewalt) durch Wiedereinsetzung in den vorigen Stand (*in integrum restitutio*).

B. MITTELALTER UND NEUZEIT

Die röm. Lehre von den *status* wird im MA und älteren gemeinen Recht übernommen und um die Begriffe *status naturalis* und *civilis* erweitert. Dem *status familiae* kommt jedoch infolge Vermögensfähigkeit der Kinder nun nicht mehr dieselbe Bedeutung wie im röm. Recht zu. Allerdings endet die *patria potestas* nicht generell mit Erreichen des Mündigkeitsalters, sondern nur bei bes. örtlicher Regelung; ansonsten bei Heirat, Begründung eines eigenen Haushalts oder Klostereintritt sowie Erklärung gegenüber der Behörde. Das wird aber nicht als *d.c.* verstanden. Unter *status naturalis* werden natürliche Eigenschaften des Menschen, wie Alter und Geschlecht, erfaßt. Der *status civilis* beruht hingegen ausschließlich auf Rechtsvorschriften, wie die Unterscheidung zwischen In- und Ausländern oder nach dem Stand. So hilft die Statuslehre, die Standesunterschiede ins Privatrecht einzuordnen. Unter dem Einfluß des Naturrechts wird die Lehre von den *status* durch die Anerkennung von angeborenen Rechten (§ 16 ABGB) und einer einheitlichen Rechtsfähigkeit abgelöst.

COING I, 1985, §§ 35 f. · F. DESSERTEAUX, Études sur la formation historique de la capitis deminutio, 3 Bde., 1909–1928 · M. KASER, Zur Gesch. der capitis deminutio, IURA 3, 1952, 48–89 · KASER, RPR I, 1971, 271 f.   P.A.

Deminutivum s. Wortbildung

Demioprata (δημιόπρατα).

[1] Die zugunsten der athenischen Staatskasse öffentlich versteigerten Güter. Sie wurden zuerst im Zuge der → *démeusis* zumeist von den Anklägern des Hauptprozesses zur Konfiskation eingereicht. Nachdem das Verzeichnis (die → *apographé*) der einzuziehenden Güter in der Volksversammlung verlesen worden war, ›damit jedermann über enteignetes Gut unterrichtet werde‹ (Aristot. Ath. pol. 43,4), wurde es an die Elfmänner weitergeleitet, unter deren Vorsitz ein Gerichtshof über die Einsprüche Dritter (→ *enepískepsis*) wegen Forderungen oder dinglicher Rechte (Poll. 8,61; Demosth. or. 49,45) entschied. Dann erst konnten die Güter durch die Poletai in Gegenwart des Rates öffentlich an den Meistbietenden versteigert werden (Aristot. Ath. pol. 47,3). Die Archonten bestätigten das Vollrecht, das sich auf die Publizität der Versteigerung und auf die Verwirkung des früheren, nicht rechtzeitig geltend gemachten Titels sowie auf den unmittelbaren Erwerb vom Staat gründete.

[2] Von den Poletai angelegte Verzeichnisse der öffentlich versteigerten Güter (Poll. 10,96). Beispiele eines solchen Verzeichnisses: IG II² 1582; Hesperia 5, 1936, 393; 10, 1941, 14 und 19; 1950, 244.

F. PRINGSHEIM, Der griech. Versteigerungskauf, in: Gesammelte Abhandlungen, 1961, 305 f. · A. KRÄNZLEIN, Eigentum und Besitz im griech. Recht, 1963, 117 f.   G.T.

Demiurgos

[1] Epigrammdichter aus unbekannter Zeit (mit einem merkwürdigen Namen, der sonst nicht belegt ist), Verf. eines unbedeutenden Distichons über Hesiod (Anth. Pal. 7,52).

FGE 38.   E.D./Ü:T.H.

[2] *Dēmiurgoí* (δημιουργοί, »öffentliche Arbeiter«) sind je nach Zeit und Ort auf unterschiedlichen Ebenen für öffentliche Belange tätig.

1. In den Linear B-Tafeln findet sich zwar *dḗmos*, aber nicht *d.*; es wurde vermutet (von [2]), aber nicht allg. anerkannt, daß in der myk. Welt *d.* das Land des *dḗmos*, im Unterschied zu anderen Formen des Landbesitzes, bearbeiteten.

2. Bei Homer sind *d.* unabhängige Handwerker wie Metallarbeiter, Töpfer und Steinmetze, aber auch Seher, Ärzte, Sänger und Herolde (vgl. z.B. Od. 17,282–285).

3. Später wurde *d.* in der griech. Welt manchmal im homer. Sinne verwendet (so etwa regelmäßig von Platon und Xenophon), manchmal aber auch als Titel für höhere Staatsbeamte (vgl. Aristot. pol. 5, 1310b22). *D.* in diesem Sinne finden sich in Elis (z.B. [6. 61]) und in vielen Staaten des griech. Festlandes (etwa in Kleitor [6. 16] und Oiantheia [6. 58]), ebenso in Kreta (z.B. Olus, ICret I 22,4), auf einigen ägäischen Inseln und in röm. Zeit in Kleinasien. Das föderal organisierte Arkadien hatte in den 60er Jahren des 4. Jh. v. Chr. 50 *damiorgoí* (TOD 132); der achaische Bund verfügte in seiner in 3. Jh. v. Chr. erneuerten Form über ein Gremium von 10 *damiurgoí*, die zusammen mit dem *stratēgós* den Vorsitz in den Versammlungen führten (Liv. 32,22,2). In Delphi bezeichnete *d.* zuerst generell die Amtsträger, spätestens in der röm. Kaiserzeit die vollberechtigten und amtsfähigen Bürger.

4. In Athen gibt es Hinweise auf eine Gliederung der Bürgerschaft in Klassen von *eupatrídai*, Bauern und *d.* und deren anteilige Berücksichtigung bei der Bestellung der Archonten nach 580 v. Chr. (Aristot. Ath. pol. fr. 2–3; 13,2), doch beruhen die Gruppen der Bauern und *d.* wohl auf Spekulationen des 4. Jh. v. Chr.

MYK. ZEIT: **1** K. MURAKAWA, Demiurgos, in: Historia 6, 1957, 385–415 **2** L. R. PALMER, Mycenaean Greek Texts from Pylos, in: TPhS 1954, 18–53b
KRETA: **3** M. GUARDUCCI, Demiurgi in Creta, in: RFIC 58 = ²8, 1930, 54–70
DELPHI: **4** C. VATIN, Damiurges et Épidamiurges à Delphes, in: BCH 85, 1961, 236–55
ATHEN: **5** RHODES, 71–2, 182–4 **6** C. D. BUCK, Greek Dialects, ³1955.   P.J.R.

[3] Zur Zeit Platons bezeichnet δημιουργός (*dēmiurgós*) den Handwerker schlechthin. In kritischer Auseinandersetzung mit der Ursachenlehre seiner Vorgänger hebt Platon in seiner Kosmologie und Kosmogonie den Vorrang des Geistes gegenüber der Materie bzw. einer vernunftlos schaffenden Natur hervor (Plat. Phaid. 96a ff.; leg. 886b ff.) und verdeutlicht dies durch die Einführung eines Gottes, der seine Werke wie ein vielseitiger Künstler oder Handwerker [4. 35 ff., 53 f.] nach einem festen Plan aus vorliegendem Material schafft (Plat. rep. 507c; 530 a; 597b ff.; Plat. soph. 265c ff.; Plat. polit. 269c ff.; 272e ff.; Plat. Tim.). Statt vom *dēmiurgós* spricht Platon auch von ὁ ποιητὴς καὶ πατήρ, ὁ τεκταινόμενος, ὁ συνιστάς, ὁ ποιῶν, ὁ συνδήσας, ὁ συνθείς, ὁ γεννήσας, ὁ κηροπλάστης. Später verwendet man die Synonyme τεχνίτης, χειροτέχνης, χειρώναξ, (ἀρχι)τέκτων, ἀριστοτέχνης. Im Lat. entsprechen die Ausdrücke *aedificator, architekton, artifex, conditor, (con)formator, effector, fabricator, factor.*

Das demiurgische Schaffen von Göttern ist der Sache nach ebenso vorplatonisch wie die Verwendung des Begriffs *dēmiurgós* für den schaffenden Gott selbst [17. 695 ff.]. Neu ist bei Platon der absolute Primat des Geistes in allem natürlich Geschaffenen; denn das Werk des D. ist das Werk der Vernunft (Plat. Tim. 36d8 ff.; 39e7 ff.; 47e3 ff. [7. 425, 603 ff.; 4. 76 ff.]). Neu ist auch, daß dieser D. bei seinem Schaffen auf ein intelligibles Vorbild blickt (Plat. Tim. 28c f. u.ö.) und nach diesem Vorbild eine mathematischen Gesetzen gehorchende Weltordnung, einen mathematisch strukturierten Kosmos schafft (*Timaios*). Der D. bringt nicht nur den Kosmos, sondern auch die Weltseele (Plat. Tim. 34b10ff.) und die selbst wieder demiurgisch schaffenden Gestirnsgottheiten hervor (Tim. 38c 3 ff.).

In der Zeit nach Platon tritt zwar die Vorstellung des welterschaffenden Gottes zurück [4. 55 ff.], doch verwenden sowohl Aristoteles als auch die Stoa und hell. Ärzte den Begriff δημιουργεῖν (*dēmiurgeín*, um das zweckgerichtete Schaffen der Natur oder des Logos zu bezeichnen (BONITZ, Index Aristotelicus 174 b 14 ff.; SVF I 85,493 [17. 697 f.]). Epikur hingegen lehnt jegliche Vorstellung einer sinn- und zweckgerichteten Erschaffung und Erhaltung der Welt ab [2. 25, 30 f.], die skeptizistische Akademie zieht sie in Zweifel (Cic. nat. deor. 3,11,27 f.; Lact. inst. 2,8,9 f.; 3,28,3 f. [17. 698 f.]).

Im Platonismus der Kaiserzeit wird der Gedanke der Welterschaffung durch den göttlichen D. neu belebt [4. 58 ff.]; nunmehr gilt der D. entweder als absoluter Geist (νοῦς/*nûs*) oder als Seele (ψυχή/*psyché*) oder als Geist in einer göttlichen Seele; das ideale Vorbild ist dementsprechend entweder vor-, gleich- oder nachgeordnet (Prokl. In Tim. 1,322,20ff. DIEHL [4. 66; 9. 238 ff.; 16. 15 ff.; 3. 39 ff.; 6. 527 ff.; 12. 548 ff.]). Im Platonismus vor Plotin wird der D. in der Regel mit der Idee des Guten gleichgesetzt [3. 40; 19. 135⁴²⁷], im Neuplatonismus ist ›das Gute selbst‹ als ›das Eine‹ ihm vorgeordnet. Als metaphysischer Ort des tetradisch gegliederten Vorbildes (Plat. Tim. 39e 7 ff.) wird der D. im Neuplatonismus als *tetrás* bezeichnet [13. 266 ff.; 14. 242 ff.], und weil die *tetrás* die *dekás* potentiell in sich birgt, auch als *dekás* [11. 98 ff., 104]. Gelegentlich wird die Zahl der D. auf zwei [4. 61 ff., 64 f.; 1. 257 ff.] oder drei [4. 65 f., 68; 5. 831 ff.; 8. 106 ff., 111 ff.] erhöht. Die Stellung des D. nach dem Einen verschob sich durch die Ansetzung immer weiterer Zwischenglieder [4. 67 ff.]. Bei Proklos nimmt der D. die neunte und letzte Stelle im Bereich des Geistes ein [17. 703 f.; 4. 68 f.].

Die Vorstellung vom demiurgisch schaffenden Gott fand Eingang auch in die Medizin (Galen) [10. 334 ff.], die Hermetik, die Chaldäischen Orakel [17. 700 ff.], die jüd. [17. 704 ff.; 15] und christl. Philos. sowie – unter starker Abwertung des D. – in die Gnosis [17. 706 ff.]. Über weitere Fortwirkungen s. [18].

1 M. BALTES, Numenios von Apamea und der Platonische Timaios, in: Vigiliae Christianae 29, 1975, 241–270 2 H. BALTES, Die Weltentstehung des Platonischen Timaios nach den ant. Interpreten I, 1976 3 H. BALTES Zur Philos. des Platonikers Attikos, in: Platonismus und Christentum, in: FS H. Dörrie, hrsg. v. H.-D. BLUME, F. MANN, 1983 (JbAC Ergbd. 10) 38–57 4 L. BRISSON, Le même et l'autre dans la structure ontologique du Timée de Platon, 1974, 27–106 5 Ders., Amélius: Sa vie, son oeuvre, sa doctrine, son style, in: ANRW II 36.2, 1987, 793–860 6 L. BRISSON, M. PATILLON, Longinus, in: ANRW II 36.7, 1994, 5214–5299 7 H. CHERNISS, Aristotle's Criticism of Plato and the Academy, 1944 8 W. DEUSE, Theodoros von Asine, 1973 9 W. DEUSE, Der D. bei Porphyrios und Iamblich, in: C. ZINTZEN (Hrsg.), Die Philos. des Neuplatonismus, 1977, 238–278 10 P. DONINI, Motivi filosofici in Galeno, in: PP 35,1980, 333–370 11 S. GERSH, From Iamblichus to Eriugena, 1978 12 S. GERSH, Middle Platonism and Neoplatonism I/II, 1986 13 I. HADOT, Ist die Lehre des Hierokles vom D. christl. beeinflußt? Kerygma und Logos, in: FS C. Andresen, hrsg. von A. M. RITTER, 1979, 258–271 14 I. HADOT, Le démiurge comme principe dérivé dans le système ontologique d'Hiéroclès, in: REG 103, 1990, 241–262 15 D. T. RUNIA, Philo of Alexandria and the Timaeus of Plato, 1986 16 W. THEILER, Die Vorbereitung des Neuplatonismus, 1930 17 W. THEILER, s.v. D., RAC 3, 694–711 18 W. ULLMANN, s.v. D., HWdPh 2, 1972, 49–50 19 J. WHITTAKER, P. LOUIS (ed., transl.), Alcinoos, Enseignement des doctrines de Platon, 1990.   M. BA.

Demo (Δημώ). Kurzform eines Kompositums (s. D. [3], [4]).

[1] Tochter des → Keleos, König in Eleusis, und der → Metaneira. Zusammen mit ihren Schwestern Kallidike, Kleisidike und Kallithoe begegnet sie freundlich der in der Gestalt einer alten Frau herumirrenden → Demeter (Hom. h. 2,109).

[2] Name der kymäischen → Sibylle, von der die Kymäer allerdings keine Orakel kannten. Sie konnten nur auf einen Wasserkrug hinweisen, in dem die Knochen der Sibylle lagen (Hyperochos FGrH 576 2 = Paus. 10,12,8). D. ist Kurzform für Demophile (Varro bei Lact. inst. 1,6,10, wo sie auch Amalthea und Herophile heißt).

H. W. Parke, Sibyls and Sibylline Prophecy in Classical
Antiquity, 1988, 71–94.

[3] Beischrift auf einer att. Vase, die den → Amphiaraos
im Kreis seiner Familie zeigt. Wohl Kurzform für dessen
Tochter → Demonassa.

I. Krauskopf, s. v. Amphiaraos, Nr. 27, LIMC 1.1, 697

[4] Neben Deo Kurzform für Demeter (Suda s. v. D.
473 Adler; Etym. m. 264,8 Gaisford).

1 Schwyzer, Gramm. 636 f. 2 E. Maass, Mythische
Kurznamen, in: RH 23, 1888, 614.   R. B.

[5] Homerdeuterin, wahrscheinlich aus dem 5. Jh.
n. Chr.; sie wird in den Scholien zu Homer und zu Lukian, vor allem von Eustathios und Johannes Tzetzes
zitiert. Die Fragmente zeigen, daß sie, im Rahmen der
traditionellen allegorischen Homerexegese, auf astro-
nomisch-astrologischer Grundlage Interpretationen homer. Mythen und Götter in rationalisierender Absicht
bot.
→ Philologie; Eustathios

Ed.: A. Ludwich, Die Homerdeuterin Demo, FS L.
Friedländer, 1895, 296–321 · A. Ludwich, in: Index
lectionum in Regia Academia Albertina I e II, Regiomonti
1912/1913 und 1914)
Lit.: L. Cohn, s. v. D. (6), RE Suppl. 1, 345–46 ·
K. Reinhardt, De Graecorum theologia, 1910, 47–49 ·
W. Kroll, s. v. D. (2a), RE Suppl. 3, 331–333 ·
H. Usener, KS III, 33–36.   F. M./Ü: T. H.

Demochares (Δημοχάρης).

[1] Von Seneca als athenischer Gesandter bei Philipp II.
erwähnt und wegen seiner offenen und dreisten Re-
deweise mit dem homer. → Thersites (vgl. Il. 2,212 ff.)
verglichen (Sen. de ira 3,23,2 f.). Vielleicht identisch mit
D. [3]. PA 3716.   M. MEI.

[2] Sohn des Demon aus dem Demos Paiania, Verwandter des → Demosthenes, möglicherweise als Hipparchos athenischer Gesandter und Schwurzeuge der
Symmachie mit Amyntas (IG II² 102,19?) 375/4 oder
373/2 v. Chr., Syntrierarch (IG II² 1612,313), als Mitglied einer Symmorie zur Ausrüstung der Flotte angeklagt, starb vor Sommer 356 (Demosth. or. 47,22–28;
32). Davies 144 bei Demon 3737 (B); Develin Nr. 744;
PA 3718.

→ Athenai   J. E.

[3] Sohn des Laches, athenischer Redner, Historiker
und Politiker, Neffe des Demosthenes, ca. 350–271
v. Chr. D. gelangte nach dem Tod des Demetrios von
Phaleron 307 zu polit. Bedeutung (vgl. die Urkunde bei
Ps.-Plut. mor. 850F–51F). Im Krieg gegen Kassandros
(307–303) ließ er Athen aufrüsten und befestigen und
schloß ein Bündnis mit den Boiotern. 303 wegen Kritik
am Kult des Demetrios [2] Poliorketes verbannt (vgl.
FGrH 75 F 2); Heimkehr im Archontat des Diokles
(288/7?). Er gewann Eleusis von Makedonien zurück
und erreichte finanzielle Hilfe durch Lysimachos, An-

tipatros und Ptolemaios I. 280 beantragte er eine Statue
für Demosthenes und erhielt selbst eine nach dem Tode
(Ps.-Plut. mor. 847C-E = T 1).

Verf. einer Zeitgeschichte in 21 B., mehr nach Art
eines Redners als eines Historikers (so Cic. Brut. 286).
Anfang und Ende sind unsicher: Da F 3 den Tod des
Demosthenes, F 5 das Ende des Agathokles enthält, ist
ein Zeitraum von 322–289/8 denkbar. Als überzeugter
Demokrat beurteilte er Demetrios von Phaleron äußerst
negativ (F 4). Nur 5 Fragmente sind bezeugt. FGrH 75
(mit Komm.). PA 3716 D. Traill, PAA 321970.

R. A. Billows, Antigonus the One-Eyed and the Creation
of the Hellenistic State, 1990, 337 ff. · O. Lendle,
Einführung in die griech. Geschichtsschreibung, 1992 ·
K. Meister, Die griech. Geschichtsschreibung, 1990, 127 ·
F. W. Walbank, K. S. Sacks, s. v. Demochares, OCD,
³1996, 451.   K. MEI.

[4] Papius (?) D. Freigelassener des Sextus Pompeius,
zeichnete sich als Flottenkommandant 38 v. Chr. bei
Kyme aus und operierte erfolgreich gegen Octavian
(→ Augustus) und Lepidus; bei Mylai konnte D. 36
glücklich entkommen, nach der Niederlage von Naulochos tötete er sich selbst (App. civ. 5,83 ff.; 105 f.;
Cass. Dio 49,2–10; Oros. 6,18,26, dort Demochas).

M. Hadas, Sextus Pompey, 1966, 110 ff., 130, 128²⁹.
                                                       M. MEI.

Demodike (Δημοδίκη).

Zweite Frau des boiot. Königs
→ Athamas und Stiefmutter des Phrixos, dem sie in un-
erwiderter Liebe nachstellt. Phrixos ergreift deswegen
die Flucht (Pind. fr. 49, Damodika; schol. Pind. P.
4,288a). Üblicherweise heißt sie → Ino (Apollod. 1,80–
84). Nach anderer Version war sie die Frau des Kretheus,
des Bruders von Athamas. Sie verleumdet Phrixos, der
ihre Liebe nicht erwidern will, bei Kretheus, worauf
dieser von Athamas den Tod des Phrixos verlang. Phrixos aber wird von seiner Mutter → Nephele entrückt
(Hyg. astr. 2,20).

P. Angeli Bernardini et al., Le Pittiche (Komm.), 1995,
471 f. · B. K. Braswell, A Commentary on the Fourth
Pythian Ode of Pindar, 1988, 243.   R. B.

Demodokos (Δημόδοκος).

[1] Sänger am Königshof der → Phaiaken; sein leicht
idealisiertes Portrait (Hom. Od. 8) stellt wie dasjenige
des → Phemios als indirekte Selbstdarstellung eine
wichtige Quelle für Selbstauffassung, Wirkungsweise,
soziale Stellung usw. des homer. → Aoiden dar. D. steht
bei der Gemeinschaft in hohem Ansehen; sein sprechender Name (»den das Volk empfängt«) wird Od.
8,472 eigens »etym.« erläutert. D. trägt seine Lieder zur
viersaitigen Phorminx bei Gastmählern im Palast und
auch vor der öffentlichen Volksversammlung vor. Die
in freier Improvisation vorgetragenen Lieder behandeln
– in eigener Wahl und nach Aufforderung – sowohl
heroisch-epische (»Streit des Achilleus und Odysseus«;
»Das hölzerne Pferd«) als auch eher humoristische Stoffe

(»Ehebruch von Ares und Aphrodite«). Die Wirkungsabsicht des Sängers besteht darin, das Publikum zu »erfreuen« (τέρπειν). D. unterbricht seinen Vortrag wiederholt, worauf das Publikum ihn durch Zurufe zum Weitersingen animiert. Die mit dem »Sänger von Chios« (Hom. h. 3,172) geteilte Blindheit des D., auf die wohl die Legende vom blinden Homer zurückgeht, wird von den Musen durch die Verleihung der Sangesgabe kompensiert. Sie sind es auch, die D. in der aktuellen Situation jeweils dazu veranlassen, »den Lied-Weg (οἴμη) zu beschreiten«. – Nach Pausanias (3,18,11) soll D. auf dem Apollonthron in Amyklai dargestellt gewesen sein.

A. THORNTON, Homer's Iliad: its Composition and the Motif of Supplication, 1984, 23–45.   R.E.N.

[2] Dichter aus Leros (6./5. Jh. v. Chr.?). Aristot. eth. Nic. 1151a6–11 zitiert ein geistreiches elegisches Distichon (1 WEST), das die Milesier verspottet; Diog. Laert. 1,84 einen Tetrameter, der Bias preist (6 WEST). Die Autorschaft von drei Distichen und einem sechszeiligen Gedicht in Anth. Pal. 11,235–238 = 2–5 WEST wurde in Frage gestellt [1], bei 2 WEST jedoch zu Unrecht (es beginnt καὶ τόδε Δημοδόκου, von Strab. 487C irrtümlich als Φωκυλίδου angegeben). 5 WEST (zitiert bei Lydus, de magistratibus populi Romani 3,57 und, zusammen mit 4 WEST, bei Konstantinos Porphyrogennetos de thematibus 21) greift wahrscheinlich den Praefekten Johannes Kappadox (5./6.Jh. n. Chr.) an; anderer Ansicht ist jedoch [2].

1 D. A. CAMPBELL, Greek Lyric Poetry, 1967, 343
2 A. CAMERON, The Greek Anthology, 1993, 295, 331.

ED.: GENTILI/PRATO 1, ²1988 · IEG 2, 56–58.
                                                    E. BO./Ü: L. S.

Demokedes (Δημοκήδης) aus Kroton. Griech. Arzt, wirkte um 500 v. Chr. und war Hdt. 3,125 zufolge der beste Arzt seiner Zeit. Er war der Sohn des Kalliphon und praktizierte in Kroton, bevor er nach Aigina ging. Nach einem Jahr nahm ihn die Stadt Aigina für ein Talent als Gemeindearzt in Dienst, wiederum ein Jahr später wechselte er bei höherem Gehalt nach Athen und schließlich in den Dienst des Polykrates von Samos, der zwei Talente zahlte. Nach dessen Ermordung wurde D. als Sklave nach Susa gebracht, wo König Dareios, der sich den Knöchel ernsthaft verletzt hatte, auf ihn aufmerksam wurde. D.' Behandlung, die sanfter war als die der ägypt. Hofärzte, war erfolgreich, so daß er aus dem Gefängnis entlassen wurde und von da an Reichtum und Einfluß bei Hofe genoß. Die Heilung der Königin Atossa trug ihm die Möglichkeit ein, nach Italien zu entkommen, wo er sich abermals in Kroton niederließ und die Tochter des Ringkämpfers Milon heiratete. Obwohl Herodots Bericht (3,129–137) bisweilen einem oriental. Märchen ähnelt, enthält er wichtige Informationen über die Anfänge einer Institutionalisierung der Medizin. Innerhalb der griech. Welt ist D. nämlich der erste von einem Gemeinwesen angestellte Arzt, um dessen Dienste man, wie Hdt. andeutet, konkurrierte. D. bereiste die mediterrane Welt und konnte sich auf Aigina innerhalb eines Jahres von einem mittellosen Einwanderer zu einem angesehenen Heilkundigen entwickeln. Sein Erfolg am persischen Hof ging auf Kosten der ägypt. Ärzte, die gemeinhin für führend gehalten worden waren, und brachte Reichtum und Einfluß mit sich.
→ Medizin   V. N./Ü: L. v. R.–B.

Demokles (Δημοκλῆς).
[1] Der Athener D. rettete sich als »unreifer Knabe« (παῖς ἄνηβος) beim Bade vor erotischen Nachstellungen des → Demetrios [2] Poliorketes, indem er in einen Kessel mit kochendem Wasser sprang, dabei aber zu Tode kam (Plut. Demetr. 24,2–6). D. ist nicht identisch mit dem Verteidiger der Söhne des Lykurgos gegen Anklagen des Moirokles und Menesaichmos (Ps.-Plut. mor. 842E). → Athenai   J.E.
[2] Att. Redner aus der Schule des → Theophrast; verteidigte die Söhne des Lykurgos (Ps.-Plut., Vitae decem oratorum, 842 E); vielleicht identisch mit dem bei Dionysios von Halikarnassos erwähnten Demokleides (de Dinarcho 11), laut Timaios einem Gegner des → Demochares (Suda).   M. W.

Demokrates (Δημοκράτης).
[1] Att. Redner des 4. Jh. v. Chr. aus Aphidnai, wohl älterer Zeitgenosse des Demosthenes [2] (um 338 v. Chr. wird er als γέρων bezeichnet, vgl. Stob. floril. 3,22,43). Als Nachkomme des → Harmodios oder → Aristogeiton hatte er Anspruch auf kostenlose Verpflegung im Prytaneion (Hyp. 4,3). Er gehörte der promaked. Partei an (Hyp. 4,2). Erwähnt wird er noch bei Aischin. leg. 2,17 und Isaios 6,22.

BLASS, 3,2.   M. W.

[2] aus Sikyon. Tragiker, Ende des 3. Jh. v. Chr. (CAT A 6,5). Vielleicht identisch mit dem in DID A 3b, 41 (s. TrGF 68) genannten Dichter, der einmal an den Lenäen (ca. 373) gewann.

TrGF 124.   F. P.

Demokratia (δημοκρατία, »Volks-Macht«) ist der übliche griech. Begriff für eine Regierungsform, bei der die Macht in den Händen der großen Menge und nicht bei den Wenigen (*oligarchía*) oder einem Einzelnen (*monarchía*) liegt. Diese dreifache Klassifizierung findet man zuerst in Pindars *Pythien* (2,86–88), die wohl 468 v. Chr. entstanden sind; Herodot gebraucht sie ebenfalls in seiner Verfassungsdebatte (3,80–84), die am Perserhof des 6. Jh. v. Chr. spielt; danach wird sie zum Gemeinplatz. Aischylos spricht in den ›Schutzflehenden‹ von der *dému kratúsa cheír*, der »machtvollen Hand des Volkes« (Suppl. 604; vielleicht von 463 v. Chr.) und thematisiert in diesem Stück eindrucksvoll die Kompetenz des Volkes, eigene Entscheidungen zu treffen. Möglicherweise wurde das Wort d. um diese Zeit in Athen

geprägt, obwohl es nach Meinung anderer schon im
späten 6. Jh. gebraucht worden sein soll (vgl. [2] und
[4]). Das Wort konnte als Gegensatz zur Despotie für
jede auf eine Verfassung gegründete Staatsform gebraucht werden (z. B. Hdt. 4,137,2; 6,43,3), bezeichnete
aber schließlich im Einklang mit dem Dreierschema der
Verfassungen die Form einer verfassungsmäßigen Regierung, die auf der Macht der Menge ruhte. Platon
benutzt in seiner *Politeia* eine fünffache Gliederung, in
der die d. im Range unter verschiedenen Formen der
Herrschaft von Wenigen, aber über der *tyrannís* steht.
Platons *Politikós* und die ›Politik‹ des Aristoteles unterscheiden gute von schlechten Versionen der drei Verfassungsformen; dabei nennt Aristoteles die schlechte
Form der Herrschaft der Menge d. und die gute *politeía*.

Demokratische und oligarchische Verfassungen in
Griechenland unterschieden sich prinzipiell in zwei
Punkten: (1) In einer d. waren alle – und nicht nur einige – im Lande geborenen Männer vollberechtigte Bürger; alle durften an der Volksversammlung teilnehmen,
in Geschworenengerichten mitwirken und konnten –
vielleicht mit Ausnahme der Ärmsten – Ämter bekleiden. In Athen wurden die Ärmsten gesetzlich von den
Ämtern ferngehalten, doch bestand man im 4. Jh. nicht
mehr auf dem Gesetz; seit der Mitte des 5. Jh. hatte die
Zahlung von Tagegeldern es den ärmeren Bürgern ohnehin leichter gemacht, ihre Zeit den öffentlichen Angelegenheiten zu widmen. (2) In einer d. lag die Macht
in der Volksversammlung (→ Ekklesia), nicht in kleineren Gremien: Der Rat (→ Bule) und andere Ämter waren relativ schwach und wurden so bestellt, daß keine
bes. Klasse von Funktionsträgern entstehen konnte. Der
Rat in Athen hatte zwar einen ausgedehnten Aufgabenbereich, aber wenig Kompetenzen, die er ohne Billigung der Volksversammlung ausüben konnte. Die Ämter wiederum waren überaus zahlreich, die meisten davon durch Los besetzt und nur einmal im Leben für ein
Jahr zu bekleiden.

Eine gemäßigte d. unterschied sich in der Regel
nicht bes. von einer gemäßigten Oligarchie. Die Wahl
des Etiketts mochte von außenpolit. Interessen abhängen. Als den Athenern bewußt wurde (nicht vor der
Mitte des 5. Jh.), daß sie in einer demokratischen Verfassung lebten, andere Staaten aber nicht-demokratisch
verfaßt waren, machten sie sich daran, bei ihren Bündnern demokratische Strukturen zu fördern oder zu erzwingen (z. B. in Erythrai: IG I³ 14 = ML 40). Tenden-
ziell trat man nun an der Seite Athens auch für die Demokratie, an der Seite Spartas auch für die Oligarchie
ein. Der Spartaner Lysandros hatte eine Vorliebe für ex-
treme Oligarchien und errichtete nach dem Peloponnesischen Krieg bei den früheren Bündnern Athens oligarchische Regime. Als es nach der Niederlage Spartas
bei Leuktra 371 v. Chr. zu Unruhen auf der Peloponnes
kam, war Sparta jedoch nicht in der Lage, weiterhin
prospartanische Oligarchien zu stützen.

Anfangs schrieben die Athener ihre Demokratie dem
Kleisthenes zu, später jedoch reichte ihr Blick zurück bis

Solon und sogar zum legendären Theseus. Unter dem
Druck des Peloponnesischen Kriegs kam es 411 und 404
zur Einrichtung oligarchischer Regierungen. Da sie
wenig erfreuliche Züge zeigten, hielten sie sich nicht
lange und ließen bei den Athenern den festen Entschluß
zurück, an der d. festzuhalten, obwohl die Verfassung
des 4. Jh. in der Praxis in mancher Hinsicht ein Verständnis von d. zeigte, das von dem des 5. Jh. abwich [1;
6]. Demosthenes neigte dazu, *dēmokratía*, d. h. die Freiheit des Volkes, Entscheidungen für seine Stadt eigenständig fällen zu können, gleichzusetzen mit der Freiheit
des Volkes von dem Zwang, den Philipp von Makedonien oder andere auswärtige Mächte ausübten – was seinen Gegnern Anlaß bot, ihm eine demokratische Gesinnung abzusprechen: Das Gesetz, das 337/6 mit der
Auflösung des Areopag drohte, falls die Demokratie gestürzt werden sollte (SEG 12, 87), und der emphatische
Kult der D. in den 30er-Jahren des 4. Jh. müssen auf
diesem Hintergrund verstanden werden. So errichtete
der Rat 333/2 der D. eine Statue (IG II² 2791 und [5];
vgl. [3]), in der Stoa des Zeus zeigte ein Gemälde den
Demos und die D. (Plin. nat. 35,129; Paus. 1,3,3), und
den oberen Teil der Stele mit dem genannten Gesetz
von 337/6 zierte ein Relief des Demos, der von der D.
bekränzt wurde. Den Priestern der D., des Demos und
der Chariten standen Ehrensitze im Theater zu (IG II²
5029a).

In hell. Zeit behielt der Begriff d. zuweilen, aber
nicht immer, seine eigentliche Bedeutung. Polybios
schreibt in gleicher Weise über gute und schlechte Arten
der drei Verfassungsformen wie schon Platon und Aristoteles (Pol. 6,3,5 – 4,6). Athen erlebte einige Phasen
nicht-demokratischer Regime im späten 4. und frühen
3. Jh., meist bewirkt durch Eingriffe von außen. Doch
blieb es die meiste Zeit in seiner formalen Struktur demokratisch, obwohl in der Praxis die Reichen ihren
Einfluß wirksamer geltend machen konnten als früher.
Anderswo wachten einige Staaten ebenso aufmerksam
über ihre Demokratie wie über ihre Freiheit und die
überlieferten Gesetze (z. B. Ilion, OGIS 218; Smyrna,
OGIS 229; Cos, StV 3, 545); andere benutzten in ver-
gleichbarem Kontext das Wort d. zwar nicht (z. B. Priene, IPriene 11; Iasos, IK Iasos 3), waren aber anscheinend
nicht weniger demokratisch als die, die es verwendeten.
Einige Texte bezeichnen mit dem Wort d. einfach eine
verfassungsmäßige, nicht notwendigerweise demokratische Regierungsform (etwa Delphi, SIG³ 613 A; Pergamon, IPerg 413). Viele Staaten waren wie Athen in
hell. und sogar röm. Zeit formal demokratisch struktu-
riert, doch wies die allg. Tendenz der Entwicklung weg
von der Demokratie. Neu gegründete oder gerade hel-
lenisierte Staaten wiesen gewöhnlich wenig demokratische Züge auf. In Griechenland, auf den Inseln der
Ägäis und an der Westküste Kleinasiens überlebte jedoch die Demokratie zu einem bedeutenden Grad über
lange Zeit [7].

→ Kleisthenes; Lysandros; Personifikation;
DEMOKRATIE

1 EDER, Demokratie 2 M. H. HANSEN, in: Liverpool Classical Monthly 11, 1986, 35f. 3 MDAI(A) 66, 1941, 221–27 Nr. 3 4 C. MEIER, Die Entstehung des Politischen bei den Griechen, 1980, 281–284 5 A. E. RAUBITSCHEK, Hesperia 31, 1962, 242f. 6 P. J. RHODES, in: CJ 75, 1979/80, 305–323 7 P. J. RHODES, D. M. LEWIS, The Decrees of the Greek States (im Druck).   P. J. R.

Demokriteer. Eine demokriteische Schule als eine Institution der Bildung oder Forschung wie Platons Akademie oder das Lykeion des Aristoteles gab es nicht. Diog. Laert. 9,58 (vita Anaxarchi), Eus. Pr. Ev. 14,17,10 und Clem. strom. 1,64 bieten im wesentlichen dieselbe Sukzessionsreihe: → Demokritos – Nessas bzw. Nessos von Chios (69 DK) und auch → Protagoras (80 DK, der jedoch eher ein älterer Zeitgenosse des Demokrit war) – → Metrodoros von Chios (70 DK) – → Diogenes [13] von Smyrna (71 DK) – → Anaxarchos von Abdera (72 DK). Die Reihe nennt Philosophen aus Abdera wie aus anderen Städten, die ganz verschiedene Lehrmeinungen vertraten. Diese Abfolge betont, daß die demokriteische Kritik der Sinne in engem Zusammenhang mit dem Relativismus stand und zwanglos zu diesem (Protagoras und möglicherweise Diogenes von Smyrna) als auch zu verschiedenen Entwicklungsstufen und Ausrichtungen des Skeptizismus (Metrodoros, Pyrrhon) führen konnte. Daß man seine Lehrmeinung auch in die entgegengesetzte Richtung ändern konnte, wird durch die Nachricht nahegelegt, daß Pyrrhons Schüler Nausiphanes (75 DK) → Epikurs Lehrer gewesen sein soll. Dementsprechend liegt kein Beleg dafür vor, daß die D. sich spezifischen Lehren der Atomisten (→ Atomismus) eng anschlossen.

H. STECKEL, s. v. Demokritos, RE Suppl. 12, 221–3.

I. B./Ü: T. H.

Demokritos (Δημόκριτος).

[1] von Abdera. A. LEBEN UND SCHRIFTEN
B. ATOMISTISCHE LEHRE C. WEITERE LEHREN

A. LEBEN UND SCHRIFTEN

D. wirkte in der 2. H. des 5. Jh. und war einer der Hauptvertreter des antiken → Atomismus, den er von → Leukippos übernommen hatte. Die jeweiligen Beiträge der beiden Philosophen zur Atomtheorie sind nur schwer auseinanderzuhalten. Bezeichnend ist in diesem Zusammenhang, daß die im Verzeichnis von D.' Schriften (bei Diog. Laert. 9,45 = 68A33 DK) aufgelistete ›Große Weltordnung‹ (Μέγας διάκοσμος) Theophrast zufolge eine Schrift des Leukippos gewesen sein soll und Epikur die Existenz des Leukippos ganz und gar in Frage stellte.

D. war für das hohe Alter bekannt, das er erreichte. Sollte er einige Zeit in Athen verbracht haben, so ist dies in der Überlieferung unbemerkt geblieben (68A1 DK). Die weiten Reisen, die man D. zuschreibt, deuten nicht unbedingt auf mehr als die enzyklopädische Weite seines Werks (vgl. 68B64 und B65 DK).

D.' Schriften wurden von → Thrasyllos nach thematischen Kriterien zu einem tetralogischen Kanon angeordnet. Die Tetralogien 1–2 enthielten Werke zur Ethik, 3–6 zur Physik, daneben auch zur Psychologie und Logik (in der Liste des Diogenes Laertios werden hier außerdem weitere neun nicht zugewiesene Abhandlungen zur Physik erwähnt); 7–9 zur Mathematik einschließlich Astronomie; 10–11 zu Poetik und Musik; 12–13 Schriften zu verschiedenen Künsten (téchnai), darunter auch zur Medizin. Diogenes Laertios erwähnt hier wieder neun weitere nicht-thrasyllische Werke und behauptet, daß es sich bei all dem, was sonst noch unter D.' Namen gehe, entweder um Kompilationen der genannten Werke oder Unechtes handele. Keine dieser Schriften ist auf uns gekommen.

B. ATOMISTISCHE LEHRE

Die frühen Atomisten nahmen eine Reihe von eleatischen Herausforderungen auf: Parmenides' Setzung, daß das Sein eins sein müsse, da es außer ihm nichts gebe, während ein solches Anderes es in verschiedene Kategorien teilen müsse (28B8.42–9 DK); Zenons These, daß die kontinuierliche Teilung von Gegenständen zu paradoxen Ergebnissen führe (29B1, B2 und B3 DK); Melissos' Behauptungen, daß Bewegung unmöglich sei, da sie das Leere erfordere (30B7,7ff. DK) und daß, selbst wenn es eine Pluralität gäbe, ihre konstitutiven Einheiten wie das eleatische Eine unveränderlich und ewig sein müßten (30B8 DK). In Erwiderung auf diese Thesen räumten die Atomisten ein, daß es ein Leeres bzw. ein Nicht-Seiendes gebe, um die anderen seienden Dinge voneinander zu trennen. Andererseits seien aber die seienden Dinge in diesem Leeren ewig und unteilbar.

Unsere Quellen geben verschiedene Gründe für die Unteilbarkeit der Atome an: (1) Die Homogenität von Atomen läßt sich durch ein Indifferenzargument (οὐδὲν μᾶλλον) begründen. Danach gebe es keinen Grund, warum Körper *eher* an dem einen als an einem anderen Punkt teilbar sein sollten. Die Möglichkeit, daß sie überall teilbar seien, würde bedeuten, daß die Körper in unendlich kleine Komponenten zerlegt würden, aus denen sie aber unmöglich hervorgehen könnten. Deswegen müßten Atome eins und unteilbar sein (so Arist. gen. corr. 1,8). Es handelt sich vielleicht um dasselbe Argument, wenn (2) gesagt wird, daß Atome träge seien und daher *a fortiori* auch unteilbar wegen ihrer Festigkeit (στερρότης 68A57 DK) oder, weil sie solide (νασταί) seien und ohne Anteil am Leeren (67A14 DK). (3) Simplikios legt in Phys. 925,10ff. (= 67A13 DK) dar, daß Atome, wegen ihrer Kleinheit und weil sie keine Teile hätten, unteilbar seien. Die Kleinheit der Atome ist jedoch ein sehr fragwürdiges Argument zur Erklärung ihrer Unteilbarkeit (und steht auch im Widerspruch zu der Annahme, daß D. – anders als Epikur – extrem große Atome annahm, 68A43 und A47 DK, vgl. Epik. ad Herodotum 55f.). Die Annahme, daß Atome keine Teile hätten, könnte die Unteilbarkeit erklären, doch wird sie durch die Art und Weise, wie Atome interagieren, ausgeschlossen: Diese setzt voraus, daß sie Teile wie

z. B. Haken besitzen, die sich zwar von ihnen unterscheiden, nicht jedoch von ihnen trennen lassen [1. II,50–8]. Damit verwandt ist die Frage, ob die physikalische Theorie des Atomismus durch eine atomistische Mathematik unterstützt wurde: 68B155 und B155a DK und die Titel Περὶ ψαύσιος κύκλου καὶ σφαίρης (›Über die Berührung eines Kreises und einer Kugel‹) und Περὶ ἀλόγων γραμμῶν καὶ ναστῶν (›Über irrationale Linien und feste Körper‹) legen nahe, daß D. über das Problem nachdachte, doch wissen wir nicht, welche Lösung er vorschlug.

Atome besitzen aufgrund ihrer Masse Gewicht (entgegen dem Zeugnis von 68A47 DK, vgl. [2]) und fallen daher – wahrscheinlich mit unterschiedlicher Geschwindigkeit – durch das Leere (68A60, A61 und A135 DK, vgl. weiterhin Aristoteles' reductio ad absurdum, der Epikur sich später anschloß, daß im Leeren alles mit derselben Geschwindigkeit fallen müsse). Außerdem können Atome aufeinandertreffen und sich ineinander verhaken oder in alle möglichen Richtungen springen.

Welche Wege Atome und Atomkomplexe tatsächlich nehmen, hängt von drei Charakteristika der Atome ab: (1) Durch den rhysmós (ῥυσμός), die Gestalt (was wahrscheinlich Größe und davon abgeleitet Gewicht einschließt, vgl. Aristoteles in 68A41 DK, wo Größe und Gestalt als die einzigen Unterscheidungskriterien genannt werden), unterscheiden sich die einzelnen Atome voneinander; (2) durch die tropḗ (τροπή), die Position, erklärt sich, wie dasselbe Atom oder zwei Atome mit identischem rhysmós unterschiedliche Positionen einnehmen und äußerst unterschiedliche Wirkungen entfalten können; und (3) handelt es sich bei der diathigḗ (διαθιγή), der Anordnung, um die Struktur einer Gruppe von Atomen, nach der dieselbe Art von Atomen zu verschiedenen Phänomenen zusammengesetzt werden kann (67A6 und A9 DK).

Atome sind durch ihre unveränderliche Gestalt vollständig gekennzeichnet – sie sind zusammen mit dem Leeren das, was tatsächlich (ἐτεῇ) ist. Atomkomplexe besitzen ihre sinnlichen Eigenschaften ›aufgrund von Konvention‹ (νόμῳ). Sie können sich daher verändern und sogar von den Umständen der Wahrnehmung abhängen. Darüber hinaus können diese »sekundären« Qualitäten in ihrer Kausalität sehr verschieden erklärt werden: vgl. Theophrasts Wiedergabe und Kritik von D.' verschiedenen Darstellungen sinnlicher Eigenschaften (68A135 DK).

C. Weitere Lehren

Neben der sinnlichen Wahrnehmung, die sich allein auf diese Eigenschaften beschränkt und nur eine ›dunkle Erkenntnis‹ (σκοτίη γνώμη) ist, gibt es die echte (γνησίη) Erkenntnis. Was wirklich ist, wird von dieser echten Erkenntnis, die zwar von den Sinnen getrennt ist (68B11 DK), aber nicht völlig von ihnen unabhängig sein kann (vgl. 68B125 DK), mit einem gewissen Grad an Sicherheit (vgl. 68B117 DK) erfaßt.

Ähnlich wie die ihm vorangegangenen Naturphilosophen stellte D. detailliert dar, wie die unzähligen und äußerst verschiedenartigen kósmoi aus den Grundbausteinen hervorgehen. D. ging diese Prozesse bis zur Entstehung der Lebewesen durch und setzte eine Beschreibung der prähistorischen Entwicklung der Menschheit hinzu. Danach führten die Menschen in ihrer Urphase ein einsames, animalisches Leben. Dann trieb sie die Notwendigkeit gegenseitiger Hilfe gegen Angriffe wilder Tiere zusammen. Aus dem Zusammenleben gingen die Sprachen hervor, und aus der Erfahrung entwickelten sich die verschiedenen Fertigkeiten und Künste (68B5 DK).

Die physikalischen Lehren des D. sind zum größten Teil in indirekter Überlieferung auf uns gekommen. Bei den angeblichen Zitaten aus D. handelt es sich zum allergrößten Teil um ethische Lehren; etwa 80 davon sind unter dem Namen eines gewissen Demokrates überliefert. Diese Sprüche loben die Mäßigung, die die Zufriedenheit (εὐθυμίη) befördert, und verurteilen extremes Verhalten, das zu übermäßigen Erschütterungen der Seele führe (68B191 DK). Solcherlei Mahnungen sind gängig; ob sie auf D. zurückgehen, ist daher nicht erwiesen. Wenn dies doch der Fall sein sollte, könnte man annehmen, daß der optimale seelische Zustand eine Entsprechung in der Atomkonfiguration habe, doch geben unsere Quellen keinen Hinweis auf eine solche systematische Verbindung zw. Ethik und Physik/Psychologie.

Die epistemische Haltung in ethischen Fragen, die sich in diesen Fragmenten zeigt, ist D.' allgemeiner Epistemologie ähnlich: Es geht dort nur um die Relativierung des Angenehmen (ἡδύ, hēdý); die protagoreische These, daß der Bereich der Wahrheit und der Gutheit davon betroffen sei, wird abgelehnt (68B69 DK, vgl. 68A114 DK).

→ Atomistik; Materialismus; Vorsokratiker

1 J. Barnes, The Presocratic philosophers, 1979 **2** D. O'Brien, Theories of weight in the ancient world, vol. 1: Democritus, weight and size, 1981.

Frg.: Diels/Kranz II (68) 81–230 • S. Luria. Demokrit, 1970.
Lit.: H. Steckel s. v. D., RE Suppl. 12, 191–223 • T. Cole, Democritus and the Sources of Greek Anthropology, 1967 • C. Kahn, D. and the origins of moral psychology, in: AJPh 106, 1985, 1–31 • S. Luria, Zur Frage der materialistischen Begründung der Ethik bei Demokrit, 1964 • G. Vlastos, Ethics and physics in Democritus (1945–46), in: G. Vlastos, Studies in Greek Philosophy, vol. I, 1995, 328–350.   I.B./Ü: T.H.

[2] Platonischer Philosoph, Zeitgenosse des Longinos (3. Jh. n. Chr.). Erklärungen zu Stellen aus Platons Alkibiades, Phaidon und Timaios, die Olympiodoros [1. 40], Damaskios [1. 38] und Proklos [1. 52] überliefern, lassen auf Komm. des D. zu diesen Werken schließen [1. 191, 194, 218]. Auch mit dem Philebos scheint er sich detailliert befaßt zu haben [1. 198]. Über seine Lehre ist wenig bekannt. Erh. haben sich lediglich eine Notiz bei Stobaios (1,370,1 f. Wachsmuth-Hense), nach der D.

alle Seelen-Vermögen auf die Substanz der Seele zurückgeführt hat, und eine weitere bei Syrianos (In Arist. met. 105,36 ff. KROLL), der zufolge er in seiner Ideenlehre dieselbe Meinung vertreten hat wie → Attikos und Plutarch.

1 DÖRRIE/BALTES III, 1993.

L. BRISSON, Notices sur les noms propres, in: Ders. et al., Porphyre, La vie de Plotin I,1982,78–79 · GOULET 2, 716–717.   M. BA. u. M.-L. L.

[3] Epigrammdichter, nicht später als 1. H. 1. Jh. n. Chr., von Diogenes Laertios ›klar und reich an Bildern‹ (σαφὴς καὶ ἀνθηρός; 9,49) genannt. Von ihm ist nur ein einziges Gedicht erhalten, jedoch ein reizvolles, das die berühmte Aphrodite Anadyomene des Apelles beschreibt (Anth. Plan. 180, vgl. Leonidas von Tarent, Anth. Pal. 16,182; Antipatros von Sidon, Anth. Pal. 16,178). Man möchte ihn gern relativ früh, d. h. nicht später als den »Kranz« des Philippos ansetzen.

FGE 38 f.   E. D./Ü: T. H.

Demon (Δήμων).

[1] Onkel des → Demosthenes, für seine Amtsführung als Priester 386/5 v. Chr. geehrt (IG II² 1140); möglicherweise Trierarch 373/2 (IG II² 1607, 26; erneut später IG II² 1609,13; [1. 115] unter Demosthenes 3597 II).

[2] Sohn des Demomeles aus dem Demos Paiania, Neffe des → Demosthenes, Priester des städtischen Asklepioskultes (IG II² 4969), wohl identisch mit dem Rhetor, dessen Auslieferung → Alexandros [4] der Gr. 335 v. Chr. forderte (Plut. Demosth. 23,4), von Timokles der Bestechlichkeit im Harpalosskandal beschuldigt (Timokles F 4 PCG). D. beantragte 323, den in den Harpalosprozessen verurteilten Demosthenes nach Athen zurückzurufen (Plut. Demosth. 27,6; Plut. mor. 846D; [1. 116–118] unter Demosthenes 3597 IV; [2; 3]).
→ Athenai

1 DAVIES 2 PA 3736 3 DEVELIN Nr. 768.   J. E.

[3] D. von Athen, um 300 v. Chr. Seine att. Lokalgeschichte mit breiter Darstellung der Königszeit veranlaßte Philochoros zu der Schrift ›Gegen die Atthis des Demon‹ und dazu, seine eigene *Atthis* gegen Demon zu richten (FGrH 327 T 1). Sonstige Werke: ›Über die Mysterien in Eleusis‹, ›Über Opfer‹, ›Über Sprichwörter‹. Sie alle zeigen mehr antiquarisches als histor. Interesse. FGrH 327 (mit Komm.). PA 3733. TRAILL, 322625.
→ Atthis

O. LENDLE, Einführung in die griech. Geschichtsschreibung, 1992, 147.   K. MEI.

Demonassa (Δημώνασσα).

[1] Tochter des argivischen Sehers → Amphiaraos und der → Eriphyle, Gattin des → Thersandros, eines Sohnes des Polyneikes, Mutter des Tisamenos (Paus. 3,15,8; 9,5,15). Auf der von Pausanias beschriebenen Kypseloslade steht sie mit ihren Geschwistern Eurydike und Alk-

maion vor dem Haus des Amphiaraos, der den Wagen besteigt (Paus. 5,17,7) [1]. Auf einem spätkorinth. Krater, der ebenfalls die Ausfahrt des Amphiaraos darstellt, nennt die Beischrift sie Damovanasa [2], während sie auf einer att. Vase → Demo [3] heißt. Auf einer att. Schale reicht sie Thersandros die Hand [3].

1 I. KRAUSKOPF, s. v. Amphiaraos, LIMC 1.1, 695 Nr. 15
2 Ders., s. v. Amphiaraos, LIMC 1.1, 694 Nr. 7
3 U. FINSTER-HOTZ, s. v. Epigonoi, 805 Nr. 4, LIMC 3.1.

[2] Gattin des Poias, Mutter des → Philoktetes (Hyg. fab. 97,8; 102,1).   R. B.

Demonax (Δημῶναξ oder Δαμῶναξ).

[1] D. aus Mantineia. Angesehener Aristokrat, der um 550 v. Chr. auf Anraten des Delphischen Orakels zum »Schiedsrichter« (καταρτιστήρ) in → Kyrene bestellt wurde (Hdt. 4,161). Um die Gegensätze dort beizulegen, reformierte D. die drei Phylen, in die er die verschiedenen Kolonisten- und Zuwanderergruppen – Theraier und Perioiken, Peloponnesier und Kreter, »Nesioten«, d. h. Leute von den (ionischen?) Inseln – neu einteilte [1]. Die Macht des Königtums der Battiaden beschränkte D. auf den rel. und kult. Bereich und übertrug ihre anderen (im Detail nicht benannten) Vorrechte auf den Demos. Ferner galt D. als Erfinder des Zweikampfes, der auch in Kyrene praktiziert wurde (Ephoros FGrH 70 F 54).

Die gen. Maßnahmen stellten keine revolutionäre Neuschöpfung der gesamten Ordnung dar, sondern die pragmatische Lösung der bes. Konflikte dieser Kolonie. Später wurde D. als »Nomothet« (Hermippos fr. 82 WEHRLI) neben Solon und Lykurgos gestellt.
→ Battos III.

1 K.-J. HÖLKESKAMP, D. und die Neuordnung der Bürgerschaft von Kyrene, in: Hermes 121, 1993, 404–421.

F. CHAMOUX, Cyrène sous la monarchie des Battiades, 1953, 138–142 · A. A. I. WAISGLASS, D. ΒΑΣΙΛΕΥΣ ΜΑΝΤΙΝΕΩΝ, in: AJPh 77, 1956, 167–176.   K.-J. H.

[2] Von den Parthern eingesetzter Satrap (*praefectus*), nachdem der armenische König Mithradates durch Caligula eingekerkert worden war. Nach Caligulas Ermordung kehrte der von Claudius [II 50] freigelassene Mithradates zurück und besiegte D. in einer Schlacht (Tac. ann. 11,9).

M. KARRAS-KLAPPROTH, Prosopographische Studien zur Gesch. des Partherreiches, 1988 · J. SANDALGIAN, Histoire documentaire de L'Arménie, 1917, 510 · M. SCHOTTKY, Parther, Meder und Hyrkanier, AMI 24, 1991, 106 f. · A. STEIN, s. v. D. (3), RE 5, 144.   M. SCH.

[3] von Kypros. Der kynische Philosoph (ca. 70 – 170 n. Chr.) ist hauptsächlich durch das ›Leben des Demonax‹ seines Schülers → Lukianos bekannt. Er wurde als Sohn einer wohlhabenden Familie auf Zypern geboren. Nach dem Studium der Lit. und Dichtung wandte D. sich der Philos. zu und lebte in Athen. Seine Lehrer

waren → Epiktetos, Timokrates von Herakleia, Agathobulos und Demetrios (von Sunion?). Die Athener, die in ihm eine ›göttliche Erscheinung‹ und einen ›guten Geist‹ sahen (Lukian. ebd. § 63), ließen ihm ein Staatsbegräbnis zuteil werden. Er hat keine Schriften hinterlassen, doch sind bei Stobaios und in verschiedenen späten Sammlungen Apophthegmata und moralische Sentenzen überliefert. D. war Vertreter eines gemilderten *Kynismos* (→ Kynische Schule), der es ihm erlaubte, ›Sokrates zu verehren, Diogenes zu bewundern und Aristippos zu lieben‹ (ebd. § 62).
→ Kynische Schule; Lukianos

K. FUNK, Unt. über die lucianische Vita Demonactis, Philologus Suppl. 10, 1907, 558–674.   M. G.-C./Ü: A. WI.

Demonikos (Δημόνικος). Komödiendichter unbekannter Zeit, vielleicht des 4. Jh. v. Chr. [1]. D. ist einzig bei Athen. 9,410c bezeugt, wo aus dem Stück Ἀχελῷος vier Verse zitiert werden, welche die Bewirtung eines heißhungrigen Böoters (vielleicht des Herakles) schildern (fr. 1).

1 PCG V, 1986, 14.   T. HI.

Demonstratio. Im allgemeinen Zivilrecht die spezifizierende Kennzeichnung einer Sache oder Person (Dig. 6,1,6). Dieser Begriff liegt dem noch heute geltenden, von den Römern vornehmlich bei der Testamentsauslegung verwendeten Auslegungstopos *falsa d. non nocet* (›ein falscher Ausdruck schadet der Wirksamkeit des Geschäftes nicht‹) zugrunde (Inst. Iust. 2,20,30). Im zivilprozessualen Kontext bedeutet *d.* die bei einer Vielzahl von Prozeßformeln an den Anfang gestellte knappe Präzisierung des streitgegenständlichen Sachverhalts (Gai. inst. 4,39; 40; 44; 58; 136). Sofern der als → *intentio* bezeichnete Bestandteil der Prozeßformel den Streitgegenstand und damit den vom Richter zu klärenden und anschließend der Rechtskraft unterliegenden Streitstoff nicht hinreichend präzise individualisierte, wurde ihr eine *d.* vorangestellt; vornehmlich also bei den auf ein *incertum* (›Unbestimmtes‹) gerichteten Formeln. Eine falsch gewählte *d.* konnte zwar zum Prozeßverlust führen, hinderte aber nicht eine neue Klage, weil die Sachverhaltsangabe nicht rechtskraftfähig war.
→ Formula

KASER, RZ, 240 · W. SELB, Formeln mit unbestimmter intentio iuris, 1974.   C. PA.

Demophile s. Sibylle

Demophilos (Δημόφιλος).
[1] Athenischer Rhetor, beantragte 346/45 v. Chr. die Überprüfung der Bürgerlisten, wodurch viele Bürger ihr Bürgerrecht verloren (Aischin. Tim. 77,86; Androtion FGrH 324 F 52 = Philochoros FGrH 328 F 52; Sch. Aischin. Tim. 77) [1; 2].
[2] Athener, Ankläger des → Aristoteles 323 v. Chr. (Diog. Laert. 5,5; Athen. 696a) in einer *asébeia*-Klage wegen des Hymnos und eines Epigrammes auf Hermias

von Atarneus (vgl. [3]). D. klagte Phokion 319 erfolgreich an, floh jedoch nach dessen Rehabilitierung aus Athen (Plut. Phokion 38,2).
→ Athenai; Demokratia

1 PA 3664 2 DEVELIN Nr. 775 3 I. DÜRING, Aristotle in the Ancient Biographical Tradition, 1957, 343f.   J. E.

[3] Komödiendichter unbekannter Zeit, meist der Neuen Komödie zugerechnet [1]. D. ist einzig bezeugt bei Plaut. Asin. 10f (Prolog): *... huic nomen Graece Onagost fabulae; | Demophilus scripsit, Maccus vortit barbare; | ...* Da aus der *Asinaria* nicht hervorgeht, welche Rolle ein »Eselstreiber« (ὀναγός) im griech. Stück gehabt haben könnte, und zudem bei Plautus in einer wichtigen Rolle ein Dotalsklave begegnet, der mit att. Recht unvereinbar scheint [2. 21ff.], sind Rückschlüsse auf die Komödie des D. problematisch [2. 34].

1 PCG V, 1986, 15 2 G. VOGT-SPIRA, »Asinaria« oder »Maccus vortit Attice«, in: E. LEFÈVRE, E. STÄRK, G. VOGT-SPIRA, Plautus barbarus, 1991, 11–69.   T. HI.

Demophon (Δημοφῶν).
[1] Jüngster Sohn des eleusinischen Fürsten Keleos und der Metaneira. Der Mythos erzählt, D. sei von der Göttin → Demeter, die sich als Amme verdingt hatte, genährt, mit Ambrosia gesalbt und nachts im Feuer gestählt worden, um seine Sterblichkeit wegzubrennen (vgl. Thetis: Achilleus), bis die Mutter es merkte und aufschrie. Da setzte Demeter D. auf den Boden und drohte den Eleusinern Bürgerkriege an (Hom. h. 2,233–255); nach einer anderen Fassung des Mythos tötete sie das Kind (Apollod. 1,31; Orph. fr. 49). Diese »Ernährungsepisode«, wahrscheinlich ein Aition der Thesmophorien, wurde in den Mysterien nicht vorgeführt [1]. Für D. tritt in Ov. fast. 4,539–560, wo Keleos ein armer Bauer ist, D.s Bruder → Triptolemos ein (vgl. schol. Nik. Ther. 484; Hyg. fab. 147).
→ Thesmophoria

1 K. CLINTON, Myth and Cult: the Iconography of the Eleusinian Mysteries, 1992, 30–34, 87, 97f., 100–102.

F. GRAF, Eleusis und die orphische Dichtung Athens in vorhell. Zeit, 1974, 157, 159f., 167f. · N. J. RICHARDSON, The Homeric Hymn to Demeter, 1974, 231–236.   K. C.

[2] König von Athen, Sohn des → Theseus und der Phaidra, Bruder des → Akamas, mit dem er öfters verwechselt wird (Diod. 4,62; Hygin. fab. 48). Der Name der Mutter ist nicht einheitlich überliefert. Als ihre Großmutter → Aithra durch die Dioskuren entführt wird, fliehen die beiden Enkel (Apollod. epit. 1,23), befreien sie aber nach der Zerstörung Trojas (Ilias Parva fr. 20 PEG I; Iliup. arg. PEG I); die Befreiung ist auf dem Gemälde *Iliupersis* des Polygnot (Paus. 10,25,7), auf mehreren att. Vasen und auf der Tabula Iliaca dargestellt [1]. Die beiden Brüder nahmen am Trojakrieg teil, sollen gar Insassen des trojanischen Pferdes gewesen sein (Paus. 1,23,8; Homer nennt sie nicht) [2]. Die Athener verdankten D. den Besitz des → Palladions. D. hatte dieses nach der einen Version nach Athen geschickt, nachdem Diomedes es ihm zur Aufbewahrung übergeben hatte (Polyain. 1,5), nach der anderen bemächtigte sich D. des Palladions, tötete dabei aber unabsichtlich einen Athener (Paus.1,28,9). In Eur. Heraclid. sichert D. den vor Eurystheus flüchtigen Herakliden Athens Schutz zu. Die unglückliche Verbindung mit der Thrakerin → Phyllis wurde sowohl Akamas als auch D. zugeschrieben. Beide Brüder hatten Altäre im Hafen von Phaleron (Paus. 1,1,4).

1 U. KRON, s. v. Aithra 1, LIMC 1.1, 426–28 Nr. 59–78
2 PRELLER/ROBERT, 1238 f.

U. KRON, s. v. Akamas et D., LIMC 1.1, 435–446 ·
STOLL, in: ROSCHER 1, s. v. D., 988–991.   R.B.

[3] Athenischer Stratege 379/378 v. Chr. im Krieg gegen Agesilaos II. von Sparta und einer der Anführer der athenischen Truppen bei Theben 378 (Diod. 15,26,2f.) [1; 2].

[4] Sohn des Demon, Vetter, Ehemann der Schwester und seit 376/5 v. Chr. Vormund des → Demosthenes; von diesem nach 366 wegen Veruntreuung seines ererbten Vermögens und widerrechtlicher Verwendung der reichen Mitgift seiner Schwester erfolgreich verklagt (Demosth. or. 27–29; Plut. mor. 844D) [3].
→ Athenai; Strategen

1 PA 3693 2 DEVELIN, Nr. 786 3 DAVIES, 116 (unter Demosthenes 3597 III).   J.E.

Demos (δῆμος).

[1] *D.*, im Wortsinne »Volk«, konnte entweder die gesamte Bürgerschaft einer Gemeinde bezeichnen oder nur die »gewöhnlichen Leute« im Unterschied zu den mehr privilegierten Mitgliedern der Gemeinde. In Erweiterung der erstgenannten Bed. diente es auch zur Benennung der Versammlung der Bürgerschaft, so daß die polit. Entscheidungen in vielen Staaten als »von Rat und Volk erlassen« gelten (ἔδοξεν τῇ βουλῇ καὶ τῷ δήμῳ). Von der zweiten Bed. abgeleitet sind Adjektive wie *dēmotikós* und die Bezeichnung eines demokratischen Führers als προστάτης τοῦ δήμου (»Vorkämpfer des Volkes«; z. B. bei Thuk. 3,82,1). Der mehrdeutige Wortsinn erlaubte es den Verfechtern der Demokratie, sie als Beteiligung aller Bürger an der Macht, und ihren Gegnern, sie als Herrschaft der armen Masse darzustellen. Dies verleitete Aristoteles, von der Behandlung der Demokratie als Herrschaft der Menge zu ihrer Behandlung als Herrschaft der Armen abzuleiten (pol. 3,1279a–1280a).

Der *d.* in der ersten Bed. wird in den ›Rittern‹ des Aristophanes als alter, gutmütiger, aber leicht zu lenkender Mann personifiziert. In Athen wurde der *d.* auf Gemälden, etwa zusammen mit Demokratia in der Zeus-Stoa (Plin. nat. 35,129; Paus. 1,3,3), und in Reliefs dargestellt: über dem Text des Gesetzes von 337/6, das mit der Auflösung des Areopags droht (SEG 12, 87),

wird *d.* von Demokratie gekrönt. Im hell. und röm. Athen gab es ein Heiligtum des *d.* und der Chariten mit eigener Priesterschaft (z. B. IG II² 844, 41; 4676; 5029a).
        P.J.R.

[2] *D.*, Pl. *dḗmoi* (δῆμοι), kleine, auch topogr. definierte Gemeinden (Demen) als Untereinheiten einer Polis.

A. ATHEN

In Athen existierten *dḗmoi* in diesem speziellen Sinn bereits vor → Kleisthenes (s. etwa Plut. Solon 12,4), doch gelangten sie erst durch seine Phylenreform im Jahr 508/7 zu institutioneller Bed. als Bestandteile der athenischen Polis (Hdt. 5,69,2: [Aristot.] Ath. pol. 21,4–5). Strabon (9,1,16) nennt 170 oder 174 *d.*, doch waren es nach Ausweis der Inschr. tatsächlich 133, von denen sechs *d.* in »Ober-« und »Unter-« geteilt waren. Jede der zehn neuen kleisthenischen *phylaí* (»Stämme«) bestand aus drei *trittýes* (»Drittel«), von denen jeweils eine in den drei Regionen *ásty* (Stadt), *paralía* (Küste) und *mesógeios* (Inland) lag oder zumindest ihnen zugewiesen war. Jede *trittýs* enthielt eine oder mehrere, nicht unbedingt benachbarte *d.* Die Phylen hatten annähernd den gleichen Umfang; gegenwärtig wird diskutiert ([4] und [7] gegen [5] und [6]), ob auch die *trittýes* gleich groß waren oder insgesamt in einer Region lagen, wobei beides nicht richtig sein kann. Die *d.* hatten unterschiedliche Größen (die größte war Acharnai); zur Lage der *d.* und ihrer Zuordnung zu *trittýes* und *phylaí* siehe [6] und [7].

Tatsächlich gab es schon vor Kleisthenes viele, auch namentlich bezeichnete *d.* (so etwa Marathon). Einige *d.* waren nach lokalen Merkmalen, Pflanzen oder dort ausgeübten Berufen benannt (Potamos = Fluß; Phegous = Eiche; Kerameis = Töpfer), andere nach athenischen Familien (etwa Butadai; zur möglichen Bed. dieses Umstandes s. [2]). Die *d.* erhielten eigene polit. Institutionen, eine Demenversammlung und einen leitenden Beamten, den → *dḗmarchos*; eben diese Einrichtung einer örtl. Verwaltung mag Kleisthenes seine Popularität verschafft haben [1]. Im Rat der 500 waren die *d.* proportional zu ihrer Größe vertreten.

Die Bürger wurden 508/7 in die *d.* eingeschrieben, in denen sie lebten oder Grundbesitz hatten, doch wurde später die Mitgliedschaft erblich; Fremde, die das athenische Bürgerrecht erhielten, durften ihren *d.* wählen. Der volle Name eines Mannes bestand schließlich aus dem Eigennamen, dem Namen des Vaters und dem des *dḗmos* (also: Perikles, Sohn des Xanthippos, aus [dem Demos] Cholargos); in der Tat definierte die Zugehörigkeit zu einem *d.*, zu der *trittýs* und der *phylḗ*, deren Teil dieser *d.* war, den Status eines Mannes als athenischer Bürger. Bürger konnten auch als Eigentümer von Gütern (*enektēménoi*) außerhalb ihres eigenen *d.* anerkannt werden, Metoiken akzeptierte man als »Einwohner« in einem *d.*

Die *d.* führten auch die *dokimasía* der 18jährigen Männer durch, die zur Anerkennung ihrer Mitgliedschaft vorgestellt wurden (Aristot. Ath. pol. 42,1–2), und bewahrten im *lexiarchikón grammateíon* das Verzeichnis der anerkannten Mitglieder. Gelegentlich konnten die d. aufgefordert werden, eine spezielle Überprüfung (*diapsēphismós* oder *diapsēphisis*) der Qualifikation all ihrer derzeitigen Mitglieder durchzuführen.

D. hatten eigene rel. Feiern und verfügten über Grundstücke, die mehr dem d. als ganzem als den einzelnen Mitgliedern gehörten und an Pächter vergeben wurden. Wie in modernen Staaten und ihren regionalen Gliederungen spielten Leute, die einen herausragenden Platz im Leben der Polis einnahmen, gewöhnlich nicht zugleich eine bedeutende Rolle im Leben ihrer d.

1 D. KIENAST, Die innenpolit. Entwicklung Athens im 6. Jh. und die Reformen, in: HZ 200, 1965, 265–83 2 D. M. LEWIS, Cleisthenes and Attica, in: Historia 12, 1963, 22–40 3 R. OSBORNE, Demos: The Discovery of Classical Attica, 1985 4 P. SIEWERT, Die Trittyen Attikas und die Heeresreform des Kleisthenes,1982 5 G. R. STANTON, The Trittyes of Kleisthenes, in: Chiron 24, 1994, 161–207 6 TRAILL, Attica 7 J. S. TRAILL, Demos and Trittys, 1986 8 WHITEHEAD.

B. ANDERE GRIECHISCHE STÄDTE

In verschiedenen anderen Staaten sind lokale Gliederungen bezeugt, die zuweilen, aber nicht immer offiziell als d. bekannt sind. Nur aus Inschr. läßt sich die offizielle Terminologie erschließen, in lit. Texten werden die gleichen Einheiten mit einer Fülle von Begriffen belegt. Diodor (11,54,1) berichtet, die *pólis* von Elis hätte sich aus mehreren kleinen *póleis* zusammengesetzt; Strabon (8,3,2) aber sagt über Elis einerseits, dort hätte man in *kõmai* (»Dörfern«) gesiedelt, andererseits behauptet er, die *pólis* hätte nach den Perserkriegen aus d. bestanden. Weiterhin läßt Strabon (8,3,2) mehrere *póleis* in Arkadien und Achaia aus d. bestehen, doch die Berichte über die Auflösung der *pólis* Mantineia im Jahr 385 v. Chr. sprechen von *kõmai* (Xen. hell. 5,2,7); als Helisson im frühen 4. Jh. v. Chr. in Mantineia aufging, wurde es offiziell zu einem »Dorf« (*kõmē*) von Mantineia (SEG 37, 340).

D. sind bezeugt für die Städte auf Euboia (in Eretria waren d. eine Untergliederung der *chóroi*; diese wiederum mögen Teile von Phylen gewesen sein), ebenso in Aigina, in Aigiale auf Amorgos (jedoch nicht in den anderen Städten der Insel), im maked. Thessalonike (nach Stephanos von Byzanz; nicht inschr. belegt), im ionischen Milet, in Stratonikeia in Karien und in Ptolemais in Ägypten. Aulon war ein d. von Naxos (IG XII 5, 36 = Syll.³ 520). Rhodos war in drei Phylen gegliedert, von denen sich je eine von den früheren Städten Kameiros, Ialysos und Lindos ableitete. Sowohl auf der Insel Rhodos wie in den von Rhodos abhängigen Gebieten gab es d., die einer dieser Phylen zugeordnet waren. Eine ausgedehnte abhängige Gemeinde konnte aus mehr als einem d. bestehen, eine kleine konnte (als *koinón*) einen Teil eines d. bilden. In d. gegliedert waren auch Kos und Kalymna, das nach seiner Eingliederung in die Polis von Kos am Ende des 3. Jh. v. Chr. seine d. behielt, während es selbst ein d. von Kos wurde.

N. F. JONES, Public Organization in Ancient Greece, 1987.
P. J. R.

C. BYZANTINISCHE ZEIT

Griech. *dẽmoi* (δῆμοι) teils syn. zum Sg. *dẽmos*, teils speziell das durch Vertreter repräsentierte Volk, u. a. auch die Anhänger der durch Farben (in Byzanz vor allem Grüne und Blaue) gekennzeichneten Sportclubs in Rom und Byzanz (*factiones*, sog. Zirkusparteien). Das Konzept einer regionalen, sozialen, polit. und rel. Zuordnung der Grünen und Blauen in Konstantinopel wurde durch A. CAMERON widerlegt [1].

1 A. CAMERON, Circus Factions, 1976, bes. 44, 103.

LMA 3, 686 · ODB 1, 608 f.   F. T.

Demosioi (δημόσιοι, zu ergänzen ὑπηρέται, »Diener«). Öffentliche Sklaven, die von griech. Staaten für vielfältige niedere Aufgaben im Verwaltungsbereich verwendet wurden. In Athen kümmerten sie sich um die amtlichen Aufzeichnungen (Aristot. Ath. pol. 47,5; 48,1), dienten als Helfer der *astynómoi* bei der Reinhaltung (Ath. pol. 50,2) und als Helfer der *hodopoioí* bei der Reparatur der Wege (Ath. pol. 54,1) und waren bei den Gerichtshöfen beschäftigt (Ath. pol. 63–65; 69,1). Im 4. Jh. nutzte man d. als Münzprüfer bei Silbermünzen (Hesperia 43, 1974, 157–88), im 2. Jh. und zweifellos schon früher sind d. als Aufseher über die amtlichen Maße und Gewichte bezeugt (IG II² 1013). Die skythischen Bogenschützen (»Skythen«), die für Ordnung in der Volksversammlung sorgten, bildeten eine bes. Kategorie von d. (vgl. schol. Aristoph. Ach. 54).

O. JACOB, Les esclaves publics à Athènes, 1928.   P. J. R.

Demosthenes (Δημοσθένης).

[1] Bedeutender athenischer Feldherr während des Peloponnesischen Krieges. Erstmalig 427/6 v. Chr. Stratege, drang er mit westgriech. Verbündeten in Aitolien ein, um Boiotien von Westen angreifen zu können. Aufgrund taktischer Fehler erlitt D. eine schwere Niederlage und kehrte aus Furcht nicht nach Athen zurück (Thuk. 3,94–98). Beim Angriff der Aitoler und Spartaner auf den athenischen Stützpunkt Naupaktos 426 konnte D. aber mit 1000 akarnanischen Hopliten eine Einnahme verhindern und errang mit den akarnanischen Truppen zwei Siege über Peloponnesier und Ambrakier (Thuk. 3,100–102; 105–114). Dadurch rehabilitiert, setzte er sich 425 am messenischen Vorgebirge Pylos fest, wo er von Spartanern eingeschlossen wurde. Der zur Verstärkung herangeführten athen. Flotte gelang es, die auf die vorgelagerte Insel Sphakteria gesetzte spartanische Besatzung zu blockieren. Die Spartaner sahen sich genötigt, den Athenern einen Frieden anzubieten. Durch unannehmbare Forderungen führte der athen. Demagoge → Kleon ein Scheitern der Verhandlungen herbei. Da ein schneller Erfolg ausblieb, wurde Kleon genötigt, selbst als Stratege nach Pylos zu gehen. Gemeinsam mit D., der bereits einen Angriff auf

Sphakteria plante, gelang Kleon die Gefangennahme von knapp 120 Spartiaten (Thuk. 4,2–23; 26–41). 424 scheiterte ein durch Verrat in die Wege geleiteter Handstreich des D. auf Megara am unvermuteten Eingreifen des → Brasidas (Thuk. 4,66–74). Ebenso scheiterte ein von D. mit akarnanischer Hilfe von Naupaktos aus geführter Angriff auf Boiotien (Thuk. 4,76f.; 89–101). D. wurde erst wieder 418/7 und 414/3 zum Strategen gewählt. Im Frühj. 413 wurde D. mit einer großen Streitmacht zur Unterstützung des Nikias nach Syrakus entsandt. Ein nächtlicher Sturm auf Epipolai führte zu einer Niederlage. Die daraufhin von D. vorgeschlagene Räumung Siziliens wurde von Nikias hinausgezögert. Nach der Katastrophe der athen. Flotte im Hafen von Syrakus zog sich das athen. Heer ins Landesinnere zurück, wurde eingeschlossen und zur Kapitulation gezwungen; Nikias und D. wurden in Syrakus getötet (Thuk. 7,86). TRAILL, PAA 318425.

J. ROISMAN, The General Demosthenes and his Use of Military Surprise, 1993. W. S.

[2] Attischer Redner und Politiker, *384/3 v. Chr. in Athen, Sohn des Demosthenes (Demos Paiania, Phyle Pandionis) und der Kleobule, gest. 322 auf Kalauria.

A. LEBEN B. WERK C. NACHWIRKUNG

A. LEBEN

Ergiebigste Quelle für die Biographie sind eigene Reden sowie die von Zeitgenossen (Aischines, Deinarchos, Hypereides), außerdem eine Vita des Plutarch, des Ps.-Plutarch, zwei Schriften des Dionysios von Halikarnassos (de Dem., ep. 1 ad Am.) sowie Notizen in den Scholien, bei Didymos und Späteren (Libanios, Zosimos, Suda, Photios). D.' Vater, Besitzer einer Waffenfabrik, starb 377, die Vormünder (Aphobos, Onetor, Therippides) überließen die Erziehung der Mutter, veruntreuten aber einen Teil des Erbes. Mit Erreichen der Volljährigkeit bereitete sich D. durch Unterricht bei Isaios auf die gerichtliche Auseinandersetzung mit seinen Vormündern vor, in der er zwar Erfolg hatte (Verurteilung des Aphobos, mit den beiden anderen wohl Vergleich), aber nur einen Teil des Vermögens zurückerhielt (364/3). In den folgenden Jahren vervollkommnete er seine Redekunst: Einigermaßen glaubhaft bezeugt sind intensives Studium des Thukydides und bei Isokrates sowie beharrliches Training in Gestik, Mimik und Stimmführung; der Unterricht bei Platon dürfte dagegen spätere Erfindung sein. M. W.

D. zählte zu den einflußreichsten Rhetoren Athens in der 2. H. des 4. Jh. v. Chr. Zunächst arbeitete er als Logograph, vielleicht auch als Redelehrer, und erlangte auch als Redner vor den athenischen Gerichtshöfen hohes Ansehen. Im Laufe seiner polit. Karriere von 355 bis 322 erwarb D. zu seinem ererbten Reichtum ein erhebliches Vermögen. Hohe Summen wurden insbes. vom Perserkönig auch an ihn gezahlt, um die Politik Athens zu beeinflussen. Andererseits sind zahlreiche Leiturgien und aufwendige finanzielle Leistungen des D. für Athen zwischen 363 und 324 bezeugt.

Seine polit. Karriere begann mit Anklagen gegen Androtion und Leptines 355 sowie Timokrates 353. Die Rede gegen Leptines war D.' erste öffentliche, selbst vorgetragene Anklagerede. Da jener von Aristophon verteidigt wurde, hat man vermutet, daß D. zunächst dessen Gegner war. In der Symmorien-Rede (→ Symmoria), seiner ersten außenpolit. Rede vor der Volksversammlung, mit der seine eigentliche Laufbahn als Rhetor begann, warnte er 354/3 Athen davor, sich in einen Krieg gegen das Perserreich verwickeln zu lassen. Mit der Symmorien-Rede betrat D. zwar schon das Feld der Außenpolitik, doch prägten erst die Beziehungen Athens zu Philipp II. und Alexander d. Gr. sein polit. Wirken entscheidend bis zu seinem Tod.

In der Rede über die → Syntaxeis 353/2 übte D. Kritik an der Ansammlung aller Überschüsse der öffentlichen Gelder in der → Theorikon-Kasse und damit an → Eubulos von Probalinthos. Damit begann die zweite Phase der polit. Biographie, in der D. eigenständiges Profil gewann. Doch seine Vorschläge für eine aktive Politik Athens auf der Peloponnes in der Rede für die Megalopoliten 352 wurden nicht aufgegriffen. In der Rede gegen Aristokrates wurde noch der Thraker Kersobleptes als Hauptgegner Athens in Nordgriechenland bezeichnet, obwohl der Makedone → Philipp II. damals schon mit den Athenern Krieg führte; der Angriff Philipps auf Kersobleptes gegen Ende 352 bewirkte jedoch eine strategische Wende. Seit 351 (erste Philippika) betrachtete D. das dynamisch expandierende Makedonien als Hauptgegner Athens. Von Philipp II. angegriffen, bat Olynth 349 um athenische Hilfe. D. plädierte in den Olynthischen Reden nachdrücklich für schnelle und umfangreiche Unterstützung, doch kam sie zu spät und war zu gering, um die Vernichtung Olynths 348 aufhalten zu können. Obwohl D. 347/6 zusammen mit Aischines einer der Unterhändler des → Philokrates-Friedens von 346 war, trat er schon bald öffentlich gegen den Frieden auf. 344/3 scheiterten Verhandlungen mit dem Ziel, ihn in einen allg. Landfrieden (*koinế eirếnē*, → Friedensordnung) auszubauen und strittige Punkte erneut zu verhandeln. 343 klagte D. Aischines wegen seiner Beteiligung an der Aushandlung des Philokrates-Friedens an (Demosth. or. 19). Aischines wurde jedoch mit Unterstützung des Phokion und Eubulos freigesprochen.

Ab 343 begann die dritte Phase in der polit. Biographie des D., in der er bis 338 die Außenpolitik der Polis bestimmte. Er drängte auf den Abbruch der Verhandlungen über eine Erneuerung des Philokrates-Friedens, auf Sondierungen einer Allianz mit dem Perserkönig, die Begründung eines neuen Hellenenbundes gegen Makedonien und den offenen Krieg gegen Philipp II. In der 3. und der 4. *Philippika* verschärfte D. 341 seine Angriffe auf Philipp und erreichte 339 eine Reform des Theorikon-Systems und eine Erhöhung der maritimen Rüstungen Athens. Im Herbst 340 eröffnete Philipp mit der Beschlagnahmung der athenischen Getreideflotte im Hellespont den Krieg. Kurz vor der Entscheidungsschlacht konnte D. noch ein Bündnis Athens mit Theben erreichen, das aber die Niederlage des Hellenenbundes bei Chaironeia 338 nicht verhindern konnte. Danach leitete er mit befreundeten Rhetoren und Strategen Verteidigungsmaßnahmen in Athen ein, kümmerte sich bes. um die Getreideversorgung und die Ausbesserung der Mauern und durfte trotz der Niederlage die Rede auf die Gefallenen (*Epitaphios*) dieses Kriegsjahres halten.

D. blieb auch in der vierten Phase seiner polit. Biographie von 338 bis 330 einer der führenden Rhetoren. Er plädierte dafür, daß Athen die Krisen nach der Ermordung Philipps II. 336 und während des Aufstandes der Thebaner 335 für eine mil. Revision der Ordnung von 338/7 nutzen solle. Während des Krieges gegen Dareios III. riet er zu einer nur pflichtgemäßen Unterstützung → Alexandros' [4] d. Gr., prangerte Verletzungen der Garantien von 338/7 an und hoffte bis Gaugamela auf eine Niederlage Alexanders in Asien. Anfänglich scheint D. sogar eine Unterstützung Athens für Agis III. befürwortet zu haben, doch trat Athen zwischen 336 und 330 nicht offen mil. gegen Alexander oder Antipater auf. 330 errang D. mit seiner berühmten Kranzrede (Demosth. or. 18) einen triumphalen Prozeßsieg über seinen Rivalen Aischines, der bereits 336 gegen den Antrag des Ktesiphon, D. für seine Verdienste einen Kranz zu verleihen, geklagt hatte. Der Ausgang des Verfahrens wurde damit zugleich zu einem Plebiszit über die jüngere Vergangenheit Athens und bestätigte die Politik des D.

Im Jahre 324 verdichteten sich die Unzufriedenheit mit dem Status Athens im Oikumenereich Alexanders nach 330, die Flucht des → Harpalos nach Athen, das Söldnerdekret, das Verbanntendekret und die Diskussion um göttl. Ehren für Alexander in den Staaten des griech. Mutterlandes zu einer Krise, in deren Verlauf D. in der letzten Phase seiner politischen Biographie mit Leosthenes und Hypereides die Leitlinien der Politik Athens bestimmte. Als leitender Festgesandter (*archithéōros*) Athens bei den Olympischen Spielen 324 verhandelte D. mit Nikanor über das Verbanntendekret, dessen Umsetzung den Verlust der großen Kleruchie Athens auf Samos bedeutet hätte. Der tatsächliche Grad der Verwicklung des D.' in den Harpalos-Skandal ist nicht mehr zu bestimmen. Seine Verurteilung 323 als Hauptangeklagter in den Harpalos-Prozessen war eine Folge der Unzufriedenheit der Richter mit dem geringen Erfolg seiner Verhandlungspolitik zwischen Sommer 324 und Frühjahr 323. D. entwich nach seiner Inhaftierung ins Exil. Von dort aus und nach seiner baldigen Rückkehr nach Athen unterstützte er Hypereides und Leosthenes, die Athen an der Spitze eines neuen Hellenenbundes nach Alexanders Tod in den »Lamischen Krieg« gegen Makedonien führten. Nach der Niederlage bei Krannon wurde D. in Athen in Abwesenheit auf Antrag des Demades zum Tode verurteilt.

Im Poseidonheiligtum auf Kalauria aufgespürt, beging er 322 Selbstmord. Seine polit. Biographie ist typisch für einen athenischen Rhetor des 4. Jh. Der mil. Mißerfolg seiner Außenpolitik gegen Philipp II. und Alexander d. Gr. darf nicht als Beweis ihres verfehlten Grundkonzeptes verstanden werden.

PA · DAVIES 3597 · P. CARLIER, Démosthène, 1990 · G. L. CAWKWELL, D.' Policy after the Peace of Philocrates I, in: CQ 57, 1963, 120–138 und II, ebd. 200–213 · G. L. CAWKWELL, The Crowning of D., in: CQ 19, 1969, 163–180 · M. M. MARKLE, D.' Second Philippic: A Valid Policy for the Athenians against Philip, in: Antichthon 15, 1981, 62–85 · H. MONTGOMERY, The Way to Chaeronea, 1983 · A. W. PICKARD-CAMBRIDGE, D. and the Last Days of Greek Freedom 384–322 B. C., 1914 (Ndr. 1978) · SCHÄFER passim · R. SEALEY, D. and his time, 1993 · H. WANKEL, D. Rede für Ktesiphon über den Kranz, 2 Bde., 1976.   J. E.

B. WERK

Das erhaltene *Corpus Demosthenicum* enthält 63 Titel: 60 Reden, einen Brief Philipps ([12]), eine Sammlung von 56 Proömien und eine von sechs Briefen. Damit ist zwar wohl nur ein kleiner Teil der von D. verfaßten und tatsächlich vorgetragenen Reden, aber fast alles, was nach seinem Tod noch vorlag, erhalten (schol. Aischin. leg. 18 spricht von 71 Reden des D., Ps.-Plut. von 65, wir kennen neun Titel verlorener Reden). Das Corpus dürfte auf eine Sammlung zurückgehen, die von Kallimachos in Alexandria um 240 v. Chr. unkritisch zusammengestellt wurde; zu welchen Ergebnissen Dionysios von Halikarnassos und Kaikilios bei der Scheidung von Echtem und Unechtem gelangt sind, wissen wir in wenigen Fällen. Die Anordnung der Reden schwankt in der Überlieferung, doch stehen immer bestimmte Gruppen beisammen (z. B. Philippische bzw. Olynthische Reden). Die in zwei der wichtigsten Hss. durchgeführte Reihenfolge wurde in die *editio princeps* (Venedig 1504) und die modernen Gesamtausgaben übernommen. Die Reden lassen sich in vier Gruppen einteilen: 1. Gerichtsreden für Privatprozesse (27–59), 2. Gerichtsreden für polit. Prozesse (18–26), 3. Demegorien für die Volksversammlung (1–17), 4. epideiktische Reden (60; 61). Einiges davon ist sicher unecht (7; 11; 17; 25; 26; 58; 61) – die von Apollodoros, dem Sohn des Pasion [10], gehaltenen Reden (46; 49; 50; 52; 53; 59) dürften von diesem selbst stammen –, anderes in seiner Echtheit umstritten (10; 33–35; 43; 44; 48; 56 sowie die Briefe und Proömien).

Der Stil des D. zeigt in den Reden der Frühzeit (364–359) noch eine gewisse Abhängigkeit von Vorbildern wie Isaios und Isokrates, erreicht seine eigentümliche Ausprägung und höchste Vollendung aber in den Demegorien der mittleren Periode (355–341) und insbes. in der Kranzrede (330 v. Chr.). Er ist gekennzeichnet durch, gemessen an den übrigen att. Rednern, größere Freiheit in der Wortwahl, die mitunter sowohl Vokabular der niederen Alltagssprache als auch poetische Diktion einbezieht, Vorliebe für abstrakten Ausdruck und Substantivierungen (hierin dem Thuk. ähnlich), reichen Gebrauch und konsequentes Durchhalten anschaulicher Metaphern sowie eine gewisse Vorliebe für die Häufung von Synonymen. Die Wortstellung ist sehr frei und neigt zu Hyperbata, ist außerdem geprägt von Hiatmeidung (zunächst wie Isokrates, später weniger streng), Streben nach rhythmischer Responsion am Anfang und Ende der Kola und dem von BLASS entdeckten und durch spätere Unt. [16; 18] bestätigten »Tribrachys-Gesetz« (vermieden wird nach Möglichkeit die Häufung von drei oder mehr kurzen Silben). Im Satzbau zeigt sich stetige Abwechslung zwischen längeren Perioden und kürzeren Sätzen; ebenso reich und variabel ist der Gebrauch von Wort- und Gedankenfiguren. Im souveränen Umgang mit sämtlichen sprachlichen und rhet. Mitteln und deren genau an die jeweilige Sache angepaßtem Einsatz ist die Kunst des D. allen att. Rednern überlegen.

C. NACHWIRKUNG

Des D. rednerisches Können fand schon bei seinen Zeitgenossen, selbst seinen polit. Widersachern, höchste Anerkennung (z. B. Aischines), das negative Urteil des Demetrios von Phaleron steht vereinzelt da; an seinem polit. Verdienst schieden sich dagegen die Geister, eine Dichotomie, die die D.-Rezeption bis ins 20. Jh. prägen sollte. Die Athener stellten ihm 280 v. Chr. auf Antrag seines Neffen Demochares eine von Polyeuktos geschaffene Bronzestatue auf, die Vorbild für die erh. Marmorporträts aus röm. Zeit wurde. Polybios (18,14) kritisiert noch die Politik des D., Cicero nimmt sie als Modell für den Widerstand gegen »Tyrannei« und betitelt seine Reden gegen Antonius als *Philippicae* (43 v. Chr.); für ihn, der die Kranzrede ins Lat. übersetzt hat, ist D. bereits das, was er seit augusteischer Zeit allg. werden sollte, nämlich der unbestritten erste Redner (*facile princeps*) der Griechen (im Gegensatz zu röm. »Attikern« wie Brutus, die Lysias den Vorzug gaben [21. 107 ff.]. Mit dem Sieg des sprachlichen Attizismus (seit Dion. Hal.) wurde D. zum fleißig studierten, kommentierten und glorifizierten Modell des Redners schlechthin, der auf seinem Gebiet denselben Rang einnahm wie Homer in der Poesie (ὁ ποιητής, ὁ ῥήτωρ); innerhalb der Papyri ist er der nach diesem am zweithäufigsten vertretene Autor. Von den zahlreichen kaiserzeitlichen Autoren, die sich mit seinem Leben und Werk befassen, seien nur der Verf. der Schrift *Perí hýpsous*, Quintilian, Plutarch, Hermogenes, Lukian, Libanios genannt. Auch während der byz. Zeit scheint die D.-Gelehrsamkeit nie ganz abgerissen zu sein, jedenfalls hat sein Werk, im Gegensatz zu so viel anderem, die Zeit des Ikonoklasmus fast ungeschmälert überstanden. Mit dem Ende von Byzanz wird D. auch in Westeuropa wieder bekannt und polit. instrumentalisiert: Kardinal Bessarion übersetzt die 1. Olynthische Rede ins Lat., um damit zum Kampf gegen die Türken aufzurufen, Elisabeth I. von England vergleicht unter dem Einfluß der Werke D.' Philipp II. von Makedonien mit Philipp II. von Spanien [3. 287]. D. wird von nun an fleißig ins Lat. übersetzt,

wenig dagegen und erst spät in die modernen Sprachen. Im 17. und 18. Jh. wird das Urteil über D. geprägt von der Einstellung zur Monarchie in der Epoche des Absolutismus (z. B. Rollin, Mitford), doch überwiegen positive Stimmen bis in die Mitte des 19. Jh. (Niebuhr, Grote, Schäfer) [3. 288–93]. Die vom Hegelianismus ausgehende Kritik an dem blinden Lokalpatrioten D., der ohne Aussicht auf Erfolg sich gegen den Geist seiner Zeit gestemmt habe (Droysen) erreicht ihren Höhepunkt bei Kahrstedt und Drerup (D. als perfider Winkeladvokat und Agent des Perserkönigs) [3. 293–5]. In der Zeit der beiden Weltkriege dient der Redner auf alliierter Seite als Modell des Widerstands gegen mil. Aggression (Clemenceau, Adam) [3. 296–300]. Seit Kriegsende hat sich das Interesse wieder mehr auf den Redner D. verlagert. Die Beurteilung D.' als Politiker bleibt jedoch in der Forsch. weiterhin kontrovers.

ED.: S. H. BUTCHER, W. RENNIE, 3 Bde., 1903–31 (Ndr.) · M. CROISET, O. NAVARRE, P. ORSINI, J. HUMBERT, L. GERNET, G. NATHIEU, R. CLAVAUD, 13 Bde., 1924–87.

EINZEL-ED., ÜBERS., KOMM.: A. SAKELLARIOU, 1988 (or. 1–3) · P. COLLIN, 1965 (or. 4) · N. D. VASILOPOULOS, 1969 (or. 4) · L. CANFORA, 1992 (or. 9) · L. J. BLIQUEZ, 1968 (or. 11; 12) · L. CANFORA, 1974 (or. 16) · G. BALLAIRA, 1971 (or. 18) · S. USHER, 1993 (or. 18) · H. WANKEL, 1976 (or. 18) · W. ZUERCHER, 1983 (or. 18) · D. M. MACDOWELL, 1990 (or. 21) · G. XANTHAKIS KARAMANOS, 1989 (or. 21) · L. VOLPIS, 1936 (or. 23) · L. PEARSON, 1972 (or. 27; 28; 30; 31; 32; 34) · M. KERTSCH, 1971 (or. 30) · F. A. PALEY, J. E. SANDYS, 1896–8 (Ndr. 1979) (34–37; 39; 40; 45; 46; 53–56) · U. ALBINI, S. APROSIO, 1957 (or. 35) · C. CAREY, R. A. REID, 1985 (or. 37; 39; 54; 56) · T. N. BALLIN, 1978 (or. 50) · E. AVEZZÙ, 1986 (or. 59) · C. CAREY, 1992 (or. 59) · A. J. PATTESON, 1978 (or. 59) · J. A. GOLDSTEIN, 1968 (Briefe) · B. HAUSMANN, 1978/1981 (Pap. fr.).

SCHOLIEN: M. R. DILTS, 2 Bde., 1983–86 · Didymus, In D. Commenta, edd. L. PEARSON, S. STEPHENS, 1983.

INDEX: S. PREUSS, 1892.

LIT.-, FORSCHUNGSBERICHTE: D. F. JACKSON, G. O. ROWE, in: Lustrum 14, 1969 (bis 1966) · U. SCHINDEL (Hrsg.), D., 1987, 431–449 (bis 1983).

ALLGEMEIN: **1** BLASS, 3,1, ²1893 (Ndr. 1962) **2** L. CANFORA, Per la cronologia di D., 1968 **3** P. CARLIER, Démosthène, 1990 **4** P. CLOCHÉ, D. et la fin de la démocratie athénienne, ²1957 **5** E. DRERUP, Aus einer alten Advokatenrepublik, 1916 **6** W. JAEGER, D. Der Staatsmann und sein Werden, ²1963 **7** J. LUCCIONI, D. et le Panhellénisme, 1961 **8** U. SCHINDEL, D., 1987 **9** P. TREVES, D. e la libertà greca, 1933 **10** J. TREVETT, Apollodoros, the Son of Pasion, 1992.

ÜBERLIEFERUNG: **11** L. CANFORA, Inventario dei manoscritti greci di D., 1968 **12** Ders., Per la storia del testo di D., 1968 **13** D. IRMER, Beobachtungen zur D. Überlieferung, in: Philologus 122, 1968, 43–62 **14** Ders., Zur Genealogie der jüngeren D.-Hss., 1972.

SPRACHE, STIL: **15** G. BARTHOLD, Studien zum Vokabular der polit. Propaganda bei D., Diss. 1962 **16** W. BARTSCHELET-MASSINI, Neue Versuche zum demosthenischen Prosarhythmus, in: H. U. CAHN, E. SIMON (Hrsg.), Tainia, FS R. Hampe, 1980, 503–28 **17** R. CHEVALLIER, L'art oratoire de D. dans le discours sur la

couronne, in: BAGB 1960, 200–16 **18** D. F. McCabe, The Prose-Rhythm of D., 1981 **19** L. Pearson, The Art of D., 1976 **20** G. Ronnet, Études sur le style de D. dans les discours politiques, 1951.
Nachleben: **21** D. Adams, D. and his Influence, 1927 (Ndr. 1963) **22** A. A. Anastassiou, Zur ant. Wertschätzung der Beredsamkeit des D., Diss. 1965 **23** J. Bompaire, L'apothéose de D., de sa mort jusqu'à l'époque de la IIe sophistique, in: BAGB 1984, 14–26 **24** E. Drerup, D. im Urteil des Alt., 1923 (Ndr. 1968) **25** M. Lossau, Unt. zur ant. D.-Exegese, 1964 **26** A. Michaelis, Die Bildnisse des D., in: K. Fittschen (Hrsg.), Griech. Porträts, 1988, 78–100 **27** U. Schindel, D. im 18. Jh., 1963.   M. W.

[3] aus Bithynien (vermutlich 3./2. Jh. v. Chr.; vielleicht gehört er in die Kaiserzeit). Er verfaßte ein Werk in Prosa oder Versen mit Gründungslegenden (*Ktíseis*), sowie ein Epos (*Bithyniaká*) in mdst. zehn Büchern.

FGrH 3C, 1, 552–554 · CollAlex 25–27 · K. Ziegler, Das Hell. Epos, 1966, 15–22.   C. S.

[4] D. Philalethes. Arzt, Verf. augenheilkundlicher Schriften, 1. H. des 1. Jh. n. Chr. Den Namen Philalethes übernahm er von Alexandros Philalethes, seinem herophileischen Lehrer aus Men Karou (Kleinasien), dessen Ansichten über den Puls er in seiner dreibändigen ›Schrift über den Puls‹ im großen und ganzen teilte (Gal. 8,726–7). Seinen wichtigsten Beitrag leistete er jedoch auf dem Gebiet der Augenheilkunde. So wurde sein *Ophthalmikós* Grundlage für viele spätere Schriften zu diesem Thema: von Rufus von Ephesus im späten 1. Jh. n. Chr. (Aetios 7,53) bis zu einem anon., um 900 n. Chr. entstandenen byz. Traktat [1] sowie für Texte der lat. schreibenden Autoren Simon von Genua und Matthaeus Silvaticus aus dem frühen 14. Jh., die eine verstümmelte Handschrift aus dem Kloster Bobbio kannten, eine lat. Version der Abhandlung des D.
Der *Ophthalmikós* begann mit Kapiteln über Anatomie und Physiologie des Auges, in denen ihr Verf. sich stark an Herophilos anlehnte, gefolgt von Abschnitten über Pathologie, Symptomatologie und Therapie. Er enthielt Beschreibungen von über 40 Augenleiden, darunter Kurzsichtigkeit, grüner Star und Staphylom, sowie eine Reihe von Behandlungsarten wie feuchte Umschläge, verschiedene Augensalben und Aderlaß. D.' Beschreibung einer Staroperation (Silvaticus, Liber Pandectarum, s. v. Paracentesis, Venedig 1480) ist die älteste von einem griech. Autor erh. und dürfte sogar älter als die von Celsus (De med. 7,7,14) sein. Eine Identifizierung mit Demosthenes von Massilia (Gal. 13,855) oder dem Erfinder eines grünen Pflasters (Gal. 12,843) konnte nicht bewiesen werden.
→ Augenheilkunde; Laodikeia; Medizin

1 T. Puschmann (Hrsg.), Nachträge zu Alexander Trallianos, 1886, 134–179.

M. Wellmann, RE 9, 189–190 s. v. Demosthenes [11] · Ders., Demosthenes' ΠΕΡΙ ΟΦΘΑΛΜΩΝ, in: Hermes 38, 1903, 546–566 · Von Staden, 570–578.
V. N./Ü: L. v. R.–B.

Demostratos (Δημόστρατος).
[1] Athener, unsicher, aus welchem Demos, Buzyge (Aristoph. Lys. 397 mit schol.; Aristeid. 3,51). »Demagoge« (Plut. Nik. 12,6), der 415 v. Chr. die Bevollmächtigung der Strategen der sizilischen Expedition als → *autokrátores* beantragte (Plut. Alk. 18,3; Aristoph. Lys. 391; ohne Namen Thuk. 6,25,1) sowie die Anwerbung zakynthischer Hopliten (Aristoph. Lys. 393 mit schol.).

Traill, PAA 319245; Develin, 149; Davies, 3276(B)(4).
K. Kl.

[2] D. P. . .anus. Fronto, der Lehrer Marc Aurels, hielt für ihn eine Verteidigungsrede, die er an Marc Aurel und Verus sandte (Fronto p. 102,11 f.; 113,8 van den Hout); er dürfte mit dem Athener Archon Ti. Claudius D. identisch sein [1].

1 E. Champlin, Fronto and Antonine Rome, 1980, 63 f., 160[14].   W. E.

Demotionidai s. Phratrie

Demotisch. Von Hdt. 2,36 geprägte Bezeichnung einer seit dem 7. Jh. v. Chr. belegten ägypt. Kursivschrift, zunächst ausschließlich zur Niederschrift alltäglicher Texte (Urkunden, Briefe, Quittungen, Listen u. ä.) verwendet und damit als »Volks«-Schrift von den »heiligen« Schriften (→ Hieroglyphen, → Hieratisch) unterschieden. Seit dem 4. Jh. v. Chr. wurden auch andere Texte in d. Schrift aufgezeichnet: erzählende und belehrende Lit., wiss., rel., myth., funeräre, magische Texte, Monumentalinschr., (→ Bilingue) Dekrete (→ Rosetta-Stein), Graffiti u. a. Die Sprache der meisten in d. Schrift notierten Texte bezeichnet man ebenfalls als D. (Bindeglied zw. Neuägypt. und → Koptisch). Einige d. geschriebene Texte sind jedoch teilweise oder vollständig in älterer Sprache (Mittelägypt.; → Ägyptisch) verfaßt. In den ersten Jh. n. Chr. wurde D. als Urkundenschr. und -sprache durch das Griech. verdrängt, blieb aber in anderen Textgenres – v. a. in lit. und magischen Papyri, Mumienetiketten, Graffiti – mindestens bis ins 3. Jh. n. Chr. lebendig. Einzelne Belege finden sich noch im 4. und 5. Jh.; die letzte datierte Inschr. stammt von → Philai: 11. Dez. 452 n. Chr. [2].
→ Demotisches Recht

1 F. de Cenival, L'écriture démotique, in: Bibliothèque d'Étude, Inst. Français d'Archéologie, 64/1, 37–44
2 D. Devauchelle, 24 Août 394 – 24 Août 1994. 1600 ans, in: Bull. de la Soc. Française d'Égyptologie, 131, Oct. 1994, 17 f. 3 E. Lüddeckens, s. v. D., LÄ 1, 1975, 1052–1056
4 Ders., s. v. Papyri, D., LÄ 4, 1982, 750–898
5 H.-J. Thissen, H. Felber, Demotist. Lit.-Übersicht, in: Enchoria 1, 1971 ff.   K.-T. Z.

Demotisches Recht. Ab Mitte des 7. Jh. v. Chr. wird im ägypt. Alltag → Demotisch (die spätere Stufe der ägypt. Sprache/Schrift) verwendet, auch noch in der Zeit hell. und röm. Fremdherrschaft. Das in demot. Urkunden aufscheinende Recht stand daher möglicherweise ebenfalls unter fremdem Einfluß, der aber nicht vorschnell unterstellt werden darf. So haben z. B. nicht erst die Römer eine Art Grundbuch in Ägypten eingeführt. Dessen Wurzeln reichen vielmehr, wie anhand einer langen Inschr. aus dem 10. Jh. v. Chr. gezeigt werden konnte, in die pharaonische Zeit zurück [1].

Die in den Texten aus pharaonischer Zeit hervortretenden Tatbestände lassen zunächst an ein auf Erfahrungstatsachen beruhendes, empirisch gewonnenes Recht denken. Mit der Zeit aber gelang den Ägyptern eine isolierte Betrachtung und abstrakte Ausarbeitung von Normen, worauf mehrere demot. Schriften deuten. Darin werden Rechtssätze, obschon kasuistisch, doch zusammenhängend und in logischer Folge dargestellt; die Rechtsmaterie wird nicht nur systematisierend abgehandelt, sondern es ist auch eine gewisse inhaltliche Vertiefung feststellbar. Die Verf. solcher Schriften waren also in der Lage, Rechtsbücher zu schreiben; vielleicht waren sie Berufsjuristen [2; 3]. Hier finden sich erste Ansatzpunkte einer wirklichen Jurisprudenz.

In diese Richtung weist auch der wachsende Bestand an Formularen, womit dem Recht im Laufe der Zeit ein hoher Grad praktischer Brauchbarkeit und Geschmeidigkeit verliehen wurde. Dies läßt sich z. B. an der Institution der Ehe beobachten. Seit dem 9. Jh. v. Chr. nämlich kommen Urkunden ehegüterrechtlichen und erbrechtlichen Charakters mit stark differenzierten Klauseln auf. Diese Verschiedenheit läßt sich nicht nur geographisch aus der Provenienz von Eheleuten und Notaren erklären, sondern wohl auch chronologisch durch fortschreitenden Ausbau der Klauselformulierung. Insgesamt sind diese Urkunden erst das Ergebnis eines fortgeschrittenen Rechtsdenkens [4].

Auch die Institution der Garantie/Bürgschaft begegnet in den demot. Urkunden der Ptolemäerzeit. Die beherrschenden Grundgedanken sind in den demot. und den gleichzeitigen griech. Urkunden Ägyptens im wesentlichen gleich. Aus dem gesamten Material, das in ununterbrochener Folge bis in die byz. Zeit hineinreicht, ist zu erkennen, daß dieser Geschäftstyp auch den Gesetzgebern des → corpus iuris aus der Praxis ihrer Zeit bekannt war. Unverkennbar bestanden bei Bürgschaft/Garantie Wechselwirkungen zw. ägypt. und griech. Recht [5]. Die erwähnten Eheurkunden haben gleichfalls Einfluß auf die Gestaltung des Ehegüterrechts in den griech. Papyri geübt [6]. Auch an anderen Beispielen zeigt sich, daß fremde Rechtssysteme auf die demot. Urkunden eingewirkt und diese die Entwicklung jener Rechte befruchtet haben.

→ Ägyptisches Recht

1 S. ALLAM, Publizität und Schutz im Rechtsverkehr, in: Ders. (Hrsg.), Grund und Boden in Altägypten, 1994, 35–43 2 E. SEIDL, Eine demot. Juristenarbeit, in: ZRG 96, 1979, 17 3 S. ALLAM, Réflexions sur le »Code légal« d'Hermopolis dans l'Égypte ancienne, in: Chronique d'Égypte 61, 1986, 50–76 4 s. v. Ehe, Eheurkunden, in: LÄ I, 1162–1183 5 J. PARTSCH, in: K. SETHE, Demot. Urkunden zum ägypt. Bürgschaftsrechte vorzüglich der Ptolemäerzeit, 1920, 518 f.

6 G. HÄGE, Ehegüterrechtliche Verhältnisse in den griech. Papyri Ägyptens bis Diokletian, 1968, 17. S. A.

Denarius. Römische Standardsilbermünze im Wert von 10 Assen – daher der ant. Rufname »Zehner« –, später 16 Assen. Im Griech. als δηνάριον (dēnárion) bezeichnet. Nach dem Zusammenbruch des Geldsystems im Laufe des 2. punischen Krieges wird in Rom, zwischen 214–211 v. Chr., der D. zusammen mit den Teilstücken Quinarius (½ D.) und Sestertius (¼ D.) als neue Leitmünze (Wertzeichen X oder ✕) eingeführt, die den Quadrigatus ablöst. Im Gewicht von 4 scrupula (ca. 4,55 g = ½₂ röm. Pfund zu 327,45 g) entspricht der D. 10 sextantalen Assen und bricht mit dem alten Münzsystem der Didrachmen zu 6 scrupula, um wohl den Abfluß des röm. Geldes ins Feindesland zu verhindern [1. 8 ff.; 360 ff.]. Das Verhältnis Silber zu Bronze beträgt 1:120 [2. 626]. Der Feingehalt von über 95% wird bis zum Ende der Republik beibehalten [2. 569 ff.]. Bereits vor 200 v. Chr. wird das Gewicht auf etwa 3,8 g (⅟₈₄ röm. Pfund) reduziert [2. 594 f.]. Um 141 v. Chr. bezeugt das kurz auftauchende Wertzeichen XVI ein Wertverhältnis zu 16 inzwischen auf den unzialen Fuß gefallenen Assen, wobei die Wertzeichen X oder ✕ weiterhin in Gebrauch sind (Nominaltabelle, → Aureus) [2. 613; 624 f.]. Nachdem sich der Aureus in der frühen Kaiserzeit allmählich zur eigentlichen Leitmünze entwickelt hat, setzt die Entwertung des D. ein. Nero senkt 64 n. Chr. den D. auf ⅟₉₆ Pfund, d. h. auf drei scrupula bzw. etwa 3,4 g mit einem Feingehalt von ca. 93 % [3. 76; 4. I 25, III 110 ff.]. Im Laufe des 2. Jh. n. Chr. sinkt er auf etwa 3 g mit 73–72 % Silber [4. II 60, III 121 ff.] und unter Septimius Severus und Caracalla auf ca. 50 % Silber [4. III 49]. Mit der Münzreform des Caracalla um 215 n. Chr. übernimmt der Antoninian als zweifacher Denar (→ Medaillon, für weitere Mehrfache des D.) die Funktion als Leitmünze [4. III 64 ff.]. Nach dem Ende der severischen Dynastie (235 n. Chr.) wird der D. als Kupfermünze mit einem hauchdünnen Silberüberzug nur noch sporadisch in kleinen Mengen geprägt [5. 49]. Der Durchmesser verringert sich von 23 auf 18 mm. Nach dem Zusammenbruch des Währungssystems der Silberprägungen im 3. Jh. n. Chr. lebt der D. seit der Münzreform des Diokletian (301 n. Chr.) als Rechenwert fort [6. 328]. Im Preisedikt des Diokletian beträgt der Wert des Goldpfundes 72000 D. [7. 450]. Im 4. Jh. n. Chr. gehen 6000 D., später im 6. Jh. bis zu 7200 D. auf den Solidus [8. 15 f.]. Gegen Ende des 7. Jh. n. Chr. tritt unter den Merowingern eine Silbermünze auf, die als D., später als Denier, bezeichnet wird [9. 102].

Als Gewichtseinheit wird der D. als ⅟₈₄ und vor allem ab Nero als ⅟₉₆ Pfund verwendet und ist, auch unter der Bezeichnung Drachme, der neuatt. Drachme zu drei scrupula (3,41 g) gleichgesetzt [10. 210].

→ Antoninanus; As; Aureus; Didrachmon; Drachme; Medaillon; Münzfälschung; Münzreformen; Münzwesen; Quadrigatus; Quinarius; Sestertius; Solidus

1 J. SEIBERT, Forsch. zu Hannibal, 1993 2 RRC, ²1987
3 A. N. ZOGRAPH, Ancient coinage I, 1977 4 D. R.
WALKER, The metrology of the Roman silver coinage I,
Brit. Archeol. Rep. Suppl. Ser. 5, 1976; II, Ser. 22, 1977; III,
Ser. 40, 1978 5 A. BURNETT, Coinage in the Roman world,
1987 6 S. BOLIN, State and currency in the Roman Empire
to A. D. 300, 1958 7 M. F. HENDY, Studies in the Byzantine
monetary economy, c. 300–1450, 1985 8 P. GRIERSON,
Byzantine coins, 1982 9 Ders., M. BLACKBURN, Medieval
european coinage I, 1986 10 HULTSCH, s. v. D., RE 5,
202–215, hier 210.

D. SPERBER, Denarii and Aureii in the Time of Diocletian,
in: JRS 56, 1966, 190–195 · M. H. CRAWFORD, Coinage
and money under the Roman Republic, 1985.   A. M.

Dendara (ägypt. *Jwnt*[–*tꜣ-ntrt*], griech. Τεντυρα), Stadt
in Oberägypten, auf dem Westufer des Nils gegenüber
dem h. Qena gelegen, Hauptstadt des 6. oberägypt.
Gaus. D. war seit frühester Zeit ein wichtiges Zentrum,
bes. bed. vom AR bis zum frühen MR. Aus ptolem. und
röm. Zeit sind zahlreiche Gaustrategen mit ihren Denkmälern überliefert. Wichtigste Gottheit war die Liebes-
göttin Hathor. Ihr Heiligtum, seit dem AR nachzuweisen, wurde mehrfach erweitert bzw. erneuert. Die h.
erhaltene Anlage stammt aus spätptolem. und frühröm.
Zeit und ist einer der am besten erhaltenen Tempel in
Ägypten.

F. DAUMAS, LÄ I, 1060–1063.   K. J.-W.

Dendrophoroi (δενδροφόροι). Collegium, wohl im
Zusammenhang mit der Reorganisation des Kultes der
→ Mater Magna von Kaiser Claudius gegründet. Der
erste inschr. Beleg 79 n. Chr. ist CIL X 7 (Regium Iu-
lium). Das Gründungsdatum (*natalicium*) fiel auf den 1.
August. Die rituelle Funktion des Vereins bestand im
Fällen, Schmücken und Tragen der hl. Pinie in der
Trauerprozession am 22. März zur Erinnerung an den
Tod des Attis (Lyd. mens. 4,59; vgl. das Basrelief im
Musée d'Aquitanie, Bordeaux [1]). Der griech. Name
des Vereins legt die Vermutung nahe, daß es sich um
eine Formalisierung früherer Praktiken handelt [2].

In der röm. Welt sind die *d.* zweifelsfrei, wenn auch
in unklarer Weise, mit Vereinen der Holzverarbeitung,
bes. der *collegia fabrum tignariorum*, verbunden. Im 2. Jh.
waren solche Vereine mit den üblichen Patronen und
Offizieren vor allem im Westteil des Reiches und oft in
Zusammenhang mit dem Kaiserkult weit verbreitet.
Die Verteilung von *sportulae* (»Spenden«) unter die Mitglieder (Männer und Frauen) ist mehrmals belegt (z. B.
AE 1987, 198) [3]. Vom 3. Jh. an waren die *d.* auch als
»Feuerwehrleute« tätig (vgl. Cod. Theod. 14,8,1); im J.
415 wurde das Collegium der *d.* von Kaiser Theodosius
im Zuge der Aufhebung der paganen Kulte verboten
(Cod. Theod. 16,10,20 [6]).

→ Attis; Cannophori; Collegium; Mater Magna;
Sportula

1 M. J. VERMASEREN, Cybele and Attis, 1977, Taf. 73
2 W. BURKERT, Stucture and History in Greek Myth, 1979,
119, 137 3 Y. DE KISCH, in: Ktema 4, 1979, 265 f.
                                                            R. GOR.

Dengizich (Dintzic, griech. Δεγγιζίχ, Δινζίριχος).
Sohn des Hunnenkönigs Attila; nach dessen Tod sammelte D. aus Angehörigen des Hunnenreiches, die noch
unter seiner Kontrolle standen, ein Heer gegen die Goten. Er wurde aber von diesen bei Bassianae (Pannonien) geschlagen (wohl nach 456/57 n. Chr., Iord. Get.
272 f.). Später führte er mehrere Kriege gegen die Römer, wurde aber 469 vom *mag. mil. per Thracias* Anage-
stes getötet (Prisc. fr. 36 [FHG 4,107 f.]; Chr. pasch. 323 d
DINDORF). PLRE 354 f.   M. MEI. u. ME. STR.

Dentatus. Cognomen (»der mit Zähnen geborene«)
des M'. Curius [4] D.

KAJANTO, Cognomina 224.

Denter. Cognomen (vgl. Dentatus) bei den Caecilii [I
25] und M. → Livius D. (cos. 302 v. Chr.).

KAJANTO, Cognomina 224.   K.-L. E.

Denthalioi (Δενθάλιοι). Lakon. Grenzlandschaft gegen
Messenia am Westhang des nördl. Taygetos um das
Quellgebiet des Nedon mit Heiligtum der Artemis Lim-
natis, zw. Sparta und Messenia umstritten, unter Tibe-
rius endgültig Messenia zugeteilt (Steph. Byz. s. v. D.;
Tac. ann. 4,43; Paus. 4,4,2; 31,3). Inschr.: IG V 1 p. 260 f.
Nr. 1371–1378.

L. ROSS, Reisen im Peloponnes, 1841, 1 ff. · F. BÖLTE, s. v.
D., RE 3A, 1312, 67 ff. · N. VALMIN, Études topogra-
phiques sur la Messénie ancienne, 1930, 189 ff. ·
PHILIPPSON/KIRSTEN, 3, 423 · NILSSON, GGR 1, 493.
                                                            C. L. u. E. O.

Denuntiatio kann im juristischen Kontext jede Mitteilung sein, die einer einem anderen in mündlich oder
in schriftlicher Form macht, um einen juristischen
Zweck zu verfolgen. Erklärender wie Empfänger müssen nicht Privatpersonen, sondern können auch Amtsträger oder gar das kurulische Edikt (Dig. 21,1,37) sein.
Wird eine solche Mitteilung an einen Abwesenden gerichtet, heißt sie *detestatio* (Dig. 50,39,2). Die *d.* kann
hinweisenden oder mitteilenden Charakter haben wie
etwa bei der für die Befriedigung aus einem Pfand erforderlichen (in spätantiker Zeit dreimaligen) Ankündigung des beabsichtigten Pfandverkaufs (Dig. 13,7,4)
oder verbietenden Charakter wie etwa bei der *d. operis
novi nuntiatio* (Einspruch gegen ein neues Bauwerk; Dig.
39,1,5,10) oder schließlich auffordernden wie bei dem
Inverzugsetzen (Dig. 22,1,32,1) oder bei der prozeßein-
leitenden und der streitverkündenden → *litis denuntiatio*.
Angesichts dieser Vieldeutigkeit des Begriffes lassen sich
keine rechtlichen Gemeinsamkeiten, insbes. hinsichtlich der Anforderungen an Form und Inhalt, bestimmen. Hervorhebenswerte Bed. sind u. a. (1) die von Gai.

inst. 4,15 als *d.* bezeichnete *comperendinatio* (s. auch Ps.-Ascon. Verr. 164); (2) *d. domum* ist die im Haus des Adressaten vorzunehmende *d.* (Dig. 39,1,4,5); (3) *d. ex auctoritate magistratus facta* ist eine auf magistratischen Geheiß ergehende *d.* (Dig. 16,3,5,2); (4) im prozessualen Kontext ist *d.* oftmals die Zeugenladung (Valerius Probus 5,9) oder auch eine magistratische Ladung des Beklagten. S. auch → *denuntiator.*

H. ANKUM: Der Verkäufer als cognitor und als procurator in rem suam im röm. Eviktionsprozeß ..., in: D. NÖRR, S. NISHIMURA (Hrsg.), Mandatum und Verwandtes, 1993, 285–306. C. PA.

Denuntiator. Jemand, der etwas zu verkünden oder anzuzeigen hat. In einem engeren Sinne wird dies für diejenigen verwendet, die als Privatpersonen oder von Amts wegen eine Straftat anzeigen. *D.* ist dann vielfach sinngleich mit → *delator.* Die Auswüchse des Delatoren-Unwesens haben auf die Einschätzung des Denunziantentums nachhaltig eingewirkt. Auch als Unterbeamte in der Funktion von Herolden kommen in Rom *d.* vor. Zu ähnlichen Erscheinungen im griech. Recht → *Menysis,* → *Sykophantes.* G. S.

Depas (δέπας). Bei Homer mehrfach erwähntes, wohl schon im Hethitischen bezeugtes Weingefäß zum Trinken, Spenden, Mischen und Schöpfen, aus Edelmetall gefertigt und mit Verzierungen versehen (»Nestorbecher«, Hom. Il. 11,632ff.). Syn. verwendet Homer ἄλεισον (*áleison*), ἀμφικύπελλον (*amphikýpellon*), κύπελλον (*kýpellon*); danach verstand man den D. als zweihenkeligen Becher, ähnlich dem Kantharos (→ Gefäßformen). Durch arch. Funde und die Interpretation der Linear B-Täfelchen aus Pylos und Knossos (dort jeweils als *di-pa* bezeichnet) scheint seine lange in der Forschung diskutierte Form einer Klärung nähergebracht [1]. Demnach handelt es sich um einen amphoroiden Krater mit zwei, drei oder vier randständigen Henkeln bzw. ohne Henkel. Unterschiedlich breit wiedergegeben ist auf den Täfelchen die Gefäßöffnung, wobei die enge Öffnung auf der Tontafel Ta 641 aus Pylos [4] ein Mischen des Weines, wie es Homer für den Becher des Nestor beschrieb, nahezu unmöglich macht. Der homerische *d. amphikýpellon* (z. B. Il. 9,656; 13,219f; Od. 8,89) war vermutlich ein mittels einer Trageöse verbundener Doppelbecher [3].

1 G. BRUNS, Küchenwesen in myk. Zeit, ArchHom Q, 1970, 25–27, 42–44, 52 2 F. CANCIANI, Bildkunst II, ArchHom N, 1984, 40 3 G. DAUX, in: BCH 94, 1965, 738–740 Abb. 12–14, 89 4 S. HILLER, Der Becher des Nestors, in: AW 7/1, 1976, 22–31. R. H.

Deportatio. Die Verbannung auf eine Insel oder in eine Wüsten-Oase ist im röm. Recht eine Kapitalstrafe: Sie ersetzt im Prinzipat (spätestens seit Trajan, bald nach 100 n. Chr.) die → *aqua et igni interdictio,* die ihrerseits gegen Ende der Republik bei freien röm. Bürgern der besseren Stände an die Stelle der Todesstrafe getreten

war. Mit der *aqua et igni interdictio* hat die *d.* gemeinsam, daß sie zum lebenslänglichen Verlust des Bürgerrechts und des Vermögens führt. Da der Delinquent sich nicht freiwillig durch seine Flucht ins Exil dem Strafverfahren entzogen hat, wird die Verbannung – meist an einen ganz bestimmten Ort (Dig. 48,22,6,1) – zu einem Bestandteil des Strafausspruchs. Dies heißt in der Regel auch, daß der Verurteilte, wie die Wortbedeutung von *d.* nahelegt, zwangsweise an den Ort der Verbannung verbracht wurde. Eine Milderung der Strafe war durch kaiserlichen Gnadenakt möglich. In einem solchen Fall konnten Bürgerrecht und Vermögensberechtigung wieder aufleben (→ *postliminium*). Eine mildere, von vornherein zeitlich beschränkte Form der *d.* war die → *relegatio.* Angewendet wurde die *d.* auf die unterschiedlichsten Straftaten: von den »polit. Delikten« wie Majestätsverbrechen (→ *maiestas*) und den verschiedenen Arten des Amtsmißbrauchs (z. B. → *repetundae* und → *peculatus*) bis hin zu Mord, Menschenraub oder Sexualdelikten. Auch Ehebruch (→ *adulterium*) wurde teilweise mit *d.* geahndet.

E. L. GRASMÜCK, Exilium, 1978. G. S.

Deportation s. Verschleppung

Depositio s. Feriale

Depositum. Der röm. Verwahrungsvertrag, der als Realkontrakt zustandekommt, indem der Hinterleger (Deponent) eine Sache an den Verwahrer (Depositar) zur unentgeltlichen Aufbewahrung übergibt. Entgeltliche Verwahrung fällt unter → *locatio conductio.*

Der Depositar wird nicht Besitzer und Eigentümer der Sache, sondern bloß *detentor* (→ *posessio*): er darf die Sache nicht gebrauchen, ein Gebrauch der Sache wird als → *furtum* qualifiziert. Auf Verlangen des Deponenten hat der Verwahrer die Sache unversehrt zurückzugeben.

Im Falle der vorsätzlichen Unterschlagung der Sache sehen schon die XII-Tafeln eine Strafklage auf das Doppelte (*duplum*) gegen den Verwahrer vor (Paulus coll. 10,7,11). Auch später noch kann das *duplum* verlangt werden, wenn die Hinterlegung in einer Notsituation wie z. B. *incendium* (Brand) oder *naufragium* (Schiffbruch) erfolgt ist (Dig. 16,3,1,1, unröm. *depositum miserabile*). Im übrigen gibt es in der jüngeren Republik eine prätorische *actio in factum concepta* (analoge Klage) des Deponenten gegen den Depositar, deren Formel auf böse Absicht (→ *dolus*) abstellt sowie (etwas später) eine *actio* nach *ius civile,* mit der die Pflichten durch Treu und Glauben (*bona fides*) festgelegt werden (Gai. inst. 4,47).

Der Depositar haftet im allg. nur für *dolus,* wobei grobe Fahrlässigkeit (*culpa lata*) und ein Verstoß gegen die *diligentia quam in suis rebus* (Sorgfalt wie in eigenen Angelegenheiten) von manchen Klassikern dem *dolus* gleichgestellt werden (vgl. Nerva und Celsus in Dig. 16,3,32). Die beschränkte Haftung des Depositars erklärt sich im Sinne des Utilitätsgedankens damit, daß er unentgeltlich und uneigennützig tätig ist (vgl. coll. 10,2,1). Schäden und Aufwendungen im Rahmen des *d.* kann er vom Hinterleger mit der *actio depositi contraria* ersetzt verlangen (coll. 10,2,5).

Ein (spätes sog.) *d. irregulare* liegt vor, wenn Geld mit der Vereinbarung hinterlegt wird, daß es vom Verwahrer gebraucht werden darf und bloß wertmäßig zurückzugeben ist. Hier wird der Verwahrer Eigentümer des Geldes und trägt als solcher (wie beim Darlehensvertrag, → *mutuum*) die Gefahr des zufälligen Untergangs (vgl. coll. 10,7,9). Beim *d. irregulare* können auch Zinsen vereinbart und mit der *actio depositi* eingeklagt werden (Dig. 16,3,24).

Beim *d. sequestre* wird eine Sache von mehreren Personen an den Sequester mit der Vereinbarung übergeben, daß er sie aufbewahren und unter einer bestimmten Bedingung herausgeben soll (Paul. Dig. 16,3,6). Der häufigste Anwendungsfall ist die Streitverwahrung (vgl. Dig. 50,16,110), bei der der Sequester die Sache demjenigen, der im dinglichen Streit obsiegt, herauszugeben hat. Anders als der normale Verwahrer genießt der Sequester Besitzschutz.

→ Culpa; Custodia

KASER, RPR I, 534–536, II, 371–373 · H. HONSELL, TH. MAYER-MALY, W. SELB, Röm. Recht, ⁴1987, 301– 04 · R. ZIMMERMANN, The Law of Obligations, 1990, 205–220.   F. ME.

Derbe (Δέρβη). Stadt im Süden von Lykaonia, h. Devri Şehri nordöstl. von → Laranda. Bekannt zuerst als Residenz des Antipatros von D. (Cic. fam. 13,73; Strab. 12,1,4; 6,3). Der Apostel Paulus besuchte die Stadt auf seiner ersten und zweiten Missionsreise (Apg 14,6; 16,1). Von Ptolemaios der »kappadokischen« *stratēgía Antiochiánē* zugerechnet (Ptol. 5,6,16); seit Mitte des 2. Jh. n. Chr. Mitglied des auf Südlykaonia beschränkten *koinón Lykaonías* [1. 38–40, 67]. Spätestens seit 381 lykaonisches Bistum (Suffragan von Ikonion). Im 8./9. Jh. wurde die Stadt evtl. infolge von Arabereinfällen aufgegeben [2. 53,88,157]. Die Existenz eines zweiten D. in Isauria (Steph. Byz. s. v. D.) ist unwahrscheinlich.

1 H. v. AULOCK, Mz. und Städte Lykaoniens, 1976
2 BELKE.   K. BE.

Derdas (Δέρδας). Ein im Königshaus von Elimeia gebräuchlicher Name.

[1] Sohn von → Arridaios [1] und einer Prinzessin von → Elimeia, griff 432 v. Chr. im Bündnis mit Philippos, Sohn von → Alexandros [2], und mit athenischer Unterstützung Athens Bundesgenossen → Perdikkas an (Thuk. 1,57). Im späteren athenischen Vertrag mit Perdikkas (IG I³ Nr. 89) schwor er mit anderen maked. Fürsten den Eid (Z. 69).

E. BADIAN, From Plataea to Potidaea, 1993, 172–4 · S. HORNBLOWER, Greek Historiography, 1994, 127–30 · HM 2, 18, 122 f.   E. B.

[2] Ein D., wahrscheinlich Enkel von D. [1], ermordete Amyntas »den Kleinen« von Makedonien (vgl. → Amyntas [2]) (Aristot. pol. 5,1311b3). Später unterstützte er Sparta im Krieg gegen Olynthos (Xen. hell. 5,2).

[3] Wahrscheinlich Sohn von D. [2], Schwager von → Philippos II. und Kommandeur in dessen Olynthischem Krieg (349 v. Chr.). D. wurde in Philippos' Abwesenheit von → Charidemos geschlagen und gefangengenommen (Theop. FGrH 115 F 143).   E. B.

Derieis (Δεριεῖς). Stamm und Distrikt im Osten von Akarnania, Ziel der peloponnesischen Festgesandten (IG IV² 96, Z. 61 ff.; SEG 36,331, Z. 41 ff.). 314 v. Chr. *synoikismós* in → Agrinion (Diod. 19,67,4). Hauptort nicht lokalisiert.

PRITCHETT, Bd. 8, 81–85.   D. S.

Derivation s. Wortbildung

Derkylidas (Δερκυλίδας). Spartiat; galt als gewandter und listenreicher Truppenführer. Er gewann 411 v. Chr. kampflos Abydos und Lampsakos (Thuk. 8,61 f.), war 407/6 Harmost in Abydos (Xen. hell. 3,1,9) und löste 399 im Krieg Spartas gegen den persischen Satrapen Tissaphernes in Kleinasien den unbeliebten Thibron ab, der das Heer, darunter die ehemaligen Söldner des jüngeren Kyros (auch Xenophon), nicht disziplinieren konnte (Xen. hell. 3,1,8–10). In einem »Blitzfeldzug« entriß D. dem Satrapen Pharnabazos 399 die Troas, bekämpfte während eines Waffenstillstandes Thraker in Bithynien, überwinterte dort, sicherte 398 die Chersones gegen thrakische Invasionen (Xen. hell. 3,1,16–2,11; Isokr. or. 4,144; Diod. 14,38,2–7) und belagerte Atarneus, das nach achtmonatiger Belagerung im Frühjahr 397 kapitulierte. Als er auf Weisung der Ephoren nach Karien vorrückte, um Tissaphernes zum Frieden zu zwingen, vereinigten dieser und Pharnabazos ihre Heere und zwangen so den D. zum Rückzug. Angesichts der persischen Übermacht schloß D. im Frühsommer 397 bei Magnesia (Maiandros) den angebotenen Waffenstillstand, der als Friedensbedingungen den Abzug der Spartaner und die Autonomie der kleinasiatischen Griechenstädte enthielt (Xen. hell. 3,2,12–20; Diod. 14,39,5 f.; StV 2, 219) – ein illusorischer Vertrag, weil der Großkönig weiterhin Anspruch auf jene Poleis erhob. Da die persischen Flottenrüstungen eine Invasion in Griechenland befürchten ließen [1. 29], wurde D. 396 durch Agesilaos II. abgelöst. Nach der Schlacht bei Knidos 394 behauptete D. Abydos, wo er noch bis 389 Harmost war (Xen. hell. 4,8,32). D. bewies polit. und strategischen Weitblick, mußte aber in Kleinasien mit unzulänglichen Mitteln Krieg führen.

1 CH. D. HAMILTON, Agesilaus and the Failure of Spartan Hegemony, 1991.   K.-W. WEL.

Derkylides. Philosoph des 1. Jh. v. Chr. [3. 180] oder n. Chr. [4. 64]. Obgleich an keiner Stelle als Platoniker bezeichnet, scheint er sich doch intensiv mit der Philos. Platons, bes. mit den mathematischen und astronomischen Stellen seiner Dialoge, beschäftigt zu haben. Bedeutend war sein mindestens elfbändiges Werk ›Über die Philos. Platons‹, aus dem noch Porphyrios zitierte [1. 82ff., 296; 3. 60, 236]. Der Traktat ›Über die Spindel und die Wirteln‹, von denen in Platons *Politeia* die Rede ist, ist vielleicht ein Teil dieses Werkes [3. 44, 202f., 236]. Proklos überliefert zwei Erklärungen zu Plat. rep. 545d ff. (In rep. 2,24,6ff. SKUTSCH; 25,15ff. SKUTSCH [1. 110ff., 342]) und berichtet an anderer Stelle, D. habe den unbekannten vierten Gesprächsteilnehmer in Platons *Timaios* mit Platon selbst gleichgesetzt (In Tim. 1,20,9ff. DIEHL [3. 212]). Albinos zufolge [2. 98] hat D. – wie Thrasyllos – die Dialoge Platons in Tetralogien eingeteilt.

1 DÖRRIE/BALTES I, 1987 2 DÖRRIE/BALTES II, 1990 3 DÖRRIE/BALTES III, 1993 4 J. MANSFELD, Prolegomena, 1994.

J. GLUCKER, Antiochus and the Late Academy, 1978,123 · H. TARRANT, Thrasyllan Platonism, 1993, 11–13; 72–84.

M. BA. u. M.-L. L.

Derkylos (Δερκύλος). Sohn des Autokles aus Hagnous, athenischer Gesandter zu → Philipp II. über den Philokratesfrieden 346 v. Chr. (Aischin. leg. 47; 140; Demosth. or. 19,60,125. 175). D. war Bürge für athenische Schiffe 341/40 (IG II² 1623, 179–180) und noch 319/8 Stratege (Plut. Phokion 32,5; Nep. Phokion 2,4; IG II² 1187 Ehrung durch den Demos der Eleusinier). (PA und APF 3249).

→ Athenai

J. E.

Dermatikon s. Opfer

Derris (Δέρρις). Kap am Südende der Sithonia gegenüber dem Kap Kanastraion auf der Pallene.

M. ZAHRNT, Olynth und die Chalkidier, 1971, 180. M. Z.

Dertona. *Oppidum* der ligur. Dectunini oder Irienses, h. Tortona. Zw. 211 und 118 v. Chr. gegr. *colonia*, neugegr. evtl. vor 27 v. Chr., *tribus Pomptina* (Vell. 1,15,5), *regio IX*, Kreuzungspunkt der *via Fulvia* (seit 159 v. Chr.), der *via Postumia* (seit 148 v. Chr.) und der *via Aemilia Scauri* (seit 109 v. Chr.; Strab. 5,1,11; Ptol. 3,1,35; Plin. nat. 3,49; Tab. Peut. 3,5). In der späten Kaiserzeit Zentrum der *annona* (Cassiod. var. 10,27,2), Bischofssitz (Agatho Papa, ep. 3, 1239) und wahrscheinlich *praesidium* des Militärs (Not. dign. occ. 42). Bei D. wurde Maiorianus von Ricimer 461 n. Chr. geschlagen. Arch. Reste: Nekropole, Stadtmauern.

Fontes Ligurum et Liguriae antiquae, 1976, s. v. D. · G. BINAZZI (Hrsg.), Inscriptiones Christiana Italiae 7, 1990, 3–118 · P. FRACCARO, Opuscula 3, 1957, 124–150.

G. ME./Ü: R. P. L.

Dertosa. Im 6. Jh. v. Chr. lag an der Ebromündung die reiche Handelsstadt Tyrichae (Avien. ora maritima 498–503). Für 215 v. Chr. wird dort wieder eine ›sehr reiche‹ Stadt erwähnt: *Hibera* (Liv. 23,28,10). Sie ist zweifellos identisch mit der nachmaligen *Hibera Iulia Ilercavonia* (über den Stamm der Ilercavones s. [4. 1092]) D. (nach [1. 1269] iberisch, nach [2. 63; 3. 4, 233f.] ligurisch). Hibera lag nach Livius auf dem südl. Ufer, was mit der strategischen Gunst und den vorhandenen Resten übereinstimmt [3. 3, 79]. Merkwürdigerweise wird sie auf Inschr. (CIL II Suppl. p. 1144) und auf Mz. des Augustus *colonia*, auf Mz. des Tiberius *municipium* genannt [5]. So müssen zwei Orte nebeneinander bestanden haben, evtl. an verschiedenen Ufern, worauf der Umstand hindeutet, daß das h. Tortosa am Nordufer liegt (über diese Problematik [6]; vgl. auch Mela 2,90; Plin. nat. 3,23; Strab. 3,4,6.9, demzufolge eine Furt und keine Brücke hier über den Ebro führte; Geogr. Rav. 4,42; 5,3).

506 n. Chr. wurde D. von Alarich II. besetzt (Chron. Caesaraug., in: Chronica minora 2,222 MOMMSEN). Im 6. und 7. Jh. wird D. oft als Bistum erwähnt: [3. 9, 446]. König Reccared I. (586–601) hat hier Mz. geprägt: [9]. Zum späteren Schicksal des Ortes s. [8].

1 HOLDER, I 2 A. SCHULTEN, Numantia 1, 1914 3 Ders., Fontes Hispaniae Antiquae, 1952ff. 4 Ders., s. v. Ilurcavones, RE 9, 1092f. 5 A. VIVES, La Moneda Hispánica 2, 1924, I, LXXXIX 4,17 6 E. HÜLSEN, s. v. D., RE 5, 246f. 7 A. HEISS, Monnaies des rois wisigoths d'Espagne, 1872, 90, Pl. 2 8 Enciclopedia Universal Ilustrada 62, 1545, s. v. Tortosa.

TOVAR, 3, 1989, 433f. P. B.

Descriptio s. Ekphrasis

Deserti agri. Die Urbarmachung von Ödland war bereits in der hohen Kaiserzeit ein Anliegen kaiserlicher Gesetzgebung. Auf den kaiserlichen Gütern in Nordafrika genossen Pächter, die Brachland kultiviert hatten, nach der *lex Manciana* bes. günstige Pachtbedingungen (CIL VIII 25943). Die Juristen der klass. Zeit erörterten den Fall, daß Ackerland, das von seinem Eigentümer vernachlässigt worden war, von einem Dritten bestellt wurde (Gaius, Inst. 2, 51). Pertinax wollte angeblich 193 n. Chr. unbestelltes Land unter Gewährung von Steuerfreiheit für 10 Jahre vergeben (Herodian. 2, 4,6).

Die spätant. Kaiser intensivierten die Bemühungen, Brachland zu kultivieren. Aurelianus machte die Curien für verlassenes Land haftbar und gewährte gleichzeitig eine Steuerbefreiung von drei Jahren. Constantinus wiederholte dies; konnten die Curialen einer Gemeinde die auf dem Brachland liegenden Steuern nicht aufbringen, dann sollten diese Lasten auf alle Grundbesitzer der Gemeinde verteilt werden (Cod. Iust. 11,59,1). Verlassener *ager publicus* wurde schon seit dem Beginn des 4. Jh. n. Chr. dem neuen Bebauer zu sicherem Besitz überlassen (vgl. Cod. Iust. 11, 63, 1, 319 n. Chr.). Dem, der in privatem Eigentum befindliches Ödland bestellte, wurden auf jeden Fall die Erträge zugesichert (Cod. Theod. 7,20,11). Theodosius bestimmte, daß der alte Eigentümer noch innerhalb von zwei Jahren seinen aufgegebenen Besitz zurückfordern könne, danach hatte er diesen verloren (Cod. Theod. 5,11,12). 386 wurde für die Übernahme von herrenlosem Ödland eine Immunität von zwei Jahren gewährt (Cod. Iust. 11,59,7,1). *D.a.* sind aus weiten Teilen des Reiches bezeugt: u. a. aus Gallien, Italien, Syrien, Nordafrika.

In der älteren Forsch. wurde die Auffassung vertreten, die *d.a.* hätten in der Spätant. an Fläche zugenommen; die Ursachen hierfür wurden in einem angeblichen Niedergang der Landwirtschaft, einem Bevölkerungsrückgang und nicht zuletzt in einer übermäßigen Steuerbelastung gesehen, die zu einer Landflucht geführt hätte (vgl. z.B. Lib. or. 2, 32; Theod. epist. Sirmond. 42). Heute neigt man zu einer vorsichtigeren Einschätzung des Problems [2; 3]: Um 400 lagen in Campanien nicht mehr als ca. 10% des Ackerlandes brach (Cod. Theod. 11,28,2). In *Africa Proconsularis* und *Byzacena* waren 422 n. Chr. zwar 5700 bzw. 7615 *centuriae* Landes nicht bestellt (gegenüber 9002 bzw. 7460 *centuriae* kultivierten Landes; Cod. Theod. 11,28,13); tatsächlich entsprechen diese Werte jedoch den natürlichen Gegebenheiten Nordafrikas: Auch in der Gegenwart sind dort nur ca. ⅗ der Grundfläche landwirtschaftlich genutzt [2]. Die spätant. Gesetzgebung zu den *d.a.* betrifft somit vornehmlich Marginalböden, die je nach Konjunktur und Steuerbelastung landwirtschaftlich genutzt wurden oder brach lagen.

1 JONES, LRE 812–823 2 C. LEPELLEY, Déclin ou stabilité de l'agriculture africaine au Bas-Empire?, in: AntAfr 1, 1967, 133–144 3 C. R. WHITTAKER, Agri deserti, in: M. I. FINLEY (Hrsg.), Studies in Roman Property, 1976, 137–165; 193–200.　　　　　　　　　　　　　　　　　J.K.

Desertor.

In der röm. Armee wurde als *d.* betrachtet, wer nicht beim Appell erschien (Liv. 3,69,7), wer sich während einer Schlacht aus der Reichweite des Trompetenschalles entfernte oder wer seine Einheit in Friedenszeiten ohne Erlaubnis, ohne *commeatus* (Suet. Oth. 11,1; SHA Sept. Sev. 51,5; Dig. 49,16,14), verließ (›sich von den *signa* entfernte‹). Die Strafen waren unerbittlich: je nach Fall drohte die Sklaverei (Frontin. 4,1,20), die Verstümmelung (SHA Avid. 4, 5) oder der Tod (der Verurteilte wurde mit Ruten geschlagen und daraufhin von dem *Tarpeium saxum* herabgeworfen oder gekreuzigt). Die *decimatio* war eine Strafe für die Fahnenflucht einer ganzen Einheit. In der Zeit des Principats wurde die Fahnenflucht seltener, was durch die Strenge einzelner *principes* bedingt war: In Friedenszeiten stellte die Gefängnisstrafe das häufigste Strafmaß dar (Tac. ann. 1,21,3), wobei die Todesstrafe jedoch nicht abgeschafft wurde (Suet. Aug. 24; Ios. bell. Iud. 3,103). Im Gegensatz zu der oft geäußerten Meinung ist es nicht sicher, daß die Spätant. eine Verschärfung der Strafen kannte. Die Verstümmelung (Amm. 29,5,22; 29,5,31; 29,5,49) und die Todesstrafe (Amm. 21,12,20; 29,5,22) drohten

den Deserteuren noch immer, aber es bestand auch die Möglichkeit, sie zu deportieren oder in eine andere Einheit zu versetzen. Darüber hinaus empfahl das Gesetz Nachsicht für die Rekruten (Dig. 49,16,3,9). Andererseits wurden im Gesetz auch diejenigen, die ihren Vorgesetzten im Stich gelassen (Dig. 49,16,3,9) und ihre Waffen verkauft hatten (Dig. 49,16,3,17), zu den *d.* gerechnet. Die spätant. Gesetze suchten vor allem zu unterbinden, daß Grundbesitzer *d.* auf ihren Ländereien aufnahmen und dort verbargen (Cod. Theod. 7,18).
→ Commeatus; Decimatio; Deilias graphe

1 O. FIEBIGER, RE 5, 249–250.　　　　　　Y.L.B./Ü:C.P.

Desmoterion

(δεσμωτήριον). In Athen gab es auf dem Markt (zur Lokalisierung [1]) ein Gefängnis (Demosth. or. 24,208 f.), das seinen Namen den Fesseln, δεσμά (*desmá*), verdankte, die den Gefangenen gewöhnlich in Form von Ketten und Fußfesseln angelegt wurden. Die Verwahrungsorte waren auch in anderen Poleis nicht ausbruchsicher. Über die Art der Vollstreckung der Haft (Fesselung, Besuchserlaubnis) entschied die Aufsichtsbehörde, in Athen die Elfmänner. Die Haft war immer Gemeinschaftshaft und wurde nicht als Strafe verhängt, sondern um sich der Person eines Angeklagten, Verurteilten oder Staatsschuldners zu versichern. Das D. begegnet in zahlreichen griech. Staaten und in hell. Zeit auch in Ägypten (vgl. P.Tebt. 567: δεσμευτήριον, *desmeutḗrion*). Andere Bezeichnungen sind οἴκημα (*oíkēma*, Zelle oder Käfig), ἀναγκαῖον (*anankaíon*, Zwangshaus), κέραμος (*kéramos*, Topf) und – nur in Platons Staatsutopie – σωφρονιστήριον (*sophronistḗrion*, »Haus der Besinnung«). Platon war auf dem Gebiet des Gefängniswesens insofern ein Neuerer, als er (leg. 908a ff.) eine Abstufung der Gefängnisse in drei bes., auch äußerlich nach Lage und Bezeichnung verschiedene Gefängnistypen vorsah: das Verwahrungsgefängnis, das Zuchthaus und das Besserungshaus [2]. Platon schlug die Gefängnishaft als Körperstrafe (so schon Demosth. or. 24,146) vor, im hell. Ägypten trat sie allmählich auch in der Praxis auf [3. 74]. In einzelnen Fällen begegnet die Fesselung (im Block oder Halseisen) in Athen als Strafverschärfung (Demosth. or. 24,103 und 114), in anderen wieder als Ersatzstrafe für Staats- und Privatschuldner im Falle der Zahlungsunfähigkeit [4. 243 f.]. In den meisten Fällen diente die Haft dem Sicherungszweck, damit der Staatsschuldner sich nicht seiner Zahlungspflicht (Aristot. Ath. pol. 63,6) oder der Verbrecher der Strafe entziehe [5. 107]. Im Gefängnis wurde auch die Todesstrafe vollstreckt (Demosth. or. 25,52). Vor dem Prozeß war es jedoch streng verboten, einen Bürger, selbst wenn er eines schweren Verbrechens bezichtigt wurde, zu verhaften, wenn er drei Bürgen stellen konnte. Ausgenommen waren nach dem Ratseid (Demosth. or. 24,144) die zahlungsunfähigen Staatspächter und die wegen Hochverrats Angeklagten. Im ptolemäischen Ägypten wurde entgegen dem königlichen Erlaß zum Schutz der persönlichen Freiheit (PTebt. 5,255–264)

von den Polizeibehörden oft Personalhaft wegen privater Delikte (ἴδια ἀδικήματα) angeordnet [3. 58f.].
→ Todesstrafe

1 A. L. Boegehold, The Lawcourts at Athens. Site, Buildings, Equipment (Ath. Agora, Bd. 28), 1995, 85 u. 95 f.
2 T. J. Saunders, Plato's Penal Code, 1991, 309 ff.
3 R. Taubenschlag, Das Strafrecht im Rechte der Papyri, 1916 4 A. R. W. Harrison, The Law of Athens II, 1971
5 U. E. Paoli, Zum att. Strafrecht und Strafprozeßrecht, in: ZRG 76, 1959, 107 f. G. T.

Despeñaperros. Schlucht in der Sierra Morena, die Neukastilien (Oretania) mit Andalusien (Baetica) verbindet. An der ant. Straße über der Schlucht in dem Collado de los Jardines liegt ein Grottenheiligtum, darüber eine befestigte iberische Siedlung. Das Heiligtum reicht stratigraphisch bis ins 4. Jh. v. Chr., den frühesten Statuettentypen nach sogar bis ins 6. Jh. v. Chr. zurück. Aus seinem Vorplatz stammen insgesamt 3000 Bronzefigürchen, ca. ein Viertel aller iberischen Statuetten (darunter anatomische Votive).

G. Nicolini, Les bronzes figurés des sanctuaires ibériques, 1964, 37–43. • S. Ramallo Asensio, La monumentalización de los santuarios ibéricos en época tardo-republicana, in: Ostraka 2, 1993, 117–144. • L. Prados Torreira, Los santuarios ibéricos, in: Trabajos de Prehistoria 51, 1994, 127–140. M. BL.

Despoina s. Artemis; Demeter; Persephone

Despoteia (Δεσποτεία). »Herrschaft« (von δεσπότης, despótēs, Herr) hat in der griech. Sprache zunächst keine spezifisch rechtliche Bedeutung. Der Ausdruck bezeichnet das vom Herkommen geregelte Herrschaftsverhältnis des Hausvaters über seine Sklaven (Aristot. pol. 1253b) oder im polit. Sinn die Gewaltherrschaft (Plat. leg. 698a). Als Verfügungsmacht des Eigentümers tritt d. erstmals in ptolemäischen Papyrusurkunden auf (BGU 1187,32, 1. Jh. v. Chr.), gemeinsam mit dem schon in den griech. Stadtstaaten gebrauchten Terminus kyrieía. Erst im röm. Ägypten wird d. ständiger Bestandteil der in den Urkunden aufgezählten Befugnisse des Eigentümers. Der Ausdruck findet in der Spätant. als Übersetzung von dominium oder proprietas (Eigentum im technischen Sinn) Eingang in die griech. Rechtslit. des röm. Ostens (Nov. Iust. 2,2 pr.). Die polit. Bedeutung von d. erfährt eine Wendung ins Positive und bezeichnet die Herrschaft des Kaisers.
→ Dominium

A. Kränzlein, Eigentum und Besitz im griech. Recht, 1963. G. T.

Despotes (δεσπότης, klass.: »Herr«). Byz. zunächst Bezeichnung für Gott, Christus, den Kaiser sowie hohe Kleriker und Magnaten, war d. ab dem 12. Jh. der innerhalb der byz. Rangordnung höchste vom Kaiser zu vergebende Titel. In der byz. Spätzeit waren despótai die Schwiegersöhne, danach auch die Brüder und die jün-

geren Söhne der Kaiser ohne Recht auf den Kaisertitel. Oft verwalteten sie semiautonome Reichsteile (etwa die Peloponnes bzw. Morea); ihre Insignien, Kleidung und Selbstbezeichnung in den Urkunden kamen denen des Kaisers nahe. In der griech. Volkssprache wird das Wort seit der Spätant. als Anrede für Bischöfe gebraucht.

A. Failler, Les insignes et la signature du despote, in: REByz 40, 1982, 171 • L. Ferjančić, s. v. D., LMA 3, 1986, 733 f. • R. Guilland, Le despote, in: REByz 17, 1959, 52–89 • G. Ostrogorsky, Urum – Despotes. Die Anfänge der Despotenwürde in Byzanz, in: ByzZ 44, 1951, 448–460. G. MA.

Destinatio (von rekonstr. de-stanare, »feststellen«) bedeutet allg. eine Zweckbestimmung oder eine Entscheidung, juristisch auch eine rechtsverbindliche einseitige Willenserklärung (Cod. Iust. 6,30,6; Dig. 50,17,76). Im polit. Leben meint d. die Abordnung eines Untergebenen oder die Einweisung eines dafür Vorgesehenen in eine Amtsstellung durch den dazu Befugten. Die kaiserliche Empfehlung eines → candidatus an den Senat heißt ebenso d. wie die direkte Einsetzung des Amtsträgers durch den Kaiser (Dig. 4,4,18,4; Cod. Iust. 11,74,2; 12,12,2). In der Kaiserzeit wird auch die gelegentliche, in der Spätant. häufigere Einsetzung eines Mitkaisers oder die Betrauung eines als Nachfolger Vorgesehenen mit einem wichtigen Amt durch einen Kaiser als d. bezeichnet (CIL VI 932). Dafür und für die Einsetzung in ein normales Amt wird auch designatio (bei Einsetzung auf einen künftigen Termin: Tac. hist. 1,12,21; 26; 2,1) oder → creatio verwendet.
→ Magistratus

Christ, 97 • Jones, LRE 322 ff. • Kaser, RPR 2, 242 ff., 718 • W. Kunkel, Staatsorganisation und Staatspraxis der röm. Republik, 1995, Bd. 2, 89 f. • Mommsen, Staatsrecht 1, 578 ff.; 2,2, 1157, 1169. C. G.

Detestatio sacrorum. Der Annahme einer persona sui iuris an Sohnes Statt (→ Adoption) durch Gesetzesbeschluß der Kuriatskomitien oder der Errichtung eines testamentum calatis comitiis hat eine d.s. vorauszugehen, über die wir nur spärlich unterrichtet sind (Gell. 15,27,3: vgl. auch alienatio sacrorum: Cic. or. 144; leg. 3,48). Von dem von Servius Sulpicius Rufus verfaßten Werk De sacris detestandis (Gell. 7,12,1) ist nichts überliefert.

Die d. s. ist eine feierliche Erklärung (Dig. 50,16,40, pr.; ebd. 238,1), mit der sich der zu arrogierende Mann vor den versammelten Komitien von seinen bisherigen Hausheiligtümern (sacra familiaria) und seiner gens löst. Ihr geht eine Untersuchung durch die pontifices voraus, um sicherzustellen, daß die bisherigen sacra nicht verlassen zurückbleiben. Die d. s. verschwindet mit der adrogatio per populum in der Nachklassik.

Kaser, RPR I, 66, 106 • B. Kübler, s. v. D. s., RE IA, 1682–1684. P. A.

Deukalion (Δευκαλίων). Als Eigenname bezeugt seit dem Auffinden der Linear B-Tafeln (PY An 654,12: de-

u-ka-ri-jo), für Hes. fr. 234 M-W und für Deinolochos (Comicorum Graecorum Fragmenta in Papyris 78 fr. 1) auch in der Form *Leukaríōn* (λευκαρίων). Es handelt sich entweder um verschieden dissimilierte Ableitungen von *leukós* (λευκός, »weiß«) (vgl. Ov. epist. 15,165 ff.) [1], oder D. ist eine vorgriech. Bildung [2. 96–7]. In nachmyk. Zeit bezeichnete der Name, abgesehen von einigen inschr. Belegen (CIL III 2211; VI 6396), mythische Personen: den Vater des kret. Idomeneus (Hom. Il. 13,451; Od. 19,180 f.), einen Troer (Hom. Il. 20,478), einen Argonauten aus Achaia (Val. Fl. 1,366), den Sohn des Abas (Schol. Apoll. Rhod. 3,1087), den Vater des Gründers von Kandyba (vgl. [3. 385]).

Als Heros der Sintflut wurde D. seit Epicharmos (CGFP 85 fr. 1), Pind. O. 9,41 ff. und wohl schon Hes. beschrieben. Mit ihm und Pyrrha verknüpft ist eine etymologisierende, bei Hes. und Pind. auf Ostlokris beschränkte, später (Ov. met. 1,381 ff.) universale Menschenschöpfungssage, bei Akusilaos (FGrH 2 F 35) erstmals in der Form der Steinwurfsage. Entsprechend kennen ältere Quellen (Apollod. 1,47; Plat. Tim. 22a) im Gegensatz zur kaiserzeitlichen Vulgata (Ov. met. 1,291 f.) nur eine lokale Flut. Erinnerungsrituale mit ausdrücklicher Nennung von D. sind aus Athen (Paus. 1,18,7) und Hierapolis/Bambyke bekannt (Lukian. Syr. D. 13; 28) [2. 239–58].

D. galt seit Hes. fr. 2; 4 als Sohn des Prometheus; eine Vielzahl von Müttern wird genannt. Die Vaterbindung ist stabiler, weil Prometheus als Warner vor der Flut die Funktion des oriental. Ea/Enki übernommen hat [4. 130–5]. Oriental. Einfluß zeigt auch die Rettung auf den → Parnassos (Apollod. 1,48) oder die Othrys (Hellanik. FGrH 4 F 117) mittels einer Larnax (»Arche«) [2. 129–30]. D. war ein Kulturheros wie Prometheus, weil er die Menschen lehrte, das Opferfleisch nicht nur am Feuer zu braten, sondern auch im Kessel zu kochen (Aristot. probl. 3,43b [2. 229–30]). Bei Historikern spiegelt sich dieser Mythos in der Vertreibung des Urvolkes der Pelasger durch D. oder die Flut, vgl. Dion. Hal. ant. 1,17,3 (Hellanikos?) und Diod. 5,81,2 f. Seit Hdt. 1,56,3 und Hellanikos FGrH 4 F 6a lösen die Quellen D. aus der Bindung zu Lokris heraus und lokalisieren ihn in Thessalien. Weitere sekundäre Übernahmen sind in Dodona (Aristot. meteor. 352a 35), Athen (Marm. Par. FGrH 239 A) und Argos nachzuweisen (Arr. FGrH 156 F 16). Die Vulgata (Apollod. 1,49; vgl. Hes. fr.9) machte D.s Sohn → Hellen zum Vater von Doros, Xuthos (Vater von Ion) und Aiolos, den Eponymen der drei Dialektgruppen. Diese Entwicklung resultierte aus der Entstehung eines gesamtgriech. Zusammengehörigkeitsgefühls [2. 84–7].

D.s Einordnung in die Synopsen der Historiker hinter den Urgesch. von Argos und Arkadien, denen eine Fluttradition unbekannt war, und die damit verbundene Beschränkung der Flut auf Thessalien [2. 153–6] wurde seit Theophilos von Antiocheia (ad Autolycum 3,18 f.) zum Hauptargument der christl. Polemik gegen die von Philon (de praem. 23) begründete Identifizierung mit Noah. Trotz der Sprichwörtlichkeit D.s (Anth. Pal. 11,19; 67; 71) sind bildliche Darstellungen selten [3. 384–5].

→ Prometheus

1 Frisk **2** G. A. Caduff, Sintflutsagen, 1986 **3** P. Linant de Bellefonds, C. Augé, s. v. D., LIMC 3.1 **4** S. West, Prometheus Orientalized, in: MH 51, 1994, 129–149.

G. A. C.

Deultum (Δεβελτός). Siedlung ca. 25 km westl. von → Burgas, h. Debelt/Bulgarien. Siedlungsspuren seit der Spätbrz., danach thrak. Hallstatt-Siedlung, die später wegen ihres Handels mit griech. Schwarzmeer-Kolonien blühte. D. war über den sich in der Ant. weiter nach Süden als h. erstreckenden Mandra-See mit dem Meer verbunden. Att. Ware der 1. H. des 4. Jh. v. Chr., hell. Keramik, Mz. und Amphorenstempel u. a. aus Herakleia Pontika, Thasos, Chios. Keine vorröm. lit. oder inschr. Belege, doch läßt die Erwähnung bei Plinius (nat. 4,45) eine ältere griech. Vorgängersiedlung vermuten. D. wurde von Vespasian wohl 70 n. Chr. als einzige Veteranenkolonie in Thracia (Veteranen der *legio VIII Augusta*, CIL VI 31692 von 82 n. Chr.: *colonia Flavia Pacis Deultensium*) gegr., um die Bucht von Burgas und die Straße von Moesia zur Propontis zu sichern. Wegen der bisher nur unzureichenden arch. Unt. sind Größe und Art der Kolonie noch unbekannt (der Silen auf Mz. von D. zeigt immerhin den Status einer *colonia libera* an). Die h. erkennbaren Mauerreste stammen aus dem MA. Mz.-Prägung unter Traian und von Caracalla bis Philippus Arabs. Im 4. Jh. verfiel D. wahrscheinlich, da Ammianus (31,8,9) D. nur noch als *oppidum Dibaltum* bezeichnet. Nach dem Vertrag zw. dem bulgarischen Khan Tervel und Theodosios III. vom J. 716 wurde D. byz. Grenzstadt und Ausgangspunkt des Sicherungsgrabens Erkesia (Theophanes 1,497).

B. Gerov, Zemevladenie v rimska Trakija i Mizija, 1983, 41–49 • Zlatarski, Istorija na bălgarskata dăržava prez srednite vekove, 1,1, 1918, 177 ff.   I. v. B.

Deunx. Im römischen Maß- und Gewichtssystem bezeichnet der D. ^{11}/₁₂ des Ganzen (As) und leitet sich von *deesse* und *uncia* ab, d. h. 1 As (12 Unciae) weniger 1 Uncia. Der D. ist im Längenmaß (*pes*), im Flächenmaß (*iugerum*), im Hohlmaß (*cyathus*, *sextarius*), in der Zinsrechnung (*fenus*) und im Erbrecht wiederzufinden. Unter Zugrundelegung des röm. Pfundes (*libra*: 327,45 g) wiegt der D. 300,16 g. Münzen in diesem Gewicht sind nicht ausgeprägt worden.

→ As; Cyathus; Iugerum; Libra; Pes; Sextarius; Uncia

Hultsch, RE 5, s. v. D., 276–277.   A. M.

Deus ex machina (Θεὸς ἀπὸ μηχανῆς). Bereits im 4. Jh. v. Chr. sprichwörtlich gewordene kranartige Bühnenmaschine (μηχανή, γέρανος, κράδη), an der schwebend und die Luft durchquerend eine Gottheit plötzlich erscheinen und der Handlung neue Impulse verleihen oder sie zu Ende bringen konnte (vgl. Plat. Kleit. 407a; Krat. 425d; Antiphanes 189,13–16 PCG; Alexis 131,9

PCG; Men. Theophorumene fr. 5 SANDBACH = 227 KÖRTE; Cic. nat. deor. 1,53). Ihr Einsatz ist durch die Parodien des Aristophanes (Pax 174ff.; Nub. 218ff.; Av. 1184ff.; Fr. 192 PCG, vielleicht Thesm. 1098ff.) für die Tragödie des 5. Jh. gesichert: Aischyl. Prom. 284ff. (Okeanos); Eur. Med. 1317ff. (Medea), Andr. 1226ff. (Thetis), El. 1233ff. (Dioskuren), Herc. 815ff. (Lyssa und Iris), Or. 1625ff. (Apollon) sind sichere Beispiele; wahrscheinlich ist die Verwendung in Eur. Hipp. 1283ff. (Artemis), Suppl. 1183ff. (Athena), Ion 1549ff. (Athena), Iph. T. 1435ff. (Athena), Hel. 1642ff. (Dioskuren), Bacch. vor der Lücke 1330ff. (Dionysos); eher unwahrscheinlich in Soph. Phil. 1409ff. (Herakles).

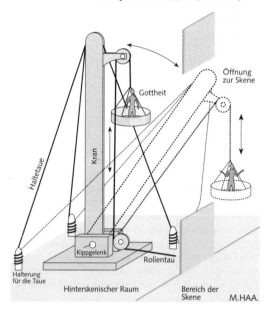

Deus ex machina: hypothetische Rekonstruktion
Der Kran (nach Heron) bewegt die Gottheit aus dem hinterskenischen Raum auf die Bühne.

Die *d.e.m.*-Szenen bei Eur. enthalten eine oft kritische Interpretation des Mythos (Herc., El., Ion) oder Deutung des Geschehens (Bacch., Hipp.) und werden teilweise auch zur Zeitkritik eingesetzt: Durch die aufgesetzt wirkende Epiphanie des Apollon im *Orestes*, durch die die Handlung gewaltsam auf die vom Mythos vorgeschriebene Bahn zurückgebracht wird, wird deutlich, daß ein guter Ausgang des Geschehens nur auf der Bühne, nicht aber im tatsächlichen Leben möglich ist. Eine bes. Spielart liegt in der Exodos der *Medeia* vor: Indem Medea sich wie eine Gottheit mit Hilfe der *mēchanē* vor Iason rettet, werden ihre übermenschlichen Eigenschaften szenisch vorgeführt. Aristot. poet. 1454a 37–b 2 (vgl. Hor. ars 191 f.) kritisiert diese Verwendung der *mēchanē*, da die Lösung (λύσις) sich nicht aus dem Handlungszusammenhang selbst entwickle, sondern von außen aufgesetzt werde.

→ Aischylos [1]; Euripides [1]; Sophokles; Mechane

W. S. BARRETT, Euripides. Hippolytos, 1964, 395f. • N. HOURMOUZIADES, Production and imagination in Euripides, 1965, 146–169 • H.-J. NEWIGER, Drama und Theater, 1996, 97–102 • W. SCHMITT, Der d.e.m. bei Euripides, 1967 • A. SPIRA, Unt. zum d.e.m. bei Sophokles und Euripides, 1960 • O. TAPLIN, The Stagecraft of Aeschylus, 1977, 443–447. B.Z.
ABB.-LIT.: H. BULLE, H. WIRSING, Szenenbilder zum griech. Theater des 5. Jh. v. Chr., 1950 • M. BIEBER, A History of the Greek and Roman Theater, ²1961, 74–78 • S. MELCHINGER, Das Theater der Tragödie, 1974, 191–200 • A. SCHÜRMANN, Griech. Mechanik und ant. Gesellschaft, 1991, 146f., 155f. M.HAA.

Deuteragonistes (δευτεραγωνιστής). »Zweiter Schauspieler«, von Aischylos eingeführt, doch ist die Bezeichnung *d.* jünger. Während der »erste Schauspieler« (*prōtagōnistḗs*) traditionell die Hauptrolle übernahm (*Átossa, Oidípus, Medeía*) und sich mit dieser identifizieren konnte, hatte der *d.* – erst recht der »dritte Schauspieler« (*tritagōnistḗs*) – eine Vielzahl verschiedener Rollen zu bewältigen. Die dem *d.* zufallende Textmenge war beträchtlich, schneller Maskenwechsel verlangte großes deklamatorisches Können, brachte aber im Vergleich zur Rolle des ersten Schauspielers weniger Ruhm ein. Am Agon der tragischen Schauspieler (in Athen seit der Mitte des 5. Jh.) nahm er nicht teil. So wurde der zweite Schauspieler als zweitrangig angesehen, wie der übertragene Wortgebrauch von *d.* beweist.

→ Hypokrites; Protagonistes; Skenikoi agones; Tritagonistes

A. W. PICKARD-CAMBRIDGE, The Dramatic Festivals of Athens, ² 1968, 132–135 • K. SCHNEIDER, s. v. ὑποκριτής, RE Suppl. 8, 190. H.BL.

Deva, h. Chester. Legionslager, urspr. für die *legio II Adiutrix* ca. 75 n. Chr. [1] als Holz/Erde-Kastell errichtet, mit Thermen (Stein); Bleiwasserrohre datieren die Fertigstellung ins J. 79 n. Chr. Die *legio XX Valeria Victrix* übernahm das Lager ca. 86/7 n. Chr. Der Umbau in Stein begann ca. 102 n. Chr. Ein großes, außerhalb der Mauern gelegenes Amphitheater wurde im 2. Jh. erbaut [2]. Westl. des Lagers am Ufer des Dee findet sich eine Anlegestelle. Die Festungsmauer wurde im 3. Jh. renoviert unter Verwendung von Spolien, darunter Inschr. und Skulpturen [3]. Die Besatzung wurde nach 300 n. Chr. reduziert; noch vor 400 wurde das Lager aufgegeben.

1 V. E. NASH-WILLIAMS, The Roman Frontier in Wales, ²1969, 33 **2** F. H. THOMPSON, Excavation of the Roman amphitheatre at Chester, in: Archaeologia 105, 1975, 127–239 **3** R. P. WRIGHT, I. A. RICHMOND, The Roman Inscribed and Sculptured Stones in the Grosvenor Museum, 1955, 4f. M. TO./Ü: I.S.

Devehöyük. Eisenzeitliche Nekropolen südwestl. von → Karkemisch, Syrien. Die Mehrzahl der zumeist Urnengräber (Phase I) stammt aus dem 8. Jh. v. Chr. Hervorzuheben ist importierte kyprische, ost- und inselgriech., phrygische(?), ägypt.-phönikische und lokal nachgeahmte, auch figürlich verzierte Keramik sowie Terrakottafigurinen und -plaketten. Phase II (bis 4. Jh. v. Chr.) mit Erdbestattungen, z. T. in gebauten Gräbern, bietet neben Metallobjekten und Kleinplastik importierte griech. Keramik.

P. R. S. MOOREY, Cemeteries of the First Millenium B. C. at Deve Hüyük, 1980.   A. W.

Devotio. Ritual, bei dem man entweder den Feind, sich selbst oder beide den Unterweltsgöttern und dem Tod weiht [1]. Macr. (Sat. 3,9,9 ff.) berichtet, daß in früheren Zeiten feindliche Städte nach der *evocatio* (dem »Herausrufen«) der Götter den Unterweltsgöttern (Dis pater, Veiovis, Manes) geweiht wurden (*devoveri*). Das Gebet (*carmen devotionis*), das Macr. anläßlich der *d.* von Karthago zitiert, bezeichnet die Feinde als »Ersatz« (*vicarios*) für den röm. Feldherrn und sein Heer, die auf diese Weise am Leben bleiben konnten. Eine bekanntere Variante von diesem echten *votum* (»Gelübde«) ist die *d.*, die nur für P. Decius Mus (340 v. Chr. Schlacht am Vesuv, Liv. 8,9–10) und weniger einheitlich für seinen Sohn (295 v. Chr. Sentinum, Liv. 10,28) und seinen Enkel (279 v. Chr. Ausculum, Cic. fin. 2,61; Tusc. 1,89) bezeugt ist. In diesem Fall gab der Feind. Heerführer sein Leben hin und verband diesen Akt der Selbst-*consecratio* mit einer wie oben beschriebenen *d.* der Feinde ([1], vgl. [3. 32]). Liv. (8,9,14 ff.) gibt das Gebet wieder (Wortlaut nicht alt), mit dem Decius die feindliche Armee und sich selbst den → Di Manes und der Tellus weihte (*legiones auxiliaque hostium mecum Deis Manibus Tellurique devoveo*). Der *pontifex maximus* sprach die Formel vor, während der Feldherr in der *toga praetexta*, mit verhülltem Haupt und auf einen Speer gestützt, die Hand unter der Toga ans Kinn legte. Danach suchte der Feldherr im *cinctus Gabinus* gegürtet den Tod, indem er auf einem Pferd in die gegnerischen Reihen preschte. Nahmen die Götter diese Selbst-*consecratio* nicht an, blieb der Feldherr zeitlebens zu sakralen Handlungen unfähig. Falls ein Legionär an seiner Stelle devoviert wurde, mußte ein mindestens sieben Fuß großes Abbild des Feldherrn im Boden vergraben werden. Der Ort war dann ein *locus religiosus*. Bei Verlust des Feldherren-Speeres mußte ein Suovetaurilien-Opfer geleistet werden.

Trotz dieser rituellen Vorschriften [2; 3] ist zweifelhaft, ob die beschriebene Art der *d.* je zu den fest etablierten röm. Riten gehörte. In der Kaiserzeit wurde der Begriff *d.* zum Ausdruck für verschiedene Arten von ›Selbstopfer‹ »zum Wohl des Kaisers« (*pro salute principis*) [4]. Legionen erhielten das ehrenvolle Attribut *devoti numini maiestatique (Augusti / Augustorum)* [5] als ein Zeichen für ihre Ergebenheit bis in den Tod; auch ist der Anruf *de nostris annis tibi augeat Iuppiter annos* (»von unseren Jahren möge Iuppiter die deinen mehren«) gut bezeugt (Tert. apol. 35; [6. 197; 207]). Bei Krankheit des Herrschers machten Menschen öffentliche Gelübde, ihr Leben für die Gesundung des Kaisers hinzugeben. Dabei ist der Einfluß der *d. Iberica* erkennbar [6]. Caligula zwang den P. Afranius Potitus, die *d.* tatsächlich einzulösen (Cass. Dio 59,8,3; Suet. Cal. 27,2). In späterer Zeit bedeutete *d.* auch einfach die Verfluchung eines Menschen, bes. in → *defixiones* (»Behexungen«).

→ Consecratio; Evocatio

1 H. S. VERSNEL, Two Types of Roman D., in: Mnemosyne 29, 1976, 365–410 2 L. DEUBNER, Die Devotion der Decier, ARW 8, 1905, Bh. 66 ff. 3 H. WAGENVOORT, Roman Dynamism, 1947, 31–34 4 H. S. VERSNEL, Destruction, D. and Despair in a Situation of Anomy, in: G. PICCALUGA (Hrsg.), Perennitas. Studi in onore di Angelo Brelich, 1980, 541–618 5 H. G. GUNDEL, Devotus numini maiestatique, in: Epigraphica 15, 1953, 128–150 6 G. HENZEN, Acta Fratrum Arvalium, 1874 7 R. ÉTIENNE, Le culte impérial dans la Péninsule Ibérique d'Auguste à Dioclétien, 1958, 357–362.

WISSOWA, Rel. und Kultus der Römer, ²1912, 384 f. ·
K. WINKLER, RAC III, 849–58.   H. V./Ü: B. S.

Dexamenos (Δεξαμενός).

[1] Mythischer König von → Olenos in Achaia, Gastgeber des → Herakles; sein Name deutet darauf hin, daß Gastfreundschaft seine Hauptfunktion in der Erzählung ist. Herakles vergalt seine Gastfreundschaft, indem er D.' Tochter vor den Nachstellungen des Kentauren Eurytion rettete. Die Gesch. findet sich in verschiedenen Versionen: Entweder war D. gezwungen, seine Tochter Mnesimache mit Eurytion zu verloben, der jedoch von Herakles getötet wurde (Apollod. 2,91); oder Eurytion versuchte, D.' Tochter Hippolyte an ihrem Hochzeitsfest zu vergewaltigen, und wurde von Herakles erschlagen (Diod. 4,33); oder Herakles verführte D.' Tochter → Deianeira, versprach, sie zu heiraten, tötete dann ihren Freier Eurytion und erfüllte sein Versprechen (Hyg. fab. 31; 33). Nicht nur die letzte dieser Versionen erinnert an Herakles' Rettung von Oineus' Tochter Deianeira vor dem Kentauren Nessos. Erzählungen und Namen finden sich auch auf einer Vase vermengt (Beazley ARV² 1050), auf der Herakles dabei gezeigt wird, wie er einen mit D. bezeichneten Kentauren tötet, während Oineus und Deianeira daneben stehen. D. tritt in lit. Quellen selbst als Kentaur auf; in den schol. Kall. h. 4,102 ist er der Kentaur, der Viehherden in Bura in Achaia besitzt (vgl. Etym. m. s. v. *Búra*).

D. GONDICAS, s. v. D., LIMC 3.1, 385–6 · R. VOLLKOMMER, s. v. Deianeira II, LIMC 3.1, 359–61.   E. K.

[2] von Chios, bedeutendster Steinschneider der Zeit um 400 v. Chr., Werkstatt wohl in Athen [1. 130, 134]. Signierte vier Skarabäoide: Reiher fliegend (Chalcedon, St. Petersburg, ER) [1. 130 f.²⁹ Taf. 31,1], Reiher stehend (Jaspis, ebd.) [1. 132³¹ Taf. 31,2], Portrait eines Mannes (Jaspis, Boston, MFA) [1. 132³² Taf. 31,3] sowie die »Mike-Gemme« (Chalcedon, Cambridge, FM) [1. 134³³ Taf. 31,4]. Zahlreiche Zuschreibungen

[1. 131²⁸, 134 ff.³⁵ᶠᶠ·, 147¹¹⁵, 157¹⁶², 159 Taf. 31,5–10 und Taf. 32,1–5].

1 ZAZOFF, AG.

J. BOARDMAN, Greek Gems and Fingerrings. Early Bronze Age to Late Classical, 1970, 194–199, 408 f. · O. NEVEROV, D. von Chios und seine Werkstatt, 1973 (russ.) · M. L. VOLLENWEIDER, Le criquet de la collection Seyrig dans l' œuvre de Dexaménos, in: RN 6. Ser. 16, 1974, 142–148 Taf. 15 f · ZAZOFF, AG 127 (Lit.).   S. MI.

Dexikrates (Δεξικράτης). Komödiendichter, dem 3. Jh. v. Chr. und damit der Neuen Komödie angehörig, wenn auf der inschr. Liste der Lenäensieger sein Name richtig ergänzt ist [1. test. *2]. Athen. 3,124b zit. zwei Verse aus dem Stück Ὑφ' ἑαυτῶν πλανώμενοι (fr. 1); der Suda-Art. beruht auf dieser Stelle, und der Zusatz, daß D. ein Athener war, ist wohl daraus erschlossen [1. test. 1]. Eine kurze Erwähnung findet sich noch beim Grammatiker Herodian (fr. 2).

1 PCG V, 1986, 16.   T. HI.

Dexion s. Amynos; Sophokles

Dexippos (Δέξιππος).

[1] Lakedaimonier, 406 v. Chr. Söldnerführer auf Seiten von Akragas im Krieg gegen Karthago, in dem er eine undurchsichtige Rolle spielte. Die Syrakusaner setzten ihn zum Befehlshaber in Gela ein, wo er aber dem Dionysios I. seine Unterstützung versagte, der ihn darauf in die Heimat zurücksandte (Diod. 13,85,3 f.; 87,4 f.; 88,7 f.; 93; 96,1). Vielleicht ist D. identisch mit einem Perioiken, der im Heer des jüngeren Kyros durch seine üblen Umtriebe auffiel und schließlich von Nikander hingerichtet wurde (Xen. an. 5,1,15; 6,1,32; 6,5 ff.).   M. MEI.

[2] **P. Herennius D.**, * ca. 200/205 n. Chr. [1. 19 f.]. Historiker aus dem att. Demos Hermos, 262 Agonothet bei den Panathenäen, dann Archon Eponymos (PIR 4/2, 104). Im J. 267 warf er sich mit 2000 Mann den Herulern entgegen, die Athen überfielen (D. FGrH 100 F 28; Synk. p. 717,15; Zos. 1,39,1). Nach Phot. bibl. 82, p. 64 a 11–20 schrieb er ein Geschichtswerk von der Urzeit bis 270 in 12 B., fortgesetzt von → Eunapios, eine Diadochengesch. in 4 B., die ein verkürzter Auszug aus → Arrian war, in denen die Germanenkriege 238–274 geschildert waren; durch Cassiodor vermitteltes Material aus ihnen übernahm Iordanes in den *Gothica*, wohl auch durch Vermittlung des Eunapios und andere für Zosimos. Zitate aus D. stehen auch in der SHA [2] (Fragmente: FGrH 2 Nr. 100, p. 452–480 mit dem Kommentar von JACOBY p. 304–311). TRAILL, PAA 303780.

1 F. MILLAR, P. Herennius Dexippus, in: JRS 59, 1969, 12–29 2 F. PASCHOUD, L'Histoire Auguste et Dexippe, in: Hist. Aug. Coll., n. s. I, 1991, 217–269.   A. B.

[3] **von Kos**. Arzt, Schüler des Hippokrates. Er schrieb eine Abhandlung über Medizin in einem Buch und ein Prognostikon in zwei Büchern. Seine Heilung der Söh-

ne des karischen Königs Hekatomnos verhinderte einen Krieg mit Kos (Suda s. v. Dexippos). Er war bekannt für seine Hungerkur bei Fieber, während der er seinen Patienten keine Nahrung und nur eine geringe Menge an Flüssigkeit zugestand. Eine solche Therapie weckte Hohn bei Erasistratos (Gal. 1,144; 15,478, 703; CMG Suppl. orient. 2,106). D. glaubte, der Kehldeckel kontrolliere die Passage von Flüssigkeit, die er teils in die Lungen, teils in den Magen lenke (Plut. Mor. 669 f.). Jede Veränderung im menschlichen Körper sei die Folge eines Übermaßes, Krankheit dagegen sei das Ergebnis von galle- und schleimproduzierenden Nahrungsrückständen. Galle und Schleim könnten zu Serum und Schweiß verschmelzen oder sich zu Eiter, Hals- und Nasenschleim verdichten. Durch Trocknen formten sie feste Bestandteile wie Fett und Fleisch. Eine Mischung aus Phlegma und Blut ergebe weißes Phlegma oder gehe in schwarze Galle über (Anon. Lond. 12,14–15).

→ Medizin   V. N./Ü: L. v. R.–B.

[4] Neuplatonischer Philosoph des 4. Jh. n. Chr., Schüler des → Iamblichos von Chalkis, Verf. eines drei Bücher umfassenden Komm. zu Aristoteles' ›Kategorien‹ in Dialogform [1]. Er ist sicher nicht mit dem Geschichtsschreiber P. Herennius Dexippus gleichzusetzen [2]. Sein Leben ist nahezu unbekannt, wenn er auch Adressat des Briefes ›Über Dialektik‹ seines Lehrers Iamblichos ist (Stobaios 2,18 WACHSMUTH-HENSE). D.' Komm., sein einziges erh. Werk, stammt wohl aus der Mitte des 4. Jh. n. Chr. Es ist weitgehend von Iamblichos' und Porphyrios' verlorenen Komm. zu Aristoteles' ›Kategorien‹ abhängig [3]. Auch den Passagen, in denen man Spuren mündlicher Lehrvorträge des Plotinos vermutete [4], scheint Porphyrios' verlorener Kategorien-Komm. *Ad Gedalium* zugrunde zu liegen, denn D.' Platonisieren reagiert auf Plotinos' Kritik an den ›Kategorien‹ [5; 6; 7].

→ Aristoteles; Philosophie

1 A. BUSSE (ed.), CAG 4.2., 1888, 1–71 2 Ders., Der Historiker und der Philosoph Dexippus, in: Hermes 23, 1888, 402–409 3 P. HADOT, The Harmony of Plotinus and Aristotle according to Porphyry, in: R. SORABJI, Aristotle Transformed, 1990, 125–140 4 K. KALBFLEISCH (ed.), Simplicii in Aristotelis categorias commentarium (= CAG 8), 1907, 2, 25 ff. 5 P. HENRY, Trois apories orales de Plotin sur les Catégories d'Aristote, in: Zetesis. FS E. de Strycker, 1973, 234–265 6 P. HENRY, The oral teaching of Plotinus, in: Dionysios 6, 1982, 2–12 7 P. HENRY, Apories orales sur les Catégories d'Aristote, in: J. WIESNER (Hrsg.), FS P. Moraux, II, 1987, 120–156.

J. DILLON, Dexippus on Aristotle, Categories, 1990 · W. KROLL, s. v. D. (6), RE 5, 293 f.   MI. CH./Ü: J. DE.

Dexius. C. D. Staberianus. *Cos. suff.* zusammen mit L. Venuleius Montanus in einem unbekannten Jahr (AE 1958, 262; [1. 111]; zu möglichen Identifizierungen s. [2. 338 ff.]).

1 W. ECK, RE Suppl. 14 2 SCHEID, Collège.   W. E.

Dextans. Im röm. Maß- und Gewichtssystem bezeichnet D. ¹⁰/₁₂ des Ganzen und leitet sich von *deesse* und *sextans* ab, d. h. 1 As (12 Unciae) weniger 1 Sextans. Der D. ist im Längenmaß (*pes*), im Flächenmaß (*iugerum*), im Erbrecht und in der Stundenrechnung wiederzufinden. Unter Zugrundelegung des römischen Pfundes (*libra*: 327,45 g) wiegt der D. 272,88 g [1. 296]. Bronzeprägungen zu 10 Unciae im sextantalen oder etwas leichteren Standard wurden in Luceria als Ausgleichsmünze zum röm. As kurz nach 211 v.Chr. für wenige Jahre emittiert und tragen das Wertzeichen S···· [2. 185ff.; 3. 65f.].

→ As; Iugerum; Libra; Pes; Uncia

1 HULTSCH, s. v. D., RE 5, 296 2 RRC, ²1987 3 M. H. CRAWFORD, Coinage and money under the Roman Republic, 1985 4 SCHRÖTTER, 137.   A. M.

Dexter. Weit verbreitetes röm. Cognomen in den Familien Afranius, Calpurnius, Cassius, Cestius, Claudius, Cornelius, Domitius, Egnatius, Nummius, Pomponius, Subrius, Turpilius.   K.-L. E.

Dextrarum iunctio s. Hochzeitsbräuche

Dia (Δῖα, Δία).
[1] Die weibliche Entsprechung zu → Zeus, als *Diwija* auf den Linear B-Inschr. aus Pylos und Knosos, mit einem eigenen Heiligtum, wie im myk. Pantheon auch → Poseidon seine feminine Entsprechung hat [1]. In nachmyk. Zeit haben die drei Heroinen, die mit der myk. Göttin durch Namensverwandtschaft verbunden werden können, alle Beziehungen zu Zeus, doch ist eine Herleitung im einzelnen problematisch.
[2] Am ehesten so zu verstehen ist die Heroine D. in den lokalen Kulten von Phlius und Sikyon, eine Tochter des Zeus, die auch Ganymede heißt oder mit → Hebe identifiziert wird (Strab. 8,6,24; Paus. 2,12,4; 13,3).

1 GÉRARD-ROUSSEAU, 67–70.   F. G.

[3] Frau des → Ixion, Tochter des → Eïoneus (Deïoneus). Ixion hat seinem Schwiegervater Eïoneus viele Brautgeschenke versprochen. Als dieser sie einfordern will, wirft ihn Ixion in eine mit glühenden Kohlen gefüllte Grube, wo er elend zugrunde geht (Pherekydes von Soron in schol. Apoll. Rhod. 3,62). D.s und Ixions Sohn ist → Peirithoos (Diod. 4,69,3; Apollod. 1,68), doch gilt meist Zeus als dessen Vater (Hom. Il. 2,741; 14,317f.; Hyg. fab. 155,4).
[4] Tochter des Arkaders Lykaon, von Apollon Mutter des → Dryops (schol. Lykophr. 480; schol. Apoll. Rhod. 1,1213).   R. B.
[5] Name mehrerer Inseln in der Ägäis (schol. Theokr. 2,45b; Steph. Byz. s. v. D.), so (1) die Insel, auf der Artemis Ariadne tötete (Hom. Od. 11,325), und (2) die unbewohnte Insel vor der Nordküste Kretas vor Iraklion, h. auch Standia. Belegstellen: Strab. 10,5,1; Stadiasmus maris magni 348 (GGM 1,514); Ptol. 3,15,8; Plin. nat. 4,61; Apoll. Rhod. 4,424.

C. BURSIAN, Geogr. von Griechenland, 1862–1872, 560 · M. GUARDUCCI, Inscr. Cret. I, 1935, 93f.   H. KAL.

[6] (Δία, auch *Dióspolis*). Emporion in der östl. Thynis (Bithynia, Steph. Byz. s. v. D. [229]; *Dióspolis* bei Ptol. 5,1,2), h. Akçakoca (ehemals Akşehir); wohl Hafenort für Kieros/Prusias ad Hypium, zu dessen Territorium D. gehörte.

G. PERROT et al., Exploration archéologique de la Galatie et de la Bithynie, 1862, 20 · G. MENDEL, Inscriptions de la Bithynie XX, in: BCH 25, 1901, 49–55 · W. RUGE, s. v. D. 7), RE 5, 299 · F. K. DÖRNER, W. HOEPFNER, Vorläufiger Bericht über eine Reise in Bithynien 1961, in: AA 1962, 564–594 · F. K. DÖRNER, Vorbericht, in: AAWW 99, 1962, 31–33 · T. S. McKAY, s. v. Akçakoca, PE, 23 · C. MAREK, Stadt, Ära und Territorium in Pontus-Bithynia und Nord-Galatia, 1993, 16, 39 · K. BELKE, Paphlagonien und Honorias, TIB 9, 1996, 189f.   K. ST.

Diabateria s. Opfer

Diacira. Mesopot. Stadt am rechten Euphratufer, unweit des h. Hīt, genaue Lage unbekannt. Amm. 24,2,3 und Zos. 3,15,2 (hier Variante Δάκιρα, *Dákira*) berichten von der Zerstörung der auf sāsānidischem Territorium gelegenen Stadt und von reicher Beute bei den Kämpfen der Römer an der Ostgrenze des Reiches gegen das Sāsānidenreich unter Iulian (363 n.Chr.). Nach Zosimos sollen in der Umgebung Asphaltquellen gelegen haben. Die Namensform ist aram. (analysiert als *di/d* und *qīrā* »[Ort] des Asphalts«, zu erwarten wäre *ʾaqīrā*).

TAVO B VI 4.   J. OE.

Diadema (διάδημα). Bezeichnet urspr. jede um den Kopf gewundene Binde; zu unterscheiden vom → Kranz. Das D. schmückt, weiht und hebt seinen Träger gegenüber anderen hervor; so sind D. Zeichen der Würde, vor allem im kultischen Bereich; hierhin gehören die »Büstenkronen« bzw. das »Greifen-D.« der Priester und Gottheiten; ein rel. Charakter liegt auch den band-, giebel- und rautenförmigen »Toten-D.« zugrunde, die seit der myk. Zeit (Schachtgrab IV, Mykene) vielfach die Stirn des Verstorbenen schmücken und in klass. und hell. Zeit neben dem Ornamentdekor auch mit auf das Jenseits bezogenen oder myth. Bildern (Herakles, dionysischer Thiasos) versehen sind.

Als Symbol der Königswürde übernahm es → Alexander [4] d.Gr. von den Perserkönigen; seitdem gehörte das D. zum Königsornat (Ausnahme: Sparta); auf Münzen des Ptolemaios IV. wird das D. mit einem Strahlenkranz (→ Kranz) umgeben. In Rom war es ebenfalls Symbol der Königswürde; die republikanische Ablehnung dieses Symbols der absoluten Macht führte dazu, daß es im Ornat der frühen Kaiserzeit zunächst selten blieb. Erst im 4. Jh. n.Chr. wurde das D. in der Sonderform des Perlen-D. zum gängigen Insigne (→ Insignia) der röm. Kaiser im Osten und Westen.

Hiervon zu trennen ist das häufig ebenfalls als D. bezeichnete, urspr. metallene, reifenförmige, im Haar getragene Schmuckstück, das ab dem 5. Jh. v. Chr. bei weiblichen Gottheiten und Heroinen nachzuweisen ist; im Hell. übernahmen es die Herrscherinnen, dann die Kaiserinnen (Livia); ab der flavischen Zeit wird es auch von nicht-kaiserlichen Frauen im Zuge der Privatapotheose getragen.

A. ALFÖLDI, Insignien und Tracht der röm. Kaiser, in: MDAI(R) 50, 1935, 145–150 • H. JUCKER, Röm. Herrscherbildnisse aus Ägypten, in: ANRW II 12.2, 1981, 667–725 • U. KRON, Götterkronen und Priesterdiademe, in: Armagani. FS für J. Inan, 1989, 373–390 • M. PFROMMER, Unt. zur Chronologie früh- und hochhell. Goldschmucks, IstForsch 37, 1990 • H. WREDE, Consecratio in formam deorum, 1981, 75.   R. H.

Diadematus. Cognomen des L. Caecilius [I 26] Metellus D. (*cos.* 117 v. Chr.).   K.-L. E.

Diadikasia (διαδικασία). In Athen ein gerichtliches Verfahren, das ohne eigentlichen Kläger und Beklagten auf Gestaltung der Rechtslage abzielte. Es wurde nicht im Wege der üblichen Privatklage (δίκη, *díkē*) eingeleitet und fand in zwei Hauptgruppen von Fällen statt, nämlich in Streitigkeiten, in denen zwei oder mehrere Gegner einen besseren Anspruch auf ein privates oder öffentliches Recht behaupteten, oder in solchen, in denen es um die Freiheit von einer öffentlich-rechtlichen Last ging. In der ersten Gruppe war der häufigste Fall der Anspruch mehrerer Personen auf eine Hinterlassenschaft in einem Erbstreit [1. 159ff.].

Gegenstand des Anspruchs konnte aber auch ein Nutzungsrecht (Dion. Hal. De Dinarcho 12), eine vom Staat ausgesetzte Belohnung (And. 1,27), vom Staat zu Unrecht eingezogenes Vermögen (Lys. 17) oder das Anrecht auf eine Vormundschaft (Aristot. Ath. pol. 56,6) bzw. auf eine Beamten- oder Priesterstelle (Xen. Ath. pol. 3,4) sein. Zu der zweiten Gruppe gehörten Streitigkeiten über die Verpflichtung zur Ausrüstung eines Chores, eines Schiffes o.ä. Die Zuständigkeit des Gerichtes war je nach der Art der Sache verschieden. In Erbstreitigkeiten war der Archon (→ Archontes) zuständig.

Die *d.* ist auch außerhalb Athens in Prozessen zwischen Privatpersonen und dem Staat um Grundstücke bezeugt (Syll.³ 279,20), jedoch dürfte sich die Meinung, die *d.* habe im griechischen Recht der Feststellung des Eigentums gedient [1. 214ff.; 2; 4], nicht halten lassen [3].

1 A. R. W. HARRISON, The Law of Athens I, 1968
2 A. KRÄNZLEIN, Eigentum und Besitz im griech. Recht, 1963, 142 3 G. THÜR, Kannte das altgriech. Recht die Eigentumsdiadikasie?, in: J. MODRZEJEWSKI, D. LIEBS (Hrsg.), Symposion 1977, 1982, 55ff. 4 A. MAFFI, in: G. THÜR, J. VÉLISSAROPOULOS (Hrsg.), Symposion 1997, 17ff.   G. T.

Diadochen und Epigonen. *Diádochoi,* »Nachfolger«, ist ein lit. Sammelbegriff für die Generäle Alexanders, die sich nach seinem Tod 323 v. Chr. im Mit- und Gegeneinander zu Erben seines Reiches machten. Deren Nachfolger, die zweite Generation nach Alexander, hat man dann als *epígonoi,* »Nachgeborene«, zusammengefaßt. Die Erinnerung an die E. der Sage, die Söhne der Sieben gegen Theben, hat bei der Benennung wohl eher mitgespielt als Alexanders E., die Truppe von 30000 jungen Orientalen, die die maked. Phalanx ergänzen sollten (Arr. an. 7,6,1).

Hieronymos von Kardia könnte als erster in gruppenspezifischer Bed. von Diadochen und Epigonen gesprochen haben. Es geht jedoch zu weit, aus Bemerkungen bei Diodoros (18,42,1 = FGrH 154 T 3) und Iosephos (c. Ap. 1,213 = FGrH 154 F 6), Hieronymos habe ›die Geschichte der Diadochen‹ geschrieben, zu schließen, der Titel seines Werkes habe so gelautet [1. 76–80]. Diodoros und Iosephos faßten mit dem inzwischen geläufig gewordenen Begriff lediglich die Hauptepoche zusammen, die Hieronymos behandelt hatte. Ähnlich verfuhr Dionysios von Halikarnassos, der bemerkte, Hieronymos habe ›in der Geschichte der E.‹, also im letzten Teil seines Werkes, Rom erwähnt (Dion. Hal. ant. 1,5,4 = FGrH 154 F 13). Wohl aber könnte Hieronymos' jüngerer Zeitgenosse Nymphis von Herakleia die Begriffe D. und E., die der Vorgänger eingeführt hatte, als Überschrift benutzt und so für ihre Verbreitung gesorgt haben. Da er Alexander in sein Geschichtswerk miteinbezog, gab er den 24 B. ›Über Alexander, die D. und die E.‹ (Suda s. v. Nymphis = FGrH 432 T 1) einen einleuchtenden und eingängigen Gesamttitel, mit dem er sich nachdrücklich von der wachsenden Zahl derer abhob, die nur über Alexander schrieben. Wie gängig die Epochenbezeichnungen D. und E. wurden, belegt Iosephos, der die ›Europäische Geschichte‹ und die ›Asiatische Geschichte‹ des Agatharchides von Knidos als »Diadochengeschichte« zusammenfaßte; die zwei Werke reichten offensichtlich bis in das 3. Jh. hinab (Ios. ant. Iud. 12,5 = FGrH 86 F 20b). Entsprechend benutzte Strabon die beiden Begriffe für die Periodisierung der Geschichte Persiens (15,3,24). Den Fragmenten des Hieronymos, Nymphis und Agatharchides kann man nicht entnehmen, wo die Verf. die Grenze zwischen D. und E. zogen und wo sie die Zeit der E. enden ließen.

In die moderne Lit. hat J. G. DROYSEN, der »Entdecker des Hellenismus«, die beiden Begriffe eingeführt. Den auf die ›Geschichte Alexanders des Großen‹ folgenden zwei Bänden ›Geschichte des Hellenismus‹ hatte er in der ersten Auflage von 1836/43 noch den Untertitel ›Geschichte der Nachfolger Alexanders‹ und ›Geschichte der Bildung des hell. Staatensystems‹ gegeben. In der zweiten Auflage von 1877/8, in der er alle drei Bände unter dem Gesamttitel ›Geschichte des Hellenismus‹ zusammenfaßte, erhielten der zweite und der dritte Band die Untertitel ›Geschichte der D.‹ und ›Geschichte der E.‹. Den zweiten Band beendete er mit dem

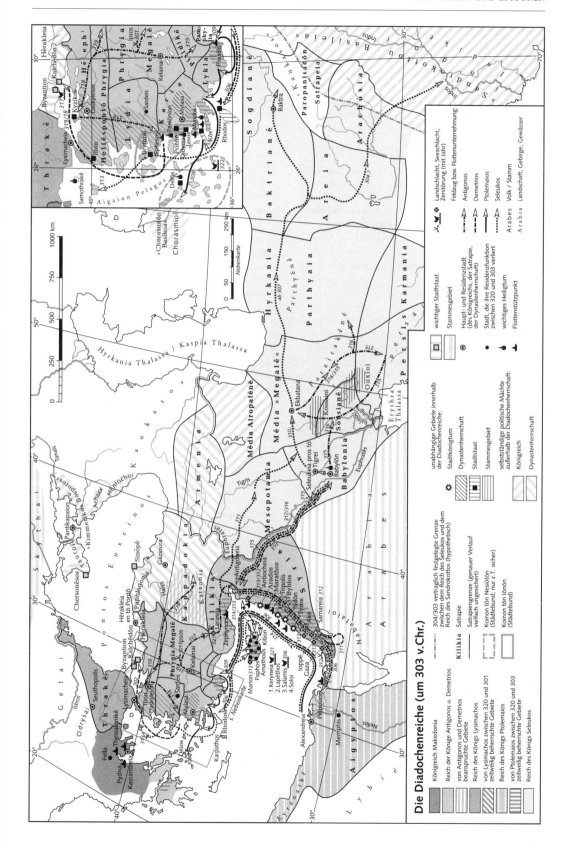

Die Diadochenreiche (um 303 v.Chr.)

Tode des Ptolemaios Keraunos im Kampf gegen die Kelten 279 und dem Übergang des Pyrrhos nach It. im Jahr zuvor. Den Schluß des dritten Bandes bildete die Schlacht von Sellasia im J. 222. Spätere Autoren verlegten den Endpunkt der Diadochengeschichte in das Jahr 281, als Lysimachos gegen Seleukos bei Kurupedion fiel und dieser, der letzte Überlebende von Alexanders Generälen, kurz darauf von Ptolemaios Keraunos ermordet wurde.

Der Epochenname D. hat sich in der auf DROYSEN folgenden Lit. nicht zuletzt deswegen durchgesetzt, weil die Geschichte des Alexanderreiches (vgl. die Karte bei → Alexandros [4]) nach 323 ausschließlich von den Männern bestimmt wurde, die schon unter Alexander Führungsstellen bei der Eroberung und Verwaltung des Reiches eingenommen hatten. Nachdem die Reichsordnung von Babylon 323 noch vom Fortbestand des Gesamtreiches ausgegangen war, standen sich in der Folgezeit unter den D. drei Gruppen gegenüber. Die erste Gruppe bildeten diejenigen, die eigenständige Herrschaft über einen Reichsteil anstrebten. Zu ihnen gehörten Ptolemaios, den in Babylon die Reichsordnung zum Strategen von Thrakien machte, und Seleukos, der 321 Satrap von Babylonien wurde. Eine zweite Gruppe wollte die Einheit des Reiches unter Herrschern aus dem maked. Königshaus bewahren. Antipatros, Krateros, Eumenes und Polyperchon waren die Vorkämpfer dieser Lösung. Als Antipatros 319 starb, war sie im Grunde gescheitert. Schließlich gab es diejenigen D., die Nachfolger Alexanders über das Gesamtreich werden wollten. Der erste war Perdikkas, der aber bereits 321 einer Offiziersverschwörung zum Opfer fiel. In seine Fußstapfen trat Antigonos [1] Monophthalmos, unterstützt von seinem Sohn Demetrios [2] Poliorketes. Doch die erste Gruppe, zu der nach 319 Antipatros' Sohn Kassandros in Makedonien kam, erwies sich in mehreren sog. Diadochenkriegen als stärker. Einen ersten staatsrechtlichen Schlag gegen die Reichseinheit führte sie 315, als Ptolemaios, Lysimachos und Kassandros eine Symmachie schlossen, also ein zwischenstaatliches Bündnis, während die vorausgegangenen wechselnden Koalitionen informelle Zusammenschlüsse waren, die Diodoros, seiner Hauptquelle Hieronymos folgend, *koinopragíai* (›gemeinschaftliche Unternehmungen‹) nennt [2]. 306 nahmen Antigonos und Demetrios den Königstitel an, um den Anspruch auf das Gesamtreich zu unterstreichen. Dies war ein verhängnisvoller Schritt. Denn 305 erhoben sich auch Ptolemaios, Lysimachos, Seleukos und Kassandros in ihrem Herrschaftsbereich zu Königen und zerstörten damit die rechtliche Grundlage der Reichseinheit [3]. Als ihnen Antigonos in der Schlacht von Ipsos 301 die Antwort geben wollte, unterlag er und fiel. Mit der Schlacht von Kurupedion 281 endete dann auch die Herrschaft des Lysimachos. Fortan gehörten nur noch drei Diadochenmonarchien zum »hell. System«, Ptolemaier, Seleukiden und Antigoniden.

Für die nachfolgenden Herrschergenerationen in den drei Dynastien hat sich der Begriff E. nicht allg. durchgesetzt. Einmal war er recht vage und bezeichnete keine festumrissene Gruppe wie die D. Dazu kam die polit. Entwicklung: Während die D. ihre Herrschaftsansprüche trotz unterschiedlicher Ziele aus ihrem persönlichen Verhältnis zu Alexander herleiteten, galt das für ihre Söhne und Enkel nicht mehr in gleichem Maße. Die hell. Monarchien wurden je länger, sie dauerten, desto mehr eigenständige Größen.

J. HORNBLOWER, Hieronymos of Cardia, 1981 2 K. ROSEN, Die Bündnisformen der Diadochen und der Zerfall des Alexanderreiches, in: Acta Classica 11, 1968, 182–210 3 O. MÜLLER, Antigonos Monophtalmos und »das Jahr der Könige«, 1973. K. R.
KARTEN-LIT.: W. ORTH, Die Diadochenreiche (um 303 v. Chr.), TAVO B V 2, 1992.

Diadochenkriege. Als D. bezeichnet man die Kämpfe der ehemaligen Gefährten und Generäle des Königs Alexandros [4] (→ Diadochen und Epigonen) untereinander um sein Erbe in der Phase nach seinem Tod 323 v. Chr. bis zur Ausbildung des hell. Staatensystems. Die Zeit der D. läßt sich grob in zwei Abschnitte gliedern, die Kriege bis zum Tod des → Antigonos [1] Monophthalmos (301), des energischsten Verfechters der Reichseinheit, und die folgende Phase, beginnend bereits ca. 305, in der die hell. Nachfolgestaaten des Alexanderreiches allmählich eigenstaatliche Konturen gewinnen.

Da Alexandros keinen regierungsfähigen Nachkommen hinterließ und das maked. Königtum keine strikte Nachfolgeordnung kannte, waren Spannungen zwischen ehrgeizigen Generälen zu erwarten. Die frühesten Regelungen von Babylon zeigen noch deutlich den Versuch, die Wahrung der Reichseinheit mit der Befriedigung der Interessen Einzelner zu verbinden, doch konnte die Ernennung Philippos' III. → Arridaios [4], des debilen Bruders des Verstorbenen, und des ungeborenen Kindes der Roxane, des späteren Alexandros [5] IV., zu gleichberechtigten Königen unter der Vormundschaft des abwesenden → Krateros und die gleichzeitige Anerkennung des → Chiliarchen → Perdikkas als Reichsverweser keine Lösung bringen, da sich sofort partikularistische Interessen zeigten: So gab → Ptolemaios mit der Entführung von Alexandros' Leiche in seine Satrapie Ägypten ein deutliches Signal seines Anspruchs auf direkte Nachfolge. Zugleich versuchte Alexandros' Mutter → Olympias, durch die Ehe ihrer Tochter → Kleopatra mit → Leonnatos die Herrschaft in der Familie zu halten und wandte sich deshalb nach dessen Tod an Perdikkas. Dessen Ambitionen auf das Gesamtreich weckten den Widerstand des → Antipatros [1] (Strategos von Europa), Krateros, Antigonos (Satrap von Großphrygien), → Lysimachos (Satrap von Thrakien) und Ptolemaios, was zum 1. D. führte. Der nach dem Tod des Krateros und der Ermordung des Perdikkas (u. a. durch → Seleukos) 320 im syr. Triparadeisos getroffene Kompromiß mit Antipatros als Vormund der Könige und Reichsverweser scheiterte bereits 319 mit seinem Tod, da der von ihm bestimmte Nachfolger → Polyperchon von den übrigen Diadochen und dem Sohn des Antipatros, → Kassandros, nicht anerkannt wurde.

Im folgenden 2. D. wurde mit der Beseitigung der Olympias, des Philippos III. und seiner Frau die dynastische Idee zwar geschwächt, doch gerierte sich nun Kassandros durch deren prunkvolle Bestattung und die Heirat mit der letzten Tochter → Philippos' II. als legitimer Nachfolger im Reich. Inzwischen verfolgte Antigonos vorgeblich im Sinne der Reichseinheit im Osten eine offensive Machtpolitik und verlangte in der Proklamation von Tyros 314 u. a. die Freilassung des von Kassandros internierten Alexandros IV. Er verstand es auch, die Interessen der griech. Städte für seine Zwecke zu nutzen, wurde aber im dritten D. zu einem Abkommen gezwungen (311), das den status quo bis zur Volljährigkeit des Königs bestätigte. Gerade dies brachte Kassandros dazu, den König zu beseitigen und damit den Kampf um die Nachfolge wieder zu eröffnen. Antigonos nutzte als erster die Chance und ließ sich nach spektakulären Erfolgen seines Sohnes → Demetrios [2] in Griechenland und dem Ägäisraum vom Heer zum König ausrufen (306). Um ihre Ansprüche zumindest äußerlich zu demonstrieren, vollzogen wenig später auch die übrigen Diadochen denselben Schritt. Die Auseinandersetzungen mit Antigonos im 4. D. gipfelten schließlich 301 in der Schlacht bei Ipsos (Phrygien), wo Antigonos fiel und sein Sohn floh.

In den Regelungen nach Ipsos benachteiligt, suchte Seleukos 299 die Verbindung mit Demetrios und vermählte ihm seine Tochter → Stratonike, zumal es auch zwischen Lysimachos und Ptolemaios zur Annäherung kam, da jener dessen Tochter → Arsinoe [II 3] heiratete. Diese Verbindungen, obwohl auf taktische Nahziele gerichtet, zeigen erstmals deutlich die Akzeptanz des jeweiligen Partners als eines autonomen Herren über seine Gebiete. Nachdem aber Demetrios den Tod des Kassandros 298/7 genutzt hatte, um in Griechenland einzugreifen und sich 294 zum König der Makedonen ausrufen zu lassen, führte seine offensive Asienpolitik zu einem Bündnis der übrigen Diadochen mit dem molossischen Fürstensohn → Pyrrhos; 285 geriet Demetrios in Gefangenschaft des Seleukos, in der er 283 starb. Der Tod weiterer Diadochen beruhigte die Situation: Lysimachos, dessen Reich sich nach der Vertreibung des Pyrrhos aus Makedonien 285 bis Thessalien erstreckte, fiel 281 bei Kurupedion im Kampf gegen Seleukos, der noch im selben Jahr von → Ptolemaios Keraunos getötet wurde. 282 konnte → Ptolemaios II. seinem Vater direkt auf den Thron folgen, Seleukos' Sohn → Antiochos [2] I. mußte sich dagegen erst mühsam durchsetzen (281–278). Die nach dem Tod des Ptolemaios Keraunos im Kampf gegen die Kelten eingetretene Anarchie beendete 278 Demetrios' Sohn → Antigonos [2] Gonatas mit einem Sieg über die Kelten. Als 272 auch Pyrrhos fiel, war Antigonos unbestrittener König der Makedonen.

Zwei Grundlinien kennzeichnen die D.: Orientierten sich die Diadochen in den ersten Jahren noch an Alexandros' offiziellen Nachfolgern, so legitimiert bald zunehmend mil. Erfolg die Ansprüche. Zum anderen weicht der Gedanke der Reichseinheit allmählich einem pluralistischen Denken und verliert spätestens seit 301 seine realpolit. Grundlage.

H.-J. GEHRKE, Gesch. des Hellenismus, 1990 • P. GREEN, Alexander to Actium, 1990 • J. SEIBERT, Das Zeitalter der Diadochen, 1983.   M. MEI.

Diadumenos s. Polykleitos

Diaeta. Raum einer röm. → Villa; weder nach den Villenbriefen des jüngeren Plinius (Plin. epist. 2,17; 5,6) noch aufgrund der sonstigen Überlieferung läßt sich allerdings ein typologischer oder baugeschichtlicher Begriff einer *d.* im Rahmen der Architektur der röm. Villa näher definieren. Plinius beschreibt in seinem *Laurentinum* und in seinen *Tusci* jeweils sieben *d.* (Plin. epist. 2,17,2; 2,17,13; 2,17,20; 5,6,20; 5,6,27). Die Symmetrie ihrer Anzahl sowie ihrer ästhetischen Bewertung ist eine lit. Kunstfigur, die beide Briefe kompositorisch zusammenschließt, ohne daß daran allein ein fiktiver Charakter der Beschreibung deutlich würde. Vier von Plinius' *d.* sind als Raumgruppen klar erkennbar, andere können Einzelräume gewesen sein. Umgekehrt spricht Plinius von einzelnen, isoliert liegenden *cubicula* und einer *cubiculum*-Gruppe, ohne den Begriff *d.* zu verwenden. Deren einziger Unterschied zu den *d.* 13 und 14 der *Tusci* war vielleicht, daß diese insgesamt drei bzw. vier *cubicula* umfaßten. Plinius mag sich also bei der Abgrenzung zw. *d.* und *cubiculum* für seine Briefe stark an kompositorischen Kriterien orientiert haben.

Die übrigen lit. Erwähnungen sind so unspezifisch, daß sie sich nicht mit Plinius' Beschreibungen vergleichen lassen (Plin. epist. 6,16,14; 7,5,1; Plut. Poplicola 15). Möglicherweise spiegelt sich in der unscharfen Begrifflichkeit die Realität insofern, als es für die Anlage von Raumgruppen keine strikten Regeln gab, sondern sie sich eher flexibel kristallisierten. Von daher lassen sich in röm. Villen diejenigen Raumgruppen mit Plinius' Verwendung des Begriffes *d.* in Verbindung bringen, die eine gewisse Autarkie in sich besitzen und nach außen hin ein gewisses Maß an Abgeschlossenheit aufweisen: es können dies Räume oder Raumgruppen sein, die landschaftlich isoliert liegen und zur restlichen Villa keine direkte Anbindung besitzen, solche, die am Ende von Kryptoportiken oder Portiken liegen sowie schließlich Raumgruppen, die sich direkt im Bauverband befinden und ihre Abgeschlossenheit eher durch Benutzungskonventionen gewinnen.

R. FÖRTSCH, Arch. Komm. zu den Villenbriefen des jüngeren Plinius, 1993, 48–53 • A. MAU, s. v. D., RE 5, 1903, 307–309.   R. F.

Diätetik I. Griechenland II. Rom

I. Griechenland

Die griech. Medizin hebt sich von der ägypt. oder babylon. entscheidend dadurch ab, daß sie der D. im weiten Sinn einer Eß-, Trink-, Bewegungs- und Badekultur innerhalb der Therapeutik eine zentrale Stellung einräumt [2. 395–402; 3]. Urspr. bedeutete D. die Verabreichung von aufeinander abgestimmten Nahrungsmitteln in flüssiger, breiiger oder fester Form je nach Grad der Erkrankung (Hippokr. de medicina vetere 5 [4. 241–257]). Um die Mitte des 5. Jh. v. Chr. wuchs sie jedoch weit über eine solche reine Ernährungslehre hinaus. Die Erfindung der D. wurde bisweilen den Pythagoreern zugeschrieben (Iambl. v. P. 163). Platon dagegen (rep. 406 A–C, Prot. 316 D) brachte sie mit Herodikos von Selymbria in Zusammenhang, der sich durch seine Erfahrungen als Sportlehrer veranlaßt gesehen habe, ebenso Ernährungs- wie Bewegungsvorschriften in seinen Maßnahmenkatalog zur Verbesserung bzw. Erhaltung der Gesundheit aufzunehmen. Platon selbst dürfte diese ›neumodische Medizin, die die Krankheit verhätschelt,‹ (rep. 406A) abgelehnt haben, doch viele andere schlossen sich der »Mode« unverzüglich an (Hippokr. De victu 1,1) unter ihnen auch Demokrit (58 A 33 DK). Spätere Autoren wie Soranos (Vita Hippokr. 2) und Porphyrios (in Iliad. 11,514) glaubten, Hippokrates habe die Ideen des Herodikos, dessen Schüler er gewesen sei, weitergeführt. Zweifellos spielt D. als zuverlässigste Heilmethode [11. 343–350] eine bevorzugte Rolle in Schriften der hippokratischen Sammlung wie *De victu*, *De alimento* und *De victu in morbis acutis*. Der Verfasser von *De arte* glaubte sogar, das ärztliche Vermögen, auf diätetischem Wege Heilungen herbeizuführen, sei der stichhaltigste Beweis dafür, daß Medizin eine Kunst sei, da die Ausbalancierung konkurrierender Elemente eine äußerst anspruchsvolle Aufgabe sei.

Die neue D. erforderte auch ein Verständnis der Lebensweise in dem größeren Zusammenhang der Überlegungen über den Aufbau der Welt (Hippokr. De victu 1,2). Indem sie bei allen Tätigkeiten die Bewahrung der Gesundheit an die erste Stelle rückte, richtete sie sich an die Reichen, die für ihren Unterhalt nicht zu sorgen brauchten. Der neue Trend zur D. wurde von Praxagoras, Chrysippos d. Ä. und Diokles am Ende des 4. Jh. v. Chr. weiter ausgebaut. Dabei paßte letzterer die D. den alltäglichen Erfordernissen des Lebens stärker an (fr. 141 WELLMANN). In seiner Schrift ›Über die Gesundheit (für Pleistarchos)‹ formulierte er seinen Einspruch gegen diejenigen, die glaubten, in der Diätanweisung müsse die Begründung für die Nahrhaftigkeit des jeweils empfohlenen Lebensmittels enthalten sein (fr. 112 WELLMANN; [10. 232–242]). Denn zum einen könnten solche Begründungen bisweilen nicht geliefert werden, zum anderen stelle sich gelegentlich ein anderer als der gewünschte Effekt ein. Diokles war davon überzeugt, die Eigenschaften von Nahrungsmitteln aus Erfahrung

zu kennen (Gal. de exper. med. 13,4–5), auch wenn die Beschreibung solcher Eigenschaften bei ihm weniger detailliert ausfiel als bei Mnesitheos (fr. 23 BERTIER), dessen Ausführungen, v. a. über Getreide, Galen ausgiebig zitiert [1. 30–56]. Als weitere Verfasser wichtiger diätetischer Schriften seien Diphilos von Siphnos, der um 300 v. Chr. wirkte (ausführlich zitiert von Athenaios von Naukratis; [8. 194–201]), und Herophilos genannt, der um 280 v. Chr. tätig war und Gymnastikübungen mit Nachdruck empfahl (fr. 227–229 STADEN 398).

II. Rom

Die diätetische Tradition der Griechen, insbesondere ihre Verbindung zum Badewesen und zum Körpertraining, wurde von den Römern vorbehaltlos übernommen. Celsus (de med., prooem. 1,1) und Scribonius Largus (praef. 6) setzten im 1. Jh. n. Chr. bei ihren therapeutischen Bemühungen unvermindert auf Diät, und auch Asklepiades [6] von Bithynien verdankte einen Teil seines Erfolges seiner »Wein-Therapie« und den leichten Übungen, die er verschrieb. Es muß offen bleiben, ob die Einbeziehung intellektueller Aktivitäten – Musikhören oder der Besuch von Theateraufführungen –, wie sie sich in seinen diätetischen Verordnungen und denen des Athenaios von Attaleia findet, für ihre Zeit eine Besonderheit darstellt [3. 262–270]. Celsus (de med. 1,1 f.) griff vermutlich mit seinem Angebot einer diätetischen Beratung unter Berücksichtigung von Stand und Beruf eine hellenistische Entwicklung auf. Darin folgten ihm im darauffolgenden Jahrhundert Rufus von Ephesos und Galen.

Galen schrieb ausführlichst über D. sowohl in therapeutischem als auch prophylaktischem Sinne und strebte eine Verbindung von Theorie und Praxis an, indem er einzelne Nahrungsmittel mit den vier Primärqualitäten (feucht – trocken, heiß – kalt) bzw. den vier Körpersäften in Zusammenhang brachte [11. 358–370]. Seine kurze Abhandlung *De subtiliante diaeta* steht insofern isoliert, als sie die für die D. des 20. Jh. wichtige Frage der Gewichtsreduktion thematisiert [5. 2–4]. Galens diesbezügliche Empfehlungen wurden von griech. Enzyklopädisten [11. 371–379] und byz. Autoren wie Simeon Seth aufgegriffen. Die lat. Tradierung wurde durch Texte wie den Brief des Anthimos aus dem 6. Jh. n. Chr. gesichert.

Die Wahl der Nahrungsmittel wurde eher durch medizinische Erwägungen als durch Geschmacksurteile oder persönliche Vorlieben bestimmt. Viele Autoren beabsichtigten mit ihren Ratschlägen, ein Gleichgewicht der Körpersäfte aufrechtzuerhalten, wobei jedoch gelegentliche Übereinstimmungen mit modernen Vorstellungen von einer ausgewogenen Diät rein zufällig sind. Sie empfahlen eiweißreiche Nahrungsmittel – besonders Fisch, Käse und Hülsenfrüchte –, ferner Vollkornbrot, fetthaltige Speisen – mit mäßigem Anteil an tierischen Fetten – und etwas frisches oder getrocknetes Obst. Doch darf nicht vergessen werden, daß einige Diätvorschriften (z. B. jüdische), auch wenn sie eine gesunde Lebensführung mit sich brachten [6. 553–580], eher aus rituellen als aus medizinischen Gründen gegeben wurden und daß persönliche Lebensumstände der Ratsuchenden wie z.B. Armut oder Stadtleben den besten Rat zunichte machen konnten, wie Galen häufig betonte. Dessen eigene Empfehlungen basierten einerseits auf gründlicher Beobachtung z.B. lokaler Getreidesorten oder übermäßigen Körpertrainings, andererseits möglicherweise auf reinen Vorurteilen, etwa einer Abneigung gegen frisches Obst, einer Vorliebe für Schweinefleisch (weil es dem menschlichen am ähnlichsten sei) und dem Glauben, daß die meisten hellen Fleischsorten für chronisch Kranke günstig wären [11. 362–367]. Ebenso wie seinen Vorgängern war auch ihm daran gelegen, seine D. gegenüber einer bloßen Kochkunst oder körperlichen Fitneßlehre abzugrenzen; doch waren die Übergänge sicher fließend [11. 374–377]. Galen war sich durchaus bewußt, daß übermäßige sportliche Betätigung sich gesundheitsschädlich auswirken könne (Gal. 1,23–25). Die ganzheitliche D., die er für sich beanspruchte, ähnelt derjenigen heutiger Befürworter einer gesunden Lebensführung und hat wohl bei denen, die dafür genügend Zeit und Geld hatten, einen ähnlichen Effekt gehabt. Doch die Grundlage einer jeden diätetischen Empfehlung unterschied sich erheblich von heutigen, und die ant. Einteilung der Nahrungsmittel in gesundheitsfördernde und gesundheitsschädliche läßt sich kaum mit modernen Erkenntnissen von Vitaminen, Proteinen, Kohlehydraten, etc. in Einklang bringen.

→ Gymnastik; Kochen; Medizin; DIÄTETIK

1 J. BERTIER, Mnésithée et Dieuchès, 1972, 30–86 2 E.M. CRAIK, Diet, *Diaeta*, and Dietetics, in: C.A. POWELL, The Greek World, 1995, 387–402 3 L. EDELSTEIN, Antike D., in: Die Antike, 1931, 255–270 4 I.M. LONIE, A structural Pattern in Greek Dietetics, in: Medical History, 1977, 235–269 5 N. MARINONE, Galeno. La Dieta dimagrante, 1973 6 J. PREUSS, Biblical and Talmudic Medicine, 1978 7 A. RATTRAY, Divine Hygiene, 1903 8 J. SCARBOROUGH, Diphilus of Siphnos and Hellenistic medical Dietetics, in: JHM 1970, 194–201 9 STADEN, 397–407 10 P. VAN DER EIJK, Diokles and the Method of Dietetics, in: R. WITTERN, Hippokratische Medizin und ant. Philos., 1996, 230–257 11 J. WILKINS, D. HARVEY, M. DOBSON, Food in Antiquity, 1995. V.N./Ü:L.v.R.–B.

Diagoras (Διαγόρας).

[1] aus Eretria stürzte gegen E. des 6. Jh. v. Chr. (zwischen 539 und 510?) die »Oligarchie der Ritter«, angeblich aus persönlichen Motiven (Aristot. pol. 5,5, 1306a 35–37) [1]. Als postume Ehrung wurde ein Standbild von D. errichtet (Heraclides Lembus fr. 40 DILTS). Ob D. als »Nomothet« eine »demokratische Verfassung« einführte [2], muß dahingestellt bleiben.

1 F. GEYER, Topographie und Gesch. der Insel Euboia 1, 1903, 66f. 2 H.-J. GEHRKE, Stasis, 1985, 63f. K.-J.H.

[2] Lyrischer Dichter aus Melos. Bei der Datierung seiner Schaffenszeit durch Eusebios auf 482/1 und 468/7 handelt es sich wahrscheinlich um Geburtsdaten, denn er schrieb im späten 5. Jh.: Aristophanes (Av. 1072ff., mit Scholien) berichtet von einem Prozeß, in dem er wegen Gottlosigkeit und Entweihung der Mysterien zum Tode verurteilt wurde. Er soll Dithyramben und einen Paian gedichtet haben [1. 8, 334–339]. Die wenigen erh. Verse (PGM 738) stehen im Widerspruch zu seinem Ruf als Atheist, der ihn später berühmt machte. Die Zuschreibung einer atheistischen Schrift wurde verworfen [2; 3].

1 D.A CAMPBELL, Greek Lyric 4, 1992 2 L. WOODBURY, The Date and Atheism of Diagoras of Melos, in: Phoenix 19, 1965, 178–211 3 M. WINIARCZYK, Diagoras von Melos: Wahrheit und Legende, in: Eos 67, 1979, 191–213; 68, 1980, 51–75. E.R./Ü:L.S.

[3] Stammvater einer sehr erfolgreichen rhodischen Athletenfamilie aus dem Geschlecht des Helden Aristomenes (3. Messenischer Krieg). Er siegte bei den 79. Olympien (464 v. Chr.) im Faustkampf (Pind. O. 7 mit Lob seiner Körpergröße) und war Periodonike [1. Nr. 252]. Seine Söhne Akusilaos (Faustkampf) [1. Nr. 299] und Damagetos (Pankration) [1. Nr. 287, 300] wurden bei den 83. Olympien (448 v. Chr.) am gleichen Tag Olympiasieger, worauf D. unsicherer ant. Tradition zufolge vor Freude gestorben sei (Gell. 3,15). Überaus erfolgreich war sein jüngster Sohn → Dorieus [2], dreifacher Periodonike im Pankration (Olympiasiege 432, 428, 424 v. Chr. = 87.–89. Olympien) [1. Nr. 322, 326, 330]. Auch seine Enkel Peisirodos (von der Tochter Pherenike) [1. Nr. 356] und Eukles (von der Tochter Kallipateira) [1. Nr. 354] wurden – wohl 404 v. Chr. – Olympiasieger im Faustkampf, ersterer in der Knabenklasse, letzterer unter den Männern. Es wird berichtet, daß die Mütter der siegreichen Enkel sich als Trainer verkleidet Zutritt zu den Olympischen Spielen verschafft hätten (Paus. 6,7,2f.; 5,6,7–9); obwohl der Zutritt normalerweise verheirateten Frauen versagt war, sollen in diesem Falle keine Sanktionen erfolgt sein. Von den Siegerstatuen der Athletenfamilie sind noch Teile der Sockel sowie Reste der Inschr. erhalten [2. Nr. 55, 63–66].

1 L. MORETTI, Olympionikai, 1957 2 H.-V. HERRMANN, Die Siegerstatuen von Olympia, in: Nikephoros 1, 1988, 119–183.

M. B. POLIAKOFF, Combat Sports in the Ancient World, 1987, 119–121 · W. DECKER, Sport in der griech. Ant., 1995, 136ff. W.D.

Diagraphein, diagraphe (διαγράφειν, διαγραφή).

(1) Im att. Prozeßrecht bedeutete die *diagraphé* die Streichung einer auf der Gerichtstafel verzeichneten Klage, wenn der Kläger die Klage aufgab, die Gerichtsgebühr nicht erlegte oder wenn der Verklagte durch → *paragraphé* (παραγραφή) oder → *diamartyría* (διαμαρτυρία) Einspruch gegen die Zulässigkeit der Klage erhob.

(2) Als *d.* wird ferner die Eintragung der von der Polis verpachteten Bergwerksanteile mit ihren jeweiligen

Grenzen in ein Verzeichnis bezeichnet (Harpokr. s. v. διαγραφή).

(3) Ferner handelt es sich um einen banktechnischen Begriff in der Bed. »zahlen« und »zur Zahlung anweisen«, davon als t.t. *diagraphé*, womit sowohl der Zahlungsvorgang als auch die Eintragung in das Bankregister und die Bescheinigung der Bank über die von ihr durch Barauszahlung oder Giroumbuchung vermittelte Geldbewegung bezeichnet wird. *Diagraphaí* sind seit dem 3. Jh. v. Chr. belegt, seit dem späten 1. Jh. n. Chr. sind sie nicht mehr nur Bankbescheinigungen mit bestätigender Funktion, die gewissermaßen Auszüge aus den Kontobüchern der Banken darstellen, sondern zugleich Urkunden über das Kausalgeschäft. Am Ende des 3. Jh. n. Chr. kamen sie außer Gebrauch.

→ Banken

1 R. S. Bagnall, K. A. Worp, SPP XX 74: The Last Preserved Bank-Diagraphe, in: Tyche 10, 1995, 1–7 2 R. Bogaert, Banques et banquiers dans les cités grecques, 1968, 50–54, 57–59 3 A. R. W. Harrison, The Law of Athens 2, 1971, 104 f. 4 J. F. Healy, Mining and Metallurgy in the Greek and Roman World, 1978, 103–110 5 Wolff, 95–105.   W. S.

Diaios (Δίαιος) aus Megalopolis; radikaler Romgegner, Stratege der Achaier 150/49, 148/7 v. Chr. und 146 v. Chr. D. führte mit → Kritolaos im J. 146 den Bund in die Katastrophe (Pol. 38,10,8; 18,7–12) [1. 127, 228]. Nach einem Streit mit Menalkidas aus Sparta über Bestechung und Kapitalgerichtsbarkeit reiste D. 149/8 nach Rom, wohin jener geflohen war; der Senat traf jedoch keine Entscheidung (Paus. 7,11–12) [1. 220–222]. Nach einem achäisch-spartanischen Waffengang, Menalkidas' Freitod und D.' Terror gegen Romfreunde (Pol. 38,18,6; Paus. 7,13) verlangte 147 Aurelius [I 14] Orestes das Ausscheiden Spartas und anderer *poleis* aus dem Bund, was die Romfeinde um D. stärkte, deren Bestrafung Sex. Iulius Caesar vergeblich forderte (Pol. 38,9–10; Paus. 7,14) [1. 223–227]. Im Achäischen Krieg übernahm D. 146 nach der Niederlage bei Skarpheia gegen Caecilius [I 27] Metellus die verwaiste Strategie, unterlag aber auf dem Isthmos gegen Mummius (Pol. 38,15–18; Paus. 7,15–16) [1. 234–237] und gab sich mit seiner Familie den Tod [1. 238,33]. D.' Kritiker Polybios bereicherte sich eigenen Angaben zufolge nicht an D.' konfisziertem Vermögen (Pol. 39,4).

→ Achaioi

1 J. Deininger, Der polit. Widerstand gegen Rom in Griechenland, 1971.   L.-M. G.

Diaitetai (διαιτηταί).
[1] Im griech. Recht allg. Bezeichnung für von beiden Parteien einvernehmlich bestellte »private« Schiedsrichter, die entweder zur Vermittlung oder zur endgültigen Streitentscheidung befugt waren (Demosth. or. 27,1; 59,47). Häufig bestellte jede Partei Vertrauensmänner, die sich dann auf einen Dritten einigten, so daß insgesamt drei d. das Schiedsgericht bildeten.

[2] In Athen hatte jeder Bürger nach Vollendung des 59. Lebensjahres die Pflicht, ein Jahr lang unter den »amtlichen« d. mitzuwirken. Diese führten anstelle der Thesmotheten das Vorverfahren in vermögensrechtlichen Prozessen mit einem 10 Drachmen übersteigenden Streitwert durch (Aristot. Ath. pol. 53, 2–6). Eine Entscheidung eines dieser d. konnten die Parteien als verbindlich anerkennen, doch konnte jede Partei auch auf einer Entscheidung durch das → *dikastḗrion* bestehen (→ *éphesis*). In diesem Fall verschloß man das Beweismaterial getrennt in zwei Tongefäße. Nur diese Beweismittel durften die Parteien vor Gericht verwenden. Rechtsbeugung der d. wurde mit → *atimía* geahndet. Nach Ablauf ihres Amtsjahres wurden die d. durch Dekret geehrt (z. B. Liste der d. aus 325/4 v. Chr., geordnet nach Phylen, IG II² 1926).

A. Steinwenter, Die Streitbeendigung durch Urteil, Schiedsspruch und Vergleich, ²1971 · G. Thür, Beweisführung vor den Schwurgerichtshöfen Athens, 1977, 75 ff. 316 f. · G. Aicher-Hadler, Das »Urteil« des amtlichen Diaiteten, RIDA³ 36, 1989, 57 ff.   G. T.

Dialekt. Als D. (griech. διάλεκτος) bezeichnet man eine geogr. Variante eines sprachlichen Kontinuums; ihre räumliche Ausdehnung kann verschieden bestimmt werden. Zum Beispiel weisen der → arkadische oder der → thessalische D. des Griech. in sich noch weitere lokale Unterschiede auf. Aus Isoglossen (gemeinsamen Merkmalen, v. a. lautlicher, morphologischer, lexikalischer Art) ergibt sich eine D.-Geographie.

Die ersten Stufen der D.-Gliederung des Griech., die im 2. Jt. v. Chr. eingesetzt hat, und die damit zusammenhängenden Stammessitze und -bewegungen lassen sich z. T. durch die Isoglossen der D. des 1. Jt. erschließen (→ Griechische Dialekte); z. B. deutet *-ti*(-) > *-si*(-) im Ion.-Att. und Arkad.-Kypr. auf ein früheres Kontinuum (das »Ostgriech.«) im myk. Griechenland. In klass. Zeit hatte fast jede Region einen eigenen D., oft mit eigener Orthographie, obwohl sich supradialektale Tendenzen verspüren lassen (→ Attisch), die Vorläufer späterer Gemeinsprachen sind.

Im Unterschied zum benachbarten → Oskisch-Umbrischen hat das Lat., aus einem Stadt-D. des D.-Raumes von Latium hervorgegangen, trotz seiner späteren großen Ausbreitung anscheinend keine eigenen D. entwickelt.

→ Griechische Dialekte; Italien: Sprachen; Koine; Latein

W. Besch u. a. (Hrsg.), Dialektologie, 1982 f. · Knobloch, I, 590–603 (mit Lit.) · E. Risch, Histor.-vergleichende Sprachbetrachtung und Dialektgeographie, in: Kratylos 11, 1966, 142–155 (= KS 255–268).   J. G.-R.

Dialektik (ἡ διαλεκτική) ist ein elliptischer Ausdruck für ἡ διαλεκτικὴ τέχνη (*hē dialektikḗ téchnē*), »die Kunst der Unterredung«. In beiden Versionen findet er sich erstmals bei Platon (polit. 7,534e 3 bzw. Phaidr. 276e 5 f.) und dient dort zur Umschreibung desjenigen Könnens, welches den Philosophen auszeichnet. Diesen damals neu eingeführten D.-Begriff hat man einerseits aufgenommen und andererseits bereits in der Ant. vielfach modifiziert.

Für das nähere Verständnis ist als erstes der Zusatz »Kunst« (*téchnē*) von Belang. Er stellt von vornherein klar, daß die D. ein praktisches Wissen ist, ein Wissen, etwas zu tun; erst in zweiter Linie kann die D. durch Reflexion zusätzlich so etwas wie theoretisches Wissen umfassen und je nach Wissenschaftsbegriff auch eine Wiss. werden. Platon hatte ganz bestimmte Unterredungen im Auge, bei denen es Könnerschaft zu entwikkeln galt: die *élenchoi*, streng regelgeleitete Zweierdialoge, deren Anlage verschiedentlich beschrieben worden ist ([4; 5], → Widerlegung). In einem *élenchos* übernimmt der eine Gesprächspartner die Rolle des Fragenden, der andere die des Antwortenden; beide prüfen nach genau festgelegten Regeln beliebige Thesen auf ihre Begründbarkeit oder Widerlegbarkeit hin. Der allg. Zweck des Spiels ist, etwas über die Wahrheit oder Falschheit der Thesen herauszufinden. Könnerschaft heißt bei diesen Dialogen, jede der beiden Rollen meisterlich zu beherrschen und daher Wahrheitsfragen mit der nötigen Umsicht angehen zu können. Solche Dialoge und ihre Anforderungen hatte Platon im Blick, was u. a. daraus hervorgeht, daß er den Dialektiker durchweg und ohne Umschweife als denjenigen ansah, ›der zu fragen und zu antworten versteht‹ (Krat. 390c 10 f.; s. a. polit. 7,534d 3–10). Die D. ist also die Kunst der Frage-Antwort-Diskussion.

Wegen ihrer Eigentümlichkeiten sind solche Unterredungen daher vorzüglich geeignet, um ethische Maßstäbe zu überprüfen. In der Umbruchszeit des 5. und 4. Jh. v. Chr. war gerade das ein ebenso dringliches wie schwieriges Anliegen, und Platon sah darin die zentrale philos. Aufgabe. Deshalb wurde die Kunst der Frage-Antwort-Diskussion für ihn zur entscheidenden Fähigkeit des wahren Philosophen. Die platonische D. so zu verstehen entspricht der Interpretation von [5]. Andere möchten die D. bei Platon allerdings nicht so eng an den *élenchos* binden und dadurch diesem die Hauptaufgabe der Philos. anvertrauen. Wenn der Zusammenhang jedoch gelockert wird, läßt sich über Platons D.-Verständnis kaum noch etwas Präzises und Nachvollziehbares sagen.

Daß die D. die Kunst der Frage-Antwort-Diskussion sei, wurde zur Standarderklärung und sogar nach der Zeitenwende noch oft wiederholt. Trotzdem wurde diese Umschreibung der D. bald anachronistisch. Denn die *élenchoi* verloren an Ansehen und kamen schließlich ganz aus der Übung. Schon Platon selbst warnte vor der Gefahr, daß der elenktische Eifer nicht zu ernsthafter Prüfung eingesetzt wird, sondern zu einem Scherz verkommt, bloß der Freude am Widerlegen dient und Skepsis nach sich zieht (polit. 7,537 e–539 d). Als Aristoteles wenig später in der ›Topik‹ seine eigene Auffassung der D. explizierte, setzte er die Frage-Antwort-Diskussionen und deren Reglement noch durchweg

voraus; er beklagte aber, daß die Fähigkeit, passende Ja/Nein-Fragen zu formulieren, merklich nachgelassen habe (soph. el. 17,175b 10–14). Erhalten geblieben ist diese Fähigkeit offenbar dort, wo sie zur Herleitung von Trugschlüssen verwendet werden konnte (vgl. etwa Gell. 16,2,1). Auch manches andere deutet später noch auf dialogische Elemente hin, so z. B. die aus der frühen Stoa stammende [1] merkwürdige Definition, daß schlüssig diejenigen Argumente seien, ›bei denen, falls für die Prämissen zugestanden wird, daß sie zutreffen, kraft dieses Zugeständnisses auch die Konsequenz zu folgen scheint‹ (S. Emp. adv. math. 8,303 = [3. 1059]). Aber zur umsichtigen Überprüfung von Behauptungen wird die Frage-Antwort-Diskussion nicht mehr eingesetzt. Um nach dem Wegfall der *élenchoi* gleichwohl Kontinuität zu wahren, konnte man allerdings auf den urspr. Zweck dieser Dialogspiele zurückgreifen und sagen, die D. sei die Wissenschaft vom Wahren und Falschen; derartige Formeln wurden ebenso üblich wie die Standarderklärung (vgl. z. B. Diog. Laert. 7,42; 62; Cic. ac. 1,28,91). Aber auch dann mußte neu angegeben werden, worin die Kunst der Unterredung bestehen solle, welchen Platz sie unter den verschiedenen Formen intellektueller Aktivität einnimmt und wie sie sich zu den zentralen Themen der Philos. verhält.

Aristoteles freilich konzipiert die D. noch in bezug auf *élenchoi*: Zum einen geht es in diesen nicht um wiss. gesicherte Aussagen, sondern immer um möglichst plausible Aussagen und um die daraus zu ziehenden Folgerungen. Weil die D. es also mit dem Mutmaßlichen zu tun hat, unterscheidet Aristoteles den dialektischen Schluß unabhängig von seiner formallogischen Qualität nachdrücklich vom beweiskräftigen wiss. Schluß (top. 1,1,100a 25–30) und vergleicht sie an anderer Stelle mit der Rhet., ihrem Gegenstück (rhet. 1,1,1354a 1). Zum anderen verfolgt Aristoteles in der ›Topik‹ die ihm ganz neu erscheinende Absicht, für elenktische Erörterungen eine Methode zu entwickeln, die es ermöglichen soll, bei jedem beliebigen Thema jede der beiden Rollen erfolgreich zu übernehmen (top. 1,1,100a 18–21; 2,101a 25 ff.; soph. el. 34,183a 37–184b 8); darüber hinaus tauge die Methode zu einer systematischen Aufdeckung von Fehlern. Die D. zu beherrschen kann dann als eine umsichtige und geschickte Handhabung dieser Methode beschrieben werden. Weiter klären die *élenchoi* vielseitig über unsere Behauptungen auf, zumal dann, wenn sie methodisch unterstützt werden. Insofern bereichert die D. das intellektuelle Leben der Menschen erheblich und nimmt auch in der Auffassung des Aristoteles über die verschiedenen Formen intellektueller Tätigkeit einen herausgehobenen Platz ein. [2] Wohl auch aus diesem Grund hat er die D. allerdings nicht besonders eng mit philos. Kompetenzen oder Anliegen verknüpft.

Was man sich unter der D. um 300 v. Chr. vorzustellen hat, ist angesichts der spärlichen Quellenlage unsicher. Die Trugschlüsse waren zweifellos ein wichtiger Komplex; man entwickelte sie in Frage-Antwort-Form und studierte ihre Auflösung. Außerdem hatten sie Unterhaltungswert. Die D. muß jedoch mehr umfaßt haben. Was Ariston von Chios über die D. sagte [3. 208–215], bedeutet u. a., daß die von Platon befürchteten Wirkungen des D.-Unterrichts ziemlich regelmäßig eintraten; dann muß dieser aber auch ein Unterricht im Widerlegen gewesen sein. Überdies haben die Dialektiker um Diodoros Kronos viel über logische Themen nachgedacht, und diese Themen werden ebenfalls zur D. gehört haben; in der D. der Stoiker kehren sie wieder. Die D. dieser Zeit ist als reicher, als es zunächst aussieht; doch reichen die wenigen Nachrichten derzeit nicht aus, um zu einem Gesamtverständnis der damaligen D. gelangen. In der Rekonstruktion hat die Gesch. der D. um 300 v. Chr. hier eine Lücke.

Die frühe Stoa führte die D. des Diodoros Kronos und seines Kreises im wesentlichen fort, allerdings mit einem eigenen Motiv: Da sie Falsches zu entlarven hilft, unterstützt sie das Programm, eine einzige, widerspruchsfreie Konzeption zu entwickeln, nach der man leben und glücklich sein kann – das Ziel der Philos., wie die Stoiker es sahen. Aus diesem Grund legten Zenon von Kition und seine Nachfolger auf die D. großen Wert. Chrysippos reformierte die stoische D. und gab ihr weitgehend die Form, in der sie uns überliefert ist. Dem Inhalt nach erscheint sie nun als ein neues Fachgebiet, das den Status einer mehr oder weniger vollständigen Reflexionswiss. hat und seinem Anspruch nach erstmals alle mit Sprache und Argumentation zusammenhängenden Themen vereinigt und systematisch erörtert, insbes. die Sprachphilos., die formale Logik und die Grammatik. Daß man dieses neue Fach D. nannte, knüpft an ältere Verwendungen dieses Ausdrucks an, ohne dadurch zureichend erklärt zu sein. Auch die Gliederung des neuen Fachgebiets nachzuvollziehen ist bisher immer nur partiell gelungen. Doch was die Bedeutung der D. für die Philos. angeht, gleicht der Anspruch der stoischen D. dem der platonischen.

Der Entwurf eines so umfassenden Fachgebietes war wissenschaftsgesch. neu und machte die Sprache zu einem Hauptthema der Philos. Zu diesem Aspekt ihrer D. haben die Stoiker sich anscheinend ausdrücklich geäußert. Das von Diogenes Laertios überlieferte Referat ihrer D. endet mit einem Hinweis darauf, welch zentrale Stellung Logik und Dialektik in der Weisheit einnehmen: Nach Ansicht der Stoiker ›würden alle Sachen durch sprachlich bzw. diskursiv oder argumentativ gestaltete Theorien betrachtet, mögen sie nun zur Physik oder auch in das Gebiet der Ethik gehören‹ (Diog. Laert. 7,83 = [3. 87]). Der Satz scheint zu besagen, daß Logik und Dialektik deshalb so bedeutsam sind, weil Theoriebildung sich immer sprachlich vollzieht, erst recht im Bereich der Philos. Wenn diese Deutung zutrifft, begründet die Sprachlichkeit aller Theorie einerseits die Einheit des neuen Fachs und andererseits den engen Bezug der D. zur Weisheit; sie stellt sicher, ›daß der eigentliche Dialektiker der Weise sei‹. Damit beanspruchen die Stoiker für die D. einen ähnlichen Rang wie Platon, wenn auch nicht recht zu sehen ist, durch

welche Verfahren dieser Anspruch eingelöst werden könnte.

→ DIALEKTIK

1 Th. Ebert, Dialektiker und frühe Stoiker bei Sextus Empiricus. Untersuchungen zur Entstehung der Aussagenlogik, 1991, 241–245, 288–297 2 J. D. G. Evans, Aristotle's Concept of Dialectic, 1977 3 K. Hülser, Die Fragmente zur D. der Stoiker, 4 Bde., 1987 4 E. Kapp, Der Ursprung der Logik bei den Griechen, 1965 5 P. Stemmer, Platons Dialektik. Die frühen und mittleren Dialoge, 1992. K.-H.H.

Dialektiker (διαλεκτικός), »der im Disputieren Geübte«, anfangs Bezeichnung für ›denjenigen, der zu fragen und zu antworten versteht‹ (Plat. Krat. 390c), also für den Logiker nach der damals für ihn entscheidenden Fähigkeit. Die Bedeutung des Wortes verschob sich dann so, daß es entweder weiterhin alle Logiker bezeichnete (so z. B. Aristot. top. 8,2,157a 19; Cic. ac. 2,143; S. Emp. P. H. 2,166) oder nur eine bestimmte Gruppe von Logikern des 4. und 3. Jh. v. Chr. Am bekanntesten sind davon → Diodoros [4] Kronos und sein Schüler Philon; außerdem gehörten mindestens Eubulides, Alexinos und Dionysios von Chalkedon dazu. Unsicher ist erstens, was die Kennzeichnung bedeutet, daß diese Logiker ›ihre Argumente in Form von Frage und Antwort vorbrachten‹ (Diog. Laert. 2,106), und zweitens, ob sie Megariker waren: Die → Megariker galten in der älteren Forschung als eine Schule mit mehreren Phasen, in der dritten seien sie die D. gewesen. Die Kontroverse zwischen Döring, der die D. als Teil der Megariker ansieht, welche er in Kreise teilt [1], jedoch die megarische Schule nicht als Institution versteht [3], und Sedley, der die Megariker und die D. als zwei miteinander rivalisierende Schulen betrachtet [2. 74–78], ist nicht gelöst.

Von der Logik der D. um → Diodoros Kronos scheint mehr erhalten zu sein, als lange bekannt war. Nach Ebert [4] ist das, was → Sextos Empeirikos von den Dialektikern berichtet, eben dieser Gruppe zuzuschreiben; und was er an *stoischer* Logik referiert, ist meistenteils vorchrysippeisch und mit der Logik der D. noch fast identisch. Außer der Diskussion um die Modalbegriffe und dem Begriff der Implikation sind daher auch die Auffassungen der D. über das Zeichen bekannt, ferner ihre Klassifikation der Aussagen, ihre Lehre vom Beweis, die Klassifikation der Fehlschlüsse und die Theorie der Trugschlüsse.

1 K. Döring, Die Megariker. Komm. Sammlung der Testimonien, 1972 2 D. Sedley, Diodorus Cronus and Hellenistic Philosophy, in: Proc. of the Cambridge Philological Society 203 N.S. 23, 1977, 74–120 3 K. Döring, Gab es eine Dialektische Schule?, in: Phronesis 34, 1989, 293–310 4 Th. Ebert, Dialektiker und frühe Stoiker bei Sextus Empiricus. Unt. zur Entstehung der Aussagenlogik, 1991. K.-H.H.

Dialog A. DEFINITION
B. VORFORMEN UND ANREGUNGEN
C. SOKRATES-DIALOGE D. ZEIT NACH PLATON;
HELLENISMUS E. RÖMISCHE ZEIT
F. CHRISTENTUM G. NACHLEBEN

A. DEFINITION

Unter D. ist eine Gattung der Prosalit. zu verstehen, welche in direkter Rede ein Gespräch zwischen mehreren Personen wiedergibt. Diese Darstellungsform wird in griech. und lat. Literatur vor allem für theoretische, speziell philos. Erörterungen verwendet. Ein weniger entwickeltes Gebiet sind die unterhaltsamen humoristischen Szenen (s.u. zu Lukian: E. Römische Zeit), welche der Gattung → Mimos nahestehen. Der wichtigste Autor von D. ist Platon; er galt stets als Klassiker der Gattung. Dabei steht er ihrem Ursprung ganz nahe, denn sie ist eine Schöpfung der ersten Generation der Sokratesschüler.

B. VORFORMEN UND ANREGUNGEN

Historiker haben außer Reden auch D. in ihre Darstellung eingelegt: Herodot 3,80–83 (»Verfassungsdebatte«) u.ö., Thukydides 5,84–115 (»Melierdialog«). Vermutlich waren im 5. Jh. Gespräche der → Sieben Weisen im Umlauf [10. 197–201]. → Ion von Chios berichtete Anekdoten über berühmte Männer z.T. in Gesprächsform. Ob die *Homilíai* (ὁμιλίαι) des → Kritias D. waren, ist unklar. Eine mündliche Debattierkunst mit festen Verfahrensregeln wurde von den Sophisten entwickelt (sog. Eristik, Hauptquelle: Platon, Euthydemos). Bei Platon ist Anlehnung an die D.-Technik der Komödie, vor allem aber an den Prosamimos des → Sophron erkennbar.

C. SOKRATES-DIALOGE

Diese sollen nach Aristot. poet. fr. 72 ROSE) zuerst von Alexamenos von Teos verfaßt worden sein. Dieser ist sonst unbekannt, die Bed. der Nachricht umstritten (dazu POxy 45, Nr. 3219). Nur in Fragmenten faßbar sind Aischines von Sphettos, Eukleides von Megara, Phaidon von Elis, Antisthenes u.a. [8]. Erhalten sind D. von → Platon und → Xenophon. Wesentliches Motiv war sicher die Vergegenwärtigung von Persönlichkeit und Lehre des Sokrates in ihrer Einheit. Doch fühlten sich die Autoren nicht an dokumentarische Treue gebunden, sondern erlaubten sich freie Fiktionen im Rahmen des histor. Möglichen. Bei Platon erhält die Form tiefen philos. Sinn [5; 7; 11; 14; 20; 21]. Sie steht im Gegensatz zu den Lehrvorträgen der Sophisten und stellt dar, daß Wissen nicht übermittelt, sondern vom Einzelnen selbst – unter Anregung und korrigierender Leitung des Sokrates – hervorgebracht wird. – Auf anschauliche und lebendige Darstellung der Situation ist manchmal große Mühe verwendet (*Symposion*; *Phaidon*; eher vernachlässigt z.B. im *Menon*). Formal lassen sich »dramatische« und »diegematische« D. unterscheiden (Diog. Laert. 3,50; Plut. symp. 7,8,1 [17]). Letztere haben einen erzählenden Rahmen. Dies ist vielleicht die urspr. Form, denn im *Theaitetos* (143c) wird die berich-

tende Form als schwerfällig erklärt und durch die dramatische ersetzt. Platon hat die D.-Form beibehalten, obwohl darin immer häufiger zusammenhängende Vorträge auftraten (extrem: *Nomoi*). Wahrscheinlich war ihm das Prinzip wichtig, daß Erkenntnis der intersubjektiven Prüfung bedarf. Spätere sokratische Dialoge unbekannter Autoren sind als unechte Stücke in das *Corpus Platonicum* eingegangen [15].

D. ZEIT NACH PLATON; HELLENISMUS

Unter den Nachfolgern Platons hat nur → Speusippos D. im oben beschriebenen Sinn geschrieben. Aristoteles und die Peripatetiker dagegen pflegten die Form und entwickelten sie weiter. Erhalten ist davon nichts. Von → Aristoteles [3. 294–301; 9. 248–253] gab es mindestens acht D., am bedeutendsten: *Eudemos* und *De philosophia*. Einige Titel Platons (z.B. *Politikos*) treten wieder auf. Diese für eine breite Öffentlichkeit bestimmten Werke waren (im Gegensatz zu den Lehrschriften) sorgfältig und eindrucksvoll stilisiert. Neuerungen: Aristoteles trat selbst als Hauptsprecher auf (Cic. Att. 13,19, ad Q. fr. 3,5). Den einzelnen Büchern waren Proömien vorangestellt (Cic. Att. 4,16). → Dikaiarchos (u.a. ›Abstieg in die Trophonios-Höhle‹ und → Herakleides Pontikos (u.a. ›Über die scheintote Frau‹) führten dramatische, unterhaltsame oder sogar sensationelle Elemente in den D. ein; bei Dikaiarchos gab es kulturkritische Bemerkungen zum Orakelkult, bei Herakleides Szenen aus der Vergangenheit um Empedokles und Pythagoras, dabei eine Erweckung vom Scheintod mit Offenbarung des Erlebten. Bei → Klearchos von Soloi ›Über den Schlaf‹ (Περὶ ὕπνου) trat Aristoteles auf. → Praxiphanes (›Über die Dichter‹) ließ Platon und Isokrates bei einem Besuch in Platons Landhaus miteinander sprechen; hier war wohl die Situation würdevoller Muße gegeben, wie sie später Cicero liebte. → Ariston [3] von Keos ging in ›Über das Alter‹ (Περὶ γήρως) auf die mythische Zeit zurück und ließ → Tithonos auftreten. → Eratosthenes behandelte im *Platonikos* (Πλατωνικός) mathematische Probleme. → Satyros brachte eine Biographie des Euripides in D.-Form. Mit diesen Beispielen wird der D. Träger von lehrhaften Inhalten (Xenophons *Oikonomikos*).

Ein anderer Themenbereich ist das Symposion. Platon und Xenophon hatten zuerst Unterhaltungen beim Symposion zum Gegenstand eines D. gemacht. Symposien mit kultivierten Gesprächen wurden namentlich in der Akademie gepflegt, und es bildete sich eine eigene → Symposion-Literatur in D.-Form, die über ein parodistisches Werk wie → Petronius' *Cena Trimalchionis* bis zu den lit.-philos. *Saturnalia* des → Macrobius führt. Bei frühen kynischen Autoren (Antisthenes, Diogenes von Sinope, Philiskos) gab es D.; als Seitenzweige kann man die → Diatribe (Bion) und die → Satire (Menippos) betrachten, die stark dialogische Elemente enthalten. D. aus anderen Philosophenschulen: → Hegesias (Kyrenaiker), Ἀποκαρτερῶν; → Stilpon (Megariker); → Timon von Phleius (Skeptiker), *Python*, → Antiochos [21] aus Askalon, *Sosos*.

E. RÖMISCHE ZEIT

Erster lat. D. waren die drei Bücher *De iure civili* von M.→ Iunius Brutus: juristische Fachbelehrung des Autors an seinen Sohn in Gesprächen auf verschiedenen Landsitzen; als »Villendialog« (vgl. Praxiphanes) wohl Anregung für Cicero. M. Terentius → Varro gab in *Res rusticae* ebenfalls einem Lehrbuch D.-Form. C.→ Scribonius Curio schrieb einen caesar-feindlichen D. (vgl. Cic. Brut. 60,218) als polit. Flugschrift. Dann führte → Cicero den Höhepunkt lat. D.-Lit. herauf. In Berufung auf Platon (nach diesem die Titel *De re publica* und *De legibus*), aber formal eher an Aristoteles und Herakleides anknüpfend (längere zusammenhängende Darlegungen, Proömien der Bücher, aristotelisch: mit dem Autor als Wortführer, herakleidisch: ohne den Autor, oft in der Vergangenheit angesiedelt) präsentierte er der röm. Welt griech. Philosophie [4. 1021–1023] sowie seine Darstellung der Rhet. als Kunst und Bildungsgut. Die D.-Form kam Ciceros skeptisch-eklektischer Einstellung und der Methode der *disputatio in utramque partem* entgegen. Die Rahmenszenen spielen im Kreise einer idealisierten röm. Aristokratie, die Persönlichkeiten der Sprecher sind sorgfältig gezeichnet.

In der Cicero-Nachfolge steht → Tacitus, *Dialogus de oratoribus*. → Senecas *Dialogi* tragen diese Bezeichnung zu Unrecht, es sind eher Diatriben.→ Plutarchs D., formal und inhaltlich reich und lebendig, geben eine Ahnung vom verlorenen peripatetischen D. Eine Sonderentwicklung wird bei → Dion [I 3] von Prusa erkennbar: D. mit anon. Teilnehmern oder myth. Personen: manche haben philos. Inhalte, andere stellen nur Mythen dar. Man leitet diesen Typus aus rhet. Übungen her. Vergleichbar ist der *Heroikos* des → Philostratos. → Lukianos konnte hier anknüpfen; doch experimentierte er mit verschiedenen D.-Arten und schuf neue, indem er Motive der Komödie (Prometheus 5–7) und der kynischen Satire des Menippos (Bis accusatus 33) kreuzte. Jetzt treten auch allegorische Figuren auf (z. B. im *Bis accusatus*). Diese Form des D.s ging in die Gattungsmischung der *Consolatio philosophiae* des → Boethius ein. Lehrhafte Werke mit dialogischem Rahmen sind: (lat.) Macrobius, *Saturnalia*; → Martianus Capella, *De nuptiis Philologiae et Mercurii*; → Fulgentius, *Mythologiae*; (griech.) Ps.-Orpheus, *Lithika*. Die *Deipnosophistai* des → Athenaios gehören zur → Symposien-Literatur.

F. CHRISTENTUM

In der christl. Lit. nahm der D. vor allem als Form der theologischen Auseinandersetzung einen wichtigen Platz ein [22]. G. BARDY [12] unterscheidet fünf Typen:

1. Apologetischer D., zunächst in Auseinandersetzung mit den Juden: Ariston von Pella (um 140, verloren); → Iustinus, *Dialogus cum Tryphone*; → Aineias von Gaza, *Theophrastus sive de animarum immortalitate* (um 500, gegen einen Neuplatoniker); → Minucius Felix, *Octavius* (gegen Heiden, im Anschluß an Cicero).

2. Theologischer D., in Kontroversen zwischen Christen. Aufzeichnung einer historischen Disputation: → Origenes, Διάλεκτος πρὸς Ἡρακλείδαν [19]. Origenes, *De resurrectione* [16. 251]; → Methodios von Olympos, *Symposion* (in Anlehnung an Platon); Adamantius, *De recta in deum fide* (antignostisch).

3. Philosophischer Dialog: → Bardesanes, ›Vom Schicksal‹ oder ›Buch der Gesetze der Länder‹ (syr.); → Gregorios von Nyssa, *Contra fatum*; *Macrinia De anima et resurrectione* (in Nachahmung von Platons *Phaidon*); → Augustinus, mehrere D., vor allem aus der Zeit der Bekehrung; die *Soliloquia* bringen eine Neuerung: Gespräch der personifizierten Ratio mit Augustinus.

4. Biographischer D. (aus vorchristl. Zeit nur von Satyros bekannt): → Sulpicius Severus, Anhang zur *Vita Martini*; → Palladius, *De vita S. Joannis Chrysostomi*; → Gregor d. Gr., *De vita et miraculis patrum Italicorum* (4 B.).

5. Biblischer Dialog: Nach Sokr. 3,16 soll Apollinaris d.J. den Stoff des NT in Dialogform gebracht haben (in Antwort auf Iulians Schuledikt, als Ersatz für platonische Dialoge).

G. NACHLEBEN

Das MA setzt die D.-Formen der christl. Lit. fort, im Westen wesentlich stärker als in Byzanz. Die Sonderform des D. mit Juden ist bes. fest (z. B. Abaelardus, *Dialogus inter philosophum Judaeum et Christianum*). Die Renaissance [2] bringt ein Aufleben, bes. mit Rückgriffen auf Cicero (s. u.) und Lukian. In der Reformation sind Ulrich von Huttens D. (nach Lukians Vorbild) publizistisch sehr wirksam. Der D. dient auch zur Darstellung naturwiss. Fragen für ein breites Publikum (Galilei, ›Dialogo sopra i due massimi sistemi del mondo‹, 1632). Eine weitere Welle von D.-Lit. wurde von der Aufklärung herbeigeführt [6]. Nachdem Hegel den Wert der D.-Form eingeschränkt hatte, verlor sie im 19. Jh. an Geltung. Einzelne neuere Wissenschaftler (etwa W. HEISENBERG, ›Der Teil und das Ganze‹, 1969) haben den D. wiederentdeckt. In der ›dialogischen Philos.‹ (MARTIN BUBER) ist die Idee des D.s zu einer anthropologischen Kategorie weiterentwickelt.
→ DIALOG; Philosophische Literaturformen

1 K. BERGER, Hell. Gattungen im NT, in: ANRW II 25.2, 1031–1432 (Dialog: 1301–1316) 2 V. COX, The Renaissance dialogue. Literary dialogue in its social and political contexts, Castiglione to Galileo, 1992 3 I. DÜRING, s. v. Aristoteles, RE Suppl. 11, 159–336 4 H. FLASHAR (Hrsg.), Die Philos. der Ant., Bd. 4, 1994 5 P. FRIEDLÄNDER, Platon, ³1964–1975, I, Kap. 8 6 TH. FRIES, Dialog der Aufklärung. Shaftesbury, Rousseau, Solger, 1993 7 K. GAISER, Platone come scrittore filosofico, 1984 8 G. GIANNANTONI, Socratis et Socraticorum Reliquiae, 1990 9 O. GIGON (Hrsg.), Aristotelis Opera III, 1987 10 Ders., Sokrates. Sein Bild in Dichtung und Gesch., ³1994, Kap. III 11 H. GUNDERT, D. und Dialektik, 1971 12 A. HERMANN, G. BARDY, s. v. D., RAC 3, 928–955 13 R. HIRZEL, Der D., Ein lit.-histor. Versuch, 2 Bde., 1895 14 J. LABORDERIE, Le dialogue platonicien de la maturité, 1978 15 C. W. MÜLLER, Die Kurzdialoge der Appendix Platonica, 1975 16 P. NAUTIN, Origène, 1977 17 O. NÜSSER, Albins Prolog und die D.-Theorie des Platonismus, 1991 (Beiträge zur Alt.-Wiss. 12)

18 M. RUCH, Le préambule dans les œuvres philosophiques de Cicéron, Essai sur la genèse et l'art du dialogue, 1958
19 J. SCHERER, (Hrsg.), Entretien d'Origène avec Héraclide, 1960 20 M. C. STOKES, Plato's Socratic Conversations. Drama and Dialectic in Three Dialogues, 1986 21 TH.A. SZLEZÁK, Platon lesen, 1993 22 B. R. VOSS, Der Dialog in der frühchristl. Lit., 1970 (Studia et Testimonia Antiqua 9) 23 G. ZOLL, Cicero Platonis aemulus, 1962.   H. GÖ.

Dialysis (διάλυσις).

[1] Dem Prozeßrecht der griech. Staaten lag das Prinzip zugrunde, die Streitparteien zu versöhnen (διαλύειν, *dialýein*). Erst wenn dies mißlang, sollte ein förmlicher Urteilsspruch die Sache entscheiden. Ein *d.*-Verfahren bildete den ersten Verfahrensschritt im sog. »Vorverfahren«, sowohl vor dem Gerichtsmagistrat (→ *anákrisis*) als auch vor den amtlichen oder privaten → *diaitētaí*, im internationalen Schiedsverfahren und im Verfahren vor »fremden Richtern«, die aus einer oder mehreren Städten zur Entscheidung herbeigerufen worden waren.

[2] In der Spätant., sowohl in den griech. als auch in den kopt. Urkunden Ägyptens, bildet sich in Anlehnung an die D. der Schiedsgerichte eine spezielle Urkundenform heraus, in der eine Abmachung die Gestalt eines Vergleichs annahm und damit größere Beständigkeit erlangen sollte.

A. STEINWENTER, Die Streitbeendigung durch Urteil, Schiedsspruch und Vergleich, ²1971 · Ders., Das byz. D.-Formular, in: Studi Albertoni 1, 1935, 73 ff. · G. THÜR, Formen des Urteils, in: D. SIMON (Hrsg.), Akten des 26. Deutschen Rechtshistorikertags, 1987, 472 f.   G. T.

Diamant s. Edelsteine

Diamartyria (διαμαρτυρία).

Ein sog. »Entscheidungszeugnis«, ein altertümlicher, vom normalen Zeugenbeweis verschiedener, auf einen oder mehrere Zeugen gestützter Akt mit formell feststellender Kraft, der in Athen vor allem in einem Verwaltungsverfahren über die Erbenstellung zulässig war. Eingeleitet wurde dieses Verfahren durch einen Erbschaftsanwärter, der nicht zu den Hauserben gehörte. Er beantragte die Zuweisung der Erbschaft (→ *epidikasía*). Dann konnte ein Hauserbe als Antragsgegner auftreten. Seine Behauptung, ›der Nachlaß sei nicht Gegenstand der Epidikasie‹ (μὴ ἐπίδικον εἶναι τὸν κλῆρον), konnte er durch die *d.* unter Beweis stellen. Ausnahmsweise war hier auch ein Zeugnis in eigener Sache zulässig. Der Antrag des Erbanwärters wurde daraufhin ohne weiteres gestrichen. Eine positive *d.*, nämlich eine solche des Antragstellers, ist in diesem Verfahren nicht bezeugt. Sie wird hier wahrscheinlich ausgeschlossen gewesen sein, weil offenbar nur dem Hauserben, dessen Recht auf Antritt der Erbschaft ohne behördlichen Zuspruch (→ *embateúein*) durch den Antrag des hausfremden Erbschaftsanwärters verletzt worden war, die Beweiserleichterung der *d.* zugestanden

wurde. Eine Anfechtung der D. war zwar mit der Klage wegen falschen Zeugnisses (→ *pseudomartyrías díkē*) möglich, hatte aber im Falle des Unterliegens schwerwiegende Folgen (→ *epōbelía*). In zwei Fällen ist die *d.* auch außerhalb von Erbstreitigkeiten bezeugt (Isokr. or. 18,15 und Lys. 23,13 ff., wo auch eine positive *d.* vorkommt), beide liegen vor dem Auftreten der → *paragraphḗ*.

→ Erbrecht

E. BERNEKER, s. v. Ψευδομαρτυριῶν δίκη, RE 23, 1372 ff. · H. J. WOLFF, Die att. Paragraphe, 1966, 106 ff.   G. T.

Diamastigosis s. Artemis

Diana A. NAME B. FUNKTIONEN C. KULT UND KULTPLÄTZE

A. NAME

Der Name *Dīāna* (in älteren Belegen manchmal *Dīāna* skandiert) kommt von *dīus*, »taghell, leuchtend«; D. ist die »Leuchtende«. Varros Ableitung des Namens von Diviana (ling. 5,68) oder Deviana (GRF 226, Nr. 103) hat nur aitiologischen Wert.

B. FUNKTIONEN

Die urspr. Natur der ital. D. ist schlecht bekannt. Wie alle Funktionen der Göttin ist ihr Name von hellenisierenden Interpretationen so belastet, daß man kaum mehr zur ursprünglichen Figur der D. vordringen kann. Diese Deutungen waren möglich, weil D. eine enge Verbindung zu den Handlungsgebieten der griech. → Artemis (dazu [1]) hatte. So war D. wie diese *phōsphóros* (φωσφόρος, die »Lichtbringende«). Diese Funktion ist als eine generelle aufzufassen und genügt auch auf keinen Fall, um D. als Mondgöttin zu bezeichnen, erklärt aber, warum sie mit dem Mond und weiterhin auch mit der Göttin → Hekate verbunden werden konnte. Wie Artemis stand D. in enger Beziehung zur Grenze zwischen der wilden Natur und der geregelten Welt der *civitas*; sie war eine »Göttin des Draußen« (WILAMOWITZ) und gewährte Schutz in allen Lagen, die in der Realität sowie in den Vorstellungen mit dieser »Grenze« zusammenhingen.

Viele Zeugnisse belegen ihre Heiligtümer und Haine eher auf dem umliegenden Territorium der Städte, als in deren Zentrum. So liegen in Latium die Haine und Wälder der D. außerhalb der Städte: in Anagnia, an der Kreuzung der Viae Latina und Labicana (Liv. 27,4,12), im *suburbano Tusculani agri, qui Corne appellatur* (Plin. nat. 16,242), auf dem Mons Algidus (Hor. carm. 1,21,5; carm. saec. 69) sowie bei Tibur (*silva*, Mart. 7,28,1) und vor allem bei Aricia (*lucus Dianius in nemore Aricino*, Cato fr. 58 PETER; Strab. 4,1,4 f. u. a.). Die in Rom bezeugten, anscheinend alten Diania (Dianaheiligtümer) lagen auf dem Caeliculum (58 v. Chr. zerstört und 54 als Tempel der D. Planciana wieder errichtet), dem Esquilin und im *vicus patricius*, also eher außerhalb des → Pomeriums; das große D.-Heiligtum des Aventins wurde klar außerhalb der Stadt gebaut. Ein anderes Beispiel gibt das sehr alte, nördl. von → Capua gelegene D.-Heiligtum des Mons Tifata [2]. Weiter zeigen die berühmten Riten des *rex Nemorensis* sowie die Überlieferung über Virbius und die taurische Artemis, daß D. auch mit wilder Gewalttätigkeit assoziiert wurde, die auch für Artemis bezeugt ist [3]. Als Göttin und Beschützerin der Grenze zwischen »Innen« und »Draußen« wurde D. auch als Jägerin und Herrin der Tiere verehrt (*nemorum comes, victrix ferarum*, CIL VIII 9831) und wurde gewöhnlich auch so bildlich dargestellt [4]. Darum stand sie oft in Verbindung mit → Silvanus (CIL III 8483; XIII 382). Bis weit in die Kaiserzeit wurde D. in der Dichtung und auf den Weihinschr. privat als Jagdgöttin verehrt (z. B. CIL VI 124; II 5638; III 1937). So ist es zu erklären, daß sie auch (oft zusammen mit Silvanus) von den an den »Grenzen« liegenden Truppen angerufen wird (z. B. CIL II 2660; III 1000; 3365; VIII 9831).

Sie beschützte auch die Mädchen und Frauen in allen Nöten des weiblichen Geschlechts (daß z. B. bei Geburten Mutter und Kind als vom »Draußen« bedroht galten, zeigen die Riten gegen die Nachstellungen des Silvanus, Varr. = Aug. civ 6,9). D. wurde so zu einer der großen Frauengöttinnen neben → Iuno und → Venus. Als Entbindungsgöttin erschien D. oft neben Apollo und Aesculapius (CIL III 986). Zwei andere im Hain von Nemi verehrte Gottheiten wurden aus derselben Sicht interpretiert: die Nymphe → Egeria half bei der Geburt (Fest. p. 67), wobei auch Virbius seiner Herrin D. Dienst leistete. Auch ihre Verbindung zu den Sklaven (der *natalis*, Weihungstag, des Aventintempels war *servorum dies*), die außerhalb des Kreises der Freien standen, verwundert nicht (s. auch CIL V 5668; III 1288; 5657).

C. KULT UND KULTPLÄTZE

Der Kult der D. entwickelte sich auf zwei Ebenen. Einerseits ist sie im Privatkult als Göttin der Frauen und Jäger bezeugt, andererseits erhielt sie früh eine polit. Funktion, so in Nemi und Rom; diese wurde später durch ihre Beziehung zu Apollo erweitert und kam z. B. in den Feiern der *Ludi saeculares* zum Ausdruck.

Vom *Dianium* des röm. Viertels *vicus patricius* weiß man nur, daß Männer dort nicht zugelassen waren (Plut. mor. 264c). An den Iden des August, Gründungsfest auch des D.-Tempels auf dem Aventin, kämmten die Frauen sorgfältig ihr Haar und zogen fackeltragend in einer Prozession zum Nemorensischen Hain, um dort Gelübde zu erfüllen (Ov. fast. 3,263; Prop. 2,32,9f.; Stat. 3,1,55f.). Im Heiligtum selbst sind Weihegaben (Vulven, Phalli, Mütter mit Wickelkindern, Arme, Beine, Hände usw.) und Inschr. gefunden worden, die auf diese Gelübde hinweisen (z. B. CIL I² 2,42; 45). D. wurde auch anderswo häufig von Frauen (CIL V 2086; XI 6298; II 5387; VIII 8201), oft gemeinsam mit ihren Gatten und Familien, verehrt (CIL VI 132; XI 1211; 3552; III 1154). In ihrer Eigenschaft als Frauengöttin wurde sie als Beschützerin der Familie angerufen (CIL VI 131; 135; XI 3552). Privaten Charakters sind auch Weihungen der Jäger, oft *collegia venatorum* oder *iuvenes* (CIL V 3222; X 5671; XI 2720; 3210; 5262; II 2660; XIII 1495).

Seit Beginn der Republik wurde D. auch als Staatsgottheit verehrt, als Eigentümerin des Nemorensischen Haines, in dem sich der latinische Bund versammelte [5], und in Rom im Aventintempel. Der Hain von Nemi wurde von einem Diktator des latinischen Bundes um 500 v. Chr. geweiht [6]. Die dreigestaltige Kultstatue weist auf den Einfluß Campaniens hin [7]. Im Hain lag ein Tempel der D., sowie andere Gebäude, u. a. eine Isiskapelle. Neben der Kultterrasse wurden in der Kaiserzeit ein Theater und Thermen gebaut [8]. Von dem genauen Vorgang der Riten wissen wir nichts außer der Notiz über den *rex Nemorensis*, Priester des Hains (?), der seinen Vorgänger im Amt töten mußte (Strab. 5,3,12; Serv. Aen. 6,136 u. a.). Der Aventintempel, der nach der Überlieferung (Liv. 1,45; Dion. Hal. ant. 4,25,6ff.) von → Servius Tullius um 540 v. Chr. nach dem Vorbild des ephesischen Artemisions (»Gemeinschaftsheiligtum«) gegründet wurde, hat urspr. keinen direkten Zusammenhang mit dem Hain bei Aricia. Die Kultstatue war nach Strabon (4,1,4f.) dem *xóanon* (»Kultbild«) der Artemis von Massilia ähnlich, was wiederum nach Ephesos weist [9]. Der Tempel war in archa. Zeit kein latinisches Bundesheiligtum, sondern ein alter röm. Kultplatz, der als Asylheiligtum nach dem Beispiel von Massilia-Ephesos eingerichtet wurde [10]. Später wurde ihm dann die neue Rolle zugewiesen (z. B. Varro ling. 5,43). Bekannt ist das Tempelstatut (*lex arae Dianae in Aventino*), auf welches andere Statuten verweisen (CIL IX 361; XII 433; III 1933).

Mit der Entwicklung des Apollokultes in Rom gelangte auch D. als mythische Schwester zu größerer Ehre. Beim Lectisternium (kult. Götterspeisung) von 399 v. Chr. bildete sie mit ihm ein Götterpaar. In der Nähe des Circus Flaminius erhielt sie 179 v. Chr. einen weiteren Tempel, den Octavian nach dem Sieg über Sextus Pompeius bei Naulochos neu erbaute; bei dieser Gelegenheit restaurierte der Legionslegat L. Cornificius den Aventintempel, der danach Tempel der Diana Cornificiana genannt wurde. Unter Augustus wurde D. generell häufig im Zusammenhang mit Apollo verehrt. Sie hatte eine Kultstatue im Apollotempel, war mit diesem eine der bei den Säkularspielen gefeierten Gottheiten und erhielt mit ihm gemeinsame Altäre und Tempel in Rom (CIL VI 33; 35) und den Prov. (CIL II 964). Als Jäger- und Frauengöttin sowie als Schwester des Apollo wurde sie im ganzen röm. Reich verehrt. Sie wurde auch gelegentlich zur *interpretatio* fremder Gottheiten (z. B. Abnoba, Arduinna, Caelestis) benutzt.

→ Apollo; Artemis

1 GRAF 2 A. DE FRANCISCIS, Templum Dianae Tifatinae, 1965 3 F. GRAF, Das Götterbild aus dem Taurerland, in: Antike Welt 10, 1979, 33–41 4 E. SIMON, s. v. Artemis/D., LIMC 2.1, 792–855 5 C. AMPOLO, Boschi sacri e culti federali: l'esempio del Lazio, in: Les bois sacrés (Collection du Centre Jean-Bérard, 10), 1993, 103–110 6 Ders., Ricerche sulla lega Latina. II. La dedica di Egerius Baebius (Cato fr. 58 PETER), in: PdP 212, 1983, 321–326 7 F.-H. PAIRAULT, D. Nemorensis, déesse latine, déesse hellénisée,

in: MEFRA 81, 1969, 425–471 (mit Lit.)
8 F. COARELLI, I santuari del Lazio in età repubblicana, 1987, 165–185 **9** C. AMPOLO, L'Artemide di Marsiglia e la D. dell'Aventino, in: PdP 25, 1970, 200–210 **10** M. GRAS, Le temple de Diane sur l'Aventin, in: REA 89, 1987, 47–61.

TH. BLAGG, Mysteries of D. The Antiquities from Nemi in Nottingham Museums, 1983 · Ders., Le mobilier archaïque du sanctuaire de Diane nemorensis, in: Les bois sacrés, 1993, 103–110 · G. RADKE, Zur Entwicklung der Gottesvorstellung und der Gottesverehrung in Rom, 1987, 160–172 · R. SCHILLING, Rites, cultes dieux de Rome, 1979, 371–388 · G. WISSOWA, Religion und Kultus der Römer, ²1912, 247–252.　　　　　　　J.S.

Diana Veteranorum. Stadt in Numidia nordnordwestl. von Lambaesis, h. Aïn Zana. Belege: Itin. Anton. 34,3 (*Diana*); 35,4 (*Diana Veteranorum*); Tab. Peut. 3,1 (*ad Dianam*). Der wohl erst in röm. Zeit gegr. Ort war zunächst eine einfache Siedlung mit Gemeinderat (CIL VIII 1, 4587, 141 n. Chr.) und wurde 162 n. Chr. zum *municipium* erhoben (CIL VIII 1, 4589; 4599). Seit Mitte des 3. Jh. gab es in D. V. einen Bischof (Cypr. epist. 34,1). Inschr.: CIL VIII 1, 4575–4625; Suppl. 2, 18646–18653; AE 1956, 40–42 Nr. 124; [1].

1 Bull. Archéologique du Comité des Travaux Historiques 1930f., 49–55; 1932f., 432–440, 467–473.

AAAlg, Bl. 27, Nr. 62.　　　　　　　W. HU.

Dianium. Kleine Insel im *mare Tyrrhenum* gegenüber → Cosa in Etruria, von den Griechen wegen ihrer halbmondförmigen Gestalt Artemisia gen. (Plin. nat. 3,81), h. Giannutri (Prov. Grosseto). Röm. *villa*.

R. C. BRONSON, G. UGGERI, in: Studii etruschi 36, 1970, 201–214 · BTCGI 8, 108–114.　　G. U./Ü: S. GÖ.

Diapsephismos, diapsephisis (διαψηφισμός, διαψήφισις). Im Wortsinn Abstimmung mit Stimmsteinen, um alternative Entscheidungen zu treffen. Beide Ausdrücke werden zuweilen für Abstimmungen in Rechtsverfahren benutzt (z. B. Xen. hell. 1,7,14; vgl. das Verbum *diapsēphízesthai* etwa bei Antiph. 5,8). In Athen bezeichnen sie aber spezielle Abstimmungen mit dem Ziel, Ansprüche auf das Bürgerrecht von Leuten zu bestätigen oder zu verwerfen, die in einem bestimmten Moment behaupten, Bürger zu sein. Dies geschah 510 v. Chr. beim Sturz der Tyrannis der Peisistratiden ([Aristot.] Ath. pol. 13,5: *diapsēphismós*), 445/4 im Zusammenhang mit einer Getreideverteilung (schol. Aristoph. Vesp. 718 gebraucht *diakrínein*) und 346/5 (Aischin. 1,77; Demosth. or. 57,26: *diapsēphisis*); anläßlich dieses letzten d. verfaßten Demosthenes (or. 57) und Isaios (or. 12) Reden. Die Abstimmung fand 346/5 und vermutlich auch 445/4 in den *dḗmoi* statt. Die Dekrete der Demotionidai (IG II² 1237) verwenden *diadikasía* für ein ähnliches Verfahren in einer Phratrie.
→ Demoi; Psephos　　　　　　　P. J. R.

Diaspora. Der Begriff D. (griech. διασπορά, »Zerstreuung«) bezeichnet israelitische bzw. jüd. Siedlungen, die sich außerhalb Palästinas befinden. Hauptgrund für ihre Entstehung waren Deportationen (→ Verschleppung) der Bevölkerung aufgrund mil. Eroberungen; daneben spielte auch die Flucht aus polit. Gründen, Auswanderungen wegen wirtschaftlicher Notsituationen oder der Handel eine Rolle. Bei beträchtlichen kulturellen Unterschieden bildete das Land Israel und speziell der Jerusalemer Tempel einen zentralen Bezugspunkt dieser Gemeinden, der durch die Entrichtung einer Tempelsteuer seinen konkreten Ausdruck fand.

Die bedeutendsten jüd. Zentren der Ant., in denen Juden in unterschiedlichen Formen der Selbstverwaltung und mit dem Recht auf die Ausübung ihres Religionsgesetzes lebten, waren Babylonien und Ägypten. Weitere bed. D.-Zentren waren die Kyrenaika, Nordafrika, Zypern, Syrien, Kleinasien, die küstennahen Inseln Chios, Samos u. a., schließlich Griechenland und Rom.

Die ägypt. D., die in die spätvorexilische bzw. exilische Zeit zurückreicht (vgl. 2 Kn 25,26) und die nach Philon (In Flaccum 43) eine Million Menschen zählte, hatte ihr Zentrum in → Alexandreia [1]. Hier erfolgte eine fruchtbare Begegnung mit der griech. Kultur, aus der schließlich ca. ab dem 3. Jh. v. Chr. die Septuaginta, die griech. Übers. der Hebräischen → Bibel hervorging. In den Jahren 115–117 n. Chr. kam es in Nordafrika, der Kyrenaika, Ägypten, Zypern und Teilen Syriens zu Aufständen, die den kulturellen Untergang des hell. D.-Judentums einleiteten.

Die babylon. D., die auf die Zeit des Babylon. Exils (vgl. die Ereignisse von 598/7, 587/6, hierzu 2 Kn 24,12–16; 25,1–21) zurückging und über deren erste Jahrhunderte nur wenig bekannt ist, erfuhr einen bed. Zustrom durch Flüchtlinge, die nach dem Aufstand des → Bar Kochba (132–135 n. Chr.) das Land verlassen hatten. In amoräischer Zeit (→ Amoräer) bis zum Hoch-MA wirkten v. a. in den Städten Neharde'a, Sūra und Pumbedita zahlreiche Gelehrte, die Babylonien zum geistigen und rel. Zentrum des Judentums machen (vgl. auch das Entstehen des Babylon. Talmud, der wohl im 6. Jh. seine Endredaktion erfuhr). Polemische Auseinandersetzungen zw. den Gelehrten der D. und denen des Landes Israel belegen die Konkurrenz, die zw. diesen Gemeinden bestand.
→ Exilarch

A. KASHER, s. v. D. I/2. Frühjüd. und rabbinische Zeit, TRE 8, 711–717 · J. MAIER, Zw. den Testamenten. Gesch. und Rel. in der Zeit des zweiten Tempels, Die Neue Echter Bibel, Ergänzungsband zum Alten Testament 3, 1990 · E. SCHÜRER, The History of the Jewish People in The Age of Jesus Christ III/1, 1986, 1–176 (alle mit weiterführender Lit.).　　　　　　　B. E.

Diatessaron (τὸ διὰ τεσσάρων [εὐαγγέλιον]). Das D. stellt die erste uns bekannte Evangelienharmonie dar, die auf Tatianos zurückgeht. Dieser faßte im letzten

Drittel des 2. Jh. die vier Evangelien in einer einheitlichen Darstellung zusammen, indem er die synoptische Überlieferung in den chronologischen Rahmen des Johannesevangeliums einbettete. Er verwendete z. T. auch apokryphes Material und ließ seine enkratitische, antijüd. und doketische (→ Doketen) Tendenz einfließen.

Es ist noch nicht geklärt, ob das D. urspr. griech. oder syr., in Rom oder in → Syrien, vor oder nach der Abwendung Tatianos' von der Großkirche verfaßt worden ist. Trotz seiner weiten Verbreitung und erheblichen Wirkungsgesch. ist kein einziges Exemplar erhalten. Eine fragmentarische Rekonstruktion ist durch D.-Zitate bei → Aphrahat und in → Ephraems D.-Komm. möglich. Arab. und pers. erh. Übersetzungen des D. gehen auf syr. Vorlagen zurück und zeigen starke Überarbeitungen. Die sehr alte lat. Übers. ist ebenfalls verloren. Im J. 1933 wurde in → Dura Europos erstmals ein griech. Papyrusfragment von vor 234 n. Chr. gefunden. Das D. war bis ins 5. Jh. in der syr. Kirche in liturgischem Gebrauch und übte einen direkten Einfluß auf den syr. Evangelientext aus. Ob es auch die Vorlage für den sog. westl. Evangelientext ist oder nur ein alter Zeuge dafür, ist unsicher.

→ Apokryphe Literatur; Tatianos

C. PETERS, Das D. Tatians (Orientalia Christiana analecta 123), 1939 · R. M. GRANT, Tatian and the Bible (Texte und Unters. zur Gesch. der altchristl. Lit. 63), 1967 · J. MOLITOR, Tatians D. und sein Verhältnis zur altsyr. und altgeorg. Überlieferung, in: Oriens Christianus 53, 1969, 1–88; 54, 1970, 1–75; 55, 1971, 1–61.   K. SA.

Diatheke (διαθήκη). A. WORTBEDEUTUNG UND WESEN B. ALTER UND ENTSTEHUNGSGESCHICHTE C. ÜBERLIEFERTE URKUNDEN D. TESTIERFÄHIGKEIT UND TESTIERFREIHEIT E. TESTAMENTSFORM F. VERWAHRUNG G. ABGRENZUNG ZUR ADOPTION H. INHALT DER DIATHEKE I. TESTAMENTSERÖFFNUNG J. ÄNDERUNG UND WIDERRUF DER DIATHEKE

A. WORTBEDEUTUNG UND WESEN
Die *d.* ist die zentrale Einrichtung des griechischen Rechtes für die gewillkürte Erbfolge. Das Wort *d.* stammt von διατίθεσθαι (*diatíthesthai*): das »Wegstellen« von Gegenständen des persönlichen Eigentums des Erblassers für solche Personen, die dem Familienverband (οἶκος, *oíkos*) nicht angehörten und daher keine gesetzlichen Erben sein konnten. D., etwas unscharf »Testament«, bezeichnete sowohl das Verfügungsgeschäft als auch die darüber errichtete Urkunde. Sie bezweckte die Ordnung vermögens- und familienrechtlicher Verhältnisse nach dem Tode des Erblassers, manchmal auch in Form von zw. den Beteiligten abgeschlossenen Erbverträgen [3. 189]. Die Bedeutung »Bund« im biblischen Sinn kann hier außer Betracht bleiben.

B. ALTER UND ENTSTEHUNGSGESCHICHTE
Die Ursprünge des griech. Testamentes sind umstritten. Man nimmt zwei Wurzeln an: die letztwillige Verfügung über einzelne Teile des Vermögens (Vermächtnistestament) oder über die gesamte sakral- und vermögensrechtliche Position des Erblassers, wenn dieser keine leiblichen männlichen Nachkommen hatte (Erbeinsetzungstestament). Schon vor dem 6. Jh. v. Chr. gab es diese Einrichtung in der Magna Graecia (Plat. leg. 922e). In Athen hat Solon im Rahmen seiner Reformen das Erbeinsetzungstestament durch sein Testamentsgesetz (Demosth. or. 46,14) [4. 151f.] näher geregelt. Auch für ihn gilt der Grundsatz, daß jemand nur beim Fehlen leiblicher Söhne testieren durfte. Diese waren die geborenen Erben. Neu dürften die Bestimmungen eingeführt worden sein, daß Adoptivsöhne nicht testieren dürfen und daß die d. freien Willens errichtet werden müsse. Die Willensklausel − von den Dreißig (→ Triakonta) vorübergehend zur Entlastung der Volksgerichte von privaten Rechtsstreitigkeiten aus dem Testamentsgesetz entfernt (Aristot. Ath. pol. 31) − wurde in unterschiedlicher Formulierung zum festen Bestandteil des Testamentsformulars. In Sparta wurde die d. erst durch eine Rhetra (Gesetz) des Ephoren Epitadeus um 400 v. Chr. eingeführt (Plut. Agis 5); dem Recht von Gortyn war sie unbekannt, denn dieses war auf der archa. Stufe eines Ersatzinstituts, nämlich der Schenkung auf den Todesfall, stehengeblieben. In beiden dor. Staaten war lange das System der festen Landlose in Kraft, das die Testierfähigkeit ausschließt [5. 128 ff.]. Platon erkennt das Testament mit Einschränkungen an.

C. ÜBERLIEFERTE URKUNDEN
Griech. *diathḗkai* sind im Wortlaut zahlreich überliefert bei Diogenes Laertios (die sog. Philosophentestamente), in Inschr. und in Papyri (Belege [6. 111 f.]).

D. TESTIERFÄHIGKEIT UND TESTIERFREIHEIT
Nur der Rechtsfähige konnte eine d. errichten, also nicht ein Sklave, wohl aber ein Fremder. Die Testierfähigkeit begann mit der in den griech. Städten unterschiedlich geregelten Volljährigkeit. Sie fehlte nach dem Gesetz Solons demjenigen, der infolge von Wahnsinn, Alter, Pharmaka, Krankheit oder Überredung durch eine Frau beeinträchtigt war sowie dem in einer Zwangslage befindlichen Erblasser, bes. wenn er unter dem Druck der Personalexekution seiner Gläubiger testierte. Beschränkt testierfähig waren in Alexandreia die Freigelassenen von Stadtbürgern, in Attika allg. die Frau, die nur bis zum Betrag eines Scheffels Gerste letztwillig verfügen konnte (Isaios 10,10), im übrigen bedurfte sie der Mitwirkung ihres Gewalthabers (→ Kyrios) [1. 307]. Die Errichtung einer d. war vorübergehend dem Rechenschaftspflichtigen bis zu seiner Entlastung untersagt (Aischin. Ctes. 21). In Ägypten war auch die Testierfähigkeit der Kinder aus schriftlicher Ehe insofern eingeschränkt, als sie bei Lebzeiten ihres Vaters nicht testieren durften [7]. Die Willensfreiheit des Erblassers war in bezug auf seine Verfügungen le-

diglich durch das Noterbrecht der Kinder eingeschränkt [1. 197f.].

E. Testamentsform

Eine bestimmte Form war in Griechenland nicht zwingend vorgeschrieben. Der letzte Wille wurde urspr. vom Erblasser persönlich vor Zeugen, deren Anzahl gesetzlich nicht festgelegt war, mündlich erklärt, doch wird es früh, vielleicht schon in solonischer Zeit, üblich gewesen sein, den Willen schriftlich niederzulegen. Eine eigenhändige Niederschrift oder die Unterzeichnung durch den Erblasser war auch in Ägypten gesetzlich nicht vorgesehen. Die schriftliche Niederlegung diente der Beweissicherung und erleichterte auch die Geheimhaltung, denn die Zeugen, die in der Urkunde aufgeführt werden mußten, erfuhren in diesem Fall für gewöhnlich den Inhalt der *d.* nicht (Isaios 4,13), hatten also nur die Tatsache der Errichtung des Testamentes zu bekunden. Der Verhinderung der Fälschung diente die Versiegelung der Urkunde durch den Erblasser und die Zeugen. In Ägypten mußte die *d.* stets vor einem Notar durch mündliche Erklärung zur amtlichen Niederschrift oder durch Übergabe der Urkunde errichtet werden. Die *d.* hatte sich dort von einer schlichten Beweis- zu einer Dispositivurkunde fortentwickelt [1. 315].

F. Verwahrung

Die versiegelte Testamentsurkunde wurde vom Erblasser in Athen einem Vertrauensmann (Isaios 9,5. 6,7) oder einer Behörde, z.B. den Astynomen (Isaios 1,15), zur Verwahrung übergeben. In Ägypten wurden die griech. Testament stets amtlich verwahrt.

G. Abgrenzung zur Adoption

Der Erblasser konnte in seinem Testament die nachträgliche Adoption des eingesetzten Erben anordnen und dieser konnte sich auch ohne entsprechende Bestimmung nachträglich in die Phratrie des verstorbenen Erblassers aufnehmen lassen, aber Adoption und Testament waren in Athen jedenfalls verschiedene Rechtsgeschäfte. Über Soldatentestamente in ptolemäischer Zeit [1. 12f, 407].

H. Inhalt der Diatheke

Für die Einsetzung eines oder mehrerer Erben (κληρονόμοι, *klēronómoi*) galten keine besonderen Vorschriften, bes. galt nicht das Erfordernis der Ausdrücklichkeit der Erbeinsetzungsklausel (beispielhaft Diog. Laert. 10,16). Möglich war auch die Ernennung eines Ersatzerben (POxy. 490,5) und die Anordnung einer Nacherbschaft. Zwischen Erbeinsetzung und Vermächtnissen wurde nicht streng unterschieden, denn auch der Vermächtnisnehmer wird bisweilen als *klēronómos* bezeichnet. Gegenstände der Vermächtnisse konnten Einzelsachen, Sachgesamtheiten und Rechte sein, die dem Vermächtnisnehmer vom Erblasser unmittelbar zufielen. Der Unterschied zwischen dinglich wirkendem Vindikations- und nur anspruchsbegründendem Damnationslegat war dem griech. Rechtskreis fremd. Auch Auflagen kamen vor, doch ist in Athen ihre Erzwingung nicht zu ersehen [2. 980], im griech.-

ägypt. Recht konnte die Erfüllung der Auflagen durch Strafandrohung gesichert werden [1. 372]. Schließlich begegnen in den griech. Testamenten noch Freilassungen, Ernennungen von Vormündern und Testamentsvollstreckern. Das Testamentsformular ist von der att. Rednerzeit bis zum Ausgang der byz. Epoche auffallend gleichförmig [1. 337f.].

I. Testamentseröffnung

In Athen konnte der Erblasser jederzeit sein Testament aus der Verwahrung herausverlangen, eröffnen und wieder versiegeln. Nach seinem Tode eröffnete der Verwahrer das Testament von sich aus oder auf Initiative eines der Beteiligten. Die im Zeitpunkt der Eröffnung noch lebenden Zeugen wurden wohl zugezogen. In Ägypten mußte der Erblasser ein bes. Gesuch um Eröffnung an die zuständige Behörde richten, nach seinem Tode wurde seine *d.* auf Gesuch eines Beteiligten in Gegenwart sämtlicher Beteiligter und der Mehrzahl der noch lebenden Zeugen, die ihre Siegel anerkennen mußten, in einem amtlichen Termin verlesen, nach Abschriftnahme wieder versiegelt und im Archiv hinterlegt ([1. 399f.], BGU XII 2244).

J. Änderung und Widerruf der Diatheke

Der Erblasser konnte, auch ohne bes. testamentarischen Vorbehalt, seine *d.* bis zu seinem Tode ändern oder aufheben. Dagegen dürften gemeinschaftliche Testamente, wie sie durch die Papyri bezeugt sind, einseitig nicht aufhebbar gewesen sein (vgl. POxy. 75,15). Die Änderung oder Aufhebung der *d.* geschah durch eine spätere *d.*, die aber die Aufhebung der früheren ausdrücklich aussprechen mußte, anderenfalls galten beide *d.* nebeneinander. Außerdem konnte eine *d.* sowohl im att. wie im griech.-ägypt. Recht durch Rücknahme aus der Verwahrung widerrufen werden. Über das Verfahren bei der Rücknahme nach dem Recht der Papyri [1. 392f.].

→ Erbrecht; Legatum; Testament

1 H. Kreller, Erbrechtliche Untersuchungen auf Grund der graeco-ägypt. Papyrusurkunden, 1919 2 E. F. Bruck, Totenteil und Seelgerät im griech. Recht, ²1970 3 B. Kübler, s. v. D., RE 5, 966–985 4 A. R. W. Harrison, The Law of Athens I, 1968, 149ff. 5 G. Thür, Armut. Gedanken zu Ehegüterrecht und Familienvermögen in der griech. Polis, in: D. Simon (Hrsg.), Eherecht und Familiengut, 1992, 121 ff. 6 H.-A. Rupprecht, Einführung in die Papyruskunde, 1994, 111 f. 7 P. M. Meyer, Juristische Papyri, 1920.   G. T.

Diatribe   A. Begriff   B. Ältere Diatribe   C. Christliche Diatribe

A. Begriff

D. ist ein moderner Begriff, der seine Entstehung der Tatsache verdankt, daß Usener [1. LXIX] und Wendland [2], ausgehend von Wilamowitzens [3] Beschreibung der Redeform der popularphilos. ›Predigten‹ des Kynikers → Teles (3. Jh. v. Chr.), für diese den Gattungsbegriff *D.* einführten. Er hat sich bewährt, sofern man ihn (wie erstmals [4]) als eine Art ant. *dialexis* auffaßt, die urspr. synonym mit *dialogos* jede Form eines Gesprächs meinte, dann aber im Sprachgebrauch der Philosophen und Rhetoren jenen Lehr-, aber auch unterhaltenden Vortrag, in dem dialogische Elemente wie vom Redner fingierte, also nicht in der Redesituation durch das Publikum selbst eingebrachte Zwischenfragen und Einwände (*fictivus interlocutor*) als Formelement auftreten. D. bedeutet dann popularphilos. *dialexis* und bezeichnet keine urspr. lit. Gattung, sondern einen »Vortragsstil«, den man auch *homilia* oder *sermo* nennen kann.

1 H. USENER, Epicurea, 1887 2 P. WENDLAND, Philo und die kynisch-stoische D., in: P. WENDLAND, O. KERN (Hrsg.), Beitr. zur Gesch. der griech. Philos. und Religion, 1895, 3–75 3 U. V. WILAMOWITZ-MOELLENDORF, Antigonos von Karistos, 1881, 292–319 4 O. HALBAUER, De diatribis Epicteti, 1911. K. U.

B. ÄLTERE DIATRIBE

Der Titel Διατριβαί (*Diatribaí*) ist für die Schriften des Bion von Borysthenes (Diog. Laert. 2,77) und des Epiktet (Subscriptiones der Hss., aber nicht im Widmungsbrief Arrians) belegt. Das Wort *diatribē* (διατριβή) ist mehrdeutig. Von »Zeitvertreib« ist herzuleiten »Beschäftigung (nicht beruflicher oder polit. Art)«, speziell »philos. Betätigung im Kreis Gleichgesinnter«, konkret »philos. Ausführungen, Vortrag« (z. B. Plat. Apol. 37d; Plut. De facie 19,929b). Schriften unter dem Titel *diatribaí* werden außer Bion und Epiktet nicht wenigen Philosophen seit Aristippos [3] aus Kyrene (Diog. Laert. 2,84) zugeschrieben [5]. Als charakteristisch gelten einige Elemente, die fast stereotyp verwendet werden. Formal: Kurze parataktische Sätze; schlichte oder sogar vulgäre und derbe Ausdrucksweise; Pointierung durch Stilfiguren (Antithesen, Parallelismen, Isokola); affektische Syntax (rhetorische Fragen, Ausrufe); dialogische Elemente (Einwürfe eines ungenannten Partners, oft mit subjektlosem »sagte er« (φησίν, *inquit*) eingeleitet; Prosopopoiie von Abstraktionen); polemische und ironische Wendungen; Vergleiche aus Natur und Alltagsleben; Anführung bekannter (auch mythischer) Personen; Zitate, gerne in Versen, manchmal parodiert; Anekdoten und Exempla. Inhaltlich: ethische Fragen des Alltagslebens wie Reichtum und Armut, Geschwätzigkeit, Neugier, Ehe, Freundschaft, Unglück und Tod. Die Tendenz ist kynisch oder stoisch: das Natürliche wird gegen Konvention und Luxus empfohlen; Affekte, Luststreben und Todesfurcht bekämpft (Themenliste [6. 44–65 und 263–292]). Die Länge ist beschränkt; ethische Theorie tritt ganz hinter die Lebensnähe zurück. Zum sozialen Kontext und Selbstverständnis jener Popularphilosophen, die im 1.–3. Jh. n. Chr. vorrangig die Redeform der D. benutzten, vgl. man [11]; für den frühchristl. Kontext ist hier die Entwicklung vom Wanderprediger zum seßhaften Lehrer und Prediger hinzuzufügen. Für lat. Texte ist der Begriff der D. neben seiner Anwendung auf die Satire [7; vgl. 8] und Lucretius

[10; vgl. 8. 36–37] vor allem bei Senecas Briefen angebracht [8. 69–75, passim; 11–12]. 2. Von dem ersten D.-Autor → Bion von Borysthenes sind keine zusammenhängenden Texte erhalten, wohl aber von seinem Nachfolger → Teles. Ein Papyrus des 2. Jh. v. Chr. enthält einen Dialog und einen Brief in der Art der Diatribe (MH 16, 1959, 77–139). Sonderentwicklungen sind die Iamben des → Phoinix von Kolophon und des → Kerkidas sowie die eigenartigen Schriften des → Menippos von Gadara, die durch die Mischung von Ernst und Komik (σπουδογέλοιον), von Prosa und Versen und ein mimisch-dialogisches Element gekennzeichnet waren. Der Einfluß des Menippos (→ Varro) und der D. überhaupt auf die röm. Satire wird viel diskutiert [7]. 3. In röm. Zeit werden die Mittel der D. vorwiegend von Stoikern benutzt; sie gewinnt an Ernst und Gewicht. In reiner Form liegt sie bei → Musonius Rufus vor, mehr schulbezogen bei → Epiktetos. D.-Elemente bei Autoren anderer Literaturgattungen: → Seneca, → Dion von Prusa, → Plutarchos, → Maximos von Tyros, → Lukianos.

5 H. D. JOCELYN, Diatribes and sermons, in: Liverpool Classical Monthly 7, 1982, 3–7 (dazu H. B. GOTTSCHALK ebd. 91–92) 6 A. OLTRAMARE, Les origines de la d. romaine, 1926 7 E. G. SCHMIDT, D. und Satire, Wiss. Zschr. der Univ. Rostock 15, 1966, 507–515 8 ST. K. STOWERS, The D. and Paul's Letter to the Romans, 1981 9 J. HAHN, Der Philosoph und die Ges., 1989 10 B. P. WALLACH, A History of the D. from its Origin up to the First Century B. C. and a Study of the Influence of the Genre upon Lucretius, 1974 11 W. TRILLITZSCH, Senecas Beweisführung, 1962, 18–23 12 H. CANCIK, Unt. zu Senecas epistulae morales, 1976.

H. GÖ.

C. CHRISTLICHE DIATRIBE

Auffällig ist, wie stark die D. als Redeform die → Predigt und theologischen Traktate der Christen prägt. Ansätze liegen schon im NT vor (Areopagrede Apg 17; Teile der echten Paulinen [13; 14; 15]). Außer Ansätzen zu Tertullian [17] und Augustinus [18; 19] fehlen umfassende Unt. zu lat. Texten. Im einzelnen (etwa bei Augustinus) läßt sich die Traditionszugehörigkeit eines Textes nur schwer bestimmen. Man muß etwa mit dem Einfluß Gorgianischer Figuren [19. 367–368] rechnen, d. h. eines jener elementaren Kunstmittel der Rhet., die jedem durchschnittlich Gebildeten der Spätantike bekannt waren. Verständlich ist, daß eigentlich kynische Themen in christl. Texten nicht auftauchen und bestimmte Formen wie die Ironie vermieden werden, sieht man z. B. von → Tertullianus (bes. *De pallio*) ab. Da nun die Bibel Sentenzen und Vergleiche (*synkriseis*) liefert, tauchen Dichterzitate – wie auch schon im NT (1 Kor 15,33: Menander; Tit 1,12: Epimenides; Apg 17,28: Arator) – nur noch selten auf (z. B. Aug. serm. 105,10: Verg. Aen. 1,278 f.); Gleiches gilt für histor. Exempla. Doch wie in den paganen Texten begegnen Wortspiele und Vergleiche aus dem Leben der Bauern, Fischer, Soldaten, Matrosen, Athleten usw. Wenn schon im Paganen die rhet. Form der Thesis [21] auf Grund ihres Zusammenhangs mit dialektischer Me-

thode [13. 31 f.] das Phänomen der D. als Redeform
dogmatischer Popularphilosophen nicht erfaßt, so gilt
dies erst recht für die christl. Predigten und Traktate mit
ihrem dogmatischen Ansatz, der auch ihre protreptischen und paränetischen Imperative begründet.

→ DIATRIBE

13 St. K. Stowers, The D. and Paul's Letter to the Romans,
1981 14 Th. Schmeller, Paulus und die D., 1987 15 C.J.
Classen, Paulus und die ant. Rhet., in: ZNTW 82, 1991,
1–33 (Forschungsber.) 16 E.G.Schmidt, D. und Satire, in:
Wiss. Zschr. Univ. Rostock 15, 1966, 507–515
17 J. Geffcken, Kynika und Verwandtes, 1909, 58–138
18 M.I. Barry, St. Augustine the Orator, 1924 19 Chr.
Mohrmann, Études sur le latin des chrétiens 1, ²1961,
323–349; 351–370; 391–402 20 M.Bernhard, Der Stil des
Apuleius von Madaura, 1927 (Ndr. 1965) 21 H. Throm,
Die Thesis, 1932 22 K.Berger, Hell. Gattungen im NT, in:
ANRW II 25.2, 1031–1432 (D.: 1124–1132)
23 R.Bultmann, Der Stil der paulinischen Predigt und die
kynisch-stoische D., 1910 24 W. Capelle, H.I. Marrou,
s. v. D., RAC 3, 990–1009 25 B.P.Wallach, Epimone and
D.: Dwelling on the Point in Ps.-Hermogenes, in: RhM
123, 1980, 272–322 26 P. Wendland, Die hell.-röm.
Kultur, ²³1912 (Hb. zum NT 1, 2/3), 75–96. 27 Norden,
Kunstprosa.   K.U.

Diaulos (δίαυλος). »Doppelflöte« bzw. Doppellauf,
griech. Laufdisziplin, deren Distanz zwei Stadionlän-
gen, d. h. ca. 385 m betrug [1. 69f.]. Damit bei der relativ kurzen Strecke den außen startenden Läufern keine
Nachteile entstanden, wurden individuelle Wende-
pfosten verwendet und die Nachbarbahn für die zweite
Stadionlänge freigehalten [2. 106–110; 3]. Somit lag die
Zahl der tatsächlichen Startplätze bei der Hälfte der jeweils vorhandenen. Eine zentrale Wende wie beim Dolichos hätte unweigerlich starkes Gedränge und Unregelmäßigkeiten verursacht. In Olympia soll der d. bei
den 14. Olympien (724 v. Chr.) eingeführt worden sein
(Africanus, Olympionicarum Fasti 7 Rutgers; Philostr.
gymn. 12). Gute Stadionläufer waren häufig auch erfolgreiche Läufer des d. [4. Nr. 45, 50, 54; mehrfach
gelangen solche Doppelsiege auch in Olympia (Beispiele: [1. 74]). Die 15 Siege des Sprinters (σταδιοδρόμος)
Dandis aus Argos bei den Nemeen sind nur dann verständlich, wenn man den d. einbezieht [5. Nr. 15]. Pausanias (5,17,6) benutzt die Vorstellung eines d. zur
Erklärung des *bustrophēdón* (links- und rechtsläufig) an-
geordneten Schriftverlaufs auf der Kypseloslade.

→ Dolichos; Kypseloslade

1 W.Decker, Sport in der griech. Ant., 1995
2 R.Patrucco, Lo sport nella Grecia antica, 1972
3 P. Aupert, Athletica I: Epigraphie archaïque et
morphologie des stades anciens, in: BCH 104, 1980, 309–315
4 L.Moretti, Iscrizioni agonistiche greche, 1953
5 J.Ebert, Epigramme auf Sieger an gymnischen und
hippischen Agonen, 1972.

J.Jüthner, F. Brein, Die athletischen Leibesübungen der
Griechen II 1, 1968, 102–105 · I. Weiler, Der Sport bei den
Völkern der Alten Welt, ²1988, 151f.   W.D.

Diazoma s. Theater

Dibon. Das Dorf Ḏībān, 4 km nördl. des Arnon, hat
den Namen des in der Nähe gelegenen ant. D. bewahrt,
das von den israelitischen Stämmen Gad (Nm 32,34)
bzw. Ruben (Jos 13,17) beansprucht wurde. Der Ort, in
dem eine Steleninschr. des Moabiterkönigs Mešaʿ
(TUAT 1, 646–650) gefunden wurde (vgl. 2 Kg 3,4), war
seit dem 9. Jh. v. Chr. moabitisch (Nm 21,30; Is 15,2; Jer
48,18; 22). Von frühbrz. Spuren abgesehen, haben Ausgrabungen eine eisenzeitliche Besiedlung ergeben, deren Wohnarchitektur durch nabatä., röm. und byz.
Überbauungen weitgehend zerstört ist.

→ Juda und Israel; Königsinschrift; Moab; Moabitisch

A. D. Tushingham et al., Excavations at Dibon (Dhiban),
AASO 36/37, 1964; AASO 40, 1972.   R.L.

Dichalkon (δίχαλκον). Als griech. Gewichtseinheit
und Bronzemünze im doppelten Wert eines Chalkus
entspricht das d. je nach Stückelung ¼ (Athen), ⅙
(Delphi, Epidauros) oder ⅛ (Priene) des Obolos [1].
Varianten der Münzwertzeichen lauten z. B. B X (s. Antiochos IV., Seleukeia/Tigris mit ca. 9–6 g) [2. 271f.]
oder ΔΙΧΑΛΚ(on) (s. Apollonia Pontika mit ca. 2–1 g)
[3].

→ Chalkus; Obolos

1 M. N. Tod, Epigraphical Notes on Greek Coinage, in: NC
6.6, 1946, 47–62 2 E. T. Newell, The coinage of the
Eastern Seleucid mints from Seleucus I. to Antiochus III.,
1978 3 SNG London, British Mus. 1, 1993, 7, 178ff.

RPC I, 370ff.   A.M.

Dicta Catonis. Versifiziertes Handbüchlein der Vul-
gärethik, entstanden im 3. Jh. n. Chr. (vgl. Carm. Epigr.
1988, 51; [1. LXXIII]), spätestens Ende des 4. Jh. allg.
bekannt. Den Text, dem die Lebensarbeit des hollän-
dischen Philologen M. Boas galt [1. LXXXff.], überliefern die Fassungen Y (oder V; 306 V.) und – vollständiger (331 V.), aber durch Interpolationen und Um-
stellungen verändert – F, außerdem die barberinische
Rezension [1. XXXVIff.]. Der Titel von Y lautet *Marci
Catonis ad filium libri*, der von F (Cod. Veron. Cap. 163)
Dicta M. Catonis ad filium suum [1. LXVff.; 2. 30ff.], seit
Erasmus (Ed. Löwen ²1517) *Catonis Disticha. Dionysius
Cato*, eine Fälschung von S.Bosius, hielt sich infolge
der Ausgabe J.Scaligers (Leiden 1598) bis ins 19. Jh.
[2. 40f.].

Inhalt: a) Eine Einleitungsepistel in Prosa, b) 57 (in-
terpolierte) *breves sententiae* in Prosa, c) 4 B. ethischer
Anweisungen (davon jede in zwei Hexametern). Eine
sachliche Gliederung ist nicht nachweisbar. Das Polit.
tritt gegenüber dem Privaten zurück: Man wird gemahnt maßzuhalten (2,6), im Unglück nicht zu ver-
zagen (2,25), die Freuden der Gegenwart zu genießen
etc. 1,26; 2,18 u.a. sind ausgesprochen opportunistisch.
So erübrigt sich die Frage nach einer weltanschaulichen
Bindung des Versifikators. Manche Gedanken stammen

von Seneca, prägnante Formulierungen auch aus Horaz (vgl. [1. App.]).

Als Schulbuch gelangten die *D. C.* im MA zu breitester Wirkung (vgl. [6]): Zitate [1. LXXIIff., App.], Komm. (z. B. von Remigius von Auxerre), Umdichtungen, Fortsetzungen und Übers. in fast alle europäischen Nationalsprachen zeigen die allg. Gültigkeit ethischer Mindestforderungen.

Die anon. sog. *Monosticha* (FPR 3,236–240) bieten in 77 Hexametern (zwei Rezensionen, vgl. [4. 614]; zum Titel [3. 44ff.; 4. 608, Anm. 2]) noch knapper formulierte Lebensweisheiten. Einen *terminus ante quem* für diesen Text bietet Alcuin, spätant. Ursprung ist also wahrscheinlich, die Überlieferung erfolgt von den *D. C.* fast stets getrennt [1. LXIII].

ED.: **1** M. BOAS, 1952.
LIT.: **2** Ders., Die Epistola C., 1934 **3** Ders., Alcuin und Cato, 1937 **4** Ders., Die Lorscher Hs. der sog. Monosticha C., in: RhM 72, 1917/8, 594–615 **5** P. ROOS, Sentenza e proverbio nell'antichità e i Distici di Catone, 1984 **6** SCHANZ/HOSIUS, 3, 37 ff.   P. L. S.

Dictamnus. Der auf Kreta selten wachsende Halbstrauch (δίκταμνος oder δίκταμνον bei Aristot. hist. an. 8(9),6,612a 3–5 und mir. 4,830b 20–22, Theophr. h. plant. 9,16,1, Dioskurides 3,32 [1. 41 f.] = 3,34 [2. 284 ff.] bzw. *dictamnus* bei Verg. Aen. 12,412 und Plin. nat. 25,92) wurde nicht als unsere *Rutacee Dictamnus albus L.* (*Diptam* oder *diptamnus* im MA) mit ihren beim Zerreiben zitronenartig duftenden Blättern bestimmt, sondern als der südeurop. Lippenblütler (*Labiata*) *Amaracus* (*Amarakos*) *dictamnus Benth.* (= *Origanum dict. L.*). Die rundlichen, graubehaarten Blätter sollen, mit Wasser getrunken, geburtserleichternd gewesen sein bzw. einen toten Fötus ausgetrieben haben (Dioskurides), bei Ziegen, die den *d.* gern fraßen (Plin. nat. 25,92), wenn sie angeschossen waren, sogar Jagdpfeile (Aristot. und Theophr. l.c.; [3. 119 ff.]). Dieses Motiv wurde, übertragen auf den → Hirsch (*cervus*), seit Plin. nat. 8,97 und 25,92 u. a. durch Isid. orig. 12,1,18 und Serv. Aen. 4,73 an viele naturkundliche Enzyklopädiker des MA wie z. B. Thomas v. Cantimpré (12,11 [4. 345]) weitergegeben.

1 WELLMANN, Bd. 2 **2** BERENDES **3** H. BAUMANN, Die griech. Pflanzenwelt in Mythos, Kunst und Literatur, 1982 · H. BOESE (Hrsg.), Thomas Cantimpratensis, Liber de natura rerum, 1973.   C. HÜ.

Dictator (von *dictare*, »diktieren«, »zum Schreiben geben«, »anordnen«; andere Etym. bei Cic. rep. 1,63: *quia dicitur*). Inhaber einer notstandsbedingten, außerordentlichen, umfassenden, aber zeitlich begrenzten Amtsgewalt in der röm. Republik. Ein Imperiumsträger, also ein Consul und notfalls auch ein Praetor, kann aus eigener Kompetenz einen D. ernennen (*dictatorem dicere*), und zwar formell ohne Interzessionsmöglichkeit eines Kollegen, aber in der Regel nach Absprache mit dem Senat und anderen Amtsträgern. Der D. wird damit zum

Inhaber eines auf nur sechs Monate begrenzten → *imperium*, gegen das aber weder kollegiale Interzession noch Interpellation an das Volk (*provocatio*) möglich ist. Sachlich wird somit die mil. Kommandogewalt, die mit Rechtsmitteln nicht angreifbar ist, auf den zivilen Sektor des öffentlichen Lebens übertragen (Cic. leg. 3,9; Liv. 4,17,8; 4,26,8; Dig. 1,2,2,18).

Die im Dunkeln liegende frühe Entwicklung des Amtes, dessen Inhaber zunächst *magister populi* geheißen (Cic. leg. 3,3,9; 4,10; Varro ling. 5,82; Fest. p. 216,11 ff.; anders Isid. orig. 9,3,11) und von Anfang an einen *magister equitum* als Vertreter benannt haben soll, scheint mit der Entwicklung der Amtsgewalt (→ *magistratus*) aus der Gewalt des Königs eng zusammenzuhängen. Darauf deutet ein ähnlich gestaltetes, evtl. originäres Amt in ehemals selbständigen latinischen Gemeinden hin. Die Machtstellung des D. kommt der Königsherrschaft am nächsten (Cic. rep. 2,59: *novumque id genus imperii visum est et proximum similitudini regiae*; vgl. die griech. Übers.: στρατηγὸς αὐτοκράτωρ oder μόναρχος; Plut. Camillus 18,6).

Zunächst ausschließlich in mil. Notstandslagen verwendet (letztmalig im J. 202 v. Chr.: Liv. 30,39), wird das Amt seit dem 4. Jh. v. Chr. als sogenannte »Prodiktatur« auch für innenpolit. Zwecke, z. B. für die reibungslose Abhaltung einer Volksversammlung (*comitiorum habendorum causa*), eingesetzt (Liv. 7,3,4; 8,16,12). Im zweiten Punischen Krieg gibt es den Versuch (217 v. Chr.), die Gewalt des Amtes gesetzlich in Richtung auf ein Kollegialamt zu verändern (*lex Metilia de aequando magistri equitum et dictatoris iure*: Liv. 22,25 f.), im 2. Jh. kommt es außer Gebrauch, wird aber 82 v. Chr. von L. Cornelius Sulla zur verfassungsgemäßen Beschreibung seiner außerordentlichen Amtsgewalt als *d. legibus scribundis et constituendae rei publicae* (App. civ. 1,99; MRR 2,66 f.) verwendet und 45 v. Chr. von Caesar als *d. perpetuus* (MRR 2,305) nochmals in zeitgemäß veränderter Weise reaktiviert. Mit Beginn des Prinzipats entfällt seine Notwendigkeit generell.

W. KUNKEL, Staatsordnung und Staatspraxis der röm. Republik, 2, 1995, 665 ff. · MOMMSEN, Staatsrecht 2, 141 ff.   C. G.

Dictinius. Bischof von Astorga (Asturica), Sohn des Symphosius, der ebenda Bischof gewesen war. Bedeutendster lit. Vertreter des Priscillianismus nach → Priscillianus; er sagte sich auf dem ersten Concilium Toletanum (400 n. Chr.) von dessen Lehre los und verwarf seine eigenen Schriften, worauf er erneut anerkannt wurde. Später verteidigte ihn auch Innocentius I. (epist. 3,1 ff. = PL 20,485 ff.) gegen rigoristische Bischöfe in Baetica und Africa, die gegen die Nachsicht, welche die Synode von Toledo D. gegenüber walten ließ, protestierten. Die priscillianistischen Traktate des D. wirkten lange nach: Papst Leo d. Gr. beklagte, daß D.' Schriften noch immer mit Hochachtung gelesen würden (epist. 15,16 = PL 54,688), und das Concilium Bracarense (563) verbot gar deren Lektüre. In der bei

Augustinus (CSEL 41, c. mendacium 5–35) teilweise faßbaren Schrift *Libra* (»Waage«) rechtfertigte D. die rel. Notlüge und die priscillianistische Nützlichkeitsmoral (*iura, periura, secretum prodere noli*).

BARDENHEWER, GAL 3, 413 · V. BURRUS, The Making of a Heretic. Gender, Authority, and the Priscillianist Controversy, 1995 · C.-M. MOLAS, s. v. D., DHGE (Lit.) · CH. und L. PIÉTRI (Hrsg.), Die Gesch. des Christentums, Bd. 2, 1996, 496–500.   R. B.

Dictio dotis. Im röm. Recht das einseitige Versprechen, eine Mitgift (→ *dos*) zu gewähren. Proculus (Dig. 50,16,125) gibt das Formular zu dieser Erklärung mit den Worten wieder: *dotis filiae meae tibi erunt aurei centum* (›als Mitgift für meine Tochter werden dir 100 Goldstücke zur Verfügung stehen‹). Außer dem Brautvater konnten auch andere männliche Vorfahren der Braut, die Braut selbst und gemäß ihrer Anweisung ihr Schuldner (z. B. ihr früherer Ehemann, der ihr die *dos*, die er seinerzeit bei der Eheschließung der Frau erhalten hatte, aufgrund der *actio rei uxoriae* herausgeben mußte) die *d. d.* abgeben. Trotz der einseitigen Erklärung wurde die *d. d.* wie eine Abrede behandelt. Zwar galt die *d. d.* als bloßes *pactum*, also nicht als vollgültiger Vertrag. Dazu war eine *promissio* erforderlich, also ein zweiseitiges Versprechen in der strengen Wortform der → *stipulatio*. Außerdem konnte ein klagbarer Anspruch auf die *dos* testamentarisch durch ein Vermächtnis des Dotalgebers begründet werden. Da eine starke sittliche Pflicht zur Gewährung der *dos* bestand, dürfte die fehlende Klagbarkeit aber kein entscheidender Nachteil gewesen sein. Durch eine Konstitution der Kaiser des J. 428 n. Chr. (Cod. Theod. 3,13,4) wurde bestimmt, daß Dotalversprechen generell ohne Einhaltung einer Form voll verbindlich seien. Dadurch war die *d. d.* überholt.

1 H. HONSELL, TH. MAYER-MALY, W. SELB, Röm. Recht, ⁴1987, 405 f. 2 KASER, RPR I, 335 f.   G. S.

Dictum s. Gnome

Dictys Cretensis. Der »Kreter D.« ist der fiktive Verf. eines angeblichen, umständlich beglaubigten Augenzeugenberichtes über den Trojanischen Krieg (*Ephemerís tú Troikú polému*). Einbezogen ist nicht nur die Vorgesch. (die auf das Parisurteil verzichtet), sondern auch das Schicksal der heimkehrenden Sieger. Vom griech. Original (2. Jh. n. Chr.?) sind nur wenige Fr. bekannt. Erh. ist die lat. Bearbeitung, die ein Septimius im 4. (?) Jh. angefertigt hat (6 B.), in der Art der *commentarii* → Caesars, mit Anklängen auch an den Stil Sallusts. Das Werk ist sehr trojanerfeindlich, sieht aber auch die Griechen kritisch. Seine Nachwirkung, im MA geringer als die des → Dares, reicht bis zu Goethes ›Achilleis‹.

ED.: W. EISENHUT, ²1973.
LIT.: S. MERKLE, Die Ephemeris belli Troiani des D. von Kreta, 1989.   J. D.

Didache (διδαχή, »Lehre« sc. »der zwölf Apostel«). Früheste Kirchenordnung, gewöhnlich den → Apostelvätern zugeschrieben. Die in der Ant. hochgeschätzte, mehrfach in anderen Schriften verarbeitete D. ist seit 1873 bekannt. Wichtigster Textzeuge dieses bed. Dokumentes einer frühchristl. Gemeindestruktur ist der Codex Hierosolymitanus 54 (11. Jh.). Griech. und kopt. Fragmente, eine äthiop. und georg. Übers. sowie eine breite indirekte Überlieferung (u. a. Apostolische Konstitutionen 7,1–32) ergänzen die Textgrundlage. Datierung (meist Anfang 2. Jh. n. Chr.) und Lokalisierung der Schrift (Syrien/Palästina, auch Ägypten möglich) sind umstritten.

Die in 16 meist kurzen Kap. vorliegende *D.* läßt sich in fünf größere Sinnabschnitte unterteilen. Am Beginn steht die in Form einer »Zwei-Wege-Lehre« (»Weg des Lebens«, »Weg des Todes«) ausgeführte ethische Unterweisung der Gemeinde (Kap. 1–6), ergänzt durch einen kurzen Evangelieneinschub (1,3b–2,1). Der Wege-Traktat dürfte – ähnlich wie im → Barnabasbrief (18–20) – aus einer jüd. geprägten Quelle schöpfen, die dem Verf. bereits in einer leicht christianisierten, überarbeiteten Fassung vorlag [6. 15]. Weitere Kap. behandeln, in Anlehnung an die zeitgenössische jüd. Praxis, die Liturgie (7–10): Bestimmungen zur Taufe (7), zum Wochenfasten (8,1) sowie zum Gebet des »Vater unser« dreimal täglich (8,2 f.) finden sich hier ebenso wie die in ihrer Deutung umstrittenen sog. Eucharistiegebete (9,1–10). Ein dritter Abschnitt beschäftigt sich mit umherziehenden Wanderlehrern und auf Reisen befindlichen Angehörigen anderer Gemeinden (11–13): Im Rahmen des möglichen sollen ihnen Unterstützung gewährt werden. In den Bestimmungen über das Gemeindeleben (14–15) wird neben der Aufforderung zu Sündenbekenntnis und -vergebung (14) die Auswahl von erfahrenen ›Bischöfen und Diakonen‹ als Gemeindeleiter gefordert (15,1 f.), ebenso die beständige brüderliche Zurechtweisung (*correctio fraterna*) als Korrektiv der Gemeinde (15,3). Die *D.* schließt mit der eschatologisch begründeten, in eine Apokalypse übergehende Warnung zur Wachsamkeit (16). Beachtung verdient die in der Schrift bes. ausgeprägte Stellung charismatischer Ämter (Apostel, Propheten, Lehrer). Die Frage nach den Quellen der *D.* und ihrem Umfeld ist ebenso wie die Herstellung eines die unterschiedlichen Überlieferungsstränge adäquat wiedergebenden Textes (Mischtext versus synoptische Editio maior) ein wichtiges Gebiet der Forschung.

ED., ÜBERS.: 1 K. NIEDERWIMMER, Die D., ²1993
2 W. RORDORF, A. TUILIER, La doctrine des douze apôtres, 1978. (SChr 248) 3 G. SCHÖLLGEN, D., ²1992 (Fontes Christiani 1) 4 K. WENGST, D. (Apostellehre), ²1984.
LIT.: 5 J. A. DRAPER (Hrsg.), The D. in modern Research, 1996 (1–42 zur Forschungsgesch.) 6 K. NIEDERWIMMER, Der Didachist und seine Quellen, in: C. N. JEFFORD (Hrsg.), The D. in Context, 1995, 15–36 (368–382 weitere Lit.)
7 F. E. VOKES, Life and Order in an Early Church: the D., in: ANRW II/27.1, 1993, 209–233.   J. RI.

Didaktische Poesie s. Lehrgedicht

Didaskaliai (αἱ διδασκαλίαι).

I. GRIECHISCH

Abgeleitet von dem Verb διδάσκειν, bedeutet *didaskalía* (Sg.) allg. »Unterricht«, »Unterweisung« (Pind. P. 4,102; Xen. Kyr. 8,7,24), speziell »Einstudierung eines Chores« (Plat. Gorg. 501e); im Plur. ist *d. t.t.* für die Listen von Dramen- und Choraufführungen mit den relevanten Informationen: Aufführungsjahr (Archon), Dichter, Titel, Fest, Chorege, Schauspieler. Die Daten wurden wohl in den Archiven der spielleitenden Behörden gespeichert (so jedenfalls in Athen). Aristoteles sammelte dieses Material und faßte es in seinen Werken Διδασκαλίαι (*Didaskalíai*) und Νῖκαι Διονυσιακαὶ ἀστικαὶ καὶ Ληναικαί zusammen.

Auf Aristoteles basieren die peripatetischen Forsch. (→ Dikaiarchos) und die fragmentarisch erh. inschr. Aufzeichnungen, die seine Werke teilweise fortführen, so vor allem folgende, Athen betreffende Listen: 1) IG 2²,2318 + fr. nov. (ed. [1]), entstanden wohl kurz nach 346 v. Chr. Die aus 13 Kolumnen bestehende Inschr. (col. VI und X fehlen, ebenso zu Beginn zwei oder drei Kolumnen), gemeinhin als *Fasti* bezeichnet, enthält, beginnend im J. 473/2 v. Chr. bis ins J. 329/8 v. Chr., in stereotyper Abfolge folgende Informationen: Name des verantwortlichen Archon; siegreiche Phyle im Dithyrambenagon der Knaben und Chorege; siegreiche Phyle im Dithyrambenagon der Männer und Chorege; siegreicher Chorege und Dichter im Komödienagon; siegreicher Chorege und Dichter im Tragikeragon; seit 450/49 wird der Name des siegreichen Schauspielers im Tragödienagon angeführt. Da von Aristoteles' ›Siegen‹ (Νῖκαι) nichts außer dem Titel erh. ist, läßt sich keine gesicherte Aussage über die Abhängigkeit der Inschr. von Aristoteles' Werk machen. 2) IG II², 2319–2323 entstanden kurz nach 288 v. Chr., *Didaskalíai* benannt, enthält in ebenfalls stereotyper Abfolge die an den Großen Dionysien aufgeführten Tragödien und Komödien sowie die an den Lenäen aufgeführten Komödien und Tragödien mit folgenden Informationen: Archon, Name der Dichter und ihrer Stücke samt dem jeweiligen Protagonisten in der Reihenfolge ihres Erfolgs. 3) IG II², 2325. Liste siegreicher tragischer und komischer Dichter sowie der siegreichen Schauspieler an den Großen Dionysien und Lenäen mit der Angabe der Gesamtzahl ihrer Siege an dem betr. Fest. 4) Weitere lesbare, Athen betr. Inschr. sind das Monument des Xenokles (IG 2²,3073) mit Angaben zu den Lenäen des J. 307/6 sowie die in Rom aufgefundenen fragmentarischen Listen athenischer Komödienagone (IG XIV, 1097+1098). Dazu kommen die in der athenischen Agora gefundenen Reste einer Liste für das J. 255/4 mit der Angabe der erst-, zweit- und drittplazierten Schauspieler im Agon der alten Komödie und Tragödie sowie des alten Satyrspiels. Die didaskalischen Angaben finden von diesen monumentalen Listen ihren Weg in die → Hypotheseis zu den einzelnen Dramen, in die → Scholia, das → Marmor Parium sowie die → Suda.

Über die außeratt. Aufführungen sind wir bedeutend schlechter informiert. Angaben zu dramatischen Aufführungen an den ländlichen Dionysien in Attika finden sich für die Demen Myrrhinus (IG II²,1183,36, 2. Hälfte des 4. Jh. v. Chr.) und Peiraieus (IG II²,1496 für 334–330 v. Chr.). Für Eleusis sind Dithyramben- und Tragödien-Aufführungen seit der Mitte des 4. Jh. bezeugt (IG II²,1186), ebenso Komödienagone (IG II²,3100). Für Ikarion sind auf IG II²,1178 Choregen und auf IG II²,3099 Trag.-Aufführungen belegt. Ob die bei Aixone gefundenen Inschr. IG II²,3091 sich auf die ländlichen Dionysien bezieht, ist umstritten.

→ Dionysia; Lenaia

ED.: **1** E. CAPPS, Greek inscriptions: a new fragment of the List of Victors at the City Dionysia, in: Hesperia 12, 1943, 1–11
LIT.: **2** METTE **3** PICKARD-CAMBRIDGE/GOULD/LEWIS **4** TrGF I 3–52.

II. RÖMISCH

In der lat. Lit. sind zwei Komödien des Plautus (im Cod. Ambrosianus: Stichus, 200 v. Chr.; Pseudolus, 191 v. Chr.) und alle sechs des Terenz durch D. datierbar. Die hell., aristotelisch-peripatetische D.-Lit. findet in die lat. Lit. Eingang durch → Accius' *Pragmatica* und *Didascalica* (darin – falsche – Bestimmung des Anfangs der dramatischen Lit. in Rom; Echtheitsdiskussion der Plautinischen Komödien). → Varro setzt sich mit Fragen der D. (gegen Accius, vgl. Cic. Brut. 72) wohl insbesondere in *De scaenicis originibus* und *De actionibus scaenicis* auseinander.

G. E. DUCKWORTH, The Nature of Roman Comedy, 1952, 52–61 · H. JUHNKE, Terenz, in: E. LEFÈVRE (Hrsg.), Das röm. Drama, 1978, 231f. · LEO, 386–391 · P. L. SCHMIDT, Postquam ludus in artem paulatim verterat. Varro und die Frühgesch. des röm. Theaters, in: G. VOGT-SPIRA (Hrsg.), Stud. zur vorlit. Periode im frühen Rom, 1989, 77–135.

B. Z.

Didia Clara. Tochter von Didius [II 6]. Verheiratet mit Cornelius [II 47] Repentinus. Münzen mit ihrem Namen und dem Titel Augusta wurden im April/Mai des J. 193 geprägt.

RAEPSAET-CHARLIER, Nr. 312. W. E.

Didius. Römischer plebeischer Gentilname (auf Mz. und Inschr. auch Deidius, SCHULZE, 438). Namensträger sind seit dem 2. Jh. v. Chr. hervorgetreten.

E. BADIAN, The Consuls, 179–49 BC, in: Chiron 20, 1990, 404f.

I. REPUBLIKANISCHE ZEIT

[I 1] D., T.(?), veranlaßte vermutlich als Volkstribun 143 v. Chr. (MRR 1,472) ein Gesetz zur Aufwandsbegrenzung für Gastmähler in Ergänzung der *lex sumptuaria* des C. → Fannius Strabo (Macr. sat. 3,17,6).

E. BALTRUSCH, Regimen morum, 1989, 85f.

[I 2] D., C., 46/5 v. Chr. Flottenkommandeur Caesars (Flor. 2,13,75), schlug 46 die Pompeianer bei Carteia; nach der Schlacht bei Munda 45 vernichtete er die Flotte des Cn. Pompeius, wobei dieser ums Leben kam; im selben Jahr von den Lusitanern getötet (Bell. Hisp. 37; 40; Plut. Caesar 56 u. a.; MRR 2,300; 311).

[I 3] D., Q., ging unmittelbar nach der Schlacht bei Actium als Statthalter Octavians nach Syrien (Titel nicht erh.), wo er Reste der Armee des M. Antonius [I 9], bes. die Flotte im Roten Meer, ausschaltete (Cass. Dio 51,7; MRR 2, 421).

[I 4] D., T., bedeutendster Träger dieses Namens in der Republik, *homo novus*, Münzmeister 113 oder 112 v. Chr. (RRC 294). Versuchte als Volkstribun 103 vergeblich, die Anklage seines Kollegen C. → Norbanus gegen Q. → Servilius Caepio zu verhindern (Cic. de orat. 2,197; MRR 1,563f.). Als Praetor 101 in Macedonia besiegte er die Caeni im östl. Thrakien (Roman Statutes 1, Nr. 12, Cnid. col. IV, Z. 8f.; [1. 213]) und feierte 100 oder 99 seinen ersten Triumph (MRR 3,81). Als Consul 98 mit Q. Caecilius [I 28] Metellus Nepos brachte er die *lex Caecilia Didia* ein, die für Gesetzesanträge Veröffentlichungsfristen (*trinundinum*) festsetzte und verbot, mehrere nicht zusammengehörige Materien zu verbinden (*lex satura*). Im gleichen J. ging er nach Spanien, wo er als Proconsul bis 93 blieb und dank grausamer Kriegführung gegen die Keltiberer einen zweiten Triumph erlangte (Cic. Planc. 61; InscrIt 13,1,85); einer seiner Kriegstribunen war Q. → Sertorius. Im → Bundesgenossenkrieg kämpfte er 90 und 89 als Legat auf dem südl. Kriegsschauplatz, nahm 89 Herculaneum ein (Vell. 2,16,2) und fiel am 11. Juni 89 (Ov. fast. 6,567f.). Auf Münzen des P. → Fonteius Capito 55 v. Chr. (RRC 429) erscheint er als Erneuerer der → *villa publica*, des Amtslokals der Censoren.

1 M. HASSALL u. a., Rome and the Eastern Provinces at the End of the Second Century B. C., in: JRS 64, 1974.

K.-L. E.

II. KAISERZEIT

[II 1] D. Balbinus. Epistratege der Heptanomia, bezeugt im J. 229 (BGU II 659; POxy 3348/9) [1].

1 D. THOMAS, The Roman Epistrategos, 1982, 191, 204.

[II 2] A. D. Gallus. Ein Teil seiner Laufbahn ist in CIL III 7247 = ILS 970, überliefert (vgl. dazu VOGEL-WEIDEMANN 348 ff.). Wohl Quaestor im J. 19 n. Chr. (EOS I 515 ff.; dann kann er in ILS 970 nicht *quaest. imp.* genannt gewesen sein), *proconsul Siciliae, cos. suff.* im J. 39 (AE 1973, 138); bereits damals oder kurz danach *curator aquarum* bis zum J. 49 (Front. aqu. 102). Legat und *comes* des Claudius in Britannien im J. 43, anschließend Legat in Mösien, wo er die Triumphalinsignien erhielt, weil er Cotys als König des bosporanischen Königreiches einsetzte; zwischen ca. 49 und 52 Proconsul von Asia, 52–57 Statthalter von Britannien, wo sich unter ihm nichts Nennenswertes ereignete. Er stammte vermutlich aus Histonium, möglicherweise war sein Vater A. D. Post-

umus, *procos. Cypri* (AE 1934, 86). Sein Adoptivsohn war vielleicht D. [II 3]. PIR² D 70.

M. TORELLI, in: EOS II, 183 · DEVIJVER, 1540 · BIRLEY, 44 ff.

[II 3] A. D. Gallus Fabricius Veiento → Fabricius

[II 4] L. D. Marinus. Aus Syrien stammender Ritter, der über eine lange procuratorische Laufbahn zumindest das Amt des *a cognitionibus* und den Rangtitel *vir perfectissimus* unter Caracalla erreichte; später vielleicht Aufnahme in den Senatorenstand. CIL III 6753 = ILS 1396; PIR² D 71.

DEVIJVER, D 8; V, 2088 · R. HAENSCH, in: ZPE 95, 1993, 177f.

[II 5] D. Secundus. In einem Reskript Traians erwähnt; ritterlicher oder senatorischer Amtsträger. PIR² D 76.

W. ECK, in: Chiron 13, 1983, 205.

[II 6] M. D. Severus Iulianus. Kaiser im J. 193. Sohn eines Q. Petronius Didius Severus und der Aemilia Clara (PIR² P 279; A 414); er stammt vermutlich aus Mediolanum und könnte mit dem Senator und Juristen Salvius Iulianus verwandt sein. Geb. am 30. Januar 133 (nach Cassius Dio 73,17,5; nach HA Did. 9,3 am 2. Febr. 137). Aufgezogen bei Domitia [II 8] Lucilla, der Mutter Marc Aurels, die sich für seine Karriere eingesetzt haben soll. Eine relativ langsame Laufbahn führte ihn zum Kommando über die *legio XXII Primigenia* in Mainz, dann zur praetorischen Statthalterschaft in der Belgica. *Cos. suff.* wohl 175. Consularer Legat in Dalmatien zwischen 176 und 180, in gleicher Stellung in Germanien ca. 180–184/5, wo unter ihm das Praetorium in Köln erneuert wurde [1]; danach Legat in Pontus-Bithynia und ca. 189/190 Proconsul von Africa. Die Stadt Bisica ehrte ihn in Rom mit einem großen Monument (CIL VI 1401 = 41122). Nach dem Tod des Pertinax gelang es ihm, von den Praetorianern als *imperator* akklamiert zu werden; anschließend wurde er vom Senat anerkannt: vom 28. März 193 an herrschte er 66 Tage (Cass. Dio 73,17,5). Seine Frau, Manlia Scantilla, erhielt den Augustatitel, ebenso die Tochter. In den Prov. erklärten sich Septimius Severus und Pescennius Niger gegen ihn. Als Septimius Severus in It. einrückte und kurz vor Rom stand, setzte der Senat Iulianus am 1. Juni ab; am 2. Juni wurde er im Kaiserpalast ermordet. Zu einer eigenen Politik als Kaiser ist er nicht gekommen. PIR² D 77.

1 W. ECK, in: BJ 184, 1984, 97ff.

ECK, Statthalter 184 ff. · V. ZEDELIUS, Unt. zur Münzprägung von Pertinax bis Clodius Albinus, Diss. 1976 · A. M. WOODWARD, The Coinage of Didius Iulianus and his Family, in: NC 121, 1961, 71 ff. · FITTSCHEN/ZANKER I, 93 (Porträt).

W. E.

Dido. Mythische Gründerin von → Karthago; phönikisch habe sie *Elissa* geheissen, griech. *Theiosso*, afrikanisch *Deido* wegen ihrer Irrfahrten (so Timaios [Tim.] FGrH 566 F 82; aber Serv. auct. Verg. Aen. 1,340). Ihr Mythos, den gültig Vergil (Aen. 1 und 4) dargestellt hat, ist seit Tim. in seinen späteren Umrissen faßbar; eine weit ausführlichere vorvergilianische Fassung fand sich bei Pompeius Trogus (Iust. 18,4–6), hier wie bei Tim. ohne die Verbindung mit → Aineias. Ihr Vater war der König von Tyros, Mutto (Tim.) oder Methres (Serv. Verg. Aen. 1,343) bzw. Belus (Verg. Aen. 1,621); vor ihrem Bruder → Pygmalion, der ihren Mann (Acherbas nach Iust., Sychaeus nach Verg.) aus Habgier getötet hatte, floh sie nach Libyen und gründete Karthago. Dazu erwarb sie so viel Land, wie sie mit einer Rindshaut umspannen konnte (Verg.; unscharf Iust.); das ist das Namensaition für Byrsa, die karthagische Zitadelle [1]. Um nicht den libyschen Fürsten Hiarbas (Iust.; Iarbas: Verg.) heiraten zu müssen und gleichzeitig ihre Stadt zu retten, verbrannte sie sich selbst auf einem Scheiterhaufen. Erst bei Vergil (Aen. 4) ist die unglückliche Liebe zu Aeneas ausdrücklich Grund ihres Todes auf dem Scheiterhaufen [2] und Aition für die Feindschaft zw. Karthago und Rom. Ob Vergil dies aus Naevius' *Bellum Poenicum* übernommen oder selber erfunden hat, ist in der Forsch. sehr umstritten; daß jedenfalls die Ausgestaltung im einzelnen Vergil gehört, ist unumstritten [2; 3]. Die neuere Lit. tritt überhaupt für vergilianische Erfindung ein. Die Gesch. fehlt jedenfalls bei Dion. Hal., und nach Varro soll nicht D., sondern ihre Schwester → Anna sich aus Liebe zu Aeneas verbrannt haben (Serv. auct. Verg. Aen. 4,682; Serv. Verg. Aen. 5,4).

Seit Verg. gehören D. und Aeneas (vgl. auch Aen. 6,450–476) zu den großen tragischen Liebespaaren der Weltliteratur. Augustinus (conf. 1,13) bezeugt die Wirkung der Darstellung in der spätant. Schule.

1 J. SCHEID, J. SVENBRO, Byrsa. La ruse d'Elissa et la fondation de Carthage, in: Annales (ESC) 40, 1985, 328–342
2 R. HEINZE, Virgils ep. Technik, 1915, 115–119 3 A.-M. TUPET, Didon magicienne, in: REL 49, 1970, 229–258.

E. GRISET, La leggenda di Anna, Didone ed Enea, in: RSC 9, 1961, 302–307 · R. MARTIN (Hrsg.), Enée et Didon. Naissance, fonctionnement et survie d'un mythe, 1991 · M. SALA, s. v. Didone, EV 2, 48–63 · E. SIMON, s. v. D., LIMC 8.1, 559–562.   F.G.

Didrachmon (δίδραχμον). Neben einer Gewichtseinheit ist das *d.* eine Silbermünze im Wert von zwei Drachmen, das als größtes gängiges Nominal hauptsächlich in Kleinasien, Unteritalien, Rom und teilweise auf Sizilien sowie in Korinth, Elis und auf Ägina, selten in Athen, geprägt wird, z.B. nach dem äginetischen Münzfuß zu 12,48 g bzw. im att. zu 8,73 g oder im unterital. Standard zu 7,9 g, später 6,6 g. Als Einheitsstück entspricht es dem Stater, so bes. in der Goldwährung. Auf rhodischen Bronzemünzen des 1. Jh. n. Chr. sowie auf neronischen Münzen von Antiochia am

Orontes kommt das *d.* als Wertzeichen (ΔIΔPAXMON) vor [1; 2].

→ Drachme; Stater

1 A. KROMANN, The Greek imperial coinage from Cos and Rhodos, in: S. DIETZ, I. PAPACHRISTODOULOU, Archaeology in the Dodecanese, 1988, 213–217 2 RPCI, 606 ff., 616, 4178.

SCHRÖTTER, 159–161 · H. KÜTHMANN, Zur röm.-campanischen Didrachmenprägung, in: JNG 9, 1958, 87–97 · M. N. TOD, Epigraphical Notes on Greek Coinage, in: NC 6.20, 1960, 1–24 · H. A. CAHN, Knidos. Die Münzen des sechsten und fünften Jh. v. Chr., AMuGS 6, 1970, bes. 178–192 · M. H. CRAWFORD, Coinage and money under the Roman Republic, 1985, bes. 32 f.   A.M.

Didyma (Δίδυμα). A. ALLGEMEINES
B. VORGRIECHISCHE BIS KLASSISCHE ZEIT
C. HELLENISTISCHE ZEIT D. RÖMISCHE
KAISERZEIT E. CHRISTLICHE ZEIT
F. APOLLON-HEILIGTUM
G. ARTEMIS-HEILIGTUM H. HEILIGE STRASSE
I. HELLENISTISCH-RÖMISCHE ANLAGEN
J. BYZANTINISCHE ANLAGEN

A. ALLGEMEINES
Didyma, vormals Branchidai, auf einem Kalkplateau am Golf von Iasos, regionales Heiligtum im kar.-ion. Grenzbereich (Strab. 14,1,2); bekannt als Quellorakel des Apollon (Hdt. 1,92; 2,159; Paus. 7,2,6) und wegen der Größe des Apollon-Tempels (Strab. 14,1,5), der zu den besterhaltenen Großbauten des Alt. zählt. Im 18. und 19. Jh. Forsch. engl. und frz. Gelehrter, 1906 bis 1925 Freilegung des Apollon-Tempels durch die Berliner Mus., seit 1962 Ausgrabungen des Dt. Arch. Instituts. Arch. Evidenz seit ca. 700 v. Chr. Neolithische Obsidianfunde bei Didim plaji. Reichster FO archa.-griech. Freiplastik in Kleinasien.

B. VORGRIECHISCHE BIS KLASSISCHE ZEIT
Keimzelle des Kultes waren Süßwasservorkommen; der Quellbezirk des Apollon befindet sich in einer Geländemulde, der der Artemis auf einer Felsbarre. In vorgriech. Zeit (Hdt. 1,157; Paus. 7,2,6) ist wahrscheinlich eine Verehrung weiblicher Naturgottheit anzunehmen (Beilager von Zeus und Leto, Syll.³ 590). Propheten, Priester und Namengeber in vorhell. Zeit waren die Branchidai, Angehörige der lokalen Aristokratie. Herodot erwähnt Stiftungen des Necho (2,159) und des Kroisos (1,92). Dareios soll den Asylschutz des Heiligtums verbrieft haben (Tac. ann. 3,63). Eine Brandzerstörung durch die Perser ist arch. nicht nachweisbar, die Datier. – 494 (Hdt. 6,19) oder 479 v. Chr. (Paus. 8,46,3) ›beim zweiten Abfall von Ionia‹ (Hdt. 9,104) – ist umstritten. Die angebliche Übergabe des Heiligtums an die Perser durch die Branchidai wird auf eine spätere milesische Erfindung zurückgeführt (Kallisthenes, FGrH 124 F 14; Strab. 17,1,43). Seit 479 v. Chr. Wiederaufnahme der Prozessionen von Milet.

Kultbezirk an der Heiligen Straße von Milet nach Didyma
(Perspektivische Vogelschau von SW).

C. Hellenistische Zeit

Im letzten Drittel des 4. Jh. v. Chr. kam es zu grund-
legenden Veränderungen in Organisation und Orakel-
Tätigkeit: Milet gab den Auftrag zu einem Neubau des
Apollon-Tempels und setzte als προφήτης (*prophḗtēs*) und
Opferpriester des Apollon einen Jahresbeamten ein. Das
Heiligtum wurde durch die Seleukiden gefördert, das
von den Persern geraubte Polis-Anathem (Kanachos-
Apollon) an Milet zurückgegeben (Paus. 1,16,3; 8,46,3).
Seit ca. 200 v. Chr. feierte man die *Didýmeia* als
penteterisches Fest. Zu Plünderungen kam es 277/6
v. Chr. beim Galatereinfall und 67 v. Chr. durch See-
räuber.

D. Römische Kaiserzeit

In röm. Zeit erfolgte eine Erweiterung des Asyl-
Bezirks durch Caesar (44 v. Chr.), unter Traian der Ausbau der Hl. Straße und Pflasterung innerhalb des Heiligtums (100/1 n. Chr.). Die angebliche Absicht Caligulas, sich den Apollontempel anzueignen (Cass. Dio
59,28,1), bleibt fragwürdig. Seit 177 feierte man den
Kaiserkult als Κομμόδεια (*Kommódeia*, »Fest für Commodus«).

E. Christliche Zeit

Erste Hinweise auf christl. Zeugnisse und Einstellung
der griech. Kulte stammen aus dem 4. Jh. Im 5./6. und

10./12. Jh. war D. Bischofssitz, christl. Bautätigkeit läßt
sich nachweisen. Zerstörungen durch Erdbeben im 7.
und E. des 15. Jh.; eine Wiederbesiedlung erfolgte seit
E. des 18. Jh.

F. Apollon-Heiligtum

Fundamentreste für Lehmziegelmauern eines Hofs,
in dem das Kultmal der Quelle lag, datieren aus der Zeit
um 700 v. Chr. Im 6. Jh. v. Chr. erfolgte ein Neubau
und die Erweiterung als → Tempel mit dipteraler Ringhalle aus Kalkstein und Marmor (→ Dipteros) und einem Quellhaus (»Naïskos«) zum Schutz des Kultmals
und Sitz des Orakels (μαντεῖον, *manteíon*). Hallenbauten
im Südwesten und Osten sowie ein Rundbau wurden
angefügt. Nach der Mitte des 4. Jh. v. Chr. brach man
den älteren Bestand ab und begann mit dem Bau eines
größeren Dipteros mit siebenstufigem Unterbau, der
fast das Zweieinhalbfache der Grundfläche des Vorgängers einnahm. Inschriften-Funde und – auf den Tem-
pelwänden – Werkrisse dokumentieren den Bauprozeß.
Das Baumaterial stammte aus den Marmorbrüchen bei
Herakleia am Latmos.

Um 170 v. Chr. stand der Kernbau mit Kulthof und
der Prodomos (Dodekastylos und Zweisäulensaal).
Ringhalle und Dachzone blieben unvollendet. Baum-
pflanzungen (ἄλσος, *álsos*, Strab. 14,1,5) wurden im

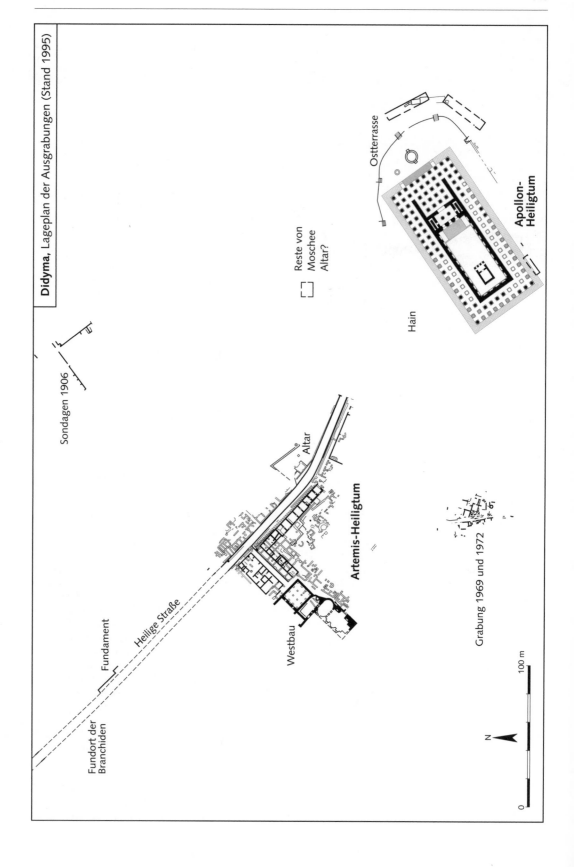

Didyma, Lageplan der Ausgrabungen (Stand 1995)

Sondagen 1906

Reste von
Moschee
Altar?

Hain

Ostterrasse

**Apollon-
Heiligtum**

Fundort der
Branchiden

Fundament

Heilige Straße

Altar

Artemis-Heiligtum

Westbau

Grabung 1969 und 1972

N

100 m

0

Heiligtum angelegt. Nach 250 n. Chr. vermauerte man die östl. Interkolumnien. Im 5./6. Jh. wurde eine Emporen-Basilika im Kulthof eingerichtet, im 7. Jh. der Tempel als Kastell befestigt. Ein Brand im 10. Jh., Erdbeben sowie im 19. Jh. Steinraub führten zur Zerstörung des Tempels.

G. Artemis-Heiligtum

Anlagen auf einer Felsbarre, ca. 700 v. Chr., sind als Quellbezirk mit dem Artemiskult (ὑδροφορία, *hydrophoría*) identifiziert. Seit dem 6. Jh. v. Chr. kam es zu Erweiterungen, im 3.–1. Jh. v. Chr. zu Ersatz der versiegten Quellbecken durch Brunnen. Der Komplex einzelner Bauten ist von der Hl. Straße durch Mauern abgetrennt, an denen Kolonnaden (Kalksteinsäulen, Holzgebälk) errichtet wurden. Im 2. Jh. n. Chr. läßt sich Neugestaltung, im 4. Jh. Auflassung des Heiligtums erkennen.

H. Heilige Strasse

Im 6. Jh. v. Chr. wurde eine 5–6 m breite, über 20 km lange Überlandstraße von Milet nach D. für Prozessionen mit Stationen lokaler Gottheiten (davon ein Nymphen-Heiligtum lokalisiert) gebaut. Auf der Paßhöhe befindet sich ein Kultbezirk mit einer Gruppe von Sitzstatuen und Sphinx-Skulpturen ebenfalls aus dem 6. Jh. v. Chr. Im letzten Straßenabschnitt ist der Verlauf des Prozessionsweges westl. und südl. des Apollon-Tempels (»Stadion«) anzunehmen.

I. Hellenistisch-römische Anlagen

Außerhalb der Heiligtümer liegen Grabanlagen, ferner inschr. überlieferte, bisher nicht identifizierte Kultstätten und Bauten.

J. Byzantinische Anlagen

Nach Zerstörung der ant. Bausubstanz Neugestaltung der Hl. Straße mit Arkadenhalle und Kirchenbauten im 5./6. Jh.; seit dem 8. Jh. dörfliche Besiedlung und Neubau von Kirchen.

L. Büchner, s. v. D., RE 5, 437–441 (ältere Lit.) • J. Fontenrose, D. Apollo's oracle, cult and companions, 1988 • G. Gruben, Das archa. Didymaion, in: JDAI 78, 1963, 78–182 • W. Günther, Das Orakel von D. in hell. Zeit, Istanbuler Mitt. Beih. 4, 1971 • W. Hahland, D. im 5. Jh. v. Chr., in: JDAI 79, 1964, 142–240 • L. Haselberger, Ber. über die Arbeit am Jüngeren Apollontempel von D., in: Istanbuler Mitt. 33, 1983, 90–123 • H. W. Parke, The massacre of the Branchidae, in: JHS 105, 1985, 59–68 • P. Schneider, Zur Top. der Hl. Strasse von Milet nach Didyma, in: AA 1987, 101–129 • K. Tuchelt, Die archa. Skulpturen von D., in: IstForsch 27, 1970 • Ders., Vorarbeiten zu einer Top. von D., Istanbuler Mitt. Beih. 9, 1973 • Ders., Einige Überlegungen zum Kanachos-Apollon von D., in: JDAI 101, 1986, 75–84 • Ders., Die Perserzerstörung von D., in: AA 1988, 427–438 • Ders., Branchidai-D. (Zaberns Bildbände zur Arch. 3), 1992 (mit Lit.) • Ders., P. Schneider, T. G. Schattner, H. R. Baldus, Didyma III 1: Ein Kultbezirk an der Hl. Straße von Milet nach D. (mit Bibl. der D.-Grabung von 1962 bis 1995), 1996 • W. Voigtländer, Der jüngste Apollontempel von D., Istanbuler Mitt. Beih. 14, 1975 • T. Wiegand, A. Rehm, D. 2: Die Inschr., 1958 • T. Wiegand, H. Knackfuss, D. 1: Die Baubeschreibung, 1941.   Ka. Tu.

Didymarchos (Διδύμαρχος). Verf. von ›Metamorphosen‹ in mindestens drei B., in denen auch die → Battos-Sage behandelt worden zu sein scheint. Im Gegensatz zu einer himmlischen Herkunft des Pan bevorzugte D. die Version, nach der dieser als Sohn der → Gaia angesehen wurde (Theokr. schol. 1, 3–4 (f)).

SH 20 und 175 • U. v. Wilamowitz-Moellendorff, Antigonos von Karystos, 1881, 172, Anm. 5.   C.S.

Didyme (Διδύμη). Ägypt. (äthiopische) Geliebte Ptolemaios' II.; für sie Anth. Pal. 5,210?

A. Cameron, Two Mistresses of Ptolemy Philadelphus, in: GRBS 31, 1990, 287 • F. M. (Jr.) Snowden, Asclepiades' D., in: GRBS 32, 1991, 239–259.   W.A.

Didymos (Δίδυμος).

[1] Aus Alexandreia

A. Philologische Tätigkeit
B. Musiktheorie

A. Philogische Tätigkeit

Der bedeutendste griech. Grammatiker der 2. H. des 1. Jh. v. Chr. Die biographische Notiz in der Suda (δ 872) besagt, daß er bis in die Zeit des Augustus lebte, und erwähnt den Beinamen »Chalkénteros« (Χαλκέντερος, »der Mann mit dem ehernen Gedärm«, vgl. Suda ι 399, χ 29). Ihn verdankte er seiner unermüdlichen Aktivität, die sich auf verschiedene Gebiete der Philol. erstreckte. Durch mehrere Generationen von Aristarchos-Schülern war die alexandrinische Tradition exegetischer und gelehrter Studien weitergegeben worden. Sie kulminierte in D., der in Alexandreia tätig und schon in der Ant. wegen der ungeheuren Masse seiner Werke (3 500 oder 4 000 Bücher) berühmt war: Deswegen hieß er auch »Bibliolathas« (Βιβλιολάθας, »Büchervergesser«, vgl. Athen. 4,139 c).

Ein Großteil unseres Wissens über D. betrifft die Homerphilologie. Ein unbekannter Grammatiker der Spätant. erstellte einen Komm., der die Werke des D., des Aristonikos, des Nikanor und des Herodianos kompilierte und der deswegen Viermännerkommentar (VMK) heißt: Exzerpte aus dem VMK fanden ihren Weg in verschiedene gelehrte Sammlungen, vor allem in die reichen Scholien des Codex Venetus A der Ilias, in dem sich am Ende eines jeden Gesanges (mit kleinen Abweichungen) folgende Notiz findet: ›Die Zeichen des Aristonikos liegen vor sowie die Schriften des Didymos über Aristarchos' Ausgabe, auch einiges aus Herodianos' Ilias-Prosodie und aus Nikanors Schrift über die → Stigme.‹ So wissen wir, daß D. sich bes. bemühte, Aristarchos' Entscheidungen zum Homertext und ihre Gründe darzustellen; auf diese Weise wurde er zum Vermittler einer großen Menge exegetischen Materials, das auf den Meister zurückging. Von der Arbeit über die aristarchische *diórthōsis* (διόρθωσις) zu unterscheiden sind die Komm. des D. zur Ilias und zur Odyssee. Beeindruckend ist auch der Komplex seiner ausführlichen gelehrten *hypomnēmata* zu den Werken einer großen Zahl bedeutender epischer, lyrischer, tragischer und komischer Dichter der klass. Zeit. Testimonien unterschiedlicher Bedeutung besitzen wir zu seinen Komm. zu Hesiod, zu Bakchylides und Pindar (ungefähr 80 Fragmente in den Scholien), zu Sophokles, Euripides und vielleicht auch Aischylos, zu Ion von Chios, zu Aristophanes (über 60 Nennungen in den Scholien), Phrynichos, Menander und vielleicht auch zu Eupolis und Kratinos. Unter den Prosaautoren beschäftigte er sich mit Thukydides und vor allem den Rednern, bes. mit Demosthenes, Aischines, Hypereides, Isaios und vielleicht auch anderen. Ein Papyrus aus dem 2. Jh. n. Chr. hat unter dem übergreifenden Titel ›Über Demosthenes‹ (Περὶ Δημοσθένους) einen Teil des Komm. zu den *Philippiká* erhalten, mit aller Wahrscheinlichkeit schon in Gestalt einer Epitome.

Das umfangreiche lexikographische Werk des D. stand gewiß in Zusammenhang mit der Autorenexegese. Auf diesem Feld ragen die *Léxis tragiké* (Λέξις τραγική) und die *Léxis kōmiké* (Λέξις κωμική, trag. und komische Redewendung) hervor, die offenkundig den sprachlichen Besonderheiten der Tragiker und Komiker gewidmet waren. Wir wissen auch von einem Werk über die Sprache des Hippokrates und von einem weiteren (von Harpokr. s. v. δερμηστής zitierten) in wenigstens sieben Büchern mit dem Titel *Aporuméné léxis* (Ἀπορουμένη λέξις; ›umstrittene Redewendung‹; das von MILLER veröffentlichte Fragment über die *Lexis Platonica* ist ein Pseudepigraphon). Des weiteren schrieb D. zahlreiche Monographien über verschiedene Themen der Literaturgesch. und der Altertumskunde, darunter ›Über die lyrischen Dichter‹ (Περὶ λυρικῶν ποιητῶν), die vielleicht Teil einer größeren Schrift ›Über die Dichter‹ (Περὶ ποιητῶν) war; *Symmiktá* (Συμμικτά) oder/und *Symposiaká* (Συμποσιακά); eine Sammlung von abstrusen und merkwürdigen Gesch. (Ξένη ἱστορία); Paroimiographie (Περὶ παροιμιῶν). Auf dem Gebiet der Gramm. Περὶ παθῶν (über die sprachlichen »Pathologien«: Erklärung problematischer Wörter auf der Grundlage angenommener Abwandlungen offensichtlich verwandter Wörter), ›Über die Orthographie‹ (Περὶ ὀρθογραφίας) und eine Monographie über die lat. Sprache.

D.' Werk gleicht einem wahren Sammelbecken, das die Ergebnisse der vorhergehenden Jahrhunderte auffing: Er sammelte, kompilierte und gab sein Material an verschiedene Scholiencorpora und zahlreiche gelehrte Sammlungen weiter, vielleicht (wie oft gesagt wird) ohne große Originalität, doch gewiß mit großer gelehrter Sorgfalt. Wahrscheinlich war ihm bewußt, daß die Arbeiten der großen alexandrinischen Philol. dem Untergang anheimfallen würden, so daß er sich dem Zusammenstellen, Auswählen und Kompilieren des Wesentlichen widmete und viel von dem rettete, was wir heute kennen. Seine Arbeit stellte eine Grundlage für die nachfolgenden Generationen dar, und sein Einfluß in den Bereichen der Scholiastik, der Lexikographie, der Grammatik und der Paroimiographie ist nicht hoch genug zu schätzen.

→ Aristarchos [4]; Aristonikos [5]; Grammatiker; Herodianos; Nikanor; Philologie; Scholia; Viermännerkommentar

ED.: M. SCHMIDT, Didymi Chalcenteri fragmenta, 1854 · L. PEARSON, S. STEPHENS, Didymi in Demosthenem commenta, 1983 · A. LUDWICH, Aristarchs Homerische Textkritik nach den Fragmenten des D., 1884/5 · FGrH 340.
LIT.: E. MILLER, Didyme d'Alexandrie. Περὶ τῶν ἀπορουμένων παρὰ Πλάτωνι λέξεων, in: Mélanges de Littérature Grecque, 1868, 399–406 (= Lexica Graeca Minora, 1965, XIV–XV e 245–252 [Ps.-Didymos] · G. ARRIGHETTI, Poeti, eruditi e biografi, 1987, 194–204 und passim · P. BOUDREAUX, Le texte d'Aristophane et ses commentateurs, 1919, 91–137 · L. COHN, s. v. D. (8), RE 5, 445–472 · H. DIELS, W. SCHUBART, Berliner Klassikertexte I, 1904 · E. M. HARRIS, More Chalcenteric Negligence, in: CPh 84, 1989, 36–44 · J. IRIGOIN, Histoire du texte de Pindare, 1952, 67–76 und passim · K. LEHRS, De Aristarchi studiis Homericis, ³1882, 16–29 und passim · F. LEO, D. Περὶ Δημοσθένους, Nachrichten der Ges. der Wiss. zu Göttingen 1904, 254–261 (= Ausgewählte KS, ed. E. FRAENKEL, 1960, II 387–394) · M. J. LOSSAU, Unt. zur ant. Demosthenesexegese, 1964 · O. LUSCHNAT, Die Thukydidesscholien, in: Philologus 98, 1954, 14–58 · F. MONTANA, L' »Athenaion Politeia« di Aristotele negli »Scholia Vetera« ad Aristofane, 1996, 29–31 und passim · F. MONTANARI, in: CPF I 1, 258–264 · PFEIFFER, KPI, 228, 261–267, 271, 275, 284, 292, 331–337 · A. RÖMER, Aristarchs Athetesen in der Homerkritik, 1912, 98 ff. · L. E. ROSSI, I generi letterari e le loro leggi scritte e non scritte, in: BICS 18, 1971, 69–94 · K. RUPPRECHT, s. v. Paroimiographoi, RE 18, 1747–1751 · M. SCHMIDT, Die Erklärungen zum Weltbild Homers und zur Kultur der Heroenzeit in den bT-Scholien zur Ilias, 1976, 28–32 · M. VAN DER VALK, Researches on the Text and Scholia of the Iliad, I, 1963/4, 536–553 · C. WENDEL, Die Aristophanes-Scholien der Papyri, in: Byzantion 13, 1938, 631–690 · Ders., s. v. Mythographie, RE 16, 1358–1362 · S. WEST, Chalcenteric Negligence, in: CQ 20, 1970, 288–296 · U. v. WILAMOWITZ, Einleitung in die Griech. Tragödie, ²1895, 158–167 · G. ZUNTZ, An Inquiry into the Transmission of the Plays of Euripides, 1965, 253 ff.
F. M./Ü: T. H.

B. MUSIKTHEORIE

Auch in der Musiktheorie hat D. einen Beitrag geleistet. Für die Intervalle der drei Tongeschlechter (diatonisch, chromatisch, enharmonisch; → Musik) fand D. eine eigene zahlentheoretisch-harmonische Teilung, u. a. mit kleinem Ganzton 10 : 9 neben Ganzton 9 : 8; deren Differenz 81 : 80 heißt didymisches (oder syntonisches) Komma [1. 70–73; 2. 85–88]. Aus D.' verlorener Schrift Περὶ τῆς διαφορᾶς τῶν Ἀριστοξενείων τε καὶ Πυθαγορείων [3. 5, 25; 2. 139, 144 ff., 152 ff.] schöpften Ptolemaios und Porphyrios ihr Wissen über die aristoxenische und die pythagoreische Schule, darunter über die sonst nicht bekannte → Ptolemais Kyrenaia.

1 I. DÜRING, Harmonielehre des Klaudios Ptolemaios, 1930 2 Ders., Ptolemaios und Porphyrios über die Musik, 1934 3 Ders., Komm. des Porphyrios zur Harmonielehre des Klaudios Ptolemaios, 1932. F. Z.

[2] Minor (Δίδυμος ὁ νεώτερος, D. minor). Griech. Grammatiker aus Alexandreia, in Rom tätig (Suda δ 873), zur Unterscheidung von D. [1] Chalkenteros ὁ νέος bzw. ὁ νεώτερος (d.J.) genannt. Nachrichten über sein Leben besitzen wir nicht. Gewöhnlich wird er ein wenig später als D. [1] Chalkenteros eingeordnet, also ins 1. Jh. n. Chr. Die Suda (ebd.) sagt, daß er Πιθανά (ein Gegenstand, über den auch Apollonios [11] Dyskolos schrieb) sowie Περὶ ὀρθογραφίας καὶ ἄλλα πλεῖστα καὶ ἄριστα verfaßte. Diskutiert wurden Hypothesen der Gleichsetzung mit D. [3] Claudius, mit D. Chalkenteros und mit anderen gleichnamigen Grammatikern und der Zuweisung von Werken an diese.
→ Didymos [1] Chalkenteros; Didymos [3] Claudius; Apollonios [11] Dyskolos.

H. v. Arnim, s. v. D. (6), RE 5, 444 f. · G. Bernhardy, Suidae Lexicon, I, 1834–53, s. v. Δίδυμος νέος · L. Cohn, s. v. D. (9), RE 5, 472 f. · Diels, DG, 86 · M. Schmidt, Didymi Chalcenteri fragmenta, 1854, 3, 335–349 · M. Wellmann, s. v. D. (7), RE 5, 445.   F.M./Ü:T.H.

[3] Claudius (ὁ Κλαύδιος). Griech. Grammatiker, in Rom zu Beginn der Kaiserzeit tätig; Werktitel in Suda δ 874. In Περὶ τῆς παρὰ Ῥωμαίοις ἀναλογίας (einige Fragmente sind bei Priskianos erhalten) versuchte D., die grammatikalischen und syntaktischen Aspekte der lat. Sprache auf der Grundlage eines Vergleichs mit dem Griech. zu erklären (vgl. Philoxenos). Von der Schrift Περὶ τῶν ἡμαρτημένων παρὰ τὴν ἀναλογίαν Θουκυδίδη, die sich, wie es scheint, mit den Analogiebrüchen bei Thukydides beschäftigte, haben wir keine Überreste. Der Titel Ἐπιτομὴ τῶν Ἡρακλέωνος sagt uns nichts über den Inhalt. Diesem D. könnte eine polemische Schrift gegen Ciceros De re publica, die in der Überlieferung als Werk des D. [1] Chalkenteros angesehen wird (Amm. 22,16,16), zuzuweisen sein. Die Gleichsetzung mit D. [4] und mit D. [2] ist nicht auszuschließen.
→ Cicero; Philoxenos; Priscianus; Thukydides

L. Cohn, s. v. D. (10), RE 5, 473 · A. Daub, Studien zu den Biographika des Suidas, 1882, 90 f. · H. Funaioli, Grammaticae Romanae Fragmenta, 1907, 447–450 · M. Schmidt, Didymi Chalcenteri fragmenta, 1854, 3, 345–349 · M. Dubuisson, Le latin est-il une langue barbare?, in: Ktema 9, 1984, 55–68.   F.M./Ü:T.H.

[4] Sohn des Herakleides (ὁ τοῦ Ἡρακλείδου), griech. Grammatiker und Musiker, in Rom zu Zeiten Neros (Mitte 1. Jh. n. Chr.) tätig (Suda δ 875). Unwahrscheinlich ist, daß es sich bei dem Grammatiker Herakleides Pontikos dem Jüngeren, einem Schüler des Didymos [1] Chalkenteros in Alexandreia, um seinen Vater handelt. Die Gleichsetzung mit dem beinahe zeitgenössischen Claudius D. (D. [3]) scheint schwierig, möglich dagegen die mit dem Verf. von Werken über die Philos. der Pythagoreer, der von Clemens von Alexandreia (strom. II,52,12 Stählin) und Porphyrios erwähnt wird.
→ Didymos [1] und [3]; Herakleides Pontikos d.J.

L. Cohn, s. v. D. 11, RE 5, 473 f. · A. Daub, Studien zu den Biographika des Suidas, 1882, 90 f. · M. Schmidt, Didymi Chalcenteri fragmenta, 1854, 345 f.   F.M./Ü:T.H.

[5] »Der Blinde«. Bed. Theologe → Alexandreias [1] (313–398 n. Chr.). Trotz Erblindung in frühester Jugend wurde der Laien-Asket D. zum berühmten Lehrer und, so Rufinus (historia ecclesiastica 11,7), von Athanasios als Leiter der Katechetenschule in Alexandreia eingesetzt. In der Systematik (Präexistenz der Seele) und Exegese von Origenes abhängig, verfügte D. mit Rufinus, Palladios, Hieronymus und Ammonios über bed. Schüler. Postum als Origenist verurteilt (Synode von Konstantinopel 543), wurde ein Großteil seiner Werke vernichtet. Der Papyrusfund im ägypt. Tura 1941 vermehrte die Textgrundlage wesentlich.

Von den zahlreichen, fast die gesamte Bibel bearbeitenden Komm., vorwiegend bruchstückhaft in Katenen, Scholien und Exzerpten erh., sind hervorzuheben: Komm. zur Gn [1], zu den Ps [2], Hiob [3], Sach [4], Prd [5] sowie zu den kath. Briefen. Die Auslegung geschieht in gewohnter alexandrinischer Art. Von den dogmatischen Schriften ist nur weniges erh., so der Traktat De spiritu sancto [6]. Gegen die Häresien seiner Zeit verteidigte D. das Nicaenum.

1 P. Nautin, L. Doutreleau, 1976; 1978 (SChr 233; 244) 2 E. Mühlenberg, 1, 1975, 121–375; 2, 1977 (Patristic Texts and Studies 15 f.) 3 A. Heinrichs, U. und D. Hagedorn, L. Koenen, 1968; 1985 (Papyrologische Texte und Abhandlungen 1–4) 4 L. Doutreleau, 1962 (SChr 83–85) 5 G. Binder et al., 1969–1983 6 L. Doutreleau, 1992 (SChr 386).

Ed.: CPG 2544–2573.
Lit.: B. Kramer, s. v. D., TRE 8, 741–746 · E. Prinzivalli, Didimo il Cieco e l'interpretazione dei Salmi, 1988.   J.RI.

Didymus

[1] Sklave von Kaiser Tiberius, der den Germanicussohn Drusus in Haft hielt. PIR² D 83.   W.E.

[2] Spanier, mit → Theodosius I. verwandt. Erhob sich, auf eine Privatarmee gestützt, 408 n. Chr. mit seinem Bruder Verinianus gegen → Constantinus [3] III. 409 besiegt, gefangen und getötet. PLRE 2, 358.   H.L.

Dieburg. Röm. Zivilsiedlung, Hauptort der *civitas Auderiensium* mit guter Infrastruktur (arch. Funde: z.B. Mithraeum). Blüte um 300 n. Chr., fiel den Alamannen-Stürmen zum Opfer.

E. Schallmayer, D., in: D. Baatz, F.-R. Herrmann (Hrsg.), Die Römer in Hessen, ²1989, 250–255.   K.DI.

Diegylis (Διήγυλις, Val. Max. 9,2 ext. 4: Diogyris). König des thrakischen Stammes der Kainoi. Schwager des bithynischen Königs → Prusias II., den er im Kampf gegen → Attalos [5] II. von Pergamon unterstützte (App.

Mithr. 6). Griff dessen Besitzungen auf der thrakischen Chersonesos an und zerstörte Lysimacheia (Diod. 33,14,2–5). Wurde 145–141 v. Chr. von Attalos besiegt (Strab. 13,4,2; Pomp. Trog. prol. 36; OGIS 330, 339 [1; 2]). Diodoros (33,14–15; 34,12) und Valerius Maximus (9,2 ext. 4) heben die Grausamkeit seiner Herrschaft und die seines Sohnes Zibelmios hervor.

1 BENGTSON, 2, 227–229 2 J. KRAUSS (Hrsg.), Die Inschr. von Sestos und der thrakischen Chersones, 1980, Nr. 1, 14–63.

CH. M. DANOV, Die Thraker auf dem Ostbalkan von der hell. Zeit bis zur Gründung Konstantinopels, in: ANRW II 7.1, 1979, 21–185, 102 f. · J. HOPP, Unt. zur Gesch. der letzten Attaliden, 1977, 96–98. U. P.

Dienst- und Ehrentracht. Durch die D. wurde ihr Träger aus der Gesellschaft hervorgehoben und in seiner Funktion kenntlich gemacht. Dies trifft bes. auf Priesterinnen, staatliche Beamte, aber ebenso auf Gesandte (Heroldsstab) o. ä. zu. In Griechenland trugen die Priester ein weißes Gewand (Plat. leg. 12,965a), den ungegürteten → Chiton, der auch rot, seltener safran- oder purpurgefärbt sein konnte. Ein Kennzeichen war auch der → Kranz (stephanophóroi, »Kranzträger«, hießen deshalb die Priester z. B. in Milet); ferner traten Priester mitunter mit den Attributen der jeweiligen Gottheit auf (Priesterinnen in Athen und Pallene). Auffällig war die Tracht des Priesters für die Opferfeiern der Gefallenen von Plataiai mit roter Gewandung und Eisenschwert. Die Arrhephoren im Dienste der Athena trugen ein weißes Gewand mit speziellem Goldschmuck. Ob das netzartige Gewand der Seher eine Theater- oder D. war, ist ungewiß (Poll. 4,116). Bei den Staatsbeamten ist es ebenfalls der Kranz, den sie als Zeichen des Amtes trugen; auch ist eine Kopfbinde belegt (FGrH 328 F 64 Philochoros, → diádēma); in Athen war der Archon Basileus mit besonderen Schuhen (βασιλίδες) und einem langen, ungegürteten Chiton (κρητικόν) bekleidet (Ostfries des → Parthenon).

Im republikanischen und kaiserzeitlichen Rom war eine D. von großer Bedeutung, da im röm. Kleiderwesen die farbliche Ausgestaltung der → Toga die politische Bedeutung ihres Trägers indizierte und vom einfachen Bürger (togatus) trennte. Die curulischen Beamten trugen als Abzeichen ihrer Würde die mit Purpursäumen versehene weiße toga praetexta und die mit Purpurstreifen versehene → Tunica (→ sella curulis). Das Recht, die toga praetexta zu tragen, verblieb ihnen auch nach Niederlegung ihres Amtes bei feierlichen Anlässen. Nur beim Triumph (vestis triumphalis) und beim Vorsitz einiger Spiele (z. B. den ludi apollinares) trug der Beamte die ganz purpurne toga picta und die palmenbestickte tunica palmata; eine Ausnahme bildete Caesar (Cass. Dio 44,4). Ebenso trugen die Kaiser das Triumphalgewand nur bei besonderen Anlässen (vgl. aber Cass. Dio 67,4 zu Domitianus), ansonsten die toga praetexta. Beim Verlassen des Bereichs domi zum Bereich militiae kleidete der Feldherr sich im Panzer mit dem

purpurnen bzw. weißen → paludamentum oder der tunica mit paludamentum (Liv. 36,3,14; 37,4,3; 40,26,2 u. ö.; Tac. hist. 2,89). Bei den Priestern bildete die doppelt gelegte toga praetexta (toga duplex, → laena) zusammen mit einer Filzkappe die Tracht der flamines nur bei den staatlichen Opfern, wenn man einmal von dem flamen Dialis absieht, der stets die toga praetexta trug.

→ Clavus; Trabea; Abb. s. → Kleidung

MOMMSEN, Staatsrecht 408–432 · R. DELBRÜCK, Die Consulardiptychen und verwandte Denkmäler, 1929 · A. ALFÖLDI, Insignien und Tracht der röm. Kaiser, in: MDAI(R) 50, 1935, 1–171 · Ders., Der frühröm. Reiteradel und seine Ehrenabzeichen, 1952 · E. KÜNZL, Der röm. Triumph, 1988, 85–108 · A. PEKRIDOU-GORECKI, Mode im ant. Griechenland, 1989, 125–132 · TH. SCHÄFER, Imperii Insignia. Sella Curulis und Fasces. Zur Repräsentation röm. Magistrate, MDAI(R) 29. Ergh., 1989 · H. R. GOETTE, Studien zu röm. Togadarstellungen, 1990, 2–19 · G. STEIGERWALD, Das kaiserliche Purpurprivileg in spätröm. und frühbyz. Zeit, in: JbAC 33, 1990, 209–239.
R. H.

Dienstreisen s. Reisen

Dierna (Δίερνα). Urspr. dakische Siedlung, die seit Traian röm. war, h. Orşova in Banat/Rumänien. Colonia iuris Italici angeblich schon in traianischer Zeit (Ulpianus in Dig. 50,15,1,8), municipium in severischer Zeit (CIL III 14468). D. lag an der Donau westl. von Drobeta und bildete den Ausgangspunkt der Landstraße nach Tibiscum und Sarmizegetusa. In der Nähe befanden sich Hafen, Zollstation und Ziegelproduktion. Militärische Besatzung bildete die cohors I Brittonum miliaria, die hier ein Lager errichtete (CIL III 8074,10); im 4. Jh. wird die legio XIII Gemina und ihr praefectus erwähnt (Not. dign. or. 42,37). Der Ort ist bis in iustinianische Zeit belegt. Quellen: Ptol. 3,8,10; Tab. Peut. (Tierna); Dig. 50,15,1,8 (Zerna); Not. dign. or. 42,37; Prok. aed. 4,6,288 (Ζέρνης). Die Form Dierna (Tsierna) ist inschr. bezeugt.

TIR L 34 Budapest, 1967, 53 (Bibl.). J. BU.

Dieron (Δίερόν). Festung im Hohen Olymp, von den Truppen des Q. Marcius Philippus beim Einfall in Makedonia 169 v. Chr. besetzt (Liv. 44,3). Lokalisiert beim Dorf Karia in ca. 1450 m Höhe.

A. RHIZAKIS, Une forteresse macédonienne dans l'Olympe, in: BCH 110, 1986, 331–346 · G. LUCAS, La Tripolis de Perrhébie et ses confins, in: I. BLUM (Hrsg.), Topographie antique et géographie historique en pays grec, 1992, 114 Anm. 243. HE. KR.

Dies atri s. Tagewählerei

Dies fasti s. Fasti

Diespiter s. Iuppiter

Dieuches (Διεύχης).
[1] Arzt und Verf. medizinischer Schriften im 4. und
evtl. frühen 3. Jh. v. Chr. Er sah den menschlichen Körper im Zeichen der vier Elementarqualitäten (Gal.
10,452), billigte den Aderlaß (11,163) und stand der
Anatomie wohlwollend gegenüber (11,795). Besonderes Ansehen verschaffte er sich durch seine Behand-
lungsmethoden (Gal. 10,28; 11,795), vor allem durch
größere Vorsicht bei der Verordnung gefährlicher Medikamente (Oreib. CMG VI 1,1,245; 292 f.). Plinius zählt
ihn zu den Gewährsleuten seiner medizinischen Bücher
(20–27), in denen er ihn an fünf Stellen zitiert (fr. 8–12
BERTIER). Die einzigen wörtlich erh. Passagen finden
sich bei Oreibasios (fr. 13–19 BERTIER), der ihn im Zusammenhang mit einer Reihe von Nahrungsmitteln
ausführlich zitiert, insbesondere solchen, die unterschiedliche Mehlsorten enthalten. Falls der Titel nicht
von Oreibasios selbst kommt, könnte seine Quelle ein
Werk des D. (›Über die Zubereitung von Nahrungsmitteln‹) sein.

Im Falle von Seekrankheit empfiehlt D. schlicht, auf
die Verabreichung eines Antiemetikums zu verzichten,
da das Erbrechen durchaus Erleichterung verschaffen
könne. Bei Neulingen in der Seefahrt komme es vielmehr darauf an, daß sie nach dem Übergeben leichte
Kost zu sich nähmen und den Blick auf die Wellen zumindest solange vermieden, bis sie sich an den Seegang
gewöhnt hätten. Zudem solle man stets Thymian oder
ähnlich wohlduftende Substanzen mit sich führen, um
dem auf Booten üblichen Gestank entgegenzuwirken
(fr. 19 BERTIER).

D., der Lehrer des Numenios von Herakleia (Athen.
1,5 B), wird regelmäßig von Galen als einer der großen
dogmatischen Ärzte (→ Dogmatiker) zitiert, deren Ansichten jedem versierten Mediziner geläufig sein sollten
(Gal. 10,28,461; 11,163,795; CMG V 9,1,70; CMG
Suppl. or. 4,69). Mit Ausnahme von Gal. 11,795 folgt
D.' Name stets dem von → Diokles, was eine Schaffenszeit um 300 v. Chr. nahelegt [2], ohne daß eine Hö-
herdatierung auf etwa 340 v. Chr. ausgeschlossen wer-
den könnte. D. wird in späteren Quellen häufig mit
Mnesitheos – ob als dessen Lehrer oder Schüler ist un-
klar – in Verbindung gebracht. Dies spricht dafür, daß
D. und Mnesitheos bzw. deren Familienmitglieder die-
jenigen sind, die auf einer auf ca. 350 v. Chr. datierten
Votivgabe aus dem Tempel des → Asklepios in Athen
Erwähnung finden (IG II² 1449 [1]). Mit Dieuches von
Kos, der im 3. Jh. v. Chr. in Delphi ausgezeichnet wurde
(FdD 3,1,515), ist er wohl nicht identisch.
→ Medizin

1 P. GIRARD, BCH 1878, 65–94 2 M. WELLMANN, s. v. D.,
RE 5, 480.

J. BERTIER, Mnésithée et Dieuchès, 1972.

V. N./Ü: L. v. R.–B.

[2] Dichter der Neuen Komödie, Sohn des Mnasiteles.
Einzig inschr. bezeugt, und zwar als Sieger an den Am-
phiaraia/Rhomaia von Oropos (frühes 1. Jh. v. Chr.)
[1].

1 PCG V, 1986, 17.   T. HI.

Dieuchidas (Διευχίδας). Sohn des Praxion aus Megara,
4. Jh. v. Chr. D. war Verf. von *Megariká* in mindestens
fünf B. mit breiter Behandlung der Frühzeit. Der Endpunkt ist unsicher, ebenso das zeitliche Verhältnis zu
→ Ephoros. Auf Abrechnungen des Tempels in Delphi
erscheint im Kollegium der *naopoioí* (»Tempelbauer«)
338–329 ein D. (Syll.³ 241 C 141; 250 I 21), der meist mit
diesem D. identifiziert wird; anders [1. 13 ff.]. Nur 11
Fragmente erhalten. FGrH 485 (mit Komm.).

1 L. PICCIRILLI, Megarika, 1975.   K. MEI.

Diffarreatio. Der *actus contrarius* zur → *confarreatio*,
diente also der Aufhebung der in dieser Form geschlossenen Ehe. Sie folgte demselben Zeremoniell. Zugleich
bewirkte sie die Aufhebung der Ehegewalt des (bisherigen) Ehemannes (→ *manus*).

1 W. KUNKEL, s. v. matrimonium, RE 14, 2277
2 TREGGIARI, 24.   G. S.

Differentiarum scriptores. Das Interesse, die spezifische Bedeutung (*proprietas ac differentia*; Quint. inst. 1
pr. 16) von stammverwandten oder formverschiedenen,
aber semantisch nahen Synonymen (*polliceri/promittere,
nullus/nemo, intus/intro,* [1. 47]) genauer zu bestimmen,
reicht in der Ant. auf die griech. Sprachphilos. zurück
(Platon und die Sophisten, Stoa, dann Cicero, Nigidius
Figulus). In Rom findet es in Beredsamkeit (Cato),
Rhet. (Quint. inst. 9,3,45 ff.), Jurisprudenz und vor allem bei den kaiserzeitlichen Grammatikern seinen Platz,
die die korrekte Sprachverwendung (»Orthoepie«) zu
bestimmen suchen. Entsprechende Materialien bei
→ Varro, → Verrius Flaccus sowie Plinius' *Dubius sermo* gelangen über Kompilationen wie → Flavius Capers
De Latinitate (HLL § 438 W.2) erst in der Spätant. in
selbständige alphabetisierte Zusammenstellungen, die
das betreffende Begriffspaar meist mit *inter . . . . (hos interest)* einführen und auch Homonymien erklären.
→ Charisius [3] (4. Jh. n. Chr.) etwa weist über → Iulius
Romanus (*qui de differentiis scribunt*, p. 266, 22 f.) mindestens auf Autoren des 3. Jh. zurück; seine eigenen *Glo-
sulae multifariae idem significantes* (B. 5, p. 408–412) werden später (vgl. HLL 5,126 f.) durch Synonymenketten
ohne Erklärung, die sog. *Synonyma Ciceronis* (p. 412–
449) und eigentliche *Differentiae* (p. 387–403) ergänzt. Es
folgt um 400 Nonius, c. 5 (p. 681–718 L.). Die urspr.
wohl anon. entstandenen Slgg. wurden häufig unter berühmte Namen (Cicero, Remmius Palaemon, Probus,
Fronto etc.) gestellt.

ED.: **1** M. L. UHLFELDER, De proprietate sermonum vel
rerum, 1954 **2** C. CODOÑER, Isidor de Sevilla, Diferencias,
1992.
LIT.: **3** J. W. BECK, De D. S. Latinis, 1883 **4** G. BRUGNOLI,

Studi sulle Differentiae verborum, 1955 **5** C. CODOÑER, Les plus anciennes compilations de 'Differentiae', in: RPh 59, 1985, 201–219.   P. L. S.

Digamma. Sechster Buchstabe des griech. Alphabets mit dem Lautwert /u̯/ am Silbenbeginn (bilabiale Aussprache wie in engl. *water*). Der Name D. (»zweifaches Gamma«, d. h. »ein Gamma über einem anderen«, vgl. ὥσπερ γάμμα διτταῖς ἐπὶ μίαν ὀρθὴν ἐπιζευγνύμενον ταῖς πλαγίοις, Dion. Hal. ant. 1,20,3) bezieht sich auf das Aussehen des Schriftzeichens Ϝ und wurde im Unterschied zu anderen Buchstabenbezeichnungen von den Griechen selbst geprägt. Das Vorbild für das D. war das kons. wāw /u̯/ des Phoinik. [3]. Das D. bezeichnete einen aus der uridg. Grundsprache ererbten Laut, der urspr. in allen griech. Dial. vorkam und daher auf archa. Inschr. noch notiert war: z. B. ἔργον (argiv. Ϝεργον) < uridg. *u̯érgom, vgl. ahd. *werc* > nhd. *Werk* [1. 222–230]. Dieser Laut ging zuerst im Ion.-Att. verloren, in den anderen Dial. erst später. Sofern noch gesprochen, dient z. T. Β oder Γ als Ersatz [4]. Im ostion. Einheitsalphabet (→ Alphabet, → Attisch), das ab ca. 400 v. Chr. langsam alle lokalen Schreibsysteme ablöst, fehlt ein entsprechendes Zeichen. Als Zahlzeichen für »6« lebt das D. jedoch indirekt weiter im → Stigma, das später als Ligatur aus σ + τ aufgefaßt wurde [1. 149]. In den homer. Epen, der ältesten alphabetgriech. Lit., legen gewisse prosodische Merkmale im Versbau die Annahme nahe, daß dieser Laut in einer Vorstufe der ep. Dichtung noch existiert haben muß. Diese Entdeckung erfolgte im 18. Jh. durch R. BENTLEY. Deutlichstes Indiz ist der bei Homer im Gegensatz zur restlichen Poesie recht häufige Hiat: Durch den auch sprachhistor. gesicherten Ansatz eines D. ergibt sich ein anstoßfreier Wortlaut. Oft besitzt das D. eine positionsbildende (→ Metrik) Wirkung: So bewirkt es in Il. 1,108 ἐσθλὸν δ᾽ οὐδέ τί πω εἶπες ἔπος nicht nur die verstechnisch erforderliche Länge in der zweiten Silbe von εἶπες (Ϝ)εἶπες (Ϝ)έπος, sondern vermeidet mit πω (Ϝ)εῖπες auch einen Hiat. Bisweilen kann der worteröffnende Hauchlaut, wenn aus *su̯ (z. T. dialektal noch als Ϝh- oder Ϝ- notiert [1. 226]) hervorgegangen, Positionslänge bewirken: φίλε ἑκυρέ (Il. 3,172) < uridg. *su̯ekuro- (vgl. altind. *śváśura-* < *su̯aś-, lat. *socer*, ahd. *swehur*) [2]. Folglich muß das D. in vorhomer. Zeit, als die betreffenden Formulierungen geprägt wurden, noch gesprochen worden sein; zur Zeit Homers war dieser Laut aber im Ion. bereits geschwunden, was bei der Beibehaltung der entsprechenden Syntagmen nicht ohne Auswirkung auf den Versbau blieb. Die D.-Wirkung ermöglicht also die Scheidung alter und junger Wortlaute, der Eigenart der → homerischen Sprache gemäß sogar im gleichen Vers: z. B. Il. 6,478 Ἰλίου ἶφι ἀνάσσειν (keine D.-Wirkung bei ἶφι, da Hiatkürzung von -ου metrisch nötig; [Ϝ]ανάσσειν mit D.-Wirkung).

Im lat. Alphabet wurde das D., aus ϜH vereinfacht (*FHE:FHAKED* auf der Fibula Praenestina), zur Wiedergabe eines erst einzelsprachlich entstandenen Phonems, des Reibelautes /f/, eingesetzt [5]; vgl. etwa *frāter*.

→ Homerische Sprache

1 SCHWYZER, Gramm., 149, 222–230 **2** P. CHANTRAINE, Grammaire homérique, Bd. 1, 1958, 116–164 **3** LSAG 24/5 **4** O. MASSON, Remarques sur la transcription du *w* par *bêta* et *gamma*, in: H. EICHNER, H. RIX (Hrsg.), Sprachwiss. und Philologie, 1990, 202–212 **5** LEUMANN, 3, 9.   R. P.

Digentia. Bach im *ager Sabinus*, nahm die *fons Bandusia* auf, floß an der Villa des Horatius Flaccus vorbei (Hor. epist. 1,18,104) und mündete von rechts in den Anio zw. Mandela und Varia; h. Licenza.

NISSEN 2, 616.   G. U./Ü: S. GÖ.

Digesta A. NAME UND ALLGEMEINE BEDEUTUNG B. ÄUSSERER ABLAUF DER GESETZGEBUNG UND STUDIENREFORM   C. DIE ARBEITSWEISE DER KOMPILATOREN   D. ÜBERLIEFERUNG

A. NAME UND ALLGEMEINE BEDEUTUNG

Die D. (von *digerere*, »einordnen«) sind das Kernstück der Rechtserneuerung durch den Kaiser Iustinian: Nach der Sammlung der Kaiserkonstitutionen (s. → Codex) im Jahre 529 n. Chr. folgten 533 die *Institutiones* als juristisches Einführungslehrbuch mit Gesetzeskraft, im selben Jahr die Sammlung der klass. Juristenschriften, D., und schließlich noch 534 die Überarbeitung des *Codex*. D. ist urspr. eine juristische Literaturgattung für die Behandlung von Rechtsfragen sowohl des *ius civile* als auch des *ius honorarium*. Bei der Namengebung wird an bedeutende Werke dieses Titels gedacht worden sein (die *Digesta* von Alfenus Varus, Celsus, Iulianus und Marcellus), während schon der Spätant. angehörende Sammelwerke wie die *Fragmenta Vaticana* und die → *Collatio legum Mosaicarum* ebenso wie ein verschiedentlich vermutetes *Praedigestum* der klassizistischen Rechtsschule kaum Bedeutung gehabt haben dürften.

B. ÄUSSERER ABLAUF DER GESETZGEBUNG UND STUDIENREFORM

Am 15.12.530 wurde mit der Konstitution *Deo auctore* für die Arbeit einer Kommission die Rechtsgrundlage geschaffen, die zur Aufgabe hatte, die Werke von Autoren zu prüfen, die mit dem *ius respondendi* ausgezeichnet gewesen waren (§ 4). Das Bleibende sollte in D. *sive Pandectae* (§ 12) gesammelt, in 50 Büchern geordnet und weiter nach Titeln unterteilt werden, wobei der *Codex* oder die Gliederung des *edictum perpetuum* als Vorbild dienen sollte.

Tribonianus als *quaestor sacri palatii* sollte die Kommission mit den fähigsten Juristen seiner Wahl besetzen (Const. Deo auctore § 14). Am Ende ihrer Tätigkeit (533) gehörten ihr Tribonianus (nun *magister officiorum*) als Leiter, ferner von der Spitze der Kaiserkanzleien noch Constantinus (*comes sacrarum largitionum et magister scrinii libellorum sacrarumque cognitionum*) an, von Konstantinopels Rechtsschule die Professoren Theophilos (*magister iurisque peritus*) und Kratinos (*comes sacrarum largitionum et optimus antecessor*), von der Rechtsschule Berytos die Professoren Dorotheos (*facundissimus quaesto-*

rius) und Anatolios (*magister et iuris interpres* aus alter Juristenfamilie) sowie elf beim Gericht des *praefectus praetori Orientis* zugelassene Advokaten (*viri prudentissimi, patroni causarum*). Fast 2000 Buchrollen mit insgesamt über drei Millionen Zeilen wurden in drei Jahren gelesen, exzerpiert, z. T. emendiert und geordnet (Const. Tanta § 1) und dabei auch Autoren, die vor Augustus gewirkt hatten, berücksichtigt. Das Sammelwerk, das schließlich 150000 Zeilen umfaßte, ist am 16.12.533, begleitet von dem griech. und lat. gefaßten Einführungsgesetz *Tanta* (griech. *Dédōken*), publiziert worden. Nach den zwar detaillierten, aber nicht ganz zutreffenden Angaben des *Index Florentinus* sollen Exzerpte aus 38 Autoren mit insgesamt 1505 Büchern in die *D.* aufgenommen worden sein. Nach einer Berechnung waren es 1625, nach einer anderen 1528 Bücher [1. 147, 286]. Wenn man auch die (unbekannte) Zahl der von der Kommission zwar gelesenen, aber nicht berücksichtigten Werke (Const. Deo auctore § 4) hinzurechnet, läßt sich ein gewisser Ausgleich der Unstimmigkeiten erreichen.

Das Werk sollte – zusammen mit den *Institutiones* und dem *Codex* – nicht nur die Rechtsanwendung vereinheitlichen, sondern auch als Reformgesetz die Juristenausbildung an den Rechtsschulen in Rom, Konstantinopel und Berytos erneuern, vereinheitlichen und verbessern. Gleichzeitig sollte die Ausbildung auf diese drei Orte konzentriert werden; Ausbildungsstätten wie die in Caesarea (Palästina) und Alexandria wurden wegen unzureichender Qualität geschlossen (Const. Omnem § 7). Ein Plan für ein erneuertes, wohl nach wie vor fünfjähriges Studium wurde im J. 533 entwickelt (ebd. § 1) und mit der Const. *Tanta* (535) präzisiert. Zu Ausbildungszwecken wurden die *D.* in sieben Abschnitte eingeteilt (Const. Tanta § 2–8): Im ersten Studienjahr sollten die *novi Iustiniani* die Institutionen und den ersten Digestenabschnitt (D. 1–4; Const. Omnem § 2) studieren. Die *Edictales* des zweiten Studienjahres hatten sich wahlweise mit den sieben Büchern zum Gerichtsverfahren (D. 5–11: *secundus articulus*, Const. Tanta § 3) oder mit den acht Büchern zum Sachenrecht (D. 12–19: *tertia congregatio*, Const. Tanta § 4) zu beschäftigen, außerdem mit jeweils einem weiteren Buch aus vier Gruppen von insgesamt 14 aufeinander folgenden Büchern, nämlich dem Ehegüterrecht (D. 23–25, Teil des *quartus locus* oder *umbilicus*, der von D. 20 bis D. 27 reicht), dem Recht der Vormundschaft und Pflegschaft (D. 26–27), dem gesamten Recht der Testamente, Vermächtnisse und Fideikommisse (D. 28–34) mit weiterer erbrechtlicher Materie (D. 35–36), also dem fünften Abschnitt (D. 28–36: *quintus articulus*, Const. Tanta §§ 6–6 b). Die *Papinianistae* des dritten Jahres mußten die im Vorjahr nicht gewählten Bücher lesen, außerdem die Bücher über die Klage aus Mobiliar- oder Grundpfandrechten (D. 20), das Edikt der Ädilen und verwandte Materien (D. 21) sowie Buch 22 (Const. *Tanta* § 5) mit gehäuften Eingangsfragmenten aus Papinians *Responsae* bzw. *Quaestiones* (daher die Bezeichnung für diesen Studienab-

schnitt). Die »Fall-Löser« (*lytai*) des vierten Studienjahres hatten die bis dahin übersprungenen Bücher aus den vierten und fünften Abschnitten (D. 23–36) nachzuholen. Der Rest (D. 37–50) einschließlich der beiden *terribiles libri* (D. 47; 48) über Delikte und das Strafverfahren (Const. *Tanta* § 8a) blieb dem späteren Selbststudium vorbehalten. Das Studium der fortgeschrittenen »Fall-Löser« (*prolytai*) galt den Kaiserkonstitutionen des iustinian. *Codex*.

C. Die Arbeitsweise der Kompilatoren

Für die Arbeitsweise, mit der die Kommission die *D.* in so kurzer Zeit fertigstellen konnte, gilt heute nahezu unangefochten die sog. »Bluhmesche Massentheorie«. 1830 hatte Fr. Bluhme drei Unterkommissionen angenommen, die unterschiedliche Stoffmassen zu bewältigen hatten: das *ius civile* (»Sabinus-Masse«), das *ius honorarium* (»Edikts-Masse«) und die Quaestionen- und Responsen-Lit. (»Papinian-Masse«). Als während der Kommissionsarbeit schließlich eine weitere Textgruppe entstanden war, wurden diese Fragmente einer »Appendix-Masse« zugewiesen, die verteilt wurde, nachdem die drei Kommissionen ihre Ergebnisse zusammengefügt hatten.

D. Überlieferung

Die wichtigste Hs. der *D.* ist die wohl noch aus dem 6. Jh. stammende Littera Florentina (905 Blätter in 2 Bänden). Nach neueren Forsch. wurde sie in Südit. verwahrt, ehe sie der Legende nach im J. 1135 als Kriegsbeute von Amalfi nach Pisa und schließlich 1409 nach Florenz kam, wo sie seit 1783 in der Biblioteca Medicea Laurenziana aufbewahrt wird (ein etwas verkleinerter und an den Rändern beschnittener Faksimile-Druck ist 1988 in Florenz erschienen). Die Florentina (*F*) war bereits in der Ant. anhand zweier Kontrollhss. (F¹ und F²) korrigiert worden. Einzelne, ebenfalls der Spätant. zuzurechnende Digestenfragmente, die von der Florentina unabhängig sind, finden sich in den griech. Quellen d. Rechtsschulen. Außerdem gibt es noch wenige Papyrusfragmente, die mit *F* zeitgleich sein könnten. Sonst gehen alle weiteren Texte des MA wohl auf eine heute verlorene beneventanische Abschrift zurück, die über einen verschollenen Codex Secundus (*S*) ebenfalls auf *F* weist. Da *S* an einigen Stellen aber *F* korrigiert, muß ihm auch ein von *F* unabhängiger Text als Nebenquelle zugrundeliegen, der möglicherweise aber nur ein Digestenauszug war. Die Littera Bononiensis, also der Text, mit dem Bolognas Glossatoren gearbeitet hatten, kann gegenüber *F* bessere Lesarten haben.

Die Dreiteilung der *D.* in ein *digestum vetus* (D. 1,1–24,2), *infortiatum* (D. 24,3–38) und *digestum novum* (39,1–Ende) ist seit der Littera Bononiensis (dem Text der Rechtsschule von Bologna) üblich und wird erst von den humanistischen Editionen aufgegeben. Vermutungen über den Grund und die Herkunft der Dreiteilung sind spekulativ.

Die heutigen Texte (vor allem P. Krüger, Berlin 1872, und die zweibändige Taschenausgabe, Milano 1908, hrsg. von Bonfante, Fadda, Ferrini, Riccobo-

NO und SCIALOJA) beruhen auf der von TH. MOMMSEN 1870 besorgten Editio maior, wobei die Mailänder Ausgabe stärker die Florentina berücksichtigt.

Zur Bedeutung und Zuverlässigkeit der D. als histor. Quelle, auch zum Problem der Interpolationen und Textstufen s. → RECHTSGESCHICHTE (ROMANISTIK), außerdem → HUMANISMUS, JURISTISCHER. Zur einzigartigen Nachwirkung der D. als Grundlage der europ. Rechtswiss. seit der Schule von Bologna und der Rezeption des röm. Rechts im späten MA s. → DIGESTEN; GLOSSATOREN; IUS COMMUNE.

1 T. HONORÉ, Tribonian, 1978.

TH. MOMMSEN, Digesta Iustiniani Augusti, 2 Bde., 1870 · WIEACKER, RRG, 122 ff. · P. JÖRS, s. v. D., RE 5, 484–543 · DULCKEIT/SCHWARZ/WALDSTEIN, §§ 43, 44 · L. WENGER, Die Quellen des röm. Rechts, 1053, 576–600, 853–877 · L. MITTEIS, E. LEVI, E. RABEL (Hrsg.), Index Interpolationum quae in Iustiniani Digestis inesse dicuntur I, 1929, II, 1931, III, 1935, Suppl. I, 1929 · O. BEHRENDS, R. KNÜTEL, B. KUPISCH, H. H. SEILER (Hrsg.), Corpus Iuris Civilis, Text und Überlieferung, II Digesten 1–10, 1995. W. E. V.

Diglossie. Der Begriff »D.« (nicht mit dem »Bilinguismus« zu verwechseln, → Zweisprachigkeit) wurde bereits Ende des 19. Jh. zur Charakterisierung der griech. Sprachsituation eingesetzt; zu einem der zentralen Konzepte der Soziolinguistik wurde er aber erst mit CH. FERGUSONS Aufsatz [1], in dem aus den Beispielen Schweizerdeutsch, (Neu-)Griech., Arab. und Haiti-Kreol seine kanonische Definition entwickelt wird. Nach dieser ist D. eine Sprachsituation, in der der gesprochenen Primärsprache (von FERGUSON »L« wie »Low« gen.; für den griech. Sprachraum wäre das die δημοτική, dhimotikí), sei sie regional differenziert oder weitgehend einheitlich, eine genetisch nicht unbedingt verwandte, und in Lautstand, Morphologie und Wortschatz stark abweichende, kodifizierte Sprache (mit »H« wie »High« etikettiert, also etwa die καθαρεύουσα, katharévusa), meist die Sprache eines umfangreichen, als maßgeblich erachteten lit. Korpus, übergeordnet ist. Während die L-Varietät von allen Mitgliedern einer Sprachgemeinschaft ungesteuert ›auf natürlichem Wege‹ erworben wird und für die alltäglichen Kommunikationsbedürfnisse zuständig ist, muß die prestigeträchtige H-Varietät, die in geschriebener und formaler Kommunikation für verpflichtend erachtet wird, auf dem Wege des Unterrichts erlernt werden; das Verhältnis beider ist also komplementär, und über die Verteilung besteht gesellschaftlicher Konsens. Die H-Varietät stellt auch das alleinige Objekt der Sprachpflege und vor allem des Sprachausbaus dar, weshalb L durch H in allen Funktionen ersetzt werden kann, aber nicht umgekehrt, weshalb der Beseitigung einer D.-Situation Sprachplanungsaktivitäten vorausgehen müssen, um L überhaupt für alle Kommunikationsbedürfnisse »aufzurüsten«, was häufig durch Entlehnungen aus H geschieht.

Dieses moderne Konzept ist nun in der Tat geeignet, die sozialen Bezüge der ant. Standardsprachen adäquat zu beschreiben: Das Verhältnis zw. Mittelägypt. und Neuägypt., Akkad. und Aram., Hebr. und Aram., schließlich Att. und Koine sowie Lat. und Vulgärlat. ist im Prinzip vergleichbar. Letzte Ursache dafür sind die Kommunikationsbedingungen vormoderner Staaten: Schriftliche Kompetenz ist nur für eine kleine Elite nötig und erwünscht. Speziell im Fall der beiden »klass.« Sprachen sollten die in der Ant. wurzelnden Verhältnisse bis ins 19. Jh. Bestand haben; im Arab., der jüngsten ant. Schriftsprache, gelten sie noch heute [2].
→ NEUGRIECHISCHE SPRACHE

C. FERGUSON, Diglossia, in: Word 15, 1959, 325–340, 336 · J. NIEHOFF-PANAGIOTIDIS, Koine und D., 1995.
V. Bl. u. J. N.

Dikaia (Δίκαια). Die wahrscheinlich in der Mitte des 6. Jh. unter Mithilfe des Peisistratos gegr. Kolonie von → Eretria lag östl. von Aineia im Landesinneren (wohl bei Trilofo) und ist bis in die ersten Jahre des Peloponnesischen Krieges als Mitglied des → Attisch-Delischen Seebundes bezeugt. Sie konnte in der ersten H. des 4. Jh. ihre Autonomie bewahren und wurde spätestens 349/8 maked. Ihr weiteres Schicksal ist unbekannt.

F. PAPAZOGLOU, Les villes de Macédoine à l'époque romaine, 1988, 202 · D. VIVIERS, Pisistratus' Settlement on the Thermaic Gulf: a Connection with the Eretrian Colonization, in: JHS 107, 1987, 193–195 · M. ZAHRNT, Olynth und die Chalkidier, 1971, 181 f. M. Z.

Dikaiarchos von Messene (in Sizilien [1. 43]), Schüler des → Aristoteles.
A. LEBEN B. WERKE C. SEELENTHEORIE
D. SOZIALPOLITISCHE THEORIE

A. LEBEN
D. (* ca. 375. v. Chr.?) verbrachte einen Teil seines Lebens auf der Peloponnes (Cic. Att. 6,2,3; Fragmente und Zeugnisse bei [1]; Aufzählung der Schriften bei [2]). Wie bei anderen frühen Peripatetikern ist die Breite von D.' Interesse bemerkenswert; er wird von Varro (rust. 1,2,6) und von Plinius (nat. 2,162) als ›höchst gelehrt‹ beschrieben, von Cicero (Att. 6,2,3) als ›sehr gut unterrichtet‹ (ἱστορικώτατος).

B. WERKE
Ein Werk über Kulturgesch. mit dem Titel ›Leben von Griechenland‹ (Βίος Ἑλλάδος, Bíos Helládos) begann mit dem Goldenen Zeitalter, dem eine Periode des Hirtentums folgte; es schloß myth. Material zum griech., aber auch babylon. und ägypt. Bereich ein. D. schrieb Biographien von Pythagoras und Platon sowie Werke über Homer und Alkaios. Seine einleitenden Bemerkungen (»Hypothesen«) zu den Dramen von Sophokles und Euripides behandelten vielleicht hauptsächlich Details der Aufführung. Ihre Beziehung zu den späteren Inhaltsangaben euripideischer Dramen ist umstritten (siehe [3] und die Verweise dort). Seine Werke über dramatische und musische Wettbewerbe waren eine wichtige Quelle für spätere Gelehrte. D. trug auch

zur Entwicklung der mathematischen Geographie wesentlich bei; er teilte die bewohnte Welt durch eine gerade Linie von den Säulen des Herakles bis zum Himalaya (Agathemeros, Geogr. inform. proem. 5 = fr. 110 WEHRLI). Die Schrift über die Höhe der Berge der Peloponnes (Suda s. v. Dikaiarchos = fr. 1 WEHRLI) war wohl eher ein Teil dieser allg. geogr. Abhandlung als ein unabhängiges Werk ([1. 75], vgl. aber [4. 538]). Die Texte, die D. in GGM 1,97–110 und 1,238–243 zugeschrieben werden, sind unecht [1. 80; 5. 562f.].

C. SEELENTHEORIE

Den ant. Berichten zufolge (fr. 5–12 WEHRLI) soll D. entweder die Existenz der Seele bestritten oder behauptet haben, sie sei 1. als eine »Harmonie« der vier Elemente zu definieren, 2. nichts anderes als der Körper in einem bestimmten Zustand, 3. eine Kraft, die sich in einem solchen Körper befinde. Die letzten zwei Definitionen, von Cic. Tusc. 1,10,21 (wo ein in Korinth spielender Dialog von D. zitiert wird) und S. Emp. 1–7,349, entsprechen wohl D. am genauesten [6]. Die Bedeutung der »Harmonie« dagegen wurde in der doxographischen Tradition wohl seit Aristoxenos auf D. übertragen, während die Ansicht von einer Harmonie der vier Elemente oder der vier Primärqualitäten (Nemesius, De natura hominum 2,17,10 MORANI) aus der von Platon diskutierten Theorie (Phaid. 86a-d, 92a-94e) stammt. Der chronologische wie auch inhaltliche Bezug von D.' These zu derjenigen von Aristoteles, der die Harmonie-Theorie verwirft (an. 1,4), ist umstritten [6; 7; 8]. Atticus (fr. 7,10 DES PLACES) und Nemesius (De natura hominum 2,17,10 MORANI) bringen D. mit Aristoteles selbst in Verbindung, da beide die Substantialität der Seele leugnen; doch diese Kritik erfolgt von einem tendenziösen platonischen Standpunkt, und D.' Sichtweise ist vielleicht nicht weit entfernt von einer funktionalistischen Interpretation von Aristoteles' eigener Position (s. auch → Alexandros [26] von Aphrodisias). D. verneinte sicherlich jegliche Unsterblichkeit der Seele (Cic. Tusc. 1,31,77 zitiert dazu seinen ›Lesbischen Dialog‹).

Berichte (DIELS, DG p. 416,1; 639,27), daß D. wie auch Aristoteles die Weissagung in Träumen und die prophetische Inspiration mit dem Anteil der Seele am Göttlichen erkläre, lassen sich auf das Konzept, daß die Natur als Ganzes göttlich sei, zurückführen (so Aristot. somn. 463 b 14ff.); Vermutungen bei Cic. (div. 1,50,113; 2,48,100), daß die Seele sich im Schlaf vom Körper trenne, spiegeln vielleicht die Übertragung einer Sichtweise des Kratippos auf D. wider ([1. 46], vgl. aber [9]). D.' Schriften enthielten auch ein Werk über das Orakel des Trophonios.

D. SOZIALPOLITISCHE THEORIE

Im *Tripolitikos* entwickelte D. die Lehre von der gemischten Verfassung, die schon von Platon (leg. 4,712 d) und Aristoteles (Pol. 2,6,1265b 33) auf Sparta angewandt worden war: diese vereint Elemente der Monarchie, Aristokratie sowie Demokratie und ist dadurch jeder einzelnen von diesen überlegen. Diese Lehre wurde

von Polybios (6,11,11) und Cicero (rep. 1,69–70; 2,65) auf Rom angewandt; ob D. ihre Quelle war, ist jedoch zweifelhaft (vgl. [1. 65f.], auch [10; 11]). Der *Tripolitikos* ist vielleicht identisch mit einem Werk über die Verfassung von Sparta [1. 64]; die Existenz von Arbeiten über die Verfassungen Korinths, Athens und Pellenes ist zweifelhaft [1. 64f.]. Das Werk ›Über das Opfer in Troia‹ war vielleicht eine Kritik an Alexander dem Großen [2. 761].

Cicero stellt D. als einen Vertreter des aktiven Lebens dar (Att. 2,16,3), obwohl D. gegen Theophrastos das kontemplative Leben verteidigt; die Debatte spiegelt schon in Aristot. eth. Nic. 10,7–8 enthaltene Passagen wider. Ein Werk ›Über die Zerstörung von Menschen‹ enthielt die Annahme (Cic. off. 2,5,16), daß Menschen mehr als von irgendetwas sonst von anderen Menschen bedroht wurden.

→ Alexandros [26]; Aristoteles; Aristoxenos; Kratippos; Theophrastos

1 WEHRLI, Schule 1, ²1967 2 J.-P. SCHNEIDER, Dicéarque de Messene, in: Goulet 2, 760–764 3 P. CARRARA, Dicaearco e l'hypothesis del Reso, in: ZPE 90, 1992, 35–44 4 F. WEHRLI, D. von Messene, in: GGPh² 3, 535–539 5 E. MARTINI, s. v. D. (3), in: RE 5, 546–563 6 H. B. GOTTSCHALK, Soul as harmonia, in: Phronesis 16, 1971, 179–198 7 G. MOVIA, Anima e intelletto: ricerche sulla psicologia peripatetica da Teofrasto a Cratippo, 1968, 71–93 8 J. E. ANNAS, Hellenistic Philosophy of Mind, 1992, 30f. 9 MORAUX I, 1973, 243–247 10 F. W. WALBANK, A Historical Commentary on Polybius, I, 1957, 639–641 11 I. G. TAIFACOS, Il De republica di Cicerone e il modello Dicaearcheo della costituzione mista, in: ΠΛΑΤΩΝ 31, 1979, 128–134.

G. J. D. AALDERS, Die Theorie der gemischten Verfassung im Alt., 1968, 72–81 · W. W. FORTENBAUGH, D. C. MIRHADY (Hrsg.), Dicaearchus of Messene (in Vorbereitung). R.S./Ü:E.KR.

Dikaiogenes (Δικαιογένης).

[1] Athener aus reicher und angesehener Familie (DAVIES, 145–149 Taf. II). Als Trierarch der Staatstriere Paralos fiel er 412/11 v. Chr. bei Knidos. Um sein testamentarisch vermachtes Vermögen wurde 389 ein Rechtsstreit ausgetragen (Isaios, or. 5). TRAILL, PAA 324245. W.S.

[2] aus Athen (?), Tragödien- und Dithyrambendichter. Im 4. Jh. v. Chr. Sieg an den ländlichen Dionysien im Demos Acharnai im Trag.- oder Dithyrambenagon (DID B 6). Überlieferte Titel: *Médeia* und *Kýprioi*, in denen es nach Aristot. poet. 1554b 37ff. eine Anagnorisis διὰ μνήμης gegeben habe.

TrGF 52. F.P.

Dikaspolos (δικάσπολος). Im homer. Epos funktionelle Bezeichnung für einen König oder einen Geronten (Mitglied der Ältestenversammlung) in der Rolle als »Richter« (Il. 1,238). Er ist durch Benützung des Szepters hervorgehoben und verkündet die auf Zeus beruhenden Rechtssprüche (θέμιστες, *thémistes*). Wie man

sich diese vorzustellen hat, hängt davon ab, welcher Theorie des Ablaufes eines Rechtsstreits (→ *dikázein*) man anhängt.

M. SCHMIDT, LFE 2, 1991, 302.   G. T.

Dikasterion (δικαστήριον). A. ATHEN 1. GERICHTSSTÄTTE 2. ENTSCHEIDUNGSKÖRPER 3. VERFAHREN B. ÜBRIGES GRIECHENLAND

A. ATHEN
1. GERICHTSSTÄTTE

Es gab zwei Arten von Gerichtsstätten: solche, an denen über Tötungsverbrechen gerichtet wurde (φονικά, *phoniká*), und solche, an denen andere öffentliche oder private Klagen verhandelt wurden. Die ersten, fünf an der Zahl, waren aus sakralen Gründen am Stadtrand und nicht überdacht, um eine Befleckung durch den Angeklagten zu vermeiden (Antiph. 5,11; Aristot. Ath. pol. 57,4), die zweiten lagen am Markt oder in seiner unmittelbaren Nähe. Sie waren bis auf die beiden größten, die *Hēliaía* (Ἡλιαία) und die Stätte der → *ekklēsía* (ἐκκλησία) mit einem Dach versehen. Die *phoniká* waren nach Heiligtümern benannt, so »der Rat auf dem Areshügel« (ἡ ἐν Ἀρείῳ πάγῳ βουλή; → Areios pagos), »die Gerichtsstätte beim Palladion« (τὸ ἐπὶ Παλλαδίῳ) neben einem der Göttin Pallas Athene geweihten Tempel, »die beim Delphinion« (τὸ ἐπὶ Δελφινίῳ), »die beim Amtsgebäude der Prytanen« (τὸ ἐπὶ Πρυτανείῳ; → Prytaneion) und *to en Phreattoí* (τὸ ἐν Φρεαττοῖ) nach dem heiligen Bezirk eines Heros Phreatto an der Küste auf der Peiraieus-Halbinsel.

Vor den Gerichtsstätten, die auf der → Agora für die Tagung der Geschworenengerichte bestimmt waren, blieb ein geräumiger Platz abgegrenzt, von dem aus sämtliche Gerichtsstätten betreten werden konnten. Hier wurden die Richter für die Geschworenengerichte ausgelost. Eine bes. große, ab der Mitte des 4. Jh. v. Chr. nachgewiesene Gerichtsstätte war die → Heliaia. Auf der Agora tagte auch die Vollversammlung des Volkes unter einem aus den → Prytanen erlosten Vorsitzenden, wenn sie ausnahmsweise über Freisprechung oder Verurteilung eines Angeklagten abzustimmen hatte [1]. Als weitere Gerichtsstätten der Volksgerichte kennen wir noch mehrere, deren Verwendung als Gerichtsstätte sich aus der Benennung nicht unmittelbar ergibt: so z. B. das → Odeion, die → Stoa poikile und die → Stoa basileios (Demosth. or. 25,23). Am Eingang jeder Gerichtsstätte stand ein Bild des nach seiner Wolfsgestalt benannten *Hēros Lýkos* (Ἥρως Λύκος), der als Beschützer der Angeklagten galt. Die Geschworenen saßen auf mit Schilfmatten belegten Holzbänken, die den Vorsitz führenden Amtsträger auf einem Podest (βῆμα, *bẽma*), die Parteien mit ihrem Beistand auf einem bes. Podest. Ein drittes war für den Vortrag der Parteien und die Aussagen der Zeugen vorgesehen. In der Nähe dieser Rednerbühne befand sich ein steinerner Tisch zum Auszählen der Stimmen (Aristoph. vesp. 333). Zur weiteren Ausrüstung gehörten noch zwei Stimmurnen (→ *kadískoi*) und

eine Wasseruhr (→ *klépsydra*). Gegen die Zuschauer waren die Gerichtsstätten durch Schranken (*drýphaktoi*) und ein hölzernes Gittertor (*kinklís*) abgegrenzt. Auf der Felskuppe des Areshügels dienten den Redenden zwei rohe Steine als Bühnen: der des Angeklagten hieß »Stein der Überheblichkeit« (λίθος Ὕβρεως) und der des Klägers »Stein der Unversöhnlichkeit« (λίθος Ἀναιδείας). Dort stand auch die Stele, auf der die Blutgesetze aufgezeichnet waren (Lys. 1,30). In unmittelbarer Nähe befand sich ein der Athene → Areia geweihter Altar und ein Heiligtum der Erinyen.

2. ENTSCHEIDUNGSKÖRPER

D. bezeichnete in Athen auch die zahlreichen Kollegialgerichte (eine bindende Prozeßentscheidung durch einen Einzelrichter war den Athenern fremd). Über den Ursprung der seit Drakon (vor 600 v. Chr.) bezeugten 51 → *ephetaí* herrscht Unklarheit. Die ungerade Zahl verhinderte Stimmengleichheit. Der Areiopag setzte sich aus ehemaligen Archonten (→ Archontes [I]) zusammen, die dem Kollegium lebenslänglich angehörten. Hier konnte es zu Stimmengleichheit kommen, die jedoch zum Freispruch des Angeklagten führte (Ant. 5,51; schol. Demosth. or. 24,9). Der Areiopag entschied über Klagen wegen vorsätzlicher (bzw. eigenhändiger) Tötung, die Epheten waren für unvorsätzliche (bzw. nur mittelbar bewirkte) Tötung und andere Blutklagen zuständig. Die übrigen Prozesse kamen vor die Heliaia, die mit Geschworenen (→ *dikastḗs*) besetzt waren. Sie wurden auf Solon zurückgeführt und erlebten in der Demokratie des 5. und 4. Jh. ihre Blüte. In Privatsachen wurde durch Los ein d. von 201 oder (bei einem Streitwert von über tausend Drachmen) von 401 Geschworenen zusammengestellt, für polit. Prozesse sind 501 bis 2501 Geschworene belegt, einmal 6000. Urspr. wurden die d. jährlich, doch nach Aristot. Ath. pol. 63,4 jeden Tag neu erlost, um Bestechung zu vermeiden. Nicht als d. bezeichnet wurden der Rat (→ *bulḗ*) oder die Volksversammlung (→ *ekklēsía*), wenn diese als Gericht tätig waren.

3. VERFAHREN

Die athenischen Massengerichte bedurften einer straffen Organisation. Ein »Gerichtsvorstand« (→ Attisches Recht C.) hatte die Klage anzunehmen, das Vorverfahren durchzuführen (→ *anákrisis*), sich einem Termin zulosen zu lassen und schließlich am Gerichtstag das Verfahren zu leiten (ἡγεμονία τοῦ δικαστηρίου). Auf die Entscheidung des Prozesses hatte der Gerichtsvorstand keinen Einfluß, sie fiel automatisch mit Auszählen der im d. geheim abgegebenen Stimmen. Die Abstimmung folgte unmittelbar auf die mit → *klepsýdra* den Parteien genau zugemessene Redezeit.

B. ÜBRIGES GRIECHENLAND

D. sind häufig bezeugt, jedoch darf man die Verhältnisse der athenischen Demokratie nicht einfach übertragen. Am ehesten vergleichbar scheint Syll.[3] 953 (Kalymna) oder IPArk 3, ganz anders aber 5 (beide Tegea), 8 (Mantineia) und 17 (Stymphalos). Im ptolemäischen Ägypten wurde in der 1. H. des 3. Jh. neben anderen

Gerichten ein *d.* (»Zehnmännergericht«) für die griech. und die sonstige eingewanderte Bevölkerung eingerichtet.

1 BUSOLT/SWOBODA, 990.

A. R. W. HARRISON, The Law of Athens II, 1971, 43 ff. · G. THÜR, The Jurisdiction of the Areopagos, in: M. GAGARIN (Hrsg.), Symposion 1990, 1991, 53 ff. · H.-A. RUPPRECHT, Einführung in die Papyruskunde, 1994, 143 · A. L. BOEGEHOLD, The Lawcourts of Athens (Ath. Agora 28), 1995.   G. T.

Dikastes (δικαστής). In den griech. Stadtstaaten saßen nicht Berufsrichter zu Gericht, vielmehr wurde das → *dikastḗrion* mit Laien besetzt. *D.* ist also am besten mit »Geschworener« zu übersetzen. Jeder unbescholtene männliche Bürger im Alter von über 30 Jahren konnte sich in Athen als *d.* melden. Er bekam als »Ausweis« ein Täfelchen ausgehändigt, das seinen Namen enthielt, und mußte zu Beginn jedes Jahres den »Heliastischen Eid« schwören, gemäß den Gesetzen abzustimmen (Dem. or. 24, 149–151). Für den Tag, den der *d.* zu Gericht saß, wurde er bezahlt (→ *dikastikós misthós*). Wer als Staatsschuldner die Funktion des *d.* ausübte, wurde mit dem Tode bestraft (Aristot. Ath. pol. 63,3). In Stymphalos wurde auch ein Mitglied eines kleineren Gerichtshofs als *d.* bezeichnet, das Mindestalter betrug dort 40 Jahre. Urspr. nannte man in Athen auch den Amtsträger, der ein Gerichtsverfahren einsetzte, *d.* (Demosth. or. 23,28).

A. R. W. HARRISON, The Law of Athens II, 1971, 44–49 · G. THÜR, H. TAEUBER, Prozeßrechtliche Inschr. Arkadiens, 1994, Nr. 17, Z. 16.   G. T.

Dikastikos misthos (δικαστικὸς μισθός). Tagegelder für athenische Geschworene seit Mitte des 5. Jh. v. Chr. (Aristot. Ath. pol. 2,2). In der frühen Demokratie Athens galt der Grundsatz der demokratischen staatsrechtlichen Gleichheit. Die zunehmende wirtschaftliche und soziale Ungleichheit führte aber in der Folge dazu, daß nur wirtschaftlich unabhängige Bürger, also nur der wohlhabende Teil der Stadtbevölkerung, an den Gerichtsversammlungen teilnahmen, während die minderbemittelten oder armen Bürger, bes. die Landbevölkerung, die Arbeit, die sie ernährte, nicht zwecks Ausübung des Geschworenendienstes im Stich lassen konnte und wollte. Deshalb führte die gefestigte Demokratie unter Perikles Tagegelder ein, die die Athener als *d.m.* (Richtersold) bezeichneten. Sie entsprachen in der Höhe etwa dem Durchschnitt eines Tagesverdienstes und betrugen urspr. wahrscheinlich einen → Obolos. Perikles wurden für diese Neuerungen eigensüchtige Beweggründe unterstellt (Aristot. Ath. pol. 27,3; Plut. Perikles 9), auch glaubte man, daß die Verschlechterung der Gerichtshöfe eine unmittelbare Folge der Einführung der Diäten sei (Aristot. Ath. pol. 27,4; Plat. Gorg. 515e). Infolge der Notlage der Bürgerschaft kam es im Peloponnesischen Krieg zu einer Erhöhung auf zwei Obolen für jede Sitzung (schol. Aristoph. Vesp. 88) und im J. 425 durch Kleon auf ein → Triobolon. Die oligarchische Reaktion kehrte im J. 411 wieder zu dem Grundsatz zurück, daß für die Ausübung einer staatlichen Funktion keine Entschädigung gezahlt werden solle (Thuk. 8,65,3; 67,3; Aristot. Ath. pol. 29,5), ein Grundsatz, an dem auch in der nachfolgenden Demokratie festgehalten wurde (Thuk. 8,97,1). Nach der Wiederherstellung der Volksgerichte nach dem Fall der Dreißig wurden die Tagegelder in der alten Höhe von drei Obolen wieder eingeführt. Dieser Satz bestand bis in die Zeit des Aristoteles im 4. Jh. v. Chr. weiter (Ath. pol. 62,2). Allerdings reichte er damals kaum noch zur Befriedigung der notwendigsten Bedürfnisse aus (Isokr. or. 7,54).

→ Dikasterion

A. R. W. HARRISON, The Law of Athens II, 1971, 48 f. · J. BLEICKEN, Die athenische Demokratie, ²1994, 208.   G. T.

Dikazein (δικάζειν). Das Wort (ungefähr: »Recht [aus]üben«) hängt mit der Streitbeendigung durch Urteil zusammen. Ob das Urteil urspr. vor einem »Schiedsrichter« gefällt wurde, den beide Parteien einvernehmlich bestellt hatten, ist höchst fraglich. Eher war *d.* in der Frühzeit die Tätigkeit eines zumindest ansatzweise mit staatlicher Autorität ausgestatteten Ältestenrates oder Funktionärs (→ *dikastḗs*). In welcher Form dieses *d.* geschah, ist ebenfalls unklar: Entweder entschied der Amtsträger in der Sache selbst oder er setzte lediglich ein formales Beweisverfahren ein, welches je nach Gelingen oder Mißlingen indirekt die Entscheidung brachte (z. B. konnte einer der Streitparteien durch *d.* ein bestimmter Eid auferlegt werden, Hom. Il. 23,574; 579). In späterer Zeit bedeutete *d.* einfach »eine richterliche Entscheidung fällen«, wie es die Geschworenen (→ *dikastḗs*) im Gerichtshof (→ *dikastḗrion*) durch geheime Abstimmung taten.

G. THÜR, Zum *d.* bei Homer, in: ZRG 87, 1970, 426 ff. · M. SCHMIDT, s. v. D., LFE 2, 1991, 301 f. (aus 1982).   G. T.

Dike (Δίκη).

[1] (Religion). Personifikation des menschlichen, in der Rechtssprechung konkretisierten Rechts (gegenüber → Themis, der göttl. gesetzten Ordnung): Wird sie von bestechlichen Richtern weggeschleift, bricht die Rechtsordnung zusammen (Hes. erg. 220). Sie ist eine zentrale Gestalt der myth.-dichterischen Reflexion über die Grundlagen gesellschaftlichen Zusammenlebens in der archa. und klass. Zeit. Die Genealogien ordnen D. in ein Wertesystem ein. Sie ist Tochter von Zeus und Themis (Hes. theog. 902), als eine der drei → Horai Schwester von Eunomia und Eirene: Die Dreiheit der »guten staatlichen Ordnung«, des Friedens und des Rechts sichert das Wohlergehen der Gemeinschaft; entsprechend kann sie Mutter der Hesychia, der (innerstaatlichen) Ruhe, heißen (Pind. P. 8,1). Mit Zeus, dem Garanten der Ordnung, ist sie eng verbunden; sie ist seine Tochter, bei ihm bringt sie ihre Klagen vor und ruft nach seiner Strafe (Hes. erg. 258–260). Aischylos schließt hier an: bei ihm heißt sie durchwegs und explizit Tochter des Zeus (bes. Suppl. 145; Choeph. 949), neben dem sie thront (TrGF fr. 281a) und dessen Botin sie bei den Menschen ist, deren Vergehen sie in Zeus' Tafeln einträgt. Wer sich gegen sie vergangen hat, wird vom Schwert der Poine (»Strafe«) und von der → Erinys heimgesucht (Choeph. 639–651, vgl. Eum. 511 f.). Diese strafende Rolle wird von Sophokles stärker herausgearbeitet. Zwar thront sie auch bei ihm zusammen mit Zeus (Oid. k. 1382), daneben ist sie aber auch Gefährtin der unterirdischen Götter (Ant. 451), etwa der strafenden Erinys (Ai. 1390). Auf unterit. Vasenbildern ist sie mit einem Schwert unter den Strafmächten der Unterwelt dargestellt. Noch aktiver ist sie auf einem Bild der Kypseloslade (Paus. 5,18,2) und einer att. rf. Amphora in Wien, wo sie als stattliche Frau die häusliche Adikia (»Unrecht«) erschlägt. Bereits Aischylos spricht vom Altar der D., den es scheu zu verehren gilt (Eum. 539 f.); nachgewiesen ist der Kult in den Poleis aber erst nach dem mittleren 4. Jh. v. Chr.

Naturphilos. Reflexion hebt D. als Wahrerin umfassender Gesetzlichkeiten ins Kosmische: D. und die Erinyen (»ihre Schergen«) halten → Helios in seiner Bahn (Herakleitos 22 B 94 DK); die »vielstrafende« D. hat die Schlüssel zum Tor der Bahnen von Tag und Nacht (Parmenides 28 B 1,14 DK); D. ist Tochter der Zeit (Eur. TGF fr. 223). Bei Aratos (Phaen. 96–136) und bei röm. Dichtern ist sie das Sternbild Virgo oder Astraea: Als letzte der Götter hat sie vor Beginn der »Eisernen Zeit« die Erde verlassen (Verg. ecl. 4,6; georg. 2,473 f.; Ov. met. 1,149 f.).

R. Hirzel, Themis, D. und Verwandtes, 1907 · H. Lloyd-Jones, The Justice of Zeus, 1971, 1983 · H. A. Shapiro, Personifications in Greek Art. The Representation of Abstract Concepts 600–400 B. C., 1993, 38–44.   F. G.

[2] (Recht). Die Grundbed. ist »vollstreckender Zugriff« (zu überprüfen von einem Gerichtshof, → *dikastérion*); hiervon leiten sich die Bed. »Klage« und »Prozeß« ab, ebenso »Urteil« und »Strafe«. In Athen umfaßte *d.* im weiteren Sinne sowohl private als auch öffentliche Klagen. Die private Klage (*d.* im engeren Sinne) stand nur dem Verletzten (oder Geschädigten) zu. Darunter fiel auch die Mordklage (δίκη φόνου, *d. phónu*); auch die → *diadikasía* wird manchmal als *d.* bezeichnet. Die öffentliche Klage (technisch → *graphé*) durfte als Popularklage jeder unbescholtene Bürger Athens erheben. Je nachdem, ob der Kläger in seiner Klageschrift (ebenfalls *d.* oder → *énklēma* genannt) einen Schätzantrag stellen durfte oder nicht, sprechen die Quellen von → *tímētos agón* oder → *atímētos agón*. Außerhalb von Athen fließen die Ausdrücke *d.* und *graphé* ineinander. In den Papyri Ägyptens kann man *d.* manchmal mit »Anspruch« wiedergeben, ohne jedoch die Grundbedeutung aufgeben zu müssen. Mit der Vollstreckungsklausel der Urkunden ›wie nach Urteil (eines → *dikastérion*)‹ (καθάπερ ἐκ δίκης) trugen die Griechen dem Umstand Rechnung, daß es im ptolemäischen Ägypten die Dikasterien ihrer Heimatstätte nicht gab.

→ Dikasterion; Dikazein

H. J. Wolff, Beiträge zur Rechtsgesch. Altgriechenlands, 1961, 248 f. · H.-A. Rupprecht, Einführung in die Papyruskunde, 1994, 103, 143, 147 f.   G. T.

Dikolon s. Lesezeichen

Diktat s. Abschrift

Dikte (Δίκτη). Gebirge auf Kreta, nicht eindeutig zu identifizieren. Wie vor allem Strab. 10,4,12 zeigt, hielt man in der Ant. nicht das h. als D. bezeichnete Lassithi-Gebirge, sondern den Bergzug Modi (539 m) an der Ostspitze von Kreta für D. und somit für die Geburtsstätte des Zeus (vgl. Dion. Hal. ant. 2,61; Diod. 5,70,6; Athen. 9,375 f.). Bei der min. Stadt Palaikastro befand sich eine Kultstätte des Zeus von D.

P. Faure, Nouvelles recherches de spéléologie et de topographie crétoises, in: BCH 84, 1960, 189–220 · E. Meyer, s. v. D., RE Suppl. 10, 137 f. · R. F. Willets, Cretan cults and festivals, 1962.   H. SO.

Diktynna (Δίκτυννα). Göttin der Fischer (Jagd) auf Kreta. Ihr Hauptheiligtum liegt am Steilhang der Halbinsel Tityros (Rhodopou) im Westen Kretas [1; 2], nach Hdt. 3,59 von Samiern (ca. 519 v. Chr.) gegründet. Weite Verbreitung (Plut. mor. 984a) des Kultes der D. und, mit ihr gleichgesetzt (Kall. h. 3, 189–205), der Britomartis außer in Westkreta auf Aigina als Aphaia (Paus. 2, 30,3), in Gythion und Sparta (Lakonien), Athen, Phokis, Massalia und Kommagene [3; 4]. Der Mythos erzählt (Kall.), wie sich D. dem sie neun Monate lüstern verfolgenden Minos durch einen Sprung vom Steilhang entziehen wollte und von Fischern mit einem Netz (*díktys*, δίκτυς) gerettet wurde (Volks-Etym. schon bei Aristoph. Vesp. 368). Das Verhältnis der D. zu Artemis ist a) Gleichsetzung als Epiklese (Aristoph. Ran. 1359; Eur. Hipp. 145; Iph.T 127; dargestellt als Epiklese der Isis und als Amme des Zeus s. [5]). b) Nymphe der Artemis (Kall. h. 3, 197–200). c) Göttin neben Artemis im Eid von Dreros (ICreticae 1. 1 A29; Delos IG XI 2, 145) [6]. Die Ikonographie ist identisch. Nilsson hielt D. ebenso wie Artemis für eine Ausdifferenzierung der min. Muttergöttin [7]. Ungeklärt ist, ob die etym. Verbindung mit dem Dikte-Gebirge auf geogr. Unkenntnis späterer Lit. beruht oder urspr. ist, so Heubeck [8].

1 G. Welter, U. Jantzen, in: F. Matz, Forsch. auf Kreta, 1951, 106–117 2 E. Kirsten, in: Proceedings of 4th Cretol. Congr., A 1, 1980, 261–270 3 D. Jessen, RE 5, 584–588 4 A. Rapp, RML 1, 1884/86, 821–828 5 M. Guarducci, ICreticae 2, 1939, 128–140 6 J. Wagner, G. Petzl, in: ZPE 20, 1976, 201–223, Z. 6f. 7 Nilsson, MMR, 510–513 8 A. Heubeck, Praegraeca, 1961, 52 f.

J. B. Harrod, The Tempering Goddess. The Britomartis-D.-Artemis Mythologem, 1980 · R. F. Willetts, Cretan Cults, 1962, 179–193 · C. Boulotis, LIMC 3.1, 391–394 · H. van Effenterre, LIMC 3.1, 169–170.   C. A.

Diktys (Δίκτυς).

[1] Sohn des Magnes und einer Najade, Bruder oder Halbbruder des → Polydektes (Apollod. 1,88), des Königs der Insel Seriphos. Nach andern stammt er direkt oder im vierten Glied von Poseidon ab (Tzetz. Lykophr. 838; Pherekydes FGrH 3 F 10 f.). Als Fischer (D. = »Netzmann«) nimmt er → Danae und ihr Söhnchen → Perseus auf, die in einem Kasten an der Insel Seriphos antreiben. Die Szene ist öfters bildlich dargestellt worden [1]. In Aischylos' Satyrspiel *Diktyulkoi* (TrGF 3 F 46–47) helfen Satyrn dem D. und einem andern Fischer, den rätselhaft schweren Fang an Land zu bringen [2; 3]. Perseus versteinerte mit dem Haupt der Medusa den Polydektes, der sich in Danae verliebt und Perseus ausgeschickt hatte, das → Gorgoneion zu holen. D. wurde daraufhin von Perseus als König von Seriphos eingesetzt (schol. Apoll. Rhod. 4,1515; Hyg. fab. 63; Apollod. 2,36; 45; Strab. 10,5,10). In Athen wurden D. und die Nereide Klymene als Retter des Perseus verehrt (Paus. 2,18,1). Euripides schrieb eine Tragödie *D.* (TGF 331–348).

1 J.-J. Maffre, s. v. Danae, LIMC 3.1, 332 f., Nr. 54–67
2 A. Lesky, Von neuen Funden zum griech. Drama, in: Gymnasium 61, 1954, 296 f. 3 R. Pfeiffer, Die Netzfischer des Aischylos (1938), in: B. Seidensticker, Satyrspiel, 1989, 58–77.

J. H. Oakley, Danae and Perseus on Seriphos, in: AJA 86, 1982, 111–115.

[2] Einer der tyrrhenischen Schiffer, die von Bacchus in Delphine verwandelt werden (Ov. met. 3,615; Hyg. fab. 134,4).

[3] Kentaur, der auf der Hochzeit des Peirithoos von diesem getötet wird (Ov. met. 12,334–340).

[4] Sohn des Neptun und der Agamede, der Tochter des Augias (Hyg. fab. 157,2).

[5] Pflegekind der Isis (Plut. Is. 8 p. 353 F).   R.B.

Dill (ahd. *tilli*, verwandt mit Dolde, lat. *anetum*). Wahrscheinlich mit der aus Vorderasien in der Ant. eingeführten Umbellifere identisch (*Anethum graveolens* L., ἄ[ν[v]ηθον, aiolisch ἄνητον, Alk. bei Athen. 15,674d). Das beliebte Küchengewürz (Aussaat nach Palladios, opus agriculturae 3,24,5 und 4,9,5 bzw. 10,13,3 und 11,11,4, im Februar/März und September/Oktober) mit nackten Samen (Theophr. h. plant. 7,3,2 = Plin. nat. 19,119) wird erwähnt bei Theophr. h. plant. 1,11,2 und Plin. nat. 19,167; außerdem als Heilmittel beispielsweise bei Dioskurides 3,58 ([1. 70 f.] = 3,60 [2. 303]) und Plin. nat. 20,196 u.ö. Von dem nahe verwandten und ebenso verwendeten Fenchel (*Foeniculum vulgare* Mill. = *officinale* All.) [3. 78 f.]) unterscheidet sich der D. vor allem in der Größe.

1 Wellmann 2 2 Berendes 3 J. Billerbeck, Flora classica, 1824, Ndr. 1972.   C. Hü.

Dillius

[1] C. D. Aponianus. Senator, welcher aus Cordoba stammte und unter Nero in den Senat gelangte. Als Legat der *legio III Gallica* schloß er sich Vespasian an und kämpfte für ihn bei Cremona. Von seiner Laufbahn nur noch eine *cura alvei Tiberis* sicher (AE 1932, 78 = CIL II² 7, 275); verwandt mit D. [2]. PIR² D 89.

[2] C. D. Vocula. Verwandt mit D. [1]. Aus Cordoba stammend, wohl ebenso wie D. [1] unter Nero in den Senat aufgenommen. Als Praetorier kommandierte er 69/70 in Germania superior die *legio XXII Primigenia*. Hordeonius Flaccus übertrug ihm das Kommando gegen Iulius Civilis, der Vetera belagerte. Auf Anstiften von Iulius Classicus wurde er im J. 70 von einem röm. Deserteur ermordet. CIL VI 1402 = ILS 983 wurde ihm postum von seiner Frau Helvia Procula errichtet (vgl. [1]; PIR² D 90).

1 Caballos, 1, 122 f.   W.E.

Dilmun. Das erstmals im frühen 3. Jt. v. Chr. in mesopotamischen Wirtschaftstexten gen. D. wurde früher nur mit der Insel → Bahrain identifiziert, doch zeigen arch. Belege aus der Ostprovinz Saudi-Arabiens, aus Failaka und Qatar, daß D. zu unterschiedlichen Zeiten verschieden groß war. Nach schriftlichen und arch. Zeugnissen war D. im 3. und frühen 2. Jt. v. Chr. eine Handelsdrehscheibe im Pers. Golf. Mitte des 2. Jt. wurde D. zur Kolonie der in Mesopotamien herrschenden Kassiten, war dann im 13. Jh. v. Chr. den Assyrern tributpflichtig. Im Verlauf des 8./7. Jh. v. Chr. entwickelte sich D. erneut zu einem wichtigen Umschlagplatz für omanisches Kupfer unter lockerer assyr. Oberhoheit. Texte aus Failaka zeugen für wirtschaftliche Beziehungen zw. dem neubabylon. und folgenden achäm. Reich und Dilmun. Ab dem 4. Jh. v. Chr. bezeichnet *Tylos*, die griech. Version des akkad. *Tilmun*, nur noch die Hauptinsel Bahrains. Hell. Reste liegen hier vor allem mit der befestigten City V aus Qalʾat al-Bahrain, mit den Kistengräbern von Janussan im Norden Bahrains und dem Münzhortfund von Raʾs al-Qalaʾat aus dem späten 3. Jh. v. Chr. vor, doch hatte die Stadt → Gerrha die Funktion des »port of trade« übernommen. Die Identifikation von Tylos mit Bahrain geht auf die Aufzeichnungen des Androsthenes von Thasos, eines Admirals Alexanders d. Gr., zurück. Die Namensgleichheit von Tylos mit dem Tylos der phöniz. Küste hat zur Frage geführt, ob die Phöniker aus der Golfregion ans Mittelmeer kamen [1]. Texte des 2. Jh. n. Chr. aus Palmyra weisen darauf hin, daß *Thiloua*, die aram. Form von Tylos und zugleich die Bezeichnung für Bahrain im 2. Jh. n. Chr., eine Satrapie des südmesopotamischen Königreiches → Charakene war. Zur Zeit der Sāsāniden ist die Hauptinsel Bahrains aus Texten der Nestorianischen Kirche unter dem Namen *Talūn* bekannt.

→ Bahrein; Gerrha

1 G. W. Bowersock, Tylos and Tyre: Bahrain in the Graeco-Roman World; in: Sh. H. A. Al-Khalifa, M. Rice (Hrsg.), Bahrain through the Ages – the Archaeology,

1986, 399–406 **2** R. ENGLUND, D. in the Archaic Uruk Corpus, in: D. POTTS (Hrsg.), D. Berliner Beiträge zum Vorderen Orient 2, 1983, 35–37 **3** H. I. MCADAM, D. revisited, Arabian archaeology and epigraphy 1, 1990, 49–87 **3** D. POTTS, The Arabian Gulf in Antiquity, 1990 **4** M. RICE, The Archaeology of the Arabian Gulf, 1994.

M. H.

Diluntum s. Daorsi

Dimachaerus s. Munera

Dimensuratio provinciarum und **Divisio orbis terrarum.** Zwei anon., wohl im 5. Jh. n. Chr. entstandene Verzeichnisse der Länder und Inseln der röm. Oikumene mit Angabe ihrer jeweiligen Länge und Breite in röm. Meilen [1; 2]. Wie entsprechende Angaben bei Plin. nat. 3–6 lassen sich auch diese auf → Agrippa [1] zurückführen [3].

1 Ausgaben: GLM 9–20 **2** K. BRODERSEN, C. Plinius Secundus: Naturkunde VI, 1996, 329–336 **3** A. KLOTZ, Die geogr. commentarii des Agrippa, in: Klio 24, 1931, 38–58, 386–466.

J. J. TIERNEY, Dicuili Liber de mensura orbis terrae, 1967, 22–26.

K. BRO.

Dimum. *Statio* an der Donau in Moesia inferior, h. Belene, offensichtlich im Stammesgebiet der getischen Dimenses. Die Identifizierung mit Δίακον (Ptol. 3,10,10) ist fraglich. Im 4. Jh. war hier ein *cuneus equitum Solensium* stationiert (Not. dign. or. 40,12). Belegstellen: Itin. Anton. 221; Tab. Peut.; CIL III 12399; Not. dign. or. 40,6; 12; Prok. aed. 307,19 (Διμῷ).

V. I. VELKOV, Die thrak. und dak. Stadt in der Spätant., 1959, 60, 67, 88, 163.

J. BU.

Dindymene s. Kybele

Dindymon (Δίνδυμον). Berg an der Grenze zw. Galatia und Phrygia (h. Arayit oder Günüzü Dağı), 1820 m hoch, nahe der Sangarios-Quelle (Claud. in Eutropium 2,262f., vgl. Strab. 12,3,7). Manche ant. Autoren leiteten nach der äußeren Erscheinung des Berges seinen Namen von »doppelt«, »gegabelt« ab (Nonn. Dion. 48,855). Berühmt war der D. durch den Kult der Kybele, deren Tempel in der nahegelegenen Stadt Pessinus stand und die hier wie anderswo den Beinamen *Dindyménē* trug (Strab. 12,5,3). Attis wurde hier begraben (Paus. 1,4,5, der diesen Berg *Ágdistis* nennt). Stützpunkt Alexios' I. bei seinem Feldzug gegen die Türken 1116. Auf einem der Gipfel Reste einer byz. Festung.

BELKE, 158f.

T. D.-B./Ü: I. S.

Dinkel s. Far

Dinogetia (Δινογέτεια). Röm. Kastell in Moesia inferior (Scythia minor) am rechten Ufer der unteren Donau in strategisch bed. Lage nördl. von Troesmis in Deltanähe, h. Garvăn, Tulcea in Rumänien. Aus vor-

röm. Zeit ist eine geto-dakische Siedlung bezeugt. In röm. Zeit repräsentierte die Stadt (πόλις bei Ptol. 3,8,2; 10,1) einen bed. Ausgangspunkt in das skythische Hinterland den Pyretus aufwärts. Im Laufe des 3. und 4. Jh. wurden, bes. unter Diocletian, systematische Befestigungsarbeiten durchgeführt. Arch., epigraphische und numismatische Funde bezeugen einen relativen Wohlstand (landwirtschaftliche Werkzeuge, Hausgeräte, Keramik, Ziegel; Reste von Bauten, u. a. Thermen; christl. Basilika). Die Garnison von D. bildeten die *cohors I Cilicum,* die *legio I Iovia Scythica* und im 4. Jh. die *milites Scythici.* Unter Anastasius I. und Iustinian wurde die Stadt erneuert und befestigt. Belegstellen: Ptol. 3,8,4; 10,1; 10,11 (Δινογέτεια); Itin. Anton. 225,5 (*Diniguttia*); Geogr. Rav. 4,4,4 (*Dinogessia*); Not. dign. or. 39,24 (*Dirigothia*).

TIR L 35 Bucarest, 1969, 38 (Bibl.).

J. BU.

Dinon (Δίνων) aus Kolophon, 4. Jh. v. Chr. Vater des Alexanderhistorikers Kleitarchos (FGrH 690 T 2) und Verf. von *Persiká* in mindestens drei Teilen (*syntáxeis*) mit jeweils mehreren Büchern (F 3) von Semiramis (wenigstens) bis zur Rückeroberung Ägyptens durch Artaxerxes [3] III. (343/2). Die oft romanhafte und sensationsbetonte Darstellung (vgl. F 10; 17; 22) war durch Ktesias beeinflußt und wurde u. a. von Pompeius Trogus und Plutarch, Artoxerxes, benutzt. FGrH 690.

O. LENDLE, Einführung in die griech. Geschichtsschreibung, 1992, 271 · H. SANCISI-WEERDENBURG, A. KUHRT (Hrsg.), Achaemenid History 2, 1987, 27ff.

K. MEI.

Dinos. Falsche Bez. für Kessel (→ Gefäßformen; → Lebes).

I. S.

Dinos-Maler. Att.-rf. Vasenmaler, tätig ca. 425–410 v. Chr. Er gilt als Schüler des → Kleophon-Malers, dessen Stil er ›in weniger erhabener und lieblicherer Weise‹ (BEAZLEY) fortsetzte. Er bemalte ausschließlich große Gefäße (→ Gefäßformen), insbes. Glockenkratere, Kelchkratere und Stamnoi, aber auch Volutenkratere, eine Amphora und eine Lutrophoros sowie vier Dinoi, zu denen das eponyme Berliner Exemplar (Berlin, SM) zählt. Einige seiner Vasen zeigen vielschichtige Kompositionen, z. B. Dionysos inmitten von Satyrn und Mänaden sitzend; einen Kelchkrater dekorierte er mit einer doppelten Bildreihe. Er bevorzugte dionysische Themen, z. B. auf einem der spätesten Lenäen-Stamnoi, wo Mänaden um ein Bild des Dionysos tanzen. Andere Themenbereiche umfassen Komos, Symposion und »Kriegers Abschied«, oft mit standardisierten Mantelfiguren auf der Rückseite. Weitere myth. Themen wie Apoll und Marsyas, der Tod des Aktaion, die Heldentaten des Theseus sind selten. Seine Figuren sind füllig, mit vollem lockigen Haar und schwerlidrigen Augen. Der reiche Faltenwurf und die träge Haltung sowie der beträchtliche Gebrauch von zusätzlich aufgetragenem Deckweiß kündigen den reicher verzierten Stil der nächsten Generation an, in der sein Einfluß in den Werken des → Pronomos-Malers erkennbar ist.

BEAZLEY, ARV², 1151–1158, 1685 · M. MENDONCA, The Dinos Painter, 1990 · M. ROBERTSON, The Art of Vase-Painting, 1992, 242–245.   M.P./Ü: V. S.

Diobelia (διωβελία). Eine Zahlung von zwei → oboloí in Athen. Dem Autor der aristotelischen *Athenaion Politeia* zufolge (28,3) wurde die *d.* von Kleophon eingeführt, worauf ein gewisser Kallikrates versprach, die Summe zu erhöhen, die *d.* aber tatsächlich abschaffte. Die *d.* ist für die Jahre zwischen 410 und 406/5 v. Chr. durch Inschr. bezeugt (406 zeitweise auf einen Obolos reduziert) und wurde 405/4 wohl durch eine Getreideverteilung ersetzt. Die Grundlage der Zahlung ist ungewiß, doch wurde sie wahrscheinlich während des Dekeleischen Krieges als Unterhaltszuschuß bedürftigen Bürgern gewährt, die nicht anderweitig Geld vom Staat erhielten.

J. J. BUCHANAN, Theorika, 1962, 35–48 · RHODES, 355–357.   P. J. R.

Diobolon (διώβολον). Silberne Münze im Wert von zwei → oboloí (= ⅓ Drachme, z. B. im att. Münzfuß zu 1,4 g. Das *d.* besitzt gelegentlich eine Wertmarke (ΔΙΩ, ΔΙΟ, Δ). Die att. *dióbola* tragen einen Athenakopf auf der Vs. und eine Eule mit zwei Körpern auf der Rs. Das *d.* ist im Athen der klass. Zeit der Betrag, der für einen Theaterbesuch aufgewendet werden muß (θεωρικόν) oder dem Teilnehmer an der Volksversammlung ausgezahlt wird (ἐκκλησιαστικόν).

→ Drachme; Münzfüße; Theorikon

SCHRÖTTER, 143 f. · M. N. TOD, Epigraphical Notes on Greek Coinage, in: NC 6.7, 1947, 1–27, bes. 9–12 · J. N. SVORONOS, B. PICK, Corpus of the Ancient coins of Athens, 1975, Taf. 17, 34–36.   A. M.

Diocletianus A. HERKUNFT UND AUFSTIEG B. ORGANISATION DER HERRSCHAFT C. REICHSREFORM

A. HERKUNFT UND AUFSTIEG

Röm. Kaiser 284–305 n. Chr. Voller (erst nach der Erhebung angenommener) Name: C. Aurelius Valerius D. (CIL III 22), davor Diokles (Lact. mort. pers. 9,11; 19,5; 52,3; Lib. or. 19,45 f.; [Aur. Vict.] epit. Caes. 39,1; POxy 3055). Geb. 241 oder 244 in Dalmatien (Malalas 311 BONN; [Aur. Vict.] epit. Caes. 39,1), vermutlich in Salona (Theoph. 10,13 DE BOOR). In einer rein mil. Karriere avancierte er zum *dux Moesiae* (Zon. 12,31) und danach zum Chef der Leibwache (der *protectores domestici*) der Kaiser Carus und Numerianus (Zon. 12,31; Aur. Vict. Caesares 39,7). Die Angabe bei Synkellos (725 MOSSHAMMER) ist Mißverständnis einer auch von Eutropius 9,19,2 benutzten Quellenvorlage und beweist kein Suffectconsulat des späteren Kaisers. Nach dem Tode des Numerianus am 20. November 284 zum Kaiser erhoben (Lact. mort. pers. 17,1; PBeatty Panopolis,

2, 162 f., 260 f.), vermutlich an einem in der Nähe von Nikomedeia liegenden Platz (Zos. 1,73,2; Hier. chron. a. 2302), an dem später die Caesarerhebung des Galerius und die Abdankung erfolgte und der wohl von D. mit einer Iuppitersäule geschmückt war (vgl. Lact. mort. pers. 19,2; Hier. a. 2321). In Nikomedeia trat er am 1. Januar das Consulat an (Chronicon Paschale p. 511) und marschierte im Frühjahr gegen den im Westen herrschenden Carinus. Dieser besiegte zwar D. in der Nähe der Moravamündung, fiel aber dann einer Verschwörung der eigenen Offiziere zum Opfer (Aur. Vict. Caes. 39,11). Um die Anhänger des Carinus für sich zu gewinnen, wurde der Aristobulus, der Praetorianerpraefekt des Carinus, im Amt belassen und sogar als Mitconsul für 285 angenommen (Aur. Vict. Caes. 39,14 f.; Amm. 23,1,1). Trotz demonstrativer Respektbezeugungen gegenüber dem Senat (SHA Car. 18,4) reiste D. nicht nach Rom (unzutreffend Zon. 12,31), sondern begab sich von Oberit. aus zur Donau, um dort gegen Germanen und Sarmaten zu kämpfen. Da die Bewältigung der Bagaudenaufstände ein großes Kommando erforderte, schickte er den Offizier Maximianus nach Gallien, den er zuvor im Dezember 285 (vielleicht am 13. Dezember, vgl. [1. 28 ff.]) zum Caesar ernannt hatte. Von der Donau kehrte D. in den Osten zurück und hielt sich Anfang 286 in Nikomedeia auf (Cod. Iust. 4,21,6). Im Laufe des Jahres, vielleicht im Sommer, wurde Maximianus zum Augustus erhoben. Als »Bruder« D.' (Paneg. 6,15,6) trug auch Maximianus die Namen Aurelius Valerius.

B. ORGANISATION DER HERRSCHAFT

Bald nach der Augustus-Erhebung des Maximianus scheinen beide Kaiser parallel die Beinamen eines Iovius bzw. eines Herculius angenommen zu haben. Umstritten ist, ob D., der sich den von Iuppiter abgeleiteten Namen vorbehielt, damit den Vorrang gegenüber seinem sonst in allem gleichgestellten »Bruder« Maximianus vorbehalten wollte (→ Tetrarchie). 286 bis 288 scheint D. in der Hauptsache sich um die Befestigung der von den Sasaniden bedrohten Ostgrenze gekümmert zu haben, vor allem durch den Beginn des Ausbaus der *strata Diocletiana* von Sura am Euphrat bis zur arabischen Wüste [2. 136 ff.]. Vermutlich innenpolit. Schwierigkeiten bewogen den Sasanidenherrscher Bahram II. 287, mit D. einen Waffenstillstand zu schließen, in dem die Euphratgrenze respektiert wurde (Paneg. 10,7,5–6; 9,1–2; 10,6). Auf die Nachricht von der Usurpation des → Carausius reiste D. in den Westen. Nach Kämpfen mit Alamannen bzw. Iuthungen im raetischen Raum traf er sich mit Maximianus in der Nähe von Augsburg (Paneg. 2,9,1), um den Kampf gegen Carausius und Maßnahmen der Grenzverteidigung zu koordinieren. Über die mittlere Donau, wo er gegen die Sarmaten kämpfte, kehrte D. an die Ostgrenze zurück, wo er einige Erfolge gegen einfallende Sarazenenstämme erringen konnte (Paneg. 11,5,4), die vermutlich im Bündnis mit den Sasaniden standen. Ob deshalb im Gegenzug der Arsakide Trdat, der wenig später dem

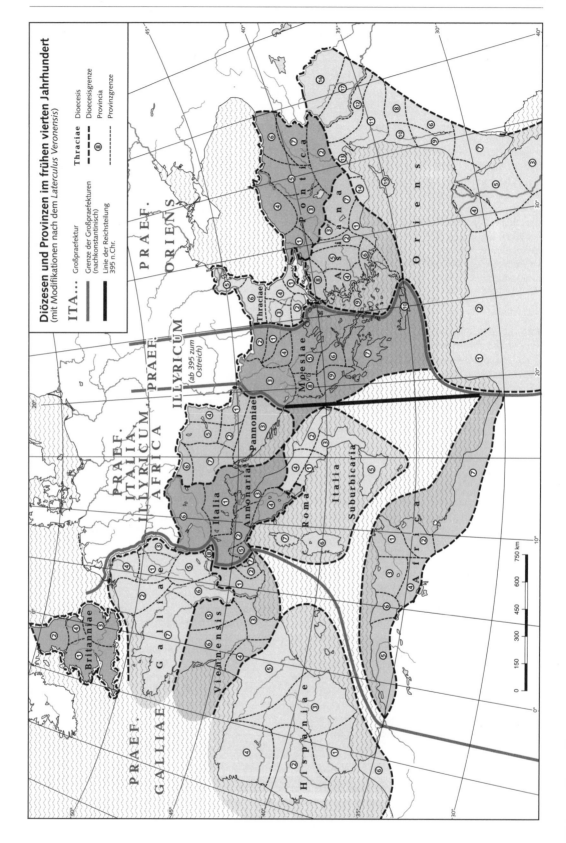

Diözesen und Provinzen im frühen vierten Jahrhundert
(mit Modifikationen nach dem *Laterculus Veronensis*)

ITA.... Großpraefektur

Thraciae Dioecesis

⑧ Provincia

— Grenze der Großpraefekturen (nachkonstantinisch)

--- Dioecesisgrenze

····· Provinzgrenze

━━ Linie der Reichsteilung 395 n.Chr.

Britanniae
1. Britannia Prima
2. Britannia Secunda
3. Maxima Caesariensis
4. Flavia Caesariensis

Galliae
1. Belgica Prima
2. Belgica Secunda
3. Germania Prima
4. Germania Secunda
5. Sequania
6. Lugdunensis Prima
7. Lugdunensis Secunda
8. Alpes Graiae et Poeninae

Viennensis
1. Viennensis
2. Narbonensis Prima
3. Narbonensis Secunda
4. Novem Populi
5. Aquitanica Prima
6. Aquitanica Secunda
7. Alpes Maritimae

Hispaniae
1. Baetica
2. Lusitania
3. Carthaginiensis
4. Gallaecia
5. Tarraconensis
6. Mauretania Tingitana

Italia Annonaria
1. Venetia et Histria
2. Aemilia et Liguria
3. Flaminia et Picenum
4. Tuscia et Umbria
5. Alpes Cottiae
6. Raetia

Italia Suburbicaria
1. Campania
2. Apulia et Calabria
3. Lucaniae et Brutii
4. Samnium
5. Sicilia
6. Sardinia
7. Corsica

Africa
1. Proconsularis
2. Byzacena
3. Numidia Cirtensis
4. Numidia Militiana
5. Mauretania Caesariensis
6. Mauretania Sitifiensis
7. Tripolitana

Pannoniae
1. Pannonia Inferior
2. Savensis (Savia)
3. Dalmatia
4. Valeria
5. Pannonia Superior
6. Noricum Ripense
7. Noricum Mediterraneum

Moesiae
1. Dacia (Mediterranea)
2. Dacia Ripensis
3. Moesia Superior vel Margensis
4. Dardania
5. Macedonia
6. Thessalia
7. Achaea
8. Epirus Nova
9. Epirus Vetus
10. Creta

Thraciae
1. Europa
2. Rhodope
3. Thracia
4. Haemimontus
5. Scythia
6. Moesia Inferior

Asiana
1. Lycia et Pamphylia
2. Phrygia Prima
3. Phrygia Secunda
4. Asia
5. Lydia
6. Caria
7. Pisidia
8. Hellespontus
9. Insulae

Pontica
1. Bithynia
2. Cappadocia
3. Galatia
4. Paphlagonia
5. Diospontus
6. Pontus Polemoniacus
7. Armenia Minor

Oriens
1. Libya Superior
2. Libya Inferior
3. Thebais
4. Aegyptus Iovia
5. Aegyptus Herculia
6. Arabia
7. Arabia Nova
8. Augusta Libanensis
9. Palaestina
10. Phoenice
11. Syria Coele
12. Augusta Euphratensis
13. Cilicia
14. Isauria
15. Cyprus
16. Mesopotamia
17. Osrhoene

Herrscher Narseh seine Glückwünsche zum Regierungsantritt überbrachte, als Herrscher über einen Teil Armeniens eingesetzt wurde, bleibt offen. Doch scheint man Armenien wenige Jahre später als röm. Einflußbereich betrachtet zu haben (Amm. 23,5,11). Erneute Kämpfe gegen die Sarmaten, Unruhen in Ägypten und das weiterhin nicht bewältigte Problem der Usurpation des Carausius veranlaßten D. schließlich, einen vielleicht schon seit langem geplanten Schritt zu realisieren, nämlich die Erhebung von Constantius [1] und Galerius Maximianus zu untergeordneten Caesares am 1. März 293 (Tetrarchie). Galerius gelang es, die Aufstände in Ägypten niederzuschlagen [2. 62], während Constantius Chlorus und sein Praetorianerpraefekt Allectus den Nachfolger des Carausius besiegen konnten. Wahrscheinlich 297 zwang der Aufstand des → Domitius [II 14] Domitianus D., nach Ägypten zu reisen, während Galerius von Syrien aus gegen den gleichzeitig angreifenden Narseh vorging, aber in der Osrhoene zwischen Kallinikon und Karrhai besiegt wurde. Zur umstrittenen Chronologie allerdings jetzt [5; 9]. D. bereitete nach acht Monaten der Usurpation des Achilleus ein Ende, indem er dem belagerten Alexandreia die Wasserzufuhr abschnitt (Aur. Vict. Caes. 39,33; 38; Eutr. 9,23; Malalas 308 BONN) und inspizierte die von den Blemmyern überrannte Südgrenze Ägyptens, wo er sich entschloß, die Dodekaschoinos aufzugeben (Prok. BP 1,19,29–37). In Antiocheia traf er sich mit dem besiegten Galerius. Die Erzählung, er habe seinen Caesar dadurch gedemütigt, daß dieser seinem Wagen zu Fuß vorangehen mußte (Eutr. 9,24; Fest. 25; Amm. 14,11,10), ist tendenziöses Mißverständnis einer konventionellen Geste der Respektbezeugung [3. 25f.]. Im zweiten Feldzug fiel Galerius in Armenien ein, wo er das persische Lager einnehmen konnte. Während Galerius tief in persisches Territorium eindrang, nahm D. mit einem zweiten Heer das ehemalige röm. Mesopotamien in Besitz. Vom wiedereroberten Nisibis aus betrieb D. (über den zu Narseh geschickten Sicorius Probus) die Friedensverhandlungen mit dem Sasanidenherrscher. Gegen die Rückgabe seiner gefangengenommenen Angehörigen trat dieser Nisibis und Mesopotamien ab und erkannte die röm. Oberherrschaft über Armenien und Iberien an (zu Petrus Patricius fr. 14 = FHG 4,189; [4. 133]).

C. REICHSREFORM

Die lange, durch außenpolit. Erfolge gesicherte Regierung erlaubte es D., eine Fülle von administrativen und mil. Reformen durchzusetzen (vgl. Abb.), wobei der persönliche Anteil D.' nicht mehr bestimmt werden kann. Auf fiskalischem Gebiet sollte neben den flankierenden Maßnahmen der Münzreform und des Preisedikts das Steuersystem der → capitatio-iugatio Kontinuität der Staatseinnahmen garantieren. It. wurde zum ersten Mal der Besteuerung unterworfen und ebenso wie das übrige Reich in zahlreiche (über 100) neue Prov. aufgeteilt. In der Regel wird angenommen, daß D. gleichzeitig mit den Diözesen eine neue Mittelinstanz zwischen Prov. und *praef. praet.* schuf (anders [6]). Der Aus-

bau großer Residenzen – im Reichsteil D.' Antiocheia und vor allem Nikomedeia – schuf den passenden architektonischen Rahmen für das neue Zeremoniell, das der unter D. entscheidend vorangetriebenen monarchischen Überhöhung entsprach. Abgerundet wurde das Reformwerk durch die Religionspolitik. Unmittelbar nach dem erfolgreichen Krieg gegen die Sasaniden hatten christl. Soldaten und Palastangehörige mit Repressalien zu rechnen (Lact. mort. pers. 10,4). 297 oder 302 erließ D. auf Anfrage des Statthalters von Africa ein Reskript mit scharfen Bestimmungen gegen die Manichäer. Am 23. Februar 303 setzte die Christenverfolgung ein (Lact. mort. pers. 12,2), indem die Kirche in Nikomedeia zerstört wurde. Einen Tag später wurde ein (wohl das einzige) allg. Verfolgungsedikt gegen die Christen bekannt gemacht [7]. Das Motiv der Christenverfolgung bleibt im Dunkeln, doch scheint neben dem Programm einer konservativen Erneuerung ein Zusammenhang mit dem schon lange geplanten Rückzug des D. von der Herrschaft und mit der geplanten Perpetuierung der tetrarchischen Ordnung wahrscheinlich, die es durch die Gunst der Götter zu sichern galt. Nach den mit einem Triumph kombinierten Vicennalien (20.11.303), die die D. gemeinsam mit Maximianus in Rom feierte, trat er gleichzeitig mit Maximianus am 1.5.305 zurück und reiste als *senior Augustus* von Nikomedeia nach Salona, wo schon ab 300 mit dem Bau eines Palastes begonnen worden war. Im November 308 traf er sich mit Galerius und Maximianus in Carnuntum, um die zerbrechende Tetrarchie neu zu ordnen, und erhob am 11.11.308 Licinius zum Augustus [8] und seine Tochter, die Gemahlin des Galerius, zur Augusta. D. starb vermutlich im Sommer 313 durch Selbstmord, nachdem er mit dem Ende des Maximinus Daia und dem erfolgreichen Bündnis von Constantinus [1] und Licinius für sich das Schlimmste befürchten mußte ([Aur. Vict.] epit. Caes. 39, 7; Sokr. 1,2,10). Er wurde divinisiert und in Salona bestattet (Eutr. 9,28; Sidon. carm. 23,497).

→ Dominat

1 F. KOLB, Diocletian und die Erste Tetrarchie, 1987 2 T.D. BARNES, The New Empire of Diocletian and Constantine, 1982 3 W. SESTON, Dioclétien et la Tetrarchie, Bd. 1, 1946 4 M.H. DODGEON, S.C. LIEU (Hrsg.), The Roman Eastern Frontier and the Persian Wars, AD. 226–363, 1987 5 F. KOLB, Chronologie und Ideologie der Tetrarchie, in: Antiquité tardive 3, 1995, 21–31 6 K.L. NOETHLICHS, Zur Entstehung der Diözesen als Mittelinstanz des spätröm. Verwaltungssystems, in: Historia 31, 1982, 70–81 7 K.H. SCHWARTE, Diokletians Christengesetz, in: R. GÜNTHER, S. REBENICH (Hrsg.), E fontibus haurire, 1994, 203–240 8 H. CHANTRAINE, Die Erhebung des Licinius zum Augustus, in: Hermes 110, 1982, 477–487 9 T.D. BARNES, Emperors, Panegyrics, Prefects, Provinces and Palaces (284–317), in: Journal of Roman Archaeology 9, 1996, 532–552.
KARTEN.-LIT.: K.L. NOETHLICHS, Zur Entstehung der Diözesen als Mittelinstanz des spätröm. Verwaltungssystems, in: Historia 31, 1982, 70–81 · B. JONES, D.

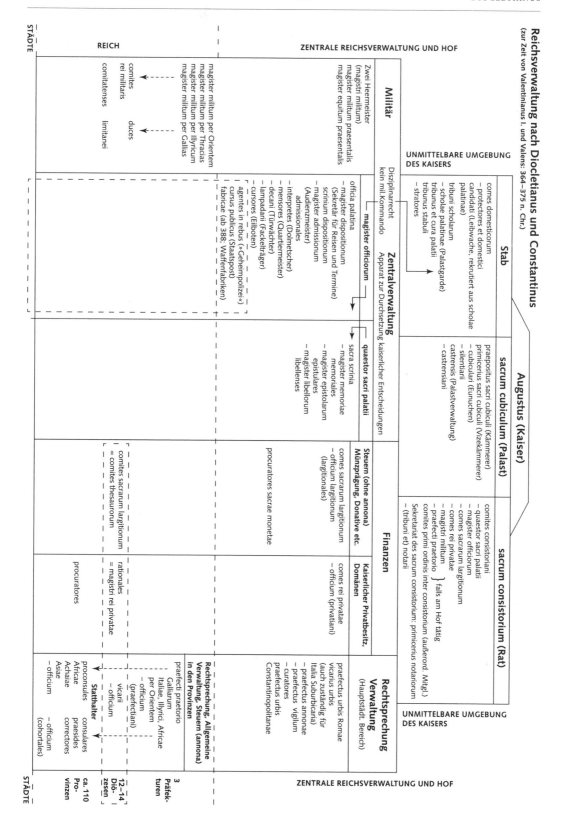

MATTINGLY, An Atlas of Roman Britain, 1990, 149 · T.D. BARNES, Emperors, Panegyrics, Prefects, Provinces and Palaces (284–317), in: Journal of Roman Archaeology 9, 1996, 532–552. B.BL.

Diodoros (Διόδωρος, Διόδορος). Bekannte Namens-vertreter: der Philosoph D. [4] Kronos, der Mathema-tiker D. [8] aus Alexandreia, der Universalhistoriker D. [18] Siculus, der altchristl. Theologe D. [20] von Tarsos.
[1] Athener, Flottenbefehlshaber mit Mantitheos Ende 408/7 v.Chr. am Hellespont mit hinreichend vielen Schiffen, so daß Alkibiades [3] nach Samos und Thra-syllos und Theramenes nach Athen segeln konnten (Diod. 13,68,2). (TRAILL, PAA 329550; DEVELIN 171).
[2] Athener aus Erchia, Sohn des Xenophon, mit sei-nem Bruder Gryllos nach 399 v.Chr. in Sparta, floh mit beiden nach Lepreon und Korinth. Kämpfte unbe-rühmt (Gryllos fiel) als Athener bei Mantineia 362 (Diog. Laert. 2,52–54). TRAILL, PAA 330570.

W.KIRCHNER, s.v. D., RE 5, 459. K.KI.

[3] aus Aspendos. Pythagoreer des 4. Jh. v.Chr. vom damaligen Schulleiter Aresas angeblich nur ›aus Mangel‹ an Mitgliedern aufgenommen (Iambl. v. P. 266; sein Pythagoreertum bestreitet zu Unrecht Timaios FGrH 566 F 16 = Athen. 163e), soll nach seiner Rückkehr nach Griechenland ›die pythagoreischen Aussprüche (wohl *Akúsmata*) verbreitet‹ haben (Iambl. v. P. 266); fiel durch strengen Vegetarismus (Archestratos fr. 154,19f. SH = Athen. 163d) und seine für Pythagoreer neuartige Tracht auf: Tiergewand (Stratonikos fr. 737 SH = Iambl. v. P. 266) bzw. *tríbōn* (verschlissener Mantel), Ranzen und Stock, langer Bart, langes Haar, barfuß, schmutzig (Hermippos fr. 24 WEHRLI = Athen. 163e; Sosikrates fr. 19f. FHG IV p. 503 = fr. 15f. GIANNATTASIO ANDRIA= Diog. Laert. 6,13 und Athen. 163 f); er war ein Vorläufer der Kyniker.
→ Pythagoreische Schule

W.BURKERT, Lore and Science in Ancient Pythagoreanism, 1972, 202–204 · WEHRLI, Schule, Suppl. I: Hermippos der Kallimacheer, 1974, 59–60. C.RI.

[4] Sohn des Ameinias, aus Iasos in Karien, mit dem Beinamen »Kronos« (»alter Narr«), der von seinem Leh-rer Apollonios aus Kyrene, einem Schüler des → Eu-bulides, auf ihn übergegangen sein soll. D. lehrte gegen Ende des 4. Jh. v.Chr. in Athen. Spätestens in den 80er Jahren des 3. Jh. begab er sich nach Alexandreia; ob für eine begrenzte Zeit oder für den Rest seines Lebens, ist unklar. Er hatte fünf Töchter, die allesamt die Dialektik erlernten. Schüler des D. waren → Philon der »Mega-riker« und → Zenon aus Kition.
D. war einer der einflußreichsten Philosophen in der Zeit um 300 v.Chr. Bezeugt sind für ihn folgende Leh-ren:
1. Kein Wort ist mehrdeutig. Was immer einer sagt, bedeutet stets nur das eine, was der Sprecher damit meint. Wird etwas Gesagtes von anderen nicht in dem

Sinne aufgefaßt, in dem der Sprecher es meint, dann ist der Grund dafür nicht, daß das Gesagte mehrdeutig ist, sondern daß der Sprecher sich dunkel ausgedrückt hat (Gell. 11,12,2–3). Eine rigorose Anwendung dieser Auffassung scheint es gewesen zu sein, wenn D. seinen Sklaven Konjunktionen wie z.B. Ἀλλά μήν (›Nun aber‹) als Namen gab (Ammonios in De interpretatione 38,17–20).
2. Bezüglich der Bewegung stellte D. die paradoxe These auf: ›Nicht ein einziger Gegenstand bewegt sich, wohl aber hat er sich bewegt‹ (κινεῖται μὲν οὐδὲ ἕν, κε-κίνηται δέ, S. Emp. 10,85). Von den Argumenten, mit denen er diese These zu beweisen suchte, sei hier als Beispiel jenes zitiert, das ihm wohl das wichtigste war. Ausgehend von der Annahme teilloser Körper (ἀμερῆ σώματα) und Orte (ἀμερεῖς τόποι) argumentierte er so: ›Der teillose Körper muß sich an einem teillosen Ort befinden, und deshalb bewegt er sich weder an ihm – denn er füllt ihn ja aus; was sich bewegen soll, muß aber einen Ort haben, der größer ist als es selbst – noch an einem Ort, an dem er nicht ist – denn er ist noch nicht an ihm, um sich an ihm zu bewegen. Daher bewegt er sich überhaupt nicht‹ (S. Emp. 10,86). Umstritten ist, ob D.' These als physikalische Theorie zu verstehen ist oder ob es ihm allein um das Paradox als solches ging.
Zwei weitere Lehren, die für D. bezeugt sind, be-treffen den Bereich der Modallogik: 3. Eine Konditio-nalaussage ist nach D. dann wahr, wenn es weder mög-lich war noch möglich ist, daß der Vordersatz wahr und der Nachsatz falsch ist (S. Emp. 8,112–117). 4. Möglich ist nach D. das, was entweder wahr ist oder wahr sein wird (Cic. fat. 13; 17). Daß dieser Möglichkeitsbegriff der allein richtige sei, versuchte D. mit seinem »Mei-sterschluß« (κυριεύων sc. λόγος) zu beweisen, der in dem einzigen Zeugnis, das genauere Angaben über ihn ent-hält (Epikt. dissertationes 2,19,1), so beschrieben wird: D. habe erkannt, daß die folgenden drei Aussagen mit-einander unvereinbar seien: a) Alles Vergangene ist not-wendigerweise wahr. b) Aus Möglichem folgt nicht Unmögliches. c) Es gibt Mögliches, das weder wahr ist noch wahr sein wird. Da D. die beiden ersten Aussagen für evident gehalten habe, habe er geschlossen, daß die dritte falsch, ihre Negation mithin wahr sei: Nichts ist möglich, was weder wahr ist noch wahr sein wird. Über dieses Argument wurde in der Ant. heftig diskutiert, vor allem deshalb, weil D.' mit ihm bewiesener Möglich-keitsbegriff dazu zu nötigen schien, alles Geschehen als determiniert anzusehen (vgl. bes. Cic. fat. 12–13; 17).
→ Dialektiker; Logik; Megariker

ED.: 1 K.DÖRING, Die Megariker, 1972, III 2 **2** SSR II F. LIT.: 1 S.BOBZIEN, Chrysippus' modal logic and its relation to Philo and Diodorus, in: K.DÖRING, TH.EBERT (Hrsg.), Dialektiker und Stoiker, 1993, 63–84 **2** N.DENYER, The atomism of Diodorus Cronus, in: Prudentia 13, 1981, 33–45 **3** K.DÖRING, Die sog. kleinen Sokratiker und ihre Schulen bei Sextus Empiricus, in: Elenchos 13, 1992, 81–118, hier 94–118 zu D. **4** Ders., D. Kronos, Philon und Panthoides, in: GGPh 2.1, § 17 G (mit Lit.) **5** D.SEDLEY,

Diodorus Cronus and Hellenistic philosophy, in: Proc. of the Cambridge Philological Soc. 203, 1977, 74–120 **6** H. WEIDEMANN, Zeit und Wahrheit bei Diodor, in: K. DÖRING, TH. EBERT (Hrsg.), Dialektiker und Stoiker, 1993, 314–324.   K.D.

[5] Söldnerführer unter → Demetrios [I A 2]. Von diesem nach der Schlacht von Ipsos (301 v. Chr.) als Kommandant in Ephesos eingesetzt, wollte er die Stadt dem → Lysimachos übergeben, doch konnte Demetrios ihn durch eine List gefangennehmen (Polyain. 4,7,3–4). Von DROYSEN [1] mit dem Tyrannenmörder D. (Polyain. 6,49) identifiziert.

G. DROYSEN, Gesch. des Hellenismus, Bd. 2, ²1952, 355.   E. B.

[6] Sohn des Timarchides, angesehenes Mitglied des Rates von Syrakus; 70 v. Chr. Wortführer bei der Beschwerde über Verres vor Cicero (Cic. Verr. 2,4,138).
[7] Berühmter Kitharoede, von Nero 67 n. Chr. im Wettbewerb besiegt (Cass. Dio 63,8,4); bei der Einweihung des wiederhergestellten Marcellustheaters von Vespasian mit angeblich 200000 Sesterzen beschenkt (Suet. Vesp. 19,1).   M. MEI.
[8] Mathematiker in Alexandreia aus dem 1. Jh. v. Chr. (EDWARDS [1. 153–157] hält es für möglich, daß es drei Träger dieses Namens gab). D. verfaßte einen Komm. zu → Aratos [4], der sich gegen die Kritik der Stoiker und des Hipparchos richtete [4. 16, 48 f., 97, 183 f., 203 f.]. Aus D.' Schriften sind v. a. bei → Achilleus Tatios [2] und Macrobius (somn.) Fragmente erh., die sich mit dem Unterschied zw. Astronomie und Physik, der Bed. der Begriffe »Kosmos« und »Stern« sowie der Natur der Sterne und der Milchstraße beschäftigen (abgedruckt in [1. 168–171]).

D. gehört zu den frühen Autoren, die sich mit dem → Analemma beschäftigt haben, durch das Punkte und Kreise auf der Himmelskugel mit Hilfe der orthogonalen Projektion in einer Ebene dargestellt werden konnten. Eine wichtige Anwendung bestand darin, die Stellung der Sonne zu jedem Zeitpunkt anzugeben. Sicherlich hat D. in seiner Schrift Ἀνάλημμα (*Análēmma*), die von → Pappos (4,246,1) und → Proklos (hypotyposis, p. 112) bezeugt wird, auch die Projektion des scheinbaren täglichen Sonnenlaufs behandelt und damit die Grundregeln für die Herstellung von Sonnenuhren gegeben. D.' Methode, den Ortsmeridian aus drei Schattenlängen zu bestimmen, kennen wir durch al-Bīrūnī, Hyginus Gromaticus und aḍ-Ḍarīr [5. 841–843]. Pappos schrieb einen Komm. zu D.' Analemma. Die Kenntnis des Analemma bei den Arabern beruht weitgehend auf D.' Schrift.

D. beschäftigte sich auch mit dem Parallelenpostulat (Anaritius [an-Nairīzī], in dec. lib. prior. elem. Eucl., p. 35,1. 65,23 CURTZE) und mit der mathematischen Bed. des Ausdrucks τεταγμένον (*tetagménon*, »gegeben«; Marinos, Komm. zu Euklids *Data*, p. 234,17 MENGE).
→ Analemma; Gnomon

1 D. R. EDWARDS, Ptolemy's »Peri analemmatos« – an annotated transcription of Moerbeke's Latin translation of of the surviving Greek fragments with an Engl. version and comm., 1984, 152–182 (Diss. Brown Univers.) **2** TH.L. HEATH, A History of Greek Mathematics, II, 1921, 286–292 **3** F. HULTSCH, RE 5, 710–712 **4** J. MARTIN (ed.), Scholia in Aratum vetera, 1974 **5** O. NEUGEBAUER, A History of Ancient Mathematical Astronomy, 1975, 840–843, 1376–1378.   M. F.

[9] aus Sardeis. Dichter des »Kranzes« des Philippos (Anth. Pal. 4,2,12), Freund des Strabon, der ihn Verf. von histor. Schriften (ἱστορικὰ συγγράμματα, μέλη καὶ ἄλλα ποιήματα nennt (13,4,9 = SH 384). Ihm können trotz einiger Unsicherheiten 13 sorgfältig verfaßte Epigramme zugewiesen werden, hauptsächlich Grabinschr. (tatsächliche Inschr. waren vielleicht 7,627; 700 f. = GVI 1472; 1819; 664) und epideiktische Epigramme (Elogen auf Tiberius und Drusus, 9,219 bzw. 405). Von ihm zu unterscheiden ist D. von Tarsos, mit dem Beinamen Grammatikos, Verf. von fünf Epitymbien auf Persönlichkeiten der Vergangenheit, darunter Themistokles (7,74; 235), Aischylos (7;40), Aristophanes (7,38) und Menander (7,370).

GA II,1,232–243; 2,263–276.   E.D./Ü:T.H.

[10] von Sinope. Dichter der Neuen Komödie, Sohn des Dion und Bruder des Komikers Diphilos. Aus Sinope stammend, erhielt D. später das athenische Bürgerrecht [1. test. 2], worauf vielleicht auch die Inschr. IG II² 648 zu beziehen ist [1. ad test. 2]. An den Lenäen des J. 284 v. Chr. belegte D. den zweiten und dritten Rang [1. test. 4], ein anderes Mal scheint er siegreich gewesen zu sein [1. test. *3]. Fünf Werktitel sind überliefert sowie drei Fragmente, darunter ein längeres (42 V.) über den göttlichen Ursprung der Parasitenkunst (fr. 2). Über die Identität des D. mit einem gleichnamigen Schauspieler aus Athen oder Sinope kann nur spekuliert werden [1. test. *5].

1 PCG V, 1986, 25–30.   T. HI.

[11] Nach Erwähnungen bei Plutarch (Theseus 36,5; Kimon 16,1), Athenaios (13, 591 B; FGrH 372 F 36) und Harpokration (FGrH 372 F 1; 7; 10; 14) ein Perieget. Herkunft unbekannt, tätig um 300 v. Chr. Er wird von Harpokration (FGrH 372 F 1; 15; 16; 25; 32) als Autor eines Werkes über die att. Demen (Περὶ τῶν δήμων) bezeichnet. Seine Schrift Περὶ (τῶν) μνημάτων in mindestens drei Büchern erwähnt Plutarch (Themistokles 32,5); hierbei scheint es sich um eine Beschreibung att. Grabdenkmäler gehandelt zu haben. Der zweifelhafte Werktitel Περὶ Μιλήτου könnte sich ebenfalls auf diese Schrift beziehen.   A. A. D.

[12] von Elaia (ὁ Ἐλαΐτης). Alexandrinischer Elegiker, der unter anderem die unglückliche Liebe, die Leukippos Daphne gegenüber hegte, behandelte (Parthenios, erotica 15 = SH 380). Sehr wahrscheinlich ist er mit dem gleichnamigen Verf. von *Korinthiaká* (Κορινθιακά). gleichzusetzen, der in schol. Theokr. 2,120a (= SH 381) als Zeuge für eine Version des Mythos zitiert wird, nach der die goldenen Äpfel, die Hippomenes beim Wettlauf mit Atalanta benutzte, zum Kranz des Dionysos gehörten (vgl. Philetas fr. 18 POWELL). M.D.MA./Ü:T.H.

[13] Griechischer Grammatiker und Lexikograph, Verf. einer Sammlung von Ἰταλικαὶ γλῶσσαι, die von Athen. 11,479a zitiert wird. Insgesamt fünf Erwähnungen bei Athenaios werden auf ihn zurückgeführt (11,478b; 479a; 487c; 501d; 14,642e), eine bei Erotianos (51,16 s.v. καμμάρῳ) und eine in schol. Dion. Thrax 183,29 (in Bezug auf ein Werk Περὶ τῶν στοιχείων). Die Tatsache, daß er zweimal bei Athenaios (11,501d; 14,642e) und in schol. Dion. Thrax zusammen mit → Apion zitiert wird, läßt darauf schließen, daß er dessen Zeitgenosse und daher jünger als D. [14] von Tarsos war; doch ist die Rekonstruktion gewiß nicht über jeden Zweifel erhaben.

→ Apion; Diodoros [14] von Tarsos

L. COHN, s.v. D. (52), RE 5, 709f..

[14] aus Tarsos. Griech. Grammatiker aus alexandrinischer Zeit, wird von Strabon 14,5,15 und von Steph. Byz. 23,24 s.v. Ἀγχιάλη zitiert. Er war auch Epigrammdichter: sicher ist Anth. Pal. 7,235, wahrscheinlich sind 7,700 und 701; doch ist es unmöglich, zwischen den verschiedenen Autoren gleichen Namens in der Anth. Pal. zu unterscheiden, wenn keine weiteren Angaben gemacht werden. Da Strabon (ebd.) zwei Grammatiker aus Tarsos, D. und Artemidoros, der anderswo ὁ Ἀριστοφάνειος genannt wird, zusammen erwähnt, pflegt man diesen D. von Tarsos mit D. ὁ Ἀριστοφάνειος gleichzusetzen, der von Athen. 5,180e (bzgl. eines Problems der Homerphilol.) und in schol. Pind. I. 2,54 zitiert wird, doch kann diese Hypothese keine Gewißheit beanspruchen. Demselben Autor wird das auf Didymos zurückgehende schol. Il. 2,865 zugewiesen. Problematisch ist Hesych. s.v. Διαγόρας = schol. Aristoph. Ran. 320. Wie in vielen anderen Fällen gibt es auch hier Probleme mit der Homonymie: zu anderen ungewissen Stellen vgl. COHN und D. [13].

→ Anthologia; Artemidoros [4] von Tarsos; Diodoros

H. L. AHRENS, Bucolicorum Graecorum reliquiae, 1855–1859, vol. II, p. XL · L. COHN, s.v. D. 52), RE 5, 708f. · A. LUDWICH, Aristarchs Homer. Textkritik, I, 1884/5, 228, 535 · PFEIFFER, KPI, 258 · CH. SCHÄUBLIN, Diodor von Tarsos gegen Porphyrios?, in: MH 27, 1970, 58–63. F.M./Ü:T.H.

[15] Urheber einer Definition der Rhet. als ›das Vermögen, für jede Rede die möglichen Überzeugungsmittel aufzufinden und elegant auszudrücken‹ (δύναμις εὑρετικὴ καὶ ἑρμηνευτικὴ μετὰ κόσμου τῶν ἐνδεχομένων πιθανῶν ἐν παντὶ λόγῳ, Nikolaos Progymnasmata, S. 451.7 Sp. 3, schol. in Aphthon. S. 7 WALZ 2). Beinahe dieselbe Definition wird von Quint. inst. 2,15 und 16 einem Eudorus (varia lectio: Theodorus) zugeschrieben und als Erweiterung der aristotelischen (Aristot. rhet. 1356a 25) Definition erklärt. Ob dieser D. mit → Dio-

doros [16] aus Tyros identisch ist, ist fraglich; von dem Kritolaosschüler wäre eine weniger positive Wertung der Rhet. zu erwarten.

[16] aus Tyros. Peripatetiker, Schüler und Nachfolger des Kritolaos (Mitte des 2. Jh. v. Chr.). Er ist bekannt durch seine Definition des Lebensziels (*télos*; fr. 3–5 WEHRLI), nach welcher das höchste Gut in einer Vereinigung von Tugend und Schmerzlosigkeit bestehe, aber die Tugend alle anderen Güter weit überwiege – eine Verschmelzung der Lehren des Kritolaos und des Hieronymos von Rhodos.

→ Aristotelismus

F. WEHRLI, Schule 10, ²1969, 87ff. · Ders., in: GGPh 3, 590f. H.G.

[17] Zonas. Epigrammdichter des »Kranzes« des Philippos (Anth. Pal. 4,2,11) aus Sardeis. Er war auch Redner und hatte es als solcher in Rom zur Zeit der Mithridatischen Kriege (89–67 v. Chr.) zu einigem Ruhm gebracht (vgl. Strab. 13,4,9). Ihm können zumindest neun anathematische, sepulkrale und epideiktische Epigramme (Anth. Pal. 11,43 ist sympotisch) zugewiesen werden; aufgrund von Verwechslungen mit D. [9] von Sardeis und D. [14] von Tarsos bleiben jedoch einige Unsicherheiten. Diese Gedichte lassen einen raffinierten Nachahmer des Leonidas erkennen, der seiner Vorlage an Virtuosität und sprachlicher Gestaltungskraft überlegen ist (relativ zahlreich sind die *hapax legomena*, vgl. 6,22; 6,98; 9,226; 9,556 usw.).

GA II,1,380–387; 2,263f., 413–418. E.D./Ü:T.H.

[18] D. Siculus, aus Agyrion (h. Agira) in Sizilien, griech. Universalhistoriker, des 1. Jh. v. Chr., der mit seiner *Bibliothéké* (Titel nach Plin. praef. zu B. 25) eine ganze (histor.) Bibliothek ersetzen wollte. Angaben zur Vita finden sich bes. im Prooemium: Ein Ägyptenaufenthalt in der 180. Ol., d. h. 60–57 v. Chr. (1,44,1; 46,7; 83,9) ist das früheste, die Gründung der Kolonie Tauromenium durch Octavian/Augustus (wohl schon 36, nicht 21 v. Chr.) das späteste Datum (16,7,1). D. arbeitete 30 Jahre an seinem Werk (1,4,1), lebte längere Zeit in Rom und benutzte auch lat. Autoren (1,4,4).

Vorbild war Ephoros von Kyme (4,1,2–3; 5,1,4), jedoch berücksichtigte D. auch eingehend die mythische Epoche und die röm. Geschichte. Die ›Bibliothek‹ umfaßt 40 B., reicht von den Anfängen der Welt bis zum Beginn von Caesars Gallischem Krieg 60/59 v. Chr. (so 1,4,6; 5,1) bzw. bis zur Eroberung Britanniens im J. 54 (so 3,38,2; 5,21,2; 22,1) und gliedert sich in 1,4,6f. grob in die Zeit vor dem Troianischen Krieg mit Geographie, Ethnographie, Theologie und Mythographie der Oikumene (B. 1–6: B. 1–3 Barbaren, B. 4–6 Griechen), die Geschichte vom Fall Troias bis zum Tod Alexanders d. Gr. 323 v. Chr. (B. 7–17) und die Zeit von 323 bis 60/59 bzw. 54 v. Chr.

Vollständig überliefert sind B. 1–5 und B. 11–20, sonst nur Fragmente und Exzerpte (konstantinische Exzerpte, Excerpta Hoescheliana für B. 21–26 und Photios ab B. 31). Bes. ethnographische und historiographische Bed. haben die Berichte über Ägypten (1,10–98, Hauptquelle Hekataios von Abdera), Indien (2,35–42, Megasthenes), die Völker am arab. Meerbusen (3,12–48, Agatharchidas) und die rationalistische Mythendeutung (6,1–5, Euhemeros). Histor. wertvoll sind die B. 11–20 mit der einzigen fortlaufenden Schilderung der Jahre 480–302 v.Chr. Schwerpunkte im universalhistor. Konzept sind die griech., sizilischen und ab B. 23 (1. Pun. Krieg) die röm. Geschichte mit den zentralen Teilen: Griech. Geschichte der klass. Zeit (11–15, Hauptquelle Ephoros), Geschichte Siziliens von 480 bis 289/8 (11–21, Timaios) Geschichte Philipps II. (16, Vorlage unbekannt), Alexander der Große (17, Kleitarchos), Diadochengeschichte (18–20, Hieronymos von Kardia), frühe röm. Geschichte (7–12, unbekannter, aber zuverlässiger Annalist), röm. Gesch. 171–146 (28–32, Polybios) und röm. Gesch. 146–88 (33–38, Poseidonios). D. gliedert annalistisch nach Olympiaden, athenischen Archonten und röm. Consuln mit Hilfe einer (unbekannten) chronographischen Quelle (mit Daten zu Herrschern, Philosophen, Dichtern und Historikern; Überblick bei [1. 666–669]), trifft jedoch nicht immer die synchrone Angleichung.

Äußerst negativ war die Bewertung Diodors seit NIEBUHR (1828) im 19. Jh. (NISSEN, 1869; MOMMSEN, 1859) und im beginnenden 20. Jh. [1. 663–704], teilweise bis in die neueste Zeit [2; 3; 4]: D. gilt vornehmlich als geistloser »Kompilator«, der Vorlagen mechanisch kopiert, nur eine Vorlage über weite Strecken benutzt (sog. Einquellentheorie), flüchtig exzerpiert, in Irrtümer und Widersprüche fällt, Dubletten nicht erkennt, chronologisch wirr und histor. zu unkritisch ist. Ebenso fehle es ihm an Autopsie und polit. und mil. Erfahrung. Erst seit den letzten Jahrzehnten betont eine positivere Bewertung den einheitlichen und leicht verständlichen Stil [5. 63ff., 110–139], die durchgängige Nutzung von Standardautoren, elastische Arbeitsweise (jeweils Haupt- und eine oder mehrere Nebenquellen: [6]), die hervorragende Darstellung der Geschichte Siziliens, Philipps II., der Diadochen, des frühen Rom. Weiterhin führen die Hinweise auf die einheitliche Geschichtsauffassung und Weltanschauung [7; 8] sowie die überzeugende Gesamtkonzeption [6] zu einer partiellen Rehabilitierung.

1 ED. SCHWARTZ, s.v. D. (38), RE 5,, 663–704
2 J. HORNBLOWER, Hieronymus of Kardia, 1981
3 J. MALITZ, Die Historien des Poseidonios, 1983 (Zetemata 79) 4 L. PEARSON, The Greek Historians of the West, 1987
5 J. PALM, Über Sprache und Stil des D. von Sizilien, 1955
6 K. MEISTER, Die sizilische Gesch. bei Diodor, 1967
7 M. PAVAN, La teoresi storica di Diodoro Siculo, in: RAL 16, 1961, 19–52, 117–151 8 K. S. SACKS, Diodorus Siculus and the First Century, 1990.

ED.: E. VOGEL, K. FISCHER, 1888–1906 · C. H. OLDFATHER et al., 1933–1967 (12 Bde. mit engl. Übers.) · E. CHAMOUX et al., 1972ff. (mit franz. Übers.) · O. VEH, U. WILL, 1992/3 (bisher B. 1–10, dt. Übers.) · J. F. McDOUGALL,

2 Bde., 1983 (Lexikon).
LIT.: F. CASSOLA, Diodoro e la storia romana, in: ANRW II 30.1, 1982, 724–733 · E. GALVAGNO, C. MOLÈ VENTURA, Diodoro e la storiografia classica, 1991 · O. LENDLE, Einführung in die griech. Geschichtsschreibung, 1992, 242ff. · K. MEISTER, Die griech. Geschichtsschreibung, 1990, 171ff. · M. PAVAN, Osservazioni su Diodoro, Polibio e la storiografia ellenistica, in: Aevum 61, 1987, 20–28.

K. MEI.

[19] Metrologe (Arzt?) des 4./5. Jh. n.Chr. Er verfaßte eine Übersicht über Gewichte und Hohlmaße. In den Scholien zur Ilias (5,576) ist ein Fr. aus der Schrift Περὶ σταθμῶν (›Über Gewichte‹) erh., in dem die Teile des Talents angeführt werden.
→ Gewichte; Hohlmaße; Talent

1 F. HULTSCH, s.v. D. (54), RE 5, 712 2 Ders., Metrologicorum scriptorum reliquiae Bd. 1, 1864, 156f., 299f.
3 Ders., Griech. und röm. Metrologie, ²1882, 8, 339f. M.F.

[20] von Tarsos. Berühmter altchristl. Theologe († vor 394 n.Chr.). Nach gründlicher Ausbildung wirkte D. zunächst in → Antiocheia [1] als Laienkatechet. Später wurde er unter Meletios zum Priester geweiht und übernahm die Leitung eines klosterähnlichen ἀσκητήριον (askētērion). Damit wurde die antiochenische Exegetenschule (→ Antiochenische Schule) im Sinne einer Institution begründet (Schüler: → Iohannes Chrysostomos, → Theodoros von Mopsuestia). Seit 378 war D. Bischof von Tarsos. Als Verteidiger des Glaubens gegen Heidentum und Häresie zählt D. zu den Vorkämpfern des Nicaenums und spielt auf dem Konzil von Konstantinopel 381 eine bed. Rolle. Postum als Vorläufer des Nestorios gebrandmarkt, wurden seine Schriften 449 (Synode von Konstantinopel) verurteilt. So sind vom vielseitigen Werk nur Fragmente erhalten. Zahlreiche, die Auslegung nach dem Literalsinn bevorzugende Komm. zum AT und NT, darunter ein Ps.-Komm. [1. 3–320], gehören ebenso dazu wie dogmatische und apologetisch-polemische Schriften.

1 J.-M. OLIVIER, 1980 (Corpus Christianorum Series Graeca 6) 2 CH. SCHÄUBLIN, s.v. D., TRE 8, 763–767 (Lit.).

ED.: CPG 3815–3822. J. RI.

[21] s. Sokratiker

Diodotos (Διόδοτος).

[1] 428/7 v. Chr. Autor des *psḗphisma* (»Volksbeschluß«) über das Schicksal der Mytilenaier. D. hielt eine Rede gegen Kleon (Thuk. 3,41–49,1). TRAILL, PAA 328540.

B. MANUWALD, Der Trug des D., in: Hermes 107, 1979, 407–422 · C. ORWIN, in: American Political Science Review 78, 1984, 485–494 · W. C. WEST III, (Bibliogr.), in: P. A. STADTER (Hrsg.), Speeches in Thuc., 1973, 156f.

K. KI.

[2] Auch als Theodotos überliefert, Satrap von Baktrien und Sogdiane, verselbständigte sich um die Zeit von Antiochos' II. Tod (246 v. Chr.). D. machte sich einige

Jahre später etwa gleichzeitig mit der Errichtung der Arsakidenherrschaft in Parthyene bzw. während des Bruderkriegs zwischen Seleukos II. und Antiochos Hierax zum König und nahm den Herrscherbeinamen Soter an (unterschiedliche Datierung bei [1] und [2]). Er hinterließ das seither von den Seleukiden unabhängige, sog. graeco-baktrische Reich 234 seinem gleichnamigen Sohn (Strab. 11,9,515; Iust. 41,4,5; 8f.).

1 K. BRODERSEN, The Date of the Secession of Parthia from the Seleukid Kingdom, in: Historia 35, 1986, 378–381 2 D. MUSTI, CAH 7² 1, 219f.

The Cambridge History of Iran 3, 1984 · A. N. LAHIRI, Corpus of Indo-Greek Coins, 1965 · A. K. NARAIN, The Indo-Greeks, 1957 · E. T. NEWELL, The Coinage of the Eastern Seleucid Mints, ²1978, 245ff. · W. W. TARN, The Greeks in Bactria and India, ²1951 · WILL · G. WOODCOCK, The Greeks in India, 1966. A. ME.

Diözese s. Dioikesis

Diogeiton (Διογείτων). Im Jahr 401/0 v. Chr. stand D. wegen des Mißbrauchs des Sorgerechts für die Kinder seines Bruders Diodotos und der Veruntreuung seines Vermögens vor Gericht. Ankläger war eines der Kinder des 409/8 verstorbenen Diodotos, zugleich Enkel des D., da Diodotos die Tochter des D. geheiratet hatte (Lys. or. 32, contra D.). TRAILL, PAA 325580.

J. M. MOORE, D.'s Dioikesis, in: GRBS 23, 1982, 351–355. ME. STR.

Diogenes (Διογένης). Bekannte Persönlichkeiten: der Kyniker D. [14] von Sinope, der Philosophiehistoriker D. [17] Laertios.
I. POLITISCH AKTIVE PERSÖNLICHKEITEN
II. PHILOSOPHEN III. DICHTER, BILDHAUER

I. POLITISCH AKTIVE PERSÖNLICHKEITEN

[1] Athener (?) [1. 341,1], seit 233 v. Chr. maked. Truppenkommandant in Attika, soll beim Gerücht vom Tod des → Aratos [2] von den Achaiern Korinth gefordert haben (Plut. Arat. 34,1–4) [2. 168,63]; ermöglichte nach dem Tod des → Demetrios [3] II. im J. 229 mit der Preisgabe des Piraeus und anderer Garnisonen für 150 Talente die Befreiung Athens von der maked. Fremdherrschaft (Plut. Arat. 34,6) [1. 340f.; 2. 176] und wurde dafür als *euergétēs* geehrt (IG II² 5080) [2. 182].

1 HM 3 2 HABICHT. L.-M. G.

[2] Verteidigte 221 v. Chr. als Stratege der Susiane die Burg von Susa für Antiochos III. gegen den aufständischen Molon, wurde Stratege von Medien und begleitete 209 Antiochos III. auf dessen Ostfeldzug (Pol. 5,46,7; 48,14; 54,12; 10,29,5; 30,6). A. ME.
[3] Gesandter des → Orophernes von Kappadokien, 157 v. Chr. gemeinsam mit Timotheos in Rom zur Erneuerung der *amicitia* und zur Verteidigung gegen den gestürzten Ariarathes V. (Pol. 32,10,4–8; Diod. 31,32b). L.-M. G.

[4] Freund des jüd. Königs Alexandros [16] Iannaios. Die Pharisäer gaben ihm Mitschuld am Tod von 800 ihrer Parteigänger, die der König hatte kreuzigen lassen; unter Alexandra Salome zu Macht gelangt, töteten sie D. (Ios. bell. Iud. 1,113; ant. Iud. 13,410). K. BR.
[5] Feldherr des Mithridates VI. Eupator. D. war der Stiefsohn des Archelaos [4] (Plut. Sulla 21,6) und nicht sein Sohn ([1. 98] gegen App. Mithr. 49; Eutr. 5,6,3; Oros. 6,2,6). Er fiel im Kampf gegen Sullas Truppen bei Orchomenos 86 v. Chr.

1 A. KEAVENEY, Sulla, 1982. ME. STR.

[6] Sohn des Numenios, *syngenḗs* Kleopatras VII. und Caesarions, 38 v. Chr. als letzter ptolemaeischer Stratege Zyperns und Kilikiens bezeugt.

E. VAN'T DACK, Ptolemaica Selecta, 1988, 177, 179, 182. W. A.

[7] Notar unter Constantius II., 355 nach Alexandreia geschickt, um die Absetzung des Athanasius durchzusetzen (Athan. ad Const. 22; Hist. Ar. 48,1; PLRE 1, 255, D. 2).
[8] Ehem. Statthalter in Bithynien, unter Valens im Zusammenhang mit dem Prozeß gegen → Theodorus hingerichtet (Amm. 29,1,43). B. BL.
[9] Offizier in der Privatgarde des Belisarios, kämpfte gegen die Vandalen in Afrika (533/4 n. Chr.), gegen die Goten in It. (ab 536), gegen die Perser (542) und 549 wieder in It., wo er im Auftrag des Belisarios die Verteidigung Roms gegen die Belagerung durch den Gotenkönig Totila übernahm. Nach dem Fall der Stadt im Januar 550 durch Verrat rettete er sich in die Festung Centumcellae (Civitavecchia). Als ihr Verteidiger wird er zuletzt erwähnt (Prok. BG 3,37; 39). PLRE 3A, 400f. Nr. 2. F. T.
[10] Bischof von Amisos (am Pontos Euxeinos) im 6. Jh. n. Chr., Verf. eines Epitaphios (vielleicht tatsächlich eine Inschr. [vgl. [1]] auf den Sohn seines Bruders (Anth. Pal. 7,613). Die Herkunft aus dem »Kyklos« des Agathias ist nicht sicher.

1 P. WALTZ, Acropole 6, 1931, 17. E. D./Ü: T. H.

II. PHILOSOPHEN

[11] von Ptolemais. Stoischer Philosoph unbekannter Lebenszeit. Er begann laut Diog. Laert. 7,141 die philos. Unterweisung mit Ethik (statt mit Logik oder Physik). B. I./Ü: J. DE.
[12] Naturphilosoph, wirkte um 440–430 v. Chr. Im Jahr 423, als Aristophanes' ›Wolken‹ aufgeführt wurden, müssen D.' Lehren so bekannt gewesen sein, daß sie Sokrates untergeschoben werden konnten (64 C 1 DK). Demetrios [4] von Phaleron hielt fest, daß auch D. in Athen wegen des (wahrscheinlich gegen die Philos. gerichteten) Hasses (Diog. Laert. 9, 57 = 64 A 1 DK) in Gefahr war. D.' Heimatstadt Apollonia läßt sich auf Kreta (so Steph. Byz. 64 A 3 DK) oder auch am Pontos lokalisieren (ein phrygischer D. erscheint in Ailianos' Liste von *átheoi*, ebenfalls 64 A 3 DK).

D.' Abhandlung ›Über die Natur‹ (Περὶ φύσεως) verwies Simplikios zufolge, der sich noch im Besitz einer Abschrift befand, auf folgende weiteren Werke ihres Autors: ›Gegen die Sophisten‹ (Πρὸς σοφιστάς – so nannte D. andere Naturphilosophen), ›Meteorologia‹ (Μετεωρολογία, wiederum philos. Diskussionen allg. Natur), und ›Über die Natur des Menschen‹ (Περὶ ἀνθρώπου φύσεως; 64 A 4 DK). Alle erh. Zitate des D. gehen auf Περὶ φύσεως zurück, die doxographischen Berichte dagegen letzten Endes wohl auf Theophrastos' Schrift ›Sammlung von D.' Meinungen‹ (Τῶν Διογένου συναγωγή), eine Kompilation von mehreren Werken des D. [1. 249].

Anders als die meisten nachparmenideischen Philosophen vertrat D. eine monistische Position: Alles entsteht durch Veränderung aus demselben Ding und ist dasselbe Ding, sonst könnten die Dinge in der Welt nicht interagieren (64 B 2 DK). Diese gemeinsame Natur ist Luft (64 B 4–5 DK), die ewig, unsterblich und stark ist und viel weiß (64 B 7–8 DK). Die göttliche Luft steuert und durchwaltet alles, reicht überall hin und ist in allem. Da sie so veränderlich und vielgestaltig ist, hat alles auf verschiedene Weise (64 B 5 DK) an ihr Anteil. Herausragende Beispiele für die Teilhabe an der Luft sind Atem und Seele (zu diesen Lehren vgl. die Thesen der → milesischen Schule). Da Blut ein Träger von Luft im Organismus sei, bot D. eine detaillierte Erörterung des Gefäßsystems (64 B 6 DK, zit. bei Aristot. hist. an. 3,2,511b31–513b11).

Theophrast nennt D. den ›beinahe jüngsten Naturphilosophen‹ (Demokrit lebte vielleicht später) und wies darauf hin, daß D. (unvereinbare) Lehren des Anaxagoras und Leukippos miteinander verband (die durch Simplikios überliefert sind, 64 A 5 DK; vgl. [1. 93] zur Bedeutung von Theophrasts Behauptung). Ob er nun Eklektiker war oder nicht, D. eignete sich anaxagoreische Lehren auf originelle Weise an. Er verwarf die unendlich vielen, sich miteinander vermischenden Seinspartikel, beseitigte den ihnen aufgestülpten Dualismus und den sich selbst genügenden Geist und entschied sich für einen alles durchdringenden Monismus. Wahrscheinlich war Leukippos' Beitrag zu D.' Denken nicht das Nichts (64 A 6 und A 31 DK, das Nichts muß aber nicht das absolute Nichts der Atomisten sein), sondern die spontane Entstehung unendlicher Welten (64 A 6 DK).

Ein teleologisch zu nennender Gedanke findet sich in dem Fragment 64 B 3 DK: Die optimale Ordnung der Welt bezeugt die Existenz einer ordnenden Intelligenz. Dies hat jedoch nicht die teleologische Erklärung eines jeden Naturphänomens zur Folge. Die Intelligenz der Luft und die Maße, die sie enthält, können gewährleisten, daß Kausalketten im Ausgang vom Prinzip optimale Ordnungen ohne intendierte Interaktionen hervorbringen.

Als die Sophisten um die Mitte des 5. Jh. v. Chr. aufkamen, hatte D.' Projekt schon einen altmodischen Anschein angenommen. Sein Einfluß auf den stoischen *pneúma*-Begriff ist aber vielleicht beträchtlich gewesen.

1 A. LAKS, Diogène d'Apollonie, 1983.

Fr.: DIELS/KRANZ, II 51–69 · R. HANSLIK, s. v. D. (42), RE Suppl. 12, 233–236.

[13] von Smyrna (ca. 380–320 v. Chr.) erscheint in der Sukzessionsreihe der → Demokriteer. Die Behauptung, daß er die gleichen Lehren vertreten habe wie → Protagoras (71 A 2 DK), ist unergiebig. Es handelt sich vielleicht um jenen D., von dem berichtet wird, daß er zusammen mit Leukippos und Demokrit der Ansicht gewesen sei, Wahrnehmungen ergäben sich durch Konvention (νόμῳ) und nicht von Natur aus [1. 397 b 9–11].

1 DIELS, DG.

DIELS/KRANZ II 235. I.B./Ü: T.H.

[14] von Sinope. Der Gründer der → kynischen Schule, 412/403 – 324/321 v. Chr., ist uns vor allem durch Diog. Laert. 6,20–81 sowie aus den zahlreichen Apophthegmata und Chrien bekannt. In seiner Biographie vermischen sich durchgehend Wahrheit und Legende. A. LEBEN B. LEHRE

A. LEBEN

D. wurde in Sinope am Schwarzen Meer als Sohn eines Hikesias geboren, der die öffentliche Bank leitete und eines Tages Falschmünzerei beging. Daran soll D. beteiligt gewesen sein, was ihn dazu gezwungen habe, nach Athen ins Exil zu gehen (Diog. Laert. 6,20–21). Ausgehend von dieser Episode sollte die kynische Lehre des D. sich die »Falschmünzerei« im Sinne einer Umkehr der allg. anerkannten Werte (νόμος) zur Devise nehmen. Die Chronologie erlaubt keine positive Aussage darüber, ob D. in Athen Umgang mit → Antisthenes gehabt haben kann, wie in den sog. »Sukzessionen« (→ Doxographie) behauptet wird (vgl. Diog. Laert. 21–23), aber es ist sicher, daß er zumindest indirekt unter dem Einfluß dieses Sokratesschülers stand. In Athen zeigte er sich erstmals in der Ausrüstung des Kynikers, mit Bettelsack, Stock und *tríbōn* (verschlissenem Mantel) und begann ein Leben von äußerster Genügsamkeit zu führen; dieses brachte ihm den Spitznamen »der Hund« (κύων, *kýōn*) ein, den er nicht nur bereitwillig annahm, sondern in der Folgezeit sogar der Offenheit, Schamlosigkeit und Einfachheit im Verhalten des Hundes wegen für sich in Anspruch nahm. Auf einer Reise nach Aigina wurde er von Piraten gefangengenommen, nach Kreta gebracht und als Sklave verkauft (Diog. Laert. 6,29–30; 75). Ein reicher Bürger von Korinth, Xeniades, kaufte ihn und machte ihn zum Lehrer seiner Kinder; man weiß nicht, ob er damals bei Xeniades wohnte oder in einer Tonne auf dem Kraneion. Nach der Überlieferung soll er eines Tages, als er auf diesem Hügel in der Sonne lag, mit Alexander dem Großen zusammengetroffen sein und zu ihm gesagt haben: ›Geh mir aus der Sonne!‹ (*nunc quidem paululum, inquit, a sole*; Cic. Tusc. 5,92).

Über seinen Tod und sein Begräbnis gibt es mehrere Versionen. D. hatte zahlreiche Schüler: → Krates von Theben, Monimos von Syrakus, Onesikritos von Aigina oder Astypalaia, der am Feldzug Alexanders in Ägypten teilnahm, ein anderer Onesikritos von Aigina mit seinen beiden Söhnen Androsthenes und Philiskos, der bekannte Politiker Phokion »der Gute« und der megarische Philosoph Stilpon.

B. Lehre

Die Echtheit der Werke des D. war seit der Ant. umstritten. Diog. Laert. 6,80 gibt zwei Listen seiner Schriften, in denen nur vier Titel übereinstimmen; die erste Liste ist anonym, während die zweite dem → Sotion zugeschrieben wird, wahrscheinlich stoischen Ursprungs ist und daher die all zu gewagten Schriften des Philosophen unterschlägt, darunter vor allem den berühmten ›Staat‹ und die Tragödien.

Als moralische Kunst (τέχνη) schlägt D. einen »kurzen Weg« vor, das Glück zu erlangen, und zwar den Weg der physischen Askese mit moralischem Ziel, der die Kraft der Tat den Spitzfindigkeiten der Diskussion vorzieht und die Lebenserfahrung des Weisen in den Vordergrund stellt. Die Askese verlangt vom Menschen, sich von allen materiellen Gütern frei zu machen, sich mit dem zum Leben unbedingt Notwendigen zufriedenzugeben und sich täglich darin zu üben, freiwillig Entbehrungen (πόνοι) auf sich zu nehmen: man soll wenig Kost zu sich nehmen, nur Wasser trinken, auf dem harten Boden schlafen oder sich im Sommer im heißen Sand wälzen, um so in der Lage zu sein, guten Mutes alle Anfechtungen zu ertragen, wenn Glück und Schicksal eines Tages zuschlagen.

In allen Bereichen des menschlichen Handelns betreibt D. seine »Falschmünzerei«. In der Politik weigert er sich, einer bestimmten Stadt zuzugehören, und erklärt sich zum zum *kosmopolítēs*, zum Weltbürger (κοσμοπολίτης; → Kosmopolitismus); in seinem ›Staat‹ weist er alle Verbote zurück, die Ausdruck sozialen Willens sind, und äußert vor allem bezüglich der Familie und der Sexualität skandalträchtige Auffassungen; er geht dabei sogar so weit, die Anthropophagie, d. h. Kannibalismus, anzupreisen und den Inzest, den gemeinschaftlichen Besitz von Frauen und Kindern, die Nacktheit der Frauen bei sportlicher Übung und völlige sexuelle Freizügigkeit. Im Bereich der Moral bricht er mit dem sokratischen Intellektualismus, betont nach dem Vorbild des Antisthenes die Kraft des Willens und fordert die Menschen dazu auf, sich zu Autarkie (αὐτάρκεια), Apathie und Freiheit als Voraussetzungen des Glücks zu bekennen. Im Bereich der Religion bekennt er sich zu einer Form des Agnostizismus und stellt sich gegen alle Arten Religionsausübung seiner Zeit, da die Religion seiner Auffassung nach Ausdruck des Herkommens sei und aufgrund der Scheu, die sie errege, ein Hindernis auf dem Wege zur Apathie darstelle. In der Philos. verläßt er sich auf die Armut als ›instinktive Hilfe für die Philos.‹; der »kurze Weg« der kynischen Schule verzichtet somit auf jede *paideía* und fordert kein bes.

Wissen. D. hat die frühen Stoiker wie → Zenon stark beeinflußt, und letzterer hat einen ›Staat‹ geschrieben, der von dem des D. inspiriert ist; andere, wie die Zeitgenossen des Panaitios, zeigten sich indes von den maßlosen Äußerungen des D. schockiert.

→ Antisthenes; Kosmopolitismus; Krates von Theben; Kynische Schule; Kynismus

SSR Bd II, Sektion V B, Bd IV, 413–559 · M.-O. Goulet-Cazé, L'ascèse cynique. Un commentaire de Diogène Laerce VI 70–71, 1986 · L. Paquet, Les Cyniques grecs. Fragments et témoignages, ²1988, 49–100 · H. Niehues-Pröbsting, Der Kynismus des D. und der Begriff des Zynismus, 1988. M. G.-C./Ü: A. Wi.

[15] von Babylon. Bedeutendstes stoisches Schuloberhaupt nach Chrysippos, ca. 240–150 v. Chr. Er studierte bei → Chrysippos und dessen Nachfolger → Zenon von Tarsos, und war seinerseits Lehrer des → Antipatros [I 10] von Tarsos, des → Panaitios von Rhodos und weniger bedeutender Stoiker. Er ist bekannt für seine Debatten mit dem Akademiker → Karneades und seine Teilnahme an der athenischen Philosophengesandtschaft nach Rom (156/5 v. Chr.), bei der er auch philos. Vorträge hielt – die erste formale Einführung stoischen Gedankengutes in Rom. Er schrieb über zahlreiche Themen: Logik, Physik und Theologie, Ethik und Politik, vor allem aber über Rhet. und Musik. Die Fragmente von Philodemos' Schrift ›Über die Musik‹ enthalten eine wichtige Darstellung von D.' Gedankengut, bes. bezüglich der Politik. D. beteiligte sich intensiv an der Diskussion über das Wesen des *télos* (Lebensziel), über die Ausgewogenheit von ethischen Grundsätzen und pragmatischem Handeln (vgl. Cic. off. 3,50–56; 91) und über das Wesen der Götter.

1 SVF III, pp. 210–243 2 C. Guerard, in: Goulet Bd.2, 807–810 (Bibliogr. Anm. von J.-P. Dumont, D. Delattre, mit Ankündigung einer geplanten Ausgabe von Frg. und Test.) 3 M. Pohlenz, Die Stoa, Bd. 1, 1948, 180–190 4 G. Striker, Antipater, or the art of living, in: Essays of Hellenistic Epistemology and Ethics, 1996, 298–315 5 J. Annas, Cicero on Stoic Moral Philosophy and Private Property, in: J. Barnes, M. Griffin (Hrsg.), Philosophia togata, 1989, 151–173 6 M. C. Nussbaum, Poetry and the Passions: Two Stoic Views, in: J. Brunschwig, M. Nussbaum (Hrsg.), Passions and Perceptions, 1993, 115–121 7 D. Obbink, P. Vander Waerdt, Diogenes of Babylon. The Stoic Sage in the City of Fools, in: GRBS 32, 1991, 355–396 8 J. Brunschwig, Did Diogenes of Babylon invent the Ontological Argument?, in: Ders., Papers in Hellenistic Philosophy, 1994, Kap. 8. B. I./Ü: J. De.

[16] aus Tarsos. Epikureer unbestimmter Zeit. Er schrieb ›Ausgewählte Schulvorträge‹ (Ἐπίλεκτοι σχολαί) in fast 20 Büchern (Diog. Laert. 10,26; 97; 120; 138) und einen ›Abriß der ethischen Lehren Epikurs‹ (Ἐπιτομὴ τῶν Ἐπικούρου ἠθικῶν δογμάτων; Diog. Laert. 10,118). Wenn er mit dem gleichnamigen Autor D. [20] von ›Poetischen Fragen‹ (Ποιητικὰ ζητήματα; Diog. Laert. 6,81) und von Trag. (Strab. 14,5,15) identisch ist, müßte man ihn in der 2. H. des 2. Jh. v. Chr. ansiedeln. Die Orthodoxie von D. innerhalb der Schule ist umstritten (Diog. Laert. 10,26).

T. DORANDI, in: GOULET 2, 1994, 823 f.   T.D./Ü:E.KR.

[17] Laertios. Verfasser des einzigen aus der Ant. erh. Werkes, das eine umfassende Darstellung der Gesch. der griech. Philos. bis zum Beginn unserer Zeitrechnung bietet.

A. ZUR PERSON   B. DIE PHILOSOPHENVITEN

A. ZUR PERSON

Unser Wissen über den Autor beschränkt sich ausschließlich auf das, was sich aus seinem Namen und seinem Werk ableiten läßt. Der Beiname Laertios weist wahrscheinlich nicht darauf hin, daß er aus Laerte in Karien oder Kilikien kam, sondern ist als »Spitzname« zu verstehen, der auf Homers Bezeichnung für Odysseus, διογενὲς Λαερτιάδη (diogenés Laertiádē), zurückgeht und ihn von Namensvettern unterscheiden soll. Die Worte παρ' ἡμῶν (9,109) können so interpretiert werden, daß Nikaia in Bithynien (nicht weit von Byzantion) als seine Heimatstadt anzusehen ist, doch bleibt diese Frage umstritten. Die Annahme, daß D. aus einer solchen Provinzstadt kam, hat ihren Reiz darin, daß sie seine etwas altmodische Gelehrsamkeit erklärt. D. erwähnt kaum Philosophen aus röm. Zeit, abgesehen von einer Liste von Skeptikern in 9,116 (vgl. aber auch unten zum Katalog, pínax, stoischer Philosophen). Der in dieser Liste zuletzt genannte ist ein Schüler des Sextus Empiricus. Eine Datierung in die Mitte des 3. Jh. ist daher wahrscheinlich. Aber D. erwähnt keine Vertreter des Mittleren Platonismus und des Neuplatonismus und kennt auch keine Philosophen, die mit dem Neupythagoreismus und dem Wiedererwachen des Aristotelismus in Verbindung stehen. Das ist überraschend, da ein Textstück in 3,47 nahelegt, daß sein Buch einer Dame mit Sympathien für platonische Philos. gewidmet war (es ist zwar unwahrscheinlich, aber gewiß nicht unmöglich, daß diese Passage aus einer anderen Quelle übertragen wurde).

B. DIE PHILOSOPHENVITEN

1. TITEL

Seit byz. Zeit war das Werk des D. als Βίοι φιλοσόφων oder *Vitae philosophorum* (›Leben der Philosophen‹) bekannt. Die Hss. bieten längere Titel, die wahrscheinlich nicht auf den Autor zurückgehen: Φιλοσόφων βίων καὶ δογμάτων συναγωγὴ τῶν εἰς δέκα (›Philosophenleben und -lehren in 10 Büchern‹) oder Βίοι καὶ γνῶμαι τῶν ἐν φιλοσοφίᾳ εὐδοκιμησάντων καὶ τῶν ἑκάστῃ αἱρέσει ἀρεσάντων τῶν εἰς δέκα (›Leben und Maximen berühmter Philosophen und Lehren der jeweiligen Schulen in 10 B.‹). Der erste Titel spielt auf die für dieses Werk charakteristische Mischung von biographischem und doxographischem Material an, der zweite lenkt die Aufmerksamkeit auf den großen Schatz des Buches an anekdotischem Material und auf seine Präsentation nach führenden Philosophen und ihren Schulen (→ Hairesis).

2. GLIEDERUNG

Die Grundlage für den Aufbau des Werkes wird im Prolog 1,13–16 dargelegt. Nach dem Schema der Sukzessionenlit. (διαδοχαί, → Doxographie) unterteilt D. die Gesch. der griech. Philos. in zwei Hauptlinien. Diese bestimmen die Einteilung der Viten in zehn Bücher, wie die nachfolgende Zusammenfassung zeigt:

Buch 1: Die Sieben Weisen einschließlich Thales; Buch 2: Die ion. Linie einschließlich Anaximander, Anaxagoras, Sokrates und der Sokratiker; Buch 3: Platon; Buch 4: Platons Nachfolger in der Akademie bis auf Kleitomachos; Buch 5: Aristoteles, Theophrastos und ihre Nachfolger im Lykeion; Buch 6: Antisthenes, Diogenes und die Kyniker; Buch 7: Zenon und die Stoiker (nach einem *pinax* in einer späten Hs. sind hier etwa zwanzig Viten, schließend mit dem röm. Philosophen Cornutus, ausgefallen); Buch 8: Die ital. Linie, angeführt von Pythagoras und Empedokles; Buch 9: Die »verstreuten« Philosophen einschließlich Heraklit, Parmenides, Demokrit und Pyrrhon; Buch 10: Epikur.

Das Werk befindet sich, so wie es erh. ist, unzweifelhaft in einem unrevidierten Zustand. Verschiedene Kapitel oder »Viten« sind von ungleicher Länge und enthalten Material von bemerkenswerter Vielfalt, was dem Werk einen ungleichmäßigen und kompilatorischen Charakter verleiht. In den meisten Kapiteln wird biographisches Material unter folgenden Rubriken präsentiert: (1) Patronym und Herkunft des Philosophen, (2) seine Lehrer, (3) seine Blütezeit, (4) Anekdoten aus seinem Leben, oft sensationeller oder skandalöser Natur, (5) Maximen und *bon mots*, (6) eine Liste anderer bekannter Personen desselben Namens (Homonyme). Für die bedeutenderen Philosophen bietet D. auch äußerst wertvolle Werklisten, die auf hell. Bibliotheksbestände zurückgehen, und andere Dokumente wie Testamente und Briefe (letztere sind gewöhnlich fiktiv). Ein bes. Merkmal ist die Aufnahme von 52 Epigrammen von ziemlich schlechter Qualität, deren Gegenstand meist die Todesumstände des jeweiligen Philosophen sind. In 1,39 und 1,63 teilt D. mit, daß diese Epigramme aus einer Sammlung seiner Gedichte mit dem Titel *Pámmetros* (Πάμμετρος) stammen, die in zumindest zwei Büchern veröffentlicht wurde. Wie ihr Titel anzeigt, enthielt sie Gedichte in einer Vielzahl von Metren, von denen sich einige nirgendwo sonst finden. In byz. Zeit wurde eine Reihe dieser Gedichte in die *Anthologia Palatina* aufgenommen.

3. DARSTELLUNG

Die Darstellung der philos. Lehren ist ziemlich ungleichmäßig auf die Viten verteilt. Ausführliche Darstellungen der Lehren werden für die Gründer der großen Schulen geboten. Bes. bemerkenswert sind die langen Doxographien der Stoa (7,39–160) und des Pyrrhon (9,69–108, eigentlich eine Zusammenfassung neupyrrhonischer Lehre). Die Doxographie Platons ist eine relativ kurze und wirre Darstellung. Sie wird durch eine Fassung der *Divisiones Aristotelicae* ergänzt, die als platonisch angesehen werden. In Buch 10 weicht D. von seiner üblichen Methode ab und zitiert wörtlich den Text von drei langen Briefen, in denen Epikur seine Lehren zu Physik, Meteorologie und Ethik zusammenfaßt, und auch dessen Sammlung von Hauptlehrsätzen (Κύριαι δόξαι). Die betonte Schlußstellung, die Epikur zugewiesen wird, hat zusammen mit den enthusiastischen Bemerkungen in 10,8–10 einige Gelehrte zu der Annahme veranlaßt, daß D. selbst mit der epikureischen Philos. sympathisierte.

D.' Ziel ist nicht, eine Philosophiegesch. zu schreiben. Er verbindet biographisches und doxographisches Material miteinander, weil er wie die meisten antiken Philosophiehistoriker überzeugt war, daß es eine innere Beziehung zw. dem Leben (βίος) und der Lehre (λόγος) eines jeden Philosophen gebe.

Der Wert der von D. bereitgestellten Information hängt ganz und gar von der lit. Gattung und Qualität seiner Quellen ab. Wesen und Ausmaß der Quellenbenutzung sind in der Forschung lange Gegenstand einer heftigen Diskussion gewesen. Berühmt ist die sich hauptsächlich auf 7,49 stützende These von NIETZSCHE, daß seine Hauptquelle → Diokles [9] von Magnesia gewesen sei, doch stimmt man jetzt darin überein, daß es falsch ist, hinter den äußerst verschiedenartigen Informationen, die D. bietet, nach einer einzigen Hauptquelle zu suchen. Weitere, heute verlorene Quellen, auf die oft verwiesen wird, sind → Hippobotos, Hermippos von Smyrna, Sotion, Apollodoros von Athen, Herakleides Lembos, Alexandros Polyhistor, Demetrios von Magnesia und Favorinus. Manche von ihnen sind gewiß aus zweiter oder dritter Hand zitiert.

In jüngster Zeit hat die Forschung die Quellensuche hintangestellt, um sich auf das Verständnis der Redaktionsmethoden zu konzentrieren. D. hat Material aus weit verstreuten Quellen exzerpiert und verarbeitet. Wegen seiner antiquarischen Tendenz (und vielleicht auch, weil er durch mangelnden Zugang zu neueren Werken eingeschränkt war) legt er eine deutliche Vorliebe für älteres und gesuchteres Material aus hell. Zeit an den Tag. Daher überliefert er viele Bruchstücke aus philosophiehistor. Werken, die heute nicht mehr erh. sind. Trotz der intellektuellen Mittelmäßigkeit von D.' Leistung bleibt sein Wert für die Gesch. der ant. Philos. unübertroffen.

ED.: H.S. LONG, 1964 (zur Überlieferung) · T. DORANDI (krit. Ed., Coll. Budé, für 2000 erwartet) · D. KNOEPFLER, La vie de Ménédème d'Érétrie de Diogène Laërce: contribution à l'histoire et à la critique du texte des Vies des Philosophes, 1991 (zu LONG).
LIT.: E. SCHWARTZ, s.v. D. (40), RE 5, 737–763 · J. MEJER, D. Laertius and his Hellenistic Background, 1978 · Diogene Laerzio storico del pensiero antico, Elenchos 7, 1986 (Beiträge von M. GIGANTE, J. MANSFELD u.a.) · J. MEJER, D. Laertius and the transmission of Greek philosophy, in: ANRW II 36.4–5, 1990–1992, 3556–4307 · J. MEJER, s.v. Diogène Laërce, in: GOULET 2, 824–833, 1011–1012 (mit Zusatz von S. MATTON zur ma. Überlieferung). D.T.R./Ü:T.H.

[18] von Oinoanda. Epikureer um die Wende des 2. zum 3. Jh. n. Chr. (evtl. 1. Viertel 2. Jh. n. Chr. [1], nach neuester Lit. sogar zwischen dem 1. Jh. v. und 1. Jh. n. Chr. [3]. Verf. eines volkstümlichen Werkes über die Philos. des Epikur, das als Wandinschr. an einer Stoa auf der Agora von Oinoanda in Lykien veröffentlicht wurde. Auf diese Inschr. gehen die wenigen gesicherten Kenntnisse über sein Leben zurück. Die Stoa wurde vermutlich von einem Erdbeben zerstört, das Oinoanda im J. 140/1 n. Chr. erschütterte; die Steinblöcke wurden für die Errichtung der Neuen Agora wiederverwendet.

Als D. die Inschr. anbrachte, war er schon alt und krank; er war nach Rhodos gereist, um seine Freunde Menneas, Karos und Dionysios zu treffen. D. wollte darin der zeitgenössischen und zukünftigen Menschheit, die auf Grund falscher Ansichten von Übeln geplagt war, die heilende Lehre Epikurs nahebringen. D. war dessen glühender Anhänger und legte dessen Denken korrekt und ausgewogen, aber den veränderten gesch. und ges. Umständen entsprechend aus. Die Bed. der »epikureischen Stoa« des D. besteht nicht nur in seinem Beitrag zum Verständnis der epikureischen Philos., sondern auch in der zugrundeliegenden polit. Aussage.

Erh. sind nur 212 Frg. von unsicherer Anordnung und inhaltlicher Zusammensetzung. An der Wand der Stoa waren mindestens drei Traktate des D. zusammen mit einigen Texten Epikurs in sieben Reihen angebracht. Von oben nach unten gelesen enthalten die ersten drei Reihen (VII–V) D.' Schrift *De Senectute* (fr. 137–179; Verteidigung des Alters gegen die gängigen Klagen: Untätigkeit, Krankheit, Verlust der Freuden, Todesnähe); es folgt in Reihe IV eine Sammlung der Schriften des D. und des Epikur (fr. 97–116); Reihe III enthält die Briefe des D. an seine Freunde Antipatros (fr. 62–67), Dionysios (fr. 68–74) sowie Mennes und Karos. Reihe II umfaßt den Traktat über die Physik (fr. 1–27; Naturlehre, Theorie der Atome, Teile der Erkenntnislehre, Götterlehre, Kulturgesch., Astronomie). Inhalt der I. Reihe ist die Ethik (fr. 28–61; Glücksgüter und Tugend, Tugend und Lust, Prinzipien des *Tetraphármakos*, Klassifikation der Begierden, Verhältnis Seele-Körper). Diese Reihen befinden sich über einer Basis von 15 fortlaufenden Zeilen mit Maximen des Epikur (einige davon waren bis dahin unbekannt). Die Disposition an die Adresse der Freunde und Bekannten (fr. 117–118) ist entweder in die Reihe II oder I einzuordnen. Die Anordnung anderer Fragmente (fr. 75–96; 129–136) ist unsicher. Nach dem Willen des D. sollten die Texte jedoch gemäß den ureigenen Vorschriften der epikureischen Tradition in folgender Reihenfolge gelesen und verstanden werden: zuerst der Text über die Physik (II), dann über die Ethik (I), die Briefe (III), die Leitsätze Epikurs (Basis), die Ratschläge des D. für seine Familienangehörigen und seine Freunde (II oder V), die Schriftensammlung des D. und des Epikur (IV), schließlich (V–VII) der Traktat *De Senectute*.

ED.: **1** M. F. SMITH, D. of Oinoanda. The Epicurean Inscription, 1993.
LIT.: **2** B. PUECH, R. GOULET, in: Goulet 2, 1994, 803–806 **3** M. F. SMITH, L. CANFORA, Did D. of Oinoanda know Lucretius?, in: RFIC 121, 1993, 478–499.   T.D./Ü:J.DE.

[19] aus Athen. Sohn des Diogenes, Dichter von Satyrspielen, als att. Teilnehmer an der III. Pythaïs der Techniten des Dionysos in Delphi im Jahr 106/5 (oder 97 v. Chr., vgl. TrGF app. crit. 145–151) geehrt (FdD III 2, 48 36, Syll.³ 711 L).

METTE, 72 · TrGF 148.   F. P.

III. DICHTER, BILDHAUER
[20] aus Tarsos. Philosoph, auch Verf. tragischer *Poiēmata* (ca. 150–100 v. Chr.; Strab. 14,675). Vielleicht ist er identisch mit dem Epikureer gleichen Namens (s. [1]).

1 V. ARNIM, s. v. D. (46), RE 5, 776, 37ff. **2** TrGF 144.

[21] aus Theben. Tragiker, Sohn des Theodotos. Sieg im 1. Jh.v.Chr. bei den Soteria in Akraiphia (DID A 9[b]).

METTE, 62 · TrGF 176.

[22] D. oder Oinomaos (Οἰνόμαος), Tragiker aus Athen, erste Aufführung wohl 403 v.Chr. Die Suda δ 1142 nennt acht Stücke; sein Name wird noch bei Plutarch (*de recta ratione audiendi* 7,41C) erwähnt. Die Angaben der Suda sind wahrscheinlich kontaminiert mit denen des Diogenes [14] von Sinope (s.a. TrGF 88); mit Oinomaos ist wahrscheinlich der Kyniker aus Gadara gemeint, der auch Trag. schrieb (s. TrGF 188).

B. GAULY (Hrsg.), Musa Tragica, 1991, 45 · TrGF 45.   F.P.

[23] Bildhauer aus Athen. Vielgelobt (Plin. nat. 36,38) waren seine Giebelfiguren und Karyatiden zwischen den Säulen des Pantheon des Agrippa (25 v. Chr.), vermutlich Kopien der Erechtheion-Koren.

G. CRESSEDI, EAA 3, 106, s. v. D. 1 · C. ROBERT, s. v. D. (53), RE 5, 777.   R. N.

Diogenianos (Διογενιανός).
[1] Epikureer, Datier. unsicher (vielleicht 2. Jh. n. Chr.). Eusebios (Pr. Ev. 4,3; 6,8), der lange Auszüge aus seiner Schrift gegen die Doktrin des Chrysippos ›Über das Schicksal‹ (περὶ εἱμαρμένης) zitiert, bezeichnet ihn fälschlich als Peripatetiker. D. nahm die Wahrheit und Zulässigkeit der Mantik an. Er lehrte die Existenz des Glücks (τύχη) und des Schicksals; dies schließe aber die Freiheit des Willens nicht aus.

T. DORANDI, in: Goulet 2, 833f. · J. HAMMERSTAEDT, in: JbAC 36, 1993, 24–32.   T.D./Ü:E.KR.

[2] aus Herakleia (nach der Suda nicht Herakleia Pontike). Griech. Grammatiker des 2. Jh. n. Chr. Er kompilierte eine Παντοδαπὴ λέξις (›Allerlei Redensarten‹) in fünf B., eines der ersten bedeutenden lexikographischen Werke in alphabetischer Anordnung: Es handelte sich im wesentlichen um eine Epitome der kolossalen Sammlung des Pamphilos und des Zopyrion. Die spätant. und byz. Lexikographie besaß mit dem Lexikon des D. eine der angesehensten Quellen, im Original oder als Epitome: Das Hauptmodell des Hesychios (6. Jh. n. Chr.) waren die Περιεργοπένητες des D., wahrscheinlich ein Kompendium der *Pantodapē léxis* (die von REITZENSTEIN verfochtene, von LATTE verworfene These, daß die beiden Werke gleichzusetzen seien, wurde lange diskutiert; zu seinen Kompendien gehören vermutlich auch zwei Papyrusfragmente (Papiri della Società Italiana 892 und POxy. 3329). Aus D. abgeleitetes Material ist weiterhin in zahlreichen Scholiencorpora zu finden (z. B. zu Platon, Aischines, Kallimachos, Nikandros).

Der Eintrag der Suda zu D. (δ 1140), der aus dem *Onomatológos* des Hesychios Milesios stammt, bezeugt auch ein geogr. Werk ›Über Flüsse, Seen, Quellen, Berge und Gebirgszüge‹ (Περὶ ποταμῶν λιμνῶν κρηνῶν ὀρῶν ἀκρωρειῶν), von dem jedoch nichts erh. ist. Reste aus einer seiner Sammlungen von satirischen und sympotischen Liedern in alphabetischer Anordnung sind in der Anthologia Palatina zu finden (vor allem in B. 11). Nicht erwiesen ist jedoch, daß D. paroimiographische Sammlungen verfaßt hat; dennoch ist unter seinem Namen schließlich eine byz. Sammlung von Sprichwörtern in acht Codices auf uns gekommen (in verschiedenen Fassungen: Zw. D1–D3 BÜHLER (vgl. Corpus Paroemiographorum Graecorum = CParG I 177–180) und D. Vindobonensis (CParG II 1–52) ist zu unterscheiden); ungewiß ist schließlich, ob er der Verf. der kurzen Abhandlung Περὶ παροιμιῶν (CParG I 176–180) ist.

H. WEBER, Unt. über das Lexikon des Hesychios, in: Philologus Suppl. 3, 1878, 449ff. · R. REITZENSTEIN, Die Ueberarbeitung des Lexicons des Hesychios, in: RhM 43, 1888, 443–460 · K. LATTE, Hesychi Alexandrini Lexicon, 1, 1953, IXff., XLIIff. · W. BÜHLER, Zenobii Athoi Proverbia, 1 (Prolegomena), 1987, 188–275.   R.T./Ü:T.H.

Diognetos (Διόγνητος).
[1] Athener, Sohn des Nikeratos, aus Kydantidai; Bruder des Nikias und Eukrates [2], Vater des Diomnestos. Sieger bei den Dionysia 415 v. Chr. (Plat. Gorg. 472a), danach exiliert; 404/3 in Athen. Intervenierte 403 bei Pausanias für Nikias' Söhne. Starb ca. 396 (Lys. 18,4; 9f.; 21; And. 1,47). Vielleicht identisch mit der bei TRAILL (PAA 327535, 327540) genannten Person. TRAILL, PAA 327820; DAVIES 10808.   K.KI.

[2] Führte als Nauarchos Antiochos' III. 222/1 v. Chr. dessen Braut Laodike, Tochter Mithradates' II. von Pontos, nach Seleukeia bei Zeugma. Er erstürmte im 4. Syr. Krieg 219 das damals ptolemäische Seleukeia Pieria und begleitete mit der Flotte Antiochos' Landangriff nach Südsyrien (Pol. 5,43,1; 59,1; 60,4; 62,3; 68,9; 69,7; 70,3).   A. ME.

[3] Tragiker. Sein Name erscheint auf einer Techniten-
inschrift in Ptolemais in der Thebais/Ägypten (270–246
v. Chr., Zeit des Ptolemaios Philadelphos; u. a. OGIS
51).

METTE, 71 · TrGF 115. F. P.

[4] D.-Brief. In griech. Sprache abgefaßte anon.
christl. Apologie protreptischen Charakters. In kurzer,
lit. ambitionierter Form antwortet die Schrift auf drei
Fragen (Kap. 1) des ansonsten unbekannten D.: die Fragen nach dem Gott der Christen (Kap. 2–4), deren Lebenswandel (Kap. 5–6) sowie – nach einer Grundlegung
des Gottesbegriffes (Kap. 7–8) – dem späten Eintreten
des Christentums in die Gesch. (Kap. 9–10). Die beiden
Folgekap. 11–12 werden meist als Anhang angesehen
(dagegen: [2. 174–181]). Vielleicht kurz vor 200 entstanden, sprechen gute Gründe für → Alexandreia [1] als
Abfassungsort.

1 R. BRÄNDLE, Die Ethik der »Schrift an Diognet«, 1975
2 M. RIZZI, La questione dell'unità dell' »Ad Diognetum«,
1989 (Lit.).

ED.: P. NAUTIN, ²1965 (SChr 33bis).
KONKORDANZ: A. URBÁN, Concordantia in Patres
Apostolicos I, 1993. J. RI.

[5] Lehrer Marc Aurels → Marcus Aurelius

Dioikesis (διοίκησις, lat dieocesis).
I. GRIECHENLAND II. ROM

I. GRIECHENLAND

»Haushaltung« und somit Verwaltung, bes. im finanziellen Bereich. D. wird im allg. für die Staatsverwaltung gebraucht (z. B. Plat. Prot. 319d; [Aristot.] Ath.
pol. 43,1), auch für die Finanzverwaltung (z. B. Xen.
hell. 6,1,2; Demosth. or. 24,96f.) und in erweitertem
Sinn vom Autor der aristotelischen *Athenaion Politeia* für
staatliche Unterhaltszahlungen (24,3). In Athen gab es in
der 2. H. des 4. Jh. v. Chr. ein Amt der oberen Finanzverwaltung mit dem Titel *epí tēi dioikḗsei* (»an der Spitze
der Verwaltung«): Diesen Titel könnten Lykurg und seine Nachfolger geführt haben (vgl. Hyp. fr. 118 JENSEN =
KENYON, SEG 19, 119), mit Sicherheit war er von 307/6
bis in das 2. Jh. in Gebrauch. Nach früherer Meinung
wurde das Amt während der oligarchischen Regimes
der hell. Zeit von einer einzigen Person und in den
demokratischen Phasen von einem Gremium von zehn
Personen ausgeübt. Die heute verfügbaren Zeugnisse
lassen jedoch vermuten, daß bis zum Jahr 287 v. Chr. ein
einzelner Beamter amtierte und danach ein Gremium,
obwohl einige Texte ein Einzelmitglied erwähnen und
nicht das ganze Gremium. Es ist aber gut möglich, daß
sich auch für die Zeit vor 287 noch Hinweise auf ein
Kollegium, nicht auf einen Einzelbeamten finden.

P. J. RHODES, The Athenian Boule, 1972, 107–109 · Ders.,
in: Tria Lustrum ... FS J. Pinsent, 1993, 1–3. P. J. R.

II. ROM

Verwendung in der Bed. »Verwaltungsbezirk«, bei
Cicero vereinzelt für die *conventus iuridici* in Asien bzw.
Kilikien, die aus der attalidischen Verwaltung hervorgegangen sind, ferner im Prinzipat für Teilbereiche auch
westl. Prov. sowie vereinzelt für das Territorium einer
Stadt [1. 1056ff.]. Größere Bed. erlangte der Begriff erst
in der spätant. Administration. Die von → Diocletianus
vorgenommene Aufteilung des Reichsterritoriums in
über 100 Kleinprov. ließ für einzelne administrative
Aufgaben eine Zusammenlegung mehrerer dieser Prov.
zu mittelgroßen Verwaltungsbereichen sinnvoll erscheinen, zunächst in der Finanzverwaltung, in der *rationales* mit einem über mehrere Kleinprov. reichenden
Geschäftsbereich begegnen [2. 181], dann auch für die
Rechtsprechung und allg. Verwaltung, in der je nach
Einzelfall Stellvertreter von Praetorianerpraefekten (*vices agentes*), Vikare (*vicarii*, die anscheinend von den *vices
agentes* unterschieden werden müssen) oder Personen
aus der unmittelbaren Umgebung des Kaisers (*comites*,
vgl. als Relikt den *comes Orientis*) mit der Zuständigkeit
über Provinzgruppen betraut werden konnten. Der
Zeitpunkt, ab dem diese Provinzgruppen zu festen, den
Vikaren untergeordneten Administrationseinheiten
wurden, ist umstritten; man hat eine Datierung in constantinische Zeit erwogen [3]. Im *Laterculus Veronensis*,
dessen Redaktion Ende 314 zu datieren ist [4. 548–550],
wird allerdings bereits die Einteilung in fest abgegrenzte
Diözesen vorausgesetzt, nämlich in 1. Oriens, 2. Pontica, 3. Asiana, 4. Thraciae, 5. Moesiae, 6. Pannoniae,
7. Italia, 8. Africa, 9. Galliae, 10. Viennensis (Septem
Provinciae), 11. Britanniae, 12. Hispaniae (vgl. Karte zu
→ Diocletianus). Diese Ordnung wurde in der Folgezeit nur leicht modifiziert, indem etwa das südl. Italien
als *Italia suburbicaria* dem *vicarius urbis*, die Diözese *Moesiae* in *Macedonia* und *Dacia* aufgeteilt und Ägypten als
gesonderte Diözese dem *praef. Augustalis* unterstellt
wurden. Auch nach der Regionalisierung der Praeto-
rianerpraefekturen wurden die Diözesen niemals zu
echten Mittelinstanzen, sondern blieb die Kompetenz-
verteilung offen. Die Konkurrenz wurde im Westen des
Reiches dadurch gemildert, daß die Praefekten die Diözese, in der sie residierten, als Immediatbezirk übernahmen [5]. Im Osten erlangte die Diözese analog zu der
Reichsverwaltung rasch Bed. als eine den Kirchenprov.
übergeordnete hierarchische Ebene, während der Begriff im Westen ab der karolingischen Zeit für das einem
Bischof untergeordnete Gebiet gebraucht wurde, zunächst konkurrierend mit παροικία und ähnlichen Begriffen, später sogar als ausschließliche Bezeichnung.

1 A. SCHEUERMANN, s. v. Diözese, RAC 3, 1957, 1053–1062
2 R. DELMAIRE, Largesses sacrées et res privata, 1989 3 K. L.
NOETHLICHS, Zur Entstehung der Diözese als Mittelinstanz
des spätröm. Verwaltungssystems, in: Historia 31, 1982,
70–81 4 T. D. BARNES, Emperors, Panegyrics, Prefects,
Provinces and Palaces (284–317), in: Journal of Roman
Archaeology, 9, 1996, 532–552 5 J. MIGL, Die Ordnung der
Ämter, 1994. B. BL.

Dioiketes (διοικητής). Im ptolem. Ägypten wurde wie auch anderswo in der griech. Welt das Wort *dioíkēsis* zur Bezeichnung der Verwaltung im allg. und der Finanzverwaltung im bes. verwendet. Den Titel *d.* führte der leitende Beamte der Finanzverwaltung des Königs (s. etwa OGIS 59; Cic. Rab. Post. 28). Auch lokale Finanzbeamte mochten diesen Titel getragen haben (Pol. 27,13,2 mit WALBANK, Commentary on Polybius, ad. loc.).

→ Dioikesis   P.J.R.

Diokaisareia (Διοκαισάρεια).

[1] Tempel-Siedlung um das Zeus-Heiligtum von Olba in der Kilikia Tracheia, die unter Tiberius selbständige Stadt und später eigenes Bistum (Suffragan von Seleukeia am Kalykadnos) wurde. Arch. Befund: Großzügiger Ausbau der Siedlung mit Stadtmauer, Kolonnadenstraßen, Aquädukt, Theater, Tyche-Tempel; der Zeustempel wurde in frühbyz. Zeit zu einer dreischiffigen Säulenbasilika umgebaut.

HILD/HELLENKEMPER, s. v. D.   F.H.

[2] Stadt in Kappadokia, 38 km östl. Nazianzos, h. Tilköy (ehemals Kaisar Köy), im 1. Jh. n. Chr. gegr., im 6. Jh. monophysitisches Bistum.

W. RUGE, s. v. Nazianzos, RE 16, 2099–2101 · HILD/RESTLE, 171.   K.ST.

Diokleides s. Megarische Schule

Diokles (Διοκλῆς).

[1] Heros in Megara. Er soll in einer Schlacht, einen Jüngling tapfer mit seinem Schild deckend, gefallen sein. An seinem Grab wetteiferten die Knaben, wer den süßesten Kuß geben konnte. Dieser jeweils im Frühling stattfindende Agon hieß Diokleia (schol. Pind. O. 7,157; 13,156a; Theokr. 12,27–33 mit schol.: Aition). Die Küsse stellten vielleicht im Heroenkult wiederholte Abschiedsküsse dar ([1]; dagegen [2]). Nach schol. Aristoph. Ach.774 war der Agon von → Alkathoos [1], dem Sohn des Pelops, gestiftet. Bei Hom. h. 2,153; 474 ist D. einer der Fürsten von Eleusis, bei Plut. Theseus 10 ein megarischer Befehlshaber in Eleusis.

1 NILSSON, Feste 459 2 A. S. F. GOW, Theocritus (Komm.), 1950, 227.

[2] Fürst im messenischen Pherai, bei dem → Telemachos auf seiner Reise von Pylos nach Sparta und zurück einkehrt (Hom. Od. 3,488; 15,186; 21,15f.; Paus. 4,1,4; 30,2). Seine Söhne Krethon und Orsilochos wurden vor Troja von Aineias getötet (Hom. Il. 5,541f.). R.B.

[3] Syrakusischer Volksführer und Gesetzgeber. Er erwirkte 413 v. Chr. eine harte Bestrafung der athenischen Kriegsgefangenen (Diod. 13,19,4; 13,33). 412 wandelte er durch Gesetze, darunter die Losung der Beamten (Diod. 13,34,6), die Verfassung von einer gemäßigten Politie zu einer radikalen Demokratie (Aristot. pol. 1304a27ff.) und bereitete (unfreiwillig) der Tyrannis des

→ Dionysios [1] den Boden. 409/8 kommandierte er in Himera syrakusische Hilfstruppen gegen die Karthager, gab aber auf bloße Gerüchte hin die Stadt den Karthagern preis (Diod. 13,60–62) und wurde deshalb 408/7 auf Betreiben des Hermokrates verbannt.

Bei der von Diodor (13,34f.) dem D. zugeschriebenen umfassenden Gesetzgebung liegt wohl eine Verwechslung mit einem Nomotheten aus archa. Zeit vor (so zuerst [1. 78, 417], zuletzt [2. 24ff.] und [3. 125ff.]).

1 A. HOLM, Gesch. Siziliens, Bd. 2, 1874 2 B. CAVEN, Dionysius I., 1990 3 D. M. LEWIS, in: CAH 6, ²1994.

[4] Neben Peisarchos prominentester Führer der Oligarchie der 600, die bald nach dem Tode des Timoleon 337 v. Chr. in Syrakus die Herrschaft übernahm. Bei der Machtergreifung des Agathokles 316 wurden die 600 gestürzt, D. und die übrigen Führer ermordet (Diod. 19,6; Polyain. 5,3,8).

K. MEISTER, in: CAH 7,1, ²1984, 389.   K. MEI.

[5] Komödiendichter aus der Übergangszeit von der Alten zur Mittleren Komödie, Zeitgenosse der Komiker Sannyrion und Philyllios (spätes 5./frühes 4. Jh. v. Chr.), aus Athen oder Phleius [1. test. 1]. Sechs Stücktitel sind noch bekannt: Βάκχαι, Θυέστης Β', Κύκλωπες (offenbar jeweils mythischen Inhalts), θάλαττα (Hetärenname [1. 20]) sowie Μέλιτται und Ὄνειροι. Die wenigen kleinen Fragmente sind unbedeutend.

1 PCG V, 1986, 18–24.   T.HI.

[6] von Karystos A. LEBEN B. LEHRE C. SCHRIFTEN D. EINORDNUNG

A. LEBEN

Sohn des Archidamos, griech. Arzt und Verfasser von medizinischen Schriften, der bei den Athenern als »zweiter Hippokrates« in hohem Ansehen stand (fr. 5 WELLMANN). Seine Lebensdaten sind umstritten. WELLMANN [10. 802] zufolge lebte er im ersten Drittel des 4. Jh. v. Chr., also vor Aristoteles, da Galen (fr. 23) ihm das erste Anatomiebuch überhaupt zuschrieb. JAEGER [2. 70–113; 3. 15–17] dagegen hielt ihn für einen Peripatetiker, der zw. 340–260 v. Chr. gelebt habe, da ein diätetischer, um 305 v. Chr. angeblich von D. geschriebener und bei Paulos von Aigina (CMG 9,1,68) überlieferter Brief authentisch sei. Außerdem deute ein Hinweis auf Antiocheia [1] im fr. 125 seiner Gesundheitsschrift darauf hin, daß er zumindest bis zur Gründung dieser Stadt am Orontes im Jahre 300 v. Chr. gelebt habe. Der Hinweis auf Galatia in derselben Passage erlaube sogar, seinen Tod noch später zu datieren, so daß einige Äußerungen als Polemik gegen Herophilos in den 260er Jahren verstanden werden können. Doch ist der angebliche Hinweis auf Galatia äußerst unsicher und eine Auseinandersetzung mit Herophilos mehr als unwahrscheinlich [1. 146–148]. Selbst wenn der Brief authentisch (zu berechtigten Zweifeln vgl. [8. 257–263]) und der Hinweis auf Antiocheia gesichert wäre, so wäre lediglich erwiesen, daß D. bis zum Ende des 4. Jh. lebte. Daher betrachten die meisten Forscher ihn inzwischen als Zeitgenossen des Aristoteles, auch wenn es Spekulation bleiben muß, in welchem Verhältnis sie zueinander standen. Wenn der Mineraloge Diokles unser D. ist (Theophrastos De lapid. 5,28 = Diokles fr. 166), was alles andere als sicher ist ([9. 253 f.] gegen [8. 251–4]), dürfte er Theophrast gekannt haben, wobei jedoch seine Rolle innerhalb des Lykeion im Dunkeln bliebe.

B. Lehre

Als »jüngerer Hippokrates« (fr. 2) schloß sich D. der Theorie der vier Elemente (Erde, Luft, Feuer und Wasser) und der vier Primärqualitäten (feucht, trocken, heiß, kalt) an, deren Übermaß oder Mangel den Hauptgrund für das Entstehen von Krankheit darstelle (fr. 30); daneben gebe es auch äußere Krankheitsursachen (fr. 31). Besondere Beachtung schenkte er dem *pneúma*, das nach seiner Vorstellung durch die Gefäße im Körper verteilt wird. Die Arterien stellten die Kanäle für die willensgesteuerte Bewegung dar (fr. 57); Epilepsie und Apoplexie entstünden durch eine Blockade des Pneumaflusses in der durch *phlégma* (Schleim) verstopften Aorta (fr. 51,55) – eine Ansicht, die er mit → Praxagoras teilte. Sei der Pneumafluß durch die Poren infolge einer Blutverderbnis durch Galle oder Schleim in den Venen blockiert (fr. 40; 43; 51; 59; 63), seien verschiedene Fieberkrankheiten die Folge, da die kühlende Kraft des Pneumas ausbleibe. D. übernahm die Vorstellung sympathetischer Beziehungen und glaubte, daß jede Jahreszeit und jeder Lebensabschnitt durch ein eigenes Mischungsverhältnis von Elementarqualitäten charakterisiert sei (fr. 84,141).

In seiner Embryologie ging D. von der notwendigen Existenz sowohl männlichen als auch weiblichen Samens aus (fr. 172), der durch die Mischung der Körpersäfte beeinflußt werde (fr. 173). Der männliche Samen komme von Gehirn und Rückenmark, daher könne übermäßiger Beischlaf schädlich sein (fr. 172,170). Die Entwicklung eines Embryos dauere 40 Tage, wobei sich männliche Embryonen schneller in der Gebärmutter entwickelten als weibliche (fr. 175 f.). Einige seiner Ideen versuchte D. mit Hilfe von Tiersektionen zu bestätigen (fr. 29). Seine Schlußfolgerungen in bezug auf die Existenz von Saugwarzen in der menschlichen Gebärmutter (fr. 27) beruhten jedoch auf falscher Analogie. Es muß offen bleiben, ob D. in seinen Ausführungen über die Gebärmutter und das Herz Aristoteles berichtigte oder dieser ihn.

In seiner Diskussion der verschiedenen Fieberkrankheiten (fr. 104 f.) betonte D. die Bed. der Prognose und der kritischen Tage, die den weiteren Verlauf der Krankheit bestimmen, – er verfaßte ein Prognostikon –, und schenkte dem jeweils siebten Tag im Krankheitsverlauf bes. Beachtung (fr. 106–110). Seine Ansichten über eine Vielzahl akuter oder chronischer Krankheiten wie z. B. Tetanus sind im Anonymus Parisinus (1. Jh. n. Chr.) überliefert.

C. Schriften

D. schrieb Traktate über so unterschiedliche Themen wie die Verdauung, Fieber und Ernährung. In seinem *Archidamos* (Gal. 11,471) entwickelte er die Ansicht seines Vaters über die Vorzüge des Öls bei der Massage und dem Einsalben des Körpers weiter. Sein bedeutendstes therapeutisches Werk war seine Gesundheitsschrift ›An Pleistarchos‹. Wie viele andere Verf. hippokratischer Schriften widmete D. sein Hauptaugenmerk der Ernährung und körperlichen Bewegung; Galen (5,879; 898) bezeichnete ihn als bes. kundig im Bereich der Gymnastik. In einer langen, wörtlich durch Galen erhaltenen Passage verlieh D. seiner Überzeugung Ausdruck, daß die durch Lebensmittel hervorgerufenen Wirkungen nicht immer verläßlich aus dem Wissen um ihre Eigenschaften vorhersagbar seien und daß umgekehrt eine Kausalerklärung von Wirkungen nicht immer möglich sei. Insgesamt sei es ratsamer, sich von der Erfahrung als von der Theorie leiten zu lassen, wobei die wenigsten Fehler auftreten könnten, wenn man von der Gesamtwirkung der Lebensmittel ausgehe. So philos. spitzfindig diese Ausführungen auch sein mögen, sie begründeten weder eine neue wiss. Methode, wie Jaeger behauptete [2. 25–43], noch machen sie D. zum Vorläufer der Empiriker-Schule oder des Skeptizismus, wie Kudlien meinte [5. 6].

D.' medizinische Interessen waren breit gefächert. Ihm wird die Erfindung eines medizinischen Instrumentes zur Entfernung von Pfeilspitzen zugeschrieben [3. 101]. Aus seinen Schriften kennen wir die Titel ›Über die Bandagen‹ und ›Über die Chirurgie‹. Er schrieb über Gifte sowie ein Kräuterbuch *Rhizotomikon*, eine Abhandlung über Wurzeln mit medizinischen Wirkungen (vgl. das im P. Antin. 123 enthaltene Heilmittel).

D. Einordnung

Auch wenn er als einer der Großen innerhalb der »dogmatischen« Tradition galt und seine Theorien in die Doxographien dieser Schule Eingang fanden (vgl. Gal. CMG Suppl. or. 4,69,115), liegen D.' Beziehungen zu seinen unmittelbaren Vorgängern und Nachfolgern im Dunkeln. Weder Aristoteles noch Theophrast in seinen biologischen Schriften erwähnen ihn namentlich. Trotz seiner Vertrautheit mit Gedanken, die sich auch in den hippokratischen Schriften finden, gibt es keinen einzigen Beleg für D.' unmittelbare Kenntnis einer Abhandlung aus dem *Corpus Hippocraticum* [7. 181–189; 8. 233; 9. 243–249]. In vielfacher Hinsicht greift D. im Bereich der Medizin, Pharmakologie und Naturbeschreibung bereits vorhandene Ideen auf und entwickelt sie mit anderen Zielsetzungen und Interessen als Aristoteles und seine Schüler weiter, was ihre vergleichsweise spärlichen Berührungspunkte erklären mag.

→ Diätetik, Medizin

1 Edelstein, Ancient medicine, 145–151 2 W. Jaeger, D. von Karystos, 1938 3 W. Jaeger, Vergessene Fragmente des Peripatetikers D. von Karystos, in: ABAW 1938, 3, 1–46 4 A. Krug, Heilkunst und Heilkult: Medizin in der Ant.,

²1993 **5** F. Kudlien, Probleme um D. von Karystos, in: AGM 1963, 456–464 **6** F. Kudlien, s. v. D., Kl.P. 2, 52–53 **7** W. D. Smith, Hippocratic Tradition, 1979 **8** H. v. Staden, Jaeger's »Skandalon der histor. Vernunft«: Diocles, Aristotle, and Theophrastus, in: W. M. Calder, Werner Jaeger reconsidered, 1992, 227–265 **9** P. van der Eijk, Diocles on the Method of Dietetics, in: R. Wittern, Hippokratische Medizin und ant. Philos., 1996, 229–258 **10** M. Wellmann, s. v. D., RE 5, 802–811.

M. Wellmann (Hrsg.), Die Fragmente der sikelischen Ärzte, 1901 (eine neue Edition von P. van der Eijk ist in Vorbereitung).   V. N./Ü: L. v. R.–B.

[7] von Peparethos, wohl erster Verf. einer *Rómes ktísis* (»Gründung Roms«; Plut. Rom. 8), wohl 3. Jh. v. Chr. Nach Plutarch (Romulus 3 bzw. 8) benutzte Fabius Pictor (Ende des 3. Jh.) die tragisch ausgeschmückte, stark an Sophokles' *Tyro* orientierte Schilderung des D. [1. 61–63], während sich Dionysios von Halikarnassos (ant. 1,79 und 83) für dieselbe Version der Gründung Roms auf Fabius berief. Niebuhr [3] datierte daher Fabius vor D. und fand zahlreiche Nachfolger (u. a. [2]). Nach Schwartz benutzte Plutarch D. auch nicht unmittelbar, sondern über einen ›Antiquar der augusteischen Zeit‹ [2]. Doch dürften direkte Benutzung durch Plutarch und Priorität des D. vor Fabius feststehen. FGrH 820.

1 D. Flach, Einführung in die röm. Geschichtsschreibung, ²1992 **2** Ed. Schwartz, s. v. D. (47), RE 5, 797 f. **3** B. G. Niebuhr, Röm. Gesch. 1, 113.

Albrecht, Bd. 1, 300 · A. Momigliano, in: CAH 7,2 ²1989, 89 · D. Timpe, Fabius Pictor und die Anfänge der röm. Historiographie, ANRW I 2, 941 f.   K. Mei.

[8] Mathematiker um 190–180 v. Chr. Er schrieb ein Buch Περὶ πυρ(ε)ίων (*Perí pyr(e)íōn*), das nur in arab. Übers. erhalten ist [1]. Es behandelt parabolische und sphärische Brennspiegel, ein Problem der Kugelteilung aus → Archimedes' *De sphaera et cylindro* und die → Würfelverdopplung (mit Hilfe von Kegelschnitten bzw. der Kissoide, die D. vermutlich erfunden hat). Außer bei → Eutokios [2. 66–70, 160–176] wird das Werk in der erhaltenen griech. Lit. nicht erwähnt.

1 G. J. Toomer (ed.), Diocles. On Burning Mirrors. The Arabic Translation of the Lost Greek Original Edited, with English Translation and Commentary, 1976 **2** J. L. Heiberg (ed.), Archimedis opera omnia, 3, ²1915 **3** Th. L. Heath, A History of Greek Mathematics, 1921, I, 264–266; II, 47–49, 200–203 **4** J. P. Hogendijk, Diocles and the geometry of curved surfaces, in: Centaurus 28, 1985, 169–184 **5** J. Sesiano, Les miroirs ardents de Dioclès, in: MH 45, 1988, 193–202.   M. F.

[9] **von Magnesia**. Hellenistischer Verf. von Biographien und Darstellungen der Lehren von Philosophen, der nur durch 19 Erwähnungen bei → Diogenes Laërtios bekannt ist; aus welchem Magnesia er stammte, ist unbekannt. Zwei Werke werden zitiert: ›Kurzfassung der Philosophenlehren‹ (Ἐπιδρομὴ τῶν φιλοσόφων; Diog. Laert. 7,48; 10,11) und ›Philosophenleben‹ (Βίοι τῶν φιλοσόφων; Diog. Laert. 2,54; 82). Seit Nietzsche haben viele Gelehrte die beiden Werke miteinander identifiziert, doch sieht man besser im erstgenannten Werk ein im wesentlichen doxographisches (7,48 beginnt Diogenes, einen Passus zur stoischen Logik zu zitieren; das Zitat endet wahrscheinlich § 53 [1. 351–373], doch lassen einige Gelehrte es bis § 82 gehen), im anderen ein biographisches. Der älteste Philosoph, der erwähnt wird, ist Xenophon, der letzte Chrysippos; Kyniker und Stoiker stehen im Mittelpunkt.

Die Gleichsetzung des D. mit dem Adressaten der Widmung des Kranzes des → Meleager [2], die lange Zeit hindurch akzeptiert wurde, basiert auf einer zweifelhaften Interpretation von Diog. Laert. 6,99 [3]. Wenn sie abgelehnt wird, bleibt kein verläßlicher Hinweis auf seine Datierung (möglicherweise 2. oder 1. Jh. v. Chr.). Für Nietzsche war D. die Hauptquelle für das gesamte Werk des Diogenes Laërtios [4. 201; 5]; dies war eine grobe Übertreibung. Belegt ist jedoch, daß Diogenes direkten Zugang zum Werk des D. hatte, und das, was er ihm verdankt, ist vielleicht mehr, als sich heute noch mit Gewißheit feststellen läßt.

1 J. Mansfeld, Diogenes Laertius on Stoic Philosophy, in: Elenchos 7, 1986, 297–382 **2** E. Maass, De biographis Graecis quaestiones selectae, 1880, 8–23 **3** Goulet 2, 1994, 775–777 **4** F. Nietzsche, De Laertii Diogenis fontibus, in: RhM 24, 1869, 187–228 **5** J. Barnes, Nietzsche and Diogenes Laertius, in: Nietzsche-Studien 15, 1986, 16–40.

V. Celluprica, Diocle di Magnesia fonte delle dossografia stoica in Diogene Laerzio, in: Orpheus 10, 1989, 58–79 · E. Martini, RE 5, 798–801 · J. Mejer, Diogenes Laërtius and his Hellenistic Background, 1978, 42–45.   D. T. R./Ü: T. H.

[10] **Iulius D.** Epigrammdichter aus Karystos, Verf. von vier Gedichten aus dem »Kranz« des Philippos: drei sind nicht mehr als mittelmäßige Wiederholungen von Gemeinplätzen (Anth. Pal. 6,186; 7,393; 12,35), das vierte – auf einen Schild, der seinen Besitzer als Kahn auch vor den Tücken des Meeres gerettet hat (9,109) – scheint ein originelles Thema zum Gegenstand zu haben (vgl. Zos. 9,40; Theon 9,41; Leonidas von Alexandreia, Ant. Pal. 9,42). Die Gleichsetzung mit dem von Seneca mehrmals lobend erwähnten Redner D. [12] aus augusteischer Zeit (Sen. contr. 1,8,15 f.; 7,26 usw.) ist möglich.

GA II,1,230–233; 2,260–263.   E. D./Ü: T. H.

[11] Ein sicher nacharistarchischer Grammatiker D. wird viermal in den Scholien zu Homer zitiert (schol. Il. 13,103 c; 22,208 b; Schol. Od. 14,132; 19,457). Wenn es sich bei diesem um den in POxy. 1241 II 19–20 erwähnten D. handelt, wäre er ein Zeitgenosse des Apollodoros und des Dionysios [17] Thrax (mit dem er in schol. Il. 13,103 c zusammengestellt wird) oder eine Generation später, doch ist das Zeugnis sehr problematisch. Andererseits ist D. der Name des aus Phönizien stammenden Grammatikers, der in Rom Schüler des älteren

Tyrannion war, ein so strebsamer Schüler gar, daß er sich den Spitznamen Tyrannion der Jüngere (*T. minor*) verdiente, was nicht geringe Verwirrung in den Quellen verursachte (vgl. HAAS). In diesem Falle wäre die Blütezeit des D. = *Tyrannion minor* in augusteische Zeit zu setzen (annähernd zeitgleich mit Didymos [1]: Das steht nicht im Widerspruch zu der Möglichkeit, daß das schol. Od. 14,132 eigentlich von Didymos stammt), und die ihm sicher zuzuschreibenden Werke (die sich aus der Verwechslung mit Tyrannion d. Ä. ergebenden Zuweisungsprobleme einmal beiseitegelassen) wären die Ἐξήγησις τοῦ Τυραννίωνος μερισμοῦ und die Διόρθωσις Ὁμηρική. Die Gleichsetzung der beiden bleibt trotz der durch POxy. 1241 aufgeworfenen Probleme wahrscheinlich. Ob es sich bei dem von Artemidoros (Oneirokritika 4,70) zitierten Grammatiker D. um dieselbe Person handelt, läßt sich kaum beweisen.

→ Tyrannion

W. HAAS, Die Fragmente der Grammatiker Tyrannion und D., SGLG 3, 1977, 177–181 • L. COHN, s. v. D. (54), RE 5, 812–813 • E. MARTINI, s. v. D. (51), RE 5, 801 • PFEIFFER, KP I, 309 • J. TOLKIEHN, Der Grammatiker D., in: Wochenschrift für Klass. Philol. 35, 1915, 1143–46 • C. WENDEL, RE 7 A, 1819–20.   F. M./Ü: T. H.

[12] Deklamator der augusteischen Zeit aus Karystos. Mehrfach erwähnt und geschätzt wird er von → Seneca d. Ä., auf dem unsere gesamte Kenntnis beruht (contr. 1,3,12. 8,16; 2,3,23; 7,1,26; 10,5,26). Er war vielleicht gemäßigter Asianer und könnte identisch sein mit dem Verf. von Anth. Pal. 7,393.

H. BORNECQUE, Les déclamations et les déclamateurs d'après Sénèque le père, 1902 (Ndr. 1967), 165.   M. W.

[13] C. Appuleius D. → Circus.

Diokletian s. Diocletianus

Diomede (Διομήδη).
[1] → Deïon.
[2] Geliebte Achills, Tochter des Phorbas, eine der sieben Frauen aus Lesbos, die Achill gefangen nahm (Hom. Il. 9,128 f.; 664 f.). Sie tritt in der Ilias gegenüber → Briseis in den Hintergrund und ist auch selten dargestellt [1]; zusammen mit Briseis und Iphis war sie auf einem Gemälde Polygnots in Delphi zu sehen (Paus. 10,25,4). Nach Zenod. in schol. Il 9,664a war D. Karerin. Anth. Pal. 14,18 und 16,29 spielen mit der Doppelbedeutung von Διομήδης ἀνήρ (»der Mann Diomedes«/»der Mann der Diomede«).

A. KOSSATZ-DEISSMANN, s. v. D., LIMC 3.1, 396 Nr. 2. R. B.

Diomedes (Διομήδης).
[1] Der Held der Stadt Argos im Trojanischen Krieg, im Unterschied zu Agamemnon von Mykenai, dem Herrn der nordöstl. Argolis (Hom. Il. 2,559–568; vgl. Il. 23,471 f. [1; 2]). Sohn des Tydeus und der Deipyle, der Tochter des Adrastos. In seiner Aristie vor Troja (Il. 5

und 6) tötete er Pandaros und verletzte Aphrodite, als sie Aineias retten wollte (Il. 5, 290–351); später auch Ares (Il. 5, 825–863). Mit dem Lykier Glaukos (auf der Seite der Troer) tauschte er als Freund der Familie die Waffen (Il. 6, 119–236). Als Spion schlich er sich mit Odysseus in die feindliche Stadt, tötete dabei Dolon und Rhesos (Il. 10). Paris verletzte ihn, so daß er an der weiteren Schlacht nicht mehr teilnehmen konnte (Il. 11, 369–400); er konnte Achilleus doch nicht ersetzen. Bei den Leichenspielen für Patroklos gewann er dank Athenas Hilfe das Wagenrennen (Il. 23,388–390; 499–513) und duellierte sich mit Ajas (Il. 23,811–825). In der *Ilias parva* wurde er gemeinsam mit Odysseus entscheidend für die Einnahme Trojas, indem er Philoktetes von Lemnos holte (fr. 1; vgl. Eur. Phil.; Soph. Phil. 570 f; 592–594), das → Palladion raubte (vgl. Konon FGrH 26 F 1,34: D. trickst Odysseus aus) und sich mit im Hölzernen Pferd versteckte (Hyg. fab. 108). Er tötete den Verlobten der Kassandra, Koroibos (PEG arg. 2). D. kehrte mühelos nach Hause zurück (Hom. Od. 3,167; 180–182; Nostoi PEG arg.), fand aber seine Frau (zugleich seine Tante, Il. 5,412) Aigiale(ia) untreu und zog weiter (Lykophr. 592–632; Dictys 6,2). In It. soll ihn König Daunos in Apulien aufgenommen und ihm seine Tochter Euippe zur Frau gegeben haben. Er gründete Städte und wurde als Gott verehrt (Strab. 5,9,1; 6,3,9), so bereits bei Ibykos (PMG fr. 294; Pind. N. 10,7–3), mit guten Beziehungen zu den geflüchteten Trojanern (Verg. Aen. 11,243–295; Paus. 1,11,7). Der Anspruch auf das Palladion wurde durch eine Kopie (Iliupersis PEG fr. 1; Alkmaionis fr. 9) oder durch eine Mehrzahl mit Aineias in It. geteilt [4]; D. brachte es nach Argos (Paus 2,23,5).

Genealogisch stammte D. nicht urspr. aus Argos, sondern war väterlicherseits aus Aitolien (Il. 23,471). Er rächte seinen Großvater Adrastos und die »Sieben gegen Theben« als »Epigonen«-Nachfahre. Er bestrafte Agrios für die schlechte Behandlung seines Großvaters Oineus (Alkmaionis PEG fr. 9). Zur myth. Begründung für die Gründung des amphilochischen Argos vgl. Ephoros FGrH 70 F 123b.

Kultisch verehrten D. mehrere Orte: der Streit, bei dem D. gestorben sein soll, verweist auf Heroenkulte. Athene machte ihn zum unsterblichen Gott (so Pind. N. 10, 7). In Mothone, Messenien, war er mit Athena verbunden (Paus. 4,35,8). In Argos wurde sein Schild in der Prozession zum Bad der Pallas getragen (Kall. h. 5,355); er hatte aber kein eigenes Heroon in Argos, sondern nur im Verbund mit den Epigonoi (Paus. 2,20,5; vgl. Il. 4,406 f. [8]). D. ist ein neugebildeter Name [9], doch war seine Sagengestalt schon vor der Ilias etabliert [2]. Eine Erinnerung an myk. Tradition [11] ist unwahrscheinlich; eher handelte es sich um eine Einfügung dor. Einwanderer, zumindest im Schiffskatalog (Il. 2–9).

1 G. S. KIRK, The Iliad 1, 1985, 180 f. **2** W. KULLMANN, Quellen der Ilias, 1960, 85–89; 380 **3** FARNELL, GHC, 289–293 **4** N. HORSFALL, in: CQ 29, 1979, 374 f. **5** H. KLEINKNECHT, Λουτρὰ τῆς Παλλάδος, in: Hermes 74,

1939, 300–350 **6** W. Bulloch, Callimachus: Fifth Hymn, 1985 **7** J. R. Heath, The Blessings of Epiphany, in: Classical Antiquity 7, 1988, 72–90 **8** A. Pariente, F. Bommelaer, in: M. Piérart (Hrsg.), Polydipsion Argos, BCH-Suppl. 22, 1992, 195–230; 265–304 **9** Kamptz, 31a2; 66 **10** B. Mader, LfE 2, 1991, 309f. **11** T. B. L. Webster, From Mycenae to Homer, ²1964, 228 **12** F. Schachermeyr, Griech. Rückerinnerung, SAWW 404, 1983 **13** A. Giovannini, Les origines du catalogue des vaisseaux, 1969 **14** W. Burkert, in: D. Musti u. a. (Hrsg.), La transizione dal miceneo al alto arcaismo 1991, 530f.

J. Boardman, C. E. Vafopoulou-Richardson, LIMC 3.1, 396–409 · O. Andersen, Die D.-Gestalt in der Ilias, 1978.
C. A.

[2] Dichter der Neuen Komödie, Sohn des Athenodoros, Bürger von Pergamon [1. test. 1] und Athen [1. test. 2] (Doppelbürgerschaft wie bei → Diodoros v. Sinope? [1. ad test. 1]). Inschr. bezeugen für die 2. Hälfte des 2. Jh. v. Chr. einen Sieg in Magnesia [1. test. 1], Ehrungen in Epidauros und Athen [1. test. 2, 3] sowie für das J. 97/96 in Delphi [1. test. 4]. D. auch unter die Dionysiensieger zu rechnen heißt eine unsichere Ergänzung der Siegerliste (Δι[) zu akzeptieren [1. test. *5]. Von der lit. Produktion des D. haben sich keine Spuren erhalten.

1 PCG V, 1986, 31. T. HI.

[3] D. Soter, indogriech. König Anf. des 1. Jh. v. Chr. Er ist nur durch seine Münzen belegt (mittelindisch *Diyumeta*).

Bopearachchi 101f., 295–298. K. K.

[4] Lat. Grammatiker der 2. H. des 4. Jh. n. Chr. D. ist der Verf. einer *Ars grammatica*, die wahrscheinlich zwischen 370 und 380 veröffentlicht wurde und sich an ein Publikum aus dem östl. Teil des röm. Reichs wendet. Die drei B. bilden das didaktische Programm ab: Redeteile – Grundprinzipien der Grammatik – Stilistik und Metrik. Unzweifelhaft ist der Einfluß von → Charisius [3] und → Donatus für das gesamte Werk, von → Terentius Scaurus für B. 1–2, von → Flavius Caper für B. 1; was B. 3 betrifft, die Metrik, so denkt man an → Terentianus Maurus und an → Caesius [II 8] Bassus. Eher problematisch erscheint für die anderen Teile ein Einfluß → Suetons. Die gesamte Ars wurde von → Rufinus und → Priscianus verwendet; in einer gekürzten Fassung, die unter dem Namen von → Valerius Probus kursierte, wurde sie von → Consentius, Pompeius und einem Vergil-Scholiasten herangezogen. Diese gekürzte Fassung wurde auch im angelsächsischen Bereich rezipiert (Anon. ad Cuimnanum, Ars Ambrosiana, Malsacanus, Aldelmus); davon sind uns jedoch nur Exzerpte überliefert. In ihrer Gesamtform scheint sie jedoch auch in Bonifatius, Tatuinus, Murethach und anderen gegenwärtig zu sein. Der Archetypus der *Ars* (eine teilweise schon gekürzte Fassung, aufbewahrt in der Aachener Hofbibliothek) weist eine recht große Anzahl von Kopien auf; er wurde also von Grammatikern der Karolin-

gerzeit verwendet, z. B. von Hrabanus Maurus. Eine neue Ausgabe fehlt.

Ed.: GL 1,299–529.
Lit.: P. L. Schmidt, HLL § 524. P. G./Ü: G. F.–S.

Diomedon (Διομέδων).

[1] Floh als Antiochos' III. Kommandant von Seleukeia am Tigris vor dem anrückenden aufständischen Satrapen von Medien, Molon (Pol. 5,48,12). A. ME.

[2] Athenischer Feldherr im Peloponnesischen Krieg. Als Stratege führte er 412/11 v. Chr. den athenischen Streitkräften in Kleinasien Verstärkung zu, gewann mit Leon das abgefallene Lesbos zurück und siegte über die Rhodier (Thuk. 8,19,2; 23f.; 55,1). Obwohl er der demokratischen Gegenbewegung gegen die 400 gewogen war, wurde er seines Amtes enthoben (8,73,4; 76,2). 407 erneut zum Strategen gewählt, kam D. 406 Konon zu Hilfe. Nach dem Sieg bei den Arginusen riet er vergeblich zur Bergung der Schiffbrüchigen; trotzdem wurde er in Athen mit den anderen Strategen wegen der unterlassenen Bergung zum Tode verurteilt und hingerichtet (Xen. hell. 1,6,22f.za; 7,1–34; Diod. 13,100–102). Traill, PAA 334600.

D. Kagan, The Fall of the Athenian Empire, 1987, 51–60; 94; 168–171; 354–375 · W. K. Pritchett, The Greek State at War IV, 1985, 204–206. W. S.

Diomeia (Διόμεια). Att. Paralia(?)-Demos der Phyle Aigeis, von 307/6 bis 201/0 v. Chr. der Demetrias. Ein → Buleut. In D., das außerhalb der Mauern von Athen südl. des Ilissos zw. Alopeke im Süden und Ankyle im Osten lag [1], befand sich unweit des Diomeischen Tores (Alk. 3,51,4; Hesych. s. v. Δημίαισι πύλαις; [2. 83, 112, 160 Abb. 219 »X«] das Herakles-Heiligtum und Gymnasium in → Kynosarges (Diog. Laert. 6,13; [2. 340f.]).

1 W. Judeich, Top. von Athen, ²1932, 169f. Abb. 14
2 Travlos, Athen.

Traill, Attica 7, 16, 39, 62, 69, 110 Nr. 33, Tab. 2, 12 · J. S. Traill, Demos and Trittys, 1986. H. LO.

Diomos (Δίομος). Sohn des Kolyttos, namengebender Heros des att. Demos → Diomeia. D. wird mit der Aitiologie des ersten »Ochsenmordes« (→ Buphonia) verbunden, wobei der Name des Stiertöters (βουτύπος) variiert. D., Priester des Zeus Polieus, tötete an den Dipolieia als erster einen Ochsen, nachdem dieser vom Getreideopfer gefressen hatte (Porph. de abstinentia 2,10). Der Stiertöter heißt auch Thaulon (Androtion FGrH 324 F 16) oder Sopatros (Porph. ebd. 2,29). Eine zentrale Rolle spielt D. auch in der Aitiologie vom → Kynosarges: Als D. dem vergöttl. Herakles opferte, entriß ihm ein weißer Hund das Opferfleisch. Daraufhin errichtete D. an der Stelle, an die der Hund die Opferteile schleppte, ein Heiligtum. Das Fest, welches hier dem Herakles gefeiert wurde, hieß Diomeia (Steph. Byz. s. v. Kynósarges 393 f. MEINEKE; Etym.m. s. v. Δίομος 277 GAISFORD; Aristph. Ran. 651; schol. Aristoph. Ach. 603c).

W. BURKERT, Homo necans, 1972, 156 · DEUBNER, 162 · PARKE, 166. R.B.

Diomosia (Διωμοσία). Mindestens seit Drakon (vor 600 v. Chr.) hatten in Athen beide Parteien und ihre Helfer (Zeugen) im formalen Vorverfahren (*prodikasíai*) zu Mordprozessen vor dem Archon Basileus einen feierlichen Eid, die D., zu leisten. Der Ankläger beschwor darin (unter Anrufung der Rachegöttinnen und anderer Gottheiten) unter Einsatz seiner eigenen Person, seines Geschlechts und seines Hauses seine Berechtigung zur Verfolgung, und daß der Angeklagte die Tat wirklich begangen habe (Antiph. 6,16; Demosth. or. 23,67). Er erhielt den Angeklagten hierauf sofort zum privaten Vollzug der Rache ausgeliefert, falls dieser nicht mit einem Gegeneid unter den gleichen Feierlichkeiten die Tat bestritt (Lys. 10,11). Im Fall eines beiderseitigen Eides, also im Regelfall, fiel die Entscheidung, welcher Eid der bessere sei, durch einen prozessualen Formalismus, die geheime Abstimmung von 51 → *ephetaí* (IG I³ 104,12/13). Diesen Formalismus kann man mit einem Gottesurteil vergleichen. Der später als bedeutungslos erkannte (Demosth. or. 23,67f.; Plat. leg. 948d) doppelte Parteieneid blieb aber weiterhin Bestandteil des Vorverfahrens. Der Ausdruck erstreckte sich im Laufe der Zeit auch auf die beeideten Aussagen der Parteien und Zeugen in anderen Prozessen, und dehnte sich schließlich im 4. Jh. v. Chr., als die Vereidigung auf die Klageschrift und die Klagebeantwortung erfolgte (→ Antomosia), auch auf die Prozeßschriften aus. Die D. ist auch außerhalb Athens bezeugt (IG IX 1, 334).

BUSOLT/SWOBODA, 548 f., 1184 · D. M. MACDOWELL, Athenian Homicide Law, 1963, 90 ff. · G. THÜR, in: L. FOXHALL, A. D. E. LEWIS, Greek Law, 1996, 62 ff. G.T.

Dion I. PERSONEN II. ORTE

I. PERSONEN (Δίων)

[I 1] Sohn des Hipparinos, Schwager und Schwiegersohn Dionysios' I. von Syrakus, * 409 v. Chr., seit Platons erstem Aufenthalt 388 in Syrakus dessen enger Freund und Verfechter seiner Philosophie. Unter Dionysios I. kam er als dessen Vertrauter und Ratgeber zu Ansehen und Reichtum und blieb auch unter Dionysios II. einflußreich. Er vermittelte 366 den Frieden mit Karthago und rief Platon nach Syrakus, um das Willkürregiment Dionysios' II. nach dem platonischen Staatsideal umzuformen. Dies mißlang völlig, da sich Dionysios als Person ungeeignet erwies und sich dessen Freunde und Berater, bes. Philistos, dagegen stellten. Des Hochverrats bezichtigt, mußte D. ins Exil nach Griechenland gehen; Anlaß bot ein Schreiben des D. an karthagische Freunde, nicht ohne seine Vermittlung

Frieden zu schließen (Plat. epist. 7,329; Plut. Dion 14 f.; mor. 53E). In seinem etwa neunjährigen Exil pflegte er als fürstlicher Herr in Athen enge Verbindung zur Akademie, erhielt in Sparta das Bürgerrecht und besuchte u. a. Korinth. Als er von Platon 360 in Olympia erfuhr, Dionysios II. wolle trotz Platons Fürsprache die Verbannung nicht aufheben, landete er 357 mit wenigen Schiffen und 600 Söldnern bei Minoa im karthagischen Teil Siziliens. Auf dem Weg nach Syrakus erhielt er großen Zulauf aus Akragas, Gela, Kamarina und sikelischen Gemeinden, während sich in Syrakus das Volk gegen Dionysios erhob. Dem triumphalen Einzug folgten ergebnislose Verhandlungen und wechselvolle Kämpfe mit dem auf Ortygia eingeschlossenen Tyrannen. D. und sein Bruder Megakles wurden zu bevollmächtigten Strategen gewählt, doch erregte sein selbstherrliches Auftreten das Mißtrauen der Demokraten, die sein früherer Kampfgenosse Herakleides anführte. Des Strebens nach der → Tyrannis beschuldigt und abgesetzt, zog sich D. nach Leontinoi zurück, wurde jedoch bald zum Kampf gegen Nypsios, den General Dionysios' II., zurückgerufen. Nun ging D. rigide an die Verwirklichung des Idealstaats Platons. Er löste die Flotte als Brutstätte der Demokratie auf, zwang 355 Dionysios, nach Lokroi zu gehen, und nahm eine autoritäre und quasityrannische Stellung ein. D. berief eine verfassunggebende Versammlung aus Syrakusiern und Korinthiern ein und ließ seinen Gegner Herakleides hinrichten. An die Spitze des Staates sollten mehrere Könige, unter ihnen D., und 35 Gesetzeswächter treten, Rat und Volksversammlung dagegen ihre Befugnisse weitgehend verlieren. Die allg. Ablehnung dieser Neuordnung führte 354 auf Befehl des der Akademie nahestehenden Kallippos zur Ermordung des D., der zunehmend als Tyrann betrachtet wurde. Der Versuch des D., Sizilien zu »befreien«, stürzte die Insel lediglich in eine gut zehnjährige Anarchie.

Der von Platon stark idealisierte D. wird von der modernen Forsch. nüchtern, z. T. sehr negativ als Mann ohne staatsmännisches Geschick und Charakter beurteilt, der den Weg zur Tyrannis beschritt (vgl. [1. 290]).

Hauptquellen: Platon, 7. und 8. Brief (Echtheit heute anerkannt; anders nur FINLEY); Plutarch, Dion. (vornehmlich aus Timaios); Diodoros (15,74,5 – 16,36,5).

1 B. BENGTSON, Griech. Gesch., ⁵1977.

H. BERVE, D., 1957 · Ders., D., in: HZ 184, 1957, 1–18 · Ders., Die griech. Tyrannis 1967, Bd. 1, 260 ff., Bd. 2, 657 ff. · H. BREITENBACH, Platon und D., 1960 (dazu H. BERVE, in: Gnomon 35, 1963, 375–77). · B. CAVEN, Dionysios I., 1990, 213 ff. · M. I. FINLEY, Das ant. Sizilien, 1979, 117 ff. · K. VON FRITZ, Platon in Sizilien und das Problem der Tyrannenherrschaft, 1968 · G. A. LEHMANN, Dion und Herakleides, in: Historia 19, 1970, 401–413 · J. SPRUTE, D.s syrakusanische Politik und die polit. Ideale Platons, in: Hermes 100, 1972, 294–313 · M. SORDI, in: E. GABBA, G. VALLET (Hrsg.), La Sicilia antica, Bd. 2,1, 1980, 225 ff. · Dies., La Sicilia dal 368/7 al 337/6, 1983, 1 ff. · H. D. WESTLAKE, in: CAH 6, ²1994, 693 ff. K. MEI.

[I 2] 87/6 v. Chr. in Alexandreia im Umkreis des → Antiochos [20] von Askalon, hörte er später in Athen dessen Bruder Aristos, ging dann aber zum Peripatos über (Cic. Luc. 12; Philod. Acad. 35,8 p. 171 DORANDI); Verf. von Tischgesprächen (Plut. mor. 612E; Athen. 1,34b); auf ihn bezieht sich wohl ein bekanntes Sprichwort (τὸ τοῦ Δίωνος γρῦ: Stob. 3,19; Zenob. 5,54; Ps. Plut. prov. Alex. 29). D. ging 56 als Leiter einer alexandrinischen Gesandtschaft nach Rom, die die Rückkehr Ptolemaios' XII. verhindern sollte; nachdem er einem ersten Giftanschlag im Haus des Lucceius entging, wurde er als einer der letzten der Gesandtschaft noch vor einem Auftritt im Senat ermordet. PP 6,16749.

J. GLUCKER, Antiochus and the Late Academy, 1978, 94ff.

W. A.

[I 3] D. Cocceianus von Prusa (seit dem Rhetor Menandros auch Chrysostomos gen.). Redner und Philosoph, * um 40 n. Chr. in Prusa (Bithynien), Sohn des Pasikrates, gest. nach 112. Aus reicher und vornehmer Familie stammend, betätigte sich D. zunächst als Sophist und war Gegner der Philos., wurde dann aber Schüler des Stoikers → Musonius. In den 70er Jahren, unter Vespasian und Titus, lebte er wohl meist in Rom, von Domitian wurde er wegen zu freimütiger Kritik am Kaiser aus It. und Bithynien ausgewiesen (82 n. Chr.). Bis 96 führte er fortan ein am Ideal des bedürfnislosen kynischen Weisen orientiertes Wanderleben im Nordosten des Imperiums und bei den Geten. Von Nerva, der das Exil aufhob, erwirkte D. Privilegien für seine Heimatstadt, für die er sich an der Spitze einer Gesandtschaft bei dessen Nachfolger Trajan bedankte, zu dessen Freund er wurde. In dessen Sinne versuchte D. in Prusa zu wirken sowie die Stadt durch Stiftungen und öffentl. Bauten zu fördern. Es kam zum Konflikt mit der Bürgerschaft, der seinen Höhepunkt in einem Prozeß fand (111/2), über dessen Vorgeschichte wir durch Plin. epist. 10,81f. wissen. Weiteres aus D.s Leben ist nicht bekannt.

Erh. ist von D.s Schriften eine Sammlung von 80 Reden bzw. Vorträgen (37 und 64 sind von D.s Schüler → Favorinus verfaßt), die offenbar aus dem Nachlaß publ. wurden (bei einigen fehlt sichtlich die letzte Überarbeitung). Charakteristisch für D.s Werk ist die Vielfalt der behandelten Themen: moralphilos. »Sittenpredigten« stehen neben polit. Mahnreden und Äußerungen zu aktuellen Fragen, lit.-kritische Essays neben sophistischen Deklamationen und theologisch-kosmologischen Erörterungen; der *Euboikos* [7] enthält sogar eine Art Roman in Kurzform. Überall aber wird D.s von einem philos. Synkretismus geprägte Grundhaltung deutlich, in der sich sokratisch-platonische Einflüsse mit Gedankengut der → Stoa und des → Kynismus mischen, sowie seine wehmütig-verklärende Begeisterung für die Kultur des alten Hellas. Er schreibt in einer am Ideal der *aphéleia* (Schlichtheit) orientierten, gemäßigt attizistischen Sprache ohne strikte Vermeidung von Koine-Einflüssen, die ihn zum Stilvorbild für Spätere

(Philostratos, Eunapios, Maximos v. Tyros, Synesios u. a.) werden ließ. D.s Schriften sind eine wertvolle Quelle für die Kulturgesch. des griech. Ostens um 100 n. Chr. Zahlreiche weitere Werke, die in der Ant. noch vorlagen (histor. Schriften, z. B. *Getika*, vgl. FGrH 707; spielerische Kleinformen, z. B. ein → *Enkomion* des Papageis und eines der Stechmücke, eine → Ekphrasis des Tempetals; philos. Schriften, z. B. ›Ob der Kosmos vergänglich ist‹, sowie eine Verteidigung Homers gegen Platon), sind verloren. Die sechs unter D.s Namen überlieferten Briefe sind wahrscheinlich unecht.

ED.: H. VON ARNIM, 1893–6 (Ndr. 1962) · G. DE BUDÉ, 1916–1919 · J. W. COHOON, H. LAMAR CROSBY, 1932–51 · D. A. RUSSELL, 1992, (orr. 7. 12. 36). ÜBERS.: W. ELLIGER, 1967. INDEX: R. KOOLMEISTER, TH. TALLMEISTER, hrsg. v. J. F. KINDSTRAND, 1981. FORSCH.BER.: B. F. HARRIS, D. of Prusa, in: ANRW II.33,5, 1991, 3853–3881. LIT.: 1 H. VON ARNIM, Leben und Werke des D. von Prusa, 1898 2 W. D. BARRY, Aristocrats, orators, and the 'mob', in: Historia 42, 1993, 82–103 3 A. BRANCACCI, Struttura compositiva e fonti della terza orazione 'Sulla regalità' di D. C., in: ANRW II.36,5, 3308–3334 4 P. DESIDERI, D. di Prusa, 1978 5 Ders., D. di Prusa fra ellenismo e romanità, in: ANRW II.33,5, 3882–3902 6 M. HILLGRUBER, D. C. 36 (53), 4–5 und die Homerauslegung Zenons, in: MH 46, 1989, 15–24 7 C. P. JONES, The Roman World of D. C., 1978 8 J. MOLES, The kingship orations of D. C., in: F. CAIRNS, M. HEATH (Edd.), Papers of the Leeds International Latin Seminar 6, 1990, 297–375 9 J. MOLING, D. von Prusa und die klass. Dichter, Diss. 1959 10 M. MORTENTHALER, Der Olympikos des D. v. Prusa als lit.histor. und geistesgesch. Dokument, Diss. 1979 11 A. M. RITTER, Zwischen ›Gottesherrschaft‹ und ›einfachem Leben‹, in: JbAC 31, 1988, 127–43 12 W. SCHMID, Attizismus Bd. 1, 1887, 72–191 13 G. A. SEECK, D. C. als Homerkritiker (or. 11), in: RhM 133, 1990, 97–107 14 H. SIDEBOTTOM, The date of D. of Prusa's Rhodian and Alexandrian orations, in: Historia 41, 1992, 407–419.

M. W.

II. ORTE (Δῖον)

[II 1] Stadt auf der Halbinsel Lithada beim Kap Kenaion an der Nordwest-Spitze von → Euboia (Hom. Il. 2,538: αἰπὺ πολίεθρον, »die hochgelegene Stadt«). Geringe Spuren haben sich in einem aus ant. Werkstücken erbauten ma. Turm bei Lithada (ehemals Lichas) erhalten. Bei D. wurden Reste des der Sage nach von Herakles geweihten Heiligtums des Zeus Kenaios festgestellt. Wie der Nachbarort Athenai Diades konnte D. lange seine polit. Unabhängigkeit bewahren, ehe es dem 1. → Attisch-Delischen Seebund mit einem Tribut von 1000 und nach 450/49 mit 2000 Drachmen angehörte (Διῆς oder Διῆς ἀπὸ Κηναίου). D. war auch Mitglied des 2. → Attischen Seebundes (Syll.³ 1, 147,88). Strab. 10,1,5; Plin. nat. 4,64; Ptol. 3,14,22; Steph. Byz. s. v. D.; Nonn. Dion. 13,161.

C. BURSIAN, Geogr. von Griechenland, 1868, 409f. · F. GEYER, Top. und Gesch. der Insel Euboia I, 1903, 99ff. · PHILIPPSON/KIRSTEN, 570 · ATL 1, 1939, 264f., 482.

H. KAL.

[II 2] Stadt um das Nationalheiligtum der Makedonen unterhalb des Olympos am → Baphyras in Pieria beim h. Malathria. Tempel und (seit Archelaos [1]) Festspiele für Zeus Olympios. Unter den maked. Königen wurden D. und das Heiligtum mit Gebäuden und Statuen ausgestattet (Liv. 44,7,3), darunter die von Lysippos geschaffenen Bronzestandbilder der 25 am Granikos 334 v. Chr. gefallenen *hetaíroi* Alexanders d.Gr. (Arr. an. 1,16,4), die nach dem Krieg gegen Aristonikos 148 v. Chr. von Q. Caecilius Metellus nach Rom verschleppt wurden (Plin. nat. 34,64). Schon zuvor (im J. 219) war D. von den Aitoloi geplündert worden (Pol. 4,62). D. erhielt eine röm. *colonia*, evtl. bald nach Caesars Tod, spätestens unter Augustus, dem D. den Titel *colonia Iulia Augusta Diensis* verdankte. Gleichzeitig scheint das Territorium von D. auf alle übrigen Städte der Pieria ausgedehnt worden zu sein. In der röm. Kaiserzeit stand D. wieder in Blüte, wie erste Ausgrabungen belegen. D. wurde spätestens vor 343 (Konzil von Serdica) Bischofssitz, existierte, trotz got. Plünderungen um 472 n. Chr. (Iord. Get. 287), auch noch im 6. Jh. (Hierokles Synekdemos 638,5). Für eine ma. Besiedlung gibt es bislang keinen Beleg.

Freilegungen des 19. Jh. und die seit 1963 von der Universität Thessaloniki durchgeführten systematischen Ausgrabungen haben Teile der ummauerten, hell.-röm. Wohnstadt zutage gebracht: *insulae* mit Häusern und Werkstätten des 2./3. Jh. n. Chr. entlang der auf ganzer Länge freigelegten, den Ort in Nord-Süd-Richtung durchquerenden Hauptstraße, Teile der hell. Wasserversorgung (→ Zisterne), öffentliche Bauten (Mauern, Tore, Odeion, Latrinen), Reste einer frühchristl. Basilika. Verschiedene Bauten fanden sich außerhalb des ummauerten Areals: Heiligtümer (wohl für Asklepios, Isis und Demeter), weitere frühchristl. Baureste sowie ein hell. und ein röm. Theater (3. Jh. v. Chr.; 2. Jh. n. Chr.). Grabungsfunde im Museum in Dio.

F. PAPAZOGLOU, Les villes de Macédoine, 1988, 108f. ·
D. PANDERMALIS, D., o.J.   MA. ER. u. C. HÖ.

[II 3] Die an der Nordost-Küste der Athos-Halbinsel nahe dem Isthmos gelegene Stadt unbekannten Ursprungs war im 5. Jh. v. Chr. Mitglied des → Attisch-Delischen Seebundes und fiel erst 417 von Athen ab. Im 4. Jh. gehörte sie dem 2. → Attischen Seebund an und konnte ihre Unabhängigkeit bis zur Einnahme durch Philipp II. behaupten; ihre spätere Gesch. ist unbekannt.

M. ZAHRNT, Olynth und die Chalkidier, 1971, 182–185.
                                    M. Z.

[II 4] In Achaia Phthiotis gelegener Ort, den Kassandros 302 v. Chr. durch Synoikismos mit Thebai in der Phthiotis verbinden wollte, was aber Demetrios Poliorketes verhinderte (Diod. 20,110). D. wird in einer der Ruinenstädte am Nord-Hang des Othrys-Gebirges vermutet.

R. REINDERS, New Halos, 1988, 157 · F. STÄHLIN, Das hell. Thessalien, 1924, 173, 185.   HE. KR.

Dione (Διώνη; vgl. Ζεύς, Διός). Vielleicht Zeus' urspr. Gattin [1], jedenfalls schon in myk. Zeit durch → Hera ersetzt (vgl. PY Tn 316). Eine Münze aus Epirus [2] zeigt eine thronende D., auf der Rückseite Zeus; im Zeusheiligtum in → Dodona wurde sie neben Zeus verehrt [3]. → Aphrodite galt auch als Tochter von diesen beiden (Hom. Il. 5,370; Eur. Hel. 1098; [4]; Theokr. 15,106; 17,36; vgl. Plat. symp. 180d). Bei Cic. nat. deor. 3,23 ist D. die Mutter der dritten Venus, sonst wird sie in der lat. Lit. mit → Venus gleichgesetzt (Ov. fast. 2,461; 5,309; [5]). Pherekydes (FGrH 3 F 90) zählt sie zu den dodonischen Nymphen, die den → Dionysos aufzogen, und bei Euripides (TGF 177) ist D. gar dessen Mutter. Mehrere att. Vasen aus dem 5. Jh. v. Chr. zeigen sie im Kreise des Dionysos, was auf ein Interesse Athens an Dodona deutet [6].

1 G. E. DUNKEL, Vater Himmels Gattin, in: Die Sprache 34, 1988–1990, bes. 16–18 2 E. SIMON, s. v. D., LIMC 3.1, 412, Nr. 4 3 H. W. PARKE, The Oracles of Zeus, 1967, 259–273 4 R. KANNICHT, Eur. Hel. Bd. 2 (Komm.), 1969, 274f. 5 F. BÖMER, P. Ovidius Naso, Die Fasten, Bd. 2 (Komm.), 1958, 310 6 E. SIMON, s. v. D., LIMC 3.1, 413, Nr. 10–12.

J. N. BREMMER, Götter, Mythen und Heiligtümer im ant. Griechenland, 1996, 19 · E. SIMON, s. v. D., LIMC 3.1, 411–413.   R. B.

Dionysia (Διονύσια). Bezeichnung für das Fest des → Dionysos, das für den Dionysoskult vieler griech. Poleis kennzeichnend ist; oft sind es die Wintermonate, in denen die D. stattfanden.

(1) In Athen waren D. Teil eines über vier Wintermonate ausgedehnten Festzyklus, der von den ländlichen D. (τὰ κατ' ἀγρούς Δ., im Monat Posideon) über Lenaia (Monat Gamelion) und Anthesteria (Monat Anthesterion) zu den städtischen oder Großen D. (τὰ ἐν ἄστει Δ., Monat Elaphebolion) führte [1]. Die ländlichen D. sind durch die Übernahme zahlreicher Elemente der städtischen D. – bes. die Aufführungen von Tragödien, Komödien und Dithyramben – sowie durch die rituelle Präsenz männlicher Sexualität gekennzeichnet. Ihr Hauptritual, eine phallische Prozession, stellte Aristophanes in den ›Acharnern‹ auf der komischen Bühne dar: das Chorlied an Phales (263–279), den vergöttlichten Phallos, zeigt, daß das Ritual mit Männerphantasien von sexuellem Vergnügen, gar Gewaltphantasien verbunden sein konnte. – Die städtischen D., welche Dionysos Eleutheros galten, sind demgegenüber eine Gründung späterer Zeit. Zwar werden sie traditionell Peisistratos zugeschrieben, doch ist eine Datierung in kleisthenische Zeit auch denkbar [2]. Der Gott soll aus seinem Kultort Eleutherai an der att.-boiotischen Grenze nach Athen gebracht worden sein; der lokale Mythos von Dionysos Melanaigis von Eleutherai hat allerdings nicht mit den städtischen D., sondern mit der → Ephebeia zu tun [3]. Zentral waren die Aufführungen von Tragödien und Dithyramben im Theater am Fuß der Akropolis sowie eine eindrückliche Prozession, welche den Einzug des Gottes und seines Gefolges von Satyrn und Mänaden in die Stadt ausagierte [4].

(2) Prozessionen und dramatische Aufführungen nach athenischem Vorbild kennzeichneten auch die D. der hell. Städte; die Bed. des Festes für die Polis erhellt daraus, daß oft die Ehrungen bedeutender Bürger oder Auswärtiger im Theater Teil des Festes, gewöhnlich vor den Aufführungen, waren. Die bes. prächtige Prozession der D. in Alexandria unter Ptolemaios II. ist durch eine → Ekphrasis des Kallixeinos von Rhodos festgehalten worden (FGrH 627 F 1) [5]. Wie sehr im Hellenismus D. als konstitutiv für griech. kulturelle Identität angesehen wurden, zeigt sich etwa darin, daß Antiochos IV. Epiphanes die Juden Jerusalems zwang, im Rahmen eines umfassenden Hellenisierungsprogramms D. samt einer Prozession durchzuführen (2 Makk 6,168 v. Chr.).

1 A. W. PICKARD-CAMBRIDGE, The Dramatic Festivals of Athens, ... ²1968 2 W. R. CONNOR, City D. and Athenian democracy, in: Classica et Mediaevalia 40, 1989, 7–32 3 P. VIDAL-NAQUET, Le chasseur noir et l'origine de l'éphébie athénienne, in: Annales. Economies, Sociétés, Civilisations 23, 1968, 947–964 4 F. GRAF, Pompai in Greece, in: R. HÄGG (Hrsg.), The Role of Religion in the Early Greek Polis (1996) 55–65 5 E. E. RICE, The Grand Procession of Ptolemy Philadelphus, 1983.   F.G.

Dionysiades (Διονυσιάδης). Sohn des Phylarchides, Tragiker aus Mallos (Suda δ 1169), nach Strab. 14,6,759 aus Tarsos, zählte zur Pleias. Vielleicht identisch mit dem unter den Dionysiensiegern gen. Dichter (TrGF 110, s.a. DID A 3a, 67).

METTE, 163 • TrGF 105.   F.P.

Dionysios (Διονύσιος).

Bekannte Persönlichkeiten: der Tyrann von Syrakus D. [1] I.; der Historiker D. [18] von Halikarnassos. Dionysios (Monat) → Monatsnamen. Die Chronik des Ps.-D. von Tell Maḥre s. D. [23].
I. POLITISCH AKTIVE PERSÖNLICHKEITEN
II. PHILOSOPHEN III. GRAMMATIKER, HISTORIKER
IV. NATURWISSENSCHAFTLER, GEOGRAPHEN,
ÄRZTE V. DICHTER VI. KÜNSTLER VII. BISCHÖFE

I. POLITISCH AKTIVE PERSÖNLICHKEITEN

[1] D. I. von Syrakus, Sohn des Hermokritos, geb. um 430, gest. 367 v. Chr. Begründer der ›größten und längsten Tyrannenherrschaft in der Geschichte‹ (Diod. 13,96,4; Aussehen: Timaios FGrH 566 F 29).

Im Besitz sophistischer Bildung (Cic. Tusc. 5,63), war D. von größtem Ehrgeiz und Machtwillen erfüllt (Isokr. or. 5,65). Er unterstützte 408/7 den (vergeblichen) Staatsstreich des Hermokrates und bezichtigte 406/5 als Sekretär des Strategenkollegiums die Feldherren, die Karthago nicht an der Einnahme von Akragas gehindert hätten, vor der Volksversammlung des Verrats. Die »dem Unruhestifter« dafür auferlegte Geldstrafe bezahlte der spätere Historiker Philistos, so daß D. weiter gegen die »Reichen und Mächtigen« agitieren

und Absetzung und Neuwahl des Kollegiums bewirken konnte (Diod. 13,91–96). Trotz seiner Jugend nun selbst Mitglied des Kollegiums, beschuldigte er die eigenen Amtsgenossen der Korruption, erreichte seine Wahl zum bevollmächtigten Strategen (Frühjahr 405) und blieb mit diesem von der Verfassung für Krisenzeiten vorgesehenen Amt vorerst auf dem Boden der Legalität. Erst mit der Schaffung einer Leibwache, bewilligt nach einem fingierten Attentat, vollzog er den Schritt zur → Tyrannis (Sommer 405). Sein Versuch, das von Karthagern belagerte Gela in revolutionärer Abkehr von der Phalanxtaktik durch eine in mehrere Treffen aufgelöste Schlacht zu entsetzen, scheiterte wegen mangelnder Koordination der Truppenbewegungen völlig, so daß auch Gela und Kamarina an die Karthager fielen und ihr Heer vor Syrakus rückte. Eine Erhebung der syrakusischen Oligarchen als Folge der Niederlage konnte er zwar durch schnelle Rückkehr unterdrücken, doch kam seine Frau, die Tochter des Hermokrates, dabei zu Tode. Eine Seuche im Heer der Karthager vor Syrakus veranlaßte Himilkon Ende 405 zum Friedensschluß, der zwar die Herrschaft des D. über Syrakus anerkannte, aber zugleich den Verlust der syrakusischen Hegemonie bedeutete und die Anerkennung der karthagischen Herrschaft über den Westen Siziliens, einschließlich der Elymer und Sikaner, vorsah; Himera, Selinus, Akragas, Gela und Kamarina wurden Karthago tributpflichtig; Leontinoi, Messana und die Sikeler erhielten die Autonomie (Diod. 13,114,1; vgl. StV 2, Nr. 210).

In dieser Situation suchte D. die Macht von Syrakus wieder zu stärken, vor allem aber die eigene Stellung zu festigen: Er baute Ortygia zu einer gewaltigen Festung aus, erweiterte die Bürgerschaft durch Freilassung von Sklaven, konfiszierte den Besitz der Oligarchen, nahm eine Neuverteilung des Landes z. B. an ehemalige Sklaven und besitzlose Freie vor, schuf eine große Söldnerarmee, vergab Ämter und Stellen an Verwandte und Freunde und gewann so eine riesige Anhängerschaft. 404 kam es deshalb in Syrakus zu einer Erhebung der Bürgertruppen, an dem sich auch die Poleis des östl. Sizilien beteiligten: D. wurde in seiner Zitadelle eingeschlossen (Diod. 14,8,4ff.) und konnte erst nach mehreren Monaten durch kampanische Söldner befreit werden (Diod. 14,10,2ff.).

Nach der Revolte unterwarf D. die chalkidischen Städte Ostsiziliens und verpflanzte deren Einwohner großteils nach Syrakus, das dadurch zur größten Stadt der griech. Welt und zugleich – durch die Ummauerung von Epipolai (der »Hochfläche«) und den Bau des Kastells Euryalos an strategisch bedeutsamer Stelle – zur gewaltigsten Festung der damaligen Welt wurde. Vor allem rüstete D. jetzt zum bevorstehenden Karthagerkrieg (Diod. 14,18ff.; 41ff.): Er ließ zahlreiche Söldner anwerben, moderne Waffen fertigen, eine riesige Flotte des neuen Schiffstyps der Pentere (=Fünfruderer) bauen und zahlreiche Belagerungsmaschinen konstruieren, darunter das neu erfundene Katapult. Nicht zuletzt schloß er Heiratsallianzen mit Syrakus (Andromache) und Lokroi (Doris). Im Jahr 398 waren die Rüstungen beendet: Unter der Parole »Befreiung Siziliens« (Diod. 14,45,4) zog D. mit einem Heer von (angeblich) über 80 000 Mann und 300 Kriegsschiffen gegen die unvorbereiteten Karthager und stieß unaufhaltsam bis zum äußersten Westen Siziliens vor, wo er die Inselstadt Motye, den karthagischen Hauptstützpunkt, dank genialer Belagerungstechnik eroberte. Bereits ein Jahr später erfolgte der Gegenstoß der Karthager unter Himilkon mit angeblich noch größerer Macht. 100 000 Mann zu Fuß und 400 Kriegsschiffe zogen längs der Nordküste, brachten zahlreiche Städte zum Abfall und belagerten nach einem Sieg über die Flotte des D. bei Katane Syrakus, wo D. Massen von Sklaven freiließ und mit spartanischer Hilfe zum äußersten Widerstand entschlossen war. Doch wiederum dezimierte eine Seuche das am Anopos lagernde Heer der Feinde, das durch einen geglückten Ausfall fast vollständig vernichtet werden konnte. Als auch die karthagische Flotte das gleiche Schicksal erlitt (Sommer 396, vgl. Diod. 14,71,1 ff.), kam es zu einer Erhebung der afrikanischen Untertanen Karthagos, die es D. erlaubte, Ostsizilien zurückgewinnen und eine karthagische Offensive aufzuhalten (Diod. 14,95 ff.). Der Frieden von 392 beschränkte die Herrschaft Karthagos auf den Westen, nämlich die alten punischen Stützpunkte Motye, Panormos und Solus sowie das Gebiet der Elymer und Sikaner, während fast das gesamte restliche Sizilien D. unterstellt wurde (Diod. 14,96,3; vgl. StV 2, Nr. 233).

Das Engagement des D. in It. zielte vor allem darauf, den Rücken gegenüber Karthago freizubekommen. Seit 399 mit Lokroi verbündet, besiegte er 388 den von Kroton geführten Italiotenbund am Elleporos vernichtend und eroberte nach langer Belagerung 387/6 Rhegion, das grausam bestraft wurde. Seither beherrschte D. die Straße von Messina. Vorwiegend aus wirtschaftlichen Motiven gründete D. 385/84 die Kolonien Lissos und Issa an der dalmatinischen Küste sowie Ancona und Adria (an der Pomündung) auf ital. Boden. Er schloß Freundschaft mit den Illyriern, nahm Kontakt zu den Kelten auf und schwächte die Etrusker durch die Eroberung von Pyrgoi, den Hafen von Caere. Ca. 382 eröffnete er den dritten Krieg gegen Karthago, das sich großräumig mit griech. Poleis in Unteritalien verbündet hatte. D. erkannte die Gefahr, eroberte zuerst Kroton (379) und schlug dann die Karthager ca. 375 bei Kabala auf Sizilien (Lage unbekannt!), erlitt aber später – nach Ablehnung seiner Forderung auf Räumung Siziliens – bei Kronion (nahe Palermo) eine schwere Niederlage. Der Friedensvertrag von 374 setzte erstmals jene Grenze vom Halykos (h. Platani) im Süden zum Himeras (h. Imera settentrionale) im Norden fest, die im wesentlichen bis zum Eingreifen der Römer das griech. Sizilien von der karthagischen Epikratie trennte.

Nach kurzer Friedenszeit begann D. 368 den vierten Karthagerkrieg und drang bis Lilybaion (h. Marsala), Karthagos neuem Stützpunkt, vor, den er vergeblich belagerte. Mitten im Krieg starb D. im Frühjahr 367 (Diod. 15,73,5).

D. schuf mit seiner ruhelosen Außenpolitik, die den Krieg gegen Karthago zu seiner Lebensaufgabe machte, einen der ersten Territorialstaaten der griech. Welt, der den größeren Teil Siziliens, den Süden Unter-It. und Gebiete an der Adria umfaßte. Damit überschritt er den Rahmen der Polis bei weitem, konnte dies aber auch nur mit Mitteln erreichen, die dem Wesen der Polis widersprachen. Nur anfangs bewegte sich D. als bevollmächtigter Stratege noch im Rahmen der Verfassung, später führte er wohl den Titel »Archon (Herrscher) von Sizilien« und war faktisch Tyrann. Formal tastete er die Polisinstitutionen wie Rat und Volksversammlung nicht an, ließ ihnen aber nur ein Schattendasein. Er stützte seine Macht hauptsächlich auf polisfremde Söldner und besetzte alle Schlüsselstellungen mit seinen Verwandten und »Freunden«. Dennoch waren seine Beziehungen zum griech. Mutterland bes. in den letzten Regierungsjahren intensiv: 369 rettete er durch ein Söldnercorps Sparta vor dem Zusammenbruch, ein Jahr später wurde er Ehrenbürger Athens, und 367 schlossen D. und Athen ein Defensivbündnis (vgl. StV 2, Nr. 280).

Zweifellos war D. ein geschickter Politiker, Organisator und Feldherr, doch verdankte er seine Erfolge auch seiner Grausamkeit, dem rücksichtslosen Vorgehen gegen Oppositionelle und der Arbeit seiner Geheimpolizei. Wer ihn zum größten mil. Genie nach den Makedonenkönigen machen will (so etwa [1]; zurückhaltend [2. 256f.]), übersieht, daß ihn mehrfach nur Seuchen im feindlichen Heer retteten und sein Lebensziel, die Vertreibung der Karthager aus Sizilien, Stückwerk blieb. Der von D. auch aus Gründen der eigenen Herrschaftslegitimation geförderte Antagonismus zwischen Griechen und Karthagern sollte dagegen noch viel Unglück über die Insel bringen.

Quellen: Wichtigste unter den nicht erh. Quellen ist die panegyrische Darstellung des Philistos, des langjährigen Beraters und Offiziers des D. (vgl. FGrH 556, T 1–13, F 57f.). Sie bildete die Grundlage für Ephoros (in B. 16 und 28 seiner Universalgeschichte, vgl. FGrH 70 F 68; 89–91; 201–04; 218), Theopompos (im sizilischen Exkurs der *Philippika*, vgl. FGrH 115 F 184) und Timaios, der D. äußerst negativ zeichnet (vgl. FGrH 566 F 25–29; 105–112) und ihn den ›bösen Geist von Sizilien und It.‹ nennt (F 29). Da auch diese Quellen verloren sind, bekommen die erh. Teile der ›Bibliothek‹ des Diodoros bes. Gewicht. Seine Darstellung in B. 13–15 zerfällt in zwei ungleiche Teile: Während 13,91–14,109 die erste Hälfte der Regierungszeit des D. (von 406/5–387/6) ausführlich, vorwiegend nach Timaios (so [3. 70 ff.]; irrig [4]: Philistos), schildert, wird die zweite (von 386/5 bis 368/7), 15,13–74, recht summarisch, hauptsächlich nach Ephoros, beschrieben. Die übrigen Quellen (bes. Cic. Tusc. 5,57–63 und anderswo) haben mit ihren Geschichten vom grausamen Tyrannen eher anekdotischen Charakter.

1 B. CAVEN, Dionysius I., 1990 **2** H. BERVE, Die Tyrannis bei den Griechen, 1967 **3** K. MEISTER, Die sizilische Gesch. bei Diodor, 1967 **4** L. J. SANDERS, Dionysius I of Syracuse and Greek Tyranny, 1987.

H. BERVE, Die Tyrannis bei den Griechen, 1967, Bd. 1, 222 ff., Bd. 2, 637 ff. · B. CAVEN, s. v. D. (1), in: OCD ³1996, 476 ff. · M. I. FINLEY, Das ant. Sizilien, 1979, 101 ff. · D. M. LEWIS, in: CAH 6, ²1994, 120 ff. · M. SORDI, in: E. GABBA, G. VALLET (Hrsg.), La Sicilia antica, Bd. 2, 1, 1980, 207 ff. · K. F. STROHEKER, Dionysios I., 1958.   K. MEI.

[2] D. II., Tyrann von Syrakus, ältester Sohn des D. I. und dessen Gattin Doris aus Lokroi, geb. um 396 v. Chr. Der Vater hielt ihn von Staatsgeschäften fern, doch wurde er nach dessen Tod 367 im Interesse einer geordneten Sukzession von den Militärs als Nachfolger anerkannt und vom Volk bestätigt. Er schloß 366 mit den Karthagern Frieden, half 365 den Spartanern, führte kurzfristig Krieg gegen die Lukaner, bekämpfte 359/8 Piraten in der Adria und stellte das von seinem Vater zerstörte Rhegion unter dem Namen Phoibeia wieder her. Doch überwog sein Interesse an Frauen und luxuriöser Hofhaltung bei weitem das an Politik und Diplomatie. Am Hof bekämpften sich am Anfang zwei Faktionen: Die seines Schwagers → Dion, der die Lebensweise des D. ändern und das Staatsideal Platons, den er dazu 367 an den Hof holte, verwirklichen wollte, und die des Philistos und der alten monarchistische Garde, die jede Änderung des Bestehenden kategorisch ablehnte und 366 Dions Entfernung nach Griechenland erreichte. Platon, der ebenfalls Syrakus verließ, konnte bei einem neuen Aufenthalt in Syrakus 361 an der Haltung des D. nichts ändern und auch die Rückberufung Dions nicht durchsetzen, obgleich D., der in Lit. und Philos. dilettierte, weiter um die Freundschaft Platons bemüht war und sich dessen Gedanken gegenüber aufgeschlossen gab. Die gewaltsame Heimkehr Dions 357–55 zwang D. ins unterital. Lokroi. Der Ermordung Dions durch Kallippos 354 folgte eine Anarchie, in der Kallippos, dann zwei Halbbrüder Dions, Hipparinos 353 und Nysaios 351, und zuletzt 347 erneut D. zur Tyrannis gelangten. D. konnte sich drei Jahre halten, bis Sizilien 344 durch Timoleon von der Tyrannis befreit wurde, ging ins Exil nach Korinth und lebte dort als Privatmann. Seine Charakterschwäche und polit. Unfähigkeit taten der Stellung und Bed. des Westgriechentums schweren Abbruch. Quellen: Platon, 7. und 8. Brief; Diodor 15, 74, 5–16, 36, 5; 65–70; Plutarch, Dion bzw. Timoleon.

H. BERVE, Die Tyrannis bei den Griechen, 1967, Bd. 1, 260 ff. · B. CAVEN, D. I., 1990, 213 ff. · M. I. FINLEY, Das ant. Sizilien, 1979, 117 ff. · H. D. WESTLAKE, in: CAH 6, ²1994, 693 ff.   K. MEI.

[3] D. Soter, einer der letzten indogriech. Könige im 1. Jh. v. Chr. Er ist nur durch seine Münzen belegt (mittelindisch *Diyanisiya*).

BOPEARACHCHI 137 f., 361 f.   K. K.

[4] Sohn des Kephalas, lebte Ende des 2. Jh. v. Chr. in Akoris; Priester eines ägypt. Kultes, Königsbauer, Soldat. D. gab Getreidedarlehen, wozu ein Archiv erh. ist.

N. LEWIS, Greeks in Ptolemaic Egypt, 1986, 124 ff. · H. HEINEN, in: Gnomon 60, 1988, 128–131 (Rez.).   W. A.

[5] Sohn des Tyrannen Klearchos von Herakleia und selbst von 337/36 v. Chr. Tyrann. Nach dem Tod Alexandros' [4] des Gr. schloß er sich den Gegnern des → Perdikkas an und diente später unter → Antigonos [1]. Er kämpfte für ihn auf Kypros und dehnte unter seinem Schutz die eigene Macht aus. Er starb 306/05.
     E. B.

[6] D. Petosarapis (Διονύσιος Πετοσάραπις). Ägypter? Einflußreicher *phílos*, der ca. 168–64 v. Chr. versuchte, die Spannungen zwischen Ptolemaios VI. und VIII. zu einer Palastrevolte zu nutzen; er wurde von den Königen bei Eleusis geschlagen, zog sich in die Chora zurück, wo er anscheinend Resonanz bei den Einheimischen fand; das Ende des Aufstandes ist nicht bekannt (Diod. 31, 15a; 17b).

L. MOOREN, The Aulic Titulature in Ptolemaic Egypt, 1976, 70 f. Nr. 026.   W. A.

[7] Sklave Ciceros und sein Vorleser (fam. 5, 9, 2), stahl ihm mehrere Bücher; entfloh 45 v. Chr. nach Illyrien, wo er sich als Freigelassener ausgab und von Cicero über die Statthalter gesucht wurde.   K.-L. E.

II. PHILOSOPHEN

[8] D. von Herakleia. Philosoph und Schüler des Stoikers → Zenon von Kition [1. col. 10, 30–32], im späten 4. Jh. v. Chr. geboren, erreichte ein Alter von 80 Jahren. Diogenes Laertios berichtet, daß er zunächst bei Herakleides Pontikos, Alexinos und Menedemos studiert hatte, bevor er zu Zenon kam (7, 37, 166–7: dort ein unvollständiger Katalog seiner zahlreichen, für ihren guten Stil bekannten Werke). Sein Interesse an der Dichtung führte ihn zu → Aratos und von dort zur Stoa. Sein Spitzname war »der Abtrünnige« (ὁ μεταθέμενος), weil er den Stoizismus aufgab und zum Hedonismus überwechselte: Durch Krankheit verursachtes Leid ließ ihn daran zweifeln, daß Schmerz im Hinblick auf das Glück indifferent sei (verschiedene Versionen der Gesch. bei Cic. Tusc. 2, 60; fin. 5. 94; Athen. 281de; Lukian. bis accusatus 21).

1 T. DORANDI (Hrsg.), Filodemo, Storia dei filosofi: La stoà da Zenone a Panezio, 1994.   B. I./Ü: T. H.

[9] D. aus Chalkedon, lebte in den Jahrzehnten vor und nach 350 v. Chr. D. soll als erster die Megariker als → »Dialektiker« bezeichnet haben (Diog. Laert. 2, 106). O. PRIMAVESI [1] hat einleuchtende Gründe dafür beigebracht, daß der D., dessen Definition von »Leben« Aristoteles in der *Topik* (148a26–31) als unzureichend erweist, D. aus Chalkedon ist.

→ Megariker

1 O. PRIMAVESI, D. der Dialektiker und Aristoteles über die Definition des Lebens, in: RhM 135, 1992, 246–261.

ED.: SSR II P. •

LIT.: K. DÖRING, D. aus Chalkedon, in: GGPh 2.1, § 17 F.

K.D.

[10] D. aus Kyrene. Mitte des 2. Jh. v. Chr. Stoischer Philosoph und Mathematiker, vielleicht Schüler des → Diogenes von Babylon; er schrieb gegen einen Demetrios, vermutlich einen Rhetor [1. col. 52].

1 T. DORANDI (ed.), Filodemo Storia dei filosofi: La stoà da Zenone a Panezio, 1994. 2 Ders., s. v. D., Goulet 2, 865 f.

B. I./Ü: J. DE.

[11] D. von Lamptrai. Epikureer, drittes Oberhaupt der epikureischen Schule nach Polystratos (220/19–201/0 v. Chr.). Die wenigen Notizen findet man bei Diog. Laert. 10,25 und in den Fragmenten des PHercul. 1780 (Philodemos).

T. DORANDI, s. v. D., GOULET 2, 866.   T.D./Ü: E. KR.

[12]. Stoischer Philosoph, der im Athen des 1. Jh. v. Chr. wirkte. Er soll in seinen Vorträgen oft in unkritischer Weise und ohne Beachtung des Metrums Verse zitiert haben (Cic. Tusc. 2,26).   B. I./Ü: J. DE.

III. GRAMMATIKER, HISTORIKER

[13] D. Skytobrachion (Σκυθοβραχίων). In den Scholien zu Apoll. Rhod. bald als ›Milesier‹, bald als ›Mytileneer‹ bezeichnet, wahrscheinlich aufgrund eines Abschreibfehlers ([1,71–76], im Anschluß an F. G. WELKKER) und nicht, weil D. einen zweiten »D. aus Milet« als Quelle erfunden habe (so von C. MÜLLER bis zu F. JACOBY); die Suda (s. v. Δ. Μυτιληναῖος, δ 1175 ADLER) bietet den unerklärten Beinamen *Skythobrachion* (»Lederarm«; auch bei Suet. De illustribus grammaticis 7; Athen. 12,515d-e; Schol. Hom. Il. 3,40) bzw. *Skyteus*. Er war Verf. von ›Libyschen Geschichten‹, welche Erzählungen von den Amazonen, den Atlantioi und dem libyschen Dionysios enthielten; *Argonautiká* (der Suda zufolge in 6, den Scholien zu Apoll. Rhod. und [1] zufolge in 2 B.); ›Trojanische Geschichten‹. Die Mythen behandelte er auf rationalistische und aitiologische Weise. Hauptquelle für D. ist Diodorus Siculus, dem die Fragmente von PHibeh 2186, POxy. 2812, PMich. inv. 1316[v] hinzuzufügen sind. Auf Grund des ersten Fragmentes kann D. in die Mitte des 3. Jh. v. Chr. datiert werden (in zeitliche Nähe also zu → Euhemeros).

ED.: 1 J. S. RUSTEN, D. Skythobrachion, 1982 (mit Testimonien, Frg. und ausführlicher Bibliogr.).

LIT.: 2 A. CORCELLA, Dionisio S., i »Phoinikeia« e l' alfabeto pelasgico, in: Atti della Accademia delle Scienze di Torino 120, 1986, 41–82.   S. FO./Ü: T. H.

[14] D. aus Phaselis in Lykien, zuweilen einfach ὁ Φασηλίτης genannt. Griech. Grammatiker aus alexandrinischer Zeit, jedoch vor Didymos [1] (schol. Pind. N. 11 inscr. a; vgl. schol. Pind. P. 2 inscr.; zweifelhaft schol.

Pind. O. 9,55b). In der *Vita* des Nikandros (p. 61 WESTERMANN = p. 33 CRUGNOLA, Schol. Nik. Ther.) wird er als Verf. einer Schrift ›Über die Dichter‹ (Περὶ ποιητῶν) und einer zweiten ›Über die Dichtung des Antimachos‹ (Περὶ τῆς Ἀντιμάχου ποιήσεως) erwähnt. Zu anderen unsicheren Stellen s. auch [2]: Wie in vielen anderen Fällen bereiten die Homonymien Probleme bei der Zuweisung von Zitaten, in denen ein D. ohne weitere Angaben erscheint.

→ Pindaros; Didymos [1]; Nikandros

1 A. BOECKH, Pindari Opera, II 1, 1821, ad schol. O. 9, 55b 2 L. COHN, s. v. D. (136), RE 5, 984 3 FHG III, 27.

[15] D. Iambos (ὁ Ἴαμβος). Alexandrinischer Grammatiker aus dem 3. Jh. v. Chr., einer der Lehrer des → Aristophanes [4] von Byzantion (Suda α 3933, s. v. Ἀριστοφάνης Βυζάντιος); der genaue Grund für den Beinamen ist unbekannt. Athenaios benutzt 7,284b ein Werk ›Über Dialekte‹ (Περὶ διαλέκτων). Bei Ps.-Plut., De musica 15 (1136 C) wird er mit einer Nachricht über den Erfinder der lydischen Harmonie zitiert, jedoch ohne Werktitel. Er war auch Dichter: Clem. Al. strom. V 8 = II,358,2 f. STÄHLIN überliefert einen Hexameter von ihm.

→ Mnesarchos

A. NAUCK, Aristophanis Byzantii Fragmenta, 1848, 2 n. 3 • G. KNAACK, s. v. D. (93), RE 5, 915 • PFEIFFER, KPI, 213, 249 • SH, 179 (nr. 389) • F. SUSEMIHL, Gesch. der griech. Litt. in der Alexandrinerzeit, 1891–1892, I, 346.

F.M./Ü: T. H.

[16] D. aus Sidon (zuweilen einfach als ὁ Σιδώνιος zit.). Griech. Grammatiker aus der Schule des Aristarchos, dessen Blütezeit in die 2. H. des 2. Jh. v. Chr. fällt. Seine Tätigkeit als Homerexeget ist (durch Didymos, Aristonikos und Herodianos) in den Homerscholien und bei Apollonios [12] Sophistes belegt. Die Fragmente betreffen Fragen der Textkritik, der Prosodie und der Gramm., in der er im Gefolge seines Lehrers ein Vertreter der Analogie war. Wir besitzen nur ein sicheres, Pindar betreffendes Zitat im schol. Pind. P. I 172 (fraglich ist die Zuweisung des schol. Pind. P. I 109 an ihn, das einen Grammatiker D. ohne weitere Angaben zitiert).

→ Aristarchos [4]; Apollonios [12] Sophistes; Didymos [1]; Aristonikos [5]; Herodianos; Homer; Pindar.

A. BLAU, De Aristarchi discipulis, 1883, 45–48 • L. COHN, s. v. D. (135), RE 5, 983–984 • A. LUDWICH, Aristarchs Homer. Textkritik, 1884–85, I, 50, 75 Anm., 97 passim • F. SUSEMIHL, Gesch. der griech. Lit. in der Alexandrinerzeit, 1891–1892, II, 716 • M. VAN DER VALK, Iliad III 35 and the Scholia, in: Mnemosyne 25, 1972, 80.   F.M./Ü: T. H.

[17] D. Thrax (ὁ Θρᾷξ). Griech. Philologe und Grammatiker, lebte von ca. 180/170 bis ca. 90 v. Chr. Der Grund für den Beinamen ist unbekannt (vielleicht wegen des typisch thrakischen Namens seines Vaters Teres): Man nimmt meist Alexandreia als seinen Her-

kunftsort an, doch könnte sich die Bezeichnung »Alexandriner« in Suda δ 1172 auch auf den Ort seiner Ausbildung und Tätigkeit beziehen. Apollodoros [7] von
Athen und D. waren die bedeutendsten direkten Schüler des Aristarchos [4] von Samothrake; beide waren in
die polit. Krise von 145/144 verwickelt, die mit der
Thronbesteigung Ptolemaios' VIII. verbunden war.
Nach seiner Flucht aus Alexandreia, vielleicht im J. 144,
lehrte D. auf Rhodos (er schrieb auch ein Werk Περὶ
Ῥόδου ›Über Rhodos‹: fr. 56 = FGrH 512), wo er Tyrannion zum Schüler hatte. Soweit wir wissen, widmete
er sich v. a. der Homerphilol. und verfaßte nach dem
Beispiel seines Meisters *hypomnḗmata* und *syngrámmata*
(eines davon polemisierte gegen Krates). Er beschäftigte
sich auch mit Hesiod und vielleicht mit Alkman. Erhalten sind einige Fragmente grammatikalischen Inhalts;
auf diesem Gebiet ist D. durch die Τέχνη γραμματική
(*Ars Grammatica*) bekannt, die seinen Namen trägt, eine
schmale Abhandlung zur normativen Grammatik, die
das erste weitgehend vollständig überlieferte Werk eines
alexandrinischen Philologen darstellen würde, wenn die
Zuweisung nicht problematisch wäre.

Die Beurteilung der Echtheit der *Téchnē* ist für die
Gesch. der hell. Gramm. bedeutsam, sowie für die Frage, ob ein normatives System grammatischer Regeln
schon im 2. Jh. v. Chr. oder erst später entstanden ist,
und wann der Disziplin der Status wiss. Autonomie zuerkannt wurde. Für einige erreichte die Beobachtung
sprachlicher Phänomene mit Aristophanes von Byzanz
und Aristarchos von Samothrake das Stadium der Feststellung morphologischer Regularitäten, jedoch noch
nicht die Abstraktion eines normativen Systems. Für andere wurden mit Aristophanes und Aristarchos die
Grundlagen für die Flexionslehren gelegt, die dann in
der Generation der Aristarchschüler in der 2. Hälfte des
2. Jh. v. Chr. fixiert wurden. Für eine solche Entwicklung ist die Stellung der *Téchnē* bedeutsam. Wer sie für
eine Kompilation frühestens des 4. Jh. n. Chr. hält, ver-
schiebt die Begründung der Grammatik als autonomer
Wiss. zumindest ins 1. Jh. v. Chr., in die Generation des
Tyrannion, Philoxenos und Tryphon. Die Argumente
gegen die Echtheit lassen sich zu drei Punkten zusammenfassen: (1) den Scholien (124,7 ff.; 161,2 ff. HIL-
GARD) zufolge verfochten einige ant. Grammatiker die
Unechtheit mit dem Hinweis auf Widersprüche zwischen D. und der *Téchnē*; (2) ihre stoischen Elemente
gehen für einen direkten Schüler des Aristarchos über
das zu erwartende Maß hinaus; (3) bis zu Beginn der
byz. Ära lassen die ant. Autoren keine Kenntnis der Abhandlung erkennen, und die wenigen auf Papyrus erhaltenen grammatikalischen Fragmente aus der Zeit zw.
dem 1. und dem 3./4. Jh. n. Chr. scheinen von der *Téchnē* substantiell abzuweichen (erst ein Pap. aus dem 5. Jh.
enthält den Anfang). Für die Verfechter der Echtheit ist
das erste Argument unzulässig; das zweite ist nicht stichhaltig, weil es schon ziemlich früh stoische Einflüsse auf
die Grammatik gab. Das dritte ist nur ein Argument *ex
silentio*, und die Frage der Verfasserschaft muß von der

Frage des Einflusses auf die sukzessiven Behandlungen
unterschieden werden. Darüber hinaus ist es leicht
möglich, daß der Text sich in der Überlieferung verändert hat (neueste Übersicht bei [16]).

Eine korrekte Art und Weise, das Problem zu lösen
[17; 24], muß von der Echtheit der §§ 1–4 ausgehen:
diese wurde nie in Frage gestellt, weil sie durch S. Emp.
math. 1,57 und 250 (Dionysios Thrax, ἐν τοῖς παραγγέλ-
μασι) bezeugt ist. Somit ist gesichert, daß D. eine grammatikalische Abhandlung (*parangélmata*) schrieb, dessen
Anfang die Anlage eines systematischen Lehrbuchs zu
erkennen gibt. Die Definition der *grammatikḗ* als ›Erfahrung mit dem bei Dichtern und Prosaschriftstellern Ge-
sagten‹ (ἐμπειρία τῶν παρὰ ποιηταῖς τε καὶ συγγραφεῦ-
σιν λεγομένων) liegt ganz und gar auf der Linie der philol. Arbeit der Alexandriner. Die Rolle und Wirkung
von D. in der Gesch. der Gramm. im 2. Jh. v. Chr. ist
daher sichergestellt, unabhängig von der Echtheit des
größeren Teils der *Téchnē* (§§ 6–20; § 5 ist sicher interpoliert), welcher eine kohärente technische Behandlung
der Grundlagen der Gramm. unter stoischem Einfluß
darstellt.

→ Aristophanes [4] von Byzantion; Aristarchos [4] von
Samothrake; Apollodoros [7] aus Athen; Tyrannion

ED.: **1** K. LINKE, Die Fragmente des Grammatikers D.
Thrax, SGLG 3, 1977 **2** FGrH 512.
ARS GRAMMATICA: **3** G. UHLIG, Dionysii Thracis Ars
Grammatica, 1883 **4** J. LALLOT, La grammaire de Denys le
Thrace, 1989 **5** A. HILGARD, Scholia in Dionysii Thracis
artem grammaticam, in: Grammatici Graeci I 3, 1901.
LIT.: **6** W. AX, Aristarch und die »Gramm.«, in: Glotta 60,
1982, 96 ff. **7** L. COHN, s. v. D. (134), RE 5, 977–983 **8** V. DI
BENEDETTO, Dionisio il Trace e la Techne a lui attribuita, in:
ASNP II 27, 1958, 169–210; II 28, 1959, 87–118 **9** V. DI
BENEDETTO, La Techne spuria, ASNP s. III 3, 1973, 797–814
10 V. DI BENEDETTO, At the origins of Greek grammar,
Glotta 68 (1990), 19–39 **11** F. W. HOUSEHOLDER,
Word-classes in ancient greek, in: Lingua 17, 1967, 103–128
12 H. ERBSE, Zur normativen Gramm. der Alexandriner, in:
Glotta 58, 1980, 236–258 **13** M. FUHRMANN, Das
systematische Lehrbuch, 1960, 29 ff., 145 ff. **14** A. KEMP,
The »Tekhne Grammatike« of D. Thrax, in: D. J. TAYLOR
(ed.), The History of Linguistics in the Classical Period,
1987, 169–189 **15** A. KEMP, The Emergence of
Autonomous Greek Grammar, in: P. SCHMITTER (Hrsg.),
Gesch. der Sprachtheorie II, 1991, 302–333 **16** V. LAW,
I. SLUITER (edd.), Dionysius Thrax and the »Techne
grammatike«, 1995 **17** F. MONTANARI, L'erudizione, la
filologia, la grammatica, in: Lo spazio letterario della Grecia
antica, I 2, 1993, 255–56, 277 **18** R. NICOLAI, La storiografia
nell'educazione antica, 1992, 186 ff. **19** M. PATILLON,
Contribution à la lecture de la Technê de Denyse le Thrace,
in: REG 103, 1990, 693–98 **20** PFEIFFER, KPI, 279, 307,
321–329 **21** J. PINBORG, in: Current Trends in Linguistics,
13, 1975, 69 ff. **22** R. H. ROBINS, Dionysius Thrax and the
Western grammatical tradition, TAPhA 1957, 67–106
23 R. H. ROBINS, The Techne grammatike of Dionysius
Thrax in its historical perspective, in: P. SWIGGERS,
W. VAN HOECKE, Mot et parties du discours, La pensée
linguistique 1, 1986, 9–37 **24** D. M. SCHENKEVELD,
Scholarship and grammar, in: Entretiens XL, 1994, 263–301

25 M. SCHMIDT, Dionys der Thraker, in: Philologus 8, 1853, 231–253, 510–520 26 E. SIEBENBORN, Die Lehre von der Sprachrichtigkeit und ihren Kriterien…, 1976 27 D.J. TAYLOR, Rethinking the History of Language Science in Classical Antiquity, in: D.J. TAYLOR, The History of Linguistics in the Classical Period, 1987, 1–16 28 A. TRAGLIA, La sistemazione grammaticale di Dionisio Trace, in: Studi Classica e Orientali 5, 1956, 38–78 29 H. WOLANIN, Derivation in the Techne grammatike by Dionysios Thrax, in: Eos 77, 1989, 237–249 30 A. WOUTERS, The grammatical papyri from Graeco-Roman Egypt, 1979 31 A. WOUTERS, Dionysius Thrax on the correptio Attica, in: Orbis 36, 1991–93, 221–228.   F.M./Ü:T.H.

[18] D. von Halikarnassos, der Historiker.

A. LEBEN B. WERKE 1. HISTORISCHE SCHRIFTEN 2. RHETORISCHE WERKE C. ÄSTHETISCHE AUFFASSUNGEN D. REZEPTION UND FORSCHUNGS-GESCHICHTE

A. LEBEN

Geb. in Halikarnassos ca. 60 v. Chr.; in Rom seit ca. 30/29 v. Chr., zumindest bis zur Veröffentlichung des 1. Buches der ›Röm. Geschichte‹ 8/7 v. Chr. (1,7,2; zur Publikation in zwei Teilen vgl. 7,70,2). Seine Schriften, auch die unveröffentlichten, waren in einem Kreis von griech. Intellektuellen verbreitet (Epist. ad Pompeium Geminum 1,1; 3,1); er hatte röm. Patrone, z.B. Q. Aelius Tubero (De Thucydide 1,1), und war Rhetoriklehrer (comp. 20, 23).

B. WERKE

1. HISTORISCHE SCHRIFTEN

a) Die ›Röm. Geschichte‹ (Ῥωμαικὴ ἀρχαιολογία, Antiquitates Romanae). Von den 20 B. sind überliefert: 1–10, 11 lückenhaft; 11–20 in Exzerpten: Das Werk behandelte den Zeitraum von den mythischen Anfängen bis zum 1. Pun. Krieg (1,8,1–2), d. h. bis zum Beginn der Geschichte des Polybios. Die Grundthese ist, daß die Römer Griechen seien und ihre Überlegenheit sich auf griech. Tugenden gründe (1,5,1 [16]), die jedoch vervollkommnet wurden (Rom als ideale Polis: [19]). b) ›Über die Zeit‹ (Περὶ χρόνων, nicht erh. (FGrH 251).

2. RHETORISCHE SCHRIFTEN

Die Chronologie ist umstritten [8; 11; 25 mit Bibl.]). a) ›Gegen die Kritiker der polit. Philos.‹ (Ὑπὲρ τῆς πολιτικῆς φιλοσοφίας πρὸς τοὺς κατατρέχοντας αὐτῆς ἀδίκως): De Thucydide 2,3: die verlorene Schrift richtete er sich wahrscheinlich gegen die Epikureer. b) ›Über die alten Redner‹ (Περὶ τῶν ἀρχαίων ῥητόρων, De oratoribus veteribus): eine Gesch. der Beredsamkeit und zugleich ein Lehrbuch für zukünftige Schriftsteller und Redner. Der erste Teil (Lysías, Isokrátēs, Isaíos) und der zu Beginn verstümmelte Demosthénēs sind überliefert [32]. Trotz praef. 4,5 ist nicht sicher, ob D. die Werke über Hypereides und Aischines zu Ende geführt hat. Die Abhandlungen enthalten vor allem eine kurze biographische Skizze des jeweiligen Redners, also eine Analyse der Qualitäten seines Stils und der Struktur des Inhalts (οἰκονομία, oikonomía) seiner Werke, schließlich eine Reihe von guten und schlechten Beispielen aus eben diesen Werken. In der praefatio bringt D. seine Bewunderung für die röm. Regierung zum Ausdruck, die eine Renaissance der Rhet., der Philos. und generell der Kultur fördern will.

c) ›Über Deinarchos‹ (Περὶ Δεινάρχου, De Dinarcho): Über Echtheitsfragen.

d) ›Über die Nachahmung‹ (Περὶ μιμήσεως, De imitatione): ein Lehrbuch in drei B.; erhalten ist eine Epitome aus der Zeit nach dem 5. Jh. n. Chr., und das Selbstzitat in Epist. ad Pomp. 3–6 über die Historiker [15].

e) D. beabsichtigte auch, eine Abhandlung über die Historiker zu schreiben (De Thucydide, praef. 4,4), doch ist nur ›De Thucydide‹ (Περὶ Θουκυδίδου) abgeschlossen [25; 26]. Als Ergänzung dazu folgte der ›Zweite Brief an Ammaios über die Redewendungen des Thukydides‹ (Περὶ τῶν Θουκυδίδου ἰδωμάτων πρὸς Ἀμμαῖον).

f) Eine Studie zur Stilistik (Περὶ συνθέσεως ὀνομάτων, De compositione verborum): in dieser »Phonostilistik« betrachtet Dichtung und Prosa als ›eine fürs Gehör geschaffene Imitationskunst‹ [17].

g) Der ›Erste Brief an Ammaios‹ (Πρὸς Ἀμμαῖον ἐπιστολή): Zur relativen Chronologie der Rhet. des Aristoteles gegenüber Demosthenes, in der Absicht, nachzuweisen, daß Demosthenes nicht von Aristoteles beeinflußt wurde.

h) Der ›Brief an Cn. Pompeius Geminus‹ (Πρὸς Πομπήϊον Γεμῖνον ἐπιστολή, Epist. ad Cn. Pompeium Geminum) 1–3: D. wiederholt die Kritik an Platons Stil in De Demosthene in Richtung Pompeius Geminus mit einer wortwörtlichen Übernahme der Kapitel 5–7; deshalb fügt er eine weitere Übernahme aus De imitatione ein, in der er sich zu Herodot und Thukydides äußert und somit einen Kanon stilistisch vorbildlicher Historiker aufstellt.

j) Die ›Rhetorik‹ (Τέχνη ῥητορική, Ars rhetorica) ist unecht.

C. ÄSTHETISCHE AUFFASSUNGEN

Kulturelles Ideal des D. ist im Gefolge der isokratischen und ciceronischen Tradition eine »philos. Rhet.«, die durch Lektüre der Klassiker (d. h. der Autoren des 5.–4. Jh. v. Chr. [20]) erworben wird. Der Redner soll sich neben dem Stil auch um den philos. Inhalt kümmern, weiterhin soll sein Ziel sein, vielen zu nützen; aus diesem Grunde ist die ideale Rhet. auch »polit.«, wie sich am Beispiel der »philos. Rhet.« des Isokrates zeigen läßt (De Isocrate 4,4). Er zögert nicht, auf der Grundlage der »Regeln« der Kunst, aber auch eines intuitiven Sinnes für das »Schöne« (De imitatione, fr. 2 A [13; 14; 28]) selbst Platon und Thukydides »neu zuschreiben« und dabei die Originalität der eigenen Methode der banalen Lehrbuchkunst gegenüberzustellen (epist. ad Ammaeum 2,1,2–2,1; comp. 22,7–8). Er schlägt daher eine eklektische Imitation vor [20], d. h. er folgt dem Prinzip, aus jedem Autor spezifische Stilqualitäten herauszuziehen. Ziel ist ein »gemischter« Stil, der klar ist und auf die

Dunkelheiten einer exzessiven formalen Ausarbeitung (die »Gorgianismen« und das »Dithyrambische« der platonischen und thukydideischen Prosa) verzichtet. Eklektisch ist D. auch bei der Heranziehung von Richtungen der Literaturkritik wie der peripatetischen (z. B. in der Lehre der *genera loquendi*, vgl. [31]), der stoischen (z. B. in der Theorie über den Ursprung der Sprache, vgl. [11]), der platonischen (Irrationalität des Urteils, vgl. [18]) oder der alexandrinischen (überhaupt in der Kommentierungsweise der Historiker; vgl. [30] und [15]).

In den rhet. Schriften und in den *Antiquitates* hält D. sich an dieselben Leitprinzipien: 1. die Notwendigkeit des Vergleichs, um die Vorbilder zu bewerten; 2. das Erreichen der Wahrheit (ἀλήθεια) als höchstes Ziel der histor. Forschung wie der Literaturkritik (epist. ad Ammaeum 1,2,3). Die Stilmodelle und die histor. Beispiele tragen dazu bei, ›das Leben und die Reden zu verbessern‹ (epist. ad Pompeium 1,2); deswegen findet die »philos. Rhet.« in der Geschichtsschreibung ihre ›nützlichste‹ und absolut ›wahre‹ Verwirklichung [15].

D. REZEPTION UND FORSCHUNGSGESCHICHTE

Als Theoretiker der Geschichtsschreibung hatte D. nach der lat. Übersetzung des *Thukydídēs* durch A. Dudith (1560) zusammen mit, und in Konkurrenz zu Lukians Schrift *De historia conscribenda* großen Einfluß auf die *artes historicae* der Renaissance [15]. Nachdem er von J. Bodin (*Methodus ad facile historiarum cognitionem*, 1566) und I. Vossius (*Ars historica*, 2. Aufl. 1653) als Vorbild angezeigt, von J. Scaliger für die Chronologie benutzt, von Montesquieu als Quelle herangezogen worden war [21], trifft seine poetische Konzeption der Geschichtsschreibung im 18. Jh. vom Abt Geinoz (1749) bis zu F. Schlegel (einziger dt. Übersetzer des *Isokrátēs*, 1796) und F. Creuzer [12] auf Widerhall. Doch von L. de Beaufort (1738) an wird seine Rekonstruktion der archa. Gesch. Roms als unzuverlässig und D. als *Graeculus* (E. SCHWARTZ [27]), als ›ein akritischer und unhistor. Kopf‹ (SCHMID/STÄHLIN II, 473) angesehen. Zur Debatte zwischen J. Perizonius (1651–1715) und B. G. Niebuhr (1811) sowie anderen über D. als Quelle für die Ursprünge Roms vgl. [10; 24], zur »etruskischen Frage« von K. O. Müller (1828) über G. De Sanctis (1907) bis heute [9. 1–35]. Zu schreiben bleibt die Gesch. der Rezeption des (von E. NORDEN und U. v. WILAMOWITZ verachteten) Rhetors D. und bes. von *De compositione*, z. B. in den *Prose della volgar lingua* des P. Bembo (1525 [14]), bis hin zur einflußreichen Übersetzung durch Ch. Batteux (1788).

ED.: 1 F. SYLBURG 1586 (ed. princeps, Gesamtausg.).
ANT.: 2 C. JACOBY 1885–1925 3 E. CARY, 1937–50.
OPUSCULA: 4 USENER, RADERMACHER, 1899–1929 (Ndr. 1997) 5 S. USHER, 1974–85 6 G. AUJAC, 1978–92
LIT.: 7 D. BATTISTI, De imitatione, 1997 8 S. F. BONNER, The Literary Treatises of Dionysius of Halicarnassus, 1939 9 D. BRIQUEL, Les Tyrrhènes, 1993 10 L. CANFORA, Roma »città greca«, in: Quaderni di Storia 39, 1994, 5–41 11 P. COSTIL, L'esthétique littéraire de Denys d'Hal., 1949

12 F. CREUZER, Herodot und Thucydides (1794), edizione, traduzione italiana, introduzione e note di S. FORNARO, 1994 13 C. DAMON, Aesthetic response and technycal analysis in the rhetoric writing of Dionysius of Halicarnassus, in: MH 48, 1991, 33–58 14 F. DONADI, Il »bello« e il »piacere« ..., in: SIFC 89, 1986, 42–63 15 S. FORNARO, Epistola a Pompeo Gemino 1997 16 E. GABBA, Dionysius and the History of Archaic Rome, 1991 (ital. Ed. ²1996) 17 B. GENTILI, Il »de comp. verb.« di Dionigi di Alicarnasso, in: QUCC 36, 1990, 7–21 18 K. GOUDRIAAN, Over classicisme, 1989 19 F. HARTOG, Rome et la Grèce: les choix de Denys d'Halicarnasse, in: S. SAID (Hrsg.), Hellenismos, 1991, 149–67 20 TH. HIDBER, Das klassizistische Manifest des D. von Halikarnassos, 1996 21 A. HURST, Un critique grec dans la Rome d'Auguste: Denys d' Halicarnasse, in: ANRW II 30.1, 839–65 22 G. MARENGHI, Dionisio di Alicarnasso, Dinarco, 1970 23 P. M. MARTIN, Denys d'Halicarnasse source de Montesquieu, in: R. CHEVALLIER (Hrsg.), Caesarodunum XXII bis, 1987, 301–336 24 A. MOMIGLIANO, Perizonius, Niebuhr and the Character of Early Roman Tradition (1957), in: Ders., Secondo Contributo, 1960, 69–88 25 G. PAVANO, Saggio su Tucidide, 1958 26 W. K. PRITCHETT, On Thucydides, 1975 27 L. RADERMACHER, E. SCHWARTZ, s. v. D., RE 5, 934–71 28 D. M. SCHENKEVELD, Theory of evaluation in the rhetorical treatises of Dionysius of Halicarnassus, in: Museum Philologum Londiniense 1, 1975, 93–107 29 C. SCHULTZE, Dionysius of Halicarnassus and his audience, in: Past perspectives, 1986, 121–41 30 H. USENER, Epilogus, in: Dionysii Halicarnassensis Libri de imitatione reliquiae Epistulaeque criticae duae, 1889, 110–43 31 C. WOOTEN, The Peripatetic Tradition in the Literary Essays of Dionysius of Halicarnassus, in: W. W. FORTENBAUGH, D. C. MIRHADY (Hrsg.), Peripatetical Rhetoric after Aristotle, 1994, 121–30 32 J. WYK CRONJÈ, Dionysius of Halicarnassus: De Demosthene (Spudasmata 30), 1986.   S. FO./Ü: T. H.

[19] D. Tryphonos (ὁ Τρύφωνος). Griech. Grammatiker des 1. Jh. n. Chr., wahrscheinlich Sohn (oder Schüler?) des Grammatikers Tryphon von Alexandreia (augusteische Zeit). Harpokration und Athenaios benutzten seine zumindest 10 B. umfassende Schrift Περὶ ὀνομάτων; verschiedene Fragmente werden auch bei Stephanos von Byzanz zitiert. Wahrscheinlich stand das Werk in Zusammenhang mit den onomastischen Arbeiten des Tryphon.

→ Tryphon von Alexandreia; Harpokration; Athenaios; Stephanos von Byzanz.

L. COHN, s. v. D. (137), RE 5, 985 • E. ROHDE, De Iulii Pollucis in apparatu scaenico enarrando fontibus, 1870, 66.

[20] D. Musikos (ὁ Μουσικός), von Halikarnassos. Griech. Grammatiker aus hadrianischer Zeit (1. H. 2. Jh. n. Chr.). Den Beinamen verdankt er seinen umfangreichen Werken musikwiss. und musikgesch. Inhalts (nur wenige Fragmente sind in verschiedenen gelehrten Quellen erhalten). Drei Titel finden sich in Suda δ 1171 (wo er auch als *sophistḗs* bezeichnet wird): ›Traktate über Rhythmik‹ (Ῥυθμικά ὑπομνήματα) in 24 B.; ›Musikgesch.‹ (Μουσικὴ ἱστορία) in 36 B., in der sich Nachrichten über Aulosspieler, Kitharöden und Dichter der verschiedenen Gattungen fanden; ›Musikerziehung‹ (Μουσικὴ παιδεία) in 22 Büchern. Porphyrios (Komm. zu Ptolemaios, *Harmoniká*, 37,15 f. Düring) zitiert eine Schrift Περὶ ὁμοιοτήτων. Bei dem in Suda ο 656 (s. v. Ὀρφεὺς Ὀδρύσης) zitierten D. handelt es sich wahrscheinlich um ihn. Immer noch fraglich ist die mögliche Gleichsetzung mit dem zeitgleichen Ailios D. [29] Atticista.

→ Dionysios [21]; Dionysios [22]

L. Cohn, s. v. D. (142), RE 5, 986–991 · A. Daub, De Suidae biographicorum origine et fide, in: Jbb. für. Philol. Suppl. 11, 1880, 410 ff. · A. Griffin, A new fragment of D. of Halikarnassos ὁ μουσικός, in: Historia 28, 1979, 241–246 · C. Scherer, De Aelio Dionysio musico qui vocatur, Diss. 1886 · Schmid/Stählin II, 870–871 · R. Westphal, Die Fragmente und die Lehrsätze der griech. Rhythmiker, 1861, 46 und passim · Ders., Die Musik des griech. Alterthumes, 1883, 248–250.

[21] Ailios D. von Halikarnassos,

Grammatiker aus hadrianischer Zeit (Suda δ 1174), zusammen mit Pausanias Begründer der attizistischen Lexikographie. Er ist uns als Verf. der ›Att. Begriffe‹ (Ἀττικὰ ὀνόματα) in fünf Büchern bekannt, einer Sammlung att. Ausdrücke in alphabetischer Anordnung. Ziel des Werkes (das eine zweite, vor allem um Zitate aus den Schriftstellern vermehrte Auflage erlebte) war, lexikalische und grammatikalische Erklärungen zu liefern und den sprachlich-stilistisch korrekten Gebrauch des Att. anzuzeigen. Zahlreich sind die Fragmente, die aus verschiedenen gelehrten, vor allem lexikographischen und scholiographischen Quellen zurückgewonnen werden können. Das Lex. des D. und das des Pausanias waren dem Photios (Bibl. 99b–100a, codd. 152 und 153) bekannt und wurden noch von Eustathios im 12. Jh. benutzt. Immer noch fraglich ist die mögliche Gleichsetzung des attizistischen Lexikographen mit dem zeitgenössischen D. [20].

→ Pausanias; Dionysios [20] Musikos

Ed.: E. Schwabe, Aelii Dionysii et Pausaniae atticistarum fragmenta, 1890 · H. Erbse, Unt. zu den attizistischen Lexika, 1950.
Lit.: L. Cohn, s. v. D. (142), RE 5, 987–991 · Erbse, s. o. · Schmid/Stählin II, 873–874 · M. van der Valk, A few observations on the Atticistic lexica, in: Mnemosyne s. IV, 8, 1955, 207–218 · G. Wentzel, Zu den atticistischen Glossen in dem Lex. des Photios, in: Hermes 30, 1895, 367–384.

[22] Griechischer Grammatiker aus unbekannter Zeit,

Verf. von Komm. zu Euripides, die in der *subscriptio* zu den Scholien zum *Orestes* und zur *Medea* als eine der Hauptquellen zit. werden. Um dieselbe Person handelt es sich vielleicht bei dem Grammatiker D., der von Tzetzes und in den Traktaten ›Über die Komödie‹ (Περὶ κωμῳδίας) als Quelle zitiert wird. Der Vorschlag einer Gleichsetzung mit D. [28] ist unbegründet.

→ Euripides (scholia); Dionysios [28]

L. Cohn, s. v. D. (141), RE 5, 985–986.   F.M./Ü:T.H.

[23] Chronik des [Ps.]-D. von Tell-Maḥrē.

Syr. Weltchronik von der Schöpfung bis zum Jahre 775/6 n. Chr. aus dem Kloster Zuqnīn (nahe Amīda), vom ersten Herausgeber irrtümlicherweise D. von Tell-Maḥrē (gest. 845), zugeschrieben. Nach einem kurzen Vorwort folgen a) die Zeit von der Schöpfung bis zum Jahre 313, unter Verwendung von Eusebios, aber auch einigen anderen Quellen, b) die Jahre 313–485, teilweise auf → Sokrates basierend, c) die Jahre 497–506/7, ein unabhängiges Werk aus Edessa, auch als Chronik des → Iosua Stylites bekannt, d) die Jahre 489–578, zu großen Teilen basierend auf dem verlorenen zweiten Teil der Kirchengesch. des → Iohannes von Ephesos, e) die Jahre 587–775 (von bes. Bed. für das nördl. Mesoptamien in der frühabbasidischen Periode). Die ersten Abschnitte enthalten eine ausführliche Erzählung über die Magier und eine Variante der Legende über die Siebenschläfer von Ephesos.

Ed.: J. B. Chabot, CSCO Scr. Syri 43 [a]-c]), 53 [d]-e]].
Übers.: Scr. Syri 66 [a]-c], lat.] · Scr. Syri 213 [d]-e), frz.] · P. Martin, 1876 [c], frz.] W. Wright, 1882 [c], engl.] · J. Watt [c], engl.; im Druck] · W. Witakowski, 1996 [d], engl.] · A. Harrak [d]-e), engl.; im Druck].
Lit.: W. Witakowski, The Syriac Chronicle of Pseudo-Dionysius of Tel-Maḥre, 1987 · Ders., Sources of Pseudo-Dionysius of Tel-Maḥre for the Second Part of His Chronicle, in: Leimon. Studies presented to L. Ryden, 1996, 181–210 [zu den Quellen von b)] · Ders., in: Orientalia Suecana 40, 1991, 252–275 [zu den Quellen von d)] · U. Monneret de Villard, Le leggende orientali sui Magi evangelici (Studi e Testi 163), 1952 · M. Whitby, The era of Philip and the Chronicle of Zuqnin, in: Classica et Medievalia 43, 1992, 179–185 · S. P. Brock, Studies in Syriac Christianity, 1992, 10–13 · A. Palmer, The Seventh Century in the West-Syrian Chronicles, 1993.

S. BR./Ü: S. Z.

IV. Ärzte, Naturwissenschaftler, Geographen

[24] Arzt gegen Ende des 4. Jh. v. Chr., der zur Blutstillung die Bandagierung von Gliedmaßen befürwortete (Caelius Aurelianus, chronicae passiones 2,186). Er könnte mit jenem D. identisch sein, der einem venenähnlichen Gefäß den Namen *epanthismos* gab (Rufus, Nom. part. 205) und der somit Interesse für Anatomie bekundete, sowie mit dem von Plinius (nat. 20,19,113) genannten D., der neben Diokles und Chrysippos im Zusammenhang mit Heilmitteln zitiert wird.

→ Medizin   V. N./Ü: L. v. R.–B.

[25] Astronom, wirkte zw. 275–241 v. Chr. wahrscheinlich in Alexandreia; er reformierte im J. 285, dem J. der Thronbesteigung des Ptolemaios II. Philadelphos, den ägypt. Kalender (zwölfmal 30 Tage, dazu jährlich fünf, alle drei Jahre sechs Schalttage), in dem er die Monate nach den Tierkreiszeichen benannte: Καρκινών (*Karkinṓn*, »Krebs«), Λεοντών (*Leontṓn*, »Löwe«), Παρθενών (*Parthenṓn*, »Jungfrau«) usw. Sommer- und Jahreswende war der 1. *Karkinṓn* = 27. Pharmuti, entsprechend dem 26. Juni. Die Jahrpunkte scheinen der Anomalie der Sonnenbewegung Rechnung getragen zu haben. Er schrieb darüber, wie man an der Schattenlänge eines Menschen die Uhrzeit ablesen kann, ähnlich wie Sextos ὁ ὡροκράτωρ (»der Herr der Stunden«). Auf seine Beobachtungen von Merkur, Mars und Jupiter greift Ptolemaios (Synt. 9,7; 9,10; 10,9; 11,3) zurück. Vielleicht ist er mit dem von Plinius (nat. 6,58) erwähnten, von Ptolemaios Philadelphos in einer Mission nach Indien geschickten D. zu identifizieren [2].

ED.: 1 J. HEEG, CCAG, 5,3, 76–78 (jedoch z.T. einem Theodoros zugeschrieben).

LIT.: 2 H. BERGER, s. v. D. (117), RE 5, 972 f. 3 A. BÖCKH, Über die vierjährigen Sonnenkreise der Alten, 1863, 286–340 4 W. GUNDEL, H. G. GUNDEL, Astrologumena, 1966, 253 5 K. MANITIUS (Hrsg.), Ptolemäus, Hdb. der Astronomie 2, 1912 (Ndr. 1963), 406–408.   W.H.

[26] Sohn des Kalliphon (so das Akrostichon in seiner *Descriptio Graeciae* V. 1–23), griech. Geograph der sullanischen Zeit, verfaßte in iambischen Trimetern eine Beschreibung Griechenlands (Ἀναγραφὴ τῆς Ἑλλάδος, *Anagraphḗ tḗs Helládos*) in Form eines → *períplus*. Erhalten sind zwei Fragmente: 1–109b behandeln nach einem Prolog Hellas, Ambrakia, Amphilochia, Akarnania, Aitolia, das ozolische Lokris, Phokis, Boiotia, Megaris und Korinthia, 110–150 Kreta sowie die Kykladen und Sporaden.

GGM 1, 238–243 · D. MARCOTTE, Le poème géographique de D. fils de Calliphon, 1990.

[27] **D. Peri(h)egetes.** Aus Alexandreia (vgl. das Akrostichon in seiner *Orbis descriptio* V. 112–134), schrieb unter Hadrian (so das Akrostichon V. 513–532) ein Lehrgedicht in Hexametern mit einer poetischen Weltbeschreibung (Οἰκουμένης περιήγησις, *Oikuménēs peri(h)égēsis*): Nach einer Einleitung (1–26) behandelt es den Ozean (27–169), die Kontinente Afrika (170–269) und Europa (270–446), die Inseln (447–619) und Asien (620–1165). Das in der Ant., dem MA und bis in das 19. Jh. vielgelesene Werk wurde von → Avienus und von → Priscianus frei ins Lat. übertragen und u. a. von → Eustathios ausführlich kommentiert.

GGM 2, 103–176 · C. JACOB, La description de la terre habitée de Denys, 1990 · I. O. TSAVARI, Histoire du texte de la description de la terre de Denys le Périégète, 1990 · K. BRODERSEN, D. von Alexandria: Das Lied von der Welt, 1994.   K. BRO.

[28] **D. von Byzantion**, griech. Geograph des 2. Jh. n. Chr. Seine ausführliche, stilistisch ausgefeilte Schilderung des thrak. → Bosporos (Ἀνάπλους Βοσπόρου, *Anáplus Bospóru*) ist nur in Abschriften des Cod. Palatinus gr. 398 überliefert; dort fehlende Textpassagen müssen aus einer lat. Paraphrase des 16. Jh. ergänzt werden. Nach Suda δ 1176 ADLER (SH 386) ἐποποιός (»Ependichter«), Verf. von θρῆνοι (»Klagegedichten«) und mit dem Geographen gleichzusetzen, was jedoch überaus zweifelhaft ist.

1 GGM 2, 1–101 2 R. GÜNGERICH, D. Byzantii Anaplus Bospori, 1927, XLIIIf.   K. BRO. u. M. D. MA.

[29] Verfasser von *Ornithiaká*, welcher vermutlich Alexandros von Myndos als Hauptquelle für sein Lehrgedicht benutzte. Die *Ornithiaká* werden teils D., dem Peri(h)egeten, teils einem D. von Philadelphia zugeschrieben (Vita Chisiana 81, 15). Daneben ist noch eine byz. Paraphrase (1. Landvögel, 2. Wasservögel, 3. Vogelfang) des Lehrgedichts in Prosa erhalten. Die drei Teile der Paraphrase lehnen sich vermutlich an die drei Bücher der Vorlage an.

M. WELLMANN, Alexander von Myndos, in: Hermes 26, 1891, 506–520.   C. S.

V. DICHTER

[30] **D. Chalkus** (Χαλκούς). Elegiker und Rhetor aus Athen. Seinen Spitznamen (aufgeführt im Bibliothekskatalog des Kallimachos) erhielt er nach seinem Vorschlag, in Athen Bronzemünzen einzuführen (Athen. 669d). Plut. Nikias 5,3 macht ihn (oder seinen Sohn?) zum Gründer von Thurioi 444/3 v. Chr. Schillernde Metaphern (eine von Aristot. rhet. 1405a31–35 kritisiert), oft metasympotisch [1], kennzeichnen die Zitate seiner innovativen [2] Elegien (alle bei Athenaios, der behauptet haben soll [602b-c], eine von ihnen beginne mit einem Pentameter).

1 K. BORTHWICK, The Gymnasium of Bromius, in: JHS 84, 1964, 49–53 2 A. GARZYA, Dionisio Calco, in: RFIC 30, 1952, 193–207 · C. MIRALLES, La renovación de la elegía en la época clásica, in: Boletín del Inst. de Estudios helénicos 5.2, 1971, 13 ff.

ED.: GENTILI/PRATO, Poetarum elegiacorum testimonia et fragmenta 2, 1985, 74–78 · IEG 2, 58–60.   E. BO./Ü: L. S.

[31] Komödiendichter, aus Sinope [1. test. 1], Lenäensieger (2. Hälfte 4. Jh. v. Chr.) [1. test. 2]. Überliefert sind vier Stücktitel (Ἀκοντιζόμενος, Θεσμοφόρος, Ὁμώνυμοι, Σῴζουσα oder Σώτειρα) und 10 Fragmente, von denen die beiden längeren je einen Vortrag eines Kochs enthalten: fr. 2 über die richtige Ausübung des Kochberufs und fr. 3 (an einen »Schüler« gerichtet) über das unauffällige Zulangen während des Kochens. Beide Motive begegnen hier erstmals in ausgeführter Form [2. 305f.].

1 PCG V, 1986, 32–40 2 H.-G. NESSELRATH, Die att. Mittlere Komödie, 1990.   T. HI.

[32] Verf. der *Bassariká* und *Gigantiás*, die nur in Fragmenten erh. sind (bei Steph. Byz. und in einem Papyros aus dem 3./4. Jh. n. Chr.). In den wenigstens 18 (vielleicht insgesamt 24) B. umfassenden *Bassariká* schilderte D. den Feldzug des Gottes Dionysos gegen den Inderkönig Deriades. Die B. 3 und 4 enthielten einen Kriegerkatalog. In der *Gigantiás* waren die → Gigantomachie auf Pallene und Episoden aus ihrer Vorgesch. thematisiert (Herakles' Rückfahrt von Troia nach Kos; Raub der Rinder des Helios durch Alkyoneus). Der Stil

der Epen ist homerisch. Daneben ist der Einfluß hell. Dichtung auf sprachlicher und motivischer Ebene unverkennbar (Kallimachos, Apollonios Rhodios, Nikandros). → Nonnos hat die beiden Epen ausgiebig benutzt.

E. HEITSCH (Hrsg.), Die griech. Dichterfragmente der röm. Kaiserzeit 1, 1961, 60–77 · A. S. HOLLIS (Hrsg.), Ovid, Metamorphoses Book 8, 1970, App. 2 (151–153) · E. LIVREA (Hrsg.), Dionysii Bassaricon et Gigantiadis Fragmenta, 1973.　　C. S.

[33] D. von Rhodos. Verf. eines Grabepigramms aus dem »Kranz« des Meleager auf den Dichter Phainokritos (der Name ist sonst nicht bekannt) von Ialysos (Anth. Pal. 7,716). Diesem D. (der sehr weit verbreitete Name läßt keine sicheren Gleichsetzungen zu) könnten auch die einfach mit Διονυσίου überschriebenen »meleagreischen« Gedichte 6,3; 7,462; 12,108 gehören (die Überschrift in 6,3 erscheint verdächtig, da auch der Weihende Διονύσιος heißt; bemerkenswerterweise ist der letzte Vers auch im P.Berol. 9812 aus dem 3. Jh. v. Chr. zu lesen, worauf Reste von zwei weiteren Epigrammen, wahrscheinlich vom selben Autor, folgen).

GA I,1, 80 f.; 2, 231–235 · FGE 40–44.

[34] D. von Kyzikos. Verf. eines Epitaphios auf Eratosthenes (Anth. Pal. 7,78) aus dem »Kranz« des Meleager, der wahrscheinlich, wenn nicht für das Grab (wie das τόδε in V. 6 vermuten lassen könnte), so doch kurze Zeit nach dem Tod des Gelehrten (ca. 194 v. Chr.) verfaßt wurde. Diesem D. (dessen sehr verbreiteter Name keine zuverlässigen Gleichsetzungen erlaubt) könnten auch die »meleagreischen«, mit der einfachen Angabe Διονυσίου gezeichneten Gedichte 7,462 und 12,108 gehören.

GA I,1, 80 f.; 2, 231–235.　　E. D./Ü: T. H.

[35] Dichter der Neuen Komödie, einzig belegt auf der inschr. Liste der Lenäensieger, aus welcher hervorgeht, daß die Schaffenszeit des D. ins 2. Jh. v. Chr. fällt [1].

1 PCG V, 1986, 41.　　T. HI.

[36] D. aus Zypern. Tragiker, sein Name erscheint in einer Inschr. in Paphos (SEG 13,586, zw. 144 und 131 v. Chr.).

TrGF 138.

[37] D. aus Athen. Sohn des Kephisodoros, Dichter von Satyrspielen, in einer Inschr. an der Südwand des Schatzhauses der Athener (FdD III 2, 48 36, SIG³ 711 L) als att. Teilnehmer an der III. Pythaïs der Techniten des Dionysos in Delphi im Jahr 106/05 v. Chr.(oder 97, vgl. TrGF app. crit. 145–151) geehrt. Er scheint auch im Jahr 128/27 zu den Pythaïsten gehört zu haben (FdD III 2 nr. 15 col. 2, 18).

METTE, 72 · TrGF 149.

[38] aus Anaphlystos, Sohn des Demetrios. nach einer Inschr. auf Delos (DID B 13, ca. 112 v. Chr.) siegte er in einem Agon der Trag.- und Satyrspieldichter.

TrGF 141.　　F. P.

[39] D. aus Theben. Wirkte in der Tradition der alten μουσική (musikḗ), gen. neben Pindar, Lampros und Pratinas (Aristox. fr. 76 Wehrli), Lehrer des Epameinondas (Nep. Epam. 2).　　F. Z.

[40] D. aus Milet. Ti. Claudius Flavianus D., Sophist aus Milet, Schüler des Isaios. Philostr. soph. 1,22,521 f. lobt seine Deklamationen (μελέτη) für Natürlichkeit, Gliederung und Selbstbeherrschung. D. lehrte hauptsächlich in Ephesos; seine Schüler waren Alexandros von Seleukeia und Antiochos (soph. 2,5,576; 4,568). Kaiser Hadrian machte ihn zum Ritter (eques equo publico), zweimal zum procurator οὐκ ἀφανῶν ἐθνῶν (Philostr. soph. 1,22,524; vgl. IK 17.1,3047) und gewährte ihm Speisung (σίτησις) im Museion von Alexandreia. D.' Sarkophag wurde nahe der Celsusbibliothek in Ephesos gefunden (IK 12,426; vgl. Philostr. soph. 2,22,526). → Philostratoi, Zweite Sophistik

G. W. BOWERSOCK, Greek Sophists in the Roman Empire, 1969, 51–53 · PIR D 105.　　E. BO./Ü: L. S.

[41] D. aus Skymnos (Σκιωναῖος bei Tzetzes). Dramatiker; es ist ungewiß, ob er Tragiker oder Komödiendichter war. Ein Fragment zusammen mit seinem Namen ist erh. in den Schol. Lykophr. 1247, 357 SCHEER. Der Name D. findet sich auch in einer Inschr. im Dionysostheater in Athen (2. Jh. n. Chr.).

TrGF 208.

[42] D. aus Herakleia. Genannt ὁ Μεταθέμενος (s.a. → D. [8]), soll nach Diog. Laert. 5,92 f. unter Sophokles' Namen einen Parthenopaios gedichtet haben, der täuschend echt gewesen sei.

TrGF 113.　　F. P.

[43] D. aus Korinth (ὁ Κορίνθιος). Nach der Suda δ 1177 ADLER (= SH 387) ein ep. Dichter, Verf. von Ὑποθῆκαι, Αἴτια, Μετεωρολογούμενα und Autor eines Hesiodkomm. in Prosa. Ihm wurde auch eine Οἰκουμένης περιήγησις δι' ἐπῶν zugewiesen; doch ist die Verwechslung mit D. dem Perihegeten, wie schon die Suda (ebd.) vermutete, zumindest für das zuletzt genannte Werk offensichtlich. Erh. ist nur ein Zitat aus den Aítia (Plut. mor. 761b = SH 388).　　M. D. MA./Ü: T. H.

[44] D. von Andros. Verf. eines kurzen Epigramms, von dem man nicht weiß, ob es aus dem »Kranz« des Meleager oder dem des Philipp stammt und das das bekannte Thema der unheilvollen Verbindung von Zeus und Bromios behandelt, d. h. von Regen und Wein (Anth. Pal. 7,533; vgl. Theokr. 7,660; Antipatros von Thessalonike, Anth. Pal. 7,398 usw.). Über den Dichter ist nichts bekannt; der sehr verbreitete Name erlaubt keinerlei Identifikation.

FGE 44.　　E. D./Ü: T. H.

[45] D. Sophistes. Verf. von zwei reizvollen Liebesepigrammen – das eine ist an eine Rosenverkäuferin gerichtet (Anth. Pal. 5,81), das andere, das sich nicht sicher zuweisen läßt, an eine Bademeisterin (5,82); ihre Herkunft läßt sich nicht mehr feststellen. Der weit verbreitete Name des sonst unbekannten Dichters macht jede Gleichsetzung zweifelhaft (einschl. der mit dem Musiker und Grammatiker aus hadrianischer Zeit, D. von Halikarnassos dem Jüngeren).

FGE 44f.   E.D./Ü:T.H.

[46] D. von Antiocheia. Christl. Sophist um 500 n.Chr. An ihn richtete Aineias [3] von Gaza das Empfehlungsschreiben 17, in dem er die Vorstadt Daphne, Wohnsitz des D., als Musenort pries. D.' 85 Briefe wurden, obwohl arm an Sachgehalt (Paraphrasen: [1. 64–71]), in byz. Rhetorikschulen als Stilmuster neben → Synesios und → Prokopios von Gaza gestellt [2].

ED.: R. HERCHER, Epistolographi graeci, 1873, 260–274
LIT.: **1** M. MINNITI COLONNA, Le epistole di D., in: Vichiana 4, 1975, 60–80 **2** A. PIGNANI, Un'inedita raccolta metabizantina di témi epistolari, in: AFLN 13, 1970–71, 91–105.   O.HI.

VI. KÜNSTLER

[47] Bronzebildner aus Argos. Er schuf in Olympia das Votiv des Mikythos (nach 476 v.Chr.), bestehend aus 12 Statuen von Göttern und Dichtern. Die Basen mit Standspuren sind erhalten. Versuche der Identifizierung des Orpheus im Kopftypus München-Leningrad sowie des Homer im sog. Blindentypus sind fehlgeschlagen. Die Phormis-Weihung des D. für einen Sieg im Wagenrennen in Olympia war berühmt wegen der naturnahen Wiedergabe des Pferdes.

W. DITTENBERGER, Die Inschr. von Olympia, 1896, Nr. 267–269 · F. ECKSTEIN, Αναθηματα, 1969, 33–43 · LIPPOLD, 103–104 · LOEWY, Nr. 31 · OVERBECK, Nr. 401–402 (Quellen).

[48] Sohn des Timarchidos, aus der athenischen Bildhauerfamilie des Polykles. Mit seinem Bruder → Polykles schuf er in Rom nach 149 v.Chr. die Statuen des Iuppiter Stator und der Iuno Regina, mit → Timarchides Polykles in Delos um 130 v.Chr. die Porträtstatue des Sklavenhändlers Ofellius Ferus, überlebensgroß in der heroischen → Nacktheit des Hermestypus Richelieu.

J. MARCADÉ, Recueil des signatures de sculpteurs grecs, 2, 1957, Nr. 41–42 Abb. · OVERBECK, Nr. 2207 (Quellen) · F. QUEYREL, C. Ofellius Ferus, in: BCH 115, 1991, 389–464 · A. STEWART, Attika, 1979, 42–46.

[49] Sohn des Apollonios, Bildhauer aus Athen. Er schuf die erh. Statue der Agrippina minor vom Heraion in Olympia.

K. HITZL, Die kaiserzeitliche Statuenausstattung des Metroon, 1991, 43–46, 83–84 · LOEWY, Nr. 331.   R.N.

[50] Römischer Porträtmaler des 1. Jh. v. Chr. Die Erwähnung bei Plinius (nat. 35,113; 148) bezieht sich auf den selben Künstler mit dem Beinamen *antrōpográphos*. Er galt als sehr angesehen und war auf Bildnismalerei spezialisiert. Seine zahlreichen Bilder, die stilistisch der zeitgenössischen republikanischen Porträtplastik geähnelt haben mögen, waren wohl v. a. bei privaten Auftraggebern begehrt.

M. NOWICKA, Le Portrait dans la peinture antique, 1993, passim.   N.H.

VII. BISCHÖFE

[51] Bischof von Korinth (um 170 n.Chr.). Eusebios, Hauptquelle für D., berichtet von acht »katholischen Briefen« (HE 4,23,1) des D. Sieben wenden sich als Antwortschreiben auf Anfragen an diverse Christengemeinden in Griechenland (u.a. Athen, Knossos), Kleinasien (u.a. Nikomedeia) und Rom. Der achte ist ein erbauliches Privatschreiben an die Christin Chrysophora. Abwehr von Häretikern (Markioniten) und rigoristischen Tendenzen stehen im Mittelpunkt. Im Brief an die röm. Gemeinde berichtet D. von der Verwendung des 1. Clemensbriefes in der Liturgie (Eus. HE 4,23,11). Zum Eusebios vorliegenden Briefcorpus zählte auch ein Antwortschreiben des Bischofs Pinytos von Knossos an D.

BARDENHEWER, GAL I 439–442 · W. KÜHNERT, D. von Korinth – eine Bischofsgestalt des 2. Jh., in: SCHMITT-LAUBERT et al. (Hrsgg.), Theologia scientia eminens practica. FS F. Zerbst, 1979, 273–289.

[52] Bischof von Alexandreia (247/8–264/5). Rhetorisch und philos. ausgebildet, übernahm D. Eusebios (HE 6,29,4) zufolge 231/2 den Katechumenenunterricht von Heraklas und folgte diesem als Bischof. Sein Name ist verbunden mit dem Konflikt um Novatianus, der Häretikertaufe, trinitarischen Problemen (Konflikt um seinen vorgeblichen Tritheismus mit → D. [53] von Rom) sowie der Bekämpfung chiliastischer Strömungen in Ägypten. Von seinen zahlreichen Schriften ist nur weniges, zudem fragmentarisch (u.a. bei Eus., Athan.) erhalten. Auf D. dürfte die Tradition der Osterfestbriefe zurückgehen. Sein Verhältnis zu Origenes und dessen Theologie (Präexistenz der Seele) wird kontrovers beurteilt.

ED.: CPG 1550–1612.
LIT.: W. A. BIENERT, D. Zur Frage des Origenismus im 3.Jh., 1978 · Ders., s. v. D., TRE 8, 767–771 · J. DE CHURUCCA, Das polit. Denken des Bischofs D. von Alexandrien, in: A. A. ALBERT et al. (Hrsg.), Mélanges F. Wubbe, 1993, 115–140.

[53] Bischof von Rom (22.7.259/260 – 26.12.267/8 n.Chr.). Vermutlich griech. Herkunft, wird D. nach längerer Sedisvakanz röm. Bischof. Er reorganisiert die nach der valerianischen Verfolgung geschwächte Gemeinde auf der Grundlage einer Presbyteralverfassung.

Auf Antrag libyscher Presbyter führt D. eine Synode durch, die sowohl den Sabellianismus als auch eine tritheistisch angehauchte Trinitätslehre, wie sie Bischof → D. [52] von Alexandreia vertrat, verurteilte. Aus der brieflichen Reaktion des Alexandriners entwickelte sich der »Streit der beiden Dionyse«. D., in der Papstgruft der Calixtus-Katakombe begraben, ist einer der bedeutendsten röm. Bischöfe des 3. Jh.

J. N. D. KELLY, Reclams Lexikon der Päpste, 1986, 34 f.

J. RI.

[54] (Ps.)-D. Areopagites. Pseudonym eines Autors, der sich als »Bischof von Athen« ausgab und wohl in die Zeit der Wende vom 5. zum 6. Jh. zu datieren ist; vielleicht war er syr. Herkunft und gehörte möglicherweise dem Kreis an, aus dem neben anderen auch Damaskios und Marinos hervorgingen; in der Akademie zu Athen hat er wohl die Vorlesungen des Proklos (gest. 485) und des Damaskios besucht, deren Einfluß auf ihn evident ist. Die ältere Schicht seiner Werke scheint auf jeden Fall nach 482 (*Henotikón*) und vor 532 (erste Erwähnung durch die Severianer in Konstantinopel) entstanden zu sein und ist wohl zunächst in antiochenischen Kreisen verbreitet worden.

Vier theologische Werke neuplatonischer (plotinischer) Ausrichtung sind auf uns gekommen, sieben weitere vom Verf. zitierte Werke scheinen verloren zu sein. *Perí tês uranías hierarchías* (›Über die himmlische Hierarchie‹; 15 Kap.) gliedert die Welt der Engel (die als Symbole aufgefaßt werden) in eine Hierarchie abnehmender Perfektion, die der Geist hinaufsteigen muß, um sich auf die Stufe des Immateriellen und Intelligiblen zu erheben. *Perí tês ekklēsiastikês hierarchías* (›Über die Hierarchie in der Kirche‹; 7 Kap.) beschreibt und interpretiert die Riten der Kirche auf allegorische Weise und untersucht auch deren Struktur, die als Abbild der himmlischen Struktur verstanden wird. Das Licht Gottes, das den Engeln leuchtet und das diese einander von Stufe zu Stufe weiterreichen, hat in der Kirche seine Entsprechung im Licht, das der Bischof über die ihm nachgeordneten Ränge verbreitet, wobei die Quelle des Lichtes Christus ist, den der Bischof symbolisch vertritt. Himmel und Erde sind in drei Stufen eingeteilt, die ebenso viele Funktionen (Reinigung, Erleuchtung und Einswerdung), Einweihende (Bischof, Priester, Diener) und Eingeweihte (Gereinigte, Erleuchtete, Vollkommene) besitzen, wobei ein jeder Rang die Qualitäten und Funktionen des oder der ihm nachgeordneten besitzt. *Perí theíon onomátōn* (›Über die göttl. Namen‹; 13 Kap.) untersucht die Bezeichnungen, die der Gottheit von der Bibel zugewiesen werden: Sie ist transzendent, unbenennbar und namenlos (*anónymon*), selbst wenn sie die Bezeichnungen all ihrer Schöpfungen besitzt (*polyónymon*); die Anreden (Sein, Leben, Weisheit, Wahrheit, Größe usw.), die diese Abhandlung allesamt untersucht, werden als Emanationen aufgefaßt. *Perí mystikês theologías* (›Über die mystische Theologie‹; 8 Kap.) stellt die Einswerdung mit Gott, seine Unkenntnis und

die durch die Abwesenheit von Worten und Gedanken gekennzeichnete Dunkelheit miteinander gleich. Die zehn Briefe bestätigen diese Theologie (1; 5), klären Fragen wie z. B. den Vorrang des ersten Prinzips vor der Gottheit (2) und das Wesen Jesu (3; 4), halten zur Standhaftigkeit an (6), betonen die Kraft des Wahrheitsbeweises (7), fordern zur Sanftmütigkeit und zum Respekt der hierarchischen Struktur der Kirche auf (8), handeln von der Symbolik der Hl. Schriften (9) und kündigen die Rückkehr des Hl. Johannes des Evangelisten nach Kleinasien an (10).

Scholien wurden vor 550 von Johannes, dem Bischof von Skythopolis, hinzugefügt, und dann bis zu Maximus Confessor (Anf. 7. Jh.), dem man sie allesamt zuwies. Das Corpus wurde von Sergios von Rēšʿainā (gest. 536) ins Syr. übersetzt und gelangte im 9. Jh. ins Abendland, wo es in Gestalt einer griech. Hs. ohne Scholien (Par. gr. 437), die Michael II. 827 Ludwig dem Frommen schenkte, einen enormen Einfluß ausübte. Diese Hs. wurde der Abtei von Saint-Denys, Paris, geschenkt (wegen der angenommenen Identität des Verf. mit deren Gründer) und ihr Text im 9. Jh. unter Abt Hilduin ins Lat. übersetzt, dann auch von Johannes Scotus Eriugena und Anastasios dem Bibliothekar, der mit Scholien versehene Hss. heranzog. Die von Johannes dem Sarazenen zw. 1150 und 1167 revidierte Übers. erhielt an der Universität von Paris offiziellen Status und wurde durch die Übers. von Robert Grosseteste (um 1168–1263) in Oxford bestätigt. Ambrogio Traversari (gest. 1439) verfaßte die erste Renaissanceübersetzung (ed. princeps: Brügge 1480). Die Echtheit des Corpus wurde seit Lorenzo Valla in Frage gestellt, dem Erasmus sich anschloß.
→ Damaskios; Henotikon; Iohannes von Skythopolis; Marinus; Michael II.; Maximus Confessor; Neuplatonismus; Proklos; Sergios von Rēšʿainā

P. CHEVALIER, Dionysiaca, 4 Bd., 1937 (Ndr. 1989) · G. HEIL, A. M. RITTER, Corpus Dionysicum, 2. Bd., 1991/1 · S. LILLA, Introduzione allo studio dello Ps. Dionigi l'Areopagita, in: Augustinianum 22, 1982, 533–577 · M. NASTA, CETEDOC, Thesaurus Pseudo-Dionysii Areopagitae, 1993 · R. ROQUES, L'univers dionysien, 1983 · P. ROREM, Biblical and Liturgical Symbols within the Pseudo-Dionysian Synthesis, 1984. A. TO./Ü: T. H.

[55] Exiguus (»der Geringe«, »Kleine«), bed. Kanonist, Komputist und Übersetzer (um 470–vor 556). Der aus der Skythia Minor stammende Mönch und enge Freund des → Cassiodorus (Cassiod. inst. 1,23) kam um 500 nach Rom. Mit hervorragenden Sprachkenntnissen ausgestattet, übersetzte er zahlreiche Stücke der griech.-christl. Lit. ins Lat. Darunter befinden sich hagiographische Texte (u. a. *Vita Pachomii*), Gregor von Nyssas Περὶ κατασκευῆς ἀνθρώπου (*Perí kataskeuês anthrópu*) sowie diverse dogmatische Schriften des 5. Jh. (Briefe Kyrills von Alexandreia an Nestorios u. a.). Bed. sind die kanonistischen Schriften. Auf Wunsch des Bischofs Stephan von Salona fertigte er eine umfassende Sammlung und Übers. lat. und griech. Konzilskanones (*Codex* *canonum ecclesiasticorum*) an. Zusammen mit der unter Papst Symmachus angefertigten Dekretalensammlung (Papstbriefe von Siricius, 384–399 n. Chr., bis Anastasius II., 496–498 n. Chr.) wurde sie später mit der Überarbeitung des Codex zur *Collectio Dionysiana* zusammengefaßt. Bei seinen 525 von Papst Johannes I. angeregten Schriften zur Osterfestberechnung führte D. die Ostertafel des Kyrillos von Alexandreia fort. Durch seine Verwendung der Geburt Christi als chronologischen Fixpunkt (25.12.753 *ab urbe condita*) wird er zum Begründer der christl. Zeitrechnung.

Ed.: PL 67, 9–520; 73, 223–282; PL Suppl. 4, 17–22.
Lit.: H. Mordek, s. v. D. (3), LMA 3, 1088–1092 (Lit.) · Ch. Munier, L'œuvre canonique de Denys le Petit d'après les traveaux du R. P. Wilhelm Peitz S. J., in: Sacris Erudiri 14, 1963, 236–250 · G. Teres, Time computations and D. Exiguus, in: Journal for the History of Astronomy 15, 1984, 177–188. J. Ri.

[56] Dionysius. *Procurator Asiae* im J. 211 (AE 1993, 1505); vielleicht identisch mit Claudius D. (s. v. Claudius [II 22]). W. E.

Dionysodoros (Διονυσόδωρος).
[1] Taxiarch des Theramenes, wurde von Agoratos an die Dreißig verraten (Lys. or. 13,30; 39–42). Diesen verklagte 399/98 v. Chr. der Bruder und Schwager des D., Dionysios, der Sprecher der 13. Rede des Lysias. Me. Str.

[2] Thebaner und olympischer Sieger. Als Gesandter zu → Dareios [3] geschickt und mit anderen griech. Gesandten nach der Schlacht von Issos von Parmenion in Damaskos gefangengenommen, wurde er von Alexandros [4] dem Gr. unversehrt entlassen (Arr. an. 2,15,2 f.). E. B.

[3] aus Kaunos (?), lebte in der 2. H. des 3. Jh. v. Chr. (zur möglichen Identität mit anderen Trägern dieses Namens [1. 108]). Er löste die kubische Gleichung, die bei der von → Archimedes behandelten Teilung einer Kugel im vorgegebenen Volumenverhältnis entsteht, durch den Schnitt einer Parabel mit einer Hyperbel (Eutokios, 152,27–160,2 Heiberg). Vermutlich derselbe D. verfaßte eine Schrift Περὶ τῆς σπείρας (*Perí tḗs speíras*, vgl. Heron Alexandrinus, 3,128,3 f. [5]), in der er den Inhalt eines → Torus bestimmte.

1 I. Bulmer-Thomas, s. v. Dionysodorus, Dictionary of Scientific Biography 4, 1971, 108–110 2 Th. L. Heath, A History of Greek Mathematics, 2, 1921, 46, 218 f., 334 f. 3 J. L. Heiberg (ed.), Archimedis opera omnia, 3, ²1915 4 W. Schmidt, Über den griech. Mathematiker Dionysodorus, in: Bibliotheca Mathematica, 3. Ser., 4, 1903, 321–325 5 H. Schöne (ed.), Heronis Alexandrini opera quae supersunt omnia, 3, 1903. M. F.

[4] 169/8 v. Chr. erbat D. als Gesandter Ptolemaios' VI. und VIII. beim achaischen Bund Hilfe gegen Antiochos [6] IV.

E. Olshausen, Prosopographie 1, 1974, 71 Nr. 48. W. A.

[5] Sophist, s. Euthydemos
[6] D. aus Troizen. Griech. Grammatiker aus alexandrinischer Zeit (wahrscheinlich in der 2. H. des 2. Jh. v. Chr. tätig), Schüler des Aristarchos [4] von Samothrake. Sehr weitreichende Interessen sind bezeugt. Das einzige homer. Fragment findet sich in schol. Hom. Il. 2,111 b, wo Didymos [1] ihn zusammen mit Ammonios anläßlich einer Lesart des Aristarchos zitiert. Zu paroimiographischen Themen wird er von Plutarch (vita Arati 1) und Hesych (γ 616) erwähnt. Zu den Pronomina, also zu grammatikalischen Fragen, wird er von Apollonios Dyskolos (Grammatici Graeci II 1, De Pronomomibus 3,16) zitiert. In den Scholien zu Euripides werden ihm die beiden Schriften ›Über die Flüsse‹ (Περὶ ποταμῶν (schol. Eur. Hipp. 123) und ›Die Fehler bei den Tragikern‹ (Τὰ παρὰ τοῖς τραγικοῖς ἡμαρτημένα, schol. Eur. Rhes. 508) zugeschrieben. Lukianos (Pro lapsu inter salutandum 10) spricht von ihm als dem Sammler der Briefe des Ptolemaios Lagos. Problematisch ist die Zuweisung von schol. Apoll. Rhod. 1,917 an diesen D. bzw. an den homonymen boiotischen Historiker aus dem 4. Jh. v. Chr. [vgl. 3].
→ Aristarchos [4]; Didymos; Ammonios [3] aus Alexandreia

1 A. Blau, De Aristarchi discipulis, Jenae 1883, 43–44 2 L. Cohn, s. v. D. (18), RE 5, 1005 3 F. Jacoby, FGrH 68 e Komm. 4 F. Montanari, SGLG 7, 1988, 89, 99 5 F. G. Schneidewin, Paroemiographi Graeci I, praef. VII. F. M./Ü: T. H.

Dionysodotos. Aus Sparta, vermutlich 6. Jh. v. Chr. Dichter von → Paianen, die bei den Gymnopaidien neben den Liedern des → Thaletas und des → Alkman aufgeführt wurden (Sosibios FGrHist 595 F 5). L. K.

Dionysopolis (Διονυσόπολις). Ortschaft an der westl. Schwarzmeerküste, h. Balčik/Bulgarien. Siedlungsspuren sind seit dem Neolithikum nachgewiesen. Von der Gründung der ant. Stadt ist nichts bekannt. Aufgrund ion. Elemente in Inschr. und der sechs indirekt belegten milesischen Phylen (IGBulg 1,15 ter) ist D. wohl eine milesische Gründung des 7. Jh. v. Chr. Nach Ps.-Skymn. 75 ff. hieß D. vormals *Krounoí*; nach Mela 2,22 war *Krounoí* dagegen der Hafen von D. Erste Blüte läßt sich im 3.–2. Jh. v. Chr. feststellen: wertvolle Marmorstatuen, viel Importware, autonome Mz.-Prägung. 71 v. Chr. von Lucullus erobert, stand D. etwa 30 J. später unter → Burebista, der die Stadt wegen der Intervention eines Bürgers namens Akornion verschonte (IGBulg 1,13). 28 v. Chr. wurde D. von M. Licinius Crassus, dem Proconsul von Macedonia, zurückerobert, unter Tiberius der Prov. Moesia eingegliedert. Mitglied des westpontischen *koinón* (IGBulg 1,14). Mz.-Prägung von Commodus bis Gordianus. Viele wertvolle Funde, u. a. chirurgische Instrumente aus einem röm. Grab. Im 6. Jh. wurde D. von einer Flut zerstört; der Ort soll 787 Bischofssitz gewesen sein, doch fehlen arch. Spuren bis zum 11. Jh. Inschr. Belege: IGBulg 1, p. 49 ff.

B. Gerov, Zemevladenieto v rimska Trakija i Mizija, 1983, 17, 94 ff. · N. Ehrhardt, Milet und seine Kolonien, 1983, 65 f. I. v. B.

Dionysos (Διόνυσος). I. Religion II. Ikonographie

I. Religion
A. Besonderheiten und Genealogie
B. Überlieferung C. Wirkungsbereiche
D. Kulte E. Mythen F. Wirkungs- und Wissenschaftsgeschichte

A. Besonderheiten und Genealogie

D. gehört zu den ältesten namentlich bezeugten griech. Göttern. Er ist der kult. am weitesten verbreitete und bildlich am häufigsten dargestellte griech. Gott, bis in die Gegenwart am meisten faszinierend und zur Aktualisierung reizend [1]. Zugleich ist er der mythisch untypischste griech. Gott: durch seine zweifache Geburt; seine von Geburt an zweifelsfreie Göttlichkeit, trotz einer menschlichen Mutter; seine zweite, göttl. Mutter; seinen Tod; durch die Möglichkeit der Gottwerdung bzw. Wiedergeburt der in seine Mysterien Eingeweihten.

Bei Homer (Il. 14,325) ist D. letzter namentlich genannter Zeus-Sohn, von Semele, einer Sterblichen (vgl. Hes. theog. 940 f.). Persephone als Mutter des D. von Zeus gehörte zum Mysterien-Wissen und ist deshalb erst spät sicher bezeugt (z. B. Diod. 5,75,4, nach kretischer Tradition); Andeutungen finden sich vielleicht schon bei Pindar und Euripides [2. 318 f.].

B. Überlieferung

1. Schriftzeugnisse

Der Name des D. (di-wo-nu-so) ist bronzezeitlich belegt, auf drei fragmentarischen Linear-B-Tafeln aus Pylos und dem kretischen Chania (um 1250 v. Chr.). Eine der Pylos-Tafeln assoziiert ihn möglicherweise mit dem Wein, da auf der Rückseite der Tafel Frauen aus einem nach dem Wein benannten Ort (wo-no-wa-ti-si) verzeichnet sind. Die Tafel aus Chania bezeugt gemeinsamen Kult von Zeus und D. mit Honig-Libationen [3. 76–79]. D.-Verehrung in einem noch älteren kykladischen Kultschrein in Ayia Irini auf Keos [4. 39–42] bleibt ungewiß, ebenso wie die Deutung des Namens di-wi-jeu auf anderen Pylos-Tafeln als »Sohn des Zeus« (= D.). Neben der linguistischen Erklärung des Namens D. als nysos (im Sinne von Sohn) des Zeus wurde vorgeschlagen, den Namen von → Nysa abzuleiten, einer seit Homer (Il. 6,133) mit D. verbundenen Landschaft (Berg oder Ebene). In der lit. Überlieferung ist D. von Homer bis zu den Dionysiaka des Nonnos in allen Gattungen belegt, am intensivsten im att. Drama. Die Randstellung des D. in den homer. Epen (nur an zwei Stellen in Ilias und Odyssee) entspricht derjenigen der Demeter und ist seit der Entdeckung minoisch-myk. D.-Verehrung noch rätselhafter geworden. Die (durch Neufunde ständig vermehrten) schriftlichen Kultzeugnisse dokumentieren lebhafte D.-Verehrung über einen

Zeitraum von ca. 2000 Jahren, ermöglichen jedoch nur selten Verallgemeinerungen oder Einblicke in spezifische rituelle Details.

2. Bildzeugnisse und Attribute

Die frühesten, durch Namensbeischrift gesicherten Bildzeugnisse stammen aus der att. sf. Vasenmalerei des frühen 6. Jh. v. Chr. und kennzeichnen D. als Weingott (durch die Attribute eines traubenbehangenen Zweiges bzw. einer Amphore). Vielleicht findet er sich bereits, in Gemeinschaft einer Frau mit Brautgestus, auf einem kykladischen Prunkgefäß des 7. Jh. dargestellt [5. 55–58, Abb. 10], wofür zumal das ihn auch später bes. auszeichnende Attribut des → Kantharos spricht, eines vor allem im Heroen- und Totenkult verwendeten, schon in der geometrischen, myk. vorgeprägten Kunst bezeugten Trinkgefäßes [6. 45]. Seit dem ersten Auftauchen des Gottes in der Bildkunst sind D., seine Attribute (wie Weingefäße, Efeuranken, später auch Weinlaub) und Figuren seines Kreises auf sämtlichen Arten von Bildträgern bis in die Spätant. unübersehbar repräsentiert, zunächst vor allem auf der beim → Symposion aristokratischer Bürger sowie im Totenkult verwendeten Keramik, zunehmend auch auf Sarkophagen. Die wichtigsten ihm zugeordneten Figuren sind die halbtierischen, mit Esels-, Pferd- oder Bocksattributen versehenen, oft ithyphallischen Silene und Satyrn sowie (zusammen mit oder unabhängig von ihnen) Frauen, die vor allem seit der rf. Vasenmalerei durch spezifische Kleidung (Tierfelle), gelöstes Haar und ekstatische Tanzbewegungen, zuweilen auch durch Schlangen und durch von ihnen zerrissene Rehe, als Mänaden kenntlich gemacht sind. Raubtiere (Löwen, Leoparden, Panther) nehmen unter den zu D. und seinem Umkreis gehörigen Tieren in der Bildkunst eine prominente Stellung ein. Ebenso verbindet das Attribut des → Thyrsosstabes, eines Narthex- oder Fenchel-Stengels mit einem Pinienzapfen als Bekrönung, D. häufig mit seinem Gefolge. Grundsätzlich gibt es in der (keramischen) Bildkunst keinen mythischen, kult. oder »alltäglichen« Bereich, dessen Assoziation mit D. und seiner Sphäre prinzipiell ausgeschlossen ist. Bereits die »ornamentale« Verwendung von Efeublättern kann markieren, daß die bildliche Darstellung unter dionysischen Vorzeichen steht.

C. Wirkungsbereiche

1. Rituelle Raserei 2. Frauen 3. Wein
4. Erotik 5. Musik und Tanz 6. Theater
7. Maske 8. Einweihungen und
Jenseitshoffnungen 9. Polisgesellschaft

1. rituelle Raserei

Die erstmalige Nennung des D. in der lit. Überlieferung (Hom. Il. 6,132) kennzeichnet ihn durch das Epitheton mainómenos als »rasenden« Gott. Explizit als Weingott erscheint D. jedoch weder hier noch sonst bei Homer. Für eine Besonderheit seiner göttl. Wirksamkeit, die Übertragung seiner Spezifika auf seine Verehrer, ist es charakteristisch, daß rituelle Raserei, »göttl.

Wahnsinn« (*theía manía*), seine Verehrung mythisch und kult. auf zentrale Weise bestimmt. Zwar können auch andere Gottheiten Ekstasis (das Heraustreten aus sich selbst; → Ekstase) und Enthusiasmos (das Hineingehen des Gottes in den Menschen) bewirken, doch zählt die Raserei bei ihnen anders als bei D. nicht zu ihren eigenen kennzeichnenden Eigenschaften. Auch der (nicht vor dem Hellenismus inschr. belegte) Terminus *mainás*, wörtlich »rasende Frau«, taucht bei Homer (Il. 22,460) erstmals auf, wobei rituelle Raserei von Frauen bei der D.-Verehrung implizit vorausgesetzt zu sein scheint. Der kult. t.t. dafür lautet *bákchē*. Das rituelle Rasen, *bakcheúein*, wird von häufigen (lit. und kult.) Epitheta und Epiklesen des D. wie *Bakchios, Bakcheios, Bakcheus* akzentuiert. Analog zum Gott kann auch ein männlicher Verehrer *bákchos* (insbes. in Mysterieneinweihungen) genannt werden.

2. FRAUEN

Die Vorrangstellung der Frauen im Umkreis des D. kommt bereits bei seiner homer. erstmaligen Nennung zur Geltung. Der rasende Gott ist dort (Il. 6,132–134) in Nysa umgeben von seinen mit *thýsthla* (Thyrsos-Stäben?) ausgestatteten Ammen. Die anderen griech. Gottheiten konnten zwar wie D. von beiden Geschlechtern verehrt werden, die Präferenz von Frauen für weibliche, von Männern für männliche Gottheiten kommt jedoch im Kult häufig vor. D. gegenüber dominieren hingegen die Frauen. Dem scheint später die (lit. und bildlich seit klass. Zeit belegte und danach sich verstärkende) äußerliche Effeminierung des D. Rechnung zu tragen. Bei der – niemals durch Weingenuß stimulierten – rituellen Raserei hatten die verheirateten Frauen im Vergleich zu den jungen Mädchen offenbar Zugang zu mehr kult. Privilegien (höheren Initiationsstufen?) und engerer Gemeinschaft mit dem Gott (vgl. Diod. 4,3,3).

3. WEIN

Bei Hesiod ist D. explizit mit der Weinproduktion als einer männlichen Sphäre assoziiert (erg. 614). Auch D.' Charakterisierung als ›Wonne für die Sterblichen‹ (so schon Hom. Il. 14,325) wird von Hesiod auf die Gabe des Weins zurückgeführt, jedoch als »mixed blessing«, verbunden mit Mühsal oder Last (Hes. scut. 400; fr. 239, IMW). Den Wein als dichterische Inspirationsquelle kennt die Lyrik seit Archilochos (fr. 120 WEST). Die Gefährlichkeit des (vor allem ungemischten) Weins als Wahnsinn auslösende Droge, *phármakon*, war wohlbekannt zum Gebrauch wurde er in der Regel mit Wasser verdünnt. Der Wein als Erscheinungsform des D. (und dadurch metonymisch verwendbar) ist seit Eur. Bacch. 284 (vgl. Eur. El. 497) bezeugt. Das Geschenk des Weins ist die entscheidende, leidenmindernde Kulturtat des D., eine willkommene, das Leben erträglich machende Ergänzung zur Gabe des Brotes durch Demeter (vgl. Eur. Bacch. 274–283). Die Vasenbilder zeigen den Gott meist mit einem (altertümlichen) Trinkgefäß in der Hand (Trinkhorn: Rhyton, oder Kantharos). Darstellungen des betrunkenen D. fehlen vor dem Hellenismus. In der att. Vasenmalerei ist die Weinproduktion

männlichen Wesen, insbes. den Satyrn, vorbehalten, während das Schöpfen und Ausschenken des Weines vorwiegend Frauen im Zusammenhang mit D.-Verehrung anvertraut ist. Vom Symposion, in dessen Mittelpunkt der Weingenuß (aus dionysisch konnotierten Gefäßen) stand, waren außer Hetären und Aulos-Spielerinnen Frauen ausgeschlossen. Weintrinkende Frauen werden (mit Ausnahme von trunkenen Alten) nicht bildlich dargestellt und in der att. Komödie verhöhnt (zu Weingenuß von Frauen auf Lesbos, im Zusammenhang mit Aphrodite-Verehrung, vgl. Sappho fr. 2,16 PAGE). Außer anläßlich spezifischer, unter Ausschluß von Frauen veranstalteter Feste war Trunkenheit auch bei Männern verpönt.

4. EROTIK

Innerhalb der griech. Tradition bildeten Erotik und Wein keine selbstverständlich verbundenen Bereiche. Daß übermäßiger Weingenuß auf männliche Potenz ungünstig einwirkt, ist nicht erst eine moderne Erkenntnis. Die mit Erotik verbundene Ekstase haben die Griechen primär dem Wirkungsbereich der Aphrodite und des Eros zugeschrieben. Dennoch wird vor allem in der sf. Vasenmalerei freizügige Sexualität oder auch erotische Gewaltsamkeit häufiger mit der D.-Sphäre, allerdings niemals mit der Person des Gottes und kaum mit dem Weintrinken, assoziiert. Von den Silenen heißt es im homer. Aphrodite-Hymnos (Hom. h. 5,263), daß sie Liebesfreuden mit Nymphen in dämmrigen Höhlenwinkeln genießen. D. selbst konnte mit dem Beinamen χοιροψάλας (nach χοῖρος, »Ferkel«, »weibliches Genital«; *choiros*: auch als Mänadenname bildinschr. belegt [7. 176f.]) verehrt werden (in Sikyon [8. 208 No. 172]). In den ›Bakchen‹ des Euripides wird zwar durch den thebanischen König Pentheus den als Mänaden agierenden Frauen seiner Stadt zu Unrecht sexuelle Ausschweifung mit Männern unterstellt (Bacch. 217–225), doch wissen die lydischen Bakchen des Chors, daß D. sie bei ihren Zeremonien in Landschaften führen wird, in denen Aphrodite, die Chariten und Pothos, der Gott des Liebesverlangens, wohnen (Bacch. 402–416). Ob die Betonung dionysisch legitimierter sexueller Promiskuität außerhalb der Grenzen der Stadt und der Ehe eine ant. männliche Wunschvorstellung ist, oder ob ihre Abwehr auf den fraglos größeren Verdrängungsleistungen moderner männlicher Gelehrter beruht, muß dahingestellt bleiben [9]. Daß den bakchischen Frauen (und Männern?) in ekstatischen Tänzen eine visionäre erotische Dynamik des engen Umgangs mit D. vermittelt wurde, wird jedenfalls außer von Euripides auch von anderen ant. Autoren vorausgesetzt und läßt sich aus der Bildkunst ableiten. Die wichtige Rolle der Erotik für die D.-Verehrung spiegelt sich ebenso in der bildlichen, kult. und lit. Assoziation des Gottes mit Aphrodite und in den für ihn kult. spezifischen Phallophorien.

5. MUSIK UND TANZ

Zur festlichen Verehrung aller griech. Gottheiten gehörten Tanz und Musik unverzichtbar hinzu. Das Tanzen im Chor, *choreúein*, konnte sogar als Syn. für rel.

Praxis gelten [10]. Die am weitesten verbreiteten Tänze jedoch gehören als Vorbereitung und Teil der dramatischen Aufführungen in den Bereich des D. als Theatergottes. Aus dem für D. spezifischen Kultlied, dem → Dithyrambos [11], soll das Drama hervorgegangen sein (Aristot. poet. 1449a10–12). Beziehungen dieses Kultlieds zur Einweihung in die dionysischen Mysterien können vielleicht aus Archil. fr. 120 WEST abgeleitet werden [12]. Für die Vorrangstellung von Blas- und Schlaginstrumenten (aúlos, týmpanon, kýmbala, krótala) im dionysischen Ambiente sprechen insbes. die Zeugnisse der Vasenbilder, doch waren Saiteninstrumente nicht ausgeschlossen. Die bes. Affinität der aulos-Musik (auf der Bühne und im Kult) zu kathartischem Orgiasmus und dionysischer Einweihung, bakcheía, wurde von Aristoteles unterstrichen (pol. 1341a21–25, 1341b32–1342b18), der sie deshalb als ungeeignet für die Jünglingserziehung erachtete.

6. THEATER

In diesem Bereich herrschte D. unbestritten. Für Athen, die Heimat der großen att. Tragiker und Komödiendichter klass. Zeit, ist dies am besten dokumentiert. Von den fünf wichtigsten dem D. gewidmeten att. Festen standen drei (Ländliche Dionysien, Lenäen, Große Dionysien; → Dionysia) im Zeichen der dramatischen Bühne. Die Theaterbauten der Ant. gehörten oft (wie in Athen) zu D.-Heiligtümern. Alle Theateraufführungen waren in den Festkalendern des griech. Mutterlandes, Kleinasiens, der ital. und pontischen Kolonien D. zugeordnet. Sie wurden durch Opfer, Prozessionen und musikalische Veranstaltungen ihm zu Ehren vorbereitet. Durch seine Statue war er als Zuschauer bei den Vorführungen mit anwesend. Unter den drei Dramengattungen fällt die Verknüpfung des Satyrspiels mit D. (durch den Satyrchor) am deutlichsten auf. Der göttl. Patron des Theaters wurde aber auch in der att. Komödie vielfältig für komische und polit. kritische Intentionen genutzt. Daß die Handlungen der att. Tragödien keineswegs »nichts mit D. zu tun« hatten, sondern im Gegenteil zentral durch D. und dionysische Themen, Kultmerkmale, Wirkungsbereiche und Funktionen bestimmt sind, wurde in jüngster Zeit verstärkt herausgearbeitet [13; 14; 15].

7. MASKE

Die kult. Verwendung von Masken ist auch für andere (vor allem weibliche) Gottheiten bezeugt (Artemis, Demeter), doch ist die Maske im Falle des D. eine Erscheinungsform des Gottes selbst. Nur er ist »der Maskengott«. Die sog. Lenäen-Vasen dokumentieren die Verehrung des Gottes in Gestalt seiner an einem Baum, einem Pfeiler oder einer Säule aufgehängten Maske (oder Doppelmaske) durch Frauen beim »Dienst am Wein« oder durch umrundende Tänze von Frauen (auch gemeinsam mit Satyrn) [16. 212–214; 17]. Die Vasenmalerei vermittelte den Symposiasten die Gleichzeitigkeit der göttl. Präsenz und Absenz des D. durch die Frontalität und nicht zuletzt in den sf. sog. Augen-Schalen auf mannigfache Weise. Bildkunst und Theater

nutzten die ekstatisch wirksamen Qualitäten (simultane Distanz und Nähe, tödliche Starrheit und suggestive Lebendigkeit) des frontalen Blicks der Maske im Zeichen des D. Mit der ant. Theaterpraxis waren Masken (zunächst nur nach Lebensalter und Geschlecht spezifiziert, nicht als Rollen-Identifikation [18. 85–98]) untrennbar verbunden. Die Maske ermöglichte die »verwandelnde Vereinigung« und »vereinigende Verwandlung«, die für die ant. (ausschließlich von männlichen Akteuren praktizierte) Schauspielkunst kennzeichnend ist und die die Maske auch kult., insbes. als »Mysteriengerät«, qualifiziert [19].

8. EINWEIHUNGEN UND JENSEITSHOFFNUNGEN

Neben Demeter kann D. als wichtigste Mysteriengottheit der Griechen angesehen werden. Platon (Phaidr. 265b4) identifiziert sogar die ihn charakterisierende manía als telestiké (»zu den Einweihungen gehörig«). Das aus der Kultsprache stammende Verbum bakcheúein bezeichnet allerdings das gesamte Spektrum ekstatischer dionysischer Riten und ist nicht für Mysterien-Zusammenhänge reserviert. D.-Mysterien waren im Unterschied zu denen der Demeter nicht ortsgebunden und wurden von privaten Kultvereinen (in Privathäusern?) organisiert. Sie standen offenbar außerhalb des Verfügungsbereichs der Polisgesellschaften. Für Attika gibt es keine sicheren Zeugnisse. Kultdokumente durch Grabfunde von Goldtäfelchen (aus Unteritalien, Thessalien, Kreta) sind seit dem 19. Jh. bekannt, aber erst durch Neufunde als Zeugnisse für bakchische Mysterien interpretierbar [20]. Die Dokumente (z.B. Hdt. 4,79) machen entsprechende Kultpraxis (von Frauen und Männern) mindestens seit dem 5. Jh. v. Chr. wahrscheinlich [21. 27f.]; möglicherweise sind auch Angaben in der archa. Lyrik des 7. Jh. in diesem Sinne deutbar [12; 22]. Nachweislich wurden dionysische Einweihungskulte bis weit in die Spätant. praktiziert [23]. Die bakchischen Mysterien vermittelten nicht allein die Hoffnung auf ein seliges Los im Jenseits, sondern versprachen Wiedergeburt, ja Gottwerdung. Blitztod, Tierverwandlung, Wein können als zentrale Elemente der Mysterienerfahrung ausgemacht werden. Zu ihr gehörten offensichtlich sämtliche Spezifika, mit denen Aristoteles (ohne Mysterienbezug) die att. Tragödie charakterisierte (páthos, éleos und phóbos, hedoné, peripéteia, anagnórisis, metabolé, mímēsis, kátharsis). Gemeinsamkeiten und Unterschiede zwischen D.-Mysterien und Tragödie lassen bisher noch viele Fragen offen [24]. Dies gilt auch für den vermuteten Zusammenhang mit der Orphik und der (auf Kultdokumenten nicht nachweisbaren) D.-Epiklese → Zagreus.

9. POLISGESELLSCHAFT

D. gehörte zu den wichtigsten Gottheiten der griech. Stadt-Staaten. Wie Artemis war er sowohl ein Gott »des Draußen« als auch des »Inneren«, der Polis, ja sogar (wie in Athen) ihres Zentrums [25]. Stärker als alle anderen Gottheiten akzentuiert er alle Arten von Grenzüberschreitungen, auch diejenige der Grenze zwischen Stadt und Land oder Wildnis. In Athen stieg er in der Peisistratiden-Zeit, spätestens im Zuge der Reform des Kleisthenes zur neben Athene bedeutendsten Stadtgottheit auf. Sein Hauptfest, die Städtischen Dionysien, bei denen in klass. Zeit auch die wichtigsten Dramen-Agone stattfanden, integrierte ausdrücklich die ganze Polis auch unabhängig von der Phratrien-Gliederung, einschließlich der Metoiken und der auswärtigen Gäste, vor allem aus den Kolonien. Die (keineswegs auf Athen beschränkte) polit. Integrationskraft der D.-Verehrung umfaßte Männer, Frauen, Kinder und alle gesellschaftlichen Schichten, so daß D. weit davon entfernt war, entweder nur ein »bäuerlicher« oder nur ein »aristokratischer« Gott zu sein.

D. KULTE

1. OPFER 2. EPIKLESEN 3. FESTE UND KULTORTE 4. KULTGEMEINSCHAFT 5. KULTKOLLEGIEN 6. HERRSCHERKULT

1. OPFER

Wie andere Polisgottheiten wurde D. mit Schlacht- und Speiseopfern verehrt. Die »klass.« Stieropfer waren (nicht anders als sonst) bes. festlichen Gelegenheiten vorbehalten, Schwein-, Schaf- und Ziegenopfer die Regel [26]. Ihm wurden ebenso fleischlose Opfer bzw. Opferbeigaben wie Kuchen dargebracht. Darüber hinaus jedoch war seine Präsenz in den Wein-Libationen, die die Opferhandlungen gewöhnlich begleiteten, konstitutiver Bestandteil der Verehrung fast aller anderen Gottheiten.

2. EPIKLESEN

Auch im Falle des D., wie bei den anderen griech. Gottheiten, sind Kulte und Kultepiklesen topographisch und heortologisch stark differenziert. In Etrurien wurde er seit dem 5., vielleicht bereits seit dem 7. Jh. v. Chr. mit → Fufluns identifiziert [27], in Rom als Liber pater verehrt und mit der aus dem Kult stammenden Epiklese → Bacchus dichterisch benannt. Das Bild des Gottes im Kult ist bisher noch am stärksten durch das von Athen bestimmte Material geprägt, das nur begrenzt übertragbar ist. Mysterienkulte besaß D. außerhalb Attikas unter zahlreichen Epiklesen (am deutlichsten: D. Mystes, im arkadischen Tegea). Zu den wichtigsten, an mehreren Orten bezeugten Epiklesen (außer den weit verbreiteten, das bakcheúein betonenden und oft mit ekstatischen Kulten verbundenen) gehören Lysios (Korinth, Sikyon) bzw. Lyaios (Mantinea), »der alles Gebundene lösende« Gott, und Phleus (nur in Ionien: Chios, Ephesos, Erythrai), »der Schwellende«. Darüber hinaus betonen zahlreiche andere Beinamen die Nähe zur wachsenden pflanzlichen und animalischen Natur, zum Wein, zu bestimmten Landschaften, aber auch zur Polisordnung (z. B. D. Polites: Heraia in Arkadien). Der »Rohfleischesser« D. Omestes (Lesbos) und Omadios (Chios) hat durch vermutete Beziehungen zu den – vor allem durch Euripides' ›Bakchen‹ mythisch bes. prominenten – ekstatischen Zerreißungsakten und dem dionysischen omophageín (vgl. LSAM 48) in der Religionsgeschichte bes. Beachtung gefunden; Menschenopfer lassen sich jedoch histor. nicht nachweisen. Eher ist davon auszugehen, daß hier (wie etwa auch beim Fest der → Agrionia in Böotien) ritueller Geschlechter-Antagonismus im Kult ausagiert wurde [28].

3. FESTE UND KULTORTE

Neben den jährlich wiederkehrenden Festen findet sich in der D.-Verehrung die (zuweilen auch für andere Götter wie Athene, Zeus und Poseidon bezeugte) Regelung, Feste nur im Abstand von zwei Jahren, also jedes dritte Jahr durchzuführen. Für D. ist dieser trieterische Festrhythmus z. B. in Delphi, Theben, Kamiros, Rhodos, Milet und Pergamon bezeugt (vgl. auch seine Epiklese Trieterikos auf Melos). Grundsätzlich zeichnet zeitweilige Abwesenheit D. bes. aus. Doch ist er nicht deshalb der »fremde« Gott, der »kommende« Gott par excellence, weil er etwa histor. spät und aus nichtgriech. Gegenden übernommen worden wäre, wie von ROHDE und DODDS lange einflußreich behauptet worden ist. Vielmehr spiegelt sich das willkommene »Kommen« des Gottes nicht zuletzt in seiner wunderbar befreienden, lösenden Kraft, die auch polit. wirksam sein konnte (in Eretria: LSCG, Suppl. 46 [29]). Wie ein Gast, xénos, wird er in der Polis willkommen geheißen, bewirtet und unterhalten, bes. eindrucksvoll bei den Städtischen bzw. Großen → Dionysien Athens (im Monat Elaphebolion). Neben diesem Hauptfest und den beiden anderen vor allem dem Drama gewidmeten Feiern sind für D. in Athen bes. zwei weitere Feste bedeutsam: die → Anthesteria (im Festkalender den Großen Dionysien vorausgehend), die vor die ionische Wanderung zurückreichenden »ältesten Dionysien« (Thuk. 2,15,4), sowie die → Oschophoria nach dem Abschluß der Weinlese im Pyanopsion, dem an die eleusinischen Mysterien anschließenden Monat. Außerhalb Attikas unterstreichen auf D. sich beziehende Monatsnamen wie Bakchión (Mykonos und Keos) die Bed. des Gottes im Festkalender. Trotz der Präsenz des D. Lenaios in Athen und seinem Fest der → Lenaia (abgeleitet von lénai, »rasende Frauen«) wurde bakchisches Rasen von Frauen in Attika ausgegrenzt; ihnen war nur gestattet, zu gemeinsamen bakchischen Zeremonien und Tänzen als thyiádes (Wortbed. wie bei lénai und bákchai) mit den delphischen Frauen auf dem Parnaß, nach Delphi zu gehen [30]. Von Delphi kontrollierte Verbreitung bakchischen Frauenkults dokumentiert ein Orakel aus hell. Zeit, I. Magn. 215(a), in dem die Entsendung dreier thebanischer mainádes angeordnet wird, die bakchische órgia (Kultriten) und thíasoi des D. Bakchos in Magnesia am Mäander installieren sollen [31].

4. KULTGEMEINSCHAFT

Zu den ältesten göttl. Kultgenossen des D. gehören Zeus (schon im bronzezeitlichen Kreta), Hera (Lesbos; vgl. Heraia in Arkadien) sowie Demeter und Kore (Eleusis, Sikyon, Thelpusa). Die Kultgemeinschaft mit zahlreichen anderen Gottheiten (bes. Aphrodite, Apollon, Artemis, Hermes) und mit seiner thebanischen Mutter Semele sowie mit Herakles ist ebenfalls belegt.

5. Kultkollegien

Dionysische Vereine verbreiteten sich vor allem in hell. und röm. Zeit (z. B. im 2. Jh. n. Chr. die → *Iobakchoi* in Athen, mit restriktiv geregelten Trinksitten). Zu den auf den bakchischen D. Bezug nehmenden Kultkollegien (bei denen die bes. Verehrung des D. jedoch nicht immer belegt ist) gehören die *Bakchi(a)stai* (Kos und Thera) und die *Bakcheastai* (Dionysopolis). Die Beziehung der vom 8.–7. Jh. v. Chr. in Korinth herrschenden Adelsfamilie der Bakchiadai zu D. ist ungewiß.

6. Herrscherkult

Im Hellenismus erhielt D. eine zentrale Rolle im Herrscherkult (z. B. Ptolemaios IV. als »Neuer D.«). Der autokratische D. der ›Bakchen‹ des Euripides wirkt wie eine Antizipation solcher Herrscher und der ihnen entsprechenden hell. Gottheiten [32. 204 f.].

E. Mythen

Die knappen Angaben über D. bei Homer enthalten bereits wesentliche Elemente des mythischen Bildes (und wohl auch der kult. Auffassung) in verdichteter Form. Dazu gehört die ekstatische Erfahrung des Umschlags von einem Extrem ins andere und v. a. die Verfolgung dionysischer Frauen durch einen Mann. Bei Homer ist es → Lykurgos (Il. 6,130), der in der späteren Überlieferung als edonischer König identifiziert wird und dessen feindliche Rolle z. B. in Theben durch den König Pentheus, in Argos durch Perseus, in Thrakien auch durch → Orpheus repräsentiert ist. Seine Bestrafung ist mythische Regel, wie sonst bei einem *theomáchos*. Die außerhomer. Tradition zeigt auch Frauengemeinschaften im Widerstand gegen den Gott: die Töchter des Minyas von Orchomenos in Böotien, die Töchter des Proitos von Argos und vor allem die Kadmos-Töchter aus Theben, Schwestern der D.-Mutter Semele (am wirkungsvollsten in Eur. Bacch. dramatisiert). In den Mythen gipfelt die Bestrafung dieser Frauen in der durch sie selbst vollzogenen Tötung ihrer eigenen Söhne, wobei D. sich zu diesem Zweck gerade der seine Verehrung kennzeichnenden Raserei bedient. Die beiden bei Homer namentlich genannten, mit D. innig verbundenen Frauen, seine Mutter Semele und seine Geliebte → Ariadne, bleiben in späteren Erzählungen für sein weibliches Gefolge präformierend. Durch Semele wird Theben zur bakchischen *mētrópolis* (Soph. Ant. 1122). Die Minos-Tochter Ariadne, bei Homer von Artemis getötete Geliebte des D. (Od. 11,321–325) und durch ihn, Hesiod zufolge, unsterblich gemacht (theog. 947–949), dient als Vorbild für später bezeugte dionysische Frauen (andere menschliche Geliebte des D.: Althaia, Karya, Physkoa, vielleicht auch Erigone; Söhne: z. B. Oinopion). Die Identifizierung anon. D.-Bräute in der Vasenmalerei als Ariadne (oder Aphrodite) bleibt ungewiß, bes. für die Frühzeit. Die wohl auch für den Kult vorauszusetzende Modellhaftigkeit der dionysischen Frauen (wie des D. selbst) gilt ebenso für seine – nach späteren Zeugnissen gleichfalls durch den Gott unsterblich gemachte – Mutter Semele (Iophon fr. 22 F 3 TGF). Auf ihren Tod durch den Blitz des Zeus

folgte im Mythos die Frühgeburt des D. und seine zweite Geburt aus dem Schenkel des Zeus. Sogar D.' bes. Nähe zum Totenkult ist mythisch bereits bei Homer greifbar, da der Gott Achills Mutter Thetis ein (auch für Wein benutztes) goldenes Gefäß (*amphiphoreús*, Od. 24,74) schenkt, um darin die Gebeine ihres toten Sohnes zu bergen. Die Meeresgöttin Thetis (später mit Persephone analogisiert), bei der D., von Lykurgos verfolgt, Schutz findet (Hom. Il. 6,136), hat ebenfalls in der frühen dionysischen Bildkunst eine nicht zu unterschätzende Position, da der Gott zu ihrer Hochzeit mit Peleus erscheint (auf der François-Vase sogar mit einer Amphore als Geschenk). Das Meer ist in den Ankunftsmythen des D. wichtiger Herkunftsort seiner Epiphanie und Schauplatz seiner Wunder (vor allem: Weinwunder, Verwandlung des Gottes in einen Löwen und der ihm feindlichen Seeleute in Delphine, Hom. h. 7,35–53). Flüssigkeitswunder zeichnen die Wirkungskraft des mythischen D. auch sonst aus (z. B. Quellen von Wasser, Wein, Milch und Honig, Eur. Bacch. 704–711; dort geben die Mänaden auch jungen Wildtieren ihre Brust, ebd. 699 f.). Die im Kult, vermutlich vor allem in den Mysterien, an D. selbst demonstrierte Erfahrung eines gewaltsamen Todes (Grab des Gottes in Delphi: Kall. fr. 643) spiegelt sich in den Todesarten der Semele und der Ariadne sowie der ihm mythisch angeglichenen Figuren seiner männlichen Gegner (vgl. auch die Titanen im Mythos des D. Zagreus). Die Todesüberwindung wird in den Mythen an den eng zu ihm gehörenden Frauen demonstriert. Er beherrscht den Tod und kann sogar mit Hades gleichgesetzt werden (Herakl. fr. 15 D. K.). Mythisch erscheint D. tatsächlich als ›schrecklichster und mildester‹ unter allen Göttern (*deinótatos*, *ēpiṓtatos*: Eur. Bacch. 861).

F. Wirkungs- und Wissenschaftsgeschichte

D. hat auch nach dem Ende paganer Kultpraxis sowohl Künstler wie Gelehrte in bes. Maße zu seiner Darstellung und Deutung herausgefordert (erstere insbes. seit der Renaissance, letztere vorwiegend seit dem 19. Jh.). Daß der ant. D. nicht auf die Heiterkeit von »Wein, Weib und Gesang« reduziert werden kann, sondern kult. und mythisch als ein Gott der Polyvalenzen und der Vermischung von göttl. und menschlich, Frau und Mann, Tier und Mensch, Leiden und Lust, Opferobjekt und -subjekt anzusehen ist, gehört zum gegenwärtigen interpretatorischen Konsens, kritisch anknüpfend an NIETZSCHES *Geburt der Tragödie*. Vom Verständnis der Mythen, bes. derjenigen über *sparagmós* und Omophagie durch Mänaden, als bruchlosem Reflex gängiger Kultpraxis, hat man inzwischen Abstand genommen. Die Komplexität der Beziehungen zwischen dionysischen Mythen und Kulten enthält jedoch genug noch nicht befriedigend geklärte Probleme. W. F. OTTOS Auffassung des D. als geoffenbarter Gottheit ist heute im Konzept des D. als Repräsentanten des ganz »Anderen« (VERNANT) aufgehoben. Manche von OTTO einfühlsam herausgearbeitete Polaritäten des Gottes haben sich in der Betonung entweder der durch ihn verkörperten ›Unzerstörbarkeit des Lebens‹ (KERÉNYI) oder seiner todestrunkenen Qualitäten (DETIENNE) niedergeschlagen. Anthropologische Vergleiche konnten »das Dionysische« besser verstehen lehren. Der ant. D. bleibt dennoch ›different‹ und ›elusiv‹ (HENRICHS).

1 A. HENRICHS, Loss of Self, Suffering, Violence: The Modern View of Dionysus from Nietzsche to Girard, in: HSPh 88, 1984, 205–240 2 W. BURKERT, Homo necans, 1972 3 E. HALLAGER, M. VLASAKIS, B. P. HALLAGER, New Linear B Tablets from Khania, in: Kadmos 31, 1992, 61–87 4 M. E. CASKEY, The Temple at Ayia Irini, Keos 2, 1986 5 D. PAPASTAMOS, Melische Amphoren, 1970 6 C. ISLER-KERÉNYI, Dioniso con una sposa, in: Metis 5/1–2, 1990, 31–51 7 A. KOSSATZ-DEISSMANN, Satyr- und Mänadennamen auf Vasenbildern des Getty-Museums und der Sammlung Cahn, in: Greek Vases in the J. P. Getty Museum 5, 1991, 131–199 8 A. TRESP, Die Fragmente der griech. Kultschriftsteller, 1914 9 R. SCHLESIER, Mischungen von Bakche und Bakchos. Zur Erotik der Mänaden in der ant. griech. Tradition, in: H. A. GLASER (Hrsg.), Annäherungsversuche. Zur Gesch. und Ästhetik des Erotischen in der Lit., 1993, 7–30 10 A. HENRICHS, ›Warum soll ich denn tanzen?‹ Dionysisches im Chor der griech. Tragödie, 1996 11 B. ZIMMERMANN, Dithyrambos. Gesch. einer Gattung, 1992 12 D. MENDELSOHN, ΣΥΓΚΕΡΑΥΝΟΩ: Dithyrambic Language and Dionysiac Cult, CJ 87, 1992, 105–124 13 R. SEAFORD, Dionysiac Drama and the Dionysiac Mysteries, in: CQ 31, 1981, 252–275 14 R. SCHLESIER, Die Bakchen des Hades. Dionysische Aspekte von Euripides' Hekabe, in: Metis 3, 1988, 111–135 15 A. F. H. BIERL, D. und die griech. Tragödie. Polit. und »metatheatralische« Aspekte im Text, 1991 16 J.-P. VERNANT, Figures, idoles, masques, 1990 17 F. FRONTISI-DUCROUX, Le dieu-masque. Une figure du D. d'Athènes, 1991 18 C. CALAME, Le récit en Grèce ancienne. Énonciations et représentations de poètes, 1986 19 K. KERÉNYI, Mensch und Maske (1948), in: Ders., Humanistische Seelenforschung, 1996, 265–277, 321–323 20 F. GRAF, Dionysian and Orphic Eschatology: New Texts and Old Questions, in: T. H. CARPENTER, C. A. FARAONE, 1993, 239–258 21 W. BURKERT, Ant. Mysterien. Funktionen und Gehalt, 1990 22 R. SCHLESIER, Das Löwenjunge in der Milch. Zu Alkman, Fragment 56 P. [= 125 CALAME], in: A. BIERL, P. v. MÖLLENDORFF (Hrsg.), Orchestra: Drama – Mythos – Bühne. FS H. Flashar, 1994, 19–29 23 R. MERKELBACH, Die Hirten des D. Die D.-Mysterien der röm. Kaiserzeit und der bukolische Roman des Longus, 1988 24 R. SCHLESIER, Lust durch Leid: Aristoteles' Tragödientheorie und die Mysterien. Eine interpretationsgeschichtliche Studie, in: EDER, Demokratie, 389–415 25 C. SOURVINOU-INWOOD, Something to do with Athens: Tragedy and Ritual, in: R. OSBORNE, S. HORNBLOWER (Hrsg.), Ritual, Finance, Politics. Athenian Democratic Accounts Presented to David Lewis, 1994, 269–290 26 F. T. VAN STRATEN, Hierà kalá. Images of Animal Sacrifice in Archaic and Classical Greece, 1995 27 L. BONFANTE, Fufluns Pacha: The Etruscan Dionysus, in: T. H. CARPENTER, C. A. FARAONE, 1993, 221–235 28 GRAF, 74–80 29 A.-F. JACCOTTET, Le lierre de la liberté, in: ZPE 80, 1990, 150–156 30 M.-C. VILLANUEVA PUIG, À propos des thyiades de Delphes, in: L'association dionysiaque dans les sociétés anciennes, 1986, 31–51 31 A. HENRICHS, Greek Maenadism from Olympias to Messalina, in: HSPh 82, 1978, 121–160 32 H. S. VERSNEL, Ter Unus. Isis, D., Hermes. Three Studies in Henotheism, 1990.

BURKERT, 251–260, 432–443 · T. H. CARPENTER, Dionysian Imagery in Archaic Greek Art. Its Development in Black Figure Vase Painting, 1986 · Ders., Dionysian Imagery in Fifth-Century Athens, 1997 · T. H. CARPENTER, C. A. FARAONE (Hrsg.), Masks of Dionysus, 1993 · G. CASADIO, Storia del culto di Dioniso in Argolide, 1994 · S. G. COLE, Voices from beyond the Grave: D. and the Dead, in: T. H. CARPENTER, C. A. FARAONE, 1993, 276–295 · M. DARAKI, D., 1985 · M. DETIENNE, D. mis à mort, 1977 · Ders., D. à ciel ouvert, 1986 · E. R. DODDS, The Greeks and the Irrational, 1951 · A. GEYER, Das Problem des Realitätsbezuges in der dionysischen Bildkunst der Kaiserzeit, 1977 · J. E. HARRISON, Prolegomena to the Study of Greek Religion, 1903 · G. M. HEDREEN, Silens in Attic Black-figure Vase-painting. Myth and Performance, 1992 · A. HENRICHS, Changing Dionysiac Identities, in: B. F. MEYER, E. P. SANDERS (Hrsg.), Jewish and Christian Self-Definition, Bd. 3: Self-Definition in the Graeco-Roman World, 1982, 137–160, 213–236 · Ders., Myth Visualized: D. and His Circle in Sixth-Century Attic Vase-Painting, in: Papers on the Amasis Painter and His World, 1987, 92–124 · Ders., Der rasende Gott: Zur Psychologie des D. und des Dionysischen in Mythos und Lit., in: A&A 40, 1994, 31–58 · H. JEANMAIRE, D. Histoire du culte de Bacchus, 1951 · M. JOST, Sanctuaires et cultes d'Arcadie, 1985 · K. KERÉNYI, D. Urbild des unzerstörbaren Lebens, 1976 · F. LISSARAGUE, Un flot d'images. Une esthétique du banquet grec, 1987 · M. MASSENZIO, Dioniso e il teatro di Atene. Interpretazioni e prospettive critiche, 1995 · F. MATZ, Die dionysischen Sarkophage, 4 Bde., 1968–1975 · G. MAURACH, D. von Homer bis heute. Eine Skizze, in: Abh. der Braunschweig. Wiss. Ges. 44, 1993, 131–186 · O. MURRAY, M. TECUSAN (Hrsg.), In Vino Veritas, 1995 · R. OSBORNE, The Ecstasy and the Tragedy: Varieties of Religious Experience in Art, Drama, and Society, in: C. PELLING (Hrsg.), Greek Tragedy and the Historian, 1997, 187–211, Abb. 1–13 · W. F. OTTO, D. Mythos und Kultus, 1933 · A. PICKARD-CAMBRIDGE, The Dramatic Festivals of Athens, ²1968 · G. A. PRIVITERA, Dioniso in Omero e nella poesia greca arcaica, 1970 · E. ROHDE, Psyche. Seelencult und Unsterblichkeitsglaube der Griechen, 1890/1894 · A. SCHACHTER, Cults of Boiotia 1, 1981 · A. SCHÖNE, Der Thiasos. Eine ikonographische Unt. über das Gefolge des D. in der att. Vasenmalerei des 6. und 5. Jh. v. Chr., 1987 · R. SEAFORD, Reciprocity and Ritual. Homer and Tragedy in the Developing City-State, 1994 · Ders. (Hrsg.), Euripides. Bacchae, 1996 · E. SIMON, Festivals of Attica. An Archaeological Commentary, 1983 · J.-P. VERNANT u. a., La cité des images. Religion et société en Grèce ancienne, 1984 · J. J. WINKLER, F. I. ZEITLIN (Hrsg.), Nothing to Do with D.? Athenian Drama in Its Social Context, 1990. RE. S.

II. IKONOGRAPHIE

Frühe D.-Darstellungen auf einer melischen Amphora des 7. Jh. v. Chr. (Athen; British School; vor Frau in Chiton und Himation), in att. Vasenmalerei seit dem frühen 6. Jh. v. Chr. (Dinos des → Sophilos, London, BM, um 580 v. Chr.: Hochzeit des Peleus und der Thetis; in gleicher Szene und bei Rückführung des

Hephaistos in den Olymp auf dem François-Krater, Florenz, um 570 v. Chr.; → Siana-Schalen des Heidelberg- und Amasis-Malers, 575/555 v. Chr.). Vasenbilder mit D. und seinem Gefolge insbes. seit dem 6. Jh. v. Chr. Häufig die Szenen mit Ariadne (neben att. Vasenbildern s.a. Bronzekrater aus Derveni, Thessaloniki, um 330 v. Chr.). Im Kampf gegen die Giganten erscheint D. im Nordfries des Siphnier-Schatzhauses in Delphi (um 525 v. Chr.), am Pergamonaltar (Westfries, Südrisalit, 180/160 v. Chr: s.a. D.-Kathegemon als Schutzgott der Attaliden). Selten wird die Meerfahrt des D. gezeigt, wie auf einer Augenschale des Exekias (München, SA, um 530 v. Chr.) oder auf einer Amphora in Tarquinia (Ende 6. Jh. v. Chr.).

Großplastische Darstellungen sind erst relativ spät überliefert: Torso einer Sitzstatue aus Ikaria (Athen, NM, um 520 v. Chr., durch Kantharos identifiziert); nicht erh. ist das von Paus. 9,20,4 überlieferte D.-Kultbild des → Kalamis in Tanagra (475/450 v. Chr.). Aus dem D.-Theater in Athen stammte der bärtige D. im langen Gewand, der sog. Sardanapal (Athen, NM, 360–330 v. Chr.; ungesicherte Zuschreibungen an → Kephisodotos d. Ä. und → Praxiteles). Bärtig auch die vor allem im 6.–5. Jh. v. Chr. verbreiteten Säulenmasken, durch die D. in kult. Feiern »erscheint« (Marmormaske aus Ikaria, Athen, NM, 2. H. des 6. Jh. v. Chr.). Seit dem 5. Jh. v. Chr.: D. als jugendlicher Gott, bartlos, athletisch (im Parthenon-Ostfries, 442–438 v. Chr.; vgl. gelagerte Figur D im Ostgiebel des Parthenon, 438–432 v. Chr.).

Attribute des D. sind Efeukranz, Weinranken, Thyrsosstab, Kantharos, Nebris und Pantherfell; oft erscheint D. in Begleitung wilder Tiere; zu seinem Gefolge gehören Mänaden, Satyrn und Silene. Wie wenige andere Götter wird D. als Kind gezeigt: Statuengruppe mit Hermes (Praxiteles, Olympia, um 330 v. Chr.) und mit Silen (München, GL; Paris, LV, röm. Kopien nach frühhell. Orig.).

Zahlreiche röm. Darstellungen des D./Bacchus finden sich in der Wandmalerei (D. und Ariadne: Villa dei Misteri, Pompeji, um 60 v. Chr.), aber auch auf Mosaiken: Trunkener D. auf Satyr gestützt (D.-Mosaik in Köln, um 225 n. Chr.), Aussendung des Ikarios (Nea Paphos/Zypern, Ende 3. Jh. n. Chr.), Triumph des D. (Sousse/Tunesien, aus Hadrumentum, Anfang 3. Jh. n. Chr.; Tunis, Bardo-Mus., aus Acholla, Anfang 2. Jh. n. Chr.). Häufig sind auch Darstellungen in der Reliefkunst: Stuckrelief aus der Villa Farnesina (Rom, MN, um 20 v. Chr.), Stuckrelief am Pankratier-Grabmal (Rom, 165/170 n. Chr.) und insbes. die Sarkophage des 2.–3. Jh. n. Chr. Statuarische Überlieferungen sind u. a. der D./Bacchus als Jäger in hochgegürtetem Chiton und Stiefeln, mit Thyrsos und Panther (Kopenhagen, NCG, 2. Jh. n. Chr.), der brz. D. aus dem Tiber (Rom, TM, Anf. 1. Jh. n. Chr.). In der Bildtradition des Apollon Lykeios mit über dem Kopf angewinkeltem Arm der sog. Bacchus von Versailles, mit Nebris (ehem. Paris, LV, hadrianisch) und D./Bacchus in der Villa Albani in Rom, mit tiefem Hüftmantel (hadrianisch).

F. BERTI (Hrsg.), D. Mito e Mistero. Kongreß Commacchio 1989, 1991 • S. BOUCHER, LIMC 4.1, s. v. D./Bacchus, 908–923 (mit ält. Lit.) • T. H. CARPENTER, Dionysian Imagery in Archaic Greek Art, 1986 • F. FRONTISI-DUCROUX, Le dieu-masque, 1991 • C. GASPARRI u. a., LIMC 3.1, s. v. D., 414–540 (mit ält. Lit.) • Ders., LIMC 3.1, s. v. D./Bacchus, 540–566 (mit ält. Lit.) • F. W. HAMDORF, D.-Bacchus. Kult und Wandlungen des Weingottes, 1986 • C. ISLER-KERÉNYI, D. und Solon, in: AK 36, 1993, 3–10 • E. POCHMARSKI, D.-Rundplastik der Klassik, 1974 • S. F. SCHRÖDER, Röm. Bacchusbilder in der Tradition des Apollon Lykeios, 1989 • D. WILLERS, Typus und Motiv. Aus der hell. Entwicklungsgesch. einer Zweifigurengruppe, in: AK 29, 1986, 137–150. A. L.

Diopeithes (Διοπείθης).

[1] Dichter der Alten Komödie, nur inschr. bekannt; hat wahrscheinlich 451 v. Chr. zum ersten Mal an den Dionysien gesiegt [1. test.].

1 PCG V, 1986, 43. B. BÄ.

[2] Athenischer Orakelausleger und fanatischer Gegner der von → Perikles geförderten Aufklärung. Auf seinen Antrag hin wurde 437/6 v. Chr. beschlossen, diejenigen, die nicht an die Götter glaubten oder aber Lehren von überirdischen Dingen verbreiteten, gerichtlich zu verfolgen (→ eisangelía). Der Antrag führte mit zum Asebieprozeß gegen → Anaxagoras [2], richtete sich aber letztlich gegen Perikles (Plut. Pericles 32; Diod. 12,39,2). Vielleicht ist er mit jenem D. identisch, der in Sparta Orakel gegen die Thronfolge des → Agesilaos [2] verbreitete (Xen. hell. 3,3,3; Plut. Agesilaus 3; Lysander 22).

M. OSTWALD, From Popular Sovereignty to the Sovereignty of Law, 1986, 196–198 und 525–536 • PH. A. STADTER, Plutarch's Pericles (Komm.), 1989, 298–300. R. B.

[3] D., Sohn des Diphilos aus dem Demos Sunion; Anhänger des → Demosthenes und athenischer Stratege, der von 343/2 bis 341/40 v. Chr. im Nordägäisraum operierte. Mit dem offiziellen Auftrag, athenische Kleruchen zur thrakischen Chersonnes zu geleiten, griff D. eigenmächtig – mit stillschweigender Rückendeckung Athens – in den Streit zwischen → Philipp II. und Kardia ein, stellte eine Söldnertruppe auf, mit der er ebenfalls ohne offiziellen athenischen Auftrag in Thrakien Krieg führte, und provozierte dadurch Philipp II. Demosthenes billigte dieses Vorgehen ausdrücklich und bewirkte, daß in Athen D. sein eigenmächtiges Vorgehen nicht nur nachgesehen wurde, sondern er im März 341 sogar noch Verstärkungen erhalten sollte. Die Aktivitäten D.' trugen wesentlich zur Eskalation der Spannungen zwischen Athen und Philipp bei. Vermutlich ist D. identisch mit dem prominenten Athener, den im Zusammenhang mit der Gesandtschaft des Ephialtes ein Geldgeschenk des Perserkönigs erst nach seinem Tode erreichte. Dann wäre D. 340/39 gestorben (vgl. Aristot. rhet. 2,8,11 1386a14; Demosth. or. 8 passim mit Lib. Hypothesis;

Demosth. or. 9,15; 73; Ps.-Demosth. or. 12,3f.; 16; Schol. Aischin. Ctes. 83; Dion. Hal. ad Amm. 10; Dion. Hal. De Deinarcho 13; Philochoros FGrH 328 F 158; Lukian. Enc. Dem. 35; 37).

→ Athenai; Strategen

DAVIES 168 • DEVELIN Nr. 910 • PA 4327 • SCHAEFER 2², 451–480.   J.E.

Diophanes (Διοφάνης).

[1] Stratege der Arsinoitis 224–18 v.Chr.; die meisten der P. Enteuxeis gesammelten Texte stammen aus seiner Amtszeit. PP 1,247.

N. LEWIS, Greeks in Ptolemaic Egypt, 1986, 56ff.   W.A.

[2] Griech. Rhetor des 2. Jh. v. Chr. aus Mytilene; aus polit. Gründen aus seiner Heimat verbannt, ging er nach Rom und wurde zum Lehrer und Freund des Tib. → Gracchus. Zusammen mit C. → Blossius [2] aus Cumae soll er dessen Politik stark beeinflußt haben. 132 wurde er kurz nach Tib. Gracchus getötet (Cic. Brut. 104; Strab. 13,2,3; Plut. Tib. Gracchus 8,5).

M. GELZER, KS 2, 1963, 77f.   M.W.

[3] Epigrammdichter aus Myrina, Verf. eines geistreichen Distichons unbekannter Herkunft (aus dem »Kranz« des Philippos?) über Eros (Anth. Pal. 5,309).

E.D./Ü: T.H.

Diophantos (Διοφαντός).

[1] Komödiendichter unbekannter Zeit; ein Fragment und ein Stücktitel (Μετοικιζόμενος) sind erhalten.

1 PCG V, 42.   H.-G. NE.

[2] aus Sinope, Sohn des Asklepiodotos, Feldherr Mithridates VI. Eupator. 110 v.Chr. unterstützte er die Bewohner der Stadt Chersonesos mit mil. und diplomatischem Geschick erfolgreich gegen die Skythen (Strab. 7,3,17). Dafür erhielt er eine Ehreninschr. (SIG³ 709; SEG 30, 963, dazu [1]). Er eroberte Theodosia und Pantikapaion und gründete Eupatoria im Westen der Krim.

1 Z.W. RUBINSTEIN, Saumaktos: Ancient History, Modern Politics, in: Historia 29, 1980, 50–70.

CAH 9, ²1994, 139 • A. MEHDI BADI[c], D'Alexandre à Mithridate, Bd. 5, 1991, 69–71, 78–83, 89.

[3] Sohn des Mithares, Feldherr Mithridates VI., der ihn 73 v.Chr. nach Kappadokien schickte (Memnon c. 37, FHG 545). Im J. 71 wurde er mit seinen Truppen dort völlig besiegt (Memnon c. 43, FHG 549).   ME.STR.

[4] Griech. Mathematiker A. LEBEN B. WERKE C. WIRKUNGSGESCHICHTE

A. LEBEN

D. wirkte in Alexandreia. Er muß nach → Hypsikles und vor → Theon von Alexandreia gelebt haben; im

allg. wird angenommen, daß seine *akmḗ* um 250 n.Chr. war. Wenn die Daten in einem Epigramm der Anthologia Graeca [1. Bd. 2, 60f.] stimmen, wurde D. 84J. alt.

B. WERKE

D.' Hauptwerk sind die Ἀριθμητικά (*Arithmētiká*) in 13 Büchern, von denen sechs Bücher griech. (Ed. in [1]) und vier Bücher (vermutlich die urspr. B. 4–7) nur in arab. Übers. (Ed. in [2] und [3]) erh. sind. Das für die griech. Mathematik ungewöhnliche Werk steht in der babylon. algebraischen Tradition. D. behandelt in einer durch Symbole stark abgekürzten algebraischen Form bestimmte und v.a. unbestimmte Gleichungen (d.h. Aufgaben, bei denen es mehr Unbekannte als Gleichungen gibt) des ersten und höherer Grade. Die Probleme werden ohne Einkleidung rein arithmetisch formuliert. Die Anordnung ist nur teilweise systematisch; die Methoden variieren stark, sie werden der jeweiligen Aufgabe angepaßt, und oft werden überraschende Kunstgriffe benutzt. – Die Probleme, die in den griech. und arab. erh. Büchern behandelt werden, sind in moderner Formelsprache aufgelistet in [2. 461–483].

In der Einleitung erklärt D., wie man Potenzen der Unbekannten multipliziert und dividiert, wie man Polynome multipliziert und wie man Glieder mit derselben Potenz zusammenfaßt. Durch Hinüberschaffen gleichartiger Glieder soll möglichst eine Gleichung übrig bleiben, bei der auf jeder Seite nur ein Glied steht.

B. 1 beschäftigt sich mit linearen und quadratischen Gleichungen, die nur eine positive Lösung haben. Diese Aufgaben ähneln eingekleideten algebraischen Aufgaben, die seit der Zeit des → Archimedes sehr beliebt waren; sie bieten inhaltlich nichts Neues.

Interessanter sind die restlichen Bücher. Dort werden unbestimmte Gleichungen des zweiten und höherer Grade virtuos behandelt. D. läßt ausschließlich positive rationale Zahlen als Lösungen zu und begnügt sich im allg. mit einer Lösung aus der meist unendlichen Lösungsmenge. Gleichungssysteme werden auf Gleichungen mit nur einer Unbekannten reduziert. D. kannte die allg. Lösung der Gleichung $x^2 + y^2 = z^2$ (die schon die Babylonier und die Pythagoreer lösen konnten), spezielle Lösungsmethoden für unbestimmte Gleichungen der Form $Ax^2 + Bx + C = y^2$, wenn A oder C Quadratzahlen sind, und eine Lösungsmethode des Gleichungssystems $ax^2 + bx + c = y^2$, $dx^2 + ex + f = z^2$. D. wußte auch, daß gewisse Zahlen nicht als Summe von drei Quadraten geschrieben werden können.

D. benutzte bereits Symbole für die Unbekannte, deren Potenzen, die reziproken Potenzen und das absolute Glied; sie sind meistens die Anfangsbuchstaben der entsprechenden Worte: M^o = μονάς = Einheit; ς = ἀριθμός = Unbekannte x; Δ^Y = δύναμις = x^2; K^Y = κύβος = x^3; $\Delta^Y\Delta$ = δυναμοδύναμις = x^4; ΔK^Y = δυναμόκυβος = x^5; $K^Y K$ = κυβόκυβος = x^6. Bei den Rechenoperationen kannte er nur ein Zeichen für die Subtraktion (⋏), das entweder ein umgekehrtes Ψ ist oder eine Kombination der Anfangsbuchstaben Λ und I des Stamms von λείπειν. Zu addierende Glieder werden einfach nebeneinander geschrieben. Alles andere (z. B. Multiplikation, Gleich-heit) wird in Worten ausgedrückt.

Fragmentarisch erh. ist eine (nicht sehr bed.) Ab-handlung über die Polygonalzahlen (Περὶ πολυγώνων ἀριθμῶν, *Perí polygónōn arithmón* [1. Bd. 1, 450–481]). Verloren sind *Porísmata*, auf die D. in den *Arithmētiká* verweist, und *Moriastiká* (Rechnung mit Brüchen). Die vermutlich unechten Schriften sind ediert in [1. Bd. 2, 3–31].

C. WIRKUNGSGESCHICHTE

Die griech. Hss. der *Arithmētiká* (hierzu [8]) gehen auf einen (h. verlorenen) Archetypus aus dem 8. oder 9. Jh. zurück. Den arab. Mathematikern war das Werk be-kannt; es gab Komm., und im 9. Jh. übersetzte Quṣṭā ibn Lūqā (mindestens) vier B. ins Arabische. In Byzanz ver-faßte Maximos → Planudes einen Komm. zu B. 1 und 2. Im J. 1463 entdeckte Regiomontanus eine griech. D.-Handschrift. BOMBELLI behandelte Teile aus D. in seiner ›Algebra‹ (1572). Im Frühbarock entwickelte v. a. P. DE FERMAT durch Weiterbildung der Gedankengänge des D. die moderne Zahlentheorie. Die griech. Erstausgabe stammt von BACHET DE MÉZIRIAC (1621); die 2. Aufl. (1670) enthält Anmerkungen FERMATS.
→ Mathematik

ED. UND ÜBERS.: **1** P. TANNERY (ed.), Diophanti Alexandrini opera omnia cum Graecis commentariis, 2 Bde., 1893–1895 **2** J. SESIANO, Books IV to VII of Diophantus' *Arithmetica* in the Arabic Translation Attributed to Quṣṭā ibn Lūqā, 1982 **3** R. RASHED (ed.), Diophante. Les arithmétiques. Tome III, livre IV. Tome IV, livres V, VI, VII. Texte établi et traduit, 2 Bde., 1984 **4** P. VER EECKE (ed.), Diophante d'Alexandrie. Les six livres arithmétiques et le livre des nombres polygones. Oeuvres traduites pour la première fois du grec en français. Avec une introduction et notes, 1926 (Ndr. 1959) **5** G. WERTHEIM, Die Arithmetik und die Schrift über Polygonalzahlen des Diophantos von Alexandria, 1890 **6** A. CZWALINA, Arithmetik des D. aus Alexandria, 1952 **7** TH.L. HEATH, Diophantus of Alexandria. A Study in the History of Greek Algebra, ²1910. LIT.: **8** A. ALLARD, La tradition du texte grec des *Arithmétiques* de Diophante d'Alexandrie, Rev. Hist. Textes 12/3, 1982/3, 57–137 **9** I. G. BAŠMAKOVA, Diophant und diophantische Gleichungen, 1974 **10** J. CHRISTIANIDIS, *Arithmetike stoicheiosis*: Un traité perdu de Diophante d'Alexandrie?, in: Hist. Math. 18, 1991, 239–246 **11** TH. L. HEATH, A History of Greek Mathematics, II, 1921, 448–517 **12** E. LUCAS, Recherches sur l'analyse indéterminée et l'arithmétique de Diophante, 1961 **13** J.S. MORSE, The reception of Diophantus' *Arithmetic* in the Renaissance, 1981 (Diss. Princeton Univ.) **14** K. VOGEL, s. v. Diophantus of Alexandria, Dictionary of Scientific Biography 4, 1971, 110–119 **15** J. SESIANO, s. v. Diophantus of Alexandria, Ebd., 15, 1978, 118–122 (Ergänzung zu K. VOGEL) **16** B.L. VAN DER WAERDEN, Erwachende Wiss., ²1966, 457–470.
M. F.

Diophilos, Diophila. Auf dem POxy. 20, 2258C fr. 1 sind neben den Fragmenten der *Plokamós Bereníkēs* des Kallimachos neun Hexameter eines astrologischen Ge-dichtes erh., die sich thematisch und sprachlich an Ara-tos und Kallimachos anlehnen. Der Name des Verf. (Diophilos/Diophila) ist nicht eindeutig zu identifizie-ren. Die Verse wurden auf dem Pap. zitiert, da sie gleichfalls die »Locke der Berenike« behandeln.

R. PFEIFFER, Callimachus 1, 1949, 118–120 • SH 179–181
C.S.

Dioptra (ἡ διόπτρα). Visiergerät der Feldmesser zur Bestimmung von Winkeln und Entfernungen oder la-teralen Breiten ferner Objekte (z. B. der scheinbaren Entfernung von Sternen voneinander, der Höhe von Mauern und Bergen). Anwendungsbereiche waren u. a. die Anlage von Wasserleitungen, der Hausbau oder die Feuer-Telegraphie (vgl. Pol. 8,37,2; 9,19,8 f.). Am Anf. seines D. betitelten Werks über Theorie und Praxis des Vermessungswesens (πραγματεία διοπτρική) hat Heron von Alexandreia (1. Jh. n. Chr.?) Konstruktion und Funktionsweise dieses Meßinstruments eingehend ge-schildert. Danach kann man sich die d. in einfachster Gestaltung als ein 1,85 m langes, 7,7 cm breites, mit Wasserwaage versehenes Lineal (ὁ πλάγιος κανών) mit einem an einen Ende fest montierten, mit Sehloch (»Okular«) versehenen Metallplättchen vorstellen. Ein weiteres Metallplättchen läßt sich auf dem Lineal in ei-ner Rinne vom Betrachter weg oder zu ihm hin schie-ben. Durch das Okular wird das jeweilige Objekt an-visiert und das bewegliche Metallplättchen so weit ver-schoben, bis es dem Betrachter das Objekt verdeckt. Nach Ablesen des Lineals und mit Kenntnis der Maße des verschiebbaren Plättchens konnte man mit Hilfe der Sehnentafeln des Hipparchos den Winkel bzw. die scheinbare Entfernung bestimmen (vgl. auch Vitr. 8,5,1; Suda s. v. D.; dazu die Skizze bei [1]).

Quellenbelege zur D.: Eukl. phaen. 1; Pappos, in alm. Ptolem. p. 87–108 ROME; Geminos, introductio in astron. 1,4–6 (astronomische Zwecke); Pol. 8,37,2; 9,19 (mil. Zwecke); 10,45,6 ff. (Erfindung einer Doppelröh-re durch Kleoxenos und Demokleitos zur Beobachtung von Leuchtsignalen); Theon von Smyrna, p. 124 f. HIL-LER (Bestimmung von Berghöhen durch Dikaiarchos und Eratosthenes)
→ Feldmesser

1 S. SAMBURSKY, s. v. D., LAW, 1965, 758.

A. G. DRACHMANN, D., in C. SINGER (Hrsg.), A History of Technology 3, 1957, 609 ff. • Ders., s. v. D., RE Suppl. 6, 1287–1290 (mit Fig. 1–3) • P. DELSEDIME, Uno strumento astronomico descritto nel corpus Archimedo: La d. di Archimede, in: Physis 12, 1970, 173–196 • F. HULTSCH, s. v. D., RE 5, 1073–1079 • Ders., Winkelmessung durch die Hipparchische D. (Abh. zur Gesch. der Mathematik 9), 1899, 191–209 • A. LEJEUNE, La dioptre d'Archimède, in: Annales de la société scientifique de Bruxelles (1)61, 1947, 27–47 • O. NEUGEBAUER, A History of Ancient Mathematical Astronomy 2, 1975, 845–848.   E.O. u. V.S.

Diores (Διώρης).
[1] Sohn des → Amarynkeus [1]. Einer der vier Anfüh-rer der Epeier aus Elis, die nach Troia ziehen. Er wird vom Thraker Peiroos getötet (Hom. Il. 2,622; 4,517; Paus. 5,3,4).

W. KULLMANN, Die Quellen der Ilias, Hermes ES 14, 1960, 98 und 162 · E. VISSER, Homers Katalog der Schiffe, 1997, 569–573.

[2] Vater des → Automedon, des Wagenlenkers von Achill und Patroklos (Hom. Il. 17,429).

[3] Sohn des Priamos, Gefährte des → Aeneias. Bei den Leichenspielen für Anchises beteiligt er sich am Wettlauf (Verg. Aen. 5,297; Hyg. fab. 273,16). Später wird er von → Turnus erschlagen (Verg. Aen. 12,509).

L. POLVERINI, s. v. D., EV 2,87 f.   R. B.

Diorthotes s. Abschrift

Dioskorides s. Dioskurides

Dioskoros (Διόσκορος).

[1] Patriarch von Alexandreia (444–451). Kirchenpolit. verfolgte er das Ziel, seinem Patriarchat den ersten Rang zu verschaffen, theologisch war er Vertreter der Lehre vom Vorrang der göttl. Natur Christi (gemäßigter → Monophysitismus). Als in J. 448 der radikale Monophysit → Eutyches verurteilt wurde, ergriff D. Partei für ihn, setzte sich mit Hilfe Kaiser Theodosios' II. auf der sog. »Räubersynode« von Ephesos (451) durch und stürzte den Patriarchen Flavianus von Konstantinopel. Bald wurde er jedoch selbst auf dem von Kaiser Marcianus nach Chalkedon einberufenen Konzil (451) abgesetzt, wenn auch nur wegen Amtsmißbrauchs. Er starb am 4. Sept. 454 in der Verbannung. Monophysitische Kreise verehrten ihn als Heiligen, wie seine syr. Vita bezeugt [1].

> 1 F. NAU (ed.), Histoire de Dioscore, patriarche d'Alexandrie, écrite par son disciple Théopiste, in: Journal Asiatique 1, 1903, 5–108, 241–310 (syr. mit frz. Übers.).

W. H. C. FREND, The Rise of the Monophysite Movement, 1972, 25–48 · A. GRILLMEIER, H. BACHT, Das Konzil von Chalkedon, I–III, ^{5}1979 · F. HAASE, Patriarch Dioskur I. von Alexandrien nach monophysitischen Quellen, Kirchengesch. Abhandlungen 6, 1908, 141–236.   G. MA.

[2] Koptischer Anwalt und Dichter aus Aphrodito in Oberägypten (etwa 520 – 585 n. Chr.). Er besuchte Konstantinopel um 550 n. Chr. Die erh. Papyrusfragmente umfassen Petitionen, Verträge und einen Aufsatz über Gewichte und Maße. D. kompilierte ein griech.-kopt. Glossarium. Daneben sind griech. Gelegenheitsgedichte erh.: Enkomien in Hexametern und Iamben, Epithalamien, panegyrische Gedichte und solche verschiedenen myth. Inhaltes. D. besitzt kein Gefühl mehr für die Quantitäten im Vers; Einflüsse koptischer Phonologie und Syntax auf seine Sprache sind nicht auszuschließen.

E. HEITSCH (Hrsg.), Die griech. Dichterfragmente der röm. Kaiserzeit 1, 1961, 127–152 · A. H. M. JONES, The Later Roman Empire 1, 1964, 407–408 · L. S. B. MAC COULL (Hrsg.), Dioscorus of Aphrodito, 1988.   C. S.

Dioskurias (Διοσκουρίας). Griech. *pólis* mit Hafenanlage (Ps.-Skyl. 81) an der Ostküste des Schwarzen Meeres, h. Suḫumi/Abchasien, nach Eratosthenes (Strab. 1,3,2; 2,5,25) der östlichste Küstenort des Pontos Euxeinos. Keine genauen Gründungsdaten; nach Keramikfunden im 6. Jh. v. Chr. von Milesiern gegr. (Arr. per. p. E. 10,4; Anon. per. p. E. 7B). Bed. Ort für den Handel mit den Kaukasus-Völkern. Hier kamen 70 Stämme zum Handel (Holz, Honig, Flachs, Wachs, Pech, Salz) zusammen (Strab. 11,2,16; 5,6). Nach seiner Niederlage im Kampf gegen Pompeius 66 v. Chr. zog sich Mithradates VI. nach D. zurück (App. Mithr. 101). Danach muß die Stadt verfallen und überflutet worden sein. Unter Augustus wurde in der Nähe Sebastopolis gegr. Autonome Mz. stammen nur aus der Zeit Mithradates' VI. Es gibt kaum arch. Spuren, da D. z. T. unter Wasser, z. T. unter der h. Stadt Suḫumi liegt.

V. A. KUFTIN, Materialy k arheologii Kolhidy, 1, 1949 · N. EHRHARDT, Milet und seine Kolonien, 1983, 84 f. (mit Lit.).   I. v. B.

Dioskurides (Διοσκουρίδης).

[1] Sohn von Polemaios, Neffe von → Antigonos [1] Monophthalmos. Als Flottenkommandeur 314–13 v. Chr. erzielte er einige Erfolge. Sein weiteres Schicksal ist unbekannt.

R. A. BILLOWS, Antigonus the One-Eyed, 1990, 381 f.   E. B.

[2] Polyhistor des 4. und 3. Jh. v. Chr., Schüler des Isokrates (Athen. 1,18,11 A). Von seinen Werken kennen wir folgende Titel (vgl. FGrH 3 B 594): 1. *Apomnēmoneúmata* (›Denkwürdigkeiten‹), eine Schrift unbekannten Inhalts, die dem Hegesandros (um 150 v. Chr.) bekannt war; 2. *Lakṓnōn politeía* (›Der Staat der Spartaner‹; Plut. Lyc. 11,9); 3. *Nómima* (›Sitten‹); 4. *Perí tōn hērṓōn kat' Hómēron biou* (›Heldenviten nach Homer‹). Die Zuweisung im einzelnen bleibt unsicher, auch weil eine oder mehrere der Schriften von dem inschr. erwähnten (Inscr. Cret. Knossos 12, p. 66 GUARDUCCI = Syll.^{3} 721) D. aus Tarsos, einem Grammatiker um 100 n. Chr., verfaßt sein könnten.

E. SCHWARTZ, s. v. D. (7), RE 5, 1125–29.   M. W.

[3] Epigrammdichter des »Kranzes« des Meleager (vgl. Anth. Pal. 4,1,24, wo die Schreibung Διοσκουρ- dem verbreiteteren Διοσκορ- vorgezogen wird) aus einem nicht näher bezeichneten Nikopolis (nach dem Lemma von 7,178). Er lebte jedoch in der 2. Hälfte des 3. Jh. v. Chr., wie es der Epitaphios auf den Komiker Machon (7,708, vgl. Athen. 6,241 f.) nahelegt, in Ägypten, vor allem in Alexandria (vgl. Anth. Pal. 11,363 sowie 6,290; 7,76; 7,166; 9,568). Von ihm haben wir 40 zum größten Teil sepulkrale und erotische Epigramme (denen vielleicht 9,734 hinzuzufügen ist): Von den Grabepigrammen sind bes. jene auf Dichter der Vergangenheit aufschlußreich (Sappho, Anakreon sowie Thespis, Aischylos, Sophokles, Sositheos) – sie lassen ein starkes

Interesse an der Gesch. lit. Formen erkennen (vgl. bes. 7,37; 410f.); die erotischen Epigramme verraten hier und da zwar eine Abhängigkeit von Kallimachos und vor allem von Asklepiades [1], zeichnen sich aber durch einen ebenso lebendigen wie vorurteilslosen Realismus aus. Bes. auffällig ist eine gewisse Vorliebe für exotische Riten und Bräuche (vgl. 6,220 über den Kult der Kybele; 5,53 auf Adonis; 7,162 über pers. Glaubensvorstellungen) und für antiquarische Fragen (vgl. 9,340 über die Erfindung des *aulós*) – in diesem Sinne sind auch die Versuche zu verstehen, die übel beleumundete Philainis (7,450) und die unglücklichen Töchter des Lykambes (7,351) gegen Archilochos zu »rehabilitieren«. Wie bei anderen zeitgenössischen Epigrammdichtern (Damagetos, Alkaios von Messene usw.) ist schließlich der Lobpreis spartanischer Ideale charakteristisch (7,229; 430; 434). Von den späteren Epigrammdichtern wird D. schon seit Antipatros von Sidon an öfters nachgeahmt. Die Gleichsetzung mit dem Epiker D., auf den in schol. Apoll. Rhod. 1,740 hingewiesen wird, scheint nicht unmöglich (vgl. Anth. Pal. 11,195).

GA I,1, 81–94; 2, 235–270. E.D./Ü:T.H.

[4] Dichter der Neuen Komödie, nur inschr. bekannt; siegte im 3. Jh. v. Chr. an den Lenäen [1. test.].

1 PCG V, 1986, 43. · B. BÄ.

[5] Wegen seiner Gesichtswarzen Phakas genannt, lebte in Alexandreia als herophileischer Arzt und einflußreicher Berater des Ptolemaios Auletes sowie des Ptolemaios XIII. In dessen Auftrag unternahm er im Jahre 48 v. Chr. eine Botschaftsreise zu Achillas, auf der er getötet oder zumindest ernsthaft verletzt wurde (Caes. civ. 3,109). Er schrieb 24 B. medizinischen Inhalts, die ›alle hochberühmt waren‹ (Suda s. v. D.), sowie eine Streitschrift über hippokratische Lexikographie in sieben B. (Erotianos [1] 91), aus der auch Galen 19,105 und Paulos von Aigina (CMG 9,1,345) im Zusammenhang mit Schwellungen und deren Behandlung zitieren. Möglicherweise handelt es sich um denselben D., der neben Poseidonios über eine Beulenpest in Libyen berichtete (Oreib., CMG 9,1,345), doch ist diese Identifizierung nicht gesichert.
→ Medizin

1 E. NACHMANSON, Erotianos, 1918. V. N./Ü:L.v.R.–B.

[6] Höfling Ptolemaios' XII. und dessen Gesandter in Rom; ging 48 v. Chr. mit Serapion als Gesandter Ptolemaios' XIII. (d. h. Caesars) zu → Achillas, wo er oder sein Mitgesandter erschlagen wurde. Falls D. überlebte, war er vielleicht mit dem Arzt D. [5] Phakas identisch. (PP 6,14601; 16594). W. A.

[7] Mosaizist aus Samos; signierte mit ΔΙΟΣΚΟΥΡΙΔΗΣ ΣΑΜΙΟΣ ΕΠΟΙΗΣΕ zwei *emblemata* (→ Mosaik) aus der sog. »Villa des Cicero« bei Pompeji (Neapel, NM) mit Szenen der Neuen Komödie, wohl Kopien nach Vorbildern des 3. Jh. v. Chr. Der Schriftcharakter der Signaturen weist ins 1. Jh. v. Chr.

R. BIANCHI BANDINELLI, EAA 3, 132 f., s. v. D. (Abb., Lit.). C. HÖ.

[8] Berühmtester Steinschneider augusteischer Zeit, wohl aus Aigeai (Kilikien), wie die Signatur seines Sohnes → Eutyches besagt [2. 541 ff.]. D. war *praepositus* (»Vorsteher«) der kaiserlichen Werkstatt in Rom, wo außer seinen Söhnen Eutyches, → Herophilos und → Hyllos auch die Schüler Agathopus, Saturnius und Epitynchanos arbeiteten [1. 317 f.]. Um 28–17 v. Chr. soll er nach Plin. nat. 37,8 und Suet. Aug. 50 das (verlorene) Siegel mit dem Portrait des → Augustus geschnitten haben [1. 315 f.[54], 317[62]; 2. 542 f.]. Sieben von ihm signierte Intaglii zeigen, daß das Œuvre vorrangig aus Portraits und Wiedergaben myth. Szenen sowie Statuen bestand: Büste der → Io (Karneol, Florenz, AM), Büste des → Demosthenes (Amethyst, Privatslg.), Palladionraub (Karneol, Slg. Devonshire), → Bellerophon zähmt → Pegasos (Karneol-Frg., Boston, MFA), → Hermes mit Widderkopf (Karneol, London, BM), → Hermes frontal (Karneol, Cambridge, FM) – wohl nach dem Typus des »Phokion« im Vatikan –, ähnlich auch der stehende → Achilleus (Karneol, Neapel, NM) [1. 317[63–69] Taf. 91,5–9, Taf. 92,1.2]. Der Sardonyx mit → Herakles und → Kerberos (Berlin, SM) belegt zudem, daß er als Meister des Tiefschnitts ebenso die Technik des Kameo-Schneidens beherrschte [1. 316[61] Taf. 91,4; 2. 542 f. Abb. 1, 2]. Eine Reihe von unsignierten Arbeiten werden ihm und seiner Werkstatt dem Stil nach zugeschrieben, u. a. die »Gemma Augustea« und der »Große Kameo von Frankreich« [1. 318 f.[82]] sowie der »Trunkene Bacchus« Winckelmanns [1. 338[253 ff.]; 2. 543 Abb. 3]. Häufig findet sich auf Gemmen auch die gefälschte Signatur des D. [3. 400 f. Abb. 50]. Zahlreiche Nachahmungen belegen die Ausstrahlung seiner Werke [1. 338 f.[258 f.]].
→ Gemmen- und Kameenschneider; Steinschneidekunst

1 ZAZOFF, AG 2 E. ZWIERLEIN-DIEHL, Griech. Gemmenschneider und augusteische Glyptik, in: AA 1990, 539–557 3 Dies., Antikisierende Gemmen des 16.–18. Jh., in: Pact. Revue du Groupe européen d'études pour les techniques physiques, chimiques et mathématiques appliquées à l'archéologie 23, 1989, 373–403 4 U. PANNUTI, Cataloghi dei Musei e gallerie d'Italia. Mus. Arch. Naz. di Napoli. La collezione glittica II, 1994, 216 f. Nr. 183.

T. GESZTELYI, Die Probleme der Meister, der Werkstatt und der Koine in der Steinschneidekunst, in: Der Stilbegriff in den Altertumswiss. Kongr. Rostock 1993, 19–21. S. MI.

[9] D. der Jüngere, genannt ὁ νεώτερος oder ὁ γλωττογράφος. Grammatiker im frühen 2. Jh. n. Chr. Seine Hippokratesausgabe stand wie die seines Zeitgenossen und Verwandten Artemidoros in hohem Ansehen und diente Galen neben anderen Ausgaben als Grundlage für dessen Kommentare zu hippokratischen Werken. D. wandte höchst wissenschaftliche Methoden an (Gal. CMG V,10,2,2,66; 319) und behielt bei aller Bereitschaft, die hippokratischen Texte zu emendieren, zahlreiche ältere und schwierigere Lesarten bei. Er verwendete die für alexandrinische Editoren lit. Texte typischen interpungierenden und diakritischen Zeichen, korrigierte nötigenfalls und strich Absätze, die er nicht für authentisch hielt (CMG V,10,2,2,415; V,9,1,58). Seine Bemerkungen zur Authentizität einzelner Teile von *De natura hominis*, *De morbis* und *Epidemiae VI* dürften in eine einführende Hypothesis oder eine Kurzbiographie des Hippokrates eingeflossen sein. D. stellte ein mehrere B. umfassendes Glossar hippokratischer Begriffe zusammen (Gal. 19,63,68), in dem er aus Platzgründen drei Viertel des Wortbestandes auslassen mußte, auch wenn er behauptete, jedes einzelne Wort aus der hippokratischen Schriftensammlung zu erklären. Dennoch beschwerte sich Galen, D. habe viele Lemmata aufgenommen, die keiner Erklärung bedürften bzw. unmittelbar verständlich seien. Auch wenn sein Glossar nicht Teil seiner Hippokrates-Ausgabe war, stand es doch in enger Verbindung zu dem von D. gewählten Text und verriet seine exzellente Kenntnis des hippokratischen Corpus sowie Vertrautheit mit etym. Fragen. Galen zog D.' Ausgabe wie die von Artemidoros immer wieder zu Rate. Seine Lesartenpräferenzen sind z. T. in der ma. Handschriftenüberlieferung hippokratischer Texte erhalten.

→ Medizin; Philologie

J. ILBERG, Die Hippokratesausgaben des Artemidoros Kapiton und D., in: RhM 45, 1890, 111–137 · D. MANETTI, A. ROSELLI, Galeno commentatore di Ippocrate, in: ANRW II 37.2, 1617–1633 · W. D. SMITH, The Hippocratic Tradition, 1979, 235–240 · M. WELLMANN, s. v. D. (11), RE 5, 1130–1131.

V. N./Ü: L. v. R. – B.

[10] Pedanius D. s. Pedanius

Dioskuroi (Διόσκουροι, Διοσκόρω).

I. RELIGION   II. IKONOGRAPHIE

I. RELIGION

Göttliche Zwillinge, die als Zeussöhne galten; sie erscheinen mehrfach in der griech. Mythologie. Die größte Bed. besaßen (neben den thebanischen D. → Amphion und → Zethos) die spartanischen D., deren älteste Bezeichnung wohl *Tindarídai* lautete. In Attika wurden sie häufig als Ἄνακτες (*Ánaktes*: »Herren«) angerufen. Ihre Individualnamen Kastor (Κάστωρ) und Polydeukes (Πολυδεύκης) wie ihre Gestalten überhaupt sind vermutlich idg. Ursprungs und werden in der Forsch. gern mit den idg. Zwillingsreitern »*Aśvin*« verbunden. In Rom hießen sie Castores.

Während die D. in den homerischen Großepen Söhne des Spartanerkönigs → Tyndareos sind (Hom. Od. 11,298 ff.), galt den Kypriern der Rossebändiger Kastor als sterblich, seine Geschwister, der Faustkämpfer Polydeukes und → Helena hingegen waren unsterbliche Kinder von Zeus und → Leda (Kyprien fr. 8 PEG I; Apollod. 3,126; Hyg. fab. 77).

Die Ausbreitung des D.-Kults über Lakonien hinaus hatte wohl die Betonung göttl. Abkunft für beide zur Folge (Hom. h. Diosk. 17,2; 33,1; Pind. P. 11,62). Ihre Gegner waren mehrfach andere Heroenpaare: Sie verteidigten ihre Schwester Helena gegen die Hippokoontiden und holten sie auch aus Attika zurück, wohin sie von → Theseus und Peirithoos verschleppt worden war. Attika, nach einigen Athen selbst, wurde verwüstet (Alkm. fr. 21 PMGF; Hellanikos FGrH 4 F 168). Die Festung Aphidna, in der Helena versteckt war, fiel durch den Verrat des Akademos bzw. des Dekeleos, dessen Stadt ihre histor. Freundschaft mit Sparta von dieser Tat herleitete (Hdt. 9,73; Plut. Thes. 32 p. 15d-f). Theseus' Mutter Aithra mußte Helena als Dienerin begleiten und die D. setzten → Menestheus als König in Athen ein (Ail. var. 4,5; Apollod. epit. 1,23). An der Rückführung der Helena aus Troja waren die D. nicht beteiligt; man versuchte, dies mit ihrem bereits eingetretenen Ende zu erklären (Hom. Il. 3,236–244). Ihre bedeutendste Auseinandersetzung hatten die D. mit den Apharetiden → Idas und → Lynkeus. Die wohl urspr. Version läßt sie um gemeinsam erbeutete Rinder in Streit geraten, die der gefräßige Idas ungerecht geteilt und nach Messenien getrieben hatte (Kyprien fr. 15 PEG I; Pind. N. 10,60 ff.; Apollod. 3,135 f.). Einen Hinterhalt der D. (Kastor lauerte in einem hohlen Baum) durchschaute der scharfäugige Lynkeus und erstach den sterblichen Bruder. Polydeukes rächte ihn und tötete Lynkeus; den Idas erschlug Zeus mit dem Blitz; beide Aphareitiden verbrannten. Nach der später geläufigeren Version entführten die D. den Aphareitiden ihre Bräute Hilaeira und Phoibe, die Töchter des Leukippos (Theokr. 22.137 ff.; Ov. fast. 5.699; Hyg. fab. 80). Im Kampf um die Mädchen fielen beide Aphareitiden, aber in der Mehrzahl der Zeugnisse auch der sterbliche Kastor. Polydeukes durfte jedoch seine Unsterblichkeit mit dem Getöteten teilen, so daß die Brüder auf immer einen Tag im Hades und einen auf der Oberwelt bzw. dem Olymp verbrachten (Hom. Od. 11,301 ff.; Pind. N. 10,55 ff.).

Die D. gelten als Teilnehmer der meisten mythischen Gemeinschaftsabenteuer, so der Argonautenfahrt, auf der Polydeukes den Bebrykerkönig Amykos besiegte (Theokr. 22,27), der Kalydonischen Eberjagd (Apollod. 1,67), bei den Leichenspielen für Pelias (Stesich. fr. 178 PMGF) und als Sieger in den Olympischen Spielen des Herakles (Paus. 5,8,4). Am Pontos sollen sie Dioskurias gegr. und aus Kolchis ein Bild des Ares entführt haben (Paus. 3,19,7). Von den → Leukippiden haben sie die Söhne Anaxis und Mnasinos (Paus. 2,22,5, bei Apollod. 3,134: Anogon und Mnesileos). Sie waren Eingeweihte in die Mysterien von Eleusis (Xen. hell. 6,3,6) und Samothrake (Diod. 5,49); mit den samothrakischen → Kabiren scheinen sie seit dem Hellenismus zeitweise zu verschmelzen (Paus. 10,38,7). Wie diese rief man sie bes. als Retter in Seenot an, wobei ihre Epiphanie als Sternenpaar, evtl. auch im St. Elmsfeuer Hilfe brachte (Hom. h. Diosk. 33,10f. Alk. fr. 34 Poet. Lesb. Fr.

LOBEL PAGE; Hdt. 2,43; Eur. Hel. 1495 ff.; Lukian. nav.
9). In späterer Zeit erkannte man sie im Sternbild der
Zwillinge (Ps. Eratosth. Katast.10). Als Nothelfer,
σωτῆρες (sōtéres), erscheinen sie grundsätzlich (Strab.
5,3,5; Ail. var. 1,30) und in der Schlacht. In Sparta, wo
sie den kriegerischen Waffentanz erfunden haben sollen
und der Angriffsmarsch der Spartaner nach Kastor benannt war (Plut. mor. 1140C), sind sie eng mit den Königen verbunden gewesen: Blieb ein König im Krieg zu
Hause, dachte man sich auch einen der D. zurückge-
blieben (Hdt. 5,75). Den ital. Lokrern kamen sie angeblich in der Schlacht an der Sagra in Gestalt von Reitern
auf weißen Pferden zu Hilfe (Iust. 20,2–3). Man verehrte sie häufig durch die Theoxenie, das Göttermahl
(Pind. O. 3 mit schol.; N. 10,49 f.), sie besaßen jedoch
auch Tempel (Argos: Paus. 2,22,5) und zuweilen seltsam
gestaltete Kultbilder (Pephnos: Paus. 3,26,3).

Ihr Kult war bes. in der Peloponnes verbreitet: Sparta, Therapne und Argos wollten D.-Gräber besitzen, wo
man sie sich unter der Erde lebend dachte (Alkm. fr. 7
PMGF; Pind. N. 10,56 ff.). In Sparta zeigte man darüber
hinaus ihr Haus (Paus. 3,16,2); Familien in Argos und
Sparta zählten sich zu ihren Nachkommen. Einen
Kult genossen die »Anaktes« in ganz Griechenland, in
Attika sowie in Kyrene und Sizilien. Die D. wurden
auch einzeln verehrt.

Nach Rom kam die Verehrung der D. wohl über ital.
Städte, wie Lavinium, Ardea oder evtl. auch Tusculum
(Cic. div. 1,43,98), die sie ihrerseits von den Poleis
Großgriechenlands übernommen hatten – ohne Um-
weg über die Etrusker. Die Einrichtung eines D.-Kults
in Rom erfolgte spätestens nach ihrer Epiphanie in der
Schlacht am See Regillus 499–6 (Cic. nat. 2,2,6; 3,4,11;
Liv. 2,20,12; Dion. Hal. ant. 6,13,1–3); 484 wurde der
Tempel auf dem Forum Romanum eingeweiht (Liv.
2,42,5), wobei der Reiterheros Kastor zum wichtigeren
der Brüder avancierte: Die D. wurden in Rom Castores
genannt und eng mit der Wassernymphe → Iuturna aus
Ardea verbunden. An deren Quelle auf dem Forum sollen sie nach der Regillusschlacht ihre Pferde getränkt
haben. Die große → transvectio equitum war ihnen gewidmet (Dion. Hal. ant. 6,13,4). Sie wurden auch bes.
als Schwurgötter angerufen.

E. BETHE, s. v. D., RE 5, 1087–1123 · F. CASTAGNOLI,
L'introduzione del culto dei Dioscuri nel Lazio, in: Studi
Romani 31, 1983, 3–12 · P. FAURE, Les Dioscoures à
Delphes, in: AC 54, 1985, 56–65 · A. FURTWÄNGLER, s. v.
D., Roscher I.1, 1154–1177 · M. GUARDUCCI, Le insegne
dei Dioscuri, in: ArchCl 36, 1984, 133–154 · F. GURY, s. v.
D./Castores, LIMC 3.1, 608–635 · A. HERMARY, s. v. D.,
LIMC 3.1, 567–593 · W. KRAUS, s. v. D., RAC 3,
1122–1138 · TH. LORENZ, Die Epiphanie der D., in:
Kotinos, FS E. Simon, 1992, 114–122 · B. POULSEN, The
Dioscuri and ruler ideology, in: Symbolae Osloenses 66,
1991, 119–146 · Il senso del culto dei Dioscuri. Atti del
Convegno svoltosi a Taranto nell'aprile 1979, Tarent
1980.   T. S.

II. IKONOGRAPHIE

Darstellungen der als Tyndariden benannten D. aus
Sparta zeigen sie mit ihren lakonischen Kultattributen,
den dokana (Marmorstele, Sparta, 1. H. des 6. Jh.
v. Chr.), zwei Amphoren und zwei Schlangen (Marmorstele, Sparta, Anf. 5. Jh. v. Chr.?); vergleichbar sind
die D. auf tarentinischen Votivtafeln des 4./3. Jh. v. Chr.
(Tarent, Nationalmuseum). Bereits auf einer att. Kylix
des Oltos ist der etr. Kult der D., der Tinas Cliniar,
belegt (Tarquinia, Nationalmuseum, spätes 6. Jh.
v. Chr.). Ihr ältestes und charakteristischtes Attribut ist
das Pferd (Skyphos-Frg. aus Perachora, Athen, NM,
590–580 v. Chr., mit Beischriften); sonstige Attribute:
Lanze und Schwert, Piloi (manchmal besetzt mit Sternen), Sterne (ohne Piloi: vgl. Gemme in Wien, Kunst-
histor. Mus., 3. Jh. v. Chr.). Sie treten auch bildlich meistens als Zwillingspaar auf, oft spiegelbildlich angeordnet. Als Beschützer und Retter ihrer Schwester Helena
erscheinen sie nach Paus. 3,18,14 f. auf dem »Thron« des
Apollon in Amyklai (2. H. des 6. Jh. v. Chr.). Mit den
Leukippiden waren sie auf einem Gemälde des Polygnot im Anakeion auf der Agora von Athen wiedergegeben (2. H. des 5. Jh. v. Chr.: Paus. 1,18,1), der Raub
der Leukippiden auch im Südfries des Siphnier-Schatzhauses in Delphi (um 525 v. Chr.), auf dem Nordfries
des Heroons von Gjölbaschi-Trysa (Wien, KM, um 370
v. Chr.) und auf Vasenbildern vor allem des 5. Jh. v. Chr.
(Kolonnettenkrater in Ferrara, 440/30 v. Chr.). Sie werden als Teilnehmer an der Kalydonischen Eberjagd
(François-Krater, Florenz, UF, um 570 v. Chr.; in röm.
Zeit auf den Meleagersarkophagen) und am Argonau-
tenzug gezeigt – hier häufig der Zweikampf zwischen
dem D. Polydeukes und dem Bebrykerkönig Amykos
(s. a. die Argonauten auf einer Metope des sikyonischen
Porosbaus in Delphi, um 560 v. Chr.; auf einer zweiten
Metope der Rinderraub der D.) – oder bei ihrem Kult-
mahl, den Theoxenia. Im Typus eines D. ist möglicherweise auch der »Thermenherrscher« (Rom, TM) dargestellt (wohl ein Bildnis des Attalos II. von Pergamon,
um 170 v. Chr.).

In It. sind die D./Castores (Tempel auf dem Forum
Romanum, Anf. 5. Jh. v. Chr.) in zahlreichen Darstellungen überliefert: aus der röm. Großplastik insbes.
die Statuengruppe vom Lacus Iuturnae in der Nähe ihres Tempels, mit Pferdeprotome (Rom, Ant. Forense,
E. 2. Jh. v. Chr.), die kolossale Gruppe auf dem Capitolium in Rom (um 120 n. Chr.) und die »Rossebändiger vom Monte Cavallo« (Rom, Quirinal, vermutlich
150/180 n. Chr.), beide mit vollständig ausgebildeten
Pferden. Im Typus des Rossebändigers Statue eines D.
in Venedig (Arch. Mus., 175–195 n. Chr.); dieser Typus
häufig wiederkehrend auf Münzen und Reliefs (Altäre,
Grabstelen); vgl. auch die Gruppe von San Ildefonso in
Madrid (Prado, Anf. 1. Jh. n. Chr., Deutung unsicher).
→ DIOSKUREN VOM MONTE CAVALLO

P. J. CONNOR, Twin Riders, in: AA 1988, 27–39 ·
S. GEPPERT, Castor und Pollux, 1996 · N. KUNISCH,
Zwillingsreiter. Studien zur Mythologie. FS K.

Schauenburg 1986, 29–33 · L. Nista (Hrsg.), Castores.
L'immagine dei Dioscuri a Roma, 1994 · R.D. de Puma,
LIMC 3.1, s.v. Dioskouroi/Tinas Cliniar, 597–608 ·
R. Stupperich, Das Dioskurenrelief in Dortmund, in:
Boreas 8, 1985, 205–210.   A.L.

Diospolis

[1] D. Magna (μεγάλη Διόσπολις) in griech.-röm. Zeit,
Name des alten wȝst in Oberägypten, so gen. wegen der
Gleichsetzung von → Zeus und → Amun, der hier sei-
nen größten Tempel besaß. In dem Namen Djeme
(Dȝmt/ Tȝmt), eines südl. Bezirks der Stadt auf dem
Westufer des Nils, erkannten die Griechen ihr Thēbai
(→ Theben) wieder [2. 465–473].
[2] D. Parva (μικρά bzw. ἄνω Δ.), in griech.-röm. Zeit
Name des alten hwt shm, was auf einen lokalen Amun-
kult hinweist, h. Hu, Hauptstadt des 7. oberägypt. Gaus
auf dem westl. Nilufer [3. 64].
[3] D. Inferior (κάτω Δ.), in griech.-röm. Zeit Name
des alten (pȝ) jw-n-jmn, »Insel des Amun«, h. Tall al-
Balāmūn, südwestl. von Damiette. Im NR Hauptstadt
des 17. unterägypt. Gaus [1. 319–321].

1 J. Malek, s.v. Tell el-Belamun, LÄ 6   2 R. Stadelmann,
s.v. Theben, LÄ 6   3 K. Zibelius, s.v. Hu, LÄ 3, 64–68.
                   R.GR.

[4] s. Kabyle
[5] s. Dia [5]

Diotima (Διοτίμα). Sokrates behauptet zu Beginn seiner Rede über den Eros in Platons Symposion (201d), er
werde nur das mitteilen, was ihn die weise D., eine Priesterin aus Mantinea, die für Athen von den Göttern einst
einen zehnjährigen Aufschub der Pest erwirkt habe, gelehrt habe. Die eigentliche Dialogsituation des Symposion wird so durchbrochen. Die D.-Partie besteht aus
zwei Teilen: im ersten wird das Wesen des Eros, im
zweiten sein Wirken entwickelt. Im Epilog zeigt sich
Sokrates von der Richtigkeit des Gehörten überzeugt.
Ob D. eine histor. Figur ist, läßt sich nicht entscheiden.
Hölderlin hat aus seiner Platon-Lektüre die Gestalt der
D. übernommen [1].

1 P. Wapnewski, Der umarmende Buchstabe. Zu
Hölderlins Gedichtentwurf D., in: D.H. Green u.a.
(Hrsg.), From Wolfram and Petrarch to Goethe and Grass,
1982, 563–568.

D.M. Halperin, Why is D. a woman? Eros and the
Figuration of Gender in: Ders. u.a. (Hrsg.), Before
Sexuality, 1990, 257–308 · K. Sier, Die Rede der D., 1997.
                   R.B.

Diotimos (Διότιμος).
[1] Athener, Sohn des Strombichides, von Euonymon
(Familie bis ins 3. Jh. bekannt). Strategos in Kerkyra
433/32 v. Chr. (Thuk. 1,45,2; IG I³ 364,9); 439–32
Nauarch bei Neapolis (Timaios FGrH 566 F 98); führte
evtl. eine Gesandtschaft nach Susa (Strab. 1,3,1). Vielleicht identisch mit D. bei Athen. 10,436e.

Fraser/Matthews (1) · Davies, 4386.   K.Ki.

[2] Athenischer Stratege. 390/89 v. Chr. Befehlshaber
des athenischen Söldnerheeres bei Korinth. 388/7 und
387/6 operierte er vor Abydos. Eine Anklage wegen
unrechtmäßiger Bereicherung konnte er durch Re-
chenschaftsablage entkräften. 376 kommandierte er die
athenische Garnison in Syros. Davies 162 f.

[3] Urenkel von → D. [1], aus vornehmer und reicher
Familie. In Inschr. ist er seit ca. 350 v. Chr. als Landbesitzer in Laureion, Grubenpächter und Eigentümer
von Aufbereitungswerken bezeugt. Mehrfach war er
Trierarch, 338/7 und 335/4 Stratege und Flottenkommandant. Für die Spende von Schilden wurde D. mit
einem Kranz geehrt; eine weitere Ehrung erfolgte auf
Antrag Lykurgs. Ob Alexander 335 seine Auslieferung
forderte, ist unsicher. Zwischen 332 und 325 war er als
Stratege mit der Sicherung des Getreidetransports nach
Athen betraut. Vor 325/4 gestorben. Davies, 163 f.

H. Wankel, D. Rede für Ktesiphon über den Kranz 1, 1976,
623–625.   W.S.

[4] aus Athen. Epigrammdichter des »Kranzes« des
Meleager (Anth. Pal. 4,1,27), Verf. von wenigstens sieben Gedichten (darüber hinaus ist umstritten 7,173, unsicher sind 9,391 und 16,158, die auch D. [5] aus Milet
gehören könnten). Es handelt sich um Weihe- (6,267;
358) und Grabepigramme (7,227; 261; 420; 475; 733),
die in ihren Themen zwar traditionell, aber gelungen
sind. Dem Lemma Διοτίμου Ἀθηναίου τοῦ Διοπείθους
(›Des Atheners Diotimos, des Sohnes des Diopeithes‹),
das das Gedicht 7,420 in rasura bietet, sollte nicht allzu-
viel Glauben geschenkt geschenkt werden (es müßte
sich um den berühmten Trierarchen, den Zeitgenossen
des Demosthenes, handeln); wahrscheinlicher ist die
Gleichsetzung mit D. [7] von Adramyttion, dem Grammatiker und Dichter aus der 1. Hälfte des 3. Jh. (vgl.
Aratos 11,437) und Verf. ep. Gedichte über Herakles
(SH 393 f.).

GA I,1, 94–96; 2, 270–280.   E.D./Ü: T.H.

[5] aus Milet. Epigrammdichter, dem man mit Sicherheit ein reizvolles Liebesgedicht aus dem »Kranz« des
Philippos (Anth. Pal. 5,106) zuweisen kann; wer der
Verf. der ekphrastischen Gedichte 9,391 und 16,158 ist,
läßt sich nicht mit Sicherheit sagen; einfach Διοτίμου
überschrieben, könnten sie auch dem gleichnamigen
meleagreischen Dichter D. [4] gehören.

GA II,1, 244 f.; 2, 276 f. (vgl. GA I,1, 96; 2, 278 f.).
                  E.D./Ü: T.H.

[6] Verfasser myth. Epen, die die Taten des Herakles
behandeln; Athen. 13,603d berichtet, daß dieser in den
Herakleía aus Liebe zu Eurystheus seine Taten vollbrach-
te. Das drei Hexameter umfassende Fragment aus den
Hērakléus áthla bezieht sich auf die Kerkopen (Suda s.v.
Εὐρύβατος 3718 Adler).   C.S.

[7] aus Adramyttion. Meleager erwähnt einen Epigrammdichter D. (Anth. Pal. 4,1,27); insgesamt elf Epigramme werden in der Anthologia Palatina und Anthologia Planudea einem D. zugeschrieben. Die Zuweisung der einzelnen Epigramme und die Identität des D. sind umstritten. Vermutlich ist er identisch mit dem von Aratos verspotteten Grammatiker und Epiker aus Adramyttion (Anth. Pal. 11, 437).

SH 181–182 · GA 2, 270–280. C.S.

Diotogenes. Name unsicher, er fehlt in Iamblichos' Pythagoreerkatalog (v. P. 267) und Photios' Katalog der philos. Quellen des Stobaios (bibl. c. 167,114a-b). Autor von ps.-pythagoreischen Traktaten über das Königtum und die Frömmigkeit; Fragmente davon finden sich bei Stobaios. Deren Ursprungszeit ist umstritten. In der Schrift über das Königtum fehlt jeder Hinweis, daß dabei an das Prinzipat gedacht ist; es wird nicht versucht, die Monarchie als Teil der Weltordnung zu legitimieren. Es wird erklärt, wie der König sich legitimiert, in dem er eine vorgegebene Ordnung bewahrt, seinen Pflichten gerecht wird, Zeus nachahmt und insofern göttlich ist.

H. THESLEFF, The Pythagorean Texts, 1965, 71 ff. M.FR.

Dioxippos (Διώξιππος). Dichter der Mittleren Komödie, von dem noch fünf Stücktitel bekannt sind [1. test. 1]: *Antipornoboskós* [2], *Diadikazómenoi*, *Thēsaurós*, *Historiográphos* (in dem vielleicht der oligarchische, promaked. Politiker Kallimedon verspottet wird, fr. 3) und *Philárgyros*. Betätigte sich wahrscheinlich bei den Lenäen 349 v. Chr. als *Didaskalos* für ein Stück des Anaxandrides [1. test. 2].

1 PCG V, 1986, 44–46 2 H.-G. NESSELRATH, Die att. Mittlere Komödie, 1990, 324. B.BÄ.

Diphilos (Δίφιλος).
[1] Athener. Betreiber eines Silberbergwerks. Er wurde um 330 v. Chr. wegen gesetzwidrigen Abbaus der *mesokrineís* (Pfeiler), die als Markscheiden für die Grubenanteile und als Sicherheitsstützen dienten, von Lykurg angeklagt und zum Tode verurteilt. Das Vermögen von 160 Talenten wurde eingezogen und an die Bürger verteilt (Ps.-Plut. mor. 843D).
→ Bergbau

J. ENGELS, Studien zur polit. Biographie des Hypereides, ²1993, 224–237 · M.H. HANSEN, Demography and Democracy, 1986, 45–47. W.S.

[2] Von → Antigonos [1] Monophthalmos 315 v. Chr. als Kommandant der Burg von Babylon eingesetzt, sammelte er dort die Antigonos gegen → Seleukos treu gebliebenen Offiziere. Die Burg wurde 312 von Seleukos erstürmt (Diod. 19,91,3 f.). Sein weiteres Schicksal ist unbekannt. E.B.

[3] Verfasser einer ep. *Thēseḯs* und von Choliamben [1. 1152; 2. 541], bzw. einer *Thēseḯs* in Choliamben [3. 61]. Die Meinungsverschiedenheit hat ihren Ursprung in alternativen Interpretationen des einzigen diesbezüglichen Testimoniums, schol. Pind. O. 10,83b Σῆμον ... νενικηκέναι, ὥς φησι Δίφιλος ὁ τὴν Θησηḯδα ποιήσας ἔν τινι ἰαμβ(εί)ῳ οὕτω: Es folgt das Zitat zweier Choliamben (fr. 1 WEST = Theseïs T 2 BERNABÉ). Unsicher ist die Gleichsetzung mit dem Verf. eines ὁλόκληρον ποίημα gegen den Philosophen Boḯdas (schol. Aristoph. nub. 96 = DK Nr. 34), der im 5. [1. 1153; 2. 541 f.] oder vielleicht im 3. Jh. v. Chr. [4. 213 ff.] aktiv war.

1 O. CRUSIUS, s. v. D. (11), RE 5, 1,1903 2 W. SCHMID, Gesch. der griech. Lit. I/2, München 1934 3 WEST, IEG II, ²1992 4 G. A. GERHARD, Phoinix von Kolophon, 1909. M.D.MA./Ü:T.H.

[4] s. Hypokrites

[5] D. aus Sinope. Komödiendichter, neben → Menandros und → Philemon der bedeutendste Vertreter der att. Neuen → Komödie [1. test. 1. 13–16].
A. LEBEN B. WERK
A. LEBEN
Die inschr. Liste der an den Lenäen siegreichen Komödiendichter führt D. fast unmittelbar nach Menander und Philemon auf [1. test. 4]; er dürfte also entweder gleichzeitig mit oder bald nach ihnen mit Bühnenaufführungen begonnen haben. Aus seinem Leben ist wenig bekannt: Über sein Liebesverhältnis zur stadtbekannten athenischen Hetäre Gnathaina waren manche Anekdoten im Umlauf [1. test. 7. 8]. Wie lange er ins 3. Jh. v. Chr. hinein gelebt hat, ist unbekannt; im Jahr 262 oder 258 v. Chr. wurde eines seiner Stücke jedenfalls bereits als ›alte Komödie‹ wiederaufgeführt [1. test. 5]. D. starb in Smyrna [1. test. 1], wurde aber in Athen beigesetzt; sein Grabstein, auf dem auch sein Bruder, der Komödiendichter → Diodoros [10] (der offenbar im Gegensatz zu D. auch athenischer Bürger wurde) verzeichnet ist, ist noch erhalten.

B. WERK
D. siegte dreimal im Komödienagon an den Lenäen [1. test. 4]; weitere Erfolge zu Lebzeiten sind nicht bekannt. Von insgesamt 100 bezeugten Stücken [1. test. 1] sind noch 61 Titel erhalten, wobei es sich in manchen Fällen um Neubearbeitungen (διασκευαί) von bereits aufgeführten Werken handelte (vgl. fr. 5. 75). Drei von D.' Stücken sind nur aus röm. Bearbeitungen bekannt: Aus den Κληρούμενοι (*Klērúmenoi*) machte → Plautus seine *Casina* [1. test. 10], aus den Συναποθνῄσκοντες (*Synapothnēskontes*) holte → Terenz eine Szene in seine *Adelphoe*, nachdem Plautus zuvor schon dieses Stück als Vorlage für seine *Commorientes* verwendet hatte [1. test. 12], und auch der plautinische *Rudens* geht auf D. zurück, doch ist der Titel dieses Stücks nicht überliefert [1. test. 11]. Auf die nur durch ein Fragment (79) bezeugte Σχέδια (*Schédia*) geht wahrscheinlich die *Vidularia* des Plautus zurück [2].

Was sich aus den Fragmenten selbst erkennen läßt, zeigt, daß sich D. bei seinen Themen und Figuren noch gern an dem orientiert, was in der Menander vorausgehenden Zeit auf die att. Komödienbühne gebracht worden war: Im *Hairēsiteíchēs* (Αἱρησιτείχης), den D. später noch einmal in neuer Bearbeitung als ›Der Eunuch oder Der Soldat‹ (Εὐνοῦχος ἢ Στρατιώτης) auf die Bühne brachte, stand die Figur des bramarbasierenden Soldaten im Mittelpunkt; in der *Apoleípusa* (Ἀπολείπουσα) tritt ein wißbegieriger Koch auf, ein weiterer schwadroniert im *Zōgráphos* (Ζωγράφος) über die richtige Art von Kunden, die man sich aussuchen muß, und läßt am Ende seiner langen Rede erkennen, daß er sich gerade auf dem Weg zu einem feiernden Hurenhaus befindet (fr. 42). Auch Hetären waren bei D. recht prominent: In der *Synōrís* (Συνωρίς, benannt nach einer stadtbekannten athenischen Halbweltsdame) wird eben die Titelheldin beim Würfelspiel mit einem lit. gebildeten Parasiten vorgeführt (fr. 74), und auch die drei Samierinnen, deren Rätselspiel in fr. 49 mit einer Obszönität endet, die man sich bei Menander kaum vorstellen könnte, waren wohl Hetären. Oft waren bei D. auch Parasiten Träger des komischen Spiels: in der erwähnten *Synōrís*, in welcher er nicht nur würfelspielend, sondern auch in Zorn geratend (fr. 75) und seine Berufsehre verteidigend (fr. 76) vorgeführt wird, dann auch im *Telesías* (Τελεσίας), welcher von Athen. 6,258e geradezu als Paradestück der Parasiten-Darstellung bezeichnet wird, und nicht zuletzt im *Parásitos* (Παράσιτος) selbst. In fr. 87 (Stücktitel unbekannt) beklagt ein Hurenwirt die Mühsal seines Berufes, in fr. 125 (ebenfalls ohne Stücktitel) stößt ein Scharlatan geheimnisvoll klingende Hexameter aus. Im *Boiōtios* (Βοιώτιος) findet sich Böoterspott (fr. 22), wie man ihn vor allem aus früheren Autoren der Mittleren Komödie kennt; auch die bei D. im Vergleich zu Menander und Philemon etwas höhere Zahl von Titeln, die auf mythische Sujets deuten (immerhin fünf bis neun), weist in die vorangehende Komödienzeit zurück. Das Gleiche läßt sich von der *Sapphṓ* (Σαπφώ) sagen, in der offenbar Archilochos und Hipponax als rivalisierende Verehrer der Dichterin auftraten (fr. 71); Stücke mit diesem Titel sind sonst nur von früheren Komödiendichtern belegt.

Die kräftigere und wohl auch etwas traditionellere komische Kost, die D. seinem Publikum vorsetzte, hat Plautus später jedenfalls mehr behagt als die Menanders und mag zu seiner Zeit auch Erfolg gehabt haben (obwohl nur drei Siege des D. belegt sind, s.o.); die Lebendigkeit seiner Dialoge zeigen noch manche Fragmente (z.B. 74; 76) und die plautinischen Bearbeitungen. Als Leseautor konnte er später aber nicht mit Menander konkurrieren: Durch Papyri wurde unsere Kenntnis über ihn bisher kaum bereichert (auch wenn sich unter den Adespota noch einiges befinden könnte), und auch in der Zitatüberlieferung (vor allem beim Gnomisch-Sentenziösen) tritt er stark hinter Menander und auch hinter Philemon zurück.

1 PCG V, 1986, 47–123 2 R. CALDERON, Plautus, Vidularia: introd., testo crit. e comm., 1982, 90–113.   H.-G. NE.

[6] von Siphnos, griech. Arzt zu Beginn des 3. Jh. v. Chr. (Athen. 2,51). Sein Buch ›Über Diät für Kranke und Gesunde‹ berücksichtigte eine breite Palette alltäglicher Nahrungsmittel wie Nüsse, Damaszenerpflaumen, Kirschen und Pilze und enthielt Ratschläge für deren Zubereitung. In seiner Abhandlung ›Über Meeresfische‹, die unter Umständen einen Teil des erwähnten umfangreichen Werkes darstellte, riet er von dem Verzehr von Austern, Miesmuscheln und Meeresfischen wegen ihres geringen Nährwertes eher ab. D. war eine der Hauptquellen für die diätetischen Vorstellungen des Athenaios [3] von Naukratis, wird jedoch von keinem überlieferten medizinischen Autor zitiert.
→ Diätetik; Medizin   V. N./Ü: L. v. R.-B.

Diphros. Hocker mit vier zumeist gedrechselten Beinen. Sitzmöbel der Götter und Heroen (Siphnierschatzhaus in Delphi, Westfries; Ostfries des → Parthenon), ferner einfacher Menschen in Alltagsszenen (geom. Amphora Athen, NM Inv. Nr. 804: Werkstattszenen). Als Material dienten einfaches Holz oder wertvolles Ebenholz, in den Schatzlisten des Parthenon werden auch D. mit silbernen Füßen erwähnt. Eine Sonderform ist ein Klappstuhl (D. ὀκλαδίας), dessen Beine in Tierklauen enden.
→ Möbel; Sella curulis

G. M. A. RICHTER, The Furniture of the Greeks, Etruscans and Romans, 1966, 38–46 · TH. SCHÄFER, Diphroi und Peplos auf dem Ostfries des Parthenon, in: MDAI(A) 102, 1987, 188–212.   R. H.

Diple (διπλῆ). Textkritisches Zeichen der alexandrinischen Philol., einfach (gewöhnlich >, aber auch <) oder von zwei Punkten (⋛) begleitet. Die Zeugnisse beziehen sich hauptsächlich auf die Homerphilol.: Die einfache D. (ἀπερίστικτος oder καθαρά) wurde von Aristarchos von Samothrake benutzt, um auf verschiedenartige kritisch-exegetische Beobachtungen zur Interpretation des Textes, zur Sprache, den Realien usw. zu verweisen, die *diplé periestigménē* (διπλῆ περιεστιγμένη) dagegen, um gerade die Stellen zu kennzeichnen, an denen er gegen Zenodots Auffassung polemisierte. Im Bezug auf den Platontext sagt Diog. Laert. 3,65–6, daß die einfache D. die Aufmerksamkeit des Lesers auf charakteristische Lehren und Meinungen Platons lenke, während die punktierte D. ›textkritische Eingriffe einiger Herausgeber‹ (ἐνίων διορθώσεις) anzeige. Hephaistion (Περὶ σημείων 4 und 11, pp. 74 und 76 CONSBRUCH) informiert uns über einige Arten der Anwendung der D. in dramatischen und lyrischen Texten.
→ Aristarchos von Samothrake; Homeros; Kritische Zeichen; Platon; Zenodotos

A. GUDEMAN, s.v. Kritische Zeichen (1–2), RE 11, 1918–1920 · PFEIFFER, KPI, 233 Anm. 118, 267, 279.
     F. M./Ü: T. H.

Diploma (plur. *diplomata*; von griech. διπλόω = verdoppeln, falten; lat. *duplico*) ist im allg. ein in doppelter Ausfertigung hergestellter oder gefalteter oder zweiteiliger Gegenstand, im bes. aber ein zum Zweck der Textsicherung gefaltetes und verschlossenes Schriftstück auf Pergament, Papyrus oder auch in Form eines → Diptychons. Als *d.*, das somit soviel wie Urkunde bedeutet, werden wichtige private und öffentliche Akte verfaßt: private Briefe (Cic. Att. 10,17,4) und Rechtsgeschäfte (Testamente, bezeugte Verträge, Erklärungen, Abschriften), behördliche Geleitbriefe, Reisepässe, Benutzungsausweise für die Staatspost (Tac. hist. 2,54,1; 65,1; Sen. clem. 1,10,3), Urkunden zur Verleihung des röm. Bürgerrechts (Suet. Nero 12,1) und zu anderen Rechtsgewährungen oder Anordnungen der Kaiser (Sen. benef. 7,10,3; Suet. Cal. 38,1). Zur Sicherung des Inhalts müssen aufgrund eines Senatsbeschlusses des 1. Jh. n. Chr. (Suet. Nero 17) Urkunden über private und öffentliche Verträge eine bestimmte Form des Verschlusses und der Siegelung aufweisen (Paul. sent. 5,25,6/FIRA 2, 411; *...adhibitis textibus ita signari, ut in summa marginis ad medium partem perforatae triplici lini constringantur atque impositae supra linum cerae signa imprimantur...*). Die rechtlich akzeptierten Urkundenformen sind aber vielfältig und veränderlich. Zeitweise existiert am Kaiserhof ein Büro *a diplomatibus* (CIL VI 8622; X 1727) neben denen *a libellis* und *ab epistulis* (Suet. Aug. 50).
→ Tabula

KASER, RPR 1, 233 ff. · WENGER, 72 (Anm. 57), 83, 146.

C.G.

Diplomatie (von griech.-lat. → *diploma* über *diplomaticus*, spätlat. *diplomatus*, frz. diplomate/diplomatie zum dt. Fremdwort) geht wortgeschichtlich von der in der Spätant. ähnlichen Bezeichnung für den Inhaber eines Reisepasses aus, der in kaiserlichen Diensten zur Übermittlung von Urkunden die Staatspost verwenden und die Grenzen zum Ausland überschreiten darf (*evectio* – Cod. Iust. 12,50). Mit derartiger Tätigkeit verbindet sich in allen ant. Epochen des völkerrechtlichen Verkehrs ein innerstaatliches System von Regeln über Absendung und Empfang von Boten und Verhandlungsbevollmächtigten (*nuntii, missi, legati*; ἄγγελοι, ἀπόστολοι, πρέσβεις), die Erstellung, Beurkundung und Durchführung von Verträgen, d. h. über die D. in einem ant. Sinne, wie sie in einer Vielzahl ant. Quellen hervortritt [1]. Verschiedenartige, auch rel. begründete Verpflichtungen (etwa Schutz der Gesandten, Einhaltung beschworener Friedensverträge, Erklärung über den Beginn und das Ende des Kriegszustandes) werden in den meisten ant. Gemeinwesen anerkannt (z. B.: Hdt. 7,133; Xen. hell. 5,1,31; Liv. 30,36–45). Zur Pflege auswärtiger Beziehungen nutzen ant. Gemeinwesen zentrale Beschlußorgane (in Rom etwa den Senat, bevollmächtigte Magistrate oder die Volksversammlung: vgl. Pol. 6,12 und Liv. ebd.), bes. Beamte, Ermächtigte und Verfahren für Empfang und Betreuung der Vertreter

auswärtiger Mächte (etwa den *magister officiorum* in der Spätant.: Not. dign. or. 19; Lyd. mag. 2,2) sowie technische Formen zur Organisation des Verkehrs (z. B. den röm. *cursus publicus*: Cod. Iust. 12,50).

Im Vergleich zum neuzeitlichen Völkerrechtsverkehr fehlen den ant. Formen der D. zum einen eine strikt definierte staatliche Souveränität der jeweils vertretenen Völkerrechtssubjekte und zum andern eine ständige diplomatische Repräsentanz eines Staates in einem anderen [2. 26 ff., 33 ff.]. Doch gibt es auch dafür ant. Ansätze, z. B. im griech. Bereich die Betonung der Autonomie als Kriterium eines nach außen selbständigen Gemeinwesens (Thuk. 5,18) oder die Institution der → *proxenoi*, im röm. Bereich das Gesandtschaftswesen (im Reichsinneren: Dig. 50,7; Cod. Iust. 10,65) und generell die den Verkehr mit anderen Staaten dauerhaft regelnden Normen eines Völkerrechts (→ *ius gentium*: Dig. 1,1,5).

1 StV 2 W. G. GREWE, Epochen der Völkerrechtsgeschichte, 1984.

J. BLEICKEN, Athenische Demokratie, ²1994, 161 f. · CH. GIZEWSKI, Hugo Grotius und das ant. Völkerrecht, in: Der Staat, 1993, 325 ff. · JONES, LRE 366 ff., 575 ff. · MOMMSEN, Staatsrecht 3, 1147 ff.

C.G.

Dipoinos. Bildhauer aus Kreta. Er galt wie sein Bruder Skyllis als Schüler oder Sohn des legendären → Daidalos und als Begründer der Marmorbildhauerei. Erzählungen über seine Flucht vor Kyros und erste Aufträge in Sikyon spiegeln die Priorität der griech. Inseln in der »dädalischen« Marmor-Plastik und datieren deren Beginn auf dem Festland vor die Mitte des 6. Jh. v. Chr. Bereits in der ant. Lit. gab es Zuschreibungen altertümlicher Werke an D. Die chryselephantine Technik wurde anhand einer Göttergruppe mit Dioskuren in Argos ebenfalls mit D. verbunden.

FUCHS/FLOREN, 121 · OVERBECK, Nr. 321–327, 329–332, 334 (Quellen) · STEWART 242–243.

R.N.

Dipteros (griech. δίπτερος: zweiflügelig; mit doppeltem *pterón* = Umgang versehen). Bei Vitruv (3,1,10; 3,2,1; 3,2,7; 3,3,8; 7 praef. 15) überlieferter, ansonsten in der griech. Architekturterminologie nicht nachgewiesener t.t. für einen griech. → Tempel mit mindestens acht Frontsäulen, dessen → Cella allseitig von zwei, an den Schmalseiten u. U. von drei Säulenreihen umgeben ist. Das im Vergleich zum → Peripteros mit seinem einfachen Säulenkranz überaus aufwendige, arbeits-, material- und transportintensive Baukonzept (ein D. von 8 × 17 Säulen erforderte mindesten 92 Säulen; ein analog disponierter Peripteros demgegenüber lediglich 48) entsteht in der Mitte des 6. Jh. v. Chr. im ion. Kleinasien im Zuge einer regelrechten Maßstabsexplosion der bis dahin vergleichsweise kleinformatigen Sakralarchitektur ion. Ordnung. Der D. bildet innerhalb der griech. Tempelarchitektur ein selten realisiertes Baukonzept.

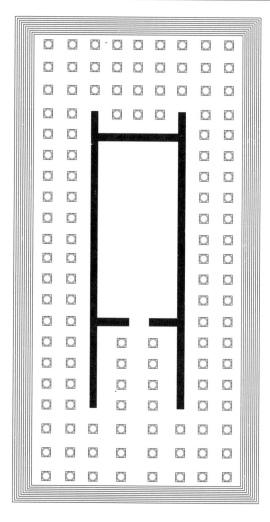

Ephesos, jüngeres Artemision (schematischer Grundriß).

als auch der archa. Artemistempel von Ephesos (vgl. Strab. 14,22 p. 640 C) scheinen überdachte Bauten gewesen zu sein. Beiden Bauten sind zudem, anders als in Didyma, große, mit erheblicher Tradition versehene, vorgelagerte Altaranlagen für den Kultbetrieb zugehörig (→ Altar).

Auffällig ist die variantenreiche Ornamentik (→ Ornament) der archa. ion. Riesentempel. Neben dem üblichen Dekor der ion. Ordnung in der Gebälkzone finden sich anathemhaft gestaltete, reliefgeschmückte Säulenbasen und -hälse (*columnae caelatae*, → Säule), ein Skulpturenfries und Marmor als Baumaterial in Ephesos sowie absichtsvoll unterschiedlich profilierte Säulenbasen (Samos, D. des Polykrates; die verschiedenen Profile der Basen wurden mittels einer großen Drehbank erzeugt; → Bautechnik). Diese aufwendig erzeugte »Individualität« einzelner Säulen sowie erh. und lit. überlieferte Weihinschriften, welche Stiftungen einzelner Säulen und damit auch funktional ihren Anathem-Charakter bezeugen (z. B. Kroisos-Weihungen in Ephesos, vgl. Hdt. 1, 92), legen die Vermutung nahe, daß die archa. ion. D. Bauten waren, die einzelne Weihungen in die überregional bedeutenden Heiligtümer Ioniens in zielgerichteter Weise zu einem übergeordneten Ganzen, zu einem regelrechten »Säulenwald«, zusammenfügten: ein nivellierendes Moment innerhalb einer alle bekannten Formate sprengenden Form, und dies vor dem Hintergrund der in jenen Jahren neu zu formulierenden ion.-griech. Selbstidentität in der Kontaktzone zw. griech. Sphäre und achämenidisch-oriental. Hochkultur, in der aristokratisch-oligarchische Gruppenideale und autokratische Komponenten miteinander in Einklang zu bringen waren; zu diesen Aspekten vgl. ausführlicher → Tempel.

A. BAMMER, U. MUSS, Das Artemision von Ephesos, 1996, 45–79 · B. FEHR, Zur Gesch. des Apollonheiligtums von Didyma, in: MarbWPr 1971/72, 14–59 · Ders., Zur Gesch. des Apollontempels von Didyma: Nachtrag, in: Hephaistos 9, 1988, 163–166 · W. MÜLLER-WIENER, Griech. Bauwesen in der Ant., 1988, 142–145 · O. REUTHER, Der Heratempel von Samos, 1957 · W. SCHABER, Die archa. Tempel der Artemis von Ephesos, 1982 · H. V. STEUBEN, Seleukidische Kolossaltempel, in: Antike Welt 3/1981, 3–12 · R. TÖLLE-KASTENBEIN, Zur Genesis und Entwicklung des D., in: JDAI 109, 1994, 41–76 · Dies., Das Olympieion in Athen, 1994 · W. VOIGTLÄNDER, Der jüngste Apollontempel von Didyma, 14. Beih. MDAI(I), 1975.   C.HÖ.

Neben den archa. Dipteroi aus → Samos (→ Rhoikos, → Polykrates) und den in Gestalt späterer Neubauten erh. D. aus → Ephesos (→ Chersiphron, → Metagenes, → Weltwunder) und → Didyma (→ Daphnis) ist ein dipteraler Grundriß allein für das in dor. Ordnung konzipiert gewesene, unfertig gebliebene peisistratidische Olympieion in Athen gesichert. Ob der wohl hypäthrale dor. Tempel G in → Selinus als D. zu rekonstruieren ist, ist unsicher; einen weiteren dor. D. erwähnt Vitruv (den nicht erh., möglicherweise legendären Quirinustempel in Rom, Vitr. 3,2,7). Ein als → Pseudodipteros angelegtes Baukonzept verkörperte der hell. Ringhallentempel von → Baalbek. Die mehrfach vertretene Annahme, zum Rahmenkonzept des D. gehöre, wie für den Apollontempel von Didyma nachgewiesen, ein hypäthraler Sekos (→ Überdachung) mit einer quasi von der Ringhalle unabhängigen Kultanlage darin, bleibt problematisch; sowohl der Rhoikos-Tempel auf Samos

Diptychon (aus griech. δίς = zweimal und πτύσσω = falten) kann Gefaltetes oder Zweifaches meinen, etwa die Schalen einer Muschel oder Zwillinge (Eur. Orest. 633 bzw. Ambr. hex. 6,8,25), speziell aber ein gefaltetes Schriftstück aus Papier oder Pergament, zwei zusammenlegbare, miteinander verbundene Schreibtafeln oder eine Schreibtafel mit Deckel und Schreibflächen aus Wachs, Gips oder einem anderen, meist hellen Material (λεύκωμα), die mit Griffel, Rohr oder Pinsel bearbeitet werden. Da ein D. Texte gegen Beschädigung oder Fälschung schützt, wird es zu einem üblichen Mittel der Herstellung und Sicherung von Urkunden oder wertvollen Texten (Hdt. 7,239,3; Symm. epist. 2,80); eine Anzahl Exemplare sind erh. (FIRA 1, 221 ff. – Militärdiplome; 3, 129 ff. – Testamente, 3, 283 ff.; – Kaufverträge). Das D. weist Übergangsformen zum → *codex* auf (Dig. 32,52, pr.: *in codicibus membraneis, chartaceis, eborei vel alterius materiae vel in ceratis codicillis*).

In der Spätant. entwickelt sich im Zusammenhang mit der Ernennung hoher Beamter eine Schmuckform des D. aus wertvollen Materialien (Cod. Theod. 15,9,1, pr.) und mit bildlichen Darstellungen (»Consular-Diptychen«, mehrere Exemplare erh.). Schon früher findet das D. in der Liturgie der christl. Kirche Verwendung (Aug. epist. 78,4) und trägt zur Weiterentwicklung der kirchlichen Bild- und Schriftkunst bei (Codices, Triptychen, Polyptychen, Reliquiare).
→ Diploma; Schreibtafel; Tabula

F. GEHRKE, Spätant. und frühes Christentum, 1967, 180 ff. · H. HUNGER u. a., Textüberlieferung der ant. Lit. und der Bibel, 1975, 27 ff., 54 ff. · WENGER, 72 ff., 74 ff.   C. G.

Dipylon-Maler. Attischer Vasenmaler der geom. Zeit (Spätgeom. I, Mitte 8. Jh. v. Chr.; → geometrische Vasenmalerei), benannt nach dem Friedhof am Dipylon-Tor in Athen, an dem sich seine Hauptwerke fanden. Der D.-M. und die Maler seiner Werkstatt schufen ca. 20 monumentale Vasen (Kratere; Amphoren), die als Spendegefäße auf das Grab gestellt wurden (→ Bestattung); von diesen ist die Amphora Athen, NM 804, mit einer Höhe von 155 cm (Fuß ergänzt und daher einst vielleicht noch höher) das bekannteste Werk des D.-M. In sein künstlerisches Repertoire fallen Prothesis- und Ekphoradarstellungen, Reihungen von trauernden, knienden und auf Diphroi sitzenden Menschen, Wagenfahrt und Kriegerdarstellungen. Die Gefäße weisen eine klare Gliederung durch waagerechte Linienzüge auf, die die Ornamentbänder bzw. Figurenfriese trennen; von großer Bed. sind der Mäander, der in verschiedenen Varianten erscheint, Rauten, senkrechte Wellenlinien; dazu treten diverse ornamentale Beiwerke, wie Sterne, Rosetten, Zickzackbänder, Punktreihen u. a. mehr, mit denen die Freiräume gefüllt werden (horror vacui; → Ornament). Innovativ sind seine Tierfriese, weidende Rehe bzw. liegende Böcke, ferner Vögel; erzählerische Elemente zeigt das aus seiner Werkstatt stammende Fragment in Paris (LV Inv. A 519 [2. 50, Abb. 19]) mit dem szenenreichen Kampf zweier unterschiedlich bewaffneter Gruppen, dazu die Darstellung der Molione oder Aktorione (als Bezug zu Hom. Il. 11, 709–711?).

1 J. N. COLDSTREAM, Greek Geometric Pottery, 1968, 29–41 2 Ders. The Geometric Style: Birth of a Picture, in: T. RASMUSSEN, N. SPIVEY (Hrsg.), Looking at Greek Vases, 1993, 47–51 3 TH. ROMBOS, The Iconography of Attic Late Geometric II Pottery, 1988 4 K. SCHEFOLD, Das Frühwerk des Dipylonmeisters, in: AK 4, 1961, 76–78.   R. H.

Dirae. Bukolisches Gedicht aus der frühen Kaiserzeit, in dem der Dichter sein enteignetes Land mit einem Fluch belegt. Der Anschluß an Verg. ecl. 1 und 9 führte schon vor der Donat-(Sueton-)Vita (§ 17) zur Zuschreibung an → Vergilius (vgl. aber [3]). Mit v. 104 beginnt in sachlichem Anschluß (vgl. v. 41. 89. 95 mit 107) ein neues, ohne ant. Autorität *Lydia* genanntes Gedicht, wohl von demselben Verf. (vgl. [5]), eine elegische Klage eines von seiner Lydia getrennten Liebhabers. Beide Stücke sind ungeschieden in zwei Strängen der → Appendix Vergiliana (M und SFL) überliefert.
→ Fluch

ED.: C. v. d. GRAAF, 1945 · W. V. CLAUSEN u. a., App. Verg., 1966, 3–14 (E. J. Kenney) · E. FRAENKEL, in: JRS 56, 1966, 142–155 (nur D.), dagegen F. R. D. GOODYEAR, in: PCPhS 1971, 30–43.
LIT.: 1 K. BÜCHNER, P. Vergilius Maro, 1955, 109–116 2 B. LUISELLI, Studi sulla poesia bucolica, 1967, 117–144 3 E. VAN DEN ABEELE, Remarques sur les »D.«, in: RhM 112, 1969, 145–154 4 H. ZABOULIS, App. Verg.: D., in: Philologus 122, 1978, 207–223 5 J. RICHMOND, D., in: ANRW II 31.2, 1122–1125 6 F. DELLA CORTE, s. v. D., in: EV 2, 91–94 7 A. SALVATORE, Da un 'dramma' politico a un dramma esistenziale, in: Storia, poesia e pensiero nel Mondo Antico. FS M. Gigante, 1994, 549–564.   P. L. S.

Diribitores. D. (von *diribere = dis-habere*) sind »Verteiler«, auch »Ordner«, »Vorbereiter« oder »Zubereiter« (etwa von Speisen: Apul. met. 2,19). D. heißen in der röm. Republik die öffentlich bestellten und vereidigten Auszähler der *tabulae/suffragia* bei der Stimmauszählung in Gerichtshöfen und in der Volksversammlung (CGIL 5,62,6; *lex Malacitensis* 55/FIRA 1, 211).
→ Comitia; Suffragium

MOMMSEN, Staatsrecht 3, 406 ff.   C. G.

Dirke (Δίρκη).
[1] Tochter des Ismenos (Kall. h. 4,75 ff.), Gattin des Königs → Lykos. Beide sind dessen Nichte → Antiope [2] feind und übergeben sie nach einem gescheiterten Fluchtversuch deren Söhnen → Amphion und Zethos, die diese nach der Geburt ausgesetzt hat, zur Schleifung durch einen Stier. Die Söhne erkennen ihre Mutter rechtzeitig, lassen D. diese Strafe erleiden (Eur. bei Hyg. fab. 7 f.; Plaut. Pseud. 199 f.; Apollod. 3,43 f.; Petron. 45,8) und werfen D.s Leichnam in den Fluß, der fortan ihren Namen trägt (Pind. I.6,74; Aischyl. Sept. 273). In diesem Fluß wird Dionysos gebadet, bevor Zeus ihn sich in den Schenkel einnäht (Eur. Bacch. 519 ff.). An D.s Grab fand ein nächtlicher Ritus statt (Plut. mor. 578b).

E. BETHE, s. v. D., RE 5, 1169–1170 · F. HEGER, s. v. D., LIMC 3.1, 635–644.   R. HA.

[2] Kleiner, unmittelbar südwestl. von Thebai entspringender Fluß, h. auch Plakiotissas (Strab. 8,7,5; 9,2,24; Paus. 9,25,3; Plin. nat. 4,25). In Myth. und Dichtung eng mit Thebai verbunden (vgl. Pind. I.6,73–76; 8,20 f.; Eur. Herc. 784); daher das Adj. Διρκαῖος/*Dircaeus* oft syn. für Θηβαῖος/ *Thebanus* (z. B. Verg. ecl. 2,24; Hor. carm. 4,2,25).

E. BETHE, s. v. D., RE 5, 1169f.   P.F.

Dis Pater. Römische Entsprechung des griech. Unterweltsherrn → Hades bzw. → Pluton. Der Name Dis, so die ant. Überzeugung, leitet sich von *dives*, »reich« so ab, wie Pluton von *plútos*, »Reichtum« (Cic. nat. deor. 2,66; Quint. inst. 1,6,34). Kultisch wurde D. P. allein im Rahmen der *ludi Tarentini*, einer durch die Sibyllinischen Orakel 249 v.Chr. eingeführten Sühnefeier, und den daran angelehnten Säkularfeiern zusammen mit → Proserpina durch das Opfer schwarzer Tiere am → Tarentum verehrt (Varro bei Censor. 17,8; Val. Max. 2,4,5): diese geringe kult. Präsenz in einem Kontext, der durch die Sibyllinen und die Bindung an Proserpina griech. bestimmt ist, macht die durch die ant. Erklärer vorgeschlagene Herkunft aus der griech. Welt wahrscheinlich; der Kult stammt wohl aus Unteritalien, wo Pluton und Persephone mehrfach zusammen verehrt wurden, so in Elea oder in Locri. Eine D. P. genannte und mit einem Hammer bewaffnete Maske entfernte auch die Leichen aus der Arena (Tert. nat. 1,10,47; vgl. apol. 15). Daß hier mehr vorliegt als von der Lit. angeregtes Spektakel zeigt der Hammer, der auf den etr. → Charun verweist [1]. – Im Jenseitsbild der → Sabazios-Anhängerin Vibia steht die Tote einem bärtigen D. P. und einer Totenherrin gegenüber, die Aeracura heißt [2]; dasselbe Paar – mit den graphischen Varianten Hera/Era und (H)erecura – findet sich auf Dedikationen aus den gallischen und german. Prov. (ILS 3961–3968); das ist eine ebenfalls griech. gedachte Entwicklung im engen Mysterienkreis, die Göttin ist vielleicht als unterirdische Hera aus der Kombination von → Hera und → Kore zu verstehen.

Der geringen kult. Präsenz steht die Häufigkeit gegenüber, mit welcher der metrisch problemlose Name des D. P. in der Lit. als das röm. Äquivalent von Hades-Pluton genannt ist.

1 F. ALTHEIM, Griech. Götter im alten Rom, 1930, 90f.

2 E. LANE, Corpus Cultus Iovis Sabazii 2, 1985, 31 Nr. 65.

G. WISSOWA, Religion und Kultus der Römer ²1912, 309–313.   F.G.

Discens bezeichnete im mil. Zusammenhang einen Soldaten, der für eine spezielle Funktion ausgebildet wurde. Inschr. belegen, daß den Legionen Soldaten angehörten, die auf den Dienst als Reiter (CIL VIII 2882 = ILS 2331), Sanitäter, Architekten oder Standarten- und Adlerträger (*discens aquiliferu(m) leg(ionis) III Aug(ustae)*, CIL VIII 2988 = ILS 2344) vorbereitet wurden. Es ist unklar, ob *d.* im Rang den *immunes* gleichstanden, also den Soldaten, die bes. Aufgaben hatten und von den *munera*, dem schweren Dienst, befreit waren. Auch bei den Praetorianern waren *d.* zu finden.

1 Dizionario epigrafico, 1910–1911, (II.3), s. v. Discens.
                    J. CA./Ü: A. BE.

Discessio. Allgemein »Auseinandergehen«, bei Versammlungen auch »Beendigung« (Gell. 1,4,8; Ter. Andr. 5,68; Cic. Sest. 77). Juristisch ist *d.* der Verlust eines Rechts oder der Rücktritt von einem Geschäft (Dig. 18,2,17,18; Dig. 6,1,35 pr.).

Polit. bezeichnet *d.* generell Parteibildung, Abspaltung oder innere Konflikte wie die zwischen Patriziern und Plebeiern (griech. ἀπόστασις; Gell. 2,12; Sall. hist. fr. 1,11). Im röm. Senat heißt *d.* das Abstimmungsverfahren, bei dem die Votierenden an verschiedene Seiten des Abstimmungsorts treten müssen (Plin. epist. 8,14,19; *lex de imperio Vespasiani* 4, FIRA 1, 154–156; Tac. ann. 14,49,1). Im christl. Sprachgebrauch meint *d.* (entsprechend griech. ἀπόστασις) den Abfall vom rechten Glauben (Vulg. act. ap. 21,21).
→ Senatus; Senatus consultum

MOMMSEN, Staatsrecht 3, 983f.   C.G.

Disciplina arcani. (Arkandisziplin). Als *d.a.* bezeichnet man eine rel. motivierte Geheimhaltungspflicht der Mitglieder einer Religionsgemeinschaft gegenüber Fremden oder nicht Vollmitgliedern hinsichtlich ihrer rel. Lehren und Praktiken. Obwohl verschiedene Formen rel. Geheimhaltung in den ant. Religionen, vor allem in einigen → Mysterien, bezeugt sind, bezeichnet der terminus *d.a.* eine bes. Geheimhaltungspflicht im ant. Christentum. Es handelt sich bei dieser Theorie einer christl. *d.a.* aber um ein histor. Konstrukt aus den nachreformatorischen konfessionellen Kontroversen, je zur Eigenlegitimierung [3]. Aus dem frühen Christentum ist eine Verpflichtung zur Verschwiegenheit nicht bekannt; in der Auseinandersetzung mit der → Gnosis wird die Öffentlichkeit christl. Lehre geradezu zum Kriterium für Orthodoxie. Gelegentliche Hinweise auf die Verschlossenheit christl. Mysterien für Ungetaufte und das daraus folgende Verbot der Teilnahme an bestimmten Teilen des Kultes (Sakrament) und der unautorisierten Weitergabe kult. Formeln, wie sie bes. aus dem späten 3. und 4. Jh. n. Chr. bes. im Zusammenhang der Vorbereitung auf die Taufe überliefert sind, können nicht von der Theorie einer *d.a.*, sondern nur von einer rel. Erkenntnislehre gedeutet werden.

1 H. CLASEN, Die Arkandisziplin in der Alten Kirche, 1956

2 C. JACOB, »Arkandisziplin«, Allegorese, Mystagogie, 1990

3 R. ROTHE, de a. a. origine, 1841.   H. BR.

Disciplina etrusca s. Divination

Disciplina militaris. Das lat. Wort *disciplina* bezeichnet a) ein Wissensgebiet oder eine Wissenschaft und b) Gehorsam. In Verbindung mit dem röm. Militärwesen erscheint *disciplina* meist in der zweiten Bed.; bei Frontinus wird die Kenntnis des Militärwesens *rei militaris scientia* genannt (Frontin. strat. 1 praef. 1). Die Wendung *disciplina militaris* wird von Valerius Maximus sowie Plinius gebraucht und ist überdies epigraphisch belegt (Val.Max. 2,7; Plin. epist. 10,29; S.c. de Cn. Pisone patre, 52; ILS 3809). Tacitus charakterisiert mit den

Worten *militia disciplinaque nostra* den röm. Militärdienst (Tac. ann. 3,42,1; vgl. *veteris disciplinae decus*: ann. 1,35,1), und bei Vegetius werden die mil. Erfolge der Römer auch auf die *disciplina* zurückgeführt (Veg. mil. 1,1: *Nulla enim alia re videmus populum Romanum orbem subegisse terrarum nisi armorum exercitio, disciplina castrorum usuque militiae*. Vgl. Veg. mil. 2, praef.: *de usu ac disciplina ... bellorum*). Nach Flavius Iosephus beruhte die mil. Stärke Roms wesentlich auf Gehorsam und Übung im Umgang mit Waffen (Ios. bell. Iud. 2,577, vgl. 3,70–75). Es ist signifikant, daß gerade für Fremde absoluter Gehorsam ein Kennzeichen der röm. Armee war; so sagt im Evangelium ein Centurio: ›Ich habe Soldaten unter meinem Befehl, und sage ich zu einem von ihnen: Geh! so geht er, und zu einem anderen: Komm! so kommt er‹ (Mt 8,9). Die mil. Disziplin war in der Republik in hohem Maße von dem Verhalten der Magistrate und Promagistrate, die die Legionen führten, abhängig und wurde v.a. von den Offizieren durchgesetzt. In der Prinzipatszeit nahm außerdem der *princeps* zunehmend Einfluß auf die Disziplin der Soldaten. Frontinus, der der *disciplina* längere Ausführungen widmet, bietet eine Vielzahl von Beispielen dafür, daß Consuln durch hartes Exerzieren oder strenge Strafen in einer Legion die Disziplin wiederherstellten (Frontin. strat. 4,1). Im 1. Jh. n. Chr. galten insbes. Ser. Sulpicius Galba und Cn. Domitius Corbulo als sehr fähige, aber auch extrem strenge Feldherren (Suet. Galba 6; Tac. ann. 11,18). Gerade während der Bürgerkriege im Jahr 69 n. Chr. wurde deutlich, daß die Soldaten sich am Vorbild ihrer Feldherren orientierten (Tac. hist. 2,76,5); in dieser Situation war die bessere Disziplin der eigenen Truppen ein entscheidendes Argument für ein mil. Eingreifen (Tac. hist. 2,77,2–3). Augustus versuchte eine strikte Disziplin im röm. Heer durchzusetzen (S.c. de Cn. Pisone patre, 52: *militarem disciplinam a divo Aug institutam*; Suet. Aug. 24,1: *disciplinam severissime rexit*); gegen Cn. Piso, *cos.* 7 v. Chr., wurde im Prozeß des Jahres 20 n. Chr. der Vorwurf erhoben, die *d.m.* durch Geschenke erheblich beeinträchtigt zu haben. Die spätere Lit. (Cassius Dio, SHA) hat die *principes* jeweils danach beurteilt, ob sie die Disziplin der Truppen wie Hadrian (SHA Hadr. 10,2–3) erhöhten oder die Soldaten eher korrumpierten. Für die Aufrechterhaltung der Disziplin waren die Centurionen verantwortlich, die das Recht hatten, röm. Soldaten mit dem Rebstock zu schlagen. Aus diesem Grund waren sie in den Legionen verhaßt; bei Meutereien richtete sich der Zorn der Soldaten zuerst gegen die Centurionen, die in einigen Fällen brutal umgebracht wurden (Tac. ann. 1,17,4; 1,18,1; 1,23,3 f.; 1,32,1). Bereits in der Zeit der Republik existierte ein abgestuftes System von Belohnungen und Strafen (Pol. 6,37–39): Ein tapferer Soldat konnte Auszeichnungen erhalten oder befördert werden. Es war aber auch möglich, ganze Einheiten zu bestrafen, indem etwa eine Legion aufgelöst wurde, wobei die Soldaten unehrenhaft aus dem Militärdienst entlassen wurden; Einheiten, die vor dem Feind zurückgewichen waren oder den Ge-

horsam verweigert hatten, konnten der → *decimatio* unterworfen werden (Suet. Aug. 24; Tac. ann. 3,21,1). In einigen Fällen wurden Cohorten gezwungen, außerhalb des Walles zu lagern (Frontin. strat. 4,1,18; 4,1,21). Einzelne Soldaten wurden je nach Schwere des Vergehens auf unterschiedliche Weise bestraft; in schimpflicher Weise mußten Offiziere, die versagt hatten, mit zerrissener Kleidung tagsüber im Lager stehen (Suet. Aug. 24,2; Frontin. strat. 4,1,26; 4,1,28), Soldaten erhielten ihren Sold nicht oder wurden inhaftiert (Tac. ann. 1,21,3). Auch die Todesstrafe wurde vollzogen, begründet mit der Bemerkung, kein Soldat bedeute soviel, daß seinetwegen die Disziplin zugrunde gerichtet werden dürfe (Frontin. strat. 4,1,41: *negavit tanti esse quemquam, ut propter illum disciplina corrumperetur*).

Die *d.m.* hatte darüber hinaus auch rel. Grundlagen: Der Rekrut leistete einen Eid (das *sacramentum militiae*), der die Anerkennung der *d.m.* einschloß (Pol. 6,21; Gell. 16,4). Während des Militärdienstes hatte der Soldat das auszuführen, was ihm von den Göttern durch seinen Vorgesetzten befohlen wurde (*fas disciplinae*). Der Begriff *disciplina* nahm in seiner doppelten Bed. ›Wissen‹ und ›Gehorsam‹ eine derart wichtige Stellung im mil. Denken ein, daß *disciplina* schließlich zu einer Göttin wurde, der man Altäre errichtete (z. B. ILS 3810). In der Spätant. blieb die *d.m.* ein grundlegender Wert, wie die Darstellung der Ausbildung der Rekruten bei Vegetius zeigt: sie orientiert sich an der *antiqua consuetudo* (Veg. mil. 1, praef.).

→ Auszeichnungen, militärische; Centurio; Decimatio; Dona militaria

1 G. BRIZZI, I ›manliana imperia‹ e la riforma manipolare. L'esercito romano tra ›ferocia‹ e ›disciplina‹, in: Sileno 16, 1990, 185–206 2 W. ECK, A. CABALLOS, F. FERNÁNDEZ, Das senatus consultum de Cn. Pisone patre, 1996 3 C. GIUFFRIDA, Disciplina Romanorum, in: Le trasformazioni delle cultura, 1985, 837–860 4 Y. LE BOHEC, ²1990 5 J. VENDRAND-VOYER, Normes civiques et métier militaire à Rome sous le Principat, 1983 6 M. ZIÓLKOWSKI, Il culto della Disciplina nella religione degli eserciti romani, in: Riv. Stor. Ant. 20, 1990, 97–107. Y. L. B./Ü: C. P.

Discordia. Die lat. Entsprechung zu griech. → Eris. Im Gegensatz zu → Concordia ist D. nur eine lit. Personifikation und keine Kultgöttin. D. schlägt bei Ennius (ann. 225 f.) die Kriegstore ein (vgl. Hor. sat. 1,460 f.). Nach Hyg. fab. praef. 1 ist D. eine Tochter der »Nacht« (→ Nox) und des → Erebos. Bei Vergil (Aen. 6,280) steht sie am Eingang zum Orcus; Aen. 8,702 erscheint sie, angetan mit einem zerrissenen Mantel, auf dem Schild des Aeneias im Getümmel der Schlacht bei Actium (vgl. auch Val. Fl. 2,204 und die kriegshetzende D. bei Petron. 124, V. 271–295). Bei Mart. Cap. 1,47 ist D. neben der Seditio eine Gottheit aus der dritten Region des Himmels.

A. GRILLI, s. v. D., EV 2,97 f. • E. NORDEN, Ennius und Vergil, 1915, 15–18 • O. SKUTSCH, The Annals of Q. Ennius, 1985, 403–405. R. B.

Discussor (griech. *logothétēs*, etym. von *discutere* in der Bed. von »prüfen, untersuchen«) war ein Beamter des spätant. röm. Staates, dem der Titel 10,30 des Cod. Iust. gewidmet war. Die Hauptaufgaben der *discussores* lagen in der Steuerverwaltung. So haben sie offenbar Außenprüfungen der Besteuerungsgrundlagen vorgenommen, die im Verfahren des → *census* durch Selbsteinschätzung (*professio*) festgelegt worden waren. Daneben erscheinen die *d.* als Rechnungsprüfer für Zölle, öffentliche Bauten und öffentlich festgesetzte Preise. Die von den *d.* erlassenen Verwaltungsakte hießen → *sententiae* (Cod. Iust. 7,62,26). Gegen die bes. naheliegenden Bestechungsversuche gegenüber den *d.* wenden sich mehrere Kaiserkonstitutionen.

Ähnliche oder dieselben Aufgaben hatten die *inspectores* und *peraequatores* (Cod. Iust. tit. 11,58), ohne daß die Abgrenzung der Zuständigkeiten und der Stellung in der Hierarchie genau nachvollziehbar ist. Die *peraequatores* scheinen aber den höheren Rang gehabt zu haben (vgl. Cod. Theod. 13,11,11).   G.S.

Dishypatos (δισύπατος). Mittelhoher Rang innerhalb der byz. Titelnomenklatur, erwähnt erstmalig im J. 804 [1. 153*, 39]. Die Würde des *d.* wurde Richtern und Verwaltungsbeamten verliehen. Ab dem 12. Jh. begegnet *d.* häufig, nach 1178 ausschließlich als Familienname.

1 G. FATOUROS, Theodori Studitae epistulae, I, 1992.

J. BURY, The Imperial Administrative System, 1911, 27 · R. GUILLAND, Recherches sur les Institutions byzantines, II, 1967, 79–81 · W. SEIBT, Die byz. Bleisiegel in Österreich, I, 1978, 237–240.   G. MA.

Diskobol s. Siegerstatuen

Diskoduraterai (Δισκοδουρατέραι). Ansehnliches Emporion zw. den h. Dörfern Gostilitza und Slawejkowo am linken Ufer des Jantra (ant. *Iatrus*), 12 km westl. von Drjanowo, 32 km südwestl. von Nikopolis ad Istrum, wohl unter Marcus Aurelius von Augusta Traiana gegr. Bes. Blüte unter den Severern (befestigt); unter Aurelianus dem Territorium von Nikopolis ad Istrum zugeschlagen. Zahlreiche Inschr. ([1. 21 ff.], IGBulg II, 137–145) und bed. Baureste.

1 SULTOV, in: Mitt. des Bezirkmuseums von Tirnowo 1, 1962.

I. WELKOW, in: Jb. des arch. Nat. Mus. Sofia 1922–1925, 1926, 127–137.   J.BU.

Diskos von Phaistos. Der D. von Ph. ist eine runde Scheibe aus gebranntem Ton (etwa 16 cm Durchmesser, 2 cm dick); er wurde im Palast von → Phaistos gefunden und läßt sich stratigraphisch ins 16. Jh. v. Chr. datieren. Beide Seiten tragen je ein Spiralband von eingestempelten Zeichen (insgesamt 242). 45 verschiedene Lettern kommen vor, mehrere bieten Bilder aus dem min. Kulturkreis. Seite A trägt 31 durch Striche getrennte Zeichengruppen, Seite B 30. Zweifellos liegt Schrift vor. Die Leserichtung verläuft – wie die Richtung beim Stempeln – wohl von außen nach innen, linksläufig. Die Menge der Zeichen deutet auf eine Silbenschrift, die Gruppen auf Wörter; Schrägstriche an Wortenden markieren wohl Syntagmata. Da der D. von Ph. das einzige Dokument dieser Schrift und sein Text für sichere statistische Aussagen zu kurz ist, lassen sich weder Sprache noch Inhalt erschließen.

→ Griechenland: Schriftsysteme; Vorgriechische Sprachen

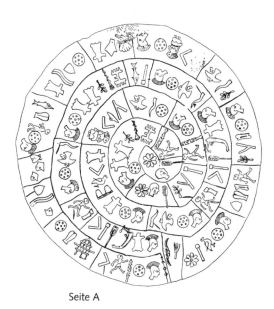

Seite A

Seite B

Diskos von Phaistos, Heraklion, Arch. Museum.

L. Pernier, Il disco di Phaestos con caratteri pittografici, in: Ausonia 3, 1908, 255–302 · J.-P. Olivier, Le disque de Phaistos, 1975 · Y. Duhoux, Le disque de Phaistos, 1977 · L. Godart, Il disco di Festo, 1994.   G. N.

Diskursnormen ist kein Begriff der ant. → Rhetorik oder → Dialektik. Zu verstehen sind darunter die Anforderungen, die Rede und Gespräch, Redner und Dialogpartner, erfüllen müssen, um die damit angestrebten Wirkungen zu erzielen. D. sind Gegenstand von auf Erfahrung gegründeten, praxisbezogenen Theorien (τέχνη, *ars*) des öffentlichen wie privaten »Gegeneinander-Redens«, sowohl mit langen und kurzen Monologen als auch mit Fragen sowie langen und kurzen Antworten im Gespräch (Plat. Gorg. 449b9–c8, Prot. 334d6–335c2) – also Gegenstand der Rhet., Eristik und Dialektik.

Die D. ergeben sich zunächst aus dem allg. Zweck von Rede und Gespräch. Da diese Zwecke umstritten sind, sind es auch die D.: Wer von der Rede fordert, sie müsse zur Erkenntnis der Wahrheit und zu Wissen führen (→ Platon/→ Sokrates), muß D. ablehnen, die nur auf Überzeugen und Meinung zielen (→ Sophistik). Wer das Gespräch der Prüfung wahrscheinlicher Sätze wegen führt (aristotelische Dialektik), muß die D. der sophistischen Eristik, die dazu dienen, in den Augen der Zuschauer den Wettkampf des Dialogs zu gewinnen, zurückweisen. Für Protagoras (Plat. Tht. 167b2–7) müssen die Reden die Polis in einen Zustand versetzen, in der sozialer Konsens darüber zustande kommt, daß das Nützliche, Brauchbare gerecht ist, indem sie Einverständnis darüber herbeiführen, was Wörter wie »gerecht«, »gesetzlich«, »ehrenhaft«, »nützlich« bedeuten; dazu muß die Rede situationsgerecht sein (καιρός, *kairós*), der Redner sich also seinem Publikum anpassen. Für → Gorgias von Leontinoi (Helena 13) müssen die Reden durch Seelenführung (ψυχαγωγία, *psychagōgía*: Plat. Phaid. 271c10) Überzeugungen herstellen, d. h. sie müssen *téchnē*-gemäß verfaßt sein und die Zuhörer ergötzen; dabei geht es nicht um Wissensvermittlung oder Wahrheit, sondern darum, sich der rhet. *téchnē* auf rechtliche Weise (Plat. Gorg. 457b1–5) zu bedienen. Überzeugen (πείθειν, *peíthein*) muß eine Rede für → Aristoteles (rhet. 1355b10–11) auf Grund ihrer Glaubwürdigkeit (πιθανόν, *pithanón*), gewonnen durch Überzeugungsmittel: den Charakter des Redners, die Stimmung, in die er den Hörer versetzt, durch die Rede selbst, d. h. das Beweisen und scheinbare Beweisen (1356a1–4; → probationes). Die Hörer/Richter vom parteiischen Standpunkt des Redners zu überzeugen, bleibt charakteristische D. (ἀρετή; *aretḗ, virtus*: Quint. inst. 2,15,1–38; → virtutes dicendi).

D. sind sodann Funktionen der Zwecke der einzelnen Redegattungen, -arten, -teile, -elemente im Hinblick auf die jeweilige Rolle des Hörers als Richter bzw. Zuschauer (Aristot. rhet. 1358b2–13). Das Lehrgespräch (z. B. Plat. Parm. 137a6–166c5) ist so zu führen, daß der Schüler eine wiss. Lehre oder Disziplin lernt, ausgehend von deren Prinzipien/Axiomen. Beim sophistischen Streitgespräch geht es darum, zu gewinnen, d. h. die Zustimmung des Publikums zu einer Vorstellung des Gegners durch rasche, lebendige Darstellung zu verändern (Gorg. Helena 13). Beim Prüfgespräch, wie es Zenon von Elea und Sokrates führten, geht man von der Meinung des anderen aus und zieht daraus Folgerungen, die zeigen, daß diese nicht haltbar ist. Beim dialektischen Dialog soll festgestellt werden, ob ein wahrscheinlicher Satz bejaht oder verneint werden muß (Aristot. soph. el. 165b1–8). Die D. legen fest, daß der Lehrende, Prüfer, Angreifer die Rolle des Fragenden übernimmt. Platons Forderung (Gorg. 448d5–449c5, Prot. 334d6–335c2), die Sophisten sollen nur kurz und präzise antworten, ist ein Streit um D. Nur eine Frage zu stellen, nur durch Fragen zu widerlegen (Plat. Gorg. 466c7–8, 467c1–2), sind ebenso D. wie Protagoras' Aufforderung, nicht durch Fragen zu betrügen (Plat. Tht. 167e1–168a2), und Aristoteles' Anweisungen für das Fragen und Antworten in seiner Topik und den sophistischen Widerlegungen.

O. A. Baumhauer, Die sophistische Rhet., 1986 · Lausberg.   O. B.

Diskuswurf. Der Diskus (δίσκος, *dískos*) war seiner Herkunft nach ein in Form der Rohluppe erstarrtes Produkt des Ausschmelzens von Kupfer. Urspr. eine gesuchte Handelsware der Bronzezeit, wurde er zum Sportgerät [1]. In der Ilias (23,826–849), wo er unter der Bezeichnung σόλος (*sólos*) vorkommt (23,826, 839, 844; so auch poetisch bei Q. Smyrn. 4,436), ist dieser Zusammenhang noch spürbar, wenn Diskus Wettkampfgerät und Preis zugleich ist, anachronistisch aber aus Eisen besteht [2]. Als Wurfscheibe aus Metall (gelegentlich Stein), zwischen 17 und 32 cm im Durchmesser, um 4–5 kg schwer [3; 4. 236–246], wird er in die Weite geschleudert. Im Epos als Einzeldisziplin geschildert (s. o. sowie Hom. Od. 8,129, 186–190), wird der D. später nur noch im Rahmen des Fünfkampfs (Pentathlon), wahrscheinlich als erste Disziplin [5. 18–20], ausgetragen. Philostratos (gymn. 3) rechnet ihn zu den schweren Übungen.

In Olympia standen den Pentathleten drei Disken zur Auswahl zur Verfügung, die im Schatzhaus der Sikyonier aufbewahrt wurden (Paus. 6,19,4). Wurfweiten sind nur selten überliefert [4. 260–261]. Über die technische Ausführung des D. herrscht keine Einigkeit [6]; diskutiert wird, ob dem Wurf eine Drehung (wie heute) vorausging [4. 256–258]. Von der berühmten Statue des Diskobolos des Myron aus betrachtet [7], müßte man die Wurftechnik als Pendelschwung ansehen [8]. Der D. ist häufig Thema der Vasenmalerei [4. Tf. 56–57, 60–61, 63–64, 66–67]. Die Markierung der Wurfweite erfolgte durch einen in den Boden gesteckten Holzpflock [4. Abb. 65a]. Der D. war auch in der etr. Sportkultur bekannt [9. 295–306].

Abb. s. → Sport.

1 W. Decker, Zum Ursprung des Diskuswerfens, in: Stadion 2, 1976, 196–212 2 S. Laser, ArchHom T, 58–62 3 J. Jüthner, Über ant. Turngeräthe, 1896, 18–36 4 Ders., F. Brein, Die athletischen Leibesübungen der Griechen II 1, 1896, 225–303 5 J. Ebert, Zum Pentathlon der Ant., 1960 6 M. K. Langdon, Throwing the Discus in Antiquity: The Literary Evidence, in: Nikephoros 3, 1990, 177–187 7 B. Schröder, Zum Diskobol des Myron, 1913 8 W. Anschütz, M.-L. Huster, Im Olympiajahr 1984: Der »Diskobol« zwischen Leistungssport und Regelzwang, in: Hephaistos 5/6, 1983/84, 71–89 9 J.-P. Thuillier, Les jeux athlétiques dans la civilisation étrusque, 1985.

M. Lavrencic, G. Doblhofer, P. Mauritsch, Diskos, 1991 · R. Patrucco, Lo sport nella Grecia antica, 1972, 133–170 · I. Weiler, Der Sport bei den Völkern der Alten Welt, ²1988, 161–166. W. D.

Dispensator (*ab aere pendendo*, Varr. ling. 5,183). In früherer Zeit hatte der *d.* wohl für einen Herrn oder die öffentliche Hand ungemünztes Edelmetall »abzuwägen«. Daraus entwickelte sich der *d.* zum Rechnungsführer, Kassenbeamten und Vermögensverwalter in gleicher Bed. wie griech. *oikonómos*. *D.* ist eine in röm. Inschr. sehr häufige Bezeichnung. Viele *dispensatores* waren Sklaven oder Freigelassene. Bei Gai. inst. 1,122 werden *d.* geradezu als eine bestimmte Art von Sklaven bezeichnet: *servi, quibus permittitur administratio pecuniae, dispensatores appellati sunt* (›Sklaven, denen die Verwaltung von Geld anvertraut wird, nennt man *d.*‹). Großen Einfluß hatten die *d. Caesaris* oder *Augusti* als Verwalter des Privatvermögens der Kaiser oder anderer Angehöriger der kaiserlichen Familie. Sie arbeiteten nicht nur in der unmittelbaren Umgebung der Kaiser, sondern auch auf deren Gütern und in deren Unternehmen. Ferner waren *d.* z. B. für Lagerhäuser (→ *horrea*) und bei der öffentlichen Getreideversorgung tätig. In der Spätant. wurde die Funktion des *d.* auch in die Kirchenverwaltung übernommen.

Liebenam, s. v. D., RE 5, 1189–1198. G. S.

Dispositio. Die D. (τάξις, *táxis*) wurde in den Lehrschriften zur Rhet. in der Regel als jener unerläßliche Arbeitsgang angesehen, der dazu diente, die Ergebnisse, die der Redner mittels der → *inventio* erzielt hatte, in die Form einer Rede zu kleiden: Rhet. Her. 3,16 (vgl. Cic. inv. 1,9; Quint. inst. pr. 1; 7,1,1 u. ö.). Aus diesem Grunde wurde sie auch bei den meisten Autoren unmittelbar nach der *inventio* behandelt (Quint. inst. 7, pr. 2). Man findet sie aber auch gelegentlich an dritter Stelle nach *inventio* und → *elocutio* aufgezählt (Cic. de orat. 1,187; 2,79; so auch Arist. rhet. 1403b6 ff.), als ordnendes Kriterium für die beiden wesentlichen Bestandteile der Rede, d. h. *res* und *verba*. Vorrangiges Ziel der *d.* war die *utilitas*, und aus eben diesem Grunde unterschied sie sich von der gewöhnlichen Reihenfolge (*ordo*). Andere sie betreffende Gesichtspunkte konnten *decor* und *necessitas* sein (Cic. de orat. 1,142; Iul. Vict. rhet. 81,24 ff.). Bereits in Rhet. Her. 3,16 ist von zwei Arten der *d.* die Rede, die eine, *ab institutione artis*, sieht die logische Aneinanderreihung der Teile der Rede (*principium, narratio, divisio, confirmatio, refutatio, epilogus*) sowie der Argumente (*expositio, ratio, confirmatio rationis, exornatio, conclusio*) vor, während die andere sich vom *ordo artificiosus* löst und sich nach dem *iudicium* des Redners der jeweiligen Situation anpaßt. Im Unterschied zur *partitio*, die nur eine *species* der *d.* war (Quint. inst. 3,9,2), war die *d.* für alle Teile der Rede wirksam: sie regelte nicht allein ihre Abfolge, sondern entschied auch über ihr Vorhandensein oder Fehlen oder ihre Aufspaltung. Von grundlegender Bed. war darüber hinaus die strategische Anordnung der Argumente im Bereich der → *argumentatio*, wo sie nach der Stellung der jeweiligen Partei innerhalb des Prozesses variierte. Für die Anklage war die sogenannte »homerische« Anordnung bes. wirkungsvoll (Quint. inst. 5,12,14), bei der die schwächsten Argumente in der Mitte standen. Zu vermeiden war hingegen die absteigende Anordnung der Argumente von den stärksten zu den schwächsten (ebd.). Nützlich für den Kläger war noch, mehrere nicht sehr wirkungsvolle Argumente zusammenzufassen, damit sie sich auf diese Weise gegenseitig stützten, während es für den, der sich verteidigte, angebrachter war, sie getrennt zu halten, um jedes für sich zu widerlegen.

G. Calboli, Rhetorica ad C. Herennium, 1969 · L. Calboli Montefusco, Consulti Fortunatiani Ars Rhetorica, 1979 · Dies., s. v. D., HWdR, Bd. 2, 1994, 831–839 · P. Hamberger, Die rednerische D. in der alten ΤΕΧΝΗ ΡΗΤΟΡΙΚΗ (Korax-Gorgias-Antiphon), Diss. 1914. L. C. M./Ü: A. Wi.

Dissimilation s. Graßmannsches Gesetz, s. Lautlehre

Dissoi logoi (Δισσοὶ λόγοι), d. h. »Doppelte Reden«, nennt man nach den Anfangsworten des Textes einen anon., am Ende der Hss. des Sextus Empiricus entdeckten Traktat, der in dor. Dial. wahrscheinlich zu Beginn des 4. Jh. v. Chr., in jedem Fall aber nach dem Ende des Peloponnesischen Krieges (404 v. Chr.) verfaßt wurde. Die Grundstruktur besteht in der systematischen Gegenüberstellung von Argumenten für bzw. gegen die Identität der scheinbaren Gegensätze von Gut und Böse, Schön und Häßlich, Gerecht und Ungerecht, Wahr und Falsch. Die Suche nach den Quellen dieses schwer einzuordnenden Werks hat im wesentlichen pythagoreische [1] und vor allem sophistische Quellen erbracht, letztere in Anbetracht der Nähe zu der antilogischen Methode der sophistischen Bewegung des 5. Jh., wie sie in den → Protagoras zugeschriebenen »umstürzenden Argumenten« (Καταβάλλοντες), aber auch in der zenonischen Dialektik und in den argumentativen Techniken von Gorgias' Traktat ›Über das Nichtseiende‹ zum Ausdruck kommt.

1 A. Rostagni, Un nuovo capitolo nella storia della retorica e della sofistica, in: SIFC, 52, N. S. 2,1–2, 1922, 201–236.

Ed. und Übers.: Diels/Kranz II (90) 405–416 · T. M. Robinson, Contrasting Arguments, an Edition of the D. L.,

1979 • A. Levi, On Twofold Statements, in: AJPh 61, 1940, 292–306 • M. Untersteiner, I sofisti, 1949, 2 Lit.: C. J. Classen, in: Elenchos, 6, 1985.   B. C./Ü: S. P.

Distelfink (ἀκανθίς, lat. *acanthis* und *carduelis*). Ein noch heute in den Mittelmeerländern wegen seines bunten Gefieders und schönen Gesanges gerne in Käfigen gehaltener wärmeliebender Vogel. Seine geringe Größe (Plin. nat. 10,175) und Feindschaft mit dem Esel wegen der Konkurrenz in der Distelnahrung werden verschiedentlich erwähnt (Plin. nat. 10,205 = Ps.-Aristot. 9,1,610 a 4). Diese Deutung von *akanthís* (Aristot. hist. an. 8,3,592 b 30; Ps.-Aristot. 9,1,610a 4; 9,17,616b 31) ist aber ebenso umstritten wie die Gleichsetzung mit *acanthyllis* (*agathillis* Codd.) bei Plin. nat. 10,96 [1. 1; 2. 30 f.]. Der sicherlich im Käfig gehaltene *carduelis* bei Plin. nat. 10,116 konnte sogar Kunststücke, bei Petron. 46 war er Spielgefährte eines in Vögel vernarrten Jungen [3. 268]. Abbildungen in ma. Hss. sind nicht selten (allein 15 Beispiele bei [4]).

1 Leitner 2 D'Arcy W. Thompson, A glossary of Greek birds, ²1936, Ndr. 1966 3 Toynbee 4 B. Yapp, Birds in Medieval Manuscripts, 1981.   C. HÜ.

Disteln. Mit Stacheln versehene Kräuter der Compositen-Abteilung *Cynareae* mit etwa 70 Arten in 15 Gattungen. Verschiedene Arten werden von Theophr. h. plant. 6,4,3–11 (= Plin. nat. 21,94–97) unter Namen wie ἄκανθα oder κάκτος (lat. *carduus* bzw. *cactus*) behandelt, darunter die → Artischocke (*Cynara*). Dioskurides 3,12 ([1. 19 f.] bzw. [2. 270 f.]) empfiehlt die Wurzel einer weißen D. u. a. zu Einnahme gegen Blutspucken und Leibschmerzen. Auch z. T. ähnliche Pflanzen anderer Familien wie Umbelliferen (*Eryngium* u. a.), Acanthaceen (→ Akanthos) und Dipsaceen zählen dazu. Der Name *Cactus* wurde erst im 17. Jh. auf die aus Amerika am Mittelmeer eingeführten *Opuntia*-Arten und andere Cactaceen übertragen. Von D. sind Namen von Inseln (Zakynthos), Städten (Akanthos in Makedonien) und Personen (Akanthos und Akanthis als Kinder des Autonoos und der Hippodameia; Akantho als Mutter des Helios von Rhodos) abgeleitet.

1 M. Wellmann 2 J. Berendes.   C. HÜ.

Dithyrambos (ὁ διθύραμβος). Chorlied zu Ehren des → Dionysos. Über Herkunft und Bed. des Namens wird seit der Ant. spekuliert. Das Wort ist sicher eine nichtgriech., vielleicht phryg. Bildung; am wahrscheinlichsten dürfte die Rückführung auf *íambos* (ἴαμβος; Zweischritt) und (*thríambos*; θρίαμβος; Dreischritt) sein [1]. In einer umstrittenen Passage der *Poetica* (4,1449a 10–13) bringt Aristoteles den D. als Vorstufe in einen genetischen Zusammenhang mit der Trag. (oder nach anderer Deutung [2] mit der Komödie).

In der Gesch. der Gattung lassen sich drei Phasen unterscheiden: 1. der vorlit. D., 2. die Institutionalisierung im 6. Jh., 3. der Neue D. seit der Mitte des 5. Jh. Bereits in der 1. Phase war der D. ein Kultlied dionysi-

schen Inhalts, das von einer Gruppe von Sängern unter Leitung eines Exarchon vorgetragen wurde, wie das älteste Testimonium, Archil. fr. 120 West, belegt. Die 2. Phase läßt sich histor. aus der Kultur- und Religionspolitik der Tyrannen und der jungen att. Demokratie erklären: Nach Hdt. 1,23 war Arion (E. 7. Jh.) der erste, der in Korinth ein Chorlied verfaßte (ποιήσαντα), es mit einem Chor einstudierte und aufführte (διδάξαντα) und schließlich seiner neuen Art von Chorlied den etablierten Namen D. (oder einen Titel [3]) gab (ὀνομάσαντα). In Athen ist mit dem D. Lasos von Hermione verbunden, der wohl in den ersten Jahren der att. Demokratie den D.-Agon organisierte. Jede der 10 att. Phylen trat mit je einem Männer- und Knabenchor, bestehend aus 50 Sängern, zum Wettkampf an. Die Finanzierung (Honorar für den Dichter, den Chorodidaskalos, den Flötenspieler sowie die Ausstattung des Chors) oblag dem → Choregos, der im Falle eines Sieges einen Dreifuß mit einer Weihe-Inschr. in der Tripodenstraße aufstellen durfte. Der D.-Agon war ein Wettstreit der Phylen, nicht der Dichter, die auf den Siegesinschr. nicht einmal erwähnt wurden. Dies unterstreicht die polit. Funktion des D.-Agons: In der neugeschaffenen polit. Ordnung wirkte das Mitwirken im D.-Chor traditionsbildend. *Dithýramboi* wurden in Athen an folgenden Festen aufgeführt: an den Großen → Dionysien, → Thargelien, (Kleinen) → Panathenäen, → Promethia, Hephaistia (vgl. Lys. 21,1–4; Ps.-Xen. Ath. pol. 3,4; Antiph. 6,11). Der erste Sieger bei den Dionysien in Athen war ein sonst unbekannter Hypodikos von Chalkis (509/8 v. Chr.).

In der 1. H. des 5. Jh. dominierten Simonides (mit 56 Siegen im Agon), Pindar und Bakchylides. Die D. Pindars (fr. 70–88 Maehler) weisen stereotype Elemente auf: Der Anlaß der Aufführung des D., die auftraggebende Polis, Lob des Dichters, Mythenerzählung und vor allem dionysische Theologie scheinen zum Standardrepertoire der pindarischen D. zu gehören. Den D. des Bakchylides dagegen – mit Ausnahme der *Io* (c. 19) – fehlen diese aktuellen Anspielungen. Daher rühren auch die Schwierigkeiten, die seit der alexandrinischen Zeit mit ihrer Klassifizierung verbunden sind (vgl. fr. 23 Maehler: Diskussion zwischen → Aristarchos von Samothrake und → Kallimachos über die Gattungszugehörigkeit der *Kassandra*).

Seit der Mitte des 5. Jh. wird die Gattung immer mehr zum Spielfeld der musikalischen Avantgarde (sog. Neuer D.), wie vor allem die Kritik des → Pherekrates (fr. 155 PCG VII) und die Reaktion des → Pratinas (fr. 708 PMG) auf die musikalischen Innovationen verdeutlichen [4]. → Melanippides, → Kinesias, → Timotheos und → Philoxenos waren die bekanntesten Neuerer: Sie führten die astrophische Form (ἀναβολή: Melanippides, vgl. Aristot. rhet. 3,9,1409b 30–33), Instr.- und Vokalsoli, Rhythmenwechsel (μεταβολαὶ κατὰ ῥυθμόν), Modulationen von einer Tonart in die andere (καμπή, vgl. Aristoph. Nub. 333), Mischung der urspr. zum D. gehörenden phrygischen mit der zum → Paian ge-

hörenden dorischen Harmonie (Philoxenos in den My-
sern, so Aristot. pol. 8,7,1342b 8–15) sowie mimeti-
schen Tanz und mimetische Musik in die Gattung ein
(vgl. die Parodie von Philoxenos' D. ›Kyklops oder Ga-
lateia‹ in Aristoph. Plut. 290ff.).

Die zunehmende Loslösung des D. von seinem kult.
Anlaß und seine Literarisierung finden ihren Ausdruck
in den D. des Likymnios von Chios, die nach Aristot.
rhet. 3,9,1413b,14–16 eher zum Lesen als zur chori-
schen Aufführung geeignet waren. Zu Lesetexten wurden auch die D. des → Telestes, die im 4. Jh. so beliebt
waren, daß Alexander der Große sie sich ins Feld nach-
schicken ließ (Plut. Alexander 8,3). Im Verlauf des 4. Jh.
entwickelt sich, vom D. ausgehend, eine Art von lyrischer Koine, die auch in andere lyrische Gattungen Einzug hielt. Platon verwendet dithyrambṓdes (διθυραμ-
βῶδες) und D. im übertragenen Sinne als Stilkategorie,
um eine schwülstige, überladene Diktion zu charak-
terisieren (Krat. 409b12–c3, Phaidr. 241e2). Gedichte
dithyrambischen Inhalts und in dithyrambischem Stil
werden verfaßt (Philoxenos, Deipnon, fr. 836 PMG
Dankgebet Arions, fr. 939 PMG). Die Mittlere Komödie
weist längere Passagen in dithyrambischem Stil auf (z. B.
Eubulos fr. 42 PCG V; Antiphanes fr. 55 PCG II) [4].

Die Musik des D. übte großen Einfluß auf die Kult-
lyrik der folgenden Jh. aus: → Isyllos von Epidauros sowie die epidaurischen und delphischen Hymnen sind
geprägt durch die musikalischen Innovationen der Epoche des Neuen D. In hell. Zeit wurden D. auf Delos an
den Delia und Apollonia aufgeführt, an den Großen
Dionysien in Athen bis ins 2. Jh. n. Chr. Die wenigen
Fragmente lassen jedoch keine Beurteilung der Dichtungen dieser Zeit zu.
→ Dionysia; DITHYRAMBOS

1 W. BRANDENSTEIN, Ἴαμβος, θρίαμβος, διθύραμβος, in:
IF 54, 1936, 34–38 2 J. LEONHARDT, Phalloslied und D.
Aristoteles über den Ursprung des griech. Dramas, AHAW
1991, 4 3 J. LATACZ, Einführung in die griech. Trag., 1993,
63 4 H.-G. NESSELRATH, Die att. Mittlere Komödie, 1990,
241–266.

O. CRUSIUS, s. v. D., RE 5, 1203–1230 · H. FRONING, D.
und Vasenmalerei, 1971 · A. PICKARD-CAMBRIDGE,
Dithyramb, Tragedy, and Comedy, ²1966 · G. A.
PRIVITERA, Laso di Ermione nella cultura ateniese e nella
tradizione storiografica, 1965 · G. A. PRIVITERA, Il
ditirambo fino al V secolo, in: R. BIANCHI BANDINELLI
(Hrsg.), Storia e civiltà dei Greci V, 1979, 311–325 ·
H. SCHÖNEWOLF, Der jungatt. D. Wesen, Wirkung,
Gegenwirkung, 1938 · D. F. SUTTON, Dithyrambographi
Graeci, 1989 · B. ZIMMERMANN, D. Gesch. einer Gattung,
1992. B.Z.

Dius Fidius s. Sancus

Diverbium. Mit *d.* (vgl. Donat II p. 5 W.) sind in Plau-
tus-Hss. alle Szenen überschrieben, die im iambischen
Senar stehen (zu einzelnen Ausnahmen: [2. 220]), d. h.
alle Teile des Stücks, die ohne Musikbegleitung gespielt
wurden (vgl. Plaut. Stich. 758–768: während der Flö-

tenspieler pausiert, wechselt das Metrum in den Senar),
so schon die älteste Belegstelle (Liv. 7,2,10). Der spätant.
Grammatiker Diomedes (1,491,22–24) hingegen versteht *d.* – in wörtlicher Übers. aus dem Griech. – als
»Dialog« (und → Canticum als »Monolog« [2. 220]),
bleibt damit jedoch allein.

1 G. E. DUCKWORTH, The Nature of Roman Comedy, 1952
(²1994), 362–364 2 W. BEARE, The Roman Stage, ³1964,
219–232. H.-G. NE.

Dives. Cognomen zur Bezeichnung des Reichtums,
bei L. Baebius [I 7] D. und L. Canuleius [I 5] D.; erblich
bei den Nachkommen des P. → Licinius Crassus D.
(*pontifex maximus* 212 v. Chr.; vgl. Plin. nat. 33,133),
aber dem Triumvirn M. → Licinius Crassus (cos. 70, 55
v. Chr.) fälschlich zugeschrieben. K.-L.E.

Diviciacus

[1] (auch Divitiacus). Keltisches Namenskomp. aus *di-
vic-* »rächen« [2. 81–82; 3. 194]; zur Schreibweise: CIL
XIII 2081. König der Suessiones, der als mächtigster
Mann Galliens um 80 v. Chr. seine Herrschaft bis nach
Britannien ausweiten konnte (Caes. Gall. 2,4,6). Mög-
licherweise ist er auf Bronzemünzen bezeugt [1. 421].

1 B. COLBERT DE BEAULIEU, Monnaie Gauloise au nom des
chefs mentionnés dans les Commentaires de César, in:
Hommages A. Grenier, 1962, 419–446 2 EVANS
3 SCHMIDT.

[2] Prorömischer Fürst und Druide der Haedui, Bruder
des Dumnorix. D. bat 61 v. Chr. den röm. Senat erfolglos um Hilfe gegen die Sequaner und Ariovist (Caes.
Gall. 6,12,5). Als sein Bruder die Macht im Stamme
übernahm, mußte er sich zurückziehen. Caesar stellte 58
v. Chr. sein Ansehen wieder her und bediente sich seiner Hilfe gegen Ariovist (Caes. Gall. 1,16,5; 18,1–8;
19,2–3; 20,1–6; 31; 32,4; 41,4). In der Folge blieb D. für
Caesar die Schlüsselfigur bei den Haeduern. 57 v. Chr.
half er ihm gegen die Belgae und bewirkte die Scho-
nung der → Bellovaci (Caes. Gall. 2,5,2; 10,5; 14,1–
15,2). Danach wird er nicht mehr erwähnt. Cicero ließ
sich von ihm in Rom in die kelt. Wahrsagekunst einführen (Cic. div. 1,90).
→ Ariovistus; Dumnorix; Haedui

B. KREMER, Das Bild der Kelten bis in augusteische Zeit,
1994.

Divico. Keltischer Name, s. Diviciacus [1]. Feldherr
der → Helvetii, schlug 107 v. Chr. L. → Cassius [I 11]
Longinus. 58 v. Chr. war er nach der verlorenen
Schlacht an der Sâone Sprecher einer Gesandtschaft, um
mit Caesar die Bedingungen zur Beendigung des Krieges auszuhandeln (Caes. Gall. 1,13–14). W. SP.

Divinatio. Römischer t. t. für das Verfahren der Zulassung eines von mehreren Bewerbern um die private
Anklage (→ *delatio nominis*) vor dem öffentlichen Strafgericht (*iudicium publicum*). Die Herkunft dieser Be-

zeichnung ist ungewiß. Was Gell. 2,4 zur Erklärung des Wortes anführt, wirkt hilflos, so daß offenbar den Römern des 2. Jh.n.Chr. die ältere Gesch. der *d.* nicht mehr bekannt war. Die Verwendung eines religiösen Begriffs spricht dafür, daß es eine *d.* schon sehr früh gegeben hat. Zu ihrer Rekonstruktion fehlen aber alle Grundlagen. [1] vermutet zu Recht, daß bereits im älteren Recht mindestens bei der privaten Strafverfolgung durch mehrere Agnaten des Opfers gegen dessen Mörder die Auswahl des Klägers durch *d.* erfolgt sein dürfte.

Nach dem Grundsatz *ne bis in idem* durfte nur ein Prozeß in derselben Sache stattfinden. Wollten mehrere klagen, mußten sie sich über die Klageberechtigung in der Weise einigen, daß einer Hauptkläger wurde; die übrigen konnten dann als Nebenkläger (vgl. → *subscriptio*) zugelassen werden. Einigten sich die Klagebewerber nicht, entschied der für das Verfahren (→ *quaestio*) zuständige Gerichtsmagistrat vor der Zulassung der Klage (→ *receptio nominis*), wer Ankläger sein sollte. Er wurde hierbei von einem *consilium* beraten, das aber noch nicht das Schwurgericht des Hauptsacheverfahrens war.

1 W. KUNKEL, Quaestio, in: KS, 1974, 76f. 2 MOMMSEN, Strafrecht, 373 mit Anm. 6.   G.S.

Divination I. MESOPOTAMIEN II. ÄGYPTEN III. HETHITER IV. SYRIEN-PALÄSTINA V. IRAN VI. GRIECHENLAND VII. ROM

I. MESOPOTAMIEN

Während das Augenmerk der altägypt. Kultur in hohem Maße auf die Existenz nach dem Tode gerichtet ist, kreisen die Ängste der mesopotamischen Kulturen fast ausschließlich um Belange des Diesseits. Ein bed. Teil der kulturellen Energien des alten Mesopotamien fließt in das Bemühen, menschliches Handeln im Einklang mit dem Göttl. zu halten, um dadurch Unglück wie Naturkatastrophen, Krieg, Krankheit und vorzeitigen Tod fernzuhalten. Hierbei kommt einem Herrscher als Mittler zw. Götter- und Menschenwelt bes. Verantwortung zu.

Da im Weltbild Mesopotamiens alles Sein und Geschehen als dem göttl. Willen unterstellt gilt (und folgerichtig die Kategorie »Zufall« nicht existiert), wurde Unheil jeglicher Art als Folge der Abwendung der Götter von den Menschen betrachtet, die sich göttl. Zorn durch Verunreinigungen oder Tabu-Überschreitungen zugezogen hatten. Eine Störung in ihrem Verhältnis zu den Göttern offenbarte sich den Menschen Mesopotamiens nicht erst in einem ihnen widerfahrenden Unheil, sondern bereits zuvor in Phänomenen ihrer Umwelt, die von dem in der Schöpfung eingesetzten Regelwerk abwichen. Hierin sah man Zeichen, die − richtig gedeutet − Informationen über Angelegenheiten des Gemeinwesens und des einzelnen lieferten. Das kausale Verhältnis zw. dem beobachteten Phänomen und den in der Zukunft liegenden vorhergesagten Er-

eignissen läßt sich eher selten als begründet durch eine im Sinne von »Bauernregeln« gewonnene Empirie beschreiben (obgleich hier der wohl weit in die Vorgesch. zurückreichende Ursprung der D. aufgrund von natürlichen Zeichen zu suchen sein mag). Vielmehr lagen den angenommenen Kausalbezügen oft weltbildbedingte, uns nicht immer unmittelbar durchsichtige Analogien zugrunde, die ihre Berechtigung in der Annahme finden, daß alle erdenklichen zu beobachtenden Phänomene (unabhängig davon, ob sie unprovoziert oder provoziert in Erscheinung traten) miteinander in Verbindung stehen, da sich in ihnen der *eine* göttl. Wille spiegelt. In diesem Sinne ist das in einem → Omen durch die Verknüpfung von Protasis und Apodosis hergestellte Kausalverhältnis das Offenlegen einer Gesetzmäßigkeit des Weltgefüges. Daher haben Omina, Gesetze und medizinisch-diagnostische Texte auch äußerlich die gleiche Form. Aus dem gleichen Grunde konnten sehr unterschiedliche divinator. Verfahren, nebeneinander angewandt und einander ergänzend, den Einblick in die Zukunft präzisieren. So wird in einem keilschriftlichen Lehrbuch der D. [1] ausdrücklich betont, daß die Auswertung terrestrischer Zeichen nur dann zu einer verläßlichen Deutung führen kann, wenn auch die astralen Zeichen zur Kenntnis genommen werden und umgekehrt. Die ermittelte Deutung konnte dann etwa durch eine Leberschau verifiziert werden. Bezeichnend ist ferner, daß im hochentwickelten babylon. Rechtswesen ein Ordal (d. h. ein Gottesurteil) als Beweismittel galt.

Göttl. Wille zeigte sich nicht nur in den unmittelbaren Zeichen der Natur, sondern wurde auch durch provozierte Zeichen erfragt. Solche Orakelverfahren gelangten in den histor. Perioden Mesopotamiens wohl deshalb zu einer vorrangigen Bed. unter den verschiedenen Formen der D., da mit ihrer Hilfe sogleich festgestellt werden konnte, ob die Götter eine bestimmte Handlungsweise billigten und welche Folgen dieses Handeln zeitigen würde. Namentlich die Eingeweideschau wurde so zu einem wichtigen Instrument des → Königtums, Entscheidungen zu legitimieren. Ferner konnte sich der Wille der Götter auch verschlüsselt oder unmittelbar in Träumen (→ Traumdeutung) [2] oder durch → Ekstase und → Propheten (TUAT 2, 84ff.; [3]) kundtun.

Assyr.-babylonische Omina (Protasis und Apodosis) wurden im 2. Jt., vor allem jedoch im 1. Jt. v. Chr. auf Tontafeln schriftlich fixiert (Omina in sumer. Sprache sind selten). Es entstanden nach D.-Techniken getrennte, oft aus mehr als 10000 Einträgen bestehende Sammlungen. Diese bisweilen über 100 Tafeln umfassenden Werke, die z. T. im Auftrage → Assurbanipals wohl erstmalig kompiliert wurden, dienten den Zeichendeutern als Handbücher. Die Eintragungen waren nach den jeweiligen beobachteten Phänomenen in festgelegter Reihenfolge angeordnet und graphisch so organisiert, daß ein gesuchter Befund rasch aufgefunden werden konnte. Obgleich es eine umfangreiche mündliche

Überlieferung gab, lag im 1. Jt. v. Chr. die normative Autorität in erster Linie bei der schriftlichen Überlieferung – wohl nicht zuletzt, weil sich die Zeichendeuter so dem Vorwurf, den König getäuscht oder unsauber recherchiert zu haben, entziehen konnten. Vor allem die bed. erh. Tontafelserien mit terrestrischen [4] und astralen Omina (→ Astrologie) sowie die Serien, die die Eingeweideschau [5], die Gestaltung von Mißgeburten von Mensch und Tier [6], die Physiognomie und das Verhalten von Menschen [7] zum Gegenstand haben, zeigen eine überraschend detaillierte und modern anmutende systematische Registrierung der den Menschen umgebenden Welt. Der hieraus sprechende, für die mesopot. Kulturen kennzeichnende Geist hat die Voraussetzungen für die modernen Wissenschaften gelegt und nicht nur zu erstaunlichen medizinischen Kenntnissen, sondern in seleukidisch-parth. Zeit auch zur rechnenden → Astronomie geführt, die freilich immer noch im Dienste der D. stand.

Wichtigstes divinatorisches Verfahren, den Willen der Götter zu erfragen, war die Eingeweideschau, die inschriftlich bereits in der Mitte des 3. Jt. v. Chr. bezeugt ist. Sie galt als eine Kunst, die der Sonnengott Šamaš und der Wettergott Adad (→ Hadad), die Götter der Opferschau, dem Enmeduranki, einem vorsintflutlichen König von Sippar, offenbart hatten [8]. Sie wurde von einem professionellen »Seher« (barû) durchgeführt, welcher sich durch körperliche Unversehrtheit auszeichnen mußte. Die Eingeweideschau hatte sakramentalen Charakter und war in ein komplexes Ritual eingebettet [9; 10]. Ein vollkommen gestaltetes Lamm wurde dem persönliches Gott des Menschen, der die Anfrage stellte, geopfert. Neben dessen Leber wurden auch Lunge, Milz und Gedärme inspiziert. Die Leber galt als ›(Ton)tafel der Götter‹, die Šamaš ›beschrieb‹, nachdem der barû die Orakelanfrage in das Ohr des Opfertieres geflüstert hatte. Die Schafsleber mit ihrer hochdifferenzierten Top. war gewissermaßen ein Abbild der Welt. Die Leberteile, die Bezeichnungen wie »Palasttor«, »Thronfundament« und »Weg« trugen, wurden nach Form, Farbe, Ausrichtung etc. untersucht und in Beziehung zu Markierungen (Auswüchse, Bohrgänge von Leberegeln etc.) gesetzt, die z. B. »Waffe« genannt wurden [11]. Wenn eine regelmäßig auf der Schafsleber sichtbare, augenförmige Markierung, die »Blick« genannt wurde, fehlte, bedeutete dies, daß Šamaš die Kommunikation mit dem Fragesteller verweigerte. Die Apodosen der Opferschau-Omina zeigen, daß die Leberschau bei Feldzügen eine große Rolle gespielt hat. In den Staatsarchiven der neuassyr. Könige → Asarhaddon und Assurbanipal wurden zahlreiche Protokolle archiviert, in denen nicht nur die Orakelanfrage, sondern auch der Befund und bisweilen dessen Ausdeutung verzeichnet sind [12]. Die Anfragen beziehen sich auf die Einsetzung von Priestern und Würdenträgern, die Loyalität von Verbündeten, die Entwicklung polit. und histor. Vorgänge und sogar auf die Wirksamkeit von Medikamenten. Um sich vor Täuschung und Manipu-

lation zu schützen, ließen die neuassyr. Könige in wichtigen Fällen zu derselben Anfrage Opferschauen von mehreren unabhängig voneinander arbeitenden Teams durchführen. Zu Studienzwecken wurden nicht nur Kommentare zu den Omenserien angefertigt, sondern auch Tonmodelle von Lebern, die den Opferschaubefund wiedergaben, der vor einem als bedeutsam eingestuften histor. Geschehen beobachtet wurde [13]. Dies ist als Teil des kühnen Versuchs zu werten, Gesetzmäßigkeiten in histor. Geschehen zu erkennen, um diese für das eigene Handeln nutzbar zu machen. Der göttl. Wille konnte ferner durch Inspektion von Vögeln [14], Öl- [15] und Weihrauch-Omina erfragt werden.

Dem Bedürfnis der Könige, ihr Verhältnis zu den Göttern mittels D. einer permanenten Prüfung zu unterziehen, trug die Astrologie Rechnung. Asarhaddon und Assurbanipal überzogen ihr gesamtes Herrschaftsgebiet mit Sternwarten. Die Beobachter waren angehalten, regelmäßig Berichte an den Königshof zu senden. Diese wurden dort abgeglichen und mit Hilfe der entsprechenden Omensammlungen von Spezialisten ausgewertet [16]. Gouverneure und Staatsbeamte waren verpflichtet, über ungewöhnliche terrestrische Vorkommnisse zu informieren. Durch D. erkanntes, in der Zukunft liegendes Unheil konnte mittels sog. Löserituale aus dem Weg geräumt werden, noch bevor es Wirklichkeit wurde [17].

Obgleich in mesopot. Texten sowohl der Gedanke, daß der Erkenntniswert der D. begrenzt sei, als auch die Option, daß man sich über den durch D. ermittelten Entscheid hinwegsetzen könne, anzutreffen ist, blieb in Mesopotamien der Glaube an die Aussagekraft der D. ungebrochen.

Mesopot. Omentexte haben sowohl Eingang in die griech. [18] als auch die indische Überlieferung gefunden [19].

1 A. L. OPPENHEIM, A Diviner's Manual, in: JNES 33, 1974, 197–220 2 Ders., The Interpretation of Dreams in the Ancient Near East, 1956 3 M. WEIPPERT, Assyr. Prophetien, in: M. FALES, Assyrian Royal Inscriptions, 1981, 71–115 4 S. MOREN, The Omen Series Šumma Alu, PhD Pennsylvania 1978 5 U. JEYES, Divination as Science in Ancient Mesopotamia, in: Jaarberichte. Ex Oriente Lux 32, 1991/92, 23–41 6 E. LEICHTY, The Omen Series Šumma Izbu, 1970 7 F. R. KRAUS, Die physiognomischen Omina der Babylonier, 1935 8 W. G. LAMBERT, Enmeduranki, in: JCS 21, 1967, 126–138 9 I. STARR, The Rituals of the Diviner, 1983 10 H. ZIMMERN, Beitr. zur Kenntnis der babylon. Rel., 1901, 96 ff. 11 R. LEIDERER, Anatomie der Schafsleber, 1990 12 I. STARR, Queries to the Sungod, 1990 13 J.-W. MEYER, AOAT 39, 1987 – 14 J.-M. DURAND, La Divination par les oiseaux, in: Mari: Annales de Recherches Interdisciplinaires 8, 1997, 273–282 15 G. PETTINATO, Die Ölwahrsagung bei den Babyloniern, 1966 16 H. HUNGER, Astrologian Reports to Assyrian Kings, 1992 17 S. M. MAUL, Zukunftsbewältigung, 1994 18 C. BEZOLD, F. BOLL, Reflexe astrologischer Inschr. bei griech. Schriftstellern, 1911/17 19 D. PINGREE, Mesopotamian Astronomy and Astral Omens in other Civilizatians, in: H. J. NISSEN, J. RENGER, (Hrsg.), Mesopotamien und seine Nachbarn 1992, 375–379. S. M.

II. Ägypten

D. spielte in Ägypten bis weit ins 1. Jt. keine große Rolle. Sonnen- und Mondfinsternisse oder andere Omina werden nur sehr selten erwähnt, → Traumdeutung und Tagewählerei (Hemerologie) sind ab dem NR gelegentlich belegt, Stern-, Wind- und Vogelflugdeutung nur ganz vereinzelt [1]. Systematische Sammlungen von Vorzeichen (Hdt. 2,82) sind nicht bekannt. Allg. galt nicht das Außergewöhnliche als bes. beachtenswert, sondern das regelhafte, der kosmische Prozeß, der täglich in Gang zu halten ist. Erst spät, unter iran.-mesopot. und hell. Einfluß gewannen Omendeutung und → Astrologie an Bed., in der Spätant. war die ägypt. Astrologie sogar bes. prominent.

Bedeutsam war seit dem NR das Orakelwesen. Wenn das Kultbild bei Festen in einer Barke getragen wurde, konnten ihm Fragen vorgelegt werden: die Bewegungen der Barke drückten Zustimmung oder Ablehnung aus. Orakel dienten weniger dazu, Vorhersagen zu machen, sondern wurden v. a. in Belangen der Rechtsprechung und Administration befragt. In der 21. Dyn. (ca. 1070–945 v. Chr.) wurde der oberägypt. »Gottesstaat« sogar offiziell durch das Orakel des → Amun von Theben regiert. Später verloren die Orakel an Bed., aber noch bei Hdt. (2,83) wurden sie als bes. bemerkenswert erwähnt.

1 H. Brunner, Das hörende Herz, in: OBO 80, 1988, 224–229.

J. Assmann, Ägypten. Eine Sinngesch., 1996, 233 f. • L. Kákosy, s. v. Orakel, LÄ 4, 600–606 • A. B. Lloyd, Herodotus, Book II, Commentary 1–98, 1976, 345–349 • s. v. Omen, RÄRG, 542 f.   K. J.-W.

III. Hethiter

Die Hethiter kannten verschiedene Arten der D.: Im Traum (Tempelschlaf; → Traumdeutung) suchte der Mensch den Willen der Gottheit zu erfahren; im Traum verkündete die Gottheit z. B. die Thronfolge Ḫattušilis III. Die wohl aus Babylonien übernommene Eingeweideschau wurde hauptsächlich während der Opferzeremonien der großen Festrituale angewandt, während der »die Botschaft« der Gottheit verkündet wurde. Vereinzelt achtete man auf unprovozierte Zeichen (Omina), um z. B. für bestimmte Ritualhandlungen den rechten Zeitpunkt zu wählen. Die wichtigste divinatorische Praxis der Hethiter waren Los- bzw. Vogelorakel. In aufeinanderfolgenden Orakeln, die man an Ort und Stelle protokollierte, wurden nach dem Prinzip »günstig – ungünstig« z. B. die Feldzugsrouten festgelegt oder bei Änderungen der Festrituale das Einverständnis der Götter ermittelt. Beim Losorakel nahm man mittels Marken oder Losen, die mit Begriffen wie »Gottheit«, »König«, »Feind«, »Feuer(sbrunst)« etc. beschrieben waren, die Befragungen vor. Beim Vogelorakel wurden die Bewegungen und das sonstige Verhalten von ausgewählten Vögeln in Bezug auf ein mit Markierungen versehenes Feld beobachtet.

E. Laroche, Catalogue des textes hittites, 1971, 91–102 • A. Archi, L'ornitomanzia ittia, in: SMEA 16, 1975, 119–180 • A. Ünal, Zum Status der Augures bei den Hethitern, in: RHA 31, 1973, 27–56 • A. Kammenhuber, Orakelpraxis, Träume und Vorzeichenschau bei den Hethitern, 1976 • A. Ünal, Ein Orakeltext über die Intrigen am hethit. Hof, 1978 • V. Haas, Marginalien zu hethit. Orakelprotokollen, Altoriental. Forsch. 23, 1996, 76–94.   V. H.

IV. Syrien-Palästina

Im 14./13. Jh. v. Chr. läßt sich in → Ugarit die Praxis der Eingeweideschau (bes. Leber – und Lungenschau) nachweisen. Daneben gibt es astrologische Omina und die Nekromantie. Aus Emar ist das Amt des Opferschauers bekannt, dem eine wichtige, nicht auf die D. beschränkte kult. Stellung zukam. Hurritische D.-Texte aus Emar beschäftigen sich mit der Leberschau und medizinischen Prognosen. Dort wurden auch zwei Lebermodelle gefunden; weitere Fundorte in Syrien und Palästina sind Mumbaqa (Ekalte) am → Euphrat, sowie Hazor und Megiddo.

Bei den Phönikern und Aramäern des 1. Jt. ist die Eingeweideschau nicht mehr belegbar. Vielleicht gehören die beschrifteten phönik. Pfeilspitzen in einen divinatorischen Kontext, dasselbe kann für die Propheten von Hamath (KAI 202) gelten. Ausführlichere Informationen über Orakelgottheiten und entsprechende Riten sind in hell.-röm. Zeit gegeben. Divinatorische Praktiken in Israel und Juda sind der Tempelschlaf, die → Traumdeutung, Losorakel, priesterliche Orakel und Nekromantie. Auch die Prophetie (→ Propheten) gehört zum großen Teil in den Bereich der D.

F. H. Cryer, D. in Ancient Israel, 1994 • M. Dietrich, O. Loretz, Mantik in Ugarit, 1990 • D. E. Fleming, The Installation of Baal's High Priestess at Emar, 1992, 87–92 • Y. Hajjar, Divinités oraculaires et rites divinatoires en Syrie et en Phénicie à l'èpoque gréco-romaine, ANRW II 18.4, 2236–2320 • A. Jeffers, Magic and D. in Ancient Palestine and Syria, 1996 • A. Lemaire, s. v. D., DCPP, 131 f. • J. W. Meyer, AOAT 39, 1987 • S. Ribichini, L'aruspicina fenicio-punica e la divinazione a Pafo, in: UgaritForsch. 21, 1989, 307–317 • J. Tropper, Nekromantie, 1989.   H. Ni.

V. Iran

D. ist in Iran sowohl durch die zeitgenössische griech. Überlieferung des Westens, als auch durch arab. und pers. Zeugnisse aus nachsāsānidischer Zeit belegt. In der hell.-röm. Lit. wird die pers.-zoroastrische Welt – histor. unzutreffend – zuweilen geradezu als Wiege divinatorischer Lehre und Praxis aufgefaßt, ihre rel. und didaktischen »Experten«, die Magier, als Meister *in rebus magicis* (vgl. etwa Plin. nat. 30). Zuverlässiger sind Herodots Bemerkungen zu den Magiern als Deutern von Träumen (1,107 u.ö.) und Himmelserscheinungen (7,37) sowie zum Glauben der Achaimenidenkönige an Vorzeichen; seiner Hippomantiegeschichte in 3,84–87 liegt dagegen wohl kaum eine histor. Begebenheit zugrunde. Für die sāsānidische Epoche überliefert Agathias (2,25,1 f.) pyromantische Praxis für die »Magier«; im mittelpers. »Ardaxšīr-Roman« konsultieren die Protagonisten Ardaxšīr und Ardavān in kritischen Situationen regelmäßig Weise, Traumdeuter und Astrologen. Der arab. Autor Ibn an-Nadīm kennt im 10. Jh. mehrere (pers.) Werke zur D., sein pers. Zeitgenosse Balʿamī zitiert aus einem ›Buch der Omina‹, das alle Vorzeichen aus der Zeit der Perserherrschaft enth. haben soll.

M. BOYCE, F. GRENET, A History of Zaoastrianism III, 1991, 491–565 · M. OMIDSALAR, EncIr VII, 1996, 440–443. J. W.

VI. GRIECHISCH
A. DEFINITION B. TECHNIKEN C. DEUTER D. HEILIGTÜMER E. POLITIK F. KRITIK

A. DEFINITION

D. bestand im griechischsprachigen Raum in der Erlangung einer verbalen Aussage über die Zukunft oder Problemlösung in Verbindung mit übernatürlichen Kräften. Dieses Kernstück griech. Religion fand meist durch Interpretation von Vogelflug, Opfern, Träumen und Omen statt, wie etwa das Niesen oder zufällige Aussprüche in bedeutungsvollen Momenten; weniger übliche Methoden waren Koskinomantik (Sieb-D. [1]) und, bes. in der Spätklassik, Hydromantik, Lekanomantik oder Katoptromantik [10; 21]. Vermittler zwischen Fragenden und der übernatürlichen Welt waren die Seher. D. fand v. a. an speziellen Orten statt, die sich oft zu einflußreichen Heiligtümern entwickelten [27; 12].

B. TECHNIKEN

Wichtigste Technik der D. der älteren Zeit war die Interpretation des Vogelflugs [29. 148 f.], eine vorderoriental. Technik, die bereits bei Homer erwähnt wird. Allerdings waren nur größere Vögel wie Adler, Habicht und Falke wichtig (Hom. Od. 2,182); von rechts kommende Vögel bedeuteten günstige, von links unheilvolle Vorzeichen. Auch der Klang und die Farbe des Vogels konnten relevant sein. Homer erwähnt Vogelauguren (Hom. Il. 1,69; 6,76), doch auch »Laien« wie → Helena (Hom. Od. 15,160–81) oder die sieben persischen Verschwörer gegen Smerdis (Hdt. 3,76) konnten die Zeichen verstehen. Ebenfalls aus dem vorderen Orient stammt die D. durch Opfer [7. 41–53], welche schon Homer erwähnt (Il. 24,221; Od. 21,145; 22,318–323), die jedoch später ausführlicher beschrieben wurde. Man unterscheidet drei wichtige Formen: 1. Hepatoskopie (Leberschau), dargestellt auf Vasen um 530 v. Chr. Sie war in Platos Zeit gebräuchlicher als die Vogelschau (Phaidr. 244c). Die Leber mußte gesund, ihre Lappen normal sein (Aischyl. Prom. 495). 2. Die Begutachtung der Innereien des Opfers und der Intensität des Feuers vor einer Schlacht: nur gut brennende Innereien verhießen Sieg (Eur. Phoen. 1255–8). 3. Die Untersuchung des brennenden Schwanzes und Kreuzbeins des Opfertiers auf einem hohen Altar (oft auf athenischen Vasen dargestellt). Es war wichtig, daß sich der Schwanz kringelte. Schwanzknochen fehlen unter den Funden im Heraion von Samos und Artemis-Hei-

ligtum in Kalapodi. Auch andere Zeichen waren möglich: Das Fehlen von Flammen, Verspritzen von Flüssigkeit und Galle waren üble Vorzeichen (Soph. Ant. 1005–11). Beim Zeus-Altar in Olympia interpretierte man die Flammen auf dem Altar (Empyromantik). Das »älteste Orakel« (Plut. Sept. sap. 15), der Traum, blieb durch die gesamte Ant. hindurch ein wichtiges Mittel, um die Zukunft zu erforschen. In der stark hierarchischen Gesellschaft wurde die Traumdeutung zur bevorzugten D.-Methode der sozialen und rel. Elite, denn durch den geringen Interpretationsbedarf konnte man auf einen Seher verzichten. Bes. die Träume des Königs (Hom. Il. 2,79–83; 11,45 f.; Artem. 1,2), aber auch der Priester (Aischin. 2,10) waren bedeutsam. Im 5. Jh. v. Chr. erscheinen professionelle Traumdeuter (Aristoph. Vesp. 52 f.; Theophr. char. 16,11) sowie Bücher zur Traumdeutung, deren erstes evtl. von Antiphon, einem Zeitgenossen Sokrates' geschrieben wurde [11. 132 f.]. Fast alle Schriften zur Traumdeutung außer Artemidoros' Oneirokritiká, dessen Ansatz sich sehr von der heutigen Traumdeutung unterscheidet [22], sind verloren. Zufallsomen, wie Niesen (Xen. an. 3,2,9), zufällige Aussagen in speziellen Momenten (Eustath. Il. 10,207; Hom. Od. 20,95 ff.; Aristoph. Lys. 391 ff.) heißen bei Homer phḗmē oder klēdṓn [15. 203]. Zufallsbegegnungen auf der Straße (sýmbola/sýmboloi, Aischyl. Ag. 144) oder Wetterphänomene [20. 51] konnten ebenfalls bedeutsam werden; in der unsicheren Welt des archa. und klass. Griechenland konnte praktisch alles Außergewöhnliche mit Bedeutungen aufgeladen werden. Die D. spielte u. a. auch deshalb eine wichtige Rolle in der griech. Lit.: Omen, Seher, Orakel und Träume haben bei Homer, Herodot [14] und in der Tragödie [3; 4; 24] bedeutende Funktionen in der Leser- bzw. Zuschauer- und Zuhörersteuerung, insbes. im Rahmen der Erwartungsstrukturierung in dem Handlungsverlauf lit. Werke.

Die Orakel von → Klaros [26] und → Didyma durchflochten ihre Antworten mit philos. und theologischen Ideen (stoisch, »monotheistisch«) und wandten sich später gegen das Christentum [6], dessen Aufstieg und der Einbruch ziviler Aktivitäten im 3. Jh. n. Chr. zum Ende und der Schließung der letzten Orakelstätten im späten 4. Jh. n. Chr. führten [2].

C. DEUTER

Der Hauptdeuter der Zeichen war der mántis (< Wz. ma, »enthüllen«) [9]. Die Interpretation wurde durch die von Sehern behauptete, spezielle Beziehung zu den Göttern möglich [8. 17 ff.], die durch die Bezeichnungen thésphata (göttl. Aussagen) für Orakel, theiázein für weissagen, theoprópos, theomántis für Seher und Eigennamen wie Mantitheos (And. 1,44) oder Theoklos (Paus. 4,16,1) betont wird [5. 105]. Die enthüllte Wahrheit war jedoch nicht esoterisch. Xenophon behauptet, selbst genügend Expertise zu besitzen, so daß ihn sein mántis nicht täuschen könne (an. 5,6,29). Seher (und auch → Orakel) sagten nicht direkt die Zukunft voraus, sondern gaben Urteile ab zu von Fragenden vorgetragenen Möglichkeiten oder klärten die Gegenwart durch Aufzeigen von Fehlverhalten in der Vergangenheit (Soph. Oid. T.). Um erfolgreich zu sein, mußte ein Seher über Erfahrung verfügen und seine differenzierte Auffassungsgabe in der Konstruktion verschiedener Möglichkeiten umsetzen können. Seher gehörten oft speziellen Familien wie den olympischen Iamidai, die bis ins 3.Jh. n.Chr. existierten, an [23]. Frühe Seher waren Adlige, gelegentlich Könige, wichtig v.a. im Krieg [5. 99–101], dem wohl bedeutendsten Anwendungsbereich für D. Seher begleiteten die großen mythischen Expeditionen (→ Amphiaraos, → Mopsos, → Kalchas). In histor. Zeit ist der Tod eines Sehers in der Schlacht mehrfach bezeugt (Hdt. 7,228f.; SEG 29, 361). Seher wanderten auch [5. 108], v.a. wohl, wenn ihr Einfluß dem lokalen Adel unangenehm wurde (→ Melampus). Die bedeutendsten Götter der D. waren → Apollon als Trenner von Ordnung und Chaos, bekannter und fremder Welt, Gewißheit und Ungewißheit in Vergangenheit, Gegenwart und Zukunft, und Zeus als Gott von → Dodona, dem ältesten griech. Orakel.

Die berühmten Seherinnen waren im Gegensatz zu den Sehern meist nicht adelig und reisten in der Regel auch nicht (vgl. aber den Epitaph einer *mántis* des 3.Jh., Satyra aus Larissa, SEG 35, 626); sie sprachen meist in Trance und nicht mit technischem Wissen [5. 102f.]. → Kassandra sprach zwar in der »Ich«-Form, galt aber als von Apollon »besessen«. Der delphischen → Pythia, einer Priesterin Apollons, wurde eine sexuelle Beziehung mit dem Gott nachgesagt – ein typisches Erklärungsmuster für die »Besitzergreifung« durch eine Gottheit [25]. Die Pythia empfing zwar die Offenbarung, doch wurde diese von männlichen *prophétes* ausformuliert. Trance und → Ekstase waren wichtig in den Prophezeihungen der → Sibylle (Herakl. B 92) und noch im 2. Jh. n.Chr. der Priesterinnen in Dodona, die nach dem Erwachen nichts mehr von ihren Aussagen wußten (Aristeid. 45,11).

D. HEILIGTÜMER

Neben der Befragung von *mánteis* konnte man sich an eine der über 20 Orakelstätten in der griech. Welt wenden. Sie waren meist abgelegen, wie z.B. das Zeus/Ammon-Orakel in der Oase Siwa in der westl. Wüste Ägyptens, oder in Hainen – als Orte außerhalb der Zivilisation – situiert (Klaros, Didyma, Gryneion) [16]. So galten sie als frei von polit. Druck und Parteilichkeit. Das Verlassen der vertrauten Umgebung und der oft obligatorische Aufenthalt, der den Priestern Einsicht in die Ängste und Wünsche der »Klienten« ermöglichte, bewirkten zugleich eine Empfänglichkeit der Fragenden für die oft schwer verständlichen Orakelsprüche (Aischyl. Ag. 1255); diese zwangen den Fragenden aber auch zu eigener Interpretation und entbanden somit das Orakel von der Verantwortung in heiklen Angelegenheiten. Die D. der bekannten Orakel Apollons in Kleinasien, evtl. auch Delphi, basierte auf ekstatischen Zuständen [29], die D. der Heil-Heiligtümer (→ Amphia-

raos, → Asklepios) auf prophetischen Träumen (Inkubation). In manchen Orakeln wurden sogar Tote befragt; bekannt ist dasjenige des → Trophonios in Lebadea (Paus. 9,39,2–14; SEG 39, 434). Inhaltlich bezogen sich die Fragen im privaten Bereich häufig auf Schwangerschaften (Eur. Ion 540f.; 1547f.). Im öffentlichen Leben fungierten Orakel als Instanzen der Schlichtung, Rechtfertigung und Neuerung. Während Innenpolitik, Gesetzgebung und Rechtsprechung als institutionelle staatliche Einrichtungen nicht unmittelbar von Orakelbefragungen abhängig gemacht wurden – ebensowenig wie man über einen möglichen Krieg gegen andere griech. Staaten Rat einholen durfte (Xen. hell. 3,2,22) – spielten sie eine wichtige Rolle in Kultfragen (Plat. rep. 427bc). Gelegentlich hatten rel. Fragestellungen dennoch eine deutlich polit. Färbung (Hdt. 5,67; IG III 78, 24–6). Apollon wurde sehr häufig im Zusammenhang mit Koloniegründungen und Expeditionen befragt (u.a. Thuk. 3,92,5).

E. POLITIK

Wenig ist bekannt über die polit. Strukturen außerhalb der großen *poleis*. In Sparta wurden die Pythioi, die offiziellen Befrager des delphischen Orakels vom König eingesetzt. Die Ephoren konsultierten ihrerseits regelmäßig ein Inkubationsorakel in Thalamai bei Sparta; in ihrem offiziellen Gebäude lag auch das Grab des kret. Orakelgebers Epimenides. Die Ephoren besaßen die sprichwörtliche »Haut des Epimenides«, wohl eine Pergamentrolle von Orakeln und hatten so einen von den Königen unabhängigen Zugang zu den Göttern geschaffen [5. 104; 31. 154–63]. In Athen versuchten die Peisistratiden, die D. als Machtinstrument zu monopolisieren und bewahrten eine offizielle Orakelsammlung auf der Akropolis auf. Im demokratischen Athen gewannen dann einzelne Seher (→ Diopeithes, Lampon, der als erster 421 v.Chr. den Friedensvertrag zwischen Athen und Sparta unterzeichnete) an Einfluß. Private Seher wurden beschäftigt (vgl. schon Aischyl. Ag. 409), die aber im Gegensatz zu den archa. nicht Mitglieder der → Eupatriden waren [5. 104ff.]. Ab dem 6. Jh. v.Chr. traten auch inoffizielle Seher auf, die Chresmologen, welche bereits existierende, schriftlich fixierte Prophezeihungen anboten: → Bakis in Athen [5. 104], → Musaios (Hdt. 7,6,3) und die → Sibylle [30; 5.103]. Noch später wirkten die *engastrimýthoi* (Bauchredner), die schließlich ein gewisses Ansehen erreichten [5. 107] und vom Apostel Paulus in Anspielung auf Delphi »Python« genannt wurden [19].

F. KRITIK

Die göttl. Legitimation von Sehern und Orakeln wurde schon in der Ant. immer wieder in Frage gestellt. Bereits bei Homer bemerkt zudem man die Konkurrenz von Sehern und Sängern (Il. 5,149–51; 2,830–4; Od. 22,328f., 379f.). Das 5.Jh. führte zu einer Wende in der D.: Vor allem Athen wandte sich nach den Perserkriegen in innenpolit. Fragen immer weniger an Orakel. Fragestellungen zu Kolonisationen hören im frühen 4. Jh. auf, und Rat zu Kultfragen wurde nach 300 v.Chr.

nur noch selten eingeholt. Die in der Demokratie angelegten polit. Handlungsmöglichkeiten machten die D. in bestimmten Bereichen offenbar überflüssig. Als das Ende der öffentlichen Rolle der Seher erwies sich die Katastrophe der Sizilienexpedition von 413 v. Chr., der von allen Sehern Erfolg prophezeit worden war (Thuk. 8,1,1). Nach dieser Zeit finden weder Seher noch Orakel Beachtung bei Thukydides oder Aristophanes, und D. wird in den vielen Reden des 4. Jh. nicht mehr erwähnt [32]. Es gab jedoch weiterhin Seher (SEG 41, 328; 30, 82), doch hatten sie ihr Prestige verloren und wurden von Platon gar neben die verachtenswerten Bettelpriester der Kybele gestellt (rep. 364b). Die Philosophen-Schulen waren geteilter Meinung: Epikureer (SEG 39, 1412) und Kyniker [17] lehnten die D. ab, Stoiker akzeptierten sie weiterhin [28. 211–4].

Orakel und Prophezeihungen verschwanden nie völlig. Die Schlacht um Chaironeia (Plut. Dem. 19 f.) und der Fall Roms 410 n. Chr. waren von Orakeltätigkeiten begleitet; Philipp II. und Alexandros [4] der Gr. beschäftigten Seher zu mil. Zwecken (so Aristandros von Telmessos [23. 25–9]). Insgesamt jedoch verloren Seher und Orakel ihre ehedem zentrale Bed. als traditionelle öffentliche Autoritäten, wohl nicht zuletzt im Zusammenhang mit dem steigenden intellektuellen Selbstbewußtsein der Griechen, der Professionalisierung der Armee und dem philos. reflektierten Verständnis des Verhaltens von Mensch und Tier. Im privaten Bereich existierte die D. weiterhin, erlebte sogar einen Aufschwung in den ersten Jh. n. Chr. [29; 13. 168–261] und bildete neue Typen: Würfel-, Buchstaben- [18] (SEG 37.1829) und alphabetische Orakel (SEG 38, 1328; 1338; 39, 1377b).

1 G. ARNOTT, Coscinomancy in Theokr. and Kazantzakis, Mnemosyne 4.3, 1978, 27–32 2 P. ATHANASSIADI, The Fate of Oracles in Late Antiquity, in: Deltion Christianikes Archaiologikes Hetaireias 15, 1990, 271–8 3 S. VOGT, das Delphische Orakel in den Orestes-Dramen, in: A. BIERL, P. VON MOELLENDORFF (Hrsg.), Orchestra, Drama, Mythos, Bühne, 1994, 97–104 4 E. BÄCHLI, Die künstlerische Funktion von Orakelsprüchen, Weissagungen, Träumen usw. in der griech. Tragödie, 1954 5 J. BREMMER, the Status snd Symbolic Capital of the Seer in: R. HÄGG (Hrsg.), The Role of Religion in the Early Greek Polis, 1996, 99–109 6 R. VAN DEN BROEK, Apollo in Asia, 1981 7 W. BURKERT, The Orientalizing Revolution, 1992 8 Ders., From Epiphany to Cult Statue, in: A.B. LLOYD, What is a God?, 1997, 15–34 9 M. CASEWITZ, Mantis: le vrai sens, in: REG 105, 1992, 1–18 10 A. DELATTE, La Catoptromancie grecque et ses dérivés, 1932 11 E.R. DODDS, the Greeks and the Irrational, 1951 12 J.-P. VERNANT, Mortals and Immortals, 1990, 303–317 13 R.L. FOX, Pagans and Christians, 1985 14 P. FRISCH, Die Träume bei Herodot, 1968 15 GRAF 16 F. GRAF, Bois sacrées et oracles en Asie Mineure, in: Les Bois Sacrées, 1993, 23–9 17 J. HAMMERSTAEDT, Die Orakelkritik des Kynikers Oenomaus, 1988 18 F. HEINEVETTER, Würfel- und Buchstabenorakel in Kleinasien und Griechenland, 1911 19 J.W. VAN HENTEN, s. v. Python, in: K. VAN DER TOORN et al. (Hrsg.), Dictionary of Deities and Demons in the Bible,

1995, 1263 ff. 20 P. STENGEL, Die griech. Kunstaltertümer, 1898 21 T. HOPFNER, Mittel- und neugriech. Lekano-, Lychno-, Katoptro- und Onychomantien, in: FS F.L. Griffith, 1932, 218–32 22 S. PRICE, The Future of Dreams: From Freud to Artemidorus, in: Past & Present 113, 1985, 3–37 23 P. KEN, Prosopographie der hist. griech. Manteis bis auf die Zeit Alexanders des Grossen, 1966 24 R. LENNIG, Traum und Sinnestäuschung bei Aischyl., Soph., Eur., 1969 25 I. MAURIZIO, Anthropology and Spirit Possession, in: JHS 115, 1995, 69–86 26 R. MERKELBACH, J. STAUBER, Die Orakel des Apoll von Klaros, in: Epigraphica Anatolica 27, 1996, 1–54 27 NOCK, 534–550 28 D. OBBINK, What all men believe – must be true, in: Oxford Studies in Ancient Philosophy 10, 1992, 193–231 29 H.W. PARKE, the Oracles of Apollo in Asia Minor, 1987 30 Ders., Sibyls and Sibylline Prophecy in Classical Antiquity, 1992² 31 R. PARKER, Spartan Religion, in: A. POWELL (Hrsg.), Classical Sparta, 1989, 142–72 32 N.D. SMITH, Diviners and D. in Aristophanic Comedy, in: CA 8, 1989, 140–158. J.B.

VII. ROM

Der Begriff *divinatio* kommt u. a. bei Cicero vor, der sie als *praesensio et scientia rerum futurarum* (div. 1,1) definiert: demnach war d. die ›Wiss. von den zukünftigen Ereignissen‹. Das Wort d. wird von *divus* »göttlich« abgeleitet: Die Kenntnis der Zukunft ist folglich ein wesentliches Attribut der Götter, und ihre mögliche Übertragung auf den Menschen ein wichtiger Aspekt der Religion (Orig. Cels. 4,88).

Die d. im engeren Sinn war nicht Bestandteil der offiziellen röm. Kultakte. Am nächsten kam einer staatlichen röm. d. die augurale Disziplin. Cicero hebt die Unterschiede deutlich hervor, indem er darauf verweist, daß die röm. → augures durch die Beobachtung der Vögel oder anderer Zeichen nichts über Zukünftiges zu sagen vermöchten (Cic. div. 2,70). Die gegenteilige, jedoch für das Kollegium nicht repräsentative Meinung wird von App. Claudius Pulcher vertreten (Cic. div. 1,105). Die Auguren als Deuter des Iuppiter Optimus Maximus (*interpretes Iovis Optimi Maximi*, Cic. leg. 2,8,20) versuchten einzig zu bestimmen, ob die Götter jeweils von Menschen gefällten Entscheidungen billigten. Die Antwort enthielt Zukünftiges insoweit, als der röm. Staat Aufschluß darüber bekam, ob das entsprechende Vorhaben mit Zustimmung der Götter glücklich zu Ende geführt werden konnte oder ob es aufgegeben werden mußte, um nicht den »Zorn der Götter« (*ira deorum*) heraufzubeschwören.

Eine grundsätzliche Ablehnung nicht nur der privaten sondern auch der offiziellen bzw. staatlichen *d.*, wie sie vor allem in der christl. Spätant. zu beobachten war, hat sich in der Praxis als unhaltbar erwiesen. Trotz des Verbotes der *divinandi curiositas*, die der Kaiser Constantius II. im Jahre 357 n. Chr. für immer eliminiert zu haben glaubte (Cod. Theod. 9,16,4), hatten die verschiedenen divinatorischen Disziplinen in ihrer Vielfalt und Praxis keinesfalls ab-, sondern eher zugenommen (der Kirchenvater → Arnobius von Sicca übernahm, als noch für seine Zeit relevant, die Liste der d.-Formen und -Gruppen von Cic. div. 1,132 sowie nat. deor. 1,55

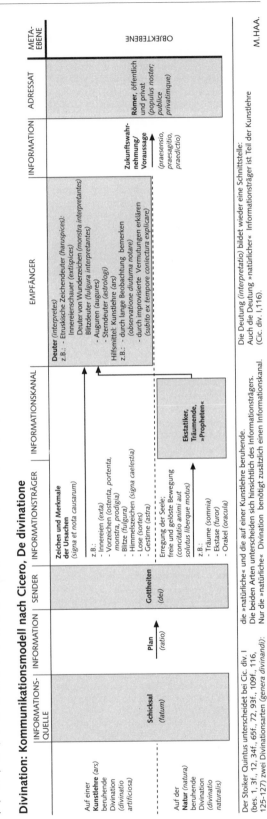

und fügte verschiedene *fanatici* seiner Epoche hinzu, Arnob. 1,24,2).

Schon in republikanischer Zeit hatte es das Bedürfnis und wohl auch die Notwendigkeit gegeben, bes. bei *prodigia* und anderen als göttl. betrachteten Zeichen, über die Interpretationsmöglichkeiten der *augures* hinauszukommen. Vor allem eine Gefährdung des »Friedens mit den Göttern« (*pax deorum*), dessen Störung nach Auffassung der Römer eben durch solche (unerbetenen) Zeichen angezeigt wurde, erforderte ein angemesses Vorgehen (*procuratio*), um möglichen Schaden für den Staat abzuwenden [1]. Dazu bediente sich der Senat zweier unterschiedlicher, nicht-röm. Verfahren, die gleichzeitig angewendet wurden: die Konsultation der *libri Sibyllini* (→ Sibyllen) und die Ausübung der *Etrusca disciplina* (durch die *haruspices*) [2]. Die *libri Sibyllini* waren eine Sammlung von Prophezeiungen der Sibylle von Cumae, die eine alte fremde Frau dem König Tarquinius verkauft haben soll (Priscus: Lact. inst. 1,6,18; Superbus: Dion. Hal. ant. 4,62; Plin. nat. 13,27,88; Solin. 2,17; Gell. 1,19; Zon. 7,11; Tzetz. ad Lykophr. 1279; ohne nähere Angabe: Serv. Aen. 6,72). Ihr Inhalt verweist eher auf die griech. Welt Süditaliens [4. 65–88] als auf die Etrusker [3. 21–28]. Die Konsultation der *libri Sibyllini* war Angelegenheit eines speziellen Kollegiums, anfangs der *Duumviri* (Liv. 3,10,7; 5,13,6), dann der *Decemvir* (seit 369 v.Chr.: Liv. 6,37,12; 6,42,2) und schließlich der *Quindecimviri sacris faciundis* (Serv. Aen. 6,73: nach Sulla; Cic. fam. 8,4,1 für 51), die jeweils vom Senat beauftragt wurden, in der Sammlung zu finden, was das Auftreten von »Vorzeichen« (*prodigia*) herbeigeführt hatte. Dieses Vorgehen führte zu verschiedenen Neuerungen in der röm. Religion und zuweilen zur Einführung von fremden, oft der griech. Welt entlehnten rel. Elementen (*lectisternia* seit 399: Liv. 5,13,6; angebl. Lebendbestattung eines gallischen und griech. Paares auf dem Forum Boarium 228 v.Chr.: Plut. Marcellus 3,4; Cass. Dio fr. 48; Zon. 8,19; 216 v.Chr.; Liv. 22,57,6; später nur Plut. qu. R. 83).

Die *Etrusca disciplina* war eine divinatorische Disziplin im engeren Sinn. Sie wurde von den → *haruspices* auf Anordnung des Senats vorgenommen; die Ausübung der *Etrusca disciplina* in Rom wurde wohl im Anschluß an die Eroberung der Toskana [2] in Form eines Kollegiums von 60 Mitgliedern eingeführt, dem *ordo LX haruspicum*. Er rekrutierte sich aus den Söhnen der großen Familien der zwölf etr. Städte (Cic. div. 1,92; Val. Max. 1,1,1); sein Sitz befand sich in Rom [5]. Bei Auftreten eines *prodigium* analysierten es die *haruspices* und versuchten, seinen Sinn zu erkennen, um die (rel.) »richtige Sühnung« (*procuratio*) festzulegen oder allg. die erforderliche Handlung (vgl. Ciceros Schrift har. resp.). Die »Wissenschaft«, auf welcher die Technik der *haruspices* basierte und die in ihren Grundzügen in einem schriftlichen Corpus erläutert war, war größtenteils divinatorisch: Die etr. *libri* (Bücher) waren in *haruspicini, fulgurales,* und *rituales* unterteilt (Cic. div. 1,72; vgl. 2,49), von denen die ersten beiden Kategorien zur Hepato-

Divination: Kommunikationsmodell nach Cicero, De divinatione

M.HAA.

skopie (»Leberschau«), d.h. dem eigentlichen *haruspicium* (der Analyse von Leber und anderen Organen der geopferten Tiere) und zur Brontoskopie (der Analyse von Donner und Blitz) gehörten, während die dritte neben ihrem rituellen Aspekt (Fest. 397) die Analyse von Prodigien beinhaltete [6; 7. 3–115].

Weniger das zu betrachtende Objekt als die daraus gezogenen Schlußfolgerungen unterschieden das etr. Verfahren von der Zeichendeutung eines Auguren: Der *haruspex* begnügt sich nicht nur damit, festzustellen, ob die Götter einverstanden waren oder nicht, sondern er erhielt exakte Informationen über die Zukunft (vgl. den von → Tanaquil gedeuteten Fall des Adlers, der die Filzkappe (*pilleus*) des Tarquinius Priscus entwendete: Liv. 1,34,8–9; [8. 1371–8] zur Analyse der *exta*). Dem Konzept der *d.* lag die Idee einer von Göttern beherrschten Welt zugrunde, in der diese sich natürlicher Phänomene bedienten, um den Menschen Zeichen zu geben (Sen. nat. 2,32). Im Falle der Hepatoskopie (»Bronzeleber von Piacenza«), wo der äußere Rand eine dem Himmel entsprechende Unterteilung in 16 je einem Gott zugeteilte Felder aufweist (Cic. div. 2,42; Plin. nat. 2,55,143), zeigt sich ein paralleles System zwischen Mikrokosmos (Leber des geopferten Tieres) und Makrokosmos (d. h. Universum) [9. 53–88; 10], aus dem mittels der divinatorischen Disziplin die gewünschten Informationen durch die *haruspices* geschlossen werden konnten.

War so die *Etrusca disciplina* Teil der staatlich sanktionierten Verfahren der röm. Rel. geworden, stieß ihre Anwendung im privaten Bereich auf Skepsis (Tacitus [11]; Erneuerung des *ordo LX haruspicum* durch den Kaiser Claudius, um die *externae superstitiones* zu bekämpfen: Tac. ann. 11,15). Die unterschiedlichsten Formen der *d.*, oft oriental. Ursprungs, bes. die Astrologie [12], faßten jedoch mehr und mehr Fuß in den Gesellschaften des kaiserzeitlichen röm. Imperiums [13], wo ihre Stellung von → Celsus, → Ap(p)uleius von Madaura oder allg. vom Neoplatonismus begründet wurde, und zwar in völligem Bruch mit der skeptischen Haltung Ciceros und der Akademie [14]. Gleichzeitig bewirkte die Konzentration der Macht auf die Gestalt des Kaisers, daß die *d.* seinen Argwohn weckte und ihre Anwendung als polit. motivierte Ambition gedeutet wurde, die die Chancen eines neuen Thronanwärters abzuwägen. Seit Augustus (Cass. Dio 56,25) und Tiberius (Suet. Tib. 63) entstand eine Gesetzgebung, die die private *d.* reglementierte und einschränkte, bis sie schließlich von den christl. Kaisern völlig verboten wurde (Maßnahmen von 357 n.Chr. unter Constantius II.; Theodosius' generelles Verbot von 391–392; Cod. Theod. 16,10,7 und 9; 16,10,10–12) [15].
→ Astrologie; Augures; Etrusca disciplina; Fatum; Haruspices; Neoplatonismus; Omen; Prodigium

1 R. BLOCH, Les prodiges dans l'antiquité, 1963
2 B. MACBAIN, Prodigy and Expiation: a Study in Rel. and Politics in Republican Rome, 1982 3 R. BLOCH, Origines étrusques des Livres sibyllins, in: Mélanges A. Ernout, 1940
4 D. BRIQUEL, Les enterrés vivants de Brindes, in: Mélanges

J. Heurgon, 1976 5 M. TORELLI, Elogia Tarquiniensia, 1975
6 C.O. THULIN, Die etr. Disziplin, 1905–9
7 A. BOUCHÉ-LECLERCQ, Histoire de la divination dans l'Antiquité IV, 1882 8 R. SHILLING, A propos des exta, l'extispicine étrusque et la litatio romaine, in: Mélanges A. Grenier, 1962 9 A. MAGGIANI, Qualche osservazione sul fegato di Piacenza, SE 50, 1982 10 L. B. VAN DER MEER, The Bronze Liver of Piacenza: Analysis of a Polytheistic Structure, 1987 11 P. GRIMAL, Tacite et les présages, in: Rev. des Etudes Latines 67, 1989, 170–178 12 F. CUMONT, Astrology and Rel. among the Greeks and Romans, 1921
13 E. R. DODDS, Pagans and Christians in an Age of Anxiety, 1965 14 F. GUILLAUMONT, Philosophe et augure, recherches sur la théorie cicéronienne de la divination, 1984
15 S. MORENO, Politica y adivinacion en el Bajo Imperio Romano, 1991.　　　　　　　　　　　　　　　D. BR.

Divio (Dibio). Bed. Handelsstraßen-Knotenpunkt, wo Saône und Ouche sich vereinigen, an der Grenze zw. den *civitates* der Lingones und der Haedui, h. Dijon. Das von Greg. Tur. Franc. 3,19 beschriebene *castrum Divionense* wurde im 3. Jh. nahe der Straße von Lyon zur Rheingrenze erbaut.

E. FRÉZOULS, Les villes antiques de la France II,1, 1988, 179–274 · C. ROLLEY, s.v. D., PE, 278.　　　　　　Y.L.

Divisor (»Verteiler« von Geldspenden). Spätestens seit dem 2. Jh. v. Chr. wurden Kriegsgewinne des röm. Staates gelegentlich an die röm. Stadtbevölkerung verteilt. Da irgendeine »Leistungsverwaltung« dafür nicht bestand, wurden Privatleute – die *divisores* – mit der Abwicklung solcher Geschenke beauftragt. Am Ende der Republik entwickelte sich daraus ein Weg organisierter Wahlbestechung, die Cic. Planc. 48ff. anschaulich schildert: Die *d.* versprachen in den einzelnen → *tribus* einer ausreichenden Zahl von Tribulen eine »Belohnung« für den Fall der Wahl eines bestimmten Bewerbers. War die *tribus* gewonnen und der Bewerber gewählt, wurde das inzwischen bei einem Sequester hinterlegte Geld durch die *d.* ausgezahlt. Diese bes. Spielart des → *ambitus* wurde wohl schon durch die *lex Calpurnia* vom J. 67, jedenfalls durch die *lex Tullia* vom J. 63 v. Chr. unter Strafe gestellt.

W. KUNKEL, Staatsordnung und Staatspraxis der röm. Republik II, 1995, 83.　　　　　　　　　　　　　G.S.

Divitia, h. Köln-Deutz. Evtl. schon Anf. des 1.Jh. n. Chr. entstandener Brückenkopf gegenüber → Colonia Agrippinensis [1]. Für ca. 1000 Mann am hochwasserfreien Rheinufer mit Brücke (Paneg. 6 [7],11,3; 13,1–5) unter Constantin d. Gr. neu errichtet, überdauerte er teilweise bis in fränkische Zeit (*Divitia civitas*: Greg. Tur. Franc. 4,16).

1 B. PÄFFGEN, W. ZANIER, Überlegungen zur Lokalisierung von Oppidum Ubiorum und Legionslager im frühkaiserzeitlichen Köln, in: W. CZYSZ, C. M. HÜSSEN et. al. (Hrsg.), Provinzialröm. Forschungen. FS G. Ulbert, 1995, 111–130, bes. 127 f.

M. CARROLL-SPILLECKE, Das röm. Militärlager D. in Köln-Deutz, in: Kölner Jbb. 16, 1993, 321–444.　　K. DI.

Divodurum. Hauptort der gallo-röm. *civitas* der Mediomatrici, h. Metz, auf einem langgestreckten Kamm zw. Mosel und Seille oberhalb ihres Zusammenflusses (Ptol. 2,9,7). Einem im 6. Jh. v. Chr. zerstörten hallstattzeitlichen *oppidum* folgte eine latènezeitliche Anlage, die im Krieg gegen Caesar unterging. Als die augusteische Siedlung z.Z. des Tiberius einer Brandkatastrophe zum Opfer gefallen war, entstand die neue Stadt mit typisch röm. »Gittermuster«, dessen Hauptkoordinaten die sich hier kreuzenden Fernstraßen von Lyon nach Trier (→ *cardo*) und von Reims nach Straßburg (→ *decumanus*) waren (Itin. Anton. 240; 363–365; 371). Erstmals erwähnt ist D. nach dem Tod Neros (68 n. Chr.: Tac. hist. 1,63) anläßlich eines Massakers an der Bevölkerung. Brandspuren weisen auf Zerstörungen gegen E. des 1. Jh. hin.

An Überresten der bis Mitte des 3. Jh. dauernden Blütephase sind zu nennen: die »Maison Quarrée« (Tempel oder zivile Basilica), die Basilica bei der Kirche St.-Pierre-aux-Nonnains, das Amphitheater im Süden, ein kleineres Theater am Mosel-Ufer, Teile eines Aquädukts sowie drei Thermen-Anlagen. Die 240/250 zu datierenden Brandschichten sind wohl auf Barbareneinfälle zurückzuführen. D. wurde folglich verkleinert und mit einer ca. 3500 m langen polygonalen Mauer umgeben. D. nannte sich jetzt nach der *civitas Mediomatrici* bzw. *Mettis* (Amm. 15,11,9; 17,1,2; Not. Galliarum 5,3; Not. dign. occ. 11,59; 12,27). Nach erneuten Zerstörungen beim Vandalen-Einfall 406 ging am 7.4.451 das ant. Metz im Kampf gegen → Attila endgültig unter (Greg. Tur. Franc. 2,6).

E. Frézouls, Les villes antique de la France 1,1, 1982, 235–350 (mit Zusammenstellung des lit. und inschr. Materials) · B. Vigneron, D. Mediomatricorum, 1986.

F. SCH.

Divona. Hauptort der kelt. → Cadurci in Aquitania (h. Cahors, Dép. Lot); Quellenbelege: Ptol. 2,7,9; CIL XIII 1541 [1].

A. Audin, J. Guey, P. Wuilleumier, Inscriptions latines découvertes à Lyon dans le pont de la Guillotière, in: REA 56, 1954, 297–347.

E. O.

Divortium (von *divertere*, sich abwenden) ist die Ehescheidung im röm. Recht. Ihre Grundlage ist in einem Reskript des Kaisers Alexander Severus aus dem J. 223 n. Chr. (Cod. Iust. 8,38,2) klar formuliert: *libera matrimonia esse antiquitus placuit* (daß die Ehen frei sind, ist seit alters anerkannt). Ob dies schon für die mit bes. sakraler Weihe geschlossenen Ehen der Frühzeit galt, mag zweifelhaft sein. Auch für sie war jedenfalls in den überlieferten Quellen eine Scheidung in entsprechender Form zur Eheschließung vorgesehen (→ *diffarreatio*). Die »Freiheit« der Ehe bedeutete insbes., daß die Scheidung keines Grundes bedurfte: nicht des Verschuldens einer Seite und nicht einmal einer festgestellten Zerrüttung. Sittlich freilich (und durch den Zensor) wird nur die Scheidung gebilligt worden sein, für die es einen Grund gab. Auch war zunächst die Scheidungsbefugnis nur den Ehemännern oder ihren *patresfamilias* eingeräumt, da die Frau als Gewaltunterworfene (→ *manus*) keinerlei rechtliche Gestaltungsmöglichkeiten hatte. Unter dem Einfluß der freien Scheidbarkeit der *manus*-freien Ehe auch von seiten der Frau ist der oben erwähnte Satz spätestens in der Zeit des Prinzipates auf die *manus*-Ehe ausgedehnt worden.

Weder die sittlichen Mißbilligungen noch sogar die für schuldhafte Scheidungen in christl. Zeit eingeführten Strafen hatten irgendeinen Einfluß auf die Wirksamkeit des *d.* Sitte und Strafandrohungen übten freilich gewiß einen erheblichen indirekten Zwang aus, die Scheidung ohne hinreichende Gründe zu unterlassen. In dieselbe Richtung wirkten die erheblichen Vermögensnachteile bei grundloser Scheidung (vgl. dazu → Eheverträge). Die einvernehmliche Scheidung war aber während der ganzen Geltungszeit des röm. Rechts nicht nur zulässig, sondern blieb selbst in christl. Zeit straflos.

Eine Form für die Scheidung war – abgesehen vom Fall der *diffarreatio* – nicht vorgesehen. Sie erfolgte durch einfache Erklärung des Scheidungswilligen (auch → *repudium*). Stellten die Eheleute die Gemeinschaft wieder her oder unterblieb deren Aufhebung trotz der Scheidungserklärung, war der reale Fortbestand rechtlich entscheidend. Üblich war eine Übermittlung des Scheidungswillens durch einen Boten. Dieses *nuntium remittere* war offenbar so verbreitet, daß es geradezu zum gängigen Ausdruck für das *d.* wurde. In nachklass. Zeit (ab 3. Jh.) war ein Scheidebrief (*libellus repudii*) üblich.

Wurde die *manus*-Ehe aufgelöst, endete mit dem *d.* nicht automatisch die Ehegewalt. Dazu bedurfte es eines besonderen förmlichen Aktes wie der *diffarreatio* oder einer → *remancipatio*, durch die der Vater der Frau die Hausgewalt über sie zurückerhielt.

1 E. Levy, Der Hergang der röm. Ehescheidung, 1925, 55 ff. **2** Treggiari, 435–482.

G. S.

Diyllos (Δίυλλος) von Athen. Griech. Historiker, 1. H. 3. Jh. v. Chr., Sohn des Atthidographen Phanodemos. Verf. von *Historíai* in 27 B., einer Universalgeschichte in zwei Teilen (vgl. FGrH 73 T 1 und 2), die → Ephoros fortsetzte und die Zeit vom 3. Hl. Krieg (357/6) bis zum Tod von Kassandros' Sohn Philippos behandelte. D. wurde wiederum von Psaon von Plataiai (FGrH 78 T 1) weitergeführt.

Nach Plutarch gehörte D., der ganz in »tragischer« Manier schrieb (Plut. mor. 345E und F), zu den ›nicht unbedeutenden in der Geschichtsschreibung‹ (Plut. mor. 862B = T4). Ob Diodoros D. für die Alexandergeschichte in B. 17 nutzte (so [1]) oder für die Diadochenzeit in B. 18–20 (vgl. [2. 19 ff.]), bleibt fraglich (vgl. dazu [3. 126 f.]). FGrH 73 und 257 a F 3.

1 N. G. L. HAMMOND, Three Historians of Alexander the Great, 1983 2 J. SEIBERT, Das Zeitalter der Diadochen, 1983 3 K. MEISTER, Die griech. Geschichtsschreibung, 1990.

K. MEI.

Djoser (ägypt. *Dsr*, zeitgenössisch nur der Horusname *Ntrj-ht* belegt; bei Manetho Τόσορθρος bzw. Σέσορθος). Erster oder zweiter König der 3. Dyn.; regierte lt. dem Turiner Königs-Pap. 19 Jahre (ca. 2650 v. Chr.); polit. Ereignisse sind aus seiner Zeit nicht bekannt. D. errichtete, wohl unter Mitwirkung des Imhotep (→ Imuthes) in Saqqara einen monumentalen Grabkomplex, dessen Zentrum die erste Pyramide, ein aus einer Mastaba entwickelter Stufenbau auf fast quadratischem Grundriß bildete, umgeben u. a. von Totentempel und Modellpalästen. Die spätere Überlieferung erblickte darin die Erfindung der Steinarchitektur (→ Architektur). Durch seinen Grabbau, im AR Kristallisationskern weiterer königlicher Grabanlagen und noch im NR Ziel regen Besuchs, war D. sichtbar der Begründer der Tradition des AR und genoß dauerhafte Verehrung. Noch eine fiktiv rückdatierte Urkunde aus ptolem. Zeit beruft sich auf seine Autorität.

→ Dodekaschoinos; Pyramide(n)

J. VON BECKERATH, s. v. D., LÄ 1, 1975, 1111 f.   S. S.

Doberos (Δόβηρος). Stadt in Paionia wohl im Tal der Strumica. Sammelpunkt für Sitalkes' Angriff auf das maked. Königreich 432 v. Chr. (Thuk. 2,98,2). Integriert in Makedonia (evtl. unter Philippos II.), wurde D. *civitas* der röm. Prov. Macedonia (Plin. nat. 4,35). 267 n. Chr. von Goten geplündert (Zos. 1,43); Bischofssitz (Konzil zu Chalkedon).

F. PAPAZOGLOU, Les villes de Macédoine, 1988, 328 f.   MA. ER.

Doclea. Siedlung der illyr. Docleates (Ptol. 2,16,12; App. Ill. 16,46; Ptol. 2,16,8; Plin. nat. 3,143; *princeps civitatis Docleatium*, ILJug 1853 [1]) im Inneren von Crna Gora (Montenegro), h. Duklja am Zusammenfluß von Zeta und Morača in der Region Podgorica (ehemals Titograd); war später ein flav. *municipium Docleatium* in der *prov. Dalmatia* (→ Dalmatae, Dalmatia), bestätigt als *res p(ublica) Docleatium* durch mehrere Inschr. (gesammelt von STICOTTI [2]). Kaiserkult belegt. Ausgrabungen brachten zahlreiche Überreste röm. Baulichkeiten zutage: Aquädukt, Forum, frühchristl. Basilika, Nekropolen. Mehrere Basen mit Ehren-Inschr. für Kaiser von *Divus* Titus an. Geburtsstadt des Diocletian (*Dioclea*: Epitoma de Caesaribus 39,1). Mit den Reformen des Diocletian gehörte D. zu Praevalitana; wiederbelebter Wohlstand nach 536, als sich die Autorität Iustinians auch in den Prov. festigte. Keine Mz.-Funde nach Honorius. Im 6. Jh. Bistum.

1 A. ŠAŠEL, J. ŠAŠEL (Hrsg.), Inscriptiones Latinae Jugoslaviae, 1986 2 P. STICOTTI, Die röm. Stadt D. in Montenegro (Schriften der Balkankommission, Ant. Abt.

6), 1913 3 J. J. WILKES, Dalmatia, 1969 · A. CERMANOVIĆ-KUZMANOVIĆ, D. SREJOVIĆ, O. VELIMIROVIĆ-ŽIŽIĆ, Antička Duklja – nekropole (The Roman Cemetery at D.), 1975.

M. Š. K./Ü: I. S.

Doctor s. Munera

Doctrina Addai. Diese syr. Erzählung berichtet von der legendären Missionstätigkeit Addais in Edessa und der folgenden Bekehrung König Abgars, »des Schwarzen« (→ Abgarlegende). Der Beginn, der seine einzige Parallele in der griech. Version von Eusebios (HE 1,13) hat, beschreibt Abgars Briefwechsel mit Jesus und Addais Ankunft in → Edessa (bei Eusebios: *Thaddaios*). Die *D. A.* gibt jedoch darüber hinaus neue Informationen, insbes. über ein von Ḥannan, dem Gesandten Abgars, gemaltes Porträt Jesu, den Vorläufer des Mandylion der späteren Tradition, und erzählt bis zu Addais Nachkommen Aggai und Palūṭ. Des weiteren berichtet sie über den Fund des Kreuzes durch Claudius' Frau Protonike. Das Werk wurde um 420 verfaßt und ist denselben Kreisen zuzuordnen wie die Legende des Martyriums von Šarbel und Barsamya.

ED./ÜBERS.: G. PHILLIPS, The Doctrine of Addai, 1876 · G. HOWARD, The Teaching of Addai, 1981 (photogr. ed. of 5th-cent. Ms., in: E. N. MEŠČERSKAYA, Legenda ob Avgare, 1984) · A. DESREAUMAUX, Histoire du Roi Abgar et de Jesus, 1993.
LIT.: H. J. W. DRIJVERS, »Abgarsage«, in: W. SCHNEEMELCHER (ed.), Nt. Apokryphen, ⁵1987, 389–396 · S. P. BROCK, Eusebius and Syriac Christianity, in: H. W. ATTRIDGE, G. HATA, Eusebius, Christianity and Judaism, 1992, 212–234 · S. HEID, Zur frühen Protonike und Kyriakoslegende, in: Analecta Bollandiana 109, 1991, 73–108.   S. BR./Ü: S. Z.

Doctrina Iacobi. Die *Doctrina Iacobi nuper baptizati*, angeblich im 7. Jh. entstanden, erzählt, wie der Jude Jakob sich in seiner Jugend zunächst damit amüsiert haben soll, Christen zu verprügeln. Bei einem Aufenthalt in → Karthago sei er, wie alle Juden im Reich, im Auftrag von Kaiser → Herakleios zwangsgetauft worden, habe sich dann aufgrund einer Vision zu der Taufe bekannt und sich ein umfassendes theologisches Wissen angeeignet. In langen, heimlichen Debatten soll er alle zwangsgetauften Juden und einen herbeigereisten Juden Iustus von der Wahrheit des Christentums überzeugt haben. Während man bisher diese Gesch. für zeitgenössisch und sogar für histor. zuverlässig hielt, konnte jüngst nachgewiesen werden, daß sie eine erst im MA entstandene Kompilation aus verschiedenen Schriften darstellt, z. B. einem apokalyptischen Dialog, einem Schelmenroman usw. Diese Schriften gelangten stark verstümmelt ins MA und wurden dort wegen gleicher Namen der handelnden Personen als Reste einer einzigen Schrift angesehen und mit langen Darlegungen, die die Richtigkeit der christl. Interpretation des AT beweisen sollen, ergänzt. So entstand die h. vorliegende *D. I.* Alle histor. Informationen dieser Schrift, einschließlich der Zwangstaufe durch Herakleios, treffen nicht zu. Es haben sich aber in ihr Bruchstücke der hervorragenden semivulgären Lit. aus den »Dunklen Jahrhunderten« von Byzanz erhalten.

G. Dagron, V. Déroche, Juifs et Chrétiens dans l'Orient du VIIᵉ siècle, Traveaux et Mémoires 11, 1991, bes. 47–229 (ed. der *D. I.*: Déroche), 230–273 (Komm.: Dagron und Déroche). • P. Speck, Die *Doctrina Iacobi nuper baptizati*, in: Varia VI. Beiträge zum Thema »Byz. Feindseligkeit gegen die Juden« im frühen siebten Jahrhundert (ΠΟΙΚΙΛΑ BYZANTINA 15), 1997, 263–436.   P. SP.

Doctrina patrum de incarnatione verbi. Dogmatisches, an der Wende vom 7. zum 8. Jh. n. Chr. enstandenes Florilegium, welches auf der Grundlage bereits existenter, h. z. T. verlorener christologischer Sammlungen (u. a. Kap. 24 und 33) erstellt und fälschlicherweise dem Apokrisiar → Anastasios [3] († 666) bzw. dem Abt → Anastasios Sinaites [5] († kurz nach 700) als Verf. zugeschrieben wurde.

Ed.: F. Diekamp, D., 1907.
Lit.: A. Grillmeier, Jesus der Christus im Glauben der Kirche 2/1, ²1991, 94–100.   J. RI.

Dodekadrachmon (nur adj. δωδεκάδραχμος). Silbernes Zwölfdrachmenstück, das in Nordgriechenland im att. Standard, im ptolemäischen Ägypten und im karthagischen Sizilien, hier im Gewicht von 44,3–45,5 g, geprägt wurde.
→ Drachme; Münzfüße

Schrötter, 150 • M. N. Tod, Epigraphical Notes on Greek Coinage, in: NC 6.20, 1960, 1–24 • G. K. Jenkins, Coins of Punic Sicily, in: SNR 57, 1978, 5–68, bes. 36ff. • J. M. Jones, A dictionary of Ancient Greek coins, 1986, 81 • O. Mørkholm, Early Hellenistic coinage, 1991, 106.   A. M.

Dodekaschoinos. »Zwölfmeilenland«, in griech.-röm. Zeit (Ptol. 2,4,74 und Hdt. 2,29) Bezeichnung des ca. 135 km langen Nordabschnitts Nubiens zw. → Syene und Takompso (*Tȝqmps*)/Hierosykaminos (al-Maharraqa) [1], der von den Herrschern dem Tempel der → Isis von → Philae vor allem zur Erhebung von Zöllen auf den Warenverkehr übereignet wurde. In einer fiktiv in das AR zurückdatierten Felsstele auf Sehel, wohl aus der Zeit Ptolemaios' V., reklamiert die Priesterschaft des Chnumtempels von → Elephantine ältere Rechte an diesem Gebiet [2].

1 A. Burkhardt, Ägypter und Meroiten im D., 1985
2 P. Barguet, La stèle de la famine, 1953.   S. S.

Dodona, Dodone (Δωδώνη).
I. Topographie, historische Entwicklung
II. Archäologischer Befund   III. Orakel

I. Topographie, historische Entwicklung
Heiligtum und Siedlung in Epeiros, 22 km südwestl. des h. Ioannina in der 640 m hoch gelegenen Ebene

Hellopia unterhalb des Tomaros [1. 85–87, 92]. D. ist die älteste lit. bezeugte Orakelstätte Griechenlands (Gründungssage Hdt. 2,54f. [2. 51–54]), schon den homer. Epen bekannt (Il. 16,233–235; Od. 19,296–301). Der urspr. Kult galt der Dione Naia, der im 8. Jh. v. Chr. der Orakelgott Zeus Naios beigestellt wurde; in hell. Zeit kamen Dionysos und Demeter sowie Themis hinzu. Weibliche Priesterinnen (→ Peleiades) entnahmen den Willen des Gottes dem Rauschen der hl. Eiche, aber auch dem Flug der Tauben, später dem Klang von Bronzebecken; die → Selloi deuteten Zeus' Ratschluß. Bes. in archa.-frühklass. Zeit wurden Weihgeschenke und Orakelanfragen aus Griechenland, Unterit. und Kleinasien gesandt. Urspr. im Gebiet der Thesprotoi gelegen (Strab. 7,7,11; FGrH 1 F 108), gelangte D. im 5. Jh. unter den Einfluß der Molossoi. D. wurde der kulturelle und polit. Mittelpunkt von Epeiros, in dem auch die Beschlüsse der Molossoi und des Koinons der Epeirotai aufgestellt wurden. 219 v. Chr. wurde D. von den Aitoloi geplündert, von Philippos V. wieder aufgebaut, von den Römern 167 v. Chr. zerstört, der Kult aber bis in das 4. Jh. n. Chr. weitergeführt. Bei den peneterischen Naia-Spielen [3], die vom 3. Jh. v.–3. Jh. n. Chr. nachgewiesen sind, wurden gymnastische, tragische und hippische Agone ausgetragen. Inschr.: [2. 55–60; 4. 259–273; 5. 534–592]; Mz.: [6].

II. Archäologischer Befund
Arch. Ausgrabungen haben seit 1875 große Teile des Heiligtums im Süden der befestigten Akropolis zutage gebracht: verschiedene Kultbauten im Gebiet der Hl. Eiche, Bauten für die hier tagenden Versammlungen (sog. Buleuterion und Prytaneion; → Versammlungsbauten), ein Theater für fast 20 000 Zuschauer, das in röm. Zeit zu einer Arena (→ Amphitheater) umgebaut wurde sowie ein Stadion davor. Die monumentale bauliche Ausgestaltung begann erst um 400 v. Chr.; bis dahin bestand hier ein weitgehend in freier Natur gelegener Kultplatz ohne architektonische Struktur. D. wurde im 6. Jh. n. Chr. für kurze Zeit Bischofssitz, bevor der Ort um 550 n. Chr. im Zuge der Slawenwanderungen zerstört und verlassen wurde; in diese Zeit datiert die dreischiffige Basilika im Osten des Heiligtums.

1 Philippson/Kirsten, 2, 1 2 P. Cabanes (Hrsg.), L' Illyrie méridionale et l'Épire dans l' Antiquité 2, 1993
3 P. Cabanes, Les concours des Naia, in: Nikephoros 1, 1988, 49–84 4 H. W. Parke, The oracles of Zeus, 1967
5 P. Cabanes, L'Épire, 1967 6 P. R. Franke, Die ant. Mz. von Epirus, 1961, 27–39, 317–322.

S. I. Dakaris, D., 1993 • N. G. L. Hammond, Epirus, 1967.
D. S. u. C. Hö.

III. Orakel
Spätestens im 4. Jh. v. Chr. gehört D. zu den Losorakeln, bei denen unter Aufsicht einer Priesterin Lose aus einem Topf gezogen wurden (Kallisthenes FGrH 124 F 22 = Cic. div.1,76; 2,69); Herodots Vergleich mit

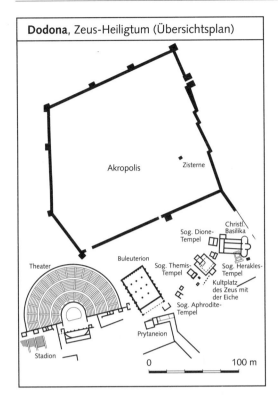

Dodona, Zeus-Heiligtum (Übersichtsplan)

Akropolis · Zisterne · Christl. Basilika · Sog. Dione-Tempel · Buleuterion · Theater · Sog. Themis-Tempel · Sog. Herakles-Tempel · Kultplatz des Zeus mit der Eiche · Sog. Aphrodite-Tempel · Prytaneion · Stadion · 0 · 100 m

Auffassung, daß D. nicht mit Worten, sondern mit Zeichen Orakel gegeben habe (Strab. 7 fr. 1 CHR.), fügt sich aber nicht zu den erh. Texten und den übrigen Nachrichten über prosaische (Demosth. or. 21,53) oder hexametrische (Paus. 10,12,10) Orakeltexte. Damit entsteht der Eindruck, daß ein urspr. von hocharcha., durch bes. rituelle Marginalität ausgezeichneten Priestern besorgtes und vielleicht vorgriech. (Zeus Pelasgikos: Hom. Il. 16,233; Pelasger: Hdt. 2,54) Orakel, das sich in natürlichen Zeichen (Eiche) geäußert hatte, später an Priesterinnen überging (so Strab. 7,7,12) und übereinstimmend mit sonstiger griech. Praxis Antworten in Textform gegeben hat. Schwer zu vereinen mit dem aktuellen und dem lit. Befund ist die Nachricht, daß die Priesterinnen von D. in Ekstase ihre Orakel gegeben hätten (Plat. Phaidr. 244b; Paus. 10,12,10). Nichts mit divinatorischer Praxis hat das lang hallende Bronzebecken zu tun, das seit Menander (fr. 66 CAF) und Polemon (Steph. Byz. s. v. Δωδώνη) als staunenerregendes Weihgeschenk erwähnt wird (vgl. Kall. fr. 483).

1 C. CARAPANOS, Dodone et ses ruines, 1878, 70–83
2 H. POMTOW, Die Orakelinschr. von D., in: Jahrbücher für Philol. 29, 1883, 306–360 3 H. W. PARKE, The Oracles of Zeus, 1967, 126, Anm 18, 259–273 4 J. CHAMPEAUX, Sors oraculi. Les oracles en Italie sous la République et l'Empire, in: MEFRA 102, 1990, 271–302 5 J. GAGÉ, Pyrrhus et l'influence religieuse de Dodone dans l'Italie primitive, in: RHR 145, 1954, 150–167; 146, 1955,18–50.   F. G.

Dodrans. Im römischen Maß- und Gewichtssystem bezeichnet der D. ¾ (⁹/₁₂) der ganzen Einheit (das Ganze *dempto quadrante*). Der D. findet seine Anwendung im Längenmaß (*pes*), Flächenmaß (*iugerum*), im Erb- und Schuldrecht und in der Stundenrechnung. Er wiegt unter Zugrundelegung des röm. Pfundes (*libra*: 327,45 g) 245,59 g [1. 150]. Als Münze erscheint der D. unter M. Metellus im Jahr 127 v. Chr. (Büste des Vulkan/Prora) sowie ein Jahr später unter C. Cassius zusammen mit dem *Bes* mit dem Wertzeichen S:· in Bronze ausgeprägt [2. 288; 290].

→ Bes; Iugerum; Libra; Pes

1 SCHRÖTTER, 150 2 RRC, ²1987.

Hultsch, s. v. D., RE 5, 1265–1266.   A. M.

Dodwell-Maler. Mittelkorinthischer Vasenmaler um 580/570 v. Chr., der v. a. Pyxiden und Oinochoen, aber auch Halsamphoren und Hydrien bemalte; meist mit Tier- oder Reiterfriesen. Herausragend die Pyxis in München (SA, sog. Dodwell-Pyxis) mit der Kalydon. Eberjagd und weiteren myth. Figuren (Namensbeischriften z. T. nicht zueinander passend) sowie zwei sorgfältige Friese der Olpe in Rom (VG): um einen Krater tanzende Komasten und Herakles im Kampf gegen die Hydra. Die routiniert hingeworfenen Bilder sind sonst wenig präzis. Dem D. mit seinen etwa 70 Werken lassen sich nach AMYX zehn Maler stilistisch anschlie-

dem Orakel des Amun-Re in Theben weist darauf, daß bereits zu seiner Zeit das Losen die verbreiteste Methode der → Divnation war (Hdt. 2,57). Die zahlreichen auf schmale Bleitäfelchen geschriebenen Antworten der Anfragen an Zeus Naios und Dione (seit dem 5. Jh.; viele noch unpubliziert, vgl. SEG 43, 1993, 318–341; [1; 2; 3]) wird man mit solchen Losen zu verbinden haben. Die inschr. bezeugte Praxis des Losorakels von Apollon Koropaios in Demetrias (SIG³ 1157, ca. 100 v. Chr.) bietet sich zum Vergleich noch eher an als die zahlreichen ital. Losorakel [4] – wobei D.s Beziehungen zu It. tatsächlich eng gewesen sein müssen [5]. Die lit. Überlieferung stimmt nur teilweise dazu. Hom. Il. 16,233–235 kennt die barfüßigen und am Boden wohnenden Selloi als Hüter des Orakels, Od. 19,296–299 die (redende) Eiche als Quelle des Wissens um Zeus' Willen (ähnlich Hes. fr. 240,8; 319; Aischyl. Prom. 832). Das Reden der Eiche ist auch im Mythos vom redenden dodonäischen Eichenbalken in der Argo vorausgesetzt (Apollod. 1,110). Soph. Trach. 171 f. gibt zwei Tauben auf der hl. Eiche als Quelle der Orakel an; ebenso verbinden die Ursprungssagen des Heiligtums die hl. Eiche mit einer (sprechenden) Taube (Proxenos FGrH 703 F 7; Philostr. imag. 2,33; Schol. Il 16,234). Hdt. 2,54–57 deutet die Tauben allerdings allegorisch auf Priesterinnen, und in mehreren späteren Quellen wird »Taube« (*peleiás*) als Bezeichnung der Priesterinnen von D. erklärt.

Wenn die frühen Zeugnisse von Eiche und Tauben als Zeichengeber sprechen, deckt sich das mit der ant.

ßen, die überwiegend Pyxiden und Oinochoen mit Tierfriesen bemalten.

AMYX, CVP, 205–210, 320f., 346–348, 565 Nr.33 · AMYX, Addenda 59. M.ST.

Dogmatiker

[1] Philosophen. Ursprünglich skeptischer Ausdruck zur Bezeichnung derer, die sich eine Meinung (*dógma*; vgl. S. Emp. P.H. 1,13) – vor allem eine philos. oder wiss. – zu eigen machen, welche sich, nach skeptischer Auffassung, nicht rechtfertigen, geschweige denn beweisen läßt (S. Emp. P.H. 1,3). Von Pyrrhoneern in einem erweiterten Sinn auch auf Akademiker angewendet, welche sich Meinungen zu eigen machen, z.B. die, daß nichts gewußt werden könne (vgl. das ἰδίως bei S. Emp., ebd.). Wegen der innigen Verbindung von Empirismus und Skeptizismus in der Medizin wurde der Begriff »D.« oft auch von Empirikern für die Ärzte verwendet, welche sonst Rationalisten genannt werden (Gal. de sect. 1, S. 2, 10 HELMREICH). Der Ausdruck nimmt wegen seines Ursprungs leicht die Konnotation einer Haltung an, die allen Argumenten zum Trotz an einer Meinung festhält, bzw. einer Autorität folgt.

M.FR.

[2] Ärzteschule. In den medizinischen Handbüchern aus röm. und byz. Zeit wird die Medizin oftmals in drei Schulrichtungen untergliedert, die der → Empiriker, → Methodiker und D. mit ihren jeweiligen Exponenten. Während die Empiriker und Methodiker jeweils ihre eigene, eng umschriebene und auf einen benennbaren Begründer zurückzuführende Schultradition besaßen, läßt die Vielfalt von Namen und Doktrinen im dogmatischen Lager darauf schließen, daß diese Schule durch spätere Autoren [1. 165–166] weniger durch die Lehrmeinungen, welche die D. selbst vertraten, als vielmehr die Lehren, von denen sie sich distanzierten [3. 76–100], definiert wurde. Gegen die Empiriker waren sich die D. in ihrer Überzeugung einig, der Arzt müsse die Ursache(n) von Krankheiten herausfinden und sie dann bekämpfen. Im Unterschied zu den Methodikern besaßen die D. differenzierte Vorstellungen von den Strukturen und dem Zusammenspiel der Körperteile, ihrer Physiologie und Pathologie, und betrachteten wohl die von den Methodikern propagierte Reduktion des Ursachenspektrums auf die drei üblichen Grundbefindlichkeiten des Körpers (*status strictus, medius, laxus*) als Simplifizierung. Die D. vertrauten bei Diagnose und Therapie auf die Anwendung rationaler Betrachtung, weshalb man sie auch *rationales* bzw. *logikoi* nannte. Doch die Frage, wie diese rationale Betrachtung genau auszusehen und was als Ursache zu gelten hätte, trennte die D. nicht nur von den nicht-dogmatischen Ärzten, sondern entzweite sie auch untereinander (zu Galens Versuchen, innerhalb der dogmatischen Schultradition Unterscheidungen zu treffen, vgl. Gal. 19,12).

Gemeinhin führt Hippokrates die Liste der bedeutendsten D. an, gefolgt u.a. von Diokles, Praxagoras, Mnesitheus, Herophilos und Erasistratos (vgl. z.B. Gal. 19,683; Anon. Bambergensis, fol. 6ʳ [4. 66] und einige spätalexandrinische Kommentatoren [5. 188]). Galens häufiger Rückgriff auf diese Gruppe herausragender Ärzte und die Ende des 4. Jh. bzw. Anfang des 3. Jh. v. Chr. wirkenden Schulvertreter Pleistonikos, Phylotimos und Dieuches deutet darauf hin, daß die Doxographie der D. im hell. Alexandreia entstand. Später wurde die Liste um weitere Namen ergänzt, insbesondere um die des Asklepiades, um die von Pneumatikern wie Athenaios und Agathinos und zuletzt um die des Antyllus, Philumenos und Galen (2.Jh. n.Chr.). Daß solch ein intellektuelles Klassifikationsschema nicht unproblematisch ist, erhellt jedoch die Tatsache, daß die Namenslisten der Schulvertreter häufig variieren, daß unter den genannten Ärzten erhebliche Unterschiede zu verzeichnen sind und daß zahlreiche D. gegen ihre Konkurrenten aus dem eigenen Lager polemisierten. Dennoch sicherte die Berufung auf die Vernunft der dogmatischen Schule den besten Ruf bis ins 17. Jh. hinein und ließ Vertreter der ant. Medizingeschichtsschreibung bis ins 20. Jh. von den D. als einer homogenen Gruppe sprechen [2. 59].

→ Medizin

1 G.E.R. LLOYD, Science, Folklore, and Ideology, 1983 2 STADEN 3 Ders., Hairesis and Heresy, in: B.F. MEYER, E.P. SANDERS (Hrsg.), Self-definition in the Graeco-Roman World, Bd. 3, 1982, 76–100; 199–206 4 U. STOLL, Das »Lorscher Arzneibuch«, 1992 5 O. TEMKIN, The Double Face of Janus, 1977. V.N./Ü:L.v.R.–B.

Dohle. Die kleinste Krähenart. Plinius (nat. 10,77) erwähnt den Schwarmvogel Oberitaliens mit charakteristischer sprichwörtlicher Vorliebe für glänzende Gegenstände wie Gold und Münzen als *monedula* (*Coloeus monedula*, wohl identisch mit κολοιός, belegt seit Hom. Il. 16,583 und 17,755; untypische Angaben über den Vogel bei Aristoteles (hist. an. 2,12,504a 19; 2,17,509a 1; 9(8),9,614b 5 und 9(8),24,b 16); nicht selten bei Aristophanes [1. 155; 2. 2. 109ff.]). Daneben kennt Plinius den *graculus*, wahrscheinlich die Alpendohle (*pyrrhocorax alpinus*, κορακίας bei Aristot. hist. an. 9(8),24,617b 16) oder Alpenkrähe (*P. pyrrhocorax*; [3. 131]). Entsprechend wird bei Ovid (met. 7,465–68) Arne, die des Goldes wegen Verrat begeht, in eine D. mit schwarzen Füßen und Federn verwandelt. Schon Cic. Flacc. 31 spielt auf die instinktive Diebeslust an, was durch Isid. orig. 12,7,35 ebenso wie die Etymologie (*monedula quasi monetula*) an das MA weitergegeben wird. Nach Plin. nat. 17,99 soll sie in ihren Höhlen auch Samen ansammeln und zum Keimen bringen. Dionysios [29] bietet 3,18 [4. 46f.] Anweisungen für den Fang der gerne gezähmten D. und → Eichelhäher in mit Oliven als Köder ausgelegten Schlingen. Erst Thomas von Cantimpré (5,89 [5. 216]) beschreibt sie als dunkel gefärbt und zierlich mit ihrer Imitationsfähigkeit der menschlichen Sprache nach Abrichtung als Jungvogel, Albertus Magnus (De animalibus 23,129; [6. 1504]) weist zusätzlich auf den grauen Scheitel hin. Der »Experimentator« bei Thomas (und Albertus) behauptet, sie liebe es, auf dem Kopf gekraut zu werden gegen ihr Kopfjucken, welches durch Verzehr ihres Fleisches auf Menschen übergehen soll.

1 D'ARCY W. THOMPSON, A Glossary of Greek Birds, ²1936, Ndr. 1966 2 KELLER 3 LEITNER 4 A. GARZYA (Hrsg.), Dionysii Ixeuticon libri, 1963 5 H. BOESE (Hrsg.), Thomas Cantimpratensis, Liber de natura rerum, ed. 1973 6 H. STADLER (Hrsg.), Albertus Magnus, de animalibus, ed. II, 1920.   C.HÜ.

Doidalses. Bildhauer umstrittener Existenz. Plinius (nat. 36,35) nennt als Marmorwerk in Rom eine *Venerem lavantem †sesededalsa†* stantem, woran zumeist der bithynische Name D. emendiert wird. Dieser wird mit Daidalos, der laut byz. Quelle einen Zeus Stratios für den bithynischen König Nikomedes schuf, gleichgesetzt. Der Statuentypus des Zeus ist nicht sicher erkannt. Die genannte stehende Venus wird allgemein mit dem Typus der »Kauernden Aphrodite« identifiziert, doch weder die Verbindung mit Nikomedes I. und die daraus erschlossene Datierung (264–247 v. Chr.) noch die Existenz eines D. sind glaubhaft nachgewiesen.

D. BRINKERHOFF, Hypotheses on the History of the Crouching Aphrodite Type in Antiquity, in: The J. P. Getty Museum Journal, 6–7, 1978–79, 83–96 • P. MORENO, Scultura ellenistica, 1994, 218–225 • OVERBECK, Nr. 2044 (Quellen) • B. S. RIDGWAY, Hellenistic sculpture, 1, 1990, 230–232 Abb.   R. N.

Doiptunos.
Tib. Iulius D. (auch Doiptounos oder Douptounos; IPE 2,49). Der Name ist nicht griech. und tritt hier zum ersten Mal auf. Wohl nach 620 n. Chr. von Byzanz als Verwalter des Bosporos eingesetzt, da die Inschr. mit christl. Zeichen auch einen *comes* erwähnt.

V. F. GAJDUKEVIČ, Das Bosporanische Reich, 1971, 517.   I. v. B.

Dok (Δώκ, Δαγών). Festung aus hasmonäischer Zeit nordwestl. von Jericho, in der Simon Makkabaios mit zwei Söhnen von seinem Schwiegersohn Ptolemaios ermordet wurde (1 Makk 16,15 f.; Ios. ant. Iud. 13,230; bell. Iud. 1,56). Chariton gründete hier 340 n. Chr. eine Laura. Der Name ist in der Quelle ʿAin Dūk erhalten.

C. MÖLLER, G. SCHMITT, Siedlungen Palästinas nach Flavius Josephus, BTAVO B 14, 1976, 77 f. • Y. HIRSCHFELD, List of Byzantine Monasteries in the Judean Desert, in: FS Virgilio Corbo, 1990, 29 ff. • G. SCHMITT, Siedlungen Palästinas in griech.-röm. Zeit, TAVO B 93, 1995, 135.   A. M. S.

Doketai (δοκηταί). Mit diesem Sammelbegriff oder τῶν ... δοκιτῶν αἵρεσις (*tōn ... dokitōn haíresis*, Theod. epist. 82,1) bezeichnen ant. christl. Theologen seit der Mitte des 5. Jh. ebenso wie die neuzeitliche Forschung verschiedene Positionen, die (jedenfalls in der Perspektive ihrer Kritiker) die reale Menschheit → Jesu Christi in Zweifel ziehen oder sogar leugnen und einen »Scheinleib« behaupten. Gegner des → Ignatios von Antiocheia behaupteten z. B., Christus habe nur zum Schein gelitten (τὸ δοκεῖν, epist. ad Smyrnaeos 2; 4,2). Ein so verstandener Doketismus wird aber nicht nur einzelnen, von der Mehrheitskirche als »häretisch« eingestuften Theologen zugeschrieben, sondern findet sich ansatzweise auch in der sogen. → apokryphen Literatur. Während das Begriffsfeld des Doketismus in dieser Bed. seit der Spätant. auf sehr verschiedene Erscheinungen angewendet wird, hatte es urspr. eine eingegrenztere Bed. Es wurde dann, bes. im Rahmen der trinitätstheologischen und christologischen Auseinandersetzungen des 4.–6. Jh., zur Bezeichnung gegnerischer Positionen verwendet.

Der Begriff ἡ (αἵρεσις) τῶν δοκητῶν findet sich wohl erstmals bei Clem. Al. strom. 7,108,2; er nennt Iulius Cassianus ὁ τῆς δοκήσεως ἐξάρχων (str. 3,91,1), ohne allerdings einschlägige Texte dieses Autors zu zitieren. → Hippolytos entwirft wenig später eine Doxographie der »D.«, deren Lehren man als Variante des Systems der valentinianischen Gnosis ansprechen kann (haer. 8,2–11,2 bzw. 10,16,1–6). Darunter zählt angeblich die Ansicht, ein himmlischer Erlöser sei mit dem aus Maria geborenen Leib zunächst ›bekleidet worden‹, habe ihn dann aber bei der Kreuzigung aufgegeben (8,10,7). Es ist vorgeschlagen worden [1. 305], den Begriff »doketisch« für diese Gruppe zu reservieren, die oben beschriebene Position dagegen, die reale Menschheit Jesu in Zweifel zu ziehen, »doketistisch« zu nennen: die D. sollen demnach eine doketistische Christologie vertreten haben. Die früher geäußerte Ansicht, die Gnosis (→ Gnostiker) sei grundsätzlich doketisch (d. h. doketistisch; so noch [3]), ist unzutreffend [5. 45–52]. Sie entstand u. a. durch die Polemik der antignostischen Väter, wird aber jetzt durch die Originalfunde widerlegt.

1 N. BROX, »Doketismus« – eine Problemanzeige, in: ZKG 95, 1984, 301–314 2 A. HILGENFELD, Ketzergesch. des Urchristentums, 1963, 546–550 (Ndr.; zuerst 1884) 3 A. JÜLICHER, s. v. δοκηταί, RE 5, 1268 4 M. SLUSSER, Docetism: A Historical Definition. The Second Century 1, 1981, 163–172 5 K. W. TRÖGER, Doketistische Christologie in Nag-Hammadi-Texten, in: Kairos 19, 1977, 45–52.   C. M.

Dokimasia (Δοκιμασία). In der griech. Welt heißt in der griech. Welt die Prozedur des Nachweises, daß bestimmte Bedingungen erfüllt sind.

In Athen sind folgende *dokimasíai* bezeugt: 1. Die *d.* junger Männer, die bei Vollendung des achtzehnten Lebensjahres dem *dḗmos* des Vaters vorgestellt wurden, um als Demengenosse und Bürger anerkannt zu werden. An diesem Verfahren waren der *dḗmos*, ein Richterkollegium und der Rat beteiligt. 2. Die *d.* der → *buleutaí* (Ratsmitglieder) im Rat und vor einem Richterkollegium, die der Archonten ebenfalls im Rat und vor einem Richterkollegium und anderer Beamten vor einem Richterkollegium ([Aristot.] Ath. pol. 45,3; 55,2–5, mit den Fragen, die bei der *d.* an die Archonten gestellt wurden; 56,1; 59,4; 60,1). Lysias schrieb seine Reden 16, 26 und 31 für *d.* dieser Art. Die *d.* eines Herolds enthielt auch die Prüfung einer guten Stimme (Demosth. or. 19,338). 3. Die *d.* der Reiter und ihrer Pferde im Rat ([Aristot.] Ath. pol. 49,1–2). 4. Die *d.* von Invaliden, die eine staatliche Unterstützung beanspruchten, im Rat (ebd. 49,4); Lysias verfaßte für einen derartigen Anlaß eine Rede (or. 24). 5. Die *d.* der Redner vor der Volksversammlung; diesem Nachweis hatte sich der Redner auf Anforderung vor einem Richterkollegium zu unterziehen, falls der Verdacht fehlender Qualifikation bestand (Aischin. Ctes. 28–32). 6. Die *d.* in einem Geschworenengericht im Zusammenhang mit der Verleihung des Bürgerrechts und anderer bedeutender Ehrungen im hell. Athen, zumindest unter einigen Regierungen (s. etwa IG II² 496 mit 507, Bürgerrecht; 682, Ehrenstatue) [1] und [3]. 7. *D.* von Silbermünzen, deren Besitzer eine Echtheitsbestätigung benötigten, durch einen *dēmósios* (Hesp. 43, 1974, 157–188, Gesetz von 375/74 v.Chr.; vgl. IG II² 1492 B, 102, 137 = SIG³ 334, 10, 45). Vgl. den Hinweis auf einen *dokimastḗs* für Maße und Gewichte (Anecd. Bekk. 1, 238).

Das Verfahren der *d.* ist auch außerhalb Athens bezeugt, so etwa in Erythrai, im Rahmen der von Athen oktroyierten Verfassung im 5.Jh. (*d.* der *buleutaí*, IG I³ 14 = ML 40), in Koressos im 3.Jh. (Opfergaben, SIG³ 958) und Ephesos im 2.Jh. n.Chr. (*buleutaí*, SIG³ 838).
→ Bule; Demosios

1 A.S. Henry, Honours and Privileges in Athenian Decrees, 1983 2 Rhodes 3 P.J. Rhodes, Tria Lustra ... J. Pinsent, 1993, 1–3.   P.J.R.

Dokimasia-Maler. Attischer rf. Vasenmaler, um 485–465 v.Chr. tätig. Als ein jüngeres Mitglied der Brygos-Werkstatt (→ Brygos-Maler) steht der D. für die »sanftere« Seite dieser Schalen-Tradition. Benannt wird er nach einem Schalenbild (Berlin), das Epheben bei der Musterung (*dokimasía*) ihrer Pferde durch die Polis zeigt. Andere Bilder zeigen Waffenlauf, Schulunterricht, die Freuden bei Symposion und Komos; mythische Darstellungen schildern die Taten des Theseus und Odysseus. In späten Jahren bevorzugt der D.-M. den Stamnos (Orpheus' Tod), vielleicht auch Kelchkrater und Kalathos.

Beazley, ARV², 412–414 · Ders., Paralipomena 372–373 · Ders., Addenda², 233–234 · D. Williams, CVA London 9, 69 (mit älterer Lit).   A.L.-H.

Dokimastes s. Münzfälschung, s. Subaeratus

Dokimos (Δόκιμος). Von → Perdikkas 323 v.Chr. als Satrap von Babylon eingesetzt (Arr. succ. 24,3–5). Nach Perdikkas' Tod verurteilt, floh er nach Kleinasien und unterstützte → Alketas [4] und → Attalos [2] gegen → Eumenes. Mit dem Verbündeten von → Antigonos Monophthalmos besiegt und in einer Festung interniert, verriet er sie bei einem Ausbruchsversuch und schloß

sich Antigonos an (Diod. 19,16), der ihn rasch beförderte. In Phrygien gründete er eine Stadt Dokimeion. 302 ging er zu Lysimachos über (Diod. 20,107,3). Sein weiteres Schicksal ist unbekannt.

R.A. Billows, Antigonus the One-Eyed, 1990, bes. 382f.
E.B.

Dolabella. Römisches Cognomen, erblich geworden in der Familie der Cornelii Dolabellae (→ Cornelius [I 23–29]).   K.-L.E.

Dolates. Angehörige einer Gemeinde der *regio VI*, in der augusteischen Liste *Sallentini* genannt (Plin. nat. 3,113), weil sie 266 v.Chr. von Soletum in Calabria nach Umbria deportiert worden waren (Liv. ep. 15; Eutr. 2,17).

Nissen, 1, 543 Anm. 2.   G.U./Ü:S.GÖ.

Doliche (Δολίχη). Stadt der perrhaibischen Tripolis (mit Azoros und Python) im westl. Olympos an der Grenze zur maked. Elimiotis. D. wird neuerdings nicht mit dem h. Dorf Duklista gleichgesetzt, sondern mit den Ruinen beim Dorf Sarantaporo.

G. Lucas, La Tripolis de Perrhébie et ses confins, in: I. Blum (Hrsg.), Topographie antique et géographie historique en pays grec, 1992, 93–137 · F. Stählin, Das hellen. Thessalien, 1924, 21 · Th. Tzaphalias, in: Thessaliko Himerologio 8, 1985, 140–144 (Erkundung).   HE.KR.

Dolichenus. Iuppiter Optimus Maximus D., höchster Gott von Dolichē in → Kommagene, h. Dülük bei Gaziantep. Der urspr. Tempel auf dem Dülük Baba Tepe ist nicht ausgegraben. Doch die Pose des Gottes auf dem Stier, sein Donnerkeil und seine Doppelaxt legen seine Abstammung vom hethitischen Sturmgott Teššub nahe. In Rom wird er als *conservator totius mundi*, Erhalter des Universums, verehrt (AE 1940, 76). Das Pendant des Iuppiter Optimus Maximus D. wurde → Iuno Sancta/Regina genannt. Es kommen auch zwei weitere Paare vor, Sonne und Mond sowie die Dioskuroi. Es gibt überhaupt keine lit. Belege und arch. Zeugnisse aus der achämenidischen oder hell. Zeit. Der Kult verbreitete sich erst im 2.Jh. n.Chr., lange nach der Eingliederung Dolichēs in die röm. Prov. → Syrien. Die meisten Aspekte des Kultes im Westen stammen direkt aus Dolichē, aber die dortigen schlichten Heiligtümer weisen kein gemeinsames Muster auf. Die bekannten Mitglieder des Kultes tragen sehr oft Namen von Einwanderern der ersten oder zweiten Generation; seine Organisation ist undurchschaubar. Außerhalb Roms verbreitete sich der Kult hauptsächlich im Rhein-Donau-Gebiet und in Britannien. In gewissem Sinne handelte es sich um einen Kult, der die Loyalität zu den Kaisern, bes. unter den Severern, ausdrückt. Viele Heiligtümer wurden von Maximinus Thrax 235–238 n.Chr. geplündert und nie wieder hergestellt. Der Kult wurde durch die Zerstörung von Dolichē durch → Šāpūr (Šābuhr) I. (252

n. Chr.) offensichtlich geschwächt, obwohl der aventinische Tempel bis ins 4. Jh. benutzt wurde.

M. Hörig, E. Schwertheim, Corpus cultis Iovis Dolicheni, 1987 · M. Hörig, in: ANRW II 17.4, 1984, 2136–79 · M. P. Speidel, The Religion of Iuppiter D. in the Roman Army, 1978.   R. Gor.

Dolichos (δόλιχος). Längste Disziplin der griech. Laufwettbewerbe. In Olympia, wo der d. angeblich 720 v. Chr. (15. Ol.) als dritte Sportart ins Programm gelangte, betrug seine Strecke vermutlich 20 Stadien (ca. 3845 m) [1. 108 f.]. Bei dieser Länge reduziert sich der Nachteil der Wende um einen zentralen Einzelpfosten, wie er im → Diaulos verwendet werden mußte, so daß man bildliche [2] und arch. Zeugnisse (Nemea [3]) dieser Art ernst nehmen muß. Eine gute Wendetechnik verschaffte spürbare Vorteile. Erfolgreiche D.-Läufer waren beispielsweise die Periodoniken Dromeus von Stymphalos [4. Nr. 188, 199], Ergoteles von Knossos (bzw. Himera) [4. Nr. 224, 251], Damatrios von Tegea [4. Nr. 593, 600] und T. Flavius Metrobius [4. Nr. 814; 5. Nr. 814]. Bekannt war auch der Läufer Ladas von Argos [3. Nr. 260], dessen vollendete, von Myron verfertigte Siegerstatue einiges zu seinem Ruhm beigetragen hat [6. 29, 68, 70, 101–103]. Die Siegerstatue eines unbekannten Langläufers wurde vor einiger Zeit aus dem Meer vor Kyme geborgen (heute im Museum von Izmir) [7]. Die Verbindung des d. mit dem Wirken von Botenläufern ist offenkundig [8]; die Leistung des in Olympia siegreichen Ageus [4. Nr. 464], der am selben Tage den Erfolg in Argos meldete, ist durchaus glaubhaft.

1 J. Jüthner, F. Brein, Die athletischen Leibesübungen der Griechen II 1, 1968 2 J. Neils, Goddess and Polis, 1992, Pl. 24 3 St. G. Miller, Turns and Lanes in the Ancient Stadium, in: AJA 84, 1980, 159–166 4 L. Moretti, Olympionikai, 1957 5 Ders., Nuovo supplemento al catalogo degli olympionikai, in: MGR 12, 1987, 67–91 6 F. Rausa, L'immagine del vincitore, 1994 7 T. Uçankus, Die brz. Siegerstatue eines Läufers aus dem Meer vor Kyme, in: Nikephoros 2, 1989, 135–155 8 Y. Kempen, Krieger, Boten und Athleten, 1992, 52–126.

W. Decker, Sport in der griech. Ant., 1995, 70 f. · R. Patrucco, Lo sport nella Grecia antica, 1972 · I. Weiler, Der Sport bei den Völkern der Alten Welt, ²1988, 152 f.   W. D.

Doliones (Δολίονες). Thrak. Stamm an der Südküste der Propontis (Strab. 12,4,4), schon von Hekataios erwähnt (FGrH 1 F 219) [1. 1283]. Der Sage nach wanderten sie aus Thessalien ein und bewirteten unter ihrem König Kyzikos die Argonauten (→ Argonautai); dieser wurde aufgrund eines Mißverständnisses von Iason getötet (Apoll. Rhod. 1,947–1077). Das Siedlungsgebiet der D., die Dolionis, wurde eingegrenzt vom → Aisepos, dem Daskylitischen See und dem Rhyndakos. Milesische Siedler gründeten wahrscheinlich 679 v. Chr. an der Küste die Apoikie Kyzikos. Die D. verblieben zwar in ihrem Siedlungsgebiet, die Dolionis war jedoch spätestens in röm. Zeit vollständig Bestandteil des Territoriums von Kyzikos (Strab. 12,8,10 f.); [2].

1 L. Bürchner, s. v. D., RE 9, 1283 2 F. W. Hasluck, Cyzicus, 1910.   HA. SCH.

Dolios (Δόλιος).

[1] »Der Listige«, Beiwort des Hermes (Aristoph. Thesm. 1202; Soph. Phil. 133; Cornutus 16). Auf der Straße nach Pellene stand eine Statue des Hermes D. (Paus. 7,27,1).

[2] Alter Sklave der → Penelope, der ihr auf Ithaka den Garten besorgt (Hom. Od. 4,735–741; 24,222). Er stellt Odysseus seine Söhne für den Kampf mit den Verwandten der getöteten Freier zur Verfügung (Hom. Od. 24,386–411; 492–501). Nach Hom. Od. 17,212; 18,321 f. ist D. der Vater des Ziegenhirten Melantheus und der Melantho.

G. Ramming, Die Dienerschaft in der Odyssee, Diss. 1973.   R. B.

Dolium. Das größte tönerne Vorrats- und Transportgefäß der Römer (bei den Griechen → Pithos; vgl. → Gefäßformen; → Tongefäße, Schwerkeramik). Dolia dienten in erster Linie zur Aufbewahrung von Vorräten wie Wein, Olivenöl und Getreide. Bei der Weinproduktion macht der Wein in der cella vinaria im d. die Gärung durch. Diese für Wein bestimmten d. waren, wie die → Transportamphoren, innen mit Teer ausgestrichen. Oft waren die d. im Boden versenkt. Die Funktion als Transportgefäß ist wegen der Größe zweitrangig. Besonders im 1. Jh. v. und n. Chr. wurden d. aber auch für den Massentransport von einfachem Landwein verwendet, wie Schiffswracks zeigen, deren Ladung etwa 12 bis 24 d. enthielt, die aufgereiht standen und ein Volumen von 75 bis 100 → Amphoren faßten. Erlesene Weine waren in gestempelten Amphoren abgefüllt. Transport-d. haben entweder eine bauchig gerundete oder eine zylindrische Form, eine stabile Standfläche und große Mündungsdurchmesser. Sie sind manchmal mit Keramikdeckeln verschlossen. D. wurden auf langsamer Drehscheibe mit der Hand geformt. Dabei wurden Standardvolumina wie 1,5 culeus (= 30 amphorae = ca. 786 Liter: d. sesquicularia, vgl. Colum. 12,18,7) angestrebt und bisweilen durch eingeritzte Zahlen am Gefäß vermerkt. Selten werden d. aus anderen Materialen erwähnt (Holz: Plin. nat. 8,16. Blei: Dig. 33,7,26).

R. Hampe, A. Winter, Bei Töpfern und Töpferinnen in Kreta, Messenien und Zypern, 1962 · A. J. Parker, Ancient Shipwrecks of the Mediterranean and the Roman Provinces, 1992.   R. D.

Dolon (Δόλων, vgl. δόλος, »Betrug«). Sohn des troianischen Herolds Eumedes. Er fiel auf seinem nächtlichen Spähgang ins Lager der Griechen, zu dem er sich nur um den Preis von Achilleus' unsterblichen Pferden bereit erklärt hatte, den griech. Spähern Diomedes und Odysseus in die Hände. In einem (vergeblichen) Versuch, seinen Kopf zu retten, verriet er die eigene Sache nur zu bereitwillig an sie, was den verbündeten Thrakerkönig Rhesos das Leben kostete (Hom. Il. 10, sog. Dolonie, wohl nachiliadisch [1]; [Eur.] Rhes.). Diesem D.-Bild – für die Stoa ist er der Inbegriff eines Feiglings (Plut. mor. 76a) – steht die positivere Darstellung bei Vergil entgegen (Aen. 12,346ff.).

1 G. Danek, Studien zur Dolonie, 1988.

D. Williams, s.v. D., LIMC 2.1, 660–664.   RE. N.

Dolonie (Δολώνεια, »Gedicht von Dolon«), eine wohl alte (vgl. z. B. Διομήδεος ἀριστείη schon bei Hdt. 2,116,11; weitere Beispiele bei Pfeiffer [1. 148]) literaturkundliche Bezeichnung für den 10. Gesang der Ilias, in dem der Troer → *Dólōn* (etymologisierende Namensbildung zu δόλος: »List«, also etwa »Fuchs«, »Schlitzohr«, »Sneaky« [2. 186]) eine Hauptrolle spielt. In der Nacht nach der vergeblichen Bittgesandtschaft zu Achilleus senden sowohl Achaier als auch Troer Kundschafter ins je gegnerische Lager: Odysseus und Diomedes treffen Dolon, nehmen ihn gefangen, horchen ihn aus, töten ihn und ebenso den tags zuvor eingetroffenen, schlafenden Thrakerkönig → Rhesos mit zwölf seiner Leute; mit Rhesos' schneeweißen Rossen, Wagen und Rüstung kehren sie glücklich ins Lager zurück. Hinter der Gesch. steht eine alte Rhesos-Sage, die sowohl der D.-Dichter als auch der Dichter des pseudo-euripideischen *Rhesos* benutzt hat [3]. Der D.-Dichter hat die Sage, wohl unter Hinzuerfindung des *Dolon* [2. 186], an die Erzählvoraussetzungen der (wohl schon schriftlich vorhandenen) Ilias angepaßt und seine Version an ihrem jetzigen Ort in die Ilias eingeschoben; da aus der übrigen Ilias keinerlei Erzählstränge zur D. hinführen, wirkt sie, wie schon die Ant. sah (Homerschol. T zu K 1), im Ganzen der Ilias als funktionsloser Fremdkörper ([4] mit der Problemgesch. und der einschlägigen Lit.). Ihr Dichter ist wohl im Umkreis der Epiker des → epischen Zyklus zu lokalisieren [3]: Rhesos ist eine Kopie der »späten Helfer in äußerster Not« (wie Penthesileia, Memnon, Eurypylos), hier nur nicht nach, sondern in die Ilias gestellt.

1 R. Pfeiffer, Gesch. der klass. Philol., 1970
2 B. Hainsworth, The Iliad: A Commentary, Vol. III, books 9–12, 1993 3 B. Fenik, »Iliad X« and the »Rhesus«. The Myth (Coll. Latomus, Vol. LXXIII), 1964
4 G. Danek, Studien zur D. (WS, Beiheft 12), 1988.   J. L.

Dolonkoi (Δόλογκοι). Thrak. Stammesverband, der im 6./5. Jh. v. Chr. auf der → Chersonesos [1] siedelte. Von den Apsinthioi im Norden bedrängt, holten die D. auf Rat des Delphischen Orakels 561/560 v. Chr. → Miltiades galt als *oikistēs*. Dieser kam mit polit. Gegnern des Peisistratos auf die Chersonesos und herrschte über sie als Tyrann. Sein zweiter Nachfolger, ebenfalls Miltiades (516/5) floh vor dem Skytheneinbruch von der Chersonesos, wurde dann aber von den D. zurückgeholt (Hdt. 6,34–40 [1. 79–82, 565–567]). Spätere Reminiszenzen

finden sich mit meist falscher Lokalisierung bei Plin. nat. 4,41 und Sol. 68,3.

1 H. Berve, Die Tyrannis bei den Griechen, 1967.   I. v. B.

Dolopes (Δόλοπες). Die D. waren die südwestl. Nachbarn der Thessaloi, möglicherweise von diesen bei der Einwanderung abgespalten und aus den Ebenen verdrängt. Ihr Siedlungsgebiet – ohne Zugang zur Küste – lag zw. Achaia Phthiotis im Osten, Spercheios-Tal im Süden, Epeiros im Westen und dem mittleren Pindos, ein Gebirgsland, damals wie h. sehr dünn besiedelt und, da der südl. Pindos eine starke Nord-Süd-Faltung aufweist, nur in dieser Richtung einigermaßen begehbar. Die D. gelten bei Homer als Untertanen des Königs von Phthia, Peleus (Il. 9,484; Quellen: [1; 2]). Sie gehörten zu den 12 Stämmen der delphischen Amphiktyonie. 480 v. Chr. waren sie mit den Persern verbündet. In klass. Zeit standen sie unter der Herrschaft der Tyrannen von Pherai. Nach 346 v. Chr. schlossen sie sich dem Makedonenkönig an und verloren eine ihrer Hieromnemonen-Stimmen in Delphoi. Ab 278/7 gehörten sie zum Aitolischen Bund., von ca. 207 bis 167, nicht unangefochten, zu Makedonia. 198 unternahmen die → Aitoloi vom Spercheios-Tal aus einen Beutezug nach Norden, bei dem sie u. a. die Städte der Dolopia eroberten und plünderten. 174 schlug Perseus einen Aufstand der D. nieder, was den Römern den Vorwand für den 3. Maked. Krieg lieferte. Nach 167 galten die D. als freier Stamm im Sinne der röm. Friedensordnung für Griechenland. 57/55 v. Chr. vertrieb der Proconsul L. Calpurnius Piso die Agraioi und die D. aus ihren Wohnsitzen (Cic. Pis. 91; 96; [3]). Letztmals erscheinen sie 48 als Verbündete Caesars. Als Augustus die delphische Amphiktyonie neu ordnete, erhielt die Stadt Nikopolis die Stimme der D., ›weil es das Volk der D. nicht mehr gab‹ (Paus. 10,8,3). Nur wenige Orte der D. sind lit. bekannt. Ihre Zuweisung zu Ruinenplätzen oder modernen Siedlungen ist nach wie vor unsicher: → Angeiai; Ellopia; → Ktimenai; → Menelais.

1 J. Miller, s.v. D., RE 5, 1903, 1289f. 2 F. Stählin, Das hellen. Thessalien, 1924, 145–150 3 Kirsten/Kraiker, 758, Index.

Y. Béquignon, La vallée du Spercheios, 1937, 324ff. · R. Flacelière, Les Aitoliens à Delphes, 1937 (Index) · B. Helly, Incursions chez les D., in: I. Blum (Hrsg.), Topographie antique et géographie historique en pays grec, 1992, 48–91.   HE. KR.

Dolus bedeutet (in einem engeren Sinn) arglistige Täuschung. So definiert Servius Sulpicius *d.* als *machinationem quandam alterius decipiendi causa, cum aliud simulatur et aliud agitur* (eine Art Machenschaft, um andere zu betrügen, indem das eine vorgetäuscht, das andere getan wird, Ulp. Dig. 4,3,1,2). Neben dieser Bed. umfaßt *d.* im röm. Recht eine Vielzahl anderer verpönter Verhaltensweisen. Schon in der älteren Republik erscheint *d.* auch als Verschuldensform, die notwendiges Tatbestandselement bestimmter Delikte (z. B. → *furtum*) und *crimina* (z.B. Tötung *dolo sciens* beim *parricidium*) darstellt.

Im Bereich der *bonae fidei iudicia* (Klagen nach Treu und Glauben, z.B. → *emptio venditio*, → *locatio conductio*, → *mandatum* und → *societas*) ist unter *d.* jede bewußte Treuwidrigkeit der Vertragsparteien zu verstehen. *D.* – bzw. *fraus* – erscheint hier als Gegensatz zum (flexibel einsetzbaren) Konzept der *bona* → *fides*. Als Haftungsmaßstab verändert sich die Bed. von *d.*, als (schon in der späten Republik) auch eine Haftung für → *culpa* (Fahrlässigkeit) anerkannt wird. Nun erscheint *d.* als Verschuldensform, die sich durch das subjektive Element der Schädigungsabsicht von der *culpa* (Fahrlässigkeit) unterscheidet.

Im Rahmen von *iudicia stricti iuris* (Klagen nach strengem Recht, z.B. → *rei vindicatio*) wird *d.* des Klägers berücksichtigt, wenn der Beklagte *in iure* (vor dem Prätor) eine → *exceptio doli* beantragt. Dann hat der → *iudex* ein früheres doloses Verhalten des Klägers (*exceptio doli praeteriti ac specialis*) oder eine dolose (z.B. rechtsmißbräuchliche) Klageerhebung (*exceptio d. praesentis ac generalis*) zu prüfen.

Auf den Cicero-Freund C. Aquilius Gallus soll die *actio de dolo* zurückgehen (Cic. nat. deor. 3,30,74, vgl. Cic. off. 3,14,60). Mit dieser (subsidiären) Klage konnte ein durch doloses Verhalten Geschädigter sein → Interesse einklagen. Auch im Rahmen der *actio de dolo* wird *d.* nicht nur im engeren Sinn als privatrechtliches Betrugsdelikt verstanden, sondern umfaßt verschiedene Fälle eines gegen die → *aequitas* verstoßenden Verhaltens. → Parricidium; Exceptio

KASER, RPR I, 504–512 · M. BRUTTI, La problematica del dolo processuale nell'esperienza romana, I/II, 1973 · A. WACKE, Zum d.-Begriff der actio de dolo, in: RIDA 27, 1980, 349–386 · R. ZIMMERMANN, The Law of Obligations, 1990, 662–677 · P. MADER, Dolus suus neminem relevat, in: FS Waldstein, 1993, 215–229.   F. ME.

Domäne. Das Wort D. (von lat. [*res*] *dominica*, über spätlat. *domenica*, altfrz. »domenie« lautgewandelt zu altfrz. »domaine«) kennzeichnet in MA und Neuzeit, etwas enger als das spätlat. Ursprungswort, den »lehnsrechtlichen« oder »allodialen Grundbesitz« eines »Herrschafts-Inhabers« (»Adligen«), wobei der Grundbesitz als ganzer oder ein einzelnes Landgut gemeint sein kann. In der röm. Rechtsprache deckt sich *res dominica* ungefähr mit *dominium* (Dig. 50,16,195,2; 1,5,20), wobei das Eigentum an Grundstücken oder anderen Sachen, aber auch ein Vermögenskomplex gemeint sein kann. Der Begriff ist nicht auf Grundeigentum beschränkt (Dig. 7,2,1,1; 14,3,13,2), erhält allerdings eine dahin gehende Bed. bei der Bezeichnung bes. Vermögensmassen (große Landgüter, *fundi*; in der Spätant. als *res domenica* oder *domus divina* bezeichnet), die in der persönlichen Verfügung des Kaisers stehen oder der Befriedigung des persönlichen Bedarfs von Angehörigen des Kaiserhauses dienen (Cod. Iust. 11,66; 67; 68). Zwischen diesem und anderem staatlichen Vermögen in kaiserlicher Verfügung gibt es trotz Ansätzen zu einer Scheidung in Staatsgut (*fiscus, rationes, largitiones*), Krongut (*patrimonium, res privata*) und persönlichem Gut des Kaisers und seiner Familie (*domus augusta, domus divina*: Dig. 30,39,8–10) und daraus folgender steuer- und pachtrechtlicher Differenzierung (Cod. Iust. 11,65 ff.) keine rechtsprinzipielle und institutionell dauerhafte Grenze, weil der Kaiser nach souveränem Ermessen über alles für alles entscheiden kann (Dig. 43,8,2,4: *res fiscales ... quasi propriae et privatae principis sunt*). Die Organisation der staatlichen und kaiserlichen Vermögensmassen läßt sich auf das republikanische → *aerarium*, teilweise aber auch auf verschiedene persönlich-kaiserliche Kassen oder Sondervermögen in früheren Epochen der Kaiserzeit zurückführen und führt entsprechende Namen ohne jede funktionale Begründung traditionell fort (*rationes, fiscus, res privatae, patrimonium, largitiones Caesaris*; Cod. Iust. 3,26,2; 7). Das Rückgrat des staatlichen und kaiserlichen Vermögens in allen Formen ist der Grundbesitz. Die daraus fließenden und die Staatskassen im wesentlichen speisenden Erträge, die mit ihm verbundenen steuerrechtlichen Immunitätsrechte und die Formen des spätant. Kolonats- und Emphyteuse-Rechts (Cod. Iust. 11,62; 63; 75) sind die histor. Ausgangselemente des späteren Domänenwesens, welches bis in die Neuzeit auf einem Eigentums-, Steuer-, Lehens- und Erb-Sonderrecht für Monarchen und Adel beruht. Ähnliches gilt für die Abgrenzung persönlichen Eigenbesitzes eines Herrschaftsinhabers und seiner Familie von öffentlichem Vermögen, das nur der polit. zweckbestimmten Verfügung untersteht. Eine konsequente Trennung ergibt sich erst im Rahmen der konstitutionalistischen Bewegungen im 18./19. Jh. (im Hinblick auf das Budget-Recht des Parlaments) und abschließend im Zusammenhang mit der Auflösung von Monarchien nach dem 1. Weltkrieg.

E. HEILFRON, Deutsche Rechtsgesch., ⁷1908, 594ff. · JONES, LRE 411 ff. · KASER, RPR 2, 152f., 308 · H. MITTEIS, H. LIEBERICH, Deutsche Rechtsgesch., ¹³1974, 287ff.   C.G.

Domavia. *Municipium* des späten 2. Jh. n. Chr., evtl. unter Septimius Severus (CIL III 12732); nach 230 n. Chr. *colonia m(etalli?) D(omaviani)* (CIL III 12728 f.) in der *prov. Dalmatia*, h. Gradina nahe Sas (bei Srebrenica, Bosnien-Herzegowina); seit spätestens Marcus Aurelius Verwaltungszentrum sowohl der pannonischen als auch dalmatischen Minen (*procurator metallorum Pannon[icorum] et Delmat[icorum]*, CIL III 12721), die in der Gegend um Srebrenica entstanden; das Bergbaugebiet wurde *Argentaria* gen. (Tab. Peut. 6,1); große Mengen Silber, Blei, Zink; in D. und Sirmium wurden Blei-Sarkophage entdeckt. Mehrere Inschr. von *procuratores* belegen den Bau öffentlicher Gebäude (*macellum, balneum*), während mehrere Inschr. von D. zu Ehren der Kaiser (von Septimius Severus bis Volusianus) gesetzt wurden. Röm. Siedler und griech. sprechende Kolonisten aus dem Osten sind durch Inschr. bezeugt, Einheimische selten

dokumentiert. Letzter epigraphischer Hinweis für Bau-
aktivitäten: renovierte Bäder 274 n. Chr. unter Aurelius
Verecundus, dem *procurator* der Silberminen (CIL III
12736), während Mz.-Funde den Betrieb der Minen im
4. Jh. belegen.

> I. BOJANOVSKI, Bosna i Hercegovina u antičko doba
> [Bosnien und Herzegowina in der Ant.], Akademija nauka
> i umjetnosti Bosne i Hercegovine, Djela 66, Centar zu
> balkanološka isptivanja 6, [Monographies, Academie des
> sciences et des arts de Bosnie-Herzegovine 66, Centre
> d'études balk. 6], 1988, 193–203.   M. Š. K./Ü: I. S.

Domesticus. Im allg. Sinn ein Sklave in einem Haus
(*domus*) oder eine der Familie bzw. dem Hausherrn verbundene Person (Dig. 48,19,11,1).

Schon in republikanischer Zeit dringt jedoch das
urspr. im Kontrast zu *publicus* stehende Wort in die polit.
Sphäre ein, indem es die gesamte *cohors* eines röm. Provinzstatthalters bezeichnet: freie und unfreie Diener
(*servi, ministri*), Subalternbeamte (*apparitores, officiales*),
sogar gesetzlich beigeordnete Untergebene (*adiutores,
comites, consiliarii*) und den mil. Begleitschutz. Zwar rät
Cicero zu einer Trennung zwischen häuslichen und
amtlichen Aufgaben (Cic. ad Q. fr. 1,10 ff.), doch gleichen sich schon zu seiner Zeit (Cic. Phil. 12,1) die jeweiligen Arbeitsbereiche an, was später selbstverständlich wird (Cod. Iust. 1,51). Heerführer und polit. Legaten außerhalb Roms haben ebenfalls *domestici*, die
zwar nicht selbstverantwortlich oder in Vertretung handeln dürfen (Cod. Iust. 1,51,4; 5,2,1), aber faktisch Einfluß auf die Arbeit des Dienstherren nehmen.

Daraus entwickelt sich die Verschränkung öffentl.
und privater Aufgaben bei der Begleitung und Dienerschaft des Kaisers (*familia, comitatus Caesaris*) und damit
am Kaiserhof (*palatium, domus Augusta*), dessen Bedienstete polit./öffentliche und zugleich persönliche Aufgaben im Dienst beim Kaiser zu erfüllen haben (Suet. Aug.
89,2; Cod. Iust. 11,66): Urspr. auf die persönliche Sphäre des Kaisers bezogene Begriffe wie *d.* (so auch *domus,
patrimonium, res privata, ministri*) werden nun »veramt-
licht«.

In der Spätant. sind *d.* eine Schutztruppe des kaiserlichen Hofs, jeweils organisiert in fünf bis sieben *scholae*
zu je etwa 500 Mann unter der Aufsicht des *magister
officiorum*; daneben gibt es eine kaiserliche Leibwache
(*protectores et domestici*) unter dem Kommando je eines
→ *comes* (Not. dign. or. 15; 11,3 ff. Cod. Iust. 3,24,3 pr.;
12,17,1–4). *D.* am Hof heißen *domestici praesentales*,
außerhalb *d. deputati*. Mit der Abnahme des mil. Charakters ihrer Aufgaben am Hof erscheinen seit dem 5. Jh.
excubitores als Wachmannschaft (Lyd. mag. 1,16,3).

Nicht zu den *d.* im engeren Sinne gehören Empfänger einer kaiserlichen Versorgung oder von Privilegien,
die mit dem Ehrenrang eines *protector* verbunden sind
(Cod. Iust. 12,46,2).

> JONES, LRE 593, 602 f. · MOMMSEN, Staatsrecht 1, 320 ff.; 2,
> 836 ff.   C. G.

Domestikation. Darunter versteht man die vom Menschen durchgeführte zielgerichtete, allmähliche Umwandlung von Wildtierarten in Haustiere. Auf Grund
biologischer Voraussetzungen waren von den wild-
lebenden Säugetieren der Eis- und Nacheiszeit nur wenige für die D. geeignet. Nur 5 von 19 Säugetier-Ord-
nungen stellen Haustiere, nämlich die *Lagomorpha*
(Kaninchen), *Rodentia* (Meerschweinchen), *Carnivora*
(Hund, Katze, Frettchen), *Perissodactyla* (Pferd, Esel)
und die *Artiodactyla* (Schwein, Schaf, Ziege, Rind, Kamel, Lama). Haustiere bilden aber keine eigene Art, da
sie mit ihren wilden Stammarten fruchtbare Nachkommen erzeugen können, sondern stellen Untereinheiten
von ihnen dar. Systematisch sind sie deshalb den
Stammarten zuzurechnen, etwa das Hausrind dem (aus-
gestorbenen) Wildrind *Bos primigenius* als *B. p. forma taurus* bzw. *Bos taurus*. Da sich die Haustierrassen in äußerli-
chen Merkmalen wie etwa der Fellfärbung unterscheiden und nicht im Knochenbau, sagen die erh. Kno-
chenreste darüber wenig aus. Neben der Haltung in
Gefangenschaft mit reichlicherem und andersartigem
Futter spielt die vom Menschen gesteuerte Fortpflanzung eine entscheidende Rolle, durch welche bestimmte erwünschte körperliche Merkmale (Größe und Stärke) und Verhaltensmerkmale (Sanft- und Zahmheit)
schließlich erblich werden. Züchtungsziele sind entweder Arbeitsleistungen (z. B. Ausdauer beim Ziehen
des Pfluges oder Tragen eines Reiters) oder die Opti-
mierung der Milchproduktion für die Nachkommen,
des Fleisch- oder Fettansatzes oder der Qualität der Felle
bzw. der Wolle. Die Stadien des Prozesses der D. lassen
sich anhand der arch. Funde, etwa im Abfall ant. Guts-
häuser, sowohl aus dem Begleitmaterial als auch mit
Hilfe von archäometrischen (naturwiss.) Methoden
nachvollziehen. Die Befunde haben ergeben, daß der
→ Wolf (und nicht der Goldschakal, wie K. LORENZ [1]
glaubte) bereits im Übergang vom Pleistozän zum Ho-
lozän (also um 10000–8000 v. Chr.) als ältestes Haustier
mehrfach in Eurasien und Amerika zum → Hund domestiziert wurde [2. 69–98].

Bei den Griechen und Römern wurden viele Rassen
unterschieden [3. 94–109]. Mit Hilfe der Hütehunde
wurden dann → Ziegen [2. 113–133; 3. 148–150] und
→ Schafe [2. 133–173; 3. 146–148] zu Haustieren. Im
3. Jt. v. Chr. begann die D. von → Pferden, wohl von
der Ukraine an ostwärts [2. 254–287; 3. 151–172]. Die
aus Nordafrika stammenden und offenbar zuerst in
Ägypten domestizierten → Esel [2. 316–323; 3. 180–
185] spielten als Lasttiere in der Ant. eine bed. Rolle.
→ Rinder züchtete man in Europa aus dem → Aue-
rochsen länger als 4000 v. Chr. [2. 174–20; 3. 138–145].
Das den Juden seit Alters als unrein verbotene
→ Schwein [2. 220–232; 3. 116–122] wurde aus dem
Wildschwein in mehreren Rassen seit dem 3. Jt. von
seßhaften Siedlern gezüchtet. Das zweihöckrige → Kamel und das Reitkamel oder Dromedar, das schon im 4.
Jt. v. Chr. wahrscheinlich in Arabien domestiziert wurde [2. 288–311; 3. 123–126], war den kolonisierenden

Griechen seit dem 5./4. Jh. v. Chr. bekannt (erster Beleg bei Hdt. 1,80). Die → Katze [2. 325–336; 3. 75–79] kam zu den Griechen aus Ägypten, wo sie sicher etwa seit der 5. Dyn. zum Haustier geworden war. Sehr spät, nämlich erst seit dem 4. Jh. v. Chr., kennt man das → Frettchen als Zuchtform des → Iltis, genauer des osteurop. Steppeniltis [2. 336–338]. Im 1. Jh. n. Chr. berichtet Strabon (3,2,6) über die Verwendung des Frettchens (γαλῆ ἀγρία) bei der Jagd auf Kaninchen (γεώρυχοι λαγιδεῖς; → Hase) auf den Balearen. Dieser Nager hat sich von der iberischen Halbinsel seit der letzten Eiszeit nach Westen ausgebreitet, wurde von den Römern in *leporaria* gemästet, aber erst im MA domestiziert [2. 341–347].

1 K. LORENZ, So kam der Mensch auf den Hund, 1950 2 F. E. ZEUNER, Gesch. der Haustiere, 1967 3 TOYNBEE, Tierwelt.

N. BENECKE, Der Mensch und seine Haustiere, 1994 · W. HERRE, W. RÖHRS, Haustiere – zoologisch gesehen, 1990 · I. L. MASON, Evolution of Domesticated Animals, 1984.   C. HÜ.

Domicilium. Wohnung (Dig. 11,5,1,2), etwa die eheliche Wohnung (Dig. 23,2,5: *d. matrimonii*), insbes. aber Wohnsitz. Dies ist der Ort, an dem man sich gewöhnlich aufhält und an dem man bleiben will (Cod. Iust. 10,40,7,1: *ubi quis larem rerumque ac fortunarum suarum summam constituit*). Daß jemand zwei *domicilia* haben könne, hat sich durchgesetzt (Dig. 50,1,6,2). D. begründet Abgabepflicht und Gerichtsstand. Wer in einer Gemeinde Bürger (*civis*) ist, und dort somit *incola* ist (Dig. 50,16,239,2), kann nach Wahl des Klägers an einem der Orte verklagt werden (Gai. Dig. 50,1,29). Nach der gemeinrechtlichen Statutentheorie seit dem Spät-MA richten sich die persönlichen Rechtsbeziehungen (*ius ac conditio seu qualitas personalis*, Personalstatut) nach deren Wohnsitz.   P. A.

Dominat (lat. *dominatus*) meint im rechtlichen Sinn zuweilen (vgl. Nov. Theod. II. 22,2,16) wie *dominium* die Stellung eines *dominus* als Gewalthabers, Eigentümers oder Verfügungsberechtigten vor allem im Familien- und Sachenrecht (Dig. 12,6,64; 29,2,78). Im polit. Bereich steht D. für »Fremd-« oder »Willkürherrschaft« (griech. *tyrannís*; Cic. rep. 1,61). Kern des Begriffs ist die frei ausgeübte, unkontrollierbare Rechtsmacht, die auch mißbraucht werden kann (Cic. rep. 1,61).

Das dt. Fremdwort D. ist eine Neubildung des 19. Jh. und meint nach [1. 749 ff.] bzw. [2. 347 ff.] eine mit der Herrschaft des → Diocletianus (Ende des 3. Jh. n. Chr.) hervortretende Form »oriental.«-hell. geprägten Kaisertums, das sich auch durch sein offen monarchisches Staats- und Amtsverständnis deutlich von dem früheren, auf eine Art Mitherrschaft des Senats angelegten »Prinzipats«-Kaisertum unterscheidet. So gilt im spätant. D. der Kaiser als vollgültige und vorrangige Quelle des Rechts und im Bedarfsfalle als souveräner Herr des Gesetzes (*lege solutus*). Auch die Struktur der hohen Staats-

ämter (→ *cursus honorum*) ist wie die Zusammensetzung der Reichsaristokratie und ihr auf den Kaiserhof bezogenes Selbstverständnis weithin verschieden von frühkaiserzeitlichen Strukturen. Eine strikte Trennung der Epochen (Prinzipat/Dominat) ist dennoch kaum möglich. Denn manche Züge des spätant. Kaisertums erscheinen ansatzweise schon in der früheren Kaiserzeit (wie z. B. die »Befreiung von den Gesetzen«, die Neigung mancher Kaiser zu oriental.-hell. Formen der Selbstdarstellung oder ihr Auftreten als Inhaber einer senatsunabhängigen, primär auf das Militär gestützten Macht), und umgekehrt hält sich auch das spätant. Kaisertum in seiner Herrschaftsübung, von Ausnahmen abgesehen, an Recht, Staatstradition und die Belange der staatstragenden Aristokratie [3].

→ Autokrator; Princeps; Tyrannis

1 MOMMSEN, Staatsrecht 2,2 2 TH. MOMMSEN, Abriß des röm. Staatsrechts, ²1907 3 J. BLEICKEN, Prinzipat und Dominat, 1978.

A. DEMANDT, Die Spätantike, 1989, 211 ff. · CH. GIZEWSKI, Zur Normativität und Struktur der Verfassungsverhältnisse in der späten röm. Kaiserzeit, 1988, 15 ff. · JONES, LRE 321 ff.   C. G.

Dominium meint urspr. die Hausgewalt des → *pater familias* (Ulp. Dig. 50,16,195,2: *in domo d.*). Seit Beginn der Kaiserzeit begegnet *d.* in der Bed. Eigentum (Labeo Dig. 18,1,80,3; Sen. benef. 7,5,1; 7,6,3). Der Eigentumsbegriff der Römer ist in alter Zeit einheitlich. Man versteht darunter zunächst nur ein *d. ex iure Quiritium*: ein Eigentum, das röm. Bürgern, allenfalls Peregrinen mit → *commercium* zugänglich ist. Später bezieht man auch im Honorarrecht durch den → *praetor* begründete, absolut, d. h. gegenüber jedermann, auch dem quiritischen Eigentümer, überlegene Rechtspositionen (*in bonis habere*, → *bona*) mit ein (Gai. 2,40–41); seitdem besteht in Rom zweierlei Eigentum, *duplex d.* In dem allg. Sinn von Inhaberschaft begegnet *d.*, wo von *d. ususfructus* (Dig. 7,6,3) oder von *d. proprietatis* die Rede ist (Dig. 7,4,17; vgl. auch Ulp. Dig. 7,1,15,6 *dominus proprietatis*). Justinian schafft in den Jahren 530/31 das im Rechtsleben überholte und Rechtsstudenten nur mehr verwirrende *d. ex iure Quiritium* und damit das *duplex d.* vollends ab und vereinheitlicht so den Eigentumsbegriff wieder (Cod. Iust. 7,25,1).

1 H. HONSELL, TH. MAYER-MALY, W. SELB, Röm. Recht, ⁴1987, 142–149 2 KASER, RPR I, 400–404; II, 238–242, 246–251, 261 f.   D. SCH.

Dominus. »Herr« (allg. z. B. Cic. leg. 2,15; Plin. epist. 4,11,6). *Domine/domina* ist seit alters die Anrede, die Kinder ihren Eltern gegenüber gebrauchen (Suet. Aug. 53,1; CIL X 7457 *domine pater*); die Anrede begegnet ferner unter Ehegatten (wie bei Scaevola Dig. 32,41 pr. *domina uxor*, Paulus Dig. 24,1,57 *domine carissime*), unter nahen Verwandten, Freunden und ansonsten im gesellschaftlichen Verkehr (vgl. Dig. 13,5,26: gegenüber einem Gläubiger). Merkwürdig ist die Verwendung des

Wortes in Bezug auf die eigenen Kinder (CIL VI 11511; VI 17865; VIII 2862) oder den Mündel (Dig. 32,37,2). In rechtlichem Zusammenhang meint *d.* eine Person, der gewisse Gegenstände oder auch Angelegenheiten zugeordnet sind: das Haus (Plaut. Most 686 *aedium domini*), die Sklaven (Sen. epist. 47,14, *pater familias* nach der Ausdrucksweise der *maiores*), eine Erbschaft (Marcianus Dig. 28,5,49 pr., *hereditatis d.*), das Eigentum (*proprietas*: Ulp. Dig. 29,5,1,1), ein Geschäft (*negotium*: Neratius Dig. 3,3,1 pr.), ein Prozeß (*lis*: Neratius Dig. 2,11,14). *D.* kann auch Herrscher bedeuten (so bei Ov. Pont. 2,8,26 in bezug auf Augustus: *terrarum d.*, Tert., adv. Marcionem 5,5,3 in bezug auf Gott und Christus); pejorativ gewendet Tyrann (Cic. rep. 2,47). Augustus duldete die Anrede *d.* nicht, selbst nicht von seiten seiner Kinder und Enkel (Suet. Aug. 53,1). Auch Tiberius verbat sie sich (Suet. Tib. 27; Cass. Dio 57,81). Antoninus Pius begegnete der Anrede eines Berufungsklägers, Κῦριε βασιλεῦ Ἀντωνῖνε, mit feiner Selbstironie (Dig. 14,2,9). Andere Kaiser waren weniger bescheiden. Caligula forderte die Anrede *d.* (Aur. Vict. 3,13). Domitian beanspruchte den Titel *d. et deus* (Suet. Dom. 13; Aur. Vict. 11,2), ebenso Diokletian (Aur. Vict. 39,4). Mit letzterem beginnt die Epoche des nach dieser Herrscherbezeichnung sogenannten → Dominats. Nach einer Anekdote der Bologneser Schultradition (12. Jh.) soll Friedrich Barbarossa von dem Rechtslehrer Martinus bestätigt worden sein, daß er *d. mundi* (»Herr der Welt«) sei; der Rechtslehrer Bulgarus soll dies hingegen verneint haben *quantum ad proprietatem* (hinsichtlich des Eigentums) [1].

→ Dominat

1 F. K. v. SAVIGNY, Gesch. des röm. Rechts im MA IV, 1850, 180–183 2 FRIEDLÄNDER, IV, 82–88 3 E. MEYER, Röm. Staat und Staatsgedanke, ⁴1975, 435–438 4 MOMMSEN, Staatsrecht II 1, 760–763. D. SCH.

Domitia

[1] Tochter von Domitius [II 2], Schwester von D. [5], Tante Neros väterlicherseits. Möglicherweise mehrmals verheiratet [1. 162f., 166], namentlich als Gatte bekannt ist aber nur C. Sallustius Passienus Crispus, *cos. II* 44, der sich wohl im J. 41 von ihr trennte und Agrippina d. J. heiratete, woraus tiefste Abneigung zwischen den beiden Frauen entstand. So war sie im J. 55 in eine Intrige gegen Agrippina verwickelt. Kurz nach deren Ende im J. 59 starb auch D., angeblich von Nero vergiftet, der sich ihr riesiges Vermögen aneignete [1. 159ff.; 2]. PIR² D 171.

1 SYME, AA 2 RAEPSAET-CHARLIER Nr. 319.

[2] D. Calvina. Tochter von (Calpurnius) Bibulus, eines Anhängers von M. Antonius, und Domitia, Tochter von Domitius Calvinus, von dem sie den Namen übernahm; verheiratet mit M. Iunius Silanus, *cos.* 19 v. Chr. PIR² D 173.

RAEPSAET-CHARLIER, Nr. 321.

[3] D. Decidiana. Wohl Tochter des T. Domitius Decidianus, aus der Narbonensis stammend; Frau des Agricola seit etwa 62; zwei Söhne, die jung starben, sind bekannt sowie eine Tochter, die Tacitus heiratete; begleitete Agricola in die Provinzen. Sie lebte bis mindestens 98, als Tacitus den Agricola schrieb (Tac. Agr. 6; 29; 43,4; 44,4; 45 f.). PIR² D 174.

RAEPSAET-CHARLIER, Nr. 322.

[4] D. Faustina. Älteste Tochter Marc Aurels und der Faustina, Enkelin von Antoninus Pius. *30.11.147 n. Chr. [1]. Den Gentilnamen übernahm sie von Domitia [8]. Sie starb noch vor 161. PIR² D 177.

1 Vidman, FO² 51.

[5] D. Lepida. Tochter von Domitius [II 2], Schwester von D. [1], Tante Neros väterlicherseits. Verheiratet mit Valerius Mesalla Barbatus, sodann mit Faustus Cornelius Sulla, *cos. suff.* 31, schließlich mit C. Appius Iunius Silanus, *cos. ord.* 28; die letzte Heirat erfolgte auf Anordnung von Kaiser Claudius, der Valeria Messalina, die Tochter Lepidas, geheiratet hatte. Doch schon 42 wurde Silanus hingerichtet, wohl eine Folge der Intrigen Messalinas. Als Claudius Messalina 48 hinrichten ließ, war Lepida bei ihr (Tac. ann. 11,37,3). Enge Verbindung mit dem Sohn ihres Bruders, dem späteren Nero; als Agrippina verbannt war (40/41), kümmerte sie sich um ihn. Langjährige Feindschaft mit Agrippina; dabei ging es auch um den Einfluß auf Nero. Im J. 54 wurde sie angeklagt, gegen Agrippina magische Praktiken angewandt zu haben; auch habe sie die Sicherheit It. durch ihre Sklavenscharen in Calabrien bedroht; deshalb wurde D. hingerichtet (Tac. ann. 12,65,1). Sie wurde als reich, intrigant und moralisch skrupellos geschildert. PIR² D 180.

RAEPSAET-CHARLIER Nr. 326 · SYME, AA 164 ff. · G. CAMODECA, in: Le ravitaillement en blé de Rome, 1994, 108.

[6] D. Longina. Tochter von Domitius [II 11] und einer (Cassia?) Longina, somit aus führender Familie der neronischen Zeit (vgl. [1]). Spätestens im J. 69 verheiratet mit L. Aelius Plautius Lamia Aelianus, *cos. suff.* 80; schon im J. 70 heiratete sie → Domitianus [1]. 73 gebar sie ihm einen Sohn, später noch einen oder zwei weitere, von denen keiner überlebte. 81 erhielt sie den Beinamen Augusta, der auch auf Münzen erscheint. Angeblich soll sie enge Beziehungen mit Domitians Bruder Titus gehabt haben, doch trennte sich Domitian von ihr wegen ihres Ehebruchs mit dem Schauspieler Paris. Später holte er sie jedoch zurück. Im J. 96 war sie eine der treibenden Kräfte der Verschwörung am Hof gegen Domitian. Nach dessen Ermordung lebte sie unbehelligt bis in hadrianische Zeit. Einige ihrer Freigelassenen errichteten im J. 140 in Gabii zu ihren Ehren einen Tempel (CIL XIV 2795 = ILS 272). Sie war außerordentlich reich; Besitz ist bei Rom und in Peltuinum bezeugt. PIR² D 181.

1 SYME, AA 187.

RAEPSAET-CHARLIER, Nr. 327 · U. HAUSMANN,
Herrscherbild II 1, 1966, 63 ff. (Porträts).

[7] D. Lucilla. Tochter von Cn. Domitius [II 18] Lucanus, adoptiert von ihrem Onkel Domitius [II 25] Tullus, um die Erbschaft ihres mütterlichen Großvaters
Curtilius Mancia antreten zu können (Plin. epist. 8,18).
Verheiratet mit P. Calvisius Tullus Ruso, *cos. ord.* 109.
Sie ist die Haupterbin des Testaments CIL VI 10229
[1; 2], worauf sich auch Plin. epist. 8,18 bezieht; zu ihren *horti* in Rom [3]. Sie war Mutter von D. [8], damit
Großmutter Marc Aurels. PIR² D 182.

1 W. ECK, J. HEINRICHS, Sklaven und Freigelassene, 1993,
189, Nr. 285 2 SYME, RP 5, 521 ff. 3 LIVERANI, s. v. D.,
LTUR 3, 58 f.

RAEPSAET-CHARLIER, Nr. 328.

[8] D. Lucilla. Tochter von D. [7] und P. Calvisius
Tullus Ruso, *cos. ord.* 109. Verheiratet mit M. Annius
Verus vor dem J. 121; ihre Kinder waren der spätere
Kaiser → Marcus Aurelius (geb. 121) und Annia Cor-
nificia Faustina. Sie wird häufig in Marc Aurels »Selbst-
betrachtungen« und in Frontos Briefen erwähnt. Sie war
außerordentlich reich, vor allem durch Erbschaft von
seiten ihrer Mutter; viele *figlinae* in der Umgebung
Roms waren in ihrem Besitz; sie gingen nach ihrem
Tod (vor 161) auf Marc Aurel über. PIR² D 183.

RAEPSAET-CHARLIER, Nr. 329 · LIVERANI, s. v. D., LTUR 3,
58 f.

[9] D. Paulina. Mutter Hadrians, verheiratet mit
P. Aelius Hadrianus Afer. PIR² D 185.

A. BIRLEY, Hadrian, 1997 (im Druck).

[10] D. Paulina. Tochter von D. [9] und Schwester
Hadrians; verheiratet mit L. Iulius Ursus Servianus, *cos.
suff.* 90; *cos. ord.* II 102; III 134. Sie lebte mindestens bis
zum J. 125 (ICret. I 201.43). Als Schwester Hadrians in
Fundi, in Lyttos auf Creta sowie in Attaleia geehrt. PIR²
D 186.

RAEPSAET-CHARLIER, Nr. 12.

[11] D. Regina. Frau des Legionslegaten L. Calpurnius
Proculus (AE 1930, 27).
[12] D. Vetilla. Tochter des L. Domitius Apollinaris;
mit L. Neratius Marcellus, *cos. suff.* 95, verheiratet.

W. ECK, in: ZPE 50, 1983, 197 ff. · RAEPSAET-CHARLIER,
Nr. 333 · SYME, RP 7, 588 ff.

[13] D. Vetilla. Tochter des Domitius Patruinus; verheiratet mit L. Roscius Paculus, *cos. suff.* in hadrianisch-
antoninischer Zeit. PIR² D 189.

RAEPSAET-CHARLIER, Nr. 334 · SYME, RP 7, 588 ff.   W. E.

Domitianus

[1] Römischer Kaiser, urspr. Name T. Flavius Domi-
tianus = Imperator Caesar Domitianus Augustus.
A. BIS ZUM TOD DES TITUS   B. VERHÄLTNIS ZUM
SENAT   C. DAS DOMITIAN-BILD IN DER
RÖMISCHEN LITERATUR UND AUSSENPOLITIK
D. FINANZPOLITIK UND BAUTÄTIGKEIT
E. RELIGIONSPOLITIK

A. BIS ZUM TOD DES TITUS

Geb. am 24. Okt. 51 n. Chr. in Rom; seine Eltern
waren T. Flavius → Vespasianus und Flavia Domitilla.
Seine Kindheit verbrachte D. in Rom; den Vater Ve-
spasianus hat er nicht nach Iudaea begleitet. In der 2.
Jahreshälfte 69 während der Herrschaft des Vitellius, als
D.' Vater bereits zum Kaiser ausgerufen war, wurde sein
Leben erst bedroht, als es zum Kampf zwischen Flavius
Sabinus, dem Bruder Vespasians und Stadtpraefekten in
Rom, und den Vitellianern kam. Vom brennenden Kapitol entkam er als Isisanhänger verkleidet; später hat er
Isis deshalb bes. verehrt. Nach der Eroberung Roms
wurde er durch die Truppen als Caesar akklamiert, der
Name war ihm im Osten schon vorher gegeben worden. Für kurze Zeit war D. in Rom der höchste Reprä-
sentant der kaiserlichen Familie, tatsächlich hatte → Licinius Mucianus die Macht in der Hand (Tac. hist.
4,39,2). D. erhielt für das J. 70 die Praetur mit consularer
Gewalt, drängte aber schnell darauf, ein Kommando
gegen die aufständischen Germanen zu erhalten, um mit
dem mil. Ruhm seines Bruders Titus konkurrieren zu
können. Das Kommando wurde von Mucianus zwar
nicht verhindert, doch fand das mil. Unternehmen
schon vor Lugdunum ein Ende; auch Vespasian übertrug D. später nicht das gewünschte Kommando gegen
die Parther. Diese Zurücksetzung in der Öffentlichkeit
beeinflußte D.' spätere Politik. Während Vespasian den
älteren Sohn Titus zum *collega imperii* machte, wurde D.
von der wirklichen Macht ferngehalten. Zwar wurde er
zum *princeps iuventutis* ernannt und erhielt insgesamt
sechs Consulate (in den Jahren 71, 73, 75, 76, 77, 79),
doch nur einmal als *cos. ord.*, im J. 73. Ferner wurde er
Mitglied in allen Priesterkollegien. Schon im J. 70 hatte
er Domitia Longina geheiratet, Tochter von Domitius
Corbulo, wohl ein Schachzug, um sich die Unterstützung senatorischer Kreise zu verschaffen. Trotz aller
Zurücksetzung war D. aber dennoch Teil der dynasti-
schen Pläne Vespasians. Auch unter Titus wurde deutlich, daß D. der »natürliche« Nachfolger in der Herrschaft war.

B. VERHÄLTNIS ZUM SENAT

So übernahm D., als Titus am 13. September 81 starb,
ohne Schwierigkeiten die Macht; seinen Bruder ließ er
divinisieren. D. wurde durch die Praetorianer noch am
13. September als Imperator akklamiert, am 14. September übertrug ihm der Senat den Augustusnamen; die
tribunicia potestas, die vom 14. September an zählte, wurde durch die Comitien am 30. September 81 offiziell
beschlossen. Fast von Beginn seiner Herrschaft an

scheint D. in einem gespannten Verhältnis zu Teilen des Senats gestanden zu haben. Dazu trug bei, daß er sich von seinem Bruder, der (angeblich) in voller Harmonie mit dem Senat gelebt haben soll, abheben wollte. Auch war D. selbst nie Senator gewesen, weshalb er die Mentalität der Senatoren nicht verstand. Frühzeitig hat er seine faktisch autokratische Stellung direkt deutlich gemacht; umgekehrt kam der Senat in seiner Mehrheit den erkennbaren Wünschen D.' entgegen, indem er zahlreiche Ehrungen beschloß, u. a. das Recht, immer von 24 Liktoren begleitet zu sein, den Titel *censor perpetuus* zu führen (seit 85), das Consulat ununterbrochen zu führen (tatsächlich war D. während seiner Regierungszeit zehnmal *cos. ord.*: 82–88, 90, 92, 95). Die Monate September und Oktober wurden in Germanicus und Domitianus umbenannt (86); zahlreiche Statuen und Triumphbogen wurden errichtet; auf dem *Forum Romanum* dominierte eine riesige Reiterstatue D.' den Platz. Frühzeitig gab es Verschwörungen gegen ihn, auf die er mit Hinrichtungen reagierte. So wurde sein Cousin, T. Flavius Sabinus, *cos. ord.* 82, wohl bald nach seinem Consulat hingerichtet. 87 wurde eine Verschwörung aufgedeckt (CIL VI 2065 II 62 ff.). Ende 88 revoltierte Antonius Saturninus, Legat von Obergermanien, gegen D.; die Revolte wurde niedergeschlagen. Während seiner Regierungszeit wurden nicht wenige Senatoren hingerichtet; 14 sind namentlich bekannt. Ende 93 wurden vor allem Senatoren zum Tode oder zur Verbannung verurteilt, die von stoischem Gedankengut beeinflußt waren, darunter Herennius Senecio und Helvidius (Priscus). Kurz nach seinem Consulat im J. 95 wurde Flavius Clemens (ebenfalls Cousin D.'), dessen Söhne der Kaiser adoptiert hatte, hingerichtet (Suet. Dom. 15,1). Der Grund für seine Hinrichtung ist nicht bekannt; gewiß war es nicht eine Hinwendung zum Christentum, obwohl es unter D. Maßnahmen gegen Christen gegeben hat. Die Angst, die so bei vielen entstand, war die Ursache für die letzte Verschwörung, an der auch D.' Gemahlin, ein Praetorianerpraefekt und einige seiner Freigelassenen teilnahmen; ob auch Senatoren, darunter sein Nachfolger Nerva, eingeweiht waren, ist ungewiß. Am 18. September 96 wurde D. ermordet, seine Asche heimlich im *templum gentis Flaviae* beigesetzt. Der Senat tilgte sein Andenken (→ *damnatio memoriae*), weshalb viele seiner Statuen und viele Inschr., auf denen er erwähnt war, vernichtet oder auf andere Kaiser umgearbeitet bzw. umgeschrieben wurden (vgl. I. Eph. 232–242; 1498, 2048).

C. DAS DOMITIAN-BILD IN DER RÖMISCHEN LITERATUR UND AUSSENPOLITIK

Zur Realität seiner Regierung durchzudringen ist schwierig, weil fast alle lit. Quellen außer Martial und Statius (die über D. zu seinen Lebzeiten nur panegyrisch schrieben) erst nach seinem Tod entstanden sind: Tacitus' *Agricola* und *Historiae* (domitianische Zeit nicht erh.), Plinius' *Epistulae* und *Panegyricus*. Sie aber standen unter dem Eindruck der Wende zu Nerva und Traian wie auch unter Rechtfertigungsdruck sich selbst gegen-

über und beschrieben D. als die Perversion eines Princeps. Sueton berichtet zwar mit weniger feindlichem Engagement, übernimmt aber weithin die negativen senatorischen Wertungen. Cassius Dio ist abhängig von seinen domitianfeindlichen Quellen. Die moderne Forsch. hat versucht, das allg. negative Bild zu korrigieren, ohne aber zu einem konsistenten Bild zu kommen (vgl. zuletzt [1]). Korrekturen sind insbes. bei seinen mil. Unternehmungen an den Außengrenzen möglich. D., eröffnete persönlich anwesend im Frühjahr 83 einen Krieg gegen die Chatten (wohl noch im J. 82 geplant), und führte so das unter seinem Vater begonnene langsame rechtsrheinische Vorrücken weiter. Die Geländegewinne in Hessen bis zur Linie des späteren Limes erfolgten offensichtlich ohne größere Schlachten, weshalb später der Triumph, den D. wohl noch im J. 83 über die Chatten feierte, als eine Farce dargestellt wurde (Plin. paneg. 16,3; 17,1 f.). Der Senat beschloß im J. 83 für D. den Siegerbeinamen Germanicus. Nach einem erneuten Chattenkrieg im J. 85 hat D. das seit Augustus ungelöste Germanienproblem durch die offizielle Gründung der Prov. Germania superior und Germania inferior für beendet erklärt (vgl. [2]). In Britannien ließ D. Iulius Agricola seine Eroberungen weiterführen; erst nach insgesamt siebenjähriger Statthalterschaft und der siegreichen Schlacht am Mons Graupius berief D. ihn zurück, auch weil er erkannte, daß an der Donaugrenze ein stärkeres Engagement gegen die Daker und andere Stämme nötig war. Tacitus aber interpretiert die Abberufung Agricolas aus dem Neid D.' auf dessen mil. Erfolge im Vergleich mit seinem eigenen, angeblich ungerechtfertigten Triumph gegen die Chatten. Doch schon im J. 85 war bei einem Einbruch der Daker unter Diurpaneus in Niedermoesien der dortige Statthalter Oppius Sabinus in einer Schlacht getötet worden. D. ging selbst an die Donau, das Kommando führte sein *praef. praet.* Cornelius Fuscus. Nach ersten Erfolgen feierte D. wohl im J. 86 einen Triumph über die Daker; doch wenig später wurde Fuscus von Diurpaneus besiegt. D. ging erneut an die Donau, die Leitung der Kämpfe übernahm zunächst Cornelius Nigrinus. Zur besseren Verteidigung der Donaugrenze und um keine zu große Heeresmacht wegen der Verlegung weiterer Truppen in der Hand eines einzigen Legaten zu konzentrieren, wurde noch im J. 86 Moesien in zwei Prov. (Moesia inferior und Moesia superior) geteilt. Die Feldzüge richteten sich jetzt gegen Decebalus, der bei Tapae eine schwere Niederlage erlitt (Cass. Dio 67,10,1 ff.). Eine Ausnutzung des Sieges wurde durch den Aufstand des Antonius Saturninus in Obergermanien verhindert. Während mit Decebalus Frieden geschlossen wurde (der als Klientelkönig, dem Subsidien gezahlt werden mußten, anerkannt wurde), richteten sich die weiteren Angriffe gegen die Iazygen und Sarmaten; ein Abschluß dieser Kämpfe wurde erst im J. 93 erreicht. Traian führte die Politik D.' an der mittleren und unteren Donau fort, was auch die Richtigkeit der mil. Umorientierung durch D. zeigt.

D. Finanzpolitik und Bautätigkeit

Die Kriege D.' erforderten große finanzielle Mittel; dennoch scheint es unter ihm zu keiner Finanznot gekommen zu sein, wie behauptet wurde. Er erhöhte vielmehr zunächst sogar den Silbergehalt der Denare, der freilich wegen der Solderhöhung für die Legionäre von 900 auf 1200 Sesterzen pro Jahr (wohl im J. 85) wieder gesenkt werden mußte. Der Einzug des Vermögens verurteilter Senatoren geschah jedoch nicht aus einer Finanznot heraus. Im Gegensatz zu seinem Vater gestand D. in It. den Städten nicht assigniertes Land (*subseciva*) ohne Ausgleichszahlung zu (z. B. CIL IX 5420 = FIRA I² Nr. 75). Auch seine Politik gegenüber den Provinzialen scheint deren Interessen berücksichtigt zu haben, etwa bei der Belastung durch den *cursus publicus* (AE 1958, 236 = IGLS 5, 1998). Über die Statthalter übte er ein strenges Regiment; nach Sueton (Dom. 8,2) hat es nie gerechtere Amtsträger gegeben. Dazu paßt, daß er, entgegen den Behauptungen von Tacitus und Plinius, Ämter in Rom und den Prov. keineswegs nur aus polit. Gründen, sondern aufgrund »sachlicher Fähigkeit«, wie etwa auch Traian, vergab [3]. Freilich versuchte er auch die Landwirtschaft It. gegenüber dem Druck aus den Prov. zu sichern. In It. baute er gegen Ende seiner Regierungszeit das Straßennetz aus. Die größten Baumaßnahmen aber führte er in Rom durch: Wiederaufbau des Kapitols, Anlage des Forum Transitorium, Vollendung des Colosseum; am wichtigsten war der Kaiserpalast auf dem Palatin, den alle zukünftigen Herrscher benutzten.

E. Religionspolitik

D. berief sich auf den *mos maiorum*; seine zensorische Gewalt setzte er ostentativ ein, auch bei Bewahrung der röm. Religion und ihrer Grundsätze. Deshalb auch ließ er mehrere vestalische Jungfrauen, die ihr Gelübde gebrochen hatten, hinrichten. Auch die Feier der Saecularspiele im J. 88 im Anschluß an die Spiele unter Augustus weisen auf seinen Traditionalismus. Andererseits richtete er erstmals im J. 86 den *Agon Capitolinus* als Wettkampf für Redner, Dichter, Sänger und Athleten ein [4]. Vor allem aber akzeptierte er den Kult seiner eigenen Person, obwohl die Behauptung, er habe sich als *dominus ac deus* anreden lassen, eine falsche Verallgemeinerung einer vielleicht beim kaiserlichen Gesinde üblichen Anrede war. Die Intensivierung der Herrscherverehrung ist in der Errichtung des riesigen Kaisertempels in Ephesos zu fassen und in dem Reflex, den dies in der Johannesapokalypse gewann. Für die Christen war D. einer der großen Verfolger der Kirche (Lact. mort. pers. 3). Dies und die Dominanz der senatorischen Überlieferung haben das Bild D.' als *tyrannus* bis ins 20. Jh. bestimmt.

1 B. W. JONES, M. GRIFFIN, The Flavians, CAH XI (im Druck) 2 K. STROBEL, in: Germania 65, 1987, 423 ff. 3 ECK, Senatoren 48 ff. 4 M. L. CALDELLI, L'agon Capitolinus, 1993.

W. ECK, Senatoren von Vespasian bis Hadrian, 1970, 48–76 • S. GESELL, Essai sur le règne de l'empereur

Domitien, 1894 • B. W. JONES, The Emperor Domitian, 1992 • A. MARTIN, La titulature épigraphique de Domitien, 1987 • H. NESSELHAUF, Tacitus und Domitian, in: Hermes 80, 1952, 222 ff. • J.-M. PAILLER, R. SABLAYROLLES (Hrsg.), Les années Domitien, 1994 • K. STROBEL, Die Donaukriege Domitians, 1992 • R. SYME, Domitian: The Last Years, in: Chiron 13, 1983, 121 ff. = RP 4, 252 ff. • Ders. Tacitus, 1958, I 19–29 • CHR. URNER, Kaiser Domitian im Urteil ant. lit. Quellen und moderner Forsch., 1993. MÜNZEN: BMC Emp. II 297 ff. • RIC I 149 ff. PORTRÄTS: M. WEGNER, Das röm. Herrscherbild II 1, 1966, 30 ff. • FITTSCHEN-ZANKER, I 35 ff. Nr. 31–33. W.E.

[2] Zu Beginn der Regierung Aurelianus' [3] zum Gegenkaiser ausgerufen und bald beseitigt (Zos. 1,49,2). Die einzige angebliche Mz. des D. ist eine neuzeitliche Überarbeitung einer Tetricus-Mz. [1]. Vielleicht identisch mit dem Feldherrn D., der angeblich unter dem Kommando des Aureolus um 261 Macrianus besiegte (SHA Gall. 2,6; trig. tyr. 12,13; 14 mit fiktiver Abstammung; 13,3), dessen Existenz allerdings zweifelhaft ist.

1 KIENAST ²1996, 237. A. B.

[3] *Notarius* Constantius' II. (Lib. or. 42,24 f.). Er stieg zum *comes sacrarum largitionum* und 353 n. Chr. zum *praef. praet. Orientis* auf (Amm. 14,7,9). In Antiochia sollte er den Caesar Gallus zur Reise an den Hof Constantius' II. bewegen. Bei einem durch den Caesar entfachten Tumult wurde er von Soldaten umgebracht (Amm. 14,7,9–16; Zon. 13,9). PLRE 1, 262 D. (3). W. P.

[4] Der gelehrte Mönch gehörte zu den Häuptern des palästinischen Origenismus und wurde auf Betreiben des Leontios von Byzanz von → Iustinian ca. 540 zum Bischof von → Ankyra erhoben. Er war ein Origenist mit monophysitischen Neigungen und gehörte zu den Auslösern des Dreikapitelstreites, d. h. des Streites um Werke der drei Theologen → Theodoros von Mopsuestia, → Theodoretos von Kyrrhos und → Ibas, der zu den Verdammungsurteilen (κεφάλαια, kephálaia) des 5. Ökumenischen Konzils von → Konstantinopel führte.

Von D. ist nur ein kurzes Fragment seines *libellus* an Vigilius von Rom erh. (CPG 3, 6990; bei Facundius: CCL 110A, 126).

L. PERRONE, La Chiesa di Palestina e le controversie Cristologiche, 1980, 204–207. C. M.

Domitilla s. Flavia

Domitius. Römischer plebeischer Familienname, seit dem 4. Jh. v. Chr. bezeugt (ThlL, Onom. 3,217–227). Die bedeutendsten Familien bleiben bis ins 1. Jh. n. Chr. die Ahenobarbi [I 1–8] und die Calvini [I 9–12]. Die Identifizierung einiger Mitglieder der Familie im 2. Jh. v. Chr. ist unsicher.

I. REPUBLIKANISCHE ZEIT II. KAISERZEIT III. REDNER UND SCHRIFTSTELLER

MÜNZER, Index s. v. D. • SYME, RR, Index s. v. D. • SYME, AA, Index s. v. D.

I. Republikanische Zeit
Domitii Ahenobarbi

Familiengeschichte bei Suet. Ner. 1–5. Entstehungslegende des Cognomens (ThlL, 1,135; handschriftlich auch Aenobarbus) »Rotbart«, »Erzbart« bei Suet. Ner. 1,1; Plut. Aem. 25. Patrizisch wurde die Familie wohl 29 v. Chr. durch Octavian (Suet. Ner. 1,2; [1. 72f.]). Über L. D. [II 2] Ahenobarbus (*cos.* 16 v. Chr.) mit der iulisch-claudischen Dynastie verwandtschaftlich verbunden; Dynastie; sein gleichnamiger Enkel, der spätere → Nero, wurde 50 n. Chr. von Claudius adoptiert. Das Familiengrab der D. lag auf dem Pincio (Suet. Ner. 50). Praenomina: Cn. und L.

Stammbaum: Münzer, s. v. Domitius, RE 5, 1315f. (Republik) • PIR 3², 126 (Kaiserzeit).

1 Th. Mommsen, Röm. Forsch. 1, 1864.

[I 1] D. Ahenobarbus, C., der erste Consul der Familie. Als plebeischer Aedil klagte er 196 v. Chr. Pächter des *ager publicus* an und begann aus den Strafgeldern den Bau des Faunus-Tempels auf der Tiberinsel, der von ihm als *praetor urbanus* 194 eingeweiht wurde (Liv. 33,42,10; 34,53,4). Als Consul 192 und Proconsul 191 kämpfte er gegen die Boier (Liv. 35,22,3 f.; 40,2f.; 36,37,6; dabei Einsatz von Hilfstruppen aus Achaia: Moretti, 60). 190 nahm er als *legatus* am Krieg gegen Antiochos III. teil, spielte aber in der Schlacht bei Magnesia nicht die entscheidende Rolle, die ihm die Überlieferung zuweist (Plut. mor. 197Df.; App. Syr. 159–189).

[I 2] D. Ahenobarbus, Cn. Sohn von D. [I 1], 170 (?) Praetor (MRR 1,420), 169 und 167 Gesandter nach Griechenland und Makedonien, 162 *cos. suff.* (InscrIt 13,1,462).

[I 3] D. Ahenobarbus, Cn. Sohn von D. [I 2] ?, *legatus pro praetore* unter M'. Aquillius [I 3] 129–126 (?, MRR 1,505) in Asia (Brief von Bargylia an D.: [1. 179–198]). Nach der Rückkehr vertrat er die Samier in einem Repetundenverfahren (IGR 4, 968; [2. 167–178]). Nach der Praetur spätestens 125 war er Consul 122 und kämpfte in Südgallien erfolgreich gegen die Allobroger, 121 zusammen mit seinem Nachfolger Q. Fabius Maximus gegen die vereinigten Allobroger und Arverner (→ Bituitus); beide errichteten Siegesdenkmale (Flor. 1,37,5). Er ließ eine Straße nach Südgallien, die Via Domitia, mit der Station Forum Domiti und wohl einer röm. Besatzung in Narbo, bauen (Meilenstein: ILLRP 460a) und blieb vielleicht bis 118 in Gallien; das Jahr seines Triumphes in Rom fällt zwischen 120 und 117 (InscrIt 13,1,83; Vell. 2,10,2). 115 war er zusammen mit L. Caecilius [I 24 oder 26] Metellus (Delmaticus ?, MRR 1,531) Censor, wobei sie 32 Personen aus dem Senat ausstießen und aufwendige Theateraufführungen verboten. Bis zu seinem Tod (etwa 104) war er Pontifex.

1 M. Holleaux, Études d'epigraphie et d'histoire grecques 2, 1938 2 Cl. Eilers, Cn. Domitius and Samos: A New Extortion Trial (IGR 4, 968), in: ZPE 89, 1991.

[I 4] D. Ahenobarbus, Cn. Sohn von D. [I 3]. *IIvir* zur Koloniegründung in Narbo 118 v. Chr.(?, [1. 94–96] Münzprägung: RRC 282), 116 oder 115 vielleicht Münzmeister (RRC 285). Als Volkstribun 104 oder 103 wollte er die Nachfolge seines Vaters als Pontifex antreten, scheiterte aber und brachte darauf ein Gesetz durch, das die bisherige Kooptation in die vier Priesterkollegien durch eine Volkswahl durch 17 Tribus ersetzte; seinen Widersacher M. Aemilius [I 37] Scaurus klagte er erfolglos an (MRR 1,559). 103 wurde er zum *pontifex maximus* gewählt und hatte dieses Amt bis zu seinem Tode ca. 89 inne. Im J. 100 beteiligte er sich (als Praetor ?) am Kampf gegen L. Ap(p)uleius [I 11] Saturninus (Cic. Rab. perd. 21f.). Consul 96 zusammen mit C. Cassius [I 8] Longinus; Censor 92 mit dem Redner L. → Licinius Crassus; obwohl im Streit, erließen sie ein berühmtes Edikt gegen Rhetorikunterricht in lat. Sprache (Text bei Suet. gramm. 25; Gell. 15,11,2; vgl. Cic. de orat. 3,24,93; Quint. inst. 2,4,42; Tac. dial. 35).

1 G. V. Sumner, The Orators in Cicero's Brutus, 1972.

[I 5] D. Ahenobarbus, Cn. Sohn von D. [I 4], Schwiegersohn des L. Cornelius [I 18] Cinna, wurde 82 von Sulla geächtet, sammelte in Africa mit Unterstützung des Königs Hiarbas ein Heer, wurde jedoch von Pompeius im J. 81 völlig geschlagen, wobei er den Tod fand (Plut. Pomp. 12).

[I 6] D. Ahenobarbus, Cn. Sohn von D. [I 8]. Mit seinem Vater von Caesar in Corfinium 49 v. Chr. gefangengenommen, wurden beide begnadigt (Caes. civ. 1,23,2); D. soll aber dennoch 44 zu den Verschwörern gehört haben (Suet. Ner. 3,1). 44–42 war er Flottenbefehlshaber der Caesarmörder (genauer Titel unbekannt), besiegte im Herbst 42 Cn. D. [I 10] Calvinus und führte seitdem den Imperatortitel (Goldmz.: RRC 519); nach Philippi behielt er sein unabhängiges Kommando und kämpfte sehr erfolgreich gegen die Triumvirn (Belagerung von Brundisium), bis er sich 40 mit M. Antonius [I 9] versöhnte, wobei → Asinius Pollio als Vermittler auftrat (Vell. 2,73,2; 76,2). Unter dem Schutz des Antonius wurde er gegen anfänglichen Widerstand des Octavian (→ Augustus) in seine alten Rechte wieder eingesetzt (Goldmz. für Antonius: RRC 521) und war Statthalter in Bithynien bis 34 (?), wobei er im J. 36 am Partherfeldzug des Antonius teilnahm und 35 den Statthalter von Asia C. Furnius gegen Sex. Pompeius unterstützte. 32 bekleidete er das ihm bereits im Frieden von Misenum 39 zugesagte Consulat zusammen mit C. Sosius, der ebenfalls Anhänger des Antonius war. Bald verließen beide Rom und trafen im März bei Antonius in Ephesos ein; D. wandte sich nachdrücklich gegen den Einfluß der Kleopatra VII. Obwohl er den Oberbefehl über einen Teil der Flotte innehatte, ging er, bereits krank, kurz vor der Schlacht bei Actium 31 zu Octavian über und starb kurz darauf. (Vell. 2,84,2; Tac. ann. 4,44; Suet. Ner. 3. Plut. Ant. 63,4). Er oder sein Sohn D. [II 2] weihte einen Neptunus-Tempel *in circo Flaminio* (Plin. nat. 36,4,26). Sein Leben wurde von Curiatius Maternus in einer Tragödie behandelt (Tac. dial. 3; SCHANZ/HOSIUS 2,524f.).

SYME, RR, Index s.v. D.

[I 7] D. Ahenobarbus, L. Sohn von D. [I 3], jüngerer Bruder von D. [I 4], war 97 v. Chr. (?) Praetor in Sicilia und 94 Consul mit C. Coelius [I 4] Caldus (MRR 2,12). Da er zu den Anhängern Sullas gehörte, wurde er 82 von den Marianern unter Führung des Praetors L. → Iunius Brutus Damasippus auf der Schwelle der Curia Hostilia ermordet (Vell. 2,26,2; Oros. 5,20,4 u. a.).

[I 8] D. Ahenobarbus, L. Sohn von D. [I 4], wahrscheinlich jüngerer Bruder von D. [I 5], Vater von D. [I 6], erbitterter Gegner Caesars. 73 v. Chr. trat er im Prozeß gegen die Oropier als Anwalt der Steuerpächter auf (SHERK 23, Z. 7), war 70 im Verresprozeß Zeuge (Cic. Verr. 2,1,139f.), und gab 61 als curulischer Aedil prächtige Spiele (Plin. nat. 8,131); zusammen mit seinem Schwager M. → Porcius Cato opponierte er gegen Pompeius und später auch gegen die Triumvirn, so daß er 59 wegen angeblicher Verschwörung gegen Pompeius in der Vettius-Affäre denunziert wurde (Cic. Att. 2,24,3; Vatin. 25). 58 versuchte er als Praetor erfolglos, Caesars Maßnahmen als Consul aufzuheben. Eine sichere Bewerbung um das Consulat für 55 mußte er wegen des Widerstandes von Pompeius und Crassus aufgeben, die infolge der Vereinbarungen von Luca 55 selbst das Amt übernehmen wollten, erhielt es aber für das J. 54 zusammen mit Ap. Claudius [I 24] Pulcher; beide Consuln sagten den nächsten Amtsbewerbern Cn. D. [I 10] Calvinus und C. → Memmius die Wahl zu, was zu einem Skandal führte (Cic. Att. 4,15,7; 17,2). Anfang 52 versöhnte er sich mit Pompeius und wurde vorsitzender Quaesitor im Prozeß des Milo (Cic. Mil. 22). Anfang Januar 49 wurde er zum Nachfolger Caesars in dessen Statthalterschaft bestimmt (Caes. civ. 1,6,5). Im Februar sammelte er Truppen und suchte Caesar in Corfinium im Paelignergebiet aufzuhalten, was jedoch völlig mißlang, weil er einen Rückzugsbefehl des Pompeius nicht beachtete. Er wurde von Caesar gefangen, aber mit seinem Sohn großzügig begnadigt (Caes. civ. 1,15–23). D. begab sich bald nach Massalia, wo er führend an den Kämpfen gegen die Belagerungsarmee unter D. Brutus und C. Trebonius teilnahm, aber kurz vor dem Fall der Stadt entfloh (Caes. civ. 1,34,2; 36,1f.; 56–59; 2,3–7; 22,2–4). Er ging zu Pompeius nach Thessalien, führte am 9. August 48 bei Pharsalos den linken Flügel und wurde auf der Flucht niedergemacht (Caes. civ. 3,99,4f.; Cic. Phil. 2,29,71; Lucan. 7,599ff. u.a.). Charakteristik bei Ps.-Sall. epist. 2,9,2.

GELZER, Caesar, Index s.v. D. · GRUEN, Last. Gen., Index s.v. D.

DOMITII CALVINI

[I 9] D. Calvinus, Cn. Consul 332 v. Chr., (Liv. 8, 17,5; zum Cognomen »kahlköpfig«, von *calvus*, s. KAJANTO, Cognomina 235).

[I 10] D. Calvinus, Cn., Gegner, später Anhänger Caesars. 62 v. Chr. *legatus* in Asia; 59 unterstützte er als Volkstribun den *cos.* M. Calpurnius [I 5] Bibulus, war 56 Praetor (Cic. Sest. 53,113) und gab prächtige *ludi Apollinares* (Cic. Att. 4,16,6; 17,3). 54 suchte er durch Bestechung der amtierenden Consuln seine Wahl zum Consul zu erreichen. Die Wahlen fanden nicht statt, aber nach dem Interregnum von Anfang 53 wurde er doch noch für die 2. H. des J. 53 Consul (MRR 2,227f.). Er trat dann zu Caesar über, kämpfte 48 in Griechenland gegen Q. Caecilius [I 32] Metellus Pius und führte bei Pharsalos die Mitte des caesarischen Heeres (Caes. civ. 3,89,3). Er ging dann nach Kleinasien, wo er bei Nikopolis von Pharnakes besiegt wurde, sich aber in der Prov. Asia hielt (Bell. Alex. 34–40; MRR 2,277). Nach Caesars Sieg bei Zela 47 zwang D. den Pharnakes zur Kapitulation in Sinope (MRR 2,88f.). 46 unterstützte er Caesar in Afrika (Bell. Afr. 86,3; 93,1). 45 trat er in Rom als Entlastungszeuge für Deiotarus auf und beeidete einen Vertrag zwischen Rom und Nidos (IKnidos 33). Etwa 45 wurde er Pontifex und empfing in dieser Funktion wohl am Morgen des 15. März 44 in seinem Haus Caesar und den Haruspex Spurinna (Val. Max. 8,11,2). 42 sollte er von Brundisium aus Verstärkungen zu Antonius und Octavian bringen, wurde aber von L. Staius Murcus und Cn. D. [I 6] Ahenobarbus völlig geschlagen (App. civ. 479–487; MRR 2,363). 40 war er *cos. II*, zusammen mit C. Asinius [I 4] Pollio. Als Statthalter in Spanien 39–36 kämpfte er gegen Pyrenäenstämme, siegte bei Osca, nahm den Imperatortitel an (Mz.: RRC 532) und feierte 36 einen Triumph (InscrIt 13,1,87; Inschriftenbasis eines Weihgeschenks aus der Beute: ILS 42). Aus der Beute ließ er die abgebrannte Regia auf dem Forum wieder aufbauen (Cass. Dio 48,42,4–6). Er ist wahrscheinlich 21 als Mitglied des prominenten Kollegiums der Arvalbrüder bezeugt und war vielleicht zuvor dessen *magister* gewesen (CIL VI 32338; vgl. CIL I² p. 214f.; [2. 42f.]); wohl bald danach ist er gestorben. PIR² D 139.

1 SYME, RR, Index, s.v. D. 2 SCHEID, Recrutement, 42f. 3 SYME, AA, Index, s.v. D.

[I 11] D. Calvinus, M. Praetor 80 v. Chr. (?) und Statthalter von Spanien, wo er am Anas von Truppen des Sertorius unter dem Quaestor L. Hirtuleius geschlagen wurde und fiel (Sall. hist. 1,111M; Liv. per. 90; Plut. Sert. 12,3f. u.a.).

C. F. KONRAD, Plutarch's Sertorius, 1994, 130f.

[I 12] D. Calvinus Maximus, Cn. Sohn von D. [I 9]. Sein Amt als curulischer Aedil 299 v. Chr. (Piso fr. 28 HRR bei Liv. 10,9,12; Plin. nat. 33,17) ist umstritten (MRR 1,173). Als Consul 283 kämpfte er mit seinem Kollegen P. Cornelius [I 27] Dolabella erfolgreich gegen Kelten. 280 war D. als erster Plebeier Censor (Liv. per. 13) und wohl gleichzeitig Dictator zur Abhaltung von Wahlen, was singulär ist (InscrIt 13,1,41; MRR 1,191; [1. 515, Anm. 1]).

1 MOMMSEN, Staatsrecht, Bd. 1.   K.-L. E.

II. Kaiserzeit

[II 1] Cn. D. Ahenobarbus. Sohn von D. [II 2] und Antonia d. Ä., über seine Großmutter Octavia mit Augustus verwandt. Geb. am 11. Dezember eines unbekannten Jahres. Angeblich *comes* des Gaius Caesar im Osten, was aus Altersgründen sehr problematisch ist (Suet. Nero 5,1; vgl. [1]). Als *frater Arvalis* ist er in den J. 27, 33, 38 und 39 bezeugt. 28 verheiratete Tiberius ihn mit Agrippina d. J.; 32 führte er als Consul die *fasces* für 12 Monate, was außergewöhnlich war. 36 Mitglied einer Kommission zur Abschätzung von Brandschäden in Rom. 37 auf Veranlassung des Praetorianerpraefekten Sertorius Macro des Inzests mit seiner Schwester Lepida angeklagt. Kurz nach dem Tode des Tiberius gebar Agrippina ihm den Sohn Nero, den späteren Kaiser. Wohl im J. 40 ist er gestorben. Nero ließ durch die *fratres Arvales* jährlich ein Opfer vor dem Haus des Vaters an der *via sacra* darbringen. In der Überlieferung erscheint er als ein minderwertiger Charakter (Suet. Nero 5,1; Quint. 6,1,50). PIR² D 127.

1 SCHEID, Frères 137 ff.

[II 2] L. D. Ahenobarbus. Sohn des Cn. D. [I 6] Ahenobarbus; verheiratet mit Antonia d. Ä., der Nichte des Augustus. Wohl Patrizier seit 29 v. Chr. 16 v. Chr. gelangte er zum Consulat; die prachtvollen Spiele inszenierte er mit solcher Grausamkeit, daß Augustus ihm eine Mahnung zugehen ließ. Er war Proconsul von Africa im J. 12 v. Chr. [1]. Als Legat von Illyricum drang er bis zur Elbe vor; anschließend wohl Kommandeur des Heeres in Germanien, wo er vergeblich versuchte, die Cherusker wieder in ihre Stammessitze zurückzuführen. Als *frater Arvalis* bezeugt. Im J. 25 gestorben. Seine Kinder sind D. [II 1] und Domitia [1] und [5].

1 THOMASSON, Fasti Africani, 1996, 21 f.

PIR² D 128 · SCHEID, Frères, 74 ff. · SYME, AA 141 ff. und passim.

[II 3] L. D. Ahenobarbus, Sohn von D. [II 1] → Nero.
W. E.

[II 4] D. Alexander, unter → Maxentius *vicarius Africae* (Aur. Vict. Caes. 40,17; Zos. 2,12,2), ergriff 308 n. Chr. die Kaisermacht, vermutlich im Zusammenhang mit dem Zerwürfnis zwischen Maxentius und seinem Vater. D. gelang kein Bündnis mit einem der Gegner des Maxentius, auch wenn er um die Anerkennung Constantins warb (ILS 8936). Seine Macht blieb auf Afrika beschränkt, der Besitz Sardiniens kann nur kurzfristig gewesen sein (AE 1966, 169). 309 oder 310 wurde D. vom *praef. praet.* des Maxentius → Ceionius [8] Rufius Volusianus geschlagen.
B. BL.

[II 5] D. Antigonus. Aus Makedonien stammender Ritter, Sohn eines Philippus. *Tribunus militum* und *procurator*; von Caracalla unter die Praetorier aufgenommen. Legat der *legio XXII Primigenia* (um 220) und *V Macedonica. Cos. suff.* unter Severus Alexander, consu-

larer Legat von Moesia inf. 235/236 (AE 1966, 262; CIL III 14429; AE 1964, 180; PIR² A 736). Vielleicht sind zwei Texte aus Rom auf ihn zu beziehen [1].

1 A. ILLUMINATI, in: Iscrizioni Greche e Latine del Foro Romano e del Palatino, hrsg. von S. PANCIERA, 1996, 208 ff. Nr. 64. 2 LEUNISSEN, 183.

[II 6] L. D. Apollinaris. Senator aus Vercellae, dem vermutlich IGR III 558 = TAM II 569 zugewiesen werden kann (doch vgl. [1]). Dann war er Legat von zwei Legionen, *praef. aerarii militaris* und zwischen 93 und 96 Legat von Lycia-Pamphylia. Suffectconsul Juli-August 97 [2]. Zweimal verheiratet, zuletzt mit Valeria Vetilla, Tochter des Valerius Patruinus, *cos. suff.* 82. Seine Söhne waren D. [II 20] und [II 23], seine Töchter Domitia [12] und eine Valeria Polla. PIR² D 133.

1 M. A. SPEIDEL, in: MH 47, 1990, 149 ff. 2 VIDMAN, FO² 45.
SYME, RP 7, 588 ff.

[II 7] D. Balbus. Senator praetorischen Ranges, dem von seinem Verwandten Valerius Fabianus ein falsches Testament untergeschoben wurde (Tac. ann. 14,40,1).

[II 8] D. Caecilianus. Als engster Vertrauter überbrachte er Clodius Thrasea im J. 66 das Todesurteil des Senats (Tac. ann. 16,34,1).

[II 9] D. Celer. *Comes* des Statthalters von Syrien, Cn. Calpurnius Piso, den er bei seinem Versuch, Syrien im Herbst 19 wiederzugewinnen, mit Nachdruck unterstützte (Tac. ann. 2,77–79). Vermutlich ist er beim Prozeß gegen Piso im Dezember 20 bereits tot gewesen [1].

1 W. ECK, A. CABALLOS, F. FERNÁNDEZ, Das s.c. de Cn. Pisone patre, 1996, 98.

[II 10] Cn. D. Corbulo. Aus Peltuinum stammend; vielleicht zwischen 30 und 25 v. Chr. geboren [1. 810]. Unter Augustus Quaestor in Asia, später Praetor (nicht im J. 17 n. Chr.). Im J. 21 griff er im Senat *curatores viarum* und Bauunternehmer wegen Mißwirtschaft bei der Instandhaltung der Straßen an; die Folge waren Prozesse und Verurteilungen (Tac. ann. 3,31). Ähnliches berichtet Cassius Dio 59,15,3 zum J. 39; Caligula habe die gewonnenen Gelder in seine Kasse geleitet und Corbulo zum *consul* gemacht. Zumindest die Nachricht über den Consulat wird jetzt allg. auf den Sohn D. [II 12] bezogen [1. 809 f.; 2]. Unter Claudius wurde er gezwungen, einen Teil der aus den Prozessen gewonnenen Gelder zurückzuzahlen [3]. Verheiratet mit Vistilia, Plin. nat. 7,39, deren Tochter Caesonia im J. 39 Caligula heiratete. PIR² D 141.

1 SYME, RP 2 2 VOGEL-WEIDEMANN, 373 ff. · W. ECK, Die staatliche Organisation Italiens in der hohen Kaiserzeit, 1979, 71 f.
W. E.

[II 11] Cn. D. Corbulo. Aus Peltuinum stammend, Sohn von D. [II 10] und Vistilia (Plin. nat. 7,39), damit Halbbruder von Milonia Caesonia, der Frau Caligulas (vgl. dazu [1. 805 ff.] sowie zu seiner weiteren großen

Verwandtschaft). Wohl durch ihre Vermittlung erhielt er im J. 39 einen Suffectconsulat (vgl. dazu D. [II 10]); frühere Ämter sind nicht bezeugt. Claudius ernannte ihn zum Legaten des niedergerman. Heeres, wo er für das J. 47 bezeugt ist [2. 117 ff.]. Dort ging er erfolgreich gegen den Stamm der Chauken vor, deren Anführer Gannascus er ermorden ließ, was später Anlaß zu deren erneuter Rebellion wurde. Den Stamm der Friesen siedelte er um und gab ihm eine neue polit. Ordnung. Da Corbulo aber angeblich zu erfolgreich war, befahl Claudius, die rechtsrheinischen Stützpunkte wieder aufzugeben; vermutlich diente dies der Vermeidung größerer mil. Verwicklungen. Corbulo erhielt dennoch die *ornamenta triumphalia* für die Anlage eines Kanals zwischen Maas und Rhein. Erst nach längerer amtsloser Zwischenzeit wurde er Proconsul von Asia, noch unter Claudius, vielleicht 52/53 [3. 372 ff.]. Bereits 54 wurde er von Nero zum Träger der neuen Politik gegenüber Armenien und Parthien ernannt. Welche amtliche Stellung er dabei hatte, ist umstritten. Er könnte *legatus Augusti pro praetore*, also Statthalter von Armenien gewesen sein oder nur ein Militärkommando erhalten haben (dazu zuletzt [4. 201 ff.]). Corbulo setzte sich, nachdem er im J. 55 im Osten angekommen war, mil. gegen Armenien durch, ohne daß es zu spektakulären Kämpfen kam. In Rom feierte man dies als abschließenden Sieg. Ein neuer Klientelkönig, Tigranes, wurde in Armenien eingesetzt; Corbulo wurde zum Statthalter von Syrien gemacht. Als die Parther Armenien zurückeroberten und erneut Tiridates als Klientelkönig einsetzten, wurde → Caesennius Paetus mit dem Kommando in Armenien betraut. Erst nach dessen Niederlage, an der Corbulo durch Untätigkeit mitschuldig war, wurde die Kriegführung wieder Corbulo übertragen, wobei ihm Sondervollmachten über alle Amtsträger im Osten zugestanden wurden. Am ehesten war C. selbst consularer Legat von Cappadocia-Galatia, wenn C. Iulius Proculus gleichzeitig Finanzprocurator von Capadocia und Cilicia (AE 1966, 472; 1914, 128) und Rutilius Gallicus Unterstatthalter in Galatia war (I. Eph. III 715). Schließlich wurde, entsprechend einem parthischen Angebot, der alte Klientelkönig Tiridates formell von Nero in Rom anerkannt, ohne daß Corbulo sich mil. durchgesetzt hätte (dazu [4. 86–135]). Corbulo ist also keineswegs als der großartige erfolgreiche Militär und vorausschauende Politiker anzusehen, der durch seine Gegner am vollen Erfolg gehindert worden wäre. Diese Sicht aber wurde in den Schriften Corbulos verbreitet und fand Eingang in die Historiographie. Corbulo blieb bis 66/67 im Osten, bis ihn Nero nach Griechenland rief, wo er sich auf Befehl des Kaisers selbst tötete. Der Grund war vermutlich seine Verwicklung in die Verschwörung seines Schwiegersohnes Annius Vinicianus gegen Nero [3. 385 ff.]. Eine seiner Töchter, Domitia Longina, wurde später die Frau Domitians. PIR² D 142.

1 SYME, RP II 2 ECK, Statthalter 3 VOGEL-WEIDEMANN 4 M. HEIL, Die oriental. Außenpolitik des Kaisers Nero, 1997.

[II 12] T. D. Decidianus/Decidius. Zur Namensform siehe CIL VI 1403 und [1]. Senator aus der Narbonensis, der es unter Claudius nach dem dreijährigen Amt als *quaestor aerarii Saturni* bis zur Praetur brachte (CIL VI 1403 = ILS 966). Wohl Vater der Domitia Decidiana, Schwiegervater des Agricola (Tac. Agr. 6,1). Auf seine Pachtbedingungen für den Zoll in Asia wird im Zollgesetz des J. 62 hingewiesen ([1], dort auch das Cognomen Decidianus, das sonst Decidius lautet).

[II 13] C. D. Dexter. Suffectconsul wohl in den letzten Jahren Marc Aurels; consularer Statthalter von Syrien, für das J. 189 bezeugt. 193 Stadtpraefekt, wohl bis 196, als er einen zweiten Consulat erhielt; er muß also ein enger Anhänger des Septimius Severus gewesen sein. PIR² D 144.

1 ENGELMANN-KNIBBE, in: Epigr. Anat. 14, 1989, 20, 38.

LEUNISSEN, 308.   W. E.

[II 14] L. D. Domitianus, nur aus Papyri und Münzen bekannter ägypt. Usurpator der tetrarchischen Zeit, dessen Erhebung 296/297 oder 297/298 n. Chr. zu datieren ist. Die lit. Quellen (Aur. Vict. Caes. 39,23 und 38; Eutr. 9,22,1 und 23; [Aur. Vict.] epit. Caes. 39,3) erwähnen nur den Parteigänger des D., den ritterlichen *corrector* Aurelius Achilleus (P Cairo Isid. 62; P Michigan 220). Diocletian schlug den Aufstand durch die Eroberung Alexandriens nieder (Eutr. 9,23).   B. BL.

[II 15] L. D. Gallicanus Papinianus. Er stammt wohl aus Vina in Africa, Consul wahrscheinlich 238; danach Statthalter in Dalmatien, Hispania citerior und Germania inferior, in welcher Reihenfolge, ist unbekannt. PIR² D 148.

ECK, Statthalter 216.

[II 16] M. Aurelius L. D. Honoratus. Procurator von Arabia zwischen 212 und 217, der in Gerasa mit seiner Frau Aurelia Iulia Heraclia geehrt wurde. 221/222 *praef. Aegypti,* danach Praetorianerpraefekt; im Album von Canusium ist er als *clarissimus vir* aufgeführt (AE 1993, 1641). PIR² D 151.

R. HAENSCH, in: ZPE 95, 1993, 163 ff.

[II 17] D. Leo Procillianus. Statthalter von Syria Phoenice im J. 207; da er *hypatikós* genannt wird, dürfte er damals bereits einen Suffectconsulat erhalten haben (AE 1969/70, 610; IGLS VII 4016 bis). Wohl identisch mit dem Stadtpraefekten Leo unter Elagabal (Cass. Dio 79,14,2).

W. ECK, s. v. D. 63), RE Suppl. 14, 114 · LEUNISSEN, 311.

[II 18] Cn. D. Lucanus = Cn. D. Afer Titius Marcellus Curvius Lucanus. Er und sein Bruder D. [II 25] wurden von dem Senator D. Afer adoptiert, 59 erbten sie sein Vermögen (Plin. epist. 8,18,5 ff.). D.' Laufbahn ist in CIL XI 5210 = ILS 990 und IRT 527 überliefert (zur Interpretation [1; 2]). Beginn der Laufbahn unter Nero,

Teilnahme am Bataverkrieg als *praef. auxiliorum omnium adversus Germanos*, dafür *dona militaria* unter Vespasian, Aufnahme unter die Patrizier, praetorischer Legat in Africa, Suffectconsul unter Vespasian, unter Domitian Proconsul von Africa, dann Legat seines Bruders in derselben Provinz. In Lepcis Magna wurde ihm eine Reiterstatue errichtet (IRT 527). Seine Tochter Domitia Lucilla wurde von seinem Bruder Tullus adoptiert, damit sie die Erbschaft ihres Großvaters Curtilius Mancia antreten konnte. PIR² D 152.

1 G. ALFÖLDY, Die Hilfstruppen, 1969, 131 ff.
2 THOMASSON, Fasti Africani, 1996, 46 ff.

[II 19] L. D. Paris. Sklave, später Freigelassener von Domitia [1]. Pantomime. Mit Nero vertraut. 55 klagte er im Auftrag Domitias Agrippina des Hochverrats an. Trotz Mißerfolgs blieb dies für ihn ohne Folgen. Im J. 56 führte er einen Prozeß gegen seine Freilasserin (Dig. 12,4,3,5). Im J. 67 von Nero hingerichtet, weil er ihn angeblich die Tanzkunst nicht lehren konnte. PIR² D 156.

[II 20] D. Patruinus. Sohn von D. [II 6]. Vater von Domitia [13] (CIL V 6657 = ILS 6741a)

SYME, RP 7, 588 f.

[II 21] D. Philippus. Aus Makedonien stammend, Vater von D. [II 5], vgl. [1].

1 A. ILLUMINATI, in: Iscrizioni Greche e Latine del Foro Romano e del Palatino, hrsg. von S. PANCIERA, 1996, 208 ff. Nr. 64.

[II 22] Cn. D. Ponticus. Praetorischer Legat des Proconsuls von Africa, Paccius Africanus, im J. 77/78 (IRT 342).

[II 23] D. Seneca. Sohn von D. [II 6]; vgl. AE 1981, 826c. Militärtribun der *legio XVI Flavia* (IGR III 559 = TAM II 570). Verheiratet mit Clodia Decmina (AE 1981, 826e). Vater von D. [II 24].

[II 24] D. Seneca. Sohn von D [II 23]. Legat von Lycia-Pamphylia 135–138 (IGR III 738 c. 24).

W. ECK, in: Chiron 12, 1982, 174 Anm. 431 · M. WÖRRLE, Stadt und Fest, 1988, 39, 43.

[II 25] Cn. D. Tullus = Cn. D. Afer Titius Marcellus Curvius Tullus. Bruder von D. [II 18]; wie dieser von D. Afer adoptiert. Seine Laufbahn ist in CIL XI 5211 = ILS 991 und IRT 528 (Lepcis Magna) überliefert. Seit Nero im Senat, an den Kämpfen gegen die Bataver als *praef. equitum* beteiligt. Noch vor Übernahme der Praetur als kaiserlicher Legat zum Heer in die Prov. Africa gesandt; Aufnahme unter die Patrizier, Consul wohl noch unter Vespasian, Proconsul von Africa unter Domitian; damals wurde ihm eine monumentale Reiterstatue in Lepcis Magna errichtet (IRT 528). Er adoptierte die Tochter seines Bruders, Domitia Lucilla, die auch seine Haupterbin wurde (Plin. epist. 8,18). Ihm ist auch das Testament CIL VI 10229 und AE 1976, 77 = [1] zuzuweisen, das zwischen Mai/August 108 abgefaßt wurde; kurz darauf ist er gestorben.

1 W. ECK, in: ZPE 30, 1978, 277 ff.

SYME, RP 5, 521 ff. · DI VITA-EVRARD, in: Epigrafia juridica Romana, 1989, 159 ff.

[II 26] M. D. Valerianus. Senator, der in Prusias in Bithynien geehrt wurde (AE 1957, 44 = SEG 20, 28: Er durchlief die Ämter bis zur Praetur, wurde dann Legat der *legio XII Fulminata* und der *legio VII Claudia, corrector civitatium Pamphyliae, proconsul Siciliae*, praetorischer Legat von Galatien, dann von Cilicien, schließlich im J. 238/9 von Arabien, wo er vermutlich *in absentia* Suffectconsul wurde. AE 1907, 67; PIR² D 168.

DIETZ, 143 ff. · W. ECK, s. v. D. 85), RE Suppl. 14, 114.
W. E.

III. REDNER UND SCHRIFTSTELLER

[III 1] Cn. D. Afer. Lat. Redner claudischer Zeit, in Suetons *De oratoribus* behandelt (vgl. Hier. chron. a. Abr. 2060). Geb. in Nemausus (Nîmes) in einfachen Verhältnissen, 25 n. Chr. Praetor, im folgenden als Ankläger hervortretend (Tac. ann. 4,52 mit verallg. Bewertung; 4,66). Seine Wendigkeit rettete ihn 39 aus gefährlicher Situation, so daß er sogar zum Suffectkonsul ernannt wurde (Cass. Dio 59,19 f.; mit A. Didius Gallus, vgl. [3]); ab 49 war er Curator aquarum (Frontin. aqu. 102, 8 f.), unter Claudius zumal als Verteidiger tätig; gest. 59 an Völlerei (Hier.; vgl. Tac. ann. 14,19). Seine Ziegeleien (CIL XV 979–983) gelangten an die Adoptivsöhne (Plin. epist. 8,18,5 ff.). D. galt als führender Redner der Zeit (Tac. dial. 13,3; Quint. inst. 10,1,118 neben den *veteres*). Sein Schüler → Quintilianus (inst. 10,1,86 u.ö.; Plin. epist. 2,14,10) betont neben schlagfertigen Pointen die *maturitas* (12,10,11), das *grave et lentum* (Plin. epist. 2,14,10 ff.) seines Stils. Die Ablehnung moderner → Deklamationspraxis zeigt ihn als Anhänger der *eloquentia incorrupta* (Tac. dial. 15,3).

Werke (nur Fragmente erh.): (1) Reden: gesicherte Titel (vgl. auch Tac. ann. 4,52,1; 4,66) *Pro Cloatilla* (Quint. inst.), *Pro Voluseno Catulo* (10,1,24), *Pro Laelia* (9,4,31), *Pro Taurinis* (Charis. p. 184 B.). (2) Mehrere B. *Urbane dicta* aus den Reden (Quint. inst. 6,3,42, noch mehrfach zit.; Hier. epist. 52,7, vgl. [4]), publiziert nach 41. (3) Zwei B. *De testibus* (Quint. inst. 5,7,7).

FRGG.: H. MEYER, ORF ²1842, 563–570.
LIT.: 1 PIR D² 126 2 BARDON 2,158 f. 3 J. W. HUMPHREY, P. M. SWAN, Cassius Dio on the Suffect Consuls of A. D. 39, in: Phoenix 37, 1983, 324–327 4 R. S. ROGERS, D. A.'s Defence of Cloatilla, in: TAPhA 76, 1945, 264–270 5 W. C. McDERMOTT, Saint Jerome and D. A., in: VChr 34, 1980, 19–22. P. L. S.

[III 2] D. Marsus. Epigrammatiker, Zeitgenosse Ovids (Pont. 4,16,5), wohl identisch mit dem Adressaten eines Briefs von Apollodoros, dem Redelehrer des Augustus (Quint. inst. 3,1,18), Protegé des Maecenas nach Mart. 8,55(56),21 ff. Aus → Martials häufigen Erwähnungen (B. 1 praef. u. a. als Vorbild genannt; zu Catull, D. und Albinovanus Pedo vgl. noch 5,5,6, Catull und D. 2,71,3;

7,99,7, D. und Pedo 2,77,5 f.) ergibt sich D.' Bed. für die Kunst des lit. → Epigramms in Rom. Die wenigen erh. Fragmente erlauben eine Rekonstruktion des Werkes nur in Umrissen. Aus einer *Cicuta* stammen vier Distichen (fr. 1): → Bavius (mit Mevius, vgl. Hor. epod. 10,2 mit frg. 5 – ein *obtrectator Vergilii*) und sein Bruder, deren Eintracht an einer Frau zerbricht, fallen dem Spott anheim. Beteiligung an lit. Fehden der Zeit zeigen auch die bissigen Charakteristiken der Grammatiker → Orbilius (Suet. gramm. 9,3 = fr. 4) und → Caecilius Epirota (16,3 = fr. 3); aus der *Cicuta* auch fr. inc. 40 Bl. (vgl. [10])? Der Titel ›Schierling‹ weist auf ein B. mit skoptischen, »satirischen« Epigrammen, während Gedichte anderer Thematik wohl in anderen B. zusammengestellt waren: Die von Maecenas gelesene *Fusca Melaenis* (Mart. 7,29,7 f.) deutet auf Epigramme erotischen Inhalts; Beispiele von → Grabepigrammen sind der Nachruf auf Tibull (frg. 7), dessen erste Verse Tib. 1,3,57 f. variieren, und die beiden Disticha auf Atia, die Mutter des Augustus (fr. 8 f., dazu zuletzt [7]). Wenn sich Martial 4,29 für die *turba* seiner *libelli* entschuldigt, wird er auch mit der *Amazonis* v. 7 f. gegenüber dem *liber* des Persius auf eine Mehrzahl von Epigramm-B. (zu umfangreichen Epigrammen auch 2,77,5 f.) anspielen, nicht auf ein Epos. Ob schließlich die 9 B. *Fabellae* (fr. 2) eine Gesamted. meinen, ist nicht sicher. Aus einer rhetor. Schrift *De urbanitate* über die witzige Pointe referiert kritisch Quintilian in *De risu* (inst. 6,3,102–109; schon davor benutzt, vgl. [8; 9]), dazu auch Plin. nat. 34 ind. auct.; 34,48.

FR.: D. FOGAZZA, 1981 · FPL ³278–283 (Bibl. 278 f.) · COURTNEY, 300–305.
FORSCH.-BERICHTE: 1 L. LOMBARDI, in: BSL 7, 1977, 343–358 2 L. DURET, ANRW II.30,3, 1480–1487.
LIT.: 3 A. TRAGLIA, Poeti latini dell'età giulio-claudia misconosciuti, in: C&S 26 (101), 1987, 44–53 4 S. MARIOTTI, Intorno a D. M., in: FS A. Rostagni, 1963, 588–614 5 E. PARATORE, Ancora su D. M., in: RCCM 6, 1964, 64–96 6 F. DELLA CORTE u.a., D. M., in: Maia 16, 1964, 377–388; 17, 1965, 248–270 7 M. LAUSBERG, Zu einem Epigramm des D. M. auf die Mutter des Augustus, in: ΜΟΥΣΙΚΟΣ ΑΝΗΡ. FS M. Wegner, 1992, 259–268 8 E. S. RAMAGE, The De urbanitate of D. M., in: CPh 54, 1959, 250–255 9 F. KÜHNERT, Quintilians Erörterung über den Witz, in: KS, 1994, 111–143 (zuerst 1962) 10 R. REGGIANI, Un epigramma di D. M. in Quintiliano?, in: Prometheus 7, 1981, 43–49.　　P. L. S.

Domitius-Ara s. Bauplastik

Domnacus s. Dumnacus

Domnilaus (Δομνέκλειος). Keltischer Name; Tetrarch der Trokmer, Sohn und Nachfolger des Brogitaros [1. 1303; 2. 155]. D. fiel auf der Seite des Pompeius in der Schlacht bei Pharsalus 49 v. Chr. Sein Gebiet wurde dann nach dem Tode des Deiotaros von Antonius [I 9] wieder seinem Sohn Adiatorix zugesprochen, den Augustus nach der Schlacht bei Actium hinrichten ließ (Caes. civ. 3,4,5; Strab. 12,3,6).
→ Antonius [I 9]; Brogitaros; Deiotaros; Trokmer

1 HOLDER, Bd. 1 2 L. WEISGERBER, Galatische Sprachreste, in: Natalicium. FS J. Geffken 1931.　　W. SP.

Domus. Als Begriff für das Haus geht *d.* etym. auf die in den idg. Sprachen weitverbreitete Wurzel **dem* zurück, die neben dem baulichen Aspekt eine personale und sakrale Bed. hatte. Während allerdings bei den Griechen der Ausdruck *dómos* auf die materielle Komponente des Gebäudes beschränkt wurde, überwog im Lat. *domus* die soziale Konnotation. Dies zeigt sich u. a. in dem erstarrten Lokativ *domi*, der in seinem terminologischen Bedeutungsfeld sowohl die Idee der sozialen Heimat als auch die des Friedenszustandes in sich vereinte und damit den Gegensatz zum Kriegszustand *militiae* bildete. Das Haus und die in ihm vereinte Lebensgemeinschaft wurde als entscheidender Schutzort gegenüber einer als feindlich empfundenen Außenwelt angesehen, von der sich die Römer durch die Türpfosten (*ianua*) getrennt glaubten. Daher erhielt die häusliche Sphäre einen wichtigen Platz in den rel. Vorstellungen der Römer (*di penates*).

Aufschlußreich ist, daß der Kultraum des frühen *rex* als *d. regia* bezeichnet wurde, was auf die Rolle des Hauses als Metapher für die Konstruktion der Gesellschaft hinweist. Das Zusammenleben mehrerer Generationen, die Ausübung des gemeinsamen Kultes der Ahnen und die Focussierung der materiellen Subsistenz, die durch das Erbrecht von einer Generation auf die nächste übertragen wurde, führten dazu, daß *d.* zunehmend die allg. Bed. für soziale Herkunft, familiäres Umfeld und rechtliche Abstammung annahm. Die Begrifflichkeit blieb aber insofern wenig präzis, als einerseits sowohl Vor- oder Nachfahren gemeint sein können, andererseits kein Unterschied zwischen Verwandten väterlicher- und mütterlicherseits gemacht wurde.

Im Zuge der begrifflichen Differenzierung trat *d.* mit ihrer Konzentration auf die wirklichen Verwandten in Gegensatz zu *familia*, die sich primär aus der Einbeziehung von Sklaven und anderen Abhängigen definierte. Während urspr. *familia* der typische Ausdruck für die einflußreichen aristokratischen Familienverbände war, setzte sich in der späten Republik die Tendenz durch, diese Bed. auf *d.* zu übertragen. Hierdurch wurde die Funktion der Häuser der *nobiles* als wichtige Zentren für polit. Entscheidungen hervorgehoben. Damit war der Weg für die Übertragung des Begriffs auf die Hofhaltung der Kaiser (*d. Caesaris*) geebnet. Im Laufe dieser Entwicklung bekam *d.* die Ambivalenz, die für die Begrifflichkeit der Hofhaltung typisch ist: Einerseits die Konzentration wichtiger personeller Kräfte im Aufenthaltsort des Herrschers, andererseits die Repräsentation von Machtwillen durch die herausgehobene Gestaltung der Architektur. Im Verlauf des 2. Jh. n. Chr. wurde dann der Ausdruck *d. Caesaris* durch das griech. *aula* ersetzt.
→ Familia; Lares; Penates

G. BUTI, The Family and the Tribe, in: W. MEID (Hrsg.), Studien zum idg. Wortschatz, 1987, 9–20 · R. SALLER, Patriarchy, property and death in the Roman family, 1994 · D. WACHSMUTH, Aspekte des ant. mediterranen Hauskults, in: Numen 27, 1980, 34–75. B. LI.

Domus Augustana s. Mons Palatinus

Domus Aurea. Als Nachfolgebau der beim Brand des Jahres 64 n. Chr. zerstörten → *domus transitoria* in Rom war die *d. a.* noch zur Zeit Othos unvollendet (Suet., Otho 7). Ihre Hauptaspekte waren die umfangreiche Enteignung und Einbeziehung öffentlichen Raumes sowie die Aufbietung aller künstlerischen und technischen Möglichkeiten zur Gestaltung einer Kunstwelt. Nach Neros Tod wurden, abgesehen vom Palatin, die Hauptbereiche von den Flaviern und von Hadrian geradezu programmatisch in öffentliche Nutzung zurückgeführt.

Die *d. a.* umfaßte die Gebiete des Palatin, des Oppius, des Caelius und der Velia. Die südl. und östl. Begrenzung war vielleicht die Stadtmauer des 4. Jh. v. Chr. Im Norden und Osten zeichnet sich ein Verlauf ab, der von den Grenzen der *domus* im Giardino Rivaldi zu den noch erh. Bauresten unter S. Pietro in Vincoli und im Garten des Palazzo Brancacci führte, aber die Porticus Liviae aussparte. Erh. Reste sind mit unterschiedlichem Grad an Wahrscheinlichkeit zuzuweisen. Als ein möglicher Monumentaleingang ist die neronische Phase im Unterbau des → *arcus Constantini* zu erwägen. Das *vestibulum* ist, zumindest nach allg. Auffassung, mit den von Sueton genannten *porticus triplices miliariae* gleichzusetzen und wäre demnach ein großer, an drei Seiten mit Säulenhallen eingefaßter Platz, der Neros ca. 40 m hohe bronzene Porträtstatue (Plin. nat. 34,45; Suet. Nero 31; Mart. epigr. 2) aufnehmen sollte und im Bereich des Tempels der Venus und der Roma lag (SHA. Hadr. 19,12); vgl. → Colossus Neronis. Reste der Portiken sind entlang der *sacra via* auf der Höhe des *clivus Palatinus* und des *clivus ad Carinas* zu sehen. Neuere Grabungen haben die neronische Datier. gesichert. Hypothetisch ist dagegen die Interpretation älterer Strukturen im Podium des Tempels von Venus und Roma.

Anlagen, die zum künstlichen See im Tal zwischen Caelius, Esquilin und Palatin (Tac., ann. 15,42; Suet., Nero 31; mit Lokalisierung: Mart., epigr. 2,5) gehörten, sind durch Grabungen an der Meta Sudans stratigraphisch in die Phase nach dem Brand von 64 n. Chr. und vor der Errichtung des → Kolosseums (70–80 n. Chr.) datiert. Es handelt sich um Substruktionen von Flächen, die eine ostwestl. verlaufende Straße begrenzten und möglicherweise Portiken trugen. In der Nähe der späteren Meta Sudans (nach 80 n. Chr.) mündete diese Straße auf einen nordsüdl. verlaufenden Weg. Diese Bereiche grenzten nahe an den See und besaßen evtl. Aussichtscharakter. Gespeist wurde der See wohl vom Caelius aus, vielleicht durch das Nymphäum am Caelius, eine Umgestaltung der Substruktionen des Claudius-Tempels.

Die wichtigsten und umfangreichsten erh. Teile liegen auf dem Oppius, dem südwestl. Ausläufer des Esquilin, heute überdeckt von den Substruktionen der Trajans-Thermen. Eine Reihe folgenreicher Neuerungen läßt sich hier erstmals auf einem hohen qualitativen Niveau fassen, ohne daß es sich in allen Fällen um Neuerfindungen gehandelt haben muß. Im schon länger bekannten Untergeschoß gelang der Nachweis eines zweiten polygonalen Innenhofes, so daß sich der bisher bekannte Teil symmetrisch ergänzen läßt und der oktogonale Saal als Mittelachse des Traktes erwiesen ist. Die Öffnung seines Kuppelgewölbes zeigt Zurichtungen für mechanische Anlagen, die sich wohl mit dem bekannten, drehbaren Himmelsgewölbe identifizieren läßt. Der westl. Teil des Traktes war evtl. schon vor dem Brand von 64 v. Chr. im Bau. Die Räume 123 und 125 neben dem oktogonalen Saal gehören zu den ältesten Beispielen für Kreuzgewölbe (→ Gewölbe- und Bogenbau) in der röm. Architektur. Über dem Oktogon sowie dem östl. anschließenden Innenhof wurden Teile des Obergeschosses freigelegt. Rundformen fanden hier keine Verwendung; stattdessen werden die Übergänge von dreieckigen Kompartimenten ausgeglichen, die als *impluvium* dienten oder rechteckige Exedren aufnahmen. Eine solche geschoßbezogene Unterscheidung von Rund- und Rechtecksystemen ist typisch für die Art, wie in der *d. a.* mit Formen umgegangen wurde; ähnlich variationsreiche und bewegte Planfiguren sind aus früheren Villen bisher nicht bekannt.

Die Reste in der *domus Augustana* (→ Mons Palatinus) waren schon seit den Grabungen Pirro Ligorios bekannt, aber nicht identifiziert. Hier blieben die Gebäude der *d. a.* bis 80 n. Chr. in Gebrauch und wurden dann durch ein weiteres großes Feuer zerstört (Tac. ann. 15,52). Domitians neue Residenz nahm in ihrer Disposition auf die neronischen Ruinen in vielen Teilen Rücksicht. Für die *cenatio Iovis* allerdings wurde ein Rundbau mit zwei konzentrischen Kreisfundamenten innerhalb eines rechteckigen Wasserbeckens abgetragen. Er stellt eine Art Vorläufer des Teatro marittimo in der *villa Hadriana* in Tivoli dar. Für den westl. Teil dieses Komplexes zerstörte man noch in neronischer Zeit das darunterliegende Nymphäum der *domus transitoria*. Auch die *aula regia* orientierte sich an zwei großen Vorgängerräumen. Am Übergang vom unteren zum oberen Peristyl befinden sich zwei symmetrische Raumgruppen neronischen Ursprungs, ebenso die Umfassungsmauern des unteren Gartens sowie entlang der östl. Außenflucht.

Von der schon bei Zeitgenossen legendären Ausstattung der *d. a.* fanden seit der Renaissance zunächst die berühmten »Grotesken« der Wandmalerei Aufmerksamkeit. In neuerer Zeit wurden in größerem Umfang auch die Reste der in virtuosen Kombinationen angewandten Stukkaturen, Wandmosaiken (→ Stuck; → Mosaik) und Marmorinkrustationen dokumentiert. Die → Wandmalerei des sog. vierten Stils, deren Entstehung früher noch auf die *d. a.* allein zurückgeführt wurde, gewann in diesem großen Projekt immerhin eine grandiose Form. Ihre verspielte, hochverdichtete Detailfreude bildet eine Art Komplement zu den Raumformen.

Die umgebende Landschaft ist nicht nur als Blickziel eingesetzt worden (Tac. ann. 15,42 erwähnt die *arva et stagna et in modum solitudinum hinc silvae, inde aperta spatia et prospectus*), sondern war Gegenstand demonstrativer Umgestaltung. Neuere Grabungen haben gezeigt, daß die südl. Ausläufer der Velia und die nördl. des Palatin zugunsten des *vestibulum* abgetragen wurden und der Nordwestabhang des Palatin, dem Forum Romanum zugewandt, eine große Substruktion zur Anlage eines Terrassengartens erhielt.

Tradition und Neuerung sind Voraussetzungen eines bislang noch kaum möglichen Gesamtverständnisses. Schon der direkte Vorgänger, die → *domus transitoria*, erstreckte sich vom Palatin bis zum Esquilin. Davor und auch zeitgleich damit gab es weitere, immer größer angelegte *domus*, die den Palatin und die an das Forum Romanum angrenzenden Gebiete besetzten. Eigentliche Vorgänger sind jedoch die stadtröm. *horti* sowie vor allem hell. Herrscherresidenzen mit ihrer Inkorporierung öffentlichen Raumes, der dort allerdings, anders als in der *d.a.*, seine öffentlichen Funktionen behielt (→ Palast).

Mit der Herauslösung aller Aspekte aus dem Bezug einer polit. Öffentlichkeit und ihrer Überführung in eine umfassendere, rein auf den Kaiser bezogene Sicht der Welt erfuhren die Traditionen hier einen tiefgreifenden Umdeutungsversuch. Nicht nur, daß die ausgesucht kunstvollen Architekturformen noch eine Steigerung durch ihre Ausstattung mit alles in den Schatten stellendem Materialluxus fanden – aufsehenerregend waren vor allem die technischen »Simulationen« der berühmt-berüchtigten (Sen. epist. 90) *magistri et machinatores* Severus und Celer (Tac. ann. 15, 42), die von Blumenregen über kleinformatige Modell-Städte am Ufer des *stagnum* zu Thermen mit eigenen Meer- und Süßwasseraquädukten (zum Palatin und zum Caelius) reichten und im sich drehenden »Himmelsgewölbe« über einem runden Speisesaal auf dem Oppius kulminierten (Suet. Nero 31). In diesem System muß auch dem Colossus Neronis sein semantischer Ort zugedacht gewesen sein. Aspekte der Welt wurden hier verdichtet und in einer Art dauernder Inszenierung für den »Benutzer« Nero verfügbar gemacht. Auch darin liegt eine Tradition röm. Villenkultur, in der sich Mensch und Natur allerdings eher als allg. Größen gegenüberstehen. In der *d.a.* soll nicht die Natur, sondern die irdische wie die kosmische Welt als Ganze erscheinen und nunmehr auf einen einzigen Menschen bezogen sein. Auf diesem Weg der Neuausrichtung traditioneller Denkweisen wird verständlich, daß Nero hier schließlich meinte, ›wie ein Mensch‹ wohnen (Suet. Nero 31) zu können: zwischen ländlicher Einsamkeit mit seltener Haus- und Wildtierfauna, den »letzten technischen Errungenschaften« sowie den zusammengetragenen Kunstwerken und

den berühmten Malereien des Fabullus (Plin. nat. 35,120). Ein ähnlich komplexes Ensemble wird erst wieder in der *villa Hadriana* erreicht.

Wie brisant die Okkupation öffentlich-städtischen Raumes in den Augen der Zeitgenossen (Mart. epigr. 2; Suet. Nero 39) war, zeigt die Behandlung der *d.a.* nach Neros Tod. Im Bereich des *stagnum* wurde das Kolosseum angelegt. Das *vestibulum* öffnete man zunächst als Durchgangsplatz, um die Verbindung zwischen der Velia und dem Tal des Kolosseums herzustellen; unter Hadrian trat der Tempel der Venus und der Roma an seine Stelle. Die in der *d.a.* aufgestellten Kunstwerke gab Vespasian der Öffentlichkeit zurück und ließ sie im *templum pacis* aufstellen (Plin. nat. 34,84). Auf dem Palatin ließ Domitian nach dem Brand von 80 n. Chr. mit der Errichtung der *domus Flavia* (→ Palatinus Mons) beginnen und beseitigte damit die Reste der *d.a.*, die aber für die Plangestaltung teilweise maßgeblich blieben. Der Oppius, auf dem einige der wichtigsten Bauten lagen, erhielt seine neue öffentliche Nutzung durch die Thermen des Titus sowie später durch die Thermen Trajans, die den Trakt in ihren Substruktionen regelrecht begruben.

M. BERGMANN, Der Koloß Neros, die D.A. und der Mentalitätswandel im Rom der frühen Kaiserzeit. Trierer Winckelmann-Programm 13, 1993 • A. CASSATELLA u. a., in: LTUR 3, 1995, 49–64 • RICHARDSON, 119–121 (Lit.).
R.F.

Domus Laterani. In den Schriftquellen ist für die neronische Zeit in Rom eine *aedes Lateranorum* (Iuv. 10,15,18; zur Lokalisierung in der Nähe der Lateransbasilika später: Hier. epist. 77,4) des designierten Consuls für das Jahr 65, Plautius Lateranus, erwähnt. Eine *aedes Laterani* (Ps.-Aur. Vict. epit. 20,6) severischer Zeit entstand aus der Schenkung der *aedes Parthorum* durch Septimius Severus an seinen hohen Militärbefehlshaber T. Sextius Lateranus (PIR[1] S 469). Drei Wasserleitungen (CIL XV 7536) mit den Namen des Sextius Lateranus und seines Bruders Sextius Torquatus (PIR[1] S 478), die 1595 in der Nähe der Lateransbasilika gefunden wurden, ergeben nur eine ungefähre Lokalisierung. Ob es sich um dasselbe Gebäude wie in neronischer Zeit handelte, ist genauso unklar wie die Identifikation mit erh. Bauresten. In Frage kämen dafür zwei *domus*, die noch unter den von der Lateransbasilika überbauten *castra equitum singularium* liegen, aber in den erh. Bautechniken nachneronisch sind, sowie ein Haus mit trapezoidalem Grundriß hinter der Apsis der Lateransbasilika, das aber eindeutig später ist. Die *aedes Parthorum* hat jedoch schon vor diesem Lager existiert.

P. LIVERANI, in: LTUR 3, 1995, 127 • RICHARDSON, 129–130.
R.F.

Domus Tiberiana s. Mons Palatinus

Domus transitoria. In der Regierungszeit vor dem großen Brand von 64 v. Chr., dem die Anlage der → *domus aurea* folgte, schloß Nero die *horti Maecenatis* auf dem Esquilin (→ Esquiliae) mit den Residenzbauten auf dem Palatin (→ Mons Palatinus) zusammen (Suet. Nero 31; Tac. ann. 15,39). Erh. haben sich davon ein Bauzustand der *domus Tiberiana*, Mauerzüge am vertieften Peristyl, unter der *aula regia* und der *cenatio Iovis* des späteren Flavier-Palastes. Ein aufwendiger Gewölbesaal in der Terrassierung des hadrianischen Tempels für Venus und Roma an der Velia ist in seiner Zugehörigkeit umstritten. Ein qualitativ herausragendes Zeugnis für die Ausstattungsqualität sind die »Bagni di Livia«: ein schon vor der Überbauung durch die *cenatio Iovis* vertieft gelegener, nur über Treppen zu erreichender, aber möglicherweise hypäthraler Komplex, auf den sich im Osten und Westen nahezu symmetrische, von je einem kleinen Raumpaar flankierte Ruheräume mit kleinen getreppten Rückwandnischen öffneten. An der Südseite befand sich auf einem Pflaster aus größeren Steinen eine Säulenstellung, die als Pavillion über einem *triclinium* gedeutet wurde. Die Nordseite des Hofes nimmt eine Nymphäumsarchitektur in der Art einer *scenae frons* ein, die sich über einem flachen Wasserbecken erhebt. Die Säulen aus Porphyr und Serpentin besitzen korinthische Kapitelle aus vergoldeter Bronze. Darüber folgt eine großflächige Nischenarchitektur mit flachen Pilastern.

Ob die Auflassung des Komplexes mit dem Brand von 64 in Verbindung steht, kann nur vermutet werden. Dafür spräche, daß die eine Hälfte der Anlage von einem Rundbau zerstört wurde, der ebenfalls noch neronisch datiert wird, daher zur *domus aurea* gehört haben könnte und seinerseits von der *cenatio Iovis* zerstört worden ist. Spätere Zeugnisse wie ein Wasserrohr mit dem Stempel Vespasians und ein vespasianischer Ziegelstempel (CIL XV 664 c) sind lediglich *termini ante quem*. Die Art der Isolierung zwischen den Gewölben der Ruheräume und dem darüberliegenden Bodenniveau der Anlage ähnelt der des Gartens der frühen Phase II der → *domus Tiberiana* (→ Mons Palatinus), was ebenfalls für eine Zuschreibung an die *domus aurea* spräche. Reste der bei der Auffindung 1721 abgenommenen Malereien des Deckengewölbes mit Darstellungen u. a. einer Amazonomachie und eines dionysischen Thiasos befinden sich in den Magazinen des Nationalmuseums in Neapel; die Säulen aus dem Hof sind nicht mehr auffindbar.

RICHARDSON, 138–139 • M. DE VOS, in: LTUR 3, 1995, 199–202 (Lit.).   R. F.

Dona militaria. Besonders verdienten Soldaten und Offizieren des röm. Heeres wurden Ehrenzeichen verliehen (→ Auszeichnungen, militärische), wobei der Dienstgrad der Empfänger eine wichtige Rolle spielte. Die Praxis der Verleihung solcher Ehrenzeichen veränderte sich im Verlauf der Republik und der Prinzipatszeit. Von der älteren Überlieferung wurde zwar über die Verleihung von Ehrenzeichen in der Zeit der frühen Republik berichtet (Plin. nat. 22,6–13), aber die ersten glaubwürdigen Hinweise finden sich bei Polybios (6,39). Ehrenzeichen sind lit. noch für das 4. Jh. n. Chr. (vgl. Amm. 24,4,24; 24,6,15) und für die byz. Zeit belegt; die epigraphischen Zeugnisse reichen allerdings nur vom Ende der Republik bis zum Beginn des 3. Jh. n. Chr. In der Zeit der Republik wurden *d. m.* von den Befehlshabern der Legionen im Namen des Senates und des röm. Volkes, in der Prinzipatszeit im Namen des *princeps* verliehen. Neben einzelnen Soldaten und Offizieren konnten auch Einheiten wie *alae* (→ *ala* [2]) oder → *cohortes* ausgezeichnet werden; sie wurden auf Inschr. dann *torquatae* oder *armillatae* genannt. Auf die Auszeichnungen einzelner Soldaten oder Offiziere hat man auf verschiedene Weise hingewiesen, so etwa durch die Formel *donis donatus*, abgekürzt *don. don.* (ILS 2710), durch die Nennung der verliehenen Ehrenzeichen oder aber durch die Verbindung der genannten Formel mit einer Aufzählung der Auszeichnungen. Auf Grabreliefs finden sich häufig bildliche Darstellungen der *d. m.* Die Ehrenzeichen wurden bei offiziellen Anlässen getragen, wodurch der Eindruck, den die Einheiten auf die Öffentlichkeit hervorriefen, noch gesteigert wurde (Tac. hist. 2,89,2).

Welche und wie viele Ehrenzeichen einem Soldaten oder Offizier verliehen wurden, richtete sich nach dem Dienstgrad des Empfängers. Vier Möglichkeiten sind hier klar zu unterscheiden:

1. Die einfachen Soldaten (*milites*), die von den *munera* befreiten Soldaten (*immunes*) und die Soldaten, denen ein höherer Sold ausgezahlt wurde (*principales*), erhielten mindestens *torques* und *armilla*, normalerweise aber die Trias *torques*, *armilla* und *phalerae* (*dona minora*); sie konnten darauf hoffen, darüber hinaus auch mit der *corona civica* oder der *corona aurea* (CIL IXV 3472 = ILS 2637, CIL V 4902) ausgezeichnet zu werden. Die *evocati* (Soldaten, die über die normale Dienstzeit hinaus Militärdienst leisteten) erhielten mit sehr wenigen Ausnahmen (etwa CIL XIII 1041 = ILS 2531) vier Formen von Auszeichnungen, nämlich wie die anderen Soldaten *torques*, *armilla* und *phalerae*, sowie außerdem eine *corona aurea* (CIL XI 2112).

2. Bei der Verleihung von Auszeichnungen an Centurionen sind bis zur Zeit der Flavier gewisse Schwankungen festzustellen. Die Flavier schufen ein neues System, das die Rangunterschiede unter den Centurionen berücksichtigte: Ein Centurio der → *auxilia* konnte die übliche Trias *torques*, *armilla* und *phalerae* erhalten, wobei aufgrund der Quellenlage unklar bleibt, ob den noch andere Ehrenzeichen hinzugefügt werden konnten. Der Centurio, der eine der *cohortes* II–X einer Legion befehligte, wurde ebenso wie ein Centurio der Praetorianer mit den drei *dona minora* und zusätzlich einer *corona* ausgezeichnet (CIL III 14387i = ILS 9198). Die Centurionen der ersten *cohors* oder aber der zuerst aufgestellten *cohortes* der Praetorianer empfingen eine *corona* und eine *hasta pura* (CIL XI 1602).

3. Wie zahlreiche Inschr. zeigen, erhielten die Offiziere aus dem *ordo equester* oder *ordo senatorius coronae*,

hastae purae und *vexilla* als Auszeichnungen; das genau abgestufte System von Regeln für die Verleihung von Ehrenzeichen an die Offiziere wurde ebenfalls von den Flaviern eingeführt, aber es ist einzuräumen, daß jeder *princeps* dabei eigenen Regeln folgte, die mehr oder weniger großzügig oder restriktiv waren. Die Offiziere aus dem *ordo equester* wurden ebenso wie die aus dem Senatorenstand nicht für bes. Taten oder Leistungen, sondern allein für ihre Teilnahme an einem Krieg ausgezeichnet, und zwar auch dann, wenn sie an den Kampfhandlungen selbst nicht beteiligt gewesen waren. Unterdessen gab es für jeden Dienstgrad zwei Stufen, so daß zwei Offiziere desselben Dienstgrades nicht unbedingt dieselbe Zahl an Ehrenzeichen erhielten; auf diese Weise war es möglich, besondere Verdienste zu belohnen. Wie MAXFIELD [2] zeigte, konnte ein Offizier aus dem *ordo equester* erwarten, mit einer *corona*, einer *hasta pura* und einem *vexillum* ausgezeichnet zu werden.

4. Für die Angehörigen des *ordo senatorius* galten dieselben Regeln: Die Anzahl der *d.m.* richtete sich nach dem Rang der Empfänger und veränderte sich überdies während der Prinzipatszeit, wobei eine Reorganisation unter den Flaviern festzustellen ist. Für die Zeit zwischen Vespasianus und Commodus gibt es zahlreiche epigraphische Belege für *d.m.*, so daß die Regeln für ihre Verleihung an Senatoren gut rekonstruiert werden können.

Dona militaria für Offiziere aus dem *ordo senatorius* (c: *corona*; h: *hasta pura*; v: *vexillum*):

1. In der julisch-claudischen Zeit (nach [2])

Ehemaliger Tribun	2c–2h–2v
Ehemaliger Praetor	3c–3h–3v
Ehemaliger Consul	4c–4v

2. Von Vespasianus bis zu Commodus

Ehemaliger Tribun	Minimum	2c–1h–1v
		2c–2h–1v
	Maximum	2c–2h–2v
Ehemaliger Praetor	Minimum	3c–2h–2v
		3c–3h–2v
	Maximum	3c–3h–3v
Ehemaliger Consul	Minimum	4c–3h–3v
		4c–4h–3v
	Maximum	4c–4h–4v

Nach dem Beginn des 3. Jh. n. Chr. erwähnen die Inschriften keine *d.m.* mehr. Die nahezu selbstverständliche Verleihung von Ehrenzeichen ließ das Interesse an ihnen schwinden; während der Krise des 3. Jh. n. Chr. ging allerdings auch die Zahl der Inschriften stark zurück.

1 J. FITZ, Auszeichnungen der Praefekten der *alae milliariae*, in: Klio 52, 1970, 99–106 2 V. MAXFIELD, The Military Decorations of the Roman Army, 1981 3 T. NAGY, Les d.m. de M. Macrinius Avitus Catonius Vindex, in: Homm. M. Renard, Coll. Latomus 102, 2, 1969, 536–546 4 P. STEINER, Die d.m., 1905.   Y. L. B./Ü: C. P.

Donatio. Die unentgeltliche Zuwendung eines Vermögensvorteils (z. B. durch Übertragung von Eigentum an einer Sache, durch Abtretung einer Forderung oder durch den Erlaß einer Schuld des Beschenkten). Wird eine Sache mit Schenkungswillen (*animus donandi*) dem Beschenkten übergeben, so stellt die *d.* eine *iusta causa* für den Eigentumserwerb durch → *traditio* oder Ersitzung (→ *usucapio*) dar. Ein bloßes Schenkungsversprechen ist nach röm. Recht nur in Form einer → *stipulatio* verpflichtend.

Die *lex Cincia de donis et muneribus* (ein → *plebiscitum* von 204 v. Chr.) verbietet die Annahme von Schenkungen über einem bestimmten (nicht überlieferten) Wert. Ausgenommen sind Schenkungen unter *personae exceptae* (vor allem nahen Verwandten). Der Zweck dieses Verbotes war vermutlich Luxusbekämpfung, vielleicht auch der Schutz sozial Schwächerer gegen erpreßte Zuwendungen. Eine entgegen der *lex Cincia* vollzogene Schenkung war wirksam, einer Klage auf Erfüllung eines gegen die *lex* verstoßenden Versprechens kann der Schenker (freilich nicht sein Erbe) aber eine → *exceptio* (*legis Cinciae*) entgegenstellen.

Seit alters her dürfte eine *d. inter virum et uxorem* (Ehegattenschenkung) verboten gewesen sein. Das Verbot wird von Juristen in der Zeit des Augustus auf die *mores maiorum* zurückgeführt. Als Begründung geben sie an, daß die wechselseitige Zuneigung der Gatten nicht durch unmäßige Geschenke beeinträchtigt werden soll (vgl. Dig. 24,1,1). Dahinter steht wohl das Ziel, das Vermögen in der Familie des jeweiligen Ehepartners zu halten. Diese *d.* ist nach *ius civile* absolut nichtig. Erst in der Severerzeit wird mit dem Tod des Schenkers eine (nicht widerrufene) Schenkung gültig (Dig. 24,1,32 pr.).

Nicht unter das Schenkungsverbot fällt eine vor Eingehen der → Ehe im Hinblick auf diese vorgenommene Schenkung. Nach klass. Recht können solche Geschenke im Wege der → *condictio* zurückgefordert werden, wenn die Ehe nicht zustandekommt. Constantin macht die Rückforderung im Zuge seiner rechtlichen Aufwertung des Verlöbnisses davon abhängig, daß den Kondizierenden kein Verschulden am Verlöbnisbruch trifft (Cod. Theod. 3,5,2 = Cod. Iust. 5,3,15). In der Spätant. bildet sich die *d. ante nuptias* als eigenes ehegüterrechtliches Institut heraus. Dabei handelt es sich um eine Zuwendung des Mannes an die Frau, welche – wie die von Frauenseite zu bestellende → *dos* – der Versorgung der Frau bzw. der ehelichen Kinder nach Beendigung der Ehe dienen soll. Häufig verlangt das Kaiserrecht eine bestimmte Wertrelation dieser *d.* zur *dos*. Unter Justinian kann sie auch während der Ehe erfolgen (*d. propter nuptias*).

Eine *d. mortis causa* ist eine *d.*, die nur für den Fall, daß der Beschenkte den Schenker überlebt, wirksam sein soll. Der wichtigste Anwendungsfall ist eine *d.*, die der Schenker angesichts seines Todes vornimmt. Überlebt er unerwarteterweise doch den Beschenkten, so kann er die Leistung zurückfordern (Dig. 12,1,19 pr.). *D. mortis causa* ist auch ein Schenkungsversprechen, das durch den

Tod des Schenkers aufschiebend bedingt ist. Die Normen, welche ein → *legatum* beschränken, sind auch auf die *d. mortis causa* anzuwenden.

→ Causa; Condicio; Condictio; Matrimonium

KASER, RPR I, 331 f., 601–604, 763–65, II, 394–400 • R. ZIMMERMANN, The Law of Obligations, 1990, 477–507 • H. SCHLEI, Schenkungen unter Ehegatten, 1993, 4–85.

F. ME.

Donatisten s. Donatus [1]

Donativum. Ein *d.* ist eine einmalige, in Geld ausbezahlte Sonderzuwendung an Soldaten durch die röm. *principes.* Die Praxis des *d.* setzt die Verfügungsgewalt über Heer und öffentliche Finanzen sowie ein institutionalisiertes Nahverhältnis zwischen Feldherrn und Heer voraus und ist deshalb eine typische Erscheinung der Kaiserzeit. Sie führt unter veränderten Vorzeichen Praktiken der späten Republik fort, bei denen sich Beuteverteilung mit den Motiven der Belohnung für Treue im Bürgerkrieg, der Veteranenversorgung und der Sicherung einer Anhängerschaft mischen konnte (Suet. Iul. 38). Ein *d.* wurde in der Regel nicht anläßlich von Siegen oder Triumphen, sondern typischerweise zu Anlässen gewährt, die mit der Sicherung der Dynastie oder der Herrschaft zu tun hatten, so etwa in den Testamenten der ersten beiden *principes* Augustus und Tiberius, bei familiären Anlässen wie der Bekleidung des jungen Nero mit der *toga virilis* unter Claudius, der Adoption des Aelius Caesar (Hadrian), der Hochzeit der jüngeren Faustina (Antoninus Pius), sowie bei der Niederschlagung von realen oder auch vorgeblichen Verschwörungen, etwa bei den Ereignissen um Seianus (Tiberius), Lepidus (Caligula), Agrippina d.J., Piso (Nero) und Geta (Caracalla), oder anläßlich eines Regierungsantritts.

Die *donativa* stellten seit Beginn des Prinzipats einen entscheidenden Faktor bei Herrscherwechseln dar. Sie boten sich gerade in prekären Situationen als ein effektives Mittel an, um die Gunst bestimmter Einheiten, besonders der Praetorianer, aber auch anderer Heeresteile (so 68/9 n. Chr.) zu sichern oder zu gewinnen. Im Extremfall konnte es zu einer Versteigerung der Kaiserwürde (beim Herrscherwechsel von Pertinax zu Didius Iulianus i. J. 193; Cass. Dio 74,11) kommen. Wie der Fall des Galba zeigt, wirkte ein versprochenes, aber nicht ausbezahltes *d.* unter Umständen verhängnisvoll (Suet. Galba 16,2). Die *d.* hatten die Tendenz zu steigen und betrugen das mehrfache eines *stipendium* (Jahressold). Bei den schnellen Kaiserwechseln des 3. Jh. kamen die Legionen (wohl ohne die *auxilia*) häufiger in den Genuß eines *d.*; teilweise wurden in dieser Zeit exorbitant hohe *d.* ausbezahlt, die wiederum von einem mehrmals erhöhten *stipendium* ausgingen. Unter Diocletian wurden aus den *d.* reguläre Zahlungen anläßlich der jährlichen Feiertage für die Herrscher und von Regierungsjubiläen (zusätzlich zum *stipendium*). Diese Praxis dauerte in der Spätant. an, und wurde auch von einigen germanischen Königreichen übernommen. Die Höhe des Anteils an einem *d.* richtete sich offensichtlich zu allen Zeiten nach der Dienststellung des Empfängers.

→ Congiarium; Largitio; Liberalitas; Praetoriae cohortes; Sold

1 JONES, LRE, 623–624 2 LE BOHEC 3 G. R. WATSON, The Roman Soldier, 1969, 108–114.

P. W./Ü: A. BE.

Donatus

[1] D. von Karthago, Donatisten.

A. DEFINITION B. GESCHICHTE C. BEURTEILUNG

A. DEFINITION

Donatismus ist die polemisch abwertende Bezeichnung für eine ethisch radikale, an traditionelle Elemente der afrikanischen Kirche anknüpfende christl. Bewegung im röm. Nordafrika im 4.–7. Jh. n. Chr. Sie führte in den Auseinandersetzungen über die Konsequenzen aus der diokletianischen Christenverfolgung, d. h. um die Frage, wie mit Laien und Klerikern zu verfahren sei, die den staatlichen Behörden nachgegeben hatten und in irgendeiner Weise zu *lapsi* (»Abgefallenen«) geworden waren, z. B. Heilige Schriften ausgeliefert hatten (*traditores*), zu einer Spaltung der afrikanischen Kirche: Es bildete sich eine eigene donatistische Kirche, welche von den übrigen Kirchen als schismatisch angesehen und deshalb polemisch mit dem Namen ihres langjährigen führenden Bischofs, D. von Karthago, bezeichnet wurde.

B. GESCHICHTE

Die in Afrika kurze (303–305) diokletianische Verfolgung hatte viele Opfer gefordert. Aufgrund der staatlichen Zwangsmaßnahmen hatten auch Kleriker hl. Bücher ausgeliefert (z. T. »häretische« Schriften, aber auch das galt wegen Vermeidung des Martyriums als Abfall vom Glauben). Offensichtlich liefen auch viele falsche Anschuldigungen um. Schon seit 305 kam es zu scharfen innerkirchlichen Auseinandersetzungen über den Umgang mit solchen *traditores*. Traditionell war die afrikanische Kirche in Fragen der Kirchenzucht radikal: Abgefallene konnten nicht mehr Glieder der Kirche oder gar des Klerus sein, denn die Kirche war die Gemeinschaft der Sündlosen. Bischof Mensurius von Karthago und sein Diakon Caecilianus waren in Verdacht geraten, verhaftete Christen nicht genug unterstützt zu haben (wohl um Provokationen der Behörden zu verhindern). Als nach dem Tod des Mensurius (309/311) Caecilianus zum Nachfolger geweiht wurde, entstand gegen den neuen karthagischen Bischof eine Opposition vor allem numidischer Bischöfe. Die Gültigkeit seiner Weihe wurde bestritten, da sich ein *traditor* daran beteiligt hätte. 312 setzte eine vom numidischen Primas nach Karthago einberufene Synode von 70 Bischöfen Caecilianus ab und weihte an seiner Stelle einen Maiorinus († 313). Die Absetzung des Caecilianus wurde außerhalb Afrikas nicht anerkannt und führte zur Spaltung der Kirche in Afrika selbst. Diese Situation fand → Constantinus [1] 312 vor. Gegen seine selbstverständliche Anerkennung

Caecilianus', dessen Klerus von den *munera* befreit wurde und der die Wiedergutmachungszahlungen des Kaisers für die Schäden der Verfolgung erhalten sollte, appellierte die Gruppe um Maiorinus mit dem Anspruch, allein die katholische Kirche Afrikas zu sein, an den Kaiser und forderten eine Unt. ihrer Vorwürfe gegen Caecilianus.

Inzwischen war Donatus als Nachfolger des Maiorinus Bischof von Karthago [s. 292–303] geworden. Bis zu seinem Tod 355 im Exil war er die prägende Gestalt der Donatisten. Sein Bischofsamt sah er ganz in der Tradition des Cyprianus und wurde später als Märtyrer verehrt. Schriften sind nicht überliefert; Hieronymus kennt einen *Liber de spiritu sancto*.

Constantinus beauftragte Miltiades von Rom und drei gallische Bischöfe mit der von den D. geforderten Unt. Die Bischöfe tagten als kaiserliches Gericht in der traditionellen Form einer Synode. Hier entstand als neue staatlich-kirchliche Institution die vom Kaiser einberufene Reichssynode [2]. Nach röm./abendländischer kirchlicher Tradition wurde Caecilianus' Weihe als gültig angesehen und D. verurteilt. Als seine Anhänger das Urteil nicht akzeptierten und erneut an den Kaiser appellierten, berief er 314 eine Synode nach Arles, die das Urteil von Rom bestätigte. Gegen neuen Protest der D. ging Constantinus 316/17 zunächst mit staatlichen Mitteln vor, gab jedoch dem massiven Widerstand im J. 321 nach. Im Widerspruch zu seiner Einheitsideologie bestanden in Afrika zwei Kirchen nebeneinander, wobei die donatistische wahrscheinlich die größere war. Wohl 336 konnte Donatus in Karthago eine von 270 donatistischen Bischöfen besuchte Synode abhalten. Weithin unklar in ihrem Verhältnis zu den D. sind die in dieser Zeit vermehrt auftretenden → Circumcelliones.

Nach dem Tod des Caecilianus (346) forderte Donatus von Kaiser Constans die Anerkennung der D. als alleinige katholische Kirche Afrikas. Dieser reagierte ab 347 mit massiven Verfolgungen, die Constantius fortsetzte und welche viele Opfer forderte und eigene donatistische Märtyrerkulte und Märtyrer-Lit. hervorbrachte. Donatus mußte 347 ins Exil († 355). Unter Kaiser → Iulianus kehrten die Verbannten im Triumph zurück. Während des Episkopats von Donatus' Nachfolger → Parmenianus († 392/393) erlebten die D. ihre eigentliche Blütezeit; sie waren die Kirche Afrikas (in ungleicher geogr. Verteilung [1]); auch in Italien (Rom), Gallien und Spanien gab es donatistische Gruppen, z. T. mit eigenen Bischöfen. Unklar sind Verbindungen zu den spanischen Priszillianern. Ein donatistisches Schisma nach dem Tod Parmenians schwächte ihre Position; die Unterstützung der Usurpation → Gildos 397/398 führte zu neuen staatlichen Maßnahmen. Seit 403 galten die Häretikergesetze auch für die Donatisten (Cod. Theod. 16,5,37–43; 6,3–5). Nach dem antidonatistischen Werk des Optatus von Mileve begann mit Aurelius von Karthago und → Augustinus die eigentliche theologische Diskussion mit den D. (vor allen mit Petilianus von Cirta). 411 fand in Karthago unter staatlicher Leitung eine große Debatte von mehr als 500 donatistischen und katholischen Bischöfen statt (auf katholischer Seite v. a. Aurelius und Augustinus), bei der das Schicksal der D. eigentlich bereits besiegelt war. Ein prokatholisches Einheitsedikt des Honorius (Cod. Theod. 16,5,52) verbot die Donatisten; die Folge waren Massenübertritte zum Katholizismus. Reste der D. behaupteten sich trotz massiver Verfolgungen unter vandalischer und byz. Herrschaft bis zur arabischen Invasion.

C. BEURTEILUNG

Ein theologisches Profil ist nicht leicht zu bestimmen. Die Kirche konnte nur eine reine ohne Sünder sein. Daraus folgte, daß auch die Gültigkeit der Sakramente von der Reinheit des Spenders abhängig war – hierauf gründet sich die von D. geübte, in Afrika traditionelle, in der Kirche sonst abgelehnte Wiedertaufe. Mit dieser Theologie standen die D. in der Tradition des → Cyprianus. Deutlich ist, daß afrikanische Donatisten und Katholiken im Grunde dieselben Voraussetzungen in ihrer Auffassung von der Kirche teilten, im aktuellen Fall jeweils nur verschieden gewichteten [7]. In beiden Kirchen spielte der Märtyrer- und Reliquienkult eine hervorragende Rolle (bis hin zu Suizidmartyrien bei den Donatisten). Die häufig betonte radikale Ablehnung des neuen Bündnisses zw. Staat und Kirche [1] scheint dagegen weniger grundsätzlich, als vielmehr durch die Parteinahme der Kaiser für die Katholiken bestimmt gewesen zu sein. Der auch auf Augustinus wirkende wichtigste donatistische Theologe Tyconius ist in seinem theologischem Profil im Spektrum des Doantismus schwer einzuschätzen. Weil die theologischen Unterschiede zur Erklärung der Spaltung zu unspezifisch scheinen, hat bes. die angelsächsische Forsch. [1] den D. in erster Linie als anti-röm. motivierte soziale Bewegung v. a. von den Circumcelliones her gedeutet, die aber nicht Interpretationsmaßstab sein können. Die eindeutig rel. Motivierung des Donatismus hat sich wohl später angesichts der großen sozialen Probleme in den Prov. des spätant. Imperium mit einer sozialen verbunden.

1 W. H. C. Frend, The Donatist Church, ³1983
2 K. M. Girardet, Kaisergericht und Bischofsgericht, 1975
3 E. L. Grasmück, Coercitio. Staat und Kirche im Donatistenstreit, 1964   4 C. Lepelley, Les cités de l' Afrique romaine au Bas-Empire I/II, 1979/1981   5 A. Mandouze, Prosopographie chrétienne du Bas-Empire I, 1982
6 P. Monceaux, Histoire littéraire de l' Afrique chrétienne depuis les origines jusqu'à l'invasion arabe I–VII, 1901–1923 (1966)   7 A. Schindler, s. v. Afrika I, TRE 1, 640–700.

S. LANCEL (Hrsg.), Acta Concilii Carthaginense, SC 194/195/224/373, 1972–1991 · AUGUSTINUS, Traités anti-donatistes I–V, BAug 28–32, 1963–1968 · J.-L. MAIER, Le dossier du donatisme I/II, TU 134/135, 1987/1989 · OPTAT DE MILÈVE, Traité contre les donatistes I/II, SC 412/413, 1995/1996.   H. BR.

[2] 408 n.Chr. als *procos. Africae* bezeugt. Augustinus (epist. 100) bittet ihn um ein konsequentes, aber unblutiges Vorgehen gegen die Donatisten (→ D. [1]). Ein weiterer Brief von Augustin an D. ist epist. 112. PLRE 2, 375 f.

> Prosopographie de l'Afrique chrétienne (303–533) 1, 1982, 309 f.   H.L.

[3] Aelius D. Lat. Grammatiker, vielleicht um 310 in Afrika geboren, Lehrer des → Hieronymus in Rom. Er verfaßte eine *Ars grammatica* (Ed.: [1; 4]) und kommentierte Vergil und Terenz. Der nach den Regeln der Kunst abgefaßten *Ars* geht ein Einleitungsteil in Dialogform voraus. Er ist den Redeteilen gewidmet, die in knapper Form vorgestellt werden. Das Werk ist eine Synthese all dessen, was Grammatiker bis dahin hervorgebracht hatten und wurde einer der grundlegenden Texte für den Grammatikunterricht. Es wurde bald von → Servius kommentiert und fand seine Verbreitung in der gesamten lat. Welt. Zwischen Spätant. und MA nahm man in der hsl. Überlieferung eine Teilung vor, und zwar zwischen der *Ars minor*, dem Einleitungsteil, der als Elementargrammatik verwendet wurde, und der *Ars maior*. Letztere war im gesamten MA sehr berühmt und wurde in ihrer Gesamtheit von Ercambertus von Freising und Remigius von Auxerre kommentiert und fortgeführt, in Teilen auch von Murethach, Sedulius Scotus, Smaragdus, → Paulus Diaconus, Pietro da Pisa und anderen (umfassend dazu [4]).

Der Komm. zu den Werken Vergils, dessen Originalfassung verloren ist, ist eines der wichtigsten exegetischen Werke der Spätant. Er wird jedoch häufig von dem handlicheren Komm. des → Servius ersetzt. Vom Original des D. bleiben uns der Widmungsbrief, die Vita Vergils (Ed.: [2. 1–11]) und zwei Einleitungen [2. 11–19]. Reste des Komm. von D. finden sich höchstwahrscheinlich in den Zusätzen des sog. → Servius auctus/Danielis. Außer Servius beziehen sich auch → Macrobius, → Isidorus und zahlreiche Glossare auf D.' Komm. Dem Komm. zu Terenz (Ed.: [3]) geht eine Vita voraus, die → Suetonius entnommen ist, sowie eine Einleitung zur Gattung der Komödie. Verloren ist dagegen der Komm. zum *Heauton Timorumenos*. Auf D.' Text beziehen sich → Eugraphius und die → Scholia Bembina, aber auch Priscianus und Isidor. Mit Sicherheit konnten diese eine Fassung verwenden, die vollständiger war als die uns vorliegende (Kürzungen und Interpolationen). Im MA ist D. dem Lupus von Ferrières und Hugo Primas bekannt. Wahrscheinlich hat D. auch *De structuris* verfaßt, eine verlorene Abhandlung über metrische Klauseln.

> ED.: **1** GL 4,355–402 **2** J. BRUMMER, 1912 (Ndr. 1969) **3** P. WESSNER, 1902–5.
> LIT.: **4** L. HOLTZ, D. et la tradition de l'enseignement grammatical, 1981, 585–674 **5** P. L. SCHMIDT, HLL § 527.
>   P. G./Ü: G. F. –S.

[4] Ti. Claudius D. verfaßte einen umfangreichen, fast vollständig erh. Komm. zu Vergils *Aeneis*, die *Interpretationes Vergilianae*, wohl um 400 n.Chr. Er bestimmte die *Aeneis* als rhet. Paradestück [2. 91–102] des *genus laudativum*, als Lobrede zum Preis des Augustus (p. 2,7–25 G.), und interpretierte den Literalsinn unter Verzicht auf → Allegorese, weswegen sein Einfluß im MA gering war. Der Komm. ist erst ansatzweise als Quelle für die lit.-kritischen und moralischen Maßstäbe der Spätant. [2. 103–119; 3] ausgeschöpft.

> ED.: **1** H. GEORGII, 2 Bde., 1905/6.
> LIT.: **2** M. SQUILLANTE SACCONE, Le Interpretationes Vergilianae di T. C. D., 1985 **3** R. J. STARR, Explaining Dido to your son, in: CJ 87, 1991, 25–34.   K. P.

Dontas. Bildhauer aus Sparta, als angeblicher Schüler von → Dipoinos und Skyllis um die Mitte des 6. Jh. v. Chr. tätig. Im Schatzhaus der Megarer in Olympia befand sich von ihm ein in Gold gefaßtes Holzrelief mit Herakles und Götterfiguren, laut Pausanias deutlich älter als das Gebäude des späten 6. Jh. Die Bauplastik des Schatzhauses ist daher nicht D. zuzuschreiben.

> FUCHS/FLOREN, 215 · OVERBECK, Nr. 330–331 (Quellen).   R. N.

Doppelpunkt s. Lesezeichen

Dora (hebr. *dō'r*). Hafenstadt, wird mit Ḥirbat al-Burǧ bei dem Dorf aṭ-Ṭanṭūra 15 km nördl. von Caesarea (Eus. Onom. 9,78; 16,136) und 21 km südl. von Haifa identifiziert. Durch Ausgrabungen 1980–1991 konnte eine Besiedelung seit Beginn von Mittelbrz. IIA nachgewiesen werden. Lit. ist D. in Städtelisten des Ramses II. (Bereich der *via maris* zw. Saron und Akko) bezeugt. Im Reisebericht des Wen Amun (um 1100 v. Chr.) erscheint D. dagegen in der Hand der *Tkl*, die zu den Seevölkern (→ Seevölkerwanderung) gehören. D. wird zwar in Jos 17,11 zum Stamm Manasse gerechnet, lag aber zunächst außerhalb des Siedlungsgebiets israelitischer Stämme. Erst Salomo soll es als 4. Gau eingegliedert haben (1 Kg 4,11; vgl. Jos 12,23). Tiglatpileser III. machte D. 732 v. Chr. zur Zentrale der Prov. Dū'rū. Den arch. seit Eisenzeit I nachweisbaren phönik. Einfluß (Keramik und Kleinfunde) erhellen ein Vertrag Asarhaddons, in dem Ba'lu von Tyrus Sonderrechte im Hafen von Dor eingeräumt werden (TUAT 1, 158 f.), die Sarkophaginschrift Ešmunazars von Sidon (TUAT 2, 590 ff.) aus pers. Zeit, die Dor, Jaffa und die Saronebene zu → Sidon rechnet, und die Beschreibung der Küste durch Skyl. (§ 104). Weder Antiochos [5] III. (Pol. 5,66) noch Antiochos [9] VII. (1 Makk 15; Ios. ant. 13,7,2) vermochten die starke Festung zu erobern. Erst Alexander Iannaios nahm sie ein und unterstellte die 201 v. Chr. seleukidisch gewordene Stadt hasmonäischer Herrschaft. → Pompeius gab ihr 63 v. Chr. die Autonomie und das Münzrecht. Plinius (70 n. Chr.) nennt dagegen D. nur noch eine ›bloße Erinnerung‹, obwohl die Stadt bis 222 n. Chr. ihre eigene Münze hatte und bis ins 7. Jh. Bischofssitz war.

> E. STERN, Dor, Ruler of the Seas, 1994.   M. K.

Dorcatius. Unter diesem Namen (der auch in CIL 5,2793 zu finden ist) zitiert Isid. etym. 18,69 zwei Hexameter über das Ausstopfen eines Balls mit Hirschhaar. [1] identifiziert den Autor mit einem anon. Dichter, auf den sich Ovid (trist. 2,485) mit einer Auflistung humorvoller Lehrgedichte bezieht.

1 M. HAUPT, Coniectanea, in: Hermes 7, 1873, 11–12 Opuscula Bd. 3, 1876, 571 **2** COURTNEY, 341.

ED. C./Ü: M. MO.

Dorieis (Δωριεῖς, »Dorer«). Der Name D., im Myk. bisher nur im PN *Dōrieús* belegt, bezeichnet in klass. Zeit einerseits einen kleinen Stammstaat in Mittelgriechenland, im obersten Talabschnitt des Kephisos, andererseits die Gesamtheit der – der Sage nach von dort ausgezogenen – Bewohner der östl. und südl. Peloponnes (Argolis mit Sikyon, Korinth, Megara und Aigina, Lakonia und Messenia), der Inseln der südl. Ägäis (Kreta, Melos, Thera, Anaphe, Astypalaia und der Dodekanesos) und der an der karischen Küste gelegenen Städte Halikarnassos und Knidos sowie der von diesen dor. Gebieten aus besiedelten überseeischen Kolonien. Die D. in diesem zweiten Sinn des Wortes bildeten keine polit. Einheit, waren aber durch nahe verwandte Dial., durch viele gleichartige Institutionen, namentlich auf polit. und kultischem Gebiet (z. B. Phylen, Feste, verwandte Kalender) und durch das Bewußtsein gemeinsamer Abstammung verbunden. In gemeinsamem Handeln schlug sich dies aber schon deshalb nicht nieder, weil die größten dor. Städte des Mutterlandes, Argos und Sparta, miteinander verfeindet waren.

Die skizzierte geogr. Verteilung zeigt, daß die D. vom Osten und Süden der Peloponnes über die Inselketten der südl. Ägäis bis an die Küste Kleinasiens vorgestoßen sind. Die Existenz der mittelgriech. D. legt auch die Vermutung nahe, daß die peloponnesischen D. vom griech. Festland herkamen. Weitere Beobachtungen bestätigen dies:

1) Die dor. Dial. unterscheiden sich in ihren alten Zügen kaum von den nordwestgriech. (von Epeiros bis Phokis, Elis und Achaia), dagegen scharf von allen anderen griech. Dial.

2) Die nahe Verwandtschaft des myk., arkad. und kypr. Dial. zeigt, daß die Peloponnes und Kreta von Sprechern dieser Dial.-Gruppe bewohnt waren, ehe die D. ins Land kamen.

3) Nach der Tradition der D. hatten diese ihre peloponnesischen Wohnsitze erst gegen Ende der Sagenzeit unter der Führung der Herakleidai erobert (→ Dorische Wanderung).

4) Als landfremde Eroberer geboten sie noch in archa. und klass. Zeit weithin über unfreie Bauern (→ Heloten).

Es empfiehlt sich also, bei der traditionellen Auffassung der peloponnesischen und insularen D. als einer nachmyk. Einwandererschicht nordwestgriech. Herkunft zu bleiben. Ein bed. Anhaltspunkt für die Zeit ihrer – arch. nicht sicher faßbaren – Einwanderung ergibt sich daraus, daß sich die späteren arkad.-kypr. Dialekte zwar vom Myk. herleiten, aber ihm gegenüber eine Anzahl gemeinsamer Neuerungen aufweisen: die Hauptmasse der späteren kypr. Griechen kann also die Peloponnes (unter dem Druck der D.) erst geraume Zeit nach dem Untergang der Paläste (um 1200 v. Chr.) verlassen haben. Übrigens dürfte die Dorisierung der peloponnesischen und südägäischen Gebiete mehrere Generationen in Anspruch genommen haben, da sich die D. allem Anschein nach zuerst nur an wenigen Punkten festsetzten und dann von dort aus durch Kolonisationszüge immer neue Gebiete besetzten; auch die Tradition leitet einzelne Städte der Inseln und von Karia von bestimmten peloponnesischen Mutterstädten ab. Um die Zeit allerdings, in der für uns die zusammenhängende gesch. Überlieferung einsetzt (8. Jh. v. Chr.), waren alle diese Bewegungen schon längere Zeit abgeschlossen.
→ Dorisch-Nordwestgriechisch; Dorische Wanderung

J. CHADWICK, Who were the Dorians?, in: PdP 31, 1976, 103–117 · S. DEGER-JALKOTZY (Hrsg.), Griechenland, die Ägäis und die Levante während der »Dark Ages« (Symposion Zwettl 1980), 1983 · A. MALKIN, Colonisation spartiate dans la Mer Égée, in: REA 95, 1993, 365–381 · D. MUSTI (Hrsg.), Le origini dei Greci, 1985 · V. PARKER, Zur Datier. der Dor. Wanderung, in: MH 52, 1995, 130–154.

F. GSCH.

Dorieus (Δωριεύς).

[1] Spartiat, Agiade, Sohn des Anaxandridas II. und dessen erster Frau, älterer Bruder der Könige Leonidas und Kleombrotos, jüngerer Halbbruder des Kleomenes I., der vor D., aber von der zweiten Frau des Anaxandridas geboren wurde, die dieser wegen anfänglicher Unfruchtbarkeit der ersten auf Weisung der Ephoren und Geronten zusätzlich geheiratet hatte. Nachdem Kleomenes als ältester Sohn die Thronfolge angetreten hatte (Hdt. 5,41 f.; Paus. 3,3,9 f.), organisierte D. – angeblich aus Empörung über diese Regelung – ca. 515/4 v. Chr. einen Kolonistenzug nach Libyen und gründete im Oasengebiet am Kinyps (Oued Caam) eine → Apoikia. Sie wirkte bedrohlich auf die Karthager, die sie ca. 512 im Bunde mit den nomadischen Maken zerstörten. D. kehrte mit seinen Leuten nach Sparta zurück, zog aber zwei Jahre später erneut los und gründete am Eryx in Sizilien Herakleia. Dort fiel er bald darauf mit dem Großteil seiner Gefährten im Kampf gegen die verbündeten Karthager und Segestaier (Hdt. 5,46; Diod. 4,23,3; Paus. 3,16,4). Zweifelhaft bleibt seine vorherige Beteiligung an der Zerstörung von Sybaris im Bunde mit den Krotoniaten (Hdt. 5,44 f.). Seine Aktionen zeigen exemplarisch Möglichkeiten und Grenzen des Handelns der Repräsentanten großer griech. Adelshäuser am Ende der archa. Zeit. Der spätere Versuch Gelons von Gela, ca. 489 die Erinnerung an D. zu nutzen, um Spartas Hilfe gegen Karthago zu finden, blieb erfolglos (Hdt. 7,158).

D. ASHERI, Carthaginians and Greeks, in: CAH 4, 1982, 751 f. · H. BERVE, Die Tyrannis bei den Griechen I, 1967,

178f. • Huss, 60f. • G. Mastruzzo, Osservazioni sulla spedizione di Dorieo, in: Sileno 3, 1977, 129–147.

K.-W. WEL.

[2] Jüngster Sohn [1. Nr. 322] des → Diagoras [1. Nr. 252], des Stammvaters eines berühmten rhodischen Athletengeschlechts [2. 136–138] des 5. Jh. v. Chr. Nach delphischen Inschr. [3. Nr. 23] als dreifacher Periodonike [4. Nr. 13] im Pankration einer der erfolgreichsten Athleten des Altertums. Siege in Olympia 432, 428, 424 v. Chr. [1. Nr. 322, 326, 330], dort auch Basisfragmente mit Resten der Siegerinschr. [5. Nr. 153]. Nach ca. 15jähriger sportlichen Karriere polit. Tätigkeit vorwiegend gegen Athen, das ihn in Ansehung seines sportlichen Ruhmes als Gefangenen freiließ; nach Abfall der Insel Rhodos von den Lakedaimoniern 395 v. Chr. von diesen hingerichtet (Paus. 6,7,4–6).

1 L. Moretti, Olympionikai, 1957 2 W. Decker, Sport in der griech. Ant., 1995 3 L. Moretti, Iscrizioni agonistiche greche, 1953 4 R. Knab, Die Periodoniken, 1934, Ndr. 1980 5 W. Dittenberger, K. Purgold, Die Inschr. von Olympia, 1896.

H. Swoboda, s. v. D., RE 5, 1560f. • M. B. Poliakoff, Combat Sports in the Ancient World, 1987, 119–121.

W. D.

[3] Verf. eines Epigramms, das uns durch Athen. 10,412f überliefert ist, der sich auf einen Historiker des 3. Jh. v. Chr., Phylarchos (FGrH 81 F 3), stützt: eine amüsante Anekdote, die eine herkulische Schlemmerleistung des berühmten Athleten Milon von Kroton schildert (Anth. Pal. append. 3,95 Cougny = SH 396). Reizvoll und nicht unwahrscheinlich ist die Hypothese, daß dieser D. mit dem gleichnamigen Gourmand zu identifizieren sei, den Leonidas von Tarent zum Gegenstand einer Satire macht (Anth. Pal. 6,305).

FGE 45f.

E. D./Ü: T. H.

Dorillos (Δόριλλος). Tragiker; in den *Lémniai* des Aristophanes (PCG III 2,382, ca. 413/05 v. Chr.) als *doríallon* (»weibliche Scham« [1. 130ff., bes. 146 und 148]) verspottet; evtl. Dorilaos, ein Zeitgenosse des Euripides (s. DID C 18).

1 J. Henderson, The Maculate Muse, 1975.

TrGF 41.

F. P.

Dorimachos (Δορίμαχος). Aitoler aus Trichonion, Sohn des Nikostratos, siegte als *strategós* des aitolischen Bundes 221/20 v. Chr. mit → Skopas gegen Messenien (Pol. 4,10–13). 220/19 plünderte er Epirus und steckte den Zeustempel in Dodona in Brand (Diod. 26,4,7; Pol. 4,67). Er wandte sich gegen Thessalien, um Philipp V. von der Belagerung von Pale abzuziehen (Pol. 5,5,1), erfuhr dann von dessen Einfall in Aitolien, das er erst erreichte, als die Makedonen bereits siegreich abgezogen waren (Pol. 5,17,5–8). 211 versuchte D., der ein Jahr zuvor als *princeps Aitolorum* (Liv. 26,24,7) für ein Bündnis mit Rom gegen Philipp V. eingetreten war,

mit Hilfe röm. Truppen vergeblich, diesen an der Einnahme von Echinos zu hindern (Pol. 9,42,1–4; zu D.' Strategenamt im selben Jahr vgl. Walbank). Um die hohe Verschuldung Aitoliens abzubauen, wurden D. und Skopas (205/4?) zu Nomotheten gewählt. Ihre Vorschläge stießen jedoch auf starken Widerstand (Pol. 13,1; 1a). Als aitolischer Gesandter trug D. später in Alexandreia zur Verurteilung des Skopas bei (IG IX² 30; Pol. 18,54,4).

CAH 7,1 ²1984, 474–75 • HM 3, 370, 372, 376 • F. W. Walbank, Philipp V. of Macedon, 1940, Index s. v. D.

ME. STR.

Dorion s. Kochbücher

Doris (Δωρίς).

I. Personennamen

Femininer Kurzname zu *Eúdōros* u. ä., wohl oft als »die Geberin« verstanden (vgl. *dōron*, »Geschenk«).

[I 1] Eine der → Okeaniden, der Töchter des Okeanos und der Tethys (Hes. theog. 350); vgl. Polydore und Eudore in Hes. theog. 354; 360 und die »Doriden« in Goethes »Faust«. Gattin des Nereus, Mutter der 50 → Nereiden (Hes. theog. 241; Apollod. 1,11; Ov. met. 2,11; 269).

[I 2] Tochter des Nereus und der D. [I 1], eine der → Nereiden (Hom. Il. 18,45; Hes. theog. 250; vgl. Eudore, Dotho bei Hes. theog. 244; 248). D. kann metonymisch für »Meer« stehen (Arat. phain. 658; Verg. ecl. 10,5 D. amara; Ov. fast. 4,678).

A. Lesky, Thalatta, 1947, 115f. • R. Wachter, Nereiden und Neoanalyse: Ein Blick hinter die Ilias, in: WJA 1990, 19–31.

R. B.

II. Ortsnamen

[II 1] An drei Seiten von hohen Gebirgen (Parnassos und Korax – h. Giona – im S und SW, Oite und Kallidromon im N und NW) umgebene Beckenlandschaft in Mittelgriechenland am Oberlauf des Kephisos; an D. grenzten Oitaia, Malis und die östl. Lokris im Norden, Phokis im Osten, die westl. Lokris im Süden und Aitolia im Westen [2; 3]. Die D. verfügte durchaus über fruchtbare Ackerböden (zum Begriff Λιμοδωριεῖς, »Hungerdorier«, bei Skyl. 62, Hesych. s. v. L., vgl. [2. 422; 3. 236f.]). Die nur ca. 190 km² große D. besaß hohe strategische Bed. aufgrund der Kontrolle bed. Nord-Süd-Verbindungen, die zw. Oite und Kallidromon hindurch in die D. und von dort durch das Kephisos-Tal nach SO bzw. über einen weiteren Paß zw. Korax und Parnassos unmittelbar nach Süden führten [1].

Die → Dorieis sollen auf ihrer Wanderung nach Süden die ersten Bewohner des Landes, die Dryopes, verdrängt und die Städte Boion, Erineos und Kytenion gegr. haben, die dann durch Hinzufügung von Akyphas/Pindos zur dor. Tetrapolis wurden. Schon seit dem 7. Jh. v. Chr. galt D. als *mētrópolis* und Heimat der Dorieis (Belegstellen: Tyrtaios fr. 2 West; Hdt. 1,56; 8,43; Skymn. 592ff.; Diod. 4,67,1; Strab. 8,6,13; 9,3,1; 4,10;

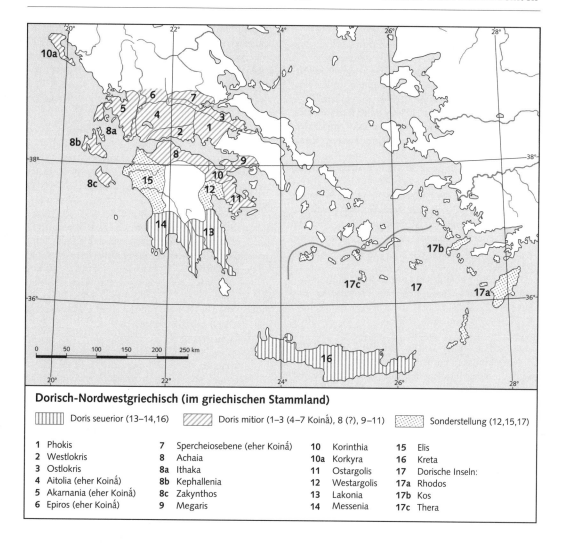

Dorisch-Nordwestgriechisch (im griechischen Stammland)

▦ Doris seuerior (13–14,16)	▨ Doris mitior (1–3 (4–7 Koiná), 8 (?), 9–11)	▨ Sonderstellung (12,15,17)

1	Phokis	7	Spercheiosebene (eher Koiná)	10	Korinthia	15	Elis
2	Westlokris	8	Achaia	10a	Korkyra	16	Kreta
3	Ostlokris	8a	Ithaka	11	Ostargolis	17	Dorische Inseln:
4	Aitolia (eher Koiná)	8b	Kephallenia	12	Westargolis	17a	Rhodos
5	Akarnania (eher Koiná)	8c	Zakynthos	13	Lakonia	17b	Kos
6	Epiros (eher Koiná)	9	Megaris	14	Messenia	17c	Thera

10,4,6; Konon, FGrH 26 F 1,27; Plin. nat. 4,28; Ptol. 3,14,14; Aristeid. 12,40; schol. Pind. P. 1,121; schol. Aristoph. Plut. 385; schol. Lykophr. Alex. 980). D. war Mitglied der delph. Amphiktyonie. In klass. und hell. Zeit ständig von den Nachbarstaaten bedrängt, wurde D. im 3. Jh. v. Chr. Mitglied des Aitolischen Bundes; ab 166 v. Chr. bestand D. als eigener Bundesstaat bis in die röm. Kaiserzeit (Quellenzusammenstellung bei [3. 238 f.]).

1 E. W. KASE u. a. (Hrsg.), The Great Isthmus Corridor Route, 1991 2 PHILIPPSON/KIRSTEN, I,2, 419 ff. 657 ff. 3 D. ROUSSET, Les Doriens de la Métropole, in: BCH 113, 1989, 199–239.

D. ROUSSET, Les Doriens de la Métropole, in: BCH 114, 1990, 445–472 · Ders., Les Doriens de la Métropole, in: BCH 118, 1994, 361–374.   P.F.

Dorisch-Nordwestgriechisch A. VERBREITUNG B. MERKMALE C. GLIEDERUNG UND GESCHICHTE BIS ZUM 4. JH. V. CHR. D. PROBEN E. DAS DORISCHE SEIT DEM 4. JH. V. CHR.

A. VERBREITUNG

Die dor. Dial. im weiteren Sinne sind seit vorklass. Zeit gut belegt (s. Karte): in Mittel- und NW-Griechenland (Phokis: 1, mit Delphoi, West- und Ostlokris: 2 bzw. 3), Peloponnes und Isthmus (nur Elis: 15, Lakonia: 13, Argolis: 11–12, Korinthia: 10, Megaris: 9), Kreta (16) und den dor. Inseln (Thera: 17c, Rhodos: 17a, u. a.: 17), seit klass. Zeit auch in Kos (17b), Kyrene und in den dor. Kolonien von → Magna Graecia (v. a. → Herakleia, → Lokroi Epizephyrioi) bzw. → Sicilia. Die übrigen nordwestgriech. Regionen (4–7), Achaia (8) und Messenien (14) bieten nur spätere, nicht ergiebige Inschr. Ob in klass. Zeit in Makedonien ein nordwestgriech. Dial. gesprochen wurde, bleibt offen. Wenig zuverlässig ist das lit. Dor. (→ Griechische Literatursprachen).

B. MERKMALE

Gemeinsam sind praktisch allen dor. Dial. a) eine westgriech. Komponente, b) spezifische Dorismen und c) Merkmale, die als dor. gelten, aber auch in anderen Dial. vorkommen.

Zu a): bewahrtes -*ti*(-); *t$^{(h)}$*i̯* (Typ τόσσος) wie *t$^{(h)}$-*i̯*, *k$^{(h)}$*i̯* (im Präs. auf -σσω); **tu̯*,*ts > *ss* (im Kret. noch *t*^{s}); Nom. Pl. τοι, ται; athemat. Inf. auf -μεν; ὅκα; αἴ κα; δήλομαι / δείλομαι »wollen« (*g^u*el*-); πρᾶτος; ἰαρός; (F)ίκατι »zwanzig«, -κάτιοι (= -κόσιοι).

Zu b): 1. Pl. auf -μες; 3. Pl. ἔθεν (= ἔθεσαν); τέτορες »vier«.

Zu c): *ā* + *ŏ* > *ā̆*, *ā* + *e* > *ē* (Gen. Sg. -ᾶ, Pl. -ᾶν, 3. Sg. ἐνίκη); 3. Sg. ἦς »er war«; »dor.« Fut. auf -σέω (*-*séi̯o/e*-); Aor. und Fut. mit -ξ- zu Präs. auf *-*di̯o/e*- (Aor. ψᾶφιξα-, δικαξα-/δικασσα-; aber argiv. -σσα-); ferner Isoglossen mit dem Att.-Ion. (**r̥* > *ra*, themat. Flexion der Verba vocalia).

Für jeden Dial. ist neben a)-c) auch mit d) Isoglossen unterschiedlicher Chronologie mit Nachbardial. und mit e) einzeldialektalen Besonderheiten zu rechnen. Zu d) vgl. ἐν / *ἐν-ς mit Akk.; *ē̆/ō̆* oder *ē/ō* aus Ersatzdehnungen und Kontraktionen (s.u.); -*s*- > –^{h}– (> -∅-) im Argiv., Lakon., später auch im Eleischen. Zu e) vgl. z.B. → Psilose im Ele. und Kret.; Dat. Pl. auf -ασσιν beim -*nt*-Ptz. in Herakleia; Präs. auf -είω (= -εύω) im Ele.; Inf. auf -μειν im Rhod.; gegebenenfalls auch Züge, die dem vordor. Substrat zuzuschreiben sind (z.B. lakon. Ποhοιδᾶν, vgl. arkad. Ποσοι-; kret. οἰ, αἰ, ἰν/ίς, vgl. arkad. οἰ, αἰ, ἰν). Trotz d) und e) weist a) eindeutig auf ein urspr. dem »Westgriech.« (→ Griechische Dialekte) nahestehendes Kontinuum hin, das auf das E. des 2. Jt. zurückgeht und sich erst im Laufe der → »Dorischen Wanderung« in Griechenland ausgebreitet hat; durch b) und c) wird auch die Annahme eines urdor. Kontinuums gerechtfertigt.

C. GLIEDERUNG UND GESCHICHTE BIS ZUM 4. JH. V. CHR.

Eine erste, vermutlich nachmyk. Gliederung der dor. Dial. hängt mit den Isoglossen ἐν (NW-Griech., Ele.) / *ἐν-ς (Dor. im engeren Sinn) und mit der ersten Ersatzdehnung bzw. den Kontraktionen *e+e*, *o+o* zusammen, die *ē̆/ō̆* (ἠμί, βωλά; τρῆς, τῶ: auch Arkad.) bzw. *ē/ō* (εἰμί, βουλά; τρεῖς, τοῦ: auch Ion.-Att.) ergeben (*Doris seuerior* bzw. *Doris mitior* in der auf H. L. AHRENS zurückgehenden Terminologie). Durch weitere Entwicklungen werden die Einzeldial. immer mehr differenziert. Zur *Doris seuerior* gehören das Lakon. (auch das Herakleische sowie die Dial. der Magna Graecia) und das Kret. (erst in klass. Zeit [3. 92ff.]); eine Sonderstellung nehmen das Ele. (*ā̄* aus urspr. **ē̄*, z.B. δικασταμεν = δικασθῆναι), das Westargiv., das Inseldor. und das Kyrenä. (*ē̆*, *ē̄* und *ō̄* [6. 31ff.]) ein. Zur *Doris mitior* gehören die Dial. des Saronischen Golfes (Ostargiv., Korinth., Megar. [1. 113f.]) und die nordwestgriech. Dial. Letztere zeichnen sich durch Merkmale aus, die sie z.T. mit dem Ele. gemeinsam haben (z.B. ΣΤ für *st*^{h}, Öffnung von *e* vor *r*, athemat. Dat. Pl. auf -εσσι und auf -οις, später auch

themat. Dat. Sg. auf -οι), die aber auch sporadisch in anderen Dial. vorkommen [10. 333ff.]. Ob das Eleische urspr. zu den nordwestgriech. Dial. gehört, ist unsicher: dagegen spricht u.a. sein Vokalsystem (s.o.).

	att.	lakon.	kret.	kyrenä.	rhod.	ele.	delph.
	εἰμί	ἠμί	ἠμί	ἠμί	ἠμί	ἠμί	εἰμί
	τοῦ	τῶ	τῶ	τῶ	τοῦ	τῶ	τοῦ
Akk. Pl.							
	-ους	-ως	-ο(ν)ς	-ος	-ους	-ο(ι)ς	-ους
F.	-ουσα	-ω$^{(h)}$α?	-ονσα	-οισα	-ουσα	-ωσα	-ουσα
	ξένος	ξένος	ξῆνος	ξῆνος	ξεῖνος	ξένος	ξένος
Inf.	-ειν	-ην	-εν	<-εν>	-ειν	-ην	-εν

Schon seit dem 4. Jh. sind praktisch überall die Varianten einer auf der att. Kanzleisprache fußenden, z.T. durch gemeindor. Züge (z.B. *ā*, -(ν)τι; ἰαρός, αἴ κα) geprägten »dor.« *Koiná* spürbar, u.a. die aitol. (mit athemat. Dat. Pl. auf -οις, ἐν mit Akk.), bes. im NW, sowie diejenige des Achaiischen Bundes (→ Achaioi, Achaia), bes. im Peloponnes. Die Beziehungen zw. Dial. und *Koinaí* sind je nach Regionen unterschiedlich.

D. PROBEN

Lakonisch (242 v. Chr.): δεξωμεσα ταν εκεχηριαν ταν τω Αιγλαπιω αη, ταν τοι Κωοι εφενεποντι. Entsprechend Att.: δεξόμεθα τὴν ἐκεχειρίαν τὴν τοῦ Ἀσκληπιοῦ ἀεί, ἣν οἱ Κῶιοι ἐπαγγέλλουσι.

Herakleia (4. Jh.): κατεταμομες δε μεριδας τετορας. Entsprechend Att.: κατετάμομεν δὲ μερίδας τέτταρας.

Kretisch (Gortyn, 3.Jh.): νομισματι χρητθαι τωι καυχωι … · τοδ δ᾽ οδελονς μη δεκετθαι τονς αργυριος. Entsprechend Att.: νομίσματι χρᾶσθαι τῷ χαλκῷ … · τοὺς δ᾽ ὀβολοὺς μὴ δέχεσθαι τοὺς ἀργυρίους.

Kyrenäisch (4. Jh.): αυτα δε ουχ υπω[ροφος] … τενται ουδε μιασει μεστα κα [ες] Αρταμιν ενθηι · … αι δε κα μη εκοισα μιαι κα[θ]αρει το ιαρον. Entsprechend Att.: αὕτη δὲ οὐκ ὑπωροφος … ἔσται οὐδὲ μιανθήσεται ἕως ἂν εἰς Ἄρτεμιν ἔλθη · … ἐὰν δὲ μὴ ἑκοῦσα μιανθῇ, καθαρεῖ τὸ ἱερόν.

Eleisch (4. Jh.): ταιρ δε γενεαιρ μα φυγαδειημ μαδε κατ οποιον τροπον · … εξηστω δε … τοι δηλομενοι νοστιττην και ατταμιον ημεν · … τοιρ δε επ᾽ ασιστα μα αποδοσσαι … τα χρηματα τοιρ φυγαδεσσι. Entsprechend Att.: τὰς δὲ γενεὰς μὴ φυγαδεύειν μηδὲ καθ᾽ ὁποῖον τρόπον · … ἐξέστω δὲ … τῷ βουλομένῳ νοστεῖν καὶ ἀζήμιον εἶναι … τοὺς δὲ ἐπ᾽ ἄγχιστα μὴ ἀποδόσθαι … τὰ χρήματα τοῖς φυγάσι.

Delphisch (5. Jh.): τον Γοινον μē φαρεν ες του δρομου · αι δε κα φαρει, hιλαξαστō τον θεον. Entsprechend Att.: τὸν οἶνον μὴ φέρειν ἐκ τοῦ δρόμου · ἐὰν δὲ φέρῃ, ἱλασάσθω τὸν θεόν. (Um 400): ταγε[υ]σεω … κ]ατα τουν νομους … · των δε προστα τεθνακοτων εν τοις σαματεσσι μη θρηνειν μηδ᾽ οτοτυζεν. Entsprechend Att.: ταγεύσω κατὰ τοὺς νόμους … · τῶν δὲ πρόσθεν τεθνηκότων ἐν τοῖς σήμασι μὴ θρηνεῖν μηδ᾽ ὀτοτύζειν.

→ Dorische Wanderung (mit Karte); Griechische Dialekte; Griechische Literatursprachen; Koine

QUELLEN: 2–3, 6–12.

LIT.: 1 A. BARTONĚK, Classification of the West Greek Dialects at the time about 350 BC, 1972 2 BECHTEL, Dial. II 3 M. BILE, Le dialecte crétois ancien [mit: Recueil des inscriptions postérieures aux IC], 1988 4 M. BILE et al., Bulletin de dialectologie grecque, in: REG 101, 1988, 74–112 (Forsch.-Ber.) 5 C. BRIXHE, Le déclin du dialecte crétois: essai de phénoménologie, in: E. CRESPO et al. (Hrsg.), Dialectologica Graeca Miraflores 1993, 37–71 6 C. DOBIAS-LALOU, Le dialecte des inscriptions grecques de Cyrène, 1997 7 L. DUBOIS, Inscriptions grecques dialectales de Sicile, 1989 8 Ders., Une table de malédiction de Pella: s'agit-il du premier texte macédonien?, in: REG 108, 1995, 190–197 9 A. LANDI, Dialetti e interazione sociale in Magna Grecia, 1979 (Inschr. 223–343) 10 J. MÉNDEZ DOSUNA, Los dialectos dorios del Noroeste. Gramática y estudio dialectal, 1985 11 J. J. MORALEJO ÁLVAREZ, Gramática de las inscripciones délficas (fonética y morfología) (siglos VI-III a.C.), 1973 12 THUMB/KIECKERS.

KARTEN-LIT.: BECHTEL, Dial. II · J. MÉNDEZ DOSUNA, Los dialectos dorios del Noroeste, 1985 · M. BILE, Le dialecte crétois ancien, 1988 · Dies. u. a., Bulletin de dialectologie greque, in: REG 101, 1988, 74–112.   J. G.-R.

E. DAS DORISCHE SEIT DEM 4. JH. V. CHR.

Mit dem Vordringen der geschriebenen ion.-att. *Koinḗ* (*K*.), die mancherorts eine kurzfristige dor. gefärbte *K*. ablöst, verschwindet das Dor. als Schreibdial. je nach Gebiet mit unterschiedlicher Geschwindigkeit. Dies erfaßt nicht alle Dialekteigenheiten gleichzeitig; typischerweise läßt sich beginnende Koineisierung zuerst in den den mutterländischen Traditionen weniger verpflichteten Kolonien nachweisen, so auf den Tafeln von Herakleia (4. Jh. v. Chr.), dort v. a. in Zahlwörtern (z. B. Ϝικατι neben – seltenerem – εικοσι). Auch im panhellenisch relevanten Delphoi zeigen sich Einflüsse der *K*. schon früh (2. H. 4. Jh.), auf Privatinschr. wird der Dial. aber bis in die frühe Kaiserzeit hinein verwendet. Auf Papyri des 3. Jh. v. Chr. sind noch Formen wie νακορος und σατες erhalten. In Kreta erscheinen Hybridformen wie εμεν (aus ἦμεν und εἶναι »gekreuzt«) seit E. des 3./Anf. des 2. Jh., wobei auch der Typ des Dokuments eine Rolle spielt: am »reinsten« findet sich der dor. auf Inschr., die innerkret. Angelegenheiten betreffen, während ein Vertrag mit → Antigonos [3] Doson ganz in *K*. verfaßt ist. In der Kyrenaika nehmen um die Zeitenwende *K*.-Inschr. überhand, während Dialektinschr. erst im 2./3. Jh. n. Chr. ganz verschwinden, insbes. halten sich Genetive auf -α zu a-Stämmen und auf -ω zu o-Stämmen länger als die Artikelformen τοί und ταί. In Lakonien sind *K*.-Inschr. ab dem 1. Jh. n. Chr. in der Überzahl (in Messenien noch später). Als bes. resistent gegen die *K*. präsentiert sich Rhodos, wo Prosainschr. bis ins 1./2. Jh. n. Chr. überwiegend im Dial. gehalten sind.

Der Beitrag des Dor. zur *K*. ist insgesamt, abgesehen von einigen Wörtern aus dem mil. und juristischen Bereich (z. B. λοχαγός, das allerdings bereits ins Att. übernommen und wohl dadurch verbreitet wurde; oder etwa das bei Xen. Hell. 1,6,15 einem Spartaner in den

Mund gelegte μοιχᾶν für μοιχεύειν), als gering zu bezeichnen, soweit die fragmentarische Kenntnis des dem Dor. eigentümlichen Wortschatzes solche Aussagen zuläßt; Übereinstimmungen zw. im Dor. und in der *K*. oder im Neugriech. belegten Phänomenen wie z. B. λαός für att. λεώς, wie dem Gen. auf -α zu Nomina auf -ας oder der Thematisierung athemat. Verba (messenisch sind ὀμνύω und ἀνοίγω schon früh belegt) sind insofern schwer zu beurteilen, als es sich auch um frühe Koineisierung (immerhin sind archa. Inschr. aus dor. Dialektgebieten rar, die Quellen oft erst in hell. Zeit reichlicher) oder auch Konvergenzerscheinungen handeln kann. Kenntnis der spät- und neugriech. Entwicklung wird auch die gelegentlich vorgenommene Einstufung etwa eines Dat. ἀγώνοις oder des Wandels von /st^h/ > /st/ : <σθ> : <στ> als dor.-nordwestgriech. Spezifika problematisch erscheinen lassen.

Mit dem Archaismus der Kaiserzeit wird für kurze Zeit noch einmal Dor. sowohl lit. als auch auf Inschr. verwendet; insbes. ist hier das sog. Junglakon. zu nennen. Grundsätzlich stellt sich bei dieser wie bei verwandten Erscheinungen für das Aiol. die Frage, inwieweit hier gelehrte Traditionen am Werke waren oder ob noch auf lebendige Kenntnis des Dial. zurückgegriffen werden konnte; insbes. werden Hyperdialektismen kontrovers beurteilt. Im Falle der junglakon. Inschr. spricht einiges für Kontinuität: zwar werden obsolete Rechtschreibkonventionen wiederbelebt (so etwa <Ϝ> wieder eingeführt, obwohl man bereits in 3. Jh. v. Chr. für den damit bezeichneten Laut das Zeichen <β> vorgezogen hatte), es weist aber gegenüber dem älteren Dor. einige Neuerungen auf wie z. B. den → Rhotazismus, was sich mit der Annahme einer künstlichen Wiederbelebung ohne gesprochensprachlichen Hintergrund nur schwer vereinbaren läßt.

Unabhängig vom Schicksal des Dor. als lokale Schreibvarietät gilt es jedoch auch nach dem gesprochenen Dor. zu fragen; auf gesprochenes Dor. zu hell. Zeit in Alexandreia verweist ein Zeugnis des Theokritos (Adoniazusai 15), auf mutterländisches Dor. noch in der Kaiserzeit verschiedene Aussagen Strabons (8,1,2: ἔτι καὶ νῦν κατὰ πόλεις ἄλλοι ἄλλως διαλέγονται, δοκοῦσι δὲ δωρίζειν ἅπαντες), Suetons (Tib. 66 über gesprochenes Dor. auf Rhodos) und des Pausanias (4,27,11 über die Bevölkerung Messeniens); Dion Chrysostomos will in → Elis eine alte Sprecherin des Dial. angetroffen haben (1,54 δωρίζουσα τῇ φωνῇ). Diese Aussagen sind insofern glaubwürdig, als sich Spuren des Dor., kenntlich v. a. am Erhalt des /ā/, bis h. erh. haben; abgesehen von ON und Lehnwörtern im Lat. (*malum* < μᾶλον »Apfel«, vgl. aber it. *mela* < μῆλον), die für das Fortleben des Dial. nach hell. Zeit nichts beweisen, sind v. a. südit. Dialektwörtern (wie sizilian. *casentaru* < γᾶς ἔντερον »Regenwurm«) und dor. Wortgut in den h. noch gesprochenen griech. Dial. Unteritaliens (*nasída* < νᾶσος oder *lanó* < λανός) von Belang, ein Argument, das ROHLFS' These von griech.-sprachiger Kontinuität in Unteritalien seit der archa. Kolonisierung, nicht erst seit byz. Zeit, wie von PARLANGÈLI vertreten, stützt. In der Tat existiert sogar ein neugriech. Dial., der geradezu als neudor. bezeichnet werden kann: Es handelt sich um das Tsakonische mit seinem hochaltertümlichen Gepräge wie z. B. Erhalt von /ā/ (*fona* < φωνά), Erhalt des mit Digamma bezeichneten Lautes (*vanne* < Ϝαρνίον), Erhalt von /u/ (*psjuχa* < ψυχά) und dem zuerst im Junglakon. auftretenden Rhotazismus (*tar amer* für τᾶς ἁμέρας); der Umstand, daß Dialektzeugnisse ab dem 3. Jh. n. Chr. gänzlich verschwinden, darf also nicht zu dem Schluß verleiten, der gesprochene Dial. sei gleichzeitig oder kurz später ausgestorben.

M. BILE, C. BRIXHE, Le dialecte crétois, unité ou diversité?, in: C. BRIXHE (Hrsg.), Sur la Crète antique: histoire, écritures, langues, 1991, 85–138 · C. BRIXHE, La langue comme reflet de l'histoire ou les éléments non doriens du dialecte crétois, in: Ders. (ed.), Ebd., 43–77 · Ders., Le déclin du dialecte crétois: essai de phénoménologie, in: E. CRESPO, J. L. GARCÍA-RAMÓN (ed.), Dialectologica Graeca. Actas del II Coloquio Internacional de Dialectología Griega (Miraflores de la Sierra 19–21 de Juni de 1991, 1993, 37–71 (zur Koineisierung auf Kreta) · V. BUBENÍK, Hellenistic and Roman Greece as a Sociolinguistic Area, 1989, 73–138 (zum statistischen Verhältnis zw. Dial.- und Koineinschr. in den einzelnen dor.-sprachigen Regionen) · S. CARATZAS, L'origine des dialectes néogrecs de l'Italie méridionale, 1958 · A. DEBRUNNER, A. SCHERER, Gesch. der griech. Sprache II: Grundfragen und Grundzüge des nachklass. Griech., 1969 · C. DOBIAS-LALOU, Dialecte et Koinè dans les inscriptions de Cyrénaïque, in: Verbum 10, 1982, 29–50 (auch in: Actes de la première rencontre internationale de dialectologie grecque, Nancy, 1–3 Juillet 1981) (zum Dialekterhalt in der Kyrenaika) · E. FRAENKEL, Griech. und Ital., in: Idg. Forschungen 60, 1952, 131–155 (135–137 zur Dialektisierung von Koineformen) · E. KIECKERS, Das Eindringen der Koine in Kreta, in: Idg. Forschungen 27, 1910, 72–118 · A. MORPURGO DAVIES, Geography, History and Dialect: The Case of Oropos, in: E. CRESPO, J. L. GARCÍA-RAMÓN (ed.), Dialectologica Graeca (s. o.), 261–279 (u. a. auch zum Junglakon.) · H. PERNOT, Introduction à l'étude du dialecte tsakonien, 1934 · G. ROHLFS, L'antico Ellenismo nell'Italia di oggi, in: Ders., Latinità ed Ellenismo nel Mezzogiorno d'Italia, 1985, 33–54 · Ders., Grammatica storica dei dialetti italogreci, ²1977 · A. THUMB, Die griech. Sprache im Zeitalter des Hellenismus, 1901 (28–101 zum Aussterben der alten Dial. und ihrem Beitrag zur Entstehung der Koine; 38 f. zum Verhältnis der Dial. zu den Koineinschr. auf Rhodos) · A. THUMB, E. KIECKERS, Hdb. der griech. Dial. I, ²1932.
V. BI.

Dorische Wanderung.

Die Zuwanderung dorischer Stammesgruppen aus dem nordwest- und mittelgriech. Raum in ihre histor. Siedlungsgebiete im Süden Griechenlands galt bereits in der Ant. als Einschnitt zwischen dem heroischen Zeitalter und der histor. Epoche (Thuk. 1,12). Im 1. Jt. v. Chr. bildeten die Megaris, Korinthia, Argolis, Lakonia und Messenia nicht zuletzt nach Ausweis ihres Dialekts die dorischen Landschaften der Peloponnes; weiter zählten die Inseln der südl. Ägäis, Kreta und der kleinasiatische Küstenbereich in der Umgebung von Halikarnassos zum Verbreitungsgebiet der Dorier. Das Zeugnis der Linear B-Texte aus den myk. Palästen der Argolis und Messenia bestätigt, daß gegen Ende des 2. Jt. v. Chr. in der Peloponnes ein griech. Dial. gesprochen wurde, der nicht dem dorischen entsprach. Deshalb ist anzunehmen, daß die Zuwanderung dorisch sprechender Bevölkerungsgruppen erst in nachmyk. Zeit, d. h. nach 1200 v. Chr., erfolgte. Dennoch gehört der dorische Dial. zur Gruppe der griech. Dialekte, die sich nach der Einwanderung von indoeurop. Stämmen um 2000 v. Chr. in Griechenland ausgebildet hatten, und stellt keine nachmyk. Entwicklung dar. Er muß demzufolge während der Bronzezeit in Griechenland gesprochen worden sein. Die enge Verwandtschaft des dorischen Dial. mit den nordwestgriech. Dial. legt die Landschaften Mittel- und Nordwestgriechenlands als Herkunftsgebiete der Dorier nahe [1; 2]. Dagegen hat J. CHADWICK die Auffassung vertreten, daß Spuren des dorischen Dial. bereits im myk. Griech. der Peloponnes faßbar seien, und hat in der Folge die d. W. in Frage gestellt. Dorische Stammesgruppen seien bereits im 2. Jt. v. Chr. als soziale Unterschicht innerhalb der Grenzen der myk. Reiche ansässig gewesen und erst durch einen Aufstand gegen die myk. Herrschaft an die Macht gelangt [3; 4]. Gegen diese Ansicht richten sich nicht nur Details des sprachlichen Befundes (s. o.), sondern auch der histor. Überlieferung.

Ihren myth. Ausdruck hat die d. W. in der Sage von der Rückkehr der → Herakleidai gefunden. Sie berichtet von den Nachkommen des Herakles, die nach dem Tod des Helden am Oita Zuflucht beim Dorierkönig → Aigimios [1] in Mittelgriechenland fanden und nach drei Generationen gemeinsam mit den Doriern die Peloponnes eroberten. Durch Los erhielten dann → Temenos die Argolis, die Zwillingssöhne des → Aristodemos [1] Lakonia und → Kresphontes die Landschaft Messenia. Diese Tradition löste mit der Rückkehr der Herakliden die aus den Epen bekannten Herrscherfamilien der Peloponnes ab. Auf sie geht das Bild zurück, daß die d. W. das Ende der myk. Palastkultur herbeiführte. Obwohl die Sage hauptsächlich der Rechtfertigung der histor. Siedlungs- und Machtverhältnisse in der Peloponnes diente und in der Entstehungszeit nicht vor das 7. Jh. v. Chr. zu datieren ist, setzt sie doch die Vorstellung voraus, daß es sich bei den Doriern um Zuwanderer in die Gebiete der Peloponnes handelt [5]. Auch der Darstellung Homers, die bewußt archaisiert und den Bezug auf jüngere Ereignisse als den trojanischen Krieg vermeidet, liegt die Auffassung zugrunde, daß die dorische Zuwanderung und Landnahme erst später erfolgte. So verraten die homer. Epen keine Kenntnis der Sage von der Rückkehr der Herakliden, und die Dorier fanden nur an einer einzigen, anachronistischen Stelle (Hom. Od. 19,177) als Volksgruppe auf Kreta Erwähnung.

Die Verbreitung der drei dorischen → Phylen Hylleis, Dymanes und Pamphyloi sowie gleicher Feste (Karneia, vgl. Thuk. 5,54; Paus. 3,13,4) und Monats-

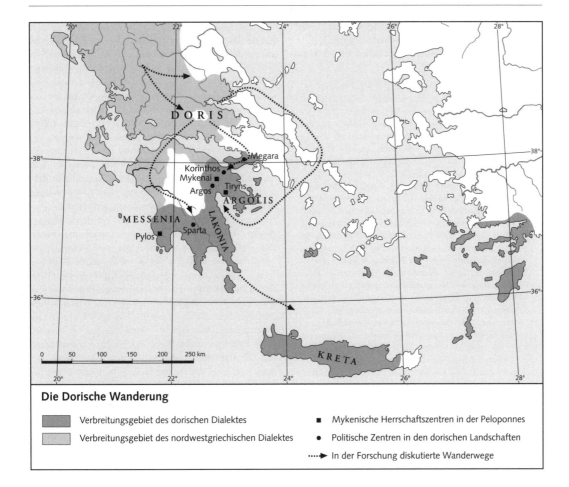

Die Dorische Wanderung

▨ Verbreitungsgebiet des dorischen Dialektes	■ Mykenische Herrschaftszentren in der Peloponnes
▨ Verbreitungsgebiet des nordwestgriechischen Dialektes	● Politische Zentren in den dorischen Landschaften
	····▶ In der Forschung diskutierte Wanderwege

namen im gesamten dorischen Siedlungsgebiet weist auf einen gemeinsamen Ursprung der dorischen Stammesgruppen (→ Dorieis) vor der d. W. hin. Für ihre Herkunft aus den Gebieten Nord- und Mittelgriechenlands sprechen nicht nur ihr Dial. (s.o.), sondern auch eine Anzahl von Monatsnamen, die sie mit den nord- bzw. nordwestgriech. Stämmen teilten (z.B. Apellaios), die Sage des dorischen Königs Aigimios, die im Gebiet des Golfs von Malis handelt, ihr Anspruch, daß ihre Metropolis die kleine Landschaft → Doris in Mittelgriechenland darstellte (Tyrt. fr. 2 WEST; Hdt. 8,31; 8,43; Thuk. 1,107,2; 3,92,3), und die frühen Kontakte der Dorier Spartas mit dem Apollonheiligtum von Delphi. Spuren ihrer Lebensweise als halbnomadische Schafhirten und Hirtenkrieger scheint das altertümliche Brauchtum Spartas bewahrt zu haben. Das Modell der Hirtenwanderung prägt das Bild der d. W. in der aktuellen Forsch. [6].

Archäologisch ist die d. W. nicht faßbar: Bestimmte Gegenstände und Sitten, zu denen u. a. die Produktion einer handgemachten Fremdkeramik, das paarweise Tragen von langen Gewandnadeln und die Einführung der Kistengräber zu rechnen sind und die in der Sach-

kultur der → dunklen Jahrhunderte neu auftauchten, wurden vergeblich mit den Doriern und ihrer Einwanderung verbunden. Auch für die Zerstörung der myk. Paläste um ca. 1200 v. Chr. und den Untergang des myk. Palastsystems werden in der modernen Forsch. andere Faktoren als die d. W. verantwortlich gemacht (Lit. bei [7; 8]). Der Mangel an arch. Evidenz für die d. W. begründete die Zweifel an der Glaubwürdigkeit der histor. Tradition [9. 166–180]. Dagegen wird das Ende der d. W. mit den Anfängen ihrer histor. Siedlungsstätten faßbar: Die Gründung → Spartas erfolgte mit der Anlage des Artemis-Orthia-Heiligtums um die Mitte des 10. Jh. v. Chr. [6. 370–376]. Die dorische Besiedlung von Argos begann wahrscheinlich bereits im 11. Jh. v. Chr., wenn man die älteste nachmyk. Niederlassung in diesem Sinne interpretiert. Die Landnahme von Doriern in Messenien vor dem ersten messenischen Krieg und der Herrschaft Spartas bleibt unklar. Grundsätzlich ist also mit der Zuwanderung verschiedener dorischer Stammesgruppen in die ehemaligen Kernlandschaften der mykenischen Kultur der Peloponnes zu rechnen, deren Niederlassung zu unterschiedlichen Zeiten, aber erst ca. 150–300 Jahre nach der Zerstörung der myk.

Paläste erfolgte [8]. In der Folge besiedelten dann Dorier auch Kreta und die dorischen Inseln der Ägäis.

→ Ägäische Koine; Dialekte; Linearschriften; Mykenische Kultur

1 E. Risch, Die griech. Dial. im 2. vorchristl. Jt., in: SMEA 20, 1979, 91–110 2 Ders., La posizione del dialetto dorico, in: D. Musti (Hrsg.), Le origini dei Greci, 1985, 13–35 3 J. Chadwick, Who were the Dorians?, in: PP 31, 1976, 105–131 4 Ders., Der Beitrag der Sprachwiss. zur Rekonstruktion der griech. Frühgesch., in: AAWW 113, 1976, 183–204 5 F. Prinz, Gründungsmythen und Sagenchronologie, 1979, 206–213 6 E. Kirsten, Gebirgshirtentum und Seßhaftigkeit – die Bed. der Dark Ages für die griech. Staatenwelt: Doris und Sparta, in: S. Deger-Jalkotzy (Hrsg.), Griechenland, die Ägäis und die Levante während der »Dark Ages« vom 12. bis zum 9. Jh. v. Chr., 1983, SAWW 418, 356–443 7 J. Vanschoonwinkel, L'Égée et la Méditerranée orientale à la fin du deuxième millénaire, 1991 – 8 B. Eder, Argolis, Lakonien, Messenien vom Ende der myk. Palastzeit bis zur Einwanderung der Dorier, erscheint 1998 9 J. T. Hooker, Mycenaean Greece, 1977.

Karten-Lit.: E. Kirsten, Gebirgshirtentum und Seßhaftigkeit – die Bedeutung der Dark Ages für die Griech. Staatenwelt: Doris und Sparta, in: S. Deger-Jalkotzy (Hrsg.), Griechenland, die Ägäis und die Levante während der »Dark Ages« vom 12. bis zum 9. Jh. v. Chr., 1983, 356–443. BI. ED.

Dorischer Eckkonflikt. Moderner t.t. für das Problem, im griech. Steinbau dorischer Ordnung eine gleichmäßige, um die Ecke biegende Abfolge von → Triglyphos und → Metope im → Fries über einer Säulenstellung zu bewirken. In der kanonischen dor. Baustruktur lagert jede zweite Triglyphe mittig über einer Säule. Dies wird in dem Moment an der Ecke unrealisierbar, wo die Tiefe des Architravs (→ Epistylion) die Breite einer Triglyphe übersteigt, da dann entweder der Architrav nicht mehr zentriert auf dem Abacus des Eckkapitells aufliegt oder aber die Mitte der Ecktriglyphe aus der Säulenachse nach außen rückt; ein Problem, das in der dem Steinbau zeitlich vorausgehenden Holzbauweise, die die dor. Ordnung formal konstituiert hat (vgl. Vitr. 4,2,4; 5,1,11 u.ö.), wegen ihrer größeren statischen Flexibilität nicht notwendigerweise auftritt.

Der d. E. war in der Ant. ein bekanntes und diskutiertes Architekturproblem, wie die bei Vitruv (4,3) geschilderte Kritik an der dor. Bauordnung und v. a. die ebendort überlieferte Anekdote bezeugt, nach der der Architekt → Hermogenes aufgrund des d. E. einen dor. konzipierten Tempel in einen Bau ion. Ordnung umgearbeitet haben soll (die eine vergleichbare Komplikation lediglich in der Volutenform des Eckkapitells aufweist); wohl eine Legende, die zwar zeitlich mit dem weitgehenden Verzicht auf die dor. Bauordnung in der ant. Architektur um 300 v. Chr. zusammenfällt, dies indessen aber kaum allein begründet haben wird.

Die Behandlung des d. E. ist ein Kernpunkt in der theoretisch-planerischen und praktischen Auseinandersetzung ant. Architekten mit der dor. Bauordnung, die

von ersten, tastenden Versuchen zu einer immer weiter voranschreitenden Systematisierung der Struktur mit einer vollständigen Kommensurabilität aller Bauglieder und Distanzen führte (z. B. im Zeustempel von Olympia des → Libon; → Proportionen). Dabei wurde der d. E. in hocharcha. Bauten zunächst ignoriert, was zu einer optisch deutlich erfahrbaren Störung des Friesablaufes durch Verbreiterung der Eckmetopen führte (z. B. Korinth, Apollontempel). Als »Lösung« des d. E. wurde neben einer Kompensation des »Überschusses« im Fries (durch den im Vergleich zur alleinigen Verbreiterung der Eckmetopen optisch weniger signifikante Verbreiterung mehrerer Metopen, bisweilen auch der Triglyphen) im späten 6. Jh. v. a. die Verengung (Kontraktion) des Eckjoches entwickelt (früheste Belege: Aigina, Aphaia-Tempel; Delphi, Athena Pronaia-Tempel). Neben der den »Überschuß« vollkommen kompensierenden, kräftigen Eckkontraktion (z. B. Zeustempel in Olympia; Hephaistos-Tempel auf der Athener Agora) führten v. a. die vielfältigen Kombinationsmöglichkeiten von Jochkontraktion und Manipulation der Frieselemente zu einem großen Spektrum von Gestaltungsmöglichkeiten, die einerseits den D. E. als optisches Problem in die Nähe der Nicht-Wahrnehmbarkeit führten, andererseits in solch aufwendigem Umgang mit der – tatsächlich nicht lös-, sondern nur kaschierbaren – mathematischen Aporie zum Ausweis technologischer Kompetenz der Erbauer avancierten (→ Könnensbewußtsein; → Optical Refinements). Baukonzepte mit derartigem Demonstrationscharakter finden sich an einigen westgriech. Tempeln mit ihren ausgeklügelten »doppelten Eckkontraktionen« (Agrigent, Concordia-Tempel; großer Tempel von Segesta) und am → Parthenon auf der Athener Akropolis mit seiner das notwendige Maß übersteigenden einfachen Eckkontraktion. Die bei Vitruv (4,3,2) als »Ausweg« empfohlene Rest- oder Eckmetope ist im Zuge der Vitruv-Rezeption der Renaissance und im darauf basierenden Palladianismus zum architektonischen Topos geworden, war in der Ant. hingegen weitestgehend unbekannt.

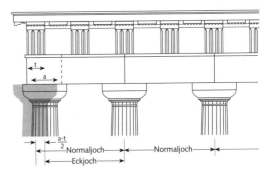

Dorischer Eckkonflikt (schematische Darstellung).

Gegen Ende des 19. Jh. hat der Archäologe und Bauforscher R. Koldewey eine Methode zur exakten Berechnung der »idealen« Eckkontraktion etabliert, nach der der für einen ungestörten Ablauf im Fries notwendige Betrag für die Kontraktion des Eckjoches der Hälfte der Differenz zwischen Triglyphenbreite und Architravstärke entspricht: $\frac{a-t}{2}$, vgl. Abb. Ob dieses Berechnungsverfahren in der Ant. bekannt war, ist ungewiß; es findet sich praktisch kein ant. Bauwerk, in dem sich der auf diese Weise ermittelbare »Überschuß« hinreichend präzise wiederfindet. Es bleibt deshalb unklar, ob der d. E. in der Ant. Gegenstand theoretischer Berechnungen war (und wenn ja, auf welchen Parametern eine solche Berechnung fußte), oder ob hier ein eher überschlägig kalkulierendes, praktisches Verfahren zur Anwendung kam; zu damit verbundenen modernen Verständnisproblemen der ant. Bauplanung → Bauwesen.

H. BÜSING, Eckkontraktion und Ensembleplanung, in: MarbWPr 1987, 14–46 · J.J. COULTON, The Treatment of Re-Entrant Angles, in: The Annual of the British School at Athens, 1966, 132–148 · C. HÖCKER, Planung und Konzeption der klass. Ringhallentempel von Agrigent, 1993, 132–141 (Lit.) · Ders., Architektur als Metapher, in: Hephaistos 14, 1996, 45–79 · H. KNELL, Die Hermogenes-Anekdote und das Ende der dor. Ringhallentempels, in: H. KNELL, B. WESENBERG (Hrsg.), Vitruv-Kolloquium Darmstadt 1982, Schriften des Dt. Archäologenverbandes 8, 1984, 41–64 · Ders., Vitruvs Architekturtheorie, 1985, 84–95 · D. MERTENS, Der Tempel von Segesta und die dor. Tempelbaukunst des griech. Westens in klass. Zeit, 1984, 153–156 · W. MÜLLER-WIENER, Griech. Bauwesen in der Ant., 1988, 116–117, 140 · B. WESENBERG, Vitruvs griech. Tempel, in: H. KNELL, B. WESENBERG (Hrsg.), Vitruv-Kolloquium Darmstadt 1982, Schriften des Dt. Archäologenverbandes 8, 1984, 65–96.
C. HÖ.

Doriskos (Δορίσκος, *Doriscum*). Ortschaft im Westen der Hebros-Mündung (h. Evros) in der gleichnamigen Ebene (Hdt. 7,59). 512 v. Chr. von Dareios I. als Ausgangspunkt seines Feldzugs gegen die Griechen und als Proviantspeicher angelegt und so auch von Xerxes genutzt (Hdt. 7,25, 108; Heeresschau des Xerxes: 7,59f.; Plin. nat. 4,43). Befehlshaber der pers. Garnison war Maskames (7,105f.). 346 v. Chr. von Philippos II. eingenommen (Aischin. Ctes. 82; Liv. 31,16,4). Von Traian als Traianopolis neu gegr. [1. 137–140]

B. H. ISAAC, The Greek Settlements in Thrace until the Macedonian Conquest, 1986.
I. v. B.

Doron graphe (Δώρων γραφή). In Athen Klage wegen Bestechlichkeit (Poll. 8,42), worunter auch die Richterbestechlichkeit fiel. Aktive Bestechung im Zusammenhang mit der Gerichtsbarkeit wurde mit → *dekasmú graphé* verfolgt. Tathandlung war das Geben und Annehmen von Geschenken an und durch Amtsträger, wozu auch die Anwälte in öffentlichen und privaten Prozessen gerechnet wurden (Demosth. or. 46,26), zum Schaden des Staates (Lys. 21,22: ἐπὶ τῆς πόλεως κακῷ; Demosth. or. 21,113: ἐπὶ βλάβῃ τοῦ δήμου). Die Klage wurde in leichteren Fällen bei den → *logistaí*, in schwereren bei den → *thesmothétai* (Aristot. Ath. pol.

59,3) eingereicht. Strafe war in schweren Fällen der Tod, in leichteren ein Geldbetrag in der Höhe des zehnfachen Wertes des Geschenkes oder der Bestechungssumme (Aristot. Ath. pol. 54,2). In jedem Fall kam noch der völlige Verlust der bürgerlichen Ehrenrechte hinzu, der sich auch auf die Nachkommen erstreckte.

BUSOLT/SWOBODA, 1077, 1098 · J. BLEICKEN, Die athenische Demokratie, ²1994, 358.
G. T.

Doros (Δῶρος). Mythischer Ahnherr der Dorier, Sohn des Hellen und der Orseis, Enkel des Deukalion, Bruder des Xuthos und des Aiolos. Seine Söhne sind Tektamos und → Aigimios (Hes. cat. fr. 9,2; Apollod. 1,49–50; Diod. 4,58,6; 60,2). Von Phthia aus führte D. das Volk in die thessalische Hestiaiotis (Diod. 5,80,2), in die mittelgriech. Landschaft Doris (Strab. 8,7,1) oder nach Südaitolien (Apollod. 1,57).

F. GRAF, Greek Mythology, 1993, 132–133 · I. MALKIN, Myth and Territory in the Spartan Mediterranean, 1994, 39–41.
R. B.

Dorotheos (Δωρόθεος).

[1] Bronzebildner aus Argos. Bekannt durch zwei Signaturen aus der Mitte des 5. Jh. v. Chr. auf Basen in Delphi und in Hermione (Kreta), mit Einlaßspuren für Pferd oder Reiterstatue.

J. MARCADÉ, Recueil des signatures des sculptures grecques, 1, 1953, Nr. 30–31 · P. ORLANDINI, I donari firmati da Kresilas e Dorotheos a Hermione, in: ArchCl 3, 1951, 94–98.
R. N.

[2] Maler des mittleren 1. Jh. n. Chr. Von Nero beauftragt, das schadhaft gewordene Bild der Aphrodite des → Apelles [4] im Caesar-Tempel durch eine Kopie zu ersetzen (Plin. nat. 35,91).

L. GUERRINI, s. v. D. 3, EAA 3, 177. · I. SCHEIBLER, Griech. Malerei der Ant., 1994, 23.
N. H.

[3] Griech. Grammatiker und Lexikograph aus Askalon (Steph. Byz. 132.6, s. v. Ἀσκάλων), vermutlich aus der frühen Kaiserzeit, Verf. eines lexikographischen Werkes, das als Λέξεων συναγωγή oder als Ἀττικὴ λέξις/Ἀττικαὶ λέξεις zitiert wird und zumindest teilweise noch dem Photios zugänglich war (Bibl. cod. 156). Da Athenaios (der das Werk mehrfach zitiert) VII 329 d das 108. Buch erwähnt, muß es sich um eine ziemlich umfangreiche Sammlung gehandelt haben. Im schol. Hom. Il. 10,252a wird (aus B. 31) eine Stellungnahme des D. gegen Aristonikos und Tryphon berichtet. Porphyrios (zu Hom. Il. 9,90) sagt, daß D. ein ganzes Buch über das Wort κλίσιον schrieb (vermutlich ein Abschnitt aus dem Hauptwerk). Aus Athen. 14,662 f wissen wir, daß er sich mit Antiphanes (vgl. PCG II, S. 313) und den Dichtern der Neuen Komödie beschäftigte. Absolut zweifelhaft ist seine Gleichsetzung mit dem von Clem. Al. strom. I 21 = II 82,21 STÄHLIN erwähnten D. [1].
→ Antiphanes [1]; Aristonikos; Tryphon

1 L. COHN, s. v. D. (20), RE 5, 1571–72 2 H. ERBSE, Beiträge zur Überlieferung der Iliasscholien, 1960, 117–119 3 M. H. E. MEIER, Opuscula academica II, 1863, 42–43.

F. M./Ü: T. H.

[4] aus Chalkis. Sohn des Pythippos, in IG 7,543,5 (90–80 v. Chr.) als Sieger bei den Sarapieia in Tanagra als Tragiker (?) aufgeführt. Vielleicht Bruder des Gorgippos aus Chalkis (TrGF 175).

TrGF 160. F. P.

[5] von Sidon. Verf. eines astrologischen Lehrgedichts in fünf Büchern (1. Jh. n. Chr.), das von → Firmicus Maternus benutzt wurde. Nur einige Hexameter und Teile einer Prosafassung sind erhalten. Eine erweiterte arab. Übersetzung deutet auf eine intensive Benutzung dieses Gedichts durch islamische Astronomen.

D. PINGREE (Hrsg.), Dorothei Sidonii Carmen Astrologicum, 1976. C. S.

[6] Antiochenischer Presbyter (um 290 n. Chr.). Über den hochgebildeten Eunuchen, der Hebr. und die Klassiker beherrschte, berichtet Eusebios (HE 7,32,2–4). Demnach hat ihm Kaiser Diocletian als Gunstbeweis die Aufsicht über die Purpurfärberei von Tyros übertragen. Der Zeitgenosse des Lukianos von Antiocheia ist nicht identisch mit einem ebenfalls bei Eusebios (HE 8,1,4; 8,6,1; 5) erwähnten gleichnamigen Märtyrer und Hofbeamten.

BARDENHEWER, GAL II 285f. · L. ABRAMOWSKI, s. v. D. 5), DHGE 14, 685f. J. RI.

[7] Bischof von Markianopolis (Moesia inferior). Der Anhänger des → Nestorios, der sich angeblich öffentlich gegen die *theotókos* Maria erklärte, zählt auf der oriental. Synode in Ephesos 431 n. Chr. zu dessen hartnäckigsten Verteidigern. Später wurde E. abgesetzt und verbannt; aus seiner Feder haben sich mehrere Briefe (u. a. an das Volk von Konstantinopel, Iohannes von Antiocheia, Kaiser Markianos) und das Fragment einer Erklärung zum Glaubensbekenntnis erhalten.

ED.: CPG 5781–5786.
LIT.: A. VAN ROEY, s. v. D. 8), DHGE 14, 688. J. RI.

[8] Legendarischer Bischof, der nach Theophanes (Chronographia 1, 24 DE BOOR) als Märtyrer unter Kaiser Iulianus gestorben sein soll. Ihm wurde eine aus unterschiedlichen Quellen schöpfende, wohl im 8./9. Jh. entstandene Kompilation zum Erweis der apostolischen Gründung Konstantinopels (Jünger-, Apostelkataloge u. a.) zugeschrieben.

ED.: TH. SCHERMANN, Prophetarum vitae fabulosae, 1907, 131–160.
LIT.: TH. SCHERMANN, Propheten- und Apostellegenden, 1907, 144–153, 174–198 · B. DE GAIFFIER, »Sub Iuliano Apostata« dans le martyrologe romain, in: Analecta Bollandiana 74, 1956, 19f. J. RI.

[9] Mönch in Alexandreia (um 500 n. Chr.). Nach einer singulären Nachricht bei Theophanes (chronogr. 1,152f. DE BOOR) Autor einer umfangreichen, das Konzil von Kalchedon gegen den mit Iulianus parallel gesetzten Kaiser Anastasios verteidigenden Schrift unter dem Titel τραγῳδία ἤγουν προφητεία τῆς νῦν καταστάσεως (›Tragödie oder Prophezeiung der jetzigen Verhältnisse‹). Anastasios ließ den Autor verbannen und die Schrift verbrennen.

A. JÜLICHER, s. v. D. 27), RE 5, 1574. J. RI.

[10] Rechtsprofessor in Berytos in der 1. H. des 6. Jh. n. Chr., Mitglied der iustinianischen Kommissionen für die Kompilation der Digesten (*Tanta*, § 9), der Institutionen (*Imperatoriam*, § 3) und der zweiten Bearbeitung des Codex (*Cordi*, § 2), schrieb eine paraphrasierende Übersetzung zu den Digesten.

F. BRANDSMA, Dorotheus and His Digest Translation, 1996. T. G.

Dorotheus s. Visio Dorothei

Dorticum (Δορτικόν). Röm. Kastell am rechten Donau-Ufer an der Mündung des Timacus (h. Timok), urspr. in Moesia Superior, nach 271 in Dacia Ripensis, h. Vrav, Vidin in Bulgarien. Im 4. Jh. Standort des *cuneus equitum Dalmatarum Divitensium*. Als Festung noch unter Iustinian bekannt. Zur Lokalisierung vgl. auch [1. 60, 77,248]. Belegstellen: Geogr. Rav. 4,7,8; Tab. Peut.; Itin. Anton. 219,1; Not. dign. or. 42,3,14; Ptol. 3,9,4 (Δορτικόν); Prok. aed. 4,6,20.

1 V. I. VELKOV, Die thrak. und dak. Stadt in der Spätant., 1959 (bulgar. mit dt. Zusammenfassung).

TIR L 34 Budapest, 1968, 55. J. BU.

Dorulatus. Keltischer Name; Fürst der Insubres. D. führte 194 v. Chr. ein Heer über den Po, wurde aber von dem Prokonsul L. → Valerius Flaccus bei Mediolanum vernichtend geschlagen (Liv. 34,46,1). W. SP.

Dorylaion (Δορύλαιον, Δορύλλειον).
Bed. Stadt im Norden von Phrygia (h. Eskişehir) zw. dem Fluß Tembris (Porsuk Çayı) und dessen Nebenfluß Bathys (von Plin. nat. 5,119 *Hermos* gen.; h. Sarısu). Die ant. Stätte befindet sich auf einem Hügel (Şarhüyük, »Hügel der Stadt«), der schon in hethitischer und phryg. Zeit bewohnt war (derzeit türk. Ausgrabungen); als griech. Stadt neu gegr. durch Dorylaos von Eretria (ansonsten unbekannt); myth. Gründer ist → Akamas, Sohn des Theseus. Die Stadt, in der Phrygia Epiktetos im *conventus* von Synnada, war berühmt für ihre warmen Quellen (Athen. 2,17). D. war zu allen Zeiten ein bed. Verkehrsknotenpunkt und folglich ein mil. Zentrum: Stützpunkt des Lysimachos im Kampf gegen → Antigonos [1] Monophthalmos vor der Schlacht bei Ipsos; Sitz einer *schola* im 6. Jh. Von den zahlreichen Inschr. v. a. der Kaiserzeit stammen die zivilen Doku-

mente, größtenteils aus den Stadtmauern, die in großer Eile gegen die Barbareneinfälle E. 3. Jh. errichtet wurden; eine ganze Reihe von Weihungen (bes. für Zeus Bronton) und von Grabinschr. wurde in den umliegenden Dörfern gefunden. Die relativ wenigen Mz.-Prägungen stammen aus der Zeit von Vespasianus bis Philippus II. D. war erstes Suffraganbistum von Synnada in der Prov. Phrygia Salutaris.

MAMA 5, xi-xxv, 1–91 · BELKE/MERSICH, 238–242.
T.D.-B./Ü:S.F.

D. blieb in früh- und mittelbyz. Zeit ein wichtiger Verkehrsknotenpunkt, der die Wege von → Konstantinopolis nach SO-Anatolien kontrollierte. Bis zu den Kreuzzügen diente die Stadt sämtlichen byz. Heeresexpeditionen in SO-Richtung als Truppensammelpunkt und nahm unter den *aplēkta* (ἄπληκτα, zu lat. *applicatum*) gen. befestigten Heereslagern die zweite Stelle ein [1]. Die Stadt diente 742/3 dem → Strategen des → Themas Opsikion und Gegenkaiser Artabasdos beim Usurpationsversuch gegen Kaiser Konstantin V. als Bastion. Im 8.–10. Jh. war D. das Ziel etlicher arab. Angriffe, wurde jedoch nie eingenommen. Ein Sieg der Kreuzfahrer unter Gottfried von Bouillon 1097 bei D. über die Seldschuken und Turkmenen öffnete dem 1. Kreuzzug den Weg durch Kleinasien nach Jerusalem; in derselben Gegend erlitt jedoch 1147 die deutsche Abteilung des 2. Kreuzzuges unter Konrad III. eine Niederlage. Die Seldschuken eroberten und zerstörten D. im J. 1080. Kaiser Manuel I. baute 1175 die Festung wieder auf [2], verlor sie nach der Niederlage von Myriokephalon (1176) aber wieder an die Seldschuken.

G. HUXLEY, A List of ἄπληκτα, in: GRBS 16, 1975, 87–93
2 P. WIRTH, Kaiser Manuel Komnenos und die Ostgrenze. Rückeroberung und Wiederaufbau der Festung D., in: ByzZ 55, 1962, 21–29.

BELKE/MERSICH, 241–242 · S. VRYONIS JR., The Decline in Medieval Hellenism in Asia Minor and the Process of Islamization from the Eleventh through the Fifteenth Century, 1971, passim.   G. MA.

Dorylaos (Δορύλαος).

[1] Aus Amisos, Ururgroßvater des Geographen Strabon, warb als *anēr taktikós* und Freund des Mithridates V. von Pontos Söldner in Thrakien, Griechenland und Kreta an. In Knosos wurde er zum *stratēgós* gewählt und besiegte die Gortynier. Nach der Ermordung des Mithridates 120 v. Chr. blieb er in Knosos (Strab. 10,4,10).
[2] Sohn des Philetairos, Neffe von D. [1]. Als Syntrophos Mithridates' VI. in Sinope erzogen, wurde D. später ὁ ἐπὶ τοῦ ἐγχειριδίου (»Sekretär«) des Königs und Priester von Komana (OGIS 372). Im 1. Mithridatischen Krieg zog D. 86 v. Chr. mit angeblich 80 000 Mann nach Griechenland, wo er sein Heer mit den Truppen des → Archelaos [4], der bei Chaironeia geschlagen worden war, vereinigte; beide wurden aber bei Orchomenos von Sulla besiegt (Strab. 10,4,10; App. Mithr. 49; Plut. Sulla 20; Oros. 6,2,6; Eutr. 5,6,3). Nach Memnon FGrH 434 F 23 hatte er die Bestrafung von Chios zu vollziehen. Im 3. Mithridatischen Krieg wurde D. wegen Verrats an die Römer getötet (Strab. 12,3,33; vgl. aber Plut. Lucullus 17, wonach D. bei Kabeira starb).

TH. REINACH, Mithridate Eupator, 1890, 42–50 (zu D. [1]), 52, 56, 122, 335, 459 (zu D. [2]).   M. MEI.

Doryphoros

[1] s. Polykleitos
[2] D., Doryphorus. Da Freigelassener von Claudius oder Nero, lautete sein voller Name Ti. Claudius D. Er übte die Funktion des *a libellis* aus und hatte großen Einfluß bei Nero, der ihn sogar geheiratet haben soll. Da D. sich einer Heirat mit Poppaea widersetzte, von Nero im J. 62 mit Gift beseitigt. Sein Besitz, auch der in Ägypten, fiel an den Kaiser zurück. PIR² D 194.

BESSONE, GFF 2, 1979, 105 ff.   W. E.

Dos. Die *d.* war im röm. Recht die Mitgift. Die Eheschließung an sich hatte auf die Vermögensverhältnisse der Ehegatten keinen Einfluß. Nach altem Brauch gehörte eine Mitgift zu einer Heirat, wenn sie auch nicht gesetzlich vorgeschrieben war. Eine Ehefrau, die sich in die rechtliche Gewalt (*manus*) des Ehemannes begab, vereinigte ihren Besitz sowie künftige Erwerbungen mit dem Besitz ihres Mannes oder seines *paterfamilias*. Stand eine Ehefrau unter der rechtlichen Gewalt eines *paterfamilias*, übergab dieser dem Mann eine Mitgift; falls die Frau selbst rechtsfähig war (*sui iuris*), überschrieb sie selbst ihrem Ehemann eine Mitgift, die aus Geld oder Grundbesitz, Sklaven, Tieren usw. oder einer beliebigen Zusammenstellung dieser Dinge bestehen konnte. Die Mitgift wurde Eigentum des Ehemannes; bei Dotalgrundstücken war allerdings nach einer *lex Iulia* des Augustus sein Recht auf Veräußerung durch die notwendige Zustimmung der Gattin eingeschränkt. Einkünfte, die aus dem als Mitgift übergebenen Besitz bezogen wurden, sollten nach allgemeiner Ansicht während der Ehe für den angemessenen Unterhalt der Ehefrau verwendet werden. Bei einer Scheidung blieben die Erträge Eigentum des Ehemannes, doch war er zur Rückerstattung des Vermögens verpflichtet.

Der übliche Wert einer Mitgift betrug für Frauen des *ordo senatorius* im Prinzipat eine Mio. HS (das Mindestvermögen eines Senators), eine hohe Summe, die aber von einer reichen Familie durchaus aufgebracht werden konnte. Die *d.* konnte bei der Hochzeit übergeben werden, Geldbeträge wurden jedoch oft in drei jährlichen Raten entrichtet, wobei ein Jahr nach der Hochzeit mit den Zahlungen begonnen wurde. Es konnte auch eine Vereinbarung über einen Aufschub der Zahlungen, z. B. bis zum Tod dessen, der die Mitgift zahlte, geschlossen werden. Vom 3. Jh. v. Chr. an entwickelten die Praetoren Regeln für die gerechte Handhabung der Mitgift. Der von einer Frau *in manu* in die Ehe eingebrachte Besitz wurde der Mitgift gleichgestellt.

Nach dem Ende der Ehe wurde die *d.* als *res uxoria* (Frauengut) betrachtet und deshalb der Frau oder ihren

Erben die *actio rei uxoriae* auf Herausgabe der *d.* gegeben. Ein Ehepartner, der durch ein Vergehen seinerseits eine Scheidung verursachte oder sich von einem unbescholtenen Partner scheiden ließ, konnte benachteiligt werden, die Frau aufgrund der *retentio propter mores* dadurch, daß ihr Mann bei schwereren Vergehen ihrerseits ein Sechstel oder sonst ein Achtel der Mitgift sowie ein Sechstel für jedes Kind – bis zu drei Kindern – einbehielt, der Mann aufgrund der *actio rei uxoriae* dadurch, daß er die Mitgift bei schwerwiegenden Vergehen seinerseits sofort oder sonst innerhalb von sechs Monaten zurückerstatten mußte. Der Ehemann konnte die Rückerstattung von Ausgaben für Besitztümer, die als Mitgift gegeben worden waren, verlangen; weitere Ausgleichszahlungen konnten im Einzelfall notwendig sein. Nicht teilbare Güter wie etwa Landbesitz mußten sofort übertragen, Geld konnte in drei jährlichen Teilzahlungen zurückerstattet werden.

Wenn die Ehefrau zuerst starb, verblieb die Mitgift bei ihrem Mann; wenn die Mitgift ursprünglich von einem männlichen Vorfahren der Frau gegeben worden war, erhielt dieser die Mitgift zurück, wenn er noch am Leben war, wobei ein Fünftel der Mitgift für jedes aus der Ehe stammende Kind abgezogen wurde. Wenn der Ehemann zuerst starb, hatte die Witwe ihre Mitgift von seinen Erben einzufordern; hierbei konnten keine Abzüge gemacht werden, auch nicht für Kinder.

Die allgemeinen Regelungen konnten auch durch eine Abrede (*pactum*), die gewöhnlich zum Zeitpunkt der Hochzeit abgefaßt wurde, geändert werden. Eine derartige Abrede konnte die einzelnen Bestandteile der Mitgift auflisten, für die Kinder der Ehe Sorge tragen und bestimmen, welche Maßnahmen im Falle des Todes eines der Partner oder bei einer Scheidung zu treffen waren. Solche *pacta dotalia* wurden bei der Entscheidung über die *actio rei uxoriae* beachtet. Regelungen über die *d.* wurden im allg. als wichtig angesehen, weil die Mitgift einer verwitweten oder geschiedenen Frau die Wiederheirat ermöglichte. Wenn eine Familie zu arm war, um der Frau eine *d.* zu geben, konnte ihr Ehemann sie selbst bereitstellen. Später wurde die Mitgift durch ein Hochzeitsgeschenk des Ehemannes an seine Frau (*donatio ante nuptias*) aufgewogen.

→ Adulterium; Dictio dotis; Divortium; Ehe; Eheverträge

1 HONSELL 2 A. SÖLLNER, Zur Vorgeschichte und Funktion der actio rei uxoriae, 1969 3 TREGGIARI 4 R. P. SALLER, Patriarchy, Property and Death in the Roman Family, 1994.

SU. T./Ü: T. R.

Dosiadas (Δωσιάδας). Autor von Anth. Pal. 15,26, auch im Codex der bukolischen Dichter unter den Τεχνοπαίγνια (*Technopaígnia*) überliefert. Das Gedicht ist ein γρῖφος (*gríphos*) oder Rätsel, angelehnt an die *Alexandra* des → Lykophron, mit dunklen Bezügen und Anspielungen auf bekannte myth. Figuren, die in einigen Hss. von den Scholien erkärt werden. Es handelt sich um ein lit. Weihgedicht eines Altars, den Iason auf Lem-

nos errichtete und an dem → Philoktetes verwundet wurde. Die Sprache ist eine Mischung aus dor. und ep. Formen (z. B. Τεύκροιο βούτα = Paris) in iambischen Versen verschiedener Länge, die dem Titel des Gedichts entsprechend die Form eines Altars (βωμός) bilden. Anth. Pal. 15,25 ist eine zweitklassige Imitation aus der Zeit Hadrians.

A. S. F. GOW, Bucolici Graeci, 1952, 182 f. · CollAlex 175.

E. R./Ü: L. S.

Dosis. Das Substantiv leitet sich von διδόναι (*didónai*) »geben« ab und hat wie auch das Verbum keine spezifisch juristische Bedeutung. Die Rechtsinstitute Schenkung und Stiftung lassen sich unter dem Terminus *d.* nur sehr unzulänglich erfassen: Die att. Redner gebrauchen διδόναι (*didónai*) und διατιθέναι (*diatithénai*; → Diatheke) abwechselnd, wenn sie testamentarische Zuwendungen aus dem solonischen Gesetz rechtfertigen. In der großen Gesetzesinschrift von Gortyn bedeutet *didónai* »schenken« (col. IX 15–30, mit rechtlichen Beschränkungen). Beim Errichten einer Stiftung spielt »geben« naturgemäß eine bed. Rolle, doch kommt es auf den Inhalt der Stiftungsurkunde an. D. wird (neben χάρις, *cháris*) in den Papyri Ägyptens für die »Schenkung auf den Todesfall« (evtl. mit Widerrufsklausel) und unter Lebenden gebraucht (weiteres Synonym: δῶρον, *dõron*).

→ Doron graphe

R. KOERNER, Inschr. Gesetzestexte der frühen griech. Polis, 1993, 544 f. · H.-A. RUPPRECHT, Einführung in die Papyruskunde, 1994, 111, 129.

G. T.

Dositheos (Δωσίθεος).

[1] Sohn des Drimylos, jüd. Apostat. Soll Ptolemaios IV. Philopator vor der Schlacht bei Raphia (217 v. Chr.) das Leben gerettet haben (3 Makk 1,3). Um 240 v. Chr. einer der beiden Leiter des königlichen Sekretariats, begleitete 225/4 Ptolemaios III. auf einer Reise in Ägypten, hatte um 222 als Priester Alexandros' [4] d.Gr. und der vergöttlichten Ptolemaier das höchste priesterliche Amt im hell. Ägypten inne. PP 1/8,8; 3/9,5100.

V. TCHERIKOVER, A. FUKS, Corpus Papyrorum Judaicarum I, 1957, 230–236, Nr. 127 · M. HENGEL, Juden, Griechen und Barbaren, in: SBS 76, 1976, 55, 125.

[2] Offizier, kämpfte auf Seiten des → Iudas Makkabaios. Zusammen mit Sosipatros vernichtete er eine von Timotheos im Ostjordanland zurückgelassene syr. Besatzung (2 Makk 12,19). Timotheos selbst fiel den Leuten des D. in die Hände, wurde aber freigelassen (2 Makk 12,24 f.); vermutlich ist er identisch mit dem Reiteroffizier D., dessen Heldentat in 2 Makk 12,35 erwähnt wird.

→ Timotheos

M. HENGEL, Judentum und Hellenismus, ³1988, 119, 502.

A. M. S.

[3] Schüler des Astronomen → Konon in Alexandreia.
D. war mit → Archimedes [1] befreundet, der ihm die
Abhandlungen *Tetragōnismós parabolēs*, *Perí sphaíras kaí
kylíndrou*, *Perí helíkōn*, *Perí kōnoeidéōn kaí sphairoeidéōn*
widmete. Seine *akmḗ* erlebte er etwa 230 v. Chr.

Über eigene mathematische Schriften ist nichts bekannt. D.' astronomische Werke betrafen offenbar
hauptsächlich den Kalender. Erwähnt werden Beobachtungen über das Erscheinen der Fixsterne (im Anhang
zu Geminos' *Eisagōgḗ* [5. 210–233]) und über 30 Wet-
tervorhersagen (in Ptol. Phaseis, s. [2. 1–67] und [6]). Er
schrieb über den achtjährigen Kalenderzyklus des
→ Eudoxos (Περὶ τῆς Εὐδόξου ὀκταετηρίδος). Vielleicht
ist er mit D. von Pelusion identisch, der Nachrichten
über das Leben des → Aratos [4] gab [4. § 2].
→ Kalender

1 D. R. DICKS, s. v. Dositheus, Dictionary of Scientific
Biography 4, 1971, 171 f. 2 J. H. HEIBERG (ed.), Claudii
Ptolemaei opera astronomica minora, 1907 3 F. HULTSCH,
s. v. D. 9), RE 5, 1607 f. 4 E. MAASS (ed.), Theonis
Alexandrini vita Arati, 5 K. MANITIUS (ed.), Gemini
elementa astronomiae, 1898 6 A. REHM, Parapegmastudien,
ABAW, N. S. 19, 1941.   M. F.

[4] Jüdischer General Ptolemaios' VI. Philometor und
der Kleopatra (Ios. c. Ap. 2,49). Früher nahm man an, er
sei das Vorbild für den »legendären« D. [2] in 3 Makk 1,3
gewesen.

V. TCHERIKOVER, A. FUKS, Corpus Papyrorum Judaicarum I,
1957, 20 ff., 230 · SCHÜRER III, 135 f., 539.   A. M. S.

[5] Idumäer, wechselte die Partei von → Hyrkanos II.
zu → Herodes I.; war in den Justizmord an Hyrkan verwickelt (Ios. ant. Iud. 15,168–173) und wurde im Zusammenhang mit der Verschwörung des Kostobaros von
Herodes I. hingerichtet (Ios. ant. Iud. 15,252.260).

A. KASHER, Jews, Idumaeans, and Ancient Arabs, in: Texte
und Stud. zum ant. Judentum 18, 1988, 217 f.   A. M. S.

[6] Sohn des Kleopatrides, alexandrinischer Jude. Er
stellte einen Antrag auf die Freistellung kleinasiat. Juden
mit röm. Bürgerrecht vom röm. Militärdienst aus rel.
Gründen; das Privileg wurde durch ein Dekret von L.
→ Lentulus Crus 49 v. Chr. gewährt (Ios. ant. Iud.
14,236 f.).

SCHÜRER III, 120 f. · P. R. TREBILCO, Jewish Communities
in Asia Minor, 1991, 17, 197.   A. M. S.

[7] Begründer der samaritanischen Sekte der Dosithäer,
die vermutlich im 1. Jh. n. Chr. entstanden ist. Er beanspruchte, der von Moses angekündigte und von den Sa-
maritanern erwartete Prophet (Dtn 18,15) zu sein (Orig.
contra Celsum 1,57). Dabei soll er die prophetischen
Schriften verworfen haben, woraufhin die Gruppierung der Sadduzäer entstanden sein soll (Ps.-Tert. adv.
omn. haer. 1). Außerdem soll er die Existenz von Engeln, die Auferstehung sowie das letzte Gericht geleugnet haben (vgl. Philastrius). Nach islamischen Quellen

besaß diese Sekte einen eigenen Kalender und eigene
Reinheitsgesetze.

1 CALDWELL, in: Kairos 4, 111 2 A. LOEWENSTAMM, s. v.
Dustan, in: Encyclopedia Iudaica 6, 1971, 313–316 3 H. G.
KIPPENBERG, Garizim und Synagoge, Traditionsgesch.
Untersuchungen zur samaritanischen Rel. der aram.
Periode (RGVV 30), 1971, 128–137.   B. E.

[8] Christl. Schriftsteller (um 350 n. Chr.). Einzig Makarios von Magnesia (Apocriticus ad Graecos 3, 43 [1])
berichtet, daß der gebürtige Kilikier D. ein κορυφαῖος
(*koryphaíos*) der Enkratiten von Isaurien und Umgebung
gewesen sei. Von einer Schrift in acht Büchern, in welcher er die Lehre seiner Sekte darlegte, zitiert Makarios
einen Satz, der die doppelte Schöpfung der Welt mittels
der *enkráteia* betont.

C. BLONDEL (ed.), 1867, 151.

A. JÜLICHER, s. v. D. (11), RE 5, 1609 · G. GASPARRO,
Enkrateia e antropologia, 1984, 234, 378 f.   J. RI.

Dositheus. Lat. Grammatiker, lebte vermutlich gegen
Ende des 4. Jh., nach → Cominianus. Seine lat. und gr.
abgefaßte *Ars grammatica* war für Schüler beider Sprachen bestimmt. Möglicherweise ist der griech. Text die
Übers. des lat. Originals und D. ist lediglich der Übersetzer. Schon in ant. Zeit war die Ars Gegenstand von
Eingriffen und Zusätzen (Ed.: [1. 424–436]). D. werden
ohne jeglichen Anhaltspunkt die *Hermeneumata* [3] zugeschrieben, ein zweisprachiges Hdb. mit Texten unterschiedlichen, aber zumeist elementaren Charakters.
Im karolingischen Europa waren diese sehr verbreitet
und sind in mindestens 9 verschiedenen Fassungen bezeugt [4; 5].

ED.: 1 GL 7,376–436 2 J. TOLKIEHN, 1913 3 G. GOETZ,
CGL 3.
LIT.: 4 A. C. DIONISOTTI, From Ausonius' Schooldays?, in:
JRS 72, 1982, 83–125 5 Ders., Greek Grammars and
Dictionaries in Carolingian Europe, in: M. W. HERREN
(Hrsg.), The Sacred Nectar of the Greeks, 1988, 26–31 ·
SCHANZ/HOSIUS 4,1,177–179.   P. G./Ü: G. F.–S.

Dossennus

[1] Eine der vier Standardrollen der *fabula* → Atellana,
Typ des gefräßigen (*Manducus*, Varro ling. 7, 95 MÜLLER;
Paul. Fest. 115 L; Darstellung als Totengott in etr. Gräbern), obszönen (in *Maccus Virgo*) und schlauen Buck-
ligen (Ableitung von *dorsum*). Nach Horaz (epist.
2,1,173) trat er *edacibus in parasitis* (unter gefräßigen Parasiten) auf. Auf seine Schlauheit spielt seine angebliche
Grabinschr. an (Sen. ep. 89,7). In der *Philosophia* des
Pomponius stellte er den geldgierigen Wahrsager dar (p.
49 FRASSINETTI = p. 241 RIBBECK). Vertreten ist er auch
bei Novius (*Duo Dossenni*, p. 75 FRASSINETTI = p. 257
RIBBECK), und als Rolle in *Campani* und *Maccus Virgo*).
Dorsennus in Suet. Galba 13 beruht auf Konjektur.
[2] Als Eigenname durch eine osk.-griech. Münze aus
Poseidonia (Ende 4. Jh. v. Chr.) und in Rom durch den

Münzmeister L. Rubrius D. (87/86 v.Chr.) belegt [2]. Plinius (nat. 1,14f.; 14,92) zitiert einen Dichter Fabius D.; als Atellanendichter mißverstehen Porphyrio und Ps.-Acro auch den D. bei Hor. epist. 2,1,173.

1 P. FRASSINETTI (Hrsg.), Atellanae Fabulae, 1967, p. VII 2 G. MANGANARO, La *Sophia* di D., in: RFIC 37, 1959, 395–402 3 F. MARX, s.v. Atellanae fabulae, in: RE 2, 1896, 1919 4 O. SKUTSCH, s.v. D., in: RE 5, 1905, 1609f.

JÜ.BL.

Dothan (hebr. *Dotān, Dotayin*; griech. Δωθάειμ; arab. *Tall Dūtān*). Ort 15 km nordwestl. von Samaria, außerbiblisch nicht erwähnt (Belege des Namens *t/dn* in ägypt. Listen der 18. Dyn. beziehen sich auf einen Ort im Libanon), in der Josefsnovelle als Station des Handelsweges von Gilead nach Ägypten gen. (Gn 37,17; 25), im Elischazyklus von Aramäern umschlossen (2 Kg 6,13), Schauplatz in der fiktiven Juditnovelle aus hell. Zeit (Jdt 3,9; 4,6; 7,3; 18; 8,3). Wie Grabungen von S. FREE (1953 ff.) ergeben haben, war die Stadt im 3. Jt. und 18.–16. Jh. v.Chr. befestigt; Grabkammern stammen aus dem 14.–12. Jh. v.Chr.; erneute Blüte 10. bis Anf. 7. Jh. v.Chr.; Nachbesiedlung in hell. Zeit.

D. USSISHKIN, R.E. COOLEY, G.D. PRATICO, s.v. D., NEAEHL I, 1993, 372–374. K.B.

Dotion (Δώτιον πεδίον). Als D. wurde der nördl. Teil der ostthessal. Ebene zw. Peneios im Norden, Ossa- und Peliongebirge im Osten, Boibe-See im Süden und Nessonis-See bzw. Bergzug Erimon im Westen bezeichnet. Durch das urspr. waldreiche fruchtbare Schwemmland führte eine alte Straße zum Tempe-Tal (→ Tempe). D. galt als Geburtsstätte des Asklepios (Hom. h. 16). Die meisten der aus der Lit. bekannten Orte, auch ein Demeter-Heiligtum, sind noch nicht einwandfrei lokalisiert (u.a. Elateia, Gyrton, Mopsion, Sykyrion).

PHILIPPSON/KIRSTEN, 1, 1950, 110 · F. STÄHLIN, Das hellenische Thessalien, 1924, 57 · I. BLUM (Hrsg.), Topographie antique et géographie historique en pays grec, 1992, Index ab 237. HE. KR.

Doto (Δωτώ). Feminine Kurzform, wohl als »die Geberin« verstanden [1] (vgl. δώτωρ, δωτήρ, δώτης etc.). Eine der → Nereiden (Hom. Il. 18,43; Hes. theog. 248; Apollod. 1,11; Verg. Aen. 9,102; Hyg. fab. praef. 8; IG XIV 2519). Sie besaß ein Heiligtum in der syr. Küstenstadt Gabala (Paus. 2,1,8).

1 KAMPTZ, 126.

G. GARBUGINO, s.v. D., EV 2, 137. R.B.

Doxa s. Meinung

Doxographie. Mit dem Begriff D. wird die Methode der Aufzeichnung von Ansichten oder Meinungen (δόξαι, *dóxai*) von Philosophen bezeichnet, die von ant. Schriftstellern im Bereich der Philos. häufig angewandt wurde. Er kann sich auch auf Texte oder Passagen beziehen, die solche Darstellungen enthalten.

Der Begriff D. leitet sich von dem Neologismus *doxographus* ab, den der deutsche Gelehrte HERMANN DIELS (1848–1922) einführte und der wörtlich »Aufzeichner von Meinungen« bedeutet. In seinem Werk *Doxographi Graeci* (1879) sammelte DIELS verschiedene ant. Dokumente, die die philos. Lehren der ant. Philosophen zusammenfassen (bes. auf dem Gebiet der Naturphilos.). Er verstand den Begriff im Gegensatz zu *biographus*, »Aufzeichner von Lebensläufen«. In der Praxis ist es jedoch sehr schwer, zwischen diesen beiden Arten von Schriften ganz klar zu unterscheiden. Das wird klar, wenn man die von DIELS und anderen versammelten Dokumente untersucht. Dann zeigt sich, daß wenigstens drei verschiedene Arten von Schriften mit dem weiten Begriff D. in Beziehung stehen.

Im engsten Sinne des Wortes ist unter D. die sog. *placita* (ἀρέσκοντα)-Lit. zu verstehen, Werke, in denen *dóxai* zu bestimmten Themen gesammelt werden, wobei jede einem Philosophen oder einer Schule zugewiesen wird, z.B. ›Platon erklärte, daß der Kosmos einmalig ist. Demokrit und Epikur behaupteten, daß es unendliche Welten gebe...‹ Das Ordnungsprinzip ist im allg. systematisch (obwohl gelegentlich auch das Sukzessionsprinzip benutzt wird), unter häufiger Anwendung von Antithese und Dihärese in der Darstellung. Das berühmteste Beispiel ist die Schrift Περὶ ἀρεσκόντων ξυναγωγή (›Sammlungen über Meinungen‹) des → Aëtios [2] (1. Jh. n. Chr.), die in der ps.-plutarchischen Epitome ›Die physischen Lehrmeinungen der Philosophen‹ zusammengefaßt ist und von → Stobaios in seinen *Eklogaí* ausgiebig benutzt wurde. Dieses Werk behandelte Themen der Physik unter bes. Berücksichtigung der vorsokratischen Philosophen. Es scheint keine Werke dieser Art auf den Gebieten der Logik und der Ethik gegeben zu haben [1].

Eine zweite Art doxographischer Schriften ist die sog. ›Über die Schulen‹ (Περὶ αἱρέσεων)-Lit., in der systematische Zusammenfassungen der Philos. einer Schule (z.B. der Stoa) oder eines bedeutenden Philosophen (z.B. ihres Gründers Zenon) geboten werden. Derartige Werke konzentrieren sich auf die nachsokratische Zeit und decken die verschiedenen Gebiete der Philos. ab, die gewöhnlich in Physik, Ethik und Logik (oder Dialektik) unterteilt wird. Gute Beispiele solcher Doxographien findet man in den erhaltenen Fragmenten des → Areios Didymos und bei → Diogenes [17] Laërtios (z.B. zur Stoa in Buch 7,38–160). Auch → Hippobotos und → Panaitios schrieben Werke mit diesem Titel.

Eine dritte Art von Schriften, die man mit der Doxographie verbinden kann, ist die sog. »Sukzessionen«-Lit. (Διαδοχαί), in der Generationen von Philosophen durch eine Lehrer-Schüler-Beziehung miteinander verbunden werden, sowohl vor als auch während der Entwicklung der philos. Schulen der hell. Zeit (z.B. war Anaximandros Schüler des Thales in der sog. ion. Sukzession usw.). Verfasser solcher Werke waren → Sotion und → Antisthenes. Philodemos' Σύνταξις τῶν φιλοσόφων (›Zusammenstellung der Philosophen‹), von der Abschnitte über die Akademie und die Stoa in Herculaneum gefunden wurden, kann zu dieser Gattung gezählt werden. Es stellt auch das Organisationsprinzip der *Vitae philosophorum* des → Diogenes Laërtios dar. Diese Schriften bieten vor allem institutionelle und anekdotische Informationen einschl. bibliographischer Aspekte. Ihrem Aufbau liegt jedoch eine Einteilung nach Ansichten zugrunde, und sie erwähnen philos. Lehren, um Schulen und deren einzelne Mitglieder voneinander zu unterscheiden. Diese Art zu schreiben ist zwischen Biographie und D. angesiedelt.

Abgesehen von diesen spezifischen Schriften finden sich doxographische Passagen häufig bei anderen Autoren, wenn diese besondere philos. Themen behandeln (hauptsächlich in den Gebieten Physik und Ethik). Ein berühmtes Beispiel findet sich in Ciceros *De natura deorum*: es beginnt mit einem langen doxographischen Überblick über theologische Ansichten, der in eine epikureische Invektive eingebettet ist (1,18–41). Ein solcher Gebrauch doxographischen Materials reflektiert den Ursprung dieser Praxis, der, wie J. MANSFELD gezeigt hat, in der von Aristoteles eingeführten dialektischen Methode anzusiedeln ist. Wenn Aristoteles sich daran macht, ein philos. Thema zu untersuchen, sammelt und untersucht er oft erst die sog. ἔνδοξα (*éndoxa*, seriöse Meinungen), um die Ergebnisse seiner Analyse als Sprungbrett für die Vorstellung seiner eigenen Ansichten zu benutzen. Ein eindeutiges Beispiel findet sich zu Beginn von *De anima* (1,2,403b 20): ›Für unsere Untersuchung der Seele ist es notwendig, daß wir bei der Formulierung der Probleme, deren Lösungen wir im weiteren Verlauf unserer Untersuchung finden wollen, die Meinungen (δόξαι) unserer Vorgänger zu diesem Thema heranziehen, so daß wir akzeptieren können, was richtig festgestellt worden ist, und wir uns vor dem in Acht nehmen, was nicht richtig festgestellt wurde.‹

Aristoteles' Praxis wurde von seinem Kollegen und Nachfolger → Theophrastos fortgeführt und ausgeweitet. Bes. einflußreich scheint seine umfangreiche Sammlung von Φυσικαὶ δόξαι (›Meinungen über die Physik‹) in 18 Büchern gewesen sein, in denen die Ansichten der Philosophen bis auf Platon zur Naturphilos. systematisch vorgestellt wurden. Von diesem verlorenen Werk nimmt man an, daß es die Quelle für viel Material zu den Vorsokratikern in späteren doxographischen Werken und Darstellungen gewesen ist, obwohl es sich als schwierig erwiesen hat, die genauen Umrisse seines Einflusses zu ermitteln.

Schon von ihren Ursprüngen im Peripatos an entwickelte sich die doxographische Methode weiter und fand große Verbreitung in philos. Schriften der Antike. Ein bedeutender Beitrag kam von der Neuen Akademie, die sie benutzte, um die Widersprüchlichkeit der Philosophenlehren und die Unmöglichkeit, wiss. Erkenntnis zu erlangen, zu erweisen. Später wurde sie in patristischen Schriften häufig angewandt, um einen schnellen Überblick über das heidnische Denken zu geben. Ein Nachteil der D. ist die im Laufe der Zeit auftretende Neigung zur schematischen Darstellung und zum Verzicht auf Argumente und Analysen, um sich hauptsächlich auf die Gegenüberstellung von Ansichten oder auf ein dünnes Skelett der Lehre zu konzentrieren. Durch diesen Mangel an Argumentation kam die doxographische Tradition in einen schlechten Ruf. Dennoch sollte anerkannt werden, daß sie klar abgrenzbare Methoden besaß (bes. den Gebrauch von Disjunktion und Dihärese), die uns wichtige Einsichten darüber vermitteln, wie ant. Philosophen ihre eigene Vergangenheit behandelten. Darüber hinaus hat sie eine beträchtliche Menge an unschätzbaren Informationen über die Lehren von Philosophen erhalten, die sonst verloren gegangen wären.

→ Aëtios; Areios Didymos; Aristoteles; Diogenes [17] Laërtios; Philodemos; Theophrastos

1 M. GIUSTA, I dossografi di Etica, 1964–7.

EDD.: H. DIELS, DG · R. GIANNATTASIO ANDRIA, I frammenti delle Successioni dei filosofi, 1989 · LIT.: D. E. HAHM, The Ethical Doxography of Arius Didymus, ANRW II 36.4, 2935–3055 · J. MANSFELD, Physikai doxai and Problemata physica from Aristotle to Aëtius (and Beyond), in: W. W. FORTENBAUGH, D. GUTAS (Hrsg.), Theophrastus: His Psychological, Doxographical and Scientific Writings, 1992, 63–111 · J. MANSFELD (Hrsg.), Doxography and Dialectic. The Sitz im Leben of the »Placita«, ANRW II 36.4, 3057–3229 · J. MANSFELD, D. T. RUNIA, Aëtiana: the Method and Intellectual Background of a Doxographer, 1996.   D. T. R./Ü: T. H.

Drabeskos (Δράβησκος). Stadt der Edones bei Zdravik ca. 12 km nördl. von → Amphipolis, wo die Athener von den Thrakern ca. 465 v. Chr. geschlagen wurden (Thuk. 1,100,4). Siedlungsspuren sind vorh. bis in die röm. Kaiserzeit, als D. Station an der *via Egnatia* war (Tab. Peut.: *Daravescos*).

F. PAPAZOGLOU, Les villes de Macédoine, 1988, 391 f. · TIR K 35,1, 25.   MA. ER.

Drachenkampf. Drachen, von griech. δράκων zu δέρκομαι »durchdringend anblicken« (Porph. De abstinentia 3,8,3), sind mythische Wesen, die übermenschliche Eigenschaften verschiedener Tiere vereinigen [1]. Die oft amphibisch lebenden Schlangen (syn. ὄφις, Hom. Il. 12,202/208), Fische (τὸ κῆτος) oder Mischwesen bedrohten im Mythos die Lebenswelt der Menschen. Nur ein Held vermochte ihrer Kraft, ihrem Blick, ihrem Geruch und Feueratem, ihrer Vielzahl von Köpfen und Leibern standzuhalten. Der Sieg über den Drachen befreite die Menschen von tödlicher Gefahr; der Sieger begründete und garantierte eine stabile Ordnung, so z. B. wenn Zeus den → Typhon bändigt (Hes. theog. 820–880), Kronos den Ophioneus, Kadmos den Drachen in Theben, Apollon den → Python von Delphi, Bellerophon die → Chimaira, Herakles die → Hydra und den Hesperiden-D. (verbunden mit der

Befreiung eines Mädchens im Perseus-Andromeda und Jason-Medea-Mythos; vgl. den hundertäugigen Drachen → Argos).

Die kosmische Dimension des Typhon verweist auf die Herkunft aus altoriental. Tradition (vgl. Hekataios FGrH 1 F 300 bei Hdt. 2,144 [2]), zunächst dem hethit. D. mit Illyuankas und weiter mit der (weiblichen!) → Tiamat des babylon. Schöpfungsepos Enuma eliš. Der Körper des bezwungenen Drachen bildete Erde und Himmel, die Öffnung dazwischen den Lebensraum für die Menschen [3; 4]. Die zoomorphe Imagination von Überschwemmung und Hungersnot, Fremdvölkern und Krieg in der Gestalt des Drachen ließ den Kampf der mythischen Urzeit potentiell als drohenden Untergang erscheinen [5]. Der Sieg im Schöpfungsspiel am Neujahrsfest erweist den Stadtgott von Babel und seinen König als Garanten der Ordnung [6]. Da sich die Drohung des Untergangs auch gegen den König richten konnte, blieb das Bild vom Drachen auch in nicht-monarchischen Gesellschaften attraktiv, in Israel (z. B. der Leviathan [7; 8; 9]) und in Griechenland [5; 10]. Dort verlor der D. an kosmischer Weite; die Gründung einer Stadt wird zum Schöpfungs-D. (z. B. Pind. P. 1,16 [11; 12]). Eine euhemeristische Reduktion von D.-Mythen findet sich bei Ephoros (FGrH 70 F 31b = Strab. 9,42f.) zu Python als Räuber (vgl. Paus. 10,6,6), zu Alexander d. Gr. als Drache, durch den ägypt. König-Zauberer Nektanebos erzeugt, vgl. [13].

Die ant. Tradition wirkt a) über die Gleichsetzung des Drachen mit dem Satan (Apk 12), b) über die Figur des hl. Georgs, des Drachentöters, sowie über Martha, die die Tarasce zähmt, in die christl. Tradition weiter.

1 L. RÖHRICH, s. v. Drache, D., Drachentöter, Enzyklopädie der Märchen 3, 1981, 787–820 **2** M.L. WEST, Hes. Theog. Commentary, 1966, zu 820–80 **3** W. STAUDACHER, Die Trennung von Himmel und Erde, Diss. 1942 **4** M. K. WAKEMAN, God's Battle with the Monster, 1973 **5** C. AUFFARTH, Der drohende Untergang, 1991 **6** B. PONGRATZ-LEISTEN, Ina šulmi irub, 1994 **7** O. KAISER, Die mythische Bed. des Meeres, ZATW Beih. 78, ²1962 **8** J. DAY, God's Conflict with the Monster and the Sea, 1985 **9** E. ZENGER, Gottes Bogen in den Wolken, ²1987 **10** W. BURKERT, Orientalisierende Epoche, AHAW 1984, 82–84 **11** Ders., Oriental and Greek Mythology, in: J. BREMMER (Hrsg.): Interpretations of Greek Mythology, 1987 **12** J. TRUMPF, Stadtgründung und D., in: Hermes 86, 1958, 129–157 **13** O. WEINREICH, Der Trug des Nektanebos, 1911.

R. MERKELBACH, s. v. Drache, RAC 4, 226–250 · C. DOUGHERTY, Poetics of Colonization, 1993.   C. A.

Drachme (δραχμή).

[1] Münze. Nach Funden aus dem argivischen Heraion und Sparta bilden sechs Eisenspießchen, im Wert von je einer Obole, eine »Handvoll« *drachmaí* (abgeleitet von δράττεσθαι), bzw. beide Hände umfassen 12 Stück und ergeben eine Didrachme. Die ersten silbernen D. sind im äginetischen Münzfuß zu 6,24 g geprägt. Andere Standarde sind der sog. phöniz. zu 3,63 g, der chiisch-

rhodische zu 3,9 g (und geringer), der korinthische zu 2,8 g sowie der ab der spätklass. Zeit dominierende att. Standard zu 4,37 g. Im Hellenismus wird das Gewicht der att. D. reduziert, bis die Römer es auf 4,31 g entsprechend zu ¾ des neronischen Denars festlegen.

Die D. bzw. ihr Doppelstück (Di-D.) werden analog dem persischen Siglos und dem Stater als Ganzstück gehandhabt. 100 D. entsprechen einer Mine, bzw. 6000 D. kommen auf ein Talent, während, neben üblicherweise sechs, in Korinth vier Oboloi auf eine D. gehen. Die Mehrfachstücke werden nach der D. bezeichnet (Didrachme, Dekadrachme usw.). D. in Gold kommen als Halbstücke der Goldstatere vor, während die kupfernen D. nur im ptolemäischen Ägypten in einem Wert von 120 D. zu 1 Silber-D. geprägt werden. Δ und Varianten bilden das Wertzeichen auf Münzen.

→ Denar; Didrachme; Dekadrachme; Münzfüße; Obolos; Siglos; Stater; Talent

SCHRÖTTER, 159–161 · H. CHANTRAINE, Lit.-Überblick Peleponnes, in: JNG 8, 1957, 70–76 · K. KRAFT, Zur Übers. und Interpretation von Aristoteles, Athenaion politeia, Kap. 10, in: JNG 10, 1959/60, 21–46 · M. N. TOD, Epigraphical Notes on Greek Coinage, in: NC 6.20, 1960, 1–24 · H. A. CAHN, Knidos. Die Münzen des sechsten und fünften Jh. v. Chr., 1970, 178–192 · C. M. KRAAY, Archaic and Classical Greek Coinage, 1976.   A. M.

[2] Gewicht. Von der theoretischen Schwere einer griech. Münzdrachme war jedes Drachmengewicht abhängig. Ein → Gewicht zu einer Drachme wog folglich genausoviel wie die silberne Drachme der jeweils prägenden Stadt; entsprechend verhält es sich mit den Vervielfachungen (Multiplen) wie auch mit den untergeordneten Einheiten, den → Oboloi. Moderne Berechnungen von gegenüber den Münzdrachmen schwereren Gewichtsdrachmen in Athen sind falsch. Gewichte auf Drachmenbasis dienten vornehmlich der Ergänzung von Minengewichten (→ Mina) und deren Unterteilungen, d. h. ihre Schwere liegt zumeist deutlich unter 100 g. Drachmengewichte gab es in Blei, Bronze und Edelmetall. Sicher identifiziert und publiziert wurden bislang lediglich att. Drachmengewichte sowie zwei Exemplare äginetischen Standards in Olympia. Man kennt aus Athen Gewichte zu 1, 2, 3, 4, 5, 6, 7(?), 8, 10, 12, 16, 20 und 25 Drachmen; sie bestehen meist aus Blei, selten aus Bronze. Erkennungsmerkmal sind neben der Schwere, die das ein- oder vielfache der theoretischen Drachmenschwere von 4,366 g annähernd betragen muß, die Zahlzeichen auf den Gewichtsoberseiten. Sie wurden entweder erhaben mitgegossen oder nach dem Guß eingetieft. Dabei stehen Δ für DEKA = 10, Π für PENTE = 5 und das halbierte Eta Ⱶ für eine Drachme. Mit diesen drei Zeichen ließen sich alle gängigen Werte kombinieren. In Olympia muß ein dreistufig abgetrepptes Bronzegewicht (H 1,1 cm) von 12 g als Zweidrachmenstück äginetischen Standards angesehen werden. Ein singuläres Silbergewicht, das ursprünglich wohl fünf äginetische Drachmen wog (5 ×

6,237 = 31,185 g), wurde sekundär in seiner Schwere reduziert.

K. Hitzl, Ant. Gewichte im Tübinger Arch. Institut, in: AA 1992, 243–257 · K. Hitzl, Die Gewichte griech. Zeit aus Olympia, Ol. Forsch. XXV, 1995, passim · M. Lang, M. Crosby, Agora X, 1964, 26, 30 f. · E. Pernice, Griech. Gewichte, 1894, 45–47, 144–160.   K. H.

Draco s. Feldzeichen

Draconarius s. Feldzeichen

Dracontius

[1] *Praepositus monetae* in Alexandria. Am 24.12.361 n. Chr. wurde er als Christ von der heidnischen Volksmenge ermordet, weil er einen Altar umgestürzt hatte (Amm. 22,11,9 f.; Historia acephala 8). PLRE 1, 271 D. (1).

[2] Antonius D., nur inschr. (ILS 758; 763 u. a.) und als Empfänger von Gesetzen (Cod. Theod. 11,7,9; 11,30,33) bezeugter *vicarius Africae* von 364–367 n. Chr. PLRE 1, 271 f. D (3).   W. P.

[3] Blossius Aemilius D. Lat. Dichter senatorischer Abkunft (*vir clarissimus*) des späten 5. Jh. n. Chr., Advokat in Karthago; in gesicherter Stellung und bereits als Dichter durch Rezitationen anerkannt, verfaßte er (484?) einen (nicht erh.) poetischen *Panegyricus* auf einen auswärtigen Herrscher, vermutlich den byz. Kaiser → Zenon, dessen Aktivitäten zugunsten der von den arianischen Vandalen beherrschten kathol. Römer bekannt sind. Diese Dichtung trug D. und seiner Familie eine mehrjährige Kerkerhaft unter König Guntamund (484–496) ein, die erst unter Thrasamund ihr Ende gefunden haben dürfte. Ein wohl darauf Bezug nehmendes Dankgedicht an den König ist ebenfalls verloren. Über das weitere Leben des D. ist nichts überliefert. In die Zeit vor und nach der Haft fallen die *Romulea* (der Titel weist auf röm. Inhalte wie auf röm. Selbstbewußtsein), eine Slg. von 10 hexametrischen Gedichten. Sie enthält Epithalamien (→ Hymenaios), mythologische → Epyllien (z. B. *Medea, Helena, Hylas*: ein beliebtes Schulthema, vgl. Verg. georg. 3,6), → *controversiae* und → *suasoriae* sowie zwei Widmungen an den Grammatiklehrer Felicianus, der gerühmt wird, die lat. Lit. in Karthago zu neuer Blüte geführt und Römer wie Vandalen unterrichtet zu haben. Ob die als *Orestis tragoedia* überlieferte hexametrische Monodie urspr. zu den *Romulea* gehörte, ist nicht sicher. Als Verf. der → *Aegritudo Perdicae* kommt D. eher nicht in Frage. Zwei kleinere Gedichte über Schulthemen im Stil des Ausonius sind nur durch einen Druck des Humanisten Corio überliefert (*De mensibus* und *De rosis nascentibus*), die – vielleicht indirekt – Berührungspunkte mit zeitgleichen griech.-ägypt. Dichterschulen aufweisen.

Die wesentlichen Werke des D. sind aber im Kerker entstanden, zunächst die *Satisfactio*, ein »Bußgedicht« an König Guntamund in elegischen Distichen (wohl in Anlehnung an Ov. trist. 2). Darin wird auch Gott um

Verzeihung gebeten. Diese Parallelisierung von Gott und Herrscher hat D. in seinem Hauptwerk, den drei hexametrischen Büchern *De laudibus Dei*, in subtiler Weise weitergeführt: Gottes Wohltaten an der Menschheit werden mit deutlichen Stilmerkmalen des Bibelepos vorgeführt, wobei das narrative Element hinter dem hymnisch-lyrischen zurücktritt. Guntamund ist so zur *imitatio Dei* aufgefordert. Sprache und Stil des D. weisen charakteristische Schmuckmittel (asyndetische Reihungen, Anaphern) auf, seine Metrik zeigt große Lizenzen. D. war mit den klass. Dichtern (Vergil, Ovid, Statius, Iuvenal) ebenso vertraut wie mit christl. Autoren, vor allem Ambrosius (*Hexaemeron*) und Augustinus (*Civitas Dei*). Seine Werke beeinflußten nicht nur die lat. Dichtung Afrikas (z. B. den Sonnenhymnus, Anth. Lat. 389 = 385 ShB), sondern wirkten auch auf das frühe MA (Bearb. von *Satisfactio* und *De laudibus* B.1 durch → Eugenius von Toledo).

→ Bibeldichtung

Ed.: F. Vollmer, MGH AA 14, 21–228 (erste vollständige Ed.) · J. M. Diaz de Bustamante, 1978 · J. Bouquet, 1995 (*carmina profana*) · C. Moussy, C. Camus, 1985–88 (*Laud.; Satisf.*).
Lit: F. Vollmer, s. v. D. (49), RE 5, 1635–1644 · P. Langlois, s. v. D., RAC 4, 250–269 · K. Smolak, Die Stellung der Hexamerondichtung des D. innerhalb der lat. Genesispoesie, in: Antidosis. FS Walther Kraus, 1972, 381–397 · D. Kartschoke, Bibeldichtung, 1975, 48–50 · M. Roberts, Biblical Epic and Rhetorical Paraphrase in Late Antiquity, 1985 · W. Schetter, Über Erfindung und Komposition des Orestes des D., in: FMS 19, 1985, 48–74 · D. F. Bright, The Miniature Epic in Vandal Africa, 1987.
                                                    K. SM.

Drakon

[1] s. Drachenkampf

[2] Athenischer Gesetzgeber, der im J. 621/20 v. Chr. die ersten schriftlich fixierten »Satzungen« (θεσμοί) erlassen haben soll. Über D.s Person ist ebensowenig Sicheres bekannt wie über seine Stellung als Gesetzgeber: Vielleicht war er einer der → Thesmotheten und/oder mit bes. Vollmachten ausgestattet [1. 31]. Seine Gesetze wurden auf numerierten, vertikal aufgehängten und um ihre »Achsen« drehbaren Holzblöcken (ἄξονες, → *áxones*) aufgeschrieben und öffentlich aufgestellt [2].

Ein Fragment des Blutrechts – das Gesetz über die Verfolgung der Tötung »ohne Vorbedacht« (μὴ ἐκ προνοίας) – ist inschr. erhalten (IG I³ 104 aus dem J. 409/8) [3; 4]. Das Verfahren, das erstmals die Feststellung der Willensrichtung des Täters und der Tatumstände einschloß, hatte mehrere Stufen: Zunächst hatten bestimmte Verwandte oder Phratriegenossen des Opfers den Täter öffentlich anzuklagen und ihn aufzufordern, Agora und Heiligtümer zu meiden. Der damit proklamierte traditionelle Anspruch auf Blutrache war dann durch das folgende Verfahren vor Gerichten der Polis beschränkt: Die »Könige« (βασιλεῖς) – vermutlich der *árchon basileús* (→ *árchontes* [II]) und die Phylenkönige – hatten die Täterschaft festzustellen und das Urteil zu fällen, das bei unvorsätzlicher Tötung auf Exil lautete. Zuvor hatten die 51 → *ephétai* (ἐφέται) über die Willensrichtung des Täters zu entscheiden. Im Exil genoß der Täter Schutz vor Rache. Er konnte sogar zurückkehren, wenn die nächsten lebenden Verwandten des Opfers einstimmig »Verzeihung« (αἴδεσις) – vermutlich nach Zahlung eines Wergeldes – gewährt hatten.

Weitere Einzelbestimmungen – etwa Straffreiheit bei Tötung in Notwehr – folgen. In diesen Zusammenhang gehört wohl auch das Gesetz über Ehebruch, das die Tötung des Ehebrechers straffrei ließ (Paus. 9,36,8; Athen. 13,569d, vgl. Demosth. or. 23,53). Wahrscheinlich hat D. auch die Verfolgung der anderen Tötungsdelikte geregelt, vor allem das Strafmaß und das Verfahren vor dem Areopag (→ Areios Pagos) bei vorsätzlichem Mord. Insgesamt zielten diese Gesetze auf die Beschränkung der Blutrache, die möglicherweise durch Gewalt und Gegengewalt bei der Niederschlagung des Putsches des → Kylon ein regelungsbedürftiges Problem geworden war.

Die weiteren Gesetze D.s sollen sich durch die sprichwörtliche Härte der Strafen ausgezeichnet haben: Auf »Müßiggang« und Diebstahl von Feldfrüchten stand nach Plutarch (Solon 17,1–4) ebenso die Todesstrafe wie auf Tempelraub. Über den konkreten Gehalt dieser Maßnahmen ist nichts bekannt, vielleicht weil → Solon sie alle (mit Ausnahme des Blutrechts) aufgehoben haben soll (Aristot. Ath. pol. 7,1; Plut. ebd.). Ob das vorsolonische Gesetz gegen Tyrannis bzw. das Verfahren gegen Usurpatoren (Aristot. Ath. pol. 16,10; Plut. Solon 19,4) dem D. zuzuschreiben sind, muß offenbleiben [5]. Weitere Gesetze – über Erziehung, Eide vor Gericht, Kulte – sind schlecht bezeugt und wahrscheinlich nicht authentisch.

Die »Verfassung« (πολιτεία, *politeía*) D.s, die etwa einen Rat von 401 Mitgliedern und die Beschränkung des Bürgerrechts auf die Hopliten vorgesehen haben soll (Aristot. Ath. pol. 4,2–5), ist sicherlich die Erfindung einer späteren Zeit, als D. wie → Theseus und Solon zum Stifter einer »Verfassung« stilisiert wurde [6]. Dabei bleibt unbestritten, daß die wenigen sicher bezeugten Gesetze ein wichtiges Stadium im Prozeß der institutionellen Konsolidierung der Polis Athen (→ Athenai) darstellen.

1 DEVELIN 2 R.S. STROUD, The Axones and Kyrbeis of Drakon and Solon, 1979 3 R. KOERNER, Inschr. Gesetzestexte der frühen griech. Polis, 1993, Nr. 11 (Übers., Komm. und Lit.) 4 H. VAN EFFENTERRE, F. RUZÉ, NOMIMA I, 1994, Nr. 02 5 M. OSTWALD, The Athenian Legislation against Tyranny and Subversion, in: TAPhA 86, 1955, 105–121 6 RHODES, 112–118; E. Ruschenbusch, ΠΑΤΡΙΟΣ ΠΟΛΙΤΕΙΑ, in: Historia 7, 1958, 398–424.

M. GAGARIN, Drakon and Early Athenian Homicide Law, 1981 · R.S. STROUD, Drakon's Law on Homicide, 1968 · K.-W. WELWEI, Athen, 1992, 138–146.   K.-J. H.

[3] Aus Stratonikeia in Karien. Griech. Grammatiker aus unbekannter Zeit, jedoch vor dem 2. Jh. n. Chr. → Apollonios [11] Dyskolos (Grammatici Graeci II 1, De Pronominibus 17,1) berichtet, daß D. die Possessivpronomina *diprósōpoi* (διπρόσωποι) nannte. Da diese Bezeichnung in der dem → Dionysios [17] Thrax zugewiesenen *Téchnē grammatikḗ* (Τέχνη γραμματική) wieder auftaucht, hat man D. früher als diesen angesetzt und ins 2. Jh. v. Chr. datiert; doch die Ungewißheit in der Zuweisung der *Téchnē* macht diese Datierung völlig unsicher. Der Suda (δ 1496, s.v. Δράκων) zufolge schrieb er Werke über technisch-grammatikalische, metrische und philol.-kritische Fragen, vornehmlich mit Bezug auf die Lyrik. Weitere Zitate finden sich bei Herodian (Περὶ μονήρους λέξεως 34,17) und Photios (Lex. s.v. πάμπαν). Es ist nachgewiesen, daß die unter D.s Namen überlieferte Abhandlung zur Prosodie (Περὶ μέτρων ποιητικῶν) eine Fälschung des 16 Jh. n. Chr. ist (weitere Auskünfte und Bibliographie bei [1]).

1 L. COHN, s.v. D. (13), RE 5, 1662–1663 2 V. DI BENEDETTO, Dionisio il Trace e la Techne a lui attribuita, in: ASNP 28, 1959, 110 3 J. LALLOT, La Grammaire de Denys le Thrace, 1989, 205.   F.M./Ü: T.H.

Drakontides (Δρακοντίδης).

[1] Athener, Sohn des Leogoras aus dem Demos Thorai; 446/5 v. Chr. *epistátēs*, 433/2 *stratēgós* und in dieser Eigenschaft einer der Kommandanten einer Hilfsflotte für Kerkyra im Herbst 433 (vgl. Thuk. 1,51,4; zur dortigen Textverderbnis [1. 95]). D. war entschiedener Gegner des Perikles und trug 430 zu dessen Absetzung bei (Plut. Perikles 32,3) [2]. DAVIES 4551.

1 S. HORNBLOWER, Commentary 1, 1991 2 F.J. FROST, Pericles and Dracontides, in: JHS 84, 1964, 69–72.   W.W.

[2] Athenischer Politiker. Stellte im Herbst 404 v. Chr. den Antrag, die Staatsverwaltung dreißig Männern zu übertragen (Aristot. Ath. pol. 34,3; Lys. or. 12,73) und wurde selbst Mitglied der »Dreißig« (Xen. hell. 2,3,2). Nach dem Sturz der Oligarchie wurde sein Vermögen eingezogen und 402/1 durch die *pōlētaí* verkauft (SEG 32, 161 IV 14f.).   W.S.

Drama. Abgeleitet von dem vorwiegend im Att. belegten Verb δρᾶν ist das Subst. τὸ δρᾶμα (»Handlung«, »Tat« im allg. Sinne) dem »Leid« (πάθος/*páthos*) entgegengesetzt (Aischyl. Ag. 533); ferner kann es »Pflicht«, »Aufgabe« bedeuten (Plat. Tht. 150a, rep. 451c). Vorwiegend jedoch bedeutet D. als t.t. »Theaterstück« (Trag., Komödie, Satyrspiel) im Hinblick auf seine Aufführung (Aristoph. Ran. 920); als Stücktitel im Pl. erscheint D. in Aristophanes' Δράματα ἢ Νίοβος (*Drámata ḗ Níobos*; fr. 289–298 PCG III²; fr. 299–304 PCG III²), bei Telekleides fr. 41 PCG VII, häufig in Aristoteles' ›Poetik‹ (z.B. 3,1448a 34). Daher leitet sich auch die metaphorische Verwendung im Sinne von »bühnenwirksamer Effekt« (Plat. pol. 35b) und von »dramatisches Ereignis« (Polybios 23,10,12) ab.

Die bei Johannes Diakonos (Komm. zu Hermogenes, Περὶ μεθόδου δεινότητος, ed. [4]) überlieferte Notiz, Solon habe in seinen Elegien geschrieben, daß → Arion das erste Drama bzw. die erste Trag. gedichtet habe (τῆς δὲ τραγῳδίας πρῶτον δρᾶμα Ἀρίων ὁ Μηθυμναῖος εἰσήγαγεν), wird man nicht dahingehend deuten dürfen, daß bereits Solon D. als lit. t.t. kannte; vielmehr wird man darin eine Rückprojizierung späterer Entwicklungsformen des → Dithyrambos zum »Miniaturdrama« auf seine Frühphase sehen müssen, wie dies auch Hdt. 5,67 mit den »trag. Chören« (τραγικοὶ χοροί) zu Ehren des Heros Adrastos in Sikyon tut [2]. Ob man hier eine mimetisch-pantomimische Darstellung der πάθη des Heros sehen kann [1] und dies für die Ursprungsdiskussion des D.s verwenden und in den Zusammenhang mit kultischen »Handlungen« (δρώμενα) bringen darf, muß Spekulation bleiben.

Als lit. t.t. verwenden den Begriff D. von Anfang an die Urkunden über die dramatischen Aufführungen (→ Didaskaliai). Von da gelangt der Begriff sowohl in lit. Texte als auch vor allem in die didaskalischen Schriften des Aristoteles, der wiederum die hell., peripatetischen Gelehrten und deren Nachfolger beeinflußt (→ Hypotheseis, → Scholia, → Suda). Stereotype Formulierungen der Urkundensprache wie ›das D. wurde aufgeführt (sc. am . . .)‹, ›das Stück spielt in . . .‹, ›Personen des Stückes . . .‹ (ἐδιδάχθη τὸ δρᾶμα, ἡ σκηνὴ τοῦ δράματος, τὰ τοῦ δράματος πρόσωπα) kehren immer wieder.

→ Arion; Didaskaliai; Tragödie; DRAMA

1 B. ZIMMERMANN, Dithyrambos. Gesch. einer Gattung, 1992, 24f., 20f. 2 J. LATACZ, Einführung in die griech. Trag., 1993, 62f. 3 H. SCHRECKENBERG, Δρᾶμα. Vom Werden der griech. Trag. aus dem Tanz, 1960 4 H. RABE, Aus Rhetoren-Hss. Nr. 5, in: RhM 63, 1908, 149f.

A. LESKY, Die trag. Dichtung der Hellenen, ³1972, 17–48 · J. LEONHARDT, Phalloslied und Dithyrambos. Aristoteles über den Ursprung des griech. Dramas, AHAW 1991, 4 · A. PICKARD-CAMBRIDGE, Dithyramb, Tragedy, and Comedy, ²1962 · Ders., The Dramatic Festivals of Athens, ²1968 (1988). B.Z.

Drangai. Ostiran. Volk (Σαράγγαι, Sarángai, bei Hdt. 3,93) am Unterlauf des → Etymandros (h. Hilmand/Helmand Rūd); das Land selbst hieß → Drangiana, was aber die medo-pers. Form zu sein scheint. Die Sarangai erscheinen bei Herodot samt einigen Stämmen der zentralen Wüste und Karmanias zu einem Steuerbezirk verbunden, an der Südseite der Parthoi und Hyrkanioi. Die Sarangai trugen im Heere des Xerxes medische Bewaffnung (Hdt. 7,67,1). Ein Sagenkreis knüpft sich an die Heroennamen Keršāsp und Rōstam.

R. GHIRSHMAN, Iran, Parthians and Sassanians, 1962. J.D.-G. u. B.B.

Drangiana (oder Zarangiana) als Name des Gebietes um den Unterlauf des → Etymandros (h. Hilmand/Helmand Rūd) in der iran. Provinz Sīstān geht auf den urspr. ostiran. Namen Zranka zurück, der auch die Bewohner des Gebietes bezeichnet und dessen Etym. umstritten ist. Er findet sich in der Inschr. von → Bīsutūn Dareios' I. (1,16) und in griech. und lat. Ableitungen; die »pers.« Varianten haben anlautendes d-. Nach Strabon grenzte D. (in parth. Zeit) im Norden und Westen an Areia, im Westen an Karmanien, im Süden an Gedrosien und im Osten an Arachosien und bildete zusammen mit → Areia [1] einen »Steuerbezirk«. Ptol. 6,19 nennt neben Stammes- und Flußnamen auch die Städte Prophthasia (Phrada) und Ariaspe. Strab. 15,2,9f. erwähnt Zinnvorkommen und die pers. Lebensweise seiner Bewohner. D. bildete in der achäm. Spätzeit mit Arachosien eine gemeinsame Satrapie unter dem Bessos-Mitstreiter Barsaëntes.

Nach Alexanders Eroberung (330/29 v. Chr.) wurde D. zusammen mit Areia von Arsames, später dann von Stasanor und Stasandros verwaltet. Als seleukidische Besitzung fiel das Gebiet kurzfristig an Euthydemos von Baktrien, Mitte des 2. Jh. dann an die Parther. Isidor von Charax beschreibt Paraitakene oder Sakastene, das Uferland am mittleren → Etymandros, dessen sich die Sakai um 128 v. Chr. bemächtigt hatten. D., mit der (vor allem parth.) Ruinenstätte vom Kūh-ī Xwāgah auch arch. ausgewiesen, spielt auch in der Avesta- und »histor.« Tradition Irans eine wichtige Rolle.

R. SCHMITT, EncIr VII 5, 1995, 535–537 · P. DAFFINÀ, L'immigrazione dei Sakā nella Drangiana, 1967 · G. GNOLI, Ricerche storiche sul Sīstān antico, 1967 · A. HINTZE, Der Zamyād-Yašt, 1994, 40ff. J.W.

Drappes (Draptes). Keltischer oder praekelt. Name; Führer der Senones (EVANS, 445–446).

D. versuchte 51 v. Chr. zusammen mit dem Cadurker Lucterius, in die gallische provincia einzufallen. Von röm. Truppen verfolgt, verschanzte sich der Gallierhaufen in Uxellodunum. Bei dem Versuch, die Stadt mit Nachschub zu versorgen, wurde D. von C. Caninius Rebilus gestellt und gefangengenommen. Hierauf beging er Selbstmord (Caes. Gall. 8,30–36; 44,2; Oros. 6,11,20–22).

→ Senones; Uxellodunum W.SP.

Drapsaka (Δράψακα). Erstmalig in Verbindung mit den Feldzügen Alexanders [4] d.Gr. erwähnte Stadt in → Baktria, auch in den Namensformen Δάραψα und Δρέψα belegt (Arr. an. 3,29,1; Strab. 15,725; Ptol. 6,12,6; 8,23,13 N; Steph. Byz. p. 218). In dem h. Landschaftnamen Andarāb nördl. Kābul (Hindukusch) hat sich die Form Δάραψα erhalten, während das h. Qunduz als das ant. D. zu betrachten ist [1]. Ptolemaios rechnet D. zur Sogdiana und erwähnt zugleich die Bewohner (6,12,4: Δρεψιανοί). Das von Ptol. 6,9,6 gen. hyrkanische Ἄδραψα hat mit D. nichts zu tun, ist aber etym. Zeugnis für alte Beziehungen zw. Baktrien und Hyrkanien. Alexander durchzog 329 v. Chr. D. auf dem Wege nach Ἄορνος und Βάκτρα.

1 Atlas of the World II, Plate 31. H.T. u. B.B.

Dra(v)us. Ein in den norischen Alpen entspringender schiffbarer Fluß (Plin. nat. 3,147), der bei Mursa in Pannonien in die Donau mündet, h. Drau. Manche Kosmographen lassen den D. auch in der Donau entspringen (cosmographia 1,20; 24; Iulius Honorius, cosmographia B 24). Der D. war ein bed. Verkehrsweg (Ven. Fort. Vita Martini 4,649) und genoß in Pannonien als Flußgottheit Verehrung.   H.GR.

Drehbank. Die D. ist in frühkelt. Zeit (6./5. Jh. v. Chr.) in der → Hallstatt-Kultur indirekt an Bronzeknöpfen, Bernsteinperlen, Ringen aus → Sapropelit usw. an Hand der Drehspuren nachweisbar. Auf der → Heuneburg sind Werkabfälle einer Dreherei erhalten. Im 6. Jh. v. Chr. sind auch gedrehte Holzgefäße bekannt (Drechslerei). Die D. selbst kann nur aus ant. bzw. ma. Darstellungen und Quellen erschlossen werden; sie kam wohl früher als die → Drehscheibe aus dem griech.-etr. Bereich über die Alpen. Auch im german. Kulturbereich zeigen Rohstücke und Produkte die Kenntnis der D. in den Jh. um Christi Geburt an. → Bernstein; Handwerk

> H. DRESCHER, Bemerkungen zur Metallverarbeitung auf der Heuneburg und zu einigen bes. Fundstücken, in: S. SIEVERS, Die Kleinfunde der Heuneburg. Röm.-German. Forsch. 42, 1984, 95ff., bes. 115–126 · T. CAPELLE u. a., s. v. D. und Drechslerei, RGA 6, 1986, 154–158.   V.P.

Drehscheibe. Bei der Herstellung von → Tongefäßen wurde die D. auf drei Weisen angewandt: Als D. mit hoher Geschwindigkeit, als langsame D. für → *dolium* und → *pithos* und, wohl ursprünglich, bei Formung per Hand in fast statischem Zustand. Die langsame D. diente als Hilfsinstrument bei einer Produktionsweise, die im wesentlichen noch von einer Fertigung per Hand ausgeht. Die schnelle D. mit einer Rotationsgeschwindigkeit von 50 bis 150 Umdrehungen pro Minute konnte Zentrifugalkräfte hervorrufen und diese zur Beschleunigung des Drehprozesses für längere Zeit aktivieren. In der Ant. gab es drei einfache Formen der D. Die früheste D. stammt aus → Ur (Urukperiode, ab ca. 3500 v. Chr.): eine D., die sich auf einer festen, im Boden montierten Achse drehte. Ab dem 2. Jt. v. Chr. gab es eine D. mit fester Achse, die sich in einer Sohle drehte; im eisenzeitlichen Griechenland und It. findet sich dann eine stabilere, größere D. mit längerem Köcher, in den eine fest im Boden befestigte Drehachse versenkt war. Die schnelle D. stellte einen wichtigen technologischen Fortschritt in der Keramikproduktion dar und erlaubte erstmals Massenproduktion.

> V. G. CHILDE, Rotary motion, in: C. SINGER, E. J. HOLMYARD, A. R. HALL (Hrsg.), History of Technology I, 1954, 187 · R. HAMPE, A. WINTER, Bei Töpfern und Töpferinnen in Kreta, Messenien und Zypern, 1962 · A. RIETH, 5000 Jahre Töpferscheibe, 1960 · O. S. RYE, Pottery Technology. Principles and Reconstruction, 1981.   R.D.

Dreifuß s. Tripus

Dreißig Tyrannen s. Triginta Tyrannoi; s. Triakonta

Drepanon (Δρέπανον). Name mehrerer Vorgebirge; die äußere Gebirgsformung mag die Wahl des Namens D. (»Sichel«) verursacht haben.

[1] An der Nordküste von Westkreta (Ptol. 3,15,5), in der Ant. wie h. D. genannt.

> M. GUARDUCCI, Inscript. Cret. 2,10.   C.L. u. H.SO.

[2] Nördlichster Vorsprung der Peloponnesos in den Korinth. Golf, 7 km nordöstl. von Rhion (mit diesem gleichgesetzt bei Strab. 8,2,3 und Ptol. 3,14,29), die flache Spitze des Schuttkegels eines Gebirgsbachs; dort die (sonst unbekannte) ›Festung der Athena‹ (Paus. 7,22,10; 23,4).

> E. CURTIUS, Peloponnesos, 1, 447 · A. PHILIPPSON, Der Peloponnes, 261 · PHILIPPSON/KIRSTEN 3, 67, 189.   C.L. u. E.O.

[3] (Δρέπανον μικρόν). Noch h. Name eines Kaps an der Westküste von Kypros, von Ptol. 5,14,1 fälschlich an der Südküste lokalisiert. Arch. Befund: Ausgedehntes Ruinenfeld mit Nekropole; im vorigen Jh. war hier noch ein Theater sichtbar. Bisher wurde bei Hagios Georghios Peyias eine große Kirchenanlage mit drei Basiliken teilweise ausgegraben.

> D. CHRISTOU, Chronique des fouilles à Chypre en 1992, in: BCH 117, 1993, 753 · D. G. HOGARTH, Devia Cypria, 1889, 10–12 · E. OBERHUMMER, Die Insel Cypern 1, 1903, 129f.   R.SE.

[4] (auch *Drépana, Drepánē*). Vorgebirge und Hafenstadt an der NW-Spitze von Sicilia nördl. von Lilybaion am Fuße des → Eryx, h. Trapani. Seit paläolithischer Zeit besiedelt, lit. erstmals bezeugt als Hafen der → Elymoi in Eryx (vgl. Diod. 24,11) im Krieg Dionysios' I. gegen Karthago 367 v. Chr. (Diod. 15,73). Aus klass. Zeit liegen weder Mz. noch Inschr. vor. Zu Anf. des 1. Pun. Kriegs von den Karthagern als Kriegshafen ausgebaut unter Umsiedlung eines Teils der Einwohner von Eryx (Diod. 23,9). Im Sommer 249 v. Chr. erlitt P. Claudius Pulcher eine vernichtende Niederlage beim Versuch, D. von See her zu nehmen (Pol. 1,49–51; Diod. 24,1), 242 wurde D. von C. Lutatius Catulus überraschend besetzt. Basis für die kriegsentscheidende Seeschlacht bei den *insulae Aegates* 241 v. Chr. (Pol. 1,59f.; Diod. 24,8; 11), seither Hafenort ohne Stadtrecht (Cic. Verr. 2, 2,140; 4,37; Plin. nat. 3,88; 90f.). Vgl. CIL 10, p. 747. Arch.: Geringfügige Überreste.

[5] Ortschaft in Bithynia an der Südküste des Golfs von Astakos, Geburtsort der Helena, der Mutter Constantinus' d.Gr. (*250/257 n. Chr.), und deshalb als Helenopolis zur Stadt erhoben (Amm. 26,8,1; Prok. aed. 5,2). Arch.: Wenige Überreste auf dem Kap von Hersek am Golf von Izmit.   C.L. u. E.O.

Dreschen, Dreschgeräte. Das Getreide wurde in der Ant. nach der Ernte in zwei Arbeitsschritten für die Lagerung vorbereitet: Das Dreschen diente dem Entkörnen der Ähren, während durch das Worfeln die Getreidekörner von der Spreu, vom Stroh, von schlechtem Korn oder Unkrautsamen getrennt wurden. Nicht alle Getreidesorten eigneten sich zum Dreschen; der Spelzweizen (*far*) mußte geröstet und gestampft werden. Es gab verschiedene Methoden, Nacktweizen (πυρός, *triticum, siligo*) zu dreschen: Die Ähren konnten durch Tiere, meist Rinder, ausgetreten werden (τρίβειν, πατεῖν, *exterere*), oder man konnte verschiedene Geräte über das geerntete Getreide ziehen; auch das Ausschlagen mit Stöcken ist belegt. Dreschen und Worfeln werden in der ant. Lit., insbesondere von den Agronomen, oft beschrieben (Hom. Il. 5,499–502; 20,495–497; Hes. erg. 597–599; Xen. oik. 18,3–8; Varro rust. 1,52; Colum. 2,20; Plin. nat. 18,298; Geop. 2,26). Homer, Hesiod und Xenophon, aber auch Columella bezeugen das Sommerdreschen mit Rindern; das Worfeln gilt in der frühgriech. Dichtung als Werk der Göttin Demeter. Nach Xenophon wurden für das Austreten der Körner neben Rindern auch Maultiere und Pferde verwendet (Xen. oik. 18,4; Colum. 2,20,4; Plin. nat. 18,298; Anth. Gr. 9,301; Abb. auf einem nordafrikan. Mosaik: [3]), in röm. Zeit wurde Pferden der Vorzug gegeben.

Bei Varro werden als Geräte, die beim Dreschen zum Einsatz kamen, eine Dreschtafel mit scharfkantiger Unterseite (*tribulum*) sowie ein v. a. in Spanien benutzter Dreschwagen mit Eisenscheiben (*plostellum Poenicum*) erwähnt; beide Geräte wurden von Ochsen gezogen, wobei der Treiber auf dem Dreschwagen stand, um dessen Gewicht zu erhöhen. Columella empfiehlt ausdrücklich die Verwendung von *tribula* oder *trahea* (Colum. 2,20,4), wenn nur wenige Arbeitstiere (*pauca iuga*) zur Verfügung stehen. Wenn bei der Ernte nur die Ähren vom Halm abgetrennt wurden, konnte man das Getreide sogleich in die Scheune bringen und im Winter mit kürzeren oder längeren Stöcken (*baculum*; *pertica*; Colum. 2,20,4; Plin. nat. 18,298) ausschlagen. Der dreiteilige, bewegliche Dreschflegel (*flagellum*) setzte sich wahrscheinlich erst in der Spätant., wohl bes. in Nordgallien, durch. Das Ausschlagen im Winter hatte Vorteile, weil in dieser Jahreszeit genügend Arbeitskräfte zur Verfügung standen; es war charakteristisch für kleine Höfe und den Anbau zur Selbstversorgung.

Das Worfeln (λικμᾶν, *ventilare, evannare, evallere*) geschieht bei Homer mit der Worfschaufel (πτύον, *ventilabrum, pala*); wie die Verwendung des Verbs λικμᾶν aber zeigt, war die Schwinge (λίκνον, λικμός, *vannus, vallus*) bereits bekannt. Langes Stroh wurde mit der Gabel (δίκρανον) aufgeschüttelt und vorgeworfelt. Um Korn und Spreu zu trennen, war es nach Xenophon wichtig, die Windrichtung zu beachten; es mußte verhindert werden, daß die Spreu vom Wind nicht weit genug fortgetragen wurde und auf das Getreide am Boden zurückfiel. Die Schwinge aus Flechtwerk wurde auf verschiedene Weise benutzt: Bei Wind wurde das Getreide

in die Höhe geworfen, oder die Schwinge wurde von erhöhter Position ausgeschüttet, so daß die leichteren Teile davonflogen. Es war auch möglich, die Schwinge so zu schütteln, daß das Korn sich in der hinteren Vertiefung sammelte und die Spreu in der vorderen flachen Teil rutschte, wo sie leicht entfernt werden konnte. Zu diesem Verfahren rät Columella besonders für Zeiten der Windstille. Eine Schwinge aus Holz diente zur Auslese des Saatgutes (*capisterium*, Colum. 2,9,11). Auch Hülsenfrüchte wurden gedroschen und geworfelt (Hom. Il. 13,588–592; Colum. 2,10,13 f.).

Die Tenne war ein großer Platz mit geebnetem, festgestampftem Boden; Cato bietet eine genaue Anleitung zur Anlage der Tenne (Cato agr. 91; 129; vgl. Hom. Il. 13,588; 20,496; Hes. erg. 598): Es kam v. a. darauf an, Ungeziefer vom Dreschplatz fernzuhalten (Verg. georg. 1,178–186; Colum. 2,19). Nach Columella sollte die Tenne mit Stein gepflastert werden, um zu verhindern,

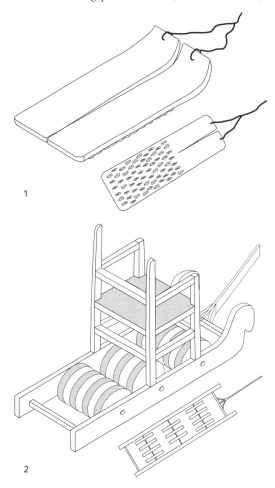

1. *Plostellum Poenicum* (Aufsicht und Unteransicht).
2. *Tribulum*, Dreschschlitten (Aufsicht und Unteransicht).

daß das Korn durch Lehm und Erde verunreinigt wurde (Colum. 1,6,23). Die Tenne war bei Varro kreisrund mit einer leichten Erhebung in der Mitte, damit Wasser möglichst schnell abfloß (Varro rust. 1,51). Ein offener Schuppen am Rand der Tenne ermöglichte es, Getreide vor plötzlichem Regen in Sicherheit zu bringen (Varro rust. 1,13,5).

→ Agrarschriftsteller; Getreide

1 BLÜMNER, Techn. 1, 3–13 2 E. CHRISTMANN, Wiedergewinnung ant. Bauerngeräte. Philologisches und Sachliches zum Trierer und zum rätischen Dreschsparren sowie zum röm. Dreschstock, in: TZ 48, 1985, 139–155 3 K. M. D. DUNBABIN, The Mosaics of Roman North Africa, 1978, Abb. 96 4 F. OLCK, s. v. D., RE 10, 1700–1706 5 W. RICHTER, Die Landwirtschaft im homerischen Zeitalter, ArchHom, 1968, H. 121–123 6 M. S. SPURR, Arable Cultivation in Roman Italy, 1986, 73–78 7 K. D. WHITE, Agricultural Implements of the Roman World, 1967, 152–156 8 Ders., Farm Equipment of the Roman World, 1975, 75–77 9 Ders., Roman Farming, 1970, 184–187. E. C.

Drilai (Δρῖλαι). Volksstamm im nordanatolischen Bergland südl. von → Trapezus, dessen Fluchtburg die Griechen mit Xenophon 400 v. Chr. nicht erobern konnten (Xen. an. 5,2,1–27; vgl. Steph. Byz. s. v. D.), von Arr. per. p. E. 15 mit den Sannoi identifiziert. E. O.

Drilon (h. Drim, alban. Drini). Fluß, der sich durch die Vereinigung des Beli Drim (Drini i Bardhë, der am Fuße des Berg Rusolije im Kosovo entspringt) mit dem Crni Drim (Drini i Zi), der aus dem *Lichnidus lacus*, h. Ohrid See, Makedonien/Albanien, austritt, in Albanien nahe Kukësi bildet. Ptol. 2,16,6 merkt nahezu richtig an, daß der Fluß vom *Scardus mons* (dem h. Šar planina in Makedonien) und einem anderen (nicht gen.) Berg durch das innere Gebiet der Moesia Superior fließt. Strab. 7,5,7 beschreibt seinen Lauf als schiffbar ostwärts bis nach Dardania. Die Römer bezeichneten ihn fälschlich als *Dirinus, Drinius* (Plin. nat. 3,144: *amnis Drino* [bzw. *Drilo*]; 3,150: *Illyrici ... longitudo a flumine Arsia ad flumen Drinium* [bzw. *Dirinum*] *DXXX ...*) oder *Drinus* (Dimensuratio provinciarum 18: *Illyricum* [*Pannonia*] *ab oriente flumine Drino, ab occidente desertis*), teilweise wegen des Oberlaufs des → Drinus (h. Drina), der mit seinem Nebenfluß Lim beinahe das Flußtal des Drilon erreicht. In der Nähe des *Labeatis lacus* (Skadarsko jezero, alban. Liqeni Shkodres) fließen die Flüsse Clausal und Barbanna zusammen und vereinigen sich zu einem Flußarm mit dem Drilon, der von hier an bei Liv. 44,31,3–5 *Oriundes flumen* (entspricht dem Unterlauf des Drilon) heißt und südl. von Lissus in die Adria fließt. Eratosthenes (bei Steph. Byz.) erwähnt ihn in Verbindung mit → Dyrrhachion.

C. PATSCH, s. v. D., RE 5, 1707. M. Š. K./Ü: I. S.

Drinus. Rechter Nebenfluß des Savus (Sava), h. Drina (Länge: 346 km); Ptol. 2,16,7 schreibt, daß der D. im Westen von Taurunum (Zemun) in den Savus fließt.

Der D. bildet sich aus der Vereinigung von Tara und Piva im Grenzgebiet zw. Bosnien-Herzegowina und Montenegro; er grenzt Bosnien-Herzegowina gegen Serbien ab. Der Name D. wurde in einigen Quellen irrtümlich dem Fluß → Drilon zugeschrieben, auch deshalb, weil der Verlauf beider Flüsse im äußersten Norden Albaniens nahe beieinander liegt. Eine Straßenstation *ad Drinum* (das h. Brodac nördl. Bijeljina) ist Tab. Peut. 5,3 erwähnt; bei Geogr. Rav. 4,16 wird der Fluß *Drinius* genannt.

C. PATSCH, s. v. D, RE 5, 1709. M. Š. K./Ü: I. S.

Drobeta. Lager und Zivilsiedlung an der Donau östl. vom »Eisernen Tor« in Dacia Inferior bzw. Dacia Maluensis, h. Turnu Severin (Oltenia, Rumänien). In der Nähe lag Pontes, wo Apollodoros aus Damaskos unter Traian die berühmte Donaubrücke errichtet hat. Im 2. Dakischen Krieg diente D. den Römern als wichtiger mil. Stützpunkt. In traianischer Zeit wurde hier von der *cohors Cretum sagittariorum* ein großes Lager gebaut, in dem später verschiedene Hilfstruppen stationiert waren (*cohors III campestris*: CIL III 14216,8,10; *cohors I sagittariorum* im 3. Jh.: CIL III 1583, 8074; *cuneus equitum Dalmatarum Divitensium* mit *auxilium primorum Dacicorum* im 4. Jh.: Not. dign. or. 42,16,24). Für dieselbe Zeit wird ein *praefectus legionis XIII geminae* in Transdrobeta genannt (Not. dign. or. 42,35). Unter Hadrian war D. *municipium*, unter Septimius Severus *colonia*. In D. befand sich eine Zollstation. Erwähnenswert sind die Thermen und ein Tempel der Kybele. Unter Constantinus d. Gr. mußte das Lager erneuert werden. Letzte Befestigungsarbeiten erfolgten unter Iustinianus. Belegstellen: Ptol. 3,8,10 (Δρουφηγίς/Δρουφηγύς); Tab. Peut. (*Drubetis*); Not. dign. or. 42,6,16,24 (*Drobeta*).

TIR L 34 Budapest, 56 (Bibliogr.). J. BU.

Drogen s. Gifte; Pharmakologie; Salben

Drohgebärden s. Gebärden

Dromedar s. Kamel

Dromedarii. Schon früh wurden im Orient Kamelreiter (καμηλῖται) mil. eingesetzt; so stellte Kyros während des Feldzuges gegen Kroisos (547/6 v. Chr.) Kamelreiter vor den Fußsoldaten auf, und 480 v. Chr. gehörten arab. Kamelreiter zu den Truppen des Xerxes (Hdt. 1,80,2–5; 7,86,2; 7,184,4). Später kämpften Kamelreiter sowohl in den Heeren der Seleukiden als auch der Parther gegen röm. Legionen (190 v. Chr.: Liv. 37,40,12; 217 n. Chr.: Herodian. 4,14,3; 4,15,2–3). Nach Vegetius waren Kamele jedoch für den Kampfeinsatz wertlos (Veg. mil. 3,23). In der röm. Armee wurden Kamele zum Transport von Nachschubgütern eingesetzt (Tac. ann. 15,12,1). D. waren demnach eher Kameltreiber als in Kampfhandlungen eingesetzte Soldaten; für das 2. Jh. n. Chr. sind d. in der Thebais

nachgewiesen (EEpigr. 7,458 f.). Bildliche Darstellungen finden sich auf dem Galeriusbogen, auf dem Constantinsbogen in Rom und auf der Theodosiussäule in Konstantinopel. In der Spätant. waren die *d.* nach *alae* gegliedert (für die Thebais vgl. Not. dign. or. 31,48; 31,54; 31,57). Nach Prokopios hat die Reduzierung der Zahl der Kamele durch Iustinianus erheblich zur Schwächung der röm. Armee beigetragen (Prok. HA 30,15 f.).
→ Kamel

1 G. BECATTI, Colonna coclide istoriata, 1960, Taf. 77a
2 H. P. LAUBSCHER, Der Reliefschmuck des Galeriusbogens, 1975, 44 3 K. SCHAUENBURG, Die Cameliden, BJ 155/6, 1955/6, 83.   S. L.

Dromichaites (Δρομιχαίτης; bei Oros. 3,23,52 Dori bzw. Doricetis). Herrscher der Geten E. des 4./Anf. des 3. Jh. v. Chr. Ernster polit. Gegner des → Lysimachos, der gegen D. wahrscheinlich 297 und zwischen 293–291 (Chronologie umstritten) zwei Feldzüge unternahm; D. nahm Lysimachos' Sohn Agathokles [5] und dann Lysimachos selbst gefangen, ließ aber beide gegen Abtretung eroberter Gebiete nördlich des Istros und der Zusicherung der Heirat des D. mit einer Tochter des Lysimachos wieder frei. Eine der Festungen des D. war das bisher nicht lokalisierte Helis. Lit. Quellen: Diod. 21,11–12; Paus. 1,9,6; Pol. fr. 102; Strab. 7,3,8; 14; Plut. Demetrios 39, 6; 52,6; Plut. mor. 183D1; Polyain. 7,25; Iust. 16,1,19; Memnon, FGrH 434 F 5,1; [1]. Weitere Forschungskontroversen betreffen Lokalisierung, Ausdehnung und Charakter des Reiches von D.

1 W. SCHUBART, Griech. lit. Papyri, Nr. 39.

C. FRANCO, Il regno di Lisimaco, 1993 • K. JORDANOV, Getae against Lysimachos, in: Bulgarian Historical Review 1, 1990, 39–51 • J. LENS TUERO, El encuentro entre Dromijaites y Lis'maco, in: J. LENS (Hrsg.), Estudios sobre Diodoro de Sicilia, 1994, 201–207 • H. S. LUND, Lysimachus, 1992, 45–50.   U. P.

Dromokleides (Δρομοκλείδης).
[1] Athenischer Archon 475/4 v. Chr. (Diod. 11,50,1).
    E. S.-H.

[2] Einflußreicher und im Sinne des → Demetrios [2] Poliorketes tätiger athenischer Demagoge, beantragte 295 v. Chr., Demetrios den Piraieus und die Munychia zu übergeben sowie, wohl 292/1, den »Retter« Demetrios um ein Orakel zu bitten (Plut. Demetrios 13,1–3; 34,1–7).
→ Athenai; Kolakes

HABICHT, 94; 98–100 • Ders., Unt. zur polit. Geschichte Athens im 3. Jh. v. Chr., 1979, 34–44.   J. E.

Dromon (Δρόμων). Dichter des 4. Jh. v. Chr., von dem zwei Fragmente des Stücks *Psaltria* erh. sind [1].

1 PCG V, 1986, 124–125.   B. BÄ.

Dromos s. Grabbauten

Droop-Schalen s. Kleinmeisterschalen

Dropides (Δρωπίδης). Aus einer aristokratischen athenischen Familie (ein namensgleicher Vorfahr war 645/4 v. Chr. Archon und mit → Solon verwandt), war er nach Curtius 3,13,15 einer von drei athenischen Gesandten an → Dareios [3], die von → Parmenion nach der Schlacht von → Issos (im J. 333) gefangengenommen wurden. Die Darstellung bei Arrian an. 3,24,4 ist in von Curtius abweichenden Einzelheiten zu verwerfen [1. 1, 233 f.], berichtet jedoch glaubhaft, daß → Alexandros [4] ihn in Haft setzte. Sein weiteres Schicksal ist unbekannt.

1 BOSWORTH, Commentary.   E. B.

Drossel (κίχλη, dorisch κιχήλα, lat. *turdus*). Sammelname für mehrere Arten: nach Ps.-Aristot. hist. an. 9,20, 617a 8–22 (zit. bei Athen. 2,64 f) die Mistel-D. (→ ἰξοβόρος), die kleinere Sing-D. (τριχάς) und vielleicht die Rot-D. [1. 243] (ἰλίας, ἰλλάς: Athen. 2,65a). Nach der ersten Erwähnung (Hom. Od. 22,468) wird sie seit dem 6. Jh. v. Chr. häufiger genannt. Über die Lebensweise der als Brutvogel in Griechenland und It. mit Ausnahme der Mistel-D. (in Gebirgsgegenden) fehlenden D. war außer der Nahrung (nach Aristoph. Av. 591 Insekten; nach Ail. nat. 1,35 Wacholderbeeren, wohl auf die Wacholder-D. zu beziehen; nach Epicharmos bei Athen. 2,64 f und Calp. ecl. 3,48 Oliven) wenig bekannt. Plin. nat. 10,147 (nach Aristot. hist. an. 6,1,559a 5–8) beschreibt die Nester der in Gruppen brütenden Wacholder-D. auf hohen Bäumen. Varro rust. 3,5,7 behauptet herbstlichen Zu- und Abzug übers Meer. Als bes. → Delikatesse geschätzt (vgl. die griech. Belege bei Athen. 2,64 f; 6,268c; 9,370d und die lat. u. a. bei Hor. sat. 2,5,10; epist. 1,15,40 f.; Ov. ars 2,269; Martial. 13,51; 13,92 und Pers. 6,24), wurde sie mit Netzen bzw. Schlingen (Hom. Od. 22,468), mit Leimruten (Alki. 3,30,1; Petron. 40 [2. 267 f.]) oder in Gruben gefangen (Dionysios, Ixeutika 3,13). Seit Ende der republikanischen Zeit mästete man sie in It. (Plin. nat. 10,60 unter Berufung auf Cornelius Nepos; Plut. Lucullus 40; Plut. Pompeius 2 bzw. 10) in Vogelhäusern (*turdaria* oder bloß *aviaria*, ὀρνιθόνες als Lehnwort bei Varro rust. 3,2,15). Solche beschreiben ausführlich Varro rust. 3,5,1–6 [2. 267] und Colum. 8,10 einschließlich der Fütterungsmethode. Ein Züchter erlöste um 54 v. Chr. in Reate 15 000 Denare für 5000 Stück (Varro rust. 3,2,15). Im Preisedikt des Diocletianus betrug der Höchstpreis das Doppelte. Ärzte empfahlen (vgl. Gal. fac. alim. 3,18,3; de bon. malisque succis 3,1) das Fleisch als diätetisch wertvoll.

1 LEITNER 2 TOYNBEE 3 KELLER 2, 76 ff.   C. HÜ.

Druckminuskel. Mit diesem von H. HUNGER geprägten Ausdruck bezeichnet man einen Typ der griech. Buchschrift des ausgehenden 15. und beginnenden 16.

Jh., der unter dem Einfluß der zeitgenössischen Druck-typen steht und eine zunehmende Rigidität und Steri-lität der Schrift zeigt. Beispiele sind der im Jahre 1498 aus → Aldina kopierte Text des → Musaios in Cod. Vindobonensis Phil. gr. 284 oder der → Aristoteles-Text im Cod. Vaticanus Reg. gr. 123–125 (ca. 1500, die Schrift imitiert die Aldina von 1494–1498). Das Auf-kommen des Buchdrucks veranlaßte sicher einige Kopisten dazu, ihre Schrift in irgendeiner Weise ein-heitlicher zu gestalten, doch kann man eine gegenseitige Beeinflussung von Druck und Schrift annehmen: In dem betreffenden Zeitraum lebten und arbeiteten be-rühmte Kalligraphen, deren Handschrift hervorragend als Modelle für Drucktypen geeignet waren (z. B. Ioan-nes Honorius Hydruntinus, Zacharias Kallierges und Angelos Vergikios), und tatsächlich wurden Schreiber wie z. B. Iohannes Nathanael und Demetrios Damilas beauftragt, Drucktypen zu entwerfen.

H. HUNGER, Ant. und ma. Buch- und Schriftwesen, in: Gesch. der Textüberlieferung der ant. und ma. Lit., Bd. I, 1961, 105–106 · D. HARLFINGER, Zu griech. Kopisten und Schriftstilen des 15. und 16. Jh., in: La paléographie grecque et byzantine, 1977, 338–339, 342. L.D.F.

Druentia. Der h. Fluß Durance, entspringt in den → Alpes Cottiae und mündet in die Rhône (Strab. 4,1,3; 11; Ptol. 2,10,4). Entlang dieses reißenden Flusses (Strab. 4,6,5; Plin. nat. 3,33; Auson. Mos. 479) führte Hannibals Marschroute (Liv. 21,32,8; 32,6; Sil. 3,468; Amm. 15,10,11). Inschriftlich sind *nautae Druentici* er-wähnt (CIL XII 731; 982). In der Spätant. war die Re-gion durch Kastelle gesichert (Cassiod. var. 3,41,2).

H. GR.

Druidae (Druides, Druida). Latinisierung des kelt. Stammes **drui(d)*, »die Hochweisen«; die Doppelsinnig-keit mit dem griech. δρῦς (*drys*) »Eiche« war offenbar bewußt (vgl. Plin. nat. 16,249) [1. 1321 f.; 2. 430]. Erste Erwähnung bei dem Peripatetiker Sotion 200/170 v. Chr. (Diog. Laert. 1,1,6 f.), die späteren hängen z. T. vom verlorenen Geschichtswerk des Poseidonios ab. Danach bildeten die d. zusammen mit *bardi* und → *vates* einen hierarchisch gegliederten Zweig der kelt. Prie-sterkaste mit einer mündlich tradierten Geheimlehre, über die wenig bekannt ist. Ihre Herkunft liegt im Dun-keln, wahrscheinlich haben sie indoeurop. Wurzeln, nach Caesar (Gall. 6,13) soll ihre Lehre aus Britannien auf das Festland hinübergekommen sein. Arch. Zeug-nisse sind selten, die meisten unsicher. In der von Caesar in *d.*, *equites* und *plebs* unterteilten gallischen Gesellschaft nahmen die d. als Priester, Lehrer und Richter eine her-vorragende Stellung ein und sorgten für den Kultus, die öffentlichen und privaten Opfer, die Mantik, Weissa-gungen und Auslegung der rel. Vorschriften einschließ-lich des Festkalenders. Ferner verkörperten sie das Wis-sen über Medizin, Botanik, Geschichte und Kultur ihres Volkes und waren Lehrer der adligen Jugend. Einmal im Jahr hielten sie an einem geheimen Ort im Gebiet der

→ Carnutes Gericht und wählten gegebenenfalls ihr Oberhaupt. Sie nahmen ferner Einfluß auf die Wahl und Regierung der Stammesfürsten und entschieden über Krieg und Frieden (Diod. 5,31,2; Strab. 4,4,4; Caes. Gall. 6,13; Dion. Chrys. 49,8,1). Ihre Lehre von der Seelenwanderung (Caes. Gall. 6,13,5) führte zu der Sage, daß sie von den Pythagoreern abhingen, so daß man sie auch als Philosophen bezeichnete (Diod. 5,28,6, aus Alexandros Polyhistor; Lucan. 1,450–458; Mela 3,19; Hippolytos, Philosophumena 1,25; Orig. contra Celsum 1,16,17; Clem. Al. strom. 1,15). Während sich Caesar z. T. ihrer Hilfe bediente, wie das Beispiel des einzig namentlich bekannten *druida* → Diviciacus zeigt, wurden die d. von den Kaisern Tiberius und Claudius unter dem Vorwand ihrer Beteiligung an Menschenop-fern verfolgt (Plin. nat. 30,13; Suet. Claud. 25). Ein ri-tuell geopferter Adliger konnte 1984 in Lindow Moss, Cheshire entdeckt werden [3]. 61 n. Chr. vernichtete → Suetonius Paulinus das d.-Zentrum auf der Insel Mona (Isle of Man; Tac. ann. 14,29–30). Noch 69/70 deuteten d. den Brand des Kapitols als Ende der röm. Weltherrschaft (Tac. hist. 4,54), danach scheint ihr Ein-fluß auf dem Festland erheblich zurückgegangen zu sein, spätere Erwähnungen, auch von weiblichen d., beziehen sich auf einfache Wahrsager (SHA Alex. 60, Car. 14,15, Aurelian. 44). Den frühma. christl. Überlie-ferungen zufolge scheinen die d. in Britannien und vor allem in Irland als → *magi* und *filid* noch Einfluß gehabt zu haben. Die angeblichen Geheimlehren der d. führten seit dem 18. Jh. zu zahlreichen Spekulationen, die in die logenartige Männergemeinschaft des Druidenordens und zahlreiche andere okkulte Gruppierungen mün-deten [4].

→ Kelten; DRUIDEN

1 HOLDER 2 A. ROSS, Ritual and the Druids, in: M. Green (Hrsg.), The Celtic World, 1995, 423–444 3 Ders., Der Tod des Druidenfürsten, 1990 4 E. TÜRK, s. v. Druidenorden, LTHK³ 3, 381 f.

1 D. O. CRÓINÍN, s. v. Magi (Druiden), LMA 6, 81 f. 2 F. LE ROUX, C. J. GUYONVARC'H, Les Druids, ³1986 3 G.-CH. PICARD, César et les Druides, in: Hommage J. Carcopino 1977, 227–233. W. SP.

Druna, h. Drôme, Nebenfluß der Rhône (Auson. Mos. 479).

H. GR.

Drusilla. Tochter des jüd. Königs Agrippa I., geb. 38 n. Chr. Als Kind wurde sie Epiphanes, dem Sohn des Königs Antiochos IV. von Kommagene, verlobt. Die Ehe kam nicht zustande, weil Epiphanes die verspro-chene Beschneidung nicht vollzog. 53 wurde sie mit König Azizus von Emesa, der sich beschneiden ließ, verheiratet. Der von ihrer Schönheit hingerissene Pro-curator von Judaea → Antonius [II 6] Felix brachte sie dazu, ihn zu heiraten und damit gegen das Gesetz zu verstoßen, das die Heirat einer Jüdin mit einem Nicht-juden verbot (Ios. ant. Iud. 18,132; 19,354 f.; 20,139–143).

K. BR.

Drusipara (Δρουσιπάρα). Bed. Station der Straße Amphipolis – Hadrianopolis – Byzantion in SO-Thrakien, östl. von Büyük Karıştıran/Türkei (früheste Erwähnung Ptol. 3,11,7; außerdem Itin. Anton. 137,7; 323,3; Itin. Burdig. 569; Theophanes, 1,234,2). I.v.B.

Drusus. Cognomen zunächst in der *gens* → Livia (ThlL, Onom. 3,256–260). Nach Suet. Tib. 3,2 nahm ein nicht näher bekannter Livius (im 3. Jh. v. Chr.) nach seinem Sieg im Zweikampf über den Keltenführer Drausus den Beinamen an und vererbte ihn. Durch die erste Ehe der → Livia mit Ti. Claudius [I 19] Nero gelangte das Cognomen über ihren Sohn Nero Claudius [II 24] D. (D. Maior), den Bruder des zweiten Princeps → Tiberius, in den claudischen Zweig der *domus Augusta*: D. erscheint im Namen des Sohnes des D. Maior, → Germanicus, bei dessen Sohn D. [II 2], beim Sohn des Tiberius (D. Minor [II 1]), im Geburtsnamen von → Claudius und dessen Sohn Claudius [II 23] sowie bei → Nero nach der Adoption durch Claudius.

SALOMIES, 328. K.-L. E.

I. REPUBLIKANISCHE ZEIT

[I 1–4] → Livius Drusus

[I 5] D. (Claudianus), M. (Livius), Vetter des Clodius [I 4], Vater der Livia, Großvater des Tiberius (zur Adoption aus der Familie der Claudii Pulchri in die der Livii Drusi s. [1]). Sein erstes (bekannt gewordenes) polit. Auftreten datiert ins Jahr 59 v. Chr. (Cic. Att. 2,7,3) und sieht ihn in der Nähe des damaligen *consuls* Caesar. Im J. 50 war D. *praetor* oder *iudex quaestionis* (MRR 2, 248); seine parteipolit. Stellung während des 49 ausbrechenden Bürgerkrieges ist unbekannt. Im Mutinensischen Krieg von 43 schlug er sich auf die Seite des Senats und wurde deshalb im November von den Triumvirn (M. → Antonius [I 9]) auf die Proskriptionsliste gesetzt (Cass. Dio 48,44,1). Er floh nach Osten und kämpfte 42 bei Philippi im Heer des Cassius [I 10] und Brutus [I 9]. Nach der Niederlage beging er Selbstmord (Vell. 2,71,3).

1 F. MÜNZER, s. v. D., RE 13, 881 f. W.W.

II. KAISERZEIT

[II 1] D. d. J. = Nero Claudius D. = D. Iulius Caesar. Sohn von Tiberius und Vipsania Agrippina. Geb. am 7. Okt. 15 oder 14 v. Chr., damit nur wenig jünger als Germanicus [1]. Als sein Vater nach Rhodos in die Verbannung ging, blieb er in Rom zurück. Nach dessen Rückkehr im J. 2 n. Chr. Annahme der *toga virilis*. 4 n. Chr. erhielt er bei der Adoption seines Vaters durch Augustus den Namen D. Iulius Caesar. Kurz darauf heiratete er Livia Iulia, die Schwester des Germanicus und Witwe des Gaius Caesar. Schon seit 9 n. Chr. durfte er an Senatssitzungen teilnehmen, im J. 11 Quaestor; Erlaubnis, sich ohne Bekleidung der Praetur um den Consulat bewerben zu dürfen. Nach Augustus' Tod verlas er im Senat dessen Testament und hielt eine Leichenrede von den Rostra aus. Von Tiberius wurde er im September 14 in Begleitung des Praetorianerpraefekten Seianus nach Illyricum gesandt, um die meuternden Legionen unter Kontrolle zu bekommen, was ihm gelang. Im J. 15 *consul*. Seit diesem Jahr bestand sein Zerwürfnis mit Seianus, den er in aller Öffentlichkeit geschlagen hatte. Manche Leute versuchten Drusus gegen Germanicus auszuspielen; aber beide ließen sich nach Tacitus dazu nicht mißbrauchen (ann. 2,43,6). Gleichzeitig mit Germanicus erhielt er im J. 17 ein proconsulares Kommando; er ging nach Illyricum, um die Germanen in Schach zu halten. Im J. 18 wurde ihm wie Germanicus für seine Erfolge eine *ovatio* beschlossen. Ende 19/Anf. 20 kehrte er wegen Germanicus' Tod nach It. zurück und nahm an dessen Beisetzung teil. Im Gegensatz zur Überlieferung bei Tacitus (ann. 3,19,3) feierte er seine *ovatio* am 28. Mai 20 [1], nicht nach dem Prozeß gegen Calpurnius Piso; dieser fand erst Ende November/Anf. Dezember statt [2]; daran nahm D. teil, nachdem er in der zweiten Jahreshälfte des J. 20 nochmals nach Illyricum zurückgekehrt war. Aus Anlaß der *ovatio* wurde auf dem Forum Augusti ein Ehrenbogen errichtet (CIL VI 40352), der erst am 12. März 30 dediziert wurde [2]. Im J. 21 cos. II mit Tiberius; im J. 22 erhielt er die *tribunicia potestas*. Angeblich soll er von Seianus, der ein Verhältnis mit Livia, D.' Frau, hatte, vergiftet worden sein. Nach D.' Tod im J. 23 wurden für ihn vom Senat ähnliche Ehren beschlossen wie im J. 19/20 für Germanicus (vgl. CIL VI 912 = 31200 = [3] = [5]). Am Mausoleum Augusti, in dem er bestattet worden war, wurde ein *elogium* auf ihn angebracht (CIL VI 40367). Zahlreiche Statuen und Altäre wurden ihm zu Lebzeiten, aber auch nach dem Tod errichtet. Von seinen drei Söhnen, die Livia Iulia gebar, überlebte ihn nur Ti. Iulius Caesar = Tiberius Gemellus. PIR² J 219.

1 SUMMER, in: Latomus 26, 1967, 427 ff. 2 VIDMAN, FO² 41 3 W. ECK, A. CABALLOS, F. FERNÁNDEZ, Das s.c. de Cn. Pisone patre, 1996, 109 ff. 4 M. H. CRAWFORD (Hrsg.), Roman Statutes I (BICS Suppl. 64), 1996, 510 f., 544 f. 5 LEBEK, in: ZPE 95, 1993, 81 ff.

[II 2] D. = D. Iulius Caesar. Sohn von Germanicus und Agrippina d. J. Geb. 7 oder 8 n. Chr. Ob er den Vater in den Osten begleitete, ist nicht sicher. 23 erhielt er die *toga virilis* und gleichzeitig Privilegien für die frühzeitige Übernahme der Ämter; dabei wurde an das Volk ein *congiarium* verteilt. Nach dem Tod von D. [II 1] wurde er zusammen mit seinem Bruder Nero von Tiberius dem Senat empfohlen; beide waren so als künftige Nachfolger designiert. Um 23 Heirat mit Aemilia Lepida, die zum augusteischen Familienverbund gehörte. Übernahme zahlreicher Priesterämter; 25 auch *praef. urbi* während des Latinerfestes. D. geriet in den Streit zwischen seinem Bruder Nero, seiner Mutter Agrippina und Seianus. Seine Frau erhob Anschuldigungen gegen ihn; Cassius Longinus klagte ihn im Senat auf Anstiften des Seianus an. Vom Senat als *hostis* verurteilt, wurde auf dem Palatin in Haft gehalten. Im J. 33 starb er den Hungertod. Erst nach der Herrschaftsübernahme

Caligulas wurde der Tote rehabilitiert; sein Porträt erschien auf Münzen; seine Überreste wurden im Mausoleum Augusti beigesetzt; vgl. CIL VI 40374. PIR² J 220.

J. PIGÓN, in: Antiquitas 18, 1993, 183 ff. W. E.

Dryaden s. Nymphai

Dryas (Δρύας, »Eichenmann«; ThlL, Onom. s. v. D.).
[1] Thessalischer Lapithe. Er war ein Freund des Peirithoos, an dessen Hochzeit er mit den Kentauren kämpfte (Hom. Il. 1,263; Hes. scut. 179; Ov. met. 12,290–315).
[2] Thraker, ein Sohn des Ares. Er nahm an der kalydonischen Jagd teil (Ov. met. 8,307). Kaum identisch mit dem D., der von seinem Bruder → Tereus ermordet wurde, nachdem ein Orakel ergangen war, daß Tereus' Sohn von verwandter Hand ermordet würde (Apollod. 1,67; Hyg. fab. 45,3; 159) [1].

1 F. BÖMER, P. Ovidius Naso met. B. 8–9 (Komm.), 1977, 113; B. 12–13 (Komm.), 1982, 106.

[3] Vater des thrakischen Königs → Lykurgos, der sich Dionysos widersetzte (Hom. Il. 6,130; Soph. Ant. 955). Lykurgos hielt seinen Sohn, der ebenfalls D. hieß, im Wahn für eine Rebe und tötete ihn (Apollod. 3,34 f.; Hyg. fab. 132).

W. BURKERT, Homo necans, 1972, 198.

[4] Ein Thraker, der bei einem Wagenrennen um die Hand der → Pallene nach einem Komplott zum Sturz gebracht und von seinem Nebenbuhler Kleitos getötet wurde (Parthenios 6 = MythGr p. 13 f.; Konon FGrH 26 F 1,10). R. B.

Drymos (Δρυμός).
[1] (Δρυμαία). Stadt am Fuß des Kallidromon, den nördl. Ausläufern des mittleren Kephisos-Tals gelegen, ca. 1,5 km südöstl. von Drymea (ant. *Nauboleís*, Paus. 10,33,12; vgl. Hom. Il. 2,518); von den Persern in Brand gesetzt (480 v. Chr., Hdt. 8,33), von Philippos II. zerstört (346 v. Chr., Paus. 10,3,2) und von Philippos V. erobert (207 v. Chr., Liv. 28,7,13), noch in der Spätant. erwähnt (Hierokles, Synekdemos 643; Not. Episc. 737–762). Gut erh. Mauern auf der Akropolis (4. Jh. v. Chr.) und Inschr. (2. Jh. v. Chr.; Kaiserzeit: IG IX 1, 226–231; BCH 26, 1902, 340 Nr. 51; SEG 14, 468).

MÜLLER, 485 · N. D. PAPACHATZIS, Παυσανίου Ἑλλάδος Περιήγησις [Pausaníu Helládos Periḗgēsis], 5, ²1981, 431–432 · F. SCHOBER, Phokis, 1924, 28 · TIB I, 150 · L. B. TILLARD, The Fortifications of Phokis, in: ABSA 17, 1910/1, 54–75. G. D. R./Ü: R. P. L.

[2] Ort in NW?-Attika mit kleiner agrarischer Nutzfläche an der Grenze zu Boiotia (Skurta-Ebene?), toponymisch Wald- oder Ödland (δρυμός, »Dickicht, Macchie«). *Pólis* nach Harpokrates (s. v. D.) und Suda (s. v. D.). Als Teil des Militärbezirks von → Eleusis [1]

und → Panakton (IG II² 1672) wohl auch Festung: χωρίον καὶ φρούριον (*chōríon kaì phroúrion*, »Ort und Festung«, Hesych. s. v. D., vgl. Demosth. or. 19,326). Ein weiteres D. in Boiotia wird gen. bei Aristot. dikaiomata (fr. 612 ROSE).

C. EDMONSON, The Topography of Northwest Attica, 1986, 115 ff. · J. OBER, Fortress Attica, 1985, 98, 116, 194, 223, 225 · E. VANDERPOOL, Roads and Forts in Northwestern Attica, in: California Studies in Classical Antiquity 11, 1978, 227–245, bes. 232 f. H. LO.

Dryope (Δρυόπη).
[1] Name einer Nymphe. Von der Verwandlung der D. liegen zwei deutlich voneinander abweichende Berichte vor. Nach Nik. in Antonius Liberalis 32 war D. die Tochter des → Dryops und Frau des → Andraimon [2]. Sie nahm den in eine Schildkröte verwandelten Apollon auf ihren Schoß und brachte daraufhin → Amphissos zur Welt. D. wurde von den Nymphen, mit denen sie als Mädchen spielte und in deren Welt sie urspr. gehörte, entführt. An ihrer Stelle entstand eine Schwarzpappel und eine Quelle, während D. selbst eine Nymphe wurde. So kehrte D. zu ihresgleichen zurück, während Amphissos ein Nymphenheiligtum gründete (dessen Aition die Geschichte ist). Nach Ov. met. 9,324–393 war D. hingegen die Tochter des Eurytus und eine Halbschwester der Iole. Als sie für ihr Söhnchen Amphissos eine Lotosblume pflückte, blutete diese, weil in ihr die Nymphe → Lotis lebte. D. wurde sodann in einen Baum verwandelt. Hinter beiden Varianten der Sage stand ein alter Baumkult.

F. BÖMER, P. Ovidius Naso Met. B. 8–9 (Komm.), 1977, 375–376 · NILSSON, Feste, 442,3.

[2] Nymphe, von Faunus Mutter des Rutulers Tarquitus (Verg. Aen. 10,550 f., wohl eine Erfindung Vergils). R. B.

Dryops (Δρύοψ, »Eichenmann«). Eponymos der Dryopes [1], Sohn des Flusses → Spercheios und der Danaide Polydora oder des Apollon und der → Dia [3], der Tochter des Arkaders Lykaon. D. galt auch selbst als Arkader (Strab. 8,6,13; Pherekydes FGrH 3 F 8; Nik. bei Ant. Lib. 32; Tzetz. Lykophr. 480). Eine seiner Töchter gebar von Hermes den Pan (Hom. h. 19,33–39). D. hatte einen Kult (Tempel mit Statue) in der Dryopenstadt Asine in Messenien (Paus. 4,34,11), woher vereinzelte Münzen stammen, die D. zeigen [2].

1 I. MALKIN, Myth and Territory in the Spartan Mediterranean, 1994, 231 2 C. ARNOLD-BIUCCHI, s. v. D., LIMC 3.1, 670.

NILSSON, Feste, 422. R. B.

Dryton. Geb. vor 192 v. Chr., gest. 126/123, aus Kreta, Bürger von Ptolemais, als Soldat und Hipparch an verschiedenen Orten tätig (Archiv mit Dokumenten von 174–99). Heiratete am 4.3.150 in zweiter Ehe Apollonia und ist damit ein Beispiel für die Verbreitung des graeco-ägypt. Milieus als der Vermischung der beiden Kulturen.

N. LEWIS, Greeks in Ptolemaic Egypt, 1986, 88 ff. ·
R. SCHOLL, D.s Tod, in: CE 63, 1988, 141–144.   W. A.

Dual. Numeruskategorie, die in Abgrenzung zum Sg. (Einzahl) und Pl. (Mehrzahl) eine (paarige oder akzidentielle) Zweizahl bezeichnet. Während die D. in der idg. Grundsprache noch über die gesamte nominale und verbale Flexion verbreitet war, ist er in den meisten idg. Einzelsprachen nur mehr rudimentär bezeugt. Das umfangreichste D.-System ist im Indoiran. erhalten geblieben, während z. B. das Lat. Reste einer dual. Flexion nur noch bei *duo* < *duō* »zwei« und *ambō* »beide« zeigt (Dat.-Abl. *duōbus, ambōbus*). Im älteren Griech. sind dual. Formen noch in größerem Ausmaß vertreten (z. B. homer. Nom. Akk. D. ὤμω gegenüber Nom. Sg. ὦμος, Nom. Pl. ὦμοι; Aor. Ind. Akt. 3. D. ἐβήτην gegenüber 3. Sg. ἔβη, 3. Pl. ἔβαν), weisen gegenüber dem grundsprachlichen Zustand jedoch bereits beträchtliche Umgestaltungen auf (Ersatz dual. durch pl. Verbalendungen bei der 1. Person, einheitliche Endung homer. -οῖιν, att. -οιν für den Gen. Dat. D. bei allen Stammklassen) und werden im Laufe der Zeit ganz durch die entsprechenden Pl.-Formen verdrängt. Unter den h. idg. Sprachen ist ein D. im (balt.) Litauischen und im (slav.) Slovenischen in Gebrauch, außerhalb der idg. Sprachfamilie z. B. im Arabischen.

→ Flexion

A. CUNY, La catégorie du duel dans les langues indoeuropéennes et chamito-sémitiques, 1930 · SOMMER, 348 § 199 Anm. 4, 464 f. § 294 · SCHWYZER, Gramm. 557, 666 f.
                                                        J. G.

Dubis. Fluß in Gallia, h. Doubs, entspringt im frz. Jura, durchquert das Land der Sequani und mündet b. Verdun-sur-le-Doubs in den → Arar (Caes. Gall. 1,38; Strab. 4,1,11; 14; 4,3,2; Ptol. 2,10,3).   F. SCH.

Dubrae, h. Dover, war während der röm. Besetzung von → Britannia als Hafen und Küstenfestung von großer Bed. Der hervorragende Hafen dürfte anläßlich der Invasion von 43 n. Chr. benutzt worden sein. Im späten 2. Jh. wurde ein Kastell gebaut, um eine Einheit der *classis Britannica* unterzubringen [1]. Dieses wurde im späten 3. Jh. durch eine Küstenfestung gegen die Sachsen ersetzt. Teile der Quays und der Molen wurden im Hafenviertel von Dover aufgedeckt. Ungewöhnlich ist ein gut erh. röm. Leuchtturm auf dem East Hill, achteckig in der äußeren Gestaltung, innen rechteckig. Ein anderer lag einmal jenseits des Tals weiter im Westen [2].

1 B. PHILP, The Excavation of the Roman Forts at Dover, 1981 2 R. E. M. WEELER, C. J. AMOS, The Roman Lighthouse at Dover, in: Archaeological Journal 86, 1929, 47–71.   M. TO./Ü: I. S.

Ducarius. Keltisches Namenskomp. aus *-caro-* »lieb«. Reiter einer Einheit von Insubres im Gefolge Hannibals, der bei der Schlacht am Trasimenischen See 217 v. Chr. den *consul* C. → Flaminius tötete (Liv. 22,6,3–5; Sil. 5,644–658).
→ Hannibal   W. SP.

Ducenarius (*duceni* = »je zweihundert«) zeigt allg. einen Bezug zur Zahl 200 an, so z. B. beim Gewicht (*duceni pondo* = zwei *centenarii* / Doppel-»Zentner«). Im polit. Bereich bezeichnet *d.* seit der Gerichtsreform Sullas (82 v. Chr.) die 200 dem Ritterstand angehörigen Richter in den Abteilungen (→ *decuriae*) der Geschworenengerichte (Vell. 2,32,3; Liv. per. 89; Suet. Aug. 32 betr. die augusteische Neuordnung).

In der Prinzipatszeit leitet sich der Name *d.* von der Besoldung mit 200 000 HSS für ritterliche Beamte im Dienste des Kaisers ab und bezeichnet in der Regel die höchste in den Prov. verwendete Rangklasse, etwa für provinziale Procuratoren, im Rahmen einer von *sexagenarii* über *centenarii* bis zu *tricenarii* reichenden Stufenordnung (Suet. Aug. 32, Claud. 24,1; CIL V 7870).

In der Spätant. bezeichnet *d.* den im *officium* eines hohen Beamten oder am Kaiserhof (Finanzverwaltung; → *agentes in rebus*) tätigen Offizialen aus dem Ritterstand, der im Rang unterhalb eines *perfectissimus*, aber oberhalb von *centenarii* und *sexagenarii* und nicht-ritterlichen Diensträngen steht. Der Rang eines *d.* kann mit der Emeritierung eines Beamten auch ehrenhalber verliehen werden (Cod. Iust. 12,20,3; 12,23,7; 12,31 und 32; Cod. Theod. 8,4,3: *perfectissimatus vel ducenae vel centenae vel egregiatus dignitas*).

JONES, LRE 578, 599, 634 · HIRSCHFELD, 432 ff. ·
MOMMSEN, Staatsrecht 3, 531, 536, 564.   C. G.

Ducenius

[1] A. D. Geminus. Aus Patavium stammend. *Cos. suff.* im J. 61 oder 62. Von Nero mit zwei anderen Senatoren 62 als *curator vectigalium publicorum* bestellt (Tac. ann. 15,18,3); die daraus hervorgegangene Sammlung von Bestimmungen, das Zollgesetz der Prov. Asia, jetzt durch eine Inschr. aus Ephesos bekannt (H. ENGELMANN, D. KNIBBE, EA 14, 1989 = SEG 39, 1180 = AE 1989, 681). Anschließend Legat von Dalmatien; von Galba zum *praef. urbi* ernannt, dabei aber schnell von Flavius Sabinus abgelöst. Wenn ILS 963 ihm zugehört, wäre er unter Vespasian Proconsul von Asia geworden. PIR² D 201.

W. ECK, in: ZPE 43, 1981, 230 · VOGEL-WEIDEMANN, 462 ff. · SYME, RP 4, 362 ff., 382 ff. · A. BÉRENGER, in: MEFRA 105, 1993, 75 ff.

[2] C. D. Proculus. *Cos. suff.* im J. 87. PIR² D 202.

SYME, RP 4, 383 f.

[3] P. D. Verus. *Cos. suff.* im J. 95 [1]; *pontifex*. PIR² D 200, 203.

1 DEGRASSI, FCIR, 28.   W. E.

Düngemittel. Die Verwendung von D. in der ant. Landwirtschaft hatte den Zweck, die Fruchtbarkeit des zum Anbau genutzten Bodens zu erhalten oder zu verbessern; welche Methoden der Düngung gewählt wurden, hing dabei entscheidend vom sozialen Milieu, von ökonomischen Bedingungen, vom Klima und von lokalen Traditionen ab. Obgleich der intensiven Bearbeitung des Bodens eine höhere Bedeutung als der Düngung beigemessen wurde (Cato agr. 61,1: *Quid est agrum bene colere? Bene arare. Quid secundum? Arare. Tertio? Stercorare*), widmen die Agrarschriftsteller dem Problem geeigneter D. längere Ausführungen. Eine grundlegende Schwierigkeit bestand für die ant. Landwirtschaft darin, daß aufgrund des Mangels an Futterpflanzen eine Stallviehhaltung in größerem Umfang nicht möglich war. Da man die Viehherden im Sommer in den Wäldern weiden ließ, ging der als D. so wertvolle Tiermist weitgehend verloren. Angesichts dieser Situation war es notwendig, Felder jedes zweite Jahr brachliegen zu lassen (Pind. N. 6,10–12; Verg. georg. 1,71 f.; Colum. 2,10,7; Plin. nat. 18,187; 18,191).

Die Düngung mit Tiermist ist bereits bei Homer belegt (Hom. Od. 17,296–300); Xenophon betont die Wichtigkeit des Düngers, und Theophrast bietet eine Übersicht über den Mist verschiedener Tierarten (Xen. oik. 20,10; Theophr. h. plant. 2,7,4). Cato, Varro und Vergil geben eine Reihe von Ratschlägen zur Düngung und zur Anlage eines Misthaufens (*stercilinum*: Cato agr. 5,8; Varro rust. 1,13,4, Colum. 1,6,2; zur Düngung vgl. ferner Cato agr. 29; 36; 37,2; Varro rust. 1,7,8; 1,19,3; 1,23,3; 1,38; Verg. georg. 1,71–93, Plin. nat. 17,42–57). Ausgehend von der Beobachtung einer nachlassenden Fruchtbarkeit des Bodens, die von den Zeitgenossen teils auf Erschöpfung, teils auf das Altern der Erde zurückgeführt wurde, fordert Columella eine häufige, zeitgerechte und maßvolle Düngung, um höhere Erträge zu erzielen (Colum. 2,1,7: *licet enim maiorem fructum percipere si frequenti et tempestiva et modica stercoratione terra refoveatur*). Nach Columella sind vor allem drei Düngearten für die Landwirtschaft von Bedeutung: der Dung von Vögeln, von Menschen und von Vieh (Colum. 2,14,1: *quod ex avibus, quod ex hominibus, quod ex pecudibus*; vgl. Colum. 8,9,4; Varro rust. 1,38); besonders wurde der Dung von Tauben geschätzt. Es galt als notwendig, Tiermist vor der Verwendung ein Jahr zu lagern. Für die Düngung von Feldern, von Ölbäumen und Weinpflanzungen wurden jeweils verschiedene Düngearten gebraucht. Die Tierhaltung auf den Gütern wurde wesentlich damit begründet, daß auf diese Weise auch reichlich Dünger gewonnen werden konnte (Colum. 6, praef. 2; 8,1,2; vgl. Varro rust. 1,2,21; 2, praef. 5). Wo tierischer Dung fehlte, konnten auch pflanzliche Reste zur Herstellung von *stercus* verwendet werden; gemeint ist hier die Kompostierung (Cato agr. 37,2; Colum. 2,14,6).

Ein besonderes Verfahren der Düngung bestand darin, Lupinen zu säen und nach dem Schnitt sofort unterzupflügen; auf diese Weise wurde der Boden mit dem Stickstoff, der sich in den Wurzeln der Lupinen angesammelt hatte, angereichert (Colum. 2,13; 11,2,44; vgl. Cato agr. 37,2; Varro rust. 1,23,3; Plin. nat. 17,54; 18,133–136). In Gallia Cisalpina wurde auch mit Asche gedüngt; hierfür verbrannte man den Mist der Zugtiere oder zündete die Stoppelfelder an (Plin. nat. 17,49; vgl. Verg. georg. 1,84 f.; für Griechenland: Xen. oik. 18,2). Die Mergeldüngung, die bereits Varro bekannt war, aber erst von Plinius ausführlich beschrieben wird, wurde vor allem in Gallien und Britannien praktiziert und scheint nur regional verbreitet gewesen zu sein; Mergel ist ein ton- und kalkhaltiges Gestein, das zum Teil in Gruben abgebaut wurde (Varro rust. 1,7,8; Plin. nat. 17,42–48). Fruchtwechsel als ein Mittel zur Erhaltung der Fruchtbarkeit des Bodens war zwar bekannt (Verg. georg. 1,73–76; Plin. nat. 18, 191), scheint insgesamt aber keine große Bedeutung besessen zu haben.

→ Agrarschriftsteller; Getreide

1 M.-C. AMOURETTI, Le pain et l'huile dans la Grèce antique, 1986, 62–63 2 A. BURFORD, Land and Labor in the Greek World, 1993, 122–124 3 F. OLCK, s. v. Düngung, RE 5, 1756–1776 4 M. S. SPURR, Arable Cultivation in Roman Italy c.200 B.C.–c. A.D. 100, 1986, 126–132 5 K.D. WHITE, Roman Farming, 1970, 110–145. E.C.

Duenos-Inschrift. Eine in archa. Latein verfaßte Ritzinschrift auf dem sog. »Vasculum Dresselianum«, dem von H. DRESSEL 1880 in Rom südöstl. des Quirinal entdeckten Tongefäß. Das triangelförmige Objekt mit abgerundeten Spitzen und eingezogenen Seiten (Seitenlänge: 10,3–10,5 cm; max. Höhe: 4,5 cm; vgl. [1. 55]) weist an jeder Spitze eine runde Öffnung auf. An der Außenseite befindet sich die Inschr., in linksläufiger Richtung geschrieben und in drei Zeilen zu lesen (s. Abb.; weitere Abb. bei [1; 2. 134 f., 140]; Transkription nach [3. 70]).

Die Datierung des Textes schwankt zwischen dem 7. und späten 3. Jh. v. Chr.; arch. ist das Gefäß um 600 anzusetzen, doch kann der Text auch nachträglich angebracht worden sein (so [2. 134]; anders [1. 57]), was aufgrund epigraphischer Indizien nicht ausgeschlossen ist (z. B. Schreibung der k-Laute, vgl. [1. 56 ff.; 4. 252]). Die Deutung der Inschr. ist in wesentlichen Punkten umstritten, da u. a. einige Wortgrenzen unklar sind. Eine sichere Interpretationsgrundlage bietet der Passus *duenos med feced* (›ein »Guter« hat mich gemacht/machen lassen‹, Z. 1, beginnend rechts außen, nach links; *duenos* = klass. *bonus* ist kaum ein Name). Aufgrund der zahlreichen Unsicherheiten ist die Funktion von Text und Gefäß umstritten. Die Inschr. stammt wohl aus dem privaten Bereich (Erwähnung einer *cosmis uirco* = *comis virgo*, am Ende von Z. 1, beginnend rechts oben innen, nach links). Vorschläge reichen von der Verwendung des Gefäßes als Lampe über die Funktion als Behältnis für verschiedene Utensilien bis hin zu magischen und kult. Zwecken (Liebeszauber, Trankopfer u. a.); GJERSTADS These, wonach es sich um einen Behälter für Toilettenartikel handele [2. 137], bleibt Spekulation.

iouesatdeiuosqoimedmitatneitedendocosmisuircosied
astednoisiopetoitesiaipacariuois
duenosmedfecedenmanomeinomduenoinemedmalostatod

Duenos-Inschrift: Schematische Aufsicht.

Trotz ihrer zahlreichen Probleme gehört die D.-I. sprachhistor. zu den wichtigsten altlat. Zeugnissen und stellt neben der wohl etwas älteren Forum-Inschr. (CIL I² 1) das einzige stadtröm. Dokument in Alt-Lat. dar (vgl. [3. 72–75]). Inschrift: CIL I² 4 = ILS 8743; Gefäß: Ant.-Sammlung, Altes Mus. Berlin, Inv.-Nr. 30894,3.

1 A. E. GORDON, Notes on the Duenos-Vase Inscription, in: CSCA 8, 1975, 53–72 2 E. GJERSTAD, The Duenos-Vase, in: Septentrionalia et Orientalia. FS B. Karlgren, 1959, 133–143 3 R. WACHTER, Altlat. Inschr., 1987, 70–75 4 H. SOLIN, Zur Datierung ältester lat. Inschr., in: Glotta 47, 1969, 248–253.

G. COLONNA, Duenos, in: Studi Etruschi 47, 1979, 163–172 · G. DUMÉZIL, Idées romaines, 1969 · M. DURANTE, L'iscrizione di Dueno, in: Incontri linguistici 7, 1981, 31–35 · E. GOLDMANN, Die D.-I., 1926 · M. LEJEUNE, Notes de linguistique italique, in: REL 44, 1966, 141–181 · A. L. PROSDOCIMI, Studi sul Latino arcaico, in: Studi Etruschi 47, 1979, 173–221, bes. 173–183 · B. VINE, Notes on the Duenos-Inscription, in: Atti del XI Congresso di Epigrafia Greca e Latina (Preatti, Roma), 1997, 133–139.   M. MEI. u. ME. STR.

Dürrnberg. Der D. bei Hallein (Salzburg) war ein Zentrum kelt. Kultur in Mitteleuropa seit der Hallstattzeit (6. Jh. v. Chr.). Früher Salzbergbau brachte die z. T. befestigte Siedlung im Hochtal des D. wirtschaftlich zu Blüte und überregionaler Bedeutung. Reiche Gräber bes. der Frühlatènezeit (5./4. Jh. v. Chr.) mit prunkvoller Ausstattung und vielen Südimporten zeugen davon. In spätkelt. Zeit (2./1. Jh. v. Chr.) ging die Bed. des D. verloren, und die Siedlung verlagerte sich ins Tal der Salzach um Hallein.
→ Bergbau; Fürstengrab, Fürstensitz; Handel; Keltische Archäologie; Salz

E. PENNINGER u. a., Der D. bei Hallein I–IV, 1972–1995 · L. PAULI (Hrsg.), Die Kelten in Mitteleuropa – Ausstellungskatalog Hallein, 1980, bes. 150 ff. · C. BRAND, Zur eisenzeitlichen Besiedlung des D. bei Hallein, 1995.
               V. P.

Duilius. Name eines plebeischen Geschlechts, das im 3. Jh. v. Chr. ausstarb, inschr. *Duilius*, handschr. *Duillius* (ThlL, Onom. 3, 266 f.); falsche Etym. leitete den Namen von *duellum-bellum* ab in der Form *Duellius, Bellius* (Cic. or. 153; Quint. inst. 1,4,15; vgl. Pol. 1,22,1).

WALDE/HOFMANN 1,100.

[1] D., C. Consul 260 v. Chr. zusammen mit Cn. Cornelius [I 74] Scipio Asina. Nachdem Scipio bei Lipara gefangen worden war, übernahm D. auch den Oberbefehl der bei Messana stehenden Flotte, deren Schiffe er mit beweglichen Enterbrücken (*corvus*) versah und einübte. Bei Mylae an der Nordküste Siziliens brachte er den Karthagern unter Hannibal, Sohn des Geskon, die erste Niederlage zur See bei. Im Landkrieg befreite er das belagerte Segesta und nahm Macella. Nach Rom zurückgekehrt, feierte er als erster Römer einen *triumphus navalis* (Hauptquelle Pol. 1,21–24; MRR 1,205). Das Andenken an seinen Sieg wurde durch eine mit feindlichen Schiffsschnäbeln geschmückte Säule (die sog. *columna rostrata*) auf dem Forum Romanum wachgehalten, die in der Kaiserzeit mit ihrer Inschr. erneuert wurde und erh. ist (ILLRP 319; Plin. nat. 34,20; Quint. inst. 1,7,12 u. a.; Abb. bei NASH 1, Abb. 333). Aus der Beute ließ er den Ianus-Tempel am Forum Holitorium erbauen (Tac. ann. 2,49). 258 Censor zusammen mit L. Cornelius [I 65] Scipio (InscrIt 13,1,43). In hohem Alter wurde er 231 noch einmal Dictator zu Abhaltung der Wahlen (InscrIt 13,1,45). Fragmentarisches Elogium aus augusteischer Zeit: InscrIt 13,3, Nr. 13.

[2] D., K. Erster Consul der Familie 336 v. Chr., zusammen mit L. Papirius Crassus (Liv. 8,16,1; MRR 1,139); 334 Kommissionsmitglied zur Anlage einer Kolonie in Cales (Liv. 8,16,14).

[3] D., M. gehörte nach annalistischer Überlieferung zum ersten Volkstribunenkollegium, das 471 v. Chr. durch die *comitia tributa* gewählt worden sein soll (Piso fr. 23 HRR bei Liv. 2,58,1 f.); 470 klagte er Ap. Claudius Caecus an (Dion. Hal. ant. 11,46). 449 soll er die Anregung zur *secessio plebis* gegeben haben (Liv. 3,52,1); nach der Rückkehr soll er wieder zum Tribunen gewählt worden sein und u. a. ein Gesetz zum Fortbestand des Volkstribunats und des Provokationsrechts eingebracht haben (Liv. 3,55,14; MRR 1,48).   K.-L. E.

Duketios. Einer der wenigen namentlich bekannten Sikeler, von dem allein Diodoros berichtet (11,76–12,30, nach Timaios), und zwar in dramatisch überhöhter Darstellung (s. [1. 50 ff.] und [2. 99 ff.]). D. versuchte, gestützt auf die Sikeler, die chaotischen Zustände nach dem Sturz der Tyrannen 466–461 v. Chr. (vgl. Diod. 11,72,3–73; 76,4–6; 86,2–87) zum Aufbau einer

Machtstellung in Sizilien zu nutzen. 461/0 zog er mit Syrakus gegen → Aitne [2] und vertrieb die Söldner des Tyrannen Hieron. Zwei Jahre später gründete er Menainon (nahe Mineo), eroberte Morgantina und vollendete 453/2 die Einigung der Sikeler (mit Ausnahme von Hybla). Mit der Gründung von Palike (nahe Palagonia) beim Heiligtum der Paliken, der sikelischen »Nationalgottheiten« (vgl. Diod. 11,88–89), schuf er eine repräsentative Hauptstadt. 451 eroberte er Inessa, griff das akragantinische Motyon an, besiegte noch 451 die vereinigten Streitkräfte der nunmehr alarmierten Mächte Syrakus und Akragas, unterlag jedoch 450 den Verbündeten. Von den Syrakusiern begnadigt und nach Korinth geschickt, kehrte er 448/7 mit ihrer Zustimmung zurück. Da sich Akragas, wie schon bei der Begnadigung, übergangen fühlte, kam es zum Krieg, den Syrakus gewann. D. gründete an der Nordküste Kaleakte und starb um 440 beim Versuch, die Sikeler im Norden zu einigen. Ihre Gemeinden gerieten erneut unter die Herrschaft von Syrakus, Palike (bei Diod. 12,29: Trinakria) wurde zerstört (Diod. 11,90,1–2).

Das Unternehmen des D. ist kaum auf eine nationale Reaktion der Sikeler zurückzuführen, sondern eher als Versuch eines Einheimischen zu werten, dem Vorbild der griech. Tyrannis zu folgen.

1 K. MEISTER, Die sizilische Geschichte bei Diodor, 1967 2 E. GALVAGNO, Ducezio »eroe«: storia e retorica in Diodoro, in: E. GALVAGNO, C. MOLÉ VENTURA (Hrsg.), Diodoro siculo e la storiografia classica, 1991.

D. ADAMESTEANU, L'ellenizzazione della Sicilia ed il momento di Ducezio, in: Kokalos 8, 1962, 167 ff. • D. ASHERI, in: CAH 5, ²1992, 161 ff. • G. MADDOLI, in: E. GABBA, G. VALLET (Hrsg.), La Sicilia antica, Bd. 2,1, 1980, 61 ff. • F. P. RIZZO, La repubblica di Siracusa e il momento di Ducezio, 1970 (dazu K. MEISTER, in: Gnomon 47, 1975, 772–777). K. MEI.

Duktus. In der paläographischen Terminologie der ma. Hss. und Papyri spricht man von D. gewöhnlich im Zusammenhang mit dem Tempo der Ausführung einzelner Buchstaben bzw. Ligaturen. Manchmal (bes. in der frz. Forsch.) bezieht sich der Terminus auch auf die Zahl, die Reihenfolge und die Richtung der einzelnen Striche [1. 22]; dies gehört jedoch eher zur Struktur der Buchstaben. Dementsprechend kann der D. als »langsam« (kalligraphisch) oder kursiv bezeichnet werden, ohne daß sich in einigen Schriftarten kursive und kalligraphische Elemente unbedingt ausschließen. Im ersten Falle wird die Schrift, die senkrecht oder nur wenig geneigt ist, mit auf den kleinen Finger gestützter Hand gleichsam gemalt, und bei der Ausführung werden Druck- und Haarstriche sorgfältig unterschieden. Diese kalligraphische Technik, welche nur wenige Ligaturen zuläßt, wird normalerweise für die kanonisierten Buchschriften verwendet, wie die → Kapitale, die Halbunziale, die karolingische → Minuskel, die → Beneventana und die gotische Textura im lat., die → Majuskel-Schriften und die Perlschrift im griech. Schrift-

raum. Die kursive Schrift, die man im allg. für die Bedarfsschrift verwendete, wird dagegen ohne abzusetzen und unter Verwendung zahlreicher → Ligaturen (rechts oder links) geneigt rasch und locker geschrieben. Dabei wird die Zahl der Bauelemente der Buchstaben stark reduziert, und die Schrift orientiert sich weniger an einem vorgegebenen Muster. Daraus kann sich eine Zusammenfassung oder Zerlegung von Schriftzügen ergeben, die zu Stil- und Schriftmutationen führen können. Das Streben nach Vereinfachung führt insbes. zu einer Ausscheidung von Zierstrichen und einer Abrundung der Winkel.

1 J. MALLON, Paléographie romaine, 1952, 22.

B. BISCHOFF, Paläographie des röm. Alt. und des abendländischen MA., ²1986, 71–75 • R. KOTTJE, s. v. D., Lexikon des gesamten Buchwesens 2, ²1989, 393 • H. HUNGER, Duktuswechsel und Duktusschwankungen ..., in: Bollettino della Badia greca di Grottaferrata 45, 1991, 69–71 • F. GASPARRI, Introduction à l' histoire de l' écriture, 1994, 51–56. P. E.

Dulgubnii. Nach Tac. Germ. 34,1 (konjiziert nach Ptol. 2,11,9 = »die Schlagkräftigen«) german. Volk, Nachbarn der Chasuarii, Chamavi, Angrivarii und Langobardi, vermutlich östl. der Weser an mittlerer Aller, mittlerer Elbe und in der Südheide zu lokalisieren. Polit. kaum selbständig [1].

1 G. NEUMANN u. a., s. v. D., RGA 4, 431 2 Ders., u. a., s. v. D., RGA 6, 274–276. K. DI.

Dumnacus (Domnacus). Keltischer Name; Führer der Andes (EVANS, 345). D. belagerte mit seinem Heer 51 v. Chr. den Duratius in Lemonum. Als es ihm nicht gelang, das Lager des zur Hilfe herbeigeeilten Legaten C. Caninius Rebilus zu stürmen, versuchte er, vor den anrückenden Streitkräften des C. → Fabius über die Loire zu fliehen. Dort wurde er abgefangen und anschließend in einer Schlacht vernichtet (Caes. Gall. 8,26–29). → Duratius W. SP.

Dumnonii. Die D. siedelten im SW von Britannia. Ihr Name dürfte sich von dem einer vorröm. Gottheit *Dumnonos* ableiten. In der Eisenzeit lebten die D. weit verstreut ohne Zentrum oder *oppida*. Nach der röm. Eroberung (50/65 n. Chr.) wurde das Gebiet durch ein Legionslager bei Isca, später Hauptort des Stammes, gesichert [1]. Siedlungen blieben in röm. Zeit verstreut und nicht romanisiert, einige kleine *villae* entstanden in der Nähe von Isca. Sie betrieben Weidewirtschaft, Erze wurden abgebaut (z. B. Zinn in West-Cornwall und Dartmoor, Silber in Ost-Cornwall [2]).

1 P. T. BIDWELL, The Legionary Bathhouse and Forum and Basilica at Exeter, 1979 2 M. TODD, The South-West to AD 1000, 1987, 185–188.

A. FOX, South-West England, 1971. M. TO./Ü: I. S.

Dumnorix (Dubnoreix; keltisches Namenskomp. »Weltkönig« [1. 85–86]). Fürst der Haedui, Bruder des Diviciacus und Schwiegersohn des Orgetorix, mit dem er die Eroberung ganz Galliens geplant haben soll (Caes. Gall. 1,3). D. war der mächtigste Mann im Stamm, besaß eine private Reitertruppe und verfügte zudem durch Geschenke und Heiratspolitik über großen Einfluß bei fremden Stämmen, so daß er im J. 58 v.Chr. den Helvetii zum Durchzug durch das Sequanergebiet verhelfen konnte (Caes. Gall. 1,18,3–19,4). Caesar verdächtigte ihn der Konspiration, ließ ihn aber nur beobachten, um den Bund mit den Haedui nicht zu gefährden (Caes. Gall. 1,18,10–20,6). Offenbar hat sich D. in den folgenden Jahren ruhig verhalten, als er aber 54 v.Chr. Caesar auf dessen zweiten Britannienfeldzug als Geisel begleiten sollte, versuchte er zunächst, sich der Überfahrt mit allen Mitteln zu entziehen und auch andere zum Bleiben zu bewegen. Schließlich wurde er bei einem Fluchtversuch von röm. Truppen verfolgt und getötet (Caes. Gall. 5,6–7). Seine Bed. vor der Ankunft Caesars wird durch zahlreiche Silbermünzen mit seinem Namen unterstrichen [2. 429–431].

→ Diviciacus; Haedui; Helvetii; Orgetorix

1 EVANS 2 B. COLBERT DE BEAULIEU s. Diviciacus [1].

B. KREMER, Das Bild der Kelten bis in augusteische Zeit, 1994, 219–239.   W. SP.

Dumnovellaunus (Dubnovellaunus; keltisches Namenskomp. »der die Welt sieht«? [1. 196–197; 272–277]). König einiger Stämme im östl. Kent um 15 v.- ca. 15 n.Chr. [2. Nr. 275–291A]. Um die Zeitenwende eroberte er das Gebiet der Trinovantes nördl. der Themse und etablierte sich in Camulodunum. Ca. 10 n.Chr. wurde er von dort durch Cunobellinus vertrieben. Wohl aus diesem Anlaß ist er zu Augustus geflohen, der ihn in seinem Tatenbericht erwähnt (R. Gest. div. Aug. cap. 32).

→ Camulodunum; Cunobellinus

1 EVANS 2 R. P. MACK, The Coinage of Ancient Britain, 1964, 95, 103.   W. SP.

Dunax (Δοῦναξ, *Dunuca*, *Dinax*). Hochgebirge in Westthrakien, wahrscheinlich das Rila-Gebirge in Bulgarien (Ptol. 34,10,15 = Strab. 4,6,12; Liv. 40,58,2: Kampf der Thrakes mit den Bastarnae, 179 v.Chr.). Die gleichlautenden PN sind kaum mit diesem Namen zu verbinden.   I. v. B.

Dunius. L. D. Severus. Proconsul von Pontus-Bithynien unter Claudius.

PIR² D 207 · W. WEISER, in: ZPE 1997 (in Vorbereitung).   W. E.

Dunkle Jahrhunderte
[1] (1200–800 v. Chr.)

A. DEFINITION

Der Begriff D.J., geprägt im angelsächsischen Sprachraum (»Dark Ages«), charakterisiert seit dem ausgehenden 19. Jh. die Zeit vom Untergang der myk. Paläste ca. 1200 bis zum Beginn der »Homerischen Zeit«, also der früharcha. Periode Griechenlands im 8. Jh. v. Chr. Archäologisch umfassen die D.J. die Abschnitte Späthelladisch (SH) III C = Mykenisch III C (12. und frühes 11. Jh.), Submykenisch (frühes bis Mitte 11. Jh.), Protogeometrisch (PG; ab Mitte 11. Jh. bis ca. 900), Früh- und Mittelgeometrisch (FG, MG; 9. und frühes 8. Jh.). SH III C und Submyk. waren letzte Phase und Ausklang der myk. Kultur, PG, FG und MG gelten auch als die »Frühe Eisenzeit« Griechenlands. Die mit dem Begriff D.J. verbundene Vorstellung von kultureller Bedeutungslosigkeit, Verarmung, fehlender sozialer Differenzierung und Abbruch von Außenbeziehungen ist so nicht länger zu halten. Zwar sank nach dem Zusammenbruch der hochentwickelten myk. Palaststaaten und -kultur (→ Ägäische Koiné B.4) die griech. Kultur in nahezu allen Sektoren auf ein Niveau, das sich weder mit der myk. Hochkultur noch mit der Kultur ab 750 v. Chr. messen kann, doch läßt der neuere Forschungsstand durchaus schöpferische und zukunftsweisende Leistungen der Griechen auch in den D.J. erkennen. Schon im 11. Jh. zeichnen sich, als »Übergang von der Bronze- zur Eisenzeit« umschriebene, technologische Neuerungen ab, die es etwa erlauben, Großgefäße mit Dekor aus konzentrischen, mit Zirkel und Mehrfachpinsel gezogenen Kreisen und Halbkreisen herzustellen und der PG Vasenkunst Athens und Euboias den Kunstbegriff »Stil« zuzusprechen. Zudem formten sich in den D.J. die griech. Dialekte aus; mit der epischen Dichtung vom Typ der → »Oral Poetry« entstand die Grundlage für die homer. Großepik. Soziale Schichtung und Herrschaftsbildung sind ebenso erkennbar wie Schiffahrt und innerägäische Beziehungen; selbst Fernkontakte kamen, wenn auch reduziert, immer wieder zustande.

Der Begriff D.J. als Epochenbezeichnung ist jedoch vor allem durch den Verlust der Schrift und folglich das Fehlen jeglicher schriftlichen Tradition gerechtfertigt (die Linear B-Schrift verschwindet um 1200, das griech. Alphabet entsteht um 800). Verloren gingen auch Repräsentationsarchitektur, Festungs- und Brückenbau, sowie Kunstgattungen (die Kultstatuetten von Tiryns aus dem 12. und der Kentaur von Lefkandi-Toumba aus dem 10. Jh. sind Ausnahmen), nur im Töpferei- und Waffenhandwerk überlebten die Fertigkeiten der Palastwerkstätten. Im polit. Bereich verschwanden die komplexe, zentralistisch-bürokratisch organisierte myk. Staatsordnung und das theokratische Königtum völlig. Überregionale Herrschaftsformen fehlen, erkennbar sind Organisationsformen in Kleinstaaten und Gemeinwesen, die auf Oikos, Verwandtschafts- und anderen Personalverbänden basieren. Im soz. und ökonomischem Bereich zeigt sich der Wandel auch darin,

Griechenland und die Ägäis während der »Dunklen Jahrhunderte« (12. – 9. Jh.v.Chr.).
Die wichtigsten Fundorte

●   bedeutende Siedlung

⊙ O   Siedlung
(mit/ohne Architekturbefund)

    Nekropole/Grab

⬠   Heiligtum

    Zentrum der Keramikproduktion

? ⬠   Identifizierung unsicher

Chronologie:

▭   Späthelladisch (12./Anfang 11.Jh.)

▭   Submyk./Submin.
(Anfang – Mitte 11.Jh.)

▭   Protogeometrisch
(Mitte 11.Jh. – ca. 900 v.Chr.)

▭   Geometrisch (Früh-, Mittelgeometrisch)
(9. – Anfang 8.Jh.)

▬   Datierung, sicher, unsicher

Importfundplatz:

𝕋   Orient

𝕂   Kypros

𝔼   Italien, Europa

Mykenai   antiker Name

Çömlekçı   moderner Name

(Rhodos)   Inselname

daß die entsprechenden myk. Linear B-Termini meist nicht in den alphabetgriech. Sprachschatz gelangten.

B. 12. JAHRHUNDERT

Den Beginn von SH III C prägten Zerstörungen und Bevölkerungsbewegungen (»Ägäische Wanderung«, »Seevölkerwanderung«), Siedlungen wurden an sichere Orte verlegt, doch blieb die Kultur trotz Neuerungen (Griffzungenschwerter, Gewandfibeln, »Barbarian«-Keramik) myk. und zeigte sogar im späteren 12. Jh. (»Mittleres« SH III C) eine letzte Blüte in Siedlungen (etwa Mykene, Tiryns, Lefkandi-Xeropolis, Paros-Koukounaries, Knossos, Kavousi), Kammergräbern (u. a. von Perati, Monemvasia, Elateia, Naxos, Kos, Rhodos, Mouliana) und Heiligtümern (Kalapodi, Phylakopi, Keos-Hagia Irini, Kato Syme, Ida-Höhle). Dabei entwickelte aber, anders als in der myk. Palastzeit, jede Region ihren eigenen, bes. in der Vasenmalerei sichtbaren Stil. In den Zentren kleiner Herrschaftsbereiche pflegte eine kriegerische Elite höfischen Lebensstil und stellte ihre Ideale auf Prunkvasen und in aufwendigen Kriegerbegräbnissen dar. Lebhafter Handels- und Kulturaustausch bestand zwischen dem Festland, Kreta und den Inseln. Fernkontakte reichten bis Zypern und Italien. Friede und Wohlstand dauerten teilweise bis ins Späte SH III C und endeten dann in neuerlichen Katastrophen.

C. 11. JAHRHUNDERT

Das 11. Jh. ist noch ungenügend erforscht, doch scheint die myk. Kultur regional sehr unterschiedlich ausgeklungen zu sein. Während in myk. Kernländern (Peloponnes, Kykladen, Dodekanes) Zerstörungen, die Aufgabe von Siedlungen und Bevölkerungsschwund zur Abwendung vom Mykenischen und einem Neubeginn führten, hielt sich in der sog. Peripherie (Mittelgriechenland, Makedonien, Thessalien, Ionische Inseln) myk. Erbe noch im Submyk. und PG. Auf Kreta pflegte die reiche Oberschicht der städt. Siedlung in Knosos Kontakte bis Zypern; der Osten Kretas blieb bis in PG Zeit minoisch (Karphi, Praisos, Vrokastro, Kastri); in Kalapodi, Kato Syme und in der Ida-Höhle zeigt sich Kultkontinuität. Zypern wurde durch Zuwanderungen aus Griechenland hellenisiert. Weite Teile Küstenkleinasiens wurden endgültig griechisch. Die ant. Tradition verbindet die demographischen Veränderungen zwar mit Migrationen griech. Ethnien (→ Dorische Wanderung, → Ionische Wanderung), doch lassen sich neue Kulturelemente (wie Eisenwaffen und -objekte, lange Gewandnadelpaare, Einzelgräber, Leichenverbrennung, handgemalte alte Keramik) nicht mit spezifischen Bevölkerungsgruppen verbinden. Als prägend erwies sich im 11. Jh. die Schöpfung des PG Vasenstils in Athen.

D. 10. JAHRHUNDERT

Im 10. Jh. entstanden dann regionale PG Kulturkreise, unter denen Attika und Euboia führend waren. Neuere Grabungen dokumentieren erstaunlich unterschiedliche Formen polit. Organisation und wirtschaftlicher Tätigkeit: In Nichoria lebte eine Dorfgemeinschaft von Viehzüchtern mit einfacher Kultur. Ein großes Apsidenhaus diente wohl dem Oberhaupt als Wohnsitz und zugleich als Versammlungsort für die Vornehmen. In Lefkandi zeigen die Gräberfelder ein ganz anderes Bild: Zahlreiche kostbare Beigaben des Toumba-Friedhofes belegen den Luxus und die Tatkraft einer unternehmerischen Aristokratie, die Objekte aus Zypern, Phönikien und Ägypten nach Euboia gelangen ließen. Die Keramik stand der Athens nicht nach und war stilbildend für Mittelgriechenland und die Kykladen. Das Monumentalgrab eines Kriegerfürsten (?) läßt an eine monarchische Struktur und an homer. Totenriten denken. In Athen und Knosos, bereits in PG Zeit urbanen Zentren, pflegten führende vornehme Familien weitreichende internationale Beziehungen. Auf Kreta belegen Funde in Knosos und im früheisenzeitlichen Tempel von Kommos ab dem 10. Jh. die Präsenz von Phönikern.

E. 9. JAHRHUNDERT

Auch im 9. Jh. bleiben Athen, Euboia und Knosos in Kultur und Handel führend. Die urbane Struktur verstärkt sich in Siedlungen wie Zagora (Andros), Emporion (Chios) oder Altsmyrna und leitet die spätere Trennung von Polis und »Stammesstaat« ein. Neben einfache Wohnhäuser mit ovaler, apsidialer und rechteckiger Form treten Befestigungsbauten, nur selten auch Sakralbauten. In Kreta (Knosos-North Cemetery) zeigen sich schon im 9. Jh. Phänomene, die sonst im 8. Jh. auftreten: »nostalgische« Hinwendung zur brz. Vergangenheit, oriental. Einflüsse in der Kunst durch regelmäßigere Kontakte mit Zypern und der Levante sowie rasanter Anstieg der Bevölkerungszahlen.

ALLG. DARSTELLUNGEN: W. D. E. COULSON, The Greek Dark Ages, 1990 · V. R. D'A. DESBOROUGH, The Greek Dark Ages, 1972 · F. SCHACHERMEYR, Die ägäische Frühzeit, Bde. 3 und 4, 1979/1980 · A. SNODGRASS, The Dark Age of Greece, 1971 · C.-G. STYRENIUS, Submycenaean Studies, 1967 · J. VANSCHOONWINKEL, L'Egée et la Mediterranée orientale à la fin du deuxième millénaire, 1991.
KONGRESSE, REGIONALE STUDIEN, EINZELASPEKTE: P. A. CARTLEDGE, Sparta and Lakonia, 1972 · Ders., Early Lakedaimon, in: J. M. SANDERS (Hrsg.), Philolakon. FS H. Catling, 1992, 49–55 · R. W. V. CATLING, I. S. LEMOS (Hrsg.), Lefkandi II/1, 1990 · J. N. COLDSTREAM, H. W. CATLING (Hrsg.), Knossos North Cemetery Early Greek Tombs, 1996 · W. D. E. COULSON, The Dark Age Pottery of Sparta, in: ABSA 80, 1985, 29–84 · Ders., The Protogeometric from Polis Reconsidered, in: ABSA 86, 1991, 43–64 · F. DAKORONIA, Spercheios Valley and the Adjacent Area in Late Bronze Age and Early Iron Age, in: La Thessalie, 1994 · S. DEGER-JALKOTZY (Hrsg.), Griechenland, die Ägäis und die Levante während der »Dark Ages« vom 12. bis zum 9. Jh. v. Chr., 1983 · Dies., Elateia (Phokis) und die frühe Gesch. der Griechen, in: Anzeiger der Österreichischen Akad. der Wiss. 127 (1990) 1991, 77–86 · B. EDER, Argolis, Lakonien, Messenien vom Ende der myk. Palastzeit bis zur Einwanderung der Dorier (erscheint 1998) · K. FAGERSTRÖM, Greek Iron Age Architecture, 1988 · R. HÄGG, Die Gräber der Argolis in

submyk., protogeom. und geom. Zeit, 1974 · R. HÄGG, N. MARINATOS (Hrsg.), Sanctuaries and Cults in the Aegean Bronze Age, 1981 · R. HÄGG, N. MARINATOS, G. C. NORDQUIST (Hrsg.), Early Greek Cult Practice, 1988 · V. KARAGEORGHIS (Hrsg.), Proceedings of the International Symposium »Cyprus in the 11th century B.C.«, 1994 · G. KOPCKE, Handel, in: ArchHom, M, 1990 · J. LATACZ (Hrsg.), Zweihundert Jahre Homer-Forsch., Colloquium Rauricum Bd. 2, 1991 · A. MAZARAKIS-AINIAN, Late Bronze Age Apsidal and Oval Buildings in Greece and Adjacent Areas, in: ABSA 84, 1989, 269–288 · W. A. MCDONALD, W. D. E. COULSON, Excavations at Nichoria in Southwest Greece III, 1983 · D. MUSTI u. a. (Hrsg.), La transizione dal Miceneo all'alto arcaismo, 1991 · M. R. POPHAM et al. (Hrsg.), Lefkandi II/2, 1993 · L. H. SACKETT, P. G. THEMELIS (Hrsg.), Lefkandi I. The Iron Age, 1979/1980 · M. L. WEST, The Rise of the Greek Epic, in: JHS 108, 1988, 151–172.
KARTEN-LIT.: V. R. D'A. DESBOROUGH, The Greek Dark Ages, 1972 · F. SCHACHERMEYR, Die ägäische Frühzeit, Bd. III, 1979; IV, 1980 · G. KOPKE, Handel, ArchHom, Kap. M, 1990, bes. 78 · J. VANSCHOONWINKEL, L'Egée et la Mediterranée orientale à la fin du deuxième millénaire, 1991.   S. D.-J.

[2] (500–800 n. Chr.) s. Textgeschichte

Duodecim scripta. Spiel, bei dem man versuchte, auf einem Brett die eigenen 15 Steine über das Ende der anderen Seite zu bringen. Mit zwei oder drei Würfeln bestimmte man die eigenen Züge; befanden sich auf einer Linie zwei oder drei Steine des Gegners, konnte auf diese Linie nicht gesetzt werden; war dort aber nur ein Stein, konnte man ihn entfernen. Nach Isid. orig. 18,60 spielte man *d. s.* mit Spielturm, Würfel und Spielsteinen. Das Spielfeld bestand aus 36 Feldern, die mit geom. Figuren wie Kreisen oder Quadraten, Buchstaben(-gruppen) und Sinnsprüchen versehen waren. Spieltürme und -felder (bes. als Ritzungen in Steinpflasterungen) sind erh., ferner Spielszenen in der Kunst.
→ Brettspiele

H. LAMER, s. v. Lusoria Tabula, RE 13, 1979–1985 · J. VÄTERLEIN, Roma Ludens, in: Heuremata 5, 1976, 55–57 · H. G. HORN, Si per me misit, nil nisi vota feret. Zu einem Spielturm aus Froitzheim, in: BJ 189, 1989, 149–154.
                                                       R. H.

Duoviri, Duumviri (»Zwei-Männer[-Amt]«; Sg. »duum vir«, daher auch »duumviri«) ist die Bezeichnung für verschiedenartige, histor. überlieferte Ämter mit Zweierbesetzung. Manche dieser Kollegien treten nur oder vor allem in bestimmten Epochen der röm. Republik auf.
D. perduellionis sind die seit früher republikanischer Zeit, im 1. Jh. v. Chr. kaum noch eingesetzten Richter in Hochverratssachen (Liv. 1,26,5 f.; Cic. Rab. perd. 12 f.).
D. sacris faciundis sind das Kollegium, dem im 4. Jh. v. Chr. die Befragung der Sibyllinischen Bücher über-

tragen worden ist; später durch *Xviri* und dann durch *XVviri s. f.* ersetzt (Liv. 3,10,7; Cic. fam. 8,4,1; Varro ling. 7,88).
D. agris dandis assignandis (auch andere Mitgliederzahl möglich) sind Bevollmächtigte des röm. Staates für die Landverteilung an röm. Kolonisten (*lex agr.* 28 und 52 ff./FIRA 1, 102 ff., 109, 113).
D. navales sind die im 4. und 3. Jh. v. Chr. gelegentlich für Flottenbau und auch Flottenführung eingesetzten Bevollmächtigten (Liv. 9,30,4; 41,1,3).
D. aedi dedicandae, faciundae, locandae sind beauftragt, für Bau, Verwaltung und Nutzung von Tempeln zu sorgen (Liv. 7,28,5); bis zum Beginn der Kaiserzeit nachweisbar; dann übernehmen bes. *procuratores* ihre Aufgaben (Cass. Dio 55,10,6).
Weitere Kollegien können für Spezialaufgaben gebildet werden, etwa die *d. viis purgandis* für die Reinhaltung von Straßen (*tabula Heracleensis* 51/FIRA 1, 140–152) oder die *d. aquae perducendae* für die Wasserversorgung (Frontin. aqu. 1,6; Cass. Dio 46,45,4).
Die bekannteste Form der *d.* ist das Spitzenamt der röm.-rechtl. verfaßten *municipia* und *coloniae*. Soweit an deren Spitze nicht ›quattuorviri et aediles‹ (lex municipii Tarentini 9,2, 1. H. des 1. Jh. v. Chr., FIRA 1, 167), ein → *praefectus* (lex de Gallia cisalpina 20 ff. (um 50 v. Chr., FIRA 1, 169–175) oder ein Staatskommissar (→ *curator rei publicae*) stehen, liegt die Stadtregierung jeweils bei *d.* In einigen (latinischen) Städten besteht das Kollegium schon vor ihrer Unterordnung unter Rom, in anderen, bes. den *coloniae*, ist es als Kopie des stadtröm. Consulats zu erklären. Wie die histor. Entwicklung städtischer Ordnungen in *coloniae* und *municipia*, so ist auch die Funktion der *d.* in diesen vor dem 1. Jh. v. Chr. nur in allg. Zügen bekannt; neben den *d.* gibt es wohl auch andere ortsspezifische Formen. Seit dem 1. Jh. v. Chr. finden sich genauere Hinweise zu Aufgaben und Rechten der *d.* in einigen *leges datae* wie der *lex municipii Malacitani* (52 v. Chr.; FIRA 1, 202–219), der *lex coloniae Genetivae Ursonensis* (44 v. Chr.; FIRA 1, 177–199) und der *lex municipii Salpensani* (82 n. Chr.; FIRA 1, 202–208) sowie in Juristenschriften über das *officium* des *proconsul*. Als *d. iure dicundo* sind sie Beurkundungsbehörde und üben die Rechtsprechung (*iurisdictio*) auf unterer Ebene aus, ohne wie der röm. *consul* oder *praetor* ein *imperium* zu besitzen. Dieses liegt in der Prov. beim Statthalter (Dig. 50,1,26), welcher durch Edikt über alle die *lex municipalis* betreffenden Fragen entscheidet. Die *d.* berufen den *ordo decurionum* und die Versammlung des Volkes ein, leiten die Wahl anderer Amtsträger und Funktionäre (vgl. lex municipii Malacitani 52; Dig. 50,4,14 und 18) und vertreten die Stadt beim Kaiser, bei staatlichen Stellen und anderen Städten auch rechtlich (Dig. 3,4,1 und 6; 44,7,35,1). Mit diesen Kompetenzen besteht das Kollegium bis in die Spätantike. Die *d.* werden auch zu dieser Zeit entweder vom Stadtvolk (Cod. Theod. 12,5,1) oder von den städtischen *dekuriones* (Cod. Iust. 10,31,46) aus ihren Reihen (Dig. 50,2,7,2) gewählt.

→ Collega; Colonia; Curiales; Decurio; Magistratus; Municipium

JONES, LRE 737 ff. · LIEBENAM, 256 ff. · MOMMSEN, Staatsrecht 2,1, 579, 615, 618, 667.   C. G.

Dupondius (*dupondium*). Als Verdoppelung des → As steht der D. im röm. Maßsystem für die zweifache »Einheit« im Längenmaß (zwei *pes*) und im Gewicht für zwei röm. Pfund (eine *libra* = 327,45 g). Der D. bezeichnet auch einfach die Zahl zwei und im röm. Recht das verdoppelte Ganze. Die frühesten D. sind als zwei librale Asse (daher auch *dussis*) mit dem Wertzeichen II in den Jahren zwischen 269 und 240 v. Chr. in der Roma/Rad-Serie (→ Aes grave) in Bronze mit Bleizusatz gegossen worden [1. 23]. Unter dem Einfluß der Münzfußreduktion in der 2. H. des 3. Jh. v. Chr. wird der D. im semilibralen Standard (221,3–133,6 g) nochmals zwischen 217–213 v. Chr. (Roma/Prora-Serie) emittiert [1. 27]. In einem abweichenden Standard sind auch in Etrurien D. gegossen worden [1. 38]. Kurz nach der Einführung des Denars in Rom zwischen 214–211 v. Chr. wird der D. (Minerva/Prora) auf der Basis eines unzialen As (ca. 27 g), das gleichzeitige As-Nominal jedoch im sextantalen Standard (ca. 54 g) geprägt [2. 159]. Der D. wird hiernach für etwa 160 Jahre nicht mehr geprägt. Die Flottenpräfekten des M. Antonius lassen vermutlich in den Jahren 38–37 v. Chr. im griech. Osten bronzene D. als schwere Serie (17,64–11,99 g) bzw. leichte Serie (7,55 g) prägen. Das zweifache Auftreten des Rs.-Motiv (Schiff) sowie das Wertzeichen B bezeichnet die Verdoppelung des As und deutet auf den Umlauf im griech. Raum hin [3. 284 ff.].

Nach der augusteischen Reform der Erzprägung wird der D. ohne Wertzeichen ab 18 v. Chr. in Rom im Gewicht von ca. 12,5 g in Messing geprägt, wobei 25 D. auf das Pfund gehen. Unter Tiberius und Caligula steigt das Gewicht auf max. 16 g, um ab Claudius langsam zu fallen [4. 3, 90, 102, 114]. Das unter Augustus auf der Rs. üblich gewordene Kürzel SC wird unter Nero kurzzeitig entfernt, während das Wertzeichen II erscheint. Seit Nero wird der D. vom As durch das kaiserliche Bildnis mit Strahlenkranz (anstatt Lorbeer) unterschieden [4. 136 ff.; 5. 58 f., 78 f.]. Das Gewicht des D. sinkt bis zur Einführung des Antoninianus durch Caracalla 215 n. Chr. auf etwa 12 g, um dann nicht häufig ausgeprägt im Laufe des 3. Jh. n. Chr. rapide auf 6 g zu fallen und spätestens unter Carus nicht mehr ausgemünzt zu werden. Die D. stehen in der Kaiserzeit im Dienst der kaiserlichen Propaganda. Sie tragen auf der Vs. das Bildnis des Kaisers oder seiner Familie und auf der Rs. eine Personifikation oder Motive kaiserlicher Selbstdarstellungspolitik.

→ Aes Grave; Antoninianus; As; Denar; Libra; Münzfüße; Münzwesen; Pes; Senatus Consultum

1 B. K. THURLOW, I. G. VECCHI, Italian cast coinage, Italian aes grave, Italian aes rude, signatum and the aes grave of Sicily, 1979 2 RRC, ²1987 3 RPC I, 1992 4 RIC ²I, 1984 5 D. W. MACDOWALL, The Western coinages of Nero, 1979.

H. WILLERS, Gesch. der röm. Kupferprägung, 1909 · M. H. CRAWFORD, Coinage and money under the Roman Republic, 1985.   A. M.

Dura-Europos. Stadt auf dem Westufer des mittleren Euphrat (arab. aṣ-Ṣāliḥiya, südöstl. Syrien). D.-E. wurde ca. 300 v. Chr. von maked. Kolonisten als eine der seleukidischen Festungen zur Sicherung der Euphratverbindungen gegründet. Nach der parth. Eroberung ca. 141 v. Chr. Aufstieg zum Militärposten und zur wich-

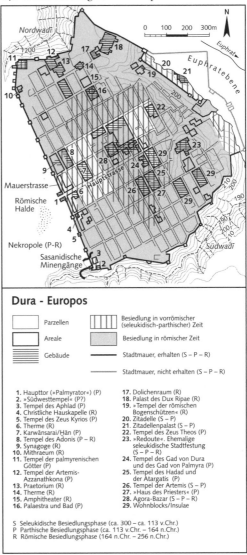

Dura - Europos

▢ Parzellen	▦ Besiedlung in vorrömischer (seleukidisch-parthischer) Zeit
▢ Areale	▨ Besiedlung in römischer Zeit
▤ Gebäude	Stadtmauer, erhalten (S – P – R)
	Stadtmauer, nicht erhalten (S – P – R)

1. Haupttor (»Palmyrator«) (P)
2. »Südwesttempel« (P?)
3. Tempel des Aphlad (P)
4. Christliche Hauskapelle (R)
5. Tempel des Zeus Kyrios (P)
6. Therme (P)
7. Karawānsarai/Hān (P)
8. Tempel des Adonis (P – R)
9. Synagoge (R)
10. Mithraeum (R)
11. Tempel der palmyrenischen Götter (P)
12. Tempel der Artemis-Azzanathkona (P)
13. Praetorium (R)
14. Therme (R)
15. Amphitheater (R)
16. Palaestra und Bad (P)
17. Dolichenraum (R)
18. Palast des Dux Ripae (R)
19. »Tempel der römischen Bogenschützen« (R)
20. Zitadelle (S – P)
21. Zitadellenpalast (S – P)
22. Tempel des Zeus Theos (P)
23. »Redoute«. Ehemalige seleukidische Stadtfestung (S – P – R)
24. Tempel des Gad von Dura und des Gad von Palmyra (P)
25. Tempel des Hadad und der Atargatis (P)
26. Tempel der Artemis (S – P)
27. »Haus des Priesters« (P)
28. Agora-Bazar (S – P – R)
29. Wohnblocks/Insulae

S Seleukidische Besiedlungsphase (ca. 300 – ca. 113 v.Chr.)
P Parthische Besiedlungsphase (ca. 113 v.Chr. – 164 n.Chr.)
R Römische Besiedlungsphase (164 n.Chr. – 256 n.Chr.)

tigen Station auf der Karawanenroute nach Palmyra. Die Vorstöße Traians gegen Mesopotamien machten D.-E. wieder zu einer röm. Garnisonsstadt am syr. *limes*. Eine Verlagerung des Euphratbettes und die Stationierung verschiedener röm. Truppenteile führten zum Niedergang. D.-E. fiel unter dem Angriff des Sāsāniden Šāpur I. (ca. 256 n. Chr.) und hörte bald danach auf zu existieren [1. 10–31]. Die Gesch. von D.-E. wird durch Koexistenz und gegenseitige Beeinflussung von Makedoniern, Griechen, Iranern, Römern und semit. sprechenden Einwohnern bestimmt. Das rechtwinklige Straßennetz verrät die hell. Gründung, die parth. Stadt nahm jedoch einen zunehmend semit.-iran. Charakter an. Die Ausgrabungen der gut erh. Ruinen (bes. die kurz vor 256 mit Erde aufgefüllte erste Häuserzeile hinter der Mauer) erbrachten Funde von größter Bed., darunter eine sehr frühe *domus ecclesiae* [2], eine Synagoge mit umfangreichen figürlichen Fresken [3; 4] und eine Anzahl von Tempeln synkretistisch graeco-semit. und rein oriental. Charakters.

1 M. ROSTOVTZEFF, D.-E. and its Art, 1938 2 L. M. WHITE, Building God's House in the Roman World, 1990
3 H. STÄHLI, Ant. Synagogenkunst, 1988, 69–99
4 J. GUTMANN, The D.-E. Synagogue, A Reevaluation, 1992, Introduction.

P. LERICHE, Doura-Europos: études, 1986 · A. PERKINS, The Art of D.-E., 1973.
KARTEN-LIT.: A. PERKINS, The Art of D.-E., 1973 · P. LERICHE, Doura-Europos: études, 1986. T. L.

Duranus. Fluß in Aquitania, h. Dordogne, entspringt in 1680 m Höhe am Puy de Sancy (Mont-Dore) und mündet nach einem Lauf von 490 km mit der Garumna zur Linken in den Atlantik (Auson. Mos. 464; Geogr. Rav. 4,40). E. O.

Duratius. Keltisches Namenskomposit »Pechvogel« [1. 87]. Proröm. Häuptling der Pictones, der 51 v. Chr. von Dumnacus belagert wurde. Sein Name ist auf Silbermünzen bezeugt [2. 431–432].
→ Dumnacus; Pictones

1 EVANS 2 B. COLBERT DE BEAULIEU s. Diviciacus [1]. W. SP.

Duria. Name zweier Nebenflüsse des Po (Plin. nat. 3,118). Der kürzere, h. Dora Riparia gen. Fluß begleitet den Alpenübergang am Mont Genèvre (Liv. 5,34,8); der längere, goldhaltige (Strab. 4,6,7) Dora Baltea fließt durch das Aosta-Tal an Ivrea vorbei und mündete bei Industria in den Po (h. bei Crescentino). H. GR.

Duris
[1] Epigrammdichter aus Elea (in der Aiolis), Verf. eines bemerkenswerten Gedichtes über die Überschwemmung, die um 300 v. Chr. Ephesos zerstörte (Anth. Pal. 9,424, vgl. Steph. Byz. 289,3–16), das aller Wahrscheinlichkeit nach aus dem »Kranz« des Meleagros stammt. Die Stadt wurde wenig später von Lysandros wieder aufgebaut, der sie nach dem Namen seiner Frau in Arsinoeia umbenannte: dies geschah vor 289/8 (vgl. Syll.³ 368, 24), nach der Abfassung des Epigramms.

GA I,1, 97; 2, 280 f. E. D./Ü: T. H.

[2] Einer der produktivsten und bedeutendsten att.-rf. Schalenmaler der Spätarchaik (ca. 505–465 v. Chr.); er dekorierte gelegentlich auch andere Gefäße, darunter einige prächtige wgr. Lekythoi. D.-Vasen sind inschriftenreich; er signierte über 50 Vasen als Maler sowie zwei als Töpfer.

Sein Frühwerk wirkt experimentell, jede Gestalt ist sorgfältig gezeichnet und plaziert. D. arbeitet hier noch selten mit dem Kontrast zwischen verdünntem und schwarzem Glanzton. In dieser Phase kooperierte er mit mehreren Töpfern, darunter → Euphronios, und bevorzugte die Lieblingsnamen (→ Lieblingsinschriften) Chairestratos und Panaitios.

In einer anschließenden Übergangsphase erprobte D. zwei Malweisen. Zum einen sind seine Darstellungen sparsam (einfache Bordüren und der Verzicht auf Henkelpalmetten); motivisch dominieren alleinstehende Figuren, Athletenszenen und Liebeswerbungen. Dagegen steht eine reichhaltigere Ausführung mit vielfigurigen, oft im Mythos angesiedelten Kompositionen, üppigem Faltenwurf, komplizierten Ornamentbändern in ungewöhnlichen Dekorationssystemen. Die Gestalten sind naturnäher und kompakter als vorher. In dieser Zeit beginnt seine lang andauernde Verbindung mit dem Töpfer Python, während der er aber auch mit Kleophrades zusammenarbeitete.

Die Festigung beider Malweisen kennzeichnet seine mittlere Schaffenszeit; Ausgeglichenheit und Anmut seiner Figuren kompensieren das gelegentliche Fehlen von Details. Charakteristikum dieser Phase ist der mit Kreuzplatten abwechselnde, immer jeweils innen endende Hakenmäander (→ Ornament; sog. Duris-Mäander); Genrebilder, namentlich Symposion-Szenen, herrschen vor. D. signierte nun seltener; Hippodamas wurde seine häufigste Lieblingsinschrift.

Neue → Gefäßformen begegnen in seinem Spätwerk (Rhyta, Pyxiden und Oinochoen). Lieblingsinschr. werden immer seltener; Signaturen fehlen ganz. Auf seinen Schalen sind nun die Henkelornamente kunstvoller. Häufig begegnen sogar zwei »Duris-Mäander«, wo vorher nur einer war; die Figuren wirken demgegenüber weniger lebhaft. Insgesamt jedoch sind die gekonnt gezeichneten Figuren ebenso ein Merkmal des D. wie die detailreichen Mythenszenen, die aber zahlenmäßig hinter den Alltagsdarstellungen zurückstehen.

BEAZLEY, ARV², 425–453, 1652–1654, 1701, 1706 · D. BUITRON-OLIVER, Douris, 1995 · M. ROBERTSON, The Art of Vase-Painting in Classical Athens, 1992, 84–93. J. O./Ü: R. S.–H.

Durius, der h. Fluß Duero (span., portug. Douro). Der vorkelt. Name lautet *D.* (Sil. 1,438; 5,323; [1. 1380]), evtl. mit Nebenform *Duris* (CIL II 2370). Nach allen Nachrichten (Strab. 3,3,2; 4; 6; 3,4,12; 20; Mela 3,8; 10; Plin. nat. 4,112 f.; 115) war sein Verlauf im Alt. derselbe wie heute. Daß er 800 Stadien aufwärts von großen Schiffen befahrbar war (Strab. 3,3,4), trifft noch h. zu: von der Mündung bis Barca d'Alva; auf seinem Oberlauf ist h. jedoch nicht einmal Kleinstschiffahrt möglich, während 133 v. Chr. dort noch Segelschiffe fuhren (App. Ib. 91). Infolge Entwaldung führen h. alle span. Flüsse vor allem ungleichmäßiger und weniger Wasser. Nach Sil. 1,234 war der D. goldhaltig. Die bedeutendste Stadt am D. war Numantia.

1 HOLDER 1.

G. DELIBES, F. ROMERO, El ultimo milenio a.C. en la Cuenca del Duero, in: M. ALMAGRO-GORBEA, G. RUIZ ZAPATERO (Hrsg.), Paleretnologia de la Península Ibérica, 1992, 233–258 · SCHULTEN, Landeskunde 1, 1955, 346 ff. · TOVAR, 2, 1976, 187 ff., 197 ff., 201 ff.   P.B.

Durnomagus, h. Dormagen. Spätflavisches Alenkastell (3,3 ha) zw. Köln und Neuss. Zweite Bauphase Mitte des 2. Jh. n. Chr. wohl der *ala Noricorum* (CIL XIII 8523 f.); um 200 abgebrannt und nur noch um 275 kurzfristig belegt. In der Nordostecke spätant. Reduktionskastell.

M. GECHTER, Das röm. Kavallerielager Dormagen, in: Arch. im Rheinland 1994, 1995, 85–87.   K.DI.

Durocortorum. Hauptort der gallo-röm. *civitas* der Remi, h. Reims, am nördl. Rand der Champagne (Ptol. 2,9,6; 8,5,6); ob identisch mit dem Zentrum der unabhängigen Remi (Caes. Gall. 6,44), bleibt offen. Die noch sporadische Besiedlung seit E. der Hallstattzeit vervielfachte sich in Latène III. Im Laufe des 1. Jh. v. Chr. entstand ein *oppidum* von ca. 90 ha Fläche mit massivem Erdwall und Graben, umgeben von einem zweiten konzentrischen Wall vom selben Typ (550 ha Fläche). Schon auf vorröm. Zeit geht die verkehrsgeogr. Bed. des Ortes zurück (Itin. Anton. 356; 362–365; 379–381; Tab. Peut.). Anfänge eines effektiven Urbanismus zu Ende der Herrschaft des Augustus orientierten sich an den vorhandenen Verkehrswegen. Seit Tiberius ist aber die typische Raumaufteilung nach einem orthogonalen Schema nachzuweisen; noch im modernen Straßenplan sind der SO/NW ausgerichtete → *cardo* bzw. der entsprechend ausgerichtete → *decumanus* erkennbar (Caes. Gall. 6,44). Als Sitz des Statthalters und Metropole der Prov. Belgica (Strab. 4,3,5) erreichte D. den Höhepunkt seiner Prosperität in severischer Zeit. Spätestens damals wurden die innere Ringmauer nivelliert und die beiden Hauptachsen jeweils an ihren Ausgang des zentralen Stadtbereichs mit Toren überspannt; das nördl., die Porte de Mars (32,5 m breit), ist noch erh. Am Forum sind Teile der Kryptoporticus eines Tempels ausgegraben und konserviert. Die anderen bekannten öffentlichen Gebäude – Amphitheater an der nördl. Peripherie, Thermen bei der h. Kathedrale (CIL 13,3255) und vermutlich ein Theater in Forumsnähe – befanden sich am *cardo*. D. hatte unter den Invasionen von 275 und wohl auch von 252–254 und 259–260 n. Chr. zu leiden. Als Folge wurde die Siedlung reduziert, die »symbolischen« Tore in wirkliche Stadttore umfunktioniert und durch eine starke Befestigungsmauer verbunden. Die Stadt, in den spätant.

Quellen nach dem Namen des Volkstamms *Remi* gen., (Amm. 15,11,10; 16,2,8; 11,1; 17,2,1; 25,10,6; 26,5,14; Hier. epist. 123), wurde durch die Diocletianische Reichsreform (→ Diocletianus, mit Karte) Metropole der *Belgica II* (Not. Gall. 6,1), war Sitz mehrerer staatlicher Produktionsstätten (Not. dign. occ. 9,36; 11,34; 56; 76) und bewahrte mit ihren noch stattlichen 60 ha Fläche einen Teil ihres früheren Glanzes. Valentinian kam im Lauf des Alamannenkrieges 365 nach Remi und verweilte dort die folgenden beiden J. (Amm. 26,5,14). Bereits Mitte des 3. Jh. christianisiert, war Remi beim Vandaleneinfall von 407 Schauplatz der Hinrichtung des Bischofs Nicasius. 498 (?) hat hier Bischof Remigius die Taufe des Frankenkönigs Chlodwig (→ Chlodovechus) vollzogen (Greg. Tur. Franc. 2,31). Während sich im Schutze der röm. Mauer die Bischofsstadt entwickelte, entstand im Süden *extra muros* auf dem Gelände der Nekropole eine neue christl. Stadt.

F. BERTHELOT, R. NEISS, Reims antique et médiéval, in: Archeologia 300, 1994, 50–57 · R. NEISS, La structure urbaine de Reims antique et son évolution du Ier au IIIe siècle ap. J.-C., in: Actes du colloque: Les villes de la Gaule Belgique au Haut-Empire, Saint Riquier 1982, 1984, 171–191 · Reims Fouilles Archéologiques, in: Bull. de la Société Archéologique Champenoise (regelmäßige Forsch.-Ber.).   F.SCH.

Duronia förderte als eine der ersten Frauen der Nobilität den Bacchanalienkult [1. 214 f.], dem sie 186 v. Chr. auf Veranlassung ihres Mannes T. Sempronius Rufus ihren Sohn P. Aebutius [2] zuführte (Liv. 39,9,2–4), was zur Aufdeckung und Unterdrückung des Kultes beitrug (Liv. 39,18,6).
→ Bacchanal(ia)

1 R. A. BAUMAN, Women and Law in Ancient Politics, 1992.

Duronius. Plebeischer Familienname, aus *Durnius* (SCHULZE, 160; ThlL Onom. s. v. D.).   ME.STR.
[1] D., C. Freund (*amicissimus*) des Annius [I 14] Milo, dem er während bzw. nach dem Prozeß wegen der Ermordung des → Clodius [I 4] behilflich war. Cic. Att. 5,8,2 f.   W.W.
[2] D., L. 181 v. Chr. *praetor* in Apulien. Als sich Tarent und Brundisium über Seeräuberei beklagten, erhielt er die Praetur Istriens hinzu und damit augenscheinlich die Aufgabe, die adriatische Küste vor den Raubzügen des → Genthios zu schützen (Liv. 40,18,3; 42,1–5). D. leitete in Italien die Unt. zu den → Bacchanalia.

GRUEN, Rome, 421–422.

[3] D., M. Hatte als Volkstribun eine *lex sumptuaria* abschaffen wollen, wofür er 97 v. Chr. [1. 434] von der Senatsliste gestrichen wurde (Val. Max. 2,9,5 dazu [2. 272,77]). Später versuchte er, M. Antonius [I 7], einen der verantwortlichen Censoren, anzuklagen (Cic. de orat. 2,274).

1 J. SUOLAHTI, The Roman Censors, 1963 **2** W. KUNKEL, Staatsordnung und Staatspraxis in der röm. Republik, HdbA 3.2.2, 1995.   ME. STR.

Durostorum. Siedlung am rechten Ufer der unteren Donau in Moesia Inferior, h. Silistra (Nordbulgarien). Zollstation und bed. Verbindungspunkt der von Markianopolis ausgehenden Landstraße mit der Donau-Uferstraße, die ins Deltagebiet führte. Die mil. Bed. von D. wird durch die Anwesenheit der *legio IX Claudia* (seit 105/6 n. Chr.) bezeugt. Wohl unter Antoninus Pius entstand in D. eine Zivilsiedlung (*canabae*), unter Marcus Aurelius zum *municipium* erhoben. E. 2. Jh. wurde D. durch die Einfälle der Kostobokoi bedroht; im 3. Jh. wurden weitere Entfaltungsmöglichkeiten von D. durch die angreifenden Carpi unterbunden. Unter Diocletian wurde D. Hauptstadt der Prov. Scythia. Als Standort der *milites quarti Constantiniani* und des *praefectus legionis XI Claudiae* wird D. in der Not. dign. or. 40,26,33 (vgl. 35) erwähnt.

Reiche arch. Funde (Bauten, Statuen, Sarkophage, Keramik, Mz., Wandmalereien aus dem ausgehenden 4. Jh.) bezeugen den Wohlstand der Stadtbewohner, bes. in der Spätant. D. zählte zu den Zentren des Christentums in Scythia Minor, war Wirkungsstätte des hl. Dasius und Geburtsort des Aëtius (um 390). Bis Anf. 7. Jh. bezeugt. Belegstellen: Ptol. 3,10,5 (Δουρόστορον); Prok. aed. 4,7 (Δορόστολος); Itin. Anton. 223,4 (*Durostoro*); Tab. Peut. (*Durostero*); Amm. 27,4,12 (*Durostorus*); Geogr. Rav. 4,7,1 (*Durostolon*); Not. dign. or. 40,26,33 (*Durostoro*); Cod. Iust. 8,41,6; 9,22,20 (*Dorostolo*).

V. I. VELKOV, Die thrak. und dak. Stadt in der Spätant., 1959 · TIR L 35 Bucarest, 40 (Quellen und Lit.).   J. BU.

Durotriges. Die *civitas* der D. umfaßte das Gebiet von Dorset, Süd-Wiltshire und Süd-Sommerset. Ihr bedeutendstes röm. Zentrum lag bei Durnovaria (Dorchester), ein weiterer Hauptort bei Lindinis (Ilchester). In der späten Eisenzeit lagen hier große *hillforts*, darunter Maiden Castle, Hod Hill, Ham Hill und Hambledon. Einige von ihnen wurden von den Römern kurz nach 43 n. Chr. gestürmt [1]. Danach blieb die *civitas* zum größten Teil ländlich, viele *villae* entstanden in spätröm. Zeit.

1 I. A. RICHMOND, Excavations at Hod Hill, 1968.

R. E. M. WHEELER, Maiden Castle, 1943.

Durovernum, h. Canterbury, entstand in einem eisenzeitlichen *oppidum* des späten 1. Jh. v. Chr. am Stour. Die röm. Stadt entwickelte sich kurz nach 43 n. Chr.; sie ließ möglicherweise den vorröm. Charakter der Stämme von Cantion (Kent) deutlich werden. Öffentliche Gebäude wurden im späten 1. und frühen 2. Jh. errichtet. Ein großes Theater kam im späten 2. Jh. hinzu [1]; Verteidigungsanlagen entstanden im späten 3. Jh. Eine außerhalb der Mauern gelegene christl. Kirche, wohl aus

dem 4. Jh., blieb bis ca. 700 n. Chr. erh. (Beda, hist. eccl. 1,26). Nach 400 n. Chr. wurde das innerhalb der Mauern gelegene Areal durch angelsächsische Einwanderer besiedelt.

1 S. S. FRERE, The Roman Theatre at Canterbury, in: Britannia 1, 1970, 83–113.

S. S. FRERE, S. STOW, Excavations an the Roman and Medieval Defences of Canterbury, 1982.   M. TO./Ü: I. S.

Duumviri s. Duoviri

Duvius
L. D. Avitus. Einer der frühesten aus Gallien (Vasio Vocontiorum) stammenden Senatoren. Nach der Praetur wurde er praetorischer Statthalter von Aquitanien; *cos. suff.* mit Thrasea Paetus in den letzten Monaten des J. 56 n. Chr. Vermutlich wurde er durch den Einfluß des Praetorianerpraefekten Afranius Burrus (ebenfalls aus Vasio Vocontiorum) 57/8 Befehlshaber des niedergerman. Heeres (CIL XII 1354 = ILS 979; AE 1976, 391). Die Friesen, die das rechte Rheinufer besetzten, vertrieb er. Zusammen mit dem obergerman. Truppenbefehlshaber Curtilius Mancia ging er gegen die Ampsivarier vor, die eine Koalition german. Stämme zustande gebracht hatten.

PIR² D 210 · ECK, Statthalter, 123 f.   W. E.

Dux
[1] Der Begriff *d.*, der bereits in der Zeit der Republik allg. in der Bed. »Führer einer Aktion oder einer militärischen Gruppe« (vgl. etwa Cic. dom. 12: *seditionis duces*) erscheint, wurde im 2. Jh. n. Chr. bisweilen halboffiziell als Titel für den Befehlshaber einer für einen bestimmten Zweck aufgestellten mil. Einheit verwendet, die nicht unbedingt dem Statthalter einer Provinz unterstand. So war Ti. Claudius Candidus *dux exercitus Illyrici* in dem 193–195 n. Chr. von Septimius Severus gegen Pescennius Niger geführten Krieg (CIL II 4114 = ILS 1140); *d.* bezeichnete außerdem rangniedere Offiziere mit einem ungewöhnlichen Kommando wie beispielsweise einen *centurio*, der eine Legion befehligte (CIL III 4855 = ILS 2772). Für die Mitte des 3. Jh. n. Chr. ist für → Dura-Europos in Mesopotamien ein *dux ripae* belegt, der wohl ein territoriales Kommando innehatte, obwohl er dem Statthalter von Syrien unterstand.

In der Zeit der Tetrarchie erhielten ranghöhere Offiziere aus dem *ordo equester*, die offensichtlich den mil. Oberbefehl über eine Region hatten, den Titel *d.* Auf einer zwischen 293 und 305 n. Chr. datierten Inschrift erscheint Firminianus, *vir perfectissimus*, der *d.* des Grenzgebietes (*limes*) von Scythia war (CIL III 764 = ILS 4103); Carausius, der von Britannia aus eine Rebellion zu entfachen versucht hatte, war nach Eutropius für Belgica und Armorica zuständig gewesen. Der Befehlsbereich eines *d.* konnte sich demnach über mehrere Provinzen erstrecken. In Ägypt. gab es 308/9 n. Chr. einen *dux Aegypti Thebaidos utrarumque Libyarum* (AE 1934, 7–8). Es ist allerdings unwahrscheinlich, daß Diocletian eine bewußte Politik der Ernennung von *duces* betrieb; in der Zeit der Tetrarchie waren solche Ernennungen vielleicht eine augenblickliche Antwort auf lokale Notsituationen; sie haben aber ohne Zweifel zur Entstehung eines professionellen Offizierskorps beigetragen. Im Codex Theodosianus werden *duces* allgemein als Befehlshaber von Grenzregionen erwähnt (Cod. Theod. 7,22,5: *duces singulorum limitum*; vgl. zur Rheingrenze Cod. Theod. 7,1,9).

Schließlich kam es zu einer vollständigen Trennung von ziviler Provinzverwaltung unter den *praesides* und dem mil. Aufgabenbereich, der dem *d.* zufiel. Es gab jedoch immer wieder Ausnahmen von dieser Regelung; so waren in Isauria die Ämter des *d.* und des *praeses* anscheinend miteinander verbunden. Manchmal kommandierte ein *d.* die Armeen von zwei Provinzen; beispielsweise wurden die Truppen von Armenia und Pontus sowie Syria Euphratensis organistorisch zusammengelegt. Der *d.* kommandierte alle → *limitanei* seines Befehlsbereiches, manchmal auch zusätzlich Einheiten der → *comitatenses*, und hatte damit oft den Befehl über größere Truppenteile als die Provinzstatthalter früherer Zeiten. Dennoch hatte er wenig mit der Bezahlung und der Versorgung der Truppen zu tun; auch hatte er keine administrativen oder juristischen Aufgaben in den Städten und Gemeinden seines Befehlsbereiches. Daher war es schwieriger für ihn, eine Rebellion zu beginnen.

Der *d.* besaß den Rang eines *vir perfectissimus*; in der Regel wurden Tribunen, die eine Einheit der *comitatenses* oder eine Cohorte der *limitanei* befehligt hatten, nach langjährigem Heeresdienst zum *d.* befördert. Aufgrund ihrer rein mil. Laufbahn waren viele *d.* eher ungebildet. Sie waren unmittelbar dem *magister peditum* unterstellt, jeder *d.* hatte seinen eigenen administrativen Stab (*officium*). Valentinianus I. gewährte den *duces* den Rang eines Senators, ihnen wurde damit die Rangbezeichnung *vir clarissimus* verliehen.

→ Limitanei

1 R. E. SMITH, Dux, Praepositus, in: ZPE 36, 1979, 263–278 2 D. VAN BERCHEM, L'Armée de Dioclétien et la réforme constantinienne, 1952 3 S. WILLIAMS, Diocletian and the Roman Recovery, 1985. J. CA./Ü: A. BE.

[2] Byzantinische mil. Rangbezeichnung, seit Anastasius [1] 492 n. Chr. für den Anführer des Bewegungsheeres der *comitatenses*, ab dem späteren 6. Jh. aber auch für niedrigere Funktionen verwendet. Seit Entstehung des Themensystems im 7. Jh. war der *d.* dem Gouverneur (→ *stratēgós*, στρατηγός) einer Militärprov. (→ *théma*, θέμα) zunächst untergeordnet. Erst seit etwa der Mitte des 10. und im frühen 11. Jh. waren vor allem Grenzprov., später mehr und mehr auch ehemalige Themen, häufig einem *d.*, auch *katepánō* (κατεπάνω) genannt, direkt unterstellt; er konnte nunmehr mit der ihm unterstehenden Berufsarmee die Gebiete wirksamer verteidigen als der *stratēgós* mit ortsansässigen, inzwischen in Verfall geratenen Themenheeren.

H.-J. KÜHN, Die byz. Armee im 10. und 11. Jh., 1991 • ODB 1, 659. F. T.

Dyas (δυάς). Dem »Einen« oder »Guten« (ἕν bzw. ἀγαθόν) als letztem Prinzip der Wirklichkeit war in Platons mündlicher Prinzipienlehre nach dem Zeugnis des Aristoteles (metaph. A 987b 25 ff.; M 1081a 14; N 1088a 15 u. ö.) und des Theophrastos (metaph. 11a 27 ff.) die ›unbestimmte Zweiheit‹ (ἀόριστος δυάς, *aóristos dyás*) als nicht reduzierbares, für die »Erzeugung« der Dinge unentbehrliches Gegenprinzip beigegeben. Während Speusippos die Einführung der *interminabilis dualitas* (= *aóristos dyás*) den *antiqui*, also wohl den Pythagoreern, zuschrieb (fr. 48 TARÁN, vgl. Theophr. ebd.), sah Aristoteles darin eine Neuerung Platons (metaph. A 987b 25–27). Andere platonische Namen der unbestimmten Zweiheit waren τὸ ἄνισον (*tó ánison*, das Ungleiche) und τὸ μέγα καὶ μικρόν (*tó méga kaí mikron*, »das Große-und-Kleine«). Zum »Einen-Guten« gehören Begriffe wie Gleichheit, Ähnlichkeit, Ruhe u. ä., zur D. das Schlechte, die Ungleichheit, die Bewegung usw. (Aristot. metaph. M 1084a 5). Die Wirklichkeit ist das Produkt der sukzessiven »Begrenzung« und Bestimmung der unbestimmten Zweiheit durch das formgebende Prinzip des Einen und seiner Derivate. Erstes Produkt sind die Zahlen (M 1081a 21 ff.; N 1091a 23 u. ö.). Die Zweiheit ist demnach in allem enthalten außer im Einen (Λ 1075 a35). Als eine regionale Ausformung der D. ist auch die χώρα (*chóra*) der Sinnenwelt (Plat. Tim. 49aff.) zu verstehen (vgl. Aristot. phys. 209b 11–16). – Die D. als Begriff der Materie bleibt später wichtig bei Numenios (fr. 11 DES PLACES), in den Chaldäischen Orakeln (fr. 8 DES PLACES), bei Plotinos (Enneades 5,4,2,1–11: *aóristos dyás* als aus dem Einen kommende intelligible Materie der Nus-Hypostase), bei Iamblichos (Theologumena arithmethicae 7,3–13 DE FALCO, In Nicomachi arithmeticam introductionem 31,13 PISTELLI u. ö.), Syrianos (In Aristot. metaph. 9,16 u. ö. KROLL), und vor allem bei Proklos (etwa In Plat. rep. 1,98,30; 2,173,23; In Plat. Parm. 661,29 COUSIN) und Damaskios (z. B. De principiis 1,86,20; 91,12 ff. RUELLE).

L. ROBIN, La théorie platonicienne des idées et des nombres d'après Aristote, 1908, 276 f., 533–553, 635–660 • H. HAPP, Hyle. Studien zum aristotelischen Materie-Begriff, 1971, 85–208 • TH. A. SZLEZÁK, Platon und Aristoteles in der Nuslehre Plotins, 1979, 54–79 • J. NARBONNE, Plotine, Les deux matières [Ennéade II,14 (12)], 1993, 110–124. T.A.S.

Dymanes (Δυμᾶνες). Diesen Namen trägt einerseits eine der drei alten dor. Phylen (D., Hylleis und Pamphyloi), andererseits eine kleine Gemeinde der westl. Lokroi wohl in der Nähe von Physkeis [1]. Die einen wie die anderen dürften auf einen nordwestgriech. Stamm dieses Namens zurückgehen, dessen Großteil sich in vorgesch. Zeit den → Dorieis anschloß, während ein Splitter in die westl. Lokroi aufging.

1 L. LERAT, Les Locriens de l'Ouest 1, 1952, 28 f. F. GSCH.

Dymas (Δύμας).

[1] Phrygischer König am Sangarios, Vater der Hekabe, der Gattin des Priamos, und des Asios (Hom. Il. 16,718; Apollod. 3,148; Hyg. fab. 91,1; Ov. met. 11,761).

[2] Ein Phaiake, dessen Tochter mit Nausikaa befreundet ist (Hom. Od. 6,22).

[3] Ein Troer, der sich bei der Eroberung von Troia Aineias anschloß und fiel (Verg. Aen. 2,340; 428).

> T. GARGIULO, s. v. Dimante, EV 2, 75.

[4] D. oder Dyman. Sohn des Dorierkönigs → Aigimios [1], Bruder des Pamphylos. Er fiel, wie letzterer, bei der Einwanderung der Herakleiden in die Peloponnes im Kampf gegen Tisamenos, den Sohn des Orestes. Nach D., Pamphylos und ihrem Adoptivbruder Hyllos sollen die drei dorischen Phylen die Namen → Dymanes, Pamphyloi, Hylleis erhalten haben. D. ist auch Eponymos der Stadt → Dyme [1] in Achaia (Apollod. 2,176; Paus. 7,17,6; schol. Pind. P. 5,92; Steph. Byz. s. v. Δυμᾶνες).

> I. MALKIN, Myth and Territory in the Spartan
> Mediterranean, 1994, 40.   R. B.

[5] aus Iasos. Sohn des Antipatros, Tragödiendichter; in IG 12,8, p. 38 und Suppl. S. 149 B (ca. Anf. 2. Jh. v. Chr.) wird er als Verf. eines Dardanos-Dramas geehrt.

> TrGF 130.   F. P.

Dyme (Δύμη).

[1] Stadt an der Westküste von Achaia beim h. Kato-Achaia auf einem weitläufigen, an drei Seiten durch Steilhänge geschützten Plateau am linken Ufer des Peiros. Im Schutz einer Festung (Pol. 4,59,4) konnte D. den natürlichen Reichtum der Landschaft am Kap Araxos nutzen. Als eine der alten 12 Städte von Achaia (Hdt. 1,145) war D. aus der Zusammenschluß von acht Dörfern (δῆμοι) entstanden (Strab. 8,3,2), darunter Paleia und Stratos (Strab. 8,7,5; Paus. 7,17,6f.; Steph. Byz. s. v. D.). Vor 280 v. Chr. kam es zur Einverleibung des Gebiets der verlassenen Stadt Olenos. D. war eine der vier Städte, die nach 280 v. Chr. den Achaiischen Bund neu gründeten (Pol. 2,41). Trotz zahlreicher Konflikte mit → Elis und Aitolia blühte D. nach Ausweis der arch. Funde in hell. Zeit auf. 66 v. Chr. siedelte Pompeius Seeräuber in D. an (Strab. 8,7,5; Plut. Pompeius 28,7; App. Mithr. 96). Schon von Caesar und Antonius als röm. *colonia* geplant, wurde D. auf Veranlassung des Augustus zur *Colonia Augusta Dumaeorum* erhoben und wohl nach dessen Tod zu Patrai geschlagen (Paus. 7,17,5). In der röm. Kaiserzeit verfiel D. Erhaltene Ruinen: Stadtmauer, Nekropolen, Reste von Gebäuden, ant. Straßen und Brunnen.

> A. D. RIZAKIS (Hrsg.), Paysages d'Achaïe I (Meletemata 15),
> 1992.   Y. L.

[2] Δύμη, *Dimae*. Befestigte Siedlung in SO-Thrakien (h. Ardanion/Griechenland), ca. 30 km von der Mündung des Hebros entfernt (Ptol. 3,11,7). In röm. Zeit bed. Straßen-Station (Itin. Anton. 322,5; Itin. Burdig. 602,6).

> I. v. B.

Dynamis (Δύναμις). Tochter des Pharnakes, Frau des → Asandros [3] und seine Nachfolgerin. Für kurze Zeit unabhängige Königin des → Bosporanischen Reiches. Zweite Ehe mit dem römerfeindlichen → Scribonius; er starb beim Angriff Agrippas [1] und des Polemon, den D. auf röm. Befehl heiraten mußte (im J. 14, Cass. Dio 54,24,4–6). Bald danach zog sie sich mit ihrem Sohn → Aspurgos zurück (vielleicht in die 15 km von Novorosijsk gefundenen Residenz). Augustus setzte sie nach dem Tod Polemons wieder ein. Sie regierte bis 7/8 n. Chr. Von ihrer Römerfreundlichkeit zeugen mehrere Inschr. (IPE 2,354; 4,420 u. a.).

> V. F. GAJDUKEVIČ, Das Bosporanische Reich, 1971, 326 ff.
> I. v. B.

Dynasteia (δυναστεία; vgl. auch δυνάστης, »Machthaber«). Abgeleitet von δύνασθαι, »vermögen«, »können«; »Einfluß haben«, »vermögend sein« [1. 116]. D. ist zunächst die → Herrschaft einer kleinen, einflußreichen Gruppe, innerhalb derer die hohen Ämter vererbt werden. Grundsätzlich sind zwei Bedeutungsebenen der D. zu unterscheiden: In der ersten entspricht ihr Charakter als Bezeichnung einer Gruppe bzw. einzelner Machthaber eher dem urspr. Wortsinn, in der zweiten kommt die Vererbung von führenden Positionen als kontinuitätsstiftendes Moment maßgeblich hinzu (vgl. die Dynastien in den ägypt. Reichen).

Ein frühes Beispiel des zweiten Typs gab es in Thessalien, dessen d. durch Gewohnheitsrecht, patriarchalisch ausgeübte Hausgewalt in verstreut lebenden Familien sowie durch das Fehlen zentraler Organe (z. B. einer beratenden Versammlung und von Gesetzen) gekennzeichnet war (Plat. leg. 680b). Später bezeichnete Aristoteles die vierte Form der Oligarchie, die in ihrer Ungesetzlichkeit der extremen Demokratie entspreche, als d. (Aristot. pol. 1293a 30–34). Während in der dritten Form die Söhne per Gesetz an die Stelle der Väter rückten (Aristot. pol. 1293a 26–30), werde in der vierten die Erbfolge unter Ausschaltung polit. Institutionen und Gesetze vorgenommen: An deren Stelle herrschten wenige Machthaber, die aufgrund ihres Reichtums über großen Einfluß verfügten und ihre Machtstellung ihren Söhnen vererbten. Wegen der mit ihr verbundenen Willkür wurde die d. in die Nähe der → Tyrannis gerückt (Aristot. pol. 1292b 5–10); in Mytilene und Korinth bildete die d. eine Vorform zur Tyrannis, Demosth. or. 40,37; Diod. 7,9,2–6). Bedingung zur Entstehung einer d. war die Schwächung der institutionellen Ordnung durch die Bildung einer kleinen Gruppe innerhalb der Oligarchie, die die Ämter unter sich aufteilte und vererbte (in Elis brachte diese Form der Regierung Aufruhr und Anarchie, vgl. Aristot. pol. 1306a 10–20). In dieser Weise ist die Erklärung der Thebaner zu verstehen, die ihre perserfreundliche Haltung dadurch zu legitimieren suchten, daß eine Gruppe von

Dynasten, die ausschließlich persönlichen Machtzuwachs angestrebt hätten, die Regierung übernommen habe (Thuk. 3,62). Andokides bemerkte zum Umsturz in Athen 411 v. Chr., daß die Demokratie zur *d.* geraten sei (And. 2,27). In aktuellen Zeitbezügen wurde die *d.* also der → Demokratia gegenübergestellt (der → Isonomia bei Platon Polit. 291c-d), in vergangenheitsorientierten Schriften mit der → Oligarchia kontrastiert; allerdings zählt sie nie zu den kanonischen Verfassungsformen.

Im Sinne der urspr. Wortbedeutung gebraucht Cassius Dio den Begriff *d.* Die Beobachtung der Machtkonzentration in den Händen einzelner röm. Privatleute, die sich aufgrund ihres Reichtums nicht an Gesetze gebunden fühlten, veranlaßte ihn dazu, die Epoche zwischen 133 und 127 v. Chr. als *d.* zu bezeichnen (Cass. Dio 52,1); auch in Rom sei die gestörte aristokratische Ordnung Wegbereiter für die *d.* gewesen. Das Streben nach *d.* wurde bes. Scipio Africanus, den Gracchen in ihrer Ausnahmestellung als Volkstribunen sowie weiteren Angehörigen der Oberschicht bis hin zu Augustus unterstellt. In der röm. Kaiserzeit erfolgte die Auswahl des Nachfolgers nicht nur durch das dynastische Prinzip, sondern auch – entsprechend der zeitgenössischen Propaganda – nach dem Kriterium der *virtus*, die neben der Erbfolge zur Grundlage der Herrscherlegitimation wurde.

→ Diadochen und Epigonen

1 FRISK.

P. BARCELÓ, Basileia, Monarchia, Tyrannis, 1993 ·
H. BERVE, Die Tyrannis bei den Griechen, 1967, Index s. v.
D. · J. MARTIN, D., in: R. KOSELLECK (Hrsg.), Histor.
Semantik der Begriffsgeschichte, 1978, 228–241 ·
M. STAHL, Aristokraten und Tyrannen im archa. Athen,
1987 · L. WHIBLEY, Greek Oligarchs, 1967, 124–126.
                                        M. MEI. u. ME. STR.

Dyrrhachion (Δυρράχιον, *Dyrrhachium*).
I. GRIECHISCHE UND RÖMISCHE ZEIT
II. BYZANTINISCHE ZEIT

I. GRIECHISCHE UND RÖMISCHE ZEIT
Hafenstadt an der illyr. Küste, h. Durrës in Albanien, von Korinth und Korkyra als Kolonie Epidamnos wohl 626/5 v. Chr. (Eus. chronicon 88f. auf einer Halbinsel gegr. (Thuk. 1,24–26; Skymn. 435–439). Neben Epidamnos (so Thuk.; Hdt.; Inschr.) steht seit dem 5. Jh. v. Chr. der Name D. (Mz.), der sich in röm. Zeit durchsetzt. Trotz Auseinandersetzungen mit den Illyrern (Thuk. 1,24,4) blühte D. durch Handel mit den Nachbarn auf und besaß ein Schatzhaus in Olympia (Paus. 6,19,8). Das durch innere Konflikte bedingte Eingreifen von Korkyra, Korinth und Athen 433 v. Chr. war ein Auslöser des Peloponnesischen Krieges. 314 nahm Kassandros die Stadt ein (Polyain. 4,11,4). E. des 1. Illyr. Krieges 229 v. Chr. kam D. unter den Schutz Roms und wurde später *civitas libera* (Cic. fam. 14,1), unter Antonius bzw. Augustus *colonia* ital. Rechts. Als

bed. Hafen der aus It. (Brundisium) kommenden Schiffe und Ausgangsort der nach Thessalonike führenden *via Egnatia* spielte D. in den röm. Bürgerkriegen (48 v. Chr. Standlager des Pompeius, von Caesar vergeblich belagert) und in der Kaiserzeit eine große Rolle. Die Bewohner galten als lasterhaft und ausschweifend. Schriftquellen: [1. 19–28]; Inschr.: [1]; Mz.: [2; 3; 4].

1 P. CABANES, F. DRINI, Corpus des inscr. grecques d'Illyrie méridionale et d'Épire 1, 1996 2 P. CABANES (Hrsg.), L'Illyrie méridionale et l'Épire dans l'Antiquité 1, 1987, 209–219 3 BMC, Gr (Thessalien), 65–78 4 HN, 315, 406.

P. CABANES, L'Épire, 1976 · N. G. L. HAMMOND, Epirus, 1967 · J. WILKES, The Illyrians, 1992.   D. S.

II. BYZANTINISCHE ZEIT
Für die byz. Zeit wird D. u. a. im *Itinerarium Antonii* (317, 5; 7; 337, 4; 339, 5; 497, 6; 520, 3), in der *Tabula Peutingeriana* (6,2 WEBER) sowie bei Hierokles (653,1; vgl. auch Konstantinos Porphyrogennetos, De administrando imperio 30, 96; 32,82 MORAVCSIK/JENKINS, De thematibus 93 PERTUSI) und Anna Komnene ([2] passim) erwähnt. Wiederaufbaumaßnahmen nach Zerstörungen durch Erdbeben 314 und 522 sowie teilweise erfolgreiche Belagerungen durch Theoderich 481, durch Bulgaren im 10. und 11. Jh., durch Normannen 1081–1085, 1107/8, 1185 und durch die Kreuzfahrer 1203 bezeugen die anhaltende strategische Bed. in Kriegs- und Friedenszeiten, die erst im späteren MA unter der Herrschaft von Anjou, Venedig und den Türken schwindet. D. war Bistum und Metropolis der Provinz Νέα Ἤπειρος (*Epirus nova*), später Thema; Bischöfe sind bezeugt seit dem 5. Jh. [1. 1249ff.]. D. gehörte bis in das 8. Jh. zu Rom, seit 1020 zu Ochrid. Einige arch. Reste (Siedlungskontinuität), darunter Aquädukt, röm. Thermen, mehrfach erneuerte Stadtmauern und die Kapelle im Amphitheater mit Mosaik des Kaisers Alexandros (911–913) sind erh.

→ Apollonia [1]

1 DHGE 14, 1960, 1248–1252 2 D. R. REINSCH, 1996 (Übers. und Komm.).

LMA 3, 1986, 1497–1500 · ODB 1, 1991, 668 ·
A. PHILIPPSON, s. v. D., RE 5, 1882–1887 · weitere Lit. s.
Apollonia [1].   E. W.

Dysaules (Δυσαύλης). Bruder des Keleos in Eleusis, durch → Ion vertrieben, übertrug die eleusinischen Weihen nach Keleai bei Phleius; nach der lokalen Kultlegende dort auch begraben (Paus. 2,14,4; skeptisch: 2,14,1–4). Der Name D. gehört nicht in den homer. Sagenkreis. Erst die »Orphiker« haben ihn in ein Gedicht von Demeters Einkehr in Eleusis eingereiht [1]. Darin war er Autochthone, heiratete Baube, wurde Vater des Eubuleus und des → Triptolemos und nahm → Demeter gastlich auf.

1 F. GRAF, Eleusis und die orphische Dichtung Athens in vorhell. Zeit, 1974, 159f., 167f.

O. KERN, s. v. D., RE 5, 1888f.   K. C.

E

E (sprachwissenschaftlich). Der fünfte Buchstabe des griech. → Alphabets hieß zuerst εἶ (gesprochen ẹ̄; s.u.), später ἒ ψιλόν [1. 140]. Er konnte in den Lokalalphabeten verschiedene *e*-Vok. bezeichnen, so im Altatt.: 1) das urgriech. kurze *ě* (EXΣENENKETO; auch in TEIXOΣ mit »echtem εἰ«), nur die erstere Geltung (also als kurzes *ě*) blieb erh. (ἐξενεγκέτω; τεῖχος wurde früh zu *tẹ̄khos*); 2) ein offenes langes *ę̄* aus urgriech. *ē* (ANEP, ANEΘEKE, später ἀνήρ, ἀνέθηκε) oder *ā* (MNEMA, später μνῆμα); 3) ein geschlossenes langes *ẹ̄* [2. 232f.], das erst in nachmyk. Zeit durch Kontraktion (IΔEN, BOEΘEN), Ersatzdehnung (NEMANTEΣ) oder metr. Dehnung (HENEKA [3. 347]) entstanden war und später mit »unechtem εἰ« geschrieben wurde (ἰδεῖν, βοηθεῖν; νείμαντες; εἵνεκα); damit fiel altes *ei̯* (wie in τεῖχος) zusammen. In der Vertretung der unter 2) und 3) genannten Langvok. weichen die griech. Dial. voneinander ab. So wurde *ẹ̄* schon in vorchristl. Zeit zu *ī*, ebenso später auch *ę̄*; s. → Itazismus. Auch der lat. Buchstabe *E* steht für kurzes *ě* (zweimal in *septem*) und für langes *ē* (zweimal in *hērēs*).

Das griech. bzw. lat. *ě* geht in zahlreichen Erbformen auf *ě* zurück, den Grundvok. des uridg. → Ablauts: φέρω *fero* < **bherō*; γένος *genus* < **ǵen₂os*; hingegen setzt griech. *ě* z. B. in θετό, θεός den uridg. → Laryngal *₂* fort [4. 179f.; 5. 72]. – Das urgriech. und lat. *ē* kann dehnstufiges *ē* fortsetzen (ἡμι- *sēmi-* < **sēmi-*) oder vollstufiges *ě₂* (εἴης, altlat. *siēs* < **₂si̯e₂s* »du seist«); dazu kommt der Sonderfall griech. -γνητος (< **ǵn₂tos*; andere Entwicklung in lat. *gnātus*). Lat. *ě* und *ē* haben noch mehrere weitere Ursprünge, z. B. in *(sept)em* < **(sept)m̥*; *uester* < *uoster*; *certus* < **kritos*; *agellus* < **agrlos* < **agrolos*; *ac-ceptus* < **ad-kaptos*; *trēs* < **trei̯es* (Kontraktion); *aēnus* < **ai̯esnos* (Ersatzdehnung); *ēnsis* < **ensis* (Dehnung durch Nasalierung).

e und *ē* in wechselseitigen lat. und griech. → Lehnwörtern [6] gehen meist auf gleichartige Vok. zurück: *ěphēbus* aus ἔφηβος; κεντηνάριος aus *centēnārius*. Doch zeigen sich z. B. in *talentum*, *camera* aus τάλαντον, καμάρα lat. Vokalveränderungen.

→ Aussprache; H (sprachwissenschaftlich); Itazismus

1 SCHWYZER, Gramm. 2 M. LEJEUNE, Phonétique historique du mycénien et du grec ancien, 1972 3 CHANTRAINE 4 H. RIX, Rez. zu: R. S. P. BEEKES, The development of the Proto-Indo-European laryngals in Greek, in: Kratylos 14, 1969 5 Ders., Histor. Gramm. des Griech., ²1992 6 F. BIVILLE, Les emprunts du latin au grec II, 1995.   B. F.

E-Gruppe. Moderner t.t. für eine att. sf. Keramikwerkstatt um 560–540 v. Chr.; nach → Exekias benannt, der seine Laufbahn in dieser Gruppe als Töpfer begonnen hat; zwei erh. Signaturen aus dieser Zeit. Charakteristisch sind konventionelle Bauchamphoren, auf deren Bildfeldern sich wenige Standardthemen gleichförmig wiederholen. Daneben gibt es in dieser Gruppe auch einige ungewöhnliche Werke und vor allem mehrere wegweisende Neuerungen: den Bauchamphorentyp A, die neue breitschultrige Halsamphorenform mit Henkelornamenten, zudem die ersten → Lieblingsinschriften (für Stesias) und erstmals das Motiv des wendenden Gespanns.

BEAZLEY, ABV, 133–138 · BEAZLEY, Paralipomena, 54–57 · BEAZLEY, Addenda², 35–37 · E. E. BELL, An Exekian Puzzle in Portland, in: W. G. MOON (Hrsg.), Ancient Greek Art and Iconography, 1983, 75–86.   H. M.

Ebenholz. Als *ébenos* (ἔβενος) oder *ebénē* (ἐβένη; seit Hdt. 3,97: 200 Stämme E. als Tribut der Äthiopier an den pers. Großkönig) und *hebenus* (seit Verg. Georg. 2,115f.) war das in der Ant. aus Indien (vgl. Strab. 15,1,37) und Schwarzafrika (vgl. Strab. 17,2,2) eingeführte kostbare dunkle und sehr lange haltbare (Plin. nat. 16,213) Kernholz verschiedener Laubbäume der Gattung *Diospyros* (*D. ebenum* in Indien, *hirsutum* und *haplostylis* in Afrika) aus der Familie der Ebenaceen berühmt. Plinius (nat. 12,20) unterscheidet in seinem Bericht über ind. Bäume wie sein Gewährsmann Theophrastos (h. plant. 4,4,6) eine baumartige äthiopische Art von einer geringerwertigen aus Indien. Die beste Beschreibung beider Arten liefert Dioskurides (1,98 [1. 89] bzw. 1,129 [2. 113f.]). Aus E. soll das Artemis-Bild im Tempel von → Ephesos gewesen sein (Plin. nat. 16,213). Mit einem Wetzstein zerrieben, helfe es bei Augenleiden (Theophr. h. plant. 9,20,4, bei Plin. nat. 24, 89; ähnlich Dioskurides). Wegen des hohen Preises kamen schon damals Verfälschungen vor (so Dioskurides; [3. 134]).

1 M. WELLMANN 2 · 2 J. BERENDES 3 K. KOCH, Die Bäume und Sträucher des alten Griechenlands, ²1884.   C. HÜ.

Eberzahnhelm s. Helm

Ebionäer (griech. Ἐβιωναῖοι, von hebr. אֶבְיוֹנִים < *æbyōnīm*, »Arme«). Seit Irenaeus (haer. 1,26,2; → Eirenaios) übliche zusammenfassende Bezeichnung für ausgewählte heterodoxe judenchristl. Gruppen der Antike. Der Name wurde von patristischen Autoren fälschlicherweise pejorativ gedeutet (Eus. HE 3,27; Orig. contra Celsum 2,1: »arm an Verstand«) bzw. seit Tertullianus (de praescriptione haereticorum 10,8; ebenso Hippolytos, refutatio omnium haeresium 7,35,1) einem als Schüler des → Kerinthos bezeichneten homonymen Namensgeber Ebion zugeschrieben. Demgegenüber handelt es sich um einen auch im NT nachgewiesenen Ehrentitel jüd. Frommer (E.: »die vor Gott Armen«, vgl. Ps 25,9; 68,11; Röm 15,26; Gal 2,10). Neben den Notizen der christl. Häresiologen verdient das aus Zitaten bei → Epiphanios von Salamis (panarion 30, 13–22) zu rekonstruierende sog. E.-Evangelium als Quelle Beachtung. Umstritten ist die Beurteilung einer

durch Mission und christl. Emigration ins Ostjordanland entstandenen Wechselbeziehung zw. den E. und
Urgemeinde (»nicht wahrscheinlich«, [3. 312]) sowie
der ebionitische Einfluß auf die älteren Schichten der
Ps.-Klementinen.

Trotz vielfältiger Erscheinungsformen lassen sich
einzelne Charakteristika der E. angeben (vgl. [4. 951]):
1) das Festhalten am mosaischen Gesetz (Sabbat, Beschneidung, jüd. Feste), verbunden mit dem Bekenntnis
zum Monotheismus und der Verehrung des Herren-
bruders Jakobus als Vorbild der Gesetzesfrömmigkeit, 2)
die (spätere) Ablehnung des Opferkultes, 3) die durch
das Kommen Jesu, des Auserwählten Gottes, ermöglichte Erkenntnis von »gefälschten« Perikopen, 4) die
Ablehnung von Teilen des AT (Propheten) und des Paulus als Gesetzesabtrünnigen, 5) eine gnostisch beeinflußte Christologie, die das Menschsein Jesu betonte. Die E.
sind in Kleinasien, Ägypten und Syrien bis ins 5. Jh.
nachweisbar. Sie beeinflußten auch die Mandäer und
die islamische Lit. (→ Koran).

1 A. F. J. KLIJN, G. J. REININK, Patristic evidence for
Jewish-Christian Sects, 1973 (Quellen) 2 J. M. MAGNIN,
Notes sur l'Ebionisme, in: Proche-Orient Chrétien 23,
1973, 233–265; 24, 1974, 225–250; 25, 1975, 245–273; 28,
1978, 220–248 3 G. STRECKER, s. v. Judenchristentum, TRE
17, 310–325 4 H. MERKEL, s. v. Ebjoniten. Evangelisches
Kirchenlexikon³ 1, 949–951 5 D. VIGNE, Christ en
Jourdain. Le baptême de Jésus dans la tradition
judéo-chrétienne, 1992, 32–36, 108–115, 147–152. J. RI.

Ebla. Stadt in NW-Syrien (h. Tall Mardīḫ, ca 60 km
südwestl. von Aleppo). Ausgrabungen seit 1964 bezeugen eine ausgedehnte Bebauung aus dem 3. und 2. Jt.
v. Chr.; seit 1974 sind umfangreiche Archive mit ca.
17 000 Tontafeln bzw. Frg. (24./23. Jh. v. Chr.) zu Tage
gekommen. Sie sind in der aus Mesopotamien übernommenen → Keilschrift geschrieben, verfaßt in einer
archa. semit. Sprache, über deren Charakter unterschiedliche Ansichten bestehen (→ Eblaitisch). Sie stellen das bislang früheste Schriftzeugnis aus NW-Syrien
dar. Es handelt sich v. a. um Verwaltungsurkunden.
Texte von ereignisgeschichtlicher Relevanz sind kaum
vertreten (u. a. der Brief eines Herrschers von → Mari an
den von E. sowie ein Handelsvertrag mit einem Stadt-
staat am Euphrat). Arch. und schriftliche Quellen bezeugen die Rolle des Staates E. als eines bed. Zentrums
in NW-Syrien im 24./23. Jh. v. Chr., dessen Territorium
sich jedoch nicht exakt abgrenzen läßt. Es dürfte im
Osten bis zum Euphrat, im Westen bis zum Orontes
gereicht haben. Im Norden scheint das in den E.-Tex-
ten bereits erwähnte Ḥalab/Aleppo, im Süden vielleicht
der Raum von Ḥama mit E. verbunden gewesen zu
sein. Im Palast, dem »Haus des Königs«, war zahlreiches
Personal tätig. Dem Palast war ein Verwaltungszentrum
angeschlossen, dem mehrere Tausend abhängige Arbeitskräfte sowie spezialisierte Handwerker und Boten
zugeordnet waren. Landwirtschaft, Viehzucht und
Handel bildeten die wirtschaftliche Grundlage des Staa-

tes E. Basis der Landwirtschaft war v. a. die von E. kontrollierte dichtbesiedelte Ebene von → Aleppo und das
im Westen angrenzende Hügelland. E. unterhielt vielfältige Handelskontakte, insbes. aber zu Emar (h. Mas-
kana), einem wichtigen Umschlagplatz am → Euphrat,
sowie zum weiter flußabwärts gelegenen Mari. E. fand
damit Anschluß an einen weit nach Osten reichenden
Handelsverkehr. Andererseits deuten Funde ägypt.
Herkunft auf Verbindungen zum ostmediterranen
Raum. E. war unter den mesopotamischen Herrschern
→ Sargon und → Naramsin eines der Ziele von Feldzügen nach Nordsyrien. Ob die massiven Zerstörungen
der Bebauung aus dem 24./23. Jh. v. Chr. darauf oder
auf ein anderes Ereignis zurückzuführen sind, ist unklar.
In der Zeit der 3. Dyn. von Ur (21. Jh. v. Chr.) stand E.
in Handelskontakten zu Südmesopotamien. Für die 1.
H. des 2. Jt. v. Chr. ist durch arch. Funde eine Verbindung zum MR in Ägypten nachgewiesen. Auf eine Zerstörung E.s im 18. Jh. beziehen sich Teile eines lit. Textes aus → Ḥattuša [2. 189], danach verlor E. seine Bed.
und wurde im 2. Jh. v. Chr. endgültig aufgegeben
[3. 182].

1 A. ARCHI, Fifteen Years of Studies in Ebla: A Summary, in:
OLZ 88, 1993, 461– 471 2 V. HAAS, I. WEGNER,
Stadtverfluchungen aus Boghazköy, in: U. FINKBEINER et al.
(Hrsg.), Beitr. zur Kulturgesch. Vorderasiens, 1996
3 P. MATTHIAE, s. v. E., The Oxford Encyclopedia of
Archaeology in the Ancient Near East, 1997. H. KL.

Eblaitisch. Die Texte aus dem Palast G in → Ebla (24.
Jh. v. Chr.) sind die bisher ältesten Schriftfunde aus NW-
Syrien. Sie reflektieren eine komplexe sprachliche Situation: Mit der Keilschrift wurden auch sumer. und
akkad. Texte aus Mesopotamien importiert, und das
einheimische Material selbst ist nicht homogen. Als E.
wird das in den einheimischen Texten (worunter den
zweisprachigen lexikalische Listen bes. Bed. zukommt)
verwendete semitische Idiom (→ semitische Sprachen)
bezeichnet, das dem → Akkadischen nahesteht. Davon
zu unterscheiden ist eine v. a. in PN greifbare, mit den
späteren → nordwestsemitischen Sprachen zu verbin-
dende Schicht. Zahlreiche PN und ON gehören schließlich einem nicht-semit. Stratum an. Das E. ist eher als
akkad. Dialekt zu klassifizieren denn als selbständiger
Zweig des »Ostsemitischen«. Der Lautstand ist archaischer als der des Altakkad. Neben bedeutsamen mor-
phologischen Übereinstimmungen mit dem Akkad.
beobachtet man substratbedingte phonologische Veränderungen. Das Lexikon zeigt neben signifikanten
Isoglossen zum Akkad. auch manche Besonderheiten.

L. CAGNI (Hrsg.), La Lingua di Ebla, 1981 · P. FRONZAROLI,
Per una valutazione della morfologia eblaita, in: Studi Ebaiti
5, 1982, 93–120 · Ders. (Hrsg.), Studies on the Language
of Ebla, 1984 · M. KREBERNIK, The Linguistic Classification
of Eblaite, in: J. S. COOPER, G. M. SCHWARTZ (Hrsg.),
The Study of the Ancient Near East in the 21st Century,
1996, 233–249. M. KR.

Ebora. Ob der Name E. iberisch, ligurisch oder keltisch ist, bleibt unklar [1. Bd. 1, 1394; Bd. 2, 205; 2. 68; 3. 150].

[1] Stadt der Carpetani, h. Montalba am Tajo. Der bei Livius (40,30; 32f.) gen. Ort *Aebura* ist wohl ident. mit *Libora* (Ptol. 2,6,56; Geogr. Rav. 4,44, *Lebura*; vgl. aber CIL II p. 111 s. *Caesarobriga*).

[2] H. Évora in Portugal (Alentejo); Identität durch Inschr. und arch. Reste (Kastell, Aquädukt, Tempel) gesichert (CIL II p. 13; Nr. 110; 114; 504; 339; Suppl. p. 805; Nr. 5187; 5199; 5450). Plin. nat. 3,10: *E., quae Ceriaralitas Iulia* .... Beide sind wohl identisch, ebenso mit den bei Strab. 3,1,9 (*Ebúra*), Ptol. 2,4,9 (*Ebora*) und Ptol. 2,5,6 (*Ebura*) gen. ON. Es gibt auch Vermutungen über andere gleichnamige Städte [4. 1896; 5. 2753]. E. war zweifellos bed., noch in westgot. Zeit als Mz.-Stätte und Bistum. [6. 446]: *Elbora, Elvora, Ebora*. Mz.: [7. Bd. 3, 105; Bd. 4, 119].

1 HOLDER 2 A. SCHULTEN, Numantia 1, 1914 3 Ders., Fontes Hispaniae Antiquae 6 4 E. HÜBNER, s. v. E., RE 5, 1896–1898 5 Enciclopedia Universal Ilustrada 18, s. v. Ebura 6 A. SCHULTEN, Fontes Hispaniae Antiquae 12, 1947 7 A. VIVES, La moneda hispánica, 1926.

TOVAR, 1, 1974, 52 · TOVAR, 2, 1976, 217f. · TOVAR 3, 1989, 232f., 302, 420.   P. B.

Eboracum (h. York). Die strategisch günstige Lage im Herzen des Vale of York empfahl E. den Römern als Basis für die mil. Kontrolle von Nord-Britannia. Die früheste Garnison in E. wurde unter Q. Petilius Cerealis 71/74 n. Chr. stationiert [1]. Das Legionslager (*legio IX Hispana*) war ein Holz/Erde-Kastell der 70er Jahre; der Umbau in Stein wurde im frühen 2. Jh. vorgenommen. Die *legio VI Victrix* ersetzte die *legio IX Hispana* zw. 109 und 120. Die Befestigung wurde im Zusammenhang mit den Feldzügen der Severer im frühen 3. Jh. renoviert, ein weiteres Bauprogramm unter Constantius Chlorus nach 296 durchgeführt. Dies sah die Wiederherstellung der Verteidigungsanlagen am Fluß samt der außerhalb gelegenen Türme vor; der westl. Eckturm blieb erhalten. Die mil. Besatzung dürfte im 4. Jh. reduziert worden sein, die Festung blieb aber ein Zentrum der Verteidigung von → Britannia bis zum Ende der röm. Herrschaft. Zivile Besiedlung entwickelte sich von der Festung aus über den Fluß Ouse und gewann im 2. Jh. bes. Bedeutung. Im 3. Jh., möglicherweise während des Aufenthaltes des Septimius Severus, wurde E. zur *colonia* erhoben. E. blühte auf, was Gebäude und Grabstätten bezeugen [2]. Neben anderen Handwerken wurde die Verarbeitung von Gagat (bitumenreiche Braunkohle) fortgeführt. E. blieb bedeutend bis in die Zeit des Königreichs Northumbria.

1 B. HARTLEY, L. FITTS, The Brigantes, 1988, 19 2 Royal Commission on historical monuments, York 1: E., 1962.
M. TO./Ü: I. S.

Eborarii s. Elfenbein

Eburnus. Cognomen (»elfenbeinfarbig«), abgeleitet von der Haut- oder Haarfarbe des Q. Fabius Maximus E., *cos.* 116 v. Chr. (Ps. Quint. decl. mai. 3,17; in obszöner Bed. Arnob. 4,26).

KAJANTO, Cognomina 227.   K.-L. E.

Eburodunum

[1] Hauptort der Caturiges. Auf einem die Durance überragenden Felssockel nahmen das vorröm. *oppidum* und die röm. Stadt den Platz der h. Stadtanlage (Embrun) ein. Bed. Station der Straße von Südgallien nach Norditalien.

P.-A. FEVRIER, Archéologie dans les Hautes-Alpes, 1991, 242–244.   Y. L.

[2] Gallo-röm. *vicus* mit vorröm., bis h. benutzter Schwefelquelle, in der Spätant. zum Kastell ausgebaut, h. Yverdon-les-Bains.

W. DRACK, R. FELLMANN, Die Römer in der Schweiz, 1988, 562–565.   G. W.

Eburones. Volk in Gallia Belgica, das bedeutendste unter den Germani Cisrhenani (Caes. Gall. 2,4); sie waren Klienten der Treveri im Süden; dazw. lagen die german. → Condrusi und Segni (Caes. Gall. 4,6; 6,32). Im Norden grenzten die E. an das Küstenvolk der Menapii (Caes. Gall. 6,5). Der Kern ihres Siedlungsgebiets zw. Maas und Rhein (Caes. Gall. 5,24) umfaßte die nördl. Ardennen, die Eifel und die Bördenlandschaften. Mit den → Aduatuci im Westen bestand evtl. eine Teilkongruenz (Caes. Gall. 5,27; 6,32; 38) [1]. Unter ihren Führern → Ambiorix und Catavolcus fügten die E. Caesar 54 v. Chr. eine der schwersten Niederlagen zu (Caes. Gall. 5,24–52; Liv. epit. 106f.; Cass. Dio 40,5–11). Die Rachefeldzüge der folgenden Jahre führten zu einer völligen Zerschlagung der E. (Caes. Gall. 6,5; 29–34; 8,24f.); eine komplette Ausrottung ist aber unwahrscheinlich. Ein Teil der E. wurde von neu entstandenen Stämmen, den Tungri und den eingewanderten Ubii, absorbiert. Evtl. sind die Sunuci (Plin. nat. 4,106; Tac. hist. 4,66) die von Strab. 4,3,5 erwähnten Reste der E.

1 L. RÜBEKEIL, Suebica, 1992, 174f.

H. GALSTERER, Des Éburons aux Agrippiniens, in: Cahiers du Centre G. Glotz 3, 1992, 107–121 · TIR M 79.   F. SCH.

Ebusos (Ἔβουσος). Die größere Insel der beiden → Pityussai (»Fichteninseln«) Ibiza und Formentera wurde nach den arch. Funden um die Mitte des 7. Jh. v. Chr. zunächst durch phönizische Kolonisten aus der Meerenge von Gibraltar unter dem Namen ʿ*ybšm* besiedelt. Die von Diod. 5,16,1–3 überlieferte Gründung durch Karthago meint offenbar einen etwa 100 J. späteren Expansionsakt der nordafrikanischen Metropole. Dank der herausragenden Lage wurde die Stadt E. ein bedeutender punischer Umschlagplatz mit Akropolis, Hafenquartieren (h. überbaut), ausgedehnten Nekropolen (Puig des Molins) und ländlichen Heiligtümern (z. B.

für Tanit, Höhle von Es Cuieram); sie zählte im 5. Jh. v. Chr. rund 5000 Einwohner. Bereits im 2. Jh. v. Chr. *civitas foederata* (Plin. nat. 3,76), wurde E. 79 n. Chr. zum *municipium Flavium Ebusitanum*.

→ Tinnit

M. E. AUBET, Tiro y las colonias fenicias de Occidente, ²1994, 289–293 • C. GÓMEZ BELLARD, Die Phönizier auf Ibiza, in: MDAI(M) 34, 1993, 83–107 • J. H. FERNÁNDEZ, s. v. Ibiza, DCPP, 222–226.   H.-G. N.

Ecdicius. Arverner aus senatorischer Familie, Sohn des Kaisers → Avitus [1], Schwager des Sidonius Apollinaris, genoß eine ausgezeichnete Erziehung (in Clermont). Um 469 n. Chr. befand er sich wahrscheinlich am Hof des → Anthemius [2]; wohl 471 organisierte er u. a. aus eigenen Mitteln die Verteidigung Clermonts gegen die Westgoten. Während einer Hungersnot im Burgundergebiet 473 versorgte er die (notleidende) Bevölkerung. Iulius Nepos verlieh ihm für seine Verdienste 474 den *patricius*-Titel und ernannte ihn wohl auch zum *magister utriusque militiae* (Sidon. epist. 3,3; 5,16; Iord. Get. 240; Greg. Tur. Franc. 2,24). PLRE 2, 383 f., Nr. 3.   M. MEI.

Ecetra. Hauptort der Volsci, dessen genaue Lage im Norden der Monti Lepini unbekannt ist (Liv. 4,61,5; 6,31,5). Den Römern ein fortdauerndes Hindernis [1. 649; 2. 100] (Liv. 3,10,8; Dion. Hal. ant. 8,4), hielt E. diesen auch dann stand (E. 5. Jh. v. Chr.), als das mit E. verbündete → Antium [3. 434] (Liv. 4,59,1; Diod. 14,16,5) fiel. Die Ecetrani, *de facto* durch die Privernati verdrängt, finden sich für 378 v. Chr. noch bei Liv. 6,31, danach verlieren sich ihre Spuren. Der Name der Stadt, insbes. in der griech. Form Ἐχέτρα (*Echétra*), möglicherweise etr. Herkunft, ähnelt *Cimetra* (Liv. 10,15,6) oder *Velitrae*.

1 NISSEN 2 2 G. DE SANCTIS, Storia dei Romani 2, 1960 3 L. PARETI, Storia di Roma 1, 1952.

G. COLONNA, I Latini e gli altri popoli del Lazio, in: G. PUGLIESE CARRATELLI (Hrsg.), Italia omnium terrarum alumna, 1987, 519–521 • M. NAFISSI, s. v. Volsci, EV 5.1, 617–619.   A. SA./Ü: R. P. L.

Echedemos (Ἐχέδημος). Prominenter Athener aus Kydathenaion [1. 189–193], vermittelte vergeblich 190 v. Chr. zwischen den Aitolern und den Römern, u. a. bei P. Cornelius Scipio (Pol. 21,4–5; Liv. 37,6; 7) [2. 277–288] und war 185/4 an der Neuordnung der delph. → Amphiktyonie maßgeblich beteiligt [3. 213].

1 C. HABICHT, Studien zur Gesch. Athens in hell. Zeit, 1982 2 P. PANTOS, E., the Second Attic Phoibos, in: Hesperia 58, 1989 3 HABICHT.   L.-M. G.

Echeia (ἠχεῖα). Schall (Echo) erzeugende oder verstärkende Instrumente/Gegenstände. Vitruv bezeichnet mit *e.* eherne Gefäße mit weiter Öffnung, die der Resonanzverstärkung in Theatern dienten (Vitr. 1,1,9;

5,5). Abgestimmt auf verschiedene Tonarten, sollen sie in Kammern unter den Sitzreihen nach mathematischen Berechnungen installiert gewesen sein. In Rom gab es sie nicht, doch L. Mummius brachte angeblich aus Korinth Beutestücke dieser Art mit. Im Theater von Korinth deutet allerdings nichts auf eine solche Anlage [1. 28]. Weder in griech. Theatern, deren Akustik ohnehin vorzüglich ist [2. 58–60], noch in ital. gibt es bisher eindeutige Spuren. Möglicherweise hat Vitruv im Anschluß an die Harmonielehre des → Aristoxenos eine Spekulation für Realität gehalten [3. 270].

1 R. STILLWELL, Corinth 2: The Theatre, 1952 2 H.-D. BLUME, Einf. in das ant. Theaterwesen, ³1991 3 H. BULLE, Unt. an griech. Theatern, 1928.

E. GRAF, s. v. ἠχεῖα, RE 5, 1908 f. • A. LESKY, Noh-Bühne und griech. Theater, in: Maia 15, 1963, 42–44 • P. THIELSCHER, Schallgefäße, in: FS Dornseiff, 1953, 334–371.   H. BL.

Echeklos (Ἔχεκλος).
[1] Sohn des Troers Agenor, von Achilleus getötet (Hom. Il. 20,474). Paus. 10,27,2 weist auf eine Motivparallele in der *Ilias parva* (18 PEG I) hin, wo der Sohn des Achilleus, Neoptolemos, den Vater des E. tötet.

W. KULLMANN, Die Quellen der Ilias, Hermes ES 14, 1960, 354 • P. WATHELET, Dictionnaire des Troyens de l'Iliade, Bd. 1, 1988, 555 f.

[2] Troer, von Patroklos getötet (Hom. Il. 16,694).

P. WATHELET, Dictionnaire des Troyens de l'Iliade, Bd. 1, 1988, 556.

[3] Kentaur (Ov. met. 12,450).   R. B.

Echekrates (Ἐχεκράτης).
[1] Thessalischer Kondottiere Ptolemaios' IV., der durch die Ausbildung des Heeres und speziell der Reiterei wesentlich zum Sieg bei Raphia 217 v. Chr. beitrug. In der Schlacht kommandierte er die Reiterei des rechten Flügels. Eine anekdotisch gefärbte Darstellung der Schlacht ist bei Diod. 16,26,6 überliefert. PP 2, 2161.   W. A.

[2] Pythagoreer aus Phleius, zusammen mit den ebenfalls aus Phleius stammenden Phanton, Polymnastos und Diokles sowie Xenophilos von der Chalkidike einer der letzten Vertreter der »mathematischen« Richtung des Pythagoreismus (Aristox. fr. 18 f. WEHRLI = Iambl. v. P. 251 und Diog. Laert. 8,46; [1. 198]; vgl. Diod. 15,76,4; Iambl. v. P. 267). Auf seinen Wunsch hin berichtet Phaidon in Platons gleichnamigem Dialog über Sokrates' Sterben. In Plat. Phaid. 88d äußert E. Sympathie für die (pythagoreische?) Lehre, daß die Seele eine *harmonía* (ἁρμονία) sei [2]. Cic. fin. 5,87 und Val. Max. 8,7,3 machen ihn zu Platons Lehrer; im ps.-Platonischen 9. Brief wird er als »Jüngling« (νεανίσκος) erwähnt (358b). Die Identität mit dem gleichnamigen Gewährsmann des Historikers Timaios für die unterital. Lokrer ist umstritten [1. 92 Anm. 40].

→ Pythagoreische Schule

1 W. BURKERT, Lore and Science in Ancient
Pythagoreanism, 1972 2 C. A. HUFFMAN, Philolaus of
Croton, 1993, 324, 326f.   C.RI.

Echelidai (Ἐχελίδαι, von ἕλος, »Sumpf«?). Örtlichkeit
(*dēmos* nach Steph. Byz. s. v. E.; Etym. m. s. v. Ἔχελος)
in Attika in der Mündungsebene des Kephisos nahe der
nach Phaleron führenden »Langen Mauer«, etwas nördl.
des h. Neofaliron auf dem Gebiet des Demos Xypete [2;
3. 87]. JUDEICH und MILCHHÖFER [1; 2] vermuten hier
den Hippodromos von Athenai.

1 W. JUDEICH, Top. von Athen, ²1931, 456
2 A. MILCHHÖFER, s. v. E., RE 5, 1911 3 TRAILL, Attica, 50,
86f., 114 Nr. 10.   H.LO.

Echembrotos. Arkadischer Aulode und Elegiker.
Paus. 10,7,5–6 berichtet von seinem Sieg im Auloden-
wettbewerb bei den neugestalteten pythischen Spielen
586 v. Chr. und zitiert sein Vers(?)epigramm auf einem
dem Herkules geweihten Dreifuß in Theben. Seine Beschreibung als Sänger von μέλεα καὶ ἐλέγους ist der früheste Beleg des Terminus *élegoi*.

IEG 2, 62 · M. L. WEST, Studies in Greek Elegy and Iambus,
1974.   E.BO./Ü:L.S.

Echemmon (Ἐχέμμων).
[1] Ein Sohn des Priamos. Er wurde zugleich mit seinem Bruder Chromios von Diomedes getötet (Hom. Il.
5,160; Apollod. 3,153).

P. WATHELET, Dictionnaire des Troyens de l'Iliade, Bd. 1,
1988, 557f.

[2] Ein Nabatäer, der von Perseus getötet wurde (Ov.
met. 5,163; 176). Ovid übernimmt an dieser Stelle das
homer. Motiv von (Hom. Il. 5,159–165, vgl. E. [1]).

F. BÖMER, P. Ovidius Naso, Met. B. 4–5 (Komm.), 1976,
264.   R.B.

Echemos (Ἔχεμος).
[1] König von Tegea in Arkadien, Sohn des Aeropos,
verheiratet mit der Ledatochter Timandra, die ihn verließ (Hes. cat. fr. 23a, 31–35; 176,3–4; Paus. 8,5,1; Apollod. 3,126). E. siegte im olympischen Ringkampf (Pind.
O. 10,66). Durch einen Sieg im Zweikampf gegen den
Heraklessohn Hyllos soll E. den Vorstoß der Herakleiden in die Peloponnes um 50 (Diod. 4,58,3–5) bzw.
100 Jahre (Hdt. 9,26) gehemmt haben. Ein Relieffrag-
ment zeigt E. als heroischen Kämpfer [1]. Paus. 8,53,10
beschreibt das Grab von E. in Tegea.

1 U. KRON, s. v. E., LIMC 3.1, 676 Nr. 1.

[2] Dikaiarchos (fr. 66 WEHRLI) verbindet E. mit dem
Rachefeldzug der Dioskuren nach Attika und setzt ihn
mit dem Eponymos der Akademie gleich (→ Akademos).   R.B.

Echephron (Ἐχέφρων).
[1] Sohn des Nestor (Hom. Od. 3,413; 439; Apollod.
1,94).
[2] Sohn des Herakles und der Psophis, Zwillingsbruder
des → Promachos.   R.B.

Echepolos (Ἐχέπωλος, »Pferdebesitzer«).
[1] Pelopide, Sohn eines Anchises aus Sikyon. Er gab
Agamemnon die Stute Aithe und kaufte sich so von der
Troiafahrt los (Hom. Il. 23,296 mit schol.)

W. KULLMANN, Die Quellen der Ilias, Hermes ES 14, 1960,
261.

[2] Ein Troer, der von Antilochos getötet wurde (Hom.
Il. 4,458).

P. WATHELET, Dictionnaire des Troyens de l'Iliade, Bd. 1,
1988, 558–560.   R.B.

Echestratos (Ἐχέστρατος). Legendärer spartanischer
König, Sohn des Agis I., Vater des Labotas und damit der
dritte König aus dem Haus der Agiaden (Hdt. 7,204).
Nach Paus. 3,2,2 sollen unter der Basileia des E. die
Kynureer aus der Argolis vertrieben worden sein.
                    M.MEI.

Echetla (Ἐχέτλα). Stadt im Innern von Sicilia, Leontinoi, Syrakusai und Kamarina benachbart (Diod. 20,32),
im Grenzgebiet zw. den Einflußgebieten Karthagos und
Hierons II. (Pol. 1,15,10). Zu Anf. des 1. Pun. Krieges
von den Römern belagert. Plin. nat. 3,91 nennt die Bürger von E. *stipendiarii*. E. lag, nach der Namensähnlich-
keit zu schließen, auf dem Hügel Occhialà bei Grammichele östl. Caltagirone, wo sikulisch-griech. Reste
und ein Demeter-Heiligtum festgestellt wurden.

D. PALERMO, s. v. Grammichele, BTCGI 7, 164–169 ·
R. M. ALBANESE PROCELLI, La necropoli di Madonna del
Piano presso Grammichele: osservazioni sul rituale
funerario, in: Kokalos 38, 1992, 33–68.   GI.F./Ü:R.P.L.

Echetlos, Echetlaios (Ἐχέτλος, Ἐχετλαῖος). Ein Mann
bäuerlichen Auftretens, der in der Schlacht bei Marathon mit seinem Pfluge (*echétlē*, »Pflugsterz«) viele Perser
erschlug und nachher verschwand. Infolge eines Ora-
kelspruchs verehrten ihn die Athener als Heros Echetlaios. Auf dem Gemälde der Marathonschlacht in der
Stoa Poikile war er mit dem Pflug in der Hand dargestellt (Paus. 1,15,3; 32,5)

M. H. JAMESON, The Hero Echetlaeus, in: TAPhA 82, 1951,
49–61 · J. G. SZILÁGYI, s. v. E., LIMC 3.1, 677–678.   R.B.

Echetos (Ἔχετος, »Festhalter«). Grausamer König, mit
dem der Freier Antinoos dem Bettler Iros und dem
Odysseus drohte (Hom. Od. 18,85; 116; 21,308; Suda
s. v. E. 493 ADLER). Er blendete seine Tochter Amphissa
(oder Metope) und ließ sie in einer Kammer Erz mahlen; ihren Geliebten Aichmodikos verstümmelte er
(Apoll. Rhod. 4,1093 mit schol.). Schol. Hom. Od.
18,85 (= Marsyas FGrH 135–136 F 19) erklärt ihn als

einen sizilischen Tyrannen, der die Fremden marterte, schließlich aber von seinen Untertanen gesteinigt wurde.

J. RUSSO u. a., Homer's Odyssey, Bd. 3 (Komm.), 1992, 52 f.

R. B.

Echidna (Ἔχιδνα). Schlangengestaltiges weibliches Urwesen, durch den Einfluß nahöstl. Erzählkunst und Ikonographie (Iluyanka bei den Hethitern, Tiamat in Mesopotamien) in Griechenland eingeführt. Bei Hesiod ist E. die Tochter der Meerwesen Phorkys und Keto (theog. 295–303) und mit dem ebenfalls oft schlangenleibigen → Typhon Mutter einer Reihe von Ungeheuern – des Hundes des dreileibigen → Geryoneus, Orthros, des → Kerberos, der → Hydra, der → Chimaira, der → Sphinx (Φίξ bei Hesiod) und des Löwen von → Nemea. Spätere Autoren nehmen → Skylla (Hyg. fab. 151) sowie die Schlange der Hesperiden und den Adler des → Prometheus dazu (Apollod. 2,113; 119). Ihr Wohnort ist entweder am Rand der bekannten Welt – bei den Arimoi in Lydien (Hes. theog. 304; vgl. Hom. Il. 2,783) oder bei den Skythen, als deren Stammutter sie den Griechen galt (Hdt. 4,8 f.) – oder in der Unterwelt (Aristoph. Ran. 473). Eine lokale Überlieferung macht sie zur peloponnesischen Wegelagerin, die von Argos getötet wird (Apollod. 2,4). In der griech. Spiegelung des skythischen Ursprungsmythos ist sie von Herakles Mutter dreier Söhne, u. a. des Eponymen Skythes (Diod. 2,43,3; vgl. IG XIV 1293 A 96).

J. FONTENROSE, Python. A Study of Delphic Mythology, 1959, 94–97 · R. HOSEK, s. v E., LIMC 3.1, 678 f. · F. MORA, Religione e religioni nelle storie di Erodoto, 1985.

F. G.

Echinades (Ἐχινάδες, Ἐχῖναι). Inselgruppe vor der SW-Küste von Akarnania und der Acheloos-Mündung, h. zum Nomos Kephallenia gehörig. Die Inseln waren weitgehend unbewohnt, wurden aber wirtschaftlich genutzt (Dion. Hal. ant. 1,51). Schon in der Ant. wurde beobachtet, daß die Inseln durch die Anschwemmungen des → Acheloos [1] mit dem Festland verbunden wurden (Hdt. 2,10; Thuk. 2,102; Skyl. 34; Strab. 1,3,18; 10,2,19 [1; 2]). Dieses Phänomen wurde auch im Mythos verarbeitet. Spätestens seit dem 2. Jh. n. Chr. (Paus. 8,24,11) war der Verlandungsprozeß beendet, weil die Anlagerungen nun die tiefen Kephallenia-Graben erreichten. Einzelne Inseln wurden teils zu den E. gerechnet, teils gesondert erwähnt: im Süden die Oxeiai-Inseln, Artemita, Dolicha und die ehemalige Insel Nasos bei Oiniadai [3], im Norden die zw. Leukas und dem Festland gelegenen Taphiai-Inseln. Wegen ihrer markanten Lage wurden die E. bis in das MA häufig in Itinerarien und Portulanen genannt (Plin. nat. 4,53 f. mit allen Namen; Itin. Anton. 488; [4]).

1 PHILIPPSON/KIRSTEN 2, 2, 396, 406–409 2 W. M. MURRAY, The coastal sites of W-Akarnania, Diss. 1982, 18–30 3 Ders., The location of Nasos, in: Hesperia 54, 1985, 97–108 4 SOUSTAL, Nikopolis, 96 f.

E. OBERHUMMER, Akarnanien, 1887, 15, 20–23, 241 f.

D. S.

Echinos (Ἐχῖνος).

[1] Stadt am nördl. Ufer des Malischen Golfs beim h. Dorf Achino. Urspr. Teil der Achaia Phthiotis, wurde E. 342 von Philippos II. den Malieis überlassen, mit denen E. ab ca. 235 zum Aitol. Bund gehörte. 210 wurde E. von Philippos V. erobert (Pol. 9,41; [1]), der den Aitoloi die Rückgabe verweigerte, nach 193 von den Römern, die E. 189 wieder zur Malis schlugen. In röm. Zeit wurde E. zu Achaia Phthiotis bzw. Thessalia gerechnet. Neue Funde bezeugen eine Blüte in der Kaiserzeit. Unter Iustinian I. wurde die Befestigung erneuert. 551 verursachte ein Erdbeben mit Flutwelle schwere Schäden. Vom 5. bis Ende 13. Jh. ist E. als Bischofssitz bezeugt, wobei die Stadt selbst wohl schon bei der Slawen-Invasion des 7. Jh. ihr Ende gefunden hatte.

1 F. STÄHLIN, Das hellen. Thessalien, 1924, 186 f.

L. W. DALY, E. and Justinian's Fortifications in Greece, in: AJA 46, 1942, 500–508 · M. P. PAPAKONSTANTINOU, in: AD 90, 1985 II, 167 f. (Grabungsber.) · Dies., Το νοτιό και το δυτικό τμήμα της Αχαίας Φθιώτιδος απο τους κλασικούς μέχρι τους Ρωμαϊκούς χρόνους, in: R. MISDRACHE-KAPON, La Thessalie, quinze années de recherches archéologiques, 1975–1990: Act. du colloque international (Lyon 1990), 1994, 2, 229–238 · TIB 1, 1976, 152.

HE. KR.

[2] Ort in Akarnania am Golf von Ambrakia, genaue Lage unbekannt. Im 4. Jh. v. Chr. Gesandtschaft nach Athen (StV 2, 305 f.), mehrfach Ziel der peloponnesischen *theōrodókoi*. Belegstellen: Plin. nat. 4,5; Steph. Byz. s. v. E.

PRITCHETT 8, 93–101.

D. S.

[3] E., **Echinus**, von ἐχῖνος, »Igel; Seeigel«. Nach Vitruv das polsterförmige Lagerstück des dor. (4,3,4) bzw. tuskanischen (4,7,1) Kapitells, das zwischen dem quadratischen Abakus als dessen oberem Abschluß und dem in den Schaft der → Säule übergehenden, zuerst mit dekorativen Ornamentbändern, später mit drei oder vier Ringen (*anuli*) vom E. abgesetzten Hypotrachelion lagert; diese drei Elemente des Kapitells bestanden meist aus einem Werkstück. Als E. des ion. Kapitells bezeichnet man – ohne ant. Grundlage – das oft mit einem → Eierstab verzierte Lagerkissen zwischen Voluten und Kanneluransatz. Die Bezeichnung E. findet sich in griech. Bauinschriften ebensowenig wie überhaupt eine konsistente Terminologie für die Einzelteile des Kapitells; offensichtlich diente hier der Begriff ἐπίκρανον (*epíkranon*) nebst seinen lokalen Varianten (für das Kapitell insgesamt) als Sammelbegriff aller Komponenten dieses Werkstücks. Daß die Bezeichnung E. auf die Ähnlichkeit des Bauglieds mit dem Seeigel zurückgeht, ist etym. Spekulation.

Wie die → Entasis, so hat auch der E. eine wesentliche Funktion bei der Visualisierung von Last- und Spannungsverhältnissen im griech. Säulenbau, was gerade im 6. Jh. v. Chr. bisweilen überdeutlich durch weit

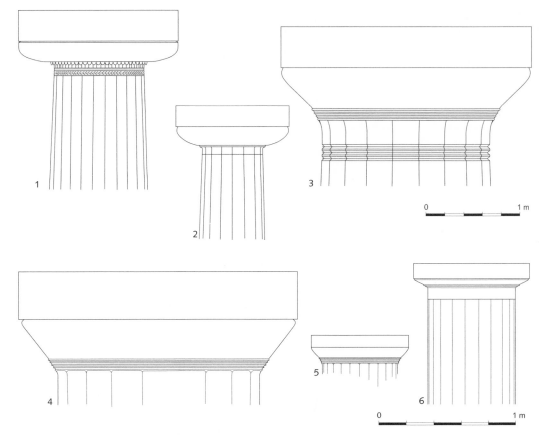

Echinosformen	1. Korfu, Artemistempel (um 580 v. Chr.)	4. Athen, Parthenon (447–438 v. Chr.)
dorischer Kapitelle	2. Assos, Athenatempel (6. Jh. v. Chr.)	5. Priene, Agora, Südhalle (hell.)
	3. Olympia, Zeustempel (um 472/1 – 457 v. Chr.)	6. Cori, Herculestempel (röm.)

ausladende, flachgequetschte Formgebungen des E. betont wird (1. Korfu, Artemistempel; 2. Assos, Athenatempel). Darüber hinaus bildet die kontinuierliche Veränderung der E.-Profile über klassisch-ausgewogene Rundformen (3. Olympia, Zeustempel; 4. Athen, Parthenon) hin zu der steil ansteigenden Trichterform von hell. E. (5. Priene, Agora) und zu der knopfartig reduzierten Masse bei röm. E. (6. Cori, Herculestempel) eine wichtige Datierungshilfe ant. Architektur.
→ Säule

EBERT, 25–27 · K. HERRMANN, Zum Dekor dor. Kapitelle, in: Architectura 13, 1983, 1–12 · D. MERTENS, Der Tempel von Segesta und die dor. Tempelbaukunst des griech. Westens in klass. Zeit, 1984, 134–138, Beil. 31, 32 · Ders., Der alte Heratempel in Paestum und die archa. Baukunst in Unteritalien, 1993, 18–27, 105–111 · W. MÜLLER-WIENER, Griech. Bauwesen in der Ant., 1988, 114 f., 126 · B. WESENBERG, Kapitelle und Basen, 32. Beih. BJ, 1971, 57–59.   C. HÖ.

Echion (Ἐχίων, »Schlangenmann«, von ἡ ἔχις, »die Schlange«).

[1] Einer der fünf »Spartoi«, der Männer, die aus den Drachenzähnen, die → Kadmos in die thebanische Erde säte, hervorwuchsen. Er heiratete die Kadmostochter Agaue und war Vater des Pentheus (Paus. 9,5,3 f.; Apollod. 3,26; 36; Hyg. fab. 178,6; 184,1; Ov. met. 3,126; vgl. Hor. carm. 4,4,64: *Thebae Echioniae*). Aeneas tötete den Rutuler Onites, einen Sohn des E. und der Peridia (Verg. Aen. 12,514 f.).

R. ROCCA, s. v. E., EV 2, 164 f.

[2] Sohn des Hermes und der Antianeira, am Pangaion (Pind. P. 4,178–180), in Thessalien (Apoll. Rhod. 1,52; Hyg. fab. 14) oder in Arkadien (Val. Fl. 7,543) beheimatet. Argonaut (Val. Fl. 4,734) und kalydonischer Jäger (Ov. met. 8,311; 345).   R. B.

Echnaton s. Amenophis [4] IV., s. Amarna

Echo (ἠχώ).

[1] Entstehung und Fortpflanzung von Schall wird als durch Schlag bewegte (zusammenhängende) Luft erklärt (→ Akustik); auch seine Reflexion innerhalb eines Resonanzkörpers (Hall) oder an einem geeigneten, meist glatten Körper, verstanden als Umschlagen (Widerhall, E.), ist in dieser Erklärung mit einbegriffen (Theophr. de sensu 9 [Empedokles], 53 [Demokrit]; Aristot. an. 2,8, 419b 25ff., probl. 11,6,899a 24–25 und 11,8,899b 25ff., wohl nach Aristoxenos; Lucr. 4,572–594). Das E. galt als ungünstig für die Bienenzucht (Varro rust. 3,16,12; Verg. georg. 4,50; Colum. 9,5,6; Plin. nat. 11,65); bautechnisch genutzt wurde es u. a. in E.-Hallen in Olympia (Plin. nat. 26,100; Paus. 5,21,17) und Hermione (Paus. 2,35,10). F.KR.

[2] Als Personifikation seit dem 5. Jh. v. Chr. faßbar (Pind. O. 14,20f.; Aristoph. Thesm. 1059ff. nach Eur. fr. 118 TGF; Eubulos fr. 34 PCG). Ihre Myth. ist erst in hell. Zeit ausgebildet. Als Naturwesen ist sie fast immer → Nymphe (eine Oreade), selten Tochter einer Nymphe und eines Sterblichen (Longos 3,23); als Bergwesen wird sie v. a. mit → Pan verbunden. Sie ist regelmäßig seine Geliebte; wird die Liebe erfüllt, gebiert sie die Töchter Iambe (schol. Eur. Or. 964) und Iynx (Kall. fr. 685), Verkörperungen zweier machtvoller Wortäußerungen, des Spottgedichts und des Liebeszaubers. Häufiger ist der Ausgang der Liebe unglücklich (Mosch. 6 Gow; Dion Chrys. orat. 6,20). Pans Rache erzählt Longos (ebd.) als Aition für das Naturphänomen. Ein anderes Aition berichtet, daß Iuno sie zur Strafe für die Unterstützung von Zeus' Liebschaften der unabhängigen Stimme beraubte, so daß sie nur noch nachsprechen konnte. Wirkungsvoll wurde diese Gesch. in der ovidischen Verbindung mit der Erzählung ihrer verschmähten Liebe zu → Narkissos, derentwegen sie zur körperlosen Stimme verschmachtete (Ov. met. 3,356–510). Bildliche Darstellungen werden in der Lit. erwähnt (Philostr. imag. 2,33 und Anth. Plan. 4,153–156; mit Pan: Kallistratos, Ekphraseis 1 p. 421 f. KAYSER) und sind im arch. Material zu fassen (Lampen, pompeianische Wandbilder).

J. BAZANT, E. SIMON, s. v. E., LIMC 3.1, 680–683. F. G.

Ecloga. Varro (bei Char. p. 154 B.) gebraucht das Fremdwort in seiner eigentlichen Bedeutung (»Auswahl«). Die Bedeutungsentwicklung hin zum Sprachgebrauch seit dem Ende des 1. Jh. n. Chr. ist unklar: *E.* kann einzelne lyrische Gedichte (Stat. silv. 3, pr. 23 = 3,5; 4, pr. 21 = 4,8, ähnlich später Auson. 8 PEIPER), im Plural die betreffende Slg. bezeichnen (Plin. epist. 4,14,9); der Terminus wird angewandt bes. auf → Horatius (Suet. vita: epist. 2,1; Sidon. epist. 9,13,2, v. 12: carm., Auson. 16 praef.: 3,19; bei Grammatikern auch für Hor. epod. und sat.) und die *bucolica* des → Vergilius (zuerst Suet. vita), wodurch das Weiterleben des Titels in der → Bukolik garantiert ist.

ThlL 5,2,48. P. L. S.

Edelsteine. Im griech. Raum haben arch. Funde zwar Schmuck, nicht aber E. ergeben. Diese lassen sich erst seit dem 5. Jh. nachweisen. Mineralogische Kenntnisse gab es im Alt. kaum. Platon (polit. 303e) hält z. B. den Diamanten für einen Bestandteil des Goldes. Namen der E. wie ἀδάμας (*adámas*, »der Unbezwingliche«), ἀμέθυστος (*améthystos*, »der nicht trunken Machende«) oder ὀφίτης (*ophítēs*, »der Schlangen Abwehrende«) lassen die ihnen zugeschriebene magische Wirkung erkennen. Theophrastos ist Verf. der ersten wiss. Schrift Περὶ λίθων (*Perí líthōn*, ›Über Steine‹ [1]); Plinius (nat. 37) ist eine Fundgrube. Die ps.-wiss. griech. Steinbücher (→ *lithiká*) waren beliebt, auch als Lehrgedicht, z. B. von Orpheus (774 Hexameter) [2], und waren bes. lat. als Lapidarien im MA verbreitet (vgl. Thomas von Cantimpré B. 14). E. wie der Kristall begegnen auch in der Lithomantie (→ Divination). Neben der Verwendung als → Amulette, z. B. gegen Verzauberung, waren in der röm. Kaiserzeit zu Pulver zerriebene Steine und E. Bestandteile von Medikamenten wie bei Dioskurides (5,123–150 [3. 91–103] bzw. 5,140–168 [4. 543–554]). Ant. Gemmen und Kameen (→ Steinschneidekunst) dienten als → Schmuck und wurden im MA magisch verwendet, vgl. Thomas von Cantimpré, 14,69–70 [5. 370–373].

1 D. E. EICHHOLZ (Hrsg.), Theophrastus. De lapidibus, 1965 2 R. HALLEUX, J. SCHAMP (Hrsg.), Les lapidaires grecs, 1985 3 WELLMANN 3 4 BERENDES 5 H. BOESE (ed.), Thomas Cantimpratensis, Liber de natura rerum, 1973. C.HÜ.

Edessa (Ἔδεσσα).

[1] Zentralmaked. Stadt am östl. Eingang des Kara-Burun-Passes von Nieder- nach Obermaked., h. Edessa, ehedem Vodena. Zuvor sah man in E. fälschlich die alte maked. Residenzstadt → Aigai [1]. Erstmals erwähnt zum J. 217 v. Chr. (Pol. 5,97), muß E. jedoch viel älter sein. Eine Tradition führte die Nachbargemeinde Euboia auf Heimkehrer aus dem Troianischen Krieg zurück (Strab. 10,1,15), bedeutsamer ist evtl. die Übertragung des Namens E. auf die frühe seleukidische Gründung in Syrien (h. Şanliurfa). Im 3. Jh. war E. eine Station auf der Reiseroute delphischer *theōroí* [1]; bis 167 v. Chr. war E. so bed. wie Beroia [1] und Pella, mit denen zusammen E. der *Macedonia III* eingegliedert wurde. Durch E. führte die *via Egnatia* (Pol. 34,12,7), was die Bed. des Ortes innerhalb der röm. Prov. garantierte: Hier entstand ein *conventus* röm. Geschäftsleute, Inschr. weisen viele röm. Namen auf; hier finden auch sich die frühesten christl. Inschr. in Makedonia (2.–3 Jh. n. Chr.) [2. 1–54]. MA. ER.

In byz. Zeit wird E. u. a. im Itin. Anton. (319, 3; 330), im Itin. Burdig. (606,4), in der Tab. Peut. (7,1 WEBER) sowie bei Hierokles (638,8) und Konstantinos Porphyrogennetos (de thematibus 88 PERTUSI) als zur Ἐπαρχία Μακεδονίας πρώτης gehörig ewähnt. Eine christl. Gemeinde ist durch Inschr. seit dem 3. Jh. belegt [2. Nr. 1–54], Bischöfe sind nachweisbar durch eine Grabinschr. des 5./6. Jh. [2. Nr. 2] und beim Konzil in

Konstantinopel 692 ([3. 152 Nr. 64] vgl. [3. 214, 222, 230]). 479 wurde E. durch Theoderich erobert; seit dem 6. Jh. erfolgte die Einwanderung von Slaven. Die Festungsbauten von Βοδινά (Beschreibung und erstmalige Erwähnung dieses vom slav. *voda* abgeleiteten Namen bei Skylitzes 345,20–23 THURN) zeugen von der strategischen Bed. im 10.–14. Jh.   E. W.

1 A. PLASSART, Liste delphique des théorodoques, in: BCH 45, 1921, 17,III,60 2 D. FEISSEL, Recueil des inscriptions chrétiennes de Macédoine du IIIᵉ au VIᵉ siècle, 1983 3 H. OHME, Das Concilium Quinisextum und seine Bischofsliste, 1990.

DHGE 14, 1420f. · LAUFFER, Griechenland, 205–207 · LMA 3, 1565–1567 · F. PAPAZOGLOU, Les villes de Macédoine, 1988, 127–131 · A. B. TATAKI, Macedonian E., in: Meletemata 18, 1994.   MA. ER. u. E. W.

[2] (Urfa). Nordmesopot. Stadt im Quellgebiet des Nahr al-Baliḫ, befindet sich unter dem Namen (Şanlı) Urfa h. auf dem Gebiet der Türkei an der Grenze zu Syrien. Der vorgriech. Name von E., Urhai, gräzisiert Ὀρρόη, wurde als Orrhoëne oder Osroëne in hell. Zeit Landschafts- und Staatsbezeichnung, während nach der Neugründung der Ortes durch → Alexandros [4] d.Gr., (331 v. Chr.) oder → Seleukos I. (304 v. Chr.) die maked. Stadt E. [1] Namensgeberin wurde. Seit ca. 132 v. Chr. war E. Hauptstadt des osroënisch-arab. Reiches der Abgariden, das sich bis in das 3. Jh. n. Chr. zw. den Machtblöcken des röm. und des parth.-sāsānidischen Reiches relative Unabhängigkeit bewahren konnte. In E. existierten Kulte syr.-mesopot. Gottheiten (Atargatis, Nabu, Bel), bis durch die Konversion → Abgars IX. (179–214) das Christentum Staatsreligion wurde. E. entwickelte sich rasch zu einem Zentrum christl. Gelehrsamkeit, wobei Sprache und Schrift von E. die Lit. und Liturgie der syr. Kirche entscheidend prägten. In byz. Zeit diente E. als Bollwerk gegen die Westexpansion der Sāsāniden, bevor es 639 n. Chr. von den Muslimen eingenommen wurde.

E. MEYER, s. v. E., RE 5, 1933–1938.   T. L.

[3] s. Bambyke

Edessenische Chronik. Lokale, ca. 540 n. Chr. verfaßte syr. Chronik, basierend auf edessenischen Archiven. Beginn und Schluß des Werks bestehen aus einer Schilderung örtlicher Überschwemmungen. Die erste (November 201) enthält informative Details zur Top. der Region (→ Edessa [2]); erwähnt wird darüber hinaus eine christl. Kirche. Lediglich acht der zumeist sehr kurz gefaßten 104 erh. Stichworte lassen sich auf die Zeit vor dem 4. Jh. zurückdatieren. Vorherrschendes Thema sind Bischofsernennungen, daneben werden auch Kriege, Steuern, Bautätigkeiten und Naturkatastrophen behandelt. Das späteste erwähnte Datum ist das J. 540. Einige spätere syr. Chroniken benutzen eine verlorene frühere Fassung der E.Ch. Der Begriff »Edessenische Chronik«

wird bisweilen mit einer anonymen Chronik über die Jahre 497–506/7 verwechselt, die man in die Chronik des → [Ps.]-Dionysios [23] von Tell-Maḥrē einfügte.

ED.: I. GUIDI (CSCO III,4, 1903 (mit lat. Übers.). LIT.: L. HALLIER, Unters. über die E.Ch. (Texte und Unters. IX,1, 1892; mit dt. Übers.) · I. ORTIZ DE URBINA, Patrologia Syriaca ²1965, 206 · W. WITAKOWSKI, Chronicles of Edessa, in: Orientalia Suecana 33/35 1984/5, 487–498 · S. P. BROCK, in: Studies in Syriac Christianity, 1992, 3 f.   S. BR./Ü: S. Z.

Edetani. Iberischer Stamm an der span. Ostküste. Hauptort war Liria, noch h. Liria am Guadalaviar (CIL II p. 509), das Stammesgebiet entsprach etwa dem Hinterland von Valencia und Saguntum ([1. 111]). SCHULTEN [2. 326] bezeichnet sie als Bewohner der Prov. Teruel weiter nördl. Die Lage läßt sich aus der ihres Hauptorts und anderen Quellen erschließen (vgl. auch [3. 58]: *Edeta[nia]*). Die E. werden für 209 und 141 v. Chr. erwähnt: Pol. 10,34,2 (Lesart unsicher); App. Ib. 330f. (hier ist statt *Sedetania* zweifellos *Edetania* zu lesen, eine häufige Verwechslung; vgl. [4. 40]), außerdem in einigen Inschr.: CIL II 3786, 3793, 3874(?), 4251 (= ILS 2711), in der sonstigen Lit. selten (Strab. 3,4,1; 12; 14; Plin. nat. 3,20; Ptol. 2,6,15). Der Name ist wohl abgeleitet vom PN *Edeco, Edesco* [2. 235,4] und wahrscheinlich iberisch ([5] *Ed-ec-o*).

1 H. SIMON, Roms Kriege in Spanien, 1962 2 A. SCHULTEN, Numantia 1, 1914 3 Enciclopedia Universal Ilustrada 19 4 Fontes Hispaniae Antiquae 4, 1937, 40 5 HOLDER, 1.

J. UROZ SAEZ, La regio Edetania en la época ibérica, 1983 · TOVAR, 3, 1989, 32–34.   P. B.

Edfu (ägypt. *Ḏbȝ*; griech. Ἀπολλωνόσπολις μεγάλη). Stadt auf dem Westufer des Nils im Süden Oberägytens an der Mündung wichtiger Karawanenstraßen zum Roten Meer und zu Goldminen der Ostwüste; Hauptstadt des zweiten oberägyptischen Gaues. Der Tempel des Horus aus ptolem. Zeit (gebaut von Ptolemaios III.-XII.) ist hervorragend erh. und mit reichem Bild- und Textschmuck eine Hauptquelle für die Religion des späten Ägypten [1; 2].

1 Le temple d'Edfou I–XV, 1897–1985 2 D. KURTH, Treffpunkt der Götter, 1994 3 B. PORTER, R. MOSS, Topographical Bibliography V, 1937, 200–205.   S. S.

Edictum
[1] *E.* (von *edicere*) ist eine verbindliche öffentliche Ankündigung röm. Amtsträger (→ *magistratus*), worin entweder konkrete Anordnungen gegeben wurden oder ein »Regierungsprogramm« [1. 58] für die kommende Amtsperiode. Das Wort läßt an eine urspr. mündliche Verkündung denken [2. 178], die histor. belegte Form aber ist die Aufzeichnung auf dem → *album* (»weiße Holztafel«) am Amtssitz des Magistrats. Die lit. Überlieferung nennt Edikte der → *consules*, → *aediles*, → *praetores*, Provinzstatthalter, → *tribuni plebis*, → *censores*, aber

auch der Kaiser. Ob sich die Berechtigung, *e.* zu erlassen, aus einem speziellen *ius edicendi* ergab, wovon Gaius (inst 1,2; 6) spricht, oder automatisch aus der jeweiligen Zuständigkeit, ist nicht klar zu erkennen [2. 180]. Das *e.* war kein Gesetz im formellen Sinne (→ *lex*); dennoch wurde vor allem das *e.* des Prätors die Grundlage des Rechtslebens, mitgestaltet von den die Amtsträger beratenden Juristen und Objekt ihrer Interpretation in den *libri ad edictum* (→ *edictum* [2] *perpetuum*). Da das *e.* meist vom Vorgänger übernommen wurde, ist es kaum möglich, konkrete Regelungen auf bestimmte Amtsträger zurückzuführen. Eine der seltenen Ausnahmen ist der von Cic. off. 3,58–60 geschilderte Fall, der C. Aquilius Gallus zur Einführung eines *iudicium de dolo* (Rechtsbehelf wegen arglistigen Verhaltens) veranlaßt haben soll. Die *e.* der Gerichtsmagistrate sind nicht inschr. überliefert. Versuche, sie aus den Ediktskomm. der Juristen und den Schriften Ciceros zu rekonstruieren, reichen in das 16. Jh. zurück. Die immer noch grundlegende Rekonstruktion stammt von LENEL [3].

1 L. WENGER, Die Quellen des röm. Rechts, 1953 2 W. KUNKEL, R. WITTMANN, Staatsordnung und Staatspraxis der röm. Republik, 2, 1995 3 O. LENEL, Das e. perpetuum, ³1927.   R. WI.

[2] E. perpetuum. Unter den verschiedenen Bedeutungen des *e.p.* ragen im prozessualen Kontext die der sog. Iurisdiktionsedikte hervor. In ihnen proponierte der iurisdiktionsbefugte Magistrat zu Beginn seiner Amtszeit diejenigen Regeln, nach denen er seine Rechtssprechung für die Dauer seines Amtes – daher *perpetuum* – durchzuführen und zu gestalten gedachte, Dig. 1,2,2,10. Seine Funktion bestand laut Papinian, Dig. 1,1,7,1, in der Vervollständigung, Verdeutlichung und Korrektur des *ius civile*. Aufgrund vorher wohl eingetretener Mißstände band eine *lex Cornelia* aus dem Jahr 67 v. Chr. den Ediktsverfasser an seine eigenen Vorgaben. Bestandteile dieser wohl unter Hadrian als *de iure* unveränderbar festgelegten Rechtsmasse, *ius honorarium*, sind vornehmlich die Prozeßformeln, d.h. Rechtsschutzverheißungen, die die Tatbestandsvoraussetzungen der einzelnen Klagen festlegen. Weitere (materiell- und) verfahrensrechtliche Bestimmungen sind etwa die Prozeßeinleitung, *exceptiones*, *interdicta*, Besitzeinweisungen, Zubilligungen von Quasi-Erbrechten (*bonorum possessio*), *in integrum restitutio*, Rechtshilfen, etc. Mangelnde Präzisierung konnte der Magistrat außer durch die Gewährung analoger Klagen (*actiones utiles* oder *in factum*) durch den Vorbehalt einer Einzelfallprüfung auffangen (*causae cognitio*).
→ Formula; Cognitio

A. GUARINO, Le ragioni del giurista . . ., 1983, 265 ff. · M. KASER, Ius honorarium und ius civile, in: ZRG 101, 1984, 1–114 · W. SELB, Das prätorische Edikt: Vom rechtspolit. Programm zur Norm, in: FS M. Kaser, 1986, 259–272 · Ders., La fonction originale de l'édit du préteur . . ., in: IURA 36, 1985, 115–118.   C. PA.

[3] E. Diocletiani. Das inschr. überlieferte Preisedikt des Diocletianus (*ED*) war zusammen mit der Neuordnung des Steuerwesens und zwei Münzedikten Teil einer umfassenden Verwaltungs- und Finanzreform, deren vorrangiges Ziel die gesicherte Versorgung des röm. Heeres war. Die Bezeichnung »Edikt« wird seit MOMMSEN von der Wendung *dicunt* in der *praefatio* (praef. 4) abgeleitet; im Text selbst werden die Begriffe *lex* (praef. 15) oder *statutum* (praef. 15; 18; 19; 20) gebraucht. Die einzige lit. Erwähnung des *ED* findet sich bei Lactanz (mort. pers. 7,6 f); die bislang gefundenen ca. 150 Fr. des lat. Textes und verschiedener griech. Übersetzungen stammen wohl sämtlich aus dem Osten des Imperium Romanum; dies spricht aber nicht dagegen, daß das Gesetz reichsweit Geltung hatte (vgl. praef. 16; 20). Erlassen wurde das *ED* zwischen dem 21.11. und dem 31.12.301 (*trib. pot. XVIII* des Diocletianus, gezählt ab 20.11.284) im Namen der beiden *augusti* C. Aurelius Valerius Diocletianus und M. Aurelius Valerius Maximianus sowie der *caesares* Flavius Valerius Constantius und Galerius Valerius Maximianus. Damit ergibt sich zeitlich wie inhaltlich ein direkter Zusammenhang mit dem zweiten Münzedikt, das nach [11] am 1.9.301 in Kraft trat. Die verfügte Verdoppelung des Nominalwertes von → *nummus* und → *argenteus* bewirkte wahrscheinlich ein allgemeines Steigen der Preise, auf das kurzfristig reagiert werden mußte.

Das *ED* besteht aus einer *praefatio* und einem Verzeichnis von Nahrungsmitteln, Waren und Dienstleistungen mit Angabe von bisher mehr als tausend Höchstpreisen in Denaren. Die *praefatio* nennt Anlaß und Intention des *ED*: Mit der Festsetzung von Höchstpreisen sollte die *avaritia* von Händlern und Gewerbetreibenden bekämpft werden, die auf dem Markt teilweise das Achtfache des üblichen Preises forderten. Davon waren v. a. die Soldaten betroffen, die für den Kauf weniger Lebensmittel und anderer Waren oft einen erheblichen Teil ihres Jahressoldes ausgeben mußten. Das Edikt drohte bei Überschreitung, bei gesetzwidrigen Absprachen zwischen Käufern und Verkäufern sowie bei Hortung von Waren die Todesstrafe an.

Das in dieser Ausführlichkeit bis dahin einmalige Verzeichnis von Waren (mit bis zu drei Qualitätsstufen sowie einer Unterscheidung von neuen und gebrauchten Gegenständen) und Dienstleistungen folgt keiner strengen Systematik. Es führt zunächst Nahrungsmittel auf, nennt dann Löhne von Landarbeitern, Handwerkern und Lehrern, außerdem Preise für Rohmaterialien und Handwerkserzeugnisse (wobei Textilien einen großen Raum einnehmen) sowie für Transportleistungen. Einen Anhaltspunkt für eine Beurteilung der Preise im *ED* bieten die Angaben für Gold (1 Pfund = 72 000 Denare) und für Silber (1 Pfund = 6 000 Denare); damit ist auch für Gold und Silber eine Relation von 12:1 gesichert. Nach Lactanz (mort. pers. 7,7) verschwanden als Reaktion auf das *ED* die Waren vom Markt; nach kurzer Zeit mußte das *ED* außer Kraft gesetzt werden. Neuere Forschungen lassen vermuten, daß es Diocletianus aber gelungen war, den Preisanstieg zu bremsen.

Die Festsetzung von Höchstpreisen war keine grundlegende Neuerung; so gab es in Athen Preiskontrollen für Getreide (Aristot. Ath. pol. 51,3), und röm. Magistrate haben in Zeiten der Getreideknappheit für einzelne Städte Höchstpreise für Getreide festgelegt (Edikt des Antistius Rusticus, AE 1925, 126). Auch nach Diocletianus wurde vereinzelt versucht, Versorgungsschwierigkeiten kurzfristig mit Preisedikten zu begegnen (vgl. für Antiocheia 362 n. Chr. etwa Iul. mis. 368–369; Lib. or. 1,126; Amm. 22,14,1).

→ Diocletianus; Preis; Preiskontrolle

ED.: 1 TH. MOMMSEN, H. BLÜMNER, Der Maximaltarif des Diokletian, ²1958 2 S. LAUFFER, Diokletians Preisedikt, 1971 3 M. GIACCHERO, Edictum Diocletiani et Collegarum de pretiis rerum venalium in integrum fere restitutum e Latinis Graecisque Fragmentis, 1974 ·
NEUFUNDE NACH 1974: 4 M.H. CRAWFORD, J. REYNOLDS, The Publication of the Prices Edict: a New Inscription from Aezani, in: JRS 65, 1975, 160–163 5 M.H. CRAWFORD, J. REYNOLDS u.a., The Aeziani Copy of the Prices Edict, in: ZPE 26, 1977, 125–151 6 Dies., in: ZPE 34, 1979, 163–210 7 J. REYNOLDS, Diocletian's Edict on Maximum Prices: The Chapter on Wool, in: ZPE 42, 1981, 283f. 8 A. CHANIOTIS, G. PREUSS, Neue Fragmente des Preisedikts von Diokletian und weitere lat. Inschr. aus Kreta, in: ZPE 80, 1990, 189–193.

LIT.: 9 H. BLÜMNER, s. v. e.D., RE 5, 1948–1957 10 H. BÖHNKE, Ist Diokletians Geldpolitik gescheitert?, in: ZPE 100, 1994, 473–483 11 K. T. ERIM, J. REYNOLDS, M. CRAWFORD, Diocletian's Currency Reform. A New Inscription, in: JRS 61, 1971, 171–177 12 P. HERZ, Studien zur röm. Wirtschaftsgesetzgebung. Die Lebensmittelversorgung, 1988, 208–220 13 G. u. W. LEINER, Kleinmünzen und ihre Werte nach dem Preisedikt Diokletians, in: Historia 29, 1980, 219–241 14 K.L. NOETHLICHS, Spätant. Wirtschaftspolitik und Adaeratio, in: Historia 34, 1985, 102–116. K.L.N.

[4] E. Theodorici. Ein Gesetz aus der Zeit der Germanenreiche auf dem Boden des weström. Reiches. Herkömmlich wird der Ostgotenkönig Theoderich d.Gr. als der Herrscher angegeben, unter dem das *E. T.* promulgiert worden ist. Die Versuche, das *E. T.* anderen Königen, insbesondere dem Westgotenkönig Theoderich II. (453–466), zuzuweisen [1], müssen als gescheitert angesehen werden. Hauptanlaß für den immer wieder geäußerten Zweifel an der Herkunft aus dem Ostgotenreich ist die Tatsache, daß Iustinian in der *pragmatica sanctio* von 554, mit der das *corpus iuris* in Italien in Kraft gesetzt wurde, das *E. T.* (als aufzuhebendes Gesetz) nicht erwähnt. Vor allem der Stil von Prolog und Epilog spricht für eine Entstehung in der königlichen Kanzlei von Ravenna [2. 191].

Inhaltliche Grundlage des *E. T.* ist das röm. Vulgarrecht. Hauptquellen sind der *Codex Theodosianus* und die dazugehörenden *Novellae* bis Maiorianus, ferner die *Pauli sententiae* mit der *Interpretatio* dazu. Außerdem sind die vortheodosianischen Sammlungen des Kaiserrechts (→ *codex*) und die *Responsa* des → Paulus benutzt, hingegen nicht die in der Spätant. sonst so verbreiteten *In-*

stitutiones des Gaius. Eine sinnvolle inhaltliche Ordnung weist das *E. T.* nicht auf, es bleibt aber wegen des maßvollen Umfangs (154 *capita* = Einzelvorschriften) und eines vorangestellten Indexes praktisch handhabbar. Das *E. T.* enthält Vorschriften des (öffentlichen und privaten) Strafrechts, des Verfahrensrechts und – freilich sehr lückenhaft – des privaten Personen- und Vermögensrechts. Die Dürftigkeit dieser Regelungen spiegelt das »Personalitätsprinzip« im ostgotischen Reich wider: Für jede Volksgruppe galt das ihm eigene überkommene Recht. Das *E. T.* stellt nach LIEBS [2. 194] das von Theoderich d.Gr. ›seinen Goten verordnete Minimum röm. Rechtskultur‹ dar.

1 G. VISMARA, E. Theodorici, Ius Romanum Medii Aevi I 2 b aa, 1967 2 D. LIEBS, Die Jurisprudenz im spätant. Italien, 1987.

G. MELILLO, A. PALMA, C. PENNACCHIO, Lessico dell' »E. Theodorici Regis«, 1990 (Vorwort von A. MAZZACANE) · H.J. BECKER, E. Theodorici, in: A. ERLER, E. KAUFMANN (Hrsg.), Handwörterbuch zur Dt. Rechtsgesch., Bd. 1, 1971, 801–803. G.S.

Editio. Der von dem Verb *edere* (»vorlegen, vorzeigen, bekanntmachen«) abgeleitete Begriff *e.* hat im juristischen Sprachgebrauch mehrere Bedeutungen:

(1) Die *e. actionis* (Dig. 2,13) bezeichnet die für die Rechtshängigkeit eines Prozesses im Formularverfahren erforderliche Bekanntmachung des Klägers gegenüber dem Beklagten, welche Klage(-formel) er gegen ihn anzustrengen gedenkt; sofern der Beklagte diese Formel annimmt (*accipere iudicium*), ist damit zugleich die → *litis contestatio* (Streitbezeugung) zustandegekommen. Lange Zeit herrschte in der modernen Forsch. die Ansicht vor, die *e. actionis* habe in zwei Stufen zu erfolgen, nämlich erstens außergerichtlich als bloßer Hinweis der Parteien untereinander, und zweitens vor dem Gerichtsmagistrat (*in iure*) als verbindliche Festlegung des erstrebten Prozeßprogramms – eine Ansicht, für die sich kaum Quellenbelege anführen lassen. Heute bahnt sich ein anderes Verständnis der Streitentwicklung bis hin zum Verfahren vor dem Magistrat (*in iure*) an. Demzufolge ist die Mitwirkung des (ohnedies viel beschäftigten) Magistrats wesentlich geringer als früher angenommen und damit auch die allg. Formalisierung des gesamten Vorgehens. Die *e.* ist danach Vorgang wie auch Ergebnis der Information des Gegners über die vom Kläger gegen ihn angestrebte Klage.

Die Notwendigkeit einer solchen Information bezeichnet Ulpianus als *aequissimum* (Dig. 2,13,1 pr.), damit der prospektive Beklagte sein weiteres Vorgehen bzw. seine Verteidigung danach ausrichten konnte. Die Information war nicht formgebunden – sie konnte schriftlich oder mündlich (etwa durch Diktat oder beim gemeinsamen Betrachten des Edikts) erfolgen (Dig. 2,13,1,1). Die *e.* mußte nicht vor dem Magistrat ein zweites Mal wiederholt werden; doch war der Gegner nicht zur stummen Entgegennahme der Information genötigt. Er konnte vielmehr in der beispielhaft von

Cic. part. 99 f. berichteten Art seine Gegenvorstellungen und damit die von ihm für richtig gehaltenen Korrekturen (z. B. andere Klageart) und Ergänzungen (z. B. → *exceptiones*) entgegenhalten. Nicht ganz unähnlich den Vertragsverhandlungen wurde auf diese Weise im Wege privater Interaktion die schließlich das Prozeßprogramm festlegende *e.* herausgearbeitet. Die pompejanischen Prozeßurkunden zeigen, daß hierbei durchaus mit psychologischem Druck gearbeitet wurde, indem man den Ort der Verhandlung ganz in die Nähe des Magistratssitzes verlegte, um im Falle eines Scheiterns sofort zu diesem gehen zu können. Kam es zu einer einverständlich erzielten *litis contestatio*, beschränkte sich der Beitrag des Magistrats im wesentlichen auf die Richterbestellung bzw. -bestätigung sowie dessen Ermächtigung zur Entscheidung.

In strittigen Fällen konnte der Magistrat dagegen stärker beteiligt sein, wobei er mit der Verweigerung der Klage (*denegatio actionis*) ein effektives Druckmittel in der Hand hatte. Der Umfang der *e.* betrifft nicht nur die Formel, sondern auch die *instrumenta*, d. h. Beweismittel (Urkunden, Zeugenvernehmungen), die im Verfahren vor dem Richter benutzt werden sollen (Dig. 2,13,1,3; dies wurde früher als eine eigenständige Kategorie der *e.* aufgefaßt). Die gegenseitige Verständigung der prospektiven Prozeßparteien ging also so weit, daß auch die Beweislage offengelegt werden mußte. Sanktion dieser wie auch der Pflicht zur Formelfestlegung war die Präklusion der nicht vorgetragenen Beweise oder auch Klagealternativen im nachfolgenden Prozeß. Diese Regelung macht verständlich, daß für die *e.* juristischer Beistand höchst bedeutsam, in schwierigen Fällen gar unabdingbar war, daß dagegen für den Verfahrensabschnitt vor dem Richter Rhetoren auftreten konnten; denn dort war der juristische Rahmen wie ein Korsett bereits vorgegeben. Im Kognitionsverfahren (→ *cognitio*) wurde diese *e.* noch lange Zeit beibehalten.

(2) Im strafrechtlichen Quaestionenverfahren konnte der Ankläger bisweilen die Richter mittels einer *e.* genannten Auswahl bestimmen; dem Angeklagten stand dagegen ein beschränktes Ablehnungsrecht (*reiectio*) zu.
→ Libellus

A. BÜRGE, Zum Edikt De edendo, in: ZRG 112, 1995, 1–50 • G. JAHR, Litis Contestatio, 1960, 165–206 • W. KUNKEL, Quaestio, in: KS, 1974, 69–73 • M. WLASSAK, Die klass. Prozeßformel, 1924, 72 • J. G. WOLF, Die Streitbeilegung zwischen L. Faenius Eumenes und C. Sulpicius Faustus, in: Stud. Sanfilippo VI, 1985, 771–788.
　　　　　　　　　　　　　　　　　　　　　　C. PA.

Edobicus. Franke, *mag. militum* → Constantinus' [3] III. Befreite diesen 407 n. Chr. aus Valentia. E. versuchte, Germanen als Bundesgenossen zu gewinnen. Beim Versuch, den in Arelate belagerten Usurpator zu entsetzen, wurde er 411 von → Constantius [6] III. und Ulfilas geschlagen und auf der Flucht getötet. 　　H. L.

Edom A. HISTORISCHE ENTWICKLUNG BIS ZUM 4. JH.　B. HELLENISTISCHE ZEIT C. BEGRIFF DER RABBINISCHEN ÜBERLIEFERUNG

A. HISTORISCHE ENTWICKLUNG BIS ZUM 4. JH.

»Das Rote«, primär Name des Berglandes östl. des Wādī al-ʿArabā und erst sekundär seiner Bevölkerung. Unter Merenptah wird von der Aufnahme von ›Schasu‹ (Šʒśw) von E.‹ in Ägypten berichtet (ANET 259). Deren Seßhaftwerdung begann im 12./11. Jh. v. Chr. von Norden her und erreichte im 8.–6. Jh. v. Chr. ihren Höhepunkt. Der Esau-Jakob-Zyklus (Gn 25*, 27*, 32–33) bezeugt zumindest aus israelitischer Sicht eine bes. Verbundenheit mit E. David errang eine begrenzte Suprematie (2 Sam 8,13 f.). Salomo und Joschafat nutzten den Hafen Ezjon-Geber (Ğazīrat Faraʿūn) für Handel mit Ofir (1 Kg 9,26–28; 22,48–50). Erst unter Joram entwickelt sich E. Mitte des 9. Jh. zum unabhängigen Stammesfürstentum (2 Kg 8,20–22) und im 8. Jh. v. Chr. zum Staat mit der Hauptstadt Boṣrā. Gegenüber Tiglatpileser III., Sanherib, Asarhaddon und Assurbanipal sind Qausmalak, Ḥairām und Qausgabar als Tributäre bezeugt. Während Juda unter assyr. Druck litt, war E. stiller Gewinner. Die E.-Feindschaft der exilisch-nachexilischen Prophetie Judas gründet in dessen Besetzung des judäischen Südens (Ez 35,10; 12), die in Ostraka mit PN mit theophorem Element des edomit. Nationalgottes Qaus (»Bogen«), einer Gestalt des syr.-arab. → Wettergottes, ihren Niederschlag fand. Nabonid setzte 552 der Selbständigkeit E.s ein Ende. Anfang des 5. Jh. v. Chr. übernahmen zugewanderte arab. Qedar und die aus ihnen hervorgehenden Nabatäer die Macht über das Kernland, und im Negev entstand Anfang des 4. Jh. v. Chr. die Eparchie Idumaea.
→ Edomitisch; Idumaea; Nabatäer

J. R. BARTLETT, E. and the Edomites, 1989 • P. BIENKOWSKI (Hrsg.), Early Edom and Moab, 1992 • E. A. KNAUF, Supplementa Ismaelitica, in: Biblische Notizen 45, 1988, 62–81 • M. WEIPPERT, s. v. E., TRE 9, 291–299. 　　K. B.

B. HELLENISTISCHE ZEIT

E., das Gebiet des Volkstammes der Edomiter bzw. – so der Name in hell. Zeit – Idumäer, erstreckte sich in biblischer Zeit zunächst auf das östl. der ʿArabā-Senke gelegene Gebirge Śəʿir; aufgrund der Expansion der → Nabatäer kam es aber wohl gegen E. des 4. Jh. v. Chr. zu einer Verlagerung des edomitischen Siedlungsterritoriums in den Negev bis hin nach Hebron, Bet-Ṣur und Mārešā. Nach der Unterwerfung dieses Gebietes durch Iohannes Hyrkanos (135/4–104 v. Chr.) führte dieser unter seinen Bewohnern eine Judaisierung durch, bei der er ihnen die Beschneidung und das jüd. Gesetz aufzwang (Ios. ant. Iud. 13,257 f.; 15,254). Während des 1. Jüd. Krieges kämpften idumäische Truppen an der Seite der Zeloten (Ios. bell. Iud. 4,224 ff.).

C. Begriff der rabbinischen Überlieferung

Nach dem Untergang des histor. E. als Folge des 1. Jüd. Krieges (66–70) wird der Begriff in der rabbinischen Überlieferung zum Decknamen für das Röm. Reich und zur Projektionsfigur für die Unterdrückung und Demütigung, die das Judentum durch dieses zu erleiden hatte. Neben der lautlichen und schriflichen Ähnlichkeit (vgl. hebr. Daleth und Reš) und den eindeutig negativen biblischen Aussagen über E. (s. u. a. Jes 34; Jer 49,7–22; Ez 35; Mal 1,2–5) scheint hier die Tatsache ein Rolle gespielt zu haben, daß Herodes, dessen Königtum ganz auf der Macht Roms basierte, Idumäer war. Die Gleichsetzung von E. und Rom deutet sich bereits in der vorrabbinischen Überlieferung 4 Esra 6,7–19 an, wo Esau den vergehenden Äon und der ihn an der Ferse haltende Jakob (der schon in der biblischen Überlieferung als Stammvater der Edomiter gilt; vgl. Gn 36,1; 9) die unmittelbar darauffolgende Heilszeit repräsentieren. In der rabbinischen Lit. ist die Vorstellung bereits vereinzelt in frühen tannaitischen Texten belegt (→ Tannaiten); ab dem Ende des 2. Jh. und in amoräischen Texten ist sie weit verbreitet (→ Amoräer). Nach dem Untergang des Röm. Reiches wurde die Metapher auf das christliche Abendland übertragen.

→ Herodes

F. Avemarie, Esaus Hände, Jakobs Stimme, in: R. Feldmeier, U. Heckel, M. Hengel, Juden, Christen und das Problem des Fremden, WUNT 70, 1994, 177–210 • H. Donner, Gesch. des Volkes Israel und seiner Nachbarn in Grundzügen, 2 Bde., ATD Ergänzungsreihe 4/1.2, 1984, Index s. v. E. • A. Kasher, Jews, Idumaeans, and Ancient Arabs. Relations of the Jews in Eretz-Israel with the Nations of the Frontier and the Desert during the Hellenistic and Roman Era (332 BCE – 70 CE), Texte und Stud. zum Ant. Judentum 18, 1988 (Lit.). B. E.

Edomitisch. Bezeichnung der Sprache der Bewohner des Landes → Edom (→ Idumaea) südöstl. des Toten Meeres. Das E. ist zw. → Phönikisch und → Hebräisch einzuordnen. Es ist durch einige wenige Ostraka- und Siegelinschr. (7./6. Jh. v. Chr.) bezeugt.

→ Bersabe; Kanaanäisch

W. R. Garr, Dialect Geography of Syria-Palestine, 1985 • L. Herr, The Scripts of Ancient Northwestsemitic Seals, 1978. C. K.

Edones (Ἠδωνοί, Ἠδῶνες). Thrak. Stamm am Unterlauf des Strymon und am Pangaion. Ihr Gebiet war reich an Bergwerken und Wäldern und daher sehr umkämpft. Die E. sind vom 6. bis 4. Jh. v. Chr. bezeugt. Sie wurden beim ersten Europa-Feldzug des Megabazos unterworfen. Der milesische Tyrann Histiaios erhielt von Dareios die Ortschaft Myrkinos, wo er eine Stadt errichten ließ (Hdt. 5,11; 23; 124). Sein Schwiegersohn Aristagoras [1] fiel beim Versuch, die Umgebung von Myrkinos zu sichern, im Kampf gegen die E. (Hdt. 5,126; Thuk. 4,102,2). Auch Xerxes zog durch das Land der E. (Hdt. 7,110; 114). Vom Anf. 5. Jh. v. Chr. stammen die münz-

gesch. höchst interessanten Mz. des edon. Königs Geta. 475 der erste erfolglose Versuch der Athener, Amphipolis im Gebiet der E. zu gründen; der zweite unter Hagnon 465/4 endete mit einer Niederlage der Athener bei → Drabeskos (Thuk. 1,100,3); vielleicht ist auch die Nachricht bei Herodot (9,75) über den athen. Feldherrn Sophanes, der von den E. bei → Daton getötet wurde, hier einzuordnen. Die Gründung von Amphipolis gelang erst 437 v. Chr. Alexandros [2] annektierte den Westen des edon. Gebiets (Thuk. 2,99). Trotz att. Kolonisation besaß das edon. Herrscherhaus bis zum Peloponnesis. Krieg die Kontrolle über das Hinterland. Sparta versuchte Pittakos, den mit Athen sympathisierenden König der E., als Bundesgenossen zu gewinnen; dieser fiel jedoch einer Hofintrige zum Opfer (Thuk. 4,107). Zum letzten Mal finden die E. lit. Erwähnung, als → Brasidas 422 v. Chr. mit 1500 thrak. und edon. Söldnern gegen Kleon bei Amphipolis kämpfte (Thuk. 5,6). In späteren Quellen sind die E. nur in einem myth.-archaisierenden Kontext erwähnt (Ov. rem. 593; met. 11,69). Lebendig blieb jedoch der Landschaftsname Ἠδωνίς (Ptol. 3,12,28; Plin. nat. 4,40).

A. Fol, Političeskata istorija na trakite, 1972, 89–93, 104–106 • Y. Youroukova, Coins of the Ancient Thracians, 1976. I. v. B.

Educa (Edula, Edusa, Edulia). Römische »Sondergottheit« (→ Indigitamenta), die laut Varro (antiquitates rerum divinarum 114 Cardauns) in der christl. Polemik (Tert. nat. 2,11,8: *Edula*; Aug. civ. 4,34; 6,9) zusammen mit → Potina genannt wurde. Nach Varro bei Non. 151 soll E. (*Edusa*) auf das Essen der Kinder achtgegeben haben. Ihr wurde geopfert, wenn die Kinder erstmals eine Speise zu sich nahmen. Bei Don. Ter. Phorm. 1,1,15 heißt sie *Edulia*. Nach [1] war E. urspr. eine Gentilgottheit.

1 F. Altheim, Röm. Religionsgesch. 1, 1931, 78–79.

B. Cardauns, M. Terentius Varro. Antiquitates rerum divinarum (Komm.), 1976, 206 • G. Radke, Die Götter Altitaliens, 1965, 111. R. B.

Eduma (Ἐδουμά, h. Dūmā). Nach dem Onomasticon des Eusebios (255,74) Ort der Landschaft Akrabattene im Westjordanland südöstl. von Neapolis (Nablūs).

S. Herrmann, Die Operationen Pharao Schoschenks I. im östl. Ephraim, in: Zschr. des dt. Palästina-Vereins 80, 1964, 61, 67 ff. T. L.

Eeriboia (Ἠερίβοια).

[1] Stiefmutter der → Aloaden, die den Ares gefangen hielten. E. jedoch verriet Hermes den Ort des Gefängnisses (Hom. Il. 5,389 f.).

[2] (auch Eriboia/Periboia). Tochter des Alkathoos, Gattin des Telamon und Mutter des → Aias [1] (Pind. I. 6,45; Soph. Ai. 569; Paus. 1,42,2; Apollod. 3,162).

R. B.

Eetion. (Ἠετίων, sprachlich wohl nicht griech. Ursprungs [1]). Name bes. von fremdländischen Heroen.
[1] König der Kilikier im mysischen Thebe (Hom. Il. 1,366). Seine Tochter → Andromache schildert ihrem Mann Hektor, wie Achilleus bei der Eroberung von Thebe ihren Vater E. und ihre sieben Brüder tötete: Ersterem errichtete Achilleus aus Hochachtung ein Denkmal. Die Frau des E. wurde freigekauft, aber später von Artemis getötet (Hom. Il. 6,394–428). Aus der Beute von der Einnahme Thebes stammen das Pferd Pedasos (Hom. Il. 16,152–154), eine Phorminx (Hom. Il. 9,186–188) und eine Wurfscheibe, die Achilleus für den Wettkampf bei den Leichenspielen des Patroklos einsetzt (Hom. Il. 23,826–829). Dem Iliasdichter lagen bei der Schilderung der Einnahme von Thebe wohl bereits Quellen vor ([2]; vgl. Kypria fr. 28 PEG I).

1 KAMPTZ, 135, 372 **2** W. KULLMANN, Die Quellen der Ilias, Hermes ES 14, 1960, 287–291.

P. WATHELET, Dictionnaire des Troyens de l'Iliade, Bd. 1, 1988, 563–569.

[2] Ein Imbrier. Er löste den von Achilleus erbeuteten und nach Lemnos verkauften Priamossohn Lykaon aus und ermöglichte ihm so die Rückkehr nach Troia (Hom. Il. 21,33–43).
[3] Troianer, Vater des Podes, von Hektor hoch geachtet (Hom. Il. 17,575; 590).

P. WATHELET, Dictionnaire des Troyens de l'Iliade, Bd. 1, 1988, 570f.

[4] → Iasion, Sohn des Zeus und der Pleiade Elektra.

PH. WILLIAMS LEHMANN, s. v. Aëtion, LIMC 1.1, 249f.

[5] Eponymos der att. → Eetioneia (Steph. Byz. s. v. Ἠετιώνεια).
[6] Korinther, Vater des Kypselos (Hdt. 1,14; 5,92; Paus. 2,4,4). R.B.

[7] (auch Aëtion). Bildhauer, der für den Arzt Nikias in Milet eine Asklepiosstatue aus Zedernholz schuf, die in einem Epigramm des Theokritos (Anth. Pal. 6,337) gepriesen wird. Für eine Gleichsetzung mit dem Maler → Aëtion reicht nicht aus, daß Plinius (nat. 34,50) diesen auch unter den Bronzekünstlern aufzählt.

LIPPOLD, 322f. · OVERBECK, Nr. 1067, 1083, 1728,2, 1754, 1937–1941, 2055 (Quellen). R.N.

Eetioneia (Ἠετιώνεια, Ἠτιώνεια).
Schmale Halbinsel, die den Haupthafen (*Kántharos*) des Peiraieus nordwestl. begrenzt (Harpokr. s. v. E.). 411 v. Chr. bauen »die 400« die Mauer auf der E. zu einem Fort der Peiraieus-Befestigung (Munichia, → Athenai [1]) aus (Aristot. Ath. pol. 37; Thuk. 8,90–92), dessen Wiederaufbau nach der Schleifung von 404 Bauurkunden von 395/4 bzw. 394/3 v. Chr. auf dem Sockel der hell. E.-Mauer (IG II² 1656, 1657; [1. 28; 3. 21ff. Nr. 1,

2]) bezeugen. 337/6 v. Chr. (in Stein?) erneuert (IG II² 244; [3. 36ff. Nr. 10]). Vor dem E.-Tor mit zwei Rundtürmen [1. 38ff., 145 Abb. 19, 20, 85] lag das Aphrodision (IG II² 1035 Z. 46, 1657; [1. 115f.; 2. 175ff.]). Ein Thiasos (→ Vereinswesen) [Ἐ]τιονιδῶν [4].

1 K.-V. VON EICKSTEDT, Beitr. zur Top. des Piräus, 1991, 34ff. **2** P. FUNKE, Konons Rückkehr nach Athen im Spiegel epigraphischer Zeugnisse, in: ZPE 53, 1983, 149–189 **3** F. G. MAIER, Griech. Mauerbauinschr. I, 1959 **4** A. PAPAGIANNOPOULOS-PALAIOU, Ἀττικαὶ ἐπιγραφαὶ 2. Ὁ ἀρχαιότατος ἐν Ἀττικῇ θίασος [Attikaí epigraphaí 2. Ho archaiótatos en Attikḗ thíasos], in: Polemon 1, 1929, 107f.
H.LO.

Efeu I. BOTANISCH II. RELIGIÖS

I. BOTANISCH

E. (κισσός, ἕλιξ, *hedera*) vertritt die einzige europ. Gattung der Araliaceen. Der dt. Name ist wie auch engl. *ivy* und → Eppich von ahd. *ebihouui* bzw. *eboue* abgeleitet. Plinius (nat. 16,145) unterscheidet infolge Verwechslung mit der bei Theophrastos gen. Zistrose (κίσθος, *kísthos*, h. plant. 6,2,1) eine männliche (*hedera mas*) und eine etwas kleinere weibliche Form (*h. femina*). Auch in seinen weiteren Aussagen zum E. lehnt er sich an Theophrastos an, der wiederum den E. in drei Formen, einer weißen, schwarzen und einer gewundenen (ἕλιξ) vertreten sieht (h. plant. 3,18,6; ebenso Dioskurides 2,179 [1. 248ff.] bzw. 2,210 [2. 254f.]); in Wirklichkeit handelt es sich dabei aber nur um Varietäten von *Hedera helix L.* Die offizinelle Verwendung ist von der angenommenen scharfen, adstringierenden und nervenbetäubenden Wirkung abgeleitet, etwa gegen chronische Kopf- und Wundschmerzen, aber auch gegen Dysenterie. Nach Theophr. h. plant. 3,18,9 und Plin. nat. 16,151 tötet E. durch Saftentzug die Bäume. Die aus seinem Laub hergestellten Kränze waren v. a. allem dem Dionysos (daher die Beinamen κισσεύς, κισσοφόρος, κισσοστέφανος u. a.; [3. 85]) bzw. dem Bacchus (Beinamen *corymbifer* und *racemifer*) geweiht, aber auch Apollon sowie den Göttinnen Aphrodite, Artemis und Athene. Den als Begleiter des Dionysos bei seinen tollen Sprüngen verunglückten → Kissos soll dieser durch Verwandlung in E. von seinen Leiden erlöst haben (Nonn. Dion. 10,401ff.). Pausanias erwähnt ein Fest Κισσοτόμοι für Hebe in Phleius (2,13,4) und eine Ἀθηνᾶ Κισσαία in Epidauros (2,29,1). Efeu war seit der kret.-myk. Zeit ein beliebtes Schmuckmotiv in der Kunst.

1 WELLMANN I **2** Berendes **3** H. BAUMANN, Die griech. Pflanzenwelt, 1982. C.HÜ.

II. RELIGIÖS

E. ist in der griech. und röm. Religion fest → Dionysos und den mit ihm identifizierten Gottheiten zugeordnet (allg. Plut. symp. 3,1, 648B–649F; → Sabazios ebd. 4,6, 671; vgl. Demosth. 18,259f.; der »Judengott«, Plut. ebd.; → Osiris mit schwarzem E.: PGM IV 172–

176). Demnach trug der Gott die Epiklesen Kisseus u.ä. Sind Mänaden und Satyrn mit E. dargestellt [1], ist das E.-Blatt Zeichen der Dionysosmysterien [2; 3]. In den Riten anderer Götter (etwa Hera in Athen, Aphrodite in Theben) konnte E. verboten sein (Plut. qu. R. 112, 290 F).

Analog wurde in Rom E. mit → Liber und den Liberalia verbunden (Varro ling. 6,14), während der mit dem Kult des Iuppiter verbundene Flamen Dialis (→ Flamines) weder E. berühren noch eine Straße begehen durfte, in die Weinranken hineinhingen (Plut. qu.R. 112, 290E). – Der Grund liegt kaum in möglichen halluzinogenen Eigenschaften der E.-Beeren, vielmehr in der außergewöhnlichen (immergrünen, parasitären) Natur der Pflanze.

1 J. KRAUSKOPF, E. SIMON, s. v. Mainades, LIMC 8.2, 524–550 2 F. GRAF, Dionysian and Orphic Eschatology. New texts and old questions, in: TH.H. CARPENTER, C. A. FARAONE (Hrsg.), Masks of Dionysus, 1993, 239–258 3 M. W. DICKIE, The Dionysiac mysteries in Pella, in: ZPE 109, 1995, 81–86.   F. G.

Effatio, effatum. *Effatum* ist ein Fachausdruck der Auguralsprache (*verbum augurale,* Serv. auct. Aen. 3,463), erscheint unter den Definitionen des Auguren Messala (Gell. 13,14,1) und bei Cic. leg. 2,21. In der *effatio* begrenzt der Augur mit einer rituellen Formel den Bezirk der Auspizien (Varro ling. 6,53: *finem auspiciorum caelestum;* Serv. Aen. 6,197: *ubi captabantur auguria*); sie bewirkte die Befreiung des Ortes von der (störenden) Anwesenheit unbekannter Gottheiten, die ihn besetzten (Serv. auct. Aen. 1,446: *ut [...] per augures locus liberaretur effareturque*; diese *liberatio* ist nicht das einzige Beispiel für eine »Entweihung« – Reprofanierung durch Rituale – bestehender Kultstätten, also für eine *exauguratio,* die die vorausgegangene *inauguratio* aufhebt [1. 42]). Die *effatio* wurde bei drei Ortstypen angewendet (Cic. leg. 2,21: *urbem [...] et agros et templa liberata et effata habento*): bei der Stadt, d. h. innerhalb der Grenzen des *pomerium* für die *auspicia urbana* (Serv. auct. Aen. 1,13: *effata urbe* in bezug auf Ostia), beim *ager Romanus antiquus,* der eigene Auspizien besaß (Varro ling. 6,53: von dort der Ausdruck *ager effatus;* Serv. Aen. 6,197), bei den *templa* (Varro ling. 6,53; Cic. Att. 13,42,3; Liv. 10,37,15, *aedes;* Serv. Aen. 1,446; Fest. p. 146) sowohl im Sinn von Kultstätten als auch Auguraltempeln [2. 193–207]. Die *effatio* und die *liberatio* [2. 209–228] wurden im Falle von Kultstätten durch die → *consecratio* (Serv. Aen. 1,446: *locus [...] tum demum a pontificibus consecr[atur]*) und im Falle von *urbs* und *templa* durch die *auspicatio,* die Einholung von Auspizien, ergänzt, die die Orte zu inaugurierten Bezirken machte (Serv. Aen. 3,463: *loca sacra, id est ab auguribus inaugurata, effata dic[untur]*).
→ Augures

1 LATTE 2 A. MAGDELAIN, Jus, imperium, auctoritas, 1990.
D. BR.

Effractor. Im röm. Recht der Dieb, der seine Beute durch Einbruch erlangt. Nach Dig. 47,18 begeht er eine Straftat, die als → *crimen (publicum)* verfolgt wurde. In der Zeit der Republik handelte es sich noch um ein Privatdelikt. Als *e. (carceris)* wird auch der Ausbrecher bezeichnet, der gleichfalls im Verfahren der → *cognitio extra ordinem* als Täter eines *crimen* verfolgt wurde. G. S.

Egelasta. Die iberische [1. 58] Siedlung lag bei den Salinen von Men Baca zw. → Castulo und Linares und Vilches (CIL II 5091, p. 710) – irrig die Identifikation mit Iniesta in [2. 175] – und gehörte zum *conventus* von → Carthago Nova (Plin. nat. 3,25). Plinius lobt das Salz von E. wegen seiner einzigartigen medizinischen Wirkung (nat. 31,80). Sonst nur selten erwähnt (Strab. 3,4,9; Ptol. 2,6,56, *Egelésta*).

1 A. SCHULTEN, Numantia 1, 1914 2 Enciclopedia Universal Ilustrada 19.

TOVAR, 3, 1989, 155f., 234.   P. B.

Egeria

[1] Gottheit (»Nymphe«) des gleichnamigen Zuflusses zum Nemisee bei Aricia, verbunden mit dem dortigen Heiligtum der → Diana (Strab. 5,3,12 Ende; Verg. Aen. 7,761–777; schol. Iuv. 3,17). Frau oder Geliebte des röm. Königs → Numa [1], den sie bes. bei seinen kult. Einrichtungen beriet (Dion. Hal. ant. 2,60; Ov. fast. 3,273–299; Plut. Numa 4,2). Daß sie ihm die *ancilia* übergab, berichtet schon Ennius (ann. 114). Rationalistische Lesung macht aus diesem Mythos, der Numas rel. Reformen begründen soll, eine Erfindung des Königs, um diese Reformen zu legitimieren (Dion. Hal.; Plut., bereits angelegt bei Cic. leg. 1,4). Singulär und Ovids Erfindung ist die Erzählung, daß sich die Nymphe E. nach Numas Tod nach Aricia zurückzog und in weinender Trauer sich in die entsprechende Quelle verwandelte (met. 15,478–551).

Einen Kult besaß E. in Rom im Hain der → Camenae (vgl. Ov. met. 15,482); hier soll das urspr. → *ancile* vom Himmel gefallen sein. Sie galt als Geburtsgöttin (Fest. p. 67); dies paßt zur Deutung von E. sowie der Camenae als Nymphen und zur Verbindung mit Diana. Die Vorgeschichte ist weitgehend unklar. Gewöhnlich wird angesichts der lokalen Bindung angenommen, E. sei mit Diana von Aricia nach Rom gekommen [2; 3]; die Verbindung mit Manius → Egerius, dem Gründer des Hains von Aricia, als männlichem Gegenstück ist interessant, aber ungesichert [4].

1 J. GAGÉ, Les femmes de Numa Pompilius, in Mélanges Pierre Boyancé, 1974, 281–298 2 G. WISSOWA, Religion und Kultus der Römer, ²1912, 160, 219, 248–250 3 LATTE, 170f. 4 F. ALTHEIM, Griech. Götter im alten Rom, 1930, 94.

G. DUMÉZIL, La religion romaine archaïque, 1974, 397.
F. G.

[2] s. Peregrinatio ad loca sancta

Egerius

[1] Sohn des Arruns, Enkel des Demaratus. E. kam erst nach dem Tod seines Vaters und Großvaters zur Welt, weshalb das ganze Vermögen dem Bruder des Arruns, Lucumo, zufiel. Dessen Neffe soll wegen seiner Armut (*egere*, »Mangel leiden«) den Namen E. erhalten haben. Als Lucumo später unter dem Namen L. Tarquinius Priscus röm. König wurde, erhielt E. von diesem die Herrschaft über die latinische Stadt Collatia und nahm den Beinamen Collatinus an. Sein Sohn L. Tarquinius Collatinus war der Mann der → Lucretia (Liv. 1,34,2f.; 57,6; Dion. Hal. 3,50,3; 4,64,3, sich kritisch auf Fabius Pictor berufend).

[2] Nach Festus p. 124 hat ein Manius E. den Hain der Diana Nemorensis eingeweiht (→ Egeria).

T. F. C. BLAGG, The Cult and Sanctuary of Diana Nemorensis, in: M. HENIG, A. KING (Hrsg.), Pagan Gods and Shrines of the Roman Empire, 1986, 211–219.   R. B.

Egge. Das von den röm. Agrarschriftstellern häufig verwendete Verb *occare* (vgl. auch das Subst. *occatio*; Cato agr. 33,2; Varro rust. 1,29,2; 1,31,1; Colum. 2,12,1–6; 11,2,60; Plin. nat. 18,180; 18,185) wird oft mit »eggen« übersetzt; es handelte sich aber um eine Arbeit mit der Harke (*rastrum*). Ziel dieser Arbeit war die Zerkleinerung von Erdklumpen im Weingarten oder auf dem Ackerfeld (Varro rust. 1,31,1: *occare, id est comminuere, ne sit glaeba*; Colum. 11,2,60: *pulverationem faciunt, quam vocant rustici occationem*). Nach Columella sollte wiederholt und sorgfältig gepflügt werden, so daß eine weitere Bearbeitung des Bodens nicht mehr notwendig war (Colum. 2,4,1–2, vgl. Plin. nat. 18,179). Als primitive Form der Egge erscheint bei Vergil zuerst die »Strauchwerkegge« (*cratis*; Verg. georg. 1,94f.; vgl. 1,165f.), die zum Einebnen und Glätten des Bodens diente; bei Columella wird die *cratis* als Instrument erwähnt, das zu demselben Zweck bei der Bearbeitung von Wiesen nach dem Pflügen eingesetzt wurde (Colum. 2,17,4); auch bei Plinius folgt die *occatio* dem Pflügen, wobei als Geräte alternativ *cratis* oder *rastrum* genannt werden (Plin. nat. 18,180). Bei Cato wird im Inventar der Olivenbaumpflanzung eine Egge (*irpex*) aufgeführt; nach Varro wurde dieses hölzerne Gerät, das mit Zähnen versehen war, von Ochsen über den Acker gezogen, um Unkraut zu beseitigen (Cato agr. 10,3; Varro ling. 5,136; vgl. Fest. 93). Plinius spricht außerdem von einer »mit eisernen Stiften gezähnten« *cratis* (Plin. nat. 18,186; vgl. *cratis dentata*: Plin. nat. 18,173); dieses Gerät ist wohl ebenfalls als Rahmenegge anzusehen.

Neben dem Zerkleinern von Erdklumpen und der Beseitigung von Unkraut diente die *occatio*, nach der Aussaat durchgeführt, dazu, die Saat mit Erde zu bedecken (Plin. nat. 18,180); von Columella wird dies explizit nur für die Aussaat von Bohnen, Luzerne etc. erwähnt (Colum. 2,10,5; 2,10,27; 2,10,33; 2,12,6).

→ Agrarschriftsteller; Getreide

1 M.-CL. AMOURETTI, Le pain et l'huile dans la Grèce antique, 1986, 107f. 2 F. OLCK, s. v. E., RE 5, 1983–1986 3 M. S. SPURR, Arable Cultivation in Roman Italy c. 200 B. C.- c. A. D. 100, 1986, 48–56 4 K. D. WHITE, Agricultural Implements of the Roman World, 1967, 59, 146–151 5 Ders., Farm Equipment of the Roman world, 1975, 3–5, 77–79 6 Ders., Roman Farming, 1970.   E. C.

Eggius

[1] **L. Eggius**, *praef. castrorum* des Varus in Germanien (Vell. 2,119,4).

[2] **C. E. Ambibulus**. Identisch mit [C. Eggius] Ambibulus Pom[ponius Lon]ginus Cassianus L. Maecius Pos[tumus] von CIL IX 1123. Begann seine Laufbahn als Senatorensohn unter Traian, wurde von ihm unter die Patrizier aufgenommen und gelangte im J. 126 zum ordentlichen Consulat. Er stammte, wie alle anderen senatorischen Eggii, aus Aeclanum.

G. CAMODECA, in: EOS 2, 132ff. · PIR² E 5, 6.

[3] **C. E. Marullus**. Senator praetorischen Ranges, der zwischen 41 und 42 zum *collegium* der *curatores riparum et alvei Tiberis* gehörte. PIR² E 7.

[4] **L. E. Marullus**. *Cos. suff.* im J. 111. PIR² E 9.
[5] **L. Cossonius E. Marullus**. Enkel von E. [4]. Patrizier. *Cos. ord.* im J. 184; Proconsul von Africa 198/9. AE 1942/3, 111; 1958, 142; I. Eph. III 660; G. CAMODECA, EOS II 134; PIR² E 10. Sein Sohn war Cossonius Scipio Orfitus.   W. E.

Eghiše s. Elischē (Ełišē)

Egnatia

[1] **(E.) Mariniana**. Auf Münzen von Viminacium erscheint sie als Diva Mariniana. Nach aller Wahrscheinlichkeit Frau des späteren Kaisers Valerianus, gestorben vor dessen Herrschaftsübernahme. Wohl Schwester von Egnatius [II 12] und [II 13].

PIR² E 39 · M. CHRISTOL, Essai, 1996, 190ff.

[2] **E. Maximilla**. Frau des P. Glitius Gallus, den sie unter Nero in die Verbannung nach Andros begleitete. Später ist sie offensichtlich nach Italien zurückgekehrt. PIR² E 40.

[3] **E. Taurina**. Genannt auf einer *fistula* von Velitrae (Suppl. It. II Velitrae Nr. 17). Wohl senatorischen Standes und mit Egnatius Taurinus verwandt.   W. E.

Egnatius. Römischer Familienname, urspr. vielleicht samnitisch (vgl. SCHULZE, 187f.), inschr. auch in Mittelitalien bezeugt. In Rom sind Namensträger seit dem 2. Jh. v. Chr. bekannt. Egnat(i)us ist singulär auch als Praenomen überliefert (Val. Max. 6,3,9. Plin. nat. 14,89; [1]).

1 SALOMIES, 102.

I. Republikanische Zeit

[I 1] E., Gellius. Führer der Samniten im 3. Samnitenkrieg, der 296 v. Chr. die Koalition zwischen Samniten, Etruskern, Umbrern und Kelten gegen Rom zustandebrachte. Ihre vereinigte Armee wurde in der Schlacht bei Sentinum 295 besiegt, der Anführer E. selbst fiel im Kampf um das Lager der Samniten (Liv. 10,18–21; 29,16).

[I 2] E., Cn. Praetor und Proconsul in Macedonia um die Mitte der 140er Jahre v. Chr.; er baute die → Via Egnatia (Meilenstein: AE 1976, 643); auch als Zeuge im Senatsbeschluß an Corcyra aus der selben Zeit erwähnt (Sherk 4). MRR 3,84 f. (Datierung).

[I 3] E., Marius. Wahrscheinlich Nachkomme von E. [I 2], einer der 12 Feldherren der Italiker im → Bundesgenossenkrieg (Vell. 2,16,1; App. civ. 1,181). 90 gewann er auf dem südl. Kriegsschauplatz Venafrum durch Verrat und brachte dann dem Consul L. → Iulius Caesar wohl an der Via Latina schwere Verluste bei (App. civ. 1,183; 199). 89 fiel er nach Livius in einer Schlacht gegen C. Cosconius [I 1] (Liv. per. 75).   K.-L.E.

[I 4] Vielleicht identisch mit dem von Catull (carm. 37,17 ff.; 39) angegriffenen Spanier, Verf. eines Lehrgedichtes *De rerum natura* in mehreren B.; zwei Fr. aus B. 1 überliefert Macr. Sat. 6,5,2 (nach Accius) und 12, wo E. zu den *veteres*, den Vorgängern Vergils zählt. Der Titel läßt auf Imitation des → Lucretius schließen.

FRG.: COURTNEY, 147 f. · FPL³, 143 f.
LIT.: N. MARINONE, I frammenti di E., in: Poesia latina in frammenti, 1974, 179–199.   P.L.S.

II. Kaiserzeit

[II 1] E. Capito. Senator consularen Ranges und *frater Arvalis*; von Commodus 182 oder 183 getötet. PIR² E 17; LEUNISSEN, 196.

[II 2] Q. E. Catus. Legionslegat in Pannonien im J. 73; 75/6 Legat der *legio III Augusta* in Africa.

PIR² E 18 · B. E. THOMASSON, Fasti Africani, 1996, 135 f.

[II 3] P. E. Celer. Freund des Senators und Stoikers Q. Marcius Barea Soranus; dennoch klagte er ihn und seine Tochter fälschlicherweise im J. 66 im Senat an, weshalb er Anklägerprämien erhielt. Ende 69 von Musonius Rufus deshalb angeklagt, 70 in die Verbannung geschickt (zu den Gründen für den Prozeß [1]). PIR² E 19.

1 J. K. EVANS, The Trial of P. Egnatius Celer, in: ClQ 29, 1979, 198 ff.

[II 4] C. E. Certus. *Cos. suff.* in einem unbekannten Jahr in der 1. H. des 3. Jh. PIR² E 20.

G. CAMODECA, in: EOS 2, 138.

[II 5] C. E. Certus Sattianus. Senator, aus Beneventum stammend, im J. 254 dort geehrt.

W. ECK, RE Suppl. 14, 115 · G. CAMODECA, in: EOS 2, 137 f.

[II 6] M. E. Marcellinus. Quaestor um das J. 104; wohl identisch mit dem *cos. suff.* von 116 M. Egnatiu[s- - -]. PIR² E 14, 24.

VIDMAN, FO², 48.

[II 7] M. E. Postumus. *Cos. suff.* im J. 183. PIR² E 26.

[II 8] A. E. Proculus. Senator, der es nach längerer praetorischer Laufbahn bis zur Praefektur des *aerarium Saturni* und zu einem Suffektconsulat gebracht hat; in Rom bestattet. CIL VI 1406 = ILS 1167. PIR² E 30.

B. E. THOMASSON, Fasti Africani, 1996, 124 f.

[II 9] Q. E. Proculus. Praetorischer Legat von Thracia zwischen 198 und 209 (VELKOV, Kabyle 2, 1991, 18 Nr. 10). Mit ihm ist vermutlich der gleichnamige *cos. suff.* von CIL IX 6414b = ILS 1166 identisch. Vgl. PIR² E 31.

[II 10] M. E. Rufus. Senator der augusteischen Zeit. *Aedil* wohl im J. 21 v. Chr.; gewann hohes Prestige durch die Aufstellung einer privaten Feuerwehrtruppe; so konnte er unmittelbar anschließend an die Aedilität auch die Praetur erreichen. Als er im J. 19 die freie Stelle eines *consul* gewinnen wollte, verhinderte dies der amtierende *consul* Sentius Saturninus. Eine (deshalb?) angezettelte Verschwörung führte zu seiner Hinrichtung. PIR² E 32.

PH. BADOT, in: Latomus 32, 1973, 600 ff.

[II 11] E. Victor. *Consul* unter Septimius Severus, 207 consularer Legat von Pannonia superior. PIR² E 35.

LEUNISSEN 163.

[II 12] L. E. Victor Lollianus. Praetorischer Legat von Galatia im J. 218; später *cos. suff.; corrector Achaiae; proconsul* von Asia für drei Jahre (THOMASSON, Laterculi I 236); zu πολλάκις AE 1993, 10; *praef. urbi* 254. Berühmter Redner seiner Zeit, Sohn von E. [II 11]. PIR² E 36.

LEUNISSEN, 185 · DIETZ, Senatus 149 ff. · M. CHRISTOL, Essai sur l'évolution des carrières senatoriales, 1986, 190 ff. · J. REYNOLDS, in: L'Afrique, la Gaule, la religion à l'époque romaine. Mélanges à la mémoire de Marcel Le Glay, 1994, 675 ff.

[II 13] E. Victor Marinianus. Praetorischer Legat von Arabia, später *cos. suff.*; consularer Legat von Moesia superior; nach CHRISTOL [1] war er Bruder von E. [II 12] und Egnatia [1] Mariniana, damit Schwager von Kaiser Valerianus. Seine Ämter dürften am ehesten in die Zeit des Severus Alexander gehören.

1 M. CHRISTOL, Essai sur l'évolution des carrières senatoriales, 1986, 109, 190 ff.   W.E.

Egrilius

[1] M. Acilius Priscus E. Plarianus. Von Geburt ein E., adoptiert durch einen M. Acilius Priscus. Die Familie stammt aus Ostia. Senator. Über das Proconsulat in der Narbonensis, das Kommando über die *legio VIII Augusta* kam er zur Praefektur über das *aerarium militare*, dann das *aerarium Saturni* im J. 126 [1. 301]. Ob er zum

Consulat gelangte, ist unsicher. In Ostia *pontifex Volcani* seit 105. PIR² E 48 [1. 285–308].

[2] A. E. Plarianus, *pater. Cos. suff.* im J. 128. VIDMAN, FOst 49 [1. 302].

[3] A. E. Plarianus. Wohl Sohn von E. [2]. Senator. *Praef. aerarii militaris.* CIL XIV 4445 [1. 309].

    1 F. ZEVI, in: MEFRA 82, 1970.

[4] Q. E. Plarianus La[rcius---], CIL VIII 800 und 1177 = AE 1942/3, 85 = Catalogue des inscriptions Latines païennes du Musée du Bardo, 1986, Nr. 211. *Cos. suff.* wohl 144; *proconsul Africae* im J. 159

    B. E. THOMASSON, Fasti Africani, 1996, 63 f.

[5] Q. E. Plarianus, Sohn von E. [4]; Legat während des Proconsulats des Vaters. PIR² E 49.

[6] [E. Plarianus Larcius L]epidus Flavius [---]. Senator, der zur ostiensischen Familie der Egrilii gehört; die Abfolge der Laufbahn ist unsicher; er war sicher Legat der *legio XXX Ulpia* und danach wohl Legat der Lugdunensis. AE 1969/70, 87.

    W. ECK, RE Suppl. 14, 115 f.   W. E.

Ehe I. ALTER ORIENT   II. GRIECHENLAND III. ROM   IV. JUDENTUM

I. ALTER ORIENT

Potentiell war die E. im Alten Orient immer polygam, im Normalfall aber monogam: Nur Könige hatten mehr als zwei Frauen. Die E. mit Angehörigen niedriger Sozialgruppen war ebenso gültig wie die E. zw. ihnen. Grundsätzlich war die E. zw. engen Verwandten verboten, außer zw. Halbbrüdern und -schwestern väterlicherseits. Die E.-Schließung konnte auf vier Arten geschehen: 1) durch Vertrag zw. Bräutigam oder seinen Eltern und den Eltern der Braut; 2) durch Gewährung von Brautgeld, das der Braut nach außen hin den Status einer Ehefrau gab; 3) mittels »Brautraub« durch den Bräutigam; 4) im Konsens entweder durch Vollzug, durch *verba solemnia* (feierliche Formeln) oder durch *in domum deductio* (Einführung der Frau ins Haus des Mannes). Die Famile stattete normalerweise die Braut mit einer Mitgift aus, die das urspr. Brautgeld enthalten konnte. Scheidung war ein- oder beidseitig möglich durch das Aussprechen einer Formel wie »Du bist nicht mein(e) Gattin/Gatte«. Der Ehevertrag konnte jedoch bei Scheidung oder im Falle eines Vertragsverstoßes für den Ehemann Geldstrafen, für die Ehefrau Versklavung oder Tod vorsehen.

    P. PESTMAN, Marriage and Matrimonial Property in Ancient Egypt, 1961 · M. ROTH, Babylonian Marriage Agreements, 1989 · R. WESTBROOK, Old Babylonian Marriage Law, 1988.   RA. WE./Ü: H. J. N.

II. GRIECHENLAND

Die E. wurde im ant. Griechenland mit den allg. Begriffen für Bindung (φιλότης, *philótēs* und φιλία, *philía*) sowie für Gemeinschaft (κοινωνία, *koinōnía*) umschrieben (Aristot. eth. Nic. 8,12,1162a; Xen. oik. 3,15), die mit dem Zusatz γαμική (*gamikḗ*, von γάμος, *gámos*: »Hochzeit«, »Liebesvereinigung«) versehen werden konnten. Ihr symbolischer Ort war das mit Tuchen reich ausgestattete Lager (εὐνή, λέκτρον, λέχος), zu dem der in der Vasenmalerei oft dargestellte Hochzeitszug (Lekythos des Amasis-Malers, New York MMA [2. 66]; sf. att. Krater [3. Abb.135]; rf. Pyxis, London BM [1. 1277,23; 1282,1]; rf. Kylix, Berlin SM F 2530) hinführte und das in der Trag. als Synonym für E. benutzt wird (Eur. Med. 206; 265; 436). Sowohl *koinōnía* als auch *philótēs* haben nicht nur eine abstrakte Bedeutung, sondern bezeichnen darüber hinaus auch die sexuelle Vereinigung auf diesem Lager (Hom. Od. 8,271; 10,334; Aristot. Pol. 7,16,1334b; Eur. Bacch.1276). »Bettgenossin« (ἄλοχος, *álochos* oder ἄκοιτις, *ákoitis*) ist daher auch eine Bezeichnung für Ehefrau.

Als uneingeschränktes und vorherrschendes Motiv, eine E. einzugehen, wird von Dichtern, Philosophen und Rednern die Sicherung der Nachkommenschaft genannt, damit die Kontinuität des Familienbesitzes und -kultes gewahrt bleibe und die eigene Altersversorgung sowie eine angemessene Bestattung gesichert sei (Hes. theog. 603–607; Aristot. eth. Nic. 8,12,1162a; Plat. leg. 773e; Lys. 13,45; Isaios 2,10; Demosth. or. 59,122; Xen. oik. 7,11; 7,18–19). Unfruchtbarkeit des Mannes oder der Frau war daher ein wesentlicher Scheidungsgrund. Aufgrund der agrarischen Struktur der griech. Haushalte wurde die E. auch als Arbeitsgemeinschaft von Mann und Frau verstanden, die als »Gespann« im gemeinsamen Joch (ζεῦγος, *zeúgos*) der Hauswirtschaft stand (Xen. oik. 7,18). Mit der Eheschließung ging immer ein Besitztransfer einher, der die E. auch zur Vermögensangelegenheit machte (Plut. Solon 20; Plat. leg. 774c); so wurden Brautgüter (ἕδνα, *hédna*) und → Geschenke (δῶρα) oder eine Brautausstattung (φερνή, → *phernḗ*) und eine Mitgift (προίξ, → *proíx*) gegeben.

Eine polit. Dimension erhielt die E. aufgrund der Verknüpfung von Bürgerrecht und Abstammung bzw. Landbesitz und der Nutzung von Heiratsallianzen zur Machtakkumulation. Die Heiratsstrategien hingen von den bevorzugten Formen der Erbschaftsübertragung und des polit. Systems ab, die in den einzelnen Poleis und Epochen variierten. Unter den Bedingungen der Brautgüterehe, die Homer und Hesiod beschreiben und die in der älteren Forsch. als Kaufehe mißverstanden wurde, wurden der Braut und dem Brautvater von dem Bräutigam Güter (z. T. Vieh, aber auch Schmuck- und Kleidergeschenke) in Erwartung von Gegenleistungen übereignet. Der Brautgütertransfer ging mit exogamen Heiratspraktiken einher, die der Schaffung von weiträumigen Allianzen zw. einzelnen Häusern dienten. Solche exogame Heiraten bevorzugten die Tyrannen des 6. Jh. v. Chr. (vgl. Theognis 891–894), die über die E. Bündnispartner im Kampf um eine Vormachtstellung in ihrer Heimatpolis gewannen und an auswärtige Ressourcen zur Schaffung von Gefolgschaft gelangten

(Peisistratos: Hdt. 5,94; Miltiades: Plut. Kimon 4; Hdt. 6,39; Periandros: Hdt. 3,50; 5,92; Diog. Laert. 1,94). Das Machtstreben förderte die Tendenz zur Polygamie, wie sie für Peisistratos und für einige unterital. Tyrannen überliefert ist. Die Eheresidenz war vorwiegend patrilokal; aber es kam auch vor, daß der Bräutigam in die Familie der Braut einheiratete und dann an deren Privilegien partizipierte. Repräsentative Hochzeiten und Freierwettbewerbe kennzeichnen diesen Typus von E. (Sikyon: Hdt. 6,126–131).

Die Mitgiftehe der klass. Zeit, die mit divergierenden Formen der Übereignung verbunden war, ging dagegen mit der Neigung zu endogamen Heiraten innerhalb eines Ortes oder einer Verwandtschafts- bzw. Statusgruppe einher. Das att. Bürgerrechtsgesetz von 451 v. Chr. bestimmte, daß nur Kinder, deren beide Eltern athenische Bürger waren, das Bürgerrecht erhielten (Plut. Perikles 37; Aristot. Ath. Pol. 42; Demosth. or. 59,16–17; 59,52; 57,30; Isaios 8,43); damit war für athenische Aristokraten die Möglichkeit einer Eheverbindung mit Familien anderer Poleis ausgeschlossen, die Polis war eine endogame Einheit geworden. Das Gesetz zog eine strikte Grenze zwischen der legitimen Ehefrau und der Konkubine (παλλακή, *pallakē*) und begrenzte auf diese Weise die Zahl der Bürger und rechtmäßigen Erben eines → *oíkos*. Handeln die att. Gerichtsreden und die Neue Komödie von den erbrechtlichen Konflikten, die aus dieser Regelung resultierten, so thematisiert die Trag. die Konflikte, die aus dem Konkubinat (Soph. Trach.) und aus der Statusminderung der fremden Ehefrau erwuchsen (Eur. Med.).

Die → *engýēsis* (ἐγγύησις), das mündliche, vor Zeugen abgegebene Heiratsversprechen, das mit der Absprache über die Mitgift einherging, und die → *ékdosis* (ἔκδοσις), die Übergabe der Braut am Hochzeitstag, bildeten in Athen die formalen Bestandteile der legitimen Eheschließung, aus der rechtmäßige Kinder (γνήσιοι, *gnḗsioi*) hervorgingen. Die Kinder aus einer Verbindung mit einer Fremden hießen *nóthoi* (νόθοι) und traten auch dann nicht in die Erbfolge ein, wenn legitime Söhne fehlten. In diesem Fall erfolgte in Athen die Verheiratung der Erbtochter (ἐπίκληρος, → *epíklēros*) mit dem nächsten männlichen Verwandten (Plut. Solon 20).

1 BEAZLEY, ARV 2 BEAZLEY, Paralipomena 3 C. BÉRARD, J.-P. VERNANT, Die Bilderwelt der Griechen, 1985 4 R. JUST, Women in Athenian Law and Life, 1989 5 W. K. LACEY, The Family in Classical Greece, 1968 6 C. REINSBERG, Ehe, Hetärentum und Knabenliebe im ant. Griechenland, 1989 7 J. P. VERNANT, Mythe et société en Grèce ancienne, 1979, 57–81 8 B. WAGNER-HASEL, Geschlecht und Gabe, in: ZRG 105, 1988, 32–73 9 H. J. WOLFF, Marriage Law and Family Organization in Ancient Athens, in: Traditio 2, 1944, 43–95. B. W.-H.

III. ROM

A. EHE UND MATRIMONIUM B. HEIRATSALTER UND HEIRAT C. EHE UND MANUS D. CONCUBINATUS UND CONTUBERNIUM

A. EHE UND MATRIMONIUM

Im Imperium Romanum existierten verschiedene Kulturen und damit auch verschiedenartige Hochzeitsbräuche und Ehevorstellungen. Die genuin röm. Traditionen im Bereich von Heirat und Ehe leiteten sich von den Latinern ab. Nachdem sich feste Regeln für Heirat und Ehe herausgebildet hatten, stand nach röm. Recht eine vollgültige Ehe den röm. Bürgern, den Latinern und jedem, dem das Recht des *conubium* verliehen worden war, offen. Das *conubium* meint die Fähigkeit zweier Menschen verschiedenen Geschlechtes, einander zu heiraten. Es bestand nicht zwischen Vorfahren und Nachkommen, zwischen anderen engen Verwandten, zwischen Menschen, die nicht erwachsen waren, oder mit Sklaven und Fremden. Aufgrund des *matrimonium*, einer Institution, die die Mutterschaft regelte, heiratete ein Mann eine Frau, damit sie ihm legitime Kinder schenkte, die seinen eigenen Rechtsstatus erhielten. In der Rechtstheorie wurde die Ehe erst thematisiert und diskutiert, nachdem sie lange Zeit praktiziert worden war und sich dabei immer genauere Rechtsvorschriften entwickelt hatten. In den Digesten steht am Anfang des Abschnittes über die Ehe die grundlegende Definition des Modestinus (frühes 3. Jh. n. Chr.): ›Die Ehe ist eine Verbindung eines Mannes und einer Frau, eine lebenslange Gemeinschaft (*consortium*) in allen Bereichen des Lebens, und sie besteht in einer gemeinsamen Teilhabe am menschlichen und göttlichen Recht‹ (23,2,1). Diese ›Verbindung von Mann und Frau, die wir *matrimonium* nennen‹ leitet sich, so wurde angenommen, vom Naturrecht und vom Verhalten der Tiere ab (Ulpianus; Dig. 1,1,1,3; vgl. Cic. off. 1,54). In der gesamten lat. Lit. wird die Wendung *liberorum creandorum causa* (»zur Zeugung von Kindern«) im Zusammenhang mit Ehe und Ehefrauen gebraucht.

Durch die röm. Ehe (*iustum matrimonium*) wurde eine Frau *uxor* (Gattin) ihres Mannes, *materfamilias* (das weibliche Haupt des Haushaltes) und *matrona* (eine verheiratete Frau); der Mann wurde *vir* (Ehemann) seiner Frau und ihr *maritus* (Gatte); jeder von beiden wurde *coniunx*. Aus der Ehe hervorgegangene Kinder wurden als die Kinder des Ehemannes anerkannt. Gewohnheitsrecht, Gesetze und Edikte von Praetoren oder Principes hatten Einfluß auf die Entwicklung der Ehe, besonders auf die Bestimmungen über Mitgiften, auf das Erbrecht, das *conubium*, auf die rechtliche Bewertung von Ehebruch und auf außereheliche sexuelle Beziehungen. Die Heiratsgesetze des Augustus, die *lex Iulia de maritandis ordinibus* (18 v. Chr.) und die *lex Papia Poppaea* (9 n. Chr.), verweigerten solchen Beziehungen die Anerkennung als vollgültige Ehe, die zwischen Senatoren oder ihren Nachkommen und Freigelassenen, Schauspielern bzw. Schauspielerinnen oder den Kindern von Schauspielern sowie zwischen freigeborenen Bürgern und Prostituierten, Kupplerinnen, Schauspielerinnen, Ehebrecherinnen oder Frauen, die in einem öffentlichen Strafverfahren verurteilt worden waren, bestanden. Vom frühen Prinzipat bis zu Septimius Severus wurde Soldaten unter einem bestimmten Dienstgrad die rechtlich vollgültige Ehe nicht zugestanden. Die *lex Iulia de adulteriis et de stupro* (etwa 18 v. Chr.) sah Strafen für Ehebruch vor.

B. Heiratsalter und Heirat

Über das Heiratsalter im Imperium Romanum sind nur wenige Aussagen möglich, und sie betreffen allein die kleine Gruppe der Menschen, die aufgrund von Grabinschriften erfaßbar sind: Zum Zeitpunkt ihrer ersten Eheschließung, die durch Gesetz für Mädchen ab einem Alter von 12 Jahren, für junge Männer ab 14 Jahren erlaubt war, waren Frauen normalerweise knapp 20, Männer knapp 30 Jahre alt. In der polit. Führungsschicht war das Heiratsalter oft niedriger, besonders seit dem frühen Prinzipat, als das Mindestalter für die Bekleidung polit. Ämter herabgesetzt wurde und die Ehegesetze es Kandidaten darüber hinaus erlaubten, für jedes Kind das erforderliche Mindestalter um ein Jahr zu reduzieren. Gleichzeitig wurde auch das Recht, Erbschaften zu empfangen, für Unverheiratete und Kinderlose eingeschränkt, wobei die Altersgrenze für Frauen bei 20 Jahren, für Männer bei 25 Jahren lag. Der Heirat ging die Verlobung voraus, die nicht erzwungen werden konnte und die die Zustimmung beider Partner und beider *patresfamilias* erforderte; dies galt im klass. Recht auch für die Heirat. Bei der Hochzeit (*nuptiae*) wurden gewöhnlich rel. und soziale Zeremonien vollzogen und finanzielle Abmachungen getroffen. Das Substantiv *nuptiae* verweist ebenso wie das Verb *nubere*, das den Eintritt der Frau in die Ehe bezeichnet, auf das Tragen des Schleiers, das entsprechende Verb für den Bräutigam (*in matrimonium ducere*) auf den symbolischen Akt, den Festzug zu seinem Haus anzuführen, wobei die Braut ihm folgte.

Das Ideal war eine dauernde und harmonische Verbindung. Die Ehe endete mit dem Tod des oder der *coniunx*, durch Scheidung oder durch Auflösung des *conubium*. Das Fortbestehen der Ehe erforderte die ständige Zustimmung beider Ehegatten, insbesondere, daß beide einander als *coniunx* ansahen (*affectio maritalis*).

C. Ehe und manus

Die Ehe konnte mit der *manus* verbunden sein, der rechtlichen Gewalt des Ehemannes über seine Frau. Die Rituale, welche dieses Verhältnis begründeten, waren eng mit der Eheschließung verbunden (*confarreatio*, *coemptio*), wobei die *coemptio* auch später vollzogen werden konnte, ebenso wie die Prozeduren zur Aufhebung der *manus*. Im 5. Jh. v. Chr. wurde die *manus* durch ein einjähriges Zusammenleben begründet und durch die Abwesenheit der Ehefrau während dreier Nächte im Jahr verhindert. Zur Zeit Ciceros scheint es für Frauen ungewöhnlich gewesen zu sein, sich in die *manus* des Mannes zu begeben. Eine Frau *in manu mariti* war Mitglied der Familie des Mannes, sie unterstand seiner

rechtlichen Gewalt und der seines *paterfamilias*. Jeglicher Besitz, den sie hatte oder später erwarb, wurde Eigentum ihres Mannes. Sie wurde als Blutsverwandte ihrer Kinder betrachtet und hatte bei Fehlen eines Testamentes dieselbe erbrechtliche Stellung wie eine Tochter.

Ehefrauen, die nicht der *manus* ihres Mannes unterstanden, blieben im Rechtsverband der Familie, aus der sie stammten. Ehemann und Ehefrau waren bei Fehlen eines Testamentes in der Erbfolge Blutsverwandten nachgeordnet. Eine Erbfolge zwischen Müttern und Kindern war bei Fehlen eines Testamentes bis zum 2. Jh. n. Chr. stark eingeschränkt. Über die Mitgift konnte der Ehemann verfügen, solange die Ehe Bestand hatte. Im Prinzip wurde der gesamte übrige Besitz eines Mannes und einer Frau, die nicht *in manu* war, strikt getrennt: Das von Juristen bestätigte Gewohnheitsrecht sah vor, daß größere Geschenke zwischen *coniuges* nichtig waren, wenn sie nicht testamentarisch oder nach einer Scheidung ausdrücklich bestätigt worden waren. Seit 206 n. Chr. galten Geschenke als wirksam, außer wenn nachgewiesen werden konnte, daß der Schenkende seine Meinung geändert hatte.

Es bestand ein starkes Gefühl einer Verpflichtung beider Eltern, ihren Kindern Besitz zu hinterlassen. Im Testament konnten die Nutznießung eines Vermögens oder andere Zuwendungen verfügt werden, um den Lebensunterhalt einer Witwe zu sichern. Ein Legat für den überlebenden *coniunx* galt als Zeichen der ehelichen Zuneigung. Die augusteischen Ehegesetze beschränkten für kinderlose oder unverheiratete Bürger die Möglichkeit, aufgrund eines Testamentes zu erben, außer wenn die Erben nahe Verwandte waren. Das Vorhandensein eines Kindes berechtigte einen *coniunx*, aufgrund des Testamentes des verstorbenen Ehegatten zu erben.

Die Ehrung eines *coniunx* bei der Bestattung und das Lob auf Grabinschriften entsprachen konventionellen Anschauungen. Die meisten Tugenden oder Fähigkeiten, die auf Grabinschriften oder in lit. Texten lobend hervorgehoben wurden, hatten für beide Geschlechter Gültigkeit. *Pudicitia*, unbedingte Liebe und Treue, wurde vor allem Frauen zugeschrieben. Die gegenseitige Zuneigung wurde oft betont. Lebenslange Ehelosigkeit und Keuschheit ist unter den erwachsenen röm. Frauen v. a. für die Vestalinnen bezeugt. Männer wurden in Einzelfällen zur Ehelosigkeit gezwungen, so etwa Soldaten; obgleich der Verzicht auf eine Ehe bisweilen auch freiwillig war, blieben die monogame Ehe und die Wiederverheiratung normale Erscheinungen in der röm. Gesellschaft.

D. Concubinatus und contubernium

Rechtlich nicht vollgültige Ehen (*matrimonia iniusta*) wurden partiell anerkannt. Der *concubinatus*, eine relativ stabile sexuelle Beziehung mit einer Frau eines anderen Rechtsstatus (wobei die Nachkommen nicht als legitime Kinder galten), stellte zunehmend eine Alternative zur Ehe dar. Hieraus entstand eine Ehe, wenn beide Partner heiratsfähig waren und einander mit *affectio maritalis* ansahen.

Das *contubernium*, eine Beziehung, bei der einer oder beide Partner Sklaven waren, wurde nach dem Vorbild der Ehe gestaltet, aber die Kinder galten als illegitim, und der Bestand des *contubernium* war stets unsicher. Es konnte in eine Ehe umgewandelt werden, wenn beide Partner röm. Bürger wurden und dies wünschten.

→ EHE

1 J. EVANS GRUBBS, »Pagan« and »Christian« Marriage: The State of the Question, in: Journal of Early Christian Studies 2/4, 1994, 361–412 2 M. KASER, RPR I, 63–74 (vorklass.), 266–290 (klassisch); II, 107–141 (nachklass.) 3 B. RAWSON (Hrsg.), The Family in Ancient Rome, 1986 4 Dies. (Hrsg.), Marriage, Divorce and Children in Ancient Rome, 1991 5 S. TREGGIARI, Roman marriage. Iusti coniuges from the time of Cicero to the time of Ulpian, 1991.

SU.T./Ü:T.R.

IV. JUDENTUM

Die biblische Vorstellung, wonach die geschlechtliche, wirtschaftliche und gesellschaftliche Verbindung von Mann und Frau als eine anthropologische Konstante anzusehen ist (vgl. Gn 2,23 f), wurde im rabbinischen Judentum rezipiert und entfaltet. So galt die Eheschließung als eine Pflicht, die spätestens bis zum Alter von 20 Jahren erfolgen sollte, ein zölibatäres Leben dagegen galt als Sünde (bKid 29b). Die entsprechenden halakhischen Regelungen wurden in den Mischna-, Tosefta- und Talmudtraktaten Kᵊṯūbboṯ (»Eheverträge«), Qiddūšīm (»Verlobungen«) und Sōṭāh (»die des Ehebruchs Verdächtige«) entwickelt. Dabei wird deutlich: Die eigentliche Ehezeremonie in talmudischer Zeit bestand aus zwei Teilen: Auf die Verlobung (hebr. ʾerūsīm), bei der der Bräutigam der Braut in Anwesenheit von zwei Zeugen den entsprechenden Segensspruch rezitierte und ihr die Antrauungsurkunde oder einen Wertgegenstand überreichte (mQid 1,1), folgte zu einem späteren Zeitpunkt die eigentliche Hochzeitszeremonie (hebr. qiddūšīm), an die sich der Vollzug der Ehe anschloß. Die Regelungen der ehelichen Vermögensverhältnisse, die v. a. dem Schutz der Frau bei Scheidung oder Witwenschaft dienten, waren in einem Ehevertrag (hebr. kᵊṯubbah) niedergelegt. Im Falle des kinderlosen Todes eines Ehegatten war dessen Bruder verpflichtet, die Witwe, seine Schwägerin, zu ehelichen (Levirat). Die Kinder aus dieser Verbindung galten dann als rechtmäßige Nachkommen des Verstorbenen (vgl. hierzu die Ausführungen des Traktates Yᵊḇāmōṯ, »Schwägerinnen«). Nach jüd. Verständnis ist auch die Ehescheidung möglich (vgl. hierzu den Mischnatraktat Giṭṭīn, »Scheidebriefe« mit der entsprechenden Auslegung in den Talmuden), die in der Regel nur auf die Initiative des Mannes erfolgen konnte. Die legitimen Scheidungsgründe wurden dabei in der Halakha äußerst kontrovers diskutiert.

Z. W. FALK, s. v. Ehe/Eherecht/Ehescheidung III. Judentum, TRE 9, 312–318 · T. ILAN, Jewish Women in Greco-Roman Palestine. An Inquiry into Image and Status, Texte und Stud. zum Ant. Judentum 44, 1995, 57–96 (beide mit weiterführender Literatur).   B.E.

Ehebruch

I. GRIECHENLAND

E. gehörte im ant. Griechenland neben Vergewaltigung zu den als μοιχεία (*moicheía*) geahndeten sexuellen Vergehen, die als Angriff auf das eheliche Bindungsverhältnis (φιλία, *philía*) verstanden wurden. Nach Xenophon (Hier. 3,3) erlaubten deshalb die meisten griech. Gemeinwesen die Tötung des Ehebrechers.

In att. Gerichtsreden wird E. im Zusammenhang mit Bürgerrechtsfragen und Tötungsdelikten erwähnt. In der Verteidigungsrede für Euphiletos, der den Verführer seiner Frau getötet hatte und sich dafür vor Gericht rechtfertigen mußte, um der Verbannung zu entgehen, wird ausdrücklich darauf hingewiesen, daß der *in flagranti* entdeckte Ehebrecher seine Schuld zugegeben und er selbst kein Geld entgegengenommen habe (Lys. 1,29). Leugnete ein Ehebrecher, von dem verheirateten Status der Frau gewußt zu haben, wurde die Tat vor Gericht verhandelt. Diese Regelung sollte ausschließen, daß ein Ehemann seine Frau absichtlich mit einem Freier verkuppelte und diesen dann mit einer Ehebruchsklage erpreßte. Das att. Recht regelte insofern nicht das sexuelle Delikt des E., sondern die Gewalthandlungen, die aus dem E. resultierten und die den gesellschaftlichen Frieden gefährdeten. Im Mythos ist E. ein wesentlicher Grund für die Entstehung von Kriegen. Mythische Kriege wie der Kampf der Griechen um Troia (Hom. Il. 3,39–57; Od. 11,438) werden ebenso auf E. und Vergewaltigung zurückgeführt wie historisch verbürgte Kriege und innere Unruhen (Hdt. 1,1–5; Aristot. pol. 5,4,1303b 20–25).

Drohte dem Verführer (μοιχός, *moichós*) in Athen neben entehrenden Strafen – bei Aristophanes wird einem Ehebrecher ein Rettich in den Anus gezwängt (Nub. 1083 f.; vgl. auch Anth. Gr. 9,520) – der physische Tod (Aristot. Ath. pol. 57,3; Demosth. or. 23,53), so bedeutete der E. für die untreue Ehefrau die Gefährdung ihrer sozialen Existenz. Der Ehemann war gezwungen, sich von seiner untreuen Ehefrau scheiden zu lassen, wollte er nicht das Bürgerrecht verlieren. Die Frau selbst büßte ihre Zugehörigkeit zur Kultgemeinschaft ein und erlitt einen Statusverlust. Ihr war die Teilnahme an öffentlichen Opfern und das Tragen von gemusterter Kleidung verboten (Aischin. Tim. 183; Demosth. or. 59,87). Im unterital. Lokroi bestimmte das Gesetz des Zaleukos, daß dem Ehebrecher die Augen ausgestochen wurden (Herakl. Pont. 15, FGH II 217). Andere Gesetzeskodifikationen wie das Recht von Gortyn aus dem 5. Jh. v. Chr. sahen nur nach Statusgruppen gestaffelte Geldbußen für den Ehebrecher vor (II 20–24). Die Spartaner kannten in der archa. Zeit laut Plutarch (Lykurg 15) das Delikt E. nicht.

Die Verbreitung von E. wird in lit. Quellen stark übertrieben. Tragödien und Komödien zeichnen für Athen das Bild der nach sittenwidrigen Liebesverbindungen strebenden Ehefrau (Aischyl. Choeph. 595–601; Eur. Ion 1090–1097, Hipp. 407–412; Aristoph. Ekkl. 225, Thesm. 790–796). Ihr Begehren richtet sich hier auf einen männlichen Verwandten (Phaidra und Hippolytos; Klytaimestra und Aigisthos); nach den Angaben des Aristoteles (eth. Nic. 5,13,1137a 4–20; vgl. bereits Hes. erg. 700) spielte sich E. in nachbarschaftlichen Kontexten ab. Die Tatsache, daß Frauen sich trotz der angedrohten Strafen einen Liebhaber nahmen, wird in der Forschung mit dem großen Altersunterschied zwischen den Ehepartnern und der Praxis, Ehen zu arrangieren, erklärt. Die Ursache für die gewaltsame Ahndung von E. wiederum wird aufgrund von Beobachtungen in gegenwärtigen mediterranen Gesellschaften in normativen Mustern, in der Verknüpfung männlicher Ehre und öffentlicher Reputation mit der sexuellen Integrität der Frauen, sowie im patrilinearen Erbrecht und in der polit. Bedeutung von Eheallianzen gesucht.

1 D. COHEN, Law, sexuality, and society, 1994, Kap. 5 und 6
2 W. K. LACEY, The Family in Classical Greece, 1968
3 R. SEALEY, Women and Law in Classical Greece, 1990
4 B. WAGNER, Zwischen Mythos und Realität, 1982
5 R. F. WILLETTS, The Law Code of Gortyn, 1967.
                                                                B. W.-H.

II. ROM
s. Adulterium

Ehegesetze s. Ehe

Eheverträge. Unter den griech. Papyrusurkunden aus dem ptolemaiischen und röm. Ägypten befindet sich eine Anzahl von E., die sowohl moralische Verpflichtungen der Ehepartner als auch das eheliche Güterrecht regelten. Sie stammen aus der Zeit zwischen dem 4. Jh. v. Chr. und dem 6. Jh. n. Chr. und sind (anders als die mündlichen Absprachen über die Mitgift, die für das klass. Athen belegt sind) nicht als Abkommen zwischen zwei Familien – vertreten vom Brautvater und dem Bräutigam –, sondern als Vereinbarung zwischen den Eheleuten selbst zu verstehen. Beteiligt waren an dem Verfahren nicht nur Brautvater und Bräutigam, sondern auch Brautmutter und Braut (POxy. 372; 496; 1273), bisweilen auch der Bruder der Braut. Formaler Bestandteil des E. bildete die ἔκδοσις (ékdosis), die Übergabe der Braut an den Bräutigam. Die Braut konnte die *ékdosis* auch selbst vornehmen, ohne dadurch zur Konkubine zu werden. Die Absprachen über die eingebrachten Güter der Braut bezogen sich nicht auf die klass. Mitgift, auf die προίξ (*proíx*), die den Kindern einen Anteil am Familienbesitz der Mutter sicherte, sondern auf die traditionelle Brautausstattung, auf die φερνή (*pherné*), die wie in Griechenland (Plut. Solon 20,6) auch im ptolemaiischen Ägypten aus Kleidung, Schmuck und Hausrat bestand, deren Wert oftmals in Geld ausgedrückt wurde. Der älteste Papyrus mit einem E. stammt aus Elephantine (311/310 v. Chr.), wo sich eine griech. Garnison befand. Der zwischen Demetrias aus Kos und Herakleides aus Temnos geschlossene E. nannte für die *pherné*, bestehend aus Kleidung und Schmuck, einen Wert von 1000 Drachmen (PElephantine 1).

Geregelt wurden in den E. neben der Höhe der *pherné* ihre Erstattung im Falle der Scheidung, der Umfang von Bußzahlungen bei verzögerter Rückgabe sowie Verpflichtungen des Ehemanns zum Unterhalt der Ehefrau und zur Einhaltung der Monogamie. Pflichten, die in den E. der Ehefrau abverlangt wurden, zielten auf hauswirtschaftliche Leistungen und auf die Wahrung der Ehre des Ehemannes. Ein E. aus Tebtynis aus dem Jahre 92 v. Chr. untersagte beispielsweise dem Ehemann, eine weitere Frau ins Haus aufzunehmen und mit ihr Kinder zu zeugen; der Ehefrau war im Gegenzug verboten, sich ohne Einwilligung des Ehemannes bei Tag oder Nacht vom Haus zu entfernen und ein Verhältnis mit einem anderen Mann einzugehen (PTebtunis I 104; vgl. BGU 1052, 13 v. Chr.).

In röm. Zeit wurde in Angleichung an die → dos neben dem Begriff *pherné* zunehmend auch der Terminus *proíx* verwendet; außerdem wurden neben der Mitgift zusätzliche Leistungen wie die παράφερνα (*parápherna*) und προσφορά (*prosphorá*) vereinbart. In dem E. zwischen Chairemon und Sisois, dem Vater des Thaisarion, aus dem Jahre 66 n. Chr. (PRylands 154) wird deutlich zwischen *pherné* und *parápherna* unterschieden; bei den *parápherna* handelt es sich um Schmuck und Kleidung, aber auch um Gefäße für den Haushalt, Gegenstände, die genau aufgelistet werden und generell nicht in den Besitz des Ehemannes übergingen. Als *prosphorá* übergibt der Vater der Frau dem Ehemann mehrere Ländereien; der Ehemann verpflichtet sich seinerseits, dieses Land tatsächlich zu bewirtschaften und alle dafür anfallenden Steuern zu bezahlen. Für den Fall der Scheidung wird vorgesehen, daß diese Ländereien an Sisois, falls dieser noch lebt, oder aber an die Frau zurückfallen; Schmuck und Kleider sollen, wenn der Mann die Scheidung verlangt, sofort oder innerhalb von 30 Tagen zurückgegeben werden. Dieser E. wurde erst mit der Übergabe der *parápherna* und der Ländereien schriftlich abgefaßt; zuvor hatten Chairemon und Thaisarion in Form des γάμος ἄγραφος (*gámos ágraphos*) zusammengelebt, der wahrscheinlich eine vollgültige Ehe darstellte, aber nicht vertraglich geregelt war.

1 T. GERGEN, Die Ehe in der Antike, 1995 2 G. HÄGE, Ehegüterrechtliche Verhältnisse in den griech. Papyri Ägyptens bis Diokletian, 1968 3 J. M. MODRZEJEWSKI, Zum hellenistischen Ehegüterrecht, in: ZRG 87, 1970, 50–84 4 S. B. POMEROY, Women in Hellenistic Egypt, 1990, 83–124 5 H.-A. RUPPRECHT, Kleine Einführung in die Papyruskunde, 1994, 108–110 6 Ders., Zum Ehegattenrecht nach den Papyri, in: Bulletin of the American Society of Papyrologists 22, 1985, 291–295 7 H. J. WOLFF, Grundlagen des griech. Eherechts, in: TRG 20, 1952, 1–29, 157–181.   B. W.-H.

Ehreninschriften dienten der öffentlichen Herausstellung einer Person aufgrund bes. Verdienste oder einer allg. Würdigung ihres Ansehens. Die Ehrung war immer mit einer statuarischen Darstellung des Geehrten verbunden, wobei die Inschr. auf der Statuenbasis angebracht wurde. E. erhielten vor allem der Kaiser und seine Familie, Statthalter, hohe Beamte der Reichsverwaltung, städtische Beamte und Priester, aber auch Privatpersonen. Die Ehrung erfolgte zu Lebzeiten des Geehrten, doch war sie auch nach seinem Tode möglich. Typische Aufstellungsorte waren das städtische Forum sowie Theater, Portiken, Tempelvorhallen und öffentliche Gärten. In Rom selbst beschränkte sich diese Form der statuarischen Repräsentation der Oberschicht im Laufe der Kaiserzeit immer mehr auf die Privathäuser der Senatoren und Ritter, die einer möglichen Konkurrenzsituation zum Kaiserhaus vorbeugen wollten. Außerhalb Roms gehörten E. und Ehrenstatuen zu den typischen Ausstattungsmerkmalen öffentlicher Plätze, doch finden sie sich auch an nicht allg. zugänglichen Orten.

Das Textformular enthält den Namen und die gesellschaftliche Stellung des Geehrten (meist im Dativ oder Akkusativ), den Namen der Stifter (z. B. der Senat in Rom, Provinziallandtage, städtische Ratsversammlungen, Korporationen oder Privatpersonen) sowie eine Schlußformel (z. B. *statuam posuit* oder *locus datus decreto decurionum*). Lat. E. führen oft den vollständigen *cursus honorum* des Geehrten auf, eine Sitte, die auch auf griech. E. vielfach übernommen wurde. Lag ein konkreter Anlaß für die Ehrung vor (z. B. eine bes. Leistung/Stiftung für eine städtische Gemeinde), so wird diese in der Inschr. genannt. Doch können E. auch äußerst knapp gehalten sein und nur den Namen des Geehrten ohne Nennung seines sozialen Ranges und etwaiger Verdienste verzeichnen. Ausführliche E. erwähnen häufig die großzügige Übernahme der Kosten durch den Geehrten selbst. Eine Sonderform stellen E. dar, in denen Stifter und Geehrter identisch sind (beispielsweise die Statue des Stifters eines öffentlichen Gebäudes im Inneren des Bauwerkes).

R. CAGNAT, Cours d'Epigraphie Latine, ⁴1914 (Ndr. 1964), 257–263 · W. ECK, Ehrungen für Personen hohen soziopolit. Ranges im öffentlichen und privaten Bereich, in: H. J. SCHALLES, H. v. HESBERG, P. ZANKER (Hrsg.), Die röm. Stadt in 2. Jh. n. Chr., 1992, 359–376 · G. KLAFFENBACH, Griech. Epigraphik, ²1966, 65–67 · E. MEYER, Einführung in die lat. Epigraphik, 1973, 66–69 · G. ZIMMER, Locus datus decreto decurionum, 1989. ST. B.

Ehrenmonate s. Monatsnamen

Ei (ᾠόν, *ovum*). In der ant. Küche wurden Eier von allen domestizierten Vögeln wie Enten, Fasanen, Gänsen, Hühnern, Pfauen, Rebhühnern und Tauben, gelegentlich auch von wilden Vögeln verwendet. Im allg. Sprachgebrauch verengte sich die Bed. von »Ei« aber auf das Hühnerei, das in Griechenland spätestens seit dem 6. Jh. v. Chr. bekannt war und später auch in der röm. Welt geschätzt wurde. Das Hühnerei war ein durchaus preiswertes Nahrungsmittel (Edictum Diocletiani 6,43), das während eines Mahls gern zur Vorspeise gereicht wurde (Hor. sat. 1,3,6 f.: *ab ovo usque ad mala*). Es hatte seinen Platz aber auch in der gehobenen Küche; → Apicius verwendet E. gelegentlich zur Herstellung von Saucen, Aufläufen und Nachspeisen (z. B. 4,2,13).
→ Huhn

J. ANDRÉ, L'alimentation et la cuisine à Rome, ²1981.
A. G.

Eibe s. Taxus

Eiche. In der natürlichen Vegetation der Mittelmeerländer sind E. mit etwa 30 Arten bei weitem die häufigsten Laubgehölze. Als solche wurden sie von den Griechen kollektiv mit dem idg., schon in Linear B belegten Baumwort δρῦς (*drýs*) benannt und durch Spezialnamen unterschieden. So schwankt die Bezeichnung für die hl. Orakel-E. des Zeus in → Dodona zw. δρῦς und φηγός (*phēgós*), während sie im Lat. durchweg *quercus* heißt. Gemeint ist die »Troian. Eiche«, *Quercus trojana* [1. 385–391]. Die ausführlichsten und zuverlässigsten Informationen über die E. der ant. Welt finden sich bei Theophrastos (insbes. h. plant. 3,7,4–8,7). Er beschreibt ihre vielfältigen Produkte und führt sie als die Gehölzgattung mit der größten Artenaufspaltung vor, indem er als erster die bis h. fortbestehenden großen Schwierigkeiten der Systematik erkennt, die durch innerartliche Formenvielfalt und reiche Hybridisierung bedingt sind. Nach der h. gültigen Nomenklatur unterscheidet er für das nordwestl. Kleinasien folgende Arten: ἡμερίς (*hēmerís*), »Galleiche« (*Quercus infectoria*), zusammen mit »Flaumeiche« (*Q. pubescens*) und deren Bastarden; αἰγίλωψ (*aigílōps*), »Traubeneiche« (*Q. petraea*, Subspecies *iberica*); πλατύφυλλος (*platýphyllos*), »Ungarische Eiche« (*Q. frainetto*); φηγός (*phēgós*), »Troian. Eiche« (*Q. trojana*); ἁλίφλοιος (*halíphloios*) oder εὐθύφλοιος (*euthýphloios*), »Zerreiche« (*Q. cerris*). Für Makedonien nennt er neben den schon erwähnten πλατύφυλλος und φηγός: ἐτυμόδρυς (*etymódrys*), *Q. pubescens*; ἄσπρις (*áspris*), *Q. cerris* ([2. 144–149], mit geringfügig abweichenden Identifikationen [1. 391–401]). Die immergrünen Arten (h. plant. 3,16,1–3) werden noch nicht zur δρῦς gerechnet (so erst bei Dioskurides 1,106,2 [6. 99 f.] bzw. 1,144 [7. 126]; zur ant. Diskussion vgl. [3. 2022 f.]): πρῖνος (*prínos*), »Kermeseiche« (*Q. coccifera*); σμῖλαξ (*smílax*) oder ἀρία (*aría*), »Steineiche« (*Q. ilex*); φελλόδρυς (*phellódrys*), »Korkeiche« (*Q. suber*), die h. in Griechenland ausgestorben ist [2. 179–184]. Unter φηγός wurde allerdings oft die urspr. nur südostmediterran verbreitete »Knoppereiche« (*Q. ithaburensis* Subspecies *macrolepis*, synonym *Q. aegilops*) verstanden, die noch bis in dieses Jh. wegen ihrer großen, zum Gerben und Färben verwendeten Fruchtbecher im Bereich des Ölbaumklimas angebaut wurde; diese Identifikation ist jedoch zumindest für die Texte von Homer bis Theophrastos aus pflanzensoziologischen und ökologischen Gründen unhaltbar [1. mit Abb.]. Entsprechend der volksetym. Herleitung von φαγεῖν (*fageín*), »essen« (Apion, fr. 146 N., wohl nach Philetas; weitere Belege [3. 2030]), erscheint φηγός in loser Bed. als gelehrtes

Glossenwort der hell. Dichter; Kallimachos (hymnus in Dianam 239) setzt es sogar für die hl. Ulme im Artemision von → Ephesos. Die Übertragung des westidg. Buchennamens auf *Q. trojana* dürfte wanderungsgesch. zu erklären sein [1. 401 f.]. Ein häufiges, volkstümliches Einteilungskriterium (auch bei Theophrastos und Plinius) ist die Süßfrüchtigkeit. Eicheln (*glandes*) galten denn auch – zusammen mit den Früchten des → Erdbeerbaumes – als Grundnahrungsmittel der mythischen Frühzeit, bes. des Goldenen Zeitalters, vor der Einführung des Getreides durch Demeter/Ceres (Hes. erg. 232 f.; s. M. L. WEST z. St. 214 f.; Sammlung der Belege zum βαλανίτης βίος bei [3. 2023, 2032 f., 2050, 2065–2069]). Noch h. werden – keineswegs nur aus Not – bitterstoffarme und süße Früchte – meist geröstet – gegessen, im westl. Mittelmeergebiet v. a. von der immergrünen *Q. rotundifolia* (diese meint Plin. nat. 16,15), in Anatolien von *Q. infectoria*, *Q. pubescens*, *Q. frainetto*, *Q. trojana*, *Q. ithaburensis*, Subspecies *macrolepis* und der immergrünen *Q. aucheri* (weiteres zum Vorderen Orient bei [4. 647 f.]). Darüber hinaus werden bei Arten mit bitteren Früchten immer wieder süßfrüchtige Varianten beobachtet und umgekehrt. Im Lat. dient *quercus* als Gattungsname für »E.«, und die Arten Italiens werden aus eigener Anschauung bei Plinius (nat. 16,7–37) sehr genau unterschieden. Unter den sommergrünen kennt er: *quercus* (als Artname), »Stieleiche« (*Q. robur*); *robur*, »Traubeneiche« (*Q. petraea*, it. *rovere*, zusammen mit *Q. pubescens*, it. *roverella*); *cerrus* (*Q. cerris*); *aesculus* (*Q. frainetto*), die tatsächlich von den gen. die bitterstoffärmsten Früchte trägt und dem Zeus heilig war (nat. 16,11). An immergrünen E. nennt er: *ilex* (*Q. ilex*); *ilex aquifolia* (nat. 16,19), die nur in den Provinzen vorkomme (*Q. coccifera*); *suber* (*Q. suber*). Hiermit stimmt der sonstige lat. Sprachgebrauch überein, der sich für die augusteische Zeit am deutlichsten bei Vergil fassen läßt [5].   B.HE.

Die E. ist als großer Baum, der ein hohes Alter erreicht (Lucan. 1,135), der Inbegriff eines hl. Baumes in ehrwürdigen Hainen (Verg. georg. 2,331 ff.; Lucan. 3,339 ff.). Während die großen, sommergrünen E. den Himmelsgöttern, bes. Zeus/Iuppiter (→ Dodona), heilig waren und als Wohnsitz der Dryaden und Hamadryaden galten (Athen. 3,78b), wurde die dunkle Stein-E. (v. a. *ilex nigra*) dem Pan und der Unterwelt, bes. der Hekate und den → Erinyen, zugeordnet (Sen. Oed. 539 ff.; Ov. am. 2,6,49: E. als Nistplatz der Vögel im Elysium).

Im Rom wurde die *corona civica* aus E.-Laub geflochten.   C.W.

1 B. HERZHOFF, ΦΗΓΟΣ. Zur Identifikation eines umstrittenen Baumnamens, in: Hermes 118, 1990, 257–272, 385–404 2 S. AMIGUES, Théophrast – Recherches sur les plantes II, 1989 3 OLCK, s. v. E., RE 5, 2013–2076 4 H. A'LAM, s. v. Balut, EncIr 3, 1989, 647–649 5 G. MAGGIULLI, L'aesculus e la quercus in Virgilio, Atti del convegno Virgiliano sul bimillenario delle Georgiche 1975, 1977, 421–429 6 WELLMANN 1 7 BERENDES.   B.HE.

Eichelhäher (κίσσα oder κίττα, *Garrulus glandarius*). Er wurde im Griech. oft mit der → Elster [1. 146] und als *garrulus* im MA (u. a. bei Isid. orig. 12,7,45) mit *graculus*, der Alpendohle (→ Dohle) bzw. der Saatkrähe (u. a. bei Thomas von Cantimpré 5,62; [2. 209]) verwechselt. Der bunte Rabenvogel zeigt charakteristische Färbung und Verhalten. Schon Plin. nat. 10,119 bewundert die Geschwätzigkeit der verwandten Elstern und der »Eichelfresser« (*earum quae glande vescantur*). Aristot. hist. an. 9(8),13,615b 19–23 beschreibt die Wandlungsfähigkeit seiner zum Sprechen abrichtbaren Stimme, den Nestbau und das Vergraben der gesammelten Eicheln. Als vielfach im Käfig gehaltenen Modeziervogel erwähnt ihn Mart. 8,87. Auf pompeianischen Wandgemälden ist er zweimal abgebildet [3. 113]. Die farbige Illustration [4. Farbtaf. II oben = Abb. 121,1] aus der Wiener Hs. von 512 n. Chr. der *Ixeutica* des Dionysios zu 1,18 [5. 12 f.] und ihre Kopie des 15. Jh. [4. Farbtaf. VIII,4 = Abb. 130,11] sind lebensecht.

1 D'ARCY W. THOMPSON, A glossary of Greek birds, ²1936 (Ndr. 1966) 2 H. BOESE (ed.), Thomas Cantimpratensis, Liber de natura rerum, 1973 3 KELLER II 4 Z. KÁDÁR, Survivals of Greek Zoological Illustrations in Byzantine Manuscripts, 1978 5 A. GARZYA (ed.), Dionysii Ixeuticon libri, 1963.   C.HÜ.

Eichhörnchen. Der Name *sciurus* dieses hervorragend kletternden Nagetiers *Sciurus vulgaris* ist vom langen buschigen Schwanz abgeleitet, der im Sommer angeblich Schatten spenden soll (σκίουρος, von σκιά, »Schatten« und οὐρά, »Schwanz«, vgl. Plin. nat. 8,138 und Opp. kyn. 2,586–588). Nach Plinius ist es wetterfühlig und verstopft den Höhleneingang gegen Sturm [1. 218]. Im Winter lebt das E. von den gesammelten Vorräten. Plinius (nat. 11,245) kennt seine Benutzung der Vorderpfoten beim Fressen im Sitzen, was erst wieder Albertus Magnus (animal. 22,134 [2. 1421]) erwähnt. Im MA wurde das E. als *scurulus* oder *hesperiolus* von Alexander Neckam (2,124 [3. 203 f.]) und als *pirolus* u. a. von Thomas von Cantimpré (4,94 [4. 161]) eingehend beschrieben.

1 LEITNER 2 H. STADLER (ed.), Albertus Magnus, De animalibus, II, 1920 3 TH. WRIGHT (ed.), Alexander Neckam, de naturis rerum, 1863 (Ndr. 1967) 4 H. BOESE (ed.), Thomas Cantimpratensis, Liber de natura rerum, 1973.   C.HÜ.

Eichung. Die E. sowie die Kontrolle der offiziellen Maße und Gewichte oblag in Griechenland den *agoranómoi*, wobei sich in Athen spätestens ab der Mitte des 4. Jh. v. Chr. die *metronómoi* als hierfür zuständige Hilfsbeamte nachweisen lassen. Im Amtsgebäude der Marktbeamten bzw. des Waagemeisters (*zygostátēs*) wurden die feuerfesten Gußformen der Gewichte aufbewahrt, aus denen unter behördlicher Aufsicht die Gewichte in Br. oder Blei ausgegossen und dem Handel sowie den Behörden ausgehändigt wurden. Die Gewichtsstücke besitzen eine unterschiedliche Form und tragen häufig eingravierte bildliche Darstellungen und z. T. abgekürzte Inschr., wobei die Nennung der Stadt, der Gewichtseinheit und bes. der Name des Agoranomen bzw. des Metronomen die amtliche Kontrolle gewährleistete. Auch die Inschr. DEMOSION (ΔΕΜΟΣΙΟΝ) verrät den offiziellen Charakter. Die Gewichtsstücke folgen den entsprechenden Abstufungen nicht immer genau, wobei das unterschiedliche Handelsgewichtssystem der griech. Poleis zusätzlich berücksichtigt werden muß. Die auf dem Markt im Umlauf befindlichen Gewichtsstücke wurden jährlich von den Marktbeamten bzw. den Amtsdienern, wie dem Vormesser (*prometretés*) kontrolliert und danach mit einem Stempel versehen. Falsche oder veränderte Gewichte zogen sie ein und verhängten entsprechende Strafen.

Während die erh. Gewichtsstücke und Gußformen einen, wenn auch eingeschränkten, Überblick über die E. zulassen, birgt die Frage nach der E. der Hohlmaße für Trockenes und Flüssiges in der griech. Zeit noch offene Fragen. In Athen sind fragmentierte zylindrische Becher aus Ton, selten aus Br., aus dem 5. und 4. Jh. v. Chr. gefunden worden, von denen einige die aufgemalte Inschr. ΔΕΜΟΣΙΟΝ sowie einen Stempel mit der Darstellung der Eule oder dem Bildnis der Athena tragen und sich damit als behördliche Hohlmaße erweisen. Sie tragen am oberen Ende waagerecht umlaufende Rillen, in denen sich gelegentlich noch die abgebrochenen »Eichstäbe« befinden, mit denen vermutlich das Nivellieren des trockenen Inhalts durchgeführt worden ist. Die jüngeren Gefäße besitzen im Inneren häufig pockennarbige Markierungen, die eine Art Eichskala darstellen. Die offiziellen Gefäße für flüssige Stoffe besitzen die Form einer → Olpe, → Oinochoe oder → Amphora und tragen ebenfalls einen Stempel und die Aufschrift ΔΕΜΟΣΙΟΝ. Die wenigen intakten Meßgefäße für Trockenes und Flüssiges folgen dem standardisierten Hohlmaßsystem.

In der röm. Zeit waren für Herstellung und Einhaltung der Gewichte und Maße die *aediles* zuständig. Die unter amtlicher Aufsicht gegossenen Gewichte in Blei und Br. besitzen ein unterschiedliches Aussehen und Buchstaben sowie Monogramme als Gewichtszeichen. Die im Handel befindlichen Gewichtsstücke wurden ebenfalls jährlich von den Marktbeamten kontrolliert, und die korrekten Gewichte erhielten die Namen der *aediles* und die Bezeichnung *exacta pondera* als Vermerk.

Die röm. Eichgefäße für Flüssiges entsprechen den griech., wobei erstere das Maß als Aufschrift tragen. Für die Trockenmaße wird vorzugsweise der *modius* benutzt, wie der br. Kornmeßbehälter von Carvoran, aus dessen Inschrift hervorgeht, daß er 17 ½ Sextarii (= 0,564 l) faßt [2. 55]. Die Eichung der Flüssigkeits- und Trockenmaße erfolgte jedoch auch durch die sog. *mensae ponderariae*, marmorne Eichblöcke mit unterschiedlich großen runden Vertiefungen, die, wie das Beispiel in Pompeji zeigt, auf dem Forum stehen [1. 63 f.]. An diesen Eichtischen konnten Händler und Käufer unmittelbar die Menge der Ware überprüfen.

→ Aediles; Agoranomoi; Bronze; Metronomos; Modius; Sextarius

1 J. OVERBECK, A. MAU, Pompeji in seinen Gebäuden, Altertümern und Kunstwerken, 1884 2 O. A. W. DILKE, Mathematik, Maße und Gewichte in der Ant., 1991.

E. PERNICE, Griech. Gewichte, 1894 • V. EHRENBERG, s. v. Metronomoi, RE 15, 1485–1488 • M. LANG, M. CROSBY, Weights, Measures and Tokens, Agora X, 1964 • V. GASSNER, Die Kaufläden in Pompeji, Diss. Wien 1982, 36 • J. NOLLÉ, Zwei Bleigewichte der Staatlichen Münzsammlungen in München, in: JNG 37/8, 1987/8, 93–100 • E. SIMON (Hrsg.), Minoische und griech. Antiken. Die Sammlung Kiseleff im Martin-von-Wagner-Museum der Universität Würzburg II, 1989, 194 ff. Nr. 323–329; 215 f. Nr. 356–357 • K. HITZL, Ant. Gewichte im Tübinger Arch. Institut, in: AA 1992, 243–257 • Ders., Die Gewichte griech. Zeit aus Olympia, 1996. A. M.

Eid

I. ALTER ORIENT

In Mesopotamien unterschied man seit der 2. Hälfte des 3. Jt. v. Chr. [1. 63–98; 2. 345–365] zwischen dem im Vertragsrecht angesiedelten promissorischen (zusichernden) und dem im Prozeßrecht zum Tragen kommenden assertorischen (bestätigenden) E. Der promissor. E. diente der unverbrüchlichen Zusicherung eines Verzichts bzw. einer vorzunehmenden Handlung und wurde unter Anrufung des Königs bzw. einer Gottheit oder beider geleistet. Der assertor. E. hatte als Zeugen- oder Parteieneid Beweiskraft, so z. B. als Reinigungseid des/der Beklagten. Er wurde zumeist im Tempel angesichts einer Gottheit oder eines Gottessymbols abgelegt. Die mit dem sakralen Charakter des E. verbundene Furcht vor göttl. Strafe läßt den E. in seiner Beweis- und Reinigungsfunktion an die Seite des Ordals treten.

In Ägypten können je nach dem im E. Angerufenen Privat-, Königs- und Gotteseid unterschieden werden, wobei der assertor. E. nicht die absolute Beweiskraft wie in Mesopotamien besaß [3. 1188–1200]. Eidleistungen erfolgten auch im Zusammenhang mit Staatsverträgen und Loyalitätserklärungen [4. 233, 233⁸; 5] bzw. -verpflichtungen [6. 268 f., 275³⁴ᶠ].

1 D. O. EDZARD, Zum sumer. Eid, in: Assyriological Stud. 20, 1975 2 J.-P. GRÉGOIRE, Le serment en Mésopotamie au IIIᵉ millénaire avant notre ère, in: R. VERDIER (Hrsg.), Le serment I: Signes et fonctions, 1991 3 P. KAPLONY, s. v. E., LÄ 1, 1975, 1188–1200 4 B. KIENAST, Der Vertrag Ebla-Assur in rechtshistor. Sicht, in: Heidelberger Stud. zum Alten Orient 2, 1988, 231–243 5 S. PARPOLA, K. WATANABE, Neo-Assyrian Treaties and Loyalty Oaths, 1988 6 K. WATANABE, Mit Gottessiegeln versehene hethit. »Staatsverträge«, in: Acta Sumerologica 11, 1989, 261–276.

U. KAPLONY-HECKEL, s. v. E., demot., LÄ 1, 1975, 1200–1204 • S. LAFONT (Hrsg.), Jurer et maudire: pratiques politiques et usages juridiques du serment dans le Proche-Orient ancien, 1997 • N. OETTINGER, Die mil. Eide der Hethiter, 1976 • M. SAN NICOLÒ, s. v. E., RLA 2, 1938, 305–315. H. N.

II. Griechenland

In der archa. griech. Gesellschaft mit ihren starken religiösen Bindungen spielte der E. (ὅρκος, *hórkos*) im Staats- und Rechtsleben eine zentrale Rolle, die in klass. Zeit immer mehr verblaßte, aber bis in die hell.-röm. Zeit in gewandelter Form erhalten blieb. E. ist die bedingte Verfluchung entweder der eigenen Person (evtl. verstärkt durch Einbeziehung der Nachkommen) oder eines Wertobjekts, an dem der Affekt oder das Prestige des Schwörenden bes. hing (z.B. die Rennpferde, Hom. Il. 23,581–85), für den Fall, daß eine Behauptung nicht der Wahrheit entspreche (assertorischer E.) oder ein Versprechen nicht erfüllt würde (promissorischer E.). In der Frühzeit legte man auf die richtige Formulierung des E.-Themas und auf die Auswahl der Schwurgötter (θεοί ὅρκιοι, *theoí hórkioi*, oder ἵστορες, *ístores*) großen Wert. Später gab es feste Formulare. Die Schwurgötter, allerdings nur soweit es in ihrem Machtbereich lag, rächten sich nach damals allg. Überzeugung am Meineidigen, wobei sie sich streng formalistisch an das E.-Thema hielten. Ein »krumm« formulierter Eid war deshalb harmlos (vgl. Hom. Hymn. 4, 379ff.). Dem E.-Getreuen stifteten sie Segen. E.-Leistung war je nach ihrer Wichtigkeit mit mehr oder weniger feierlichen Opferhandlungen verbunden. Für Staatsverträge bildete der E. (neben Geiselstellung) stets die wichtigste Garantie. Bes. Bedeutung hatte der E. im Prozeßrecht aller griech. Staaten. Das Gericht (entweder ein Kollegium von »Ältesten«, γέροντες/*gérontes*, oder »Königen«, βασιλεῖς/*basileís*, oder ein einzelner Amtsträger → *dikastés*) konnten durch »bedingtes Endurteil«, auch »Beweisurteil« genannt, einer der Streitparteien einen E. auferlegen, von dessen Gelingen dann der Ausgang des Prozesses abhing. Dieser Zustand findet sich im homer. Epos und auch noch in Gortyn. In Athen, gewiß ab Drakon (7. Jh. v. Chr.), und in Mantineia wurde beiden Streitparteien ein E. auferlegt (→ *diōmosía*), worauf ein Kollegium von Geschworenen (→ *dikastés*, in jüngerer Bedeutung) durch geheime Abstimmung den »besseren Eid« und damit den Sieger im Prozeß feststellte. Ein E. konnte auch privat dem Prozeßgegner zugeschoben werden, wodurch der Rechtsstreit ohne Gerichtsurteil entschieden werden konnte. Zeugen legten oft mit der Prozeßpartei einen E. ab (Eideshelfer), in der Regel deponierten sie die Aussage jedoch ohne Eid. In hell. Zeit wurde als Folge des Königskultes der E. auch auf den König abgelegt, was allmählich zur bloßen Urkundenklausel verblaßte, ebenso der Kaiser-E. in röm. Zeit.

III. Rom

→ Sacramentum.

K. Latte, Heiliges Recht, 1990 · E. Seidl, Der Eid im ptolemäischen Recht, 1929 · Ders., Der E. im röm.-ägypt. Provinzialrecht I/II, 1933/35 · Wolff, 77, 202, 249 · G. Thür, Oaths and Dispute Settlement, in: L. Foxhall, A. D. E. Lewis (Hrsg.), Greek Law, 1996, 57ff. · M. Gagarin, Oaths and Oath-Challenges in Greek Law, in: G. Thür, J. Vélissaropoulos (Hrsg.), Symposion 1995, 1997, 125ff. · A. Chaniotis, Tempeljustiz, ebd. 353ff.

G. T.

Eidechse (σαύρα oder σαῦρος, lat. *lacerta* und *lacertus*, evt. mit »Oberarm« zusammenhängend, vgl. [1. 1,743]). Gattungsname für verschiedene am Mittelmeer heimische Arten von Reptilien: 1. die Mauer-E. (*Lacerta muralis*), 2. die Smaragd-E. (*L. viridis*, χλοροσαύρα), 3. die besonders in SW-Europa und N-Afrika vorkommende Perl-E. (*Lacerta ocellata*; vielleicht erstmals erwähnt von Hdt. 4,183), 4. wahrscheinlich der von Plin. nat. 8,141 (*lacertus Arabiae cubitalis*, im Anschluß an Aristot. hist. an. 8,28,606b 5) erwähnte mehr als 20 cm lange Waran (*Varanus*).

Nur bei Plinius (nat. 29,129f. u.ö.; [2. 148]) wird die Smaragd-E. ausdrücklich als Objekt magischen Heilzaubers genannt (die einzelnen Vorschriften bei [3]). Aristot. erwähnt viele Details über Körperbau und Verhalten der E., unterscheidet sie aber nicht genau von den Schlangen. Plin. nat. 11,249 beschreibt richtiger als Aristot. hist. an. 2,1,498a 13–16 die Beugung ihrer Beine. In der Lit. und bildenden Kunst treten als ihr Feind auf: Eulen, Haushähne, Kraniche und Störche, ferner Spinnen und Skorpione, Wiesel und Schlangen. Sie bedeuten ihrerseits eine Gefahr für Bienen (Verg. georg. 4,13; Colum. 9,7,1; Geop. 15,2,18). Das Nachwachsen des bei Berührung verlorenen Schwanzes war bekannt (Aristot. hist. an. 2,17,508b 7f.; Plin. nat. 9,87 und 11,264). Die Regenerationsfähigkeit wird von Ail. nat. 2,23 und 5,47 übertreibend auf entzweigeschnittene Tiere ausgedehnt. 5,47 behauptet Ail. sogar, selbst gesehen zu haben, daß eine eingesperrte geblendete Smaragd-E. durch einen Eisenring mit einer in einen Gagat eingravierten E. nach neun Tagen wieder sehend geworden sei. Im griech. Physiologos (Kap. 2), der in lat. und volkssprachigen Übersetzungen weit verbreitet wurde, soll die alt gewordene σαύρα ἡλιακή durch Anstarren der aufgehenden Sonne aus einer Mauerhöhlung das Augenlicht wiedererlangen. Durch Isid. orig. 12,4,37 wurde dies Motiv ans MA (u.a. an Thomas von Cantimpré, 8,34 *De scaura*, [4. 287f.]) weitergegeben. Wegen des von Aristot. hist. an. 8,15,599a 31 für die E. behaupteten Winterschlafs (gilt nur für Nr. 1) ist sie besonders auf röm. Grabsteinen Sinnbild für Todesschlaf und spätere Auferstehung [5. 2,272, vgl. 6. 214]. Sie ist in Griechenland sowohl Sonnengottsymbol (Paus. 6,21,3) als auch Attribut des Hermes [7. 441]. Auf Münzen aus Rhodos und Thasos tötet sie der Sonnengott (*Hercules Tyrius*). In der röm. Republik gehört sie auf Münzen zur Göttin Salus. Als Traumerscheinung (Artem. 4,56) bedeutet sie verächtliche Gesinnung. Auf ägypt. Hieroglyphen hat sie die Bedeutung »unendlich viele«.

→ Reptilien

1 Walde-Hofmann 2 Leitner 3 H. Gossen, A. Steier, s. v. Krokodile und Eidechsen, RE 22, 1960–1962 4 H. Boese (Ed.), Thomas Cantimpratensis, Liber de natura rerum, 1973 5 Keller 6 Toynbee, Tierwelt 7 F. G. Welcker, Griech. Götterlehre, Bd. 2, 1860.　　C. Hü.

Eidolon (εἴδωλον; lat. *idolum*, Bild, Abbild, Trugbild).
[1] Bezeichnung für ein unterlebensgroßes Bildnis (vgl. die Votivgabe einer weiblichen Statue in Delphi bei Hdt. 1,51).
[2] In der griech. Mythologie, bes. bei Homer, bezeichnet E. ein Trugbild (Hom. Il. 5,449), vor allem aber die Seele eines Verstorbenen im Hades (Hom. Od. 11,213; Il. 23,104; das E. ist körperlos, hat aber die Gestalt des Lebenden: Hom. Il. 23,107). In der bildlichen Darstellung wird es häufig geflügelt und miniaturisiert gestaltet (vgl. die Szene einer Kerostasie auf einem sf. Dinos aus Caere um 540 v. Chr. [1]. Hier sind die Keren (»Todeslose«) noch Lebender üblicherweise als E. wiedergegeben). Bei den Orphikern hat die Seele Anteil am Göttl.; als *e. aiōnos* (»Abbild des Lebens«; Pindar, fr. 116 BOWRA) führt sie, anders als bei Homer, nach dem Tod nicht nur ein Schattendasein.
[3] Nach Platon (Tht. 191d 3–e 1) ist E. der Abdruck der ersten Wahrnehmung im Bewußtsein, der ein Wiedererkennen gewährleistet. Mit Hilfe von Name, Definition und E. gelangt man zur Erkenntnis eines Gegenstandes (Plat. epist. 7,342a 7ff.). Epikur verstand unter den E. atomare Abbilder, die von einem Objekt ausgehen und seine Wahrnehmung und Erkenntnis ermöglichen (vgl. Cic. fin. 1,21).
[4] In der jüd. und christl. Terminologie (LXX und NT) bedeutet E. »Götzenbild«.
→ Abbild; Ker; Psyche

1 A. KOSSATZ-DEISSMANN, s. v. Achilleus, LIMC 1.1, Nr. 799. HE. K.

Eidyllion (Εἰδύλλιον). Diminutivum von εἶδος (schol. Aristoph. Ran. 942; Proleg. E, schol. Theokr. p. 5,10f. WENDEL; vgl. [1]). Es scheint im ältesten uns bekannten Beleg, Plin. epist. 4,14, die allg. Bedeutung »kurzes Gedicht« zu haben (vgl. auch Soz. 6,25). Der Begriff ist sehr selten außerhalb der Scholien zu Theokrit; daher wird er speziell für die kurzen Gedichte Theokrits verwendet – auch für die ep. und erotischen, nicht nur für die bukolischen Gedichte, wie man es nach der heutigen Bedeutung (»ländlich-pastorales Werk«) und deren üblichen Konnotationen – sentimentale Charaktere und friedliche Umgebung – vermuten könnte. Diese rühren von einer idealisierten Vorstellung der bukolischen Dichtung in der Renaissance her, die sich auf Vergil gründet; diese spezialisierte Konnotation geht sicherlich nicht auf Theokrit selbst zurück (beim einzigen Bezug auf eines seiner Gedichte nennt dieser es »kleines Lied«, μελύδριον: 7,51). Ob die allgemeinere Bedeutung »kurzes Gedicht« die urspr. und die spezielle die sekundäre Bedeutung war, ist nicht feststellbar, da die Bedeutung der Wurzel (εἶδος) unsicher ist (schon bei den Scholiasten: vgl. Proleg. E, Theokr. p. 5,7–19).
    Eine verbreitete Interpretation postuliert die Entstehung des Terminus in Beziehung zu der πολυείδεια (Verschiedenartigkeit) der lit. Gattungen, die dem theokrit. Corpus zu eigen ist: demnach würde E. »kleine Liedgattung« (so schon Proleg. E, p. 5, 14–19 = Anec-

dot. Est. S. 12, 26 – 13, 2 WENDEL: εἰδύλλιον < εἴδη λόγου: diegetisch, mimetisch, gemischt) nach einer Bedeutung von *eídos* in den späten metrischen Pindarscholien zur Bezeichnung für Oden, da diese alle unterschiedliche Formen haben: p. 3, 8; 4, 6 usw. TESSIER; Apollonios [9a], der Herausgeber Pindars, erhielt den Spitznamen *eidográphos*, weil er dessen Gedichte nach ihren musikalischen *eídē* – dor., phrygisch usw. – klassifizierte (vgl. Etym. m. 295,52; Eustathios, Prooem. Pind. comm. III, p. 303, 14ff. DRACHM. und schol. Genev. Theokr. II, p. 7, 11f. AHRENS setzen den Begriff *eídē* in Beziehung zu den Epinikien Pindars und *e.* zu Theokrit). *Eídē* scheint in Suda σ 871 auch die allgemeinere Bedeutung »Werke unterschiedlicher Gattungen« zu haben. Nach der Interpretation von ZUCKER (*e.* = »Bestandteil«, vgl. z. B. Isokr. Antid. 74, danach »Textstück«) ist aber kein spezifischer Bezug auf das Corpus des Theokrit anzunehmen.

1 M. LEUMANN, Deminutiva auf -ύλλιον und Personennamen mit Kennvokal -υ im Griech., in: Glotta 32, 1953, 215.

E. BICKEL, Genus, εἶδος und εἰδύλλιον, in: Glotta 29, 1942, 29–41 • F. ZUCKER, ΕΙΔΟΣ und ΕΙΔΥΛΛΙΟΝ, in: Hermes 76, 1941, 382–392. M. FA./Ü: M.–A. S.

Eierstab. Markantes → Ornament aus dem Dekorationskanon der ion. Architektur, in der modernen arch. Fachterminologie auch »ionisches → Kymation« genannt: eine Profilleiste gewölbten Querschnitts, dessen reliefiertes oder gemaltes Ornament aus einem Wechsel von ovalen Blättern und lanzettenförmigen Zwickelspitzen besteht und das am unteren Ende oft von einem mit dem Rhythmus des E. korrespondierenden Perlstab (Astragal) abgeschlossen wird. Der E. ziert neben dem → Epistylion bzw. dem → Fries vor allem den → Echinus des ion. Volutenkapitells, später auch Türgewände und andere optisch hervorgehobene Bauteile; seine Formentwicklung bildet eine wichtige Datierungshilfe für ant. Architektur. Der E. bleibt zunächst auf die ion. Architektur beschränkt, findet sich im 5. Jh. v. Chr. aber bereits als Schmuckelement auch an dor. Bauten (→ Parthenon in Athen) und – spätestens zu Beginn des 5. Jh. v. Chr. – als Ornamentband in der Vasenmalerei;

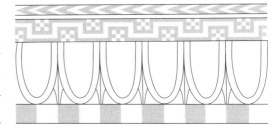

Milet, reliefierter Eierstab zwischen gemalten Ornamentbändern vom Tempel auf dem Kalabak Tepe (6. Jh. v. Chr.).

er wird ab der hell. Zeit zu einem universellen Motiv in allen dekorierten architektonischen Typen, in → Malerei, → Mosaik, → Toreutik sowie in der → Terra Sigillata und weiteren Formen von Kleinkunst und Kunstgewerbe.

W. MÜLLER-WIENER, Griech. Bauwesen in der Ant., 1988, 120–121 · W. KIRCHOFF, Die Entwicklung des ion. Volutenkapitells im 6. und 5. Jh. und seine Entstehung, 1988, 158–161. C. HÖ.

Eigennamen s. Onomastik

Eikoste (εἰκοστή). Abgabe bzw. Steuer in Höhe eines Zwanzigstels (5%).

1. In Athen sollen erstmals die Peisistratiden eine Steuer auf landwirtschaftliche Erträge erhoben haben, um Kriege, prachtvolle Bauten und Festopfer zu finanzieren, nach Thuk. 6,54,5 in Höhe von 5%. In Aristot. Ath. pol. 16,4; 16,6 ist die Steuer als »Zehnt« (δεκάτη) bezeichnet (vgl. Hdt. 1,64,1).

2. 413/2 v. Chr. legten die Athener ihren *symmachoi* (Verbündeten) im Delisch-Attischen Seebund statt der → *phoroi* eine Ein- und Ausfuhrsteuer zur See in Höhe von 5% auf, um die gestiegenen Ausgaben im Peloponnesischen Krieg bestreiten zu können (Thuk. 7,28,4: τὴν εἰκοστὴν ... τῶν κατὰ θάλασσαν ἀντὶ τοῦ φόρου). Vermutlich wurden 410 oder kurz davor die *phóroi* wieder eingeführt.

3. In Aristoph. Ran. 363 (405 v. Chr.) ist ein εἰκοστολόγος (*eikostológos*) genannt, wahrscheinlich ein Steuerpächter, der eine *e.* eintrieb. Dabei dürfte es sich wohl um Zolleinnahmen handeln, die in att. Kleruchien oder in Bündnerstädten erhoben wurden und Vorbild für die *e.* in der attischen Symmachie waren.

4. Bei seinem Rückgriff auf Herrschaftsformen der attischen Symmachie führte der athenische Stratege Thrasybulos 390/389 wieder eine von den Bundesgenossen zwangsweise für Athen erhobene *e.* ein (IG II² 28; = TOD 114; = IEry II 502 Z. 7 f.: ...τὴν ἐπὶ Θρασυβούλο εἰκοστήν; IG II² 24). Mit dem Antalkidasfriede dürfte diese Abgabe geendet haben.

5. Bei bestimmten Rechtsgeschäften, hauptsächlich bei Grundstücksverkäufen und Steuerverpachtungen, wurden häufig Verkaufssteuern (ἐπώνια, *epónia*) erhoben. Ein Satz von 5% galt in Delos bei der Pacht von Steuern.

6. Nach der Rückeroberung der Stadt Sardeis und der Hinrichtung des Usurpators → Achaios [5] legte → Antiochos [5] III. den Bewohnern von Sardeis eine an den König zu entrichtende Verkaufssteuer von 5% auf, die zusätzlich zu einer bereits bestehenden *e.*, deren Erträge in die städtische Kasse flossen, erhoben wurde. Auf Bitten Laodikes befreite Antiochos in einem inschr. erhaltenen Brief des Jahres 213 v. Chr. die Stadt wieder von der Abgabe (SEG 39,1083 Z. 5 f.).

7. In einem inschr. erhaltenen Brief eines Attalidenkönigs aus dem 2. Jh. v. Chr. wurden Siedler, die ein Landlos erhalten hatten, zu Abgaben verpflichtet. Eine Gruppe der Kolonen mußte auf die landwirtschaftlichen Erträge eine zehnprozentige Steuer (δεκάτη), für die Erträge an Wein eine *e.* entrichten (WELLES Nr. 51, Z. 15–18).

8. In Anaia, dem Festlandbesitz von Samos, wurde eine Naturalabgabe in Getreide von 5% erhoben. Die Abgabe fiel an den Tempel, wahrscheinlich an den der Hera. Die Getreidebeamten der Stadt Samos kauften dieses Getreide mit den Zinseinkünften eines Darlehensfonds zu einem Mindestpreis auf und ließen das Getreide an die Bürger verteilen (Syll.³ 976).

9. Im ptolem. Ägypt. existierte eine Steuer von 5% auf Wolle (εἰκοστὴ ἐρεῶν; PHibeh 115 Z. 20; O. Bodl. I 14.16.25 f.; PRyl. 70 Z. 24) und eine Abgabe auf Einkünfte aus Verpachtungen von οἰκόπεδα (Hausstellen).

10. Im röm. Ägypt. wurde im Gau Arsinoites je *árura* bebauten Landes eine Steuer von zwei *choínikes* (διχοινικία) oder einem Zwanzigstel einer *artaba* erhoben. Weitere Steuern von 5% sind im Gau von Mendes und von Tentyra belegt (ESAR II 508; 518 f.; 559).

11. In röm. Zeit ist *e.* der griech. Begriff für → *vicesima*, eine Steuer von 5% bei Freilassungen und Erbschaften.

→ Steuern

1 BUSOLT/SWOBODA 2 P. FUNKE, Homónoia und Arché, 1980 3 D. J. GARGOLA, Grain distributions and the revenue of the temple of Hera on Samos, in: Phoenix 46, 1992, 12–28 4 PH. GAUTHIER, Nouvelles Inscriptions de Sardes 2, 1989, 13–45 5 I. KERTÉSZ, Zur Sozialpolitik der Attaliden, in: Tyche 7, 1992, 133–141 6 B. R. MACDONALD, The Phanosthenes Decree. Taxes and Timber in Late Fifth-Century Athens, in: Hesperia 50, 1981, 141–146 7 R. MEIGGS, The Athenian Empire, 1972 8 L. MIGEOTTE, Les souscriptions publiques dans les cités grecques, 1992 9 PRÉAUX, 112, 300 f. 10 P. J. RHODES, A Commentary on the Aristotelian *Athenaion politeia*, 1981 11 B. SMARCZYK, Unt. zur Religionspolitik und polit. Propaganda Athens im Delisch-Attischen Seebund, 1990 12 S. L. WALLACE, Taxation in Egypt, 1938 13 K. W. WELWEI, Athen, 1992.
W. S.

Eileithyia (Εἰλείθυια, dorisch Ἐλευθ(υ)ία, myk. in Knosos *e-reu-ti-ja*). Griechische Göttin, die fast ausschließlich von Frauen im Zusammenhang mit Schwangerschaft und Geburt, aber auch weitergehend mit Kinder- und Frauenkrankheiten (Diod. 5,73,4; [1]) verehrt wurde. Schon Homer kennt sie in dieser Funktion (μογοστόκος, »mit der Mühe der Geburt befaßt«, Hom. Il. 16,187); ihr Name ist wohl sprechend und läßt sich mit *eleuth*–, »gehen, kommen«, verbinden [2]. Eigenständige Mythen hat sie fast keine: Geboren ist sie an ihrem wichtigen Kultort Amnisos (Paus. 1,18,5); wenn sie als Tochter der → Hera gilt (seit Hes. theog. 291 f.; vgl. Hom. Il. 11,270 f.), spiegelt dies ihre kult. Funktion. Daneben steht auch eine Gruppe von »Eileithyiai« als ein Reflex realer Geburtshilfepraxis (Hom. Il. 11,270; 19,119), ähnlich den funktionsverwandten Genetyllides (Aristoph. Thesm. 130) oder → Moirai.

Ihr Kult reicht in Kreta in die Bronzezeit zurück, und ihr Heiligtum in Amnisos auf Kreta, das schon die Od. (19,187 »Grotte der E.«) erwähnt, setzt einen minoisch-myk. Kultort fort [3; 4; 5]. Sie hat oft ihr eigenes Heiligtum (Stiftung der → Helena in Argos, Paus. 2,22,6; von → Phaidra geweihte Bilder in Athen, Paus. 1,18,5) mit einer Priesterin (Sakralgesetz aus Chios [6]; zu anderen Kultorten Paus. 3,14,6; [7; 8]) oder war mit Artemis, Apollon oder Asklepios verbunden. Charakteristisch für ihren Kult sind ungewöhnliche Riten und Gliederweihungen [9. 97ff.]. An vielen Kultorten bes. Nordgriechenlands, aber auch etwa auf Delos (Hdt. 4,35) wird sie überhaupt als Form der → Artemis angerufen, zu deren Funktionsbereich in den Passagen des Frauenlebens die Geburt zentral gehört (z. B. Boiotien [10], Gonnoi [11]).

1 C. VORSTER, Griech. Kinderstatuen, 1983, 72f.
2 W. SCHULZE, Quaestiones Epicae, 1892, 260–266
3 P. FAURE, Fonctions des cavernes crétoises, 1964, 82–90
4 R. F. WILLETTS, Cretan Eileithyia, in: CQ 52, 1958, 221–223 5 N. MARINATOS, Cult by the sea-shore. What happened at Amnisos?, in: R. HÄGG (Hrsg.), The Role of Religion in the Early Greek Polis, 1996, 135–139 6 S. N. KOUMANOUDIS, A. P. MATTHEOU, Horos 3, 1985, 105
7 D. KNOEPFLER, in: AK 33, 1990, 115–128
8 D. BERRANGER, Recherches sur l'histoire et la prosopographie de Paros à l'époque archaïque, 1992, 82f.
9 B. FORSÉN, Griech. Gliederweihungen, 1996, 135
10 J. M. FOSSEY, Epigraphica Boeotica I, 1991, 152–155
11 B. HELLY, Gonnoi, 1973, Bd. 2 Nr. 175–196; vgl. 168–172.

P. V. C. BAUR, E., Philologus, Ergänzungs-Bd. 8, 1901, 453–512 · N. D. PAPACHATZIS, Μογοστόκοι Εἰλείθυιαι καὶ κουροτρόφοι θεότητες, in: AD 33, 1978, 1–23 · TH. HADZISTELIOU-PRICE, Kourotrophos. Cults and Representations of the Greek Nursing Deities, 1978 · S. PINGIATOGLU, E., 1981 · R. OLMOS, s. v. E., LIMC 3.2, 534–540.   F.G.

Eileithyiaspolis

Eileithyiaspolis (Εἰλειθυίας πόλις). Stadt in Oberägypten, 15 km nördl. von → Edfu auf dem östl. Nilufer, ägypt. *Necheb* (*nḫb*), h. al-Kāb. Sehr frühe Siedlungsspuren. Bed. Platz in prä- und frühdyn. Zeit. Neben der Schlangengöttin Uto für Unterägypten spielt die hier verehrte Geiergöttin Nechbet als oberägypt. Kronengöttin bei der Geburt von Königen eine entscheidende Rolle und wird in griech.-röm. Zeit mit → Eileithyia gleichgesetzt. Arch. Befund: Reste der Tempel der Nechbet und des Thot.

B. PORTER, R. L. B. MOSS, Topographical Bibliography of Ancient Egyptian Hieroglyphic Texts, Reliefs and Paintings V, 1937, 171–191.   R. GR.

Eilesion

Eilesion (Εἰλέσιον, Εἰλέσιον, Εἰρεσίαι, Εἰρέσιον, Ἐρέσιον; zu den Namen [2. 106f.]). Schon bei Homer (Il. 2,499; h. in Apollinem 32) erwähnte Stadt im SO von Boiotia beim h. Asopia (früher: Khlembotsari) [1. 127–130]; eine Beschreibung der ant. Überreste (mit anderer Identifizierung) auch bei [2. 91]. Belegstellen: Strab. 9,2,17; Plin. nat. 4,26; Dionysios Kalliphontos 90; Etym.

m. s. v. Εἰρέσιον; Suda s. v. Ἐρέσιον; Steph. Byz. s. v. Εἰλέσιον.

1 FOSSEY 2 P. W. WALLACE, Strabo's Description of Boiotia, 1979.   P. F.

Eingeweideschau s. Divination

Einhiebe s. Münzfälschung; Subaeratus

Einhorn (μονόκερως, *monoceros*, *unicornis*). Das E. spielte keine Rolle in der griech.-röm. Myth. und ist auch ikonographisch kein Motiv (häufig jedoch in der ma. Buchmalerei). Nachrichten von einhörnigen Tieren sind jedoch häufiger, wobei v. a. das indische → Nashorn Ausgangspunkt der Berichte ist (Aristot. hist. an. 2,1, 499b20; Aristot. part. an. 3,2,663a20; Megasthenes FGrH 715 F 27b; Ail. nat. 3,41; 16,20; Plin. nat. 8,76; 11,255). Hauptquelle hierfür war → Ktesias v. Knidos, der als erster in den Ἰνδικά (*Indiká* = FGrH 688 F 45q) ausführlich einen fabelhaften einhörnigen Wildesel beschrieb, welcher sich u. a. durch ein spitzes Stirnhorn und durch ein bes. Sprunggelenk auszeichnete; das Trinken aus einem aus Stirnhorn gefertigten Becher sollte Krankheiten verhindern (u. a. *hierá nósos*). Das E. wurde so zu einem typischen *thaumásion* (»Wundersames«) der ant. Ethnographie (vgl. auch Caes. Gall. 6,26). In den LXX wird das hebr. *reĕm* (»Wildstier«) mit *monókerōs* übersetzt. Die Vetus Latina hat hierfür *unicornis*, die Vulgata *rhinoceros*, *monoceros* und *unicornis*. Auf den LXX beruht dann Luthers Übersetzung »eynhorn« [1]. Der babylon. Talmud erörtert die Frage, wie das E. die Sintflut überstehen konnte, obwohl es nicht in die Arche paßte (Zebahim 14 113b). Die Kirchenväter deuten das E. als Symbol Christi, aber auch des Stolzes (z. B. Ps 75,5) und der bösen Mächte (polemisch auch als Symbol der Juden) [2]. Hauptquelle einer (christl. gedeuteten) E.-Fanggeschichte ist der → Physiologus (Kap. 22 SBORDONE).

1 H.-P. MÜLLER, s. v. *reĕm*, Theologisches Wörterbuch zum AT, 267–271 2 H. BRANDENBURG, s. v. E., RAC 4, 840–862.

J. W. EINHORN, s. v. E., Enzyklopädie des Märchens, Bd. 3, 1246–1256 · O. SHEPARD, The Lore of the Unicorn, 1992 (1930).   R. B.

Einsiedler Gedichte. Zwei → bukolische Gedichte im Codex Einsidlensis 266, aus der Zeit Neros. Im 1. Gedicht wird Nero mit Iuppiter und Apollo gleichgesetzt (22–34; anders [3]), seine Dichtung, wahrscheinlich die *Troica* (38–41), über die Homers und Vergils gestellt (43–49). Das 2. Gedicht (wohl vom selben Verf.) ist geprägt von der Spannung zwischen den Sorgen des Hirten Mystes (1. 11) und seiner Schilderung eines neuen Goldenen Zeitalters unter Nero (15–38; anlehnend an → Verg. ecl. 4, doch ohne Erwartungscharakter).
→ Panegyrik; Calpurnius Siculus

ED.: **1** C. GIARRATANO, ³1943 (Ndr. 1973)
2 D. KORZENIEWSKI, Hirtengedichte aus neronischer Zeit, ²1987.
LIT.: **3** S. DÖPP, Hic vester Apollo est, in: Hermes 121, 1993, 252–254 **4** H. FUCHS, Der Friede als Gefahr, in: HSPh 63, 1958, 363–385 **5** B. EFFE, G. BINDER, Die ant. Bukolik, 1989, 130–140 **6** D. KORZENIEWSKI, Die »Panegyrische Tendenz« in den Carmina Einsidlensia, in: Hermes 94, 1966, 344–360.   B. F.-W.

Eintritts- und Erkennungsmarken (σύμβολον, *tessera*).

In Athen gab der Staat ab 450 v. Chr. den ärmeren Bürgern für den Besuch der Aufführungen im Dionysos-Theater Freibillets im Werte von zwei Obolen (θεωρικόν διόβολον); diese σύμβολα (*sýmbola*) genannten E. gab man dem Theaterpächter, der dann dafür das entsprechende Geld aus der Staatskasse einzog. Die Einrichtung wurde später auf alle Bürger ausgedehnt, woran sich Zahlungen für die Teilnahme an Volksversammlungen und Gericht anschlossen. Zahlreiche bronzene Symbola aus der Zeit von der 2. H. des 4. Jh. v. Chr. bis ins 2. Jh. v. Chr. sind erhalten; sie ähneln den gleichzeitigen Münzen und tragen auf der einen Seite einen Stempel (Athena-, Löwenkopf oder Eulen), auf dem Rv. Buchstaben von A bis Ω; weitere Marken zeigen auf beiden Seiten denselben Buchstaben bzw. denselben Buchstaben verdoppelt (hier nur BB und ΔΔ). Die Buchstaben der Billets entsprachen denen auf den keilförmigen Sektoren des Zuschauerraumes im Dionysos-Theater und bestimmten somit auch die Sitzordnung. Jünger und vor allem aus röm. Zeit stammen E. aus Blei oder Ton mit unterschiedlichen Symbolen (Ähren, Vasen, Statuen u. a.), die auf eine vielfältige Verwendung der E. für Bäder, als Bezugsmarken für Kornspenden o. ä. schließen lassen; des weiteren sind Theatermarken, z. B. mit Masken und Namen von Theaterstücken, darunter auch einige mit der Aufschrift *Theophoru*[*mene*] (Komödie des → Menander). Aus der röm. Epoche stammen bilingue E. (*tesserae*) für Theateraufführungen mit einer röm. Zahl und dem entsprechenden griech. Buchstaben (A-I bis XV-IE), dazu noch einer Inschr., die durch das Bild der Rückseite erläutert wird (Masken, Tiere, Gebäude, Götterfiguren u. ä.).

Die röm. E. waren aus Ton, Bronze, Stein, Elfenbein, Knochen oder Blei, ihrer Form nach rund, stabförmig, rechteckig oder figürlich. Für die Getreideversorgung dienten die bronzenen E., die mit dem Bildnis des jeweiligen Kaisers oder (seltener) eines Mitglieds der Kaiserfamilie, mit einer Zahl zw. I und XVI (vereinzelt XIX) und Kränzen versehen sind; ähnliche Zwecke erfüllten die Bleitesseren (für Getreide- und Geldspenden bzw. als Versorgungsmarken der *collegiae*, E. für rel. Vereinigungen, Wechselgeld für Schankwirte oder für private Zirkusveranstaltungen bzw. für den Besuch in Bordellen). Die vielfach figürlich geformten *tesserae* aus Elfenbein fanden als Sitzmarken bei den Symposien (mit Inschr. *prandium* und einer Zahl) Verwendung. Eine Sondergruppe bilden die stabförmigen Kontrollmarken der Münzbeschauer (*tesserae nummulariae*). Hinzuzufügen sind die E. für den Besuch der Bäder, die mit erotischen Darstellungen versehenen E. (*spintriae*) als inoffizielles Zahlungsmittel für die Dienste einer Prostituierten bzw. die als Spielsteine verwendeten runden Tesseren aus Elfenbein und Stein, ferner die tönernen für Theaterbesuche.

→ Brettspiele; Bronze; Collegium; Geld; Münzwesen; Würfelspiele

A. MLASOWSKY, Die ant. Tesseren im Kestner-Museum Hannover, 1991 (mit. Lit.).   R. H.

Einziehung (von Münzen) s. Münzwesen

Einzug s. Adventus

Eion (Ἠιών).

[1] (ἡ ἐπὶ Στρυμόνι). Stadt am linken Strymon-Ufer, Hafen von Amphipolis (Thuk. 1,98; Demosth. or. 12,23; 23,199), arch. Spuren bei Ofrini (Griechenland). Hier soll Phoinix von Neoptolemos bestattet worden sein (Lykophr. 417 mit schol.). Von Dareios I. als Stützpunkt angelegt und unter Xerxes unter dem Befehl des → Boges als Proviantlager genutzt (Hdt. 7,24 f.). Um 476 v. Chr. von Kimon erobert und von Athen als att. Kolonie organisiert. Ausgangspunkt für weitere att. Expansion an der thrak. Küste (Hdt. 7,107; Thuk. 1,98), bed. Stützpunkt der Athener im Peloponnesischen Krieg (Thuk. 4,50,1; 5,10,3–10). 406 von den Spartanern erobert (Xen. hell. 1,5,15). Gegen Mitte 4. Jh. v. Chr. von den Athenern zerstört (Theop. FGrH 115 F 51).   I. v. B.

[2] Nicht genauer zu lokalisierende Kolonie von → Mende, die 425 v. Chr. von den Athenern eingenommen wurde, aber kurz darauf wieder verloren ging; ihre weitere Gesch. ist unbekannt.

M. ZAHRNT, Olynth und die Chalkidier, 1971, 187.   M. Z.

Eioneus s. Dia

Eiras (Εἰράς).

Manchmal auch Náeira genannt; Zofe Kleopatras VII., der von der Propaganda Octavians bestimmender polit. Einfluß zugeschrieben wurde; E. starb zusammen mit der Königin. PP 6,14720.

H. HEINEN, Onomastisches zu E., Kammerzofe Kleopatras VII, in: ZPE 79, 1989, 243–247.   W. A.

Eirenaios

[1] (Εἰρεναῖος). Grammatiker, Schüler des Metrikers Heliodoros, 1. Jh. n. Chr. (*terminus ante quem* aufgrund des Zitats im Hippokrateslexikon des Erotianos, 116,8 NACHMANSON); lehrte wahrscheinlich auch in Rom unter dem lat. Namen Minucius Pacatus (vielleicht der *rhetor Pacatus* bei Sen. contr. 10, praef. 10). Er war kein Freigelassener [2]. Die Suda erwähnt ihn in der Praefatio und s. v. »E.« (ει 190) sowie s. v. »Pacatus« (π 29) und listet zahlreiche Titel von gramm. und lexikographischen Schriften auf, von denen eine, περὶ τῆς Ἀθηναίων προπομπίας (*de Atheniensium honoribus in pompis deducendi*, Übers. von BERNHARDY) vielleicht auch antiquarische Aspekte aufwies. Er ist der erste, von dem berichtet wird, daß er sprachwiss. Schriften über den Attizismus verfaßt habe (deswegen wäre er im Etymologicum Gudianum 317,16 DE STEFANI ›der Attizist‹, ὁ Ἀττικιστής, genannt): 3 B. ›Att. Namen‹ (Ἀττικῶν ὀνομάτων) oder Ἀττικῆς συνηθείας, wenn es sich bei den beiden Einträgen der Suda um dasselbe Werk unter verschiedenen Titeln handelt; ›Über den Attizismus‹ (Περὶ ἀττικισμοῦ); das Lexikon ›Über die Herkunft des Dialektes der Alexandriner aus dem Att.‹ (περὶ τῆς Ἀλεξανδρέων διαλέκτου, ὅτι ἔστιν ἐκ τῆς Ἀτθίδος); ›Über den Hellenismos‹ (das reine, korrekte Griech. – Περὶ Ἑλληνισμοῦ), ergänzt durch die ›Regeln des korrekten Griech.‹ (Κανόνες Ἑλληνισμοῦ). In welchem Maße er den rigorosen Attizismus des 2. Jh. n. Chr. vorweggenommen hat, ist schwer zu sagen. In den mageren erh. Fragmenten (21 in [1], denen [4. 2121] und [5] hinzuzufügen ist) erscheint E. als Vertreter der These, daß der alexandrinische Dialekt zur griech. Allgemeinsprache (κοινὴ διάλεκτος) erhoben werden solle, und als Verfechter der Analogie und der Anwendung der Etym., wie es bei den übrigen alexandrinischen Grammatikern (bes. Philoxenos) der Fall ist. Es ist umstritten, ob der Grammatiker mit dem gleichnamigen Kommentator von Apollonios Rhodios (Textkonstitution, Bestimmung geographischer Punkte [6. 111]), Herodot und Euripides' *Medeia* identisch ist (dagegen [3] und – mit Bibl. – [6]), dessen Quellen Gegenstand einer in den Scholiensammlungen noch sichtbaren Polemik sind.

ED.: **1** M. HAUPT, Opuscula, II, 1876, 435–440.
LIT.: **2** J. CHRISTES, Sklaven und Freigelassene als Grammatiker und Philologen in der ant. Rom, 1979, 104–105 **3** SCHMID/STÄHLIN, II,2, 870, 873 **4** L. COHN, s. v. E., RE 5, 2120–2124 **5** R. REITZENSTEIN, Gesch. der griech. Etymologika, 1897, 382–387 **6** C. WENDEL, Die Überlieferung der Scholien zu Apollonios von Rhodos, 1932, 106–107, 111, 115. S.FO./Ü:T.H.

[2] E. (Irenaeus) von Lyon.
A. BIOGRAPHIE B. WERKE C. THEOLOGIE

A. BIOGRAPHIE

E. dürfte zw. 130 und 140 n. Chr. geboren sein und lebte als Jugendlicher in Smyrna, wo er noch den dortigen Bischof und Apostelschüler → Polykarpos vor dessen Martyrium (156 oder 167) hörte (Eus. HE 5,20,6). Später hat er aus unbekannten Gründen Kleinasien verlassen und siedelte in den Westen über, ohne die Verbindungen zur Heimat abbrechen zu lassen. Nach einer hinsichtlich ihres Quellenwertes umstrittenen (späten?) Nachricht befand er sich z.Z. des Martyriums von Polykarpos in Rom (Epilog des Polykarpmartyriums in der Moskauer Hs.), begab sich dann aber nach Südgallien. Schon bevor er als Nachfolger des ermordeten Potheinos 177 n. Chr. Bischof von Lyon wurde, wandte er sich

einmal im Namen dieser südgall. Gemeinde nach Rom: Er reiste (zw. 174 und 189, vielleicht 178/9) in die *urbs*, um die gall. Position im Streit um die prophetische Bewegung des → Montanus (Eus. HE 5,3,4–4,2; → Montanismus) darzulegen. Wohl schon als Bischof griff er in den neunziger Jahren in den Streit um den Termin des Osterfestes ein und mahnte den röm. Bischof Viktor zum Ausgleich mit den kleinasiatischen Gemeinden (Eus. HE 5,24,12–17; weitere Brief-Fr. CPG I, 1310). Die Überlieferung, er sei unter → Septimius Severus als Märtyrer gestorben, ist spät und wohl wertlos; von einem Martyrium schreibt erstmals Hieronymus (com. in Is. 17).

B. WERKE

Neben der aus dem 4. Jh. stammenden lat. Übers. der fünf Bände seines Hauptwerkes unter dem Titel Ἔλεγχος καὶ ἀνατροπὴ τῆς ψευδωνύμου γνώσεως (›Überprüfung und Widerlegung der fälschlich sogenannten Gnosis‹, Adversus haereses, CPG I, 1306; größere Fr. des griech. Originaltextes u.a. bei → Epiphanios und Hippolytos) existiert eine armen. Übers. der Schrift εἰς ἐπίδειξιν τοῦ ἀποστολικοῦ κηρύγματος (›Darlegung der apostolischen Verkündigung‹, CPG I, 1307). Das wohl zw. 180 und 189 entstandene Hauptwerk will zunächst die Bewegung der Gnosis (→ Gnostiker) widerlegen, bietet dazu eine Geneaologie der zeitgenössischen »Häresien« und teilweise ausführliche Inhaltsreferate gnostischer Schulen, die auch nach den jüngsten Neufunden koptischer Originaltexte ihre Bed. nicht verloren haben. Daneben bieten die Bücher aber auch eine ausführliche Darstellung mehrheitskirchlicher Theologie. Von zwei weiteren Schriften und Briefen sind Fragmente geblieben (CPG I, 1308–1312); die Authentizität verschiedener Katenenfragmente ist umstritten bzw. unwahrscheinlich (CPG I, 1315–1317). Eine moderne *editio critica maior* des Gesamtwerkes fehlt, die kritische Ausgabe des Hauptwerkes durch A. ROUSSEAU/L. DOUTRELEAU (SChr 100, 152f., 210f., 263f., 293f., 1965–1982) ist auf Kritik gestoßen (S. LUNDSTRÖM).

C. THEOLOGIE

E. ist deutlich von seiner kleinasiatischen Herkunft geprägt, er denkt in Traditionszusammenhängen und bemüht sich darum, der *diadochḗ* (kontinuierlichen Lehrüberlieferung) der (gnostischen) »Häretiker« eine »kirchliche« *diadochḗ* gegenüberzustellen: Für ihn besteht die ununterbrochene Kette von Christus über die Apostel zu den gegenwärtigen Presbytern der Kirche, die *successio presbyterorum* (haer. 3,2,2), eben darin, daß sie die *traditio, quae est ab apostolis* im Unterschied zur *diadochḗ* der Philosophen und »Häretiker« bewahrt. Diese *traditio* kann als *regula veritatis* (κανὼν τῆς ἀληθείας, ›Maßstab der Wahrheit‹) in kurzen Formeln zusammengefaßt werden (Adversus haereses 1,10,1). Für die geschichtstheologische Konzeption des E. ist die ἀνακεφαλαίωσις, ein (späterer) Auszug aus dem *Panarion* (›Arzneikasten‹) des Epiphanios (nach Eph 6,12; vgl. z.B. haer. 1,10,1) aller Dinge in der Wiederkunft Christi ein Schlüsselbegriff.

N. Brox, Offenbarung, Gnosis und gnostischer Mythos bei Irenäus von Lyon, 1966 • S. Lundström, Studien zur lat. Irenäusübers., 1943 • Ders., Die Überlieferung der lat. Irenaeusübers., 1985 • R. Noormann, Irenäus als Paulusinterpret, 1994.   C.M.

Eirenarchen s. Polizei

Eirene (Εἰρήνη). Das Wort ist vielleicht vorgriechisch [1; 2].

[1] Personifikation und Vergöttlichung des Friedens (Orph. h. 15,11). E. ist eine der → Horen, Tochter des Zeus und der Themis, Schwester der Dike und der Eunomia (Hes. theog. 901–902; Pind. O. 13,6–8). Als für das Gedeihen der polit. Gemeinschaft zentrale Gestalt wird sie in der griech. Dichtung häufig erwähnt. So werden ihre Gaben etwa bei Bakchyl. fr. 4,61 Snell-Maehler und bei Euripides (Bacch. 419–420; TGF 453) gepriesen, wobei E. als »Reichtumspenderin« regelmäßig mit *ploútos* (»Reichtum«) verbunden wird (vgl. schon Hom. Od. 24,486). Bei Philemon fr. 71 heißt sie »menschenfreundlich« (*philánthrōpos*). Im ›Frieden‹ des Aristophanes (421 v. Chr.; kurz vor dem Nikias-Frieden) wird E. aus einer dunklen Höhle befreit, in die der Krieg (»Polemos«) sie geworfen hatte (Aristoph. Pax 223; 292–300). Daß ihr in derselben Komödie geopfert und sie als *semnotátē basíleia theá* angerufen wird (Opferparodie: Aristoph. Pax 973–1016) [3], läßt wohl noch nicht auf einen offiziellen Kult zu dieser Zeit schließen [4], unterstreicht jedoch die Bed. von E. als polit. Schlagwort [5] und zeigt, daß hier wie bei allen Personifikationen Kult von Anfang an als Möglichkeit angelegt ist. Offiziellen Kult erhielt E. in Athen seit dem Frieden von 371 v. Chr. (Philochoros FGrH 328 F 151; Isocr. 15,109–110; Nep. Timotheos 2,2) [6]. Zu diesem Kult gehört auch eine Statue des → Kephisodot, die E. mit dem Plutoskind auf dem Arm zeigte und auf der Agora stand (Paus. 1,8,2; 9,16,2) [7]. E. erscheint auf att. Vasen, meist im Kreis der anderen Horen, aber auch im Kreis des Dionysos [8]. Einen Altar weihte ihr → Kimon bereits 465 v. Chr. nach seinem Sieg am Eurymedon (Plut. Kimon 13,5 487b). In hell. Zeit sind zahlreiche griech. Kulte lit. und bes. inschr. bezeugt (Syll.³ 307–308).

1 Frisk 1,467 2 A. Debrunner, RLV 4.2, 526 3 F. T. van Straten, Hiera Kala, 1995, 31–33 4 M. P. Nilsson, Kult. Personifikationen, in: Eranos 50, 1952, 37 Anm. 2 5 G. Grossmann, Polit. Schlagwörter aus der Zeit des peloponnesischen Krieges, 1950 6 Deubner, 37–38 7 E. Simon, s. v. E., LIMC 3.1, 703 Nr. 8 8 Dies., s. v. E., LIMC 3.1, 704 Nr. 11–12.

H. A. Shapiro, Personifications in Greek Art, 1993, 45–50 • E. Simon, E. und Pax. Friedensgöttinnen in der Ant., 1988.
R. B.

[2] Tochter Ptolemaios' I. und der Thais, heiratete nach 307 v. Chr. unter unbekannten Umständen → Eunostos. PP 6,14507.

[3] Hetäre Ptolemaios' »des Sohnes«. Bei der Niederschlagung von dessen Aufstand 259/8 v. Chr. im ephesischen Artemision erschlagen. PP 6,14721.

[4] Tochter des Ptolemaios Agesarchu, Mutter des Andromachos [3]; 199–171/0 v. Chr. Priesterin → Arsinoës [II 4] III.; siegte bei den Panathenäen in unbekanntem Jahr.

C. Habicht, Athen in hell. Zeit, 1994, 109f.

[5] Konkubine Ptolemaios' VIII. aus Kyrene; sie soll ihn bei seiner Rückkehr nach Alexandreia 145 v. Chr. veranlaßt haben, kyrenische Gesandte zu töten (polit. Säuberung bei Abreise des Königs?). Unhistor. ist die Überlieferung bei Ios. c. Ap. 2,53–55. E. war vielleicht die Mutter des Ptolemaios Apion. PP 6,14722.   W.A.

Eirenupolis (Εἰρηνούπολις). Heute Çatalbadem (ehemals İrnebol) in der Kilikia Tracheia (in der Landschaft Lakanitis, Ptol. 5,7,6). Gründung Antiochos' IV. von Kommagene. Zw. 355 und 359 n. Chr. war der Ort mit einer Mauer umgeben. Seit Anf. 4. Jh. zur Prov. Isauria gehörig; Bistum (Suffragan von Seleukeia am Kalykadnos).

G. Bean, T. B. Mitford, Journeys in Rough Cilicia 1964–1968, 1970, 205 ff. • Hild/Hellenkemper, s. v. E. 1).
F.H.

Eiresidai (Εἰρεσίδαι). Att. Asty-Demos der Phyle Akamantis. Ein (bzw. zwei) → Buleut(ai). Da ein Grundstück Platons in E. westl. an den Kephisos (Diog. Laert. 3,41) grenzte, der vermutlich die Grenze des Demos bildete, lag E. wohl westl. des Kolonos Hippios und nordwestl. der platon. Akademie (nordwestl. Fund einer Grabinschr. des 4. Jh. v. Chr. von zwei *dēmótai* aus E. [1. 8 Abb. 8]) zw. dem Hodos Kephissou und dem Leophoros Athenon.

1 P. D. Stavropullos, Ἀνασκαφαὶ Ἀρχαίας Ἀκαδημείας [Anaskaphaí Archaías Akadēmeías], in: Praktika 1963, 5–28.

Traill, Attica, 19, 47, 59, 70, 110 Nr. 34, Tab. 5 • J. S. Traill, Demos and Trittys, 1986, 132.   H.LO.

Eiresione (Εἰρεσιώνη). Oliven- oder Lorbeerzweig, umwunden mit Wolle, behangen mit Feigen, Gebildbroten, kleinen Honig-, Öl- und Weingefäßen (Pausanius Rhetor bei Eust. in Il. 22,496, 1283, 7 ff.; Etym. m. 303, 17 ff.; Suda s. v. E.). Jungen trugen ihn von Haus zu Haus und sangen dabei ein Heischelied, das (wie auch der Brauch selbst: Harpokr. p. 162,1 ff.; Suda s. v. *diakónion*) ebenfalls *e.* genannt wurde (Ps. Hdt. v. Hom. 33). Nach dem Umgang wurde die *e.* sichtbar an der Tür befestigt (Aristoph. Vesp. 398f. sowie Equ. 729 und Plut. 1054 mit schol.). Die Heischegänger beriefen sich auf Apollon; in Athen brachte ein *país amphithalḗs* (παῖς ἀμφιθαλής, »ringsumblühtes Kind«) die *e.* am Fest der Pyanepsia zum Apollon-Tempel. Ein Aition für den Brauch bildete der Theseus-Mythos: Die *e.* sei zum Dank für die glückliche Rückkehr aus Kreta und als

Zeichen für das Ende der Unfruchtbarkeit dargebracht worden, als Gegenstück des vor der Ausfahrt aufgestellten Bittzweigs (Plut. Theseus 22). Eine alternative, ebenfalls im Apollonkult verwurzelte Aitiologie begründet den Brauch mit einem Orakel anläßlich einer Hungersnot (Pausanius Rhetor ebd.). Als Festtermin sind noch die Thargelien (Schol. Aristoph. Equ. 729), als weitere Adressaten Helios und die Horen (ebd.) oder Athena (schol. Clem. Al. protrepticus 10, 2) belegt. Die e. läßt sich dem zwischen Kindheit und Erwachsenenalter vermittelnden, mit den Zäsuren des agrarischen Jahres verklammerten Initiationsbrauchtum zuordnen.
→ Amphithaleis paides; Daphnephoria; Oschophoria; Pyanopsia

D. BAUDY, Heischegang und Segenszweig, in: Saeculum 37, 1986, 212–227 · O. SCHÖNBERGER, Griech. Heischelieder, Beitr. zur klass. Philol. 105, 1980. D. B.

Eisagogeus (Εἰσαγωγεύς). Jeder Amtsträger, dem in Athen die Gerichtsvorstandschaft zustand (→ Archontes), hatte die bei ihm anhängig gemachten Prozesse in einen Gerichtshof (→ dikastḗrion) einzuführen (εἰσάγειν, eiságein) und wurde in dieser Tätigkeit auch e. genannt. Im engeren technischen Sinn war ein e. Mitglied eines fünfköpfigen Kollegiums, dem die Gerichtsvorstandschaft in gewissen eiligen Rechtssachen zustand (Aristot. Ath. pol. 52,2). Im ptolemäischen Ägypten war der e. ein vom König ernannter ständiger Beamter griech. Nationalität, der bei den Gerichten des Landes und der Hauptstadt Alexandreia als Geschäftsführer fungierte. Bei den → chrematistaí waren die Spruchkammern nach ihrem e. benannt.

A. R. W. HARRISON, The Law of Athens II, 1971, 21 ff. · H. J. WOLFF, Das Justizwesen der Ptolemäer, ²1970. G. T.

Eisangelia (Εἰσαγγελία). In Athen seit Solon (Aristot. Ath. pol. 8,4.) im technischen Sinn eine Art öffentlicher Klagen in Strafsachen. E. bezeichnet sowohl die Klageschrift (Lykurg. 34,137) als auch das durch sie eingeleitete Verfahren. Die Klagen wurden schriftlich eingereicht und ausführlich begründet. Das Verfahren hat im Laufe der Zeit eine Reihe von Wandlungen durchgemacht. Urspr. war es wohl gegen in den Gesetzen nicht vorgesehene Straftaten gerichtet, später wurden die Straftaten in einzelnen Gesetzen abgegrenzt und um die Mitte des 4. Jh. v. Chr. durch einen nómos eisangeltikós zusammengefaßt und einem einheitlichen Verfahren unterstellt. Anfangs wird nur der → Areios pagos als Aufsichtsbehörde über die Ausführung der Gesetze zuständig gewesen sein, später bestanden mehrere Zuständigkeiten, von denen uns durch die Quellen folgende überliefert sind: die Volksversammlung bei schwerer Schädigung des Gemeinwohls, der Rat der Fünfhundert bei Amtspflichtverletzungen, der Archon zum Schutze von Waisen und Erbtöchtern (die Entscheidung lag beim → dikastḗrion) und die Gesamtheit der → diaitetaí bei Pflichtverletzung eines Schiedsrichters.

M. H. HANSEN, E., 1975 · R. W. WALLACE, The Areopagos Council to 307 B. C., 1995, 64 ff. · O. DeBRUYN, La compétence de l'Aréopage en matière de procès publics, 1995. G. T.

Eisen A. 1 EISEN UND EISENERZE
A. 2 DIE TECHNIK DER EISENVERHÜTTUNG
A. 3 METHODEN DER MATERIALANALYSE
B. 1 ALTER ORIENT B. 2 GRIECHENLAND
B. 3 ITALIEN B. 4 MITTELEUROPA
C. DAS EISEN IN MYTHOS UND PHILOSOPHIE

A. 1 EISEN UND EISENERZE

Da E. in der Natur nicht in verwertbaren Mengen metallisch vorkommt, muß es durch die Verhüttung von Eisenerzen gewonnen werden. Davor kam es vereinzelt zur Verarbeitung von Meteoreisen als Rohstoff für die Herstellung von Geräten und Waffen. Durch Verhüttung gewonnenes E. kann durch die Bestimmung des Nickelgehaltes sicher von Meteoreisen unterschieden werden: Meteoreisen enthält in der Regel über 5 % Nickel (Werte bis zu 10 % sind üblich), während das aus Erzen gewonnene E. weniger als 0,5 % Nickel aufweist. Rohmaterial für die metallurgische Gewinnung von E. waren die in der Natur vorkommenden verschiedenen Arten von Eisenerz. Da sie durch ihr hohes Gewicht, durch ihre Färbung oder ihren Glanz auffielen, wurden die meisten Arten von Eisenerz bereits früh zur Eisengewinnung verwendet. Häufig vorkommende Erze sind die Eisenoxide Magnetit (Fe_3O_4) und Hämatit (Fe_2O_3), die gelben Eisenhydrate und Eisenoxidhydrate Limonit, Goethit, Lepidokrokit ($FeOOH$), die als sekundäre, rostähnliche Verwitterungsprodukte über den primären Eisenerzen liegen, und die ihnen verwandten Sumpf- und Raseneisenerze, die goldglänzenden Eisensulfide Magnetkies (FeS), Pyrit (FeS_2) und Markasit (FeS_2), seltener die Eisensilikate Chamosit oder Thuringit und das Eisenkarbonat Siderit ($FeCO_3$). Diese Erze mußten verhüttet werden, um durch eine Reduktion das metallische Eisen zu erhalten.

Abhängig von der Art der Verhüttung enthält das E. unterschiedliche Anteile an Kohlenstoff, die seine Eigenschaften entscheidend beeinflussen. Auf Grund der Menge und Art der Einlagerung des im E. vorhandenen Kohlenstoffs lassen sich die verschiedenen Eisensorten mit Hilfe metallographischer Untersuchungen unterscheiden. Bei dem E. der frühen Kulturen handelt es sich um ein Schmiedeeisen mit relativ niederem Kohlenstoffgehalt. Durch verbesserte Verhüttungsverfahren entstand in späterer Zeit Gußeisen mit relativ hohem Kohlenstoffgehalt, wobei der Kohlenstoff in Form von Graphitlamellen in das E. eingelagert ist. Durch Anreicherung von Kohlenstoff in kohlenstoffarmem E. oder durch eine Verminderung des Kohlenstoffs in kohlenstoffreichem E. durch Oxidation kann Stahl erzeugt werden, in dem der Kohlenstoff mit dem E. in Form des Eisenkarbids verbunden ist. Dadurch wird das E. härtbar und ist in seinen mechanischen Eigenschaften dem Ausgangsmaterial überlegen.

A.2 DIE TECHNIK DER EISENVERHÜTTUNG

Das Eisenerz wurde mit Holzkohle bei hohen Temperaturen zur Reaktion gebracht, wobei metallisches E. entstand, während die anderen Bestandteile der Erze die Schlacke bildeten oder als Gas entwichen. Die Verhüttung der Erze erfolgte in Öfen, die in der frühen Zeit der Eisengewinnung in die Erde eingesenkt und mit einer Erdschicht abgedeckt wurden. Solche Rennöfen entwickelten sich durch Aufmauern der Grubenwand zu Schachtöfen, die anfangs weniger als einen Meter, später mehrere Meter hoch waren. Die frühesten Formen von Rennöfen waren Gruben, in die das Eisenerz mit Holzkohle oder auch vereinzelt mit Kohle vermischt eingebracht wurde. Durch das Verbrennen der Kohle entstand bei Temperaturen im Bereich von 1150°C metallisches E., das sich von der Schlacke trennte. Die in den frühen Phasen der Eisenverhüttung noch relativ kleinen Eisenpartikel waren in die Schlacke eingebettet. Durch Aushämmern der Schlacke trennte sich das Metall vom glasartigen silikatischen Anteil und konnte zu größeren Aggregaten verbunden werden. Zur Erzeugung der für die Verhüttung notwendigen hohen Temperaturen wurden entweder Blasebälge verwendet, oder es wurde der natürliche Luftzug an Hängen ausgenutzt. Die Verarbeitung erfolgte beim Meteoreisen in der Regel durch Hämmern im kalten Zustand. Das im Verhüttungsprozeß und durch Aushämmern der Luppe in metallischer Form gewonnene E. wurde durch Schmieden bei erhöhten Temperaturen weiterverarbeitet. Dazu wurde der Eisenrohling bis zur Rotglut erhitzt und auf dem Amboß in die gewünschte Form gebracht. Aus E. wurden Waffen wie Schwert- und Dolchklingen oder Pfeilspitzen, Werkzeuge aller Art wie Hämmer, Beile, Meißel, Zangen und Geräte des täglichen Gebrauchs hergestellt.

Die Gewinnung von Stahl durch Aufkohlen von Rennfeuereisen setzte im 11. Jh. v. Chr. im östl. Mittelmeerraum ein, wie metallographische Untersuchung an Funden aus Zypern, Palästina und Jordanien nachwiesen. Mit der Entdeckung der Stahlherstellung ist eine Weiterentwicklung der Schmiedetechniken verbunden. Noch vor dem 1. Jt. v. Chr. wurde auf abgenutzte Eisenwerkzeuge gehärtetes E. aufgeschmiedet. Aus diesem Verbinden von Eisenteilen durch Schmieden bei Rotglut entwickelte sich die Herstellung von Klingen durch Zusammenschmieden von Lagen von Eisenblechen oder von alternierenden Schichten von Stahl- und Eisenblech. Neben einer Erhöhung der Härte wurde dadurch auch ein dekorativer Effekt erzielt, der im Damaszieren eine besondere Vollendung erreichte. Zur Herstellung plastischer Eisenobjekte, etwa von Schwertgriffen, ist seit der Spätlatènezeit das Gesenkschmieden nachgewiesen. Gußeisen entsteht beim Verhüttungsprozeß von Eisenerzen, wenn über eine längere Zeit eine erhöhte Temperatur aufrechterhalten wird, so daß das E. nur eine geringe Menge Kohlenstoff aufnehmen kann. Beim frühen Rennfeuerverfahren bildete sich Gußeisen eher zufällig. Erst für die röm.

Zeit sind einige Rohprodukte aus Gußeisen bekannt, und zwar ein unbearbeiteter Eisenblock und ein Eisenbarren. Nach der Herstellung der Eisenobjekte erfolgte je nach ihrer Bedeutung eine mehr oder minder intensive Überarbeitung und Verzierung der Oberfläche. Bereits bei den frühen Eisenobjekten des Vorderen Orients, als das damals noch seltene E. einen hohen Wert hatte und zu Schmuckobjekten, auch zu Prunkwaffen, verarbeitet wurde, finden sich Oberflächenauflagen wie etwa Blattvergoldung. Später entwickelten sich verschiedene Techniken der Oberflächengestaltung: Punzieren, Gravieren, Ziselieren, Metallätzen, Einlegen von Metalldrähten, Tauschieren, das in der Klingenfabrikation der mitteleuropäischen Eisenzeit eine besondere Vollendung erreichte.

A.3 METHODEN DER MATERIALANALYSE

Zur Erforschung der Techniken der Eisenverhüttung wurden in sehr großem Umfang Materialanalysen an Schlacken ausgeführt. Sowohl die chemische Analyse als auch ihre mikroskopische Untersuchung im Auflicht geben Hinweise zur Art des Ausgangsmaterials und der Verhüttungstechnik. In gleicher Weise vermitteln Schlacken, die beim Schmieden des E. entstanden, Informationen über die Art des verarbeiteten E. und die Technik der Eisenverarbeitung. Untersuchungen an Eisenobjekten konzentrieren sich ebenfalls auf die chemische Analyse und die metallographische Untersuchung. Technologische Informationen ergeben sich aus Röntgenaufnahmen. Eine Bestimmung des Alters ist, wenn eine ausreichende Menge an Probenmaterial (im Verhüttungsprozeß mit Kohlenstoff angereichertes Eisen) vorliegt, mit Hilfe der Radiokarbonmethode möglich. JO.R.

B.1 ALTER ORIENT

Aus Anatolien und Mesopotamien kennt man einzelne Eisenobjekte aus dem 4. und 3. Jt., die Nickelgehalte um 10% aufweisen, so daß eine Herstellung aus Meteoreisen anzunehmen ist; andere Eisenobjekte waren Nebenprodukte der Kupfergewinnung. Bis zurück zum Beginn des 2. Jt. v. Chr. reichen Schlackenfunde von Verhüttungsplätzen; metallographische Untersuchungen ergaben, daß bis zum Ende des 2. Jt. die Technik der Eisenverhüttung an vielen Stellen noch nicht voll beherrscht wurde und Eisensorten minderer Qualität erzeugt wurden. E. blieb bis in das frühe 2. Jt. v. Chr. relativ selten, es hatte den Status eines kostbaren Metalls, und Prestigeobjekte aus E. besaßen Bed. im diplomatischen Geschenkaustausch und im zeremoniellen Gebrauch. Obwohl Texte E. häufig erwähnen, sind aus der Zeit vor 1200 v. Chr. nur ca. 35 Eisenobjekte publiziert, von denen ein beträchtlicher Teil einer kritischen Überprüfung nicht standhielt. Gegen 1200 v. Chr. ist eine rasche Ausbreitung der Eisentechnologie im Vorderen Orient und im östl. Mittelmeerraum zu beobachten, und die Zahl von Eisenfunden im Iran (Tepe Giyan, Tepe Sialk, Susa), im Kaukasos, in Syrien (Ra's Samra) und im Libanon (Byblos) steigt deutlich an. Zu dieser Zeit war auch die Technik der Stahlgewinnung und die bewußte Herstellung gehärteter Stahlobjekte allg. verbreitet. Zwar fehlen schlüssige Beweise, daß die Hethiter oder Philister bes. technologische Erfahrungen und ein Eisenmonopol hatten, doch scheint die Kenntnis der Gewinnung und Verarbeitung von E. sich am Ende des 2. Jt. von Palästina (Gæzær, Megiddo, Taʿānāk) nach Ägypten (Ṣaġġāra, Abu Ṣīr, Dahšūr, Theben) und in den folgenden Jahrhunderten von dort aus über den Sudan und die Sahara weiter in das zentrale und westl. Afrika verbreitet zu haben. Auch in Cypern und im zentralen Mittelmeerraum ist zu Beginn des 1. Jt. v. Chr. eine eigenständige Herstellung und Verarbeitung von E. erkennbar. Bereits für die 1. H. des 1. Jt. v. Chr. läßt sich ein intensiver Eisenhandel nachweisen; im Palast Sargons II. in Ḥorsābād wurden aus der Zeit um 720–705 v. Chr. 160 t E. in Form von Spitzbarren gefunden. JO. R. u. R. W.

B.2 GRIECHENLAND

Die frühesten Eisenfunde aus Mykene stammen aus dem 14. Jh. v. Chr. Erst für die Zeit des späten 11. Jh. v. Chr. läßt sich in Griechenland durch Funde von Schlacken und Eisenbarren eine eigenständige Eisentechnologie nachweisen. Gesichert ist, daß zu dieser Zeit bereits lokale Erze verhüttet wurden. Das E. wurde v. a. zu Schwertern und Dolchen verarbeitet, ehe es sich als Material für Werkzeuge, v. a. für den Bergbau und die Steinbearbeitung, und schließlich auch im Bauwesen, etwa zur Herstellung von Eisenklammern und -dübeln, durchsetzte.

E. und Eisenverarbeitung finden sich bereits in der frühgriech. Lit. In der Ilias wird unter den Kampfpreisen des Achilleus eine Eisenscheibe genannt (Hom. Il. 23, 832 ff.), und die Technik, E. durch Abschrecken in Wasser zu härten, erscheint in einem Vergleich der Odyssee (Hom. Od. 9,391 ff.); die Verhüttung von E. begegnet bei Hesiod (Hes. theog. 862 ff.). Herodot berichtet über eine Schmiede, die mit Blasebalg und Amboß ausgestattet ist; der Schmied verwendet einen eisernen Hammer für seine Arbeit (Hdt. 1,68). Laut Aristoteles versuchten die Griechen, die Qualität des E. durch mehrmaliges Erhitzen zu erhöhen (Aristot. meteor. 383a32–383b5). Att. Vasenbilder informieren über die Werkzeuge des Schmieds und die Form der Schmelzöfen; auf verschiedenen Darstellungen wird gezeigt, wie ein Schmied das glühende Stück E. hämmert (sf. Amphora, Boston MFA; rf. Schale, Berlin SM 1980,7; rf. Krater, Caltanisetta, BEAZLEY, Paralipomena 354,39); Schmelzofen und Werkzeuge sind detailgetreu auf einer sf. Oinochoe abgebildet (London, BM, BEAZLEY, ABV 426,9).

B.3 ITALIEN

In It. reichen Eisenfunde bis an den Anfang des 1. Jt. v. Chr. zurück. Erst im 4. Jh. v. Chr. entwickelte sich jedoch bei den Etruskern eine beachtliche Eisengewinnung; bedeutende Eisenerzvorkommen existierten auf Elba (Aristot. mir. 93,837b). Zunächst wurde das Erz auf der Insel verhüttet, später aber nach Populonia auf das Festland gebracht; ca. 2 Mio. Tonnen Schlacken sind

hier ein eindrucksvolles Zeugnis der ant. Eisenverhüttung. In röm. Zeit wurde das von Elba stammende E. in Barrenform an Schmiede in It. verkauft (Puteoli: Diod. 5,13,1–2). Wie Funde von Eisenobjekten und Schmiedewerkzeugen belegen, war die röm. Eisenverarbeitung hoch entwickelt. In der röm. Gesellschaft bestand ein hoher Bedarf an E. bzw. an Gegenständen und Werkzeugen aus E. So benötigte man bei der Errichtung von Großbauten E. in großen Mengen für die Verklammerung von Natursteinen (Porta Nigra in Trier: ca. 10 t E.) oder für die Ausrüstung der Soldaten (für eine Legion ca. 38t). Landwirtschaftliche Geräte aus E. sind arch. gut belegt und in der agronomischen Lit. sowie bei Plinius erwähnt (Cato agr. 135; Plin. nat. 34,138).

Plinius widmet dem E. längere Ausführungen (nat. 34,138–155). Die unterschiedliche Qualität des E. führt er v. a. auf das jeweils beim Abschrecken verwendete Wasser zurück; er hebt hervor, daß Eisenerz fast überall gefunden werde. Unter den Eisenvorkommen des Imperium Romanum wurden vor allem die in Spanien (Strab. 3,2,8; 3,4,6; Plin. nat. 4,112; 34,144; Mart. 4,55; 12,18) und in Noricum (Ov. met. 14,712; Plin. 34,145; Rut. Nam. 1,352) gerühmt. In It. blieb Populonia Zentrum der Eisenverhüttung (Strab. 5,2,6). Auf röm. Grabreliefs aus It. werden relativ häufig Schmiede bei der Arbeit in ihrer Werkstatt dargestellt; einzelne Reliefs zeigen auch präzise die bei der Schmiedearbeit verwendeten Werkzeuge.

B.4 MITTELEUROPA

In Mitteleuropa begann die Eisengewinnung und -verarbeitung im 8. Jh. v. Chr. durch die Kelten in den Ostalpen. Im 7. Jh. erreichte die Technik der Eisengewinnung zunächst den böhmischen und polnischen, dann den norddeutschen Raum, wo aus dem 6. und vor allem dem 5. Jh. v. Chr. zahlreiche Schlackenfunde und eine größere Zahl von Rennöfen bekannt sind. Etwas später begann die Eisenverhüttung im Gebiet der Fränkischen und Schwäbischen Alb mit den reichen Vorkommen von Bohnerzen und im 5. Jh. im Siegerland. In Schweden setzte die Gewinnung von E. in den letzten Jh. v. Chr. mit der Verhüttung lokaler Sumpferze ein und erreichte im frühen MA bei den Wikingern einen ersten Höhepunkt. Der Import von Roheisen und fertigen Eisenprodukten war für Skandinavien stets von großer Bedeutung. Die frühesten Funde von Gegenständen aus E. in England stammen aus dem 7. Jh. v. Chr. Aus dieser Zeit sind auch die ältesten Verhüttungseinrichtungen belegt. Im frühen MA existierten in Gallien nur wenige eiserne Werkzeuge, und E. wurde selten verarbeitet. Die besondere Betonung von Eisenprodukten in Berichten über Raubzüge und Kirchenbauten deuten auf die Seltenheit von E. hin.

C. DAS EISEN IN MYTHOS UND PHILOSOPHIE

Die Verwendung des Adjektivs σιδήρεος (sidéreos, eisern) in der Bedeutung »unbarmherzig« bei Homer (Hom. Il. 12,357; Hom. Od. 5,191; 23,172) läßt eine ambivalente Einstellung dem E. gegenüber erkennen, die auch im Mythos über die Geschlechter der Men-

schen zum Ausdruck kommt: Hesiod charakterisiert die
Zeit des eisernen Geschlechtes als eine Zeit der Sorgen,
der Rechtlosigkeit, der Gewalt, der Meineide und des
Neides (Hes. erg. 175–200). Der Mythos der Geschlechter ist kaum als Aussage über die Entwicklung
der Metallverarbeitung zu interpretieren, vielmehr ist
die Benennung der Geschlechter nach Metallen eher als
Metapher aufzufassen. Eine explizit kritische Auffassung zum E. findet sich bei Herodot; hier heißt es, das E.
sei zum Verderben des Menschen erfunden worden
(Hdt. 1,68,4: ὡς ἐπὶ κακῷ ἀνθρώπου σίδηρος ἀνεύρη-
ται). Im Gegensatz zu dieser Position erscheint in der
Trag. das E. im Katalog der von Prometheus den Menschen gewährten Hilfsmittel (Aischyl. Prom. 502). In
Platons Theorie der zivilisatorischen Entwicklung ist
die frühe Gesellschaft, die Zeit der δυναστεία (dynasteía), gekennzeichnet durch das Fehlen von E. und anderen Metallen sowie durch die Unkenntnis der Metallverarbeitung (Plat. leg. 678cff.). Poseidonios schreibt
die Erfindung eiserner Werkzeuge den Weisen (sapien-
tes) zu und scheint somit die Metallurgie eher positiv zu
bewerten (Sen. epist. 90,11). Ovid beschreibt das eiserne Zeitalter in Anlehnung an Hesiod, aber er stellt nun
einen direkten Zusammenhang zwischen der Entdek-
kung des E. und der permanenten Gewalttätigkeit sowie
Besitzgier der Menschen in dieser Zeit her; die Metalle
werden hier als schädlich bezeichnet: iamque nocens fer-
rum ... prodierat (Ov. met. 1,141f.).

Differenzierter ist das Urteil des Plinius, der vom E.
sagt, es sei das beste und das schlechteste Instrument für
das Leben (Plin. nat. 34,138: optumo pessimoque vitae in-
strumento est), denn es diene sowohl nützlichen Zwek-
ken wie der Landwirtschaft oder dem Hausbau als auch
schädlichen wie Krieg, Mord und Raub. Die unheilvolle Verwendung des E. ist nach Plinius nicht der Natur
anzulasten, denn grundsätzlich sei das E. unschädlich
(innocens).

→ Bergbau; Metallurgie

1 BLÜMNER, Techn. 4, 67ff., 205ff., 340ff. 2 D. CLAUDE,
Die Handwerker der Merowingerzeit nach den erzählenden
und urkundlichen Quellen, in: H. JANKUHN (Hrsg.), Das
Handwerk in vor- und frühgeschichtlicher Zeit, AAWG,
3. Folge, 122, 1981, 204–266 3 H. F. CLEERE, Ironmaking,
in: STRONG/BROWN, 127–141 4 Ders., The Classification of
Early Iron-Smelting Furnaces, in: The Antiquaries Journal
52, 1972, 8–23 5 H. H. COGHLAN, Notes on Prehistoric and
Early Iron in the World, 1977 6 P. T. CRADDOCK, Early
Metal Mining and Production, 1995 7 H. HAEFNER (Hrsg.),
Frühes Eisen in Europa, 1981 8 J. F. HEALY, Mining and
Metallurgy in the Greek and Roman World, 1978 9 W. H.
MANNING, Blacksmithing, in: STRONG/BROWN, 143–153
10 P. R. S. MOOREY, Ancient Mesopotamian Materials and
Industries, 1994, 278–292 11 J. D. MUHLY, R. MADDIN,
T. STECH and E. ÖZGEN. Iron in Anatolia and the Nature
of the Hittite Iron Industry, in: AS 35, 1985, 67–84
12 R. PLEINER, Die Eisenverhüttung in der »Germania
Magna« zur römischen Kaiserzeit, BRGK 45, 1964, 11–86
13 J. RAMIN, La technique minière et métallurgique des
Anciens, 1977 14 J. RIEDERER, Archäologie und Chemie,

1987, 142–149 15 R. F. TYLCOTE, A History of Metallurgy,
1976 16 T. A. WERTIME, J. D. MUHLY (Hrsg.), The Coming
of the Age of Iron, 1980 17 ZIMMER, Nr. 112–130. JO.R.

Eisenkraut s. Verbenaca

Eisphora (εἰσφορά). Die e. war in Athen eine außerordentliche direkte Vermögenssteuer, die in finanziellen
Notlagen, vorwiegend in Kriegszeiten, auf Beschluß
der Volksversammlung von reichen Athenern erhoben
wurde. Nach Aristot. Ath. pol. 8,3 soll es bereits in solonischer Zeit eine e. gegeben haben, doch der dort
zitierte Gesetzestext spricht nur allgemein von der Einziehung von Abgaben durch → naukraroi. Nach Thuk.
3,19,1 wurde 428/7 v. Chr. wegen der hohen Kriegs-
kosten zum ersten Mal (πρῶτον) eine e. in Höhe von 200
Talenten erhoben. Da bereits im sog. Kallias-Dekret (IG
I³ 52) von 434/3 v. Chr. eine e. belegt ist (B Z.17), muß
πρῶτον bei Thuk. wohl auf die Angabe der Höhe von
200 Talenten bezogen werden (SEG 40,4). Nach Pollux
8,129f. war die e. eine progressive Steuer, die in unterschiedlichen Sätzen von Pentakosiomedimnoi, Hippeis
und Zeugiten erhoben wurde. Ob die häufigen e. in den
letzten Jahren des Peloponnesischen Krieges die Kriegs-
bereitschaft reicher Athener dämpften oder zu den oligarchischen Umstürzen beitrugen, ist umstritten. 378/7
wurde das System der e. reformiert (Philochoros FGrH
328 F 41): Nach einer Vermögensschätzung bei den
reichsten Bürgern Athens (Pol. 2,62,7: 5750 Talente;
Philochoros F 46 und Demosth. or. 14,19: 6000 Tal.)
wurden die 1200 oder mehr Steuerpflichtigen (zur Zahl:
Isokr. 15,145; Demosth. or. 20,21–28) in 100 Steuergruppen (→ Symmoria) mit ca. 15 Personen eingeteilt
(Kleidemos FGrH 323 F 8). Ob diese Steuergruppen mit
den 358/7 bei der → Trierarchie eingeführten Symmorien identisch waren, ist umstritten. Innerhalb der
Symmoria leistete der einzelne proportional zu seinem
Vermögensanteil die e. Die Steuerpflicht begann bei einem Vermögen von 3–4 Talenten (DAVIES, XXIIIf.);
auch die Metoiken waren zur Zahlung von e. verpflichtet. Die 300 Reichsten, die hēgemónes und die zweiten
sowie dritten einer jeden Symmoria (Demosth. or.
18,103; 18,312), mußten den gesamten Steuerbetrag
vorauszahlen und trieben ihn dann von den übrigen
Steuerzahlern ihrer Symmoria ein (→ proeisphorá). Eine
Befreiung von dieser Leistung war über → Antidosis-
und → Diadikasieverfahren möglich. In den Symmorien führten diagrapheís Verzeichnisse der Mitglieder mit
ihrem Vermögensanteil (diágramma; Hyp. F 102. 152
JENSEN). Zwischen 347/6 und 323/2 wurde jährlich eine
e. von 10 Talenten erhoben.

1 J. BLEICKEN, Die athenische Demokratie, ⁴1995
2 P. BRUN, Eisphora – Syntaxis – Stratiotika, 1983 3 M. R.
CHRIST, Liturgy avoidance and antidosis in classical Athens,
in: TAPhA 120, 1990, 147–169 4 V. GABRIELSEN, The
antidosis procedure in classical Athens, in: CeM 38, 1987,
7–38 5 J. G. GRIFFITH, A note on the first eisphora at Athens,
in: AJAH 2, 1977, 3–7 6 M. H. HANSEN, The Athenian

Democracy in the Age of Demosthenes, 1991 **7** H. LEPPIN, Zur Entwicklung der Verwaltung öffentlicher Gelder im Athen des 4. Jh. v. Chr., in: EDER, Demokratie, 557–571 **8** P. J. RHODES, Problems in Athenian *eisphora* and liturgies, in: AJAH 7, 1982, 1–19 **9** W. SCHMITZ, Reiche und Gleiche, in: EDER, Demokratie, 573–597 **10** Ders., Wirtschaftliche Prosperität, soziale Integration und die Seebundpolitik Athens, 1988 **11** G. E. M. DE STE. CROIX, Demosthenes' *timema* and the Athenian *eisphora* in the fourth century BC, in: CeM 14, 1953, 30–70 **12** R. THOMSEN, Eisphora, 1964 **13** R. W. WALLACE, The Athenian *proeispherontes*, in: Hesperia 58, 1989, 473–490. W. S.

Eispoiesis (Εἰσποίησις). In Athen bezeichnete *e.* eine Rechtseinrichtung, die man mit der heutigen Adoption vergleichen kann, ähnlich in Gortyn die *ánpasis* (Großes Gesetz, col. X 33–XI 23). Die *e.* wurde unter dem Aspekt des Erbrechts (→ Diatheke) gesehen. In Athen durfte, anders als in Gortyn, nur ein Mann adoptieren, der keinen ehelichen Sohn hatte. Auch die *e.* für den Fall des Todes, sogar die »postume«, ohne Willenserklärung des »Adoptivvaters« erfolgte, waren möglich. Konstitutiver Akt war in Athen die Eintragung in die Liste der → Phratrie, in Gortyn die Vornahme vor der Volksversammlung.

→ Adoption

A. R. W. HARRISON, The Law of Athens I, 1968, 83 ff. · L. RUBINSTEIN, Adoption in IV. Century Athens, 1993 · R. KOERNER, Inschr. Gesetzestexte der frühen griech. Polis, 1993, 547 ff.

Eispraxis (Εἴσπραξις). »Eintreiben« im weitesten Sinne, in Athen z. B. von Tributzahlungen für den Seebund (IG II² 1273, 24), in Ägypten jeglicher Steuer, aber auch von privaten Forderungen (→ Praxis). G. T.

Eisthesis s. Rubrizierung

Eisvogel (*Alcedo hispida*, ἀλκυών, ἀλκυονίς; Bezeichnung für das ausgewachsene Männchen κηρύλος, Antigonos, mirabilia 27 und schol. Theokr. 7,57; *alcedo* seit Varro ling. 7,88, *halcyo*). Ein in Griechenland nur selten als Wintergast beobachteter (Stesich. fr. 12 B bei Aristot. hist. an. 5,9,542b 24 f.), prächtig gefärbter, fischfressender Rakenvogel. Homer (Il. 9,563) nennt ihn zuerst im Zusammenhang mit der → Alkyone [2]. Im Bericht des Aristoteles (hist. an. 5,8,542b 4–17; 9(7),14,616a 14–34) finden sich neben guter Beschreibung der blauvioletten Gefiederfärbung und der Eizahl (fünf, tatsächlich aber sechs bis sieben) Sagenmotive wie das Nisten an den 14 »(h)alkyonischen Tagen« (Ail. nat. 1,36) der Windstille um die Wintersonnenwende am Meer und das kunstvolle harte Nest (in Wirklichkeit Schwammkorallen [1. 56; 2. 515]) anstelle der Brutröhre in Uferwänden. Plinius (nat. 10,89–91) schließt auch die beiden durch Größe und den Gesang bei Aristoteles (hist. an. 7(8),3, 593b 8–11) unterschiedenen Arten ein – letztere Unterscheidung gilt allerdings nur für den kleineren, bei dem es sich nach LEITNER [3. 15] um den Schilfrohrsänger

handelt. Durch Ambrosius (hexameron 5,13,10) und Isidoros (orig. 12,7,25), nicht aber durch die lat. Übers. der *Historia animalium* des Michael Scotus, erhielt das MA Kenntnis von der Vogelart und ihrem sonderbaren Brutverhalten, welches z. B. Thomas von Cantimpré (5,15 [4. 184]) christl. gedeutet hat. In griech. Quellen (Alkman, fr. 26 B; Aristoph. Av. 302; Plut. soll. an. 35 bzw. mor. 983ab; Ail. nat. 7,17) wird die Treue des Weibchens und seine Altersfürsorge für das Männchen gerühmt, nach dessen Tod es nicht mehr fresse (Dionysios, 2,8 [5. 29 f.]). Wegen der Brutzeit um Weihnachten herum wurde er im MA auch zum Mariensymbol [1. 60]. In der ma. Buchmalerei wird er nicht selten abgebildet [6], so auch in der Wiener Hs. des Dionysios aus dem J. 512 n. Chr. (fol. 479ᵛ [5. Taf. 3] und [7. Taf. III, Taf. IX,4]).

→ Alkyonides [2]

1 KELLER II **2** M. WELLMANN, in: Hermes 26, 1891 **3** LEITNER **4** H. BOESE (ed.), Thomas Cantimpratensis, Liber de natura rerum, 1973 **5** A. GARZYA (ed.), Dionysii Ixeuticon libri, 1963 **6** B. YAPP, Birds in medieval manuscripts, 1982 **7** Z. KÁDÁR, Survivals of Greek zoological illustrations in Byzantine manuscripts, 1978. C. HÜ.

Eitea (Εἰτέα).

[1] Att. Asty(?)-Demos der Phyle Akamantis, von 307/6 bis 201/0 v. Chr. der Antigonis, ab 126/7 n. Chr. der Hadrianis. Zwei Buleutai. Lage unbekannt (NO-Attika? [3. 140–142]). Zugehörigkeit zur Stadttrittys der Akamantis wird aus den Inschr. [1] und IG II² 2363 ([2. 101]) erschlossen.

1 B. D. MERITT, J. S. TRAILL, in: Agora 15, 50 ff. Nr. 42 **2** J. S. TRAILL, Diakris, the Inland Trittys of Leontis, in: Hesperia 47, 1978, 89–109 **3** Ders., Demos and Trittys, 1986, 68, 132, 139–142.

TRAILL, Attica, 9, 48, 69, 110 Nr. 35, 124 Nr. 3, Tab. 5, 11, 15 · WHITEHEAD, 25 Anm. 90, 371, 377, 426.

[2] Att. Asty(?)-Demos der Phyle Antiochis, zwei (bzw. ein) → Buleut(ai). Der FO des Demendekrets [1; 4] spricht in Verbindung mit prosopographischen Indizien [3] für eine Lage bei Grammatiko in NO-Attika. Für die Zuweisung zur Stadttrittys s. [2. 104].

1 A. KALOGEROPOULOU, Ψήφισμα ἐξ Εἰτέας Ἀττικῆς [Pséphisma ex Eitéas Attikḗs], in: AD 25, 1970, A, 204–214 **2** J. S. TRAILL, Diakris, the Inland Trittys of Leontis, in: Hesperia 47, 1978, 89–109 **3** Ders., Demos and Trittys, 1986, 139–142 **4** E. VANDERPOOL, The Two Attic Demes of Eitea, in: AD 25, 1970, A, 215 f.

TRAILL, Attica 22, 54, 69, 110 Nr. 36, 124 · WHITEHEAD, Index s. v. E. H. LO.

Eiwan s. Liwan

Ekbatana (altpers. *Hāgmātana*, griech. Ἐκβάτανα, Ἀκβάτανα), h. Hamadān. Medische Hauptstadt, Sommerresidenz der → Achaimenidai (Xen. an. 3,5,15;

Xen. Kyr. 8,6,22; Ail. nat. 3,13; 10,6; Esra 6,2) und Arsa-kiden (→ Arsakes; Curt. 5,8,1; Strab. 11,524), seleukidisch Ἐπιφάνεια (Steph. Byz. s. v. Ἀκβάτανα), später von Rhages überholt. Die Ruinen von E. liegen h. weitgehend unter der modernen Stadt und sind so arch. Erforschung nicht zugänglich. Die beste Beschreibung E. findet sich bei Pol. 10,27,4–13, laut welcher die Zitadelle – nicht die Stadt – befestigt war. Dem entspricht, daß h. kein Wall sichtbar ist [11], wohl aber eine gewaltige Ziegelplattform. Die sieben Mauern um das »Haus« des → Deiokes (Hdt. 1,98 f.) sind wohl Legende, doch auch hier wohnt das Volk außerhalb. Von zahlreichen Objekten, die aus dem Antikenhandel in verschiedene Museen gelangten, ist deren behauptete Herkunft aus E./Hamadān z. T. zweifelhaft [3]. Der von Polybios genannte Tempel der »Aiñe« ist wohl der der → Anahita, in dem Aspasia geweiht wurde (Plut. Artoxerxes 26,3; 27,3; Iust. 10,2); Arrianus (an. 7,14,5) erwähnt noch einen »Sitz« des Asklepios, den Alexander aus Zorn über den Tod des → Hephaistion zerstörte. Den aus diesem Anlaß errichteten Löwen, in islamischer Zeit verschleppt [7], h. ein verehrtes Symbol [10], hielt man früher für arsakidisch. In der Umgebung von Hamadān grub M. Azarnoush einen Friedhof (1. Jh. v.–1. Jh. n. Chr.) aus – die einzige publizierte Grabung [1; 2; 8]. Die Gräber von »Esther und Mardochai«, zuerst von Benjamin von Tudela bezeugt, wurden auf eine späte, jüd. Sasanidenkönigin zurückgeführt [6]; doch überliefert schon Ios. ant. Iud. 10, 265, ein Jude betreue hier Gräber der Könige.

1 M. Azarnoush, Excavations at the Cemetery of Sang-e Šir area, in: Proc. of the 3rd Annual Symposium on Arch. Research in Iran (= ASARI), 1975, 51–72 2 Ders., Second Season of Excavations at the Site of Sang-e Šir in Hamadan 1975, in: A. Abedi (Hrsg.), Proc. of the 4th ASARI, 1976, 40–59 3 P. Calmeyer, s. v. Hamadan, RLA 4, 1972, 64–67 4 Ders., Zu einigen vernachlässigten Aspekten medischer Kunst, in: Proc. of the 2nd ASARI, 1973, 112–127 5 I. M. Diakonoff, Media, Cambridge History of Iran II, 36–148 6 E. Herzfeld, Archaeological Hist. of Iran, 1935, 105 f. 7 H. Luschey, Arch. Mitt. aus Iran, N. F. 1, 1968, 115–122 8 M. Mehryar, in: Proc. of the 3rd ASARI, 1975, 41–50 9 O. W. Muscarella, Annual Symposium, in: D. Schmandt-Besserat (Hrsg.), Ancient Persia. The Art of an Empire, 1980, 23–42 10 S. Nadjmabadi, G. Gropp, in: Arch. Mitteilungen aus Iran, N. F. 1, 1968, 123–128 11 E. F. Schmidt, Flights over Ancient Iran, 1940, plate 91 f. 12 L. Vanden Berghe, Archeologie de l'Iran ancien 1959, 108–110, 190 f. plates 135–138.   PE. C.

Ekdemos (Ἔκδημος) oder Ekdelos (so Plutarch, Polybios) aus Megalopolis. Akademischer Philosoph des 3. Jh. v. Chr., Arkesilaos-Schüler, der in der Hauptsache durch vielfältige polit. Aktivitäten (Plut. Aratus 5: ›ein Philosoph und zugleich ein Mann der Tat‹, ἀνὴρ φιλόσοφος καὶ πρακτικός – vgl. ders., Philopoimen 1) bekannt ist (Pol. 10,22; vgl. Paus. 8,49,1): Lehrer Philopoimens; zusammen mit Demophanes befreite er seine Vaterstadt von der Tyrannis des Aristodemos und unter-

stützte Aratos von Sikyon bei der Vertreibung des Tyrannen Nikokles; schließlich wird er nach Kyrene zur Einsetzung einer neuen Verfassung berufen.
→ Aratos; Philopoimen   K.-H. S.

Ekdikios. In Ankyra geboren, ›Heide‹ (Lib. epist. 267; 1419). 360 n. Chr. war er Statthalter (consularis?) in Galatien (Lib. epist. 308). E. ist Empfänger zahlreicher Briefe des Libanios (epist. 267; 1419 u. a.). Er ist aber wohl kaum identisch mit dem praef. Aegypti von 362/3 n. Chr., E. Olympus (Cod. Theod. 15,1,8 f.) der aus Kilikien stammte und mit Libanios in Athen studierte (Lib. epist. 147). PLRE 1, 276, 647 f.   W. P.

Ekdikos (Ἔκδικος). Aus der Grundbed. »Rächer« entwickelte sich wohl in hell. Zeit die Bed. »Vertreter vor Gericht«, »Prozeßbevollmächtiger« sowohl im privaten als auch im öffentlichen Bereich, bes. als Übers. des
→ defensor civitatis.

H.-A. Rupprecht, Einführung in die Papyruskunde, 1994, 64, 144.

Ekdosis (Ἔκδοσις).
[1] In Griechenland der zweite Akt der mit → engýēsis eingeleiteten Eheschließung, die »Übergabe« der Braut an den Bräutigam durch deren → Kyrios. In den Papyri bleibt (neben der schriftlichen Form der Eheschließung) die E. als einziger Akt übrig, vollzogen von Vater, Mutter oder der Braut selbst.
→ Ehe

H. J. Wolff, Beiträge zur Rechtsgesch. Altgriechenlands, 1961, 155 ff. · H.-A. Rupprecht, Einführung in die Papyruskunde, 1994, 108 · St. Perentidis, in: G. Thür, J. Vélissaropoulos (Hrsg.), Symposion 1995, 1997, 179 ff.

[2] s. Ausgabe

Ekecheiria (ἐκεχειρία). T. t. für »Waffenstillstand«, »Gerichtsruhe« und den »Gottesfrieden«, wie ihn Iphitos von Elis und Lykurgos von Sparta für die Spiele in Olympia vereinbarten (Plut. Lycurgus 1,2; Paus. 5,20,1) und auch die anderen großen Festorte für sich in Anspruch nahmen.

StV II Nr. 185; III S. 414 (II A6) · L. Robert, Études Anatoliennes 2, 1937, 177 ff.   G. T.

Ekklesia (ἐκκλησία). Versammlung der erwachsenen männlichen Bürger, der in griech. Staaten die letzte Entscheidungskompetenz zustand. Sie wird manchmal auch (h)ēliaía (mit dialektbedingten Unterschieden) oder auch agorá genannt. Die Häufigkeit der Sitzungen, Zuständigkeitsbereiche, der Grad der Einschränkung selbständigen Handelns durch den Kompetenzumfang von Beamten und/oder des Rates und der Umfang der Mitglieder der e. differieren je nach Art der polit. Organisation; so können Oligarchien die Armen durch das Erfordernis eines Mindestvermögens von der e. ausschließen.

In der homerischen Welt traten die Versammlungen gelegentlich zusammen, um sich mit den Aufgaben des Königs oder des Adeligen, der sie einberief, zu beschäftigen. Aktive Teilnahme war den führenden Männern und rel. Experten vorbehalten, die große Menge drückte Zustimmung durch Geschrei, Ablehnung durch Schweigen aus. In der *Ilias* (2,211–277) hält Thersites, ein Mann aus dem Volk, eine Rede, wird aber von Odysseus zurechtgewiesen. os

In Sparta garantierte die dem Lykurg zugeschriebene Große Rhetra (Plut. Lykurgos 6) der Versammlung der Vollbürger regelmäßige Zusammenkünfte und das Recht der letzten Entscheidung. Das Zusammenwirken des Ältestenrates und der Volksversammlung ist nicht ganz klar (die Darstellung bei [3] fußt auf späten Quellen): Bei Thukydides und Xenophon erscheint die Versammlung machtvoller, die *gerusía* dagegen weniger mächtig als in der Großen Rhetra und in den *Politika* des Aristoteles [2]; gewöhnliche Mitglieder durften weder sprechen noch Anträge stellen. Vermutlich war die Versammlung am stärksten, wenn die *gerusía* gespalten war. Abgestimmt wurde durch lautes Rufen (Thuk. 1,87,2).

In Athen waren die ärmsten Bürger wahrscheinlich niemals von der *e.* ausgeschlossen, doch erwartete man von ihnen anfangs keine aktive Rolle. Als Solon einen neuen Rat zur Vorbereitung der Arbeit in der Volksversammlung schuf, sah er wohl regelmäßige Treffen der Versammlung vor; seine *(h)ēliaía* dürfte mit der Volksversammlung identisch sein, jedoch mit der Funktion, gerichtliche Entscheidungen zu treffen. Die *e.* erhielt durch die Reform des Areopags durch Ephialtes 462 v. Chr. weitere Kompetenzen, die vielleicht auch das Recht enthielten, bei größeren Vergehen gegen den Staat das Verfahren der *eisangelía* durchzuführen. Spätestens in der 2.H. des 5.Jh. v.Chr. wurden alle größeren und viele weniger wichtige Entscheidungen von der *e.* getroffen. Jeder Bürger konnte sprechen und Anträge stellen, falls er nicht ausdrücklich ausgeschlossen war; die Rolle des Rats bei der Vorbereitung der Tagesordnung wurde nicht als wesentliche Beeinträchtigung der Freiheit der Volksversammlung gesehen.

In den 30er Jahren des 4. Jh., vielleicht schon früher, gab es vier reguläre Versammlungen in jeder der zehn Prytanien des Jahres, wobei jeder spezielle Aufgaben zugewiesen waren ([Aristot.] Ath. pol. 43,4–6); eine davon war als *kyría* (»Hauptversammlung«) bekannt. Mit *kyría e.* wird anderswo eine reguläre Versammlung bezeichnet; in Athen bildeten die zehn *kyríai* in früherer Zeit wohl die einzigen regelmäßigen Treffen. Die *sýnklētoi* (»einberufenen«) *e.* waren vermutlich außerordentliche Versammlungen, die zusätzlich zu den regulären abgehalten wurden. Den Vorsitz führten anfangs vielleicht die neun Archonten, seit Ephialtes bis zum frühen 4. Jh. die fünfzig *prytaneís*, danach ein Gremium von neun *próhedroi*, gebildet aus Ratsmitgliedern aus je einer der zehn Phylen unter Ausschluß der jeweils geschäftsführenden Prytanie. Bei bestimmten Entscheidungen, die namentlich benannte Personen betrafen,

war ein Quorum von 6000 und die Abstimmung mit Stimmtäfelchen erforderlich, um das Quorum zu überprüfen. Sonst stimmte man durch Handaufheben ab, wobei man vermutlich nicht genau abzählte. Der Sold für den Besuch der *e.* wurde erst nach dem Peloponnesischen Krieg eingeführt.

Es gibt keine Nachweise dafür, daß außerhalb Athens die *e.* ebenso häufig tagten. In vielen Staaten fand eine reguläre Versammlung pro Monat statt, in einigen wurde für den Besuch bezahlt (z. B. in Iasos: SEG 40, 959; [10]). In einigen Gemeinden war das Antragsrecht eingeschränkt. Körperschaften, die mehr als eine Stadt umfaßten, verfügten manchmal, aber nicht immer über eine Volksversammlung. Der Boiotische Bund hatte vor 386 v. Chr. keine Versammlung, wohl aber nach 378. In der Delphischen Amphiktyonie wurden Entscheidungen regelmäßig durch einen repräsentativen Rat getroffen, doch konnten auch Vollversammlungen abgehalten werden. Im Achaiischen und Aitolischen Bund der hell. Zeit gab es sowohl Volks- als auch Ratsversammlungen.
→ Amphiktyonia; Eisangelia; Gerusia

ALLGEMEIN: 1 BUSOLT/SWOBODA
SPARTA: 2 A. ANDREWES, in: Ancient Society and Institutions, FS V. Ehrenberg, 1966, 1–20 3 W. G. FORREST, in: Phoenix 21, 1967, 11 – 19
ATHEN: 4 R. M. ERRINGTON, ἐκκλησία κυρία in Athens, in: Chiron 24, 1994, 135–160 5 M. H. HANSEN, The Athenian Ecclesia, 1983 6 Ders., The Athenian Assembly in the Age of Demosthenes, 1987 7 Ders., The Athenian Ecclesia 2, 1989 8 P. J. RHODES, E. Kyria and the Schedule of Assemblies in Athens, in: Chiron 25, 1995, 187–198
9 R. K. SINCLAIR, Democracy and Participation in Athens, 1988, Kap. 3–5
IASOS: 10 P. GAUTHIER, in: BCH 104, 1990, 417–443
BUNDESBILDUNGEN: 11 J. A. O. LARSEN, Representative Government in Greek and Roman History, 1955
12 Ders., Greek Federal States, 1968.   P. J. R.

Ekklesiasterion (ἐκκλησιαστήριον). Versammlungsplatz einer griech. Volksversammlung. Unter den Orten, an denen das Wort *e.* gebraucht wird, finden sich Olbia (SIG³ 218) und Delos zur Zeit der athenischen Kleruchie im 2. Jh. v. Chr. (SIG³ 662). In Athen war der reguläre Versammlungsort die Pnyx im Südwesten der Stadt, wo drei Baustufen aus dem 5. und 4. Jh. identifiziert wurden. Seit dem späten 4. Jh. wurde das Dionysos-Theater zunehmend als Versammlungsort benutzt. Anders als die Römer saßen die Griechen bei ihren Versammlungen; der Gebrauch von Theatern oder theaterähnlichen Bauten war daher üblich. Ein Überblick über Belege für *e.* findet sich bei [1. 44–75].
→ Ekklesia; Versammlungsbauten

1 M. H. HANSEN, T. FISCHER-HANSEN, Polis, politeuma and politeia. A note on Arist. Pol. 1278b, in: D. WHITEHEAD (Hrsg.), From Political Architecture to Stephanus Byzantinus, 1994, 44–75.   P. J. R.

Ekkyklema (ἐκκύκλημα). Theatermaschine, mit der man »Innenszenen« sichtbar machte: eine auf Schienen aus dem Bühnenhaus »herausrollende« Plattform. Weil das Wort *e.* erst bei Poll. 4,128 belegt ist (Aristophanes verwendet aber die entsprechenden Verben) und klare arch. Hinweise fehlen, hat man die Existenz einer solchen Vorrichtung im Theater des 5. Jh. wider besseres Textverständnis in Frage gestellt [1]. Die Tragiker entzogen blutige Gewalttaten den Augen der Zuschauer, zeigten aber danach Täter und Opfer in Schauder und Jammer erregenden Tableaus. Dafür konnte es nicht genügen, einfach die Tür des Bühnenhauses zu öffnen, sondern sie rückten auf dem *e.* das Gräßliche ins volle Tageslicht. Das *e.* gehörte, wie die Mechane für Göttererscheinungen, wesensgemäß zur Tragödie. Aristophanes bediente sich der *e.* in eindeutig parodistischer Absicht (Ach. 408 f.; Thesm. 95–98), Menander verzichtete wohl auf die Verwendung (Dysk. 758 ist kein schlüssiger Beleg).

→ Mechane

1 E. BETHE, E. und Thyromata, in: RhM 83, 1934, 21–38
2 A. W. PICKARD-CAMBRIDGE, The Theatre of Dionysus in Athens, 1946, 100–122.

H.-D. BLUME, Einf. in das ant. Theaterwesen, ³1991, 66–72 · N. C. SOURMOUZIADES, Production and Imagination in Euripides, 1965, 93–108 · H.-J. NEWIGER, E. und Mechane in der Inszenierung des griech. Dramas, in: Saalburg-Jahrbuch 16, 1990, 33–42.   H. BL.

Eklektizismus. Die Eklektiker sind eine nur an einer Stelle (Diog. Laert. 2,12) belegte Philosophenschule. Ihr Gründer Potamon von Alexandreia lehrte, es gelte, die jeweils glaubwürdigsten Lehren der verschiedenen Schulen auszusuchen. Auf vergleichbare Weise weigerte sich Galenos, sich mit irgendeiner Richtung der Philos. oder Medizin zu identifizieren (De libris propriis 1; De dignot. affect. 8). Die moderne Forsch. spricht häufig von E. vor allem in der Philos. der frühen Kaiserzeit. Dies erweist sich als oft irreführend; es verdeckt, daß sich das Phänomen des E. aus ganz verschiedenen Quellen speist, verleitet aber auch dazu, zu übersehen, daß dieser E. in der Regel engen Bahnen folgt und nicht die Schulidentität der Philosophen verwischt. Zu den Quellen und Ausgangspunkten zählten (1) der Klassizismus, welcher Philosophen wie Platon und Aristoteles eine Autorität über die Schulgrenzen hinweg einräumte, (2) die Neubelebung des Platonismus und des Aristotelismus, welche es verlangte, deren Philos. auf den Stand der Zeit zu bringen, (3) das Bemühen, zumindest eine gemeinsame philos. Sprache zu finden, oft aber auch, die Schulgegensätze auf wenige zentrale Punkte zu reduzieren und in bestimmten Zusammenhängen hintanzustellen, (4) die verbreitete akademische Skepsis, welche dem einzelnen philos. Meinungen zugestand, aber nicht die Bindung an die Autorität einer Schule, und (5) das bloße Faktum, daß mit der Auflösung der Schulen als Institutionen im 1. Jh. v. Chr. sich auch die Einheit der Lehre auf die zentralen Thesen reduzierte. Der E. vollzog sich insofern in engen Bahnen, als Epikureer davon ausgeschlossen waren und es vor allem Platoniker und Peripatetiker waren, welche Anleihen bei den Stoikern machten, und Platoniker, welche sich auf Aristoteles oder spätere Peripatetiker stützten. Oft wurde das durch eine Sicht der Gesch. begünstigt, nach welcher der Unterschied zw. Platon, Aristoteles und der Stoa mit gewissen Ausnahmen zu vernachlässigen ist. Oft, wie bei Plotin, war der E. unbewußt (vgl. Porph. v. P. 14).

→ EKLEKTIK

M. ALBRECHT, Eklektik. Eine Begriffsgesch., 1994.   M. FR.

Eklektizistische Plastik s. Plastik

Eklektos (Ἔκλεκτος, auch Electus, Eiectus). E. aus Ägypten, Freigelassener des Verus, wohnte später im Palast des Marcus Aurelius (SHA Ver. 9,5 f.), nach dessen Tod er *cubicularius* von dessen Neffen M. Ummidius Quadratus wurde. Als dieser 182 n. Chr. hingerichtet wurde, übernahm Commodus den E. (Herodian. 1,16,5; Cass. Dio 72,4,6), mit dem er bei Gladiatorenspielen auftrat (SHA Comm. 15,2; Cass. Dio 72,19,4). 193 betrieb er mit dem Praetorianerpraefekten Aemilius Laetus und Marcia der *concubina* des Commodus, die Ermordung des Kaisers (Herodian. 1,17,6; 2,1,3; Cass. Dio 72,22,1+4). Er heiratete Marcia und führte mit Aem. Laetus die Regierungsgeschäfte für Pertinax, mit dem er 193 getötet wurde (Cass. Dio 73,1,1 f.; 10,1 f.). PIR 3, 67 (Eclectus).   M. MEI. u. ME. STR.

Ekliptik (ἐκλειπτική sc. γραμμή, vgl. schol. Arat. 550, p. 323,8 MARTIN: τὴν μέσην γραμμὴν τοῦ ζῳδιακοῦ; und ThlL V,2, 48,56 *ecliptica linea*, meist jedoch ἐκλειπτικὸς sc. κύκλος). Einer der fünf unbeweglichen Himmelskreise (→ *kýkloi*), begrenzt durch die beiden Wendekreise und den Äquator schneidend, ein schiefer Kreis (λοξός, *loxós*), dessen Sterne also nicht am selben Punkt auf- und untergehen; bezeichnete urspr. die Bahn der Sonne während ihres Jahres. Der Name rührt daher, daß auf dieser Bahn die → Finsternisse stattfinden (Ach. Tat. Eisagoge 23, p. 53,10 MAASS, dist. ζῳδιακός, cf. Anon. ibid. p. 130,25 f.). Im weiteren Sinne bezeichnet das Wort darüber hinaus die Gesamtheit aller Ebenen der Mond- und Planetenbahnen, für die Manil. 1,682, Geminos 5,53 u. a. eine Breite (πλάτος) von 12° angeben (Tab. bei Ptol. Syntaxis 13,10). Nach einer falschen Theorie weicht auch die Sonne von der Mittellinie ab [2. 2212 f.]. Am meisten entfernt sich der Mond mit 12°. Plinius (nat. 2,66) gibt allerdings für Venus eine zusätzliche Abweichung von 2° an. Die Schiefe der E. berechnete → Eratosthenes [2] fast richtig mit 23° 51' 19", und diesen Wert übernahmen Hipparchos und Ptolemaios (Syntaxis 1,12): Der doppelte Betrag ist größer als 47° 40' und kleiner als 47° 45' (Taf. der E.-Grade 0°–90° in Relation zu den Meridianbögen 0°–23° 51' 20").

Meistens rechnete man jedoch mit dem runden Wert von 24°, d.h. der Sehne eines Fünfzehnecks (Geminos 5,46: = 4 Sechzigteile à 6°).

Die E. wird in 12 × 30 = 360° eingeteilt. Der mittlere tägliche Bogen des Mondes beträgt laut Geminos (18,7) 13° 10' 35'', ein Zwölftel der E. durchläuft er in 2,25 Tagen (Geminos 1,30). Die Babylonier rechneten, wie der etwa auf das Jahr 1000 v. Chr. zurückgehende und um 500 v. Chr. durch Einschaltung eines zusätzlichen Monats adaptierte Text ^mulApin zeigt, mit synodischen Monaten. Doch die Griechen richteten sich weder nach diesem System noch nach dem erst in byz. Zeit zu ihnen gedrungenen indischen System der 28 Mondstationen, sondern allein nach der Sonne, die nur ungefähr einen Grad pro Tag durchläuft. Das Sonnenjahr wird durch die beiden Sonnenwenden und die beiden Tagundnachtgleichen, in denen die E. den Äquator schneidet, in vier Teile geteilt, die infolge der Exzentrizität der Sonnenbahn und der sich daraus ergebenden Anomalie eine verschiedene Länge aufweisen: Am langsamsten bewegt sich die Sonne in ihrem Apogäum (im Sternbild der Zwillinge), am schnellsten im Perigäum (im Schützen). Geminos (1,13–16) kommt auf 94,5 Tage für den Frühling, 92,5 Tage für den Sommer, 88,125 Tage für den Herbst und 90,125 Tage für den Winter. Der Beginn des Jahres ist beliebig (Ptol. Apotelesmatika 2,11), astronomisch bevorzugte man zunächst die Sommersonnenwende (im Krebs), später die Frühlingstagundnachtgleiche (im Widder). Infolge der Präzession bewegen sich die vier Jahrpunkte langsam gegen die Planetenrichtung, also von Osten nach Westen, so daß sich die zwölf Tierkreiszeichen (Zodiakos) von ihren urspr. E.-Zwölfteln (δωδεκατημόρια) entfernen. Diese Erkenntnis hat sich gegenüber der selten belegten Hypothese einer Trepidation durchgesetzt, nach der die Jahrpunkte mit einer Geschwindigkeit von 1° in 80 Jahren bis zu einem Ausschlag von 8° hin- und herpendeln (Attalos und Eudoxos fr. 63 LASSERRE bei Hipparchos 1,9,1–8). Hipparchos entdeckte die Präzession durch Beobachtung der Position von *spica* im Vergleich zu der von Timocharis um 270 v. Chr. ermittelten (Ptol. Syntaxis 7,2 p. 12,21), Ptolemaios erhöhte dessen Angaben mechanisch um 2° 40'. Während die beiden griech. Forscher einen zu großen Wert von 36'' pro Jahr oder 1° in 100 Jahren, also eine Umdrehung in 36000 Jahren annahmen, rechnete die islamische Astronomie mit einem zu niedrigen Wert von 1° in 66,6 Jahren. Die älteste ekliptikale Fixierung der Jahrpunkte fällt auf 8° der »tropischen« Zeichen (Meton und Eudoxos, fr. 144f. LASSERRE, bei Colum. 9,14,12). Dieser Wert wurde durch den Iulianischen Kalender sanktioniert und spielt in der astrologischen Deutung der → Paranatellonta bei Teukros, Manilius und Firmicus Maternus eine Rolle. Geminos (5,52) rechnet allerdings mit der Zeichengrenze bei 1° (bzw. 0°), Manilius (3,680–682) nennt die Varianten 1°, 8° (der er sonst folgt) und 10°, die Babylonier legten ihrer Mondrechnung entweder 8° (System B) oder, weil sie fünftageweise voranschritten, 10° (System

A) zugrunde. Achilleus (Isagoge 23, p. 54,18f. MAASS) nennt neben 8° auch die Werte 12° und 15°, also die Tierkreiszeichenmitte, die astrologisch ebenfalls eine Rolle spielt.

Im Durchschnitt geht ein E.-Grad in vier Minuten, ein E.-Zwölftel in zwei Stunden auf, doch sind Aufgangsdauer und -geschwindigkeit von der geogr. Breite abhängig: Die Abschnitte gehen entweder schräg und schnell oder steil und langsam auf oder unter [10. 52–62]. Auf- und Untergangszeit ergänzen sich (Geminos 7,37): Gleichweit von den Wendepunkten (τροπαί, *tropaí*) entfernte Grade oder Gradbezirke haben komplementäre Auf- und Untergangszeiten, d. h. der eine geht so lange auf, wie der andere untergeht und umgekehrt (ἰσοδυναμοῦντες, *isodynamúntes*), die von den Tagundnachtgleichen (ἰσημερίαι, *isēmeríai*) gleichweit entfernte Grade haben gleiche Auf- und Untergangszeiten (ἰσαναφόροι, *isanaphóroi*, Geminos 7,32). Während Hipparchos (3,3–4) die Aufgänge der wahren Sternbilder für das dritte Klima (Rhodos: 36°) notiert, bezieht sich → Hypsikles in seinem *Anaphorikós* (ca. 170 v. Chr.) auf das erste Klima (Alexandreia), meistens bevorzugte man jedoch die runden Werte des zweiten Klimas (Babylon) [3. 42]. In derselben Weise variieren auch die entsprechenden Tages- und Nachtlängen.

Der urspr. Bed. der E. nähert sich die Theorie von einem drakonitischen Körper mit Kopf und Schwanz, der sich auf einer neunten Sphäre bewegt, als Sinnbild für die auf- und absteigenden Mondknoten, Ἀναβιβάζων und Καταβιβάζων [1.121–123; 4; 10. 294f.].

→ Dorotheos; EKLIPTIK

1 A. BOUCHÉ-LECLERCQ, L'astrologie grecque, 1899 2 A. REHM, s. v. E., RE 5, 2208–2213 3 E. HONIGMANN, Die sieben Klimata und die ΠΟΛΕΙΣ ΕΠΙΣΗΜΟΙ. Eine Unters. zur Gesch. der Geogr. und Astrologie im Altertum und MA, 1929 4 W. HARTNER, The Pseudoplanetary Nodes of the Moon's Orbit in Hindu and Islamic Iconographies, Ars Islamica 5, 1938, 113–154 (in: Oriens – Occidens, 1968, 349–404) 5 B. L. VAN DER WAERDEN, History of the Zodiac, Archiv für Orientforschung 16, 1952/3, 216–230 6 Ders., Erwachende Wiss. II: Die Anfänge der Astronomie, 1966 7 R. BÖKER, H. G. GUNDEL, s. v. Zodiakos, RE 10 A, 462–709 8 O. NEUGEBAUER, A History of Ancient Mathematical Astronomy, 1975 9 B. L. VAN DER WAERDEN, Die Astronomie der Griechen, 1988 10 W. HÜBNER, Die Eigenschaften der Tierkreiszeichen in der Ant., 1982.
W. H.

Ekloge (Ἐκλογή, »Auszug«, »Auslese«). Im März 741 n. Chr. erlassenes Rechtsbuch des Oström. Reiches. In 18 Titeln (Kapiteln) wurden in der E. unter dem mäßigenden Einfluß des Christentums und des Gewohnheitsrechts für den Alltag relevante Zivil- und Strafrechtsmaterien (z. B. Ehe, Scheidung, Schenkung) aus der ausufernden, nicht mehr praktikablen justinianischen Gesetzgebung kompiliert. Nach 867 wurde die E. zwar durch die → Epanagoge ersetzt, jedoch weiterhin tradiert. Sie prägte die Gesetzgebung byz. beeinflußter Kulturen mit, z. B. das altslav. Rechtsbuch *Zakon Sudnyj*

Ljudem (9./10. Jh.), und wurde in verschiedene Sprachen übertragen [1. 533 f.], z. B. ins Arab. [2] und ins Armenische.

1 D. GKINES, s. v. Ἐκλογὴ τῶν Ἰσαύρων, Θρησκευτικὴ καὶ ἠθικὴ ἐγκυκλοπαιδεία 5, 1966 2 S. LEDER, Die arab. Ecloga, 1985.

L. BURGMANN (ed.), Ecloga. Das Gesetzbuch Leons III. und Konstantinos' V., 1983 · E. H. FRESHFIELD, A Manual of Roman Law: The Ecloga, 1926 (engl. Übers.) · C. A. SPULBER, L'Eclogue des Isauriens, 1929 (frz. Übers.) · P. E. PIELER, in: HUNGER, Literatur, II, 458 ff. · B. SINOGOWITZ, Studien zum Strafrecht der Ekloge, 1956.   G. MA.

Eknomon (Ἔκνομον). Gebirgsstock in Südsizilien nahe der Mündung des Salso oberhalb Licata. Die Entdeckung von Resten aus archa. Zeit (chthonisches Heiligtum, Nekropole) in Mollarella und neuere Untersuchungen über den Berg [1], der von einem Nebenfluß des ant. Himeras berührt wurde und auf der Seeseite lag, legen es nahe [2], E. im Westen des Monte S. Angelo (Poliscia-Hochebene) zu lokalisieren und nicht, wie bisher angenommen, an seinen östl. Ausläufern. Erwähnungen: Diod. 19,108 (Burg des Phalaris [3]); 107–110 (311 v. Chr.: Niederlage des Agathokles); Plut. Dion 26 (zu 357 v. Chr.); Pol. 1,25 (zu 256 v. Chr.: Stützpunkt der Römer).

1 G. BEJOR, s. v. Ecnomo, BTCGI 7, 101 f. 2 A. DE MIRO, s. v. Licata, EAA, II Suppl. 1971–1994, 1995, 354 3 G. MANGANARO, Instituzioni pubbliche e culti religiosi, in: L. BRACCESI, E. DE MIRO (Hrsg.) Agrigento e la Sicilia greca, Atti della settimana di studio Agrigento 2–8 maggio 1988, 1992, 214.   GI. F./Ü: R. P. L.

Ekphantides (Ἐκφαντίδης). Früher Dichter der Alten Komödie [1. test. 4]; siegte nach 458 v. Chr. viermal an den Dionysien [1. test. 1]. Bekannt sind die Stücktitel *Peírai* und *Sátyroi*. Aus einem unbekannten Stück stammt fr. 3, in dem E. die megarische Komödie kritisiert.

1 PCG V, 1986, 126–129.   B. BÄ.

Ekphantos (Ἔκφαντος).

[1] Griech. Maler aus Korinth, vermutlich Mitte des 7. Jh. v. Chr. tätig, nach Plinius (nat. 35,16) Begründer der *secunda pictura*, einer sich durch flächenfüllende Verwendung der Farbe auszeichnenden Malweise, wie sie auf Holztafeln aus Pitsa überliefert ist. Bei Plinius damit zusammen erwähnte *monochromata* beziehen sich vielleicht auf die verwendeten ungebrochenen, wertvollen mineralischen Pigmente.

N. J. KOCH, De picturae initiis, Diss. Bochum 1995, 23 ff., 33 ff., 47 f. · G. REMBADO, Il problema delle origini delle pittura corinzia, in: Sandalion 8/9, 1985/86, 109–119.   N. H.

[2] Pythagoreer, wohl 4. Jh. v. Chr., aus Syrakus, nach Iambl. v. P. 267 aus Kroton. Testimonien bei Hippolytus (Refutatio 1,15), Stobaios, Ps.-Plutarch und Theodoretos. Er setzt Demokrit und wohl Platon voraus. E. nimmt ausgedehnte, aber unteilbare pythagoreische Monaden an, die sich durch Größe, Form und eine Kraft unterscheiden; durch diese, nicht durch Gewicht oder Anstoß werden sie bewegt; diese Kraft, auch »Seele« oder »Intellekt« genannt, wirkt nach einer Vorsehung und gemäß einer Ordnung oder Idee, nach der auch die Welt kugelförmig ist. Es ist die Erde, welche sich um die eigene Achse dreht. Aber sicheres Wissen ist von all dem nicht möglich, wir müssen unserem Gutdünken, dem *nómos*, folgen. Auf E.' Namen gefälscht ist eine Abhandlung über das Königtum, vermutlich des 2. oder 3. Jh. n. Chr. (Fragmente bei Stobaios). Sie ist charakterisiert durch den Versuch, der sich auch bei Celsus und sonst im 2. Jh. findet, die Stellung des Kaisers als Teil der göttlichen Weltordnung zu rechtfertigen; was E. davon unterscheidet, ist die Betonung der Göttlichkeit des Kaisers und sein Rekurs auf Gedanken, die Parallelen im gnostischen, hermetischen und jüdischen Denken haben (vielleicht Rückgriff auf Gn 1–2).

ED.: DIELS/KRANZ 51, Bd. 1, S. 442 · H. THESLEFF, The Pythagorean Texts, 1965, 79 ff.   M. FR.

Ekphora. Bezeichnet seit Aischylos (Sept. 1024; deutlich terminologisch Thuk. 2,34,3) den Trauerzug, der den Leichnam nach der Aufbahrung zu Einäscherung oder Begräbnis geleitet. Genaue Beschreibung zuerst Hom. Il. 23,131–139. Nach Darstellungen auf spätgeometr. Grabgefäßen [1. Abb. 53–55] begingen in älterer Zeit wohlhabende Familien in Athen die *e.* mit großer Pracht (Totenbett auf Wagen, vgl. Tonmodell eines Leichenwagens aus Attika [3. Abb. 22]) und zahlreichem Trauergefolge. Seit im 6. Jh. v. Chr. bes. Aufwand und öffentliche Totenklage untersagt wurden (Ps.-Demosth. 43,62 = Sol. F 109 RUSCHENBUSCH), fand die *e.* am frühen Morgen des 3. Tages nach dem Tod in aller Stille statt. Beschränkungen in Modus und Teilnehmerzahl sind im 5. Jh. v. Chr. auch in Iulis auf Keos (Syll.³ 1218,7–9) und Delphi (LSCG 77 C ll–28) bezeugt.

→ Bestattung

1 G. AHLBERG, Prothesis and E. in Greek Geometr. Art, 1971, 220–239 2 M. ANDRONIKOS, Totenkult, Arch Hom III W, 1968 3 D. C. KURTZ, J. BOARDMAN, Thanatos, 1985 (Greek Burial Customs, 1971) 4 E. STEIN-HÖLKESKAMP, Adelskultur und Polisgesellschaft, 1989, 116 f.   W. K.

Ekphrasis   I. LITERATUR   A. GRIECHISCH   B. LATEINISCH   II. ARCHÄOLOGIE

I. LITERATUR   A. GRIECHISCH

1. DEFINITION

In der rhet. Terminologie der Kaiserzeit ist die E. eine Beschreibung, die sich Anschaulichkeit (ἐνάργεια, *enárgeia*) zum Ziel setzt (so Rhet. Her., Theon, Hermogenes, Aphthonius usw.), d. h. dem Leser ihren Gegenstand klar vor Augen stellen will: Personen, Sachen, Situationen, Orte, Jahreszeiten, Feste usw. (vgl. [8; 17]); erst Nikolaos Rhetor (5. Jh. n. Chr.) spezifiziert als ihr

Objekt »vor allem Statuen, Bildwerke (εἰκόνες) und Verwandtes«. Die E. verfolgt dieses Ziel vor allem durch Klarheit (σαφήνεια, *saphḗneia*) in den Details (κατὰ μέρος); dies unterscheidet nach Nikolaos die E. von anderen, allgemeineren Formen der Beschreibung (καθ' ὅλου). In den Hdb. der → *Progymnasmata* bezeichnet E. eine rhet. Übung und Kompositionsmöglichkeit. Erst in der → Zweiten Sophistik (2.–5. Jh. n. Chr.) wird E. eine eigenständige Gattung, doch findet sie sich seit den Anfängen der griech. Lit. in vielen, v. a. erzählenden und dramatischen Werken: im Drama in narrativen Passagen, die außerszenisches Geschehen beschreiben (z. B. Aischyl. Eum. 39–59) oder den verhältnismäßig sparsamen Realismus der Bühne auskleiden (z. B. Soph. El. 4–10; Soph. Phil. 15–21; 1081–1094; Soph. Oid. K. 668–706); sehr zahlreich sind E. beider Typen bei Euripides, die ausführlichste Ion 82–183 [16].

Auch wenn man von den Fällen absieht, in denen die detaillierte, bildhafte Beschreibung nicht Ziel, sondern Mittel lit. Kommunikation ist (z. B. die Schilderung der Krankheiten in den hippokratischen *Epidemien*, der Menschentypen in den *Charakteren* des Theophrast, der Orte in den *Perihēgḗseis*), ist die E. verschiedenster, auch nichtbildlicher Gegenstände in der griech. Lit. weit verbreitet.

2. ANSCHAULICHKEIT UND ILLUSION

Häufigstes Thema ausführlicher E. sind Kunstwerke und bildliche Darstellungen (ziselierte Gegenstände, Statuen, Gemälde usw.). Dies ist einerseits auf das wirkungsmächtige Vorbild von Hom. Il. 18,468–608 zurückzuführen (Beschreibung des Schildes des Achilleus) – so ist Hephaistos auch in zwei weiteren berühmten epischen E. der Hersteller von Kunstwerken (Apoll. Rhod. 1.721–767; Mosch. Europa 37–62) –, andererseits auf das in der griech. Lit. stets relevante Konzept der → *Mimesis*, das mit der Bildhaftigkeit des Inhalts die Ausführlichkeit der E. rechtfertigte (aus der E. wurde somit auch die Beschreibung einer Beschreibung, der Dichter eiferte dem Künstler nach).

Anschaulichkeit bei der E. von Kunstwerken wird meist auf zwei Weisen angestrebt: Entweder »ersetzt« der Autor den Künstler, indem er die auf dem Gegenstand abgebildeten Szenen durch die narrative Kraft des Wortes und durch die Bildhaftigkeit der Details auf den Leser wirken läßt; oder er »dramatisiert« die Beschreibung, indem er ein Publikum von Betrachtern in die E. aufnimmt und den Lesern den Wirklichkeitseffekt beschreibt, den der Gegenstand auf dieses ausübt (er erzählt somit nicht so sehr vom Objekt selbst als vielmehr vom Vorgang seiner Betrachtung). Homer verleiht den Szenen auf dem Schild des Achilleus ein eigenständiges verbales Leben, einerseits durch seine integrierende Erzählung, die die statischen Szenen in aufeinanderfolgende Sequenzen verwandelt (z. B. Il. 18,504–506; 513; 516; 520), andererseits durch zahlreiche Verweise auf die Herstellung des Schildes durch Hephaistos (ἐν ... ποίησε, ἐν ... ἐτίθει usw., Il. 18,483; 490; 541; 550; 561 usw.).

In (Ps.-)Hes. *Aspis* ist die Beschreibung zwar statischer, dies wird aber durch die Betonung der realistischen Wirkung kompensiert, welche die Szenen auf dem Schild des Herakles auf ihren Betrachter haben. Diese Wirkung rufen optische (vgl. 189; 194; 216–218; 241–244; bei Homer nur zwei Hinweise dieser Art: Il. 18,539; 548) und akustische Illusionen hervor (vgl. 164; 243; 278–280). Es wird sogar auf den Unterschied zwischen der sich entwickelnden Realität und der Illusion einer Bewegung, die jedoch unwiderruflich statisch ist, geradezu hingewiesen (310 f.). Entsprechend braucht (Ps.-)Hes. dann weit weniger direkte Verweise auf die Tätigkeit des Produzenten (derjenige in 219 ist isoliert). Die Betonung des Illusionismus der Kunst bleibt eine der beständigsten Konstanten der E. (nicht einmal die ihrem Vorbild am nächsten kommende Wiederaufnahme der homerischen Schildbeschreibung ist frei davon, Q. Smyrn. 5,3–101; vgl. 12 f.; 24). Anders Theokr. 1,27–56, wo die E. des Hirtenbechers in der Form analog, in den typisch bukolischen, nicht episch-martialischen Themen jedoch als Antithese zum homerischen Modell zu verstehen ist. Zur Steigerung der *enárgeia* baut Apoll. Rhod. 1,721–767 dagegen Vorverweise auf die Zukunft von Figuren der E. in diese ein (bes. 731; 736) und weist auch damit auf die illusionistische Wirkung hin, die der Gegenstand auf ein potentielles Publikum von Betrachtern hätte (z. B. 765–7).

Diese Praxis, die Wirklichkeitsnähe der Illusion zu preisen, entwickelt sich vollends in dramatischen und paradramatischen Werken, in denen ein reales oder fiktives Publikum von Betrachtern schon von den Gattungskonventionen vorgesehen ist – sowohl in klass. (deutlich Aischyl. *Theoroi* fr. **78a RADT, vgl. auch Epicharmos *Thearoi* und Sophron *Tai thamenai*) als auch bes. in hell. Zeit (Theokr. 15,78–86; Herodas 4; vgl. auch Euphron *Theoroi*, PCG 5,288); analog die »Dramatisierung« der E. eines Festes in Kall. h. 5,1–54, 137–142, das er in der Rolle des Chorführers dirigiert. Die Betonung des Effekts der künstlerischen Illusion ist auch im hell. Epigramm sehr häufig (z. B. Anth. Pal. 6,354 und 9,604: Nossis; 16,182: Leonidas; 16,120: Archelaos), das überdies die Illusion selbst oft problematisiert, indem es ein Publikum von Betrachtern imaginiert, das die Statuen über ihre Bedeutung befragt – oder von diesen befragt wird (z. B. Anth. Pal. 16,275: Poseidippos; 16,136: Antiphilos; 9,709; 16,25: Philippos; vgl. [9]).

Die genaue symbolische Entsprechung der Bilder einer E. zu ihrem Kontext begegnet oft, vgl. z. B. Aischyl. Sept. und dazu [18]; Apoll. Rhod. 1,763 f. (Phrixus / Expedition der Argonauten); und v. a. Mosch. Europa 37–62 (mit starker symbolischer Valenz von Io-Kuh und Zeus / Europa und Zeus-Stier; Ach. Tat. 1,1 (das Leitmotiv der Macht des Eros und das Schicksal der Protagonistin werden in der E. eines Gemäldes der Europa vorweggenommen; andere symbolische E. in 3,6–8 und 5,3; vgl. [1]). Eine bes. Form der symbolischen E. ist die allegorisch-didaktische des *Pinax* des → Kebes, dessen

Vorläufer in Plat. Kritias 110d–111d und 114d–115c zu suchen sind, nach Cic. fin. 2,69 aber v. a. in der didaktischen Praxis des → Kleanthes.

Die E. war eines der Lieblingsthemen der Rhet. von der Zweiten Sophistik bis in die justinianische Zeit (2.–6. Jh. n. Chr.): von → Lukianos (v. a. *De domo, Herodotos, Zeuxis, Imagines*; aber vgl. *Quomodo historia conscribenda sit* 19 f. und dazu [12]), Philostratos, Kallistratos bis zu Johannes von Gaza, Paulus Silentiarius und Prokop von Gaza (vgl. [7]). Über das Nachleben der ant. Theorie und Praxis der E. in Byzanz vgl. [10], in der Renaissancemalerei [14].

1 S. BARTSCH, Decoding the Ancient Novel: The Reader and the Role of Description in Heliodorus and Achilles Tatius, 1989 2 A. S. BECKER (cur.), A Rhetoric of Early Greek Ekphrasis, 1995 3 G. DOWNEY, s. v. E., RAC 4, 921–944 4 W. ELLIGER, Die Darstellung der Landschaft in der griech. Dicht., 1975 5 E. C. EVANS, Literary Portraiture in Ancient Epic, in: HSCPh 58–59, 1948, 189–217 6 D. P. FOWLER, Narrate and Describe: the Problem of Ekphrasis, in: JRS 81, 1991, 25–35 7 P. FRIEDLÄNDER, Johannes v. Gaza und Paulus Silentiarius: Kunstbeschreibungen justinianischer Zeit, 1912 8 G. GEISSLER, Ad descriptionum historiam symbola, Diss. 1916 9 S. GOLDHILL, The Naive and Knowing Eye: E. and the Culture of Viewing in the Hellenistic World, in: S. G.-R. OSBORNE (Hrsg.), Art and Text in Ancient Greek Culture, 1994 10 H. MAGUIRE, Truth and Convention in Byzantine Descriptions of Works of Art, in: Dumbarton Oaks Papers 28, 1974, 113–140 11 F. MANAKIDOU, Beschreibung von Kunstwerken in der hell. Dichtung, 1993 12 F. MONTANARI, E. e verità storica nella critica di Luciano, in: Filologia e critica letteraria della grecità (Ricerche di filologia classica II), 1984, 113–123 13 J. PALM, Bemerkungen zur E. in der griech. Lit., in: Kungl. Human. Vetenskaps-Samf. i Uppsala, Arsb. 1965–66, 108–211 14 D. ROSAND, E. and the Generation of Images, in: Arion 1, 1990, 61–105 15 G. RUDBERG, Zum hellenischen Frühlings- und Sommergedicht, in: Symbolae Osloenses 10, 1932, 1–15 16 SCHMID/STÄHLIN I, 787, Anm. 3 17 G. ZANKER, Enargeia in the Ancient Criticism of Poetry, in: RhM 124, 1981, 297–311 18 F. ZEITLIN, Under the Sign of the Shield. Semiotics and Aeschylus' Seven against Thebes, 1982.　　　　　　M. FA./Ü: T. H.

B. Lateinisch

1. Einleitung

Die lat. Lit. basiert – wie meist – auch hier ganz wesentlich auf den griech. Vorbildern [2; 3]. Übermächtig ist die Bed. namentlich der ersten lit. E., der homer. Schildbeschreibung, auch für die röm. Tradition. Ebenso wirken die Bemühungen der griech. geprägten Rhetoriktheorie um begriffliche Klarheit auf die lat. Lit. (vgl. zur Funktion der Beschreibung, *descriptio*, in der Rede, Rhet. Her. 4,51; Cic. de orat. 3,96 ff; Quint. inst. 6,2,32; 8,3,66 f; 9,2,40 u. ö.; Serv. Aen. 10,653 [4; 6]).

Die Frage des Einflusses der Rhet. auf die Ausbildung der E. ist umstritten. E. kann in der auf den Affekt des Hörers gerichteten Rede kein zentrales Argument sein, entwickelte sich jedoch in der Rhetorenschule »als virtuose Etüde« [6. 149]. Die vereinfachende Sicht, E. sei Ruhepunkt der Handlung, retardierendes Element,

beruht vielleicht auf Quint. inst. 4,3,12 f. und greift jedenfalls zu kurz. Seit dem Hell. verstärkt sich das Bestreben bes. der ep. Dichtung, die E. im engeren Sinne zum Brennpunkt der Handlung zu machen, zur Fokussierung der Aussage zu benutzen [1; 5. 151; 3; 10]. Auszugehen ist also nicht unbedingt von der Funktion symbolhafter Verdichtung, aber doch von Vermittlung einer Stimmung, von deutender Reflexion der Handlung in der E. Daneben stellt die »Demonstration dichterischer Virtuosität« [5] ein wichtiges Ziel dar. Die dichterische Beschreibung von Kunstwerken mit ideologischer Programmatik führt in Augusteischer Zeit dazu, daß die E. ihrerseits polit. Stellung bezieht.

Beispiele für E. im modernen, auf Kunstwerke eingeschränkten Sinn [7; 5] finden wir in der lat. Lit. im → Epos, in → Epigramm und → Lyrik, im → Roman und in der Rede (→ Rhetorik). Gegenstände von E. im engeren Sinn sind Waffenzubehör, bes. – Homer folgend – der Schild, Gewebe, Schmuckstücke, Gefäße, figürliche Darstellungen aus Malerei oder Plastik, v. a. auf Gebäuden, schließlich auch unsichtbare Phänomene. Die Darstellung ist direkt oder indirekt angelegt, d. h. vermittelt über den fiktiven Rezipienten, in realistischer räumlicher Vorstellung oder »illusionistisch« [6] (s. o. I. A. 2.). Insbes. im Gebrauch einleitender Formeln, im Tempus- und im Adverbialgebrauch lassen sich sprachliche Muster feststellen [11; 12; 6. 26 ff.].

2. Epos

In hell. Tradition finden sich E. wohl schon bei → Ennius (fr. 23 V.) und → Naevius, dann bei → Catull carm. 64. → Vergil weist in ecl. 3,36–47 (ein Gefäß) und auch in Georg. 3,13–39 (Oktaviantempel) noch nicht die Eigenständigkeit der Aussage auf, die die E. in der *Aeneis* prägt (Zusammenstellung: [8]). Die Darstellungen auf den Tempeltüren in Karthago (Aen. 1,421–493; vgl. auch 1,159 ff.; 6,19 ff.) und der Schild des Aeneas (8,625–731) neben einigen kürzeren E. bieten gleichsam ein »Fenster auf die Zukunft« [5. 150; 22]. Auch formal beschreitet Vergil neue Wege, indem er die Reaktion des fiktiven Betrachters deutlich herausarbeitet und zur Steigerung des Pathos nutzt [17]. Die nachvergilische Epik weist den Typus der das Geschehen deutenden E. auf, und zwar mit deutlichen intertextuellen Bezügen. → Valerius Flaccus informiert in E. Betrachter und Leser über die mythische Vorgeschichte (1,129 ff.; 2,400 ff.; 5,416 ff.); Statius spielt virtuos, fast schon ironisch mit dem Anspruch der E. auf Verlebendigung des Dargestellten (z. B. Theb. 1,540 ff.; 2,215 ff.; 4,168 ff.). Silius stellt in der Beschreibung von Hannibals Schild 2,406 ff. die Vorgesch. aus punischer Sicht dar. Vor allem Ovid verzichtet zunehmend auf »realistische« Präsentation und entwickelt die Beschreibung ins Phantastische oder ins Allegorische (Ov. met. 6,68 ff.: Gewebe; 2,1 ff.: *regia Solis* [18]). Die zeitliche Abfolge und räumliche Anordnung wird zunehmend verunklärt, es gebietet eine illusionistische Technik [6], zu optischen treten akustische Einzelzüge. Übergewicht des Wunderbaren vor dem Glaubhaften prägt auch die Beschreibungen des

→ Claudianus [2] (rapt. Pros. 1,238 ff.; vgl. 2,21 ff.; 41 ff.).

3. LYRIK

Prop. 2,31 und auch Ov. ars 1,67–74 deuten in ihren Beschreibungen des Augusteischen Rom Skepsis gegenüber der polit. Programmatik der Bauwerke an. Beispiele für E. in der epigrammatischen Dichtung bietet Martial (6,42; 9,43; 8,51); hier dient die Beschreibung der positiven oder auch negativen Charakterisierung des Adressaten. Vom Epigramm her ist wohl auch Statius in den *Silvae* beeinflußt (1,1; 4,6); Einfluß der Landschaftsdarstellungen des Epos könnte bei den Villenbeschreibungen 1,3; 2,2 vorliegen. Herausarbeitung preziöser Einzelheiten weisen ebenfalls die E. bei → Sidonius Apollinaris auf (carm. 15; 22).

4. PROSA

Für den Roman ist im lat. Bereich nur → Petronius 83,2 zu nennen, wo die Bildbeschreibung dem Betrachter Anlaß zur Reflexion eigener Sorgen bietet. Von den Villenbeschreibungen des jüngeren Plinius (epist. 2,17; 5,6) führt ein direkter Weg zu den spätant. Autoren (→ Gregor von Nyssa, → Paulinus von Nola). Die spätant. christl. Lit. ist außerordentlich reich an ekphrastischen Darstellungen in Poesie und Prosa [1; 2].

→ EKPHRASIS

1 P. FRIEDLÄNDER, Johannes von Gaza, Paulus Silentiarius und Prokopios von Gaza, 1912, (Ndr. 1969) 2 G. DOWNEY, s. v. E., RAC 4, 921–944 3 D. FOWLER, Narrate and Describe, in: JRS 81, 1991, 25–35 4 G. BOEHM, Bildbeschreibung, in: G. BOEHM, H. PFOTENHAUER (Hrsg.), Beschreibungskunst – Kunstbeschreibung, 1995, 24–40 5 F. GRAF, E., in: ebd., 143–155 6 G. RAVENNA, L'e. poetica di opere di arte in Latino, in: QIFLPadova 3, 1974, 1–51 7 Ders., s. v. E., EV 2, 183–185 8 M. KRIEGER, E., 1992 9 S. GOLDHILL, The Naive and Knowing Eye, in: S. GOLDHILL, R. OSBORNE (Hrsgg.), Art and Text in Ancient Greek Culture, 1994, 197–223 10 G. KURMAN, E. in Epic Poetry, in: Comparative Literature 26, 1974, 1–13 11 A. SZANTYR, Bemerkungen zum Aufbau der Vergilischen E., MH 27, 1970, 28–40 12 M. v. ALBRECHT, Zur Funktion der Tempora in Ovids elegischer Erzählung, in: M. v. ALBRECHT, E. ZINN, Ovid, 1968, 451–467 13 F. KLINGNER, Catulls Peleus-Epos, SBAW 1956, 6 14 R. F. THOMAS, Callimachus, the Victoria Berenices, and Roman Poetry, in: CQ 33, 1983, 92–113 15 A. LAIRD, Sounding out E., in: JRS 83, 1993, 18–30 16 W. CLAUSEN, Virgil's Aeneis and the Tradition of Hellenistic Poetry, 1987 17 W. B. BOYD, Virgil's Camilla and the Traditions of Catalogue and E., in: AJPh 113, 1992, 213–234 18 H. HERTER, Ovids Verhältnis zur Bildenden Kunst, in: N. I. HERESCU (Hrsg.), Ovidiana, 1958, 49–74. CH. R.

II. ARCHÄOLOGIE

A. DER WETTBEWERB DER KÜNSTE
B. FUNKTIONEN UND ÄSTHETISCHE KATEGORIEN
C. KUNST UND LITERATUR

A. DER WETTBEWERB DER KÜNSTE

Zentrales Element der E. sind die vielfachen Wechselwirkungen von Kunst und Lit.: Den meisten Beschreibungen liegt explizit oder implizit ein Wettkampf der Künste zugrunde (vgl. den Sängerauftritt in Homers Schildbeschreibung, Il. 18,603 ff.), wobei letztlich die Lit. den Sieg beansprucht. Ihre Überlegenheit beruht u. a. auf den Möglichkeiten einer gleichzeitigen Interpretation, der Einordnung in einen histor.-aitiologischen Kontext, der Schilderung der Wirkung auf den Betrachter. Anders als das lokal fixierte und auch im Fall der Vervielfältigung (Statuenkopien, Vasen) nur einem begrenzten Publikum zugängliche Bild kann der Text den Ruhm vergänglicher Kunst (Gewebe, Holz) weltweit verkünden und dauerhaft verewigen. Die themat. Schwierigkeit (Wiedergabe von Farbe und Licht, Umsetzung der Synchronie im Bild in die Diachronie der Erzählung usw.) erhöht die Leistung des Literaten.

B. FUNKTIONEN UND ÄSTHETISCHE KATEGORIEN

Im Hell. werden erstmals Gebäude, Feste, Kunstwerke und ihre lit. Beschreibung konsequent in den Dienst der höfischen Kultur gestellt: Aufwendige temporäre Schaubilder, mechanische Spielereien, Prozessionen und Festinszenierungen dienen der gesteigerten Luxusdemonstration und Herrschaftslegitimation der neuen Führungselite [8; 10], vgl. die große Prozession des → Ptolemaios II. (Kallixenos 197C–203B) [12]. Die augusteische Neugestaltung Roms und die großflächige Einführung des Marmors finden in E. myth. (Ov. met. 2,1 ff.: Palast des Sol), histor. (Verg. Aen. 1,418 ff.: Karthago; 7,145 ff.: Palast des Latinus), zeitgenössischer (Prop. 2,31: Apollotempel; Ov. trist. 3,1: Augustushaus) und astronomischer Thematik (Ov. met. 1,188 ff.: Götterwohnungen an der Milchstraße im Stil palatinischer Aristokratenhäuser) Eingang und können in den Dienst von Panegyrik oder Kritik treten [14]. In der Kaiserzeit (v. a. unter Nero und Domitian) dienen Bauwerk und E. dem Herrscherlob (Stat. silv. 4,2; Calp. ecl. 7) und der Luxuskritik (Lucan. 10,104 ff.; Sen. epist. 55 und 86).

Die E. steht also meist in einem festen Argumentations- und Interpretationsrahmen. Mittels bestimmter Beschreibungskategorien, die sich in spätant. Traktaten zur Rhetoriklehre verfestigen (vgl. Theon, Progymnasmata 11,241 f. SPENGEL; Nikolaos 3,492,19 ff. SPENGEL), lenkt der Autor das Auge des Lesers auf die gewünschten Qualitäten: Innerhalb allg. Topoi – Schönheit, Glanz, Größe, Materialwert, Beseeltheit – prägen sich themat. bedingte Werte aus: Götterbilder erhalten z. B. durch enorme Größe und Gewicht, erhabene Würde und hohes Alter bes. Sakralität (vgl. Quint. inst. 12,10,7–9); an Satyrn und Kentauren werden die realistische Körperdarstellung und Sinneslust betont usw. [3. 43 ff., 78 ff.; 4; 11. 49 ff.].

Der Blick führt von außen nach innen, vom Gesamteindruck zum Detail, vom Zentrum zur Peripherie, von der Decke zum Boden. Voraussetzungen und Entstehungsbedingungen dieser ästhetischen Kategorien kann die Arch. zu klären helfen: Ihre Befunde dokumentieren z. B. die (Stadion-)Länge als Eigenwert der Architektur [7. 86 ff.], die Vervollkommnung der Perspektive als Basis des gesteigerten Realismus, das Aufkommen

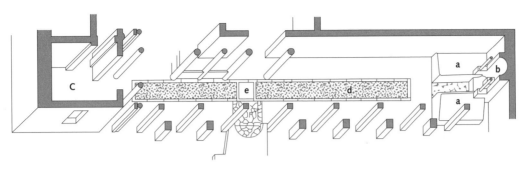

Gartenarchitektur im Haus des Loreius Tiburtinus (Pompeji): Das Wasser*biclinium* (a) mit Nymphäum (b) und das gegenüberliegende Hausheiligtum (*sacellum*) (c) dienen einander als Blickfang. Der unter einer langgestreckten Pergola verlaufende Wasserkanal (d) mit Brücke (e) im Zentrum betont diesen Achsenbezug.

Der Aufbau dieser Anlage ist einem Raumensemble in der von Plinius beschriebenen Villa eng verwandt: Dort tritt ein Wasser*stibadium* einem Zimmer (*cubiculum*) samt rückgezogenem Nebenraum (*zotheca*) gegenüber. Statt des Kanals mit Brücke übernimmt bei Plinius ein zentraler Springbrunnen die Blicklenkung.

von Spiegelszenen und Lichtschatteneffekten als eine Wurzel der Kategorie »Glanz, Schimmer, Spiegelung« [1; 13. 115 ff.].

C. KUNST UND LITERATUR

Nur selten stehen Kunst und Lit. in einem eindeutigen Abhängigkeitsverhältnis. Häufiger sind parallele Strömungen, die im kulturellen Rahmen der jeweiligen Epoche ihren Ursprung haben und einander beeinflussen: So appellieren hell. Bilder verstärkt an die Vorstellung des Betrachters, der Aussparungen ergänzen, Symbole deuten, Kryptogramme lösen soll. → Epigramm und E. beziehen zeitgleich den Leser verstärkt in die Deutung ein [2; 7; 9; 15]. Die Errungenschaften des Hell. wirken in Rom fort: So knüpft Vergils Bilderzyklus zum Troiakrieg (Aen. 1,441 ff.) an die trag. → Geschichtsschreibung, an das frühhell. Schlachtbild (vgl. das → Alexandermosaik) und das röm. → Triumphalgemälde (App. civ. 2,101) an. Alle drei Gattungen appellieren voller Pathos an die emotionale Anteilnahme des Betrachters [11. 20 ff.], wie sie Vergil an Aeneas' Reaktion veranschaulicht.

Die in E. beschriebenen Kunstwerke sind nur selten erhalten [16]; da die E. weder Vollständigkeit noch Objektivität erstrebt und lit. stilisiert ist, bleiben Rekonstruktionen hypothetisch und liegen auch nicht in der Absicht der E.: So zeichnen Plinius' Villenbriefe keinen abschreitbaren Grundriß, sondern ein Porträt des Besitzers mit seinen Neigungen und Wünschen. Doch können arch. Befunde die der E. zugrunde liegenden Architekturformen veranschaulichen, z. B. findet der Endpunkt des tuskischen Hippodroms (epist. 5,6,36 f.), eine Kombination von Wasserstibadium, Springbrunnen und axial korrespondierendem Sommerraum, in der Gartenarchitektur der Stadtvilla des Loreius Tiburtinus in Pompeii ein Pendant. Beide Raum-Ensembles vereinen die Prinzipien von Axialität, reziprokem Blicksystem mit wechselseitigem Blickfang, technisch raffinierten Wasserspielen und artifizieller Naturgestaltung [6. 83 ff.] (vgl. Abb.).

→ Architektur; Kunsttheorie; Mimesis; Villa; Wandmalerei

1 L. BALENSIEFEN, Die Bed. des Spiegelbildes als ikonographisches Motiv in der ant. Kunst, 1990 2 P. H. VAN BLANCKENHAGEN, Der ergänzende Betrachter, in: Wandlungen, FS E. Homann Wedeking 1975, 193–201 3 H. CANCIK, Untersuchungen zur lyrischen Kunst des P. Papinius Statius 1965 4 Ders., Größe und Kolossalität als rel. und ästhetische Kategorien, in: VisRel 7, 1990, 51–68 5 H. DRERUP, Zum Ausstattungsluxus in der röm. Architektur 1957 6 R. FÖRTSCH, Arch. Komm. zu den Villenbriefen des jüngeren Plinius, 1993 7 H. v. HESBERG, Bemerkungen zu Architekturepigrammen des 3. Jh. v. Chr., in: JDAI 96, 1981, 55–119 8 Ders., Mechanische Kunstwerke und ihre Bed. für die höfische Kunst des frühen Hell., in: MarbWPr 47–72 9 Ders., Bildsyntax und Erzählweise in der hell. Flächenkunst, in: JDAI 103, 1988, 309–365 10 Ders., Temporäre Bilder oder die Grenzen der Kunst, in: JDAI 104, 1989, 61–82 11 T. HÖLSCHER, Röm. Bildsprache als semantisches System, 1987 12 E. E. RICE, The Grand Procession of Ptolemy Philadelphus, 1983 13 I. SCHEIBLER, Griech. Malerei der Ant., 1994 14 T. P. WISEMAN, Conspicui postes tectaque digna deo, in: Ders., Historiography and Imagination, 1994, 98–115 15 G. ZANKER, Pictorial Description as a Suppl. for Narrative, in: AJPh 117, 1996, 411–423 16 G. ZIMMER, Das Sacrarium des C. Heius. Kunstraub und Kunstgeschmack in der späten Republik, in: Gymnasium 96, 1989, 493–520.

UL.EG.

Ekstase I. ALTER ORIENT
II. GRIECHISCH-RÖMISCHE ANTIKE

I. ALTER ORIENT

In Mesopot. wird der ekstatische Zustand beschrieben mit *maḫû*, »außer sich, verrückt sein, rasen«. Evtl. deutet auch das in den Mari-Briefen verwendete Verb *tebû*, »sich erheben«, bereits auf den bes. mentalen Zustand eines → Propheten hin. Die Bezeichnung *maḫḫû*, »Ekstatiker«, ist seit dem 24. Jh. v. Chr. immer wieder belegt [1]. E. ereignet sich vorwiegend im Kontext von

Orakelgebung am Tempel und ist damit kontrollierbar. Über das Verfahren der E. werden Mitteilungen der Gottheit legitimiert (→ Divination). E. ist v. a. bezeugt in Syrien und Israel, so am mittleren Euphrat im 18. Jh. v. Chr., im 11. Jh. in → Byblos (Reisebericht des Wen-Amun [2]), sowie im AT mit den ekstatischen *nabī* [3] und klingt noch bei → Lukianos von Samosata in seiner Schrift gegen → Alexandros [27] von Abonuteichos an. In der Zeit → Asarhaddons und → Assurbanipals spielen die Botschaften der Ekstatiker (*šipir maḫḫê*) eine zentrale Rolle im Kontext der Legitimierung von Thronfolge und mil. Unternehmungen. Kritik an Entscheidungen des Königs wird über E. nur in Ausnahmefällen geübt [7]. Einige wenige Mari-Briefe weisen darauf hin, daß E. bewußt durch berauschende Getränke herbeigeführt wurde [4]. In übertragenem Sinne wird E. in den Annalen Asarhaddons als Grund für die Rebellion der Brüder angeführt [5], in spätbabylon. Hymnen für chaotische Verhältnisse im Land [6].

1 Chicago Assyrian Dictionary (CAD) M/1, s. v. *maḫḫû* **2** ANET, 25 ff. **3** K. KOCH, Die Profeten, 1978 **4** J.-M. DURAND, Archives Épistolaires de Mari I/1, 1988, 392, Nr. 207, Nr. 208, Nr. 212, Nr. 392 **5** R. BORGER, Asarhaddon, 1967, 42 **6** CAD M/1, s. v. *maḫû* **7** S. PARPOLA, Letters from Assyrian Scholars to the Kings Esarhaddon and Assurbanipal, 1983.   B. P.-L.

II. GRIECHISCH-RÖMISCHE ANTIKE
A. GRIECHENLAND

In der giech. Welt ist die Ekstase (griech. ἐνθουσιασμός/*enthusiasmós*, »Gott in sich haben«, μανία/*manía*, »Wahnsinn«, spät ἔκστασις/*ékstasis*, »Außer-sich-sein«) mit einer Reihe von Erscheinungen verbunden. Platon gibt eine für die Folgezeit wichtige Kategorisierung verschiedener Formen der *manía*, die er zugleich auf Götter bezieht: 1. prophetische (→ Apollon), 2. telestische (→ Dionysos), 3. poetische (→ Musen) und 4. erotische (→ Aphrodite, Eros; Phaidr. 265B). Zentral sind die ersten beiden Kategorien [1. 64–101]. Mantische (»weissagende«) E. ist zum einen mit den etablierten Orakelorten, bes. Delphi (wo die Pythia in E. prophezeit), Didyma und Klaros (wo es die Priester sind) verbunden, zum anderen mit den ungebundenen Gestalten von → Sibylle und → Bakis; ausdrücklich versteht Vergil (Aen. 6,77–80) solche Mantik als einen Akt der Besessenheit des Mediums durch den Gott. – Telestische (»initiatische«) E. steht mit verschiedenen, seit der spätarcha. Zeit als Mysterien ausgebildeten Kulten in Verbindung. Zentral ist der Kult des Dionysos, in dem der Gott selber als ekstatisch gilt (*mainómenos,* Hom. Il. 6,132) und dessen rituelle und myth. Verehrerinnen, die → Mänaden, nach ihrem ekstatischen Zustand benannt sind; sie sind seit dem homer. Epos belegt (Hom. Il. 22,460; in myth. Spiegelung als Ammen des Dionysos: Il. 6,132).

Daneben stehen seit spätarcha. Zeit oriental. Kulte wie derjenige des → Sabazios oder der → Kybele, in denen das E.-Erlebnis gefunden werden konnte. Auch den

Mysterien von → Eleusis spricht wenigstens die spätere Zeit E.-Erlebnisse zu (→ Iakchos; Synesius, Dion 8,48A) [2]. E. ist in diesen Kulten ein Erleben, das der einzelne zur momentanen Beglückung sucht und das sowohl durch Weingenuß wie durch frenetischen Tanz [3] induziert wurde. *Manía* ist aber ambivalent: als Krankheit wird sie von denselben Göttern gesandt, denen die ekstatischen Kulte gelten (Eur. Hipp. 141–144). Besessene können griech./lat. *pýthōnes* heißen. Befreiung erfolgt durch kathartische Riten (Plat. rep. 364 BC; Hippokr. De morbo sacra 1,4). Wenn in der rituellen E. die Frauen dominant scheinen, hat das mit der sozialen Funktion dieser Kulte zu tun [4]. In der Kaiserzeit wird E. unter platonisierendem Einfluß immer stärker zum Mittel, der Körperlichkeit durch Aufstieg zum Göttlichen zu entfliehen; als solche ist sie in → Theurgie und Neuplatonismus wichtig [5; 6]. Poetische E. ist als poetologisches Modell inspirierten Dichtens seit Demokrit (68 B 17; 18; 21 DK) und Platon (u. a. Ion 534B) ausformuliert und erfährt u. a. durch Horaz (ars 295–298; vgl. Cic. de orat. 2,46,194) eine für die europ. Tradition gültige Ausformulierung, die aber immer in Konkurrenz zu anderen poetologischen Konzepten stand.

B. ROM

Rom kennt kaum indigene Ansätze von E.; schon die Terminologie (*furor*) ist abwertend. Hinter dem Begriff des → *vates* wird zwar alte ekstatische Prophetie stehen, doch ist diese Art Divination in histor. Zeit obsolet [7]. Es dominieren die Techniken von → *augures* und → *haruspices*; rituelle E., die mit Dionysos (Bacchus) aus Unteritalien und Etrurien nach Rom kam, wurde in republikanischer Zeit nur marginal geduldet (Bacchanalienskandal von 187 v. Chr.) [8].

C. CHRISTENTUM

Ebenso kennt die christl. Tradition wenigstens offiziell E. nicht. Im NT werden Ekstatiker als von → Dämonen besessen geheilt (z. B. Apg 16,16), desgleichen in den Heiligenlegenden. Die dämonische Deutung der E. verhindert die Anerkennung prophetischer E., die sich nur am Rande halten kann [9].

1 E. R. DODDS, The Greeks and the Irrational, 1951 **2** F. GRAF, Eleusis und die orphische Dichtung Athens, 1974, 54–58 **3** J. BREMMER, Greek maenadism reconsidered, in: ZPE 55, 1984, 267–286. **4** R. S. KRAEMER, Ecstasy and possession. The attraction of women to the cult of Dionysos, Harvard Theological Review 72, 1979, 55–80 **5** J. P. CULIANU, Esperienze dell'estasi, 1969 **6** Dies., Psychanodia I, 1983 **7** J. K. NEWMAN, The Concept of Vates in Augustan Poetry, 1967 **8** J.-M. PAILLER, Bacchanalia, 1988 **9** D. E. AUNE, Prophecy in Early Christianity and the Ancient Mediterranean World, 1983.   F. G.

Ekthesis s. Rubrizierung

Ekthesis pisteos (ἔκθεσις πίστεως). Von Kaiser Herakleios 638 n. Chr. erlassenes, wahrscheinlich durch den Patriarchen Sergios verf. Glaubensdekret mit dem Ziel, die christologischen Auseinandersetzungen (um die

Naturen bzw. Energien Christi) einzustellen. Die E. p. untersagte weitere Diskussionen über eine oder zwei Energien und nahm stattdessen zwei Naturen, aber einen einzigen Willen Christi an. Sie bewirkte jedoch keine Versöhnung, sondern schuf eine weitere, die monotheletische Lehre (→ Monotheletismus). Kaiser → Constans II. hob sie 648 auf, das 6. Ökumenische Konzil (680) verurteilte sie als häretisch.

R. RIEDINGER (ed.), Acta conciliorum oecumenicorum, Ser. II,1, 1984, 156–162 • V. GRUMEL, Recherches sur l'histoire du monothélisme, in: Échos d'Orient 29, 1930, 16–28 • G. OSTROGORSKY, Gesch. des byz. Staates, ³1963 • F. WINKELMANN, Die Quellen zur Erforschung des monenergetisch-monotheletischen Streites, in: Klio 69, 1987, 515–559, 526f. (Nr. 50). G. MA.

El (ugarit. *'il*, hebr. *'ēl*, akkad. *ilu*). Gemeinsemit. appellativum für »Gott« (außer im Äthiop.) und zugleich nomen proprium einer Gottheit, die in Mesopot. seit dem 3. Jt. v. Chr. bezeugt ist und offenbar zum ursemit. Pantheon gehört hat. Von den zahlreichen Hypothesen zur Etym. verdient die Ableitung von der Wurzel *'wl*, »vorn, der Erste, stark sein« Beachtung.

Während *il* im Altakkad. und Amurritischen, aber auch in den Texten aus → Ebla (3. Jt.) nur in theophoren PN erscheint, lassen die ugarit. Texte (2. H. des 2. Jt.) ein ungleich schärferes Profil des Gottes El erkennen. El steht in den Götter- und Opferlisten zwar erst an zweiter oder dritter Stelle (nach *ilib* und *il spn* – zwei verselbständigten Aspekten Els), in den myth. Texten → Ugarits jedoch deutlich an der Spitze des Pantheons, er präsidiert als thronender Götterkönig der Götterversammlung. El wird als ›Schöpfer der Geschöpfe‹ (*bny bnwt*) und als ›Vater der Menschheit‹ (*ab adm*) prädiziert, dessen Kraft und Fruchtbarkeit in dem Epitheton »Stier« (*ṯr il*) Ausdruck finden. Zugleich ist er mit seiner Gemahlin Aširatu ›Schöpfer der Götter‹ (*qny ilm*), die ihn mit ›mein Vater‹ (*aby*) anreden. Alle Gottheiten außer → Baʿal und dessen Schwester Anat gelten als seine Söhne und als ›Familie Els‹ (*bn il*; *dr il*). Zu ihr gehören auch die Götter Jammu und Mot, die das kosmische Gleichgewicht bedrohen. Auf diese Weise werden die unumgänglichen Negativerfahrungen der Welt als notwendige Aspekte der kosmischen Ordnung integriert. El steht über dem durch Baʿal und Mot bestimmten Wechsel von Saat und Ernte, von Werden und Vergehen. Er muß sein Königtum nicht wie Baʿal immer wieder neu erringen, sondern ist König seit je; seinem Königtum kommt »Ewigkeit« (*ʿlm*) zu. Als solcher heißt er »Vater der Jahre/der Höhe« (?) (= Weltberg?) (*ab šnm*), dessen »Weisheit« im Epitheton »der Gütige, Gott des (verstehenden?) Herzens« (*ltpn il dpid*) Ausdruck findet. Schöpfungsmythen sind aus Ugarit bislang nicht bekannt; jedoch läßt sich aus einem zeitgenössischen kanaanäischen Mythos in hethit. Überlieferung (CTH 342 [8]), der von *'el-ku-ni-ir-sa* handelt (d.h. *'l qn 'rṣ*, »El, Schöpfer der Erde«, vgl. Gn 14,19, die Inschr. aus Karatepe [KAI Nr. 26 A III 18, 8. Jh. v. Chr.], Leptis Magna

[KAI Nr. 129,1: 2. Jh. n. Chr.] und vier Tesserae aus Palmyra, dort E. auf einer Altarinschr. mit Ποσειδῶν γαιηός gleichgesetzt), dergleichen auch für Ugarit erschließen. Auf Weltschöpfung als Trennung der kosmischen Wasser deutet vielleicht der Aufenthaltsort Els, der einerseits am Urwasser (›an der Quelle der beiden Ströme, inmitten der Wassertiefe der beiden Urmeere‹, *mbk nhrm, qrb apq thmtm*), andererseits auf dem Weltberg (*hršn*) vorgestellt wird. Gegen ein vor allem aus dem Baʿal-Mythos gewonnenes Verständnis Els als *deus otiosus* sprechen nicht nur seine große Bed. in der Namensgebung und in den Opferlisten, sondern auch seine Rolle als aktiver Gott, der Götter zeugt (im Mythos von Šaḥar und Šalim), sowie als Spender von Segen und Nachkommenschaft und somit als Erhalter der Dynastie in den Epen von Aqhat und Keret. El- und Baʿal-Konzeption sind zwar unterschieden, aber nur aufeinander bezogen zu interpretieren: ›El wird eine vorrangige und grundsätzliche Schöpferfunktion zugeschrieben, die aber in sich noch nicht ausreicht, um eine perfekte kosmische Ordnung in ihren einzelnen spezifischen Aspekten (sowohl auf göttlicher, als auch auf menschlicher Ebene) zu errichten. Der tatsächliche Urheber dieses Gleichgewichts ist Baal, der dafür in Auseinandersetzungen mit Yam und Mot sorgt‹ [7. 283].

Die Texte aus Ugarit (seit 1929) haben zu einer Neubewertung der Hinweise auf El in den Väterüberlieferungen des AT geführt (Gn 14,18–20; 16,13; 21,33; 33,20; 35,7; 46,3; 49,25 u.a.). Man deutete nun die Religion der Protoisraeliten entweder generell als El-Religion, sah in den Sippengöttern personal gebundene Manifestationen Els oder nahm zumindest eine Übergangsphase an, in der die Sippengötter mit El identifiziert wurden, bevor jener schließlich in Jahwe aufging. Diese Rekonstruktionen müssen hypothetisch bleiben; denn im Kontext der Belege stets mit Jahwe identisch. Zwar hat sich außerhalb der Väterüberlieferungen (bes. in Dt 32,8–9; Ps 19,2; 29; 82; vgl. Jes 14,13; Ez 28,2) myth. Gut erh., in dem El eine (Jahwe übergeordnete?) Rolle spielt, doch wird El im AT durchweg appellativ gebraucht. Zahlreiche Epitheta und Vorstellungen, die urspr. mit El verbunden waren (wie z.B. Gott als König, als Schöpfer, Richter und als heiliger Gott) sind in Israel auf Jahwe übertragen worden. Die Identifikation Jahwes mit El belegt auch der schmale epigraphische Befund Judas in der Königszeit (Ḥirbat al-Kūm und Ḥirbat Bait Layy [2. 215, 248]). Ob El neben Baʿal in einer der Inschr. auf Wandverputz in der Karawanserei Kuntillat ʿAǧrūd (9. Jh. v. Chr.) ein Göttername oder Gottesbezeichnung für Jahwe ist, bleibt unsicher [2. 59].

Im ganzen spielt El im 1. Jt. v. Chr. nur noch eine untergeordnete Rolle. Philon von Byblos (bei Eus. Pr. Ev. 1,10,16) setzt El mit → Kronos gleich und nennt ihn zusammen mit seinen göttlichen Geschwistern → Baitylos und → Atlas erst in der dritten Göttergeneration nach Eliun mit Berut und → Uranos mit → Gaia. Inschriftlich begegnet er lediglich auf den Statuen Panammuwas I. und II. (Zincirli) nach → Hadad und vor Rakibel, dem Gott der Dynastie (KAI Nr. 214,2.11.18; Nr. 215, 22), und neben ʿEljan unter den paarweise geordneten göttlichen Zeugen im Staatsvertrag von Sfire I (KAI Nr. 222 A 11). Die schwer deutbaren Fr. aus Tall Dair ʿAllā im mittleren Jordantal (Ende des 9. Jh. v. Chr.) kennen sowohl die Vorstellung einer Versammlung von Gottheiten, der möglicherweise El präsidiert, als auch El in einer aktiven Rolle (vgl. Num 23,22). Bei den Phönikern und Aramäern tritt im 1. Jt. (erstmals in der Inschr. Jehimilks von Byblos [KAI Nr. 4]) Baʿalšamēn immer stärker in den Vordergrund und wird zunehmend mit Zügen Els ausgestattet (so in Palmyra: »der Große und Barmherzige«, »Herr der Ewigkeit«), so daß in ihm ›El- und Baaltraditionen zu einer Zeuskonzeption konvergieren‹ [1. 185].

1 H. GESE, Die Religionen Altsyriens, 1970 2 J. RENZ, W. RÖLLIG, Hdb. der althebrä. Epigraphik, 1995 3 J. HOFTIJZER (Hrsg.), The Balaam Text from Deir ʾAlla Reevaluated, 1991 4 M. KÖCKERT, Vätergott und Väterverheißungen, 1988, 67–91 5 H.-P. MÜLLER, Die aram. Inschr. von Deir ʾAlla und die älteren Bileamsprüche, in: ZATW 94, 1982, 214–243 6 M. H. POPE, The Status of El at Ugarit, in: Ugarit-Forschungen 19, 1987, 219–230 7 P. XELLA, Aspekte rel. Vorstellungen in Syrien nach den Ebla- und Ugarit-Texten, in: Ugarit-Forschungen 15, 1983, 279–290 8 E. LAROCHE, Catalogue des textes hittites, 1971, 342.   M. K.

El Kalb s. Eileithyiaspolis

Elagabal

[1] Gottesname, läßt sich etym. aufgrund seines ältesten Belegs (palmyren. Stele von Nazala, 1. Jh. n. Chr.) auf ʾlhʾbl zurückführen (Hdt. 5,3,4: Elaiagabalos). Da hierin ʾlhʾ im *status emphaticus* vorliegt, muß E. als »der Gott Berg« aufgefaßt werden [8. 503 f.]. Dafür spricht auch die Abb. auf der Stele [1. 707]. Der Berg meint den Zitadellenhügel von → Emesa (Ḥimṣ) mit dem Tempel des E. [6. 257 f.; 8. 509 f.], worauf ant. Beschreibungen (Avien. Descriptio orbis 1083–1093) und der Fund eines Altares mit der Widmung ›Dem Gott Helios Elagabalos‹ [6. 257–259; 9] deuten. Da die Oberschicht von Emesa seit vorchristl. Zeit arab. war, denkt man an einen arab. Ursprung des E. Sein Name ist allerdings aram. Die Vergöttlichung von Bergen ist seit dem 2. Jt. v. Chr. bes. in Anatolien, Syrien und Palästina belegt, so daß es sich bei E. wohl eher um den Gott der vorarab. Bevölkerung von Emesa handelt. E. wurde in Gestalt eines Steines (Betyl, → Baitylia) verehrt, eine auch in Anatolien, Syrien und Palästina gängige Kultsitte. Als *páredros* des E. begegnet im Kult von Emesa die arab. Göttin al-Lāt [5. 150–153].

Überregionale Bed. erhielt E., als sein Priester Varius Avitus unter dem Namen M. Aurelius Antoninus (→ E. [2]) 218 n. Chr. Kaiser wurde. Er brachte den Kultstein des E. aus Emesa nach Rom, wo E. an die Spitze des röm. Pantheons gelangte, mit Iuno/Pallas Athene/al-Lāt und Urania/Dea Caelestis/Tanit als *páredroi* ausge-

stattet (Herodian. 5,6,3–5) und selbst mit Iuppiter und/oder Sol gleichgesetzt (HA Heliog. 1,5; 17, 8, Carac. 11,7), bzw. über ihn gesetzt (Cass. Dio 79,11,1; Herodian 5,5,7; HA Heliog. 7,4) wurde. Angerufen wurde er als *(Deus) Sol A/Elagabalus* (CIL III 4300; VI 708; 2269) bzw. als *Invictus Sol Elagabalus* (CIL X 5827): Auf der Basis des Namens E. entstand die gräzisierende Form Heliogabalus (HA Opil. 9,2; Aur. Vict. caesares 23,1; vgl. Cass. Dio 79,31,1; Herodian. 5,3,4), die die schon in Emesa belegte Solarisierung des Gottes anzeigt. Auf dem Palatin wurde ihm ein Tempel erbaut, in den sein Kultbild transferiert wurde, das nach dem Tode des Kaisers E. (222 n. Chr.) wieder nach Emesa zurückkehrte [2. 966 f.]. Die Verehrung des E. ist noch unter Aurelianus belegt, da dieser seinen Sieg über Zenobia (272 n. Chr.) dem Gott E. zuschrieb. Privater Frömmigkeit verdankt sich die Nennung des als »große Sonne« apostrophierten E. auf einem Räucheraltar aus Cordoba (3. Jh. n. Chr.) dessen griech. Inschr. E., Aphrodite/al-ʾUzza und Athena/al-Lāt zusammen nennt [4]. Ikonographisch erscheint E. – bes. auf Altären und Münzen – als Berg, Adler und bienenkorbförmiger Betyl (Herodian. 5,3,5) [1. 706 f, 542], womit er in der Tradition vorderasiat. Bergikonographie steht.

1 C. AUGÉ, P. LINANT DE BELLEFONDS, s. v. E., LIMC III/1, 705–708, III/2, 542 2 K. GROSS, s. v. E., RAC 4, 987–1000 3 G. H. HALSBERGHE, The Cult of Sol Invictus, 1972 4 F. HILLER VON GAERTRINGEN et al., Syr. Gottheiten auf einem Altar aus Cordova, in: ARW 22, 1923/4, 117–132 5 S. KRONE, Die altarab. Gottheit al-Lāt, 1992, 150–156 6 M. MOUSSLI, Griech. Inschr. aus Emesa, in: Philologus 127, 1983, 254–261 7 H. SEYRIG, Le culte du Soleil en Syrie à l'époque romaine, in: Syria 48, 1971, 337–373 8 J. STARCKY, Stèle d'Elahagabal, in: Mélanges de l'Université Saint Joseph 49, 1975/6, 503–520 9 R. TURCAN, Héliogabale et le sacre du soleil, 1985.

M. FREY, Unt. zur Religion und zur Religionspolitik des Kaisers Elagabal, 1989 · M. PETRZYKOWSKI, Die Religionspolitik des Kaisers E., in: ANRW II 16,3 1806–1825 Zu EMESA: M. MOUSSLI., Tell Homs (Qualʾat Homs), in: Zschr. des Deutschen Palästina-Vereins 100, 1984, 9–11.

H. NI.

[2] Elagabalus = Imperator Caesar M. Aurelius Antoninus Augustus. Röm. Kaiser 218–222 n. Chr. Vor der Thronerhebung hieß er Varius Avitus Bassianus als Sohn des Sex. Varius Marcellus aus Apamea und der Iulia Soaemias aus Emesa, einer Nichte der Kaiserin Iulia Domna (Cass. Dio 78,30,2); geb. wohl im J. 203. In Rom von seiner Großmutter Iulia Maesa erzogen (Herodian. 5,3,2 f.). Nach 217 Priester des Gottes E. in Emesa (Herodian. 5,3,6), wie schon sein Urgroßvater Bassianus ([Aur. Vict.] epit. Caes. 21,1; 23,2). Die ehrgeizige Maesa setzte durch, daß die syr. *legio II Gallica* E. am 16. Mai 218 als angeblichen Bastardsohn des Vetters seiner Mutter Caracalla zum Kaiser ausrief (Cass. Dio 78,30,2 ff.; Herodian. 5,3,2–12). Macrinus schickte aus Antiocheia gegen E. seinen Prätorianerpräfekten Ulpius Iulianus, dessen Legionen aber zu E. übergingen. Am

8. Juni wurde Macrinus selbst geschlagen und bald dar-auf getötet (Cass. Dio 78,38-40; Herodian. 5,4,6ff.). E. reiste über Nikomedia, wo er überwinterte, nach Rom, wo er etwa August/September 219 ankam. Er führte den Hl. Stein aus Emesa, seinen anikonischen Gott, mit und begann sogleich, diesen Kult in der Hauptstadt zu etablieren (→ E. [1]). E. heiratete 219 die vornehme Iulia Cornelia Paula. Die Regierungsgeschäfte leiteten sei-ne Großmutter Maesa und seine Mutter Soaemias unter der Mitwirkung insbes. von P. Valerius Comazon, der trotz seiner niedrigen Herkunft 220 *cos. ord.* wurde und mehrmals das Amt des Stadtpräfekten innehatte. Zahl-reiche andere Personen aus den unteren Schichten wur-den ebenfalls von E. zu hohen Posten befördert (Cass. Dio 79,16,1ff.; SHA Heliog. 6,1-4; 10,2-11,1). Gegen Ende des J. 220 begann E. eine dezidierte Religions-politik: Sein Gott wurde zum obersten Gott des Reiches erklärt, E. selbst hieß offiziell *sacerdos amplissimus dei in-victi Solis Elagabali*; der Gott wurde feierlich mit der kar-thagischen Dea Caelestis vermählt (Herodian. 5,6,3-5).

E. selbst trennte sich von seiner ersten Gattin, um die Vestalin Iulia Aquilia Severa zu heiraten. Gegen E.' Ver-halten regten sich in Rom heftige Proteste (Cass. Dio 79,5,1ff.; Herodian. 5,6,1), bes. bei den Soldaten hatte er jedes Ansehen verloren. Maesa konnte E. etwa Ende Juni 221 überreden, seinen jungen Vetter Alexianus (= → Severus Alexander) zu adoptieren und zum Caesar zu ernennen (Cass. Dio 79,17,2ff.; SHA Heliog. 10,1), fer-ner die Ehe mit der Vestalin aufzulösen und eine Uren-kelin Marc Aurels, Annia Faustina, zu heiraten (Cass. Dio 79,5,4). Im rel. Bereich war E. jedoch zu keinen Zugeständnissen bereit: Die Münzprägungen der J. 221 und 222 heben den syr. Gott ununterbrochen hervor. Vor dem Ende des J. 221 trennte er sich von der dritten Gattin und holte, angeblich nach kurzfristiger vierter und fünfter Ehe, seine zweite Frau, die Vestalin Aquilia, zurück (Cass. Dio 79,9,4). Versuche des E., seinen bei den Soldaten beliebten Caesar umzubringen, sollen die Praetorianer gemäß SHA Heliog. 13-15 vereitelt haben; die ausführliche Darstellung geht wohl auf den zeit-genössischen Kaiserbiographen Marius Maximus zu-rück (die Vita ist sonst weitgehend fiktiv). *Cos. III* im J. 222 mit Alexander, versuchte E. erneut, ihn zu töten (SHA Heliog. 16,1); Soldaten brachten jedoch E. und seine Mutter am 11. März 222 um, sein Leichnam wurde in den Tiber geworfen (Cass. Dio 29,20,2; Herodian. 5,8,6ff.; SHA Heliog. 16,5-17,2).

RIC 4/2 23-45 • C. CHAD, Les dynastes d'Emèse, 1972 • M. FREY, Unt. zur Religion und zur Religionspolitik des Kaisers Elagabal, 1969 • E. KETTENHOFEN, Die syr. Augustae in der histor. Überlieferung, 1979 • KIENAST, ²1996, 173.
                                                                    A.B.

Elaius (Ἐλαιοῦς).

[1] Stadt im Süden der thrak. Chersonesos beim h. Eceabat (Türkei), Gründung der Athener im 6. Jh. v. Chr., bed. Hafenstadt, um die südl. Zufahrt in die Propontis zu kontrollieren. Von Miltiades d.J. als Aus-

gangspunkt für Expeditionen gegen Lemnos und Lesbos genutzt (Hdt. 6,140). E. diente Xerxes als Ankerplatz (Hdt. 7,22). Das dortige Heiligtum des Protesilaos wur-de von den Persern geschändet (Hdt. 7,33). Mitglied beider att. Seebünde. E. blieb auch athen. Besitz, als die Chersonesos an das Odrysen-Reich fiel. Auch von Alexandros d.Gr. [4] 334 v. Chr. als Ausgangspunkt für den Asienfeldzug genutzt (Arr. an. 1,11,5).   I.v.B.

[2] Att. Paralia(?)-Demos der Phyle Hippothontis, ab 126/7 n. Chr. der Hadrianis, Ἐλαία in der Inschr. IG I³ 472 Z. 10, die Herakles-Kult für E. bezeugt. Ein Buleut. [1. 138] vermutet Lage östl. Magula bei Mavraki am FO der Weihinschr. [2. 6f.]. Für die Trittys-Zugehörigkeit s. IG II² 1927 [1. 115].

1 J. S. TRAILL, Demos and Trittys, 1986 2 E. VANDERPOOL, Three inscriptions from Eleusis, in: AD 23, 1968, A, 1-9.

TRAILL, Attica 12, 52, 69, 110 Nr. 37 Tab. 8, 10 • WHITEHEAD, 209, 372.   H.LO.

Elaiussa (Ἐλαιοῦσσα).

Die urspr. auf einer 200 m vom Ufer entfernten Insel gelegene Stadt in der Kilikia Pe-dias entstand wie → Diokaisareia [1] aus einem Tempel-Heiligtum, das zu Korykos gehörte, und ist erstmals im frühen 1. Jh. v. Chr. bezeugt. 12 v. Chr. wurde E. Re-sidenz des Archelaos von Kappadokia, der E. nach sei-nem Gönner Augustus in Sebaste umbenannte. Im 2.Jh. n. Chr. Ausweitung auf das Festland und rege Bau-tätigkeit. 260 von den Sāsāniden erobert (R. Gest. div. Saporis 29). Seit Anf. 4. Jh. zur Prov. Isauria gehörig; Bistum (Suffragan von Seleukeia am Kalykadnos). Arch. Befund: Bemerkenswerte Nekropole.

A. MACHATSCHEK, Die Nekropolen und Grabmäler im Gebiet von Elaiussa Sebaste und Korykos im Rauhen Kilikien, 1967 • HILD/HELLENKEMPER, s. v. Sebaste.   F.H.

Elam

(elam. *haltamti*; sumer. *elam(a)*, graphisch »erklärt« als NIM.KI, »Oberes Land«; akkad. *elamtu*; hebr. *'ēlām*). Der Name ist durch Vermittlung der Bibel (Gn 14) im Abendland übernommen worden. Die geogr. Grenzen E.s variieren. Kern waren das Tiefland des h. Ḫuzestān mit → Susa (seit ca. 4000 v. Chr. besiedelt), später auch das iran. Bergland (→ Persis) mit Zentrum Anšan (größ-te bisher bekannte proto-elam. Stätte [2. 123]; h. Tappe Malyān, 42 km westl. von → Persepolis). Im Osten reichte E. bis Kermān und an die Grenzen der großen Wüsten Dašt-e Lūt und Dašt-e Kavīr. Die Rekonstruk-tion der Geschichte E.s stützt sich neben einheimischen Quellen zu einem guten Teil auch auf die inschr. Überlieferung aus Mesopotamien. Die ersten nament-lich bekannten Herrscher datieren aus der Zeit von ca. 2600-2100 v. Chr. (Dyn. von Awan [3. 102; 7. 25f.]). Ende des 3. Jt. bestand E. aus einem Verband einzelner Staaten (Susa, Awan, Šimaški, Anšan, Marḫaši), wobei Susa über längere Zeit unter der Oberherrschaft meso-potamischer Herrscher stand. Von etwa 19.-15. Jh. v. Chr. dauerte die »Periode der Sukkalmaḫ«, be-nannt nach dem aus Mesopotamien übernommenen sumer. Titel (dort in der Bed. »Großkanzler«) der elam. Herrscher, die eine Art Triumvirat bildeten: 1. *suk-kal.maḫ* (oberster Herrscher), 2. *sukkal* von E. und Si-maški (Mitregent) und 3. *sukkal* von Susa (jüngerer Lo-kalherrscher, in der Regel Sohn oder Neffe des *sukkal-maḫ*). Im frühen 2. Jt. war E. einer der mächtigsten Staa-ten im Vorderen Orient. Seine Herrscher drangen bis in die Region westl. des Oberlaufs des Tigris vor und be-anspruchten z.Z. → Ḫammurapis von Babylon die Oberherrschaft über Mesopotamien. E.s Handelsbezie-hungen reichten bis zum Mittelmeer (elam. Zinn bis nach Karkemiš, Aleppo und Qaṭna im mittleren Syrien).

In mittel-elam. Zeit (ca. 1450–1100) unter den Kö-nigen von Anzan und Susa kommt es zu einer Blüte mit großer Bautätigkeit. Untaš-Napiriša (ca. 1274–1240) gründete eine hl. Stadt von etwa 100 ha Größe (Dūr-Untaš, h. Čoġā Zanbīl, 40 km südöstl. von Susa). Eine → Ziqqurat und Tempel mit zahlreichen Inschr. gewäh-ren einen guten Einblick in das elam. Pantheon. Seine weiteste Expansion erreichte E. unter Šutruk-Nahhun-te (ca. 1185–1155 v.Chr.) und seinem Bruder Šilḫak-Inšušinak (ca. 1150–1120). Ihre Kriegszüge führten bis zum → Euphrat und ins assyr. Kernland. Babylon. Trophäen wurden in Susa geweiht. Nach einer histor. dunklen Phase von 300–400 J. erscheint E. im 8. Jh. v.Chr. in assyr.-babylon. Machtkämpfe verwickelt, während von NO Meder und Perser gegen E. vordran-gen. Assurbanipal versetzte 646 v.Chr. mit der Zerstö-rung Susas dem elam. Reich einen entscheidenden Schlag. In diesem Zusammenhang trat erstmals ein pers. Herrscher namens → Kyros (I.) auf, dessen Sippe bereits in der alten Hauptstadt Anšan die Macht ergriffen hatte. E. geht im 6. Jh. in dem neu entstehenden Reich d. Achämeniden (→ Achaimenidai) auf.

→ Elamisch; Iran

1 P. AMIET, Elam, 1966 2 E. CARTER, M. W. STOLPER, Elam, 1984 3 W. HINZ, Das Reich Elam, 1964 4 Ders., Persia c. 2400–1800 B.C., in: CAH I,2, ³1971, 644–680, II,1, 1973, 256–288 5 W. HINZ, H. KOCH, Elam. WB, 1987 6 R. LABAT, Elam c. 1600–1200 B.C., in: CAH II,2 ³1975, 379–416, 482–506 7 F. VALLAT, Suse et l'Élam, 1980 8 Ders., s.v. E., Répertoire Géographique des Textes Cunéiformes 11, 1993. H.KO.

Elamisch. Eine agglutinierende Sprache ohne Bezie-hungen zu anderen Sprachen; eine evtl. Verwandtschaft zum Dravidischen ist bisher nicht bewiesen [5]. Ob die in sumer. Texten vom Ende des 3. Jt. v.Chr. erwähnten Ḫamazi-Sprachen zur Sprachfamilie des E. gehören, bleibt ebenfalls unklar. Die → ENTZIFFERUNG des E. ge-schah mit Hilfe der → Trilinguen der Achämeniden, insbes. → Dareios' [2] I. (→ Bisutun). Die Gramm. und die Bed. vieler Wörter sind teilweise noch ungeklärt. Zahlreiche Verwaltungsurkunden – meist aus Susa aber auch dem Osten Irans – enthalten ca. 400–800 pikto-graphische Zeichen [1]. Aus der Zeit um 2200 v.Chr. stammen Texte in proto-elam. Strichschrift (mit weni-ger als 100, großenteils entzifferten Zeichen [3]). Schon

vorher hatten die Elamer die sumer.-akkad. → Keil-schrift übernommen. Der früheste erh. Text ist ein Ver-trag mit → Naramsin von Akkad (23. Jh. v.Chr.). Bald entwickelte sich ein vereinfachtes Schreibsystem mit ca.150–160 graphisch abgewandelten Zeichen. Ihre Anzahl bleibt über die Jh. fast gleich, doch nimmt der Gebrauch sumer. Logogramme zu. Die sprachliche Ent-wicklung des E. wird durch vier Sprachstufen repräsen-tiert: Alt-E. (23.–14. Jh.), Mittel-E. (13.–11. Jh.), Neu-E. (8.–7. Jh.) und Achämenidisch-E. (ab 6. Jh.). Die letzten e. Inschr. stammen aus → Persepolis (Zeit Artaxerxes' III., 358–337 v.Chr.).

→ Achaimenidai; Elam; Iran

1 P. DAMEROW, R. ENGLUND, The Proto-Elamite Texts from Tepe Yahya, 1989 2 F. GRILLOT-SUSINI, Éléments de grammaire elamite, 1987 3 W. HINZ, Iranica Antiqua 2, 1962, 1–21 4 W. HINZ, H. KOCH, Elam. WB, 1987 5 D.M. MCALPINE, Proto-Elamo-Dravidian. The Evidence and its Implications, 1981 6 E. REINER, The Elamite Language, in: HbdOr I/2, 1969, 54–118 7 M.-J. STEVE, Syllabaire Elamite, 1992. H.KO.

Elaphebolos (Έλαφηβόλος, »Hirschtöterin«). Poeti-sche (Anakr. fr. 1 CALAME; Soph. Trach. 213) und kult. Anrufung der → Artemis. Ihr Fest der Elaphebolia (mit charakteristischem Zerstörungsritual im phokischen Bundesheiligtum von Hyampolis, Plut. mor. 244 BD; Paus. 10,1,6; [1; 2; 3]) und der in Athen vom Fest ab-geleitete Monatsname → Elaphebolion belegen die Be-deutung der Verbindung von Göttin und Jagdtier. Die Verbindung ist lit. seit Homer (Od. 6,104) und den My-then um → Iphigeneias Opfersubstitution (seit Eur. Iph.T.), ikonograpisch durch zahlreiche Vasenbilder und Weihreliefs seit spätarcha. Zeit belegt [4].

1 NILSSON, Feste, 221–225 2 R. FELSCH, Tempel und Altäre im Heiligtum der Artemis E. von Hyampolis bei Kalapodi, in: R. ÉTIENNE, M.-TH. LE DINAHET (Hrsg.), L'espace sacrificiel dans les civilisations méditerranéennes de l'antiquité, 1991, 85–91 3 GRAF, 410–417 4 L. KAHIL, s.v. Artemis, LIMC 2.2, Nr. 686; 1231 u.a. F.G.

Elate (Έλάτη, »Fichte«). Schwester der → Aloaden Otos und Ephialtes. Sie war ihnen an Größe ähnlich. Als sie über den Untergang ihrer Brüder klagte, wurde sie in eine himmelhohe Fichte verwandelt (Lib. narrationes 37; Eust. zu Hom. Od. 5,239 und zu Hom. Il. 5,560; 14,287). R.B.

Elateia (Έλάτεια).

[1] In der Ant. zusammen mit → Delphoi (Strab. 9,3,2) die größte (Paus. 10,34,1–2; Strab. 9,2,19; Harpokr., Suda s.v. E.) und berühmteste der phokischen Städte. Im äußersten Norden des Kephisos-Tals beim h. Elatia (Leftá) gelegen, beherrschte E. die Straße, die von Thes-salia und Lokris durch die Pässe von Thermopylai und bei Hyampolis südwärts führte. Diese Position machte E. zu einem lebendigen Zentrum lokaler Beziehungen, zu einer Station für jeden, der vom Norden in den Sü-

den des Landes reisen wollte (Strab. 9,3,2; vgl. Demosth. or. 18,168). Etym. ist der Name vom arkad. *Elatos* abzuleiten (Paus. 10,34,1 f.). Bed. Überreste von Siedlungen aus dem Neolithikum [1; 2] und aus einem protogeometr. Grab-Areal myk. Zeit sind erh. [3; 4]. Die große Zahl der Gräber, die Qualität und die Herkunft der Grabbeigaben und die Unterschiede in der Typologie der späterer Zeit zuzuordnenden Beigaben erlauben Rückschlüsse auf den hohen Lebensstandard der Bewohner von E. und die guten Verbindungen der Stadt mit der übrigen griech. Welt in myk. Zeit sowie auf die hohe Produktivität und technologische Kapazität zw. dem 12. und 10. Jh. v. Chr., während das übrige Griechenland in dieser Zeit eine Regression erlebte; außerdem weist dies auf ein gleichzeitiges Bevölkerungswachstum, das sehr wahrscheinlich durch neue Siedler verursacht wurde, im Zusammenhang mit den postmyk. Wanderungen der griech. Völker stand und durch die günstige Position von E. auf der Nord-Süd-Achse der Landwege und die Fruchtbarkeit des umliegenden Kephisos-Hochtals begünstigt wurde. Schließlich fand die Blüte der Stadt ein Ende; das Begräbnis-Areal – in archa. und klass. Zeit aufgegeben – wird erst in hell.-röm. Zeit wieder genutzt. E. taucht nicht im homer. Katalog der phokischen Städte auf, überliefert ist aber die Brandschatzung durch die Perser (480 v. Chr., Hdt. 8,33) und Zerstörung durch Philippos II. (346 v. Chr., Paus. 10,33,2).

In hell. und röm. Zeit war E. wiederholt Schauplatz mil. Auseinandersetzungen, erlitt Belagerungen, Besetzungen und auch eine Massenflucht der Bevölkerung (Liv. 32,24,1; MORETTI 1, 55) [5]. Im Preisedikt des Diocletian zitiert, von 347 n. Chr. an zeitweise Bischofssitz, ist E. für das 4. Jh. n. Chr. noch als befestigte Stadt mit dem Namen *Elatina* sowie für byz. Zeit überliefert (Hierokles, Synekdemos 643,8; Konstantinos Porphyrogennetos, De thematibus 89; Steph. Byz. s. v. E.). Die Überreste der monumentalen Akropolismauern (4. Jh. v. Chr. und hell. Zeit) und die aus iustinianischer Zeit stammende Burg bestätigen die Funktion von E. als Militärbasis zum Schutz vor mil. Invasionen gegen Phokis bzw. Südgriechenland. In der Ant. beherbergte das außerhalb der Stadt gelegene Heiligtum für Athene Kranaia – von dem nur wenige Überreste auf einem ca. 20 Stadien von E. entfernten Hügel erh. sind – den wichtigsten Kult von E. (Paus. 10,34,7 f.). Inschr.: IG IX 1, 97–185; SEG 3, 416 ff.; 9, 1107 (= 18, 197); 19, 327.

1 S. WEINBERG, Excavations at prehistoric E., in: Hesperia 31, 1962, 158–209 **2** R. HOPE SIMPSON, O. T. P. K. DICKINSON, A Gazetteer of Aegean Civilisation in the Bronze Age 1, 1979, 259 f. **3** S. DEGER-JALKOTZY, E. und die frühe Gesch. der Griechen, in: AAWW 127, 1990, 79 **4** S. DEGER-JALKOTZY, P. DAKORONIA, E., in: Arch. Österreichs, 3/1, 1992, 68 **5** C. HABICHT, Pausania's guide to ancient Greece, 1985, 67–69.

J. BUCKLER, Philip II. and the third Sacred War, Mnemosyne, Suppl. 1989 · P. DAKORONIA, E., in: Phokika Kronika 5, 1993, 25–39 · J. M. FOSSEY, The Ancient Topography of Eastern Phokis, 1986, 86–91 · MÜLLER, 487 · P. NTASIOS, Symbolè sten Topographian tes archaias Phokidos, 1992, 27 f. · N. D. PAPACHATZIS, Παυσανίου Ἑλλάδος Περιήγησις [Pausaníu Helládos Periégēsis] 5, ²1981, 432–436 · PRITCHETT, IV 1982, 170–175 · F. SCHOBER, Phokis, 1924, 29 f. · TIB I, 153 f. · L. B. TILLARD, The Fortifications of Phokis, in: ABSA, 17, 1910/1, 54–75.
G. D. R./Ü: R. P. L.

[2] Stadt in Thessalia am westl. Eingang des Tempe-Tals. E. ergab sich 171 v. Chr. Perseus bei seinem Einmarsch in Thessalia, gleichzeitig mit der auf der anderen (Nord-)Seite des Peneios gelegenen Stadt Gonnos (Liv. 42,54). Die Lokalisierung beim h. E. ist nicht gesichert.

K. GALLIS, in: AD 29, 1973/4 II, 582 (Fundber. und Erkundung) · F. STÄHLIN, Das hellen. Thessalien, 1924, 88 f. HE. KR.

Elatos (Ἔλατος, »Fichtenmann«). Name mehrerer mythischer Gestalten.
[1] Kentaur, von Herakles' Giftpfeil, der gleichzeitig → Chiron verwundete, durchbohrt (Apollod. 2,85).
[2] Lapithenfürst in Larisa. Er war Vater des Argonauten Polyphemos (Schol. Apoll. Rhod. 1,40–41; Apollod. 1,113) und des → Kaineus, bzw. der Kainis (Hyg. fab. 14,2.4; 173,3; 242,3; Ov. met. 12,189; 497).

F. BÖMER, P. Ovidius Naso, Met. B. 12–13, 1982, 63.

[3] Eponymos von → Elateia [1] in Phokis (Paus. 8,4,2–4). Sohn des Arkas und der Leaneira, der Megaoder der Nymphe Chrysopeleia (Apollod. 3,102), oder aber der Dryade Erato (Paus. 8,4,2). Er war Vater des Aipytos (Pind. O. 6,33), Stymphalos, Pereus, Ischys (Hes. cat. 60,4) und des Kyllen. Zuerst im Besitz des Kyllenegebirges in Arkadien, gründete er später Elateia, nachdem er den Phokiern im Krieg gegen die Phlegyer geholfen hatte. Pausanias sah in Elateia und in Tegea Standbilder des E. (Paus. 10,34,6; 8,48,8).

C. LOCHIN, s. v. E., LIMC 3.1, 708–709.

[4] Troischer Bundesgenosse aus Pedasos, der von Agamemnon getötet wurde (Hom. Il. 6,32–35).

P. WATHELET, Dictionnaire des Troyens de l'Iliade, Bd. 1, 1988, 507–508.

[5] Freier der Penelope, der von Eumaios getötet wurde (Hom. Od. 22,267). R. B.

Elaver. Fluß in Aquitania, h. Allier, entspringt in 1430 m Höhe am Mont Lozère und mündet nach einem Lauf von 375 km unterhalb von Noviodunum von links in den Liger (Caes. Gall. 7,34,2; 35,1). E. O.

Elch (*Alces alces*). Eine große, urspr. über ganz Mitteleuropa [1] verbreitete Hirschart des Nordens, für die sich der erste ant. Beleg bei Plinius (nat. 8,39) findet. Er beschreibt ihn als einem Maultier (*iumentum*) ähnlich, aber mit langem Hals und langen Ohren. Den anschließend für Skandinavien erwähnten ähnlichen *achlis* mit

seiner vorspringenden Oberlippe, welche ihn zum Weiden im Rückwärtsgehen zwinge, kennt er ebenfalls nur
vom Hörensagen. Seine (schlanken) Beine ohne Knie-
gelenke zwängen ihn zum Anlehnen an Bäume beim
Schlafen. Zum Fang säge man diese in der → Hercynia
silva an. Die Interpolation bei Caesar (Gall. 6,27,1–5)
hat diese Behauptung übernommen. Die Vermutung
[2. 281ff.], der *achlis* sei mit dem prähistor. Riesenhirsch
(*Cervus megaceros euryceros Aldrov.*) identisch, hat Anhänger gefunden [3. 6], doch bezieht z. B. Solin. 20,6f. alles
auf den E. Thomas von Cantimpré (4,5 *aloy*; 4,7 *alches*
[4. 111f.]) und Albertus Magnus (de animalibus 22,15
[5. 1356]) wiederholen lediglich diese Quellen.
→ Hirsch

1 H. PRELL, Die Verbreitung des E. in Deutschland zu gesch.
Zeit, 1941 2 W. RICHTER, Achlis. Schicksal einer
tierkundlichen Notiz, in: Philologus 103, 1959 3 LEITNER
4 H. BOESE (ed.), Thomas Cantimpratensis. Liber de natura
rerum, 1973 5 H. STADLER (ed.), Albertus Magnus. De
animalibus, 2, 1920. C. HÜ.

Elea (Ἐλέα).

[1] Küstenstadt in Epirus an der Mündung des Acheron
beim h. Veliani, Hauptort der Landschaft Eleatis
(fälschlich Elaia/Elaiatis bei Thuk. 1,46,4) in Thesprotia. Entstehung der *pólis* vor 350 v. Chr., erste Mz. zw.
360 und 335 v. Chr. Erh. sind von der 10 ha großen
Stadt vor allem die 1,5 km langen Mauern. Belegstellen:
Skyl. 30; Strab. 7,7,5.

Archaeological Reports 41, 1994/5, 26 · P. CABANES,
L'Épire, 1976 · S. I. DAKARIS, Thesprotia, 1972 · P. R.
FRANKE, Die ant. Mz. von Epirus, 1961, 300–307. D. S.

[2] in Unteritalien → Velia.

Eleatische Schule. Übliche Bezeichnung der unmittel-
telbaren Nachfolge des Parmenides (Zenon von Elea,
Melissos).
A. ZUR GESCHICHTE DES ELEATISMUS B. LEHREN

A. ZUR GESCHICHTE DES ELEATISMUS

Platons Andeutung (soph. 242d), daß die eleatische
Philos. mit → Xenophanes und sogar noch früher begonnen habe, ist in eine schematische Skizze der Entwicklung philos. Denkens eingelegt, die man nicht für
bare Münze nehmen darf. → Parmenides' Denken hatte
jedoch eine solch immense Wirkung auf die nachfolgende Philos. der Griechen, daß man berechtigterweise
von einer e. S. sprechen kann. In welchem Ausmaß es in
Elea tatsächlich eine Organisation zur Diskussion und
Verbreitung der philos. Lehren des Parmenides gab, ist
unklar. → Zenons Beziehung zu Parmenides ist offenkundig (beide kamen aus Elea, und Zenons Werk ergänzt das Gedicht des Parmenides), aber wir wissen
schon nicht mehr, wo und wie → Melissos zu seinem
Eleatismus gekommen sein könnte.

Parmenides' Einfluß setzt, wenn auch nicht notwendigerweise, die Lehrer-Schüler-Beziehungen voraus, die für Parmenides und → Empedokles oder Zenon
und → Leukippos behauptet werden, zumindest jedoch,
daß Parmenides' Lehrgedicht zur Diskussion vorlag und
daß solche Diskussionen in der gesamten griech. Welt
stattfanden (aus Platon, Parm. 127b, in dem Parmenides
und Zenon das Buch des letzteren nach Athen bringen,
können wir schließen, daß Parmenides' Buch leicht zugänglich war, sonst könnte der junge Sokrates nicht den
Vorwurf des Plagiats gegen Zenon erheben).

B. LEHREN

Die Grundlehre des Eleatismus besteht in der Aussage, daß Nichtseiendes nicht existiert. Aus dieser ersten
grundlegenden Entscheidung ergeben sich die Charakteristika (»Zeichen«, σήματα) des Seins notwendigerweise. Da die Ergebnisse dieser Ableitungen der Intuition widersprechen – Parmenides behauptet, daß das
Sein nicht entstanden, unvergänglich, eins, zusammenhängend, unbeweglich und kugelförmig sei (vgl. 28 B 8
DK) –, legen die eleatischen Philosophen regelmäßig
Argumente dafür vor, daß das Zeugnis der Sinne sich
selbst widerlegte, so daß dieses Ergebnisse, die durch
intellektuelle Untersuchung erzielt wurden, nicht aufheben könne. Zenons Werk enthielt nichts anderes als
eine Sammlung solcher antipluralistischen Argumente.
Man kann daher fragen, in welchem Ausmaß er den
positiven Lehren des Parmenides folgte. Melissos führte
mindestens eine wesentliche Änderung in Parmenides'
Lehrgebäude ein, indem er behauptete, daß das Sein von
unbegrenzter Ausdehnung sei.

Nach Melissos kennen wir keine weiteren eleatischen Philosophen im engeren Sinne. Wenn Platon in
seinen Spätdialogen einen Fremden aus Elea auftreten
läßt, legt er nahe, daß die Schule auch weiterhin existierte und der platonischen Ontologie den Weg bereitete. All dies muß jedoch nicht mehr als eine Anerkennung der Inspiration sein, die einige der sokratischen
Schulen und Platon selbst vom Eleatismus erhalten hatten.

Mit seiner Ablehnung der Alltagserfahrung übte der
Eleatismus inhärent Kritik an der → milesischen Schule,
die eine reflektierte Darstellung dieser Erfahrung bieten
wollte. Die Milesier hatten es nicht darauf abgesehen,
den Argumenten gegen das Nichtseiende zu wider-
sprechen; sie bezogen jedes Phänomen auf eine Verän-
derung in dem ewigwährenden und andauernden
Grundprinzip (ἀρχή, *arché*), doch ließen sie Raum für
Veränderungen dieser *arché*. Die eleatische Analyse der
Veränderung (vgl. 28 B 8.34–41, 30 B 8 DK) sollte aufzeigen, daß Veränderung ohne die Einführung von
Nichtseiendem nicht zulässig sei. Nachparmenideische
Philosophen akzeptierten diese Verbindung von
Nichtseiendem und Veränderung in verschiedenem
Ausmaß. Vertreter des → Atomismus nahmen das Kon-
zept des Nichtseienden gerne auf und behaupteten, daß
es neben dem Sein, das in unteilbaren Stücken von Ma-
terie auftrete, als Leeres ebenfalls existiere. → Empe-
dokles und → Anaxagoras ließen keinen Raum für die
Veränderung ihrer *archaí*, doch behielten sie deren Viel-

heit bei; ihre Neuanordnung kann Veränderungen der Phänomene verursachen. → Diogenes von Apollonia kehrte zum Erklärungsschema der Milesier zurück. Vorausgehende Versuche, die eleatische Schlußfolgerungen zu vermeiden, hatten ihn vielleicht davon überzeugt, daß es nicht nötig sei, räumliche Bewegung auf Kosten qualitativer Veränderung zu privilegieren: Entweder sind die eleatischen Argumente nicht stichhaltig, oder beides ist auszuschließen.

Ausgrabungen in einem Asklepieion des 1. Jh. n. Chr. in Elea haben unter den Stelen von Würdenträgern der Schule auch eine solche des Parmenides zutage gefördert (vgl. [1]). Das bedeutet nur, daß man Parmenides zu dieser Zeit als herausragendes Mitglied oder gar als Schulgründer ansah, beweist jedoch nicht, daß zwischen dem Wirken des Parmenides und seiner Schüler und der medizinischen Schule von Elea ein Zusammenhang bestand.

1 PH. MERLAN, Neues Licht auf Parmenides (1966), in: Ders., KS, 1976, 8–17.

G. CALOGERO, Studien über den Eleatismus, 1970 · G. E. L. OWEN, Eleatic Questions (1960), in: Ders., Logic, science and dialectic, 1986, 3–26.   I. B./Ü: T. H.

Eleazaros (hebr. ʾælʿāzār, »Gott hat geholfen«; griech. Ἐλεάζαρος, Λάζαρος). Ein v. a. in jüd. priesterlichen Familien häufiger Name (vgl. 2 Makk 6,18–31; 4 Makk 5,1–7,23).

[1] Sohn → Aarons und Vater des Pinhas. In der at. Genealogie Ahnherr der zadokidischen Hohenpriester (Ex 6,23; 28,1; Lev 8 ff; Nm 20,25–28; Dt 10,6; 1 Chr 5,29); Grab in Gibea (Jos 24,33); gilt als Vorfahr des → Esra [1] (Esr 7,5).

[2] Hüter der Lade in Kirjat-Jearim (1 Sam 7,1).

[3] Hoherpriester, der dem Ptolemaios Philadephos die 72 Bibelübers. zugesandt und dafür Geschenke für das Jerusalemer Heiligtum erhalten haben soll (→ Aristeas [2]; Ios. ant. Iud. 1,10 f.; 12,16; 40–117).

[4] Bruder des → Iudas Makkabaios (1 Makk 2,5; 6,43 ff; 2 Makk 8,23; Ios. ant. Iud. 12,266. 373 f.).

[5] Pharisäer, bestritt die Legitimität des Hohenpriesters Johannes → Hyrkanos I. und wollte ihm nur das Königsamt zugestehen (Ios. ant. Iud. 13,291–294).

[6] Priester und Hüter des Tempelschatzes in Jerusalem, konnte 54 v. Chr. nicht verhindern, daß Crassus [2] diesen plünderte (Ios. ant. Iud. 14,107 ff.).

[7] Sohn des Boethos, Hoherpriester 4 v. Chr. (?) (Ios. ant. Iud. 17,339).

[8] Sohn des Dinai, Zelot. Sein Rachezug gegen die Samaritaner wurde vom *procurator* Cumanus (48–52 n. Chr.) niedergeschlagen (Ios. bell. Iud. 2,234 ff.; Ios. ant. Iud. 20,121); → Felix (52–60 n. Chr.) schickte ihn gefangen zur Aburteilung nach Rom (Ios. ant. Iud. 20,161).

[9] Sohn des Hohenpriesters Ananias, Tempelhauptmann. Gab mit der Abschaffung des täglichen Opfers für den Kaiser das Signal zum Ausbruch des 1. Jüd. Krie-

ges 66–70 n. Chr. (Ios. bell. Iud. 2,409 f.) und beseitigte zu Beginn des Krieges den Messiasprätendenten Menachem und die röm. Besatzung Jerusalems (Ios. bell. Iud. 2,441–454). Befehlshaber in Idumäa während des Krieges (ebda, 2,566).

[10] Jude mit dem Beinamen Gigas, den → Artabanos [5] II. (12–ca. 38 n. Chr.) dem Tiberius (Suet. Vit. 2) oder dem Caligula (Suet. Cal. 14) zum Geschenk machte (Ios. ant. Iud. 18,103).

[11] Sohn des Simon, Anführer der priesterlichen Gruppe der Zeloten. Vor und während der Belagerung Jerusalems durch Titus versuchte er vergeblich seinen Führungsanspruch im Kampf gegen seine Rivalen Johannes von Gischala und Simon bar Giora durchzusetzen (Ios. bell. Iud. 2,564 f.; 4,225; 5,5–21; 5,98–105; 5,250).

[12] Sohn des Jair, Zelot und Verteidiger der Festung → Masada gegen die Römer (74 n. Chr.). Überredete die Besatzung und die dorthin geflüchtete Zivilbevölkerung zum kollektiven Selbstmord vor der Eroberung durch → Flavius Silva (Ios. bell. Iud. 7,320–400).

[13] Name zahlreicher bed. Rabbinen [1]. Im NT vgl. Lk 16,19–31; Jo 11,1–44.

→ Aaron; Esra; Pharisaioi; Zeloten

1 G. STEMBERGER, Einleitung in Talmud und Midrasch, [8]1992, 364, Index s. v. Eleazar.   A. M. S.

[14] E. ben Qallir (auch Qillir), der vermutlich am Ende des 6. oder im frühen 7. Jh. n. Chr. vor der arab. Eroberung in Palästina lebte und dessen Biographie weitgehend im Dunkeln liegt, zählt zu den bedeutendsten Vertretern der klass. Piyyūṭ-Dichtung, die rel. Themen gewidmet ist und ihren Sitz im Leben im Synagogengottesdienst hatte. Er schuf Piyyūṭīm (< ποιητής, *poiētês*) für alle Festtage, besonders für Sabbat und Fasttage. Seine Werke zeichnen sich durch zahlreiche Anspielungen auf biblische Passagen und aggadische Traditionen sowie durch Neologismen und morphologische Neubildungen aus, so daß sein Werk als schwer verständlich gilt. Wie bei seinem Vorgänger Jannai – jedoch weitaus komplexer – spielen in seinen Dichtungen Reime und Akrosticha eine bed. Rolle.

Encyclopedia Judaica 10, 1971, s. v. Kallir, Eleazar, 713–715 (Lit.) · T. CARMI (ed.), The Penguin Book of Hebrew Verse, 1981, 89, 221–251 (hier eine Auswahl seiner Gedichte mit engl. Übers.).   B. E.

Elefant I. FRÜHGESCHICHTE
II. KLASSISCHES ALTERTUM

I. FRÜHGESCHICHTE

Der asiat. E., *Elephas maximus*, war im Frühholozän von Mittel-China bis zur syr. Mittelmeerküste verbreitet. Schriftquellen, Darstellungen und bes. Knochenfunde in Siedlungsgrabungen zeigen an, daß an den syr. Flüssen Restbestände bis ins 7./8. Jh. v. Chr. überlebten. Heute leben sie nur noch in Teilen Südasiens. Dank ihrer Körperkraft und Intelligenz wurden asiat. E. als

Arbeitstiere abgerichtet, ohne daß es zu einer eigentlichen Domestikation kam. Älteste Belege sind Siegelbilder aus der Harappa-Kultur. Der afrikan. E., *Loxodonta africana*, war in vorchristl. Zeit außer in den extremen Wüsten in allen Landschaftsformen Afrikas heimisch. Vermutlich schon während der Römerzeit wurde er in Nordafrika ausgerottet. Bis auf isolierte kleine Populationen in West- und Ostafrika haben nur noch in Zentralafrika dank intensiven Schutzes nennenswerte Bestände überlebt: Die elfenbeinernen Stoßzähne, die bei den Bullen bis zu 3,5 m lang und über 100 kg schwer werden können, waren bereits in vorgesch. Zeit ein begehrter Rohstoff für Schnitzereien.

→ Elfenbein

C. BECKER, Elfenbein aus den syr. Steppen? Gedanken zum Vorkommen von E. in Nordostsyrien im Spätholozän, in: M. KOKABI, J. WAHL (Hrsgg.), Beiträge zur Archäologie und Prähistorischen Anthropologie, Kolloquium Konstanz 1993, Forsch. und Ber. zur Vor- und Frühgesch. Baden-Württembergs 53, 1994, 169–181 · F. KURT, Das Buch der E., 1986 · H. H. SCULLARD, The E. in the Greek and Roman World, 1974 · S. K. SIKES, The natural history of the African E., 1971.   CO. BE.

II. KLASSISCHES ALTERTUM

Vor dem Alexanderzug (→ Alexandros [4]; Karte) kannten die Griechen durch den Handel nur das → Elfenbein, das namengebend wurde: ἐλέφας, lat. *elepha(n)s* oder *elephantus*, aber auch *barrus* (ind.(?), vgl. Isid. orig. 16,5,19). Herodot übertrug den Namen auf das Tier (3,114; 4,191). Arrianos (an. 5,35) erwähnt eine Schenkung von E. an Alexander d. Gr. Aristoteles scheint seiner eingehenden Beschreibung von Körperbau (hist. an. 2,1,497b 22–31), Geschlechtsorganen (2,1,500b 6–14) und Zähnen (2,5,501b 29–502a 3) anatomische Studien zugrunde gelegt zu haben. An als Zootieren gehaltenen E. wurden offenbar das Verhalten in der Brunst (6,18,571b 32–572a 5), die Begattungs- und Tragzeit (Arist. hist. an. 6,27,578a 17–24), die Kämpfe untereinander (8(9),610a 15–19), die Nahrungsansprüche und -menge (6, 9,596a 3–9), die Krankheiten und ihre Heilmittel (7(8),26,605a 23–b 5) sowie der Charakter und die Lebensweise (8(9),46,630b 18–30) beobachtet. Das Einfangen und Zähmen der ind. E. schildert Aristoteles (hist. an. 8(9),610a 24–33) nach zeitgenössischen Berichten besser als → Ktesias. Die Frage der → Domestikation beider Arten, des afrikan. und des ind. E., wird, unter Heranziehung von Bildmaterial, ausführlich von ZEUNER [2. 234–253] besprochen. Eine Züchtung fand nur gelegentlich statt, doch zähmte und hielt man Wildlinge. Die verlorene Monographie des Königs → Iuba von Mauretanien aus Nordafrika, die den Fang in Fallgruben und an Badestellen beschrieb, kannten offenbar Plinius (nat. 8,24) und Ailianos (nat. 4,24; 8,10). Der als klug und gelehrig, vorsichtig, gutmütig, dankbar, treu, gerecht und sogar fromm (aufgrund angeblicher Verehrung von Sonne und Mond [3. 267]) eingeschätzte E. (vgl. Plin. nat. 8,1) kam in zahlreichen An-

ekdoten vor (u. a. bei Plin. nat. 8,5–15, Plut. soll. an. 12; 14; 17–18; 20; 25 bzw. mor. 968B-E; 970C-E; 972B-F; 974C-D; 977D-E; Ail. nat. passim). Er ließ sich in Indien nach Plinius (nat. 8,3) zum Pflügen verwenden, aber auch zu schwerer Arbeit wie Baumrodung und Straßenbau. In den griech. Diadochenstaaten wurde er nach der ersten Begegnung mit ihm in der Perserheer in der Schlacht bei → Gaugamela 331 v. Chr. in Größenordnungen bis zu 500 Exemplaren als Träger von Kämpfern mil. eingesetzt und versetzte Pferd und Mensch in Panik, bis Abwehrtaktiken gefunden wurden.

König Pyrrhos von Epiros kämpfte 282 v. Chr. mit E.n gegen die Römer (Plut. Pyrrhus 16 f.; Iust. 18,1; Plin. nat. 8,16), welche diese zunächst »lukanische Stiere« (*boves Lucas*, vgl. Varro ling. 7,39 und Isid. orig. 12,2,15) nannten. Beim Triumphzug über Pyrrhos 275 v. Chr. führten sie einige E. mit. Im 1. Pun. Krieg (252 v. Chr.) erbeuteten die Römer 120 bis 142 Tiere auf Sizilien und setzten sie auf Flößen nach Italien über. Sie sollen anschließend im Zirkus getötet worden sein. Hannibal brachte sie sogar über die Alpen; die Römer selbst verwendeten sie selten mil. (221 v. Chr. gegen die Gallier, 46 v. Chr. bei Thapsus). Seit 169 v. Chr. wurden sie im Circus gezeigt (Liv. 44,18,8). Schaukämpfe gegen Tiere und Menschen waren im 1. Jh. v. Chr. Mode, in der Kaiserzeit jedoch auch artistische Darstellungen von E. (u. a. Ail. nat. 2,11; Plin. 8,5 f.; Sen. epist. 85,41). Auf Mz. der Etrusker, Karthager, Ptolemaier und Seleukiden, aber auch röm. Kaiser seit Augustus finden sich afrikan. oder ind. E., z. T. als Quadriga [4. Taf. IV,1–7] vgl. auch [5. 375]), aber auch auf ant. Gemmen [4. Taf. XIX,37–45]. Auf spätröm. Jagdmosaiken begegnet der E. gelegentlich, ebenso in der Buchmalerei (Cod. Ven. Marc. Gr. Z. 479, 10./11. Jh., fol. 36ʳ und ᵛ [6. Abb. 165,2, Abb. 166,1] und Cod. Par. Gr. 2736, 1554, fol. 31ʳ und ᵛ [6. Abb. 212,2, Abb. 213,1]). Auf nicht sehr naturgetreuen Miniaturen mit der Darstellung der Schöpfung und des Paradieses findet man ihn im MA ebenso wie auf Illustrationen zu Bestiarien, aber z. B. auch auf Plastiken an Kirchenportalen und Kapitellen des 11.–13. Jh. [7]. Hauptsächlich durch Plinius und Aristoteles in der lat. Übers. des Michael Scotus wurden die ant. Nachrichten über dieses größte Landtier ans MA weitergegeben, z. B. an Thomas von Cantimpré (4,33 [8. 126–131]).

1 TREU, in: Philologus 99, 1955, 151 2 F. E. ZEUNER, Gesch. der Haustiere, 1963 3 A. MOMIGLIANO, in: Athenaeum 11, 1933, 267 4 F. IMHOOF-BLUMER, O. KELLER, Tier- und Pflanzenbilder auf Münzen und Gemmen des klass. Altertums, 1889 (Ndr. 1972) 5 KELLER II 6 Z. KÁDÁR, Survivals of Greek zoological illustrations in Byzantine manuscripts, 1978 7 M. BOSKOVITS, s. v. E., LCI 1, 598–600 8 H. BOESE (ed.), Thomas Cantimpratensis, Liber de natura rerum, 1973.   C. HÜ.

Elegantia s. Kunsttheorie

Elegiae in Maecenatem. In einigen Hss. der → Appendix Vergiliana gibt es 89 Distichen, die mit Maecenas überschrieben sind und von J.J. SCALIGER (1572f.) richtig in zwei Teile geteilt wurden. Der erste (v. 1–144) ist eine Totenklage und Verteidigung des Maecenas und endet mit einem Epitaph. Der zweite ist eine Rede des sterbenden Maecenas an Augustus. Die Verwendung des Mythos ist bisweilen obskur, Ausdruck und Metrum entsprechen der augusteischen Zeit. Die Beziehung zur → Consolatio ad Liviam und zu → Seneca d.J. ist umstritten, die Datier. daher unsicher.

ED.: W.V. CLAUSEN (et al.), Appendix Vergiliana, 1966. KOMM.: H. SCHOONHOVEN, Elegiae in Maecenatem: Prolegomena, text and commentary, 1980.

J.A.R./Ü: M. MO.

Elegie I. GRIECHISCH II. LATEINISCH

I. GRIECHISCH
A. DEFINITION B. ARCHAISCHE UND KLASSISCHE ZEIT C. HELLENISMUS D. KAISERZEIT

A. DEFINITION

Gedicht im elegischen Versmaß (je abwechselnd ein daktylischer katalektischer Hexameter und ein Pentameter). Seit ca. 650 v.Chr. ist diese wichtige griech. Literaturgattung belegt. Seitdem sich das inschr. → Epigramm aber zum lit. Epigramm entwickelt hatte und das elegische Distichon sein gebräuchlichstes Versmaß geworden war, ist zw. diesen beiden Gattungen oftmals kein Unterschied erkennbar. Der griech. metrische Begriff für das Verspaar ist *elegeîon* (ἐλεγεῖον; gebildet aus *élegos*, ἔλεγος), erstmals bei Pherekrates PCG VII, fr. 162,10 (im Pl.) und Kritias 4,3 WEST, später bei Thuk. 1,132,2–3 belegt. Bei ML 95(c),5, wie später oft, bedeutet er »elegisches Gedicht«, wofür auch das Subst. *elegeía* (ἐλεγεία) gebraucht wird (zuerst bei Aristot. Ath. Pol. 5,2, später bei Theophr. h. plant. 9,15). Gedichte dieser Art wurden vermutlich ἔλεγοι (*élegoi*) genannt (erstmals belegt 586 v.Chr., vgl. → Echembrotos ap. Pausanias 10,7,4–6) und bedeuteten vielleicht einfach (daktylische?) Lieder, die mit dem *aulós*, einem Blasinstrument (→ Musikinstrumente), begleitet wurden (zur Verbindung zw. Elegie und *aulōdía* vgl. Plut. de musica 1132c zu Klonas und 1134a zu Sakadas). Das früheste Gedicht, das die ant. etym. Verknüpfung von *élegos* mit Trauer belegt (ἒ ἒ λέγειν; Etym. m. 326,48–49 = 935 GAISFORD; Suda ii, 241 Nr. 774 ADLER s. v. ἔλεγος; vgl. Marius Plotius Sacerdos, GL VI, 509,31), die schon im Spätwerk des Euripides und bei Aristophanes ersichtlich ist (Eur. Tro. 119; Eur. Hel. 185; Eur. Or. 968 (konjiziert); Eur. Hypsipyle I, iii,9; Eur. Iph. T. 146; Aristoph. Av. 217), ist das Klagelied des Hippias um einen Knaben-*chorós*, der einige Generationen zuvor ertrunken war (vgl. [1. 22–27] und Paus. 5,25,2–4). Vielleicht ist es auch mit dem armen. Wort *elegn*, »Flöte« oder »Schilf«, verwandt. Obwohl hier Skepsis angebracht ist [2], scheinen archa. und klass. Elegien normalerweise vom *aulós* begleitet

worden zu sein (so bei Thgn. 239–43; 533; 825; 941; 943; 1056; auf dem Durisbecher von ca. 480 v.Chr. singt ein Symposiast, von einem Auleten begleitet, daktylische Verse (ουδυναμου = οὐ δύναμ᾽ οὐ[...]?) [3]. Dieses Gefäß sowie Thgn. 239–52 (vgl. 467; 503; 825; 837; 1047; 1129; Xenophanes B 1 WEST; Simonides el. 25 WEST; Dionysios Chalkus 1–5 WEST; Ion 26–7) zeigen, daß Elegien typischerweise bei Symposien gesungen wurden; andere Rahmen für den Vortrag kurzer Elegien lassen sich schwer nachweisen [1; 4].

Keines der erhaltenen Bruchstücke von archa. Elegien (die oft nur ein Distichon umfassen) ist nachweisbar ein vollständiges Gedicht. Solche kurzen Gedichte von max. 76 Zeilen (Solon 13 WEST) haben mahnenden (als Kriegs- oder Trostgedicht), reflektierenden, enkomiastischen oder (quasi-)autobiographischen Charakter, sind jedoch selten erotisch-erzählend (vielleicht Theognidea 261–2; 263–6; 1063–4; Simonides 21.22 WEST) oder persönliche Invektiven (anders als der → Iambos). Einige der genannten Dichter verfaßten auch längere Elegien (bis zu ca. 1000 Versen?), die aktuelle und vielleicht auch länger zurückliegende Ereignisse der Gesch. ihrer Polis zum Inhalt haben und wahrscheinlich bei öffentlichen Festen erstmals vorgetragen wurden.

B. ARCHAISCHE UND KLASSISCHE ZEIT

Die frühesten Dichter (→ Archilochos, → Kallinos, → Mimnermos, → Tyrtaios; von Polymnastos ist nichts erh.), von denen wir noch Fragmente haben, wirkten ca. 660–640 v.Chr. Diese Quellenlage ist vermutlich auf die Ausbreitung der Schriftkultur im 7. Jh. v.Chr. zurückzuführen. Einige ep.-ion. Formen des Lakoniers Tyrtaios zeigen, daß die Gattung zu seiner Zeit (640?) als ion. angesehen wurde, und die technische Meisterschaft dieser frühesten erh. Gedichte läßt vermuten, daß sie bereits seit einiger Zeit in Ionien in Blüte stand; wie lange, ist nicht zu berechnen, vielleicht aber seit der Einführung des *aulós* aus dem Osten (daß die E. selbst von dort stammt, ist wegen der metr. Form und des Vokabulars, das sie mit der Hexameterdichtung gemeinsam hat, unwahrscheinlich). Bereits im 7. Jh. (→ Klonas von Tegea oder Theben), sicher aber seit dem frühen 6. Jh. v.Chr., ist sie in Zentralgriechenland etabliert (→ Solon in Attika, → Sakadas in Argos, → Theognis in Megara). Die 1400 Verse, die die Überlieferung Theognis zuschreibt, umfassen eine große Spannbreite (hauptsächlich unvollständiger) archa. sympotischer E., einige davon aus dem 5. Jh. (z.B. Thgn. 757–768, und drei von → Euenos). E. von Simonides, Panyassis, Ion von Chios, Melanthios und Sophokles beweisen, daß die Gattung mdst. bis zum letzten Viertel des 5. Jh. lebendig war. Der Zufall der Überlieferung (oder die stereotypisierende Auswahl?) hat hauptsächlich kriegerische Mahngedichte von Kallinos und Tyrtaios, zynische Selbstdarstellungen von Archilochos, melancholische Reflexionen über die Liebe, die Kürze der Jugend und die Unannehmlichkeiten des Alters von Mimnermos und Simonides sowie moralpolit. Streitfragen und Klagen von Solon und Theognis erhalten – eine Auswahl, die vermutlich kein objektives Bild des Schaffens dieser Dichter darstellt. Metapoetische Themen (wie schon bei Thgn. 237–254 und Xenophanes B 1) spielen eher in erh. Gedichten des 5. Jh. eine größere Rolle (→ Kritias, → Dionysios [30] Chalkus).

Längere E., die offensichtlich Ereignisse der Polisgesch. behandeln, sind nur spärlich belegt: die *Eunomía* des Tyrtaios (1–4 WEST), die *Smyrnēís* des Mimnermos (13a und 13 WEST?), die ›Samischen Altertümer‹ (Ἀρχαιολογία τῶν Σαμίων) des Semonides (Suda ιω 360,12 ADLER), die ›Gründung Kolophons‹ (Κολοφῶνος κτίσις) und ›Der Auszug in die ital. Kolonie Elea‹ (ὁ εἰς Ἐλέαν τῆς Ἰταλίας ἀποικισμός) des Xenophanes (2000 V., Diog. Laert. 9,20), die ›Ion. Gesch.‹ (Ἰωνικά) des Panyassis (7000 V.), und vielleicht die ›Gründung von Chios‹ (Χίου κτίσις) des Ion von Chios (Schol. Aristoph. Pax 835) (vgl. [1]). Erst die neuen Papyrusfragmente von Simonides brachten beträchtliche Passagen vom Beginn eines Gedichtes ans Licht, das die Abfahrt der Spartaner nach und ihren Sieg bei Plataia feiert (10–17 und 18 WEST?), zudem kleine Fragmente zu den Siegen bei Artemision (2–4 WEST) und Salamis (6–7 WEST?) [5; 6]. Der ausgefeilte Anfang des Plataiagedichtes (10–11 WEST, ein Achilleshymnus) paßt zu einer großen und methodisch gehobenen Komposition (vgl. Mimnermos 13 WEST) und unterstützt die Hypothese seines Vortrags bei einem Fest und vielleicht auch Wettbewerb (vgl. den vermuteten Wettstreit zwischen Aischylos und Simonides um eine E., die an die Toten von Marathon erinnern sollte, Vita Aeschyli 8 = TrGF III 33 f). Bislang bieten aber nur die Zeugnisse zu Xenophanes und Panyassis Parameter für den Umfang, und selbst Solons 100zeiliges *Sálamis* (1–3 WEST) ist vielleicht eher eine kurze Fest-E. als eine lange, für ein Symposion bestimmte E.

Sympotische E. sind, wie Symposien selbst, im 4. Jh. v. Chr. weniger vertreten (s. aber Philiskos 1 WEST, ein Enkomion auf Lysias, das jedoch Plut. vitae decem oratorum 836c als Epigramm bezeichnet, und Aristoteles' Gedicht an Eudemos, in dem er Platon rühmt, 673 ROSE). Spätere elegische Gedichte zeigen einen noch größeren Einfluß des Epigramms; wann die musikalische Begleitung wegfiel, ist unklar [7]. Mit Beginn des 4. Jh. wurden jedoch für eine wachsende Leserschaft Sammlungen kurzer Gedichte und längere Gedichte in Buchform zusammengestellt: In seiner *Lýdē* verknüpfte Antimachos in zwei B. Mythen von (erotischem?) Mißgeschick in einem Trostgedicht an sich selbst anläßlich des Todes seiner Partnerin (Plut. consolatio ad Apollonium, 106b). Er sammelte vielleicht als erster die Elegien des Mimnermos unter dem Titel *Nannṓ* [8] (wobei frühere Sammlungen, eine davon sogar von Mimnermos selbst, nicht von der Hand zu weisen sind). Vermutlich war in Athen eine Sammlung der Gedichte des Theognis, vielleicht auch derer des Tyrtaios, in Umlauf.

C. HELLENISMUS

Im 3. Jh. v. Chr. übernahm Philetas die erzählende Form. Er schloß sich der Etym. vom Klagelied an, in-dem er in seiner *Demeter* von der Trauer um Kore und der Suche der Göttin nach ihr erzählte; auch in seinen *Paígnia* verwendete er das elegische Versmaß (obwohl diese evtl. auch Epigramme sein könnten). Sein Freund und Schüler → Hermesianax, vornehmlich ein elegischer Dichter (vgl. Paus. 8,12,1; 9,35,5), entwickelte das antimachische Modell der Zusammenstellung von Geschichten weiter und schrieb eine E. in drei B. mit dem Titel *Leóntion*, benannt nach dem Mädchen, an die sie gerichtet war; außerdem verf. er eine E. über den Kentauren Eurytion (Paus. 7,18,1). Alexandros von Pleuron stellte in seiner Elegie *Apollon* ebenfalls Gesch. von unglücklicher Liebe, die der Gott vorhersagt, zusammen und verwendete eine andere, die *Musai*, für eine Literaturgeschichte. → Phanokles stellte in seinen »Liebesgeschichten« (Ἔρωτες ἢ καλοί) einen Katalog über die Liebe von Heroen und Göttern zu Jünglingen auf. → Poseidippos, hauptsächlich als Epigrammatiker bekannt, nutzte die elegische Form für Gebete an die Musen und Apollo (um Anerkennung und ein hohes Alter in Ehren) und griff damit Themen etlicher archa. Elegiker wieder auf (SH 705). → Kallimachos, wie später die röm. Elegiker, nennt Mimnermos und Philetas als wichtigste elegische Vorbilder (Kall. *Aítia*, fr. 1,9–12), obwohl er in seinen *Aítia* (4 B.) eher die Tradition des Antimachos und Hermesianax mit hesiodischen Elementen verbindet, vielleicht als Antwort auf die katalogisierende Elegie [7. 263–386]. Sein Gebrauch des elegischen Versmaßes im fünften *Hymnos* ist ebenfalls eine innovative Kreuzung und soll vielleicht an die Stellung des Sakadas aus Argos in der elegischen Tradition erinnern (ähnlich die elegischen Verse des Euripides in Andr. 103–116).

Im Hellenismus waren einige von Nikanders Gedichten E., die *Ophiaká* (eine Sammlung von Legenden um Schlangen) und das Lehrgedicht *Kynēgētiká*, ebenso im 1. Jh. v. Chr. einige Werke des → Parthenios, bes. die drei B. über den Tod seiner Frau Arete. Papyrusfragmente aus hell. oder röm. Zeit enthalten Enkomia mit verschiedenen Adressaten (SH 958), darunter ein Monarch (SH 969, vielleicht dasselbe Gedicht), die Erinnerung eines Dichters an seine Teilnahme am Wettstreit an den Museia bei Thespiae (SH 959), eine Hochzeit (SH 961, ein Epithalamion?), erotische Mythen (SH 962–3; 964), Reflexion (SH 968), und eine Verfluchung (SH 970).

D. KAISERZEIT

In der Kaiserzeit wurden E. weiterhin, wenn auch selten, für didaktische Dichtung verwendet, z. B. in den 174 Versen über Heilmittel für Schlangenbisse, die Neros Arzt → Andromachos [4] an Nero selbst adressierte (zit. von Galen 14,32 [9]). Einige Epigramme wuchsen auf die Länge von Elegien an und übernahmen vielleicht auch einige archa. elegische Motive (z. B. das mindestens 38zeilige Gedicht, das den 174/5 v.Chr aus dem Exil (?) zurückkehrenden Herodes Atticus willkommen heißt, IG II/III² 3606). Die Rolle der E. beim Symposion jedoch übernahmen jetzt rezitierte Epigramme, Anakreontea, die vielleicht gesungen wurden, und die Lieder professioneller Kitharoden.

1 E. L. Bowie, Early Greek Elegy, Symposium and Public Festival, in: JHS 106, 1986, 13–35 **2** D. A. Campbell, Flutes and Elegiac Couples, in: JHS 84, 1964, 63–68 **3** F. Lissarrague, Un flot d'images, 1987, fig. 101 (= The Aesthetics of the Greek Banquet, 1990) **4** E. L. Bowie, Miles ludens, in: O. Murray (Hrsg.), Sympotica, 1990, 221–229 **5** P. J. Parsons, Oxyrhynchus papyri 59, 1992, Nr. 3965 **6** IEG 2² **7** A. Cameron, Callimachus and his Critics, 1995 (bes. 24–103 zur Frage von mündlichen Aufführungen in der hell. Zeit) **8** M. L. West, Studies in Early Greek Elegy and Iambus, 1974, 75 f. **9** E. Heitsch, Die griech. Dichterfragmente der röm. Kaiserzeit 2, 1964, Nr. 62.

Ed.: F. R. Adrados, Líricos griegos: elegiacos y yambógrafos arcaicos (siglos vii–v a.c.), 2 Bd., ²1981 · Gentili/Prato, Bd. 1, ²1988, Bd. 2 1985 · IEG1², 2² · M. L. West, Delectus ex iambis et elegis graecis, 1980. Hell. Zeit: CollAlex · SH.

Lit.: D. E. Gerber, Early Greek Elegy and Iambus 1921–1989, in: Lustrum 33, 1991, 7–225; 401–9 · B. van Groningen, La composition littéraire archaïque grecque, 1958 · A. W. H. Adkins, Poetic Craft in the Early Greek Elegists, 1985 · K. Bartol, Greek Elegy and Iambus, 1993 · B. Gentili, Poesia e pubblico nella Grecia antica, 1984 (= Poetry and its Public in Ancient Greece, 1988) · R. L. Fowler, The Nature of Early Greek Lyric, 1987, Kap. 3.   E. Bo./Ü: L. S.

II. Lateinische Elegie

A. Anfänge und Gattungscharakteristika
B. Kaiserzeitliche Entwicklung
C. Wirkungsgeschichte

A. Anfänge und Gattungscharakteristik

In der Form – ein längeres Gedicht in eleg. Versmaß – und im Charakter schließt die lat. E. an die griech. Gattung an: Sie ist eine »offene Gattung«, d. h., daß sie sich (bei Entstehung und Entwicklung) in der Auseinandersetzung mit dem lit. und lebensweltl. Umfeld sowohl abgrenzt, als auch sich an ihm bereichert; spezifische Kontur gewinnt dabei jedoch die *röm. Liebes-E.* im engeren Sinn.

Nach eleg. Versen bei → Ennius und → Lucilius und hell. Liebesepigrammen um 100 v. Chr. (→ Porcius Licinus, → Valerius Aedituus und Q. → Lutatius Catulus) schreiben → Calvus (Totenklage um die Gattin Quintilia), → Varro Atacinus (*Leucadia*) und vielleicht P. → Valerius Cato (*Lydia*; nicht erh.) E. Als Ursprungstext der »röm. Liebes-E.« gilt oft → Catulls große ›Allius-E.‹ (carm. 68, 41–148; allumfassende Liebe zu Lesbia, der wohl adligen Clodia, verschränkt mit der Trauer um den toten Bruder, Deutung im Mythos). Wohl vor 40 v. Chr. verfaßt → Cornelius Gallus erstmals eleg. Gedicht-B. (*Amores*). Bei ihm, der erst den Späteren als Archeget des elegischen Kanons gilt (etwa Ov. ars 3,536–538 und Quint. inst. 10,1,93, anders noch Prop. 2,34,85–94 und Ov. am. 3,9,59–66), greifen wir auch erstmals das gesamte Konzept der »röm. Liebes-E.«

([17]; allg. [11; 6]). Es ist ein der spätrepublikanischen Krise antwortender Gegenentwurf aus bewußt partieller Perspektive, der Subjektivität des *poeta amator*: zugleich lit. Rolle [18] und Vollzug persönlicher Erfahrung im Medium der Kunst. Alles beherrscht die Liebe zum Mädchen, der *puella* (Treue-, Todesmotiv); der im Liebeswahn (*furor*) Verstrickte dient seiner Herrin (*domina*), einer Libertine, im *servitium amoris* [10; 13], in unglücklicher Liebe. E. ist daher Paränese und Klage. Der Mythos fungiert in vielfacher Weise als Referenzebene. Die Lebenswahl von Liebe und Liebesdichtung ist Protest gegen Politik, Krieg, Ruhm, *negotium*, Reichtum, Vorrang des Mannes usw. (bei Tibull auch gegen das Stadtleben); zugleich verficht die E. jedoch röm. Werte, z. B. *fides*, unter neuen Vorzeichen [2] oder dreht sie metaphorisch um (*militia amoris* [12] usw.). Auch das Dichten selbst ist Thema (als Werbung um eine Frau [16], Apologie der kleinen Form, → *recusatio* »großer« Stoffe. Lit. Kleinformen werden adaptiert (→ Paraklausithyron, Klage des ausgesperrten Liebhabers, *exclusus amator* [19], → Propemptikon, → Gebet, → Epikedeion usw.). Das Vorbild bereits einer griech. subjektiv-erotischen E. (neben der objektiv-myth.) lehnt die Forschung seit [7] meist ab (s. aber jetzt POxy. LIV 3725). Von Einfluß sind bes. → Epigrammatik, → Komödie, → Roman, → Rhetorik. Die Elegiker selbst sahen sich in alexandrinischer Tradition. (etwa Prop. 3,1,1; [14]).

B. Kaiserzeitliche Entwicklung

→ Properz besingt seine Liebe zu Cynthia (publ. ab ca. 29/28 v. Chr.) bis hin zu Bruch und Absage. Das »augusteische« B. 4 verschränkt dann röm. Aitien mit erotischen, durch wechselnde Perspektive »objektivierten« Themen (etwa 4,3: Arethusa-Brief; 4,11: die tote Cornelia spricht zu ihrem Gatten), überwindet also die subjektive »röm. Liebes-E.« konzeptionell und formal. → Tibull (publ. ab ca. 26/25 v. Chr.) gestaltet – weitgehend ohne myth. *exempla* – zugleich Liebe und ideales friedliches Landleben, sieht aber seine Hoffnungen in diesem Konflikt scheitern: in B. 1 an Delia und (in einem eigenen Zyklus) an dem Knaben Marathus, in B. 2 an der geldgierigen Nemesis. Als soziales und polit. Thema tritt sein Verhältnis zum Gönner → Messalla hinzu.

Der junge → Ovid (*Amores* ab ca. 25 v. Chr.), dem die *pax Augusta* bereits Normalität und die E. Konvention ist, spielt (bei epigrammatisch-rhet. Gedichtstruktur) mit der lit. Tradition, konfrontiert sie mit der alltägl. Wirklichkeit Roms [9], desavouiert subjektive Rhet. durch Schlußpointen, Gedichtpaarung usw. Dabei bildet sich das neue Konzept einer unbeschwerten, freien, wandelhaften Liebe heraus (etwa im panerotischen Ov. am. 2,4). In einer Kasuistik des typischen Liebenden löst sich dessen Einheit mit dem dichtenden Ich (vgl. Ov. am. 1,1), das zum Lehrer aller Verliebten (Ov. am. 2,1,5–10; [4]) und zu auch andersartig erotischer, gar hoher Dichtung befähigt wird (Ov. am. 2,18; 3,1. 15). Tatsächlich entwickelt Ovid neue eleg. Formen (aus Ansätzen in Prop. 4 und Ov. am. 3): Mit den myth. *Heroides* entsteht die »eleg. → Epistel« [15]; *Ars amatoria* (B.3 für Frauen) und *Remedia amoris* sind erot. → Lehrgedichte (vgl. die Didaxe in Prop. 4,5, Tib. 1,4, Ov. am. 1,8), die ›Fasten‹ eine Aitiologie des röm. Kalenders; hier vermag sich auch die »eleg. Erzählung« zu entfalten [5]. Die Exil-E. verarbeiten die persönliche Katastrophe in eleg. Klage und Topik. Auch in seinem Epos, den *Metamorphosen*, übernimmt und zitiert Ovid elegische Elemente (in Erotik, Psychologie; vgl. etwa schon Verg. Aen. 4).

Von C. → Valgius Rufus, L. → Varius Rufus und → Domitius Marsus ist uns kaum etwas erh. Das 3.B. des Tibull-Corpus überliefert die E. → Sulpicias (13–18 = B.4), fünf deren Liebesgeschick kommentierende, anon. E. (8–12) und die epigonalen Gedichte eines → Lygdamus an seine untreue Gattin Neaera (1–6). Ovid erwähnt Zeitgenossen und Schüler (Ov. trist. 2,467f.; 4,10,55; Pont. 4,16; zu → Sabinus' myth. Briefen Ov. am. 2,18,27–34). Nichterot. Themen gestalten → Copa, → Nux, → Consolatio ad Liviam, → Elegiae in Maecenatem. (erotische) E. sind für den späteren Kaiser → Nerva, L. → Arruntius Stella, einen Varro (Mart. 5,30,4), → Plinius d.J. (Plin. epist. 7,4,7), C. Passennus Paulus (Plin. epist. 6,15,1. 9,22,1f.) bezeugt (vgl. allg. Pers. 1,32–43 und Iuv. 1,3f.). Elegische Tradition prägt aber z.B. auch Epigramme → Martials und manche *carmina epigraphica* (→ Grabepigramm). In der Spätant. [1. 1048–1051] begegnen distichische Gedichte bei → Ausonius (Totenklage), → Claudianus, → Rutilius Namatianus (Reisebericht); die Liebes-E. findet beim (alternden) → Maximianus eine Fortsetzung. Christl. Nutzung trifft man bei → Sedulius, → Orientius, → Ennodius, → Arator, → Boethius, → Dracontius, → Venantius Fortunatus (etwa carm. 8,3,227–248: Brief einer Nonne an Christus).

C. WIRKUNGSGESCHICHTE

Im MA verfassen Marbod von Rennes und Baudri von Bourgueil erotische E., Hildebert von Lavardin Klagen um Rom und über das eigene Exil. Das eleg. Distichon dringt in fast alle Gattungen ein; die erot. »E.-Komödien« des 12./13. Jh. speisen sich aus Ovid. »E.« nennt man auch neun Stabreim-Klagen des Altengl. Der Neuzeit wird die E. bes. in den Epochen starker Ant.-Rezeption bedeutsam, jedoch auch als Gattung individueller Subjektivität. Beides trifft schon für Humanismus und Renaissance zu: In der neulat. E. mit ant. Metrum überwiegt das Liebesthema (etwa Sannazaros *Eclogae piscatoriae* oder die *Basia* des Iohannes Secundus). Die volkssprachliche E. begründen in It. Sannazaro und Ariosto, in Frankreich Marot und Ronsard, in Spanien Garcilaso de la Vega und Lope de Vega, in England Spenser, in den Niederlanden Heinsius, in Deutschland erst Opitz. Sie bestimmt sich teils durch Thema bzw. Tonlage (Tod, Melancholie, Weltbetrachtung; so bes. in England seit Milton), teils durch die Metrik (bes. in Deutschland: seit Opitz der Alexandriner als distichisches Ersatzmetrum, seit Klopstock das ant. Maß). Weit verbreitet sind dabei die Formen »pastorale E.« (vgl. die allegorische *Egloga* des Radbertus im 9. Jh.) und »heroi-

scher Brief« (schon im MA und z.B. allegorisch beim Humanisten Eobanus Hessus; [3]). Das 18. Jh. (das vermehrt Tibull schätzt, während sonst Ovids Œuvre die E.-Rezeption dominiert) gipfelt in der Empfindsamkeit (»Friedhofs-E.« seit Gray), dem Klassizismus Chéniers und der »klass. dt. E.« (Goethes den Augusteern bes. nahestehende, aber lebensfrohe ›Röm. E.‹ [8] u.a., Schiller, Hölderlins hymnische E.). Weltschmerz kommt bei Lamartine, Leopardi, den engl. Romantikern, Puschkin u.a. zum Ausdruck. Für das 20. Jh. seien nur Rilke (in eigenen Rhythmen, symbolische ›Duineser E.‹), Celan und Brecht (›Bukower E.‹), Jiménez und García Lorca genannt; die angelsächsische Lit. führt die Tradition des Totengedichts fort.

→ ELEGIE

1 L. ALFONSI, W. SCHMID, s.v. E., in: RAC 4, 1026–1061 2 E. BURCK, Röm. Wesenszüge der augusteischen Liebes-E., in: Hermes 80, 1952, 163–200 3 H. DÖRRIE, Der heroische Brief, 1968 4 B.M. GAULY, Liebeserfahrungen, 1990 5 R. HEINZE, Ovids eleg. Erzählung, in: Ders., Vom Geist des Römertums, ³1960, 308–403 6 N. HOLZBERG, Die röm. Liebes-E., 1990 7 F. JACOBY, Zur Entstehung der röm. E., in: RhM 60, 1905, 38–105 8 F. KLINGNER, Liebes-E., in: Ders., Röm. Geisteswelt, ⁵1965, 419–439 9 M. LABATE, L'arte di farsi amare, 1984 10 R.O.A.M. LYNE, Servitium amoris, in: CQ 29, 1979, 117–130 11 Ders., The Latin Love Poets, 1980 12 P. MURGATROYD, Militia amoris and the Roman elegists, in: Latomus 34, 1975, 59–79 13 Ders., Servitium amoris, in: Latomus 40, 1981, 589–606 14 M. PUELMA, Die Aitien des Kallimachos als Vorbild der röm. Amores-E., in: MH 39, 1982, 221–246; 285–304 15 H. RAHN, Ovids eleg. Epistel, in: A&A 7, 1958, 105–120 16 W. STROH, Die röm. Liebes-E. als werbende Dichtung, 1971 17 Ders., Die Ursprünge der röm. Liebes-E., in: Poetica 15, 1983, 205–246 18 P. VEYNE, L'élégie érotique romaine, 1983 19 J.C. YARDLEY, The Elegiac Paraclausithyron, in: Eranos 76, 1978, 19–34. F.SP.

Elektra (Ἠλέκτρα).

[1] Tochter des → Okeanos und der → Tethys; Gattin des Thaumas, Mutter der → Iris und der → Harpyien Aello und Okypete (Hes. theog. 265ff.; 349; Hom. h. 2,418; Apollod. 1,10).

[2] Tochter des → Danaos und der Naiade Polyxo (Apollod. 2,19; Hyg. fab. 170).

[3] Tochter des → Atlas und der Pleione. Eine der → Pleiaden. Geburtsort der E. ist das Kyllenegebirge in Arkadien (Dion. Hal. ant. 1,61; Apollod. 3,110), sie ist aber auch mit Samothrake verbunden (Hes. fr. 177 MW; Konon FGrH 26F1,21; Apoll. Rhod. 1,916; Val. Fl. 2,431). Durch Zeus Mutter des → Dardanos (Hyg. astr. 2,21), des → Iasion (oder Aëtion) und der → Harmonia (Hellanikos FGrH 4F23; Diod. 5,48f.), durch die sie wohl auch in den thebanischen Sagenkreis gerät (vgl. Paus. 9,8,4). Auf Rhodos wurde sie als Alektrona (→ Elektryone [2]) verehrt und galt als Tochter des Helios und der Rhodos (IG XII 1, 677; Diod. 5,56).

[4] Tochter des → Agamemnon und der → Klytaimestra (Hes. fr. 23a15f. MW), Schwester der → Iphigeneia und des → Orestes, im Epos nicht erwähnt. Von Xanthos (fr.

699 f. PMG) mit Homers Laodike (Il. 9,145) gleichgesetzt. In der Orestie des Stesichoros (fr. 210 ff. PMGF)
soll sie eine bedeutende Rolle gespielt haben. Wichtigste Quelle für ihre Geschichte ist die att. Trag. Nach der
Ermordung des Agamemnon durch Klytaimestra und
→ Aigisthos trauert E. um den Vater und wartet auf
Orestes, der zu Strophios nach Phokis in Sicherheit gebracht worden ist (Pind. P. 11,17 f.; Eur. El. 16 ff.; 416;
nach Soph. El. 296 f.; 1348 f.; Hyg. fab. 117 mit E.s Hilfe) und von dem E. Rache für den Tod des Vaters erwartet. Sie wird von Klytaimestra und Aigisthos wie
eine Gefangene gehalten (Aischyl. Choeph. 445 ff.;
Soph. El. 312 f.; 516 ff.; 911 f.; anders Eur. El. 19 ff., wo
sie mit einem Bauern verheiratet worden ist). Nach der
gegenseitigen Erkennung E.s und Orestes' bei dessen
Rückkehr zusammen mit seinem Freund Pylades (Aischyl. Choeph. 212 ff.; Soph. El. 1113 ff.; Eur. El.
508 ff.) wird die Rache geplant, an deren Ausführung E.
nur bei Eur. beteiligt ist (El. 1224 f.). Nachher sorgt sie
für den von den → Erinyen mit Wahnsinn geschlagenen
Orestes, die beiden werden von den Argivern verurteilt,
von Apollon jedoch gerettet, der E. mit Pylades verheiratet (Eur. El. 1249; 1340 f.; Iph.T. 695 f.; Or. 1078 f.;
Paus. 2,16,7; nach Eur. El. 312 f. war sie dem Kastor
versprochen). Ihre Kinder sind Strophios und Medon
(Hellanikos FGrH 4F155). Hyg. fab. 122, evtl. nach
Soph. Aletes, berichtet von einem erneuten Zusammentreffen der Geschwister.

G. BERGER-DOER, s. v. E. 3), LIMC 3.1,719 · E. BETHE, s. v.
E. 2), RE 5, 2309–2314 · P. BRUNEL, Le mythe d'Electre,
1971 · S. GRUNAUER-VON HÖRSCHELMANN, s. v.
Elektryone, LIMC 3.1, 719–720. · I. MCPHEE, s. v. E. 1),
LIMC 3.1, 709–719.   R. HA.

Elektron I. VORDERER ORIENT
II. GRIECHENLAND UND ROM

I. VORDERER ORIENT

E. als natürliche Legierung von Gold und Silber wurde in Vorderasien und Ägypten zumeist wie vorgefun-
den verarbeitet. Nach Analysen enthalten scheinbar aus
Gold bestehende Objekte zumeist einen hohen Anteil
von Silber, der mehr als 40 % betragen kann (z. B. Gefäße aus den Königsgräbern von Ur, ca. 2600 v. Chr.).
Später wurde E. als Legierung auch künstlich hergestellt. E. ist härter als Gold und wurde deshalb bevorzugt
für Schmuck, Prunkwaffen, Statuetten, zur Plattierung
und für Einlagen sowie als Werteinheit (z. B. in Ring-
form) verwendet.
→ Gold; Bernstein

J. R. LUCAS, Ancient Egyptian materials and industries,
⁴1962, 234 f.   R. W.

II. GRIECHENLAND UND ROM

Bezeichnung für → Bernstein und eine natürlich
vorkommende (Sardes: Soph. Ant. 1037; Spanien: Plin.
nat. 33,22,1) oder künstliche Metallegierung (Serv.
Aen. 8,402; Isid. orig. 16,24,2) von Gold und Silber, in

der Regel im Verhältnis von 3:1 mit einer Beimengung
von Kupfer [1. 201 ff.]. E. ist härter als Gold und wird
seit myk. Zeit für Schmuck und Gefäße [2. 102; 3], seit
der archa. Zeit auch für die Münzprägung verwendet.
E.-Münzen haben u. a. westkleinasiatische Städte bis in
das 4. Jh. v. Chr., später Karthago, Syrakus und die
Westkelten und in der Spätant. die Kušan und ihre
Nachfolger geprägt [1. 202 f.; 4. 34 f.].

1 J. F. HEALY, Mining and metallurgy in the Greek and
Roman world, 1978 2 G. E. MYLONAS, Mycenae and the
Mycenaean Age, s. v. E., 1966 3 B. DEPPERT-LIPPITZ,
Griech. Goldschmuck, s. v. E., 1985 4 GÖBL, passim.

F. BODENSTEDT, Phokäisches E.-Geld von 600–326 v. Chr.
Stud. zur Bed. und zu den Wandlungen einer ant.
Goldwährung, 1976 · L. WEIDAUER, Probleme der frühen
E.-Prägung, Typos. Monographien zur ant. Numismatik 1,
1975.   A. M.

Elektryon (Ἠλεκτρύων). Tirynthischer oder mykeni-
scher Heros, Sohn des Perseus und der Andromeda,
Gatte der Anaxo, der Tochter des → Alkaios, Vater der
→ Alkmene. Er verlor fast alle Söhne im Kampf mit den
Teleboern (Taphiern). Bei der Übergabe der dem E.
geraubten Rinder wurde er von seinem Schwiegersohn
→ Amphitryon getötet, was der Anlaß für dessen und
Alkmenes Auswanderung nach Theben war (Hes. scut.
3; 11–12; Apollod. 2,52–56; Hyg. fab. 244,1; 4; Paus.
2,25,8).   R. B.

Elektryone (Ἠλεκτρυώνη).
[1] Patronymikon der Alkmene, der Tochter des
→ Elektryon (Hes. scut. 16; 35; 86).
[2] (auch Ἀλεκτρώνα). Heroine auf Rhodos, Tochter
des Helios und der Rhodos (Diod. 5,56; Schol. Pind. O.
7,24; Syll.³ 338–340). Sie ist auf Münzen aus Rhodos
abgebildet.
[3] → Elektra [3]   R. B.

S. GRUNAUER-VON HOERSCHELMANN, s. v. E., LIMC 3.1,
719 f.

Elementenlehre. Elemente (griech. στοιχεῖα, »Buchstaben«) sind nicht weiter in unterschiedliche Stoffe zer-
legbare, unveränderliche »einfache« natürliche Substanzen. Deren Mischung bildet die zusammengesetzten
Substanzen der materiellen Komponente aller natürlichen Dinge.

Die Ursubstanzen der sog. Hylozoisten (→ Anaximandros, → Anaximenes) sollten nach deren Meinung
durch Veränderung alle in der Natur vorkommenden
Zustände und Eigenschaften der natürlichen Dinge annehmen. Nach der Ontologie der → eleatischen Schule
dagegen war auch das stoffliche Seiende unveränderlich
(ungeworden und stabil), während die Einheit des
eleatischen Seins als Einheitlichkeit gefaßt wurde: bei
den Atomisten (→ Atomismus) und Anaxagoras in unendlicher Vielfalt (und jeweils unendlicher Anzahl, bei
ersteren mit »unteilbaren« Einheiten, bei letzterem mit
bis ins Unendliche teilbaren); → Empedokles, der damit

in der Tradition des Epos steht (Hom. Il. 15,187–193; Hes. theog. 736–738) sieht viererlei von grundsätzlich verschiedener Art, und bezeichnet die von ihm noch mit göttlichen Namen belegten Elemente Erde, Wasser, Luft und Feuer als die ›vier Wurzeln aller Dinge‹ (Frg. B 6: τέσσαρα πάντων ῥιζώματα), führt die natürlichen Stoffe auf ein jeweils bestimmtes Verhältnis ihrer Mischung zurück (insbes. Frg. A 34,43; B 23,96), wobei der »Zusammenhalt« (Dauerhaftigkeit und Kohäsion) auf dessen »Harmonie« (B 96: ἁρμονίης κόλλησιν) und den Poren der Elemente (A 86,87) beruhe.

Auf der Basis dieser E. versuchen Platon und Aristoteles auch die voreleatische Veränderlichkeit der Materie einzubeziehen, indem sie die nur relativ stabilen Elemente sich durch äußeren Einfluß in einander wandeln lassen. Dabei ist Platons Erklärungs- und Erkenntnisebene im *Timaios* die immaterielle Mathematik als Abbildungsbereich der Ideen: er reduziert die Qualitäten nach dem Vorbild der Atome auf Quantitäten (Gestalt und Größe) und setzt vier der gerade von Theaitetos in ihrer Anzahl begrenzten fünf regulären Polyeder mit den vier empedokleischen Elementen gleich: Tetraeder/Feuer, Oktaeder/Luft, Ikosaeder/Wasser, Hexaeder/Erde. Die gleichseitigen Dreiecke der ersten drei sollen sich jeweils aus den durch die drei Mittelsenkrechten entstehenden sechs rechtwinkligen Dreiecken (mit dem Kathetenverhältnis 1:3) als den »Urflächen« bilden, so daß in den Flächen und Körpern gleiche Winkel und Seiten aneinanderliegen, was die Stabilität bewirke. Die Quadrate der Hexaeder (Würfel) aber entstünden aus den vier durch die Diagonalen konstruierbaren gleichschenkligen rechtwinkligen Dreiecken (auch die Vierzahl der Elemente wird mathematisch abgeleitet). Diese Urdreiecke und die Polyederflächen sollen durch äußere Einwirkung (etwa vom »spitzen« Feuer) getrennt werden und sich dann zu anderen Polyedern wieder zusammensetzen können.

Eine derartige »Umwandlung« ist allerdings auf die ersten drei Polyeder beschränkt, da sich die Urdreiecke von gleichseitigem Dreieck und Quadrat nicht ineinander überführen lassen, so daß etwa Metalle statt als »Erde« als sehr kompakte »schmelzbare Wasser« aufgefaßt werden müssen. Aristoteles (vor allem gen. corr. 2,1–5) umgeht diese Schwierigkeit, indem er die (zu vier ergänzten) Prinzipien jeweils in die natürlichen Dinge selbst verlegt und auch das materielle Prinzip (ὕλη/*hýlē, causa materialis*) seinerseits jeweils als »natürliches« Ding auffaßt, als – im Gegensatz zu Empedokles und Platon – homogene und beliebig teilbare Mischung aus den vier (irdischen) einfachen Körpern, deren Formprinzip auf einfachen Qualitäten der Gegensatzpaare trocken/feucht und kalt/warm beruht: Erde/trocken-kalt, Wasser/feucht-kalt, Luft/feucht-warm, Feuer/trocken-warm. Diese »wesensgemäßen« Eigenschaften können durch äußere Einwirkung einzeln oder gemeinsam ins Gegenteil umschlagen, so daß sich auch das Element in dasjenige der neuen Eigenschaften wandelt.

Das Materieprinzip, das als Voraussetzung der Umwandelbarkeit den Elementen gemeinsam ist, wird durch Abstraktion erschlossen als die (notwendig eigenschafts-, weil formlose) »erste Materie« (πρώτη ὕλη/*prótē hýlē, materia prima*). Diesen Zustand suchten später die Alchemisten zu erreichen, um der schwarzen (Ur-) Materie beliebige Eigenschaften einprägen zu können; insoweit bleibt Aristoteles' E. bis zum Beginn der Neuzeit gültig.

Mit den Elementen verband Aristoteles jedoch (vor allem cael. 1,3; 3,4–5 und 4) als weitere natürliche Eigenschaft eine innere Bewegungstendenz, sich an ihren »natürlichen Ort« zu versetzen, so daß sie sich (und entsprechend die Mischkörper nach der in ihnen überwiegenden Tendenz) dorthin bewegen und dort befinden, wenn sie nichts daran hindert: Erde und Wasser »unten« (Ziel: Mittelpunkt der Welt), Luft und Feuer »oben« (Ziel: Peripherie der irdischen Welt), woraus der schalenförmige Aufbau und die Geozentrizität der irdischen Welt resultieren. Diese senkrecht und geradlinig auf das jeweilige Ziel gerichtete Bewegungstendenz macht sich als »Schwere« bzw. »Leichtigkeit« (als negative, nicht als relative Schwere) bemerkbar, bedürfe im Falle der Bewegung nach »oben« jedoch eines konzentrisch-sphärischen Begrenzungskörpers, für den Aristoteles als fünftes Element den Äther erschließt: dessen naturgemäße Bewegung ist die (gleichförmige) Rotation um das Zentrum. Diese »kreisbewegten Körper« (von denen mehrere zur Beschreibung der Bewegung einzelner Himmelskörper ineinander geschachtelt werden) besitzen keine weitere Eigenschaft und sind völlig unveränderlich, da es zur Kreisbewegung keinen Gegensatz gibt. Die Folge ist eine dualistische Welt – die von späteren Neuplatonikern und Stoikern allerdings abgemildert wird, indem als Ziel der Bewegungstendenz nach oben und unten im Anschluß an Platon nicht der »natürliche Ort«, sondern die dort vorhandene Ansammlung gleichartiger Materie und die »vernünftige Anordnung« (τάξις/*táxis, ordo*) der »Gesamtnatur« gesetzt wird. Ein fünftes Element Äther erübrigt sich damit teilweise (Gestirne gelten wieder als »feurig«).

In der Auseinandersetzung mit Anaxagoras nahm Aristoteles (phys. 1,4) auch an, daß bestimmte homogene Mischungen organischer Substanzen im Gegensatz zu den Elementen selbst nur bis zu einer jeweils spezifischen unteren Grenze in immer wieder Gleichartiges geteilt werden können; aus diesen ἐλάχιστα (*eláchista*) im organischen Bereich werden im Laufe der spätant. (fester Terminus schon bei Alexandros [26] von Aphrodisias) und ma. Aristoteleskommentierung die *minima naturalia* (im Sinne stabiler Moleküle) mit jeweils spezifischer »Form« auch für anorganische und sogar elementare Stoffe.

→ ELEMENTENLEHRE

R. HOOIJKAAS, Het begrip element, 1934 · H. HAPP, Hyle. Studien zum aristotelischen Materie-Begriff, 1971 · F. KRAFFT, Gesch. der (spekulativen) Atomistik bis John Dalton. Vorlesungen, 1992.　　　　　　　　　　F. KR.

Elenchos s. Widerlegung

Eleon (Ἐλεών, Ἐλεών). Schon bei Hom. Il. 2,500 gen. boiot. Stadt (Plin. nat. 4,26), zw. Thebai und Tanagra beim h. Harma (früher: Dritsa) gelegen. Die Besiedlung des im MA erneut befestigten Platzes reicht vom FH bis in die röm. Zeit. In klass. Zeit noch eigenständig (Paus. 1,29,6), bildet E. später gemeinsam mit Harma, Mykalessos und Pharai einen von Tanagra abhängigen Dorfverband (Strab. 9,2,12; 14; 17; 9,5,18). Plut. qu.Gr. 41 erwähnt ein Heiligtum der τρεῖς Παρθένοι (treís Parthénoi, »drei Jungfrauen«) bei E.

FOSSEY, 89–95 · LAUFFER, Griechenland, 209 f. · N.D. PAPACHATZIS, Παυσανίου Ἑλλάδος Περιήγησις [Pausaníu Helládos Periḗgēsis] 5, ²1981, 125 f. · P. W. WALLACE, Strabo's Description of Boiotia, 1979, 56 f.   P.F.

Eleos (Ἔλεος). Das »Mitleid«. Als Personifikation bei Timokles fr. 33 PCG. Auf einem Marktplatz in Athen stand ein Altar des E. (Paus. 1,17,1; Diod. 13,22,7) [1], der ein bekanntes → Asylon war (Lukian. Demonax 57 und schol.; Schol. Aischin. 2,15). Dorthin flohen nach Apollod. 2,167 die Herakleiden, nach Philostr. epistula 39 wurde der Altar gar von diesen gegründet. Nach der aristot. Dichtungstheorie soll die Tragödie durch *éleos* und *phóbos* (»Jammer und Schaudern«) → Katharsis bewirken (Aristot. poet. 5, 1449 b 27 f.; vgl. auch rhet. 2,8, 1385b 13–15) [2].

1 E. VANDERPOOL, The »Agora« of Paus. 1,17,1–2, in: Hesperia 43, 1974, 308–310 2 M. FUHRMANN, Einführung in die ant. Dichtungstheorie, 1973, 90–98.   R.B.

Elephantine (ägypt. *Ȝbw*, »Elephanten-« bzw. »Elfenbeininsel«). Insel am Nordausgang des 1. Nilkatarakts; die Siedlung auf ihrer Südspitze [1] bestand seit spätprähistor. Zeit. In der 1. Dyn. wurde hier im ägypt.-nubischen Grenzgebiet eine Festung errichtet; sie wurde im AR zur befestigten Stadt ausgebaut; seitdem war E. Hauptstadt des ersten oberägypt. Gaues und südl. Grenzstadt, kontrollierte den Handelsverkehr nach Nubien sowie die Steinbrüche des Kataraktgebiets. Bedeutung erhielten die Kulte von E. durch ihre Verbindung zum Kommen der Nilflut, deren Quellen im Kataraktgebiet lokalisiert wurden (Hdt. 2,28). Stadtgöttin war Satet; ihr Tempel, in protodynast. Zeit und im AR eine bescheidene Anlage, wurde seit der 11. Dyn. aufwendig ausgebaut. Wohl erst unter → Ptolemaios VIII. wurde ein Neubau des Tempels begonnen, an dem mit Vorbauten, Flußterrasse und Nilometer bis in augusteische Zeit gearbeitet wurde [2]. Seit der 12. Dyn. bestand auf E. auch ein Tempel des Widdergottes Chnum (→ Chnubis), der den der Satet an Bed. bald überschattete. Ein Neubau des Tempels wurde unter → Nektanebos II. begonnen und bis in augusteische Zeit durch Vorhof, Pylon, Vorterrasse sowie einen eigenen Nilometer (erwähnt Strab. 17,1,48) erweitert [2]. Zum röm. Chnumtempel gehört auch ein Friedhof mit den Gräbern hl. Widder. Ein Stationstempel Amenophis' III.

und ein kleiner Tempel Ramses' II. wurden erst im 19. Jh. abgerissen. Mehrere Archive aram. Papyri belegen, daß E. in der 26. und 27. Dynastie Sitz eines Kontingents jüd. Söldner der Grenzgarnison von → Syene war, das hier einen eigenen Tempel des → Jahwe unterhielt [3].

1 W. KAISER et al., Stadt und Tempel von E., MDAI(K) 26, 1970, 87 ff. und folgende Bde. 2 H. JARITZ, Die Terrassen vor den Tempeln des Chnum und der Satet, 1980 3 B. PORTEN, Archives from E., 1968.   S.S.

Elephenor (Ἐλεφήνωρ). Sohn des Chalkodon, Enkel des Abas und König der → Abantes auf Euboia. Er war ein Freier Helenas (Apollod. 3,130) und Anführer der Abantes gegen Troia (Hom. Il. 2,540–541). Wegen der versehentlichen Tötung seines Großvaters Abas wurde er aus Euboia vertrieben; so konnte er die Abanten nur von einer Klippe aus in der Nähe von Euboia zum Kampfe aufrufen (Lykophr. 1034 mit Tzetz.). Ihm folgten nach Troia auch die Söhne des Theseus (Paus. 1,17,6). E. fiel durch die Hand → Agenors [5] (Hom. Il. 4,463–469).

E. VISSER, Homers Katalog der Schiffe, 1997, 415–418 · W. KULLMANN, Die Quellen der Ilias, Hermes ES 14, 1960, 122–123.   R.B.

Eleusinia (Ἐλευσίνια). In Eleusis durchgeführte Festspiele, von modernen Forschern oft mit den eleusinischen Mysterien verwechselt (die in att. Quellen nie Eleusinia genannt werden). Sie wurden offensichtlich als eine Art von »Erntedankfest« gefeiert (schol. Pind. O. 9,150), wahrscheinlich im Spätfrühling (gegen die neuere Auffassung, daß sie im Metageitnion, d. h. August/September abgehalten wurden); ein athenisches Dekret [1] mit der Reihenfolge Eleusinien, Panathenäen (Hekatombaion), Mysterien (Boedromion) läßt vermuten, daß sie vor dem Hekatombaion (Juni/Juli) stattfanden. Die Spiele wurden in größerem Ausmaß alle vier Jahre (das penterische Fest im dritten Olympiadenjahr), in kleinerem Rahmen immer zwei Jahre darauf (die trieterische Feier im ersten Olympiadenjahr) gefeiert [2]. Dabei gab es eine Prozession und Opfer (IG II² 930, 8; 1028, 16; Opfertiere, die in IG I³ 5 aufgelistet sind, gehören zu den Mysterien, nicht zu den Eleusinien, wie früher angenommen [3]); auch Sport-, Reit- und Musikwettspiele sowie ein sogenannter Ahnenwettkampf fanden statt. Der Preis bestand in einer bestimmten Menge Korn vom Rarischen Feld (IG II² 1672, 258–262). Die E. und Panathenäen waren die wichtigsten Wettkampffeste Athens.

Die Wettspiele »Eleuhýnia« (= Eleusýnia) in Lakonien (IG V 1, 213, usw.), die wahrscheinlich in Verbindung mit dem Eleusinion in Therai abgehalten wurden [4], scheinen auf eleusinischen Einfluß in protogeom. Zeit zurückzugehen. Dasselbe gilt für Kulte der Demeter E. in Arkadien und Ionien [5], von denen viele den Frauen vorbehalten waren.

1 B. Helly, Gonnoi II, Nr. 109, 35–38 2 J.D. Morgan, The Calendar and the Chronology of Athens, in: AJA 100, 1996, 395 3 K. Clinton, IG I² 5, the Eleusinia and the Eleusinians, in: AJPh 100, 1979, 1–12 4 R. Parker, Demeter, Dionysus and the Spartan Pantheon, in: R. Hägg, N. Marinatos, C. Nordquist (Hrsg.), Early Greek Cult Practice, 1988, 101–103 5 Graf, 274–277.

Deubner, 91–92 · Nilsson, Feste, 334–336.   K.C.

Eleusinische Mysterien s. Mysteria

Eleusis

[1] (Ἐλευσίς, h. Elefsina).
A. Lage   B. Geschichte   C. Bauten
D. Nachantike

A. Lage

Att. Paralia-Demos der Phyle Hippothontis von städtischem Charakter, 11 (?) Buleutai, ca. 21 km westl. von → Athenai [1] auf einem niedrigen, küstennahen Höhenzug im Westen der Thriasia gelegen, dessen NW-Gipfel mit hell. Festung und ma. Turm h. völlig abgetragen ist. Grabungen der Griech. Arch. Ges. seit 1882 legten v. a. das berühmte Mysterien-Heiligtum im SO von E. frei.

B. Geschichte

Das bereits in der Brz. städtisch geprägte E. (myk. Befestigung fraglich [11. 91]) verlor vermutlich seine Unabhängigkeit, als in SH IIIA Athen zum Herrschaftszentrum Attikas aufstieg (Paus. 1,38,3; [13. 39]). E. entwickelte sich in der Eisenzeit aus einer kleinen spätprotogeom. Siedlung [13. 64, 89, 128]. Der arch. Befund unter dem Telesterion kann weder das vermutliche prähistor. Alter der Mysterien [5] noch ihren Ursprung in E. bestätigen, beides ergibt sich jedoch aus den Kultbefunden, auch wenn die *pólis* Athenai bereits vor Einsetzung des *árchōn epónymos* (683/2 v. Chr.?) die Kontrolle der Mysterien durch den (*árchon*) *basileús* ausübte (Aristot. Ath. pol. 57,1; [4. 112]). Herodots Bemerkung (1,30,5) und die Erwähnung von *basileís* in E. im Demeter-Hymnos (Hom. h. 2,473, nach [2] keine offizielle eleusinische Hymne) beweisen nicht die Unabhängigkeit von E. im 7. Jh. v. Chr. [13. 66, 144]. Mysterienkult und Prozession nach E. über die Hl. Straße (Paus. 1,36,3–38,6; [11. 177–190]) waren (seit Solon?) detailliert geregelt [1]. Peisistratos' Verhältnis zum Mysterienkult von E. ist unklar, eine verstärkte Bautätigkeit ist frühestens E. 6. Jh. v. Chr. faßbar [13 241]. Nach Travlos [11. 93 f., Abb. 136–138, 144–148] wurde die peisistratidische Befestigung in den Perserkriegen ge-

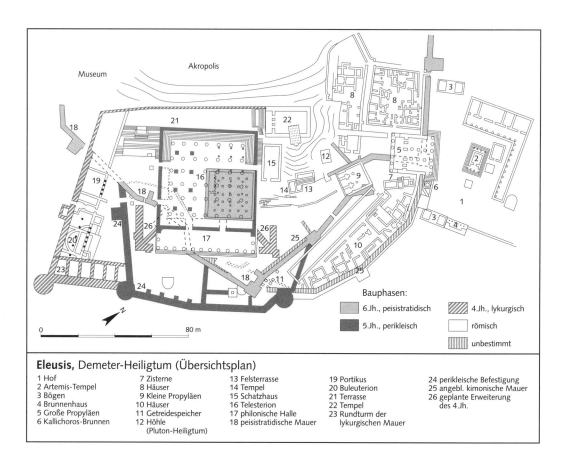

Eleusis, Demeter-Heiligtum (Übersichtsplan)

Bauphasen:

6.Jh., peisistratidisch   4.Jh., lykurgisch

5.Jh., perikleisch   römisch

unbestimmt

1 Hof	7 Zisterne	13 Felsterrasse	19 Portikus	24 perikleische Befestigung
2 Artemis-Tempel	8 Häuser	14 Tempel	20 Buleuterion	25 angebl. kimonische Mauer
3 Bögen	9 Kleine Propyläen	15 Schatzhaus	21 Terrasse	26 geplante Erweiterung
4 Brunnenhaus	10 Häuser	16 Telesterion	22 Tempel	des 4.Jh.
5 Große Propyläen	11 Getreidespeicher	17 philonische Halle	23 Rundturm der	
6 Kallichoros-Brunnen	12 Höhle	18 peisistratidische Mauer	lykurgischen Mauer	
	(Pluton-Heiligtum)			

schleift und unter Kimon erneuert [11. 94, Abb. 149–
153]. In klass. Zeit eine stark befestigte Garnisonsstadt,
wurde E. 403 von den 30 Tyrannen besetzt, 402/1 mit
Athen wiedervereinigt, 295 v. Chr. von → Demetrios
[2] Poliorketes eingenommen, 286/5 von → Demochares [3] befreit und 255 von → Antigonos [2] Gonatas an Athen restituiert. 170 n. Chr. wurde E. von den
Kostobokoi [8] und 395 durch die Goten Alarichs verwüstet. Ende des Kults evtl. 381 n. Chr. (Edikt des
Theodosius). Nachblüte in frühbyz. Zeit.

C. BAUTEN

Die Baugesch. von Stadt und Heiligtum ist bes. für
die Frühzeit in vielem unklar. Blütephasen sind die
myk., spätarch. und klass. Zeit sowie bes. die mittlere
Kaiserzeit und die frühbyz. Zeit. Die arch. nachweisbaren Anf. des Heiligtums auf einem Sporn des Stadt-
berges oberhalb des Kallichoros-Brunnens (Nr. 6;
Hom. h. 2,270 ff.) reichen mindestens bis in geom. Zeit
([11. 92, Abb. 113–118; 119–122]: »Heiliges Haus«). Das
über kleineren solonischen (?) und peisistratidischen
Vorgängerbauten von Iktinos (Strab. 9,1,12; Vitr. 7,16)
errichtete Telesterion (Nr. 16) wurde nach 170 n. Chr.
vollständig erneuert [7; 10], ebenso die Vorhalle des Philon (τὸ προστῷον, Vitr. 7,17, [11. 95]), deren Planung
(352/1 v. Chr.) und Errichtung (vollendet 317/08
v. Chr.) durch Bauurkunden detailliert belegt ist (IG II²
1666, 1671, 1673, 1675, 1680). Großmaßstäbliche
kaiserzeitliche Architekturkopien prägen den Vorplatz
des Heiligtums [14. 179]. Die »Großen Propyläen« (Nr.
5) wurden nach dem Vorbild der athen. Propyläen unter
Hadrian begonnen, 170 n. Chr. zerstört und von Marcus
Aurelius vollendet [3; 6; 7]. In den inneren hl. Bezirk
führten die »Kleinen Propyläen« (Nr. 9; 50–30 v. Chr.),
die einen älteren Bau des 4. Jh. v. Chr. ersetzten [11. 95].
Eine Kirche stammt aus frühbyz. Zeit: [11. 98, Abb.
213–214].

1 K. CLINTON, A law in the city Eleusinion concerning the
mysteries, in: Hesperia 49, 1980, 258–288 2 Ders., The
author of the Homeric Hymn to Demeter, in: OpAth 16,
1986, 43–49 3 Ders., Hadrian's contribution to the
renaissance of E., in: S. WALKER (Hrsg.), The Greek
renaissance [s. Anm. 12], 56–68 4 Ders., The sanctuary of
Demeter and Kore at E., in: N. MARINATOS, R. HÄGG
(Hrsg.), Greek sanctuaries, 1993, 110–124 5 P. DARQUE, Les
vestiges mycéniens découverts sous le Télestérion d'E., in:
BCH 105, 1981, 593–605 6 K. FITTSCHEN, Zur Deutung der
Giebel-Clipei der großen Propyläen von E., in: S. WALKER
(Hrsg.), The Greek renaissance [s. Anm. 12], 76
7 D. GIRAUD, The Greater Propylaia at E., a copy of
Mnesikles' propylaia, in: S. WALKER (Hrsg.), The Greek
renaissance [s. Anm. 12], 69–75 8 C. P. JONES, The Levy at
Thespiae under Marc Aurelius, in: GRBS 12, 1971, 45–48
9 G. E. MYLONAS, Προϊστορική Ἐλευσίς [Proistorikē
Eleusís], 1932 10 R. F. TOWNSEND, The Roman rebuilding
of Philon's porch and the Telesterion at E., in: Boreas 10,
1987, 97–106 11 TRAVLOS, Attika 12 S. WALKER (Hrsg.),
The Greek renaissance in the Roman empire. Papers from
the Tenth British Museum Classical Colloquium London
1986, 1989 13 K. W. WELWEI, Athen, 1992 14 D. WILLERS,
Der Vorplatz des Heiligtums von E., in: M. FLASHAR, H.-J.

GEHRKE, E. HEINRICH (Hrsg.), Retrospektive. Konzepte
von Vergangenheit in der griech.-röm. Ant., 1996, 179–225.

K. CLINTON, Myth and cult. The iconography of the
Eleusinian mysteries, 1992 · H. HÖRMANN, Die inneren
Propyläen von E., 1932 · G. E. MYLONAS, E. and the
Eleusinian Mysteries, 1961 · F. NOACK, E., 1927 · TRAILL,
Attica, 21, 52, 59, 67, 110 Nr. 38, Tab. 8 · TRAVLOS, Attika,
91–169 Abb. 103–214 · WHITEHEAD, Index s. v. E.

                                                                         H. LO.

D. NACHANTIKE

Das kleine Arvanitendorf Λεψῖνα, alban. Lepsinë
(modern wieder Ἐλευσῖνα) hat trotz seiner Bedeutungslosigkeit in der Nachantike seinen Namen bewahrt.
Deutet schon dieser Umstand auf Siedlungskontinuität,
so wird dies durch die nicht seltene Erwähnung bei byz.
und lat. Autoren der Kreuzzugszeit zur Gewißheit.
Vom ma. κάστρον (kástron) scheinen keine Reste geblieben zu sein [1. 154], eine Basilika auf dem Gebiet
der ant. Siedlung wurde z. T. ausgegraben.
→ Mysteria; ELEUSIS

1 J. KODER, s. v. E., TIB   J. N.

[2] Früher boiot. Siedlungsplatz am SW-Rand des Kopais-Sees; nach der von boiot. und att. Traditionen geprägten Überlieferung gemeinsam mit Athenai [2] von
Kekrops gegr. und schon früh durch den steigenden
Wasserspiegel des Kopais-Sees überflutet, dann aber
nach den von Alexander d. Gr. veranlaßten Trockenle-
gungsmaßnahmen des Krates wieder zum Vorschein gekommen (Paus. 9,24,2; Strab. 9,2,18). E. wird entweder
mit den bis in die Zeit des FH zurückreichenden Sied-
lungsplätzen Dekedes beim h. Agia Paraskevi (früher:
Agoriani) [1] und Lyoma bei Kalami südöstl. vom h.
Lafistion [3. 123 ff.] oder der ca. 4 km östl. vom h. Mav-
rogija gelegenen Flur Xinos identifiziert [2].

FOSSEY, 335 f. 2 J. KNAUSS, Die Melioration des
Kopaisbeckens durch die Minyer im 2. Jt. v. Chr., 1987,
16–31 3 S. LAUFFER, Kopais, 1986.   P. F.

Eleutherai (Ἐλευθεραί). Urspr. boiot., an der über den
Kithairon von Eleusis [1] nach Thebai führenden
Paßstraße beim h. Kaza gelegene Siedlung; seit der
Überführung des Kultes des Dionysos Eleuthereus von
E. an den Südhang der Akropolis von Athenai [1] in der
2. H. des 6. Jh. v. Chr. zu Attika gehörig, ohne jedoch
einen eigenständigen → dḗmos zu bilden; Belegstellen:
Eur. Suppl. 757 ff.; Xen. hell. 5,4,14; Strab. 9,2,31; Plin.
nat. 4,26; Paus. 1,38,8 f.; Arr. an. 1,7,9; Athen. 11,486D;
Steph. Byz. s. v. Ἐλευθεραί; IG ³I 892; 1162,96 f. Reste
der Siedlung und zwei frühchristl. Basiliken liegen südl.
unterhalb des h. Gyphtokastro gen. Hügels, auf dem
sich das noch sehr gut erh. att. Grenzfort von E. aus dem
4. Jh. v. Chr. (oft fälschl. mit dem att. Fort Panakton
gleichgesetzt) befindet.

J. KODER, E., TIB 1, 154 f. · M. H. MUNN, The Defense of
Attica, 1993, 8 f. · J. OBER, Fortress Attica, 1985, 160–163 ·
TRAVLOS, Attika, 170–176 · E. VANDERPOOL, Roads and
Forts in Northwestern Attica, in: California Studies in
Classical Antiquity 11, 1978, 227–245.   P. F.

Eleutheria s. Freiheit

Eleutherios s. Zeus

Eleutherna (Ἐλευθέρνα). Stadt in Mittelkreta am Nordabhang des Idagebirges, seit spätmin. Zeit besiedelt. Wenige Reste beim h. Dorf Prinès sind erh. (Zisternen, Stadtmauer, Brücke, byz. Turm). Um 260 v. Chr. schloß sich E. dem Rechtshilfevertrag von Miletos mit Knossos, Gortyn, Phaistos und deren Bundesgenossen an [2. 482]. Um 225 v. Chr. ging die Stadt ein Bündnis mit dem maked. König Antigonos [2] Gonatas ein [1. 20; 2. 501]. Infolge innerkret. Auseinandersetzungen, in die auch Rhodos, die Aitoler, Achaier und Makedonen involviert waren, wurde E. 220 v. Chr. von Polyrrhenia und deren Bundesgenossen belagert (Pol. 4,53–55). E. beteiligte sich 183 v. Chr. an dem Bündnis der 31 kret. Städte mit Eumenes II. (Syll.³ 627,4). 67 v. Chr. nahm Q. Caecilius Metellus die Stadt ein (Cass. Dio 36,18,2; Flor. epit. 1,42,4). E. war in der Spätant. Bischofssitz (Not. episc. 8,226; 9,135).

1 M. GUARDUCCI (ed.), Inscriptiones Creticae Bd. 2, 1939
2 StV 3.

H. v. EFFENTERRE, La Crète et le monde grec de Platon à Polybe, 1948 · LAUFFER, Griechenland, 213 · I. F. SANDERS, Roman Crete, 1982, 162 f.   H. SO.

Eleutherolakones (Ἐλευθερολάκωνες). Bund lakonischer Küstenorte, die als ehemalige Perioikensiedlungen nach der Niederlage des Nabis 195 v. Chr. durch die Römer dem Schutz des Achaiischen Bundes unterstellt wurden. Nach dem Scheitern der Erhebung der Achaier 146 v. Chr. durften sie sich zum *koinón tôn Lakedaimoníon* (κοινὸν τῶν Λακεδαιμονίων) vereinigen (Liv. 35,13,2; 38,31,2) [2. 51]. Augustus reorganisierte 21 v. Chr. den Bund [1. 60], der fortan *koinón tôn Eleutherolakṓnōn* hieß (Strab. 8,366; Paus. 3,21,6 f.; IG V 1 1161; 1167; 1243; 1360).

1 S. GRUNAUER-V. HOERSCHELMANN, Die Münzprägung der Lakedaimonier, 1978 2 TH. SCHWERTFEGER, Der Achaiische Bund von 146 bis 27 v. Chr., 1974.

P. CARTLEDGE, A. SPAWFORTH, Hellenistic and Roman Sparta, 1989, 101; 113 f.; 138 f.; 149 f.; 173 f.   K.-W. WEL.

Eleuthia s. Eileithyia

Elfenbein (ἐλέφας, lat. ebur) wurde aus den Stoßzähnen afrikan. und indischer Elefanten gewonnen und gehört wie Seide, Bernstein, Weihrauch und Pfeffer zu jenen kostbaren Gütern, die aus Gebieten außerhalb des Imperium Romanum importiert werden mußten; nach Plinius war E. das wertvollste Material, das Landtiere lieferten (Plin. nat. 37,204). Der Preis für E. war im 1. Jh. n. Chr. außerordentlich hoch; dennoch bestand ein Mangel an E., so daß man begann, auch die gewöhnlichen Knochen des Elefanten zu verarbeiten (Plin. nat.

8,7–8; 8,31). Die Elefantenjagd dezimierte die Herden in Afrika stark; große Stoßzähne, die nach Polybios in Äthiopien als Pfähle für Zäune und Pfosten in Häusern verwendet worden waren, gab es zur Zeit des Plinius nur noch in Indien. E. konnte als Handelsgut in den Häfen des Roten Meeres und Indiens aufgekauft werden (peripl. m. Erythraei 3 f.; 6; 10; 17; 49; 56). Zentrum des Elfenbeinhandels in Afrika war die Hafenstadt Adulis am Roten Meer; das E. wurde aus dem Landesinneren an die Küste gebracht. Nach Strabon stammte das E., das in den Häfen Indiens angeboten wurde, vornehmlich aus Ceylon (Strab. 2,1,14).

L. CASSON (Hrsg.), The Periplus Maris Erythraei, 1989.
H. SCHN.

Elfenbeinschnitzerei I. VORDERER ORIENT UND PHÖNIKIEN II. ETRURIEN III. GRIECHENLAND UND ROM

I. VORDERER ORIENT UND PHÖNIKIEN

Elfenbein, d. h. Zähne von Wildschwein, Flußpferd und vor allem (afrikan. sowie asiat.) → Elefant, war seit dem Neolithikum in der »Kleinkunst« als Werkstoff hochbeliebt. In der Br.- und frühen Eisenzeit entwickelten sich die bed. Werkstätten der syr.-phönik. Küstenstädte und daneben Ägyptens erkennbar eigene Stile. E.n fanden durch intensiven Handel weiteste Verbreitung und gehören fast regelmäßig zu den Tributen für die assyr. Könige. Das Repertoire umfaßte Luxusgüter aller Art: Schmuck, Siegel, Verkleidungen von Möbeln aus Holz/Paneele, Gefäße, Reliefs und vollplastische figürliche Darstellungen. Die Methoden der E. waren weitgehend identisch mit denen der Holzschnitzerei: plastische Ausarbeitung, flache Gravierung und lineare Ritzung, durchbrochene Arbeiten (*ajourê*). Verbindungen mit anderen Materialien und zu größerformatigen Objekten geschahen mittels Klammern, Zungen, Stiften bzw. Bindemitteln wie z. B. Asphalt. Die Oberfläche konnte farbig inkrustiert, mit Gold plattiert, bemalt und gebeizt werden. Bed. Beispiele der E. stammen aus Ägypten (Grab des Tut-anch-amun), aus den Königspalästen von Kalaḫ (Nimrud) und Niniveh, → Arslantaş, Megiddo, Samaria, Ḥasanlū u. a., aber auch aus dem Königsgrab 79 der Nekropole von Salamis (Zypern, E. 8. Jh. v. Chr.): Hier sind u. a. Thronsessel und große Teile eines Prunkbettes mit reichen E.n erh. geblieben, wie sie Homer (Od. 19,55 ff. u. ö.) vor Augen gehabt haben muß.

R. D. BARNETT, Ancient Ivories in the Middle East and Adjacent Countries, in: Qedem 14, 1982, 1–99 · S. M. CECCHINI, Ivoirerie, in: V. KRINGS (Hrsg.), La civilisation phénicienne et punique, Hdb. der Orientalistik I 20, 1995, 516–526 (mit Bibliogr.) · E. GUBEL, E. A. AUBET, M. F. BASLET, s. v. Ivories, DCPP, 233–237 · V. KARAGEORGHIS, Die Elfenbein-Throne von Salamis auf Zypern, in: S. LASER, Hausrat, ArchHom II P, 99–103 · Ders., Excavations in the Necropolis of Salamis III,I–III, 1973/4 (= Salamis, Bd. 5) · P. R. S. MOOREY, Ancient Mesopotamian Materials and

Industries, 1994, 115–127 • I.J. WINTER, North Syria in the Early First Millenium B.C. With Special Reference to Ivory Carving, 1975 (Diss. 1973). R.W. u. H.-G.N.

II. ETRURIEN

Angeregt durch Importstücke aus dem Vorderen Orient, bes. Nord-Syrien, entwickelte sich im 7. und 6. Jh. v. Chr. in Etrurien eine bed. E., die sowohl Statuetten (»Göttin« aus Marsiliana d'Albegna) als auch Reliefarbeiten (Pyxis aus Chiusi mit griech.-mythologischen Motiven) und Geräte umfaßte.

M. E. AUBET, Los marfiles orientalizantes de Praeneste, 1971 • Y. HULS, Ivoires d'Étrurie, 1957. F. PR.

III. GRIECHENLAND UND ROM

Bearbeitetes Elfenbein gelangt zuerst als wanderndes Geschenk und Votiv aus oriental. Hochkulturen in den griech. und ital. Kulturraum. Wegen des teuren Materials bleibt E. meist auf kleinformatige Kunstwerke beschränkt, wird mit Gold und anderen wertvollen Materialien verbunden und ist vorrangig im sakralen und herrscherlichen Bereich anzutreffen. Die Materialeigenschaften sind einem Stil feinster Linearität und Reliefdifferenzierung günstig und ließen E. zu einem bevorzugten Medium der preziösen spätant. Kleinkunst werden.

Aus myk. Fürstengräbern stammen mit E. verzierte Geräte und eine Statuettengruppe, aus Knossos ein Stierspringer. Zur Zeit der »Nimrud-Elfenbeine« (9.–8.Jh. v. Chr.) entstehen in Griechenland die ersten geom. E., so die Polos-Göttinnen vom Dipylon (um 730 v. Chr.), die zusammen mit östl. Importstücken in einem Grab gefunden wurden. Weitere Verbreitung findet E. ab der orientalisierenden Epoche (7. bis Mitte 6. Jh.), zunächst unter Einfluß der von Phönikern im ganzen Mittelmeerraum, besonders Etrurien und Latium, verbreiteten Statuetten und Reliefarbeiten (→ etruskische Archäologie, → phönizische Archäologie). In Ephesos, Milet und Samos werden Statuetten unter anatolischem Einfluß mit Einlegetechnik und bereits deutlich ion. Prägung hergestellt. Durch Verbindung mit Samos wird Sparta vom späten 7. bis Mitte 6. Jh. führend in der Herstellung von Reliefs (Heiligtum der Artemis Orthyia). Über die Verwendung solcher Reliefs informiert die Beschreibung der → Kypseloslade von 600 v. Chr. Rundplastische E. sind Möbeln, Musikinstrumenten oder Geräten zuzuweisen, die als Votive oder Grabbeigaben deponiert wurden. Im 6. Jh. setzt in Griechenland die chryselephantine Technik ein, die hin zu großformatigen Götterbildern mit E. führt (Dioskuren-Pferde von Dipoinos und Skyllis, Athena Alea des Endoios; → Goldelfenbeintechnik). Die zahlreichen chryselephantinen Werke der Klassik sind nur schriftlich überliefert, am berühmtesten waren Athena und Zeus des → Pheidias.

In hell. Zeit gesellen sich Herrscher- zu den Götterbildern (Familie des Philippos von Leochares). In Rom setzt sich diese Verwendung der E. fort, so an den Türen

des palatinischen Apollotempels, an Thronen und Staatsrequisiten. Mit der Übertragung des Prestiges der E. in den kaiserzeitlichen bürgerlichen Bereich treten in allen Medien der Kleinkunst, für Klinen, Geräte und Puppen Schnitzereien in Zahn und Knochen als Ersatz ein.

→ Bildhauertechnik

C. ALBIZZATI, EAA 1, 1106–1141, s. v. avorio • A. CULTER, Five Lessons in Late Roman Ivory, in: Journal of Roman Archaeology 6, 1993, 167–192 • J. FITTON (Hrsg.), Ivory in Greece and the Eastern Mediterranean from the Bronze Age to the Hellenistic Period, 1990 • FUCHS/FLOREN, 7–8 • J. KOLLWITZ, RAC 4, 937–945, s. v. Elfenbein • O. KRZYSZKOWSKA, Ivory and the Related Materials, 1990 • I. TOURNAVITOU, The Ivory Houses at Mycenae, The British School at Athens, Suppl. 24, 1995, 123–207. R.N.

Elfmänner s. Hoi Hendeka

Elias

[1] (Elia, Prophet). Die biblische Gestalt des E., der nach dem Zeugnis des deuteronomistischen Geschichtswerkes als Nordreichsprophet zur Zeit des Königs Ahab (871–852 v. Chr.) aufgetreten sein soll (vgl. die E.-Traditionen 1 Kg 17–19; 21; 2 Kg 1–2), erfuhr wohl aufgrund ihrer wunderbaren Entrückung in die himmlische Welt (2 Kg 2) im nachbiblischen Judentum eine reiche Wirkungsgeschichte. So entstand bereits im Frühjudentum die Vorstellung von der endzeitlichen Wiederkehr E.' (vgl. Mal 3,23; vgl. dann auch Mt 11,14; 17,10–13). Ps.-Philon 48,1–2 identifiziert E. mit dem Eiferer Pinhas, dem gerade in der zelotischen Bewegung als Identifikationsfigur eine ganz bes. Rolle zukam. In der rabbinischen Lit., die sich ausführlich mit der in der biblischen Überlieferung nicht eindeutig gen. Herkunft E.' auseinandersetzt (vgl. Ber 99,11; 71,10), partizipiert der entrückte E. an den göttlichen Geheimnissen (bBM 59b; bHag 15b) und verzeichnet gleichzeitig die Taten der Menschen (WaR 34,8). Diese Allwissenheit läßt ihn – entweder als Traumgestalt oder in in ganz unterschiedlichen Verkleidungen – zum Helfer der Menschen in Not und Verfolgung werden; gleichzeitig fungiert er als Ratgeber und Lehrer großer Gelehrter (u. a. bShab 109b; bAZ 18b; bBM 85b; bTaan 22a). Es findet sich aber auch der Versuch, die Besonderheiten der E.-Gestalt zu marginalisieren, wenn seine Himmelfahrt geleugnet wird (bSuk 5a). In der Hymnendichtung der Alten Kirche wird die E.-Legende mehrfach bearbeitet: bei Ephraem, in einem anon. Fr. (wohl 1.H. 6.Jh. n. Chr. [1]), im Eliaskontakion des Romanos (canticum 45 MAAS/TRYPANIS, in Anlehnung an eine Predigt des Basileios von Seleukeia [2]). Im MA spielt die Figur des E. dann in den esoterischen und kabbalistischen Überlieferungen als Offenbarungsmittler eine prominente Rolle. Auf Eingang der E.-Gestalt in den neugriech. Volksglauben weisen zahlreiche E.-Kapellen – meist auf Bergen oder Anhöhen, oft anstelle früherer Zeus- oder Apollonheiligtümer – hin. Ob hier aber ein direktes Anknüpfen an vorchristl. griech. Traditionen vorliegt, ist fraglich [3].

1 P. MAAS, Frühbyz. Kirchenpoesie. Anonyme Hymnen des V.-VI. Jh., 1910, 20–23, Nr. 3 (Kleine Texte für theol. und philol. Vorlesungen und Übungen 52/3) 2 Ders., KS, 1973, 386–388 3 E. Rein, Zu der Verehrung des Propheten E.

bei den Neugriechen, in: Öfversigt af Finska Vetenskaps-Societetens Förhandlingar 47, 1904/5, 1–33.

M. W. LEVINSOHN, Der Prophet Elia nach den Talmudim und Midraschim, 1929 • N. OSSWALD, s. v. Elia II. Judentum, TRE 9, 502–504 (Lit) • G. F. WILLEMS (Hrsg.), Elie le Prophète. Bible, Tradition, Iconographie. Colloque des 10 et 11 novembre 1985 Bruxelles, Publications de l'Institutum Judaicum, 1988, 96–102 (Lit).   B. E.

[2] Der Name des durch byz. Scholien und Autoren bekannten, im 6. Jh. n. Chr. lebenden neuplatonischen Philosophen deutet auf christl. Herkunft. Das einzige unter seinem Namen überlieferte Werk ist der Anfang eines Komm. zu den *Analytica Priora* des Aristoteles [1]. Ob der in der Überschrift dieses Komm. erwähnte mehrdeutige Amtstitel ἀπὸ ἐπάρχων eine Identifizierung mit E., dem *praefectus Illyrici* des Jahres 541 n. Chr. (Iustin. Nov. 153) zuläßt, ist fraglich. Von den vom Hrsg. BUSSE dem Elias zugeschriebenen Komm., dem anon. Komm. zu der Isagoge des Porphyrios (CAG 18,1) und dem in den Mss. unter Davids Namen laufenden Komm. zu den Kategorien (ebd.), gehört letzterer mit Sicherheit dem David von Armenien [2], wie es die armen., ebenfalls unter Davids Namen laufende Übers. bestätigt. E. war wahrscheinlich, wie David (Elias, In Aristot. an. pr., armen. Übers.), in Alexandreia Schüler des Olympiodoros und des Eutokios.
→ Alexandrinische Schule; David

1 E. on the Prior Analytics, hrsg. v. L. G. WESTERINK (1961), in: L. G. WESTERINK, Texts and Studies in Neoplatonism and Byzantine Literature, 1980 2 Simplicius, Commentaire sur les Catégories, traduction commentée sous la direction d'I. Hadot, fasc. I, 1990, S. VII, Anm. 2, und Appendice 2 (= J. P. MAHÉ).   I. H.

[3] von Nisibis (Eliyā bar Šināyā), 975–1046. Metropolit von Nisibis (Ostkirche), syr. und arab. schreibender Autor. Zu seinen Hauptwerken zählen u. a. eine bed. Chronographie in Syr. und Arab., hauptsächlich in tabellarischer Form, ein Bericht von sieben Gesprächen (Kitāb al-Maǧālis, »Buch der Sitzungen«, arab.) mit dem Wesir Abū'l-Qāsim al-Maġribī im Juli 1026, die von einer bemerkenswerten Offenheit gegenüber dem Islam geprägt sind, einer Sentenzensammlung (Kitāb Dafʿ al-Hamm, »Vertreibung der Sorge«) in Arab. und ein lexikographisches Werk (at-Tarǧumān, »Übersetzer«) in Arab. und Syrisch. Andere Werke behandeln Theologie und Kirchenrecht.

ED.: E. W. BROOKS, J. B. CHABOT, CSCO Scr. Syri 21–24, 1909/10, (Chronogr., mit lat. Übers.) • L. DELAPORTE, Chronographie de Mar Elie bar Shinaya, 1901 (Chronogr.,

frz. Übers.).

LIT.: D. SERRUYS, Les canons d'Eusèbe, d'Annianos et d'Andronicos d'après Élie de Nisibe, in: ByzZ 22, 1913, 1–36.

ARAB. WERKE: G. GRAF, Gesch. der christl. arab. Lit. II, 1947, 178–189 • S. K. SAMIR, Foi et culture en Irak au Xième siècle: Élie de Nisibe et l'Islam, 1996 (Lit.) • Dictionnaire de spiritualité 4, s. v. E., 1960, 572–574 • E. DELLY, s. v. E., Dictionnaire d'histoire et de géographie ecclésiastique 15, 1963, 192–194.   S. BR./Ü: S. Z.

Elicius s. Iuppiter

Eliezer ben Hyrkanos. Der Rabbi E. (ca. E. 1. bis Anf. 2. Jh.) gehört zu den in der Mischna und im Talmud meistgen. Tannaiten. Über sein Leben liegen zahlreiche legendenhafte Traditionen vor: Nachdem er erst im Alter von über zwanzig Jahren zur Tora gefunden hatte, verließ er sein reiches Elternhaus, um sich dem Studium der Tora im Schülerkreis Rabbi Jochanan ben Zakkais zu widmen. Dort fiel er durch seine große exegetische Begabung auf, die sogar seinen Vater von seinem Entschluß abbrachte, ihn zu enterben (Abot de Rabbi Natan A 6, 30f. Par.; Pirqe de Rabbi Eliezer 1, 2). Später wirkte er als Schulhaupt in Lod/Lydda, einem Ort in der palästinischen Küstenebene. Verschiedene Äußerungen lassen auf seine große Geringschätzung der Nicht-Juden schließen (z. B. bBB 10b; bGit 45b). Zusammen mit Rabbi Gamaliel und Rabbi Jehošua soll er nach Rom gereist sein (ySan 7, 19 (11) [25d]). In der jüd. Überlieferung gilt er zudem als Verf. des midraschartigen Werkes *Pirqe de Rabbi E.*, das aber tatsächlich erst in islam. Zeit entstanden sein dürfte.

Y. D. GILAT, A Scholar Outcast, 1984 • Y. D. GILAT, s. v. E. ben Hyrcanus, Encyclopedia Judaica, 6, 1971, 619–623 (Lit).   B. E.

Elimeia (Ἐλίμεια). Urspr. zu Epeiros gehörige Landschaft (Strab. 9,5,11) im Osten des Pindos-Gebirges am Oberlauf des Haliakmon südl. der Orestis und Eordaia; seit dem 5. Jh. v. Chr. führt der Volksstamm der Elimiotai in Ober-Makedonia nach der E. seinen Namen (Thuk. 2,99). Die Lage der gleichnamigen Stadt ist unsicher (Kozani, Palaiogratsiano?). Städte der hell. und röm. Zeit sind → Aiane und Kaisareia (Bischofssitz: Hierokles Synekdemos 642,11). E. behält trotz Abhängigkeit vom Makedonenkönig (Perdikkas) das eigene, mit den → Argeadai verwandte Königshaus bis in die Zeit Alexanders d. Gr. Elimiotai kämpften unter Alexander d. Gr. bei Arbela und später unter Perseus gegen die Römer. Nach 167 v. Chr. wurde E. von den Römern der *Macedonia IV* zugeteilt (Liv. 45,30,7), die als frei galt (Strab. 7,7,8). Inschr. [1. 35 f.] bezeugen ein *koinón* der Elimiotai im 2. Jh. n. Chr. Nach der Prov.-Reform der Tetrarchie im 4. Jh. n. Chr. gehörte E. zur *prov. Thessalia*.

1 TH. RIZAKIS, G. TOURATZOGLOU, Epigraphes ano Makedonias, 1985.

N.G.L. HAMMOND, A history of Macedonia 1, 1972; 2, 1979; 3, 1988 · F. PAPAZOGLOU, Les villes de Macédoine a l'époque Romaine, 1988, 249–255.   D.S. u. MA.ER.

Elis (Ἦλις).

[1] Landschaft der Peloponnes
I. DEFINITION   II. LANDSCHAFT   III. GESCHICHTE

I. DEFINITION

Dor. *Ális*, ele. *Wális*, wahrscheinlich »Tal«, vgl. myk. *e-nwa-ri-jo* (= *en-walios*), Ethnikon Ἠλεῖοι (Ϝαλεῖοι »Talleute«), die nordwestl. Küstenlandschaft der Peloponnesos. E. kennzeichnete das untere Flußtal des Peneios (später auch Κοίλη Ἦλις, »Hohle E.«), das den größeren (1160 km²) und fruchtbareren Teil des Landes ausmacht. Auch wegen des günstigen Klimas (feucht, gleichmäßig) war E. schon im Alt. bevorzugt Agrarland [1. 103–104] mit vorherrschendem Großgrundbesitz ([2]; bes. Viehhaltung und -zucht). Grenze im Norden nach Achaia war der Larisos, zeitweise befand sie sich auch nördl. beim Kap Araxos (Paus. 6,26,10 [3]), im Osten Achaia (das Skolliongebirge, h. Santomeri) und Arkadia (der Fluß Erymanthos), im Süden die Linie vom Kap Phe(i)a (Katakolo) nordostwärts. Nach Inbesitznahme durch E. wurden die urspr. selbständigen Landschaften Pisatis am Alpheios und Triphylia südl. des Alpheios zu E. gerechnet, so daß die Neda die Südgrenze gegen Messenia bildete (gesichert erst im Laufe der röm. Eroberung).

II. LANDSCHAFT

E. ist zur Hauptsache Schwemmlandebene mit dahinter liegendem breitem Hügelland, das ebenfalls neogen aus Sanden und Mergeln besteht, mit einer Höhenlage um 200–400 m über dem Meer. Die Küste ist eine von nur einzelnen, isolierten Felsenkaps unterbrochene, von starker Meeresbrandung in langen Bogen geformte Flachküste ohne eine einzige gute Hafenbucht. Begleitet ist die Küste von einer Kette seichter Lagunen, durch Dünenstreifen vom Meer getrennt (z. T. nachantik). Hauptfluß ist der Peneios [4. 293–303], der im Hügelland des Mittellaufs von Süden den ele. Ladon aufnimmt. An ant. Orten in E. werden außer der gleichnamigen Hauptstadt genannt Pylos [5] im NW von Agrapidochoria an der Mündung des Ladon in den Peneios, Thalamai (Pol. 4,75,2), Myrtuntion 4 km westl. von Kapeleton am östl. Ufer der Kotiki Lagune (Strab. 8,3,10), evtl. nicht zu identifizieren mit dem homer. Myrsinos [3. 19f.], Oinoe im Süden von E. am linken Ufer des Ladon (Strab. 8,3,5), ferner an der Küste Kyllene (Glarentsa beim h. Kyllini) [6], der Haupthafen für E. (Strab. 8,3,4), und die befestigte Hafenstadt Phe(i)a (Thuk. 7,31,1; Xen. hell. 3,2,30). Nach Osten schließt sich die zumeist von E. abhängige Akroreia (»Bergland«) an: im Hügelland zw. Peneios und Alpheios, z. T. auf der 600–800 m hohen, östl. angelagerten Konglomeratplatte der Pholoe. Noch weiter östl. gegen die arkad. Grenze am Oberlauf des Ladon liegt auf der Pholoe-Hochfläche beim h. Kumani das ebenfalls von E. ab-

hängige Lasion, zu dessen Gebiet auch das obere Peneios-Tal zw. Astras und Skiadovuni gehörte. Die durch das Tal des Ladon verlaufende Straße verband E. mit Arkadia und traf nahe bei Lasion auf die Straße von Olympia nach Psophis.

III. GESCHICHTE
A. FRÜHGESCHICHTE BIS ZUR ARCHAISCHEN ZEIT
B. KLASSISCHE UND HELLENISTISCHE ZEIT
C. ALTCHRISTLICHE UND BYZANTINISCHE ZEIT

A. FRÜHGESCHICHTE BIS ZUR ARCHAISCHEN ZEIT

Die Bildung eines Königreichs in myk. Z. ist fraglich (kaum Überreste myk. Siedlungen vorhanden). Die Eleioi, ihrem Dial. nach [7] NW-Griechen (→ Dorisch-Nordwestgriechisch), kamen E. des 2. Jt. über Aitolia auf die Peloponnesos, z. Z. der → dorischen Wanderungen – nach einer Legende, die Pausanias (5,1–9) zu einer späten, aber vollständigen Rekonstruktion verwendet hat. Weitere Quellen: Hom. Il. 2,615–624; 11,670–761; Hom. h. in Apollinem, 418–429; Strab. 8,3,1–33, mit ausführlicher Verwendung der homer. Geogr. In Überlieferungen über die *Epeioí* (Ἐπειοί), einer aitolischen Volksgruppe, deren Königreich Buprasion, E., die *pétrē Ōleníē* (πέτρη Ὠλενίη) und Alesion umfaßte (Hom. Il. 2,615–618), wird auf das Wiederaufleben der nordwestl. Peloponnesos nach der Zerstörung der letzten myk. Paläste hingewiesen [3; 8. 158]. Die Eleioi gründeten Kolonien in Epeiros ca. 700/660 v. Chr. (Harpokr. s. v. Ἐλάτεια). Schon früh suchte der herrschende Adel seine Macht auf die Nachbargebiete auszudehnen, die erobert und zu abhängigen Perioiken-Gebieten erniedrigt wurden, so die Akroreia im Osten, v. a. aber die kleinen Gaue der Pisatis im Süden bis zum Alpheios. Diese Eroberung war bes. wichtig, da die Eleioi so Olympia und die Leitung der Spiele gewannen. Olympia mit dem Zeus-Heiligtum – ein regionaler Identitätsfaktor – und die Orte an der nach E. führenden »Bergstraße« im Tal der Lestenitsa wurden unmittelbar ele. Gebiet. Nach allg. Auffassung lag die Organisation der Spiele erst bei den Pisatai; ca. 576 ging sie auf die von den Spartanern unterstützten Eleioi über.

B. KLASSISCHE UND HELLENISTISCHE ZEIT

An den Hauptereignissen des Perserkrieges war E. trotz Zugehörigkeit zum Peloponnesischen Bund nicht beteiligt (Hdt. 8,72; 9,77,3), wurde aber trotzdem auf den Weihgeschenken in Olympia und Delphoi erwähnt (Paus. 5,23,2; Syll.³ 31,27). 472/1 v. Chr. kam es zu einem demokratischen Verfassungsumsturz nach att. Muster; gleichzeitig wurde die Hauptstadt E. gegründet [9. 174–199]. Mitte des 5. Jh. v. Chr. wurde Triphylia erobert (Hdt. 4,148; Strab. 8,3,30) außer Lepreon, das aber wenig später in Abhängigkeit von E. geriet (Thuk. 5,31,2). Im Peloponnesischen Krieg stand E. zunächst auf spartan. Seite, wegen eines Konflikts um Lepreon kam es dann aber zum Bruch mit Sparta und nach dem Nikiasfrieden zum Anschluß an den 1. → Attisch-Delischen Seebund. 402/400 wurde E. in einem Krieg mit Sparta zur Freigabe aller Perioiken-Gebiete und zum Wiedereintritt in den Peloponnesischen Bund gezwungen (Thuk. 5,49 f.; Xen. hell. 3,2,21–31; Diod. 14,17,4–12; 34,1; Paus. 3,8,3–5; [9. 232–256]). Nach der Schlacht bei Leuktra 371 v. Chr. wieder unabhängig, gewann E. die Perioiken-Gebiete nördl. des Alpheios und Skillus zurück (Xen. hell. 7,4,12–14; Paus. 5,6,6). E. schloß sich zunächst enger an den Arkadischen Bund an, führte dann aber 365–363 v. Chr. Krieg mit diesem (Schlacht auf der Altis); vorübergehend wurde Olympia als selbständiger Staat Pisa abgetrennt. In den nächsten Jahrzehnten wechselten die Bündnisse, mehrfach erfolgten Verfassungsänderungen. Nach dem Anschluß an den Aitolischen Bund konnte E. 245 v. Chr. Triphylia und Lasion zurückerobern, 219/8 v. Chr. unternahm Philippos' V. in E. und Triphylia einen siegreichen Feldzug [10. 28–30, 58–76], wodurch E. im Frieden 217 Triphylia und Lasion wieder verlor. 191 v. Chr. mußte E. in den Achaiischen Bund eintreten, womit die Gesch. der Unabhängigkeit von E. endet; Triphylia war seit 146 v. Chr. aber wieder mit E. vereinigt.

→ Synoikismos

1 Gehrke 2 S. Zoumbaki, Röm. Grundbesitzer in Eleia, in: Tyche 9, 1994, 213–218 3 B. Sergent, Sur les frontières de l'Elide aux hautes époques, in: REA 80, 1978, 16–35 4 A. D. Rizakis (Hrsg.), Achaia und E. in der Ant. (Meletemata 13), 1991 5 J. Coleman, Excavations at Pylos in E., Hesperia Suppl. 21, 1986 6 J. Servais, Recherches sur le port de Cyllène, in: BCH 85, 1961, 123–161 7 A. Thévenot-Warelle, Le dialecte grec d'Elide, 1988 8 G. Maddoli, L'Elide in età arcaica: il processo di formazione dell'unità regionale, in: F. Prontera (Hrsg.), Geografia storica, 1991, 150–173 9 U. Bultrighini, Pausania e le tradizioni democratiche (Argo ed Elide), 1990 10 Pritchett 6, 1989, 1–78. Y.L.

C. Altchristliche und byzantinische Zeit

Im 4.–6. Jh. n. Chr. war die Region administrativ Teil der Prov. Achaia, während sie kirchenrechtlich der Jurisdiktion des Papstes in Rom unterstand. Zu den Städten der Peloponnes, die Hierokles in seinem Verzeichnis *Synekdemos* (6. Jh.) zitiert, gehören E. und Phigaleia; sie sind gleichzeitig Suffraganbischofssitze von → Korinth. Diese Nachrichten werden durch neue arch. Forschungen bestätigt. In der Region finden sich auch andere altchristl. Ansiedlungen mit landwirtschaftlicher Struktur wie → Olympia, → Pylos, Samikon, Skillus, Lepreon, Anailion usw. Trotz der wiederholten Erdbeben und Invasionen des 4., 5. und 6. Jh. konnte die Mehrzahl der erwähnten Orte bis Ende 6. / Anfang 7. Jh. überleben.

In der byz. Epoche (9. – Anfang 13. Jh.), nach der Einrichtung des → Themas der Peloponnes und der kirchlichen Neuordnung, erlebte die Region eine Blütezeit. Neue Städte bzw. Bistümer wie Olenos und Moreas entstanden. Wir kennen eine Reihe byz. Orte in E.: Zourtsas (Koimesis-Kirche, E. 10 Jh.), Olenos (Bischofssitz, Metamorphosis-Kirche, 1. H. 10. Jh.), Manolada (Koimesis-Kirche, E. 12. Jh.), Gastouni (Marien-Kirche, E. 12. bzw. erste Jahre 13. Jh.), Glarenza,

Anailiion, Hagios Dimitrios (Kirche des Hl. Dimitrios, Mitte 11. Jh.) u. a.

A. D. Rizakis (Hrsg.), Achaia und E. in der Antike. Akten des 1. internat. Symposiums (Athen 1989), Meletemata 13, 1991 • N. Gialoures, Ἀρχαία Ἤλιδα. Τό λίκνο τῶν Ὀλυμπιακῶν ἀγώνων, 1997 • J. E. Coleman, K. Abramovitz, Excavations at Pylos in E., in: Hesperia Suppl., 21, 1986 • A. Lamprodoulou, Παύλιτσα Ἠλείας Ἰστορικές καί ἀρχαιολογικές μαρτυρίες, in: Sýmmeikta 8, 1989, 335–359 • Dies., Θέματα τῆς ἱστορικῆς Γεωγραφίας τοῦ νομοῦ Ἠλείας κατά τήν παλαιοχριστιανική περίοδο, Meletemata 13, 1991, 283–291 • A. Moutzale, Ἡ Ὀλυμπία κατά τήν πρωτοβυζαντινή περίοδο. Προβλήματα καί προσεγγίσεις. Πρακτικά τοῦ Ἠλειακοῦ πνευματικοῦ Συμποσίου, 1994, 260–278 • X. Boura, »Zourtsa«, in: Cahiers Archéologiques 21, 1971, 137–150 • W. K. Pritchett, Studies in Ancient Greek Topography, Classical Studies 33, 1989, 46–78. A. Lam./Ü: T. H.

[2] Hauptstadt von E. [1], 472/1 v. Chr. gegr. (Diod. 11,54,1; Strab. 8,3,2; Paus. 5,9,5), am Austritt des Peneios aus dem Hügelland zw. den h. Dörfern Palaiopolis, Kalyvia und Buchiotis. Im NW der Akropolis (h. Hagios Ioannis) befanden sich auf einer Flußbank das Verwaltungsviertel, Agora und Theater. E. war nie dauerhaft von Mauern umgeben (Xen. hell. 3,2,27; Strab. 8,3,33). Arch.: Ant. Reste von der Brz. bis in byz. Zeit. Lit. Beleg: Paus. 6,23–26,3.

→ Synoikismos

M. Moggi, I sinecismi interstatali greci I, 1976, 157–166 • N. Yalouris, s. v. E., PE, 299–300 • Ders., in: Ergon 37, 1990 (1991), 36–45. Y.L.

Elisaios Wardapet s. Elischē (Ełiše)

Elisch-eretrische Schule. Ein Konstrukt ant. und neuzeitlicher Philosophiehistoriker, dem folgender Sachverhalt zugrunde liegt: Hell. Philosophiehistoriker faßten → Phaidon aus Elis und seine Schüler und Enkelschüler zur Elischen Schule (Ἠλιακὴ αἵρεσις) und Phaidons Enkel- oder Urenkelschüler → Menedemos aus Eretria und seine Anhänger zur Eretrischen Schule (Ἐρετρική oder Ἐρετριακὴ αἵρεσις) zusammen (Diog. Laert. 1,18–19 u.ö.). Neuzeitliche Philosophiehistoriker setzten die beiden Traditionen dann zur Elisch-eretrischen Schule zusammen. Da unbekannt ist, ob Phaidons Schüler und Nachfolger außer durch die Tatsache ihrer direkten oder indirekten Herkunft von ihm auch durch irgendwelche gemeinsamen philos. Anschauungen miteinander verbunden waren (zw. Phaidon und Menedemos sind jedenfalls keine Gemeinsamkeiten erkennbar), kann von einer »Schule« im üblichen Sinn nicht gesprochen werden. Es empfiehlt sich daher, auf den Terminus »Schule« in bezug auf Phaidon und seine Nachfolger zu verzichten.

Ed.: SSR III A–H.
Lit.: K. Döring, Phaidon aus Elis und Menedemos aus Eretria, GGPh 2.1, § 18. K. D.

Elischa ben Abuja (Eliša b. Abuja). Jüd. Gelehrter aus der ersten Hälfte des 2. Jh. n. Chr., gilt in der rabbinischen Lit. als der Prototyp des Apostaten und trägt wohl daher den Namen Aḥer (hebr. »der Andere«). Dabei nennt die legendenhafte rabbinische Überlieferung aber ganz unterschiedliche Häresien: Die Aussage von bHag 15a, wonach er an die Existenz zweier himmlischer Gewalten geglaubt haben soll, läßt auf gnostisches (→ Gnostiker) Gedankengut schließen; nach yHag 2,1 (77b) soll er alle getötet haben, die sich mit der Tora beschäftigten (vgl. auch die Infragestellung einer gerechten Belohnung für den Toragehorsam, ebd.). Nach seinem Abfall vom Judentum soll er ein hedonistisches Leben (bHag 15a) geführt, auf dem Totenbett aber Buße für sein abtrünniges Leben getan haben (yHag 2,1 [77b]).

SH. SAFRAI, s. v. E. ben Avuyah, Encyclopedia Judaica 6, 668–670 (Lit.) · G. STEMBERGER, Einleitung in Talmud und Midrasch, ⁸1992, 83 (Lit.). B.E.

Elischē (Elišē) verfaßte in armen. Sprache eine Gesch. der Vardeankʿ und der armen. Kriege, welche den Aufstand des armen. Volkes 450/1 n. Chr. unter der Führung des Mamikoniterfürsten Vardan gegen die sāsānidischen Besatzer beschreibt. E. war kein Augenzeuge der histor. Ereignisse, die er beschreibt, sondern muß im 6. Jh. gelebt haben. Sein Ziel war es, die Gründung der armen. Kirche martyrologisch zu verankern.

→ Armenia; Armenier, armenische Literatur; Sāsāniden

E. TER-MINASSJAN, Vasn Vardanay ew Hayocʿ paterazmicʿ, 1957 (Ndr. 1993) · R. W. THOMSON (Hrsg.), Elishē. History of Vardan and the Armenian War (Harvard Armenian texts and studies, 5), 1982 (Übers. und Komm.). K.SA.

Elision s. Lesezeichen; Orthographie; Sandhi

Ellipse (griech. ἔλλειψις: »Auslassung«, lat. *ellipsis*: Quint. inst. 8,6,21, vgl. 9,3,58); im Unterschied zur Brachylogie tatsächliche Einsparung einer synt. erforderlichen Satzkonstituente, die im Wortlaut (nicht nur dem Sinn nach) ohne weiteres aus der Situation ergänzt werden kann (vgl. Don. 4,395,11: *e. est defectus quidam necessariae dictionis*). Beispiele aus der Alltagssprache: Καλλίας ὁ Ἱππονίκου (sc. υἱός), Plat. apol. 20a; *ad Dianae* (sc. *fanum* oder *aedem*), Ter. Ad. 582. Als rhetorisches Stilmittel dient die E. der Raffung und der lebendigen Darstellung. Die E. von mehreren Satzteilen schließt immer das Verb ein. Sehr oft betrifft die E. das Prädikat, z. B. ein Verb des Sagens. In unmittelbarer Umgebung steht weder dieselbe noch eine andere Form der von der E. betroffenen Einheit(en).

Beispiele: στῆσε δ᾽ ἐν Ἀμνισῷ (sc. νῆα), Hom. Od. 19,188; μή, πρός σε γονάτων τῆς τε νεογάμου κόρης (sc. ἱκετεύω), Eur. Med. 324; *satis ferax, frugiferarum arborum impatiens, pecorum fecunda, sed plerumque improcera* (sc. *est* bzw. *sunt*), Tac. Germ. 5,1.

→ Stil, Stilfiguren; Syntax

KÜHNER/GERTH, 2,1, 265–271; 2,2, 558–560 · M. LEUMANN, J. B. HOFMANN, A. SZANTYR, Lat. Gramm., Bd. 2, 1965, 61, 419–425, 822–825 · KNOBLOCH, Bd. 1, 750–755 · LAUSBERG, 346f. R.P.

Ellops s. Stör

Elocutio (λέξις, *léxis*). Die *e.* gilt bei ihrer ersten lat. Erwähnung (Cic. inv. 1,9) und Behandlung (Rhet. Her. 1,3; 4,10ff.) als drittes der Arbeitsstadien des Redners (→ *officia oratoris*). Sie besteht danach aus vier Teilen, den *aretaí tēs léxeōs* (*virtutes elocutionis*): 1. ἑλληνισμός (*hellēnismós*), *latinitas*: Sprachrichtigkeit; 2. σαφήνεια (*saphḗneia*), *explanatio*: Klarheit; 3. πρέπον (*prépon*), *decorum, aptum* (fehlt in Rhet. Her.; nach Cic. de orat. 1,132 kann *decere* in einer *ars* nicht gelehrt werden): Angemessenheit; 4. κατασκευή (*kataskeuḗ*), *dignitas, ornatus*: Schmuck. Hauptteil der *dignitas* sind die → Figuren und Tropen. Dieser Auffächerung in vier *aretaí* geht die Berührung rhet. Theorie und Praxis mit der Poetik voraus (→ Prosarhythmus); Protagoras' sprachtheoretische Bemühungen – eine Annäherung an die Theorie der Verbalmodi [4. 176f.] – sind in Aristoteles' *schḗmata tēs léxeōs* (*entolḗ, euchḗ, diḗgesis, apeilḗ, erṓtēsis*) eingeflossen. Das erste sichere Zeugnis einer vollständigen Trennung zwischen → Grammatik und *e.* liefert Rhet. Her. 4,17: Am Anfang des der *e.* gewidmeten Teils verspricht der Autor, die *latinitas* in einer *ars grammatica* auszuführen; doch geht die Entwicklung einer peripatetischen (Theophrast), dann alexandrinischen (Zenodot, Aristophanes, Aristarch) und stoischen (Diogenes von Babylon) Grammatik lange voraus. Prodikos' Unterscheidung der Synonyma und Protagoras' der Sprechsituationen (Modi) begründen zusammen mit Homerstudien sprachliche Untersuchungen, die den Redner betreffen [10. 43ff; 8. 311f.]. Die Lehre von der *e.* erreichte bei Theophrast ihre vollständige Gestalt und wurde später von den Stoikern nur bereichert. Von den vier *aretaí tēs léxeōs* gehörte der *hellēnismós* eher der Gramm. als der Rhet. an und wurde primär durch die Lehre von den Barbarismen und Solözismen untersucht. Theophrast trug sicher mit einem bes. B. zu den Solözismen dazu bei (Diog. Laert. 5,48), entwickelte die vier *aretaí* und fügte vielleicht die drei *charaktḗres* (*plásmata*) *tēs léxeōs* hinzu: *charaktḗr hadrós* (*genus grande*), *ischnós* (*g. humile*), *mésos* (*g. medium*). Nach Cic. orat. 96 benutzten schon die Sophisten ein viertes *genus*, nämlich *florens (floridum)/anthērón* (eingehend [6]). Stoischer Zusatz war die *syntomía* (Prägnanz) [13. 46], die schon von Theodektes unter die Erzähltugenden gesetzt worden zu sein scheint (nach Quint. inst. 4,2,32 gehörte es zu den Erzähltugenden des Isokrates, *brevis* zu sein; vgl. Aristot. rhet. 1416b 30–35).

Die *e.* spielt (vor allem in Rom) eine Rolle bei der Polemik zwischen → Asianismus und → Attizismus. Hinzuweisen ist auch auf die Beziehung zwischen *e.* und → Literarkritik, von [8. 326ff.] bes. an Dionysios von Halikarnassos aufgewiesen. Daneben bleiben

→ Demetrios' *Perí hērmēneías*, → Horatius' *Ars poetica* und Ps.-Longinos' *Perí hýpsous* Hauptwerke auf diesem Gebiet.

1 W. Ax, Quadripertita Ratio, in: Historiographia Linguistica 13, 1986, 191–214 2 M. BARATIN, La naissance de la syntaxe à Rome, 1989 3 K. BARWICK, Probleme der stoischen Sprachlehre und Rhet., Abh. Sächs. Akad. d. Wiss., Phil.hist. Kl. 49,3, 1957 4 G. CALBOLI, I Modi del Verbo Greco e Latino 1903–1966, in: Lustrum 11, 1966, 173–349 5 Ders., From Aristotelian λέξις to E., in: Rhetorica (i. Dr.) 6 L. CALBOLI MONTEFUSCO, Consulti Fortunatiani *Ars Rhetorica*, 1979 7 Dies., Exordium, Narratio, Epilogus, 1988 8 C. J. CLASSEN, Rhet. und Literarkritik, in: Entretiens 40, 1994, 307–360 9 W. W./A. FORTENBAUGH, Theophrastus of Eresus, 1992 10 R. PFEIFFER, Storia della Filologia Classica, 1973 11 D. M. SCHENKEVELD, Figures and Tropes, in: G. UEDING (Hrsg.), Rhet. zwischen den Wiss., 1991, 149–157 12 F. STRILLER, De Stoicorum studiis rhetoricis, 1886 13 J. STROUX, De Theophrasti virtutibus dicendi, 1912.

G. C.

Elogium

[1] Eine röm. Ehreninschrift auf dem Grab eines vornehmen Verstorbenen, an Statuen, Wachsmasken in Gebäuden oder auf öffentlichen Plätzen. Die Zensoren des J. 158 v. Chr. haben die öffentlich sichtbaren *e.* weitgehend beseitigt. Das Überlieferte stammt aus der Kaiserzeit, dient aber teilweise der überhöhenden Rekonstruktion längst vergangener Zeiten. Dies gilt auch für das bei weitem bekannteste Beispiel des *e.*, die Inschr. auf den Statuen des Marstempels am Forum Augustum. Augustus ließ sie mit den Statuen zur Erinnerung an die röm. Gesch. und sagenhafte Vorzeit seit Aeneas anbringen. Die Texte hat Augustus nach Plin. nat. hist. 22,6,13 selbst verfaßt, was wohl übertrieben ist, aber jedenfalls den Einfluß des *princeps* auf die Gestaltung verdeutlicht. Ähnliche und teilweise wohl identische *e.* sind in Arretium (Arezzo) erhalten.

[2] Im röm. Recht hatte *e.* sehr verschiedene Bedeutungen. In Testamenten wurden *e.* vor allem solche Bestandteile genannt, die keine konkreten Regelungen (Erbeinsetzungen, Vermächtnisse) enthielten, sondern nur zur Begründung (insbes. der Enterbung, *exheredatio*) oder zur Äußerung von Absichten (»letzten Wünschen« im Gegensatz zum »letzten Willen«) dienten. Die praktische Bedeutung liegt in der Möglichkeit, bei der Auslegung des Testaments an das *e.* anzuknüpfen oder einen unheilbaren Irrtum des Erblassers festzustellen. In der Spätant. wird *e.* geradezu für das Testament insgesamt gebraucht. Im Straf- und Polizeirecht ist *e.* vor allem ein Protokoll, z. B. über einen polizeiwidrigen oder strafbaren Vorgang oder über einen Strafprozeß einschließlich des in ihm ergangenen Urteils. Hierdurch wird *e.* gelegentlich zum Ausdruck für das Strafurteil selbst (Amm. 14,7,2).

1 InscrIt. XIII 3 Elogie, 2 E. MEYER, Einführung in die lat. Epigraphik, ²1973, 66f. 3 A. v. PREMERSTEIN, s. v. E., RE 5, 2440–2452 4 P. ZANKER, Forum Augustum, 1968, 15f.

G. S.

Elpenor (Ἐλπήνωρ). Sprechender Name, dessen genaue Bed. umstritten ist (»auf den die Männer hoffen« oder »der auf Manneskraft hofft«) [1]. Einer der Gefährten des Odysseus, die von Kirke in Schweine verwandelt werden; rückverwandelt, stürzt er im Rausch schlaftrunken vom Dach ihres Hauses, bricht sich das Genick und bleibt unbestattet liegen. Sein Schatten fleht Odysseus um Bestattung an, als dieser die Unterwelt besucht, was ihm darauf gewährt wird (Hom. Od. 10,551–560; 11,51–83; 12,10; Apollod. epit. 7,17; Hyg. fab. 125,11–12; Ov. met. 14,252; trist. 3,4,19f.; Iuv. 15,22). Nach Paus. 10,29,8 war E. auf der Nekyia des → Polygnotos dargestellt. Etr. Spiegel zeigen ihn zusammen mit Odysseus, der Kirke bedroht [2]. Sein Grab wurde in Circeii gezeigt (Skyl.8; Theophr. h. plant. 5,8,3; Plin. nat. 15,119).

1 KAMPTZ 27, 61f., 99f. 2 O. TOUCHEFEU, s. v. E., LIMC 3.1, 721–722.

M. LOSSAU, E. u. Palinurus, in: WS 14, 1980, 102–124 · H. ROHDICH, E., in: A&A 31, 1985, 108–115. R. B.

Elpinike (Ἐλπινίκη). Tochter des Miltiades und Schwester oder Stiefschwester des → Kimon. Um ihre Person ranken sich zahlreiche Skandalgeschichten. Anspielungen auf eine inzestuöse Beziehung zu Kimon finden sich bereits bei Eupolis (PCG, fr. 221). Eine andere Tradition geht von einer legalen Ehe aus, die zwischen Stiefgeschwistern durchaus möglich gewesen wäre; verheiratet war E. auf jeden Fall mit → Kallias (Nep. Cimon 1). Mit dem Maler → Polygnotos soll sie eine Liebesbeziehung gehabt haben (Plut. Kimon 4). Als Kimon 463 v. Chr. des Verrats angeklagt war und als es 457 um seine Rückkehr aus der Verbannung ging, soll E. persönlich bei Perikles für ihn interveniert haben (Plut. Per. 10). DAVIES, 8429.

R. JUST, Women in Athenian Law and Life, 1980, 109ff.

E. S.-H.

Elpis (Ἐλπίς, von ἔλπομαι/ἐλπίζω, »erwarten, hoffen«). Als Begriff und Gestalt eine *vox media*, die in ihrer grundsätzlich neutralen Qualität (»Erwartung«) zw. »Hoffnung« (positiver oder trügerischer) und – seltener – »Befürchtung« schwankt (Plat. leg. 644c; Hom. Od. 16,101; 19,84; Semonides fr. 1,6–7 IEG 2; Pind. fr. 214).

Die personifizierte E. verbleibt bei Hes. erg. 90–105 im Faß der → Pandora, während die Übel (κακά) entweichen (vgl. Babr. 58; [1; 2; 3]). Nach Thgn. 1135–1146 blieb E. als einzige Segensmacht auf der Erde zurück. Ihr soll man zuerst und zuletzt opfern. Eine ausschließlich positive Bed. hat E. erst in jüd.-christl. Kontext [3; 4].

→ Spes

1 J. N. O'SULLIVAN, s. v. E., LFE 2, 559 2 V. LEINIEKS, E. in Hesiod, Works and Days 96, in: Philologus 128, 1985, 1–8 3 E. F. BEALL, The Contents of Hesiod's Pandora Jar: Erga 94–98, in: Hermes 117, 1989, 227–230 4 A. DIHLE u. a., s. v. Hoffnung, RAC 15, 1159–1250.

A. CORCELLA, E. Punti di vista sul valore delle aspettative humane nel V secolo, in: Annali della Facoltà di Lettere e Filosofia di Bari 27–28, 1984, 41–100 • F. W. HAMDORF, s. v. E., LIMC 3.1, 722–725 • O. LACHNIT, E., Eine Begriffsunt., Diss. 1965.   R. B.

Elster. Da im Griech. der gleiche Name (κίσσα oder κίττα) für die E. (*Pica pica*) gilt wie für den → Eichelhäher und diese beiden Rabenvögel zum Sprechen abgerichtet werden können, muß, wie bei Plin. nat. 10,78 mit der Erwähnung des langen Schwanzes, der jeweilige Kontext die Bestimmung sichern. Plin. nat. 10,98 berichtet über das Fortschaffen der Eier als Reaktion auf störende Beobachtung durch Menschen. Tatsächlich bauen E. zu ihrem Schutz mehrere Nester. Das beschriebene Anhängen von je zwei an einen Zweig geklebten Eiern an den Hals ist aber reine Erfindung. Ihre Freude an der Nachahmung menschlicher Sprache und ihr angebliches Sterben bei Mißlingen schwieriger Wörter erwähnt Plin. nat. 10,118. Erst Thomas von Cantimpré (5,104; [1. 223]) erwähnt ihr schwarzweißes Gefieder, ihr kugelförmiges Nest in Dornen mit seitlichem Eingang und ihr schlaues Verhalten im Vogelnetz. Albertus Magnus (de animalibus 23,135; [2. 1508]) kennt sogar den grün schillernden Schwanz. Es gibt ant. Darstellungen auf Wandbildern und Mosaiken [3. 2,113]. In der ma. Buchmalerei ist die E. ein ebenso häufiges Motiv wie der Eichelhäher [4].

1 H. BOESE (ed.), Thomas Cantimpratensis, Liber de natura rerum, 1973 2 H. STADLER (ed.), Albertus Magnus, de animalibus, II, 1920 3 KELLER 4 B. YAPP, Birds in Medieval Manuscripts, 1981.   C. HÜ.

Elusa. Hauptort (Amm. 15,11,14) der kelt. Elusates (Caes. Gall. 3,27,1; Plin. nat. 4,108) in Aquitania, h. Eauze (Dép. Gers). Röm. *colonia* seit Anf. 3. Jh. n. Chr. (CIL XIII 546), im 4. Jh. *metropolis* der *prov. Novempopulana* (notitia Galliarum 14).   E. O.

Elymäer (Ἐλυμαῖοι).

[1] Bewohner der → Elymais, die von den ant. Autoren in erster Linie als Berglandbewohner bzw., in mil. Zusammenhängen, als berittene Bogenschützen beschrieben werden (vgl. u. a. App. Syr. 32; Strab. 16,1,17; Liv. 37,40,9).

[2] Nach Pol. 5,44,9 Nachbarn der Bewohner von → Media Atropatene in der Elburz-Region an der SW-Ecke des Kaspischen Meeres. Bei Plut. Pompeius 36 tritt ein ›König der Elymäer und Meder‹ in diplomatischen Kontakt zu den Römern. Gemeint sind hier (wie auch in Ptol. 6,2,2) zweifellos die *Delymäer, die uns später in byz. Quellen als *Dolomítai* (Prokopios), *Dilimnítai* (Agathias), *tó Dilmaínon éthnos* (Theophanes) und in oriental. Zeugnissen als Bewohner der sāsānidischen und postsāsānidischen Provinz Dēlān/Dēlām/Dailamān (Gēlām) begegnen.

W. FELIX, s. v. Deylamites, EncIr 7, 1996, 342 f.   J. W.

Elymais (Ἐλυμαΐς).

Griech. Name einer Landschaft in SW-Iran (Ḫūzestān) auf dem Territorium des alten Reiches → Elam. Urspr. wohl vor allem die Baḫtiārī-Bergregion (im Gegensatz zur Susiana-Ebene) kennzeichnend, wurde der Begriff zunehmend (auch) auf das sich erweiternde Territorium des hell.-partherzeitliche »(Teil)-Königreiches« E. bezogen [1. 39–45; 2. 3–8].

E./Susiana zählte(n) zu den polit. und wirtschaftlichen Kerngebieten des Achaimeniden- und Seleukidenreiches, wobei man für die eigentliche E. mit bes. Formen polit. Beziehungen zw. der Zentralgewalt und den Bergbewohnern zu rechnen hat [8. 747–753]. Ant. Autoren kennzeichnen die hell. E. als Landschaft mit großen Heiligtümern lokaler Gottheiten [3. 40–49], deren Reichtum die Seleukidenkönige Antiochos III. (187 v. Chr.) und IV. (164 v. Chr.) zwecks Deckung ihres Geldbedarfs zu verhängnisvollen Plünderungsversuchen veranlaßten (Diod. 28,3; 29,15; Strab. 16,1,18 bzw. 1 Makk 3,31.37; 6,1–3; 2 Makk 1,13–17; 9,1; Pol. 31,9; Diod. 31,18a).

Vermutlich nicht zuletzt deshalb machte sich um die Mitte des 2. Jh. v. Chr. eine lokale Dynastie (unter Kamnaskires I.) kurzfristig unabhängig, mußte aber bald darauf die parth. Suprematie anerkennen (Iust. 41,6,8; Strab. 16,1,18). »Könige« der E. regierten in der Folge mit Münzprägerecht [4. 119–124; 5] und anderen Privilegien (Doppeldiadem: Herodian. 6,2,1) in arsakidischem Auftrag bis zum Ende der Dynastie im Kampf gegen den Sāsāniden → Ardaschir [1] zu Beginn des 3. Jh. n. Chr. Arch. Forsch. in den letzten Jahrzehnte in Bard-e Nešānde, Marǧed-e Soleimān, Tang-e Sarvak und an anderen Orten haben der E. auch eine bed. Rolle in der Kunst- und Kulturgesch. Irans (v. a. in den Bereichen Kult, Felsbildkunst und Skulptur) zuweisen können [2; 6; 7].

1 U. KAHRSTEDT, Artabanos III. und seine Erben, 1950 2 L. VAN DEN BERGHE, K. SCHIPPMANN, Les reliefs rupestres d'Elymaïde, 1985 3 M. BOYCE, F. GRENET, A History of Zoroastrianism 3, 1991 4 M. ALRAM, Die Vorbildwirkung der arsakidischen Münzprägung, in: Litterae Numismaticae Vindobonenses 3, 1987, 117–146 5 J. HANSMAN, Coins and Mints of Ancient Elymais, in: Iran 28, 1990, 1–11 6 T. S. KAWAMI, Monumental Art of the Parthian Period in Iran, 1987 7 H. E. MATHIESEN, Sculpture in the Parthian Empire I–II, 1992 8 BRIANT.

G. LE RIDER, Suse sous les Seleucides et les Parthes, 1965.
J. W.

Elymisch. Über die Sprache der Elymer (→ Elymoi) geben Münzlegenden aus Eryx und Segesta (5. Jh. v. Chr.) und die erst seit 1960 bekannten etwa 300 meist sehr kurzen Graffiti auf Keramik aus Segesta (8.–6. Jh.) einige spärliche Hinweise: Es handelt sich wahrscheinlich um einen idg. ital. Dial., der dem der Sikuler sehr ähnlich gewesen sein kann. Ältere Versuche, Verwandtschaft mit dem »Ligurischen« oder »Illyrischen« oder nicht-idg. Herkunft aufzuzeigen, haben sich als unhaltbar erwiesen.

→ Italien: Sprachen; Sikulisch

ED.: L. AGOSTINIANI, Iscrizioni anelleniche di Sicilia. Le iscrizioni elime, 1977.
LIT.: U. SCHMOLL, Die vorgriech. Sprachen Siziliens, 1958 · A. ZAMBONI, Il Siculo, in: A. L. PROSDOCIMI (Hrsg.), Lingue e dialetti dell' Italia antica, 1978, 951–1012 · M. LEJEUNE, Le problème de l'élyme, in: Gli Elimi e l'area elima, 1989, 339–343. J.U.

Elymoi (Ἔλυμοι).

Vorgriech. Volk in Westsizilien, von Thukydides (6,2,3; vgl. Strab. 13,1,53) für Nachkommen geflüchteter Troer (→ Elymos) gehalten, nach Hellanikos (FGrH 4 F 79b) von den Oinotroi aus Südit. verdrängt; meist mit den Phoinikes verbündet und den Griechen feindlich; nach ihrer Hellenisierung im 5. Jh. v. Chr. nicht mehr als Volk erwähnt. Die Namen ihrer Städte (→ Eryx, Segesta, → Entella) weisen auf ligurische Herkunft. Neue arch. Untersuchungen [1; 2] haben jedoch Inschr. zutage gefördert [3; 4; 5], die unsere Kenntnis der Orte im Gebiet der E., das von dem Linken Belice im Osten, der Linie Monte Iato, Partinico und Monte Lepre im Norden begrenzt wird, erweitern [6]: Die Funde, die ins 9./8. Jh. v. Chr. zu datieren sind (»proto-elymisch«), bezeugen die Beziehungen der E. zum ital. Gebiet und scheinen auf die ital. Herkunft der E. hinzuweisen [7; 8].

1 Gli Elimi e l'area elima fino all'inizio della prima guerra punica. Atti del Seminario di Studi, Palermo – Contessa Entellina, 1989 (ASS IV, XIV-XV, 1988/9) 2 Giornate Internazionali di studi sull'area elima (Gibellina 1991), 1992 3 L. AGOSTINIANI, L'elimo nel quadro linguistico della Sicilia anellenica, in: Giornate Internazionali [s. Anm. 2], 1-11 4 L. BIONDI, Nuovi graffiti elimi, in: Giornate Internazionali [s. Anm. 2], 111-127 5 A. M. G. CALASCIBETTA, Un graffito elimo da Monte Castelluzzo di Poggireale, in: ASNP 20,1, 1990, 19-22 6 G. NENCI, Per una definizione dell'area elima, in: ASS [s. Anm. 1], 21-26 7 S. TUSA, Preistoria e protostoria nel territorio degli Elimi, in: Giornate Internazionali [s. Anm. 2], 603-615 8 DERS., La »problematica elima« e testimonianze archeologiche da Marsala, Paceco, Trapani e Buseto Palazzolo, in: SicA, 25, 1992, 71-102.

NISSEN, 1, 469, 546 · A. SCHENK GRAF V. STAUFFENBERG, Trinakria, 1963, 22f., 306, 329. GI.F./Ü: R.P.L.

Elymos.

Troer, Eponymos der → Elymoi. Er kam mit Aigestos (Dion. Hal. ant. 1,47; 52f.; Tzetz. Schol. Lykophr. 965) oder Aineias (Strab.13,1,53) nach Sizilien und ließ sich im Gebiet des → Eryx nieder. Bei Vergil, wo er Helymus heißt, siegte er im Wettkampf (Verg. Aen. 5,73; 323). Nach Serv. Aen. 5,73 war er Gründer der Städte Asca, Entella und Egesta. R.B.

Elyros (Ἔλυρος).

Ausgedehnte Stadt im SW von Kreta (Steph. Byz. s. v. E.) bei Rodovani östl. von Kandans. Arch. Befund: Wenige Ruinen aus röm. Zeit (Stadtmauer, Theater, Aquädukt). Der Hafen von E. war Syia (Steph. Byz. s. v.). E. gehörte evtl. zum Koinon der westkret. Oreioi, die wohl zw. 280 und 250 v. Chr. einen Vertrag mit Magas von Kyrene schlossen [1. 1; 2. 468] und war 183 v. Chr. Partner im Bündnis der 31 kret. Städte mit Eumenes II. (Syll.³ 627,7). Stiftung einer brn. Ziege in Delphoi (Paus. 10,16,5). E. war in der Spätant. Bischofssitz (Not. episc. 8,229; 9,138). Die Siedlung wurde im 9. Jh. aufgegeben.

1 M. GUARDUCCI (ed.), Inscriptiones Creticae Bd. 2, 1939 2 StV 3.

C. BURSIAN, Geogr. von Griechenland 2, 1872, 548f. · LAUFFER, Griechenland, 216 · I. F. SANDERS, Roman Crete, 1982, 171. H.SO.

Elysion (Ἠλύσιον, Elysium).

Das E. war zu Beginn der Überlieferungsgesch. ein »Paradies« für Heroen. Es kommt bei Homer nur einmal vor: In Od. 4,561–5 erzählt Proteus dem Menelaos, daß er nicht sterben werde, sondern daß die Götter ihn, als des Zeus' Schwiegersohn, in ein Paradies mit idealem Klima, in die elysischen Gefilde am Ende der Erde, wo Rhadamanthys lebe, senden würden. Der Glaube an ein Paradies für wenige Erwählte nimmt in der homer. Eschatologie einen unbedeutenden Platz ein, doch nach Homer wird er zunehmend wichtiger. In Hes. erg. 167–173 wird das Paradies, in das manche Heroen, anstatt zu sterben, gelangen, das ansonsten aber dem E. entspricht, μακάρων νῆσοι (makárōn nḗsoi), »Inseln der Seligen«, genannt. Die Paradieses-Vorstellung der Inseln der Seligen wurde in griech. Eschatologien vorherrschend (auch → Leuke, wohin Achill von Thetis gebracht wurde, besaß Züge einer solchen Insel, Prokl. EpGF p. 47), ohne daß das E. verschwunden wäre; es wird weiterhin z. B. bei Ibycus fr. 10 PMG; Simonides fr. 53 PMG; Apoll. Rhod. 4,811; Paus. 8,53,5; Apollod. 3,39; epit. 6,30 und Q. Smyrn. 2, 650–2 erwähnt. Da → Rhadamanthys und das E. durchwegs in einer engen Beziehung zueinander standen, könnte man in Pherekydes' Erzählung (FGrH 3 F 84), in der Hermes auf Zeus' Befehl Alkmene nach ihrem Tod auf die Inseln der Seligen entrückte und dort mit Rhadamanthys verheiratete, eine frühe Identifikation des E. mit den Inseln der Seligen oder, noch wahrscheinlicher, eine Integration in dieselben sehen (vgl. auch Pind. O. 2,75, andere Verbindung von Rhadamanthys und den Inseln der Seligen). Fest steht, daß das E. schließlich als »Feld« auf den Inseln der Seligen beschrieben wurde (vgl. Lukian. Jupiter confutatus 17; Vera Hist. 2, 6–14).

Die Inseln der Seligen wie auch das E. waren zunächst ein Paradies für Heroen, wurden aber dann, als sich Todes- und Begräbnisvorstellungen änderten und Hoffnung auf ein Leben nach dem Tod hervorriefen, zu einem Paradies für die Rechtschaffenen, zu einem Ort, zu dem auch gewöhnliche Tote, wenn sie gerecht und gut gelebt hatten, kamen, nachdem sie von den Unterweltsrichtern Rhadamanthys und Minos beurteilt worden waren (z. B. Pind. O. 2,68–80; Plat. Gorg. 523a-b; E. Lukian. Cataplus 24; De luctu 7; Dialogi mortuorum 24,1 MACLEAD). Einige nachklass. Grabepigrammme drücken den Glauben aus, daß der hier Bestattete nicht gestorben, sondern auf die Inseln der Seligen gegangen sei und im E. wohne (z. B. [1]). Strab. 3,2,13 nimmt auf das homer. E. als »Tanzplatz der Gottesfürchtigen« (εὐσεβῶν χορός, *eusebōn chorós*) Bezug. Das E. ersetzte die *makárōn nḗsoi* in Vergils Version der platonischen Eschatologie: Bei Plat. Gorg. 524a liegen hinter der Wiese, auf der die Toten gerichtet werden, zwei Straßen, von denen eine zu den *makárōn nḗsoi*, die andere in den → Tartaros führt; bei Verg. Aen. 6 540–3 verzweigt sich die Straße, wobei eine ins E., die andere in den Tartaros führt. Der Begriff *elysium* ist in der lat. Lit. nicht ungebräuchlich (vgl. z. B. Sen. Herc.f. 744; Sen. Tro. 159; Ov. am. 2,6,49; 3,9,60).

Die Meinung, daß das E. min. Herkunft sei, ist ein moderner Irrtum; sogar das Wort E. hat sich nun als griech. erwiesen. Das homer. E. enstand nicht lange, bevor die Epen ihre endgültige Form annahmen, als ein Konstrukt durch die Kombination von Elementen unterschiedlicher Herkunft. Ihre Verknüpfung drückt die neue Idee aus, daß – ganz im Gegensatz zur vorherrschenden homer. Anschauung, derzufolge alle Menschen, sogar Herakles, sterben müssen – einige große Helden nicht den Tod finden, sondern in einem Paradies am Ende der Erde weiterleben. Eines der dabei vermengten Elemente war der Name E., ein anderes die Verbindung von einem min. Herrscher und dem Leben nach dem Tod; letzteres erscheint in einer anderen Form auch in Hom. Od. 11,567–71, wo Rhadamanthys' Bruder Minos eine Vorzugsstellung unter den Toten im Hades einnimmt.

1 W. PEEK, Griech. Versinschr. I, 1955, Nr. 1830.

W. BURKERT, E., in: Glotta 39, 1961, 208–213 • R. GARLAND, The Greek way of death, 1985, 60–1, 156 • M. GELINNE, Les champs Elysées et les îles des Bienheureux chez Homère, Hesiode et Pindare. Essai de mise au point, in: Les études classiques 56, 1988, 225–240 • L. MALTEN, E. und Rhadamanthys, in: JDAI 28, 1913, 35–51 • C. SOURVINOU-INWOOD, »Reading« Greek death, 1995, 17–56 • R. VERMEULE, Aspects of death in early Greek art and poetry, 1979, 72, 76–7, 229–230 Anm. 58 • WASER, s. v. E., RE 5, 2470–2476 • M. L. WEST (Hrsg.), Hes. erg., 1978, 192–5.   C.S.I.

Email. Farbige Glasschmelzverzierung, die auf Metall (meist Bronze) aufgebracht wurde. Die kelt. → Latène-Kultur (spätes 5. – 1. Jh. v. Chr.) war die Blütezeit des E. in Mitteleuropa, dessen Kenntnis evtl. aus dem achämenidischen Osten kam. Die Kelten verwendeten fast nur rotes E. (»Blut-E.«), wohl wegen seiner Ähnlichkeit mit → Koralle. Mit E. wurden sowohl → Schmuck (Fibeln, Halsringe, Gürtelteile usw.) als auch Bronzegefäße, → Waffen (Helme, Schwerter) usw. verziert. Werkstätten für E. fanden sich vor allem in → oppida (→ Bibracte). Bei den griech., etr. und german. Kulturgruppen war E. ohne Bedeutung; lediglich in den röm. Prov. gab es wichtige Werkstätten (z. B. im Rheinland). → Achaimenidai; Glas; Handwerk

G. HASELOFF u. a., s. v. E., in: RGA 7, 1989, 197–228 • V. CHALLET, Les Celtes et l'émail, 1992.   V.P.

Emanation (ἀπόρροια/ *apórrhoia, emanatio*). Der Begriff E. dient dazu, das Verhältnis zwischen Ursprung und Abgeleitetem zu beschreiben; zugrunde liegt die Vorstellung des Ausfließens von Flüssigkeit. Bedeutsam wurde er in Gnosis und Neuplatonismus. Die Gnosis verwendete die Vorstellung der E., um die Distanz zwischen überweltlichem Gott und Welt zu mindern. Plotin gebrauchte den Begriff der E. sparsam und mit Einschränkungen und betonte, daß beim Hervorgang der Ursprung nicht gemindert wird (Plot. Enneades 3,8,10; 3,4,3,26f.): Aus der Überfülle des Einen emaniert der Geist (Enneades 5,2,1,9), aus ihm die Seele. Auch das Christentum bediente sich anfangs (im Anschluß an Salomo, Weish. 7,25) der E., um in der Trinität die Subordination des Sohnes unter den Vater zu beschreiben, was Athanasios als gnostisch verdammte. Damit verschwand der E.-Begriff im Osten, hielt sich aber im Westen länger, auch wenn Augustinus ihn weder in der Schöpfungs- noch in der Trinitätslehre zuließ.

H. DÖRRIE, E. Ein unphilos. Wort im spätant. Denken, in: Platonica Minora, 1976, 70–88 • M. HARL, A propos d'un passage du Contre Eudome de Grégoire de Nysse ... (1967), in: Dies., Le déchiffrement du sens, 1993, 281–290 • K. KREMER, HWdPh 2, 1972, 445–448 • J. RATZINGER, RAC 4, 1959, 1219–1228.   S.M.-S.

Emancipatio. Im röm. Recht hatte der → *paterfamilias* in der Regel, solange er lebte, die väterliche Gewalt über seine Kinder. Eine Entlassung von Söhnen aus der Herrschaft des *pater* war nur durch ein sehr förmliches und kompliziertes Rechtsgeschäft möglich: die *e.* Sie knüpft an die förmliche Veräußerung durch → *mancipatio* an, mit der nicht nur der *dominus* seine Sklaven verkaufen konnte, sondern auch der Vater seine Söhne. Durch diesen »Verkauf« gab der Vater den Sohn einem anderen *pater* in Dienst. Noch zur Zeit der Zwölf Tafeln (5. Jh. v. Chr.) stand außer dem »Verkauf« kein geeigneter Geschäftstyp für diese wirtschaftliche Absicht zur Verfügung. Wegen dieses Hintergrundes wird es aber oft vorgekommen sein, daß der neue Gewalthaber den Sohn an den *pater* zurückmanzipierte. Außerdem fiel der Sohn wieder in die Gewalt seines *pater*, wenn der Erwerber ihn wie einen Sklaven freiließ. Die Zwölf Tafeln (4,2, dazu [4]) sahen aber vor: *si pater ter filium venum dederit, filius a patre liber esto* (nach dreimaligem Verkauf ist der Sohn von der Gewalt seines *pater* frei). Diese Regelung bildet die Grundlage der *e.*: Sie konnte dadurch bewirkt werden, daß der *pater* den Sohn dreimal symbolisch verkaufte und der Käufer den Sohn durch → *manumissio* freiließ, wozu er sich von Anfang an treuhänderisch verpflichtete. Dies allein genügte aber noch nicht, weil durch die Freilassung der »Käufer« die Rechte des Patrons (→ *patronatus*) erwerben würde, z. B. den Anspruch auf Dienste (→ *operae libertorum*) und ein Erbrecht nach dem Tod des Freigelassenen. Deshalb manzipierte der »Käufer« den Sohn noch einmal an den Vater zurück und dieser ließ ihn nunmehr frei. Der »Umweg« über den dreimaligen Verkauf war erforderlich, weil die *patria potestas* rechtlich so stark war, daß sie zuvor nicht nur bei der Freilassung durch den Käufer wieder auflebte, sondern auch von einer Freilassung durch den *pater* selbst nicht berührt werden konnte.

Da der Zwölftafel-Satz ausdrücklich von Söhnen sprach, war die *e.* von Töchtern und Enkeln einfacher: Hier genügte die einmalige *mancipatio*, durch die bereits die väterliche Gewalt endgültig erlosch, mit anschließender Rück-Manzipation und Freilassung durch den früheren Hausvater. Im späten Prinzipat konnte der Vater im Verfahren der → *cognitio extra ordinem* gezwungen werden, eine versprochene *e.* vorzunehmen (Papinian Dig. 37,12,5). Die Kaiser der Spätzeit, insbes. Constantin, versuchten die *e.* durch Belohnungen für den *pater* zu fördern. Die *e.* selbst aber blieb bis zur Vulgarisierung des Rechts in der Spätant. erhalten. Iustinian (Cod. Iust. 8,48,6) vereinfachte im J. 531 n.Chr. die *e.* wesentlich: Nunmehr genügte eine Erklärung des Vaters mit Zustimmung des Kindes gegenüber einem dafür zuständigen kaiserlichen Beamten.

Der Emanzipierte wurde *sui iuris*, also in vollem Umfang rechts-, geschäfts- und vermögensfähig. Zugleich war er aus dem Erbverband, wie er in der Frühzeit bestand, ausgeschlossen, so daß ihm kein gesetzlicher Erbteil nach dem *pater* zufiel. Der Prätor hat dem Emanzipierten später aber ein »gesetzliches« Erbrecht in der Klasse *unde liberi* (für die Kinder) gewährt, das sie freilich mit ihrem nach der *e.* erworbenen Vermögen ausgleichen mußten (→ *collatio*).

1 WIEACKER, RRG, 331f. 2 H.HONSELL, TH. MAYER-MALY, W. SELB, Röm. Recht ⁴1987, 418f. 3 KASER, RPR I, 68–71 4 D. FLACH, Die Gesetze der frühen röm. Republik, 1994, 130f.   G.S.

Emathia (Ἠμαθία). Alter Name für niedermaked. Gebiete (Hom. Il. 14,226; Strab. 7, fr. 11), später nur noch ungenaue poet. Bezeichnung für Makedonia westl. des → Axios ohne Pieria (Ptol. 3,13,9). Pol. 23,10,4 versteht unter E. die Paionia, Strab. l.c. (vgl. Steph. Byz. s.v.) weiß von einer Stadt E.

N. G. L. HAMMOND, A History of Macedonia I, 1972, 155f.
MA. ER.

Embas s. Schuhe

Embaterion (ἐμβατήριον, sc. μέλος, ᾆσμα). Militärmarsch, oft gesungen, gewöhnlich von einem Auleten (Flötenspieler) gespielt, obwohl Phillis von Delos von κινήσεις ἐμβατηρίους in Verbindung mit ἀρχαίους κιθαρῳδούς spricht (Athen. 1,21f–22a). Die protokorinthische Chigi-Kanne von ca. 630 v. Chr. (Rom, Villa Giulia 22679) zeigt marschierende Krieger mit einem Auleten (vgl. Thuk. 5,70). Der Rhythmus war zweifellos anapästisch: Dion Chrys. 2,59 (PMG 856; vgl. PMG 857) zitiert einen derartigen Gesang, angeblich von

Tyrtaios. Athen. 14,630f berichtet, daß die *embatéria* der Spartaner *enhóplia* genannt werden (was sich nicht auf den gleichnamigen Rhythmus der Tänze in voller Rüstung bezieht) und daß die Spartaner auf dem Zug in den Krieg die Dichtungen des Tyrtaios sangen. Plut. Lykurgos 5,22 erwähnt den spartanischen *embatérios paián* zusammen mit dem *kastóreion* (→ Arbeitslieder). Nach Heph. soll Alkman in katalektischen anapästischen Versen gern die Anapäste durch Spondeen ersetzt haben; Marius Victorinus nennt den anapästischen katalektischen Trimeter *embatérion* (TB 13 (iv),(v),(vi),(xi) PMGF). Diese lyrischen *e.* sind möglicherweise eine Zwischenstufe zwischen Kriegsliedern und den Marschanapästen der tragischen Parodoi: Polybios berichtet, daß die Jugend von Arkadien sich in ›E. in Theatern‹ (ἐμβατήρια ... ἐν τοῖς θεάτροις) übte (4,20,12). Außerhalb der Peloponnes wissen wir von solchen Gesängen noch auf Kreta: Hesych. s.v. ἰβυκτήρ (cod. ἰβηκ-) erwähnt dies als Beinamen des Ibrias (cod. *Íbrios*; vgl. → Hybrias), des Sängers des *e.*   E.R./Ü:L.S.

Embateuein (ἐμβατεύειν). In Athen das Besitzergreifen durch »Betreten« unbeweglicher Sachen (auch von Schiffen, Demosth. or. 33,6) auf Grund eines Rechtes zum Besitz (Erbrecht des Haussohnes, Pfandrecht, Gerichtsurteil). In den Papyri Ägyptens bedeutete ἐμβαδεία (*embadeía*) die amtliche Besitzeinweisung als dritte Stufe der Zwangsvollstreckung in Liegenschaften. → Erbrecht

A. KRÄNZLEIN, Eigentum und Besitz im griech. Recht, 1963, 94ff. · A.R.W. HARRISON, The Law of Athens I, 1968, 156; 272; 283 · H.-A. RUPPRECHT, Einführung in die Papyruskunde, 1994, 149.   G.T.

Emblemata s. Mosaik

Emendatio s. Konjektur

Emeriti s. Veteranen

Emesa (Amm. 14,8,9; Plin. nat. 5,19,81 *Hemeseni*), Stadt in Syrien am Orontes, h. Ḥimṣ (< byz. Χέμψ). Nach arch. Hinweisen seit dem 3. Jt. v. Chr. besiedelt, wird E. uns doch erst seit der Zeit des Pompeius als Sitz eines Geschlechts arab. »Könige« bekannt, die von den mit ihnen verschwägerten → Herodes Agrippa I. (Ios. ant. Iud. 18,5,4; 19,8,1; → Aristobulos [5]) und M. Iulius Agrippa II. (Ios. ant. Iud. 20,7,1) bis zum Ende des jüd. Krieges (Ios. ant. Iud. 20,8,4; Ios. bell. Iud. 2,18,9; 3,4,2; 7,7,1; Tac. hist. 2,81; 5,1) Vasallen der Römer waren. Nachdem ihre Herrschaft durch Domitianus beendet war, trat das neben ihnen stehende Geschlecht der Priester des → Baal von E., der → Elagabal hieß und in einem berühmten Tempel verehrt wurde (Avien. 1082–1093), auch polit. in den Vordergrund. Die Priestertochter Iulia Domna, die später den Philostratos zur Abfassung seiner *Vita Apollonii Tyanensis* veranlaßte, wurde Gattin des späteren Kaisers Septimius Severus, dem sie für die Legitimität seines Strebens nach Universalherrschaft bürgen mochte, und Mutter des Caracalla. Ihre Schwester Iulia Maesa ließ 218 n. Chr. den Sohn ihrer einen Tochter Iulia Soaemias zum Kaiser ausrufen, der der *Historia Augusta* zufolge den Namen seines Gottes erhielt (→ Elagabal [2]). Sie wiederholte dies im J. 222 mit dem Sohn ihrer anderen, lit. Beziehungen pflegenden (so Origines) Tochter Iulia Mammaea, der wie Elagabalus Priester des Gottes von E. war und als Kaiser Severus Alexander hieß. → Heliodoros, Verfasser der *Aithiopiká*, stammte aus E. Es wirkten bis 359 der des Sabellianismus bezichtigte Exeget Eusebios sowie um 400 der Platoniker Nemesios als Bischöfe in E. Im J. 636 wurde E. arab., der Umayyadenfeldherr Ḫālid b. al-Walīd hat hier auf dem Platz einer Kirche eine Grabmoschee.

F. ALTHEIM, Die Soldatenkaiser, 1938 · Ders., Helios und Heliodor von E., 1942 · Ders., Lit. und Gesellschaft 1, 1948 · K. GROSS, s. v. Aurelianus, RAC 1, 1004 ff., · Ders., s. v. Elagabal, RAC 4, 987 ff. · E. KORNEMANN, Große Frauen des Alt., ³1952 · M. MOUSSLI, Tell Homs (Qalaʾat Ḥoms), in: Zeitschrift des Deutschen Palästina-Vereins 100, 1984, 9–11.   C. C.

Eminentissimus.

Rang am röm. Kaiserhof; urspr. für Beamte aus dem Ritterstand verwendet. Mit der wachsenden Machtstellung ritterlicher Beamter als Stellvertreter oder unmittelbare Untergebene des Kaisers (→ *praefectus praetorio*), glichen sich ihre Stellung und Anredeformen den senatorischen *summae potestates* (Dig. 1,11,1) und deren Bezeichnung an (vgl. Cod. Theod. 12,12,3). In der höfischen Titulatur (*ordo dignitatum*) der Spätant. meint der Titel *e.* dann dasselbe wie *excellentissimus*, *magnificentissimus*, *gloriosissimus*, *sublimissimus* oder *illustrissimus* (auch in nicht-superlativischen Formen) und wird Personen der ersten höfischen und zugleich senatorischen Rangklasse (vor den *spectabiles* und den *clarissimi*) beigelegt, und zwar den *praefecti praetorio*, *praefecti urbi*, den *consules*, den *magistri militum*, *magistri officiorum*, *praepositi sacri cubiculi*, dem *quaestor sacri palatii*, *comes sacrarum largitionum*, *comes rerum privatarum* und den *proconsulares et legati* (Cod. Iust. 12,3–7; 1,35,2). Vom Rang des *e.* leitet sich der noch heute übliche kirchliche Kardinals-Titel »Eminenz« her.
→ Senator; Spectabilis

JONES LRE 378, 525.   C. G.

Emmaus

[1] (Ἐμμαοῦς, arab. ʿAmwās). Stadt, ca. 30 km nordwestl. von Jerusalem gelegen. 166/5 v. Chr. besiegte → Iudas Makkabaios bei E. die → Seleukiden. Im Jüd. Krieg stationierte → Vespasianus dort die V. Legion. Anfang des 3. Jh. n. Chr. zur Zeit des Iulius Africanus neugegr., erhielt E. den Namen Nikopolis. Ab dem 4. Jh. bis in die Kreuzfahrerzeit galt E. als der Ort, an dem der auferstandene Jesus zwei Jüngern erschienen war (Lk 24, 13).

[2] (arab. al-Qubaiba) Die bes. von den Franziskanern vertretene, erstmals E. des 13. Jh. belegte Identifizierung des Ortes mit dem bei Lukas gen. E. setzte sich ab dem 15. Jh. durch und beruht v. a. darauf, daß die 11 km betragende Entfernung zu Jerusalem den bei Lukas gen. 60 Stadien entspricht.

[3] (Ἀμμαοῦς). Im 30 Stadien von Jerusalem entfernten E. siedelte → Vespasianus 800 Veteranen an (Ios. Bell. Iud. 7, 217), daher wohl mit Κολωνία, arab. al-Qālūniya, (ca. 6 km nordwestl. von Jerusalem) identisch.

L.-H. VINCENT, F.-M. ABEL, Emmaus: sa basilique et son histoire, 1932 · B. BAGATTI, Emmaus-Qubeibeh, 1993.   J. P.

Emmeniden.

Sizilische Tyrannendynastie aus Akragas, die eng mit den → Deinomeniden in Syrakus verschwägert war (Stammtafel bei den Deinomeniden).
       W. ED.

Emmenides

(Ἐμμενίδης). Nur inschr. bekannter Dichter der Neuen Komödie [1]; siegte im 2. Jh. v. Chr. an den Lenäen.

1 PCG V, 1986, 130.   B. BÄ.

Emmer.

Die Weizenart E. (babyl. *kunasu*) ist ab 2800 v. Chr. gut bekannt und war wie im ganzen Alten Orient die zweitwichtigste Getreideart, so z. B. in Ugarit (*ksm*; hebr. *kussemet*) [2. 114 f.] und der jüdischen Kolonie in Elephantine (aram. *kntn*) [4. 83]. Der Ertrag konnte gegebenenfalls höher sein als der von Gerste [1. 96]. Daß die resistentere Gerste E. wegen zunehmender Versalzung verdrängt habe, wird jetzt angezweifelt; die höhere Wertung der Gerste liege an ihrer ›superior reliability‹ [5]. Die ältesten Texte unterscheiden zw. schwarzem, weißem, und rotem E., aus denen → Biere hergestellt wurden. Grütze, → Mehl und → Brot aus E. waren geschätzt; sie spielten auch im Kult eine Rolle [3. 25 f.]. Weil die Körner der Spelzweizen wie E. sich beim Dreschen nicht lösen, muß er geröstet und geschrotet werden; die späteren Texte nennen den enthülsten E. »Terebinthennuß«, womit eine Art Grünkern gemeint ist. E. wurde auch zu einer Suppe verarbeitet. Seit seiner Wiederentdeckung in den alten Texten zu Anf. des 20. Jh. wird er wieder angebaut.
→ Getreide; Gerste; Weizen

1 K. MAEKAWA, Acta Sumerologica 4, 1982 2 L. MILANO, in: Dialoghi di archeologia, N. S. 3, 1981, 88–91 3 L. MILANO, s. v. Mehl, RLA 8/1–2, 1993 4 B. PORTEN, Archives from Elephantine, 1968 5 M. A. POWELL, in: ZA 75, 1985, 12–19.

F. HROZNY, Das Getreide im alten Babylonien, 1914 · I. LÖW, Die Flora der Juden I, 1928, 767–776 · Bull. of Sumerian Agriculture 1, 1984, 9, 12 f., 18, 24 f., 33 f., 51–56, 81, 90, 92, 109, 114–152. · D. ZOHARY, M. HOPF, Domestication of plants in the Old World, ²1993, 39–47.
       MA. S.

Emodos (Ἠμωδός, Ἠμωδὸν ὄρος, [*H*]*emodus*; abgeleitet über das Mittelind. von altind. *Haimavata*, auch Imaos, Ἴμαον ὄρος, *Imaus*, von altind. *Himavān*, »mit Schnee versehen«). Name des östl. Teils des als einheitliches Gebirge verstandenen Hindukuš-Pamir-Himalaya. Es gab verschiedene Meinungen von der Lage dieser Gebirgszüge; bald wurde Imaos als östl. von beiden (Eratosth. bei Strab. 15,1, 11; Plin. nat. 6, 64; Arr. Ind. 2, 3 u. a.), bald Emodos genannt. (Ptol.).

O. VON HINÜBER, in: G. WIRTH, O. VON HINÜBER (Hrsg. und Übers.), Arrian. Der Alexanderzug – Ind. Gesch., 1985, 1084. K.K.

Emona, h. Ljubljana (Laibach). Ort in verkehrsgünstiger Lage am Bernsteinweg und an der Verbindungslinie vom Balkan nach It. am Ufer der schiffbaren Ljubljanica. Seit dem 12. Jh. v. Chr. intensiv besiedelt (Nekropolen der Urnenfelder- und frühen Eisenzeit). Unter Augustus wohl mil. Besiedlung (Lager der *legio XV Apollinaris*). Stadtgründung als *colonia Iulia Emona* (Plin. nat. 3,147) planmäßig im Rechteck (522 × 432 m) um → *cardo* und → *decumanus maximus* angelegt, Stadtmauer mit vier Haupttoren und 26 Türmen.

Im 1. Jh. n. Chr. gehörte E. zu Pannonia, ab dem 2. Jh. zur 10. Region Italiens. Einheimische Kulte von Aecorna und Laburus sind belegt. Beim Vordringen des Maximinus 238 n. Chr. wurde E. niedergebrannt (Herodian. 8,1,4; HA Maximin 21), danach erfolgte der Wiederaufbau. Zos. 5,29 bezeugt die Anwesenheit der Westgoten unter Alarich für 408. E. war Bischofssitz seit dem 4. Jh.; Hieronymus (epist. 11; 12) verkehrte mit Christen von E. Ein frühchristl. Zentrum (*insula XXXII*) des 4. Jh. wurde zu Anf. des 5. Jh. mit Bischofskirche und Baptisterium ausgebaut.

L. PLESNICAR-GEC, Old Christian centre in Emona, 1983 · J. ŠAŠEL, s. v. E., RE Suppl. 11, 540–578 · Ders., Zur verwaltungstechnischen Zugehörigkeit E.s, in: Acta Antiqua Academiae Scientiarum Hungaricae 41, 1989, 169–174. H.GR.

Empedokles (Ἐμπεδοκλῆς).

[1] von Agrigent. Vorsokratischer Denker (ca. 490–430 v. Chr.). Seine wichtigsten Werke: das Naturgedicht ›Über die Entstehung der Welt‹ (sog. Περὶ φύσεως, *Perí phýseōs*) und die ›Reinigungen‹ (Καθαρμοί, *Katharmoí*), beide in ep. Hexametern. Die vorliegende Darstellung unterscheidet zw. den beiden Werken. Für die Einheit plädieren [1; 2].

A. QUELLEN B. DAS NATURGEDICHT (Περὶ φύσεως) C. DIE ›REINIGUNGEN‹ D. DER STRASSBURGER EMPEDOKLESPAPYRUS

A. QUELLEN

Ein großer Teil unserer Kenntnis von E. beruht auf den Zitaten und Ausführungen in den *Moralia* Plutarchs; seine Monographie ist leider verloren. Das meiste aber verdanken wir Aristoteles und seinen Kommentatoren, besonders → Simplikios, der den originalen Text des Naturgedichts herangezogen hat und daraus weitere Ausschnitte ausschreibt. Andererseits wären wir ohne die → Doxographie oft nicht imstande, den Sinn einzelner anderswo zitierter Verse zu verstehen; sie liefert uns den Rahmen und verbindet für uns die Episoden des Epos, die zusammengehörten.

B. DAS NATURGEDICHT (Περὶ φύσεως)

Die zentrale ontologische Intuition ist auf das Eine ausgerichtet; sie hält sich an das eleatische Prinzip des Seienden mit seinen Prädikaten, deutet es aber radikal um zu einer einigenden, mehr ans Leben und stärker an die Erscheinung gebundene Kraft, die das gesamte System bis ins Letzte beherrscht. Die Dinge der Welt werden zwar auch auseinander-, doch mehr noch zusammengehalten. Philos. hat die Veränderung der Gesamtanschauung, die sich von der strengen Logik des → Parmenides loslöste, zur Folge, daß nun das Werden des Seins im Vordergrund steht. Am Anfang der neuen Theogonie herrschte konsequent ein einheitliches, allverbindendes Prinzip allein und auf sich selbst bezogen als Gott Sphairos, eine nach der Rundung der Kugel bezeichnete, gleichsam monotheistische Vollkommenheit, aus der sich alles und als erstes die anderen Götter herleiteten.

Der Ursprung, der das aus ihm entspringende Leben zusammenhält, ist Gott, und doch dauert dieser anfängliche Zustand nicht ewig; er überlebt nach der Zerstörung seiner selbst auf dem Weg seiner Wiederherstellung in allen Gebilden der Welt. Keine Not bedrängte den göttlichen zeitlosen Status der Glückseligkeit. Wenn er sich auflöste ›nach dem Orakelspruch der Notwendigkeit‹ (B15, vgl. 110 BOLLACK), so zeigt dies, daß dieses Gesetz einen Sinnzusammenhang ausdrückt, der über den Göttern steht und diese der Vervollkommnung und damit der Vergöttlichung des Menschen dienstbar macht. Der Gott wird zur Finalität, er hat keine Existenz außerhalb des Werdens. Seine Herrschaft wird von einem Widersacher überwunden, der als sein begrenzendes Element ein Aspekt seiner selbst ist; dieser trägt den Namen »Streit« oder »Haß«, Neikos, im Rahmen einer betonten Polyonymie. In dieser zweiten Göttergeneration geht es um ein Paar von abstrakten Potenzen, die sich als ein Außen und ein Innen in den Weltprozeß inkarnieren und sich untereinander die Bereiche teilen. Sein Konterpart heißt Liebe (meist Philotes). Die eigentlich schöpferische Macht ist einer Frauengestalt vorbehalten, die auf ihren Partner in einer radikalen Gegengesetzlichkeit angewiesen ist und mit ihm auf Grund der Trennung zusammenarbeitet. Insofern ist es kein eigentlicher Dualismus, sondern ein immer neu überdachter Versuch, eine Relation von Zerstörung und Restitution zu bemeistern, das Nichtsein einzubinden und so zu überwinden.

Die dritte Generation der Elemente, gleichfalls als vorgängige, göttliche Kräfte gedacht, entstehen als kompakte Massen in einem Übergangsstadium, wenn alle Elementarpartikel, die in der Kugel des Sphairos vermengt waren, sich der Vormacht der Trennung entziehen. Die Vierzahl der Elemente steht bei E. an zentraler Stelle. Im Unterschied zu anderen Systemen sind die vier Elemente alle gleichberechtigte Mächte, so wie es später Aristoteles in seinem eigenen Weltsystem kodifiziert hat. Von der revidierten rel. Anschauung her läßt es sich verstehen, daß E. sie mit den olympischen Göttern gleichgesetzt hat. So heißt etwa das Feuer Zeus oder die Luft Hera. Die Elemente überleben in ihrer Quadratur, etwa im Erdreich oder im Meer. So erklärt sich auch, daß die Sonne als Körper verschwindet. Feuerpartikel sind mit der Luft in der Lichthemisphäre vermischt, die um die Erdkugel kreist. Diese Kugel nun hat das Vermögen, die Strahlen aus der sie umgebenden kosmischen Lichtquelle zu sammeln. Sie reproduziert sich so in einer kreisrunden, zurückstrahlenden Spiegelung ihrer selbst auf dem kristallenen Himmelsgewölbe – ein leuchtendes Abbild der Erde. Die Menschen halten es für die Sonne, obwohl es nichts als Licht und Feuer ist. Die astronomische Konstruktion zeigt, wie stark die Bestandteile aufeinander bezogen und das Ganze organisch zusammengehalten werden sollte.

Voraussetzung für die Rekonstruktion des ›Naturgedichts‹ und für die Einordnung der überlieferten Zitate bleibt das Verständnis der Kosmogonie in ihren einzelnen Stadien im Zeichen des einen, einigenden Prinzips. Man hat oft – nicht ohne eine gewisse Naivität, die man dem Autor zumutete –, angenommen, E. hätte gleichsam experimentell zwei Kosmogonien gedichtet, eine für die Liebe und eine andere für den Haß. Man mißverstand den Sinn der wechselseitigen Herrschaft. Die Theorie der zwei Welten (noch nicht bei KARSTEN [3]) wurde gegen Ende des 19. Jh. aufgestellt und immer neu verfochten; sie hat auch noch heute ihre Vertreter [4]. In Wirklichkeit bezieht sich das für E. so bezeichnende ›einmal‹ und ›ein anderes Mal‹ auf die niemals, auch im mikroskopischen Bereich nicht ablassende Trennung der konträren Einwirkungen und Pulsschläge. Der Haß zerstört nur. Entsprechend gibt es nichts, das nicht durch die Liebe zustande käme. Der genetischen Darstellung kommt eine bes. Bedeutung zu. Im Unterschied zu Parmenides wird das Gewordene im Sein aufgehoben. Die Beschreibung eines demiurgischen Schaffens hatte vor allem den Vorteil, die dynamische Kraft des ätiologischen Prinzips zu zeigen und einen Gesamtplan zu entwerfen. Platon hat sich im *Timaios* davon anregen lassen. Die Teleologie fehlt auch bei E. nicht.

Die doxographische Tradition ist bes. aufschlußreich für das Verständnis der Entstehung der Lebewesen, die jeweils verschiedene Phasen der kosmischen Umwälzungen voraussetzen. In einer der Episoden schuf Aphrodite, wie ein Demiurg in seiner Werkstatt, einzelne Gliedmaßen; es waren dies irgendwie autonome Einheiten. Sie existierten für sich, bis sie später, aber zuerst zufällig und ungeordnet, zueinander kamen; ein Rinderkopf paarte sich mit einem Menschenhals. E. griff da auf die Monstren der Myth. zurück und gab dieser animalischen Vergangenheit des Menschen einen

neuen Sinn. Es kam zu einer Harmonie, als in einer dritten Phase aus der Erde entsprungene Gestalten (σπάρτοι, »Gesäte«) aus der geschwängerten Erde schossen und diese sich dann, den im voraus geschaffenen Paradigmen entsprechend, zu homogenen Gestalten ausbildeten. Auch die Naturgesch. steht im Dienst neuer Lebensverhältnisse. Der Mensch, aber auch die Tiere, werden zu überhöhten Wesen; so steht die dichterische Erfindung in enger Verbindung zum entscheidenden Kampf, den E. gegen das Blutopfer und zur Seelenwanderung (Metempsychose) führte.

C. DIE ›REINIGUNGEN‹

Die Rekonstruktion der *Katharmoí* bereitet noch größere Schwierigkeiten. Ihre Überlieferung ist dürftiger. Doch ist auch dieser Versuch vielleicht nicht aussichtslos. Die Neugestaltung des menschlichen Zusammenlebens wird auf dieselben Voraussetzungen wie das andere Gedicht zurückgeführt. Das Verhältnis zwischen den beiden Werken war, neben der Struktur des kosmischen Zyklus, die große empedokleische Frage. Solange man aufgrund des Interesses, das sich ähnlich wie bei Aristoteles auf alle Erscheinungen der Natur erstreckt, die wiss. Erforschung in den Vordergrund stellte, mußte der mystisch rel. Inhalt mit den Jammertönen, die mit den trag. Chorliedern wetteiferten, mit dem Interesse an der wiss. Biologie schwer vereinbar sein. Die Diskussion wird heute nicht mehr durch diese trügerischen Aporie bestimmt; trotzdem beeinträchtigt der Gegensatz weiterhin das Verständnis des Übergangs von einem Gedicht zum anderen. Das die eigentliche Lehre fundierende Buch (Περὶ φύσεως) ist einem gewissen Pausanias gewidmet, der die Übermittlung des Wissens versinnbildlicht, während in den *Katharmoí* ein Ich spricht, das die außerordentliche Botschaft eines neuen Lebens verkündigt, und zwar in pythagoreischer Tradition nicht weniger als die Verheißung des Friedens unter den Menschen und den streitenden Städten. Der Krieg wird bekämpft. Im Prolog dieses Gedichts (B115) zieht das Ich als Abgesandter der agrigentinischen Gemeinde in die weite Welt. Es stellt sich vor als einer der gefallenen »Dämonen« (Seelen), die sich dem göttlichen Streit ›anvertraut‹ haben (wohl um ihn dialektisch zu überwinden). Einem ant. Bericht zufolge ließ E. seine Heilslehre während der olympischen Spiele vor den versammelten Griechen durch einen berühmten Rhapsoden vortragen (Diog. Laert. 8,63). Dies kam einem strategischen Gegenschlag der ital., polit. universalistisch ausgerichteten Philos. gegen den kulturellen Vorrang der athenischen Tragödie gleich. Dieselben Mythen, etwa die Atridengeschichte mit dem Frevel des Thyestes und der Hinschlachtung von Menschen, wurde umgedeutet. Die Opferszene ist uns zufällig überliefert (B137). Nun sind die *Katharmoí* in ihrem ethischen Anspruch als Menschheits- und Seelengesch. zweifach allegorisch. Einerseits werden die Darstellungen des ›Naturgedichtes‹ zugrundegelegt und die biologische Anthropologie auf das Zusammenleben und den Kult erweitert; demzufolge wird dann andererseits auf die

Mythologeme, auf denen die geläufigen Vorstellungen beruhen, im Laufe der Umformung der Tradition Bezug genommen. Eine strikte Analogie zwischen den Bereichen läßt sich nicht herstellen; die *Katharmoí* haben ihre eigene Logik. So ist zwar der Sphairos ein Vorbild jener göttlichen Gemeinschaft, zu der die geweihten Menschen emporstreben; es ist aber keine eigentliche Äquivalenz.

FRG.: DIELS/KRANZ (31), vol. 1, 276–375 · J. BOLLACK, Empédocle, 4 Bde, 1965/69.

1 C. OSBORNE, E. recycled, in: CQ 37, 1987, 24–52
2 B. INWOOD, The Poem of E., 1992 3 S. KARSTEN, Empedocles, 1838 4 J. BARNES, The Presocratic Philosophers, 1982, 308–310.   JE. BO.

D. DER STRASSBURGER EMPEDOKLESPAPYRUS

Bei dem Papyrus *P. Strasb. gr. 1665–1666* (Ende 1. Jh. n. Chr.) handelt es sich um Stücke aus einer Rolle, die das erste Buch des empedokleischen Naturgedichts (περὶ φύσεως) enthielt. Der Papyrus wurde 1904 in Achmim/Panopolis durch das Dt. Papyruskartell erworben, aber erst 1992 identifiziert. Erh. sind Reste von ca. 80 Versen; 20 davon sind mit Empedokleszitaten aus der indirekten Überlieferung identisch. Der Papyrus liefert u. a. 34 Verse, die unmittelbar an DK 31 B 17 anschließen. Der Beginn der Expansion der Liebe (vgl. DK 31 B 35,3–5) wird im Papyrus als zyklisch wiederkehrender Vorgang gekennzeichnet; Vier Verse, die Aristoteles (metaph. 1000a 26–32) als Beleg dafür anführt, daß Empedokles (pro Zyklus) neben der Zoogonie der Liebe auch eine gesonderte Zoogonie des Streits annahm, erscheinen im Papyrus erstmals im originalen Kontext (nicht = DK 32 B 21); ihre Deutung durch Aristoteles wird bestätigt. Die unserem Weltalter vorangehende dritte zoogonische Stufe (vgl. DK 31 A 72 und DK 31 B 62) wird im Papyrus aus eigener Erfahrung des Sprechers (= des Dämons Empedokles?) geschildert; in diesem naturphilos. Zusammenhang findet sich auch die bisher den ›Reinigungen‹ (*Katharmoí*) zugewiesene Selbstanklage wegen einer um der Nahrung willen begangenen Mordtat (DK 31 B 139). Ein stichometrisches Zahlzeichen identifiziert DK 31 B 17 (ohne V. 90) als V. 233–266 des 1. Buches der *Physiká*, was am Buchanfang Raum für ein Proömium schafft.

→ VORSOKRATIKER

A. MARTIN, O. PRIMAVESI, L'Empédocle de Strasbourg (in Vorbereitung) · O. PRIMAVESI, Kosmos und Dämon bei E.: Der Papyrus P. Strasb. gr. Inv. 1665–1666 und die indirekte Überlieferung (Hypomnemata, H. 116, in Vorbereitung).   O. P.

[2] Laut Suda ε 1001 Enkel des → Empedokles [1]; schrieb 24 Tragödien, sonst unbekannt.

TrGF 50 und TrGF 238.   F. P.

Emphyteusis (Erbpacht). Der t. t. findet sich erstmals in einer Kaiserkonstitution aus dem J. 386 n. Chr. (Gratianus/Valentinianus/Theodosius/Arcadius Cod. Iust.

11,62,7). Schon früher, in einer Konstitution aus dem J. 315, begegnet die Bezeichnung *fundus emphyteutici iuris* (Cod. Iust. 11,62,1). Die *e.* tritt als hell. Form der Erbpacht um diese Zeit neben das originär röm. Recht am *ager vectigalis*. *Ager vectigalis* ist Gemeindeland (→ *ager publicus*), das gegen Zins (→ Steuern) auf Dauer (*in perpetuum*) zur Nutzung vergeben wird (Dig. 6,3,1 pr.). Der Erbpächter wird nicht Eigentümer, ist aber, anders als der einfache Pächter, durch eine *actio in rem* − selbst gegenüber der Gemeinde − geschützt (Dig. 6,3,1,1). Außerdem genießt er Besitzschutz durch das → *interdictum uti possidetis*. Das Recht des Erbpächters ist übertragbar und verpfändbar (Dig. 20,1,31 pr.,1; 13,7,16,2). Kaiser Zeno verbindet um 480 n. Chr. beide Formen der Erbpacht, *e.* und Recht am *ager vectigalis*, zu einem einheitlichen *ius emphyteuticarium* (Cod. Iust. 4,66,1). So erscheint es auch in der Rubrik von Dig. 6,3 (*Si ager vectigalis, id est emphyteuticarius, petatur*) und in dem in Dig. 2,8,15,1 erkennbaren Zusatz (*... qui vectigalem [id est emphyteuticum] agrum possidet ...*). Zeno entscheidet zugleich den alten Streit, ob das Recht am *ager vectigalis* der *emptio venditio* oder der *locatio conductio* zuzuordnen sei (Gai. inst. 3,145), indem er es von diesen Formen als ein *ius tertium* abgrenzt (Inst. Iust. 3,24,3). Dreijähriger Rückstand des Erbpächters mit der Zahlung des Zinses berechtigte den Eigentümer zur Entziehung des Pachtgutes (Cod. Iust. 4,66,2 aus dem J. 529).

H. HONSELL, TH. MAYER-MALY, W. SELB, Röm. Recht ⁴1987, 192f. · KASER, RPR I, 455; II, 308–312.   D. SCH.

Empiriker A. GESCHICHTE B. LEHRE C. THERAPIE D. BEZIEHUNG ZUR PHILOSOPHIE

A. GESCHICHTE

Die E. sind eine griech. Ärzteschule, gegr. um 250 v. Chr. von Philinos von Kos, einem Schüler des → Herophilos (Ps.-Galen Introductio; Gal. 14,683). Nach Celsus (De med. pr. 10) wurde sie hingegen etwas später von Serapion von Alexandria begründet. Nach einigen Doxographen war der Gründer Akron von Akragas (um 430 v. Chr.; fr. 5–7 DEICHGRÄBER). In den medizinischen Doxographien wird sie als eine der drei Hauptströmungen in der griech. Medizin noch zur Zeit des Isidorus v. Sevilla (gest. 636 n. Chr.) erwähnt; doch ihre letzten namentlich bekannten Anhänger sind → Sextos Empeirikos und Theodosios (fr. 219) im späten 2. Jh. n. Chr. Der Beiname »Empiricus«, den Marcellus von Bordeaux (um 380 n. Chr.) trug, bedeutete nur, daß dieser sich in seiner Tätigkeit auf *experta*, d. h. auf in der Praxis bewährte Medikamente, stützte, nicht jedoch, daß er sich auf die Theorie der E. berief.

Die E. bildeten keine »Schule« im engeren Sinne mit einer bestimmten Folge von Schuloberhäuptern, sondern eine Reihe unterschiedlicher Gruppierungen, angeführt von Lehrern wie Glaukias, Herakleides von Tarentum, Theodas und Menodotos. Die beste Darstellung ihrer Lehren (wenn auch nicht ohne Kritik)

findet man in Galens *Subfiguratio empirica* (geschrieben urspr. um 163 n. Chr.) sowie in dessen Jugendschrift *De experientia medica*.

B. LEHRE

Die E. lehnten es ab, nach verborgenen Krankheitsursachen zu suchen, da sie dies für allzu unzuverlässig, zeitaufwendig und spekulativ hielten. Auch die Möglichkeit, Funktionen des lebenden Körpers durch die Ergebnisse von Obduktionen besser zu verstehen, bestritten sie trotz ihrer Anerkennung der Anatomie. Sie behaupteten vielmehr, daß alles, was für das medizinische Studium unentbehrlich sei, Büchern entnommen werden könne, in denen die Ergebnisse früherer Untersuchungen gesammelt waren (fr. 68, Celsus de med., pr. 27). Um die geeignete therapeutische Methode herauszufinden, bevorzugten sie das Ergebnis einer unmittelbaren Untersuchung in Verbindung mit schriftlichen Aufzeichnungen über ähnliche Fälle. An einer Diagnose im Sinne von einer Suche nach bestimmten Krankheiten waren sie nicht interessiert, sie neigten vielmehr eher dazu, Krankheiten zu beschreiben als zu bestimmen (fr. 12–13). Im Zentrum ihres therapeutischen Ansatzes stand das Prinzip des Übergangs von »Gleichem zu Gleichem«, wobei es keinen Unterschied machte, ob das »Gleiche« ein Körperteil, eine Krankheit oder ein Arzneimittel war (fr. 15).

C. THERAPIE

Sorgfältige schriftl. Aufzeichnungen zu den Krankheitsfällen, auf Erfahrung gestützt, gehörten zu den zentralen Prinzipien der empirischen Therapeutik. Die E. boten nicht nur therapeutische Anleitung, sondern führten auch zum Verständnis der »hypomnematischen Zeichen«, welche für das Verständnis der Entwicklungsstufen eines Falles unentbehrlich waren (fr. 79–81). Der Diagnostizierung nach dem Puls schenkten sie ebenfalls starke Beachtung, wenn sich auch ihre Erklärung von der Galens wesentlich unterschied (fr. 71–77). Zu dessen Bedauern neigten sie bei der Behandlung eines Kranken auch noch dazu, in weitreichenderen Kategorien zu denken (fr. 114). Trotz ihrer Anerkennung des Aderlasses waren sie abgeneigt, diesen in der Praxis anzuwenden (fr. 120–124); stattdessen zogen sie medikamentöse Behandlung vor, die sie sowohl erforschten als auch ausführlich beschrieben (fr. 105–106). Dieses Vertrauen auf die medizinische Erfahrung ihrer Vorläufer führte bei manchen E. zu einer Hochschätzung des Hippokrates; einige E., darunter v. a. Herakleides von Tarentum, verfaßten Komm. zu den hippokratischen Schriften.

D. BEZIEHUNG ZUR PHILOSOPHIE

Eine Reihe von E. standen dem Skeptizismus nahe, darunter Menodotos von Nikomedeia, Theodas von Laodikeia und Sextus Empiricus. Dies äußerte sich darin, daß sie Theorien mißtrauten, welche das Postulat von theoretischen Einheiten (z. B. Atomen) voraussetzten. Sie hielten sich lieber an das, was leicht zu beobachten war, und stützten sich auf die Urteile, die aus dem täglichen Leben kamen (*epilogismoí*). Einige E. (z. B.

Menodotos) räumten wohl der Wahrnehmung einen bes. Rang ein, andere hingegen hatten eine subtilere Einstellung zur Empirie, so etwa Sextos Empeirikos, der sich in der Frage der Erkennbarkeit von Verborgenem – ähnlich wie die Methodiker – keiner Seite anschloß (Sextus, Subfiguratio 1,236ff.).

ED.: **1** K. DEICHGRÄBER, Die griech. Empirikerschule, Slg. der Fragmente u. Darstellung der Lehre, ²1948 **2** R. WALZER, Galen, On medical Experience, 1944 **3** M. FREDE, Galen, Three Treatises on the Nature of Science, 1985 **4** J. ATZPODIEN, Galens Subfiguratio empirica, 1986. LIT.: **5** EDELSTEIN, AM, 195–204 **6** R. J. HANKINSON (Hrsg.), Method, Medicine and Metaphysics, 1988 **7** C. OPSOMER, R. HALLEUX, in: P. MUDRY, J. PIGEAUD (Hrsg.), Les écoles médicales a Rome, 1991, 160–178.

V. N.

Emplekton s. Mauerwerk

Emporia. Unter den E. sind in einem engeren Sinn die Städte der Syrtis Minor und in einem weiteren Sinn die Städte der Syrtis Minor und der Byssatis bzw. der Syrtis Minor und der Tripolitania bzw. der Syrtis Minor, der Byssatis und der Tripolitania zu verstehen.

A. BRESSON, P. ROUILLARD (Hrsg.), L'emporion, 1993 · R. REBUFFAT, Où étaient les emporia?, in: Semitica 39, 1990, 111–126. W. HU.

Emporiae (Emporion). Seehandelshafen, h. Ampurias am Ostrand der Pyrenäen, Prov. Gerona, an der Costa Brava. Quellen: [1; 2]. Hier fand seit Anf. des 20. Jh. eine in Spanien beispiellose Ausgrabungstätigkeit statt, die ihren Niederschlag in einer umfangreichen Lit. gefunden hat [3. 334ff.; 4. 66ff.; 5. 94; 6; 7; 8. 273ff.]. Die Inschr. haben wenig ergeben; unter ihnen fanden sich zwei christliche [9]. Reich und bed. sind die Mz.-Funde [7. 251ff.; 10; 11; 12].

E. ist aus vier verschiedenen Siedlungen zusammengewachsen. Der älteste Teil ist die von Massilia wohl nach 520 v. Chr. gegr. Palaiopolis (Strab. 3,4,8) auf der Insel, h. Halbinsel, von San Martín de Ampurias mit einem Tempel der ephesischen → Artemis. Allerdings reichen die Funde weiter zurück (bis um 600 v. Chr.). Südl. davon lag der Hafen, noch h. geschützt durch eine griech. Mole. Wohl nach 500 entstand die Neapolis, die sich terrassenförmig über dem Festlandstrand aufbaut. Westl. davon lag die Iberer-Stadt Indike [13], von der Neapolis durch eine Mauer getrennt (eine Schilderung des Zusammenlebens beider Völker bei Strab. 3,4,8; Liv. 34,9.) An sie schloß sich die röm. Kolonie an, 45 v. Chr. von Caesar gegr. Aufgedeckt sind außerdem griech., röm. und iber. Nekropolen [14; 15]. Die Funde sind zahllos, darunter manche Werke der klass. Kunst [16. 275f.].

E. war Ausgangspunkt der röm. Operationen in Spanien (Scipiones, Cato [1] d. Ä.) und wuchs zu einer reichen Stadt heran. Anscheinend bedeutete der Einfall der Franken (265 n. Chr.) für E. eine Katastrophe, doch

spielte sie in westgot. Zeit noch eine Rolle als Bischofsstadt [17]. Dies fand nach dem Einfall der Araber ein
Ende, doch blieb ein *condado de Ampurias* bestehen [18].

1 A. SCHULTEN (Hrsg.), Fontes Hispaniae Antiquae, 2, 1925
2 M. ALMAGRO, Las fuentes escritas referentes a Ampurias,
1951 3 A. SCHULTEN, Ampurias, Neue Jbb. für das klass. Alt.
10, 1907, 334 ff. 4 Ders., Eine unbekannte Top. von
Emporion, in: Hermes 60, 1925, 66 ff. 5 Ders., Forsch. in
Spanien, in: AA I/2, 1940 6 A. FRICKENHAUS, Zwei top.
Probleme. 1. Emporion, in: BJ 118, 1909, 17–27
7 M. ALMAGRO, Ampurias, 1951 8 P. GARCÍA, La España
primitiva, 1950 9 M. ALMAGRO, Las inscripciones
ampuritanas griegas, ibéricas y latinas, 1952 10 H. DESSAU,
s. v. E., RE 5, 2526f. 11 A. VIVES, La moneda hispánica,
1926 12 J. AMORÓS, Les monedes empuritanes anteriores a
les dracmes, 1934 13 A. SCHULTEN, s. v. Indiketes, RE 9,
1368 14 M. ALMAGRO, Las Necrópolis de Ampurias, 2 Bde.,
1953/1955 (Rez. vgl. Gnomon 26, 1954, 284 und Gnomon
29, 1957, 238) 15 M. ALMAGRO, P. DE PALOL, La Ampurias
paleocristiana y visigoda, (Monografías Ampuritanas, 4),
1958 16 P. GARCÍA, La España primitiva, 1950, 275 ff.
17 Fontes Hispaniae Antiquae 9, 1947, 447 ff.
18 Enciclopedia Universal Ilustrada 5, 274.

Anuari de l'Institut d'Estudis Catalans 1907–1927
(Forschungsberichte) · E. SAMARTI I GREGO et al.,
Emporion, in: W. TRILLMICH, P. ZANKER (Hrsg.), Die
Monumentalisierung hispanischer Städte zw. Republik
und Kaiserzeit, 1990, 117–144 · E. SAMARTI I GREGO
et al., La presencia comercial etrusca en la emporion arcaica,
determinada a partir de las Anforas, in: J. REMESAL,
O. MUSSO, La Presencia de Material Etrusco en la Península
Ibérica, 1991, 83–94 · R. MAR, J. RUIZ DE ARBULO,
El foro de Ampurias y las transformaciones augusteas de los
foros de la Tarraconense, in: W. TRILLMICH, P. ZANKER
(Hrsg.), Die Monumentalisierung hispanischer Städte zw.
Republik und Kaiserzeit, 1990, 145–164 · TOVAR, 3, 1989,
427–430.   P. B.

Emporikai dikai (ἐμπορικαὶ δίκαι). In Athen Klagen
aus Handelsgeschäften, welche die überseeische Ein-
und Ausfuhr betrafen. Als Parteien traten Großkaufleu-
te und Reeder auf, auch Fremde und → *métoikoi*. Die
e.d. konnten nur in den Wintermonaten, während der
Schiffsverkehr ruhte, anhängig gemacht werden. Sie
fielen zuerst unter die Zuständigkeit der *nautodíkai*,
dann der → *eisagogeís* und schließlich (Aristot. Ath. pol.
59,5) unter die der → *thesmothétai*. Mit der Zuständigkeit
der *eisagogeís* mußten sie beschleunigt binnen Monats-
frist erledigt werden. Die Vollstreckung des Urteils war
durch Bestimmungen über Bürgenstellung und Haft
bes. gesichert.

E. E. COHEN, Ancient Athenian Maritime Courts, 1973.
                                                    G. T.

Emporikoi nomoi (ἐμπορικοὶ νόμοι). In Athen die
nach ihrem objektiven Inhalt (nicht, wie sonst üblich,
nach der Zuständigkeit der einzelnen Behörden) zusam-
mengefaßten Gesetze über den Seehandel (Demosth.
or. 35,3); sie dürften vor allem strenge Bestimmungen
zum Schutz der Getreideversorgung der Stadt getroffen

haben. In diesen Bereich fiel auch die Beschleunigung
des Gerichtsverfahrens (→ Emporikai dikai) und die Er-
schwerung leichtsinniger Anklagen gegen Kaufleute
und Reeder (Demosth. or. 58,10f.).

E. E. COHEN, Ancient Athenian Maritime Courts, 1973.
                                                    G. T.

Emporion. Obwohl ἐμπόριον (lat. *emporium*) zunächst
allg. mit »Hafen/Handelsplatz« übersetzt werden kann,
ergeben sich angesichts der regional unterschiedlichen
und histor. sich wandelnden Bedeutung des Handels in
der Ant. eine Vielzahl von definitorischen Problemen,
die den Begriff zu einem Spiegelbild wirtschaftlicher
und kultureller Strukturen werden lassen. In der neueren Forsch. wird das *e.* daher weder als ein topographischer Begriff, noch als eine bestimmte Siedlungsform
oder fest umrissene wirtschaftliche Institution verstanden, sondern lediglich durch einige grundlegende
Merkmale beschrieben: 1. Ein *e.* befindet sich normalerweise an der Grenze einer polit. Gemeinschaft bzw.
zwischen zwei unterschiedlichen kulturellen Systemen.
2. Es befindet sich entweder außerhalb oder an der
Grenze einer indigenen Bevölkerung. 3. Es ist ein Ort,
an dem unterschiedliche Tauschgemeinschaften aufeinandertreffen, wobei das Verhältnis dieser Tauschgemeinschaften durchaus verschieden geregelt sein kann.
4. Die Bevölkerung innerhalb des *e.* ist aktiv am Handel
beteiligt, während die Bevölkerung des Umlandes dies
möglicherweise nicht ist. 5. Ein *e.* bietet Infrastruktur
und Institutionen, die die Rechte und Lebensbedingun-
gen seiner Bevölkerung sowie den gerechten Tausch
sichern (Tempel, Marktkontrollorgane etc.). 6. Das *e.*
bietet im Gegensatz zur Polis einen Raum, in dem sich
Fremde ungehindert mischen können.

Histor.-arch. betrachtet hat es viele Formen von *e.*
gegeben. Zunächst sind hier – normalerweise an der
Küste gelegene – Gesamtsiedlungen mit großem Anteil
von Händlern zu nennen (Al-Mina, Tartessos, Empo-
rion-Ampurias, Pithekussai). Diese Siedlungen entwikkelten sich unabhängig vom agrarisch orientierten Um-
land. Davon zu trennen ist der Sonderfall Naukratis, das
von Amasis im 6. Jh. v. Chr. zum einzigen Handelsplatz
für Griechen in Ägypten bestimmt wurde (Hdt.
2,178f.). Eine zweite Kategorie bildeten die *e.*, die geographisch Teil einer Stadt bzw. Polis waren und zu deren
polit.-rechtlichem System gehörten. Wiederum ist zwischen verschiedenen topographischen und institutionellen Gegebenheiten zu unterscheiden. Der Peiraieus
von Athen lag z. B. 7 km von der Stadt entfernt, jedoch
seit dem Bau der langen Mauern unter Perikles innerhalb ihrer Stadtmauern; Dikaiarchia, das *e.* von Cumae,
lag dagegen außerhalb der Polis (Strab. 5,4,6); das *e.* von
Alexandreia war ein in die Stadt integriertes Viertel.
Eine dritte Kategorie bildeten Städte, die nur in ihrer
Funktion als Versorgungshäfen für das Hinterland *e.* genannt wurden. So konnten Ephesos und Alexandreia als
die *e.* von Kleinasien und Ägypt. bezeichnet werden.
Auch die Häfen des archa. Korinth, von Aigina, von

Athen oder in hell. Zeit von Delos und Rhodos dienten als Umschlagplätze für den gesamten Mittelmeerraum.

In der älteren Forsch. ist v. a. die wirtschaftliche und soziale Sonderstellung und Ausgrenzung der e. betont worden. Die ant. polit. Theorie, die besonderen Kontrollmaßnahmen, die für die Häfen und Handelsgeschäfte überliefert sind, unterstützen diese Annahme. Die gegenwärtige Forsch. tendiert jedoch dazu, Formen und Ausmaß der wirtschaftlichen und sozialen Integration von e. im Einzelfall differenziert zu betrachten.

1 A. BRESSON, P. ROUILLARD (Hrsg.), L'emporion, 1993
2 R. GARLAND, The Piraeus, 1987 2 GEHRKE
3 P. MILLETT, Maritime Loans and the Structure of Credit in Fourth-Century Athens, in: GARNSEY/HOPKINS/WHITTAKER, 36–52 4 C. MOSSÉ, The World of the e. in the Private Speeches of Demosthenes, in: GARNSEY/HOPKINS/WHITTAKER, 53–63.　　　　　　　　　S.v.R.

Emporos (ἔμπορος). In der Odyssee ist e. ein Passagier, der auf fremdem Schiff mitfährt (Hom. Od. 2,319; 24,300f.). Der Händler und Schiffseigner, der Waren wegen des Gewinnes verhandelt, heißt in Od. 8,161–164 hingegen πρηκτήρ (prēktḗr) bzw. ἀρχὸς ναυτάων (archós nautáōn). In Anlehnung an die epische Sprache sind e. in att. Tragödien Reisende zu Land und See. Bereits Hesiod aber bezeichnet mit ἐμπορή (emporḗ; Hes. erg. 646) das Verhandeln von Waren zu Schiff, und in diesem Sinne gebraucht auch Herodot (2,39,2) den Begriff e. In klass. Zeit steht e. insbesondere für den Fernhändler, der meist auf fremdem Schiff seine Ware über die Polisgrenzen hinweg ein- und ausführte. Unterschieden wurden vom e. der Kleinhändler auf dem lokalen Markt (κάπηλος, kápēlos; Plat. rep. 371d) und der Schiffseigner (ναύκληρος, naúklēros). Im Gegensatz zum wenig geachteten Kleinhändler stand der e. in dem Ruf, schnell zu Reichtum zu gelangen (Xen. mem. 3,4,2), und genoß daher größeres Ansehen; polit. Einfluß übten die e. aber nicht aus. Bes. wichtig waren für Athen die Getreidehändler, für die spezielle Regelungen galten, über deren Einhaltung ἐμπορίου ἐπιμεληταί (emporíu epimelētaí) wachten (Aristot. Ath. pol. 51,4, vgl. Lys. or. 22). E. nahmen häufig Seedarlehen auf, die im Falle einer Havarie nicht zurückgezahlt werden mußten; solche Seedarlehen waren häufig Gegenstand von Prozessen (Demosth. or. 32; 34; 35; 56; ein Vertrag über ein Seedarlehen: Demosth. or. 35,10–13). In Athen durften Seedarlehen nur an solche Händler vergeben werden, die bestimmte Waren, insbesondere Getreide, nach Attika brachten (Demosth. or. 35,51). Für die Beilegung von Streitigkeiten in Handelsgeschäften galten in Athen spezielle Klageverfahren (ἐμπορικαὶ δίκαι, → emporikaí díkai)). Um die Einnahmen Athens zu steigern, schlug Xenophon verschiedene Vergünstigungen für e. und naúklēroi vor (Xen. vect. 3). In hell. Zeit war zunächst Rhodos, dann das zum Freihafen erklärte Delos Hauptumschlagplatz für e. und naúklēroi, die dort Lagerhäuser und Depots besaßen. Vielfach schlossen sich die Überseehändler zu rel. und gesellschaftlichen Vereinen (κοινά, koiná) zusammen.

→ Darlehen; Handel; Kapelos; Naukleros

1 V. EHRENBERG, Aristophanes und das Volk von Athen, 1968 2 D. GRAY, Seewesen. ArchHom G, 1974 3 M. V. HANSEN, Athenian Maritime Trade in the 4th Century B. C. Operation and Finance, in: CeM 35, 1984, 71–92
4 J. HASEBROEK, Staat und Handel im Alten Griechenland, 1928 5 H. KNORRINGA, E., 1926 6 G. KOPCKE, Handel. ArchHom M, 1990 7 P. MILLETT, Lending and Borrowing in Ancient Athens, 1991, 188–196 8 C. MOSSÉ, The »World of the Emporion«, in: GARNSEY/HOPKINS/WHITTAKER, 53–63 9 C. MOSSÉ, Homo oeconomicus, in: J.-P. VERNANT (Hrsg.), Der Mensch der griech. Ant., 1993, 31–62
10 N. K. RAUH, The Sacred Bonds of Commerce, 1993
11 W. E. THOMPSON, The Athenian Entrepreneur, in: AC 51, 1982, 53–85.　　　　　　　　　　W.S.

Emptio venditio. Die e.v. ist auf den Austausch von Ware gegen Geld gerichtet. Die eingehende Beschäftigung der röm. Juristen mit diesem wirtschaftlich bedeutsamen Vertrag führt zur Entwicklung vieler Rechtsinstitute, die bis heute die Strukturen der modernen Privatrechtsordnungen wesentlich prägen.

A. DIE VORFORM: MANCIPATIO　B. DER GEGENSEITIGE VERTRAG　C. HAUPTPFLICHTEN UND GEWÄHRLEISTUNG　D. NEBENABREDEN

A. DIE VORFORM: MANCIPATIO

In der ältesten Form ist der Kauf des röm. Rechts ein Bargeschäft: Bei der → mancipatio erfolgen Kaufabschluß, Preiszahlung und Eigentumsübertragung an einer → res mancipi in einem einheitlichen Rechtsakt. Aus formfreien Geschäften zwischen Römern über res nec mancipi bzw. im Rechtsverkehr zwischen Römern und Peregrinen entsteht bis zum 2. Jh.v.Chr. die e.v. als obligatorisch wirkendes Verpflichtungsgeschäft.

B. DER GEGENSEITIGE VERTRAG

Im Prinzipat ist die e.v. ein synallagmatischer (gegenseitiger), auf der bona fides beruhender Konsensualvertrag, der durch formlose Einigung über Ware und Preis zustandekommt. Zum Eigentumserwerb an der Kaufsache bedarf es eines zusätzlichen Verfügungsgeschäftes (→ traditio bzw. mancipatio oder → in iure cessio bei res mancipi).

Der Preis muß aus einer bestimmten Geldsumme bestehen. Die Höhe wird von den Parteien frei festgesetzt. In der Spätant. erhält der Verkäufer ein Anfechtungsrecht, wenn der Preis geringer als die Hälfte des Wertes der Ware ist (sog. laesio enormis).

Verkauft werden können sowohl körperliche Sachen als auch Rechte. Unwirksam sind Kaufverträge über freie Menschen und über Sachen, welche dem Privatrechtsverkehr (→ commercium) entzogen sind oder bei Vertragsabschluß nicht existieren. Es ist aber möglich, zukünftige Sachen (emptio rei speratae) oder Gewinnchancen (emptio spei) zu verkaufen. Die röm. Quellen kennen den Kauf von individuellen Sachen (Spezieskauf) oder aus einem Vorrat (beschränkter Gattungskauf). (Reine Gattungskäufe werden mittels wechselseitiger → Stipulationen über Ware und Preis durchgeführt.)

C. Hauptpflichten und Gewährleistung

Die *actio empti* des Käufers und die *actio venditi* des Verkäufers dienen primär zur Durchsetzung der beiderseitigen Hauptpflichten – Leistung der Kaufsache und Kaufpreiszahlung. Sie enthalten in ihren Klageformeln die Anweisung an den Richter, *ex fide bona* zu entscheiden. Zur Präzisierung des *oportere ex fide bona* entwickeln die röm. Juristen Regelungen über vertragliche Nebenpflichten, Leistungsstörungen usw.

Der Verkäufer haftet zw. Vertragsabschluß und Übergabe für schuldhafte Beschädigung oder Zerstörung der Kaufsache sowie für deren Diebstahl (→ *custodia*). Bei zufälliger Verschlechterung oder Untergang trägt hingegen der Käufer ab Perfektion die Gefahr und muß den vollen Kaufpreis bezahlen. (Perfekt ist die *e.v.*, wenn keine aufschiebende Befristung oder Bedingung vorliegt und die Ware individualisiert ist.)

Für Mängel an der Kaufsache haftet der Verkäufer zunächst nur bei Arglist oder Garantiezusagen. Beim Marktkauf von Sklaven und Zugtieren verpflichten Edikte der kurulischen Ädilen den Verkäufer zur Anzeige bestimmter Mängel. Bei Verletzung dieser Pflicht oder unrichtigen Zusagen über Eigenschaften kann binnen 6 Monaten die *actio redhibitoria* auf Rückabwicklung (Wandlung) des Geschäftes oder binnen 12 Monaten die *actio quanti minoris* auf Preisminderung angestellt werden. Später werden diese Grundsätze der (verschuldensunabhängigen) Sachmängelgewährleistung im Rahmen der *actio empti* bei allen Kaufgeschäften angewendet.

Der Verkauf einer fremden Sache ist gültig. Der Verkäufer ist nicht zur Eigentumsübertragung, sondern nur zur Einräumung des ungestörten Besitzes verpflichtet. Er haftet aber, wenn ein Dritter die Sache vom Käufer erfolgreich herausverlangt (Eviktion): Bei einem Manzipationskauf kann der Käufer die *actio auctoritatis* auf Rückzahlung des doppelten Kaufpreises erheben; sonst steht ihm die Klage aus dem für diesen Fall üblichen Strafversprechen (*stipulatio duplae*) zur Verfügung. Außerdem kann mit der *actio empti* sowohl bei Eviktion als auch beim wissentlichen Verkauf einer fremden Sache auf das Interesse geklagt werden.

D. Nebenabreden

Durch Nebenabrede (*pactum adiectum*) kann dem Verkäufer gestattet werden, binnen einer Frist die Sache zu besseren Bedingungen zu verkaufen (*in diem addictio*) oder den Vertrag bei nicht fristgerechter Zahlung des gestundeten Preises aufzulösen (*lex commissoria*). Der Käufer kann sich eine Frist zur Erprobung der Kaufsache ausbedingen (*pactum displicentiae*). Beim Sklavenkauf sind Prostitutionsverbote, Bestimmungen über die Freilassung (*ut/ne servus manumittatur*) oder den Export des Sklaven (*ut servus exportetur*) gebräuchlich. Bei Bruch der Abrede fällt der Sklave an den Verkäufer zurück.

→ Auctoritas; Consensus; Damnum; Pactum; Synallagma

KASER, RPR I, 545–562, II, 385–394 • H. HONSELL, TH. MAYER-MALY, W. SELB, Röm. Recht, ⁴1987, 304–322 •

M. TALAMANCA, s. v. Vendita (diritto romano), Enciclopedia del diritto XLVI, 1993, 303–475 • L. VACCA (Hrsg.), Vendita e trasferimento della proprietà nella prospettiva storico-comparatistica I/II, 1991 • R. ZIMMERMANN, The Law of Obligations, 1990, 230–337. R. GA.

Empusa (Ἔμπουσα; Etym. unklar [1]). Weibliche Spukgestalt (*phásma*), die sich durch Verwandlungsfähigkeit (vgl. *polýmorphos*) auszeichnet und zur Gruppe gespenstischer → Dämonen im griech. Volksglauben gehört [2; 3] (→ Lamia). Sie nimmt verschiedene Gestalten an, so in Aristoph. Ran. 285–295, wo sie Dionysos und seinem Sklaven Xanthias bei deren Gang durch die Unterwelt [4] als Rind, Maulesel, hübsche Frau und schließlich als Hund erscheint [5]. Ihr Gesicht ist von Feuer erleuchtet, ein Bein ist ehern, das andere aus Kuhmist (vgl. Aristoph. Eccl. 1056 f.). Aischines' Mutter → Glaukothea konnte wegen ihrer mannigfaltigen Handlungen und Erfahrungen den Spitznamen E. tragen (Demosth. or. 18,130; Idomeneus FGrH 338 F2; vgl. auch Alki. 3,26,3). E. erscheint auch als Nachtgespenst und als mit Liebreiz lockender Vampir (Philostr. Ap. 2,4; 4,25). Sie wurde mithin zu den → Hekate-Gespenstern (Hekataia) gezählt (schol. Apoll. Rhod. 3,861; schol. Aristoph. Ran. 293; vgl. auch Aristoph. fr. 515 PCG).

1 FRISK, I, 508 2 H. HERTER, Böse Dämonen im frühgriech. Volksglauben, in: KS, 1975, 43–75 3 G. LANATA, Medicina magica e religione popolare in Grecia, 1967, 34 4 F. GRAF, Eleusis und die orphische Dichtung Athens in vorhell. Zeit, 1974, 40–50 5 K. DOVER, Aristophanes, Frogs, ed. with introduction and commentary, 1993, 229 f.

E. K. BORTHWICK, Seeing Weasels: The Superstitious Background of the E. Scene in the Frogs, in: CQ 18, 1968, 200–206 • CH. G. BROWN, E., Dionysus and the Mysteries: Aristophanes, Frogs 285 ff., in: CQ 41, 1991, 41–50 • NILSSON, GGR 725 • O. WASER, s. v. E., RE 5, 2540–2543. R. B.

Empylos (Ἔμπυλος). Rhetor des 1. Jh. v. Chr. aus Rhodos; er lebte in Rom im Hause des M. → Iunius Brutus und verfaßte eine kleine Schrift über Caesars Ermordung, in der er für seinen Freund Brutus Partei ergriff. Plut. Brut. 2,4 hat die Schrift benutzt und positiv beurteilt. Quint. inst. 10,6,4 erwähnt E. lobend wegen seines außerordentlichen Gedächtnisses.

ED.: FGrH 2 B 191. M. W.

Empyra s. Opfer

Enagonios (Ἐναγώνιος). Epiklese der für das Gymnasion, die dortigen sportlichen Übungen und die sie ausübenden jungen Männer zuständigen Gottheiten, verbreitet v. a. seit dem Hellenismus. Insbes. führt → Hermes diesen Beinamen in vielen griech. Städten, doch findet er sich auch bei Apollon (verschiedene Städte), Aphrodite (Athen) und sogar Dionysos (Magnesia am Maiandros). F. G.

Enallage s. Figuren I

Enalos (Ἔναλος). Lesbischer Heros aus dem Poseidonkreis, in die Besiedlungssage von Lesbos verflochten. Nach Myrsilos von Methymna (FGrH 477 F 14) warfen die Penthiliden (→ Penthilos) auf ein Orakel der Amphitrite hin die Tochter des Smintheus (oder Phineus) ins Meer, worauf deren Liebhaber E. ihr nachsprang, von einem Delphin aber wohlbehalten nach Lesbos getragen wurde. Ausführlicher ist Plut. mor. 20, p. 163 a-d: E. war einer der Kolonisten aus Lesbos, die der Amphitrite und den Nereiden eine Jungfrau, dem Poseidon einen Stier zu opfern haben. Das Los traf die Geliebte des E. Nach Antikleides (FGrH 140 F 4) verschwanden beide in den Wellen: E. hütete Poseidons Stuten, seine Geliebte wurde Nereide. R.B.

Enarete s. Ainarete

Endeis s. Aiakos

Endeixis (Ἔνδειξις). Wörtlich »Anzeige«: Die E. war in Athen eine bes. Form des öffentlichen Einschreitens einer Privatperson, das die sofortige Verhaftung des Angeklagten oder die Anordnung einer Gestellungsbürgschaft durch den Gerichtsvorstand (die »Elfmänner«, den *Árchōn Basileús* oder die *thesmothétai*; → Archontes) zur Folge hatte. Sie war gegen Personen (Staatsschuldner, Verbannte oder *átimoi* (→ Atimia) zulässig, die Orte (Heimat, Volksversammlung, Rat, Gerichtshöfe, Heiligtümer, Markt) besuchten, deren Besuch ihnen durch Gesetz oder Volksbeschluß untersagt war, oder die gesetzlich verbotene Tätigkeiten ausübten (Aristot. Ath. pol. 52,1; Demosth. or. 24,22). Auch das sich an die Anzeige anschließende Verfahren wurde *e.* genannt. Im Unterschied zur → *apagogé* mußte der Einschreitende den Betroffenen nicht selbst verhaften. Die Strafen waren nach der Schwere des Deliktes abgestuft und reichten nach richterlicher Schätzung bis zur Todesstrafe. → Delatio nominis; Delator

H. M. Hansen, Apagoge, E. and Ephegesis, 1976. G. T.

Endelechius. Wohl identisch mit dem 395 n. Chr. in Rom lehrenden, aus Gallien stammenden und mit → Paulinus von Nola befreundeten Rhetor Severus Sanctus E. Er verfaßte um 400 ein christl. bukolisches Gedicht (→ Bukolik) in 33 (d.i. die Zahl der Lebensjahre Christi) Strophen, die jeweils aus drei Asklepiadeen und einem Glyconeus bestehen: Bucolus berichtet Aegon vom Verlust seiner Herde durch eine Viehseuche, während der Christ Tityrus darauf hinweist, daß seine Herde durch die Macht des Kreuzes erhalten blieb. Daraufhin bekehren sich die beiden anderen zum Christentum.

Ed.: D. Korzeniewski, Hirtengedichte aus spätröm. und karolingischer Zeit, 1976, 58–71.
Lit.: HLL § 626. J. GR.

Endesa. Sikulische Ortschaft [1] im Gebiet von Himera, in einer Weihung an Hera Thespis (eher als an Leukaspis [2]) erwähnt, die sich auf den beiden Seiten eines Reliefs befindet. Sie wurde im Heraion von Samos gefunden und zeigt auf der einen Seite einen runden Schild, auf der anderen den Bug des Schiffes Samaina. Die Weihung wurde wahrscheinlich von Bürgern von Samos dargebracht, als sie E. belagerten (500 v. Chr.).

1 M. Massa, s. v. E., BTCGI 7, 1989, 181 2 G. Manganaro, Una dedica di Samo rivolta non a Leukaspis, ma a Hera Thespis?, in: ZPE 101, 1994, 120–126. GI. F./Ü: R. P. L.

Endios (Ἔνδιος). Spartiat, Sohn des Alkibiades. 420 v. Chr. versuchte E. als Gesandter in Athen erfolglos, eine Symmachie zwischen den Athenern sowie Argos, Mantineia und Elis zu verhindern (Thuk. 5,44–47). Als Ephor stimmte er 413/2 auf Anraten des aus Athen verbannten Alkibiades [3], mit dessen Familie er durch Proxenie verbunden war, für eine rasche Verlagerung des Kriegsgeschehens in das Gebiet der kleinasiatischen Verbündeten Athens (Thuk. 8,6; 17). Nach der spartanischen Niederlage bei Kyzikos (410 v. Chr.) versuchte E. vergeblich, in Athen einen Frieden zu vermitteln (Diod. 13,52 f.). M. MEI.

Endivie (*Cichorium endivia* L.) war die eine Form der angebauten σέρις (*séris*) des Dioskurides (2,132 [2. 203 f.] bzw. 2,159 [3. 224 f.]), welche als magenfreundlich, adstringierend und kühlend in ihrer Wirkung galt. Ein Umschlag von ihrem Kraut wurde als Linderungsmittel u. a. bei Herzleiden, Podagra und Augenentzündungen sowie gegen Skorpionbisse verordnet. Man aß sie damals wie h. gerne als Salat. Plinius (nat. 19,126) erwähnt sie unter der Bezeichnung *intubus* bei den Arten von *lactuca* (»Salat«). Als *Sponsa solis* begegnet sie u. a. nach dem salernitanischen *Circa instans* bei Thomas von Cantimpré (12,26 [1. 348]).

1 H. Boese (ed.), Thomas Cantimpratensis, Liber de natura rerum, 1973 2 Wellmann 1 3 Berendes. C. HÜ.

Endoios. Bildhauer in Athen im späteren 6. Jh. v. Chr. Er arbeitete in Elfenbein und Holz weibliche Götterstatuen für Ephesos, Erythrai und Tegea, letztere wurden später ins Augustusforum in Rom gebracht. Seine marmorne Sitzfigur der Athena, Weihgeschenk eines Nikias auf der Athener Akropolis, wird in der Statue Athen, AM Inv. Nr. 625 (um 520 v. Chr.) erkannt. Plausibel ist die Ergänzung seiner Signatur am Votivrelief eines Töpfers, unsicher die Verbindung einer signierten Basis mit der Kore Athen, AM Inv. Nr. 602. Die Malerei an der Basis des Grabmonumentes für Nelonides (530–520 v. Chr.) muß nicht von seiner Hand sein.

Fuchs/Floren, 297–299 • Overbeck, Nr. 348–353 (Quellen) • A. E. Raubitschek, Dedications from the Athenian Akropolis, 1949, 491–495 • B. S. Ridgway, The Archaic style in Greek sculpture, 1977, 138, 284, 288 • D. Viviers, Recherches sur les ateliers de sculpteurs et la cité d'Athènes à l'époque archaïque, 1992. R. N.

Endoxa s. Meinung

Endromis s. Schuhe

Endymion (Ἐνδυμίων). Sohn des Aethlios (oder des Zeus) und der Aiolostochter Kalyke (Paus. 5,8,1; Apollod. 1,56). Im peloponnesischen Sagenstrang König von Elis (Ibykos fr. 284 PMGF; Paus. 5,8,1), der die Aioler von Thessalien dorthin geführt hat. Seine Söhne Paion, Epeios und Aitolos läßt er im Wettlauf um ihren Erbanspruch kämpfen. Wohl deshalb zeigt man ein Grabmal des E. am Stadion von Olympia (Paus. 5,1,4; 6,20,9). Bei Hesiod (fr. 245 MERKELBACH-WEST) darf E. als von Zeus Bevorzugter über seinen Tod selbst entscheiden; als er jedoch übermütig Hera begehrt, stürzt er in den Hades (Hes. fr. 260 MW) bzw. fällt zur Strafe in ewigen Schlaf (Epimenides FGrH 457 fr. 10). Immer mit Kleinasien und dem Latmosgebirge verbunden ist die Liebe der Mondgöttin → Selene zum schönen Jäger (Schol. Theokr. 3,49) oder Hirten E. (Theokr. 20,37; Serv. georg. 3,391), wovon bei Hesiod noch nicht die Rede ist. Als Selene, von der er 50 Töchter hat (Paus. 5,1,4), ihm einen Wunsch bei Zeus ausbittet, wählt E. ewigen Schlaf in Jugend und Unsterblichkeit (Sappho fr. 199 VOIGT; Apoll. Rhod. 4,57f.; Lukian. dial. deor. 19), oder aber E. wird von Selene schließlich wegen seiner bes. weißen Schafe erhört. Auch Hypnos, der Gott des Schlafes, liebt E. und läßt ihn deshalb mit geöffneten Augen schlummern (Likymnios von Chios fr. 771 PMG). Während Rationalisten ihn zum ersten Astronomen machten (Plin. nat. 2,6,43; Nonn. Dion. 41,379), und Lukianos (ver. hist. 1,11) ihn gar König der Mondbewohner nennt, war der ewig schlafende E. ein beliebtes Motiv der kaiserzeitlichen Sarkophagkunst. Bei Herakleia am Latmos zeigte man sein Grab oder Adyton in einer Höhle (Strab. 14,1,8; Paus. 5,1,5).
→ Hypnos; Kalyke

E. BETHE, s. v. E., RE 5, 2557–2560 • H. GABELMANN, s. v. E., LIMC 3.1, 726–742 • L. ROBERT, Retour dans le Latmos à Héraclée; in: Ders., A travers l'Asie Mineure, 1980, 351–353 • H. SICHTERMANN, Späte E.-Sarkophage, 1966 • Ders., G. KOCH, Griech. Mythen auf röm. Sarkophagen, 1975 • L. v. SYBEL, s. v. E., ROSCHER 1.1, 1246–48.   T.S.

Enechyrasia (Ἐνεχυρασία). Im griech. Recht die Vollstreckung wegen Geldforderungen oder wegen Forderungen auf Herausgabe von Sachen. Sie geschah in das bewegliche oder unbewegliche Vermögen (außerhalb Athens auch gegen die Person) des Schuldners nach Ablauf einer nicht näher bekannten Frist auf Grund eines Urteils oder einer vollstreckbaren Urkunde durch private Pfandnahme des Gläubigers. Dieser mußte die Pfändungshandlung persönlich vornehmen. In Athen verschaffte ihm der *démarchos* (→ Demarchoi) der Wohnsitzgemeinde des Schuldners den Zutritt zu den Pfandgegenständen. Der Gläubiger war in der Wahl der Pfandobjekte frei (s. aber Demosth. or. 47,58), haftete aber für den Überschuß (Demosth. or. 47,57). Im pto-

lemäischen Ägypten war die *e.* die erste Stufe der nach Gesuch des Gläubigers einzuleitenden Zwangsvollstreckung, die dort einem Vollstreckungsbeamten oblag.

A. R. W. HARRISON, The Law of Athens II, 1971, 188 ff. • H.-A. RUPPRECHT, Einführung in die Papyruskunde, 1994, 149.   G.T.

Enepiskepsis (ἐνεπίσκηψις). Bei der Konfiskation eines Vermögens (→ *démeusis*, → *dēmióprata*) konnte in Athen ein Dritter mit der Behauptung auftreten, ein bestimmtes Vermögensstück gehöre ihm oder sei ihm verpfändet. Erhob er deshalb Widerspruch in Form einer *e.*, kam es zw. ihm und dem Betreiber der Konfiskation (→ *apographê*) zu einer → *diadikasía*, in der entschieden wurde, ob der Staatsschuldner dem Dritten die Herausgabe jener Vermögensstücke »schulde« (Demosth. or. 49,45 ff.; Hesperia 10, 1941, 14).

A. R. W. HARRISON, The Law of Athens II, 1971, 216f.
                                                                    G.T.

Energeia. Das abstrakte Nomen ἐνέργεια wurde (anscheinend) von Aristoteles aus dem Adjektiv ἐνεργός (*energós*: an der Arbeit/wirkend/aktiv) gebildet und als t. t. in die Philos. eingeführt. Er unterscheidet zwischen (I) einer δύναμις (*dýnamis*/Potenz), etwas zu sein und der ἐνέργεια (*e.*/Verwirklichung/Aktualität/Aktivität), dieses Seins, (II) zwei Graden der Potenz und zwei der *e.*, und (III) einem engeren und einem breiteren Sinn von *e.* (Ia) Für Aristoteles ist die Materie Potenz, die Form eine *e.*; denn das jeweilige Ding ist ἐνεργείᾳ (wirklich), was es ist – es ist so geformt, wie es ist –, aufgrund seiner Form (vgl. an. 2,1,412a 19–21; metaph. 8,6, 1045a 23–25). (Ib) Jede Veränderung (Bewegung) ist als die *e.* einer Potenz zu verstehen; denn das jeweilige Ding ist vorher potentiell (δυνάμει), was (wo) es nachher wirklich (ἐνεργείᾳ) ist (vgl. phys. 3,1,201a 10–b15) [1; 2]. Die zwei Grade von Potenz und *e.* (II) lassen sich so verdeutlichen: Jeder Mensch hat eine erste Potenz für den Spracherwerb, und die *e.* dieser Potenz ist das Lernen der Sprache. Ist nun z.B. das Deutschsprechen einmal gelernt, ist es selbst die (weitere) zweite Potenz, Deutsch zu sprechen. Das tatsächliche Sprechen einer Sprache, die man beherrscht, ist eine auf der erworbenen zweiten Potenz beruhenden Aktivität und so selbst eine (zweite) *e.* (III) Aber streng genommen sind Veränderungen (wie Lernen) von ersten zu zweiten Potenzen → Bewegungen (κινήσεις), die (i) Zeit erfordern, (ii) durch Adverbien wie »schnell« oder »langsam« beschreibbar sind und (iii) nicht in sich selbst vollendet, sondern auf Vollendung zielend sind (vgl. Aristot. eth. Nic. 10,3,1173a 29–b 4; metaph. 9,6,1048b 18–36). (i) und (ii) sind relativ klar. Zu (iii): Aristoteles würde sagen, daß jemand, der Deutsch lernt, nicht gleichzeitig einer ist, der Deutsch gelernt hat; wenn dagegen jemand Deutsch spricht, ist er gleichzeitig einer, der Deutsch gesprochen hat. Verallgemeinert (φ sei eine Variable für Verben, x für mögliche Subjekte): Ist folgender Schluß *nicht* gültig, so bezeichnet φ eine *kínēsis*: ›Wenn φx (Präsens), dann hat x bereits und zugleich ge-φx (Perfektum); z.B. wenn jemand ein Haus baut, hat er *nicht* bereits und zugleich ein Haus gebaut. Ist der Schluß aber gültig, bezeichnet φ eine wahre, d.h. eine zweite *e.*; z.B. wenn jemand denkt, hat er bereits und zugleich gedacht. Mit dieser Unterscheidung zwischen Verwirklichungen und *enérgeiai* (im engen Sinn) versucht Aristoteles, der internen Struktur von Ereignissen gerecht zu werden. Bewegungen *sind*, aber Übergänge von zweiten Potenzen zu ihren entsprechenden Verwirklichungen sind *nicht* zeitliche Prozesse (eth. Nic. 10,4,1174a13–b9). Doch heißt das nicht, daß sie zeitlos sind, sondern vielmehr, daß, wenn eine zweite Potenz »aktiviert« wird, sie in dem Zeitraum, in dem sie benutzt wird, zu jedem Zeitpunkt *völlig* benutzt wird; z.B. wenn jemand sieht, ist seine Potenz zu sehen völlig aktiviert (1174a 14–15; metaph. 9,6,1048b 23) [3; 4; 5]. Die schwierigen und für die Nachwelt folgenreichen Gedanken, daß die Seele eine *entelécheia* (an. 412a27), eine das Lebensziel (*télos*) eines Lebewesens – im Sinne eines seiner Art entsprechenden Lebens – ausdrückende *e.* ist, und daß Gott eine reine, auf keiner Potenz beruhende *e.* ist – daß Gott nur und völlig aktiv ist (vgl. metaph. 12,7,1072b14–21 und 12,9,1074b15–35; eth. Nic. 10,8,1178b 7ff.) –, wären auch in diesem Rahmen zu verstehen.

1 S. Waterlow, Nature, Change and Agency, 1982 2 R. Heinaman, Is Aristotle's Definition of Change Circular?, in: Apeiron 27, 1994, 25–58 3 T. Penner, Verbs and the Identity of Actions, in: G. Pitcher, O.P. Wood (Hrsg.), Hyle: A Collection of Critical Essays, 1971 4 M. Frede, Aristotle's Notion of Potentiality in Metaphysics Θ, in: T. Scaltsas, D. Charles, M.L. Gill (Hrsg.), Unity, Identity and Explanation in Aristotle's Metaphysics, 1994, 173–193 5 A. Kosman, The Activity of Being in Aristotle's Metaphysics, in: ebd., 195–213.
WO.M.

Energie A. Moderner Energiebegriff und antike Konzeptionen von Bewegung und Kraft B. Energienutzung in der Antike

A. Moderner Energiebegriff und antike Konzeptionen von Bewegung und Kraft

Mit dem Begriff E. kennzeichnet man seit Mitte des 19. Jh. die Fähigkeit von Materie, in unterschiedlicher Form Arbeit zu leisten. Durch die mit der Industriellen Revolution einsetzende technische Entwicklung und durch die wachsende Zusammenarbeit von Technikern und Naturwissenschaftlern wurde eine Präzisierung der Begriffe Kraft, Arbeit und E. unumgänglich. Das in der modernen Physik formulierte Gesetz von der Erhaltung der E. gestattete es, die Umwandlung von einer E.-Form in eine andere genau zu beschreiben und den Wirkungsgrad der verschiedenen E.-Formen klar zu erfassen; es wird dabei zwischen kinetischer und thermischer E. unterschieden. In der ant. Naturphilos. wurden keine der modernen Konzeption der E. vergleichbaren Vorstellungen entwickelt. Aristoteles definiert in seiner Theorie der Bewegung zwar vier relevante Größen –

das Bewegende, das Bewegte, die Entfernungen und die Zeit (phys. 249b–250b) –, kommt aber nicht zu einem klaren Begriff der Arbeit, wie er in der modernen Physik verwendet wird. In der aristotelischen Mechanik wird die Wirkung der mechanischen Instrumente, vor allem des Hebels, darin gesehen, daß mit einer geringen Kraft große Gewichte bewegt werden (Ps.-Aristot. mech. 847a–850b). In der folgenden Entwicklung der Mechanik ging es darum, eine gegebene Kraft möglichst effizient einzusetzen, etwa mit Hilfe von Rollen und Flaschenzügen schwere Lasten zu heben; es existierte jedoch keine Möglichkeit, mit Hilfe technischer Mittel E. zu sparen.

B. Energienutzung in der Antike
1. Die menschliche Muskelkraft
2. Die tierische Muskelkraft 3. Wasserkraft und Windkraft 4. Thermische Energie

1. Die menschliche Muskelkraft

Für die Wirtschafts- und Technikhistorie sind E.-Potentiale und Formen der E.-Nutzung grundlegende Kriterien für die Analyse einer Wirtschaft; für die ant. Wirtschaft ist es dabei kaum möglich, die E.-Quellen quantitativ zu erfassen, immerhin kann aber die E.-Nutzung umrißhaft beschrieben werden. Grundsätzlich ist davon auszugehen, daß die menschliche und tierische Muskelkraft sowie Brennholz bzw. Holzkohle die wichtigsten in der Ant. genutzten E.-Quellen waren; dabei wurde thermische E. – wenn man von der → Automatentechnik absieht – nicht in kinetische E. umgewandelt; es gab keinen Antrieb durch Verbrennung fossiler Brennstoffe. Viele Arbeitsprozesse in der Landwirtschaft und im Handwerk wurden von Menschen mit einfachen Werkzeugen ausgeführt, so daß hierbei über die menschliche Muskelkraft hinaus kein zusätzlicher E.-Bedarf entstand. Auch für das Transportwesen sollte der Anteil der menschlichen Muskelkraft nicht unterschätzt werden: Innerhalb der Städte, auf den Gütern oder in Häfen wurden Lasten von Menschen befördert, teilweise mit einfachen Hilfsmitteln wie etwa einer Stange, die auf den Schultern von zwei Trägern lag.

2. Die tierische Muskelkraft

Die Möglichkeit, Tiere für einzelne Arbeitsprozesse zu nutzen, erschloß dem Menschen schon früh weitere E.-Potentiale – ein technischer Fortschritt, der bereits in der griech. Lit. reflektiert wurde: Der Prometheus der Trag. rühmt sich, als erster Tiere angeschirrt zu haben, die damit den Menschen große Mühen abgenommen hätten (Aischyl. Prom. 462–466). Im Agrarbereich traf dies zunächst für die Bodenbearbeitung, vor allem für das Pflügen, zu; im mediterranen Raum wurden hierfür Ochsen (→ Rind), seltener auch Kühe oder → Esel eingesetzt. Der Ochse wurde darüber hinaus zum Ziehen schwerer Lasten gebraucht, die auf Karren mit zwei Scheibenrädern und einer Deichsel geladen waren. Bereits in der archa. Zeit gewannen Maultiere (→ Maulesel) als Zugtiere an Bedeutung; sie zogen normalerweise leichte Wagen mit Strebenrädern. Der Transport erfolgte aber keineswegs allein mit Wagen, sondern angesichts fehlender guter Wege in großem Umfang mit Lasttieren, die Güter aller Art (Getreide, Brennholz, Metallbarren etc.) auf ihrem Rücken trugen. Unter den Lasttieren spielte neben Maultieren der Esel die größte Rolle. Im Orient wurde zu diesem Zweck schon früh das → Kamel verwendet. Die Frage, welche Tiere in der Wirtschaft eingesetzt wurden, hing nicht allein von den Möglichkeiten der Anschirrung ab, sondern auch vom Temperament der Tiere, den Futterkosten und der Anfälligkeit für Krankheiten. Da Tiere für die monotonen Arbeitsprozesse in der Landwirtschaft und im Transportwesen nicht geeignet sind, waren gravierende Eingriffe in ihre natürlichen Anlagen notwendig, um sie den jeweiligen Aufgaben anzupassen. Durch Kastration wurde das Temperament des Stieres verändert, und durch Kreuzung wurden Maultiere gezüchtet, die die positiven Eigenschaften von Pferd und Esel in sich vereinigten. Da die tierische Muskelkraft eine wichtige E.-Quelle darstellte, muß die Tierzucht ganz wesentlich unter diesem Aspekt gesehen werden; so wurden Rinder v. a. gezüchtet, um die Arbeitskraft der Ochsen nutzen zu können; diese Sicht findet sich bereits bei Platon (Plat. rep. 370e).

Die Entwicklung komplizierter Geräte und Instrumente schuf auch die Möglichkeit, menschliche und tierische Muskelkraft als Antriebskraft zu nutzen. Dies gilt bereits für ein so einfaches Instrument wie die Töpferscheibe, die von einem Gehilfen des Töpfers mit der Hand in Bewegung gesetzt wurde. Von Menschen angetrieben wurden auch große Schöpfräder, die der Wasserhaltung in röm. Bergwerken dienten, oder Krane, die mit einem Tretrad versehen waren. Sobald für das Mahlen von Getreide Rotationsmühlen zur Verfügung standen, konnten Tiere für diese Arbeit eingesetzt werden: Die Pompeianischen Mühlen waren so konstruiert, daß sie von → Pferden oder Eseln, die mit verbundenen Augen auf kleinem Kreis voranschritten, gedreht werden konnten.

3. WASSERKRAFT

Die Wasserkraft fand zuerst beim Mahlen des Getreides Anwendung: Ein senkrechtes Wasserrad, das als Antrieb diente, war durch einen Transmissionsmechanismus mit dem Mühlstein verbunden; eine solche Anlage wurde zum ersten Mal von Vitruv (10,5) beschrieben. Im → *Edictum Diocletiani* werden Wassermühlen und von Pferden oder Eseln gedrehte Rotationsmühlen nebeneinander erwähnt (15,52–54); für die Spätant. sind eine Reihe von Wassermühlen lit. oder arch. nachgewiesen, darunter das Mühlenzentrum am Ianiculum in Rom. Da im mediterranen Raum Flüsse im Sommer nur wenig Wasser führen, nutzten Mühlen wie am Ianiculum oder in einer ähnlichen Anlage in Südfrankreich bei Arles das Wasser von Aquädukten. Im 6. Jh. n. Chr. werden dann erstmals Schiffsmühlen auf dem Tiber erwähnt, die sich dem jeweiligen Wasserstand anpassen konnten (Prok. BG 1,19,19ff.). Nach Ausonius (Mos. 361–364) wurden im 4. Jh. n. Chr.

Marmorsägen bei Trier ebenfalls mit Wasserkraft angetrieben. In diesem Fall wurde die Rotationsbewegung des Wasserrades in die hin- und hergehende Bewegung der Säge umgewandelt. Die Nutzung der Windkraft beschränkte sich auf die Schiffahrt. Während Kriegsschiffe meistens gerudert und so von Menschen vorwärtsbewegt wurden, nutzte der Handel in der Regel Segelschiffe, die auf ihren Fahrten durch das Mittelmeer, auf dem Atlantik oder nach Indien den Wind nutzten.

4. THERMISCHE ENERGIE

Ein wichtiger E.-Träger war ferner das → Holz bzw. die → Holzkohle; für die Aufbereitung von Metallen, das Brennen von Keramik und Ziegeln oder für die Glasherstellung wurde in großem Umfang thermische E. benötigt; die Haushalte brauchten für die Zubereitung von Speisen ebenfalls große Mengen Brennstoff.

Überblickt man die E.-Nutzung in der Ant., dann ist der Vorrang menschlicher und tierischer Muskelkraft sowie des Holzes als Brennstoff deutlich. Die Wassermühle war im Imperium Romanum keineswegs so weit verbreitet wie später im MA, aber der technikhistorisch epochale Schritt zur wirtschaftlichen Nutzung der Wasserkraft wurde bereits in der Spätant. vollzogen.

→ Automaten; Brennstoffe; Edictum Diocletiani

1 L. CASSON, Energy and Technology in the Ancient World, in: Ders., Ancient Trade and Society, 1984, 130–152 2 R. HALLEUX, Problèmes de l'énergie dans le monde ancien, in: Etudes Classiques 45, 1977, 49–61 3 J. G. LANDELS, Engineering in the Ancient World, 1978, 9–33 4 WHITE, Technology, 49–57 5 Ö. WIKANDER, Exploitation of Water-Power or Technological Stagnation?, 1984 6 Ders., The Use of Water-Power in Classical Antiquity, in: Opuscula Romana 13, 1981, 91–104. AS. S.

Engomi. Befestigte Hafensiedlung der brz. spätkyprischen Periode (LC III A) in Ost-Zypern mit Palast und Heiligtümern (u. a. das des »horned« oder »Ingot god«); Werkstätten für Kupferverarbeitung; Gräber in der Stadt und in der Nekropole; reiche Funde, vor allem Metallmaterial (z. T. mit Inschr. in kyprischem Syllabar), mehrere Hortfunde. Gegründet vermutlich Anf. des 2. Jt., Blüte im 16./15. Jh. v. Chr. durch internationalen Kupferhandel. Reiche Grabfunde aus dem 14./13. Jh. (u. a. myk. Ware). Nach der Zerstörung im 13. Jh. geplanter Neuaufbau arch. nachweisbar. Ca. 1075 v. Chr. wurde die Stadt durch ein Erdbeben völlig zerstört, in Folge davon wurde → Salamis gegründet. Beide Städte existierten ca. 25 Jahre parallel, bis E. um 1050 v. Chr. ganz aufgegeben wurde, wohl auch wegen der Versandung des Hafens. Engl., frz. und zypr. Grabungen. Die Gleichsetzung von E. (oder auch Kition) mit der in hethitischen, akkadischen und ägypt. Quellen genannten Stadt (?) → Alaschia ist umstritten.

J. C. COURTOIS u. a., Enkomi et le Bronze Récent à Chypre, 1986 · P. DIKAIOS, Enkomi I–III (1969–1971) · V. KARAGEORGHIS, Cyprus from the Stone Age to the Romans, 1982 · O. MASSON, Les Inscriptions chypriotes syllabiques, ²1983. A. W.

Engye (ἐγγύη). Bürgschaft, später auch als → *engýēsis* bezeichnet. Ihre älteste Gestaltung, nämlich die der Geiselbürgschaft, zeigt Hom. Od. 8,266–366. Die E. bewirkte demnach eine Garantie des Bürgen für den Fall, daß der Hauptschuldner seiner Zahlungspflicht nicht nachkommen werde. Die Sicherheit bestand in dem Zugriff, den die Geisel, der ἔγγυος (*éngyos*), dem Gläubiger auf seine Person einräumte. Er verfiel wie ein Pfand dem mit privater Eigenmacht vorgehenden Gläubiger, wenn der verbürgte Erfolg nicht eintrat, daher auch der postverbale Ausdruck e. von ἐγγυάω (*engyáō*) »in die Hand geben« [1]. Im klass. griech. Recht erfolgte eine Umdeutung in »Übernahme der Person des Schuldners«. Daneben gab es aber auch die Rechtsfigur der Bürgschaft durch Treuversprechen. Die »Zahlungsbürgschaft«, ἐγγύη εἰς ἔκτιστιν (*e. eis éktistin*), ebenfalls ein reines Haftungsgeschäft, hat sich nicht aus der Geiselbürgschaft, sondern aus der Gestellungsbürgschaft entwickelt. Für die – im übrigen formfreie – Garantieübernahme war Ausdrücklichkeit vorgeschrieben, in einem schriftlichen Vertrag über die Hauptschuld wurden auch die Namen der Bürgen eingetragen. Die E. war im Gegensatz zu den modernen Rechten nicht von einer Forderung (z. B. auf Darlehensrückzahlung) abhängig und konnte auch für künftige Verpflichtungen übernommen werden. Gegen den Hauptschuldner war Regreß in doppelter Höhe der Forderung möglich (IPArk. 17, 109–111). Die E. begegnet auf allen Gebieten des Schuldrechts, bei Handelsgeschäften (Demosth. or. 33,10), Werkverträgen und Verpachtungen durch die öffentliche Hand sowie im Prozeßrecht, wo sie als Gestellungs- und Erfüllungsbürgschaft erscheint. In den Papyri Ägyptens tritt eine wechselseitige Verpflichtung zweier oder mehrerer Schuldner auf, die ἀλληλεγγύη (*allēllengýē*), die letztlich jedoch nur eine solidarische Haftung der Schuldner bewirkte.

  1 FRISK, s. v. E.

  J. PARTSCH, Griech. Bürgschaftsrecht I, 1909 · K. SETHE-H. PARTSCH, Demot. Urkunden zum Bürgschaftsrecht, 1920, 516 ff. · D. M. MACDOWELL, The Law in Classical Athens, 1978, 76. 167 · A. BISCARDI, Diritto greco antico, 1982, 161 ff. · G. THÜR-H. TAEUBER, Prozeßrechtliche Inschr. Arkadiens, 1994, 172, 179. · H.-A. RUPPRECHT, Einführung in die Papyruskunde, 1994, 131.   G. T.

Engyesis (ἐγγύησις). In Griechenland ein unter Zuziehung von Zeugen zwischen dem Bräutigam und dem → *kýrios* der Braut abgeschlossener feierlicher Rechtsakt, der die ehemännliche Gewalt begründete (auch ἐγγύη, *engýē* genannt), früher unrichtig als »Verlobung« gedeutet. Er wurde erst mit der Übergabe der Braut an den Mann, → *ékdosis*, voll wirksam. In Gortyn wird e. nie erwähnt, wohl aber von Platon (leg. 774e). In den Papyri ist e. Synonym von → *engýē*.

  H. J. WOLFF, Beiträge zur Rechtsgesch. Altgriechenlands, 1961, 170 (aus 1944) · Ders., Die Grundlagen des griech. Eherechts, in: TRG 20, 1952, 160 ff. · A. R. W. HARRISON, The Law of Athens I, 1968, 3 ff.   G. T.

Engyon (Ἔγγυον). Stadt im Innern von Sizilien, angeblich von Kretern gegründet (Diod. 4,79; Plut. Marcellus 20), von Timoleon dem Tyrannen Leptines entrissen (Diod. 16,72), im 2. Pun. Krieg auf Seiten von Karthago und doch von Marcellus glimpflich behandelt (Plut., ebd.), nach Cic. Verr. 3,103 *civitas decumana*, nach Plin. nat. 3,91 *stipendiarii*; berühmt war das Heiligtum der ›Mütter‹ (Plut. ebd.), bei Cic. Verr. 2,4,97 der *Mater Magna*, 2,5,186 *Mater Idaea*, mit Reliquien des Meriones und des Odysseus. Zweifelsfrei mit Troina gleichzusetzen [1. 130¹³; 2].

  1 G. MANGANARO, Alla ricerca di mikrai poleis della Sicilia centro-orientale, in: Orbis Terrarum 2, 1996 2 G. BEJOR, s. v. Engio, BTCGI 7, 185–188.   GI. F./Ü: R. P. L.

Enipeus (Ἐνιπεύς).

[1] Rechter Nebenfluß des → Alpheios [1] in Elis, auch Βαρνίχιος (*Barníchios*, »Lämmerfluß«) [1], h. Lestenitsa westl. von Olympia (Strab. 8,3,32; Hom. Od. 11,238 ff.).

  1 E. CURTIUS, Peloponnesos 2, 1852, 71 f.   C. L. u. E. O.

[2] Hauptfluß der westthessal. Ebene, h. Tsanarlis. Er entspringt im Othrys-Gebirge nahe Melitaia unter dem Namen *Elipeus* (IG IX 2, 205 und add.). Nach z. T. schluchtartigem Lauf nach Norden tritt er ca. 10 km östl. von Pharsalos in die Ebene, von wo er nach NO fließt. Etwa 5 km vor der Mündung in den Peneios nimmt er mit dem → Apidanos, dessen Namen er dann möglicherweise im Alt. trug, die Gewässer der westthessal. Ebene auf. Die Sümpfe in diesem Gebiet (→ Limnaion) sind h. durch Drainage und Deiche weitgehend verschwunden. Das Tal des E. war Schauplatz der Schlachten von Kynoskephalai und Pharsalos sowie weiterer mil. Aktionen, u. a. pers. Truppen 480 v. Chr. (Hdt. 7,129 ff.; [1]), Philippos' V. ab 198, während des Antiochoskrieges 192/1 und des Perseuskrieges 169 v. Chr. [2].

  1 J.-C. DECOURT, La vallée de l'E. en Thessalie, 1990 2 F. STÄHLIN, Das hellen. Thessalien, 1924, 83.   HE. KR. u. C. L.

Enkaustik. Von griech. ἐγκαίειν, einbrennen, erhitzen. Maltechnik mit → Wachs als Bindemittel für die Pigmente. Die Farbemulsion wird kalt oder erwärmt aufgetragen oder durch nachträgliches Erhitzen mit dem Bildgrund verschmolzen. Das bei Plinius (nat. 35,122 f.; 149) nur ungenau beschriebene Verfahren, das v. a. im 4. Jh. v. Chr. von griech. Tafelmalern geschätzt wurde und den Bildern brillante Qualität sowie Haltbarkeit gab, war langwierig, kompliziert und teuer. Trotz vieler, auch experimenteller Forschungen sind einzelne Techniken und Malgeräte bis heute nicht schlüssig erklärt und rekonstruierbar, da sie je nach Art des Untergrundes variierten. Auf Holz wurde die weiche bis heißflüssige Wachspaste mit einem löffelförmigen Metallinstrument, dem *cauterium*, oder dem Haarpinsel verstrichen. Kleinformatige Elfenbeintafeln ritzte man mit dem *ce-*

strum, einem grabstichelartigen Brenngriffel, und füllte die Linien mit flüssiger Farbe. Zeugnisse für E. sind ägypt. → Mumienporträts und frühe Ikonen, die auch die Kunst der Ölmalerei förderten. Das Verfahren, seit alters her für Schiffsbemalung geläufig, soll auch in der → Wandmalerei angewandt worden sein, jedoch finden sich in den Häusern der Vesuvstädte dafür keine Belege. Zu enkaustischen Farbgebungsverfahren an Architektur und Plastik → Polychromie.

Seit der Renaissance wurde die bis dahin vergessene E., auf dem Plinius-Text fußend, wieder diskutiert. A. Caylus experimentierte im 18. Jh. damit, im 19. Jh. verwandten einige Maler der Münchner Schule in der Wandmalerei diese Technik.

B. BORG, Mumienporträts, 1996, 5–18 · R. BÜLL, Vom Wachs, Bd. I, H. 7/1, in: Hoechster Beitr. zur Kenntnis der Wachse, 1963 · R. KÖNIG, G. WINKLER (Hrsg.), Plinius, Naturkunde. B. 35, ²1997, 267–270 · I. SCHEIBLER, Griech. Malerei der Ant., 1994, 97–100.   N.H.

Enkelados (Ἐγκέλαδος, »der Tobende«, von κελαδέω; Etym. m. s. v. E. 310,35 GAISFORD; Hesych. s. v. E.). Einer der → Giganten, Sohn des Tartaros und der Ge (Hyg. fab. praef. 4). Er kämpfte gegen Zeus (Batr. 283), Dionysos (Eur. Cycl. 5–9) und – nach der verbreitetsten Version – Athene, welche die Insel Sizilien bzw. den Aetna auf ihn warf (Kall. fr. 1,36; Eur. Herc. 907–909; Apollod. 1,37; Verg. Aen. 3,578). In der bildenden Kunst ist er häufiger dargestellt [1].

1 F. VIAN, s. v. E., LIMC 3.1, 742–743.

R. ROCCA, s. v. E., EV 2, 217–218 · F. VIAN, La guerre des géants, 1952, 201; 221.   R. B.

Enklema. (ἔγκλημα). Im allg. griech. Sprachgebrauch »Vorwurf«, im Recht Athens »Klageschrift« in Privatprozessen, im Strafrecht der Papyri Ägyptens »Anklage«. Vor dem Gesetz, das in Athen Schriftlichkeit der Prozeßakte verlangte (vermutlich 378/7 v. Chr.), war E. ein mündlicher Antrag an den Gerichtsvorstand (→ *dikastérion* 3.) zur Prozeßeröffnung, der die Namen der Parteien, das Klagebegehren und, wenn vorgesehen (im → *tímetos agón*), die Schätzung der Urteilssumme enthielt. Schriftliche *enklémata* sind in Demosth. or. 37,22–32; 45,46 überliefert, untechnisch auch als → *graphé* oder (mit Klagebeantwortung) → *antigraphé* bezeichnet. Der starre Formalismus der Dikasterien brachte es mit sich, daß das Urteil das *e.* lediglich bestätigen oder ablehnen, nicht aber modifizieren konnte. Belege außerhalb Athens: z. B. IPArk. 16,14,16; 17,36; 92; 131; 25,2.

G. THÜR, Formen des Urteils, in: Akten des 26. Dt. Rechtshistorikertages, hrsg. von D. SIMON, 1987, 475f. · H.-A. RUPPRECHT, Einführung in die Papyruskunde, 1994, 152 · G. THÜR, H. TAEUBER, Prozeßrechtliche Inschr. Arkadiens, 1994.   G. T.

Enklise s. Akzent

Enkomion (ἐγκώμιον, sc. μέλος, ἆσμα). Ein Preislied. Lobpreisung (ἔπαινος, *épainos*) und Tadel (ψόγος, *psógos*) sind zwei wichtige Funktionen der mündlichen Dichtung, deren Verbreitung im frühen Griechenland belegt ist [1. 141–151]. Tadel ist weitgehend Anliegen der Iambographen; Lobpreisung findet sich z. B. in dem Gedicht, das → Alkaios an seinen Bruder richtet (350 VOIGT [2]), oder in den Gedichten der → Sappho an ihre Freundinnen, in den Partheneia des → Alkman, in der erotischen Dichtung, die → Anakreon und → Ibykos den schönen Jünglingen widmen, in einem Threnos des → Simonides für die an den Thermopylen gefallenen Krieger (531 PMG [3]) sowie in att. Trinkliedern (→ Skolion). Die alexandrinischen Ausgaben des → Bakchylides und des → Pindar trennten deren E. von den → Epinikia, die Sieger in den athletischen Wettbewerben feierten. Doch verwendet Pindar in seiner epinikischen Dichtung die Begriffe ἐγκώμιος (*enkómios*) und ἐπικώμιος (*epikómios*).

Der κῶμος (*kómos*) war die Feier schwärmerisch Begeisterter nach dem Sieg, anfänglich am Ort der Spiele, später in der Heimat des Siegers; sie war in ersterem Falle von einem improvisierten oder traditionellen Refrain begleitet, dann von einem bei einem Dichter in Auftrag gegebenen Lied (→ Epinikion). Aus den Texten selbst wird nicht klar, ob die Erwähnung des *kómos* bei Bakchylides und Pindar (z. B. Bakchyl. Epinikia 11; 12; Pind. O. 14,16) als Hinweis eines Chores auf seine eigene Rolle zu verstehen ist [4] oder als Anspielung des Dichters auf einen schwärmerischen Zusammenhang, in den sein monodischer Gesang sich einordnete [5], oder schließlich, ob der Dichter mit dem Begriff das eigene, indes von einem Chor vorgetragene Lied bezeichnet [6].

Die Siegeslieder geben viele Hinweise auf *kómoi* als den Ort ihrer Darbietung, doch keinen auf *choroí*. Sicher ist jedoch, daß bereits zur Abfassungszeit des ersten epinikischen Gedichts durch Pindar (Pind. P. 10 aus dem Jahre 498 v. Chr.) das Adjektiv *enkómios*, ganz unabhängig von den Umständen der Darbietung, im Sinne von »Lobpreisung« verwendet ist (53–54): Pindar bezieht sich hier auf die verschiedenen Elemente seines Liedes [7. 500; 511] und auf die Unterordnung von Mythos, gnomischen Sprüchen, rel. Weisheit, Dichtungstheorie und Gelegenheitsbemerkungen unter das alles bestimmende Ziel der Lobpreisung [8. 35]. In ähnlicher Weise dürfte *kómázein* (κωμάζειν; Pind. I 4,90b) einfach »preisen« (= ἐγκωμιάζειν) bedeuten. Fragmente von E. des Pindar sind für viele der zeitgenössischen Herrscher überliefert – Xenophon von Korinth, Alexandros von Makedonien, Hieron von Syrakus, Theron von Akragas –, dazu erotische Preisungen des Sohnes und des Neffen des Theron wie auch des angeblich Pindar besonders teuren Theoxenos von Tenedos (fr. 118–128 SNELL-MAEHLER). Diese Gedichte sind keine Gelegenheitsdichtung wie die Siegeslieder. Gleichfalls sind Fr. von E. des Bakchylides überliefert (fr. 20a–g SNELL-MAEHLER); unter ihnen finden sich Gedichte, die sich an dieselben Adressaten richteten. Simonides gibt in einem berühmten, dem Skopas gewidmeten Gedicht eine Schilderung der Art von Mann, der ein geeigneter Gegenstand eines E. ist [9].

1 B. GENTILI, Poesia e pubblico nella Grecia antica, 1984 2 E.-M. VOIGT, Sappho et Alcaeus, 1971 3 PMG 4 C. CAREY, The victory ode in performance: the case for the chorus, in: CPh, 86, 1991, 192–200 5 M. LEFKOWITZ, First-person fictions: Pindar's poetic 'I', 1991 6 K. A. MORGAN, Pindar the professional and the rhetoric of the ΚΩΜΟΣ, in: CPh 88, 1993, 1–15 7 H. FRÄNKEL, Dichtung und Philos. des frühen Griechentums, ²1962 8 E. BUNDY, Studia Pindarica, Ndr. 1986 9 G. W. MOST, Simonides' ode to Scopas in contexts, in: I. J. F. DE JONG, J. P. SULLIVAN (Hrsg.), Modern critical theory and classical literature, 1994, 127–152. E. R./Ü: A. WI.

Enktesis (Ἔγκτησις). In den griech. Staaten war der Erwerb von Grundstücken ausschließlich den Bürgern vorbehalten. Einzelnen Ausländern wurde durch ehrenden Volksbeschluß das Privileg der E. verliehen, das Recht, »Land« oder »ein Haus« (oder beides) zu erwerben. In Athen wurden manche → métoikoi damit ausgestattet, generell vielleicht die → isoteleís. Im dorischen Bereich wurde statt e. der Terminus ἔμπασις/ἴμπασις (émpasis/ímpasis) verwendet.

J. PEČIRKA, The Formula for the Grant of E. in Attic Inscriptions, 1966 · A. R. W. HARRISON, The Law of Athens I, 1968, 237f. · A. S. HENRY, Honours and Privileges in Athenian Decrees, 1983 · M. H. HANSEN, The Athenian Democracy in the Age of Demosthenes, 1991, 97 · G. THÜR, H. TAEUBER, Prozeßrechtliche Inschr. Arkadiens, 1994, Nr. 36. G. T.

Enkyklios Paideia (ἐγκύκλιος παιδεία).
A. BEGRIFF B. WESEN C. GESCHICHTE

A. BEGRIFF

Der Begriff e. p. (u. ä., z. B. enkýklia mathḗmata/paideúmata) ist erst seit ca. 50 v. Chr. belegt [1. 370–375; 2. 6–18; 3. 263–293]. Diogenes Laertios (2,79; 7,32) und Stobaios (2,206,26–28; 3,246,1–5) geben ihn als Ausdrucksweise hell. Philosophen aus, legen diesen damit aber vielleicht nur ihre eigene Terminologie in den Mund (anders [2. 6f.]). Die Vorstellung, e. p. bezeichne urspr. die im Kreis der zu Gesang und Reigentanz vereinten att. Bürger erworbene musische Erziehung [4], wird teils angenommen [1. 369f.], teils angefochten [2. 14–17]. Generell stehen zwei Auffassungen zur Wahl: 1. ›übliche Bildung‹ [1. 371], 2. ›allg., nicht-fachmännische Bildung‹, erworben an einem Kreis von Lehrgegenständen [2. 14]. Die Auffassung vom »Kreis der Wissenschaften« geht aber wohl auf röm. Autoren (Vitruv, Quintilian) zurück; im griech. Bereich kann sie erst für die 2. H. des 3. Jh. n. Chr. (Porphyris bei Tzetz. Chiliades 11,377) nachgewiesen werden [1. 372–375; 5. 113f.]. Das Argument, der Begriff paideía enthalte bereits die Konnotation »nicht-fachmännisch« [2. 13], ist unzureichend; denn enkýklios fügt durchaus den

Aspekt »üblich« hinzu: e. p. wäre demnach die »normale«, die »Standardbildung«. Diese Bed. ist bei einem für eine längst vorhandene Sache erst später gefundenen Begriff plausibel. (Die Bezeichnung der »gewöhnlichen« [2. 13f.] musisch-gymnastischen Erziehung mit Paideia scheint nur eine von mehreren, nicht t. t. gewesen zu sein; Aristophanes nennt sie Nub. 961 archaía p.).

B. WESEN

Die e. p. stellt eine Bildungskonzeption dar, die durch die nicht-fachmännische Beschäftigung mit Gramm., Rhet., Dialektik, Arithmetik, Geom., Astronomie und Musik den Heranwachsenden geistig bilden und charakterlich formen und so zur personalen Entfaltung gelangen lassen wollte [5. 260f., 335–338]. Philosophen, Redelehrern, aber auch Fachgelehrten gilt sie als Propädeutik für die philos. oder rhet. Bildung bzw. die Fachbildung etwa eines Philologen, Geographen, Architekten, wird aber auch – so von Epikureern, Kynikern, Skeptikern, einigen Stoikern – als nutzlos abgelehnt [2. 47–111]. Je nach Sachlage stehen Philos. (oft statt Dialektik) oder Rhet. innerhalb oder oberhalb des Fächerverbundes. Die Unvollständigkeit mancher Kataloge (s. die Übersicht bei [2], Ende), soweit überhaupt Vollständigkeit intendiert war, spiegelt das Defizit der Bildungsrealität. Doch braucht man nicht von »Anbauten« anderer Fächer zu sprechen [2. 18–42; 337]: → Menekles v. Barka (FGrH 3, 270,9), der Techniten (Ausübende von Berufen) aufzählt, will gewiß nicht Malen, Gymnastik und Medizin der e. p. zurechnen (s. auch [2. 31f.]). → Maximus v. Tyros handelt von eleuthérioi téchnai, wozu auch die Gymnastik zählen kann [6. 79–129]. → Galenus nimmt (Protreptikos 5,14) Medizin und Jurisprudenz unter die téchnai logikaí auf, die ebenfalls nicht mit der e. p. identisch sind, und repräsentiert damit den Berufsstolz der Intellektuellen [6. 120–125].

Zusammen mit dem geltenden Verständnis der artes liberales wurde auch das der e. p. in Frage gestellt [3. 263–293]: Aus Vitr. 1,1,1–3; 1,1,12; 1,1,15f.; Quint. 1,10,1; 1,10,11; 1,10,34; 1,10,37 und Plin. nat. praef. 14 wurde abgeleitet, e. p. bedeute die »culture complète« einer Minorität der Gebildeten und der spezialisierten Techniten; Schol. Dion. Thrax p. 112,16–20 HILGARD zeige die Identität von enkýklioi téchnai (Synonym von e. p.) und logikaí téchnai. Diese These ist nicht haltbar: a) Bei Quintilian fallen die erst im 12. B. behandelten Disziplinen Rechtswiss. und Philos. nicht unter die im ersten B. behandelte e. p.; bei Plinius ist e. p. Teil-, nicht Oberbegriff für alle von ihm aufgezählten Kenntnisbereiche. Von Strabons Polymathia (1,1,1) stellt die e. p. einen Teil dar [2. 90f.]. b) E. p. und logikaí téchnai sind nicht identisch. Von logikaí téchnai sprechen nur die Techniten, nicht die Bildungstheoretiker; sie wollen sich damit von den körperlich Arbeitenden abheben [6. 74–129]. c) Zeugnisse wie Diod. 33,7,7 werden zu Unrecht beiseite geschoben [3. 264]: Der Kontext zeigt, daß Viriathus nicht »culture complète«, sondern überhaupt Allg.-Bildung gefehlt hat. Sie ist auch Strab.

1,1,22 mit *enkýklios agōgḗ* gemeint (anders [3. 290f.]). d) Im Bildungsweg des Nikolaos v. Damaskos (Suda 3,468,3 ADLER) liegt ein kompletter Gang durch die *e.p.* vor ([3. 36³⁴] bezieht die ›Kenntnisse von der Mathematik‹ auf die Dialektik; aber die Bed. von »mathematischen Wiss.« – so z. B. Plat. leg. 817e – stellt sich im Kontext der anderen Disziplinen zwanglos ein). e) Zur Quellenlage im ganzen sollte bedacht werden, daß die Autoren, die von der Allg.-Bildung sprechen, von etwas ihren Lesern Selbstverständlichem reden (aufschlußreich S. Emp. adversus mathematicos 1,7). Die Techniten sind es, die in dem Bestreben, vom Ansehen der *e.p.* zu profitieren, Erklärungen geben – meist solche, die das Wesen der *e.p.* manipulieren.

C. GESCHICHTE

Der Sache nach wurde die *e.p.* schon von den Sophisten entwickelt [1. 366; 2. 42–50; 7. 114–123]. Ein wichtiges Element ihres Unterrichts war die Erklärung der Dichte, wobei die Schärfung des Sprachempfindens und der formalen Logik im Vordergrund stand (Plat. Prot. 338e–348a; Gorg. 484bc). Das setzte sprachlich-gramm. Kenntnisse voraus; so haben → Protagoras, → Prodikos und → Hippias zur Entwicklung der gramm. Wiss. beigetragen [4. 45]; → Thrasymachos und → Gorgias leisteten Entscheidendes zur Ausbildung der rhet. Kunstprosa: Thrasymachos schrieb eine rhet. *téchnē* und erteilte rhet. Unterricht; Gorgias bezeichnete die Rhet. ausdrücklich als seinen einzigen Unterrichtsgegenstand (Plat. Gorg. 449a, 452de); Protagoras lehrte sowohl die Technik zusammenhängender Rede als auch rasch geführter Diskussion (Plat. Prot. 334e f., 329ab); Hippias reklamierte für sich die Fähigkeit, jede an ihn gerichtete Frage in improvisierter Rede zu beantworten (Plat. Hipp. min. 363cd). Die formale Technik des Disputierens – Platon bezeichnete sie zur Unterscheidung von der philos. Dialektik als Eristik – schauten die Sophisten den Eleaten → Zenon und → Melissos ab [4. 46]. Vor allem Hippias hat – in Aufnahme pythagoreischer Tradition – Arithmetik, Astronomie, Geom. und Musik in das sophistische Lehrprogramm aufgenommen (Plat. Prot. 318de; Hipp. min. 366c–368a; mai. 285b-d).

Mit Platon, für dessen philos. *paideía* die mathematischen Disziplinen bes. Bed. erlangten, und Isokrates, der der *e.p.* die für die Folgezeit gültige Form gab, mündet die Gesch. der *e. p.* in die der ant. Bildung überhaupt, mit ihrer Annahme durch die Römer in die der *artes liberales* ein.

→ Artes liberales; ARTES LIBERALES; Bildung; Paideia; Sophistik

1 H. FUCHS, s. v. E. P., RAC 3, 365–398 2 F. KÜHNERT, Allgemeinbildung und Fachbildung in der Ant., 1961 3 I. HADOT, Arts libéraux et philosophie dans la pensée antique, 1984 4 H. KOLLER, Ἐγκύκλιος παιδεία, in: Glotta 34, 1955, 174–189 5 H. I. MARROU, in: Gnomon 36, 1964, 113–116 6 J. CHRISTES, Bildung und Ges., 1975 7 MARROU.

J. C.

Enlil (sumer. »Herr Wind«). Stadtgott von → Nippur und höchster Gott des sumer.-akkad. Pantheons im 3. und in der 1. H. des 2. Jt. v. Chr., an dessen Stelle im 1. Jt. → Marduk, der Stadtgott von Babylon getreten ist. Seine Gemahlin ist Ninlil (→ Mylissa).

→ Marduk; Mesopotamien; Nippur

T. JACOBSEN, Treasures from Darkness, 1976. J. RE.

Enmannsche Kaisergeschichte. Eine Darstellung der röm. Kaiserzeit in Kurzbiographien, die zeitlich zwischen 337 und 361 n. Chr., dem Datum des ersten Benutzers (Aurelius Victor), anzusetzen ist und bis zum Tode des Constantinus reichte. Ihre Ansetzung und Begründung durch A. ENMANN [1], die die Verwandtschaft (sprachliche und strukturelle Eigenheiten, sachliche Irrtümer) von Victor, Eutropius, der → *Historia Augusta* und der *Epitome de Caesaribus* (Aurelius → Victor) erklärt, hat (anders als die Livius-Epitome) den Test der Benutzung bestanden. Das lit. Niveau scheint höher als das der → *Excerpta Valesiana* gelegen zu haben, eine senatorische Grundtendenz darf vermutet werden; den Stoff bis Domitian stellte, wie sich versteht, → Suetonius zur Verfügung. Der zeitliche Einflußbereich der E. K. wird das späte 4. Jh. nicht überschritten haben, d. h., sie ist von ihren Benutzern, wie auch mancher Grammatiker, gleichsam aufgesogen worden.

1 A. ENMANN, Eine verlorene Gesch. der röm. Kaiser, Philologus Suppl. 4, 1884, 337–501.

T. D. BARNES, The Lost Kaisergeschichte and the Latin Historical Tradition, in: Historia-Augusta-Kolloquium 1968/69 (1970), 13–43 · Ders., The Epitome de Caesaribus and its Sources, in: CPh 71, 1976, 258–268, hier 258ff. · Ders., The Sources of the Historia Augusta, 1978, 90–97 · R. BURGESS, Principes cum tyrannis, in: CQ 43, 1993, 491–500 · Ders., Jerome and the Kaisergeschichte, in: Historia 44, 1995, 349–369 · Ders., On the Date of the Kaisergeschichte, in: CPh 90, 1995, 111–128 · P. L. SCHMIDT, HlL 536. P. L. S.

Ennia Aequa. Frau des L. Vitrasius Flamininus, *cos. suff.* im J. 122, Mutter von L. Vitrasius Ennius Aequus. CIL X 4123 = CAMODECA, EOS I 531. W. E.

Ennius

[1] E., Q. Lat. Schriftsteller der vorklass. Zeit.

A. LEBEN B. LIT. TÄTIGKEIT 1. DRAMATISCHE DICHTUNG 2. OPERA MINORA 3. ANNALES C. REZEPTION

E. (239–169 v. Chr.) ist der bedeutendste und vielseitigste lat. Schriftsteller (Fronto p. 134,1 H.²) der vorklass. Zeit. Obwohl »ein Fremder in Rom« [21] (soziologisch ein abhängiger Dichter, *poeta cliens* [33]) und Vertreter hell. Bildung, hat er das röm. Nationalbewußtsein durch Sentenzen wie *moribus antiquis res stat Romana virisque* (ann. 500 V.; s. Cic. rep. 5,1) mitgeprägt.

A. Leben

Die meisten überlieferten Biographica scheinen auf Äußerungen in den Werken des E. selbst zurückzugehen [38] und von → Varro [1] in *De poetis* gesammelt worden zu sein. E. wurde 239 v. Chr. (Gell. 17,21,43; Cic. Brut. 72) in Rudiae (ann. 377) im ant. Kalabrien (Hor. carm. 4,8,20) geboren und berief sich auf eine Herkunft vom Stammesheros Messapus (ann. 376; vgl. Sil. 12,393–397); Varianten (Hier. chron.: 240 geb. in Tarent) sind unglaubwürdig. Seine Heimat gehörte kulturell zur *Magna Graecia* (*E. semigraecus*: Suet. gramm. 1,2; *Graecus*: Fest. 374 L/293 M), polit. seit 266 zum Einflußbereich Roms. E. nahm für sich *tria corda* in Anspruch, weil er Griech., Osk. und Lat. sprach (Gell. 17,17,1). Nach Nepos (Cato 1,4) hat M. Porcius → Cato [1], damals Quaestor des P. Scipio (Africanus), E. 204 aus Sardinien nach Rom gebracht. Dort scheint E. in bescheidenen Verhältnissen auf dem Aventin gelebt zu haben (Hier. chron. a. Abr. 1777, Cic. Cato 14). Nach Suet. gramm. 1,2f. erteilte er (offenbar privat als *grammaticus*) Unterricht in Griech. und Lat. Da er in seinem *Scipio* den Africanus maior gefeiert hat, wird er sich (anfangs?) der Protektion der Scipionen erfreut haben (vgl. Cic. de orat. 2,276). Als eigentlicher Patron des E. hat mindestens seit 189 M. → Fulvius Nobilior zu gelten. Dieser nahm ihn als Hofdichter (von Cato später, ORF p. 59f. = fr. 109, 112 Sb., scharf getadelt) auf seinen Feldzug gegen die Aitoler und deren Hauptstadt Ambrakia mit (Cic. Arch. 27, Tusc. 1,3; Symm. epist. 1,20,2; vir. ill. 52,3), vielleicht ebenso den → Caecilius [III 6] Statius (nach Hier. chron. a. Abr. 1838 = 179 v. Chr. *contubernalis* des E.). E. hat die in ihn gesetzten Erwartungen mit der Praetexta (?) *Ambracia* und später den *Annales* erfüllt. Vielleicht unter E.' Einfluß stiftete Fulvius in Rom 187 oder erst als Censor 179 die *aedes Herculis Musarum* (»Tempel des Musenführers Hercules«). Er verschaffte E. 184 durch einen Angehörigen seiner *gens* (Cic. Brut. 79: Sohn Q.; dagegen [16. 183–185]) das röm. Bürgerrecht (vgl. Cic. Arch. 22). E. hat sich dieser Ehrung gerühmt (ann. 377). Gestorben ist E. 169 (trotz Prop. 3,3,8 nicht erst 167) im Alter von 70 Jahren (Cic. Cato 14), nach Hier. chron. a. Abr. 1849 (168 v. Chr.) an der Gicht (vgl. aber [38. 233–236] zu sat. 64 V).

B. Lit. Tätigkeit

E. prägte die lat. Epik, indem er den Saturnier durch den Hexameter ersetzte (→ Metrik II). In inhaltlich und formal innovativer Weise griff E. in mehreren kleineren Dichtungen hell. Themen auf, vom Manierierten oder gar Parodistischen (*Hedyphagetica*) bis hin zu philos., vom Pythagoreismus beeinflußter Aufklärung (*Epicharmus*; im *Euhemerus* erstmals in Rom sogar in lit. Prosa). In Gestalt der *Satura* (→ Satire) schuf er ein Medium direkter persönlicher Aussage. Außer Hexameter und Sotadeen führte er ein weiteres Versmaß in Rom ein: Er verfaßte → Epigramme in elegischen Distichen, die auch hier den Saturnier ablösten. Da bereits Plautus auf Trag. des E. anspielt (Poen. 1–11), wird E. gleich nach

204 als Dramatiker aufgetreten sein; noch kurz vor seinem Tode brachte er 169 die Trag. *Thyestes* zur Aufführung (Cic. Brut. 78).

Die einzelnen Werke sind nicht näher zu datieren. An den *Annales* arbeitete E. nach 184 (dem Jahr, in dem er das Bürgerrecht erhielt) und war 172 noch mit B.12 (von 18) beschäftigt (so Gell. 17,21,43; die Buchzahl ist zu erhöhen [38. 115–120, 133f.]). Da E. die Einführung der Kons.-Verdoppelung (Fest. 374 L/293 M) und von 1100 (stenographischen) Abkürzungen (Isid. orig. 1,22,1) zugeschrieben wird, traute man dem *philólogos* (*dicti studiosus*, ann. 216) spätestens im 1. Jh. v. Chr. *duos libros de litteris syllabisque, item de metris* zu (anders Suet. gramm. 1,3: ein *posterior Ennius* als Verf.; Fest. 482, 19 L).

1. Dramatische Dichtung

Überliefert sind Titel und Fr. für mindestens 20 Trag. mit über 400 V. [39]. Prinzipiell sind sie alle (oft kommentierende) Übers. [31. 41–67], genauer: Bearb. einer griech. Vorlage (dagegen Cic. fin. 1,4 und ac. 1,10). Bezeugt sind (zur Doppelzählung von Nr. 1 und 14: [35]): 1. *Achilles* (= *Achilles Aristarchi?*), 2. *Aiax*, 3. *Alcmeo*, 4. *Alexander*, 5. *Andromacha* (*aechmalotis*), 6. *Andromeda*, 7. *Athamas* (zur auffälligen Metrik [32. 119–125]), 8. *Cresphontes*, 9. *Erechtheus*, 10. *Eumenides*, 11. *Hectoris lytra* (Verhältnis zu Nr. 1 umstritten), 12. *Hecuba* (Gell. 11,4 vergleicht Enn. scaen. 199–201 mit Eur. Hec. 293–295), 13. *Iphigenia*, 14. *Medea* (= *Medea exul?*), 15. *Melanippa*, 16. *Nemea*, 17. *Phoenix*, 18. *Telamo*, 19. *Telephus*, 20. *Thyestes*. Ferner wird oft aus Plaut. Rud. 86 eine 21. Trag. *Alcumena* (nach Euripides) erschlossen [37. 177–181]. Alle Titel beziehen sich auf die in Rom verbreitete und publikumswirksame griech. Heroen-Welt, davon sechs immerhin auf Heroinen, fast die Hälfte auf den Troischen Sagenkreis (4, 19, 13, 1, 11, 2, 5, 12, 18). Zumeist nimmt man Werke des → Euripides als Vorlagen an (bezeugt für 4, 5, 12, 14, erschlossen für 6, 9, 13, 15, 17, 19, 20 sowie 3, 7, 8); Glossographi Latini 1,568 L verweist für einige (nicht für 1) auf Euripides' Zeitgenossen → Aristarchos [2]. Aber nur in vier Fällen ist der direkte Vergleich mit dem erh. Vorbild möglich (10, 12–14; dazu [31]). Indizien (bes. für 14, 11 und 10) weisen darauf, daß die für die Komödien des E. ausdrücklich durch Ter. Andr. 15–21 bezeugte »Kontamination« (das Ineinanderarbeiten mehrerer Vorlagen) auch für seine Trag. gilt. Mit dieser Praxis setzt E. eine analoge Entwicklung des hell. Theaters fort. Dasselbe gilt für die Verstärkung des Solo-Gesanges durch das Ersetzen von Sprechversen der Vorlage (→ Canticum). E. erstrebt stilistisch oft eine Erhöhung des Pathos, auch durch Anleihen bei rel. und juristischer Sprache. Phonetische Figuren werden gesucht, besonders die → Alliteration [25. 160–222]. Elaboriert ist auch oft die Metaphorik, die schon von → Plautus parodiert wird. Trotzdem muß der E. *tragicus* doch auch der Umgangssprache nahe geblieben sein (s. Cic. orat. 109. 183f.). Der Reichtum an Sentenzen wurde in Rhetoren-Schulen exzerpiert (Rhet. Her. 4,4,7; → Gnomik).

Entsprechend ihrem Titel gelten als → Praetextae [39. 361]: 1. *Sabinae* (vgl. H.D. JOCELYN [22. 82–88, 93–95]); 2. *Ambracia*, wohl ein Festspiel zum Triumph des Fulvius im J. 187, die erste Praetexta zum Ruhm eines noch Lebenden. Als → Palliata-Dichter genoß E. kaum Ansehen (an letzter Stelle im »Kanon« des → Volcacius Sedigitus bei Gell. 15,24). Es sind auch nur Fragmente für 3–4 Komödien bezeugt [39. 361 f.].

2. OPERA MINORA

Gemeinsam ist ihnen ein persönlich-auktoriales, oder gar autobiographisches Element. Von den *libri saturarum* (so die gewiß nicht authentische antike Bezeichnung, denn die *satira* (→ Satire) des älteren Typs ist selbst ein Synonym zu *liber*) gab es doch wohl sechs (Donat. Ter. Phorm. 339) und nicht vier »Bücher« (Porph. Hor. sat. 1,10,46). Der erkennbare Inhalt entspricht eher einer moralisierenden kynischen → Diatribe als den Iamben des → Kallimachos. Dank der Prosa-Paraphrase des Gellius (2,29) ist die im Original *in saturis versibus quadratis* (gewiß über 50 trochäischen Septenaren) gehaltene äsopische Fabel von der Haubenlerche das einzige Stück aus dem ganzen Œuvre des E., das im MA und auch danach durch Aufnahme in Fabel-Slgg. [21. Nr. 569] weitergewirkt hat.

In dem in trochäischen Septenaren gehaltenen → *Epicharmus* [4. 276–289] ließ sich E., in einer Traum-Einkleidung tot in die Unterwelt versetzt [38. 92–94], von der Titelfigur naturphilos. Eröffnungen machen, vor allem zu den vier Elementen und deren Identifizierung mit röm. Gottheiten. Eine noch stärkere Entmythisierung der Götter zeigt der *Euhemerus* (die Wiedergabe des griech. Reise-Romans des → Euhemeros von Messene, nach 316 entstanden; [4. 133–137, 289–308; 45]; → Euhemerismus), der vor der Verbrennung der »pythagoreischen« Numa-Bücher 181 v. Chr. entstanden sein wird. Ruhm ist das Thema in allen vier überlieferten, geistesgesch. bedeutenden Epigrammen: im sog. Bild- und im Grab-Epigramm des E. (Cic. Tusc. 1,34; [38]) sowie in den beiden Epigrammen auf Scipio Africanus maior, den E. im zweiten Epigramm in Ich-Form den Anspruch auf Vergöttlichung erheben läßt. Eine panegyrische Tendenz hat auch der *Scipio* [38. 103–105, 239–248; 18. 161–167]. Ausdrücklich bezeugt sind nur 3 Fr. in trochäischen Septenaren, die an die Tradition der Triumphalgedichte im *versus quadratus* anknüpfen können (Gattung umstritten). Vom Thema des noch im 2. Jh. n. Chr. geschätzten *Sota* läßt sich kein klares Bild gewinnen. Titel und Versmaß (Sotadeen) weisen auf → Sotades als Vorbild. Den Inhalt von *Protrepticus* (nur ein Wort erh.) und *Praecepta* (ein Fr. in trochäischen Septenaren) kann man nur nach ihrem Titel der Philos. zurechnen. Die *Hedyphagetica* (11 schwerfällige Hexameter erh.) sind, in alexandrinischer Tradition stehend, eine Übertragung des parodistischen griech. Lehrgedichtes des → Archestratos [2] von Gela über Delikatessen; wegen einer Erwähnung Ambrakias sind sie nach 189 anzusetzen.

3. ANNALES

E. stellt in diesem hexametrischen → Epos in 18 B. (über 600 Frg. erh.; dazu neuerdings PHerc. 21 aus ann. B. 6: [40]) zum ersten Mal in lat. Sprache die ganze röm. Gesch. dar: vom Auszug des Aeneas (bei E. Großvater des Romulus) aus Troja bis zur unmittelbaren Gegenwart. E. hat als erster lat. Literat sein Werk in (relativ kleine, im einzelnen nicht rekonstruierbare) B. eingeteilt. Er hat bes. der Königszeit und der jüngeren Vergangenheit Gewicht gegeben. Erkennbar ist eine Gliederung nach Triaden: die röm. Urgesch. bis zum Ende der Königszeit (B. 1–3); die Zeit der Republik bis zum Krieg mit Pyrrhos (280–275; B. 4–6). Nach einem Sprung über den mit Rücksicht auf → Naevius übergangenen 1. Punischen Krieg (264–241) begann mit B. 7, markiert durch ein Proömium, die Behandlung der Zeitgesch.: Hannibalischer Krieg (218–201; B. 7–9). Ein Musen-Anruf an der Spitze von B. 10 eröffnete die Darstellung des (2.) Maked. Krieges (200–197). Seitdem muß E. ausführlicher oder szenischer erzählt haben (B. 10–15 = 200–189/187). Vielleicht hatte B. 12 einen Epilog.

Aus Plin. nat. 7,101 schließt man, daß E. ursprünglich die *Annales* mit B. 15 abschließen wollte, am ehesten mit dem Triumph seines Gönners Fulvius über die Aitoler im Jahr 187. Das Werk wurde aber mit einem neuen Proömium in ann. 16 wieder aufgenommen und um die inhaltlich kaum faßbaren B. 17–18 verlängert. Diese Strukturierung der röm. Gesch. ist E.' eigene Leistung [vgl. 20. 133 f.]. Seine histor. Quellen waren Darstellungen in griech. Sprache, auch von Römern wie → Fabius Pictor, und lat. sublit. Aufzeichnungen wie die *annales pontificum*. Die bedeutendste darstellerische Leistung des E. besteht darin, daß er die röm. Gesch. durchgehend (nicht nur wie Naevius im *Bellum Poenicum* die »Archäologie«) »homerisiert« hat: Auftreten von Göttern, Reden, Aristien, Gleichnisse [35. 38–62], Ekphraseis, Untergliederung des Geschehens in einzelne Tage. Seine Selbststilisierung im Proömium von B. 1 als *Homerus redivivus*, die durch die Seelenwanderungslehre sogar philos.-rational abgesichert wurde, ist wie das Motiv der Dichterweihe und die durch ihre Einkleidung als Traum nahegelegte Erinnerung an Kallimachos (und die hesiodeisch-aufklärerische Tendenz des Dichtens) programmatisch zu verstehen. Daneben weisen die *Annales* auch unhomerische, hell. und damit »moderne« Züge auf, nicht nur solche sachlicher Art (wie Reiter- und Seeschlachten), sondern v. a. ausgeprägt autobiographische, meta-lit. und panegyrische Elemente (vgl. dazu [46]). Sie zeigen sich bes. in den Proömien der B. 1, 7 und 16 [38; 18. 143–171], aber auch in der Rücksichtnahme auf Zeitgenossen [16; 33; 23; 27] und in dem indirekten Selbstporträt des »Guten Gefährten« (Gell. 12,4; [38. 142 f.]).

C. REZEPTION

E. gilt bis Varro und Cicero als der größte röm. Dichter (Material: chronologisch [1. XX-CXLIV]; nach Gattungen [6. 8–44]; dazu [17. 1–223]). Die *Annales* waren das repräsentative Epos Roms, bis sie durch die *Aeneis* → Vergils (der sprachliche Anleihen bei E. macht) verdrängt wurden. → Lucilius parodierte E., → Lucretius bewunderte ihn. Philologen des 2./1. Jh. v. Chr. beschäftigten sich mit ihm (Q. → Vargunteius; M. → Pompilius Andronicus: Suet. gramm. 2,4. 8,1). Die röm. Annalisten und Historiker (ausdrücklich für → Coelius [I 1] Antipater bezeugt) bis einschließlich → Livius wurden vom Epos des E. nicht nur stilistisch beeinflußt; sie konnten bei »moralischer« wie bei »dramatischer« Ausrichtung Wertungs- und Darstellungsprinzipien von E. übernehmen.

Da in der 1. Hälfte des 1. Jh. v. Chr. mit den → Neoterikern ein neues lit. »alexandrinisches« Stilideal aufkam, wurde E. zunehmend im abwertenden Sinne als *vetus*, als Vertreter einer archa., überholten Periode aufgefaßt. Damit bedeutet die »Würdigung« Ovids (trist. 2,424) *Ennius ingenio maximus, arte rudis* eine Verurteilung. Im 1. Jh. n. Chr. markiert Senecas Urteil einen Tiefpunkt der Wertung des E. (bei Gell. 12,2,3–14). Sil. 12,390–414 aber würdigte E. als Person und Dichter, Quint. inst. 10,1,88 mit distanzierter Achtung. Im 2. Jh., der Zeit des → Archaismus, wurde E. nicht nur wieder von den Gebildeten, vor allem von → Gellius, gelesen, sondern sogar öffentlich rezitiert (Gell. 18,5). Danach muß die Lektüre des E. stark zurückgegangen sein. In der Spätant. kennen nur wenige Philologen E. aus erster Hand, so etwa → Servius, nicht aber Macrobius. → Nonius besitzt nicht die *Annales*, aber zwei Trag. des E., dazu Glossare und Gellius. Die letzten Spuren direkter E.-Kenntnis will man nicht in Interlinearglossen im Text des Orosius, sondern (Ende 4. Jh.) bei → Ausonius erkennen [6. 18f., 25f.]. Offenbar hat keine E.-Hs. das MA erreicht. Die sporadischen Erwähnungen stammen aus zweiter Hand. Petrarca immerhin stilisiert E. zum *alter Petrarca* (W. Suerbaum in [22. 293–352]).

GESAMTAUSG.: 1 J. VAHLEN, Ennianae poesis reliquiae, ²1903 mit Curae Ennianae ultimae, hrsg. v. A. LUNELLI, 1989 2 A. TRAGLIA, Poeti latini arcaici 1, 1986, 274–515 (mit Übers./Anm.; Textkritik 126–157).
ANTHOLOGIEN: 3 J. HEURGON, E. Bd.1/2 (ann., trag.), 1958 4 G. GARBARINO, Roma e la filosofia greca dalle origini alla fine del II sec. a. C., Bd. 1/2, 1973 5 R. TILL, Res publica. Texte zur Krise der frühröm. Tradition, 1976, 147–163, 348–354.
ANNALES: 6 O. SKUTSCH, 1985, rev. 1986 (Komm.) 7 M. BANDIERA, 1978 (B.1).
SCAENICA: 8 TRF 17–85 9 CRF 5f. 10 L. CASTAGNA, Lexikon Q. Ennii et M. Pacuvii sermonis scaenici, 1996 ·
TRAGOEDIAE: 11 R. ARGENIO, 1951 (mit Übers.) 12 H. D. JOCELYN, 1967 (Komm.).
SATURAE, FRAGMENTA VARIA: 13 E. BOLISANI, E. minore, 1935 · 14 E. COURTNEY, 4–43
LIT.: 15 ALBRECHT, 106–119 16 E. BADIAN, E. and his friends, in: [22], 149–208 17 M. BARCHIESI, Nevio epico, 1962 18 M. BETTINI, Studi e note su E., 1979 19 N. CATONE, Grammatica enniana, 1964 20 C. J. CLASSEN, E.: ein Fremder in Rom, in: Gymnasium 99, 1992, 121–145 21 G. DICKEL/K. GRUBMÜLLER (Hrsg.), Die Fabeln des Mittelalters und der frühen Neuzeit, 1987.

22 Ennius. Entretiens 17, 1971 23 S. M. GOLDBERG, Epic in Republican Rome, 1995, 83–110; auch 111–134 (dies zuerst 1989) 24 A. S. GRATWICK, E.' Annales. The minor works of E., in: CHCL-L 60–76, 156–160 25 A. GRILLI, Studi enniani, 1965 26 Ders., E., in: Dizionario degli scrittori greci e latini 1, 1988, 709–718 27 E. S. GRUEN, Studies in Greek culture and Roman policy, 1990, 106–122 28 H. D. JOCELYN, The fragments of E.' scenic scripts, in: AC 38, 1969, 181–217 (Forschungsbericht seit dem 16. Jh.) 29 Ders., The poems of Quintus E., in: ANRW I 2, 1972, 987–1026 30 LEO 150–211 31 K. LENNARTZ, Non verba sed vim, 1994 32 S. MARIOTTI, Lezioni su E., ²1991 (= 1951, Ndr. 1963) 33 M. MARTINA, E. »poeta cliens«, in: Quaderni di Filologia Classica 2, 1979, 13–74 34 E. NORDEN, E. und Vergilius, 1915 (Ndr. 1966) 35 W. RÖSER, E., Euripides und Homer, 1939 36 F. SKUTSCH, s. v. E., RE 5,2, 2589–2628 37 O. SKUTSCH, Studia Enniana, 1968 38 W. SUERBAUM, Unt. zur Selbstdarstellung älterer röm. Dichter, 1968 39 Ders., E. als Dramatiker, in: A. BIERL (Hrsg.), Orchestra, 1994, 346–362 40 Ders., ZPE 106, 1995, 31–52 41 Ders., HLL § 117 42 S. TIMPANARO, Per una nuova edizione critica di E., in: SIFC 21, 1946, 41–81; 22, 1947, 33–77; 179–207; 23, 1948, 5–58 43 Ders., Forschungsber. E., in: AAHG 5, 1952, 195–212 (ab ca. 1939) 44 Ders., Contributi di filologia e di storia della lingua latina, 1978 (bes. 623–671 zu [42]) 45 M. WINNIARCZYK, RhM 137, 1994, 274–291 46 K. ZIEGLER, Das hell. Epos, ²1966, 23–37, 53–77 (it. Übers. 1988 mit Zusätzen von M. FANTUZZI).   W. SU.

[2] P. E. Saturninus Karus. Senator aus Bisica Lucana in Africa; seine Laufbahn ist bis zum Aedilenamt bekannt; Nachkomme eines Veteranen der *legio III Augusta*. AE 1979, 657

M. CORBIER, in: EOS II, 710 f.   W. E.

Ennodius, Magnus Felix. Geb. 473/4 n. Chr. vermutlich in Arles, entstammte gallischem Adel. In Pavia standesgemäß erzogen, trat er 493 in den Dienst der Kirche und wurde 513 Bischof von Pavia. Er war 515 und 517 im Auftrag des Papstes Hormisdas zur Beilegung des Akakianischen Schismas in Konstantinopel und starb 521 (Grabinschr. CIL VI 16464). Seine ca. 500 Schriften, darunter 297 Briefe nach dem Muster des → Symmachus, sind vor dem Bischofsamt entstanden und in der hsl. Überlieferung in etwa chronologischer Reihenfolge bewahrt. Ihre gezierte und daher oft schwer verständliche Sprache entspricht dem von der röm. Adelsschicht unter Theoderich gepflegten Stil. Neben christl. Stoffen (Viten des Antonius von Lérins, des Bischofs Epiphanius von Pavia; *Eucharisticum de vita sua*, Selbstbiographie nach den *Confessiones* Augustins) stehen profane (Panegyricus auf Theoderich, 507; *Paraenesis didascalica*, ein rhet. Studienplan in prosimetrischer Form). Die Reden (*dictiones*) haben entweder als Musterstücke die traditionellen Themen der *controversiae* bzw. myth. Gegenstände zum Inhalt oder sind für bes. Anlässe (z. B. Geburtstag eines Bischofs, Einweihung einer Basilika, Schulfeiern) bestimmt. Gleichen Stil, aber kaum poetische Begabung zeigen die Gelegenheitsgedichte in unterschiedlichen Versmaßen. Die 151 Epigramme sind vor allem Beschreibungen oder Grabinschr. Der ant. Kultur verbunden und voll Bewunderung für die polit. und lit. Traditionen des Römertums, sieht E. doch klar den Niedergang der alten Weltmacht (im Bild der greisenhaften Roma: opuscula 1,48; 56; 2,130) unter Theoderich, dessen kulturellen Bestrebungen er sich aber verbunden fühlt. Die → Artes liberales hält er für die Bildung der jungen Kleriker für unabdingbar und betont daher nicht nur ihren intellektuellen, sondern auch ethischen Wert. Beherrschung der Redekunst ist auch für ihn der Nachweis für die Befähigung zu öffentlichen Ämtern, ja sie verleiht unsterblichen Ruhm. Hinter diese Bildungsgläubigkeit tritt seine christl. Überzeugung zurück.

ED. W. HARTEL, CSEL 6, 1882 · F. VOGEL, MGH AA 7, 1885. LIT. J. KÜPPERS, HLL § 785 · J. GRUBER, s. v. E., LMA 3, 2015 f. · J. FONTAINE, s. v. E., RAC 5, 398–421.   J. GR.

Ennoios. Verfasser eines Grabepigramms auf einem Marmorblock, der in Catania wiederentdeckt wurde (Anth. Pal. append. 2,491 COUGNY = GVI 883) und in die Zeit zwischen dem 3. und 4. Jh. n. Chr. zu datieren ist. Der Name des Dichters, der unter den drei ebenso faden wie beschädigten Distichen steht, ist sonst nicht belegt.   E. D./Ü: T. H.

Enodia s. Hekate

Enomotia (ἐνωμοτία). Wörtlich übersetzt »verschworene Gruppe«. E. war in Sparta die kleinste Einheit des regulären Heeres, angeblich von Lykurgos geschaffen (Hdt. 1,65,5); sie bestand eigentlich aus je einem Spartaner aller 40 Jahrgänge wehrpflichtiger Bürger im Alter zwischen 20 und 59 Jahren. Tatsächlich war jedoch die Altersstruktur der Bürger, die Militärdienst leisteten, nicht ausgewogen, und als Reaktion auf die seit Mitte des 5. Jh. v. Chr. stark sinkende Zahl der Bürger (ὀλιγανθρωπία, oliganthropía) nahm man Perioiken als Hopliten in die e. auf und brachte diese so auf eine Stärke von ca. 32–36 Mann (Thuk. 5,68; Xen. Hell. 6,4,12).
→ Hopliten, Lykurgos, Perioikoi; Sparta

1 J. F. LAZENBY, The Spartan Army, 1985.   P. C./Ü: A. BE.

Ensérune. Befestigte Höhensiedlung (oppidum?) zw. Béziers und Narbonne auf einem ca. 120 m hohen Hügel, durch steile Abhänge nach Norden und Osten gut geschützt, beherrschte eine von Teichen umgebene, von bed. Verkehrsweg zw. den iber. und ital. Völkern durchquerte Ebene. Drei Siedlungsphasen sind (E. 6. Jh. v. Chr.-E. 1. Jh. n. Chr.) durch Keramik-Funde gesichert. In die zweite Phase (ca. 425–220 v. Chr.) fällt der Bau einer Stadtmauer (4. Jh.), läßt sich die Nekropole mit zahlreichen kelt. Funden datieren, Handelsbeziehungen mit Ländern ums Mittelmeer sind auszumachen. Trotz Romanisierung bewahrte E. weitgehend seinen urspr. ibero-ligurischen Charakter.

M. SCHWALLER, Ensérune (Guides archéologiques de la France 28), 1994.   Y. L.

Entasis. Von Vitruv (3,3,13) überlieferter, in griech. Bauinschriften hingegen nicht bezeugter Begriff für die Schwellung der → Säule, die die Anspannung dieses Baugliedes durch die Last des Gebälkes ausdrücken sollte. Zusammen mit der → Inklination und der → Kurvatur bildet die E. das wichtigste Element der → optical refinements im griech. Säulenbau; die E. findet sich in extremer Ausführung in der archa. Baukunst Westgriechenlands (z. B. Paestum, »Basilika«), wird im späteren 6., dem 5. und 4. Jh. v. Chr. dann zu einer bisweilen kaum mehr erkennbar gebogenen Konturlinie reduziert und im Hell. zugunsten gleichmäßig sich verjüngender Schäfte zunehmend selten. Die E. war Gegenstand von Planung, wie die erh. Säulenrisse des Apollontempels von → Didyma zeigen (→ Bauwesen); sie wurde vermutlich im Zusammenhang mit der Kannelierung der Säule als ein relativ später Arbeitsgang im Werkprozeß realisiert.

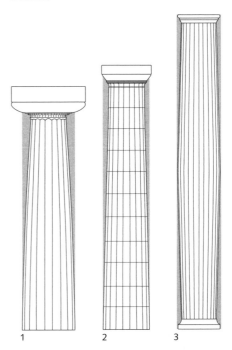

1. Paestum, alter Heratempel (6. Jh. v. Chr.)
2. Athen, Parthenon (5. Jh. v. Chr.)
3. Säulenkontur der Renaissance

Die E. wird in der Renaissance im Zuge der Vitruv-Rezeption wiederentdeckt (z. B. bei Leon Battista Alberti, De re aedificatoria VI, 13 und Andrea Palladio, I quattro libri dell'architettura I, 13). Der seit dem 16. Jh. gängige Säulenumriß, der im Bereich der Basis den vom Kapitellansatz bis zur Mitte hin anschwellenden Schaft in einer regressiven Kurve wieder reduziert, ist eine Renaissancekonstruktion und an Denkmälern der Ant. unbekannt; hier markiert immer der untere Säulendurchmesser das Maximum der E.

EBERT, 24 · D. MERTENS, Zur Entstehung der E. griech. Säulen, in: Bathron. FS für H. Drerup, 1988, 307–318 · W. MÜLLER-WIENER, Griech. Bauwesen in der Ant., 1988, 91, 114.   C. HÖ.

Ente. Von der weltweit verbreiteten Familie der *Anatidae* waren im Mittelmeergebiet nach dem Zeugnis des Athenaios (9,395D-E, nach Alexandros aus Myndos, Περὶ ὀρνίθων, »Über Vögel«) mehrere Arten vorhanden, nämlich 1) die häufige vorkommende Stock-E. (*Anas platyrhynchos*), νῆττα, *anas* (Deminutivformen νηττάριον, *aneticula*); 2) die kleinere βοσκάς, vielleicht der Zugvogel Knäk-E. (*Anas querquedula*), nach GOSSEN [1. 418] aber die Kolben-E. (*Netta rufina*); 3) die Krick-E. (*Anas crecca*), φασκάς; 4) das unbestimmbare γλαύκιον, eine kleine Art mit bläulichen Augen, was GOSSEN [1. 418] auf die entsprechende Gefiederfarbe der Knäk-E. bezieht; 5) die »Fuchsgans« oder »Nilgans« χηναλώπηξ (Beschreibung bei Ail. nat. 5,30; vgl. Ail. nat. 10,16; 11,38 zur Verteidigung ihrer Jungen), in Mitteleuropa aber die Brand-E. (nach [1. 418] ohne Begründung die φλέξις, *Tadorna tadorna*), welche in Kaninchen- und Fuchsbauten brütet und von manchen mit den → »Diomedischen Vögeln« (Verg. Aen. 11,271–274; Ov. met. 14,508 f.; Plin. nat. 10,126 f.) mit ihren gezähnten Schnäbeln identifiziert wird; 6) die als etwas größer als die Stock-E., aber kleiner als die Nilgans geschilderte Spießente ἄλλο γένος βοσκάδων (*Anas acuta*); 7) der πηνέλοψ, erwähnt bei einigen griech. Lyrikern, bei Aristophanes (Av. 298, 1302) und Aristoteles (hist. an. 7(8),3,593b 23), vielleicht die Pfeif-E. (*Anas penelope*) oder Moor-E. (*Aythya nyroca*) [1. 418].

Die E. wurden auf dem Zug in Griechenland erheblich seltener als in Ägypten und Mesopotamien mit Fallen oder Netzen bei Tag und Nacht erbeutet (zur Fangmethode s. Dionysios, 3,23 [2]) und z. B. auf dem Markt in Athen verkauft (Aristoph. Pax 1004, Ach. 875). Ägypter und Mesopotamier hatten frühzeitig mit der E.-Zucht begonnen, was die Griechen ab hell. Zeit übernahmen (Arat. 918, 970). Die Römer betrieben bis in die späte Kaiserzeit lohnende Zuchtstationen (*nessotrophia*), welche Varro (rust. 3,5,11) und sehr eingehend Columella (8,15,1–7) beschrieben. Das Ausbrüten der Eier durch Haushennen erwähnen außer Columella Cicero (nat. deor. 2,124) und Plinius (nat. 10,155). Von den E.-Braten verzehrten die vornehmen Römer nur Brust und Rücken (Petron. 13,52; 93,2). Im Gegensatz zu den Ärzten, die dem Fleisch schwere Verdaulichkeit bescheinigten (zuerst Galen. fac. nat. 3,18,3, CMG 5,4,2), soll sie Cato (so Plut. Marcus Cato 23,5 p. 350d) als Krankennahrung empfohlen haben. Nach Dioskurides (2,79,1 [6. 160] bzw. 2,97 [7. 191] u. a. fügte man ihr Blut den Gegengiften (ἀντίδοτα) hinzu.

E. waren seit der spätmin. und myk. Zeit ein beliebtes dekoratives Motiv auf Vasenbildern. Es gab auch Salbengefäße in E.-Form. Spätröm. Mosaiken in Nordafrika, etwa eines aus dem 3. Jh. n. Chr. aus El Djem, stellen den Vogel, meist in Verbindung mit einem Guts-haus, sehr lebendig dar [3. Abb. 30]. In der ma. Buchmalerei finden sich schöne Miniaturen von Stock-E., z. B. [4. Taf. 22]. Münzbilder sind selten [5. Taf. 6,20].
→ Geflügelzucht

1 H. GOSSEN, Zoologisches bei Athenaios, Quellen und Studien zur Gesch. der Naturwiss. 7, 1940, 375–436 2 A. GARZYA (ed.), Dionysii Ixeuticon libri, 1963 3 A. DRISS, Die Schätze des Nationalmuseums in Bardo, 1962 4 B. YAPP, Birds in medieval manuscripts, 1981 5 F. IMHOOF-BLUMER, O. KELLER, Tier- und Pflanzenbilder auf Münzen und Gemmen des klass. Altertums, 1889 (Ndr. 1972) 6 WELLMANN 2 7 BERENDES.   C. HÜ.

Entelechie s. Energeia

Entella (Ἔντελλα), h. Rocca d'Entella westl. Corleone. Stadt der → Elymoi in Westsizilien (Thuk. 6,2,3), oft gen. in den Kriegen Dionysios' I. und des Timoleon mit den Karthagern (Diod. 14,9; 48; 61; 15,73; 16,67; 73), von Cic. Verr. 2,3,103 zu den *civitates decumanae*, von Plin. nat. 3,91 zu den *stipendiarii* gezählt, erst im 13. Jh. von Friedrich II. zerstört. Die Unt. der Siedlung und des dazugehörigen Gebiets (1983 begonnen) hat Zeugnisse aus archa. Zeit bis ins MA zutage gefördert [1; 2]. Eine Reihe beschriebener Kupfertafeln [3; 4] (aus dem Antiquitätenhandel) haben neues Licht auf die histor. Ereignisse (Ausweisung der Bewohner und darauffolgender *synoikismós*) und die top. Organisation der Stadt und ihre zwischenstaatlichen Beziehungen im Laufe des 3. Jh. v. Chr. geworfen. Mz.: HN 137.

1 G. NENCI (Hrsg.), Alla Ricerca di E., 1993 2 A. DI STEFANO, Attività della Soprintendenza per i beni culturali e ambientali di Palermo, in: Kokalos 49/50, 1993/94, 1110–1112 3 G. NENCI, Fonti epigrafiche, in: Alla Ricerca di E., 1993, 35–50 4 J. B. CURBERA, Sulla cronologia relativa dei decreti di E., in: ASNP 24,2, 1994, 879–894.
                                        GI. F./Ü: R. P. L.

Entellus. Kaiserlicher Freigelassener, der unter Domitian die Aufgabe des *a libellis* versah. Er war an der Verschwörung gegen Domitian beteiligt. Seine *domus* und seine Gärten erwähnt Martial 8,68. Sein Besitz ging ins kaiserliche *patrimonium* über. PIR² E 66.   W. E.

Entremont. Kelt.-ligurisches *oppidum*, Hauptort der Salluvii, 3 km nördl. von Aix-en-Provence. Ca. 2. Jh. v. Chr. zwei Wohnanlagen, deren zweite die erste umfaßt, ohne diese zerstört zu haben, was die Stadtbildungsentwicklung beweist, die erst von den Römern zw. 124 und 90 v. Chr. gestoppt wurde. Ant. Reste: Stadtmauer, Straßen, Heiligtum (Heroon?), Skulpturen, Mz. aus Massalia, zahlreiche Handwerks-Erzeugnisse.

P. ARCELIN et al., Voyage en Massalie, 1990, 101–106 · F. BENOÎT, E., capitale celto-ligure des Salyens de Provence, 1969 · F. SALVIAT, E. antique, 1973.   Y. L.

Entwässerung. Angesichts der geringen Produktivität der ant. Landwirtschaft war es notwendig, das für den Getreideanbau, Weinbau und die Anpflanzung von Öl-bäumen geeignete Land tatsächlich zu nutzen und zu kultivieren. Durch Terrassierung wurden Hügel und Gebirgshänge in Griechenland für den Anbau erschlossen, und Maßnahmen zur E. hatten die Funktion, Neuland zu gewinnen oder Land nach den winterlichen Regenfällen vor Überschwemmungen zu schützen. Die Voraussetzungen sind dabei in Griechenland und It. unterschiedlich: In Griechenland existieren größere Ebenen im Binnenland, in denen sich durch oberirdische Zuflüsse Seen bildeten; die Abflüsse sind oft unterirdisch (Katavothren) und reichen zeitweise nicht aus, um ein Ansteigen des Wasserspiegels und damit eine Überschwemmung weiter Gebiete im Binnenland zu verhindern. In It. hingegen stellte v. a. die Versumpfung der Küstenebenen ein gravierendes Problem dar.

Bereits in myk. Zeit unternahmen die Griechen erhebliche Anstrengungen, um die Anbauflächen durch E.-Anlagen zu vergrößern und vor Hochwasser zu schützen. Am Kopaissee in Boiotien wurde ein 25 km langer und 40 m breiter Graben angelegt, durch den das dem See zufließende Wasser größtenteils abgeleitet wurde, so daß der See im Sommer vollständig austrocknete. Außerdem wurde durch Eindeichung von Teilen des Sees Neuland gewonnen. In der Alexanderzeit unternahm Krates aus Chalkis erneut den Versuch, den Kopaissee trockenzulegen; diese Arbeiten, die wegen innerer polit. Schwierigkeiten in Boiotien abgebrochen werden mußten, waren zumindest teilweise erfolgreich (Strab. 9,2,18). In Arkadien wurde ebenfalls schon früh der Olbios umgeleitet, um den östl. Teil der Ebene von Pheneos bebauen zu können; ähnliche Anlagen sind für Thisbe in Boiotien und Kaphyai in Arkadien belegt (Paus. 8,14,3; 8,23,2; 9,32,3).

In It. entwässerten zunächst die Etrusker die Täler durch unterirdische Kanäle (*cuniculi*); diese *cuniculi* besitzen alle 30–40 Meter senkrechte Schächte, die einen Zugang ermöglichen. In der Umgebung von Veii sind sie oft fast 3 Kilometer lang. Um das Wasser aus der Poebene abzuleiten, bauten die Etrusker einen Kanal in der Nähe der Küste (Plin. nat. 3,120). Auch die *cloaca maxima* in Rom ist als ein Entwässerungskanal für die sumpfige Ebene zwischen Palatin, Capitol und Quirinal anzusehen (Liv. 1,38,6). Während der frühen röm. Republik wurde durch einen unterirdischen Kanal Wasser aus dem Albaner See abgeleitet (Liv. 5,15,2; 5,15,11; 5,16,9; 5,19,1), und durch M'. Curius Dentatus wurde ein Abfluß für den Velinersee geschaffen (Cic. Att. 4,15,5); die Austrocknung des Beckens von Reate führte in der Zeit Ciceros zu Streitigkeiten zwischen Reate und Interamna. Die beiden größten Projekte dieser Art waren die Trockenlegung der Pomptinischen Sümpfe und des Lacus Fucinus. Die Planungen sollen auf Caesar zurückgehen (Suet. Iul. 44,3; Plut. Caes. 58); Claudius versuchte dann erfolglos, durch einen unterirdischen Kanal zum Liris den See trockenzulegen (Suet. Claud.

20,2; 32; Tac. ann. 12,56f.; Plin. nat. 36,124), und fälschlich behauptet die *Historia Augusta*, Hadrianus habe dieses Ziel verwirklicht (SHA Hadrianus 22,12). Erste Arbeiten zur Trockenlegung der pomptinischen Sümpfe sind für das Jahr 160 v. Chr. belegt (Liv. per. 46), und zu augusteischer Zeit existierte ein Kanal entlang der Via Appia, der vielleicht auch der Entwässerung diente (Strab. 5,3,6; Hor. sat. 1,5,1–23); ob der Kanal, den die Architekten Neros, Severus und Celer, planten, in diesem Zusammenhang zu sehen ist, bleibt fraglich (Tac. ann. 15,42,2). Mit den technischen Mitteln der Ant. waren diese ehrgeizigen Vorhaben jedoch nicht zu realisieren, und so war es erst Fürst Alessandro Torlonia vergönnt, den Lago Fucino 1854–1876 in fruchtbares Ackerland zu verwandeln.

1 K. GREWE, Planung und Trassierung röm. Wasserleitungen, ²1992, 73f. 2 J. KNAUSS, Die Melioration des Kopaisbeckens durch die Minyer im 2. Jt. v. Chr., 1987 3 Ders., Myk. Wasserwirtschaft und Landgewinnung in den geschlossenen Becken Griechenlands, in: Kolloquium Wasserbau in der Gesch., 1987, 25–63 4 J. KNAUSS, B. HEINRICH, H. KALCYK, Die Wasserbauten der Minyer in der Kopais, 1984 5 J. B. WARD PERKINS, Etruscan Engineering: Road-Building, Water-Supply and Drainage, in: Hommages à Albert Grenier III, 1962, 1636–1643.

H. SCHN.

Entwicklung s. Fortschrittsgedanke

Enūma elīš. Das E. e. [1; 2], das sog. babylon. Weltschöpfungsepos, erhielt seinen Namen nach den Anfangsworten, »Als droben [die Himmel noch nicht benannt (waren)]«. Das auf sieben Tafeln niedergeschriebene, wohl im 12. Jh. v. Chr. entstandene Lied zählt zu den bedeutendsten Zeugnissen altorientalischer Dichtung. Es schildert nach einer zu → Marduk hinleitenden Theogonie dessen Kampf gegen die das Urchaos verkörpernde → Tiamat (»das Meer«), die er besiegt und tötet. Aus ihrem Leib formt er Himmel und Erde und richtet die Ordnung der bestehenden Welt ein. Sein Schöpfungswerk wird gekrönt durch die Erschaffung des Menschen. Zum Dank für seine Taten erheben ihn die Götter der Welt zu ihrem König und erbauen ihm seinen Tempel → Esagil und die Stadt → Babylon im Mittelpunkt der Welt.

Im E. e. wird unter bewußter Verwertung zahlreicher erheblich älterer Mytheme sehr unterschiedlicher Herkunft der urspr. unbed. Gott Marduk mit → Enlil, dem König des sumer. Pantheons gleichgesetzt und durch weitere Synkretismen zum Ursprung aller Göttlichkeit erklärt. Dieser sog. Aufstieg Marduks spiegelt den polit. Aufstieg Babylons im 2. Jt. v. Chr. Das E. e. diente dem babylon. Königtum zur Legitimation eines Weltherrschaftsanspruches und wurde in den Ritualen des babylon. Neujahrsfestes nachgelebt, aber auch vorgetragen. Noch → Berossos liefert eine recht verläßliche Inhaltsangabe des E. e. [3].

→ Kosmologie; Kosmogonie

1 B.R. FOSTER, Before the Muses, 1993, 351–402 2 W.G. LAMBERT, TUAT III/4, 1994, 565–602 3 P. SCHNABEL, Berossos, 1923, 254–256.   S.M.

Enyalios (Ἐνυάλιος, auch dial. Formen). Gottheit des Nahkampfs, in histor. Zeit im Augenblick des Kampfbeginns angerufen. Schon in der Ant. war umstritten, ob E. nur ein Epitheton von → Ares in lit. Texten oder urspr. eine eigenständige Gottheit war (schol. Hom. Il. 17,211; 22,132; schol. Soph. Ai. 179; schol. Aristoph. PAX, 457 = Alkm. fr. 104 BERGK/44 PMG). Diese Frage wurde teilweise dadurch versucht zu beantworten, daß E. als *E-nu-wa-ri-jo* in einer Liste von vier Gottheiten aus Knosos vorkommt. Unabhängig davon, wie man sich die myk. Gottheit auch vorstellte, läßt sich die Relation zwischen Ares und E. in histor. Zeit am besten »strukturell« repräsentieren: Die Domäne des E. ist der Moment des verzweifelten Konflikts von »Angesicht zu Angesicht« [1], während Ares mit Berserkerwut und gewaltsamem Tod assoziiert war. Besaß die Unterscheidung Signifikanz, blieb E. eine autonome Gottheit, anderenfalls wurde er zu einem Syn. oder Epitheton von Ares reduziert. Berichte von E.' Eltern (Sohn von Ares und → Enyo; oder von Kronos und Rhea, schol. Aristoph. PAX 457) und von seinem Konflikt mit Ares in Thrakien (Eust. Hom. Il. 673,45 ff) sind nur Konstruktionen, um E. eine mythische Identität zu verleihen. In der klass. Periode (Belege alle bei Xen., vgl. aber Thuk. 4,43,3 mit schol.) assoziierte man E. mit dem Moment unmittelbar vor Kampfbeginn.

Mit Ares wurde er im → Paian angerufen, den der Strategos begann (hell. 2,4,17; Kyr. 3,3,58; 7,1,26) und in den die übrigen Soldaten einstimmten (Aristophan. Pax 455–57). Außerdem wurde er im Kriegsruf, der erscholl (ἀλαλάζειν, ἐλελίζειν), als die Frontlinien ihre Speere zum ersten Stoß ausrichteten, angerufen (an. 1,8,17f.; 5,2,14; 6,5,27). Die Verbindung zwischen E. und hoplitischem Nahkampf erklärt die Anspielung auf E. im Eid der athenischen Epheben (TOD 2, Nr. 204. 17; Poll. 8,106), das Opfer durch den Polemarchos (Aristot. Ath. pol. 58,1) und die Plazierung des E.-Tempels auf Salamis (Plut. Solon 9,7 p.83c). Aus Argos, wo → Telesilla nach der Schlacht bei Sepeia eine E.-Statue zu Ehren der Stadtverteidigung durch die Frauen errichtete (Plut. mor. 245e/f) [2. 273–5; 3], stammt eine archa. Votivplatte [4]. In Sparta gab es eine gefesselte E.-Statue (Paus. 3,15,7); bei Therapne opferten zwei Moirai der Eirenen (Epheben) zwei Welpen an E. am Tag vor der Scheinschlacht auf dem Platanistas (Paus. 3,14,9) [2. 204]. Ein Hundeopfer gab es auf Lindos; zudem mußten die dortigen Hopliten ⅟₆₀ ihres Tageslohn an den Gott abgeben (LSCG, Suppl Nr. 85, um 400 v.Chr.). Im übrigen gibt es kaum Nachweise für öffentlichen Kult des E. [5].

In lit. Texten war E. meist nur Syn. für Ares (z.B. Hom. Il. 2,651 (Formel); 13,519; 20,69; Hes. scut. 371; Archil. fr. 1; Pind. O. 13,106; I. 6,54; Dithyrambos 2,16; fr. 169,12 SNELL) oder ein Epitheton (z.B. Apoll. Rhod.

3, 1366) welches zu der Katachrese in Hom. Il. 17,210f. (vgl. Eur. Phoen. 1572) und der Redensart ξυνὸς Ἐνυάλιος führte (Il. 18,309; Aristot. rhet. 2,21 1395a 16). Zuweilen gibt es auch Hinweise auf eine eigenständige Rolle des E. (Hom. Il. 22,132; Pind. N. 9,37; Soph. Ai. 179; Eur. Andr. 1015).

→ Ares; Enyo; Quirinus; Telesilla

1 R. LONIS, Guerre et religion en Grèce à l'époque classique, 1979, 121 2 P. VIDAL-NAQUET, Le Chasseur noir, 1981 3 F. GRAF, in: ZPE 55, 1984, 245f. 4 W. VOLLGRAFF, in: BCH 1934, 138–56 5 NILSSON, GGR 1, 519.   R.GOR.

Enyana ('enyānā). Einer von mehreren syr. Ausdrükken für eine liturgische Antwortstrophe; im bes. Sinne ein dichterischer Text als Antwort bei der Rezitation von Psalmen. Der Begriff entspricht dem griech. στιχηρόν (*stichērón*), κανών (*kanōn*).

O. HEIMING, Syr. 'eniane und griech. Kanones, 1932.   S.BR./Ü: S. Z.

Enyo (Ἐνυώ). Blasse weibliche Entsprechung zu Enyalios, von dessen Name E. eine Kurzform ist; Göttin des blutigen Nahkampfs. In Homers Ilias erscheint sie 5,333 mit Athene und in Vers 592 mit Ares, mit dem zusammen sie die Trojaner ermutigt. Ihr Erkennungsmerkmal ist der Kydoimos (Daimon des Nahkampfs), den sie wie eine Waffe schwingt (Il. 5,592, vgl. 18,535; schol. Hom. Il. 5,593). Genealogiebildungen aus diesen Passagen machten E. zur Mutter bzw. Tochter oder Amme des → Ares (schol. Hom. 5,333; Cornutus nat. deor. 21) oder des → Enyalios. Im Ares-Tempel in Athen gab es ein Gemälde der E. (Paus. 1,8,4; vgl. Philostr. imag. 2,29); gemeinsam mit Enyalios, Ares und Athena Areia kam sie im ephebischen Eid vor (Aischyl. Sept. 45). Bei Quintus von Smyrna und Nonnos wurde E. zum Eponym des Schlachtgemetzels.

→ Ares; Bellona; Dämon; Enyalios   R.GOR.

Enzyklopädie

I. ALLGEMEINES   II. GRIECHENLAND   III. ROM

I. ALLGEMEINES

E. ist ein Werk, das die »Gesamtheit des Wissens« als ganzes oder für bestimmte Einzel-Disziplinen enthält. Das Wort leitet sich vom griech. → *enkýklios paideía* (ἐγκύκλιος παιδεία) ab, dessen lat. Übersetzung *orbis doctrinarum* allerdings der modernen Auffassung von E. näherkommt. Erstmalig belegt ist der Begriff in einem Brief an Poliziano aus dem Jahre 1490 [12; 13]. E. und »Enzyklopädismus« (vgl. frz. encyclopédisme, it. enciclopedismo) sind also moderne Wörter bzw. Begriffe, die sich aber auch mit Einschränkungen auf die Ant. anwenden lassen (zu ihrer Herkunft vgl. [14. 716–717]). Das »enzyklopädisch« ausgerichtete Buch tritt darüber hinaus im eigentlichen Sinne erst in der lat. Welt (s. unten III.) in Erscheinung [25].

II. GRIECHENLAND

Die Gesch. der E. als lit. Gattung kann man jedoch schon mit der homer. Dichtung beginnen lassen, deren Funktion es ist, das ethische, mythische, aber auch technische Erbe einer Gesellschaft mit mündlicher Kultur zu bewahren. Herder nennt sie die ›Enziklopädie‹ der Griechen (›Homer, ein Günstling der Zeit‹, 1795), Burckhardt eine ›Sagenenzyklopädie‹ [2. 81], doch stellen Ilias und Odyssee mehr als das dar: Es handelt sich um eine »Stammesenzyklopädie« [11], oder besser noch, in einem noch weiteren Sinne, um die ›E. des kollektiven Wissens‹ der Griechen [19. 87–92]: Nach Xenophanes ›haben alle von Anfang an nach Homer gelernt‹ (frg. 10 DK), und Heraklit wendet sich gegen die angebliche »Weisheit« Homers und den »Lehrer« (διδάσκαλος) Hesiod (frg. 56 und 57 DK). In dieselbe Richtung geht Platons Polemik (rep. 598d-e) gegen die Rhapsoden im ›Ion‹ und gegen die verbreitete Auffassung, daß die Dichter ›alle Künste beherrschten‹. Diese Kritik an dem irrigerweise für universell gehaltenen Wissen der Dichter ist nicht von der allgemeineren Polemik gegen »Vielwisserei« (πολυμαθίη) zu trennen (vgl. Herakl. frg. 40 und 129 DK; Demokrit, frg. 64 und 65 DK; zu Platon vor allem Alk. 2,146d–147d und die Kritik am konservativen, auf Erinnerung gegründeten »Enzyklopädismus« des Sophisten → Hippias, zu diesem [3. 111–115]). Auch der ps.-platonische Dialog Ḗrastaí widerlegt die These, daß der Philosoph ein enzyklopädisches Wissen (von dem jedoch die Kenntnis der handwerklichen Künste ausgeschlossen ist) besitzen müsse.

Die unkritisch übernommene und durch den Schulunterricht verbreitete homer. »Weisheit« liegt jedoch gewöhnlich der griech. paideía zugrunde [2. 97–102] und läßt sich noch in der Zweiten Sophistik nur mit Mühe in Frage stellen (z. B. Dion Chrys. or. 11; vgl. [6]). Zum konkreten Gebrauch der homer. Dichtungen als technischer »E.« im 2. Jh. n. Chr. vgl. Philostr. Heroikos 11,5 und 25,3.

Die Notwendigkeit, technisches Wissen schriftlich in Gestalt eines Handbuches zu kodifizieren, zeichnet sich dagegen schon im 5. Jh. v. Chr. ab [10], auch wenn die schriftliche Darstellung einer Spezialdisziplin erst mit Aristoteles definitiv theoretische Autorität erlangt [15; 23]. Der peripatetischen Schule ist also eine erste Systematisierung des Wissens auch in buchtechnischem Sinne zu verdanken [1. 11–19]. Doch stellten schon die (vielleicht auf die Akademie selbst zurückgehenden [22]) »thematischen« Untertitel zu Platons Dialogen den Versuch dar, das philosoph. Denken durch die Anzeige des Hauptgegenstandes – wenn auch stark vereinfachend – zu systematisieren, um auf diese Weise eine Art »E.« herzustellen [5].

Auch wenn → Speusippos oft als Vorläufer der E. genannt wird, ist der erste theoretisch wirklich reflektierte Ansatz, das Wissen zu einer E. zusammenzufassen, → Aristoteles zuzuschreiben. Aristoteles bietet meteor. 338a20–339a10 (praef.) eine klare Darstellung der Verflechtung der einzelnen Naturwiss. [4]. Am Ende der ›Nikomachischen Ethik‹ (1181b12–23) beschreibt er, wie er die Behandlung der ›Philos. der menschlichen Dinge‹ (ἡ περὶ τὰ ἀνθρώπεια φιλοσοφία) zu Ende zu führen gedenkt, womit er eine zusammenfassende Vorankündigung des Gegenstandes der ›Politik‹ liefert. Die E. des Wissens ist für Aristoteles insofern möglich, als alle Wiss. formale Prinzipien teilen. Den Methoden und Instrumenten, die für die Behandlung der einzelnen Disziplinen erforderlich sind, widmete er das Organon und die ersten vier Bücher der Analytika, während die Texte, die in die sog. Metaphysik eingehen sollten, die ontologische Grundlage für eine Unterscheidung der Kategorien von Dingen bieten sollten, die Gegenstand der Wiss. sind [23].

Die nachfolgenden Konzeptionen von E. können als Fortführung des aristotelischen Modells oder als Gegensatz dazu verstanden werden. Die großen Institutionen des ptolemäischen Ägypten (das → Museion und die → Bibliothek von Alexandreia), entwickelten sich in eine Richtung, die der aristotelischen Einheit der Wiss. (die unter anderem auch auf der einheitstiftenden Rolle des jeweiligen »Schuloberhauptes« basierte), entgegengesetzt war: sie schlugen stattdessen den Weg der Spezialisierung und der Sektorialisierung ein [9; 21].

Das Lykeion vermittelte (in der Nachfolge des Aristoteles) der hell.-alexandrinischen Kultur dagegen das konkrete Modell der Organisation einer Bibliothek (vgl. Strabon 13,608c), die als Ort der Sammlung und Systematisierung aller Bücher der Welt aufgefaßt wurde. So entstand die Idee der E. als »Bibliothek« [20]. Das berühmteste Beispiel dafür ist das »Inventar« der verfügbaren Bücher, das der Patriarch → Photios im 9. Jh. n. Chr. in seinem Werk (vom 16. Jh. an unter dem Titel Bibliothḗkē bekannt) zu verwirklichen suchte; das Vorbild dafür ist jedoch schon viel älter. Diesem Typ des »Enzyklopädismus« sind nämlich jene gelehrten Werke verschiedenen Inhalts an die Seite zu stellen, die vor allem von Griechen kompiliert wurden (solam copiam sectati, wie Gellius am Ende einer langen Liste von Titeln in der praefatio zu den Noctes Atticae schreibt). Unter diesen Werken zeigen die Pandéktai (Bücher, ›die alles in sich aufnehmen‹) ihren »enzyklopädischen« Charakter schon im Titel deutlich an. Ein derart betiteltes Werk (tamquam omne rerum atque doctrinarum genus continens; 13,9), verfaßte für den lat. Bereich Tiro, für den griech. Dorotheos (Clem. Al. Strom. I 21,133,1). Als Gattungsbezeichnung erscheint dieser Titel bei Plinius, nat. praef. 24. »Enzyklopädische« Absicht hat darüber hinaus auch → Apollodoros’ [7] Bibliothḗkē von Mythen, die dem Leser, wenn das durch Photios überlieferte Eingangsepigramm echt ist, versprach, daß er dort ›alles‹ finden werde, ›was die Welt enthalte‹.

In der Diskussion des 2. und 3. Jh. n. Chr. über Funktion und Legitimität theoretischen Wissens fand die E. aristotelischer Prägung ihren gewichtigsten Vertreter in → Galenos. Dieser verfaßte ein sehr umfangreiches, nur zum Teil erhaltenes enzyklopädisches Werk, das von der Literaturkritik bis zu medizinischen Abhandlungen reichte. Während Galen sich an alle wendet, die *téchnai* (De placitis Hippocratis et Platonis 8,482 DE LACY), stellte → Sextos Empeirikos sich in seiner »Antienzyklopädie« systematisch gegen sie [24]. Die aristotelische E. als System erreicht ihren Höhepunkt, jedoch in einem von der empirischen Vision des Aristoteles weit entfernten Sinne, in der arab. Kultur und geht über diese in das lat. MA ein.

Aus einer Erwiderung auf die aristotelische E. geht zw. dem 2. und 3. Jh. n. Chr. eine bes. Form des Enzyklopädismus hervor, die bis ins MA weiterlebte: die Sammlung von *mirabilia*, d. h. von Phänomenen, die sich einer wiss. Erklärung entziehen (→ Paradoxographoi). So machte es sich → Antigonos [7] aus Karystos zum Programm, aus den Schriften des Aristoteles *xéna* (Ungewöhnliches) und *parádoxa* (Unerwartetes) zusammenzustellen (Ἱστοριῶν παραδόξων συναγωγή, 60). Aber schon zuvor finden sich Sammlungen von *mirabilia* in der ps.-aristotelischen Abhandlung Περὶ θαυμασίων ἀκουσμάτων. Der unter der Bezeichnung *Laterculi Alexandrini* bekannte Papyrus [16] aus dem 2. Jh. n. Chr. stellt mit seiner Liste der ›schönsten‹ Orte und der in den verschiedenen *téchnai* ›berühmtesten‹ Männer ein bemerkenswertes Beispiel der Katalogisierung und Kanonisierung von *mirabilia* zu Zwecken des Unterrichts dar. Die Absicht der Paradoxographen ist durchaus wiss. und kann daher »enzyklopädisch« genannt werden (sie unterscheidet sich deswegen von der Lust am Sensationellen, wie sie sich in dem Werk Περὶ θαυμασίων des → Phlegon von Tralleis zeigt).

Als »Enzyklopädismus« wird schließlich das in der Mitte des 4. Jh. n. Chr. einsetzende und der byz. Kultur eigene Phänomen der Abfassung von Kompendien, Corpora oder Büchern vermischten Inhalts bezeichnet, die einerseits die traditionellen Handbücher ersetzen und andererseits die zeitgenössische Tendenz zur Konservierung des Wissens belegen [17]. Von den byz. Werken enzyklopädischen Charakters ist das bekannteste die im 9. Jh. kompilierte → Suda; aber auch die → Etymologika sind nichts anderes als große, grammatisch ausgerichtete Enzyklopädien, die die gesamte vorausgehende Gelehrsamkeit auf dem Gebiet der Lexikographie bereitstellen.

1 R. BLUM, Die Literturverzeichnung im Alt. und MA, 1983, 11–19 2 J. BURCKHARDT, Griech. Kulturgesch. III, 1900 3 G. CAMBIANO, Platone e le tecniche, 1971 4 W. CAPELLE, Das Proömium der Meteorologie, in: Hermes 47, 1912, 514–535 5 F. DELLA CORTE, Enciclopedisti latini (1946), in: Opuscula VI, 1978, 1–99 6 P. DESIDERI, Tipologia e varietà di funzione comunicativa negli scritti dionei, in: ANRW II 33.5, 3916–3922 7 U. DIERSE, Enzyklopädie, 1977 8 A. DIHLE, Philos. – Fachwiss. – Allgemeinbildung, in: Entretiens 32, 1986, 185–231 9 P. M. FRASER, Ptolemaic Alexandria, 3 Bde., 1972 10 M. FUHRMANN, Das Systematische Lehrbuch, 1960 11 E. A. HAVELOCK, Preface to Plato, 1963, 61–144 12 J. HENNINGSEN, Enzyklopädie, in: ABG 10, 1966, 271–357 13 J. HENNINGSEN, Orbis doctrinae: encyclopaedia, in: ABG 11, 1967, 241–245 14 G. HUMMEL, s. v. E., TRE 9, 716–742 15 W. JAEGER, Studien zur Entstehungsgesch. der Metaphysik des Aristoteles, 1912 16 H. DIELS, Laterculi Alexandrini aus einem Papyrus ptolemäischer Zeit, in: Abh. der Königlich Preussischen Akad. der Wiss., 1904, 3–16 17 P. LEMERLE, Le premier humanisme byzantin, 1971, 100–102 und 267–300 18 G. RECHENAUER, s. v. Enkyklios paideia, HWdR 2, 1160–1185 19 L. E. ROSSI, I poemi omerici come testimonianza di poesia orale, in: R. BIANCHI BANDINELLI (Hrsg.), Storia e civiltà dei Greci I, 1978, 87–92 20 A. SALSANO, s. v. Enciclopedia, Enciclopedia Einaudi, I, 1977, 3–64 21 H. v. STADEN, Herophilus, 1989 22 M. UNTERSTEINER, Problemi di filologia filosofica, 1980, 8–10 23 M. VEGETTI, Aristotele, il Liceo e l'enciclopedia del sapere, in: CAMBIANO, CANFORA, LANZA (Hrsg.), Lo spazio letterario della Grecia antica I/1, 1992, 587–611 24 C. A. Viano, Lo scetticismo antico e la medicina, in: G. GIANNANTONI (Hrsg.), Lo scetticismo antico, 1981, II, 645–656 25 B. ZIMMERMANN, Osservazioni sulla »Enciclopedia« nella letteratura latina, in: M. PICONE (Hrsg.), L'enciclopedismo medievale, 1994, 41–51.

S. FO./Ü: T. H.

III. ROM

In der röm. Literaturgesch. bezeichnet E. (als Buchtitel nicht vor dem 16. Jh.: [1]) eine nach Fächern gegliederte Sequenz von Lehrschriften, die für die Lebenspraxis des Nichtfachmanns nützlich sein sollen und im allg. zur Selbstunterrichtung junger Erwachsener (oft den eigenen Söhnen gewidmet) außerhalb der Schule gedacht sind. Da diese Schriften weder einen festen Fächerkanon noch eine generisch typische Form (es sind nicht Lehr-B. im strengen Sinne) entwickelt haben, bleibt die Zuordnung vieler Werke innerhalb des Freiraums zwischen der unsystematischen → Buntschriftstellerei und den methodischen Lehrbüchern der sieben (bzw. neun) → *Artes liberales* oft arbiträr.

Während seit Cicero (de or. 3,21) der Begriff → *enkýklios paideía* als griech. Bildung ganz ins Curriculum der *artes liberales* wechselte, versuchten schon → Catos *Disciplinae* eine speziell röm. Allg.-Bildung mit antigriech. Tendenz, die noch bei → Plinius und z. T. auch → Celsus spürbar ist, dann aber, da die röm. Fächer ebenfalls auf griech. Material angewiesen sind (z. B. Medizin), in einem allg. Enzyklopädismus aufgeht. Evidente griech. Modelle für didaktisch-praktische Materialsammlungen fehlen – z. T. kommen die *Homoia* des Akademikers → Speusippos in Betracht [1]. Bei Cato überwiegt (soweit aus *agr.* erkennbar) in den Fächern Landwirtschaft, Rede-, Heil- und Kriegskunst die Unterweisung (imperativisch, *ad Marcum filium*) klar gegenüber der Wiss. (deskriptiv und enumerativ). In der Folgezeit tritt die didaktische Komponente immer mehr hinter der demonstrativen zurück. Die *Artes* des Celsus [7] (über 30 B.) bewegten sich, nach dem erh. *De medicina* zu schließen, auf einem für Laien beachtlichen Niveau. Die *Naturalis historia* des Plinius (37 B.) nutzt didaktisch geschickt jede Gelegenheit zu lehrreichen Exkursen, wodurch sich eine enzyklopädische Breite und Wissenschaftlichkeit ergibt, die freilich den Standard der Spezialisten nicht erreicht und dies schon um der Lesbarkeit willen auch nicht erstrebt. Eine andere

Tendenz kündigte sich schon Mitte des 1. Jh. v. Chr. bei → Varro an, dessen alle Real- und Sprachbereiche abtastenden *Antiquitates rerum humanarum et divinarum* einen programmatischen histor. antiquarischen (→ Antiquare) Einschlag aufweisen und eher auf humanistische als auf praktische Bildung zielen (Varros *Disciplinae* gehörten in die Systematik der *Artes liberales*). Diese Richtung erweiterte → Suetonius' *Pratum* durch die Konzentration auf das Interessante, Ungewöhnliche, auf Kulturkuriosa und Fremdländisches, wie die Untertitel belegen (z.B. *de spectaculis, de lusibus puerorum*). In der Folge ging dieser Zweig der E. in der reichen → Buntschriftstellerei des 2. Jh. n. Chr. auf (→ Favorinus, Ailianos, Telephos, Athenaios aus Naukratis), innerhalb derer die *Noctes Atticae* des → Gellius (den Söhnen gewidmet) wieder stärker die Bildungsabsicht hervorkehren. Am Ende bilden die rein wiss. orientierten Sammelwerke in alphabetischer (→ Stephanos aus Byzanz; → Suda) oder nach Sachrubriken geordneter Form (→ Isidorus, *Origines*) als Nachschlagewerke und Thesauri des ant. Realwissens die Brücke zur modernen E. Auf halbem Wege stehen auf bestimmte Sachbereiche beschränkte Slgg. wie die *Res reconditae* des → Serenus Sammonicus, die *Saturnalia* des → Macrobius oder die (poetischen) *Chrestomatheiai* des → Helladios.

Die von → Vitruv (1,1,1–18) ausgeführte Idee der *encyclios disciplina* (dazu Plin. nat. praef. 14; Quint. inst. 1,10,1) beschreibt, wohl in Mißdeutung des Adjektivs, die Vielfalt des Wissens als ein an den Fächergrenzen zusammenhängendes Kontinuum; daraus ergibt sich die Lernökonomie des Spezialisten, der auch zahlreiche Randfächer kennen muß (vgl. schon Cic. de orat.). Dieser Grundgedanke verschob sich auf ein als Selbstzweck verstandenes Breitenwissen und die Archivierung alles Erforschten und Erkannten, um schließlich mit der E. der Collectaneen und Hdb. wieder zu konvergieren.

→ ENZYKLOPÄDIE

1 H. FUCHS, s. v. E., RAC 5, 504–515 2 F. KÜHNERT, Allgemeinbildung und Fachbildung in der Ant., 1961 3 H. KOLLER, Enkyklios Paideia (1955), in: H.-TH. JOHANN (Hrsg.), Erziehung und Bildung in der heidnischen und christl. Ant., 1976, 3–21 4 TH. BALLAUFF, Pädagogik Bd. 1, 1969, 172–183 5 H.J. METTE, Enkyklios Paideia (1960), in: Erziehung 1976 (Nr. 3), 31–41 6 R. MEISTER, Die Entstehung der Höheren Allgemeinbildung in der Ant. (1956), in: JOHANN (Nr. 3), 22–30 7 MARROU, 1957, 259–274; 355–372 8 K. SALLMANN, in: NHL 4, 1997, Kap. 13. KL.SA.

Eordaia (Ἐορδαία, Ἐορδία). Maked. Landschaft östl. des Lynkos, westl. von Bermion, nordöstl. der Wasserscheide des Haliakmon. Städte der E. waren Arnisa, Kellis, Bokeria. 167 v.Chr. wurde die E. der *Macedonia IV* zugeschlagen (Liv. 45,30,6). Die *via Egnatia* führte durch E., in der röm. Kaiserzeit offenbar *civitas*.

N. G. L. HAMMOND, A History of Macedonia I, 1972, 106–110 · F. PAPAZOGLOU, Les villes de Macédoine, 1988, 159–169. MA.ER.

Eos (Ἠώς). Göttin der Morgenröte, wohl idg. Ursprungs, häufig mit der Hemera, dem Tageslicht, gleichgesetzt. Ihre himmlische Schönheit (Rosenfinger, Safrankleid) preist bereits Homer (Il. 8,1). E. ist Tochter der Titanen Hyperion und Theia, Schwester von → Selene und → Helios (Hes. theog. 371 ff.). Allmorgendlich erhebt sie sich mit ihrem Gespann aus dem Okeanos (Hom. Il. 19,1; Od. 23,244; Hom. h. Veneris 5,227). Von → Astraios ist sie Mutter der Winde und der Sterne (Hes. theog. 378; Apollod. 1,9). Sie entrafft den schönen → Kleitos (Hom. Od. 15,250) und raubt sich den Jäger → Orion, den ihr jedoch der Neid der Artemis entreißt (Hom. Od. 5,121; Apollod. 1,27). Auch ihr Versuch, den → Kephalos (nach manchen der Gatte der Prokris) zu gewinnen, hat tragische Folgen (Eur. Hipp. 454f.; Ov. met. 7,700ff.). Ihren Geliebten → Tithonos (Hom. Il. 20,237; Hom. Od. 5,1; Hom. h. Veneris 5,218ff.; Eur. Tro. 847ff.; Apollod. 3,147; Athen. 13,566d), entführt sie und erbittet von Zeus für ihn Unsterblichkeit, vergißt jedoch die ewige Jugend. Den greisen Tithonos verwandelt E. schließlich in eine Zikade (Schol. Il. 11,1f.). Von Tithonos ist sie Mutter zweier Söhne, des Enathion und des → Memnon (Hom. Od. 4,188; Hes. theog. 984; Pind. O. 2,83; Pind. N. 6,5ff; Apollod. 3,147). Deren Schicksal gestaltete die *Aithiopis* aus (PEG I p. 67): Memnon fiel im Zweikampf mit Achilleus, seinen Bruder Emathion tötete Herakles (Schol. Pind. O. 2,83). Die bildende Kunst stellt E. seit dem 6. Jh. v. Chr. häufig geflügelt dar. Kult. tritt sie kaum hervor (Ov. met. 13,588); lediglich in Athen sind Trankopfer bezeugt (Polemon fr. 42 FHG 3 p. 127). → Prokris

D. D. BOEDEKER, Aphrodite's Entry into Greek Epic, 1974 · J. ESCHER, s. v. E., RE 5, 2657–2669 · J. FONTENROSE, Orion. The Myth of the Hunter and the Huntress, 1981, 93 u.ö. · A. RAPP, s. v. E., ROSCHER 1.1, 1252–1278 · C. WEISS, s. v. E., LIMC 3.1, 747–789. T.S.

Epainetos.

[1] Heilpflanzenkundiger und Verfasser toxikologischer Schriften, der zwischen dem 1. Jh. v. Chr. und dem 3. Jh. n. Chr. lebte. Seine Ansichten über die gefährlichen Eigenschaften des Eisenhuts, Schierlings, Opiums, der Alraune, des Bilsenkrauts, giftiger Pilze, des schwarzen Chamaeleons (einer Pflanze, deren Blätter die Farbe wechseln können), des Stierbluts, der Bleiglätte und des Seehasen sowie seine Mittel gegen diese Gifte werden in Ps.-Aelius Promotus' *De venenis* (ed. princeps, S. IHM, 1995) ausführlich wiedergegeben. → Medizin; Toxikologie V.N./Ü:L.v.R.–B.

[2] Griech. Fachschriftsteller, schrieb vermutlich in der 1. H. des 1. Jh. v. Chr. Mehrfach wird bei Athenaios sein Werk Ὀψαρτυτικόν (*Opsartytikón*, »Kochbuch«) erwähnt (z.B. 7,294de über einen Stachelfisch; 297c Hinweis auf eine von E. und Dorion behandelte Fischart, ähnlich 304cd; 312b Rochen; 9,371e Lauch; 14,662de ausführliches Rezept). Alternativen Bezeichnungen

von Lebensmitteln aller Art und Speisezutaten scheint ein bes. Interesse des E. gegolten zu haben. Aus Athen. 9,387de meint man entnehmen zu dürfen, daß Athenaios das Kochbuch des E. nur über das Lexikon des Pamphilos und das glossographische Werk des Artemidoros kannte. Daß E. (wohl in einem separaten Werk) über Gemüse und Küchenkräuter schrieb, teilt schol. Nik. Ther. 585 mit; ferner ist eine Schrift über giftige Tiere bezeugt [1].

→ Artemidoros; Kochbücher; Pamphilios

1 E. RHODE, in: RhM 28, 1873, 264–290, bes. 269–271.

G. BI.

Epameinondas (Ἐπαμεινώνδας). Bedeutendster thebanischer Feldherr der 1. H. des 4. Jh. v. Chr. Sein Geburtsjahr ist nicht überliefert. Er galt nach Unterweisung durch den im Hause seines Vaters Polymis lebenden Pythagoreer Lysis von Tarent (Diod. 15,39,2; Plut. mor. 583c; 585e; Paus. 9,13,1; Nep. Epaminondas 2,2) als unbestechlich und bedürfnislos sowie als großer Redner (Plut. mor. 808e, 809a). Über seine polit. Anfänge ist wenig bekannt. Für Plutarchs verlorene Biographie des E. bietet die Skizze Paus. 9,13,1–15,6 keinen Ersatz [1]. Nach Besetzung der Kadmeia durch Spartaner 382 v. Chr. ging E. nicht ins Exil, schloß sich aber 379/78 nach dem Überfall der Exulantengruppe um Pelopidas auf die prospartanischen Polemarchen den Befreiern Thebens sofort an (Plut. Pelopidas 12). Wahrscheinlich nahm er am Friedenskongreß in Sparta 375 teil, doch ist Diod. 15,38,2 über den dort von E. vertretenen Herrschaftsanspruch Thebens in Boiotien mit den Verhandlungen 371 zu verbinden. Ins Rampenlicht tritt E. für uns erst als Boiotarch während des Kongresses in Sparta 371, auf dem die Spartaner auch im Namen ihrer Bundesgenossen den Eid auf eine *koinē eirḗnē* (StV 2, 269; → Friedensordnung) leisteten, während die Athener und ihre Symmachoi einschließlich der dem 2. Seebund beigetretenen Thebaner *katá póleis* schworen. Am nächsten Tag verlangte E., in der Urkunde den Namen »Thebaner« durch »Boioter« zu ersetzen (Xen. hell. 6,3,18–20; Diod. 15,50,4; Plut. Agesilaos 27,4–28,2; Paus. 9,13,2). Vielleicht hatte Agesilaos II. von Sparta nach dem Eidschwur einen Aufruf an alle Griechen (d. h. auch an boiotische Poleis) zum Beitritt zur *koinē eirḗnē* angekündigt und hierdurch die Forderung des E. provoziert, der eine Anerkennung der Hegemonie Thebens im Boiotischen Bund erreichen wollte [2. 68–74; 3. 113–125]. Agesilaos lehnte dies ab, und König Kleombrotos erhielt aus Sparta Weisung, von Phokis aus nach Boiotien vorzustoßen. Wenig später setzte E. bei Leuktra seinen Schlachtplan im Rat der Boiotarchen durch und siegte durch seine neue Taktik der »schiefen Schlachtordnung«, indem er mit einer 50 Mann tiefen Angriffsformation auf seinem linken Flügel die Spartaner überrannte (Xen. hell. 6,4,3–15; Diod. 15,53–56; Plut. Pelopidas 23; Paus. 9,13,3–12). Nach seiner Wiederwahl zum Boiotarchen erreichte er im Winter 370/69, daß die Thebaner einem Hilfegesuch des neu

konstituierten Arkadischen Bundes entsprachen und ihm die Leitung des Zuges übertrugen. Er konnte zwar Sparta nicht erobern, befreite aber Messenien von spartanischer Herrschaft und initiierte die Gründung eines messenischen Staates, so daß Sparta entscheidend geschwächt war (Xen. hell. 6,5,23–52; Diod. 15,62–66; Plut. Agesilaos 31–34,1; Paus. 9,14,5).

Trotz beispielloser Erfolge wurde er wegen Überschreitung der Amtszeit angeklagt (Plut. Pelopidas 25,1–6; Nep. Epaminondas 7–8) [4]. Nach dem Freispruch war er erneut Boiotarch und stieß bereits 369 wieder in die Peloponnes vor, um die antispartanische Koalition der Arkader, Argiver und Eleier zu stabilisieren. Er zwang Sikyon und Pellene zur Unterwerfung, hatte aber vor Korinth keinen Erfolg und wurde der Kollaboration mit dem Feind bezichtigt und abgesetzt (Xen. hell. 7,1,15–22; Diod. 15,68–72,2). Nach erneuter Wahl zum Boiotarchen befreite E. 367 den von Alexander von Pherai gefangengenommenen Pelopidas, der die athenische Einflußnahme in Makedonien unterbinden wollte (Plut. Pelopidas 29; Paus. 9,15,2). Als nach Sondierungen des Pelopidas in Susa 367/66 (Xen. hell. 7,1,33–37; Diod. 15,81,3; Plut. Pelopidas 30) thebanische Bemühungen um eine *koinē eirḗnē* gescheitert waren, unternahm E. 366 seinen dritten Zug in die Peloponnes, um den thebanischen Einfluß in Arkadien und Elis zu stärken und die Achaier zum Anschluß an Theben zu zwingen. Seine Unterstützung der Oligarchen in Achaia fand nicht die Zustimmung der Thebaner, die hierin eine Imitation spartanischer Praxis sahen, aber die Situation falsch einschätzten und durch Entsendung eigener Harmosten schwere Unruhen in Achaia provozierten (Xen. hell. 7,1,41–43). Daß E. dort Seebasen errichten wollte, ist unwahrscheinlich, obgleich er bereits 366 den Bau einer thebanischen Flotte vorbereitete. Seine maritimen Pläne richteten sich auf den Ägäisraum, wo er 364 eine Flottenoperation bis Byzantion, Herakleia (Pontos), Chios und Rhodos leitete, um diese Poleis für ein antiathenisches Seebündnis zu gewinnen (Diod. 15,78,4–79). Er hatte hiermit aber keinen langfristigen Erfolg und war gezwungen, 362 wieder auf der Peloponnes zu intervenieren, nachdem sich dort infolge der Spaltung des Arkadischen Bundes antithebanische Kräfte in Mantineia mit Elis, Achaia und Sparta verbunden und ein Hilfegesuch an Athen gerichtet hatten. In der Schlacht bei Mantineia durchbrachen boiotische Hopliten wieder die feindliche Formation, doch fiel E., und der Kampf endete ohne mil. Entscheidung (Xen. hell. 7,5,1–27).

Die *koinē eirḗnē* von 362/61 (StV 2, 292) brachte keine dauerhafte Befriedung. Auch E., den ein Epigramm auf der Kadmeia (9,15,6) als »Befreier von Hellas« feierte, besaß kaum ein in die Zukunft weisendes Konzept eines stabilen Gleichgewichts der Kräfte. Innerthebanische Führungsstrukturen und fehlende Ressourcen seiner Polis schränkten den Handlungsspielraum des E. ein, dessen Politik sich jedenfalls zunächst am traditionellen Anspruch Thebens auf Suprematie in Boiotien orientierte. Daß er nach Leuktra in gesamthellenischem Rahmen eine über die älteren Systeme Spartas und Athens hinausführende Verbindung von thebanischer Hegemonie und Polisautonomie anstrebte [5], ist trotz seiner Ablehnung einer Versklavung der Bewohner von Orchomenos (Diod. 15,57,1; Paus. 9,15,3) nicht erkennbar.

1 C. J. TUPLIN, Pausanias und Plutarch's E. (369 BC), in: CQ 78, 1984, 346–358 2 M. JEHNE, Koine Eirene, 1994 3 A. G. KEEN, Were the Boiotian Poleis Autonomoi?, in: M. H. HANSEN, K. RAAFLAUB (Hrsg.), More Studies in the Ancient Greek Polis, 1996 4 J. BUCKLER, Plutarch on the Trials of Pelopidas and E. (369 BC), in: CPh 73, 1978, 36–42 5 H. BEISTER, Hegemoniales Denken in Theben, in: Ders., J. BUCKLER (Hrsg.), Boiotika, 1989, 131–153.

H. BECK, Polis und Koinon, 1997 · H. BEISTER, Unt. zu der Zeit der thebanischen Hegemonie, Diss. 1970 · J. BUCKLER, The Theban Hegemony 371–362 BC, 1980 · J. ROY, Thebes in the 360s B. C., in: CAH 6², 1994, 187–208.   K.-W. WEL.

Epanagoge (Ἐπαναγωγή). Unter der maked. Dynastie im J. 886 n. Chr. promulgiertes Rechtsbuch in 40 Titeln mit dem Ziel, die im J. 741 unter den isaurischen Kaisern erlassene, → Ekloge gen. Rechtskodifikation außer Kraft zu setzen. Sie enthält neben zivil- und strafrechtlichen Bestimmungen auch staatstheoretische, wahrscheinlich durch → Photios inspirierte Teile, die eine Gleichrangigkeit des Patriarchen mit dem Kaiser unterstellen. Das Werk, dessen originärer Titel ›Eisagoge‹ (Εἰσαγωγή, »Einführung«) ist [1. 12–14], leitete die Basiliken, eine auf dem *Corpus Iuris Civilis* (→ Digesta, → Rechtskodifikation) basierende, großangelegte Kodifikation ein, wurde jedoch bald durch den *Prócheiros Nómos* ersetzt.

A. SCHMINCK, Studien zu mittelbyz. Rechtsbüchern, 1986.

P. E. PIELER, in: HUNGER, Literatur, II, 454 f. · J. SCHARF, Photios und die E., in: ByzZ 49, 1956, 385–400 · Ders., Quellenstudien zum Prooimion der E., in: ByzZ 52, 1959, 68–81.   G. MA.

Epanalepse s. Figuren I

Epandros Nikephoros. Indogriech. König im 1. Jh. v. Chr. Er ist nur durch seine Münzen belegt (mittelindisch *Epadra*).

BOPEARACHCHI 103, 305 f.   K. K.

Epangelia (ἐπαγγελία). In Athen die gesetzlich vorgeschriebene Ankündigung der Einreichung einer → *dokimasía* gegen einen Redner, der einen Antrag in der Volksversammlung einbrachte. Sie konnte von jedem Bürger gegen den Antragsteller eingereicht werden, der sich einer Handlung, die ihm das Rederecht entzog, schuldig gemacht hatte, aber noch nicht gerichtlich verurteilt war (Aischin. Tim. 28 ff. 81). In den ägypt. Papyri bedeutet *e.* die Ansage einer Klage gegen den Schuldner.

A. R. W. HARRISON, The Law of Athens II, 1971, 204 · M. H. HANSEN, The Athenian Assembly in the Age of Demosthenes, 1987, 117 · F. PREISIGKE, Fachwörter des öffentlichen Verwaltungsdienstes Ägyptens, 1915, s. v.
                                     G. T.

Epaphos s. Io

Epaphroditos (Ἐπαφρόδιτος).
[1] Freigelassener Octavians, der im J. 30 v. Chr. angeblich einen Selbstmord der Kleopatra verhindern sollte, von der Königin jedoch überlistet worden sein soll (Plut. Antonius 79,6; Cass. Dio 51,13,4 f.).

K. KRAFT, KS 1, 1973, 38 f.   D. K.

[2] (Epaphroditus), Freigelassener Neros, deshalb mit vollem Namen Ti. Claudius Aug(usti) lib(ertus) E. Zunächst als kaiserlicher Freigelassener in die stadtröm. *decuriae* aufgenommen, u. a. *apparitor Caesarum* und *viator tribunicius*; später *a libellis* Neros, vermutlich als Dank dafür, daß er zur Aufdeckung der pisonischen Verschwörung im J. 65 beigetragen hatte. Deshalb wurde er von Nero mit mil. Auszeichnungen belohnt, wie sie nur einem Freigeborenen zustanden (ILS 9505 = [1]). Er begleitete Nero bei dessen Flucht im J. 68 und half ihm, als er Selbstmord beging. Unter den Flaviern lebte er zunächst unbelästigt; Flavius Iosephus war mit ihm befreundet und widmete ihm die Schriften: *Antiquitates, Vita* und die Bücher *contra Apionem.* Zu seinen Sklaven zählte Epiktet (vgl. [2]). Erst Domitian ließ ihn hinrichten, angeblich, weil er Nero beim Selbstmord behilflich gewesen war. Sein Vermögen wurde offensichtlich eingezogen, zumindest die *horti Epaphroditiani,* in denen E. begraben war. PIR² E 69; LTUR III 60.

1 W. ECK, Nero's Freigelassener Epaphroditus und die Aufdeckung der pisonischen Verschwörung, Historia 25, 1976, 381 ff. 2 F. MILLAR, Epictetus and the Imperial Court, JRS 55, 1965, 141 ff.   W. E.

[3] Griech. Grammatiker des 1. Jh. n. Chr.
A. LEBEN
Detaillierte biographische Nachrichten in der Suda (s. v. E., ε 2004, Quelle: Hermippos aus Berytos, vermittelt durch Hesychios aus Milet). Um 22/23 n. Chr. in Chaironeia geboren, Sklave im Hause des alexandrinischen Grammatikers → Archias [8], dann vom *praefectus Aegypti* M. Mettius Modestus, als Lehrer für seinen Sohn Petelinus erworben, von diesem schließlich freigelassen; sein lat. Name war M. Mettius Epaphroditus). Er lebte in Rom, wo er mit 75 Jahren unter Kaiser Nerva starb, und kam hier zu Reichtum (er besaß zwei Häuser und eine Bibliothek von 30000 Rollen). In der Villa Altieri in Rom ist seine Statue mit Inschr. erhalten (CIL VI 9454; Identifikation durch E. Q. VISCONTI, 1818; [5]).
B. WERKE
1. Kommentare (ὑπομνήματα): a) zu Homer (die im Detail wahrscheinlich der Anordnung der Bücher der *Ilias* und der *Odyssee* folgten), von denen Fragmente in den Scholien, den Etymologica und v. a. bei Stephanos

von Byzantion erhalten sind: Die Erklärungen behandelten grammatikalische und inhaltliche Fragen; bes. Aufmerksamkeit galt den homer. Ortsnamen und ihrer Etym. [6]. E.' Quellen sind: → Demetrios von Skepsis, der Komm. des Apollodoros zum homer. Schiffskatalog, → Didymos von Alexandria [4. 2713]; b) zum ps.-hesiodeischen *Scutum*; c) zu Kallimachos' *Aitia*.

2. *Léxeis* (Λέξεις: vielleicht eine vermischte Schrift); die meisten Fragmente enthalten Etym.

3. Περὶ στοιχείων (zur Bedeutung des Titels vgl. [4. 2714]).

ED.: **1** E. LUENZER, Epaphroditi grammatici quae supersunt, 1866 (Ergänzungen dazu: [4. 2713–2714]). LIT.: **2** S. F. BONNER, Education in Ancient Rome, 1977, 50, 58–59, 154, 217 **3** J. CHRISTES, Sklaven und Freigelassene als Grammatiker und Philologen im ant. Rom, 1979, 103–104 **4** L. COHN, s. v. E., RE 5, 2711–2714 **5** R. A. KASTER, Sueton. De Grammaticis et Rhetoribus, 1995, 136–137 **6** R. REITZENSTEIN, Gesch. der griech. Etym., 1897, 187. S.FO./Ü:T.H.

Eparchia (ἐπαρχία). Territoriale Verwaltungseinheit in hell. Staaten. Im Seleukidenreich förderte bes. Antiochos [5] III. die Einrichtung kleinerer Bezirke, um Machtkonzentrationen in Gebieten einzelner Satrapen, wie etwa des → Molon (222 v. Chr.) zu verhindern. Polybios bezeichnet ihre Vorsteher, die offenbar mil. und zivile Gewalt besaßen, als *éparchos* bzw. *stratēgós* (Pol. 5,46,7; 48,14), doch ist seine Terminologie irreführend, da *e*. seit der Mitte des 2. Jh. v. Chr. allmählich die Bed. von lat. *provincia* annimmt (vgl. SIG³ 683,55 und 65; Arr. Parth. fr. 1,2: *éparchos* als Bezeichnung eines seleukidischen Provinzstatthalters) [1. 150 ff.], so daß eine genaue Charakterisierung der seleukidischen E. problematisch ist. Seit der Kaiserzeit erscheint *e*. offiziell für *provincia* (vgl. SEG 16, 391; 42, 631; 43, 777; Ios. bell. Iud. 1,157; Strab. 12,3,37; 16,2,3; 17,1,12) bzw. *éparchos* allg. für *praefectus* (vgl. ILS 8841; SEG 42, 676; 43, 492; Plut. Galba 2; zum Eparchen Ägyptens vgl. [2]).

1 BENGTSON, Bd. 2 **2** G. BASTIANINI, ΕΠΑΡΧΟΣ ΑΙΓΥΠΤΟΥ nel formulario dei documenti, in: ANRW II 10.1, 581–597. M.MEI. u. ME.STR.

Eparchos s. Eparchia

Epasnactus (Epad[nactus]; kelt. Namenskomp. aus *epo-* »Pferd« [2. 89–90]). Proröm. Fürst der → Arverni, der 51 v. Chr. den aufständischen Cadurkerführer Lucterius gefangennahm und an Caesar auslieferte (Caes. Gall. 8,44,3). E. ist auf mehreren Münzen bezeugt [1. 432–436].

1 B. COLBERT DE BEAULIEU s. Diviciacus [1] **2** EVANS. W.SP.

Epeioi (Ἐπειοί). Das älteste Volk in Elis (Pind. O. 9,58), als dessen König auch → Augeias galt (Pind. O. 10,35; Hom. Il. 11,698). Nach dem homer. Schiffskatalog zerfielen die E. in vier Gruppen (Hom. Il. 2,618–625).

Nestor berichtet in Hom. Il. 11,670–762 von Auseinandersetzungen zw. Pyliern und E. Nach Paus. 5,1,4; 8 waren sie nach Epeios benannt, wurden später jedoch in Eleioi umbenannt (vgl. auch Hekat. FGrH 1 F 25).

E. VISSER, Homers Katalog der Schiffe, 1997, 195; 556–557; 562–563 • B. HAINSWORTH, The Iliad, B. 9–12 (Komm.), 1993, 296–298. R.B.

Epeios (Ἐπειός).

[1] Sohn des Panopeus aus Phokis (Eur. Tro. 9 mit schol.; Paus. 2,29,4). Teilnehmer am Trojanischen Krieg, Sieger im Faustkampf bei den Leichenspielen des Patroklos (Hom. Il. 23,664 ff.), beim Werfen mit dem eisernen Diskos des Eetion weniger erfolgreich (835 ff.). Die untergeordnete gesellschaftliche Position des E. »als Wasserträger der Atriden« bezeugt Stesichoros (fr. 200 PMGF; vgl. auch Plat. Ion 533b). E. gilt als sprichwörtlich feige – die Strafe für einen Meineid seines Vaters (Lykophr. 930 ff. mit schol.). Vor Troja ragt er jedoch als Erbauer und Mitinsasse des hölzernen Pferdes hervor (Hom. Od. 8,493; Verg. Aen. 2,264), das eine je nach Quelle unterschiedliche Anzahl von Helden gefaßt haben soll (Il. parv. fr. 8 PEG I; Tryphiodoros 152 ff.). Bei dessen Herstellung unterstützt ihn Athena aus Mitleid (Q. Smyrn. 12,108 ff.). Paus. 2,19,6 nennt E. als Schöpfer von Götterbildern in Argos. Nach Trojas Fall gründet er in It. die Städte Lagaria bei Thurioi (Lykophr. 930 ff. mit Tzetz.; 946 ff.; Strab. 6,1,14), Metapont (Iust. 20,2) und Pisae (Serv. Aen. 10,179). Die zwei ersten Städte behaupteten, in ihren Athenaheiligtümern die Werkzeuge zu besitzen, mit denen E. das trojanische Pferd geschaffen habe.

M. ROBERTSON, s. v. E., LIMC 3.1, 798–799 • R. WAGNER, s. v. E., RE 5, 2717 f. • Ders., Conjectures in Polygnotus' Troy, in: ABSA 62, 1967, 5–12.

[2] Sohn des mythischen Königs → Endymion, der den vom Vater organisierten Wettlauf um die Herrschaft in Elis gegen seine Brüder → Aitolos und Paion gewinnt (Paus. 5,1,4 ff.).

W. M. STOOP, Acropoli sulla Motta, in: Atti e Memorie della Società Magna Grecia 15/17, 1974/1976, 107–167, I • R. WAGNER, s. v. E., RE 5, 2717–18 • P. WEIZSÄCKER, s. v. E., Roscher I.1, 1278 f. • P. ZANCANI-MONTUORO, Necropoli, in: Atti e Memorie della Società Magna Grecia 15/17, 1974/76, 9–106. T.S.

Epeiros (Ἤπειρος, *Epirus*)
I. LANDSCHAFT II. VOLK
III. HISTORISCHE ENTWICKLUNG

I. LANDSCHAFT

E. liegt im äußersten NW des griech. Kulturraums im h. Griechenland und in S-Albanien. Von Homer an (8. Jh. v. Chr.) bis in das späte 5. Jh. bezeichnet ἤπειρος (*ḗpeiros*) als geogr. Begriff das Festland nördl. des Ambrakischen Golfes. Die Zuordnung der Stämme zu E. in ant. und moderner Lit. schwankt, so daß die geogr. Ausdehnung von E. nicht eindeutig zu beschreiben ist [1]. Die Grenzen sind im Westen das Ion. Meer, im Süden zu den → Akarnanes und → Amphilochoi der Ambrakische Golf, im Osten zu den Makedones (→ Makedonia), → Thessaloi und Athamanes (→ Athamania) die nur an wenigen Stellen passierbaren Gebirgsmauern des Pindos, im Norden gelten ungefähr der Aoos und die Akrokeraunischen Berge als Grenze, doch ist hier die sprachlich-kulturelle Abgrenzung zu den Illyrioi in einem Übergangsgebiet (Amantia, → Byllis) fließend. Die Kommunikation von West nach Ost innerhalb von E. ist stark eingeschränkt, da E. von vier mächtigen, aus Kalk und Flysch gebauten Gebirgsketten in Streichrichtung von NNW nach SSO durchzogen wird (bis 2633 m). Die durch die hohen Niederschläge gebildeten wasserreichen Flüsse sind im Bergland nicht schiffbar; der Aoos (h. Vjosë) mündet in Albanien, der Thyamis (Kalamas) in einem größeren Delta gegenüber Korkyra, Acheron südl. vom h. Parga, Louros und Arachthos im Ambrakischen Golf.

II. VOLK

Die Lebens- und Wirtschaftsweise im Inneren von E. unterschied sich markant von Südgriechenland: Wald- und Fernweidewirtschaft (Transhumanz) mit Sommer- und Winterweiden herrschten vor; Ackerbau war in nennenswertem Umfang nur in der Beckenlandschaft beim h. Ioannina (→ Dodona), im fruchtbaren Hügelland der Kassopaia und den Mündungsebenen der Flüsse möglich. Die drei großen Stämme der → Chaones, Thesprotoi und Molossoi setzten sich aus Kleinstämmen zusammen, die wiederum von vielen Ethnien gebildet wurden (Stammesliste: [2. 134–141]). Bei den ant. Schriftstellern galten die Bewohner von E. als *bárbaroi* (βάρβαροι, Thuk. 1,47,3; Skymn. 444 f.; Strab. 7,7,1) und den Makedones verwandt (Strab. 7,7,8). Oberschicht, Bewohner der Küstenstädte (Hekat. FGrH 1 F 105 nennt → Buthroton, Argos Amphilochikon und Orikos Poleis) und Heiligtümer (Dodona, Nekyomanteion) waren jedoch schon früh hellenisiert. Die urspr. Sprache ist unbekannt; die wenigen frühen Schriftzeugnisse in Dodona zeigen korinth. Buchstaben mit lokalen (?) Einflüssen [13. 228–230, 452], in den ersten (längeren) Inschr. um 380 v. Chr. wird ein nordwest-griech. Dial. verwendet.

III. HISTORISCHE ENTWICKLUNG
A. FRÜHGESCHICHTE UND ARCHAIK
B. KLASSISCHE ZEIT   C. HELLENISTISCHE ZEIT
D. KAISERZEIT   E. BYZANTINISCHE ZEIT

A. FRÜHGESCHICHTE UND ARCHAIK

Im SH ist in E. nur ein marginaler myk.-hellad. Kultureinfluß nachweisbar. SH-Funde (Keramik, Schwerter) und Architektur (»kyklopische« Mauern, Tholosgrab) finden sich bis auf die Höhe vom h. Parga – Dodona – Ioannina [3. 31–33; 4. 195–207; 5. 233–265]; nördl. davon weisen Tumulusgräber und Beigaben auf Verwandtschaft mit dem maked.-illyr. Raum [6. 619–656]. Die frühesten schriftlichen Nachrichten sind die

Erwähnungen des Zeus-Orakels von Dodona und → Ephyra [3] (Totenorakel Nekyomanteion) bei Homer. In archa. Zeit dringt griechische Kultur aus den Kolonien Korkyra, → Ambrakia und → Apollonia [1], gegr. von Korinth, sowie Buchetion, Elatria, Pandosia, Batiai in der Kassopaia, gegr. von Elis [7. 134], nach E. vor, z.B. Keramik-Import in das dörflich geprägte Hochland [3. 53–64; 8].

B. KLASSISCHE ZEIT

Eine »staatliche« Entwicklung läßt sich bis in das 4. Jh. nicht verfolgen. Das Königtum war bei den Thesprotoi und Chaones (zwei jährliche Oberbeamte, Thuk. 2,80,5) schon im 5. Jh. abgeschafft, im Inneren hielt es sich länger (Atintanes, Molossoi, bei den Athamanes bis 2. Jh. v. Chr.). Eine führende Rolle spielten zunächst die Thesprotoi (Strab. 7,7,11; Hdt. 2,56; Hekat. FGrH 1 F 108); diese wurden seit dem 6. Jh. von den Chaones zurückgedrängt [9. 479], bis E. des 5. Jh. die Molossoi durch Ausdehnung in den Westen Dodona und Teile der Küste gegenüber Korkyra und am Ambrakischen Golf übernahmen [10. 22 f.]. Begründet hat die führende Rolle der Molossoi wohl Tharypas, der sich E. des 5. Jh. nach seiner Erziehung in Athen dieser Stadt anschloß (im → Peloponnesischen Krieg hatten dagegen die Molossoi wie alle anderen Stämme Korinth unterstützt [9. 506–508]). Sein Nachfolger Alketas [2] I. gehörte seit 375 dem 2. → Attischen Seebund an. Unter diesen Herrschern bildete sich das molossische Staatswesen heraus: ein König (zeitweilig zwei) als Herrscher mit beschränkten Befugnissen (Heereskönigtum, Arist. pol. 1313a 19–29), Beamte und Vertreter (δαμιοργοί, *damiorgoí*; συνάρχοντες, *synárchontes*) der molossischen, thesprotischen und chaonischen (?) Stämme, die als Einheiten der Molossischen Konföderation einen Rat bildeten [9. 536–539; Beginn der Mz.-Prägung [11. 85–106]. Um 360 wurde eine Allianz zw. Molossia und den Makedones geschlossen, 357 heiratete Philippos II. Olympias, die Nichte des molossischen Königs → Arybbas. Dieser wurde jedoch 343/2 vom Thron vertrieben, und → Alexandros [6] I. wurde eingesetzt. Es begann eine Phase der Öffnung von E. Durch die Eroberung der Kolonien von Elis (Demosth. or. 7,32; Theop. FGrH 115 F 206; F 207) erhielt Molossia Zugang zum Meer, 334–331 zog Alexandros I. erfolglos nach Unterit. (Aristot. fr. 614 ROSE). Nachdem noch bis ca. 360 überwiegend dörfliche Siedlungsweise vorherrschte (Skyl. 26–33; IG IV² 95), wurden nun u.a. die Städte Kassope, Titane, Elea, Buthroton, Antigoneia, Byllis, Amantia gegr. bzw. zu *póleis* griech. Prägung ausgebaut.

C. HELLENISTISCHE ZEIT

Nach dem Tod Alexanders d. Gr. schlossen sich (zw. 331–325) die drei großen Stämme (später auch Ambrakia, Amphilochia u.a.) zu einem Bündnis zusammen [10. 25–31], das Mz. mit der Legende ΑΠΕΙΡΩΤΑΝ prägte. Die Aiakidai (so gen. nach → Aiakides [2], seit 313 v. Chr.) auf dem molossischen Thron fungierten als *hēgēmṓn* des Bündnisses, wurden aber nicht Könige aller E. Mit der Thronbesteigung des Pyrrhos (297–272) begann die Glanzzeit von E.: Vereinigung der Stämme, Erweiterung des Territoriums durch Heiraten und Kriege, Städtegründungen, Ausbau der neuen Hauptstadt Ambrakia. Ca. 232 wurden die letzten Aiakidai ermordet, das Königtum der Molossoi gestürzt und der E.-Bund als Stammesstaat gegr. (τὸ κοινόν bzw. τὸ ἔθνος; [1. 198–396], anders [3. 125–134]), in dem die kleineren *koiná* weiterhin als souveräne Gemeinwesen bestanden. Der neue Bund blieb im Bundesgenossenkrieg gegen die Einfälle der Aitoloi machtlos (219 Plünderung von Dodona). Im 1. und 2. Maked. Krieg stand E. auf der Seite Philippos' V. gegen Rom, wurde aber nach dem Frieden von 196 in die *amicitia* Roms aufgenommen. Im 3. Maked. Krieg kam es zur Spaltung des *koinón*: 170/69 unterstützten die Chaones und Thesprotoi App. Claudius, Molossia dagegen Perseus (Liv. 43,21,4). Als furchtbare Vergeltung wurden Molossia und Teile von Thesprotia 167 zur Plünderung freigegeben: 70 Siedlungen wurden zerstört, 150000 Menschen versklavt (Strab. 7,7,3; Liv. 45,34,1–6; Plut. Aemilius 29). Folgen des Krieges waren eine Neuorganisation der Grenzen (SEG 35, 665), Zersplitterung in regionale *koiná* (Syll.³ 653A. B; 654A) [3. 23–27, 151–158], Ansiedlung röm. Landbesitzer, der sog. *synepirotae* [3. 245–254], Truppenaushebungen (SEG 36, 555), im 1. Jh. v. Chr. die Gründung röm. Kolonien (Dyrrhachion, Byllis, Buthroton).

D. KAISERZEIT

Die Gründung von Nikopolis 27 v. Chr. absorbierte das städtische Leben auch im Süden von E. [12]. Die Küstenstädte profitierten von der Lage an den röm. Reichsstraßen [15. 225–261; 9. 690–705]. E. gehörte nördlich von Orikos zur *prov. Macedonia*, im Süden zu *Achaia*. Spätestens seit Traian war E. eine selbständige Prov. [12. 201–204], unter Diocletian kam es zur Teilung in *E. Nova* (Hauptstadt Dyrrhachion) und *E. Vetus* (Hauptstadt Nikopolis). E. gehört erst zur Diözese *Moesia*, um die Mitte des 4. Jh. zur Diözese *Macedonia*. Inschr. Belege: [14; 2. 534–592]. Mz.: [11].

1 PHILIPPSON/KIRSTEN 2, 1   2 P. CABANES, L'Épire, 1976 3 Ders. (Hrsg.), L'Illyrie méridionale et l'Épire dans l'antiquité 1, 1987   4 K. SOUEREF, Das prähistor. E., in: P. BERKTOLD (Hrsg.), Akarnanien, 1996   5 ΦΗΓΟΣ [PHĒGOS]. FS S. I. Dakaris, 1994   6 CAH 3, 1, ²1982   7 S. I. DAKARIS, Cassopaia and the Eleian Colonies, 1971 8 I. VOKOTOPOULOU, Vitsa, 1986   9 N. G. L. HAMMOND, Epirus, 1967   10 P. CABANES, Problèmes de géographie administrative et politique dans l'Épire, in: La géographie administrative et politique d'Alexandre à Mahomet, 1979, 19–38   11 P. R. FRANKE, Die ant. Mz. von E., 1961 12 D. STRAUCH, Die Umgestaltung NW-Griechenlands unter röm. Herrschaft, 1996   13 L. H. JEFFERY, The local scripts of archaic Greece. A study of the origin of the Greek alphabet [. . .], ²1990   14 P. CABANES, F. DRINI, Corpus des inscriptions grecques d'Illyrie méridionale et d'Épire 1, 1995 15 P. CABANES, L'Illyrie méridionale et l'Épire dans l'antiquité 2, 1993.

Z. ANDREA, Archaeology in Albania, in: Archaeological Reports 30, 1983/4, 102–119; 38, 1991/2, 71–88 ·

A. EGGEBRECHT (Hrsg.), Albanien, 1988 · SOUSTAL, Nikopolis, 47–54 u.ö.   D.S.

E. BYZANTINISCHE ZEIT

Durch die Kargheit schriftlicher Quellen bleibt die Gesch. des nachant. E. in hohem Maße auf Einbeziehung arch. und linguistischen Materials angewiesen, auch wenn die Auswertung der zahlreichen slav. Toponyme noch in den Anfängen steckt.

Bestimmend in frühbyz. Zeit blieb die diocletianische Verwaltungseinteilung in *Epirus nova* (→ Dyrrhachion) und *Epirus vetus* (→ Nikopolis) [1. 47ff.]. Weder die Plünderung durch die Westgoten 395/397, noch die Pirateneinfälle der Vandalen ab 467 (Prok. BV 3,5,23), gipfelnd in der Besetzung von Nikopolis, änderten Entscheidendes an den spätant. Strukturen. Bestimmend war dagegen die Ansiedlung von Awaren und Slaven, deren erster Überfall für 548/9 (Prok. BV 7,29,1f.) bezeugt ist. Das Gebiet entglitt den Byzantinern für Jh. ([3. 251]; im 8. Jh. Rückeroberung durch das Byz. Reich); von den zahlreichen durch → Prokopios (aed. 4,1,35ff.; 4,4) bezeugten Festungen läßt sich später kaum eine nachweisen [2. 69ff.]. Die Slaven siedelten v. a. im Binnenland, nach Ausweis der ON in Sippenverbänden (Toponyme sind in dieser Hinsicht zuwenig ausgewertet bei [2]). Die einheimische Bevölkerung floh auf die Inseln, die im Machtbereich der Zentrale blieben (nachweisbar für Euroia, dessen Bewohner vor 591 unter ihrem Bischof nach → Korkyra flohen [1. 51]). Die Zentralmacht hatte am Binnenland wenig Interesse, nur die für den Verkehr mit It. wichtigen Inseln blieben im Machtbereich der Flotte: Mitte des 8. Jh. erfolgte die Gründung des Flottenthemas Kephallenia, während das → Thema Nikopolis erst E. des 9. Jh. gegr. wurde; da diese Stadt jedoch damals bereits untergegangen war, wurde → Naupaktos der Sitz des Strategen.

1 SOUSTAL/KODER TIB 3, 1981   2 E. CHRYSOS, Συμβολή στὴν ἱστορία τῆς Ἠπείρου κατὰ τὴν πρωτοβυζαντινὴ ἐποχή [Symbolḗ, stḗn historía tḗs Ēpeírou katá tḗn prōtobyzantinḗ epochḗ], Epeirotika Chronika 23, 1981, 9–104 3 G. SCHRAMM, Anfänge des albanischen Christentums, 1994   4 T. E. GREGORY, s. v. Epiros, ODB 1, 715f.   J.N.

Epeisodion (τὸ ἐπεισόδιον, von dem Adj. ἐπεισόδιος, »eingeschoben«). Nach Aristot. poet. 12,1452b 20f. Teil einer Trag., der zw. zwei ganzen Chorpartien (d. h. zw. → Parodos und erstem → Stasimon oder zw. zwei Stasima) steht. Der Begriff E. findet sich als t. t. nur in der *Poetica*, andere Autoren sprechen von *méros* oder *mórion*. Aristoteles verwendet den Terminus E. in der *Poetica* auch im allgemeinen Sinn für »Abschnitt«, »Episode« (z. B. 17,1455b 13). In der Alten Komödie läßt sich oft der zweite Teil der Stücke in E. unterteilen. In der Neuen Komödie entwickelt sich aus der episodischen Struktur die Einteilung in fünf Akte.

→ Actus   B.Z.

Epenthese s. Lautlehre

Epetium. Wie Tragurium eine Kolonie von Griechen aus Issa auf dem Festland südl. von Salona (später Prov. Dalmatia), in fruchtbarer Gegend, gut geschützt durch die Lage auf einer Halbinsel, h. Stobreč/Kroatien (vgl. Pol. 32,9; Ptol. 2,16,4; Tab. Peut. 5,3: *Epetio, Portus Epetius*; Geogr. Rav. 4,16 bzw. 209,5: *Epitio*). Wahrscheinlich im 3. Jh. v. Chr. gegr. (der geschützte Hafen wurde schon im 4. Jh. v. Chr. genutzt) und sicherlich einige Zeit vor 158 v. Chr., als sich Issa beklagte, daß beide Siedlungen durch die → Dalmatae angegriffen würden (Pol. 32,9); diese wurden durch C. Cosconius (78–76 v. Chr.) besiegt, aber bis zu ihrer Niederlage war E. wie Salona in ihrem Besitz. Möglicherweise durch Caesar als Besitz von Issa anerkannt. Nach der Gründung der *colonia* durch Caesar in Salona war E. eine der Hauptsiedlungen im Gebiet der Stadt. Luftaufnahmen zeigen Überreste einer *centuriatio*. Von einheimischer Bevölkerung gibt es keine Spuren in E.; alle Einwohner waren entweder ital. Herkunft oder von anderswoher eingewandert. Sowohl das griech. als auch das röm. E. wurde von mächtigen Mauern geschützt, errichtet auf einer schmalen Landbrücke nach Salona.

A. FABER, Bedemi Epetiona – Stobreč kod Splita (The Fortifications of Epetion [Stobreč near Split]), in: Prinosi Odjela za arheologiju 1, 1983, 17–37. M.Š.K./Ü:I.S.

Epeunakten (Ἐπευνακταί). Wörtlich »Bettgenossen«. Nach Theopomp (FGrH 115 F 171 bei Athen. 6,271c-d) Heloten, die während des 1. Messenischen Krieges von den Spartanern freigelassen wurden und das Bürgerrecht erhielten; sie sollten sich mit den Witwen der Gefallenen verbinden (vgl. auch Iust. 3,5,6, der die Ereignisse jedoch in den Tyrtaioskrieg datiert). Demnach wären E. die Väter der sog. → Parthenier gewesen, die in der Überlieferung als Gründer Tarents erscheinen (Strab. 6,3,2 f.) und mit denen sie Diod. fr. 8,21 fälschlich identifiziert. Wahrscheinlich spiegelt die Epeunaktensage, die sicherlich jünger ist als die Partheniergeschichte, jedoch lediglich einen der verschiedenen Versuche, den bereits in der Ant. rätselhaften Namen der Parthenier (wörtlich »Jungfrauensöhne«) nachträglich zu deuten. Endgültige Sicherheit über ihre wahre Identität ist indes nicht zu gewinnen. M.MEI.

Ephebeia (ἐφηβεία) I. DEFINITION
II. KLASSISCHES ATHEN III. HELLENISMUS UND PRINZIPATSZEIT

I. DEFINITION

Die *e.* bezeichnete in Griechenland generell eine Altersstufe zwischen Kindheit und Mannesalter, und zwar die Pubertät, im engeren Sinne die Phase von deren Abschluß. Dies gilt in biologischer Hinsicht und ist dementsprechend auch in medizinischen Schriften behandelt. Für die *e.* wird in der Regel ein Alter zwischen 12 und 18, manchmal auch zwischen 12 und 20 Jahren angegeben; gelegentlich wird die vorangehende Stufe nach dem Ende der Kindheit mit einem eigenen Begriff (etwa μελλεφηβία, *mellephēbía*) bezeichnet. Charakteristisch ist die bes. Formalisierung und Ritualisierung der *e.*, die dem Übergang zum Erwachsenenalter auch eine soziale Dimension verlieh: Danach war der junge Mann volljährig und somit auch in rechtlichem Sinne heirats- und vermögensfähig. Er erwarb während der *e.*, definitiv mit ihrem Ende, die polit. und kult. Rechte und Pflichten eines Polis-Bürgers einschließlich der mil. Dienstpflicht. Die Jugendlichen bildeten in dieser Lebensphase eine klar umrissene Gruppe, die etwa durch Frisur und Kleidung, die Festlegung auf bestimmte Räume und Verhaltensweisen auch äußerlich erkennbar war. Forciert wuchsen sie in die Gemeinschaft der Polis hinein, indem sie deren Praktiken im kult., sozialen und mil.-polit. Bereich kennenlernten und in altersgemäßer Weise durch Vollzug bestimmter Kulthandlungen, durch körperliches Training, mil. Ausbildung, Unterricht und diverse gemeinschaftsfördernde Aktionen (Tanz und Gesang, gemeinsame Mahlzeiten, Trainingskämpfe in Gruppen) ausübten. Häufig kam ihre physisch-soziale Grenzsituation in spezifischen Initiationsriten und in ihrer – auch räumlichen – Absonderung (bes. in den Grenzgebieten des Polis-Territoriums) zum Ausdruck.

Solche Übergangsstufen waren in den griech. Gemeinschaften wahrscheinlich von Anfang an weit verbreitet; dafür sprechen die zum Teil recht unterschiedlichen Namen, die für sie an verschiedenen Orten üblich waren. Im Zuge der Formierung der Polis wurden sie sukzessive ausgestaltet. Für die frühe Zeit sind sie uns aus Sparta und Kreta am besten bekannt; hier hatten sich die urtümlichen Initiationsriten in den während der archaischen Zeit institutionalisierten Formen teilweise erhalten (Grenzsituation etwa im Verweilen in Randgebieten und in der → *krypteía*, rituelle Geißelungen, temporärer Wechsel der Geschlechteridentität, homosexuelle Praktiken). In der spartanischen → *agōgḗ* [6; 3. 234–298; 1. 112–207; 12] und in den kretischen → *agélai* (»Jünglingsherden«) [7. 31–41] sind sie wegen der Förderung kooperativer Werte formalisiert worden.

II. KLASSISCHES ATHEN

Das umfangreichste Material über die *e.* stammt aus Athen, wo auch der Begriff geläufig war. Für die 1. H. des 4. Jh. ist die Institution der *e.* belegt, die sich über zwei Jahre erstreckte und in mil. Ausbildung und Dienst auf dem att. Territorium bestand (Aischin. Tim. 49; leg. 167). Sie läßt sich wegen analoger Aktivitäten von *neōtatoi* (»Jüngste«; Thuk. 1,105,4; 2,13,7) bis in die Mitte des 5. Jh. zurückverfolgen. Die att. *e.* wurde wahrscheinlich 336/5 v. Chr. durch ein Gesetz des Eukrates (Lykurg. fr. 5,3), sicherlich im Zusammenhang mit dem lykurgischen Restaurationsprogramm, reformiert. Die traditionellen Elemente wurden weiter formalisiert und die mil. Ausbildung gestärkt; die Reform war insgesamt vom Ideal des Bürgersoldaten geleitet. Die jungen Männer sollten im Sinne der Gesetzesobservanz der Demokratie dazu gebracht werden, sich mil., polit. und rel. vollständig mit ihrer Polis zu identifizieren. Die *e.* dieser Zeit ist ausführlich bei Aristoteles (Aristot. Ath. pol. 42) beschrieben.

Im Alter von 18 Jahren wurden die jungen Athener in ihren jeweiligen Demen nach Prüfung ihres personenrechtlichen Status in die Bürgerlisten eingeschrieben und dann phylenweise in die *e.* aufgenommen. Verantwortlich für ihre Ausbildung waren ein *kosmētḗs* und zehn *sōphronistaí*, einer je Phyle, die vom Volk gewählt wurden. Hinzu kamen Lehrer für das sportliche und mil. Training (zwei *paidotríbai* sowie Ausbilder für Hoplitenkampf, Bogenschießen, Speerwerfen und den Umgang mit Katapulten); es gab außerdem mil. Dienstgrade (Taxiarchen, Lochagoi). Die Sophronistai und die Epheben erhielten von der Polis Zahlungen für den gemeinsamen Lebensunterhalt (1 Drachme für jeden Sophronistes, 4 Obolen für jeden Epheben pro Tag). Der Dienst begann mit einer Begehung der Heiligtümer, wobei wahrscheinlich beim Aglauros-Heiligtum ein Eid (Tod 204; Pollux 8,105; Stob. 4,1,48; Lykurg. 76f.; Plut. Alkibiades 15,7) abgelegt wurde, in dem sich die Epheben zu mil. Gehorsam, zur Beachtung der Gesetze und rel. Vorschriften der Polis sowie zum Schutz der Verfassung verpflichteten. Das erste Jahr verbrachten sie in den befestigten Garnisonen des Peiraieus (Munichia, Akte). Nach dessen Ablauf demonstrierten sie während einer Volksversammlung im Theater das bisher Gelernte und empfingen Schild und Lanze. Im zweiten Dienstjahr waren die Epheben in den verschiedenen Festungen stationiert und hatten Patrouillendienst auf dem Land zu leisten. Während des genannten Zeitraumes waren sie von der Entrichtung von Abgaben freigestellt und durften weder angeklagt werden noch Anklage erheben (mit Ausnahme von Streitfällen, die den Landbesitz, die Heirat einer Erbin (*epíklēros*) oder ein ererbtes Priesteramt betrafen). Sie trugen eine besondere Kleidung, einen schwarzen Umhang (*chlamýs*) und wahrscheinlich den → *pétasos* als Kopfbedeckung. Die Epheben waren an besonderen Kulthandlungen und rituellen Wettkämpfen beteiligt (Aristot. Ath. pol. 53,4; Demosth. or. 19,303 mit schol.; Philoch. FGrH 328 F 15f. 105).

Gemäß eindeutiger Belege (Aristot. Ath.pol. 42,1; Lykurg. 76) waren alle jungen Athener zum Ephebendienst verpflichtet. Nach Ausweis der ermittelbaren Zahlen der jeweiligen Jahrgänge (rund 500) war die Beteiligung allerdings nicht vollständig. Das berechtigt aber nicht zu der Annahme, die *e.* sei nur für die Bürger mit Hoplitenzensus eingerichtet worden [2. 33–43].

Die Epheben sowie die für ihre Ausbildung verantwortlichen Lehrer wurden von Anfang an auf verschiedene Weise geehrt: Unter den Stichworten εὐταξία (*eutaxía*), κοσμιότης (*kosmiótēs*) und φιλοτιμία (*philotimía*) wurden vor allem ihre mil. Disziplin sowie ihr Gehorsam gegenüber den Ausbildern, den Gesetzen und den polit. Institutionen der Polis hervorgehoben. Nicht zuletzt diese Ehrungen förderten die Konkurrenz zwischen den Phylengruppen und deren inneren Zusammenhalt. Obgleich sich gerade in dem Patrouillendienst in den Grenzgebieten der Polis wohl ältere Elemente der kult. Initiation erhalten haben [13. 151–176], zeigt die Reform doch eine dezidiert mil.-polit. Zielsetzung; sie orientierte sich an dem Gedanken einer Identität von Bürger und Soldat und sollte gerade angesichts der maked. Vorherrschaft der Stärkung der mil. Leistungsfähigkeit und des traditionellen Polis-Patriotismus dienen.

III. HELLENISMUS UND PRINZIPATSZEIT

Es ist anzunehmen, daß die promaked. Oligarchien unter Phokion und Demetrios von Phaleron (322–307 v. Chr.) in Bezug auf die *e.* keine bes. Anstrengungen unternahmen. Nach der Wiederherstellung der Demokratie (307) wurde, offensichtlich durch ein Gesetz (IG II ²556?), auch die *e.* reorganisiert, wohl im wesentlichen entsprechend den alten Formen, allerdings mit lediglich einjähriger Dienstzeit und nur noch einem Paidotriben. Während der 1. H. des 3. Jh. ergaben sich deutliche Änderungen, die in den Inschr. seit der Zeit des Chremonideischen Krieges (268–262) faßbar sind (bes. instruktiv sind IG II ²665; 766; 900; 1006 mit SEG 38,114; 1008; vgl. generell [8. 159–281; 9. 289f.]): Das Amt des *sōphronistḗs* taucht nicht mehr auf, die Zahlen der Epheben schwanken stark, sind jedoch deutlich geringer geworden (im Schnitt waren es nicht mehr als 100 pro Jahrgang). Offenbar war der Dienst nicht mehr obligatorisch; außerdem konnten nun viele den Aufwand nicht mehr leisten, da die staatliche Alimentierung fortgefallen war. Auch der leitende Beamte (*kosmḗtēs*) hatte erhebliche Summen aus seinem Privatvermögen für eine möglichst glänzende Ausgestaltung seiner *e.* aufzuwenden.

Besonders markant war die Veränderung in Zielsetzung und Inhalt der Ephebenausbildung: Zwar blieb die mil. Komponente als solche erhalten und wurde besonders in Kriegszeiten betont, aber die urspr. mil. Ausbildung diente im wesentlichen der Vorbereitung und Austragung von eher sportlichen Wettbewerben. Die Einheit von Bürger und Soldat war, schon wegen der zurückgehenden Beteiligung, zerbrochen. Die kult. Elemente, insbes. der Vollzug der verschiedenen Riten, traten in den Vordergrund; neben *eutaxía* und *philotimía* erscheint die εὐσέβεια (*eusébeia*, Frömmigkeit) als Grund für die Ehrungen. Ferner trat neben das körperlich-sportliche Training immer mehr die allg. Bildung der Epheben, etwa durch den Besuch von Vorlesungen in den att. Philosophenschulen. Zwar war nach wie vor von Gesetzesobservanz und Respekt vor der tradierten Verfassung und ihren Institutionen die Rede, doch der Patriotismus äußert sich weniger in konkreter Nachahmung, als vielmehr in kult. Verehrung der Vorfahren, v. a. der Helden der Perserkriege. Besondere Beachtung fanden auch die »Wohltäter« der Stadt, also vornehmlich die hell. Monarchen, von denen Athen abhängig war. So wurde die *e.* zu einer Institution für die körperlich-geistige Ausbildung der Elite. Es war in diesem Sinne nur konsequent, wenn (seit dem ausgehenden 1. Jh. v. Chr.) auch Ausländer in die *e.* aufgenommen wurden. Athen war zu einer Bildungsstätte geworden, in der die *e.* einen festen Platz hatte, den sie auch in der Prinzipatszeit – bei mannigfachen Ausgestaltungen [9. 290 f.] – behielt.

Zahlreiche hell. und kaiserzeitliche Inschr. und Papyri bezeugen eine weite Verbreitung der *e.* in der griech. Welt. Zwar hatte es jeweils unterschiedliche lokale Traditionen gegeben, doch nun bot die *e.* ein einheitliches Bild. Die mil. Komponente war überall noch präsent – und in Notzeiten kam ihr auch erhöhte Bedeutung zu –, doch generell wurde die *e.* Bestandteil sportlicher Agonistik und Ausbildung. Markant war die Beteiligung der Epheben an Kulthandlungen (Opfern, Prozessionen, rel. Festen). Die geistig-kulturelle Erziehung hatte einen hohen Stellenwert, Lehrer der Rhet. und Philos. beteiligten sich daran. Die *e.* war nunmehr eine Institution der Elitenausbildung (instruktive Beispiele IK 19,1: Sestos; SEG 27, 261: Beroia; IG XII 9, 234: Eretria; IPriene 112). Gerade damit stellte sie einen wesentlichen Faktor im Selbstverständnis und im Selbstbewußtsein der griech. Städte dar. Darüberhinaus war sie aber (in Verbindung mit ihrem wichtigsten Ort, dem → *gymnasion*) auch ein spezifisches Merkmal des urbanen griech. Lebens, und insofern sich Hellenentum in dieser Zeit primär über Bildung definierte, war die *e.* ein wesentliches Element griech. Identität (2. Makk 4,7–12; Strab. 5,4,7).

→ Agelai; Agoge; Jugend

1 A. BRELICH, Paides e parthenoi I, 1969,112–207 2 L. BURCKHARDT, Bürger und Soldaten, 1996 3 W. DEN BOER, Laconian Studies, 1954, 234–298 4 H.-J. GEHRKE, Gewalt und Gesetz. Die soziale und polit. Ordnung Kretas in der archa. und klass. Zeit, in: Klio 79, 1997, 23–68 5 G. IERANÒ, Osservazioni sul Teseo di Bacchilide (Dith. 18), in: Acme 40, 1987, 87–103 6 H. JEANMAIRE, Couroi et courètes, 1939 7 H. Y. MCCULLOCH, H. D. CAMERON, Septem 12–13 and the Athenian ephebia, in: Illinois Classical Studies 5, 1980, 1–14 8 C. PÉLÉKIDIS, Histoire de l'Éphebie attique des origines à 31 av. J.-C., 1962 9 O. W. REINMUTH, s. v. Ephebia, KlP 2,287–291 10 Ders., The Ephebic Inscriptions of the Fourth Century B.C., 1971 11 P. SIEWERT, The Ephebic oath in fifth-century Athens, in: JHS 97, 1977, 102–111 12 C. M. TAZELAAR, ΠΑΙΔΕΣ ΚΑΙ ΕΦΗΒΟΙ: Some Notes on the Spartan Stages of Youth, Mnemosyne 20, 1967, 127–153 13 P. VIDAL-NAQUET, Le chasseur noir, ³1983. H.-J. G.

Ephedra (ἐφέδρα, ἐφέδρον). Strauchart, wurde mit dem fast blattlosen nacktsamigen Rutenstrauch *Ephedra campylopoda C. A. Mey* identifiziert, welcher an Bäumen und Felsen in den Ländern des Balkans emporklimmt. Dies stützen sowohl der alternative Name (*anábasis*, ἀνάβασις) als auch die Beschreibung der Pflanze bei Plinius (nat. 26,36 *scandens arborem et ex ramis propendens*). Dort wird sie in dunklem Wein zerrieben gegen Husten und Atemnot empfohlen und soll, als Brühe gekocht, unter Zusatz von etwas Wein, gegen Bauchschmerzen

helfen. Ihre aufrecht wachsenden Verwandten *E. distachya* (oder *vulgaris Rich.*, im 17. und 18. Jh. *uva marina* oder »Meerträubl« gen.) und *E. maior Host.* wurden von Plinius (nat. 26,133) unter Bezeichnungen wie ἵππουρις bzw. *equisaetum* mit den ähnlich aussehenden Schachtelhalmen (→ *equisetum*) verwechselt und wegen ihrer adstringierenden Wirkung gegen ähnliche Leiden empfohlen (keine Verwechslung jedoch bei Dioskurides, 4,46 [2. 203 f.] bzw. [3. 388 f.]). Der aus der Pflanze gewonnene Wirkstoff Ephedrin wurde früher gegen Asthma und Kreislaufschwäche verordnet und ist h. zu einer aufputschenden Ersatzdroge geworden.

1 H. BAUMANN, Die griech. Pflanzenwelt, 1982 2 WELLMANN 2 3 BERENDES. C. HÜ.

Ephedrismos (ἐφεδρισμός). Spiel, bei dem mit einem Stein oder Ball ein Ziel (δίορος, *díoros*) auf der Erde getroffen werden sollte; der Verlierer mußte den Sieger, der ihm die Augen verdeckte, auf seinem Rücken tragen, bis er das Ziel mit seinem Fuß berührte. Knaben und Mädchen beteiligten sich am E., der nach Ausweis der Denkmäler im 5. Jh. v. Chr. populär wurde und in verschiedenen Abläufen abgebildet ist. Die Darstellungen zeigen auch Satyrn und Eroten beim E. Das Huckepack-Motiv ist in der griech. und röm. Kunst sehr verbreitet (Gemmen, Plastik; Gruppe in Rom, Konservatorenpalast: HELBIG 2, Nr. 1465; Terrakotta, Vasenund Wandmalerei); dabei muß jedoch nicht immer das E.-Spiel gemeint sein.

P. ZAZOFF, E. Ein altgriech. Spiel, in: A&A 11, 1962, 35–42 · K. SCHAUENBURG, Erotenspiele, in: AW 7, 1976 H.3, 41–42 · U. STEININGER, Zwei E.-Terrakotten im Basler Antikenmuseum, in: AK 34, 1994, 44–50. R. H.

Ephemeris (ἐφημερίς, Pl. Ephemerides). Ein Tagebuch für persönliche Aufzeichnungen, als Amts- oder Rechnungsjournal. Der geläufige Begriff für solche Aufzeichnungen ist → *hypomnēma(ta)*, lat. → *commentarii* oder → *acta*. Als Titel auch lit. benutzter Werke findet sich *e.* für das von dem Alexanderhistoriker → Ptolemaios I. benutzte »Kriegstagebuch« → Alexandros' [4] d. Gr. (FGrH 117) und die fiktive *E. toú Troikoú polémou*, das Tagebuch über den Troianischen Krieg des (fiktiven) → Dictys Cretensis. Plutarch (Caes. 22) bezeichnet Caesars *commentarii* als *e.*; Tagebuchcharakter tragen im → Corpus Caesarianum aber nur das *Bellum Africanum* und das *Bellum Hispaniense*. J. R.

Ephesia Grammata (Ἐφέσια γράμματα, »ephesische Buchstaben«). Bezeichnung für eine sinnentleerte Wortreihe – (*askion kataskion lix tetrax damnameneus aision* oder *aisia*), die zu apotropäischen und heilsbringenden Zwecken schriftlich und mündlich verwendet wurde. Ihr Name kommt daher, daß sie auf der Statue der Artemis von Ephesos eingeschrieben waren (Paus. ap. Eust. Od. 19,247). Man sprach sie im → Exorzismus (Plut. mor. 706 de) aus, zum Schutz eines Brautpaars, das man rituell unkreiste (Men. fr. 313); → Kroisos hat da-

mit angeblich seinen brennenden Scheiterhaufen ge-
löscht (Suda s. v. E. γ., E 386); auf ein Stück Leder
geschrieben und umgebunden, dienen die E. G. als
Amulett (Anaxilas fr. 18) und bringen Sportsiege (Suda
ebd.). Die erste epigraphische Bezeugung auf einem
Bleitäfelchen aus Halasarna in Kreta (4. Jh. v. Chr.;
ICr 2,19,7) bezeugt den Amulettgebrauch; ein Text aus
Selinus legt nahe, daß die Wortreihe urspr. hexametrische Form gehabt hat. Die für die Benutzer selber un-
verständliche sprachspielerische Form teilen die *E. g.*
mit sehr vielen magischen Heilsprüchen der ant. und
nachant. Kulturen.

K. PREISENDANZ, s. v. E. g., RAC 5, 515–520 •
R. KOTANSKY, Incantations and prayers for salvation on
inscribed Greek amulets, in: C. A. FARONE, D. OBBINK
(Hrsg.), Magika Hiera. Ancient Greek Magic and Religion,
1991, 110–112. 126 f. • H. S. VERSNEL, Die Poetik der
Zaubersprüche, in: T. SCHABERT, R. BRAGUE (Hrsg.),
Die Macht des Wortes, Eranos N. F. 4, 1996, 233–297.
F. G.

Ephesia s. Artemis

Ephesiaka s. Xenophon von Ephesos

Ephesis (ἔφεσις).

Vom Verbum ἐφίεσθαι (*ephíesthai*, sich
an jemanden wenden) gebildet, bezeichnete *e.* in Athen
eine Reihe von Rechtsakten, in denen eine Person sich
nach vorläufiger Erledigung der Sache an die zur Entscheidung zuständige Stelle wandte. Man kann keinesfalls von einer einheitlichen, der heutigen »Berufung«
vergleichbaren Einrichtung sprechen. Solon (um 600
v. Chr.) soll die E. bei Entscheidungen der → Archontes
an die (damalige) → Heliaia zugelassen haben (Aristot.
Ath. pol. 9,1). In klass. Zeit gab es die E. gegen die von
einem Archon verhängte, 10 Drachmen übersteigende
→ *epibolḗ* an ein → *dikastḗrion* (Aischin. Ctes. 27). Wer
sich mit dem Spruch eines der amtlichen → *diaitetaí*
nicht zufriedengab, wandte sich mit *e.* an das *dikastḗrion*
(Aristot. Ath. pol. 53,2); dort war er auf die in der *díaita*
vorgelegten Beweismittel beschränkt. Der *diaitḗtḗs*, der
von seinen Standesgenossen der Unkorrektheit überführt war, hatte seinerseits die *e.* (Aristot. Ath.pol. 53,5).
Auch im Zusammenhang mit der → *dokimasía* (Aristot.
Ath. pol. 45,3), der → *apagogḗ* (wenn der Abgeführte
nicht gestand, vgl. Aristot. Ath. pol. 52,1) und mit der
Eintragung in die Listen der Phratrie (IG II² 1237,96) gab
es die *e.*, ebenso im ersten Athenischen Seebund (478
v. Chr.; IG I³ 40,71 ff.). Für das ptolemäische Ägypten ist
trotz B I 4638,26 PREISIGKE daran festzuhalten, daß E.
nicht »Berufung« bedeutet.

H. J. WOLFF, Das Justizwesen der Ptolemäer, ²1970, 152,
159 • A. R. W. HARRISON, The Law of Athens II, 1971,
190 f. • CH. KOCH, Volksbeschlüsse in
Seebundangelegenheiten, 1991, 135 ff. 465.   G. T.

Ephesos
I. HISTORISCHE ENTWICKLUNG   II. ARCHÄOLOGIE

I. HISTORISCHE ENTWICKLUNG
A. LAGE   B. BEGINN UND GRIECHISCHE ZEIT
C. ARTEMISION   D. HELLENISTISCHE ZEIT
E. RÖMISCHE KAISERZEIT   F. CHRISTENTUM
G. BYZANTINISCHE ZEIT

A. LAGE
Stadt (h. türk. Kreisstadt Selçuk) an der Mündung des
Kaystros in das Aigaion Pelagos, 80 km südl. Izmir. Die
Fluß-Sedimentation verschob die Küstenlinie seit archa.
Zeit (Hdt. 2,10; Strab. 14,1,24; Plin. nat. 2,201; 5,115)
um ca. 9 km nach Westen und ließ die tiefe Bucht bis
zum späten MA endgültig verlanden. Engl., öst. und
türk. Ausgrabungen vermitteln das weite Ruinengebiet
der röm.-frühbyz. Stadt, das Artemision und die Johan-
nes-Basilika. Bed. Fundsammlungen befinden sich in
Istanbul, AM, im Arch. Mus. Izmir, in London, BM, im
Mus. Selçuk und in Wien, KM.

B. BEGINN UND GRIECHISCHE ZEIT
Älteste Siedlungsplätze in der ephesischen Bucht gehören dem Chalkolithikum (4./3 Jt. v. Chr.) und der
frühen Brz. an. Der Burghügel (h. Ayasoluk, aus *Hágios
Theólogos*) war zumindest seit dem 3. Jt. v. Chr. (Funde
der Stufen Troia I und II) besiedelt. Verschiedentlich
wird E. als das vom Hethiterkönig Muršilis II. im 14. Jh.
v. Chr. eroberte Apaša im Land Arzawa angesehen. Ein
myk. Grab derselben Zeit (Stufe LH IIIA₂) und vereinzelte Funde aus dem Artemis-Heiligtum belegen einen myk. Außenposten. Nach dem → *Marmor Parium*
erfolgte die Gründung von E. 1086/85 v. Chr. Die att.
beeinflußte Legende nennt den Kodros-Sohn → An-
droklos als Führer griech. Kolonisten, die das Heiligtum
der → Artemis Ephesia und von Kares und Lydoi bewohnte Siedlungen vorfanden (Paus. 7,2,6 ff.; Strab.
14,1,3 f.; 21). E. war Mitglied des ion. Zwölfstädtebun-
des (Hdt. 1,142 f.). Die griech. Stadt lag sieben Stadien
(ca. 1200 m) vom Artemision entfernt (Hdt. 1,26) und
hieß Koressos. Stadt und Heiligtum dürften den An-
sturm der Kimmerioi Mitte 7. Jh. v. Chr., gegen die der
Dichter Kallinos zum Kampf aufrief, überstanden haben. Seit der 2. H. 7. Jh. v. Chr. herrschten Tyrannen:
Pythagoras, Melas (Schwiegersohn des Lyderkönigs
Alyattes), zuletzt dessen Sohn Pindaros. Kroisos von Lydia belagerte um 560 v. Chr. Koressos und siedelte die
Griechen zum Artemision um, wodurch die griech.-
lyd. Mischstadt E. entstand. Der Athener Aristarchos
(Suda, s. v. Ἀρίσταρχος) arbeitete eine demokratische
Verfassung aus. Nach Kroisos' Niederlage gegen Kyros
541 v. Chr. wurden die ion. Städte vom medischen Ge-
neral Harpagos erobert (Hdt. 1,162; 169).
   Die Perser förderten erneut die Tyrannis, vor wel-
cher der Dichter Hipponax nach Klazomenai auswich
(Suda, s. v. Ἱππῶναξ). Im Aufstand der ion. Städte blieb
E. propersisch, die griech. Flotte sammelte sich 498
v. Chr. – evtl. deswegen – im alten Koressos-Hafen

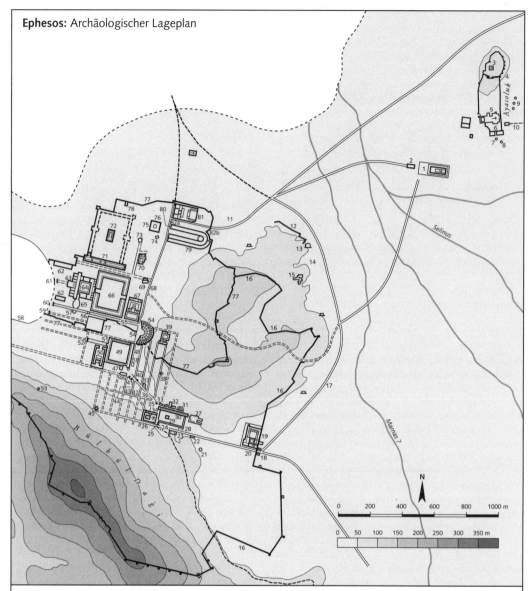

Ephesos: Archäologischer Lageplan

1. Artemision
2. Tribüne beim Artemision
3. Festung (byz.-türk.)
4. Frühbronzezeitl. Siedlung
5. Johannesbasilika (vollendet 565 n.Chr.)
6. »Tor der Verfolgung« (byz.)
7. Myken. Grab
8. Klass. Grab
9. Archa.-klass. Gräber
10. Byz. Aquädukt
11. Koressoshafen
12. Wehrmauer in Koressos
13. Felsheiligtum (Meter od. Kybele, ab 5.Jh.v.Chr.)
14. Byz. Aquädukt
15. Siebenschläfer-Coemeterium
16. Hell. Stadtmauer (A. 3.Jh.v.Chr.)
17. Damianusstoa (2.Jh.n.Chr.)/ und Prozessionsstraße, gedeckt
18. Magnesisches Tor
19. Ostgymnasium (2.Jh.n.Chr.)

20. Basilika im Ostgymnasium (5./6.Jh.n.Chr.)
21. »Lukasgrab« (1.Jh.n.Chr.?)
22. Straßenbrunnen (102 – 114 n.Chr.)
23. »Fontäne« (1./2.Jh.n.Chr.)
24. »Südstraße«
25. Hydrekdocheion des Laecanius Bassus (78/79 n.Chr.)
26. Tempel für die Theoi Sebastoi (E. 1.Jh.n.Chr.)
27. Thermen am »Staatsmarkt« (1.Jh.n.Chr.?)
28. Dorisches Propylon
29. »Staatsmarkt« mit Tempel (divus Iulius und dea Roma ?)
30. Basilike Stoa (13 n.Chr.)
31. Buleuterion (Bestand aus dem 2.Jh.n.Chr.) / »Odeion«
32. Temenos für Augustus und Artemis Ephesia (?) und Prytaneion (A. 1.Jh.n.Chr.)
33. Memmiusbau (E. 1.Jh.v.Chr.) und Hydreion (3.Jh.n.Chr.)

34. Polliobau und Domitians- brunnen
35. Heraklestor (5.Jh.n.Chr.)
36. Embolos (»Kuretenstraße«)
37. Nymphaeum Traiani (102 – 114 n.Chr.)
38. Späthell. Rundbau (1.Jh.v.Chr.)
39. »Byz. Banketthaus«
40. Variusbad (2.Jh.n.Chr.; Umbau im 4.Jh.: Scholasticiathermen) mit Hadrianstempel
41. Latrine und »Freudenhaus« (2.Jh.n.Chr.)
42. Hanghaus 1
43. Hanghaus 2
44. Oktogon (1.Jh.v.Chr. Grab der Arsinoe IV.?) und »Heroon« (2./1.Jh.v.Chr.)
45. Rundgrab am Bülbüldağ (1.Jh.v.Chr.?)
46. Horologion, Altarbau (1.Jh.n.Chr.) und Hadrianstor
47. Hell. Peristylhaus und »Celsusbibliothek« 2.Jh.n.Chr.)

48. »Marmorstraße«
49. Tetragonos Agora (archa. Siedlung Smyrna) mit Nord-und Südtor sowie Neronische Halle
50. Tempelbezirk (»Serapeion«, 2.Jh.n.Chr.)
51. Weststraße mit Westtor
52. Medusentor (4.Jh.n.Chr.)
53. Paulusgrotte
54. Theater (hell. – 2.Jh.n.Chr., Umbau im 4.Jh.) und hell. Brunnenhaus
55. Arkadiane (5.Jh.n.Chr.), Osttor
56. Viersäulenbau (6.Jh.n.Chr.)
57. Exedra-Brunnen (4./5.Jh.n.Chr.) und »Kirche«
58. Kaimauer, südl. Hafenbereich
59. Südl. Hafentor (3.Jh.n.Chr.)
60. Mittleres Hafentor (2.Jh.n.Chr.)
61. Nördl. Hafentor
62. Marktbauten am Hafen (2.Jh.n.Chr.)
63. Hafenthermen (1.Jh.n.Chr.?)
64. Hafengymnasium (1.Jh.n.Chr.)

65. Atrium Thermarum (4.Jh.n.Chr.)
66. Xystoi (»Verulanushallen«, 1./2.Jh.n.Chr.)
67. Theatergymnasium (2.Jh.n.Chr.)
68. Plateia am Koressos
69. Apsidenbau
70. Byz. Palast
71. Marienkirche mit Baptisterium und Episkopium
72. Kaiserkulttempel Hadrians (Olympieion ?)
73. Byz. Peristylhaus
74. Byz. Brunnenhaus
75. Akropolis
76. Severerzeitl. Temenos (»Macellum«)
77. Byz. Stadtmauer
78. »Felsspalttempel« (4./3.Jh.v.Chr.)
79. Stadion (1.Jh.n.Chr.)
80. Kirche im Stadion-Nordtor
81. Vediusgymnasium (2.Jh.n.Chr.)
82. »Koressisches Tor«, a: hell., b: byz.

(Hdt. 5,100). 497 ermordeten die E. die auf der Heimfahrt nach der Seeschlacht von Lade schiffbrüchig gewordenen Bürger von Chios (Hdt. 6,16). Seit 465 v. Chr. war E. Mitglied des → Attisch-Delischen Seebundes mit demokratischer Verfassung, gegen die der Philosoph Herakleitos (fr. 121 DK) polemisierte. E. kämpfte im Peloponnesischen Krieg bis mindestens 424 v. Chr. auf seiten Athens (Thuk. 4,50). Spätestens 412 trat E. zu den Spartanern über (Thuk. 8,14 ff.), wurde 409 vergeblich vom att. Feldherrn Thrasyllos berannt (Xen. hell. 1,2,6 ff.) und war ab 407 Hauptquartier des Spartaners Lysandros (Plut. Lysandros 3; Xen. hell. 1,5,1 ff.). 401 v. Chr. war E. Ausgangspunkt des fehlgeschlagenen Aufstandes des Satrapen Kyros gegen seinen Bruder Artaxerxes (Xen. an. 2,2,6), ab 400/399 v. Chr. Basis des erneuten Perserkriegs unter spartanischer Führung. Durch den Frieden des Antalkidas mit Artaxerxes II. kam E. 387 v. Chr. erneut unter pers. Oberhoheit (3. Tyrannis), aus der es erst von Alexandros [4] d.Gr. 334 v. Chr. befreit wurde.

C. ARTEMISION

Nach der Legende wurde der Artemis-Kult von Amazonen begründet, oder diese flohen vor Herakles und Dionysos in das Asylon des bereits bestehenden Heiligtums (Paus. 7,2,7). Einzelne Funde reichen in min.-myk. Zeit zurück. Der älteste nachweisbare Kultbau ist ein im 8. Jh. v. Chr. entstandener Tempelhof mit Ringhalle (13,5 × 6,5 m mit 8 × 4 Holzsäulen) um eine Basis für das hölzerne Kultbild der Artemis Ephesia. Um 600 v. Chr. wurde ein nie vollendeter Tempel begonnen (Bau des Tyrannen Pythagoras?), ab ca. 560 mit Hilfe des Kroisos der riesige Marmortempel – eines der sieben ant. Weltwunder – errichtet. Seine doppelte Ringhalle besaß 127 Säulen, davon 36 reliefgeschmückt (Plin. nat. 36,95–97); im Tempelhof stand ein Naiskos genau über dem ältesten Tempelchen. Der 356 v. Chr. angeblich von Herostratos angezündete Tempel wurde von den Ephesiern aus eigenen Mitteln neu errichtet, ein Hilfsangebot Alexandros' d.Gr. abgelehnt (Strab. 14,1,22). Das Heiligtum erlangte durch sein Asylrecht (Neuordnung und Festlegung auf ein Stadion um den Tempel durch Alexandros und Augustus, Strab. 14,1,23) und die Bankfunktion (Mz.-Prägung seit archa. Zeit; Depositen belegt z. B. bei Xen. an. 4,3,4 ff.) internationale Bedeutung.

D. HELLENISTISCHE ZEIT

In den Diadochen-Kriegen gewann nach wechselvollen Kämpfen Lysimachos zuerst 301 und endgültig 287 v. Chr. E. Wegen der zunehmenden Verlandung erbaute er 2 km westl. des Artemision eine nach seiner Gattin → Arsinoe [II 3] benannte Neustadt (Strab. 14,1,21). Die teilweise noch gut erh. Stadtmauer von ca. 8 km Länge zog über den Kamm des Preon (h. Bülbüldağ) und schloß den Pion (h. Panayırdağ-Südteil) mit ein. An frühhell. Bauten ist bisher nur die Handels-Agora ausgegraben worden; das Stadtzentrum dürfte den damals noch schmalen Küstenstreifen vom Theater bis zum röm. Hafenbecken eingenommen haben. Nach

dem Tod des Lysimachos 281 v. Chr. wurde die Stadt seleukidisch und hieß wieder E. Von 246 bis 196 v. Chr. gehörte E. zum Ptolemäer-Reich, wurde von → Antiochos [5] III. zurückerobert und im Frieden von Apameia 188 v. Chr. dem Pergamenischen Reich → Eumenes' II. angegliedert. Nach Einrichtung der röm. *prov. Asia* seit 133 v. Chr. wurde E. *civitas libera atque foederata* (ILS 34). 89/8 trat E. zu Mithradates VI. über, die in der Stadt anwesenden Römer wurden umgebracht (»Ephesische Vesper«), weswegen Sulla 84 v. Chr. über die Stadt ein Strafgericht verhängte (App. Mithr. 61–63).

E. RÖMISCHE KAISERZEIT

Im Winter 30/29 v. Chr. bestimmte der nachmalige Augustus, unter Rückgriff auf Privilegien Caesars, E. zum Sitz des *proconsul* von Asia. Im Sattel zw. Preon und Pion entstand ein neues Regierungsviertel mit Prytaneion, Sebasteion und Buleuterion beim sog. Staatsmarkt, dessen Peripteraltempel wohl vom *conventus civium Romanorum* für *divus Iulius* und *dea Roma* erbaut wurde (Cass. Dio 51,20,6). Die wirtschaftliche Bed. von E. als größtem Hafen Kleinasiens und die rasche Vermehrung der Bevölkerung – Seneca (epist. 17,2,21) bezeichnete E. als zweitgrößte Stadt des Orients – zeigen sich u. a. in der Anlage von zwei Fernwasserleitungen (drei weitere bis Mitte des 2. Jh.), dem Neubau der Tetragonos Agora mit 150 m Seitenlänge und den großzügigen Wohnanlagen am Embolos (»Hanghäuser«). Nach einem verheerenden Erdbeben 23 n. Chr. (Tac. ann. 4,13,1; ILS 156) fungierte Kaiser Tiberius zugunsten des Wiederaufbaues nominell als γραμματεὺς τοῦ δήμου (»Schreiber der Volksversammlung«). Spätestens 88/9 n. Chr. wurde der Neokorie-Tempel für die *theoí Sebastoí* eingeweiht, mit dem der Bau eines großartigen Gymnasium-Thermen-Komplexes mit Sportplatz (*xystoi*) im einstigen Meeresgebiet (hell. Hafen?) verbunden war. Unter Traian (vor 114 n. Chr.) wurde der Ausbau des Theaters mit ca. 25000 Sitzplätzen (evtl. auch das neue Hafenbecken?) vollendet. Hadrian bewilligte 130/1 anläßlich seines Besuches in E. den Bau eines zweiten Neokorie-Tempels. Das ungebremste Wachstum der Stadt erschöpfte sich erst Mitte 3. Jh.; ein Erdbeben 262 richtet in E. nachhaltige Schäden an. Ein umfassender Wiederaufbau des öffentlichen Raums setzte erst unter Theodosius I. (379–395) ein.

F. CHRISTENTUM

Die Mission des Paulus (Apg 18,24–20,1) traf bereits bestehende Christengemeinden in E. an. Der erste Bischof von E., Timotheos, erlitt unter Domitianus (vor 96 n. Chr.) das Martyrium (Acta S. Timothei, USENER p. 11,1). Um dieselbe Zeit schrieb Johannes Theologos in E. das Buch der Offenbarungen (Apk). Die Christenverfolgung durch Kaiser Decius (249–251) führte zum Mythos der Siebenschläfer. Um 400 n. Chr. wurde an der Bischofskirche gebaut.

A. BAMMER, U. MUSS, Das Artemision von E., 1996 · FiE 1–12, 1906–1996 · IK 11–17, 1979–1984 · S. KARWIESE, Groß ist die Artemis von E., 1995 (Bibl. ab 1986) · Ders.,

Die Münzprägung von E. I. Die Anfänge, 1995 ·
H. KOESTER (Hrsg.), E. – Metropolis of Asia (Harvard
Theological Studies 41), 1995 · R. E. OSTER, A Biblio-
graphy on Ancient E., 1987 · P. SCHERRER (Hrsg.), E. – Der
neue Führer, 1995 · G. WIPLINGER, G. WLACH, E. – 100
Jahre öst. Forsch., 1995 · H. FRIESINGER, F. KRINZINGER,
100 Jahre öst. Forsch. in E. (Symposium des Öst. Arch. Inst.,
Wien 1995), 1997 · Grabungsberichte, Inschr.- und
Einzelstudien laufend in: AAWW, JÖAI, ZPE.
KARTEN-LIT.: F. HUEBER, Ephesos. Gebaute Gesch., 1997.

P. SCH.

G. BYZANTINISCHE ZEIT

Trotz verschiedener Zerstörungen durch Erdbeben
(u. a. 262, 359–366, 467/8, 557, 614) und Krieg (u. a.
263, 654/5, 781, 798, 867/8, 1090/1096) war E. eine der
wichtigsten spätant. und byz. Großstädte, die erst nach
der türk. Eroberung (1304, seldschukische Dynastie der
Aydınoğlu) im späten MA ihre Bed. verlor. Dies belegt
eine umfangreiche Bautätigkeit im unteren Stadtgebiet
vom 4.–6. Jh., zu der der Ausbau eines zweiten Stadt-
zentrums um die Johanneskirche (Kreuzkuppel-Basilika
über dem Grab des Johannes, errichtet durch Iustinianus
und Theodora bis 565) auf dem Ayasoluk-Hügel trat,
der im MA das alleinige Stadtzentrum bildete, vgl. die
ma. Stadtnamen. E. wurde im 7. Jh. Hauptort des Themas Thrakesion.

Die Bischofsliste umfaßt bis Stephanos, Teilnehmer
an der sog. Räubersynode in E. 449 und abgesetzt auf
dem Konzil von Chalkedon 451, 27 Bischöfe [1], von
denen 18 namentlich bekannt sind [2. 558]. E. war Versammlungsort der Konzilien von 431 (3. Ökumenisches
Konzil, Erklärung der Maria zur θεοτόκος, »Gottesge-
bärerin«) und 449. Im J. 451 verliert der Bischof von E.
seinen 325 in Nikaia (canon 6) und 381 in Konstantinopel
(canon 2) bestätigten Rang zugunsten des Patriarchen in
Konstantinopel. Die paulinische Vergangenheit sowie
zahlreiche Legenden, u. a. zu Aufenthalt und Tod der
Maria und des Evangelisten Johannes sowie über die
sog. Siebenschläfer, ließen E. zu einem Zentrum christl.
Pilgerwesens werden. Aus seldschukischer Zeit stammt
der Bau der Isabey-Moschee.
→ EPHESOS

1 E. SCHWARTZ (ed.), ACO II, 1, 3, 52 [411], 32 f.
2 DHGE XV, 1963, 554–579.

W. BROCKHOFF, Studien zur Gesch. der Stadt E. vom IV.
nachchristl. Jh. bis zu ihrem Untergang in der ersten H. des
XV. Jh., 1905 (Diss. Jena) · W. ELLIGER, E. ²1992, 137–206 ·
F. HUEBER, E., 1997, 94–107 · S. KARWIESE, Groß ist die
Artemis von E., 1995, 126–145, 154–161 (Quellen, Lit.) ·
LMA III, 1986, 2048–2052 · LThK³ III, 1995, 704–707 ·
W. MÜLLER-WIENER, in: MDAI(Ist) 11, 1961, 85–112 ·
RE Suppl. 12, 248–364, 1588–1704 · M. RESTLE, RBK 2,
1971, 164–207 · T. WOHLERS-SCHARF, Die Forschungs-
gesch. von E., 1995.

E. W.

II. ARCHÄOLOGIE

Erste engl. Ausgrabungen erfolgten unter J. T.
WOOD (1863–1874; Nachgrabungen von D. E. HOR-
GATH 1904/5) und konzentrierten sich auf den in der
ant. Lit. als → Weltwunder gerühmten → Dipteros der
Artemis; systematische, großflächige Ausgrabungen
des Ortes erfolgten seit 1895 in bis h. andauernden
Kampagnen durch das Öst. Arch. Inst., seit 1954 unter
wachsender türk. Beteiligung. Frühe Funde sind h.
überwiegend in London (BM), die öst. Funde der Jahre
1895–1906 in Wien verwahrt (KM, seit 1978: Ephesos-
Museum), spätere Funde meist im 1964 eingeweihten
Ephesos-Mus. von Selçuk. Infolge der Absenkung des
kleinasiat. Festlandsockels sind Teile des ant. Siedlungsareals, bes. das Gebiet um das Artemision, versumpft;
arch. Ausgrabungen erfordern deswegen einen z. T. erheblichen technischen Aufwand.

Die erh. Bausubstanz und Fundmasse spiegelt den
Wandel des Ortes von der frühhell. Provinzstadt zur
röm.-spätant. Metropole in massiver Weise, während
das Erscheinungsbild der prähistor., prägeometr.-archa.
und klass. Siedlung erst in jüngster Zeit durch gezielte
Grabungen Gestalt gewinnt. Die Keramikfunde der
chalkolithisch-brz. Siedlung (4.–2. Jt.) ähneln denen
→ Troias. Um 1000 v. Chr. wird das Gebiet kolonisiert;
ab ca. 800 v. Chr. wird E. zum Mittelpunkt einer an
griech. Mustern orientierten ion. Kultur, die über Jh.
geprägt blieb von einer Vermischung griech. und oriental. Traditionsstränge. Die bis h. weitgehend unbekannten archa.-klass. Siedlungsplätze gruppierten sich wohl
um den Panayır Dağ mit der Akropolis im NW. Der
zentrale Kultbezirk der Artemis, in dem um die Mitte
des 6. Jh. v. Chr. ein erster monumentaler Dipteros in
ion. Ordnung an der Stelle eines bis in geometr. Zeit
zurückreichenden Vorgängers entstand (Neubau dieses
Tempels nach dem herostratischen Brand von 356
v. Chr. im späten 4. Jh. begonnen, u. a. aus Spenden von
Alexander d. Gr.), lag in einiger Entfernung im NO am
Fuß des Ayasoluk und blieb bis in die Spätant. vom
Stadtgebiet isoliert.

Die hell. Stadterweiterung wurde zu Beginn des 3.
Jh. unter Lysimachos neben der Altstadt zw. Panayır
Dağ und Bülbül Dağ errichtet und verdoppelte den bis
dahin verfügbaren Platz. Eine neu errichtete, massive,
zweischalige Mauer umfaßte das gesamte besiedelte Gebiet; diese Stadterweiterung ist erstes Dokument für einen bed. Aufschwung des Ortes in nachklass. Zeit. Zusätzliche Stadterweiterungen aus dem späten 1. Jh.
v. Chr. und dem 2. Jh. n. Chr. ließen E. zu einer der
größten Metropolen des Imperium Romanum anwach-
sen. Zahlreiche prächtig ausgestattete öffentliche Bauten (Verwaltungs- und Regierungsbauten, Gymnasien,
Thermen, Tempel, Theater, Circus, Bibliothek, Hallenbauten entlang der großen Straßen und an der Agora), viele luxuriöse Wohnhäuser (»Hanghäuser«) und
aufwendige Infrastrukturbauten (Hafenanlagen, Brunnen, Zisternen, Wasserleitungen, Straßen, Latrinen) unterstreichen Wohlstand und Bed. der Stadt in dieser
Zeit; da das Siedlungsgebiet auch in röm. Zeit nicht
wesentlich über die frühhell. Stadtmauer hinausgriff,
kam es zu zahlreichen Überbauungen und damit zu
Schichtenabfolgen, die in Einzelheiten bis h. nicht vollends geklärt sind. In frühchristl.-byz. Zeit wurde das

Stadtgebiet erneut erweitert (7. Jh.?); in und vor der Stadt entstanden in mehreren Bauphasen bed. Kirchenkomplexe (Marienkirche, Johannesbasilika; beide mit Baptisterium), byz. Verwaltungs- und Wehrbauten (Kastell) sowie christl. Nekropolen (»Siebenschläfer-Coemeterium«).

In drei großen Grabungskampagnen wurden weite Teile der hell.-röm. Stadt freigelegt: In einer ersten Kampagne (1895–1913, Leitung: O. BENNDORF und R. HEBERDEY) u. a. das Hafengymnasium, das große Theater, die Celsus-Bibliothek (s. → Bibliothek mit Abb.), das Hadrianstor, die »Marmorstraße«, Odeion und Buleuterion sowie die Marienkirche; in einer zweiten Kampagne (1926–1935, Leitung: J. KEIL) dann u. a. die Johannesbasilika, das »Siebenschläfer-Coemeterium«, das Theatergymnasium und das Mausoleum von Belevi. In der von 1954 bis h. (1997) andauernden dritten Kampagne (Leitung F. MILTNER, F. EICHLER, H. VETTERS, G. LANGMANN, S. KARWIESE, D. KNIBBE, A. BAMMER) wurde das Gebiet entlang der Kuretenstraße, die Bauten am »Staatsmarkt« sowie die Architektur und Baugesch. des Artemisions erforscht. Aufwendige denkmalpflegerische Aktivitäten haben aus dem Grabungsgelände ein erstrangiges Touristenziel gemacht, wobei die verschiedenen Anastylosis-Maßnahmen der letzten Jahrzehnte in Fachwelt und Öffentlichkeit aber auf ein geteiltes Echo gestoßen sind.

ED.: Fortlaufende jährl. Grabungsberichte in AAWW und JÖAI; Grabungspublikationen und -monographien in FiE 1 ff. (seit 1906).

LIT.: W. ALZINGER, Augusteische Architektur in E., 1974 · A. BAMMER, R. FLEISCHER, D. KNIBBE, Führer durch das Arch. Mus. in Selçuk, 1974 · A. BAMMER, A Peripteros of the Geometric Period in the Artemision of E., in: Anatolian Studies 90, 1990, 137–160 · Ders., Multikulturelle Aspekte der frühen Kunst im Artemision von E., in: JÖAI 61, 1991/2, Beiblatt, 17–54 · B. FEHR, Archäologen, Techniker, Industrielle. Beobachtungen zur Wiederaufstellung der Bibliothek des Celsus in E., in: Hephaistos 3, 1981, 107–125 · F. HUEBER, E. – Gebaute Gesch., 1997 · D. KNIBBE, G. LANGMANN (Hrsg.), Via Sacra Ephesica, Bd. 1, 1993, Bd. 2, 1995 · W. SCHABER, Die archa. Tempel von E., o.J. · T. WOHLERS-SCHARF, Die Forschungsgesch. von E., 1995 (Lit.).   C. HÖ.

Ephetai (ἐφέται).
Im klass. Athen gab es neben dem Gerichtshof des → Areios pagos in Blutsachen noch drei weitere Kollegialgerichte, die beim Palladion, beim Delphinion und in Phreatto tagten (→ Dikasterion) und mit 51 e. besetzt waren (Aristot. Ath. pol. 57,3 f.). Dieses im Verhältnis zu den übrigen Dikasterien kleine Kollegium wurde aus Geschworenen (→ Dikastes) gebildet. Neuerdings nimmt man an, daß vor Solon E. auch an der Gerichtsstätte auf dem Areshügel tagten, zu denen damals allerdings noch nicht alle Bürger bestellt werden konnten.

R. W. WALLACE, The Areopagos Council to 307 B.C., 1985, 22.   G. T.

Ephialtes (Ἐφιάλτης).
Mythologie → Aloaden.

[1] Sohn des Eurydemos aus Malis, soll den → Xerxes in der Hoffnung auf eine große Belohnung auf einen Fußpfad über das Gebirge an den → Thermopylen aufmerksam gemacht haben. Auf diese Weise konnten die Perser das griech. Heer unter der Führung des Leonidas umgehen und im Rücken angreifen. E. soll selbst das Elitekorps des Hydarnes über diesen Pfad geführt und damit zum Untergang der Spartaner beigetragen haben. Bereits Herodot kannte eine andere, ihm allerdings nicht glaubhaft erscheinende Version, in der zwei andere Männer dieses Verrats bezichtigt wurden. Die delphische Amphiktyonie setzte später einen Preis auf den Kopf des E. aus. Als er nach langer Flucht in seine Heimat zurückkehrte, wurde er dort getötet (Hdt. 7,213–225).

→ Perserkriege

A. R. BURN, Persia and the Greeks, ²1984, 412 ff. · N. G. L. HAMMOND, CAH 4, ²1988, 555 ff.   E. S.-H.

[2] Athenischer Politiker, tätig in den 60er-Jahren des 5. Jh. v. Chr. Zu seiner Person ist wenig bekannt. Um 465 leitete er eine Flottenexpedition über Phaselis (Südwesttürkei) hinaus (Plut. Kimon 13, 4). In den späten 460er-Jahren wurde er der führende Gegner Kimons und widersetzte sich erfolglos der Aussendung eines Hilfskorps nach Sparta im 3. Messenischen Krieg (Plut. Kimon 16,9). Er gehörte anscheinend zu einer Gruppe von Athenern, die grundsätzlich von den Prinzipien der Demokratie überzeugt waren. Nachdem er einzelne Mitglieder des Areios Pagos angegriffen hatte, war er, vermutlich während der Abwesenheit des Kimon und seiner Hoplitenarmee in Messenien, verantwortlich für die Übertragung polit. bedeutender gerichtlicher Kompetenzen (möglicherweise der Beamtenkontrolle und der Eisangelie-Prozesse) vom Areios Pagos auf den Rat der Fünfhundert und die Geschworenengerichte ([Aristot.] Ath. pol. 25; Plut. Kimon 15,2). Kimon versuchte die Reformen rückgängig zu machen, wurde aber ostrakisiert. Ephialtes selbst wurde ermordet (Ath. pol. 25,4), und es gibt Gerüchte über eine oligarchische Verschwörung zur Zeit der Schlacht von Tanagra um 457 (Thuk. 1,107,4–6). Die von E. eingeführte Form der Demokratie bestand jedoch weiter und sein Helfer Perikles trat an ihre Spitze.

→ Areios Pagos; Perikles

LGPN 2, Ἐφιάλτης (1) · P. J. RHODES, in: CAH 5², 67–77.   P. J. R.

[3] E. als ein athenischer Rhetor und Stratege verhandelte 341/40 v. Chr. im Auftrage der Rhetoren um Demosthenes über ein Bündnis zwischen Athen und dem Perserreich gegen → Philippos II. und Subsidien für Athen. E. erreichte kein formales Bündnis, verteilte aber nach seiner Rückkehr hohe Geldsummen an führende athenische Gegner Philipps II. (Plut. mor. 847f–848a; 848e; Demosth. or. 9,71; 10,31–34; Aischin. Ctes. 238). E. trat beim Aufstand Thebens gegen → Alexan-

dros [4] den Gr. 335 für eine Beteiligung Athens ein. Deshalb forderte Alexandros erfolglos seine Auslieferung (Arr. an. 1,10,4; Plut. Demosthenes 23,4 und Phok. 17,2; Suda s. v. Antipatros). E. ging 335 in persische Dienste über und fiel 334 bei der Verteidigung von Halikarnassos (Diod. 17,25,6–27,3; vgl. Deinarchos 1,33; Demosth. epist. 3,31). PA 6156.
→ Theben

A. B. Bosworth, A historical commentary on Arrian's History of Alexander, Bd. 1, 1980, 92–96 · J. Engels, Studien zur polit. Biographie des Hypereides, ²1993, 162–178.   J. E.

Ephippion s. Reiten

Ephippos (Ἔφιππος).

[1] von Olynthos, in den letzten Jahren am Hof von → Alexandros [4] d. Gr., schrieb später ein anekdotisches Werk ›Über den Tod von Hephaistion und Alexandros‹. Da alle Fragmente (FGrH 126) aus → Athenaios [3] stammen, beschreiben sie zumeist Gelage. Wir hören auch, daß Alexandros sich die Insignien verschiedener Götter anzulegen pflegte und wie → Gorgos sich um die Befreiung von Samos bemühte. Die Gleichsetzung von E. mit einem Offizier von Alexandros in Ägypten (so Berve 2, Nr. 331) ist falsche Kombination.

E. Badian, Studies in Greek and Roman History, 1964, 253 f. · L. Pearson, The Lost Histories of Alexander the Great, 1960, 61–67.   E. B.

[2] Dichter der Mittleren Komödie [1. test. 1], von dem zwölf Stücktitel (insgesamt 28 Fragmente) erh. sind. Seine Schaffenszeit läßt sich auf Grund der histor. Anspielungen auf die Jahre 375–340 v. Chr. eingrenzen [2. 197]; um 370 Sieg an den Lenäen [1. test. 2]. Die Stücke sind zum Teil myth.; es gibt aber auch eine *Sapphṓ* (fr. 20) und eine *Philýra* (fr. 21, wohl ein Hetärenstück). Im *Naúagos* (›Der Schiffbrüchige‹, fr. 14) verspottet E. Platon und dessen Akademie, in anderen Stücken die Trag. des Dionysios (fr. 16) und des Chairemon (fr. 9), in der *Ártemis* (fr. 1) den Tyrannen Alexandros von Pherai [2. 196].

1 PCG V, 1986, 131–152 2 H.-G. Nesselrath, Die att. Mittlere Komödie, 1990, 196 f., 218–221.   B. Bä.

Ephodion (ἐφόδιον, »Wegegeld«). E. bezeichnet in Griechenland die an Gesandte gezahlte Entschädigung für Reisekosten (z. B. in Athen : Tod 129; vgl. die Parodie in Aristoph. Ach. 65–67; in Chios: SIG³ 402). In hell. und röm. Zeit konnte ein reicher Bürger seiner Stadt helfen, indem er einen Lohn, der ihm zustand, ablehnte (z. B. IPriene 108).   P. J. R.

Ephoroi (ἔφοροι). »Aufseher«, Jahresbeamte in Sparta und einer Reihe von peloponnesischen bzw. dorischen Poleis und Kolonien (z. B. Thera, Kyrene, Herakleia am Siris). Die bedeutendste Institution dieser Art waren die fünf e. in Sparta, die mit Mehrheitsbeschlüssen entschieden und deren Vorsitzender (Plut. Lysander 30) jeweils spartanischer Eponym wurde. Nach älterer Tradition galt das spartanischer Ephorat als Einrichtung Lykurgs (Hdt. 1,65), später wurde das Kollegium auf König Theopompos im 1. Messenischen Krieg zurückgeführt (Aristot. pol. 1313a27; Plut. Lycurgus 7), doch ist beides ebenso fiktiv wie der überlieferte Beginn der Ephorenliste 754/53 v. Chr. In der bei Plutarch (Lycurgus 6) zitierten Großen Rhetra (um 700 oder frühes 7. Jh.?) und bei Tyrtaios (fr. 3 Diehl = 14 Gentili-Prato) werden e. nicht genannt. Die Anfänge des Ephorats reichen jedoch in eine frühe Phase der Ausbildung von Institutionen zurück, da die »Wahl« der E. – ähnlich der »Wahl« der Geronten – in der Volksversammlung nach einem archa., »kindischen« (Aristot. pol. 1270b27 f.), Akklamationsverfahren erfolgte, wobei die Lautstärke der Zurufe den Ausschlag gab (Plut. Lycurgus 26).

Die Amtsbezeichnung läßt Aufsichtsfunktionen vermuten: Den e. oblag wohl von Anfang an die Aufsicht über die bestehende Ordnung (auch die Heloten und Perioiken), speziell über den Erhalt des Klarossystems und der Helotie als wirtschaftlicher Basis. Eine urspr. Funktion als »Aufseher« in den fünf Siedlungen Spartas ist unwahrscheinlich, weil die jährliche, symbolisch vollzogene formelle Kriegserklärung an die Heloten die e. als Repräsentanten des gesamten Damos zeigt. Dies erklärt z. T. auch ihren polit. Aufstieg neben dem Doppelkönigtum und der Gerusia, der freilich auch als allg. Folge zunehmender Institutionalisierung in griech. Poleis zu sehen ist. Auf Konflikte beim Übergang polit. Befugnisse vom Königtum auf das Ephorat weist der spartanische Brauch, daß Könige erst nach dreimaliger Aufforderung vor den e. erscheinen. Schon Mitte des 6. Jh. konnten jedoch die e. in Übereinstimmung mit der Gerusia einem König den Willen des Damos aufzwingen (Hdt. 5,39 f.). Dies setzt voraus, daß die e. damals die Volksversammlung leiten konnten, was in klass. Zeit in der Regel die Aufgabe des eponymen Ephoren war (Thuk. 1,87). Im frühen 5. Jh. war die Erweiterung der Kompetenzen der e. weitgehend abgeschlossen. Zur Zeit der Perserkriege überwachten e. sogar die Kriegsführung eines Königs oder Regenten (Hdt. 9,76), überwachten die Ausführung von Volksbeschlüssen, empfingen Gesandte oder wiesen sie gegebenenfalls auch ab (Xen. hell. 2,2,13) und besaßen weitgehende Strafgewalt sowie das Recht, die Amtsführung anderer Funktionsträger zu überprüfen und Verfahren selbst gegen Könige einzuleiten (Hdt. 6,82). Sie selbst waren ihren Amtsnachfolgern rechenschaftspflichtig. Obwohl der jährliche Amtswechsel eine kontinuierliche Politik des Ephorats verhinderte, wurde das Kollegium im späten 5. Jh. zur »Schaltzentrale«, in der die weitgespannten mil. und polit. Aktionen Spartas koordiniert wurden. Die e. tauschten allmonatlich Amtseide mit den Königen (Xen. Lak. pol. 15,7) und vollzogen alle neuen Jahre ein Ritual der Himmelsbeobachtung, das zu deren Suspendierung führen konnte (Plut. Agis 11). Dennoch konnten sie nicht mit dem Prestige der Könige konkurrieren, da das Ephorat allen Kreisen des Damos offen stand. 227 wurde das Ephorat von Kleomenes III. beseitigt, nach dessen Niederlage bei Sellasia 222 von Antigonos [3] Doson restauriert, war offenbar nach 188 zeitweise nicht besetzt, ist aber in röm. Zeit wieder als munizipale Behörde belegt.

1 A.S. BRADFORD, The Synarchia of Roman Sparta, in: Chiron 10, 1980, 413–425 2 M. CLAUSS, Sparta, 1983, 132–138 3 S. LINK, Der Kosmos Sparta, 1994, 64–71 4 P.J. RHODES, The Selection of Ephors at Sparta, in: Historia 30, 1981, 498–502.   K.-W. WEL.

Ephoros (Ἔφορος) aus Kyme in Kleinasien, griech. Universalhistoriker, lebte ca. 400–330. Er galt wegen seines Stils in der Ant. als Schüler des Isokrates, war Zeitgenosse des Theopompos (FGrH 70 T 3–5; 8; 28) und schlug angeblich die Einladung zum Alexanderzug 334 v. Chr. aus (T 6).

Werke: *Epichórios lógos* (»Heimatgeschichte«): Enkomion auf Kyme, das E. sogar zur Heimat Homers machte (F 1). ›Über Erfindungen‹: Der »sophistischen Polyhistorie« (so ED. SCHWARTZ) zuzurechnen, behandelte u. a. den Ursprung der griech. Buchstaben (F 97 u. 236) und der Flötenarten (F 3). ›Über den Stil‹: Fragen der Prosodie und des Prosarhythmus. *Historíai*: Universalgesch. in 30 B., die unter Verzicht auf die mythische Epoche (T 8) von der Rückkehr der Herakliden (→ Dorische Wanderung) bis in die eigene Zeit reichte. Das letzte Buch (Zeitraum 356–341/40) stammte von seinem Sohn Demophilos (T 9).

Sein Werk zeichnet sich durch zahlreiche Neuerungen und Besonderheiten aus: Nach Polybios (5,33,2) war E. der Begründer und bisher einziger Vertreter der Universalgesch., zudem Initiator und Hauptrepräsentant der rhet., durch bes. Betonung von Form und Stil geprägten Geschichtsschreibung. Als erster griech. Historiker teilte er sein Werk selbst in Bücher und stellte ihnen jeweils ein Prooemium voran (T 10). Auch gliederte er seine Darstellung nicht annalistisch, sondern nach Sachgebieten (*katá génos*, T 11), so etwa Geographie der Oikumene (B. 4–5), Frühe Geschichte der Peloponnes (6), Lydien und Persien (8 u. 9), ältere sizilische Tyrannis (16), Hegemonie Spartas und Thebens (21–25). E. schrieb umso ausführlicher, je mehr er sich der Gegenwart näherte (vgl. F 9), und zwar meist recht gleichförmig und leidenschaftslos, sofern nicht seine proathenische Tendenz [1. 2] und sein kymäischer Lokalpatriotismus ins Spiel kamen (vgl. F 236). Moralisierendes Belehren stand im Vordergrund, um den Leser zur Nachahmung guter Taten zu ermuntern und von schlechten abzuschrecken. Es herrschte ein rationalistischer Grundtenor vor, der sich in Mythenkritik (F 31), Eliminierung des Göttl. aus der Geschichte und seiner Ersetzung durch die Tyche, in unhistor. Konstruktionen sowie in Dublettierung von Ereignissen zeigte, was fortan zum beliebten Stilmittel wurde (vgl. Pol. 6,46,10). Ohne jede polit. oder mil. Erfahrung – was etwa seine Schlachtschilderungen der Kritik preisgab (T 20) – war

E. reiner Buchgelehrter (Pol. 12,25 f.), der als erster Historiker kaum Primärforschung durch Autopsie, eigenes Erleben und Befragung von Augenzeugen, sondern hauptsächlich Sekundärforschung auf der Basis der vorhandenen schriftlichen Quellen und lit. Darstellungen betrieb. Dazu nutzte er nicht nur fast alle früheren Historiker von Hekataios und Herodot bis hin zu Philistos, Theopompos und Kallisthenes, sondern auch Redner, Publizisten, Dichter (z. B. Tyrtaios, F 216; Aristophanes, F 196) und Epigramme (F 122,199). Als Begründer der Universalgesch. hoch geschätzt (vgl. Pol. 5,33,2) wurde E. auch von Verf. derartiger Werke im 1. Jh. v. Chr. (Nikolaos von Damaskos, Timagenes, Diodor und Strabon) ausgiebig herangezogen; erst in der röm. Kaiserzeit schwand das Interesse an ihm.

Für die moderne Altertumsforschung ist E. trotz seiner Unzulänglichkeiten von größter Bedeutung. Vermittelt über Diodoros, der E. in B. 11–15 exzerpiert hat, liefert er den einzigen fortlaufenden Bericht zur griech. Gesch. von ca. 480–350. Zudem ist er als Prototyp des Buchgelehrten Ahnherr des modernen Schreibtischhistorikers und besitzt wegen des Rufs nach universalgeschichtlicher Betrachtung gerade heute wieder große Aktualität. FGrH 70 (mit Komm.).

1 G.L. BARBER, The Historian Ephorus, 1935 2 W.R. CONNOR, Studies in Ephorus, 1961.

R. DREWS, Diodorus and His Sources, in: AJPh 83, 1962, 383–392 · Ders., Ephorus and History Written κατὰ γένος, in: AJPh 84, 1963, 244–55 · O. LENDLE, Einführung in die griech. Geschichtsschreibung, 1992, 136 ff. · K. MEISTER, Die griech. Geschichtsschreibung, 1990, 85 ff. (Lit.) · C. RUBINCAM, A Note on Oxyrhynchus Papyrus 1610, in: Phoenix 1976, 357–366 · K.S. SACKS, in: OCD, ³1996, 529 f. · G. SCHEPENS, Historiographical Problems in Ephorus, in: Historiographia antiqua, 1977, 95–118 · ED. SCHWARTZ, s. v. E., RE 6, 1–16.   K. MEI.

Ephraem. Syrischer Dichter und Theologe (ca. 306–373 n. Chr.); sein Ruhm war bereits im J. 392 Hieronymus (vir. ill. 115) bekannt. Den größten Teil seines Lebens verbrachte er als Diakon in Nisibis; als die Stadt 363 n. Chr. an die Perser abgetreten wurde, ließ er sich in Edessa, heute Urfa, nieder. Die Vita aus dem 6. Jh. ist durch zahlreiche sagenhafte Erzählungen erweitert. E.s Schriften lassen sich drei Kategorien zuteilen: der Versdichtung, die den größten Teil ausmacht, der Kunstprosa und Prosa.

1. VERSDICHTUNG

Seine Versdichtung in über 50 Versmaßen, zumeist in Strophen (→ *madraše, hymni*), ist in Zyklen unterschiedlicher Länge überliefert. Die längsten sind: *De fide* (87, einschließlich 5, ›Die Perle‹), *Carmina Nisibena* (77), *Contra Haereses* (56), *De virginitate* (52), *De ecclesia* (52), *De nativitate* (28). Kürzere Zyklen enthalten *De azymis* (21), *De paradiso* (15) und *Contra Iulianum* (4). Andere Werke in Versen sind Zweizeiler (→ *memre, sermones*) im »ephraemischen Versmaß« (7+7 Silben), darunter sechs *memre de fide* und eine Reihe von Werken, deren Echt-

heit umstritten ist (so ›Ninive‹, ›Das sündhafte Weib‹).
Viele späteren *memre* wurden fälschlicherweise E. zugeschrieben.

2. KUNSTPROSA

Hier sind der *Sermo de domino nostro* und die *Epistula
ad Publium* zu nennen.

3. PROSA

Die Komm. zur Genesis, zu Exodus und zum Diatessaron stammen wohl eher aus seiner Schule als von
ihm selbst. Die Komm. zur Apostelgeschichte und den
Paulusbriefen sind nur in aram. Übers. erhalten. E.s verschiedene Streitschriften in Prosa enthalten fünf Reden
›Gegen falsche Lehrmeinungen‹, an Hypatios gerichtet,
und gegen Bardesanes' *Domnus* (auch unter dem Titel
›Gegen die Platonisten‹). E.s Gegner sind → Markion,
→ Bardesanes, → Mani und (in den Hymnen) die Arianer (→ Arianismus). Ein E. zugeschriebenes, umfangreiches Werkcorpus ist in Griech. erh. (und damit in lat.
und slaw. Übersetzungen), doch entspricht kaum eines
dieser Werke einem bekannten, in Syr. geschriebenen
Werk.

Obwohl E. vermutlich über keine Griechischkennt-
nisse verfügte, erwähnt er Albinus (prose ref. II, p. iii
und spielt mindestens zweimal auf die griech. Mythologie an (carmina Nisibena 36,5; hymnus de Paradiso
3,8).

ED.: E. BECK (ed.), Corpus Scriptorum Christianorum
Orientalium (CSCO), 1955–1979 (mit dt. Übers., ersetzt
ältere Ausgaben) · R. TONNEAU (ed.), CSCO, 1955 (Komm.
Gn-Ex) · L. LELOIR (ed.), 1963 bzw. 1990 (Komm.
Diatesseron) · C. W. MITCHELL (ed.), Prose Refutations,
1912 bzw. 1921 (Prosastreitschriften) · Ausgaben des E.
Graecus s. CPG 3905–4175 (teilweise Ndr. bei K. PHRAN-
TZOLAS (ed.), I–V, 1988–1994).
LIT.: N. EL-KHOURY, Die Interpretation der Welt bei E.
dem Syrer, 1976 · E. BECK, Ephraems Trinitätslehre, 1982 ·
T. BOU MANSOUR, La pensée symbolique de S. Ephrem,
1988 · S. P. BROCK, The Luminous Eye: the spiritual world
vision of St Ephrem, 1992 · Dictionnaire de spiritualité 4,
1960, 788–819 · E. BECK, s. v. E., RAC 5, 520–531 ·
R. MURRAY, s. v. E., TRE 9, 1982, 755–762 (mit Lit.).
BIBLIOGR.: S. P. BROCK, Syriac Studies: a classified
bibliography (1960–1990), 1996, 78–94 · K. DEN BIESEN
(im Druck).   S.BR./Ü:S.Z.

Ephyra (Ἐφύρα).

[1] Stadt ›im Winkel von Argos‹ (Hom. Il. 6,152), Heimat des Sisyphos, später mit Korinth gleichgesetzt.
Belegstellen: Strab. 8,3,5; Paus. 2,1,1; 3,10.   Y.L.
[2] Strab. 8,3,5 nennt einen sonst unbekannten Ort an
der elischen Küste namens → Oinoe, das Homererklärer
mit dem homer. E. gleichsetzten (vgl. auch Steph. Byz.
s. v. E.; Hesych. s. v. E).

L. DEROY, Ephyre, ville imaginaire, in: AC 18, 1949,
401–402.   R.B.

[3] Stadt im epeirotischen Thesprotia, später (ant.)
Kichyros gen., landeinwärts von der Bucht Elea am
Acheron gelegen. Die Siedlung liegt auf dem Hügel
Xylokastro beim h. Mesopotamon; in der Ebene befin-
det sich das Totenorakel Nekyomanteion.

S. I. DAKARIS, Thesprotia, 1972 · Ders., The Nekyomanteion, 1993 · N. G. L. HAMMOND, Epirus, 1967.   D.S.

Epibatai (ἐπιβάται) waren zunächst Schiffspassagiere
(Hdt. 8,118,3) oder bewaffnete Begleitsoldaten, die auf
ant. Kriegsschiffen Dienst taten; in Griechenland wur-
den die e. normalerweise aus den Hopliten rekrutiert.
Ihre Zahl schwankte: 494 v. Chr. führten Schiffe aus
Chios je 40 e. mit (Hdt. 6,15,1), 480 v. Chr. hatten pers.
Schiffe 30 e. (Hdt. 7,184,2); während des Peloponnesischen Krieges waren auf der Flotte Athens 10 e. üblich
(Thuk. 3,94,1 und 3,95,2; vgl. IG II² 1951,84f.: 11 e.).
Auf den größeren hell. Schiffen wurden mehr e. benötigt. Ihre Aufgaben umfaßten außer dem Kampf auf
Deck den bewaffneten Landgang und – bes. in hell. Zeit
– die Bedienung von Katapulten. In der Flotte der röm.
Republik waren die aus den Legionen abgezogenen e.
(*propugnatores, milites classici*; 80 – 120 je Schiff) wichtiger, da die röm. Taktik des Seekrieges auf dem Entern
der feindlichen Schiffe und dem Kampf gegen deren
Besatzung beruhte (Pol. 1,22–23; Veg. mil. 4,44). Während des Prinzipats entsprach die oft peregrine Beman-
nung eines Schiffes militärorganisatorisch einer → *centuria*; die e. wurden begrifflich nicht mehr streng von den
Seeleuten geschieden.
→ Corvus   LE.BU.

Epiblema (ἐπίβλημα). Griech. Begriff für → Decke,
Tuch, Mantel (Poll. 7,49f.). In der modernen arch. Terminologie bezeichnet E. das Schultertuch der dädalischen, bes. der kretischen Frauenstatuetten. In der Regel wird das E. auf der Brust, aber auch über dem Hals
und dem Schlüsselbein befestigt; der obere Rand ist
mitunter verziert. Auf Denkmälern des 7. Jh. v. Chr.
findet sich das E. häufig dargestellt.

C. DAVARAS, Die Statue aus Astritsi, 8. Beih. AK, 1972,
26–27, 59–64.   R.H.

Epibole (ἐπιβολή). In Athen konnte jeder Amtsträger
(→ *Archaí*, wozu auch die → *bulế* zählte) innerhalb seiner
Zuständigkeit eine e., eine geringe Geldbuße bis zu
einer gesetzlich festgelegten Höhe als Ordnungsstrafe
rechtskräftig verhängen, darüber hinaus war die e. der
→ *éphesis* unterworfen. Ähnlich ist auch die E. in P.Zen.
51,15 (3. Jh. v. Chr.) zu verstehen. In den Papyri der
röm. Zeit bedeutet e. (oder ἐπιμερισμός, *epimerismós*) die
steuerliche Zuteilung von unbebaut gebliebenem Land
an einzelne Bauern oder Gemeinden.

A. R. W. HARRISON, The Law of Athens II, 1971, 4 ff. ·
H.-A. RUPPRECHT, Einführung in die Papyruskunde,
1994, 75.   G.T.

Epicedium Drusi s. Consolatio ad Liviam

Epicharmos (Ἐπίχαρμος). Frühester und bedeutendster Dichter der dorischen Komödie.

A. LEBEN   B. WERKE   C. NACHLEBEN

A. LEBEN

Über seine Herkunft gehen die Angaben sehr auseinander: Syrakus, die Sikanerstadt Krastos oder Samos [1. test. 1], Kos [1. test. 1. 3] oder Megara Hyblaia auf Sizilien [1. test. 1. 2] werden genannt; am wahrscheinlichsten ist ein sizilischer Ort. E.' Datierung muß sich auf folgende Angaben stützen: Er soll ›sechs Jahre vor den Perserkriegen‹ als Bühnendichter aktiv gewesen sein, d. h. 486/5 v. Chr. [1. test. 1], oder in der 73. Ol., d. h. 488–485 [1. test. 9]. Er wird in die Zeit des Tyrannen Hieron von Syrakus (478–467) gesetzt [1. test. 8], er soll aber auch (laut Aristoteles) ›bei weitem früher‹ als die athenischen Komödiendichter → Chionides (für 486 bezeugt) und Magnes gewirkt haben [1. test. 2]; schließlich läßt sich E.' Spott gegen Aischylos (fr. 214) kaum vor dessen sizilischer Reise 470 datieren. Soll Aristoteles' Angabe trotzdem zutreffen, müßte E. bereits beträchtlich vor den 480er Jahren als Bühnendichter aufgetreten sein, was aufgrund seines langen Lebens (90 bzw. 97 Jahre [1. test. 3]) und aufgrund der großen Zahl der für ihn bezeugten Stücke immerhin plausibel wäre.

B. WERKE

Insgesamt soll E. 52 [1. test. 1] oder 40 (mit vier angezweifelten [1. test. 9]) oder 35 Stücke [1. test. 1] geschrieben haben; in [1] sind 39 Stücktitel (zwei Überarbeitungen eingerechnet) zu finden, zu denen auf Grund von zwei fragmentarisch auf Papyrus erhaltenen Listen [2. Nr. 81; 82] inzwischen noch sechs hinzugekommen sind. Von wenigstens zwei Stücken hat E. offenbar noch eine zweite Fassung geschaffen (›Die Hochzeit der Hebe‹/Ἥβας γάμος; ›Die Musen‹/Μοῦσαι; ›Prometheus oder Pyrrha‹/Προμαθεὺς ἢ Πύρρα; ›Deukalion‹/Δευκαλίων). Keines seiner Stücke läßt sich genauer datieren, außer den ›Inseln‹ (Νᾶσοι), die nach 478–476 entstanden sein müssen (vgl. fr. 98, die einzige sichere zeitgenössische Anspielung, die sich bisher in E.' Fragmenten findet).

Wenigstens 22 Titel führen auf ein mythisches Sujet (bevorzugte Helden waren Herakles und Odysseus – vgl. ›Busiris‹ (Βούσειρις), ›Die Hochzeit der Hebe‹ (Ἥβας γάμος), ›Herakles auf dem Weg zum Gürtel‹ (Ἡρακλῆς ὁ ἐπὶ τὸν ζωστῆρα), ›Herakles bei Pholos‹ (Ἡρακλῆς ὁ πὰρ δόλωι); ›Der Kyklop‹ (Κύκλωψ), ›Die Sirenen‹ (Σειρῆνες), ›Odysseus, der Überläufer‹ (Ὀδυσσεὺς αὐτόμολος), ›Odysseus der Schiffbrüchige‹ (Ὀδυσσεὺς ναυαγός); zwei davon sind dank Papyrusfunden etwas besser kenntlich geworden: Im ›Odysseus, der Überläufer‹ unterhält sich der Titelheld, der von einem ihm bevorstehenden Spähergang wenig begeistert ist, mit jemand anderem [2. Nr. 83], in ›Prometheus oder Pyrrha‹ sprechen Prometheus und Deukalion vor der Sintflut über den Bau des Schiffskastens, als sich eine mißtrauische Pyrrha zu Wort meldet [2. Nr. 85]. Doch brachte E. auch Themen der eigenen Zeit auf die Bühne

(vgl. das Porträt des Schmarotzers in ›Hoffnung oder Reichtum‹ (Ἐλπὶς ἢ Πλοῦτος, fr. 34 f.).

Am eigenartigsten sind Titel wie ›Erde und Meer‹ (Γᾶ καὶ Θάλασσα) und ›Herr und Frau Logos‹ (Λόγος καὶ Λογίνα); vielleicht gab es hier Agone zwischen allegorischen Gestalten (wie später in Aristophanes' ›Wolken‹). Über die Strukturen von E.' Stücken läßt sich kaum Genaueres sagen: Sie waren offenbar erheblich kürzer als att. Komödien, und Chöre scheinen kein regelmäßiger Bestandteil gewesen zu sein [3. 278–281]. Als Metren finden sich der trochäische Tetrameter, der iambische Trimeter und der katalektische anapästische Tetrameter (in dem zwei Stücke, der *Epiníkios* und die *Choreutaí*, sogar ganz abgefaßt gewesen sein sollen), dagegen keine lyrischen Versmaße. Gnomisches und Reflexe zeitgenössischer Naturphilos. (als Parodie?) waren in E.' Stücken zum Teil wohl recht stark vertreten und könnten den Ausgangspunkt für die späteren Pseudepicharmeia (s. u.) gebildet haben.

C. NACHLEBEN

In mehreren Quellen wird E. an den Anfang der griech. Komödie gestellt; er habe sie entweder geradezu »erfunden« [1. test. 1. 11] oder wesentlich weiterentwickelt [1. test. 9]. In welchem Umfang E. die Entwicklung der att. Komödie im 5. Jh. beeinflußt hat, ist umstritten; die Tatsache als solche läßt sich – vor allem aufgrund des Zeugnisses des Aristoteles [1. test. 2] – kaum bezweifeln [4. 39–43]. In der Folgezeit hat E. bemerkenswerterweise kaum mehr als Komödiendichter, sondern als angeblicher Schüler des Pythagoras und Verf. von Lehrgedichten naturphilosophischen, ethischen, medizinischen, sogar landwirtschaftlichen Inhalts gewirkt [1. test. 3–5]: Im 4. Jh. v. Chr. schrieb der Tyrann Dionysios II. ›Über die Dichtungen des Epicharmos‹, womit wohl nicht nur die Komödien gemeint waren [1. test. 15]; etwa zur gleichen Zeit bemühte sich der sizilische Historiker Alkimos (FGrHist 560 F 6) um den Nachweis, daß Platon viele Elemente seiner Lehre von E. übernommen habe. Gegen Ende des Jh. führte der Peripatetiker Aristoxenos (fr. 45 WEHRLI) bereits eine unter E.' Namen kursierende *Politeía* auf den Flötenspieler Chrysogonos (für das Ende des 5. Jh. bezeugt) als Verf. zurück; nur wenig später nannte Philochoros (FGrH 328 F 79) einen Lokrer oder Sikyonier Axiopistos als Autor der sich als epicharmeisch ausgebenden Gedichte Γνῶμαι und κανών, und im 2. Jh. v. Chr. sprach Apollodoros von Athen (FGrH 244 F 226), der eine Gesamtausgabe von E.' Stücken besorgte [1. test. 14], auch dem (offenbar medizinische Lehren enthaltenden) Gedicht *Chírōn* die Echtheit ab. Ob – und wenn ja, wann – es auch ein unter E.' Namen geführtes *Carmen physicum* gegeben hat, ist umstritten [3. 241–247], ebenso, welche von den Versfragmenten, die Alkimos (s. o.) als Vorbilder für platonische Lehren präsentierte (fr. 170–173), wirklich aus E.' Stücken oder aus den Pseudepicharmeia stammen [3. 247–255], die auch noch dem *Epicharmus* des Ennius zugrundeliegen.

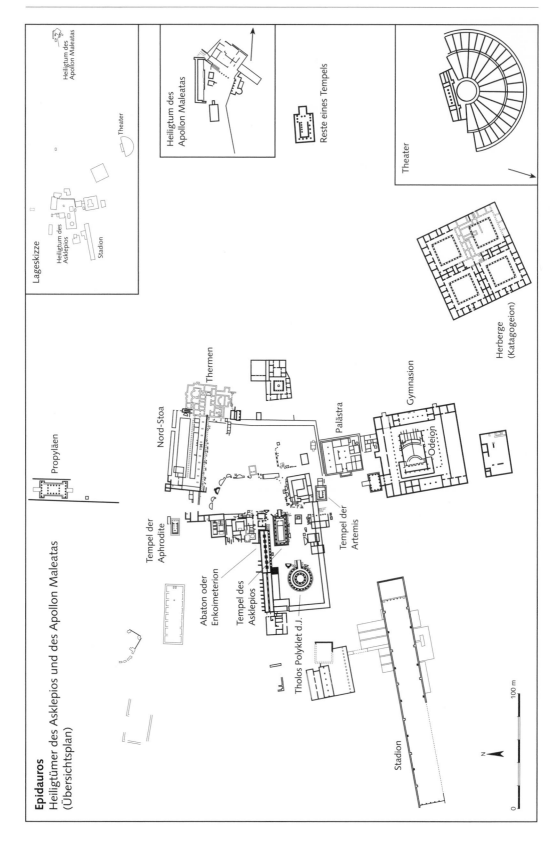

Epidauros
Heiligtümer des Asklepios und des Apollon Maleatas
(Übersichtsplan)

Lageskizze

Heiligtum des
Apollon Maleatas

Heiligtum des
Asklepios

Stadion

Theater

Heiligtum des Apollon Maleatas

Reste eines Tempels

Theater

Herberge
(Katagogeion)

Propyläen

Thermen

Nord-Stoa

Palästra

Gymnasion

Odeion

Tempel der
Aphrodite

Abaton oder
Enkoimeterion

Tempel des
Asklepios

Tempel der
Artemis

Tholos Polyklet d.J.

Stadion

N

100 m

0

1 CGF I 1, 88–147 2 C. AUSTIN (Hrsg.), Comicorum Graecorum Fragmenta in Papyris Reperta, 1973, 52–83 3 A. W. PICKARD-CAMBRIDGE, Dithyramb, Tragedy and Comedy, ²1962, 230–288 4 A. C. CASSIO, Two Studies on Epicharmus and His Influence, in: HSPh 89, 1985, 37–51.

H.-G. NE.

Epicheirotonia (ἐπιχειροτονία). *E.* bedeutet im allg. Abstimmung (wörtlich: »Handaufheben«). Im bes. bezeichnete *e.* im Athen des 4. Jh. ein Vertrauensvotum für die Beamten, das in jeder Prytanie abgegeben wurde ([Aristot.] Ath. pol. 43,5; 61,2; aber *e.* in Verbindung mit einem Ostrakismos in 43,5 steht vielleicht irrtümlich für *diacheirotonía*) und ein jährlich geleistetes Vertrauensvotum für jede der vier Sachgruppen der Gesetze (Demosth. or. 24,20–23).   P.J.R.

Epidauros (Ἐπίδαυρος). A. LAGE B. GESCHICHTE C. HEILIGTUM DES ASKLEPIOS

A. LAGE

Stadt der argolischen Akte an der Südküste des Saronischen Golfs mit ausgedehntem Territorium bis zum Argolischen Golf und guter Landverbindung zur argolischen Ebene. Die ant. Stadt lag an einer Bucht mit flachem Strand und einer kleinen Küstenebene auf einem in die Bucht vorspringenden Felsenhügel mit zwei Gipfeln (Nisi) beim h. Palaia-Epidavros. Die Top. des ant. E. ist nur oberflächlich bekannt.

B. GESCHICHTE

E. wird bereits bei Hom. Il. 2,561 erwähnt; die Stadt war Mitglied der Amphiktyonie von Kalaureia (Strab. 8,6,14); im 7./6. Jh. v. Chr. Tyrannis des Prokles (Hdt. 3,50–52; Paus. 2,28,8). Am Kampf gegen die Perser beteiligte sich E. mit Heer und Flotte; 459/8 erlitt E. eine Niederlage gegen Athen bei Kekryphaleia (Thuk. 1,105,1; Diod. 11,78,1 f.). Im Peloponnesischen Krieg und später befand sich E. auf Seiten Spartas, auch nach der Schlacht bei Leuktra 371 v. Chr.; Beteiligung am Lamischen Krieg 323/2 v. Chr. (Diod. 18,11,2). 243 erfolgte der Anschluß an den Achaiischen Bund (Plut. Aratos 24,3; Paus. 2,8,5; StV 3, 489). Eine Verlustliste der Schlacht am Isthmos 146 v. Chr. ist erh. (IG IV 1², 28). 395 n. Chr. zerstörten die Goten das Heiligtum. Mitte des 5. Jh. n. Chr. kam es infolge der Ausbreitung des Christentums zur Aufgabe des bisherigen Kults.

C. HEILIGTUM DES ASKLEPIOS

Ca. 10 km südl. von E. lag in einer weiten Talmulde das Heiligtum des Asklepios. Der Kult begann im 7. Jh. v. Chr., evtl. schon früher (Entdeckung einer Kultstätte SH I–II) in dem am Abhang des Kynortion liegenden Heiligtum des später mit Apollon gleichgesetzten Maleatas [1; 2], im Heiligtum selbst ab 6. Jh. v. Chr.; Apollon und Asklepios waren gemeinsam Inhaber des Heiligtums. Bes. im 4. Jh. v. Chr. kam es zu glanzvollem Ausbau, durch Sulla (Plut. Sulla 12,3) und durch die Seeräuber (Plut. Pompeius 24,5) aber zu Plünderungen des Heiligtums. Um 163 n. Chr. erlebt E. reiche Förderung und mehrere Neubauten durch den Senator

Sex. Iulius Maior Antoninus Pythorus aus Nysa (Paus. 2,27,6 f.). Statuen für röm. Kaiser reichen bis in die Zeit der Severer und des Gordianus. Eine christl. Basilika des 4. Jh. n. Chr. befindet sich im Nordteil des Bezirks. Der Hauptzugang zum Heiligtum von der Stadt her liegt im Norden (Nord-Propyläen). Mittelpunkt des Heiligtums ist der dor. Peripteral-Tempel (ca. 380–375 v. Chr.) mit der goldelfenbeinernen Kultstatue des thronenden Asklepios von Thrasymedes aus Paros (Paus. 2,27,2) [3], dahinter die Tholos (»Thymele«) des jüngeren Polykleitos [4], einer der am reichsten ausgestatteten Kultbauten der klass. Zeit, über einem Unterbau aus konzentrischen Mauerringen mit Gängen dazwischen (genaue Funktion immer noch fraglich). Mehrere Tempel, bes. der Artemis (E. des 4. Jh. v. Chr.), Themis, Aphrodite [5. 171–175] und der »ägypt. Götter«, gehören ebenso zum Komplex des Heiligtums wie große Gebäude für die Unterbringung und Behandlung der Heilungsuchenden und sonstigen Besucher, dazu Gebäude für die Agone des Hauptfestes (*Asklepíeia*), dessen Entwicklung mit der Verbreitung des Asklepios-Kults verbunden ist [6], Gymnasion, Palaistra, Stadion [7] und das frühhell. Theater (2. H. 4. Jh. v. Chr.) [8; 9], mehrere Thermen, Nebengebäude und eine große Anzahl von Altären und Kunstwerken. Die Kranken suchten Heilung in den Traumorakeln, die sie im Schlaf in einer zweiteiligen Porticus (*enkoimētērion* oder *ábaton*) erhielten. Berichte über Wunderheilungen wurden von der Priesterschaft auf großen, z. T. erh. Stelen verzeichnet (IG IV 1², 121–127). Daneben gab es auch Heilkuren unter Verwendung von Wasser [10]. Belegstellen: Skyl. 50,54; Strab. 8,6,15; Paus. 2,26–29,1 [11. 298–307]; Liv. 45,28,3. Inschr.: IG IV 1². Mz.: HN², 418; 441 f.

→ Medizin; Orakel

1 V. LAMBRINOUDAKIS, in: Praktika 140, 1984 (1988), 229–232; 142, 1987 (1991), 52–65; 143, 1988 (1991), 21–29; 144, 1989 (1992), 43–56 (Ausgrabungsber.) 2 V. CH. PETRAKOS, in: Ergon 37, 1990 (1991), 11–21; 38, 1991 (1992), 11–23; 39, 1992 (1993), 8–20 (Ausgrabungsber.) 3 N. YALOURIS, Die Sculpturen des Asklepiostempels von E., in: Arch. und klass. griech. Plastik. Akten des intern. Kolloquiums (22.–25.4.1985) in Athen, 1986, 175–186 4 H. BÜSING, Zur Bauplanung der Tholos von E., in: MDAI(A) 102, 1987, 225–258 5 V. PIRENNE-DELFORGE, L'Aphrodite grecque, 1994 6 M. SÈVE, Les concours d'E., in: REG 106, 1993, 303–328 7 R. PATRUCCO, Lo stadio di E., 1976 8 A. VON GERKKAN, W. MÜLLER-WIENER, Das Theater von E., 1961 9 L. KÄPPEL, Das Theater von E., in: JDAI 104, 1989, 83–106 10 V. LAMBRINOUDAKIS, L'eau médicale à E., in: R. GINOUVÈS et al. (Hrsg.), L'eau, la santé et la maladie dans le monde grec, 1994, 225–236 11 D. MUSTI, M. TORELLI, Pausania. Guida della Grecia. II. La Corinzia e l'Argolide, 1986.

A. M. BURFORD, The Greek Temple Builders at E., 1969 · M. MASSA, s. v. E., EAA², 469–473 · N. PHARAKLAS, Ἐπιδαυρία [Epidauria], 1972 · G. ROUX, L'architecture de l'Argolide aux IVᵉ et IIIᵉ siècles av. J.-C., 1961 · R. TOMLINSON, E., 1983 · N. YALOURIS, s. v. E., PE, 311–314.   Y.L.

Epidaurum (Plin. nat. 3,143 f. *Epidaurum*; Ptol. 2,16,5 *Epidaurus*). Eine bed. städtische Siedlung mit zwei Häfen auf einer Halbinsel der Prov. Dalmatia, h. Cavtat in Kroatien (< *civitas*; ital. Ragusa vecchia). Zunächst wohl hell. Siedlung (gute arch. Beweise fehlen), wurde sie im Laufe des 1. Jh. v. Chr. romanisiert und diente im Konflikt mit Pompeius Caesar als *praesidium*, vergeblich belagert durch Pompeius (Bell. Alex. 44,5). Röm. *colonia* (wahrscheinlich caesarisch, *tribus Tromentina*). Als *origo* wird in einem Militärdiplom (CIL XIV 14, tab. 2, 71 n. Chr.) *Epitaur(o)* genannt. *Auxilia* waren in E. stationiert: im 1. Jh. n. Chr. die *cohors VI* und *VIII voluntariorum c(ivium) R(omanorum)* (CIL III 1742 f.; [1] 636). E. war ein Zentrum oriental. Rel. (zwei Mithräen); mit Kaiserkult. Als Bistum 533 n. Chr. auf der Provinzialsynode von Salona bezeugt. Ca. 600 n. Chr. flohen die Bewohner vor den einfallenden Slawen und Avaren nach Ragusium (= Dubrovnik: *Epitaurum id est Ragusium*, Geogr. Rav. 4,16).

1 A. Šašel, J. Šašel (Hrsg.), Inscriptiones Latinae Jugoslaviae, 1986.

G. Novak, Quaestiones Epidauritanae, in: Rad JAZU 339, 1965, 97–140 · Arheološka istraživanja u Dubrovniku i dubrovačkom području (Archeological Researches in Dubrovnik and Its Surroundings) (Izdanja Hrvatskog arheološkog društva 12), 1988.   M.Š.K./Ü:I.S.

Epideiktische Dichtung. Diese poetische Gattung entsprach dem epideiktischen Genos der Prosa (→ Epideixis); sie wollte somit vor allem preisen oder tadeln (so die Definitionen bei Aristot. Rhet. 1358b12 ff. und Menandros Rhetor, 331 f. Russel-Wilson) und diente in erster Linie der Zurschaustellung (ἐπιδείκνυσθαι) der δεινότης des Autors in einem öffentlichen Vortrag (ἐπίδειξις, *epídeixis*). Bis in hell. Zeit ist e.D. als eigene Gattung nicht belegt. Für die griech. lyrische und klass. Dichtung ist fast immer der öffentliche Vortrag Ursache für Entstehung und vorrangige Form der Verbreitung; sie ergibt sich auch aus dem mündlichen Charakter der Weitergabe: Zumindest in klass. Zeit bezeichnet *epideíknysthai* häufig diesen öffentlichen Vortrag von ep. Dichtung und von dramatischen Werken (z. B. Plat. Lach. 183a; leg. 658b; Aristoph. Ran. 771–776). Die archa. Dichter zeigen eine ausgeprägte Neigung, die Meinung zu ihrem Standpunkt auf die alternativen Möglichkeiten von Lob (ἔπαινος) oder Tadel (ψόγος) zu polarisieren (z. B. Tyrtaios fr. 6f. Gentili-Prado); so wird die Entscheidung für eines der beiden zu einem charakteristischen Element der lyrischen Dichtung. Auch auf theoretischer Ebene ist die Dichotomie in Lob und Tadel bereits bei Pindar entwickelt, insbes. in P. 2,54 ff.; später leitete Aristoteles (poet. 1448b24–27) daraus auf plausible Weise auch die Entstehung der att. Trag. und Komödie ab (vgl. dazu [4] und [7]).

Mit dem Aufkommen der schriftlichen Überlieferung im 4. und 3. Jh. v. Chr. wird die Dichtung, die weiterhin vorwiegend auf den Augenblickswert anlaßbezogener *epideíxeis* und auf agonale Veranstaltungen

mit ihrem spezifischen Publikum augerichtet ist, immer mehr zur Gelegenheitsliteratur. Sie ist oft improvisiert und für den einmaligen Vortrag vor einer Menge bestimmt. Dabei werden die Kunstfertigkeit und die bes. Eigenschaften der Dichter (Wunderkinder, Dichterinnen, Stegreifdichter), die häufig ihre Werke selbst vortragen, sehr viel öfter vermerkt als die Inhalte und die ästhetische Qualität (inschr. Zeugnisse bei [6] und [9]; vgl. SH 194–198 und 230). Diese Dichter, oft als berufsmäßige fahrende Sänger Nachfahren der homer. Rhapsoden, pflegen die verschiedensten Arten der Dichtung (auch das Theater), werden jedoch von der »hohen« Lit., die zumeist auf die schriftliche Verbreitung ausgerichtet ist, kaum zur Kenntnis genommen. Dort bleibt die einzige Art der Dichtung, die den (echten oder fiktiven) Charakter der ostentativen Gelegenheitsdichtung bewahrt, das → Epigramm, von dem es eine bes., epideiktische Form gibt (vgl. vor allem die »epideiktischen« Epigramme in Anth. Pal. 9). Was die enkomiastische Gelegenheitsdichtung angeht, ist Theokr. 16 und 17 anzuführen; aber auch die *Argonautica* des → Apollonios [2] Rhodios sollen eine öffentliche *epídeixis* erfahren haben (vgl. Vitae a, b: Schol. Apoll. Rhod. S. 1 f. Wendel), und Hinweise auf den Vortrag in einem Wettbewerb kann man vielleicht auch in Theokr. 24,171 f. sehen. Der Inhalt der epideiktischen Vorstellungen im Theater ist ungesichert (zumindest teilweise dürften es Wiederaufnahmen der »klass.« Autoren gewesen sein, vielleicht auch in Form von Anthologien, vgl. [2]).

In den Werken der lyrischen und ep. Gelegenheitsdichtung scheint das rühmende Element schon in hell. Zeit im Vordergrund des Interesses zu stehen (einige der erh. lyrischen Texte über Götter und vergöttl. polit. Persönlichkeiten findet man in CollAlex 132 ff.). Es ist indes möglich, daß unsere Hauptquellen (d. h. im wesentlichen Inschr., die *epideíxeis* von öffentlicher Bedeutung festhalten, und Historiker) uns nur einen beschränkten Eindruck vermitteln (vgl. EpGr 618), denn in den Listen der Sieger bei poetischen Agonen tritt die Spezialität des ἐγκώμιον ἐπικόν weniger oft auf als der Wettkampf im ποίημα ἐπικόν (der traditionellen myth. Epik?). Für die Kaiserzeit ist die Spezialisierung auf die Lobpreisung gesichert: Bei den Musenagonen von Thespiai z. B. wird der hell. Wettbewerb der Ependichter (ἐπῶν ποιηταί) nicht mehr verzeichnet; stattdessen erscheinen die zwei Wettbewerbe in den Klassen »Gedicht auf die Musen« (ποίημα εἰς τὰς Μούσας) und »Gedicht auf den Kaiser« (ποίημα εἰς τὸν αὐτοκράτορα). Die starke Spezialisierung auf das Enkomion (oder die Invektive) stellt eine Parallele zu der Entwicklung der in der zweiten Sophistik aufblühenden epideiktischen Prosa dar, wie die Gelegenheitsdichtung einer Reihe von Wander- oder Hofdichtern des 4. und 5. Jh. n. Chr. (meist aus Ägypten) deutlich zeigt: vgl. dazu [1; 2]; Papyrusfragmente in GDRK I Heitsch (PBerol. 5003: Olympiodoros?; und PGr. Vind. 29788: Pamprepios ed. E. Livrea, 1978 und 1979), außerdem PAnt. III 115 (vgl. [3]).

1 G. M. Browne, Harpocration Panegyrista, in: Illinois Classical Studies 2, 1977, 184–196 2 A. Cameron, Wandering Poets: A Literary Movement in Byzantine Egypt, in: Historia 14, 1965, 470–509 3 A. Cameron, Pap. Ant. III. 115, in: CQ 20, 1970, 119–129. 4 B. Gentili, Theatrical Performances in the Ancient World, 1979 5 Ders., Poesia e pubblico nella Grecia antica, ²1989 6 M. Guarducci Poeti vaganti e conferenzieri dell'età ellenistica, in: Memorie della Classe di Scienze morali e storiche dell' Acc. dei Lincei, S. VI,2, 1929, 629–655 7 A. Hardie Statius and the Silvae, 1983, 15–36, 73–102 8 G. W. Most, The Measures of Praise: Structure and Function in Pindar's Second Pythian and Seventh Nemean Odes, 1985 9 M. Pallone, L'epica agonale in età ellenistica, in: Orpheus 5, 1984, 156–166.   M. FA./Ü: A. WI.

Epideixis (ἐπίδειξις). Eines der drei → *genera causarum*. Die E. ist nach Aristoteles bestimmt als jener Redetyp, der den Zuhörer nicht zu Urteil oder Entscheidung auffordert, sondern ihn in die Rolle des bloßen Zuschauers (*theōrós*) versetzt: Auf dem Prüfstand steht allein die Rede selbst (rhet. 1358b). Es ist nicht zwingend, aber verständlich, daß die Funktion, die Aufmerksamkeit auf die Rede selbst zu lenken, durch bestimmte Inhalte, nämlich lobende oder tadelnde Darstellungen, also eher mimetische Texte denn polit.-juristische Reden, gefördert wird. Diese aristotelische Verengung der Funktion auf bestimmte Inhalte wurde in der Ant. kritisiert: Cicero (de orat. 2,43 ff.) bestreitet die Gleichwertigkeit des auf *demonstratio* (Rhet. Her. 1,2) beschränkten dritten *genus*, Quintilian (inst. 3,4,13) rückt mit der Übersetzung *ostentatio* die – im griech. Begriff E. primäre – Funktion in den Vordergrund. Die wechselnde Betonung von Funktion und Inhalt bestimmt die Gesch. der E.: Als Schaurede spielt E. eine wichtige Rolle für die Professionalisierung der Rhet., sowohl in der Öffentlichkeit wie in der Ausbildung (vgl. Cic. orat. 42; → *declamationes*). Diese Linie beginnt mit der frühen sophistischen Rhet. [1] und gewinnt überragende Bedeutung in der höfischen und entscheidungsfernen Rhet. des Hell. und der röm. Kaiserzeit; sie prägt die Rhet. von der Renaissance bis zum Barock [5]. In der Theorie wie Praxis konzentriert sich e. Redekunst auf den Schmuck der Rede (→ *ornatus*), bemüht sich für Lob wie Tadel um → *amplificatio* [3. 208]: So wird bes. die durch die E. bestimmte Rhet. zu einer Theorie für die Produktion mimetischer Texte, für Dichtung überhaupt.

Als rhet. »Gattung« der *demonstratio* führt die E. zu einer Ausbildung einer »philos.« Theorie des Lobes [1. 84 ff]: Die *loci communes* von Lob und Tadel leisten eine systematische Selbstvergewisserung der Geltungsgrundlagen des Ruhms. Entsprechend differenzierter ist die Rolle des Zuhörers für die E. zu bewerten: Inhaltlich ist die E. in bes. Maße auf die Aufnahme und ggf. kluge Modifikation des geltenden Konsenses verwiesen; letzteres setzt eine hinreichend mobile Öffentlichkeit voraus (→ Gorgias), ersteres gilt v. a. für wandernde und Hof-Rhetoren. In dieser inhaltlichen Perspektive finden sich Elemente von E. in zahlreichen Gattungen

(→ Ekphrasis, → Hymnos, → Panegyrik, Berichte aller Art) [4], für poetische Gattungen → Epideiktische Dichtung.

1 V. Buchheit, Unt. zur Theorie des Genos E. von Gorgias bis Aristoteles, 1960 2 Lausberg, 129 f. 3 J. Martin, Ant. Rhet., 1974, 177–210 4 K. Berger, Hell. Gattungen im NT, in: ANRW II 25.2, 1984, 1149–1281 5 S. Matuschek, s. v. E. Beredsamkeit, HWdR 2, 1258–1267.   J. R.

Epidemische Krankheiten I. Vor- und Frühgeschichte II. Griechenland III. Rom IV. Byzanz V. Ursachen und Behandlung

I. Vor- und Frühgeschichte

Seit der mittleren Bronzezeit, d. h. seit ca. 2800 v. Chr., sind e. K., worunter man im weitesten Sinne Krankheiten versteht, die eine große Anzahl von Lebewesen gleichzeitig befallen, arch. bezeugt. Ihr Auftreten wird mit einem Bevölkerungswachstum und der dadurch bedingten Erleichterung der Krankheitsübertragung vom Tier auf den Menschen und von Mensch zu Mensch in Zusammenhang gebracht [9. 251]. In Ägypt. dürften Pocken seit etwa 1250 v. Chr. bekannt gewesen sein, doch beziehen sich Papyri medizinischen Inhalts weder auf diese noch auf eine andere vergleichbare Epidemie. In der Bibel ist dagegen häufig vom Befall größerer Populationen durch eine Vielzahl von Seuchen die Rede, sei es in Ägypt., Assyrien oder Palästina [12. 151–157]. Eine Identifikation mit uns bekannten Krankheiten hat sich als unmöglich erwiesen.

II. Griechenland

A. Archaische und Homerische Zeit

Homers Ilias beginnt mit einer Pest (1,8), und Hesiod, dessen Welt voll von sich ausbreitenden Krankheiten war, bringt Hunger und Seuche als gleichzeitige Erscheinungen miteinander in Verbindung (erg. 102,243). Bezeichnenderweise wird in beiden Fällen als Grund der Pest der Zorn eines Gottes genannt, ein Charakteristikum, das die Haltung gegenüber e. K. während der ganzen Ant. von derjenigen gegenüber individuellen Krankheiten unterscheidet (vgl. Soph. Oid. T. 22–30 und Thuk. Hist. 2,47).

B. Klassische Zeit

430 v. Chr. brach in Athen eine verheerende Pest aus, die auch Poteidaia und andere Gebiete erreichte (Thuk. 2,47–58) und nach einer Unterbrechung abermals aufflammte (3,87). Sie soll angeblich von Äthiopien, Nordafrika und Persien ihren Ausgang genommen und sogar Italien erreicht haben. Thukydides beschreibt als Betroffener, exakt die sozialen Ursachen und Auswirkungen dieser ersten überlieferten Pandemie. Dennoch ist eine Identifizierung schwierig; möglicherweise handelte es sich um Pocken oder eine unbekannte Viruserkrankung. Die thukydideische Beschreibung wurde zum Modell für spätere Beschreibungen e. K. wie z. B. der Epidemie, die die Karthager vor Syrakus 397 v. Chr. befiel (Diod. Sic. 14,70–71), und für die spätere Pestbeschreibung bei Prok. (HA 2,22–23).

III. ROM

Livius berichtet von häufigen Ausbrüchen e.K. wie Lues oder Pest im republikanischen Rom, deren Verbreitung jedoch wohl eher örtlich begrenzt war, also nicht den gesamten Mittelmeerraum einschloß. In anderen Fällen dürften ganze Regionen betroffen gewesen sein, z.B. bei der Bubonenpest, die laut Oreibasios (CMG 9,1,345) Ägypten, Libyen und Syrien im frühen 1. Jh. befallen haben soll. Das Wachstum der Stadt Rom wie auch die Expansion des röm. Reiches in Gegenden mit anderen Krankheitserscheinungen dürfte zu der Fülle neuer Krankheiten beigetragen haben, von der Schriftsteller im 1. Jh. n. Chr. berichten [10. 205]. Die zweite Pandemie, bei der es sich vermutlich um Pocken handelte, wurde in den Jahren 165/6 n. Chr. durch die Armeen des Lucius Verus von Persien eingeschleppt und verbreitete sich schnell im Reich; schwere Bevölkerungsverluste werden durch Papyri aus Ägypt. [6. 120f.] und durch Galen bestätigt, der auch vom Ausbruch anderer eher lokal begrenzter Krankheiten wie z.B. Milzbrand berichtet. In Nordafrika wütete Mitte des 3. Jh. n. Chr. ein weiterer großer Pestzug, der zahlreiche Opfer forderte.

IV. BYZANZ

Lokal begrenzte Ausbrüche e.K., die wie z.B. in Edessa in den Jahren 499–502 [7. 3–7] oftmals mit Hungersnöten einhergingen, waren häufig. Sie lassen sich jedoch meist nicht leicht identifizieren, (das gilt ebenso für die »gelbe Pest«, die im Jahre 547 in Wales wütete [5. 141–155]). Im Jahre 541 verbreitete sich eine neue pandemische Beulenpest von Ägypt. über Syrien und Konstantinopel über den gesamten Mittelmeerraum [1; 11. 73–94] und forderte auf dem Land und in den großen Städten unzählige Opfer. Zudem hinterließ diese Epidemie ein Infektionsreservoir, das die Beulenpest für mindestens zweihundert Jahre immer wieder neu aufflammen ließ [2. 927–932]. In Syrien wütete die Pest zwischen 542 und 610 wiederholt mit katastrophalen Folgen für die Landwirtschaft [3. 51–58].

V. URSACHEN UND BEHANDLUNG

Göttliche Strafe galt durchgängig als Hauptgrund für eine Epidemie [10. 235–256]. Die Ärzte hingegen zogen Luftverderbnis oder Miasmen als Erklärungsmodelle vor, wobei strittig blieb, wie deren Zustandekommen zu erklären sei – durch Wetterveränderungen, giftige Dämpfe oder giftige Insekten. Die → Kontagienlehre kannte man spätestens seit Thukydides, doch zog man sie kaum einmal zur Erklärung e.K. bei Mensch oder Tier heran.

Diejenigen, die an göttliche Ursachen für den Ausbruch einer Epidemie glaubten, versuchten, ihr mit Sühneopfern einschließlich des rituellen Sündenbocks beizukommen [10. 257–281]. Andere schlugen Flucht vor oder empfahlen, sumpfiges Gelände, das als ungesund galt, zu meiden. Ärzte rieten zu diätetischen Vorsichtsmaßnahmen, zu reduzierter Luftaufnahme oder sogar zu einer angemessenen Stadtplanung. Einige Veterinärmediziner erlaubten, infiziertes Vieh zu schlachten. Nur wenige Städte verfügten über ausreichende Mittel, um während einer Epidemie öffentliche Hilfeleistungen anzubieten. Keine einzige war so straff organisiert, daß sie strenge Quarantänen hätte durchführen können, wie sie später in MA und Renaissance europaweit praktiziert wurden.

→ Kontagienlehre; Malaria; Medizin; Miasma

1 P. ALLEN, The Justinianic plague, in: Byzantion 49, 1979, 5–20 2 J. N. BIRABEN, Les hommes et la peste, 1975 3 L. I. CONRAD, Epidemic disease in central Syria in the late sixth Century, in: Bulletin of Modern Greek Studies 18, 1994, 12–58 4 Ders., Die Pest und ihr soziales Umfeld im Nahen Osten des frühen MA., in: Der Islam 73, 1996, 81–112 5 J. CULE, Wales and Medicine, 1973 6 R. P. DUNCAN-JONES, The Impact of the Antonine Plague, in: Journ. of Roman Archaeology 9, 1996, 108–136 7 P. GARNSEY, Famine and Food Supply in the Graeco-Roman World, 1988 8 M. D. GRMEK, La dénomination latine des maladies considérées comme nouvelles par les auteurs antiques, in: MPalerne 10, 1991, 195–214 9 K. F. KIPLE, The Cambridge World History of Human Disease, 1993 10 R. PARKER, Miasma, 1983 11 E. PATLAGEAN, Pauvreté économique et pauvreté sociale à Byzance, 1977 12 J. PREUSS, Biblical and Talmudic Medicine, 1978.

M. D. GRMEK, Les maladies à l'Aube de la Civilisation occidentale, 1983 · H. HAESER, Lehrbuch der Gesch. der Medizin und der e.K., 1875–1882 · R. Sallares, The Ecology of the Ancient Greek World, 1991 · G. STICKER, Abh. aus der Seuchengeschichte und Seuchenlehre, 1910.
V. N./Ü: L. v. R.–B.

Epidikasia (ἐπιδικασία). Während in Athen die legitimen leiblichen oder zu Lebzeiten adoptierten (→ *eispoíēsis*) Söhne des Erblassers durch schlichtes → *embateúein* sich des Nachlasses bemächtigen konnten, bedurften Außenerben hierzu eines E.-Dekrets durch den Archon (→ Archontes [I]). Diese der Erteilung der röm. → *bonorum possessio* ähnliche Anordnung ermächtigte den Bewerber zum Antritt der Erbschaft, schloß aber eine spätere gerichtliche Entscheidung über das Erbrecht eines anderen Prätendenten (→ *diadikasía*) nicht aus. In gleicher Weise war auch die → *epíklēros* (Erbtochter) der *e.* unterworfen. *E.* bezeichnete sowohl den Antrag des Außenerben (Verbum: ἐπιδικάζεσθαι, *epidikázesthai*, med.) als auch das Dekret des Archon (ἐπιδικάζειν, *epidikázein*). Die Erteilung der *e.* konnte ein Hauserbe mit einer → *diamartyría*, einem formal wirkenden Zeugnis, verhindern, wobei er allerdings die → *parakatabolḗ* (Kaution) erlegen mußte. Der Bewerber um die *e.* konnte die Wirkung der *diamartyría* wiederum durch eine Klage wegen falschen Zeugnisses (→ *pseudomartyríōn díkē*) außer Kraft setzen, wobei er freilich die → *epobelía* (Strafe wegen mutwilligen Prozessierens) riskierte.

H. J. WOLFF, Die att. Paragraphe, 1966, 122 f. G. T.

Epidius, M. (?) (das Praenomen steht nur im Index zu Suet. gramm.), war Rhetor und Rhet.-lehrer in Rom, wegen Verleumdung (*calumnia*) wurde er öffentlich gerügt (Suet. gramm. 28,1). Seine Schule besuchten M. Antonius und Augustus, evtl. Vergil (Verg. vit. Bern., p. 44 Diehl) [2. 301]. Vermutet wird die Identität mit einem C. E. (Plin. nat. 17,243), der *commentarii* zu Prodigien schrieb [1; 2]. Unwahrscheinlich ist die Konjektur seines Namens in GL 1,387,6.

1 J. Brzoska, s. v. E. (2), RE 6, 59 2 R. A. Kaster, C. Suetonius Tranquillus, De Grammaticis et Rhetoribus, 1995.   MA. D.

Epidosis (ἐπίδοσις). Freiwillige Abgabe, die von griech. Staaten in bes. Notlagen zur Ergänzung der Einnahmen aus Steuern und der durch Leiturgien erbrachten Leistungen erbeten wurde. In Athen sind seit der Mitte des 4. Jh. *epidóseis* bezeugt (siehe etwa Demosth. or. 21,161); sie wurden wohl von Eubulos eingeführt.   P. J. R.

Epieikidai (Ἐπιεικίδαι). Att. Asty- oder Mesogeia-Demos der Phyle Kekropis. Ein → Buleut. In den J. 303/2 und 281/0 v. Chr. war E. ohne Vertreter im Rat. Lage unbekannt. Trittys-Zugehörigkeit unsicher [1. 135, 135³³].

1 J. S. Traill, Demos and Trittys, 1986.

Traill, Attica 11, 20, 51, 62, 70, 110 Nr. 39, Tab. 7 · Whitehead, 266, 372, 379, 428.   H. LO.

Epigamia (ἐπιγαμία). bezeichnet in der griech. Welt das Recht, mit einer Person aus einem anderen Staat eine gesetzlich anerkannte Ehe einzugehen, aus der legitime Kinder mit Bürgerrecht hervorgingen. Das Recht konnte in Fällen verliehen werden, in denen eine solche Ehe nach den geltenden Gesetzen der betreffenden Staaten nicht anerkannt würde. Beispiele finden sich in Staatsverträgen (etwa zwischen Aitolien und Akarnanien: SIG³ 421; Messenien und Phigaleia: SIG³ 472). E. konnte auch eines der speziellen Rechte sein, die einem einzelnen Nichtbürger als staatliche Ehrung verliehen wurden (etwa in Kotyrta: IG V 1, 961).

Das Wort *e.* wird ebenfalls gebraucht zur Wiedergabe des lat. → *conubium.*   P. J. R.

Epigenes (Ἐπιγένης).
[1] Komödiendichter, wird von Pollux [1. test. 2] zwar zu den »Neuen« Komikern gerechnet, gehört zeitlich aber vor die Mitte des 4. Jh. v. Chr. [1. zu fr. 6,4 f.]. Acht Fragmente und fünf Stücktitel – Ἀργυρίου ἀφανισμός (auch dem → Antiphanes zugeschrieben), Βακχίς (? wohl eine Hetärenkomödie), Ἡρωίνη, Μνημάτιον, Ποντικός (über Händler oder Philosophiestudenten aus dem Schwarzmeergebiet) – sind erhalten.

1 PCG V, 1986, 165–169.   B. BÄ.

[2] Aus Teos, Stratege Attalos' I. gegen Galater und Antiochos Hierax, stiftete zwei Weihgeschenke für Attalos. Dieser ehrte E. durch Aufstellung einer Reiterstatue in Delos (IPergamon 30; OGIS 280; IG XI 4,1109).

[3] Feldherr und Funktionär Seleukos' III. und Antiochos' III. er riet letzterem, in eigener Person gegen den Usurpator Molon zu ziehen, wurde 221 in einer Intrige vom Kanzler Hermeias der Verschwörung mit Molon bezichtigt und getötet (Pol. 5,41 f.; 49 f.).   A. ME.

[4] Seleukidischer (?) oder ptolemäischer Stadtkommandant im 3. Syr. Krieg. PP 6,15104.

F. Piejko, Episodes from the Third Syrian War in a Gurob Papyrus, 246 B. C., in: APF 36, 1990, 17 A.8.   W. A.

[5] Astrologe aus Byzanz, lebte wohl im 2. Jh. v. Chr., von den Babyloniern ausgebildet (Sen. nat. 7,4,1; Plin. nat. 7,193). Sein Werk hieß vielleicht Χαλδαϊκά (*Chaldaiká*) [2] und wurde wohl über Poseidonios an Varro und andere vermittelt. Seine eigenständige Kometentheorie (Sen. nat. 7,4–10) wird der des Apollonios von Myndos, seine Annahme der maximalen Lebensdauer eines Menschen (Plin. nat. 7,160; Cens. 17,4) der des → Berossos gegenübergestellt. Im Einklang mit anderen hat er die Zahl der Schwangerschaftsmonate diskutiert (Cens. 7,5 f.). Ob sich sein Name hinter dem schol. Apoll. Rhod. 3,1377 gen. Perigenes verbirgt, ist umstritten.

1 A. Rehm, s. v. E. 17), RE 6, 65 f. 2 P. Schnabel, Berossos und die babylon.-hell. Lit., 1923, 109–118.   W. H.

[6] s. Sokratiker

Epigonoi (ἐπίγονοι, « Nachgeborenen«, »Nachkommen«).
[1] Zweite Generation der Nachfolger Alexandros [4] d. Gr. in den Teilgebieten des ehemaligen Alexanderreiches. Zum Begriff E. → Diadochen und Epigonen.
W. ED.

[2] Verlorenes frühgriech. Epos (nur ein mit Sicherheit zugehöriger Hexameter, der Eingangsvers, ist erhalten: F 1 Bernabé = F 1 Davies, s. u.) das in den thebanischen Teil des → Epischen Zyklus gehörte, wohl unmittelbar anknüpfend an die (kyklische) → Thēbaḯs, aber von einem schon der Ant. unbekannten jüngeren Dichter stammend: [1. 2375], gegen [2. 109–140, 148], der das Epos Thēbaḯs-Epígonoi für das zweiteilige Werk eines Verf. hielt und es ins 8. Jh. datierte (später revoziert: ›jungen Datums, etwa des 7. oder 6. Jh.‹ [3. 67]); die Zuweisung an einen Epiker Antimachos von Teos [4. 346], danach jetzt wieder Bernabé p. 30) ist Spekulation (zurückgewiesen schon von [1. 2375]): Dem Herodot (4,32) als unserem ältesten Zeugen waren die E. als Werk »Homers« bekannt (an dessen Verfasserschaft er freilich bereits zweifelt), von einem anderen Verf. weiß er (und damit die beginnende Literaturforsch. der Sophistik: Bethe [3. 67]) nichts.

War das Epos auch jung, so muß doch sein Stoff uralt gewesen sein, da schon der Iliasdichter den Epigonen Sthenelos, Sohn des Theben-Angreifers Kapaneus, in Il. 4,406 sagen läßt: ›Wir haben das siebentorige Theben (nicht nur wie unsere Väter belagert, sondern) auch eingenommen!‹ (danach mag auch die Vermutung richtig sein, die Fortsetzung des überlieferten Eingangsverses ›Nunmehr hinwiederum laßt von den *jüngeren* Männern beginnen uns, Musen! . . .‹ könnte gelautet haben: ›welche das siebentorige Theben *genommen*!‹; so zuletzt [5. 31]). Der Inhalt der E. ist im einzelnen nicht mehr rekonstruierbar (Versuche bei [1. 2375–2377; 2; 6]); sicher ist nur, daß die sieben Söhne der »Sieben gegen Theben« (die verschiedenen Namenlisten bei BETHE [2. 110–113], vgl. [7. 150 f.]) Theben eroberten und die Einwohner vertrieben (die aber später z. T. zurückkamen) und zum Dank für den Sieg den thebanischen Seher → Teiresias mit seiner Tochter → Manto dem Apollon in Delphi opferten (F 3 BERNABÉ = F 3 DAVIES, dort auch Mantos weitere Schicksale).

1 A. RZACH, s. v. Kyklos, RE 11, 2374–2377 2 E. BETHE, Thebanische Heldenlieder, 1891 3 E. BETHE, s. v. E., RE 6, 67 f. 4 U. v. WILAMOWITZ-MOELLENDORFF, Homer. Unt. (Der ep. Cyclus), 1884 5 M. DAVIES, The Epic Cycle, 1989 6 C. ROBERT, Oidipus, 1915 7 W. KULLMANN, Die Quellen der Ilias (Troischer Sagenkreis), 1960.   J. L.

Epigonos (Ἐπίγονος).

[1] Bildhauer in Pergamon, laut Plinius Mitarbeiter an den Siegesmonumenten für die Attaliden. Signaturen sind an folgenden Basen für Attalos I. (241–197 v. Chr.) erhalten: sog. »Kleines Schlachtenbathron« des Strategen Epigenes [2]; Rundbasis des sog. »Großen Anathems« (um 228 v. Chr.; die Zuweisung der »Galliergruppe Ludovisi« bleibt umstritten); sog. »Großes Bathron« (um 223 v. Chr.) mit dem schriftlich überlieferten und in einer Kopie im Kapitol erkannten ›Sterbenden Trompeter‹. Seine ›sterbende Amazone mit ihrem Kind‹ war vielleicht vom selben Monument und ähnlich einer Kopie aus dem sog. »Kleinen Athener Anathem« des Attalos II. in Neapel.

E. KÜNZL, Die Kelten des E. von Pergamon, 1971 · P. MORENO, Scultura ellenistica, 1994, 282–287 · OVERBECK, Nr. 2095 (Quellen) · B. S. RIDGWAY, Hellenistic sculpture, 1, 1990, 284–296 · H.-J. SCHALLES, Unt. zur Kulturpolitik der Pergamenischen Herrscher im 3. Jh. v. Chr., in: IstForsch 36, 1985, 68–104 · R. R. R. SMITH, Hellenistic sculpture, 1991, 99–104 Abb. · R. WENNING, Die Galateranatheme Attalos' I., 1978, 42–43.   R. N.

[2] Musiker aus Ambrakia, dessen Schule Aristoxenos (3 MEIBOM) zusammen mit Lasos nennt, soll das Epigoneion, eine 40–saitige Harfe mit bes. Saitenanordnung, erfunden haben (Athen. 4,183 c-d).   F. Z.

[3] Epigrammdichter aus Thessalonike, Verf. eines witzigen epideiktischen Gedichtes aus dem »Kranz« des Philipp über eine alte Weinrebe (mit dem Wort σταφυλή wird jedoch auf den Frauennamen Σταφύλη angespielt), die einst mit Trauben beladen war, jetzt aber voll von Runzeln ist (Anth. Pal. 9,261). Auch plausibel scheinende Gleichsetzungen verbieten sich wegen der weiten Verbreitung des Namens. Der Vorschlag des Planudes, auch die Gedichte 9,260 (Secundus) und 9,406

(Antigonos von Karystos) dem E. zuzuweisen, kann keine Wahrscheinlichkeit für sich beanspruchen.

GA II,1, 244 f.; 2, 277 f.   E. D./Ü: T. H.

Epigramm I. GRIECHISCH II. LATEINISCH

I. GRIECHISCH
A. ANFÄNGE B. ARCHAIK C. KLASSIK
D. HELLENISMUS E. SCHULEN F. KAISERZEIT UND SPÄTANTIKE G. MITTELALTER

A. ANFÄNGE

Das E., das die griech. Lit. in ihrer gesamten Entwicklung begleitet (die ältesten Belege fallen mit den ersten Beispielen alphabetischer Schrift zusammen) bestand urspr. aus einer kurzen Versinschr. oder -aufschrift auf Vasen, Bechern, Weihegaben, Grabstelen, Hermen usw. Der Anlaß war immer real und konnte öffentlich oder privat sein. Das Metrum des E. war der ep. Hexameter, sporadisch in Verbindung mit einem daktylischen Pentameter, einem iambischen Trimeter oder ganz ausnahmsweise auch in anderen Kombinationen (vgl. [1]). Der Zweck des E. bestand im Wachhalten der Erinnerung oder in der Weihung von Gegenständen: Von den ungefähr 900 carmina epigraphica Graeca des 8. bis 4. Jh. v. Chr., die jetzt von HANSEN (CEG 1–2) veröffentlicht wurden, sind über die Hälfte Grab-, fast 400 Weihinschr. (der größte Teil davon Votiv-E.), und nur 50 haben ihren Anlaß in verschiedenen anderen Umständen (zu dieser letzten Kategorie gehören die sog. Dipylonvase = CEG 432 und der berühmte Nestorbecher = CEG 454, die aus der 2. Hälfte des 8. Jh. stammen).

B. ARCHAIK

Zahlreiche Inschr. in Bronze und vor allem auf Stein stellen das Erbe des 7. und 6. Jh. dar: Am Anfang des 7. Jh. steht die Inschr. auf der böotischen Mantiklos-Statuette (CEG 326), am Ende des 7. Jh. die Inschr., die den Kenotaph des Archilochos-Freundes Glaukos, des Sohnes des Leptines, auf Thasos schmückte (GVI 51a). Im Laufe des 6. Jh. tritt das elegische Distichon in Erscheinung, das innerhalb kurzer Zeit die mit Abstand üblichste metrische Kombination des E. wird (zu den frühesten Beispielen gehört die Inschr. der Kypseliden im Zeustempel zu Olympia, die auf vor 582 v. Chr. zu datieren ist, vgl. FGE 397 f.). Das »sprechende Monument« ist bei den E. dieser Zeit häufig, bes. in den Grab-E.; das andere wohlbekannte Kompositionsschema – der Verstorbene, der über sich selbst und seinen Tod unterrichtet – kommt erst mit dem 5. Jh. auf und wird seinerseits schließlich im 4. Jh. topisch. Kennzeichnend für das archa. E. sind, abgesehen von seiner Kürze (selten mehr als ein Verspaar; öfter begegnet man monostichischen Formen), der nüchterne, strenge Stil, der verhaltene, strikt unpersönliche Ton, die praktische Bestimmung (die Epitaphien registrieren z. B. regelmäßig Namen, Stadt, Familie und Alter des Verstorbenen) sowie die Anonymität des Verfassers.

C. KLASSIK

Im 5. Jh. verursachten zuerst die Perserkriege, dann die unzähligen inneren Auseinandersetzungen bes. in Attika und Athen eine große öffentliche wie private Nachfrage nach Inschr.: So erklärt sich die üppige Produktion, zu der manchmal auch bekannte Dichter beitragen wie z. B. Euripides – nach Plutarch (Nikias 17,4) der Verf. der Grabschrift auf die Gefallenen von Syrakus (GVI 21, die Echtheit ist jedoch sehr umstritten, vgl. FGE 129 und 155 f.) – und vor allem Simonides von Keos; ihm weist die Überlieferung etwa 90 Epigramme (FGE 186–302) zu, jedoch nur selten mit Sicherheit, wie z. B. im Fall der Inschr. auf den Seher Megistias (FGE 196), dessen Echtheit von Herodot (7,228,3) garantiert wird. Bes. emblematisch sind die Staatsepigramme für die großen Sammelfriedhöfe (*polyándria*), die sich nicht selten sehr knapp und einprägsam auf das Wesentliche beschränken (vgl. GVI 4, das berühmte Distichon auf die bei den Thermopylen gefallenen Spartaner). Weniger verhalten ist die innere Bewegung in den privaten Grabschriften, die manchmal exquisit und von bemerkenswerter Ausdruckskraft sind (vgl. z. B. CEG 161, aus Thasos, Anfang des 5. Jh.). Gegenüber dem archa. entwickelt sich das klass. E. einerseits zu beweglicheren und anmutigeren, manchmal auch schwülstigeren Formen hin und läßt eine sorgfältige Bemühung um harmonische und stilistische Effekte erkennen, andererseits akzentuiert es in der sepulchralen Gattung die didaktisch-idealisierende Absicht und stellt den Verstorbenen oft als ein Paradigma der Tugend dar. Der Einfluß der Elegie, der Trag. und der Rhet. (in der Spitzfindigkeit und Subtilität mancher Gedichte ist zuweilen auch die Wirkung der Sophistik zu spüren) führt zu einem deutlichen Pathos und zu einer kraftvollen Dichte des Ausdrucks, die die theatrale Geste nicht verachtet und sich gelegentlich in einem Dialog ausdrückt.

Im 4. Jh. wird das E. um neue formale Strukturen angereichert, wie z. B. der Beginn in Form eines Konditionalsatzes (GVI 1686), der Vergleich des Verstorbenen mit einem Heroen (GVI 1727 = Nikarchos Anth. Pal. 7,159), der Vergleich seiner gegenwärtigen Situation mit der, als er noch lebte (GVI 1702). Daneben tauchen die ersten Beispiele fiktiver Epitaphien auf (vgl. Theokritos Chios, epist. 1 FGE): die Dichter treten aus der Anonymität heraus und beginnen, ihren eigenen Namen im Gedicht unterzubringen (als einer der ersten z. B. Ion von Samos, vgl. CEG 819). Das Gedicht wird nun u. a. bezeichnenderweise ἐλεγεῖον (*elegeíon*) genannt. Aber auch auf der inhaltlichen Ebene zeigen sich wahrnehmbare Innovationen: Nach den polit.-mil. Ereignissen des Peloponnesischen Krieges verschwinden Ruhm, Heroismus und der Wunsch, den Menschen zu vergöttlichen, allmählich und überlassen ihren Platz der gnomischen Reflexion und dem Versuch, Götter und Heroen menschenähnlicher zu machen. Man wendet sich mehr und mehr dem Einfachen und Natürlichen, den prägnanten, knappen Ausdrücken fern jeder Emphase und rhetor. Prunk zu; dies ist der zaghafte Beginn

von später weiterentwickelten bescheidenen, antiheroischen Motiven. Dies würden unter anderem die drei erh. Epigramme der → Erinna bestätigen, wenn sie echt wären (die Dichterin ist wahrscheinlich um die Wende vom 5. zum 4. Jh. zu datieren, vgl. jüngst [2]); sie scheinen jedoch – wie ohne Zweifel auch die zahlreichen Platon (FGE 125–130) und verschiedenen archa. und klass. Dichtern (Archilochos, Sappho, Anakreon, Bakchylides usw.) zugewiesenen Gedichte – das Ergebnis späterer Bemühungen zu sein.

D. HELLENISMUS

Die hell. Dichter machten aus dem E. eine substantiell neue Form mit veränderter Funktion. Die urspr. Inschrift wird nun im wesentlichen lit.: Der Anlaß ist immer häufiger fiktiv, wie v. a. die Epitymbien (Grabinschr.) auf Persönlichkeiten zeigen, die schon vor Jh. verstorben waren. Der Themenkatalog wurde stark erweitert und erneuert: Unter den häufigsten Themen sind der Wein und die Liebe, aber auch bukolische Ausflüge, die realistische Suche nach dem »Primitiven« und »Volkstümlichen«, dem Ungewöhnlichen und Überraschenden, sowie Beschreibungen von Kunstwerken, Anekdoten, Sentenzen, lit. Polemik, witzige Geistesblitze, Typensatire (etwa die betrunkene Alte des Timon) – alles und jedes könnte schließlich Gegenstand eines E. werden. Subjektivität und Autobiographisches werden darüber hinaus zu wesentlichen, wenn auch nicht ausschließlichen Kennzeichen: Als Ausdruck von Gefühlen ist das E. dieser Zeit der Erbe des sympotischen Gesangs, der Elegie, ja sogar der archa. Chorlyrik, und übte so einen bedeutenden Einfluß auf die lat. Elegie aus. Auch das Gebot der Kürze wird offenkundig allmählich unverbindlicher, und manchmal kommt es zu einer regelrecht dramatischen Darstellung in Dialogform. Eleganz, ein hohes Stilniveau und sorgfältige Beachtung der Form zeichnen das hell. E. in allen seinen Phasen aus.

E. SCHULEN

Es werden zu Recht (jedoch mit allen Problemen, die derartige Abgrenzungen aufwerfen) drei verschiedene Schulen der E.-Dichtung unterschieden: Die »peloponnesische«, die »ion.-hell.« und die »phoinikische«. Zur ersten gehören zum größten Teil Festlandsdichter, die vor allem mit der Peloponnes in Verbindung stehen, auch wenn sie aus anderen Regionen stammen und sich ihr Einfluß in ganz Griechenland bemerkbar machte: die »ländliche«, »volkstümliche« Strömung des Leonidas, der Anyte, des Perses, Mnasalkes, Simias und verschiedener anderer. Ihnen ist die zweite Gruppe der raffinierten, hauptsächlich erotisch-sympotischen »Musa urbana« von Dichtern wie Kallimachos, Asklepiades, Poseidippos, Hedylos etc. entgegengesetzt; zw. den beiden Schulen stehen in den letzten Jahrzehnten des 3. Jh. einige nicht unbedeutende Epigonen (von → Dioskurides bis zu → Alkaios von Messene), die sich u. a. dem sog. Dorismus angeschlossen hatten, d. h. ihr polit. Engagement zugunsten Spartas und des Aitolischen Bundes offen zeigten, die sich dem erdrückenden maked.

Imperialismus widersetzten. In der Zeit von 150 bis 50 v. Chr. verbreitet sich schließlich die »phoinikische« Schule, so genannt, weil ihre bekanntesten Vertreter Phoinikier waren: Ihr gehörten Dichter von → Antipatros [8] von Sidon über → Meleagros und → Philodemos (beide stammten aus Gadara und waren etwas jünger) bis höchstwahrscheinlich zu → Archias [7] von Antiochia an. Schon Antipatros führte eine unter den griech. Intellektuellen dann sehr schnell verbreitete Sitte ein: Er zog nach Rom. Ihm folgten alsbald Philodemos und Archias, die zusammen mit Mucius Scaevola, Tullius Laurea und anderen zum berühmten lit. Zirkel um Cicero gehörten.

F. KAISERZEIT UND SPÄTANTIKE

So entstanden die Voraussetzungen für die nachfolgende Blüte des sog. »röm. E.«, dessen Vertreter vor allem Krinagoras von Mytilene und die Thessaloniker → Philippos und → Antipatros [9] sind. In neronischer Zeit setzte sich bes. mit Lukillios und Nikarchos das Spottepigramm durch, das u. a. die charakteristisch kurze (in der Regel ein oder zwei Distichen), mit einer Schlußpointe abgeschlossene Form verbindlich machte: Ins Visier genommen wurden verschiedene Berufe (Ärzte, Philosophen, Grammatiker, Astrologen, Athleten, Künstler u. a.) sowie bestimmte Menschentypen (Geizhälse, Leckermäuler, geschminkte alte Frauen usw.), dabei werden die Verspotteten ganz nach iambisch-aristophanischer Tradition direkt mit ihrem Namen angesprochen.

Zu den Exzentrizitäten dieser Zeit gehören die isopsephen Gedichte des Leonidas von Alexandria und die anakyklischen des Nikodemos von Herakleia. In den nachfolgenden Jh. ist ein deutlicher Rückgang des griech. E. zu verzeichnen. In der hohen Gesellschaft blieb es weiterhin in Mode, denn die Kaiser selbst und ihre Umgebung vergnügten sich mit der Abfassung von E. (wir haben zwei von Germanicus, eines vielleicht von Trajan, sieben von Hadrian, zwei von Julian), doch fehlen regelrechte Schulen, und die herausragenden Persönlichkeiten werden rar. Zu den seltenen Ausnahmen gehören Straton von Sardeis, Rufinus und im 4. Jh. Palladas von Alexandreia, während das E. christl. Prägung einen glühenden Verehrer in Gregor von Nazianz fand, dessen ehrgeizige und wirre Produktion das 8. Buch der *Anthologia Palatina* darstellt.

G. SPÄTANTIKE UND MITTELALTER

In justinianischer Zeit erlebt das E. mit Agathias und vor allem → Paulus Silentiarius sein letztes *revival*. Die traditionellen Themen werden, abgesehen von der geradeheraus abgelehnten Knabenliebe (die Strafen, die die Gesetzgebung jener Zeit für Päderastie vorsah, waren streng), mit oft originellen Anregungen variiert; so wird z. B. gern ein Enkomion des Verstorbenen in den Epitaphios aufgenommen, während die epideiktische ἔκφρασις (→ *ekphrasis*) immer panegyrischer wird, indem sie das Lob des Kunstwerkes mehr und mehr durch das Lob des abgebildeten Würdenträgers ersetzt. Raffinierte Eleganz und klass. Perfektion der Form sind das

Markenzeichen dieser letzten Blüte, in der der neue Glauben kaum Spuren hinterläßt. Auch in den nachfolgenden Jh. findet das E. weiterhin vereinzelte Vertreter, von Georgios Pisides (7. Jh.) über Johannes Geometres (10. Jh.), Christophoros von Mitylene (11. Jh.) und Johannes Mauropous (11. Jh.) bis zu Theodoros Prodromos (12. Jh.) und Manueles Philes (14. Jh.).

1 P. A. HANSEN, Lapidary Lyrics, in: CR 34, 1984, 286 f.
2 C. NERI, Studi sulle testimonianze di Erinna, 1996.

ED.: G. KAIBEL, Epigrammata Graeca ex lapidibus conlecta, 1878 · E. COUGNY, Epigrammatum Anthologia Palatina cum Planudeis et appendice nova, 3, 1890 · GVI · J. EBERT, Griech. E. auf Sieger an gymnischen und hippischen Agonen, 1972 · FGE · CEG · P. A. HANSEN, Carmina Epigraphica Graeca saeculi IV a. Chr. n., 1989. LIT.: R. REITZENSTEIN, Epigramm und Skolion, 1893 · A. WIFSTRAND, Studien zur griech. Anthologie, 1926 · Div. Autoren, L'epigramme Grecque, Entretiens 14, 1968.
                                                    E. D./Ü: T. H.

II. LATEINISCH

A. BEGRIFF   B. GESCHICHTE   C. WIRKUNGS- UND FORSCHUNGSGESCHICHTE

A. BEGRIFF

Das Wort *epigramma* ist im Lat. seit Varro und Cicero belegt. Es wird nicht nur für »Aufschrift« gebraucht (dafür auch *titulus*), sondern für kleinere Gedichte allg., wobei meist nicht mit strenger Abgrenzung von anderen Gedichtarten zu rechnen ist (vgl. Plin. epist. 4,14,2). Am ehesten hat Martial, der den Begriff häufig verwendet, ein ausgeprägtes Gattungsbewußtsein, doch wendet er sich gegen eine Begrenzung des Umfangs. Für eine moderne Darstellung empfiehlt es sich, außer der Verwendung des Begriffs selbst auch andere Gesichtspunkte wie die lit. Tradition und die Corpusbildung, die Hinweise auf ant. Gattungsverständnis bieten, zugrunde zu legen.

B. GESCHICHTE

Die lat. E.-Dichtung der Ant. entwickelt sich in jeweils mehr oder weniger engem Bezug zur griech.; insbes. in ihren Höhepunkten bei → Catull und → Martial hat sie dabei bedeutende eigenständige Leistungen hervorgebracht. Seit der 2. H. des 3. Jh. v. Chr. wird in Rom zunächst von vornehmen Familien wie den Scipionen die Sitte des inschr. Grab-E. aus dem Griech. übernommen; das Versmaß ist anfangs der Saturnier. Ennius führt das elegische Distichon ein und begründet mit Versen auf seine eigene dichterische Leistung das lat. lit. Epigramm. Um 100 v. Chr. wird von Autoren wie → Lutatius Catulus, → Valerius Aedituus und → Porcius Licinus das hell. Liebes-E. rezipiert. Von den drei Teilen der Gedichtslg. Catulls werden heute üblicherweise die den 3. Teil ausmachenden kürzeren Gedichte in elegischen Distichen E. genannt. Catull selbst verwendet den Begriff nirgends, doch wird schon bei Quint. inst. 1,5,20 eines dieser Gedichte als *epigramma* bezeichnet. Martial hat als Vorbilder für seine E. nicht nur Catulls Gedichte des 3., sondern auch die kleineren Gedichte des 1. Teils verwendet. Bei Catull selbst unterscheiden sich diese beiden Gedichtgruppen deutlich voneinander, z. B. in der Wortwahl. Von der hell. E.-Dichtung, an die Catull vor allem in carm. 70 anknüpft, hebt er sich insbes. durch die Ernsthaftigkeit in der Darstellung der Liebe ab; ein Gedicht wie carm. 76 sprengt dabei auch formal den üblichen Rahmen des E.

Von Catull beeinflußt ist die unter Vergils Namen überlieferte Slg. → *Catalepton*. Der Papyrusfund zu → Cornelius Gallus zeigt voneinander abgetrennte Vierzeiler, meint also vielleicht E., die dann als nicht deutlich von → Elegien zu unterscheidende Gedichte zu verstehen wären. Von der E.-Dichtung der augusteischen Zeit ist nur → Domitius Marsus ein wenig faßbar. Die Echtheit der dem jüngeren → Seneca zugeschriebenen E. ist unsicher, doch stammt zumindest ein Teil, wie z. B. die E. auf den Triumph des Claudius, aus seiner Zeit. Brillante Formkunst in der Variation eines einzigen Themas weist die Slg. der *Carmina* → *Priapea* auf, die chronologisch vielleicht in die Nähe Martials gehört. Aus verschiedenen Epochen überlieferte, mündlich kursierende Spottverse und pompejanische Graffiti zeigen die Beliebtheit scharf pointierten Witzes auch im sublit. Bereich.

Martial will gegenüber einer gängigen Auffassung, die das E. als spielerische Nebenbeschäftigung für Dilettanten betrachtete, die Gattung durch hohen Qualitätsanspruch lit. aufwerten. Neben den in der Rezeption vor allem beachteten Spott-E. sind auch die meisten anderen Arten des E. (außer dem Liebes-E.) vertreten. In souveräner Verwertung lat. und griech. Traditionen schafft er einen Höhepunkt der E.-Dichtung, bei dem sich scharfe Pointierung mit einer Fülle lebendiger Detailschilderung verbindet.

Wenig ist aus dem 2. und 3. Jh. an lit. E.-Dichtung faßbar. Das 4. Jh. bringt einen Neuanfang. → Publilius Optatianus Porfyrius pflegt die Sonderform des → Figurengedichts. Eine breite Thematik bearbeitet → Ausonius, der sich dabei primär an der griech. Tradition orientiert. Ein ähnliches Bild liefert die um 400 entstandene Slg. der → *Epigrammata Bobiensia*. Neu treten seit dem 4. Jh. christl. E. auf. Sie finden inschr. Verwendung bei den Märtyrer-E. des Damasus (→ Epigrammata Damasiana), als Gebäudeinschr. in Kirchen und Baptisterien sowie als Beischriften zu Bilderzyklen, wie sie auch lit. tradiert werden (→ Ambrosius, → Prudentius, → Rusticus Helpidius). → Prosper von Aquitanien gibt einer Slg. versifizierter Sentenzen aus Augustinus den Titel *Epigrammata;* sie teilen die belehrende Funktion mit den Kircheninschr. (vgl. dazu Aug. serm. 319,8). Vorwiegend die profane Tradition, v. a. beschreibende E., pflegen spätantike Autoren wie → Claudianus, → Sidonius Apollinaris, → Ennodius und → Venantius Fortunatus. Aus der ca. 534 in Nordafrika entstandenen Anthologie des Codex Salmasianus ist insbesondere das E.-B. des → Luxurius zu nennen. Im 7. Jh. führen in Spanien → Isidoros und → Eugenius von Toledo die E.-Dichtung weiter.

C. Wirkungs- und Forschungsgeschichte

Themen und Formen spätant. E.-Dichtung werden im frühen MA aufgegriffen. Das hohe MA rezipiert Martial als moralisch-satirischen Autor. Er und Catull bilden neben der griech. Anthologie die Hauptvorbilder frühneuzeitlicher E.-Dichtung. Bei vergleichenden Wertungen wird Catull meist enger mit den Griechen verbunden und Martial gegenübergestellt. Im 16. Jh. wird eher Catull der Vorrang zugemessen, im 17. Jh., dem Zeitgeschmack für pointierte Kürze entsprechend, Martial. E.-Theorien in den Poetiken heben v. a. *brevitas* und *argutia* als Charakteristika der Gattung hervor. Lessings an Martial orientierte Zweiteilung des E. in »Erwartung« und »Aufschluß« ist auch noch in der neueren E.-Forschung von Einfluß. Eine Gesamtdarstellung der Gattungsgesch. fehlt; auch Teilbereiche wie v. a. das christl. E. sind noch unzureichend erforscht.

→ Grabepigramm; EPIGRAMM

1 W. BARNER, Vergnügen, Erkenntnis, Kritik. Zum E. und seiner Tradition in der Neuzeit, in: Gymnasium 92, 1985, 350–371 2 G. BERNT, Das lat. E. im Übergang von der Spätant. zum frühen MA, 1968 3 M. CITRONI, La teoria Lessinghiana dell' E. e le interpretazioni moderne di Marziale, in: Maia 21, 1969, 215–243 4 P. HESS, E., 1989 5 N. HOLZBERG, Martial, 1988 6 R. KEYDELL, s. v. E., RAC 6, 539–577 7 P. LAURENS, L'abeille dans l'ambre. Célébration de l'E. de l'époque alexandrine à la fin de la Renaissance, 1989 8 M. LAUSBERG, Das Einzeldistichon, 1982 9 W. MAAZ, Lat. Epigrammatik im hohen MA, 1992 10 F. MUNARI, Die spätlat. Epigrammatik, in: Philologus 106, 1958, 127–139 11 G. PFOHL (Hrsg.), Das E., 1969 12 R. REITZENSTEIN, s. v. E., RE 6, 71–111 13 E. A. SCHMIDT, Catull, 1985 14 J. P. SULLIVAN, Martial, the unexpected classic, 1991 15 H. SZELEST, Martial – eigentlicher Schöpfer und hervorragendster Vertreter des röm. E., in: ANRW II 32.4, 1986, 2563–2623 16 T. VERWEYEN, G. WILLING, E., in: HWdR 2, 1273–1283 17 H. WIEGAND (Hrsg.), Kleine Formen. Das E. (= AU 38,6), 1995.   MA.L.

Epigramma Paulini. Im *cod. Parisinus* 7558 überliefertes Gespräch zweier Mönche und eines wohl ehemaligen Klostermitglieds in 110 Hexametern (mit kleineren Lücken). Ausgangspunkt ist die verheerende Invasion Galliens durch Vandalen und Alanen (407–409 n. Chr.). Während deren Folgen gerade beseitigt werden, dauert das mit Mitteln der Satire geschilderte moralische Desaster an (*interior pestis,* V. 15): das Streben nach dem den Menschen versagten Wissen, die Laster der Frauen, die freilich von den Männern gewollt und damit zu verantworten sind. (Zur Theodizeeproblematik vgl. Ps.-Prosp. carm. de prov.; Salv. gub.) Das Gedicht ist südgallischer Herkunft, der in der Überlieferung als Verf. genannte S. Paulinus nicht identifizierbar.

ED.: C. SCHENKL, CSEL 16,499–510.
LIT.: 1 A. GALLICO, Note per una nuova edizione dell'E. P., in: SSR 6, 1982, 163–172 2 E. GRIFFE, L'E. P., in: Revue des études augustiniennes 2, 1956, 187–194 3 R. HERZOG, HLL § 628.3 4 K. SMOLAK, Zur Textkritik des sog. Sancti Pauli Epigramma, in: WS 102, 1989, 205–212.   W.-L.L.

Epigrammata Bobiensia. Der Titel dieses um 400 n. Chr. entstandenen, von einem späteren Hrsg. geordneten Gedichtbuches bezieht sich auf die Überlieferung in einem h. verlorenen Cod. des Klosters Bobbio (nördl. von Genua), dessen Abschrift aus humanistischer Zeit in der Vaticana liegt (Cod. Vat. lat. 2836f. 268ʳ–278ᵛ; Abb.: [3] Anhang; [4. 140f., 152f.]). Die Slg. von 71 Gedichten verschiedener Länge und verschiedenen Versmaßes (meist Distichen, ferner iambische Trimeter und stichische Hexameter) wird durch die 70 V. der ›Klage der Sulpicia über den Zustand des Staates und die Zeiten Domitians‹ (Nr. 37) in zwei fast gleich große Buchhälften geteilt. Vereint sind Gedichte verschiedener Verf. und Zeiten (→ Naucellius, Freund des Symmachus: Nr. 1–9; → Domitius Marsus: Nr. 39f.; Ps.-Sulpicia: Nr. 37, ausdrückliche Anonyma: Nr. 38; 43). Neben selbständigen Gedichten stehen wörtliche und freiere Wiedergaben aus griech. Dichtern (v. a. Anth. Gr.) und Prosaikern (Epikur, Demosthenes). Das Gedichtbuch, von dem einzelne Gedichte bereits vor 1955 durch die App. der Opuscula des Ausonius bekannt waren, ermöglicht einen Einblick in die Bildung, den Geschmack und die geistigen Ziele der heidnischen Aristokraten im Kreis um → Symmachus und → Ausonius. Christliches fehlt; vielmehr kann unter der Oberfläche doch Polemik gegen das Christentum stecken (z. B. Nr. 37; 42f.). Dazu würde auch die Aufnahme des Epigramms von Domitius Marsus auf Atia mit der Anspielung auf die Empfängnis durch Apollon passen (Nr. 39). Der Blick der Dichter und des Hrsg. ist rückwärts gewandt: auf die klass. Dichtung der Griechen und Römer, die klass. und nachklass. bildende Kunst der Griechen, ihre Gesch. und ihre Gnomai. Dazu kommen Kuriosa, Invektiven, Biographisches und Erotisches. Die E. B. haben it. Humanisten zu Nachdichtungen angeregt ([3. 87f.]; weiteres noch unediert).

→ Anthologie; Gedichtbuch

1 F. Munari (Hrsg.), E. B., Bd. 2: Introduzione e edizione critica, 1955 2 Sc. Mariotti, s. v. E. B., RE Suppl. 9, 37–68 3 W. Speyer (Hrsg.), E. B., 1962 4 M. Ferrari, Le scoperte a Bobbio nel 1493, in: IMU 13, 1970, 139–180. WO.SP.

Epigrammata Damasiana. Mit [1] das epigraphische und epigrammatische Werk des röm. Bischofs → Damasus' I., das 57 meist metrische, v. a. hexametrische Inschr. aus Rom und zwei zur lit. Publikation bestimmte Gedichte umfaßt. Neben Bau- stehen Coemeterial-Inschr., v. a. auf Märtyrer, die die Gräber auffindbar machen sollen und ihre Bedeutung unterstreichen (Romideologie). Diesem Zweck dienen die kalligraphische Gestaltung durch → Filocalus wie der lit. Anspruch (Vergilimitation); die E. D. zählen zur frühesten nicht-liturgischen christl. Poesie im Lat. (vgl. Hier. vir. ill. 103: *elegans in versibus componendis ingenium habuit*.) Überlieferung: teils auf Marmortafeln, teils in ma. Anthologien [2], die auf Abschriften von Rompilgern zurückgehen. Die Nachwirkungen sind umfassend: Erst aus E. D. bekannte Namen finden Aufnahme in Martyrologien [3]. Lit. Einfluß bes. auf → Prudentius, epigraphisch etliche Imitationen auf christl. Gräbern; im MA über It. hinaus Verwendung der E. D. an Klosterschulen, hierdurch Einfluß auf Hrabanus Maurus, Alcuin, Aldhelm u. a. und die Gestaltung von Grabinschr. bis nach Trier.

→ Anthologie; Epigramm; Grabinschriften; Martyrologion; Pilgerschaft

1 A. Ferrua, E. D., 1942 2 G. Walser, Die Einsiedler Inschr.-Slg. und der Pilgerführer durch Rom (Codex Einsidelensis 326), 1987 3 E. Schäfer, Die Bedeutung der Epigramme des Papstes Damasus I. für die Gesch. der Heiligenverehrung, 1932 4 J. Fontaine, Naissance de la poésie dans l'Occident Chrétien, 1981 5 Saecularia Damasiana, Studi di Antichità Cristiana 39/1986 (Kongreß Rom 1984). A.GL.

Epigrapheis (ἐπιγραφεῖς). Die *e.* führten in Athen in den 390er-Jahren v. Chr. die Register der Leute, deren Vermögen sie für eine spezielle Vermögenssteuer, die Eisphora, zahlungspflichtig machte (Isokr. or. 17, 41; Lys. fr. 92 Sauppe).

→ Eisphora

R. Thomsen, Eisphora, 1964, 187–189. P.J.R.

Epigraphik. E., von griech. ἐπιγράφειν (*epigráphein*, »auf etw. schreiben«). Der Begriff dient zur Bezeichnung ant. Texte, die auf verschiedenen, zumeist dauerhaften Materialien (Stein, Bronze u. ä.) festgehalten wurden, sowie als Begriff für die diesbezügliche altertumswiss. Teildisziplin.

→ Inschriften; Epigraphik M.MEI. u. ME.STR.

Epikaste (Ἐπικάστη).
[1] Tochter des → Augeias; von Herakles Mutter des Thestalos (Thessalos) (Apollod. 2,166).
[2] s. → Iokaste, Mutter und Frau des → Oidipus (Hom. Od. 11,271; Apollod. 3,48). R.B.

Epikedeion (ἐπικήδειον, sc. μέλος, ἆσμα). Zeremonieller Gesang bei der Trauer (κῆδος, *kédos*) oder der Bestattung (vgl. Pind. P. 4,112). Der Chor in Eur. Tro. 514 singt ein *e.*-Lied (ᾠδὰν ἐπικήδειον) über den Untergang Troias; ähnlich spricht Platon von den ἐπικήδειοι ᾠδαί berufsmäßiger Klagefrauen bei einer Bestattung. Substantivisch wird *e.* jedoch selten und erst spät verwendet. Ant. Autoren versuchten es von anderen Worten für »Klage« zu unterscheiden: Proklos (Phot. 321a 30–32) nennt *e.* einen Gesang ›vor der Bestattung‹ (ἔτι τοῦ σώματος προκειμένου); in Eur. Alc. 828 bedeutet *kédos* »Leiche«, der Begriff θρῆνος (*thrénos*) sei dagegen weiter gefaßt. Serv. ecl. 5,14 berichtet, das *e.* sei vorgetragen worden, wenn der Leichnam noch nicht bestattet war (*cadavere nondum sepulto*); er stellt es dem ›Epitaphion … nach Beendigung der Bestattung‹ (*epitaphion...post completam sepulturam*) gegenüber. Das Wesentliche scheint die Aufführung bei der Bestattung zu sein, doch kennen die alexandrinischen Herausgeber der lyrischen Dichter

keine Differenzierung und fassen die Gesänge am Totenbett und diejenigen zum Andenken an die Toten unter den *thrḗnoi* von Pindar und Simonides zusammen.
Wir haben Kunde von *epikḗdeia* des Hesiod, Aratos, Euphorion und Parthenios, wissen aber nicht, welcher Art
diese Gedichte waren [3. 3]. Plutarch zitiert ein *e.* des
Euripides für die Athener vor Syrakus (Nikias 17,4); es
ist eines von mehreren Epigrammen, die er unter der
Bezeichnung *e.* anführt (vgl. Plut. Pelopidas 1,4; mor.
1030a). *E.* scheint sich hier hauptsächlich auf elegische
Distichen zu beziehen, die mehr Gewicht auf Lob als
auf Klage legen. Diomedes berichtet, daß elegische *e.*
tatsächlich bei Bestattungen vorgetragen wurden
[2. 20].

1 M. ALEXIOU, The Ritual Lament in Greek Tradition,
1974, 107f. **2** A. HILGARD, Grammatici Graeci 1,3, 1901
3 E. REINER, Die rituelle Totenklage der Griechen, 1938,
2–4.   E.R./Ü:L.S.

Epikephisia (Ἐπικηφισία). Att. Asty-Demos der Phyle
Oineis. Ein (oder zwei) Buleut(ai). Die ungefähre Lage
von E. im Kephisos-Tal bei → Lakiadai ergibt sich aus
dem Namen und dem FO des Demendekrets IG II² 1205
beim Dipylon, s. [1. 40].

1 P. SIEWERT, Die Trittyen Attikas und die Heeresreform des
Kleisthenes, 1982.

TRAILL, Attica 19, 49, 69, 110 Nr. 40, Tab. 6 · J.S. TRAILL,
Demos and Trittys, 1986, 133 · WHITEHEAD, Index s. v. E.
       H.LO.

Epikichlides (Ἐπικιχλίδες) ist der Titel einer dem Homer zugeschriebenen Dichtung erotischen Inhaltes
(Athen. 14,639a). Menaichmos bringt ihn in Zusammenhang mit dem Wort für Drossel (κίχλη, *kíchlē*), was
an eine Travestie oder Parodie der homer. Epen im
Tierbereich denken läßt (vgl. → Batrachomyomachia).
Vielleicht bezieht sich der Titel auf die *kichlismoí*, die
ausgelassenes Gelächter bezeichnen.

U. v. WILAMOWITZ-MOELLENDORFF, Die Ilias und Homer,
1916, 18, Anm. 2.   C.S.

Epikleros (ἐπίκληρος). Nicht ganz korrekt mit »Erbtochter« übersetzt. Hinterließ ein athenischer Bürger
oder ein → *métoikos* nur Töchter, so waren zwar nicht
diese selbst, wohl aber deren ehelichen Söhne erbfähig,
so daß der Nachlaß (→ *kléros*) unter Umständen an einen
fremden Familienverband fallen konnte. Wegen dieser
Gefahr erlaubte das Gesetz dem nächsten Seitenver-
wandten des Erblassers (→ Anchisteia), vom Archon
bzw. Polemarchos (→ Archontes I) durch → *epidikasía*
zugleich mit der Zuweisung des *kléros* auch die einer
noch kinderlosen Tochter, *e.*, als Ehefrau zu erwirken,
selbst wenn sie bereits anderwärtig verheiratet war. Die
epidikasía ersetzte die → *engýesis*. Die vom Seitenver-
wandten mit der E. gezeugten Söhne galten als Söhne
des Erblassers (ihres Großvaters). Dadurch wurde die
sakrale Kontinuität des Hausverbandes (οἶκος, *oíkos*) ge-

wahrt und das Vermögen blieb im Familienverband.
Auch im dor. Bereich kennt man die Rechtseinrichtung
der Erbtochter (*patroiúchos* in Sparta, *patroiokos* in Gortyn).
→ Erbrecht; Kleros

H.J. WOLFF, Die Grundlagen des griech. Eherechts, in: TRG
20, 1952, 1 ff. · G. THÜR, Armut. Gedanken zu
Ehegüterrecht und Familienvermögen in der griech. Polis,
in: D. SIMON (Hrsg.), Eherecht und Familiengut, 1992,
121 ff.   G.T.

Epiklese A. DEFINITION B. I ANRUFUNG
B. 2 BEINAME   C. NACHWIRKUNG

A. DEFINITION

Die Anrufung (ἐπίκλησις < ἐπικαλέω, vgl. *advocatio*,
invocatio) und im engeren Sinne Herbeirufung eines
oder mehrerer Götter und Dämonen war neben dem
erzählenden Teil und der Wunschäußerung fester Bestandteil des Gebetes [1]. Im übertragenen Sinne ist E.
der Beiname (vgl. Eponymia, Epitheton), mit dem der
Gott im Kult angerufen wurde.

B. I ANRUFUNG

Die E. hatte urspr. die Funktion des Hilferufs bzw.
der Einladung der Gottheit zum Opfer und Fest, zur
Eidesleistung, zu magischen Handlungen (vgl. die Ruf-
worte ἐλθέ, *veni* – »komm!«, φάνηθι – »erscheine!« u. ä.)
[2. 115–117; 3. 578–580; 4. 179–182]; die anschließende Epiphanie (»Erscheinung«) konnte durchaus als real
verstanden werden (vgl. χαῖρε, *saluto te* – »sei gegrüßt!«,
βέβακες, – »du bist da« [2. 109f.; 5. 29f.]. Die ele-
mentarste Form der E. war die Anrufung der Götter in
der Not, die abgeschwächte Form des Hilferufs war die
E. am Anfang lit. Werke [3. 579f.]. Die E. im Eid, beim
Vertragsabschluß oder zu Beginn einer gerichtlichen
Verhandlung sicherte die Präsenz der Götter als Zeugen
[6. 202–205], bei Opfern zielte sie auf die Epiphanie der
Gottheit, damit sie am Opfermahl teilnehme und das
Gebet der Opfernden erhöre. Im Opfer wurde die verbale E. zuweilen durch unartikulierte Rufe ersetzt oder
verstärkt [4. 167f.; 6. 179f.]. Lit. Form der E. bei Festen,
in denen die Gottheit zur Feier geladen oder nach Abwesenheit in ihr Heiligtum zurückgerufen wurde
(Dionysos in Elis, Apollon in Delphi, Zeus Diktaios auf
Kreta), war der *hýmnos klētikós* (ὕμνος κλητικός [5. 29
Anm. 114; 7. 103, 158f., 291–293; 8. 205f.]. Im Totenkult wurden durch die E. verstorbene Heroen be-
schworen (ἀνακαλεῖν ψυχήν) (Maximus Tyrius, p. 88
HOBEIN). Im magischen Gebet [9], das oft das Element
des Zwanges enthielt, waren meist lange E. mit Zau-
berwörtern vermengt und von magischen Handlungen
begleitet. Die Sorge um die Nennung der richtigen
Namen der »vielnamigen« Götter stand hier im Vordergrund; der Betende empfahl sich der angerufenen Gottheit durch die Demonstration seiner Kenntnis geheimer
Epitheta.

Die E. bestand in der Regel aus dem Rufwort, dem
Götternamen im Vokativ und einem »kult. Relativsatz«

[3. 578; 4. 197–291]. a) Das Rufwort lenkte die Aufmerksamkeit der Gottheit auf den Betenden und lud zur Epiphanie ein (vgl. ἄκουε – »höre!«, βλέψον, respice – »sieh!«, u. ä.) [1. 516 f.; 2. 115–119]. b) Die genaue Kenntnis des Namens der Gottheit, dem z. T. eo ipso eine bes. Kraft zukam [11. 205–210, 238, 281 f.], erleichterte den Kontakt mit ihr; die Wiederholung verstärkte die Wirksamkeit, insbes. im Zauber [3. 578]. War der Betende im Unklaren über den wahren Namen des Gottes, mied er die verbindliche Nennung nur eines Namens; auch unbekannte oder alle Götter konnten angerufen werden [2. 75–84; 5. 13 f.; 6. 191; 12; 13]. b) Der kult. Relativsatz nannte Epitheta, Kultort und Taten der Gottheit. Ihre Verherrlichung nahm zuweilen die Form einer ausgedehnten Aretalogie an (PMG IV 2785–2879; Orph. h. QUANDT).

B.2 BEINAME

Die Rolle der Epitheta in der Anrufung drückte sich auch darin aus, daß das Wort epíklēsis auch »Beiname« bedeutet, mit dem ein Gott an bestimmten Orten oder in spezifischen Situationen angerufen wurde. In der Regel verweisen die E. auf Macht, Schönheit (Bildungen von πᾶν, ἄριστος, κάλλιστος) [14. 50–66] und spezifische Eigenschaften einer Gottheit (Apollon Katharsios, Dionysos Lysios, Poseidon Gaiaochos, Zeus Bronton), insbes. auf den Bereich, in dem sich ihre Macht manifestierte, etwa auf den Schutz der städtischen Institutionen (Athena Polias, Poseidon Phratrios, Zeus Agoraios), der Ehe (Hera Gamelios), der Vereinbarungen (Zeus Ephorkios), des Haushaltes (Zeus Herkeios, Ktesios, Pasios), der Geburt (Artemis Lochia), der Fremden (Zeus Hikesios, Xenios), des Handwerkes (Athena Ergane), des Gedeihens in der Natur (Demeter Karpophoros, Dionysios Auxites) und der Gesundheit (Apollon Iatros, Paian). Manche E. erinnern an Genealogie (Zeus Kroneios), Geburtstag (Apollon Eikadios), Geburtsort (Zeus Kretagenes), Kultort (Artemis Amarysia, Poseidon Tainarios) oder spezifische Kultformen und Feste einer Gottheit (Apollon Daphnephoros, Demeter Megalartos, Dionysos Omestes, Zeus Hekatombaios). Zuweilen weisen die E. auf die Verbindung einer Gottheit mit einer anderen, in ihren Eigenschaften verwandten oder früher am selben Ort verehrten hin (Ares Enyalios, Athena Alea, Poseidon Erechtheus) [8. 195; 15. 184].

Obwohl sich die meisten E. erst aus der Vorstellung eines persönlichen, durch spezifische Eigenschaften, Funktionen, Kultformen und Legenden charakterisierten Gottes ableiten, bestehen vielfältige und nicht immer eindeutig zu klärende Verbindungen zwischen Götternamen und E. Möglicherweise waren einige E. urspr. Bezeichnungen göttl. Gestalten ohne individuellen Namen (»Sondergötter« [14. 122–247] vgl. [8. 195]) z. B. Despoina, Eubuleus, Kalliste, Kourotrophos, Iatros, Meilichios, Potnia, Sosipolis, u. ä., die erst nachträglich auf einzelne Götter übertragen wurden (z. B. Kourotrophos auf Aphrodite, Artemis, Athena, Demeter u. a.). So enthalten die mykenischen Linear

B-Texte zahlreiche »Götternamen«, die lediglich Beschreibungen des Machtbereichs der Gottheit sind, z. B. Bildungen von pótnia (»Herrin«, potinija asiwija, iqeja, dapuˌritoja, sito, upoja, atanapotinija) [15. 44; 16. 256 f.]. Manche Götternamen dürften sich von E. ableiten (Poseidon < *Ποτει Δᾱς, »Herr bzw. Gemahl der Erde«, vgl. Διὸς Κοῦροι, »Söhne des Zeus«, Dioskuren). Das Vorkommen der bloßen E. kann Kürzel (z. B. Phoibos = Apollon) oder aber Hinweis auf die Verselbständigung einer Eigenschaft des Gottes sein, die sich von der gängigen Auffassung seiner Gestalt stark unterschied [14. 217; 17. 38 f.]. Seit hell. Zeit häuften sich die der Verherrlichung eines Gottes dienenden E. (Μέγας, Ὕψιστος), die oft den Namen des Gottes ersetzten, auf mehrere Götter übertragbar waren und henotheistische Tendenzen ausdrückten [5. 12 f.]. Spätestens seit dem 1. Jh. v. Chr. gab es spezielle Sammlungen der E. einzelner Götter mit etym. Erklärungen [18. 18 f., 211–213]. Die E. einer Gottheit beziehen sich auf die konkrete Form ihrer Verehrung und sind nicht austauschbar; auch sind die Gestalten einer mit verschiedenen E. angerufenen Gottheit nicht immer identisch (vgl. [19]). Wurde ein Gott mit derselben E. an mehreren Orten angerufen, so können alle mit dieser E. zusammenhängenden Mythen und Riten zum allg. Verständnis der Gottheit beitragen [17. 4]. Im allg. muß zwischen der kult. E. und den von Dichtern benutzten streng unterschieden werden [6. 90 f.].

C. NACHWIRKUNG

Die auch im christl. Gebet bestehende »Anrufung« (in der röm. Liturgie meist einfach, in der östl. Liturgie mit gehäuften Attributen) hat eher den Charakter einer Anrede als den eines »Rufes«; ihre Ursprünge liegen im AT und im frühchristl. Gottesdienst. In der Eucharistie bittet die E. um Herabsendung des Hl. Geistes, damit er die eucharistischen Gaben in den Leib und das Blut Christi verwandle. Formen der ant. E. lebten hingegen insbes. in Form von Totenanaklesen, im Exorzismus und im Zauber im Christentum weiter [3. 582–599].

→ Aretalogie; Eid; Epiphanie; Gebet; Götternamen; Magie; Theoxenia

1 C. AUSFELD, De Graecorum precationibus quaestiones, Neue Jahrbücher Suppl. 28, 1903, 502–547 2 G. APPEL, De Romanorum precationibus, 1909 3 J. LAAGER, s. v. Epiklesis, RAC 5, 1962, 577–599 4 D. AUBRIOT-SÉVIN, Prière et conceptions religieuses en Grèce ancienne jusqu’ à la fin du Vᵉ siècle av. J.-C., 1992 5 H. S. VERSNEL, Religious Mentality in Ancient Prayer, in: Ders. (Hrsg.), Faith, Hope, and Worship, 1981, 1–64 6 J. RUDHARDT, Notions fondamentales de la pensée religieuse et actes constitutifs du culte dans la Grèce classique, 1992² 7 NILSSON 8 J. M. BREMMER, Greek Hymns, in: wie Anm. 5 9 F. GRAF, Prayer in Magic and Religious Ritual, in: C. A. FARAONE, D. OBBINK (Hrsg.), Magika Hiera, 1991, 188–213 10 E. BRANDT, Gruß und Gebet, 1965 11 E. PETERSON, Εἷς θεός, 1926 12 E. NORDEN, Agnostos Theos, 1913 13 F. JACOBI, Pantes Theoi, 1930 14 H. USENER, Götternamen, ³1948 15 BURKERT, 126–190 16 M. GÉRARD-ROUSSEAU, Les mentions religieuses dans les

tablettes mycéniennes, 1968 **17** Graf **18** A. Tresp, Die Fragmente der griech. Kultschriftsteller, 1914 **19** V. Pirenne-Delforge, Épithètes culturelles et interprétations philosophiques, in: AC 57, 1988, 142–157.

Bruchmann · Nilsson, GGR I, 385–603 · M. Santoro, Epitheta deorum in Asia Graeca cultorum ex auctoribus Graecis et Latinis, 1974 · G. Wentzel, Ἐπικλήσεις θεῶν sive de deorum cognominibus per grammaticorum Graecorum scripta dispersis, 1890.   A. C.

Epikrates (Ἐπικράτης).

[1] Athener. Kämpfte 403 v. Chr. auf seiten der Demokraten gegen die Oligarchie. 397 setzte er sich mit → Kephalos für eine Zusammenarbeit mit Persien und einen raschen Bruch mit Sparta ein, auch auf die Gefahr eines neuen Krieges hin (Hell. Oxyrh. 10, 1–2 Chambers). Nach Konons Sieg in der Ägäis 394 mit Phormisios als Gesandter Athens beim persischen König. Nach seiner Rückkehr wegen Bestechlichkeit angeklagt, aber freigesprochen. 392/1 als Gesandter zur Aushandlung eines Friedensvertrags in Sparta. Die Bedingungen wurden von der athenischen Volksversammlung abgelehnt, die Gesandten in Abwesenheit zum Tode verurteilt (Demosth. or. 19,277–280; Philochoros FGrH 328 F 149a). Davies, 181.

P. Funke, Homónoia und Arché, 1980, 63 f., 106, 115 f.   W. S.

[2] Athener aus dem Demos Archarnai. E. sandte dem → Themistokles heimlich Frau und Kinder nach, als dieser sich beim Molosserkönig Admetos in Epirus aufhielt. Er wurde deswegen von Kimon angeklagt (Plut. Themistokles 24,6).

F. J. Frost, Plutarch's Themistocles, 1980 (zur Stelle).   E. S.-H.

[3] Rhodier, Sohn des Polystratos, Admiral in der Ägäis im zweiten Maked. Krieg (Syll.³ 582) [1. 135,23] und im Antiochos-Krieg (Liv. 37,13,11; 14,1–4). E. schlug 190 v. Chr. dem Praetor Aemilius [I 35] Regillus die Aufstellung einer kilikischen Flotte mit Hilfe der Lykier vor (Liv. 37,15,6).

1 R. M. Berthold, Rhodes in the Hellenistic Age, 1984.   L.-M. G.

[4] Aus Ambrakia, Dichter der mittleren Komödie [1. test. 2], aktiv um 380–350 v. Chr. [2. 197f.]; sechs Stücktitel und elf Fragmente sind erh. Nur eines der Stücke trägt einen myth. Titel, *Amazónes* [2. 198], von den anderen verspottet die *Antilaís* die altgewordene Hetäre Lais [2. 197]. Bes. erwähnenswert ist fr. 10 (ohne Titel), weil es den Betrieb in der Platonischen Akademie schildert (es zeigt Platon, der mit zwei Schülern über einen Kürbis diskutiert [2. 277].

1 PCG V, 1986, 153–163 2 H.-G. Nesselrath, Die att. Mittlere Komödie, 1990.   B. Bä.

[5] Dichter der Neuen Komödie, nur inschr. bezeugt (belegte den fünften Platz an den Dionysien des J. 167 v. Chr.); evtl. Vater des Schauspielers Elpinikos [1].

1 PCG V, 1986, 164.   B. Bä.

Epikrisis (ἐπίκρισις). Der Terminus war in Athen unbekannt. In den Inschr. wird *e.* als gerichtliche Kontrolle von behördlich verhängten Strafen gebraucht (IPArk. 3, 19,50: Tegea; Syll.³ 1075, 6: Epidauros) oder als Zustimmung eines objektiven Dritten zu einem von den Streitparteien ausgehandelten Vergleich [1. 190ff.]. In der hell. Kanzleisprache findet sich das Verbum ἐπικρίνεσθαι (*epikrínesthai*) für »Entscheiden« (Sherk 194f.), in IPArk. 31 B 22 für *decernere* (*decretum*) einer röm. Behörde. Im röm. Ägypten war die *e.* das Verfahren, um die Zugehörigkeit zu einer privilegierten Steuergruppe nachzuweisen [2. 155, 212].

1 A. Steinwenter, Streitbeendigung durch Urteil, Schiedsspruch und Vergleich nach griech. Rechte, ²1971 2 H.-A. Rupprecht, Einführung in die Papyruskunde, 1994 3 G. Thür, H. Taeuber, Prozeßrechtliche Inschr. Arkadiens, 1994.   G. T.

Epikteta (Ἐπικτήτα). Witwe des Aristokraten Phoinix aus Thera. Sie vollendete den Bau eines Museions, das Phoinix zum Gedenken an ihren Sohn Kratesilochos zwar begonnen hatte, aber nicht mehr ausführen konnte, gemäß den Weisungen ihres Sohnes Andragoras, der zwei Jahre nach dem Vater starb. Die Sorge um das Museion übertrug E. in ihrem Testament (Anf. 2. Jh. v. Chr., inschr. erh.: IG XII 3,330, Z. 1–108) ihrer Erbtochter (→ *epíklēros*) Epiteleia. Darin verfügte sie die Einrichtung einer Gemeinschaft der männlichen Verwandten (κοινὸν τοῦ ἀνδρείου τῶν συγγενῶν), in die aber auch Frauen aufgenommen werden konnten (Z. 79–106), und eines Kultes für die Musen und ihre Familie. Drei Tage im Jahr wurden für die Kulthandlungen festgesetzt, je einer für die Musen, für Phoinix und E. sowie für die verstorbenen Söhne. Die Unterhaltskosten für das Museion und den Kultbezirk sollten aus den Zinsen einer Hypothek von 3000 Drachmen bestritten werden, mit der sie ihre Landgüter belastete. Die Vermögensverwaltung oblag Epiteleia, die den jährlichen Zinsertrag (ca. 7% der Hypothek) seiner Bestimmung zuführen sollte. Die Organisation der Vereinigung geht aus ihrer Satzung (IG XII 3,330, Z. 109–288, νόμος) hervor: Das oberste Priesteramt lag zunächst beim Sohn Epiteleias und ging auf den jeweils ältesten männlichen Nachkommen über; die übrigen Priesterämter (je ein ἐπιμήνιος für jeden Kulttag) waren nicht erblich. Die Verwaltung des *koinón* übernahm ein von der Mitgliederversammlung (σύλλογος) jährlich gewählter Oberbeamter (ἐπίσσοφος), den ein ihm untergeordneter Stab unterstützte. Sie führten die Aufsicht über die regelmäßige Ausübung des Kultes und waren auch sanktionsberechtigt, wenn Mitglieder versuchten, Museion und Temenos in irgendeiner Weise ihrem Zweck zu entfremden.

Das Testament wirft verschiedene rechtliche Fragen auf, so etwa nach der grundsätzlichen Möglichkeit des Landerwerbs durch Frauen (in Z. 32 bezeugt) [1. 93]. Ebenso ist zu beachten, daß E. ihre Verfügungen zwar eigenständig, aber nicht aus Eigeninitiative verfaßte: Sie handelte im Auftrag ihres Mannes bzw. Sohnes; offiziell besaß sie in ihrem Schwiegersohn Hypereides einen Vormund (κύριος, Z. 3).

1 R. SEALEY, Women and Law in Classical Greece, 1990.

A. WITTENBURG, Il testamento di E., 1990 (Text, Übers., Komm. und weitere Lit.).   M. MEI. u. ME. STR.

Epiktetos (Ἐπίκτητος).

[1] Früh-rf. att. Vasenmaler (ca. 520–490 v. Chr.); signierte viele seiner Vasen als Maler und arbeitete mit verschiedenen Töpfern zusammen (früh mit Andokides, → Nikosthenes, Pamphaios und Hischylos, später mit Python und Pistoxenos). Möglicherweise ein Schüler des → Psiax, dekorierte E. hauptsächlich Schalen, aber auch mehrere Teller, von denen einige zu seinen besten Werken zählen. Einen dieser Teller signierte E. als Maler und Töpfer. Frühwerke von ihm sind bilingue Augenschalen (→ Bilingue Vasen), die außen rf. und innen sf. dekoriert sind; in seiner mittleren und späten Schaffensperiode bemalt E. überwiegend Schalen des Typs B, von denen eine größere Anzahl lediglich Innenbilder aufweist. Eine Augenschale bemalte E. gemeinsam mit dem → Euergides-Maler.

Die feine, zarte Linienführung und der Miniaturstil des E. eigneten sich vorzüglich zum Ausmalen des Schalenrunds, worin E. unbestrittener Meister war. Die lebhaft wirkenden Figuren sind gesten- und gebärdenreich. E. bevorzugte Alltagsszenen und dionysische Themen; seine Satyrn, Komasten und erotischen Darstellungen sind besonders bemerkenswert. E. war der erste Maler, der für seine Inschr. durchweg purpurrote Deckfarbe verwendete. Hipparchos war der von ihm bevorzugte Lieblingsname.
→ Duris; Oltos

BEAZLEY, ARV², 70–81, 1623–1624, 1705 · BEAZLEY, Paralipomena, 328 f. · BEAZLEY, Addenda², 116–169 · B. COHEN, Attic Bilingual Vases and their Painters, 1978, 400–438 · W. KRAIKER, E., in: JDAI 44, 1929, 141–197.
J. O./Ü: R. S.–H.

[2] Stoischer Philosoph, ca. 50–125 n. Chr.
A. LEBEN UND WERKE B. LEHREN

A. LEBEN UND WERKE

Im phrygischen Hierapolis geboren, wurde E. Sklave im Hause des kaiserlichen Freigelassenen Epaphroditus in Rom. Er studierte Philos. bei → Musonius Rufus, von dem er den praktischen Ansatz und die Konzentration auf die Ethik übernahm. Nach seiner Freilassung unterrichtete er bis zur allg. Vertreibung der Philosophen im Jahre 89 in Rom Philosophie. Dann zog er mit seiner angesehenen Schule, die auch von reichen und mächtigen Aristokraten besucht wurde, nach Nikopolis auf der anderen Seite der Adria und lehrte dort bis zu seinem Tod. Er hinterließ zwar keine Schriften, doch zeichnete Flavius Arrianus (→ Arrianos [2]), ein griech. schreibender Römer, seine Vorlesungen auf und veröffentlichte eine Sammlung ›Lehrgespräche‹ (διατριβαί, diatribaí), von der die ersten vier Bücher erhalten sind. Diese Sammlung war äußerst einflußreich, wie auch schon E.' mündliche Lehrtätigkeit zu seinen Lebzeiten. Sie beeinflußte nachhaltig → Marcus Aurelius und übte später auf Christen wie Nichtchristen eine große Wirkung aus. Es wurde auch eine Zusammenfassung veröffentlicht, das ›Handbüchlein‹ (ἐγχειρίδιον, encheirídion), dessen Nachwirkung durch die Spätant. hindurch (der Neuplatoniker → Simplikios schrieb einen Komm. dazu) bis in die moderne Welt reicht.

B. LEHREN

Obwohl E. auch Logik und Physik unterrichtete, wobei er gewöhnlich Positionen früher Stoiker wie des → Chrysippos vortrug, waren seine öffentlichen Vorlesungen über Ethik der zentrale Teil seiner Lehre. Sein wesentlicher Beitrag zur Ethik lag in der Ausformung früher stoischer Theorien von der moralischen Verantwortung zu einer kohärenten Lehre von moralischer Autonomie und innerer Freiheit des Individuums. Dieser Ausformung liegt seine innovative Konzeption der moralischen Persönlichkeit, der prohaíresis (προαίρεσις, »Entscheidung«) zugrunde, doch ebenso wichtig ist sein Festhalten an der (letztlich aus sokratischem Denken abgeleiteten) stoischen Unterscheidung zwischen moralischen Werten (Tugend und Schlechtheit, gut und schlecht) und indifferenten Dingen (wie Gesundheit, Reichtum usw.). Ausdrücklich bezeichnet E. die indifferenten Dinge als solche, die nicht unserer prohaíresis unterworfen sind, d. h. nicht in unserer Macht (ἐφ' ἡμῖν) stehen. Er ist der Ansicht, daß Glück nur dadurch erreicht werden kann, daß wir unsere stärksten Wünsche und Begierden auf das begrenzen, was in unserer Macht steht, nämlich auf unsere eigenen Ansichten, Einstellungen und unseren moralischen Charakter. Denn obwohl die Menschen in einer providentiell vorherbestimmten Welt leben, die von einem vernünftigen Gott (der Natur oder des stoischen Zeus, an den E. sich oft wie an eine personhafte Gottheit wendet) zum Besten eingerichtet wurde, sind sie nicht in der Lage, die äußeren Ereignisse des Schicksals zu bestimmen, und müssen daher einen Weg finden, ihr Leben der Natur möglichst gut anzupassen. Nur so sind sie in der Lage, Leidenschaften, Inkohärenz und Irrationalität zu vermeiden, die sonst das menschliche Leben beherrschen und ihm die mögliche Ruhe nehmen.

Die scharfe Dichotomie zwischen Innerem und Äußerem geht noch weiter. Ein wesentlicher Punkt in E.' Lehre ist die Gegenüberstellung unserer »Eindrücke« (φαντασίαι, phantasíai) einerseits und des kritischen Gebrauchs (χρῆσις, chrēsis), den wir von ihnen machen können, andererseits. Eindrücke können äußerlich durch gewöhnliche Wahrnehmungen der Welt erzeugt

oder durch unseren Geist hervorgerufen werden. Obwohl E. den Lehren der frühen Stoa in den meisten
Punkten folgte, trat er mit dem Neuansatz hervor, daß
der Mensch gewisse angeborene Meinungen (προλήψεις, *prolḗpseis*) besitze, deren Aufklärung zusammen mit
einer rationalen Analyse der äußeren Welt ein zuverlässiger Führer zu moralischem Wissen und moralischer
Praxis sein könnte. Die Eindrücke sind ohne Rücksicht
auf ihre Quelle einer eingehenden Prüfung zu unterziehen, bevor sie akzeptiert werden können. Dieser kritische Gebrauch von Eindrücken, der nach einer Inter-
nalisierung der sokratischen → Widerlegung aussieht, ist
unter den von E. empfohlenen moralischen Übungen
die wichtigste.

Moralische Übung (ἄσκησις, *áskēsis*) ist das zentrale
Prinzip von E.' Lehre. Er ordnete nämlich seine Lehren
nicht nach den traditionellen Kategorien von Logik,
Physik und Ethik, sondern schlug stattdessen drei *tópoi*
(τόποι) oder Übungsgebiete vor:

1. Die Beherrschung von Begierden und Abneigun-
gen (so daß wir nicht das Unerreichbare erstreben oder
vor dem Unvermeidlichen fliehen); dafür werden zwei
traditionale Techniken empfohlen: die Antizipation
möglicher negativer Ereignisse (*praemeditatio malorum*;
Cic. Tusc. 3,14,29) und der »Vorbehalt« (ὑπεξαίρεσις,
hypexaíresis), die Einschränkung der Begierden durch
die Bedingung ›wenn es Zeus' Wille ist‹.

2. Die Beherrschung von Impulsen und Entscheidungen, durch die wir lernen können, das zu tun, was in
den verschiedenen kontingenten Lebenslagen angemessen ist.

3. Die Beherrschung der eigenen Vorstellungen und
Zustimmungen, so daß jeder Irrtum vermieden wird.
Dazu ist ein äußerst differenzierter Gebrauch der Eindrücke erforderlich. Logik und Epistemologie spielen
wie auch die Physik im wesentlichen eine instru-
mentelle Rolle, indem sie uns helfen, unsere Ansichten
von Inkohärenz und Irrtum zu befreien und sie in Einklang mit dem rationalen Ablauf der Welt zu bringen.
→ Arrianos; Musonius Rufus; Epaphroditos

ED.: **1** H. SCHENKL, Epicteti Dissertationes, 1894
2 W. OLDFATHER, Epictetus, 2 Bde., 1925/1928
3 J. SOUILHÉ, Epictète, in: Entretiens 4, 1941.
BIBLIOGRAPHIEN UND ÜBERBLICKE: **4** W. OLDFATHER,
Contributions toward a Bibliography of Epictetus, 1927
(Supplement 1952).
STUDIEN: **5** J. HERSHBELL, The Stoicism of Epictetus, in:
ANRW II 36.3, 1989, 2148–2163 **6** M. BILLERBECK, Vom
Kynismus, 1978 **7** A. BONHÖFFER, Epictet und die Stoa,
1890 **8** Ders., Die Ethik des Stoikers Epictet, 1894 **9** Ders.,
Epiktet und das Neue Testament, 1911 **10** P. BRUNT,
From Epictetus to Arrian, in: Athenaeum 55, 1977, 19–48
11 B. HIJMANS, ΑΣΚΗΣΙΣ, 1959 **12** A. A. LONG,
Representation and the self in Stoicism (1991), in: Stoic
Studies, 1996, 264–285 **13** F. MILLAR, Epictetus and the
Imperial Court, in: JHS 55, 1965, 141–148 **14** M. POHLENZ,
Die Stoa, ⁵1978, Bd 1, 327–341 **15** H. V. ARNIM, s. v.
Epiktetos 3), RE 6, 126–131. B.I./Ü: T.H.

Epikureische Schule A. EPIKURS SCHULE
B. EPIKURS NACHFOLGER C. DIE SCHULE IN ROM
D. ZWISCHEN ORTHODOXIE UND HETERODOXIE
E. PHILOSOPHISCHES GEDANKENGUT
F. INNERE ORGANISATION

A. EPIKURS SCHULE

Die Schule, die in Athen im J. 307/6 oder 305/4
gegr. wurde, überlebte als Institution bis zum 1.
Jh. v. Chr. Nach einer dunklen Periode haben wir aus
dem 2. Jh. n. Chr. erneut Notizen von einigen epikureischen Philosophen. Zw. dem 4. und 1. Jh. v. Chr. erhielt die e.S. ihre Kraft und Vitalität, indem sie einige
Aspekte ihres Gedankenguts und ihre Struktur weiter-
entwickelte. Das geschah unter einer Reihe von Schul-
häuptern von Epikur bis Patron, die ihr Geschick bestimmten und ihre Kontinuität auch in Zeiten innerer
Krisen und Brüche garantierten. Epikur (342/1–271/0)
begab sich nach seiner ersten fünfjährigen Lehrtätigkeit
in Mytilene und Lampsakos nach Athen. Dort gründete
er die Schule, die von dem Ort, wo sie ihren Sitz hatte,
den Namen »Garten« (Κῆπος, *Kḗpos*) bekam. Epikur
blieb sein ganzes Leben lang in Athen, umgeben von
zahlreichen Schülern, der gemeinsamen philos. Suche
(συζήτησις, *syzḗtēsis*) verpflichtet. Zu dem ersten Kreis
von Freunden und Schülern zählten Metrodoros von
Lampsakos, Pythokles, Polyainos, Kolotes und Idomeneus, welche Epikur schon in Lampsakos begegnet und
ihm nach Athen gefolgt waren.

B. EPIKURS NACHFOLGER

Der erste Nachfolger Epikurs war sein Schüler schon
aus Mytilene, Hermarchos (gest. ca. 250). Mit seinem
Tod endete die erste Phase des Epikureismus, in der eine
Gruppe von Schülern den Meister noch selbst gehört
hatte. Auf Hermarchos folgten als Schuloberhaupt Polystratos (gest. vor 220/19), Dionysios von Lamptrai
(gest. 201/0) und Basileides von Tyros (gest. ca. 175).
Für den langen Zeitraum zw. letzterem und Apollodoros Kepotyrannos ist mindestens ein weiteres Schuloberhaupt anzunehmen (Thespis?). Zur selben Zeit
waren auch Philonides von Laodikeia am Pontos und
Protarchos von Bargylia tätig; das Wirken dieser beiden
bedeutenden Epikureer zeigt, daß sich der Epikureismus auch in von Athen weit entfernten Gegenden verbreitete, vor allem in Kleinasien. Auch auf Rhodos existierte ein florierender epikureischer Zirkel, der sich
aber von den offiziellen Lehrmeinungen entfernt zu
haben scheint.

Die Mutterschule in Athen erlebte einen Moment
der Blüte unter → Apollodoros [10] Kepotyrannos, der
ca. 150 bis ca. 110 v. Chr. Schulleiter und für sein umfangreiches Werk bekannt war. Ein weiterer berühmter
Epikureer war Demetrios [21] Lakon (ca. 150–75), der
niemals Schuloberhaupt wurde, und seine Unterricht-
saktivität hauptsächlich von Milet aus entfaltete. Nach
dem Tod des Apollodoros ging die Leitung des »Gartens« an Zenon von Sidon (ca. 150–75) über. Die Athener Schule bestand danach unter Phaidros (ca. 138–70)

und Patron (Schulleiter noch im J. 51) mindestens bis Mitte des 1. Jh. v. Chr. Ein Schüler Zenons, Philodemos von Gadara (ca. 110–40), hatte Athen hingegen schon E. der 80er Jahre verlassen und sich nach Italien begeben, wo er in Herculaneum eine neue Schule eröffnete. Sie sollte die ideale Fortführung des »Gartens« in Athen sein. Dieser erlebte einen langsamen, aber unaufhaltsamen Abstieg; E. der 50er Jahre stand er vor dem Ruin (Cic. fam. 13,1,3 und Att. 5,11,6); in Italien war das Gegenteil der Fall.

C. Die Schule in Rom

Ein erster Versuch der Einrichtung eines Schulbetriebes von Alkios und Philiskos anläßlich der Philosophengesandtschaft in Rom (155 v. Chr.) war erfolglos geblieben, ebenso später die plumpen propagandistischen Aktivitäten des C. Amafinius, C. Catius und Rabirius etwa 100 J. später. Danach aber begann eine neue gesch. Phase des Epikureismus, die im 1. Jh. v. Chr. zu einer großen Zahl an Proselyten führte. Die Verdienste dieser »röm.« Renaissance werden dem Wirken der griechischsprachigen epikureischen Zirkel in Kampanien zugeschrieben, sowie auch dem Lehrgedicht des → Lucretius, *De rerum natura*. Der lebhafte Kampf gegen den Epikureismus, den in denselben Jahren Cicero führte, ist symptomatisch für die wachsende Verbreitung der Lehren des »Gartens« in der röm. Welt. Bis zur Spätant. verbreitete sich die epikureische Philos. im Westen und Osten des röm. Reiches und hinterließ deutliche Spuren. Ein Beispiel dafür ist der Brief der Witwe Trajans, Pompeia Plotina, aus dem J. 121 n. Chr. an Hadrian (IG ²1099): Das Oberhaupt der e. S. in Athen solle als seinen Nachfolger eine Person ohne röm. Bürgerrecht wählen und seinen letzten Willen in Griech. ausdrücken dürfen; die Bitte wurde vom Kaiser gewährt. Der Brief belegt die Existenz einer offensichtlich institutionalisierten Athener Schule im 2. Jh. n. Chr., und daß es noch Unterricht in der Philos. Epikurs gab (vgl. auch die folgenden Briefe Hadrians an die Epikureer in Athen: SEG 3,226; IG ²1097). Diese Schule setzte jedoch wohl nicht die von Epikur gegr. Institution fort, die Mitte des 1. Jh. v. Chr. untergegangen war. Sichere Zeugnisse für die Verbreitung des Epikureismus in der Kaiserzeit sind die Schrift des → Diogenianos (2. Jh. n. Chr.?) und die philos. Inschr. des → Diogenes [18] von Oinoanda. Letztere bezeugt die Präsenz der epikureischen Lehre in von kulturellen Zentren weit abgelegenen Gegenden, wie etwa im Norden Lykiens. Die jüngsten Vorschläge, Diogenes von Oinoanda vom 2./3. Jh. n. Chr. auf das 1. Jh. v. Chr./1. Jh. n. Chr. zurückzudatieren, sind mit Vorsicht zu betrachten, doch erheben sie Zweifel daran, daß die Philos. des »Gartens« die ersten Jh. des Imperiums überstand.

D. Zwischen Orthodoxie und Heterodoxie

In der Gesch. der Schule kam es bald zu Teilungen: Noch zu Epikurs Lebzeiten hatte Timokrates, der Bruder des Metrodoros, den »Garten« verlassen und eine diffamatorische Kampagne gegen Epikur in Gang gebracht, die großen Schaden anrichtete. Laut Philodemos

gab es eine ganze Reihe von epikureischen Dissidenten (*sophistaí*), die zwischen dem 2. und 1. Jh. v. Chr. in den Zentren von Kos und Rhodos aktiv waren: Dort wurde gelehrt, daß nicht einmal die sophistische Rhet. als eine Kunst (*téchnē*) betrachtet werden könne; Nikasikrates, vielleicht das Haupt der Schule von Rhodos, behauptete, daß der Weise den Leidenschaften der Schmeichelei und des Zornes nicht unterworfen sei. Timasagoras äußerte ähnliche Meinungen über den Zorn, aber er interessierte sich auch für die Probleme der Sicht (ὄρασις). Antiphanes modifizierte einige unwesentliche Aspekte, die das Leben der Götter (θεῶν διαγωγή) betreffen, während Bromios die polit. Rhet. der sophistischen vorzuziehen schien. Diese Epikureer hatten sich wohl in eher sekundären Aspekten von der epikureischen Lehre entfernt, rührten aber nicht an den Hauptpunkten.

E. Philosophisches Gedankengut

Die Hauptpunkte des philos. Gedankenguts und der von Epikur im einzelnen beschriebenen Grundprinzipien wurden nicht in einem Kanon festgelegt, den man mit rigider Treue hätte einhalten müssen. Die epikureische Lehre machte vielmehr eine eigenständige Entwicklung durch, jedenfalls in einzelnen Nebenaspekten. Das begann bei den Generationen, die auf Epikur und seine unmittelbaren Schüler folgten. Von einer Einheit des Gedankenguts kann man nur zu Beginn des Epikureismus (von Epikur bis Hermarchos) sprechen. Die Epikureer betrachteten die Einführung neuer Elemente in die Grundstrukturen der Lehre des Meisters zwar als eine Pietätlosigkeit, sahen sich aber gleichzeitig durch die veränderten gesch. und kulturellen Bedingungen gezwungen, die Dogmen der Schule neu zu deuten. Ein erlaubtes Mittel erschien ihnen die Veränderung der Kriterien, um in echter Weise das Wort Epikurs zu interpretieren. Im Lichte dieser Betrachtungen gelang es auch, den alten Streit zu klären, in dem sich die »echten Vertreter« (*gnḗsioi*) und die »Sophisten« (*sophistaí*) bei den Epikureern gegenüberstanden. Beide Richtungen waren überzeugt, auf theoretischer Ebene das Werk Epikurs nach den Prinzipien des Meisters selbst zu lesen, aber in der Praxis interpretierten sie sie mit unterschiedlicher Einfühlsamkeit und jeweils nach den eigenen aktuellen Erfordernissen. Die Dissidenz zw. den zwei Gruppen der *gnḗsioi* und der *sophistaí* spielte eine wichtige Rolle. Grundlegend für das Verständnis und die gesch. Einordnung der Dissidenz ist der Einschnitt zw. dem Tod des Hermarchos, der noch zu den direkten Schülern Epikurs gehört hatte, und den folgenden Generationen (von Polystratos an). Letztere beschäftigten sich mit der Interpretation jener Prinzipien der Lehre, die nunmehr als kanonisch betrachtet wurden. Beiden Richtungen der Epikureer gemeinsam war der Glaube an die Echtheit der eigenen Interpretation der Schulüberlieferung.

Das Konzept der Orthodoxie ist gleichermaßen sowohl bei den *gnḗsioi* als auch bei den *sophistaí* festzustellen; es gab aber einen grundlegenden Unterschied: Erstere betonten die Lehre, die sich innerhalb der Schule entwickelt habe, die Dissidenten dagegen kritisierten gerade diese kodifizierte Überlieferung, weil sich darin der urspr. Sinn der Lehre Epikurs und seiner unmittelbaren Schüler nicht wiederspiegele. Mit dieser Interpretation gelang es leicht, bedeutende Mitglieder gegen die unberechtigte Anschuldigung der Dissidenz zu rechtfertigen (Apollodoros Kepotyrannos, Demetrios Lakon, Zenon von Sidon und schließlich Philodemos). Das Phänomen der Dissidenz dauerte bis ins 1. Jh. v. Chr., als sie von Philodemos lebhaft bekämpft wurde. Die Gründe für ihr Auftreten sind in der schwierigen Situation auszumachen, als die Archegeten (καθηγεμόνες), die die Grundtheorien des philos. Systems gelegt hatten – Epikur, Metrodoros, Hermarchos und Polyainos –, gestorben waren. Denn damals wurde die freie Debatte durch eine Bücherkultur ersetzt, die Auslegungen erforderte. Diese änderten sich mit der Zeit nach den Erfordernissen der einzelnen Interpreten. Es gelang der Mutterschule in Athen immer, gegen die Dissidenten eine feste Haltung zu bewahren. So verhinderte sie das Überleben der abweichenden Lehren und deren Einfluß auf die offizielle Richtung des »Gartens«.

F. Innere Organisation

Die innere Organisation des »Gartens« gründete sich mehr als die jeder anderen philos. Schule von Anfang an auf die Prinzipien des Nacheiferns, des Gedächtnisses und der Nachahmung. Epikur hatte u. a. als Ziel und Zweck der Philosophie die Nachahmung der Göttlichkeit gelehrt, um angesichts der Übel der Welt glücklich und unerschütterlich leben zu können. Das bedeutete für die Mitglieder der Schule den beständigen Versuch, den Archegeten nachzueifern, die ein Stadium größter Perfektion in ihrer Nachahmung der Glückseligkeit der Götter erreicht hatten. Von der ersten Generation an war sie nach dem Idealmodell einer Lebensgemeinschaft organisiert, in der die einzelnen Individuen wie Glieder eines Körpers erscheinen. In der epikureischen Gemeinschaft behielt jeder die eigene Identität und persönliche Individualität, verpflichtete sich aber, mit den anderen zusammenzuarbeiten, um das eine Ziel zu erreichen, die Glückseligkeit. Im »Garten« wurde nie eine peinlich hierarchische Struktur entwickelt, in der es zw. Philosophen, Philologen, Lehrern (καθηγηταί) und und Freunden (συνήθεις) eine Unterscheidung nach Klassen gegeben hätte; das Ideal der Freiheit des Wortes (παρρησία, parrēsía) zw. Lehrern und Schülern war wichtiger. Das gemeinsame Leben war von den pädagogischen Zielen der Freundschaft (φιλία), der Dankbarkeit (χάρις) und der Wohlgesonnenheit (εὔνοια) bestimmt. Bezeichnend war auch die Öffnung für Schüler weiblichen Geschlechts; die Quellen nennen die Namen Batis, Boidion, Demetria, Hedeia, Leontion, Mammarion, Nikidion und Themista. Einige dieser Frauen waren aktiv an der philos. Diskussion beteiligt. Die Mitglieder der Schule lebten in einer Gemeinschaft auf dem Gelände des Gartens. Dabei spielte die Praxis, Gedenktage mit Festen und Gastmählern zu feiern, eine

bedeutende Rolle. Anlässe waren die Verehrung Epikurs, seiner verstorbenen Brüder und Freunde (des Metrodoros und Polyainos). Belegt sind fünf Riten, die im »Garten« abgehalten wurden: Der jährliche Trauerkult, den Epikur zu Ehren seiner Eltern und toten Brüder eingerichtet hatte; die zwei Kulte für Epikur selbst (ein jährlicher, am 20. des Monats Gamelion, seinem Geburtstag, und einer am 20. jeden Monats, auch zu Ehren von Metrodoros); ein Tag galt der Erinnerung an den Geburtstag der Brüder Epikurs im Monat Poseideon; schließlich ein Kult für Polyainos, im Monat Metageitnion. Um sich die Mittel für den Unterhalt der Schule zu verschaffen, wurde von Epikur das System der *syntáxeis* angewandt: freie Schenkungen, die von mächtigen Personen dem »Garten« (manchmal auch auf Epikurs Betreiben hin) übertragen wurden.

A. Angeli, Filodemo. Agli amici di scuola (PHerc. 1005), 1988, 82–102 · C. J. Castner, Prosopography of Roman Epicureans, ²1991 · T. Dorandi, Ricerche sulla cronologia dei filosofi ellenistici, 1991, 45–54, 62–64 · J. Ferguson, Epicureanism under Roman Empire, ANRW II 36.4, 2257–2327 · S. Follet, in: REG 107, 1994, 158–171.

T. D./Ü: E. KR.

Epikuros (Ἐπίκουρος).
A. Leben B. Werke C. Lehre
D. Nachwirkung

A. Leben

E. wurde 342/1 v. Chr. auf Samos geboren, wohin sein Vater Neokles, Athener Bürger aus dem Demos Gargettos, 352 als Kleruche gekommen war. Geburtstag war der 20. Gamelion [1]. Er hatte drei Brüder, Neokles, Chairedemos und Aristobulos. Frühes Interesse an Philos. ist bezeugt. E. schloß sich dem Platoniker Pamphilos an (Diog. Laert. 10,14), hörte dann auf Teos den Demokriteer und Bekannten des Skeptikers Pyrrhon, Nausiphanes. Mit 18 Jahren ging E. für zwei Jahre nach Athen, um als Ephebe zu dienen; vielleicht hat er dort den Akademiker Xenokrates gehört (Diog. Laert. 10,13). Nach der Rückkehr folgte E. seinen Eltern nach Kolophon (nach 322), wohin sie sich nach der Einnahme von Samos durch Perdikkas zurückgezogen hatten. Über die folgenden zehn Jahre sind wir nur spärlich unterrichtet. Doch war diese Zeit für seine philos. Entwicklung von großer Bedeutung, auf die neben Demokrit die platonisch-akademische Lehre und Aristoteles' Werk Einfluß hatten. Um 311/0 begann E., Philos. zu lehren, und eröffnete eine Schule erst in Mytilene, bald darauf in Lampsakos. In dieser Zeit gewann E. treue Freunde wie Hermarchos (Mytilene), Metrodoros oder Kolotes (Lampsakos).

307/6 ließ sich E. in Athen nieder (Diog. Laert. 10,2), im Zentrum der Philos. mit → Akademie und → Peripatos als den wichtigsten Schulen. Er erwarb ein Haus (Apollodoros bei Diog. Laert. 10,11) mit dem berühmten »Garten« (κῆπος, *kēpos*), von dem nachmals seine Schule den Namen erhielt. Die Gemeinschaft war gegenseitiger Freundschaft und gemeinsamem Forschen verpflichtet (συμφιλοσοφεῖν, *symphilosopheín*). Zu Gruppen Gleichgesinnter auf griech. Inseln und in Kleinasien hielt E. enge und herzliche Verbindung durch Besuch oder Briefwechsel (Diog. Laert. 10,10). Er starb im Jahre 271/0 nach langem, schmerzhaftem Leiden, das er auf eine auch seine Gegner beeindruckende Weise ertragen hatte, wie aus seinem ›Brief an Idomeneus‹ hervorgeht (Diog. Laert. 10,22 = fr. 138 USENER). Cicero hat diesen Brief als Zeugnis menschlicher Tapferkeit übersetzt (fin. 2,30,96). E.' Verhalten angesichts des Todes, aber auch sein gesamtes Leben war seinen Schüler Vorbild und Verpflichtung (Gnomologicum Vaticanum 36 = Hermarchos fr. 49 AURICCHIO). Ihm galt es nachzueifern und dadurch ein göttliches Leben unter den Menschen zu erlangen (Epik. Ad Menoeceum 135). Sein Testament (Diog. Laert. 10,16–22) setzte Hermarchos von Mytilene zum Nachfolger und Schulhaupt ein und wies ihm Nutzungsrecht an Haus und Garten zu. Als Erben setzte er Amynomachos und Timokrates ein, die als att. Bürger Grund und Boden besitzen konnten. Als geistiges Zentrum seiner Schule erfuhr E. nach seinem Tode beinahe göttliche Verehrung. Sein Geburtstag wurde als gemeinschaftlicher Gedenktag (εἰκάδες, *eikádes*) begangen. Am Charakter E.' (Diog. Laert. 10,9–10) wurden u. a. Einsicht (εὐγνωμοσύνη) und Menschlichkeit (φιλανθρωπία) gerühmt; man sah in ihm den Retter, der Wahrheit vermittelt (*rerum inventor*) und väterlichen Rat (*patria praecepta*) gibt (Lucr. 3,9 f.).

B. WERKE

Anders als bei anderen hell. Philosophen sind uns von E. neben Fragmenten ([2], vgl. [3. 84 ff.]) durch Diogenes Laertios nicht nur biographisches und doxographisches Material, sondern auch drei bedeutende Werke (Briefe) vollständig erhalten (die Echtheit des Pythoklesbriefes ist freilich umstritten): a) an Herodotos (= epist. Hdt.), der einen Abriß von E.' Naturlehre (Kosmos, Bilder, Sinne, Atome, Seele, Körper, Eigenschaften, Welten, Ursprung von Kultur und Sprache und Himmelserscheinungen) gemeinsam mit methodischen Hinweisen bietet (Diog. Laert. 10,35–83); b) den Brief an Pythokles (= epist. Pyth.) über Meteorologie und Astronomie (μετέωρα) (Diog. Laert. 10,84–116) und c) den Brief an Menoikeus (= epist. Men.), in dem E. Grundlagen für die als Lebenskunst (*ars vitae*) verstandene Lehre E.' für ein gutes Leben bespricht (Gott, Tod, Lust) und zu wiederholtem Durchdenken seiner Lehre auffordert; ein Protreptikos zu einer Philos., die keine Ansprüche an umfangreiche Vorbildung stellt und für jedermann bestimmt ist (Diog. Laert. 10,122–135). Diogenes Laertios verdanken wir weiterhin die sogenannten »Hauptlehrsätze« (*Ratae sententiae*, vgl. Cic. fin. 2, 7, 20, κύριαι δόξαι (*kýriai dóxai*, = KD), 40 Sentenzen, in denen E. wie in einem Katechismus sein Grundlehren zusammengefaßt hat und die in der Ant. berühmt waren. Sie sollen Anfängern das Wesentliche von E.' Lehre in knappem Überblick darbieten und auch Fortge-

schrittenen als Brevier das von E. gewünschte Memorieren und das Meditieren über seine Lehre erleichtern, gleichsam Heilmittel zur Abwehr von die Seelenruhe störender Irritation, wie schon die vier ersten Sätze zeigen, die im Epikureismus als »vierfaches Heilmittel« (τετραφάρμακος, vgl. [4. 68 ff.]) bezeichnet werden. Die Sentenzen betreffen neben der Seinsweise des Unvergänglichen u. a. Tod, Gott, Lust, Leben in der Gemeinschaft, Freundschaft, Gerechtigkeit. Ergänzt (bei 13 Überschneidungen) wurden diese Sentenzen durch das Gnomologium Vaticanum, das im cod. Vat. Gr. 1950 erhalten ist und 1888 von C. WOTKE wiederentdeckt wurde (jetzt in [2]).

Von E.' reichem schriftlichen Schaffen (Diog. Laert. 10,27 bietet eine Liste von 40 Titeln seiner besten Werke) sind uns wichtige Reste durch die in der »Villa dei Pisoni« in Herculaneum gefundenen Papyri erhalten, darunter große Teile (z. B. auch in Kopien mit Abweichungen) seine Hauptwerkes ›Über die Natur‹ (Περὶ φύσεως, *De natura*, in 37 Büchern, vgl. [3. 94 ff.]). Auch sind Fragmente zahlreicher Briefe erhalten, die trotz ihres Zustandes manch interessanten Einblick erlauben. Zitate, Exzerpte, Berichte finden sich auch in der teilweise polemischen Sekundärüberlieferung z. B. bei Cicero, Seneca, Lactantius oder Sextus Empiricus und sind zusammen mit den Primärquellen 1887 von USENER gesammelt [4] worden. Schließlich sind Worte E.' auf der monumentalen Wandinschrift wohl aus dem 2. Jh. n. Chr. erhalten, die der Epikureer → Diogenes [21] im kleinasiatischen Oinoanda aufstellen ließ [5]. Nachahmung von und Erinnerung an Vorbilder gehörten zum Leben eines Epikureers, der aufgefordert war, stets so zu handeln, als ob E. ihn sehen könne (Sen. epist. 25,5 = fr. 211 USENER). Entsprechend hören wir von der wichtigen Rolle, die Bildnisse des E. und seiner wichtigsten Schüler bei den Epikureern spielten (Cic. fin. 5,1,3; vgl. [6. 87 ff.]). Gefunden wurden Ringe mit seinem Bildnis, Statuen und Statuetten und Büsten (Kopien hell. Originale, vgl. [3. 63 f.]).

C. LEHRE

1. ALLGEMEINE CHARAKTERISTIK 2. KANONIK
3. PHYSIK 4. KOSMOLOGIE 5. PSYCHOLOGIE
6. THEOLOGIE 7. ETHIK

1. ALLGEMEINE CHARAKTERISTIK

E.' Philos. sieht sich im Dienst einer Lebensführung, die dem Menschen Glück (Eudaimonie) verschaffen will. Naturerklärung (Physiologie), erkenntnistheoretische Überlegungen und ethische Grundprinzipien sollen beunruhigende Faktoren ausschalten, indem sie Unbekanntes verständlich machen, Unerreichbares als irrelevant und Unvermeidbares als akzeptabel erweisen (KD 11). Die Philos. soll Hilfe zur Selbsthilfe (epist. Hdt. 35) beim Streben nach einem glücklichen Leben schaffen (fr. 219 USENER). »Aufklärung« und »Seelentherapie« sind zwei wesentliche Merkmale der als Lebenskunst (*ars vitae*) und Therapie (*philosophia medicans*) verstandenen Lehre E.' [7]. Mit Blick auf dieses Ziel wertet E. alle Bildungsgüter ab der → *enkýklios paideía* ab, die

zum Erreichen der Eudaimonie nicht unmittelbar notwendig erscheinen [8. 181 ff.], und instrumentalisiert
die Dreiheit der philos. Disziplinen Logik, Physik und
Ethik, wobei er Logik und Physik der Ethik unterordnet. Die Theorie wird somit zwar zur Dienerin der Praxis, behält aber einen hohen Stellenwert, da Glück ohne
Naturerklärung nicht möglich ist (KD 12). Der therapeutische Charakter von E.' Philos. manifestiert sich in
der Form, in welcher sie geboten wird: Neben ausführlicher Argumentation sollen Gnomologien, Epitomai,
Handbücher und Briefe die gewünschte Meditation
über seine Lehre erleichtern. Diese Texte galten geradezu als sakrosankt und wurden genauester philologi-
scher Interpretation unterzogen, der ihrerseits eine Art
therapeutischer Charakter zukam [9]. Das Streben nach
Orthodoxie läßt die Lehre oberflächlich als geschlossene
Einheit (Numenios fr. 24 DES PLACES) erscheinen. Doch
zeigen die Texte späterer Epikureer, daß der Eindruck
von Starre und mangelnder Originalität nicht gerecht-
fertig ist (vgl. [10] und [11]; → Epikureische Schule).

2. KANONIK

Die Erkenntnistheorie E.' (Diog. Laert. 10,29 f.) ist
eng mit seiner Naturlehre (φυσιολογία, *physiología*) verbunden. E. hat seine Erkenntnislehre in einem uns verlorenen Werk mit dem Titel ›Über das Kriterium oder
Kanon‹ dargelegt. Das Wort »Kanon« (κανών) bedeutet
»Richtlinie«. Die Kanonik ist die Lehre von den Kriterien (κριτήρια) der Wahrheit [12. 9 ff.]. Grundthese ist,
daß Wissen allein durch sinnliche Wahrnehmung gewonnen werden kann. Drei Kriterien der Wahrheit hat
E. unterschieden (Diog. Laert. 10,31 ff.) [13]: Sinnes-
wahrnehmung (αἴσθησις, *aísthēsis*), Allg.- oder Vorbe-
griffe (προλήψεις, *prolḗpseis*) und Empfindungen (πάθη,
páthē). Die Kriteriumstauglichkeit der Wahrnehmung
folgt u. a. aus ihrer Vernunftlosigkeit – die Vernunft
(λόγος, *lógos*) ist von der Wahrnehmung abhängig (Lucr.
4,724 ff.) – und E.' atomistischem Weltbild. Sinnliche
Wahrnehmung entsteht durch Zustrom feiner Bilder
(epist. Hdt. 46), bei dem Kontinuität und Passivität des
Rezipienten für Zuverlässigkeit sorgen (Diog. Laert.
10,31) [14]. Deshalb und weil sie sich nicht gegenseitig
widerlegen können (Lucr. 4,379–386), kommt allen
Wahrnehmungen gleicher Wert zu (KD 23). Alle Wahrnehmungen haben als wahr zu gelten (KD 24). Für Ir-
ritationen ist nicht die Wahrnehmung, sondern ein feh-
lerhaft schließender Verstand verantwortlich (epist.
Hdt. 50 f.). Sinnliche Wahrnehmungen werden von
Empfindungen der Lust oder Unlust begleitet. Diese
dienen als Kriterium für eine positive bzw. negative
Bewertung (Diog. Laert. 10,31–34). Obgleich Beurtei-
lungen richtiger oder falscher Handlungen zum Bereich
der Ethik gehören (vgl. epist. Men. 129), handelt es sich
bei den Empfindungen doch um Wahrheitskriterien,
insofern man Empfindungen als Affektion von außen
versteht (epist. Hdt. 52 f.) [15]. Der Zuordnung von
Sinneswahrnehmungen zu Allgemeinbegriffen dient
das Kriterium des »Vorbegriffs« oder der »Vorwegnah-
me« (Diog. Laert. 10,33). Eine *prólēpsis* ist eine Allge-
meinvorstellung, die durch wiederholte Einwirkung
äußerer Bilder bei sinnlicher und nicht sinnlicher Wahrnehmung entsteht. Die *prólēpsis* ist ein Maßstab, mit dem
Besonderes oder Handlungsweisen beurteilt werden
können. Als gerecht hat z. B. zu gelten, was sich der
prólēpsis der Gerechtigkeit fügt (KD 37). Neben der
Wahrnehmung ist die Sprache eine Quelle für Vor-
begriffe. Worte begleitet nämlich eine mit der Wortbedeutung wesentlich verbundene Vorstellung, der unmittelbare Evidenz zukommt (Diog. Laert. 10,33).
Beim Anhören eines Wortes stellt sich nach E. die All-
gemeinvorstellung mit Evidenz ein, wobei allerdings
ein unkontrollierter Konventionalismus zu meiden ist,
damit umgangssprachliche Wörter nicht zu falschen
Vorstellungen führen (vgl. Epik. de natura 28 fr. 8 col. V
2–3 SEDLEY).

Obgleich Wahrnehmung Voraussetzung für Wahrheit ist, kann es nach E. auch dann Erkenntnis geben,
wenn Beobachtung behindert oder unmöglich ist. Diese
hypothetischen Aussagen über einen Gegenstand harren
der Verifikation (epist. Hdt. 38) mittels Bezeugung
durch Evidenz (ἐπιμαρτύρησις, *epimartýrēsis*). Für den
Bereich des prinzipiell nicht Beobachtbaren (ἄδηλα,
ádēla) – z. B. Atome und das Leere – ist eine Überprüfung des Wahrheitsgehaltes indirect durch das Verfahren der Gegenbestätigung (ἀντιμαρτύρησις, *an-
timartýrēsis*), bzw. Nicht-Gegenbestätigung (οὐκ ἀντιμαρτύρησις) möglich. Eine These ist demnach wahr,
wenn ihr kontradiktorisches Gegenteil zu evidenten
Widersprüchen mit Phänomenen im beobachtbaren
Bereich führt. Dabei können mehrere Erklärungen von
Phänomenen gleichberechtigt nebeneinanderstehen
(epist. Hdt. 80), bes. im Bereich der Himmelserscheinungen, *metéōra* (epist. Pyth. 96).

3. PHYSIK

Die Naturlehre (φυσιολογία, *physiología*). E. will
durch Erklärung unbekannter Naturvorgänge dem
Menschen Furcht vor Tod, Gott und vor verunsichern-
den Phänomenen nehmen und dadurch Seelenruhe und
Glück verschaffen. Die Naturlehre bedient sich der Kanonik und unterstützt die Ethik. Doch läßt E.' Hauptwerk De natura eine anspruchsvolle Behandlung der
physikalischen Probleme auch um ihrer selbst willen erkennen. Prinzipien der Naturlehre sind das körperlich
verstandene Sein und das Leere (κενόν, *kenón*) als ausge-
dehnter Raum. Grundgesetz ist, daß nichts aus nichts
entsteht, nichts zu nichts vergeht (epist. Hdt. 38,8 ff.)
und daß das All sich nicht verändert. E. begründet die
ersten beiden Sätze mit einem Hinweis auf empirische
Erfahrung. Alle Dinge entstehen demnach aus ihnen
gemäßen Ursachen. Aus den ersten beiden Sätzen folgt
der Satz von der Konstanz des »Alls«, das sich nicht wandeln kann, weil es nichts gibt, das von außerhalb für
einen solchen Wandel sorgen könnte (epist. Hdt. 39).
Das All ist aus zwei Bausteinen zusammengesetzt: den
physisch unteilbaren »Körpern« (ἄτομοι φύσεις, *corpora
individua*) und dem »leeren Raum« (epist. Hdt. 39). Bewegung erweist das Leere als notwendig (epist. Hdt.
39 f.).

Körper existieren in Form unwandelbarer Atome oder als Atomverbindungen (epist. Hdt. 40). Was nicht selbständig existiert, ist als Eigenschaft eines Körpers anzusehen: entweder als wesentliche Qualitäten (συμ-βεβηκότα, *symbebēkóta*) wie Gestalt, Schwere und Größe (epist. Hdt. 54) oder als beiläufige Eigenschaften (συμπτώματα, *symptṓmata*) wie Freiheit oder Armut (Lucr. 1,445 ff.). Atome sind unteilbar, unvergänglich und unwandelbar. Da das All keine Grenzen hat, sind auch leerer Raum und Anzahl der Atome unbegrenzt groß (epist. Hdt. 41). Die Atome haben unfaßbar viele Formen, woraus sich die Vielzahl der Unterschiede bei den Atomverbindungen erklärt. Die Zahl der Formen hingegen ist nicht unbegrenzt (epist. Hdt. 42), sonst wären Atome beliebig vergrößerbar (epist. Hdt. 55 f.). Zur Begründung der These dient E.' Lehre von den Atomteilen, den *minima*, die als wichtige Neuerung ge-genüber seinen Vorgängern anzusehen ist (epist. Hdt. 55 ff.; Lucr. 1,599–634). Die Atome sind nicht physi-kalisch, wohl aber mathematisch – allerdings nicht bis ins Unendliche – teilbar (epist. Hdt. 57). Deshalb gibt es kleinste, auch theoretisch nicht mehr teilbare *minima*.

Die These von den *minima* ist auch für E.' Be-wegungslehre von Bedeutung. Allen Atomen ist eine ständige, zueinander parallele Bewegung nach unten eigen, die durch ihre Schwere verursacht ist (epist. Hdt. 61). Die Geschwindigkeit der Atome ist unvorstellbar hoch – »gedankenschnell« (epist. Hdt. 61) [16]. Sie ist für alle Atome gleich, weil es im leeren Raum keinen Wi-derstand für ihre Bewegung gibt (epist. Hdt. 61). Des-halb wird die Frage zum Problem, wie es bei derartig parallelen Bewegungen zu Atomverbindungen kom-men kann. Zur Erklärung nimmt E. eine spontane, nicht von außen verursachte Abweichung der Atome während ihres Falles an (*clinamen*; παρέγκλισις/ *parén-klisis*). Zwar wird diese Lehre erst bei → Lucretius (2,216–250) und bei Diogenes aus Oinoanda nachweis-bar (fr. 54 III 6 SMITH), doch wird sie wohl zu Recht E. selbst zugeschrieben. Da es sich um eine nur minimale Abweichung handelt, bleibt im Bereich der sinnlichen Wahrnehmung der Eindruck strenger Gesetzmäßigkeit erhalten. Diese Atomabweichung aber hilft, strengen Determinismus zu meiden, und läßt Freiraum für Spontaneität (Lucr. 2,244 ff.), weshalb sie in der Dis-kussion des freien Willens in einem atomistischen Sy-stem eine Rolle spielt.

4. KOSMOLOGIE

Die Kosmologie will dem Menschen durch Aufklä-rung zum Glück verhelfen (KD 20). Unter Kosmos ver-steht E. einen abgeschlossenen Teil des Himmels, der die Gestirne, die Erde und alle Phänomene umfaßt (epist. Pyth. 88). E. geht von einer Vielzahl von Welten aus (epist. Hdt. 45). Da er alle Erscheinungen auf me-chanische Prozesse zurückführt, lehnt er eine teleolo-gische Weltsicht ab (vgl. Lucr. 5,419 ff.); die Welt ist seiner Ansicht nach vielmehr das Resultat zufälliger Atomkollisionen. Ihre Entstehung vollzieht sich vom ersten Zusammentreffen der Atome bis hin zu den Le-

bewesen, für deren weitere Entwicklung die jeweilige Lebenstüchtigkeit wichtig ist, auf atomistischer Grund-lage (Lucr. 5,837 ff.). Natur und Vernunft (epist. Hdt. 75 f.), nicht die Götter spielen in diesem Prozeß eine Rolle. Bei den Himmelserscheinungen (Meteorologie) ist eine letzte Nachprüfbarkeit nicht möglich, weshalb E. mehrere Erklärungen des gleichen Phänomens ak-zeptiert, solange keine von ihnen den Phänomenen in irgendeiner Weise widerspricht. Das Bewußtsein, daß es Erklärungen gibt, fördert das Sicherheitsgefühl und trägt zu glücklichem Leben bei.

5. PSYCHOLOGIE

Die Psychologie E.' dient der Beseitigung der To-desfurcht, die seiner Überzeugung nach für moralisches Fehlverhalten verantwortlich ist (KD 7; Lucr. 3,59 ff.). Deshalb ist der Nachweis wichtig, daß der Tod für den Menschen keine Bedrohung darstellt (KD II), weil er ein Zustand der Empfindungslosigkeit und daher für den Menschen ohne Belang ist. ›Wenn wir sind, ist der Tod nicht da; wenn der Tod da ist, sind wir nicht‹ (epist. Men. 125). Die Seele wird mit dem Körper geboren und vergeht mit ihm (Lucr. 3,417–829). Sie ist ein feinteili-ges, körperliches Gebilde, das im Körper verteilt ist und mit ihm in Verbindung steht. Sie ist Ursache von Affi-zierbarkeit, Bewegung und Denken (epist. Hdt. 63).

6. THEOLOGIE

E.' Theologie soll den Menschen vor Götterfurcht bewahren. Die Götter existieren unvergänglich und se-lig (epist. Men. 123 f.) in einem Bereich, der in späteren Quellen »Zwischenwelt« genannt wird (Lucr. 3,18 ff.). Sie sind menschlicher Beeinflussung etwa durch Opfer oder Gebet nicht zugänglich (KD I), ihrer Existenz kommt vielmehr unmittelbare Evidenz zu. Problema-tisch ist die Existenz unvergänglicher Wesen in einem atomistischen Weltbild. Die Quellen stimmen in ihren Aussagen nicht überein (Schol. KD I; Cic. nat. deor. I,49) und eine allg. akzeptierte Antwort ist bisher nicht gefunden [17; 18]. Auch im Epikureismus spielt das für den Platonismus wichtige Streben nach Angleichung an Gott eine wichtige Rolle (epist. Men. 135). Die Götter unterscheiden sich durch die zeitliche Unbegrenztheit ihrer Existenz von den Menschen. Sie bieten ein Vor-bild, dem es mit Hilfe therapeutischer, von Unlust und Seelenschmerz befreiender Philos. nachzueifern gilt. Deshalb verdienen sie Verehrung (epist. Men. 123), wo-bei es mehr um das Wohlergehen des Menschen geht (vgl. Gnom. Vat. 32).

7. ETHIK

In der Ethik vertritt E. eine hedonistische Position. Ziel allen Handelns ist die Eudaimonie. Konkret sieht E. das höchste Gut in der Lust (ἡδονή, *hēdonḗ*), das größte Übel im Schmerz. An der Lust müssen sich alle Hand-lungen messen lassen. Lust ist bei Freiheit von körper-lichem Schmerz (ἀπονία, *aponía*) und von geistiger Ver-wirrung (ἀταραξία, *ataraxía*) gegeben (epist. Men. 128). Da mit der Abwesenheit von Schmerz eine freudige Empfindung einhergeht (Cic. fin. 1,37), ist es fraglich, ob Kritik an einer angeblich nur negativen Bestimmung des höchsten Gutes berechtigt ist. Wegen der engen Beziehung zwischen Beseitigung von Schmerz und der jeweiligen Lust gibt es keinen neutralen Zustand. Von Natur streben Menschen nach Lust als einem Gut und meiden den Schmerz als ein Übel. Dafür spricht auch das bei Cicero (fin. 1,30) überlieferte sogenannte »cradle-argument«, das auf das Luststreben des Kleinkindes verweist. Das Argument findet sich nicht in den überlieferten Schriften E.', wird aber auf ihn zurückgehen [19]. Auch vor E. wurde in der Sophistik, bei Demokrit, bei Platon und Aristoteles die Rolle der Lust im Leben eines Menschen diskutiert; E.' Position ist also vor dem Hintergrund einer langen Auseinandersetzung zu sehen. Man denkt an → Eudoxos von Knidos oder an → Aristippos und die Kyrenaiker, die der Lust eine zentrale Rolle zusprechen. Diese sehen jedoch in Lust und Schmerz keinen ausschließenden Gegensatz, sondern lassen Übergänge und einen bedürfnisfreien, gleichsam neutralen Zwischenzustand zu [20].

E. unterscheidet (Cic. fin. 2,31–32; vgl. 2,9–10) eine »Lust in Bewegung« (ἐν κινήσει) und eine »statische« oder »katastematische« Lust (καταστηματικὴ ἡδονή) (Diog. Laert. 10,138), die als höchstes Gut anzusehen ist. Die katastematische Lust bedeutet Freiheit von leiblichem Schmerz und seelischer Unruhe, ein Zustand, der nicht mehr gesteigert, sondern nur variiert werden kann. Kinetische Lust ist die mit Beseitigung von Schmerz und Befriedigung eines Bedürfnisses einhergehende Empfindung. Diese Bestimmung des höchsten Gutes hat E. Kritik eingetragen, weil sie negativ ist, doch geht aus einer Stelle bei Cicero (fin. 1,37) hervor, daß der erstrebte Lustzustand keineswegs nur negativ bestimmt wurde. Mit der Abwesenheit von Schmerz ist demnach eine freudige Empfindung verbunden [21]. Die Quellen bieten keine Erklärung des Hedonismus auf atomistischer Grundlage; vielmehr wird Lust als beiläufiges Akzidens bezeichnet (S. Emp. adv. math. 10,225). Obgleich jede Lust an sich gut ist, muß nicht jede Lust gewählt werden. Bisweilen hat Lust ein Übel zur Folge, daher ist ein kleineres Übel um einer größeren Lust willen in Kauf zu nehmen. Deshalb ist eine nüchterne Abschätzung (Lustkalkül) notwendig: Es gilt herausfinden, welche Wünsche zu erfüllen sind, um das erstrebte Glück zu erreichen. E. analysiert die Begierden (epist. Men. 127) und zeigt, daß Schmerz und Unlust nur auftreten, wenn notwendige und natürliche Begierden unbefriedigt bleiben. Hierfür jedoch hält die Natur alles bereit (epist. Men. 130). Deshalb ist Dankbarkeit gegenüber der Natur angemessen (fr. 469 USENER). Voraussetzung für das Meiden von Schmerz und Unlust ist die freie Auswahl unter den Begierden. Deshalb argumentiert Epikur unter Hinweis auf die Empirie und auf einen Vorbegriff von »freier Entscheidung« für freie Entscheidungsmöglichkeit auch im atomistischen Kontext. Freie Entscheidungen werden durch den Zustand bei der Geburt, durch die Umwelt und insbes. sogenannte »entwickelte Charakteristika« oder »Erzeugnisse« (ἀπο-γεγεννημένα, apogegennēména), ermöglicht, die für die

seelische Autonomie des Menschen verantwortlich sind ([22]; vgl. aber auch [23. 123 ff.]).

E.' Postulat eines vernünftigen Abwägens von Bedürfnissen und seine Ablehnung von Überfluß führen zu einer Relativierung oder Umwertung konventioneller Werte wie der Tugenden (ἀρεταί, aretaí) oder der Bildung vom Rang des Zweckes auf den eines Mittels. Doch verhilft Tugend zum Glück (Diog. Laert. 10,38). Lustvolles Leben kann von sittlich gutem Leben nicht getrennt werden (epist. Men. 132). Vor allem ist Freundschaft an das Ziel (télos) der Lust gebunden (KD 27). Freundschaft und allgemein tugendhaftes Leben kommen dem Bedürfnis nach Sicherheit entgegen (KD 17). Die Überschätzung der Tugend ist Folge einer Verformung durch kulturelle Konventionen. Verbrechen bewirken hingegen wegen beständiger Furcht vor Entdeckung Unruhe (KD 31–35).

E. bietet praktische Anleitungen für eine rechte Lebensführung. Der Weise führt ein den Göttern ähnliches Leben unter den Menschen (epist. Men. 135), wenn er von äußeren Umständen nicht mehr abhängig ist. Zufall kann ihm nichts mehr anhaben, wenn er der Vernunft folgt sowie Schicksal und Vorsehung richtig einzuschätzen weiß (KD 16). E. und seine Nachfolger geben Hinweise für das tägliche Leben in Staat und Gesellschaft [23]. Überliefert sind Stellungnahmen zur Heirat und Anweisungen, wie man sich beim Symposium zu verhalten hat oder mit seinen Sklaven umgehen soll (Diog. Laert. 10,117–120). E. fordert dazu auf, sich nur bei Notwendigkeit polit. zu engagieren (Sen. de otio 3,2); dies bedeutet allerdings nicht notwendig ein ›Leben im Verborgenen‹. Denn da für das individuelle Glück eine angemessene Umgebung notwendig ist, bedeutet polit. Engagement für einen Epikureer keinen Widerspruch zu seiner Lehre [24]. Auch hier also kommt das Lustkalkül zur Anwendung: Zeitweilige, polit. Tätigkeit als ein Übel wird dadurch gerechtfertigt, daß sie Sicherheit bewirken kann, also ein Gut hervorbringt.

D. NACHWIRKUNG

Infolge von innerphilos. Auseinandersetzung mit konkurrierenden Schulen, aber auch aus dem Streben nach Sicherheit und damit verbundener Seelenruhe erklären sich Hinweise und Bemühungen E.' und vor allem auch späterer Epikureer, unter rel., kulturellen oder polit. Aspekten Hilfestellung für angemessenes Verhalten in der Gesellschaft und in neuem kulturellen Umfeld zu geben. Hierin mag auch ein Grund für die lange Tradition der Schule in der Ant. zu sehen sein ([25] und [26], Überblick auch [3. 188 ff., 477 ff.]). Der Epikureismus bleibt bis zur Zeit des Augustinus präsent, wenn auch meist als Angriffsziel zumeist christl. Autoren, denen E. als Verkünder des homo carnalis und bes. mit Blick auf seine Ablehnung der Providenz und der Unsterblichkeit der Seele als der Häretiker schlechthin galt [27]. Für das MA ist auf ein zweifaches Bild hinzuweisen: Mit einer an christl. Polemik orientierten Verdammung als Häretiker geht der Versuch einer, E. histor. als ethische

Persönlichkeit eigenen Rechtes zu würdigen. In der Neuzeit sind die großen Humanisten STEPHANUS, SCALIGER, CASAUBON, LIPSIUS und der Versuch des Franziskaners Pierre GASSENDI um die Mitte des 17. Jh., E.' Lehre mit der christl. Auffassung zu harmonisieren, von Bedeutung. Im Frankreich des 17. und 18. Jh. sorgt Pierre BAYLES Artikel über E. im *Dictionnaire historique et critique* für positive Aufnahme epikureischer Ansichten. Doch stieß E. auch auf Ablehnung, die sich z. B. in dem weitverbreiteten und einflußreichen Gedicht Kardinal Polignacs *Anti-Lucretius, sive de Deo et Natura* (1747) manifestiert. KANT fand den theoretischen Teil von E.' Lehre offenbar beachtenswert, dem praktischen Teil stand er jedoch eher skeptisch gegenüber. HEGEL rügte die scheinbar starre Dogmatik der Epikureischen Schule, jedoch sind nach HEGEL Versuche zu beobachten, den Hedonismus, z. T. unter Berufung auf E., zu rehabilitieren (FECHNER; FEUERBACH; MARX).

→ EPIKUREISMUS

1 K. ALPERS, Epikurs Geburtstag, in: MH 25, 1968, 48–51 2 Epicuro. Opere, ed. G. ARRIGHETTI, ²1973 3 M. ERLER, Epikur – Die Schule Epikurs – Lukrez, in: GGPh², Bd. 4, 1994, 29–490 4 H. USENER, Epicurea, 1887, Ndr. 1966 5 M. F. SMITH (Hrsg.), Diogenes of Oinoanda. The Epicurean Inscription, 1993 6 B. FRISCHER, The sculpted word. Epicureanism and philosophical recruitment in ancient Greece, 1982 7 M. GIGANTE, »Philosophia medicans« in Filodemo, in: CE 5, 1975, 53–61 8 Ders., Scetticismo e Epicureismo, 1981 9 M. ERLER, Philologia medicans. Wie die Epikureer die Texte des Meisters lasen, in: W. KULLMANN, J. ALTHOFF (Hrsg.), Vermittlung und Tradierung von Wissen in der griech. Kultur, 1993, 281–303 10 D. SEDLEY, Philosophical allegiance in the Greco-Roman World, in: J. BARNES, M. GRIFFIN (Hrsg.), Philosophia Togata. Essays on Philosophy and Roman Society, 1989, 97–119 11 M. ERLER, Orthodoxie und Anpassung. Philodem, ein Panaitios des Kepos?, in: MH 49, 1992, 5–23 12 G. STRIKER, Κριτήριον τῆς ἀληθείας, in: Dies., Essays on Hellenistic Epistemology and Ethics, 1996, 22–76 13 E. ASMIS, Epicurus' Scientific Method, 1984 14 C. C. W. TAYLOR, All perceptions are true, in: M. SCHOFIELD, M. F. BURNYEAT, J. BARNES (Hrsg.), Doubt and dogmatism. Studies in Hellenistic epistemology, 1980, 105–124 15 A. MANUWALD, Die Prolepsislehre Epikurs, 1972 16 A. LAKS, Minima und noematische Geschwindigkeit, in: E. RUDOLPH (Hrsg.), Zeit, Bewegung, Handlung. Studien zur Zeitabhandlung des Aristoteles, 1988, 129–143 17 D. LEMKE, Die Theologie Epikurs, 1973 18 J. MANSFELD, Aspects of Epicurean theology, in: Mnemosyne 46, 1993, 172–210 19 J. BRUNSCHWIG, The Cradle Argument in Epicureanism and Stoicism, in: M. SCHOFIELD, G. STRIKER (Hrsg.), The Norms of Nature, 1986, 113–144 20 K. DÖRING, Der Sokratesschüler Aristipp und die Kyrenaiker (AAWM 1988, 1) 21 J. S. PURINTON, Epicurus on the Telos, in: Phronesis 38, 1993, 281–320 22 D. SEDLEY, Epicurus' Refutation of Determinism, in: Syzetesis. FS M. Gigante, vol. I, 1983, 11–51 23 J. ANNAS, Hellenistic Philosophy of Mind, 1992 24 A. A. LONG, Pleasure and Social Utility – The Virtues of Being Epicurean, in: H. FLASHAR, O. GIGON (Hrsg.), Aspects de la Philos. Hellénistique (Entretiens XXXII), 1986, 283 ff. 25 H.-J. KRÄMER, E. und die hedonistische Tradition, in:

Gymnasium 87, 1980, 294–326 26 H. JONES, The Epicurean Tradition, 1992 27 W. SCHMID, s. v. E., RAC 5, 681–819 (jetzt in: W. Schmid, Ausgewählte philologische Schriften, 1984, 151–266).

EDD.: Epicuro. Opere, ed. G. ARRIGHETTI, ²1973 • C. BAILEY, Epicurus. The Extant Remains, 1926 (Ndr. 1975) • J. BOLLACK, A. LAKS, Epicure a Pythoclès. Sur la cosmologie et les phénomènes météorologiques, 1978 • P. VON DER MÜHLL (ed.), Epistulae tres et ratae sententiae, 1922 (Ndr. 1966) • H. USENER, Epicurea, 1887 (Ndr. 1966). LIT.: C. BAILEY, The Greek Atomists and Epicurus, 1928 (Ndr. 1964) • E. BIGNONE, L'Aristotele perduto e la formazione filosofica di Epicuro, 1936, ²1973 • C. DIANO, Scritti epicurei, 1974 • W. ENGLERT, Epicurus on the Swerve and Voluntary Action, 1987 • A. J. FESTUGIÈRE, Epicure et ses dieux, ²1968 • D. J. FURLEY, Two Studies in the Greek Atomists, 1967 • Ders., Nothing to us?, in: M. SCHOFIELD, G. STRIKER (Hrsg.), The Norms of Nature, 1986, 75–91 • J. C. B. GOSLING, C. C. W. TAYLOR, The Greeks on Pleasure, 1982 • M. HOSSENFELDER, Epicurus – hedonist malgré lui, in: M. SCHOFIELD, G. STRIKER (Hrsg.), The Norms of Nature, 1986, 245–263 • Ders., Epikur, 1991 • F. JÜRSS, Die Epikureische Erkenntnistheorie, 1991 • K. KLEVE, Gnosis Theon. Die Lehre von der natürlichen Gotteserkenntnis in der Epikureischen Theologie (Symbolae Osloenses, Suppl. 19), 1963 • H. J. KRÄMER, Platonismus und hell. Philos., 1971 • PH. MERLAN, Studies in Epicurus and Aristotle, 1960 • P. MITSIS, Epicurus' Ethical Theory. The Pleasures of Invulnerability, 1988 • R. MÜLLER, Die epikureische Ethik, 1991 • D. OBBINK, The Atheism of Epicurus, in: GRBS 30, 1989, 187–223 • R. PHILIPPSON, Studien zu Epikur und den Epikureern, 1983 • J. M. RIST, Epicurus. An introduction, 1972 • J. SCHMID, Götter und Menschen in der Theologie Epikurs, in: RhM 94, 1951, 97–156.   M. ER.

Epikydes (Ἐπικύδης).
[1] Sohn des Euphemides aus Athen, kandidierte 480 v. Chr. um das Strategenamt. → Themistokles soll ihn jedoch durch Bestechung dazu veranlaßt haben, seine Bewerbung zurückzuziehen (Plut. Themist. 6; mor. 185A).   E. S.-H.

[2] Bruder des Hippokrates, Enkel des Arkesilaos, eines syrakusanischen Verbannten in Karthago, dort als Sohn einer Karthagerin aufgewachsen (Pol. 7,2; Liv. 24,6; Iust. 22,8); enger Vertrauter des Hannibal, brachte 214 v. Chr. das karthagisch-syrakusanische Bündnis mit → Hieronymos zustande, dessen Berater und Stratege er wurde; verhinderte 213 in den Wirren nach der Ermordung des Königs einen erneuten prorÖm. Kurs in Syrakus und sicherte seine Machtposition u. a. mit Hilfe kretischer Söldner (Pol. 7,4–5; Liv. 24,29–33). Bei der röm. Eroberung von Syrakus floh er 212 nach Akragas und bei dessen Fall 211 nach Nordafrika (Liv. 25,24; 27; 26,40) [1. 354–356, 367–370].

1 HUSS.   L.-M.G.

Epikydidas (Ἐπικυδίδας). Spartiat, der 394 v. Chr. dem König Agesilaos den Befehl der Ephoren überbrachte, aus Kleinasien nach Sparta zurückzukehren (Xen. hell. 4,2,2; Plut. Agesilaos 15,2). Vermutlich nahm er als

Truppenführer an der Schlacht bei Aigospotamoi (405) teil und wurde dafür durch ein Denkmal in Delphi geehrt (Paus. 10,9,10, doch ist der Name korrupt überliefert). Er fiel 378 unter Agesilaos in Boiotien (Xen. hell. 5,4,39). Ein von Thuk. 5,12 f. genannter Truppenführer gleichen Namens ist vermutlich nicht mit ihm identisch. M. MEI.

Epilepsie. Seit 1050 v. Chr. finden sich in babylon. Texten sorgfältige Beschreibungen der E. in ihren unterschiedlichen Erscheinungsformen [1]. E. wird dort mit Göttern, Geistern oder Dämonen in Verbindung gebracht. Der Glaube an einen rel. Ursprung der E. und folglich auch ihre Behandlung durch rel., magische oder volksmedizinische Maßnahmen läßt sich die ganze Ant. hindurch und über kulturelle Grenzen hinweg verfolgen. Eine rein somatische Deutung im Sinne von Veränderungen im Säftehaushalt und die Möglichkeit einer somatischen Therapie wird durch den hippokratischen Autor von *De morbo sacro* um 400 v. Chr. geltend gemacht, dem hierin die meisten Ärzte folgten [2]. Doch auch unter Ärzten herrschte niemals Einvernehmen über die Ätiologie oder Therapie der E. Einige machten diätetische Unregelmäßigkeiten verantwortlich, andere den Mond oder das Klima, wieder andere glaubten, das Gehirn werde durch eine Störung anderer Körperpartien in Mitleidenschaft gezogen. Die einen verfochten chirurgische Eingriffe, Aderlässe oder Trepanationen; andere bevorzugten diätetische Maßnahmen; teils lehnte man magische Heilmittel als »persischen Unsinn« ab, teils übernahm man sie und paßte sie den eigenen kulturellen Gewohnheiten an. Blutkuren galten bisweilen als annehmbare medizinische Heilmaßnahmen, wurden dann wieder verworfen, um erneut ins therapeutische Repertoire aufgenommen zu werden. Eine um den Hals getragene Pfingstrosenwurzel mag eine pharmakologische oder aber eine symbolische Erklärung haben. Das Christentum, das den in Mt 17,11−14 beschriebenen Vorfall zum Regelfall erklärte, lehnte zunehmend Erklärungsmuster ab, die auf den Mond oder ein Ungleichgewicht der Körpersäfte rekurrierten, und erklärte die E. mit der Besessenheit durch Geister (z. B. Origenes, Komm. in Mt 17,14), auch wenn einige Ärzte auf einem streng somatischen Standpunkt beharrten.

Im babylon., griech. und röm. Recht betrachtete man eine epileptische Erkrankung als so »wertmindernd«, daß ein Besitzer einen Sklaven dem Verkäufer zurückgeben oder Ersatzansprüche an ihn stellen konnte. Aristoteles brachte die E. mit der Melancholie in Verbindung sowie mit dem Genie in Gestalt der »Herkuleskrankheit« (probl. 30,1), wodurch er einem sozial höchst beunruhigenden Zustand eine positive Seite abgewann.
→ Medizin

1 M. STOL, Epilepsy in Babylonia, 1993 2 O. TEMKIN, The falling sickness, 1971. V. N./Ü: L. v. R.−B.

Epilogus (ἐπίλογος, *peroratio, conclusio*). Abschluß der Rede. Er hatte die doppelte Aufgabe, dem Zuhörer kurz ins Gedächtnis zu rufen, was in der → *argumentatio* behandelt worden war, und zugleich jene → *captatio benevolentiae* zu vollenden, für die der Redner von Beginn an die Bewegung der Gefühle genutzt hatte (Quint. inst. 6,1,1). Von diesen beiden Aufgaben scheint in der voraristotelischen Rhet. vor allem jene der Rekapitulation als die dem E. bes. vorbehaltene Funktion betrachtet worden zu sein (Korax in Anonym., RABE, RhG XIV 26,2; Plat. Phaidr. 267d). Doch bereits in der Lehre des Aristoteles (rhet. 1419b 10ff.) ist im Ansatz jene Unterscheidung in zwei Arten vorhanden, eines *praktikón* (πρακτικόν) und eines παθητικόν (*pathētikón*; vgl. z. B. in Anonym. Seguerianus, SPENGEL-HAMMER, RhG I 453ff. oder bei Maximos Planudes, WALZ, RhG V 285,8ff.) die in der lat. wie griech. Überlieferung der Rhet. praktisch konstant bleibt. Im εἶδος πρακτικόν (*eídos praktikón, enumeratio, rerum repetitio*) mußten die in der *partitio* dargelegten Punkte (*kephálaia*) wiederholt werden (daher der Name *anakephalaíōsis*), und zwar in derselben Reihenfolge, in der sie behandelt worden waren (Rhet. Her. 2,47; Gregorios von Korinth, WALZ, RhG VII 1220,22). Wenn sie dagegen in umgekehrter Reihenfolge wiederholt wurden, hieß die Rekapitulation ἐπάνοδος (*epánodos*; Syrianos, RABE, RhG XVI 2,89,20).

Ankläger wie Verteidiger bedienten sich dieses Mittels, wenn auch in unterschiedlicher Weise. Stets gleichbleibend war indes die Sorgfalt, die man auf die vielfältige Gestaltung dieses Redeteils verwendete, um auf seiten der Zuhörer Langeweile zu vermeiden und nicht zu deutlich zu zeigen, daß es sich um einen Kunstgriff handelte (Cic. inv. 1,98; part. 60; Quint. inst. 6,1,2). Bereits in den frühesten Formulierungen einer Lehre des Epilogs wird als Ziel verfolgt, den Zuhörer gegen den Redner wohlwollend und gegen den Gegner mißtrauisch zu stimmen (Aristot. rhet. Alex. 1444b29f; Aristot. rhet. 1419b 10ff.). Das *eídos pathētikós* hatte dagegen die doppelte Funktion, die Hörer gegen den Gegner zu erregen (*indignatio, amplificatio,* δείνωσις, *deínōsis*) und dem Redner Mitleid entgegenzubringen (*miseratio, conquestio,* ἔλεος, *éleos*). Für beide Teile entwickelte man eine Lehre bes. *loci communes* (vgl. z. B. Rhet. Her. 2,47ff.; Cic. inv. 1,100ff.), derer sich Ankläger und Verteidiger je nach Umständen zu bedienen hatten.

C. F. LAFERL, s. v. E., HWdR 2, 1286−1291 • LAUSBERG • J. MARTIN, Ant. Rhet., 1974 • L. CALBOLI MONTEFUSCO, Exordium, Narratio, E., 1988 • R. VOLKMANN, Die Rhet. der Griechen und Römer in systematischer Übersicht, ²1885 (Ndr. 1963) • M. WACHTLER, Der E. in der röm. Rhet., Diss. Insbruck 1973 (masch.). L. C. M./Ü: A. WI.

Epilykos (Ἐπίλυκος). Komödiendichter, von dem noch ein Stücktitel (Κωραλίσκος, *Das Bürschchen aus Kreta?* vgl. Phot. p. 198,15) und neun Fragmente erhalten sind; fr. 3 (Reste von katalektischen anapästischen Tetrametern) und fr. 4 (katalektische anapästische

Dimeter in dor. Dial.) weisen ihn der Alten Komödie (spätes 5., frühes 4. Jh. v. Chr.) zu.

1 PCG V, 1986, 170–173. H.-G. NE.

Epimachia (ἐπιμαχία). Thukydides (1,44,1; 5,48,2) benutzt den Begriff e. zur Bezeichnung eines reinen Defensivbündnisses, das die Beteiligten gegenseitig nur zur Hilfe im Fall eines Angriffs verpflichtete, im Gegensatz zur *symmachía*, einem Offensiv- und Defensivbündnis in vollem Umfang, in dessen Rahmen die Beteiligten ›dieselben Freunde und Feinde‹ haben. Die Griechen jedoch zogen die Grenze zwischen den beiden Begriffen nicht immer so deutlich: Der → Attische Seebund des 4. Jh. war ein Defensivbündnis, doch die Schrift, die für ihn warb, gebraucht ständig *symmáchein* und verwandte Worte (TOD 125; 127).
→ Attischer Seebund P.J.R.

Epimeletai (ἐπιμεληταί). Funktionäre, die »Sorge tragen« (*epimeleísthai*); das Wort wird als Titel für eine Reihe von griech. Beamten gebraucht; siehe auch *epískopoi*, *epistátai*.
1. Der Autor der aristotelischen *Athenaion Politeia* erwähnt für Athen e. der Brunnen (43,1), des Markts (51,4), des Festes der Dionysien (56,4) und der Eleusinischen Mysterien (57,1). Ebenfalls bezeugt sind e. als Gerichtsbeamte, die mit den Tributen im Delisch-Attischen Seebund befaßt sind (ML 68), e. der Werften (etwa IG II² 1629, 178–179; Demosth. or. 22,63), der Symmorien zur Ausstattung von Trieren ([Demosth.] or. 47,21f.), der Symmorien der Metoiken für die Eisphora (IG II² 244), und in der nachklass. Zeit ein *epimeletḗs* für den Hafen (IG II² 1012; 1013). Auch Körperschaften innerhalb des Staates verfügten über e.: In den Phylen befaßten sich e. mit der Ernennung von *chorēgoí* (Demosth. or. 21,13), mit Erbtöchtern (*epíklēroi*) und mit Phylenbesitz (IG II² 1165). In den Phratrien hatten e. mit dem Kauf und Verkauf von Vermögen zu tun (IG II² 1597) und konnten *ad hoc* für Spezialaufgaben ernannt werden.
2. E. finden sich in zahlreichen anderen Orten der griech. Welt. In Delphi war ein von den Aitolern ernannter e. tätig (Syll.³ 534), später finden wir einen e. der Amphiktyonen (Syll.³ 813 A). Die Athener bestellten im 2. Jh. einen e. der Kleruchie in Delos (Syll.³ 664), und Megalopolis ernannte e. für die *kṓmē* von Lykosura (Syll.³ 800). In Rhodos gab es e. für die Fremden (Syll.³ 619), in Olbia einen e. für die Mauern (Syll.³ 707), in Chalkis e. für die öffentlichen Arbeiten (Syll.³ 905), und ebenso in Oropos (IG VII 4255). In Kalauria verpachteten e. hl. Land (Syll.³ 993) und in Andania verwaltete ein e. den Schatz der Mysterien (Syll.³ 736 § 11).
Epimelētḗs wurde auch als Übers. des lat. *curator* oder *procurator* benutzt.
→ Episkopoi; Epistatai P.J.R.

Epimenes (Ἐπιμένης) aus → Milet, soll nach dem Sturz der → Neleiden im 7. Jh. v. Chr. vom Demos zum »Aisymneten« (→ *aisymnḗtēs*) mit Gewalt über Leben und Tod gewählt worden sein (Nic. Damasc. FGrH 90 F 53). Die ihm dort zugeschriebenen Säuberungen – Ächtung, Verbannung, Vermögenskonfiskation – entsprechen den Vorschriften eines Dekrets des 5. Jh. (ML 43), wonach die Behörde der ἐπιμήνιοι (*epimḗnioi*) diese bei Umstürzen üblichen Maßnahmen durchzuführen hatte. Darauf dürfte die spätere, womöglich peripatetische Konstruktion der »Aisymnetie« des E. beruhen.

H.-J. GEHRKE, Zur Gesch. Milets in der Mitte des 5. Jh., in: Historia 29, 1980, 17–31. K.-J. H.

Epimenides. Kretische rel. Figur, über die viele Legenden und Wunder berichtet wurden (FGrH 457 T 1–11). Er wurde 154, 157 oder 299 Jahre alt, von denen er als Jüngling 40 oder 50 Jahre schlafend in einer Nymphengrotte verbracht haben soll (von speziellem Essen ernährt, das er in einem Ochsenhuf aufbewahrte); seine Seele konnte auf Wunsch den Körper verlassen und wieder zurückkehren; er behauptete auch, mehrere Leben gelebt zu haben (FGrH 457 T 1; 2; 4d). Einige dieser Eigenschaften (Seelenwanderungen, Reinkarnation) teilt er mit anderen archa. Weisen, z. B. → Hermotimos von Klazomenai und → Pythagoras, die als Erben des thrakisch-skythischen Schamanentums gelten ([1; 2]; dagegen [3]). E.' berühmteste Tat (zuerst bei Aristot. Ath. pol. 1 direkt bezeugt) war die Entsühnung Athens von den Auswirkungen des »Kylon-Frevels« im frühen 6. Jh. mittels neuer Opferriten; die Historiker diskutieren noch den polit. Hintergrund [4]. Ein Teil der Erzählung könnte während des Peloponnesischen Krieges entstanden sein [5]. Platon setzt bekanntlich das Wirken des E. in Athen fast 100 Jahre später an, als es der Entsühnungsmythos erfordert, nämlich ›10 Jahre vor den Perserkriegen‹ (leg. 642d). E. wurde auch als Prophet gerühmt – wurden doch die Funktionen eines »Sühnepriesters« und »Sehers« oft verknüpft – und hatte in dieser Position Verbindungen zu verschiedenen peloponnesischen Staaten (FGrH 457 F 1; T 1,5). Sowohl Sparta als auch Argos behaupteten, E. sei bei ihnen begraben (FGrH 457 T 1; 5e).

Verschiedene Pseudepigrapha wurden E. zugesprochen (vgl. FGrH 457 und [6]); das bekannteste war eine Theogonie, die von ihrer Art und Datierung (6./5. Jh. v. Chr.) her ungefähr der dem Orpheus zugeschriebenen Dichtung vergleichbar ist [7].
→ Kylon; Orphische Dichtung

1 E.R. DODDS, The Greeks and the Irrational, 1951, 140–147 2 C. GINZBURG, Storia notturna, 1989, XX 3 J. BREMMER, The Early Greek Concept of the Soul, 1983, 24–53 4 P.J. RHODES, A Commentary on the Athenaion Politeia, 1981, 81–84 5 S. HORNBLOWER, A Commentary on Thucydides, I, 1991, 518 6 DIELS, Vorsokr. I, 27–37 7 M.L. WEST, The Orphic Poems, 1983, 45–53. R.PA.

Epimerismi, ἐπιμερισμοί sind »Einteilungen« (Apollonios Dyskolos, Syntaxis 491,13 SCHNEIDER-UHLIG; lat. *partitiones,* → Priscianus) »von Versen oder Sätzen in Worte« (in diesem Sinne benutzt S. Emp. adv. Math. 1,159–168 im 2. Jh. n. Chr. μερισμός): Jedes Wort wurde grammatisch und prosodisch, manchmal auch semantisch analysiert. Es handelt sich dabei um ein Unterrichtsmittel der byz. Schule (Tzetzes zu Hes. erg. 285), das im 11.–12. Jh. die Bezeichnung *schedographia* (»das Schreiben von Lehrstücken«, σχέδη, mit ungewisser Etym. [7. 127]) erhielt und in erster Linie auf Homer, aber auch auf Philostratos, Ailianos, die Bibel und andere rel. Texte sowie Agapetos angewandt wurde (die Tradition, »homer. Glossen« zu verfassen, geht zumindest auf das 5. Jh. v. Chr. zurück: Aristoph. fr. 233 PCG). E. sind von → Herodianos verfaßt worden, doch ist die überlieferte, von J. FR. BOISSONADE 1819 veröffentlichte Fassung unecht [6. 23–24]. In den *e.* zu Homer [2; 3] werden angegeben: die »Grundform« eines Wortes (θέμα, Nom. Sing., 1. Pers. Präs. Ind.), die abhängigen Formen (παραγωγή), die Einteilung in Redeteile nach den Kategorien des → Dionysios [17] Thrax, Synonyme und »Anwendungen« (χρήσεις) der Form. In vielen dieser Erklärungen stimmen die homer. *e.* in Lehre, Methode und Darstellung mit der Sammlung von *E. in Psalmos* des Choiroboskos überein [1]; daher hat man angenommen, daß dieser der Verf. beider Sammlungen sei; jedenfalls gilt die Zeit des Choiroboskos (9. Jh. n. Chr.) als *terminus post quem* für die homer. *e.* (das älteste Werk, das sie benutzt, ist das Etymologicum Gudianum, 2. H. 9. Jh. n. Chr.; zu einer Datierung ins 6. Jh. n. Chr. [8. 206]).

Zunächst folgten die homer. *e.* dem Text (»scholiastische *e.*«), dann wurden sie alphabetisch angeordnet. Die erhaltenen *e.* wurden durch alphabetische Lemmatisierung der Komm. zum 2., 3. und 1. Buch der Ilias (in dieser Reihenfolge) zusammengestellt. Nebenbei wurden Fehler in der alphabetischen Anordnung der Lemmata korrigiert, die entweder durch Verwirrung in den Blättern der als Vorlage dienenden Komm. oder durch Interpolation und Zusätze aus anderen exzerpierten Quellen entstanden waren. Herodianos wird am häufigsten zitiert, und vielleicht sind seine *e.* in den Zusatz zu den homer. *e.* in alphabetischer Anordnung eingegangen, der in der von CRAMER herausgegebenen Hs. *Oxon. bibl. Novi Colleg.* 298 zu finden ist [3. 37–40]; vgl. [9]. Zu den übrigen Quellen und [2. 27–36] gehören die sogenannten D-Scholien zu Homer (v. a. zur Bedeutung der Wörter). Die neueste Ausgabe stellt im ersten Teil [2] für das erste Buch der Ilias die Form der »scholiastischen *e.*« wieder her ([3]: Ausgabe der alphabetischen *e.*). Die homer. *e.* wurden v. a. im *Etymologicum Parvum* [8. 200–204; 2. 38 f.], dann im *Etymologicum Genuinum,* im sog. Lexikon αἰμωδεῖν (Ausg.: [3. 825–1016]), in der Kompilation sog. *Eklogaí* [4] und in den *Regulae in Homericas voces* (Ausgabe [5]) sowie von Tzetzes, *Exegesis in Homeri Iliadem,* von Eustathios, Zonaras und in den Scholien zu Oppianos' *Halieutiká* herangezogen.

ED.: **1** Georgii Choerobosci Epimerismi in Psalmos, ed. TH. GAISFORD, 1842 (Ndr. 1963) **2** E. Homerici, Pars Prior, ed. A. R. DYCK, 1983 (SGLG 5/1) **3** E. Homerici, Pars Altera Lex. AIMΩΔEIN, ed. A. R. DYCK, 1995 (SGLG 5/2) **4** CRAMER, Anecdota Graeca Oxoniensia 2, 427–487 **5** P. MATRANGA, Anecdota Graeca, 1850, 536–555 (Ndr. 1971).
LIT.: **6** HUNGER, Literatur, II, 22–29 **7** R. H. ROBINS, The Byzantine Grammarians, 1993, 125–148 **8** R. REITZENSTEIN, Gesch. der griech. Etymologika, 1897 **9** A. R. DYCK, ANRW II 34.1, 1993, 792 f.   S. FO./Ü: T. H.

Epimetheus s. Prometheus

Epinetron (ἐπίνητρον). Fälschlich *ónos* (ὄνος) genannte gewölbte Unterlage, die beim Reinigen und Kämmen roher Wolle Oberschenkel und Knie schützte; nach Hesychios s. v. wurde auf dem *e.* der Faden aufgeraut; richtiger wohl das Vorgarn hergestellt (s. Abb.). *Epinetra* waren in der Regel aus Ton oder Holz; erh. sind u. a. bemalte Ton-*e.* des 5. Jh. v. Chr.
→ Eretria-Maler

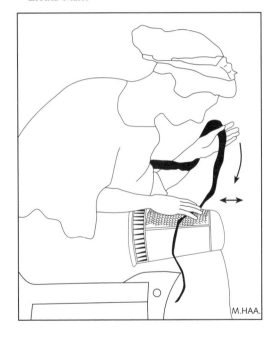

Erstellen des Vorgarns mit Hilfe eines Epinetrons:
Das Rohmaterial wird in die linke Hand genommen;
die rechte zieht den Flor aus und reibt ihn auf dem E. hin und her. Die durch Ritzung oder Schuppen aufgeraute Oberfläche des E. verhindert ein Abrutschen des Materials.

A. LEZZI-HAFTER, Der Eretria-Maler, 1988, 253–262 •
A. PEKRIDOU-GORECKI, Mode im ant. Griechenland, 1989, 16–20.   I. S.

ABB.-LIT.: C. H. E. HASPELS, A Fragmentary Onos in the Allard Pierson Museum, in: BABesch 29, 1954, 25–30 • G. BAKALAKIS, Zur Verwendung des Epinetrons, in: JÖAI 45, 1960, Beibl., 199–208.   M. HAA.

Epinikion (ἐπινίκιον, sc. μέλος, ᾆσμα), »Siegeslied«.

A. BEGRIFF

Das Adj. *epiníkios* steht zur näheren Bestimmung von ἀοιδή (Gesang), bei Pind. N. 4,78, das Ntr. Pl. *epiníkia* bei Aischyl. Ag. 174 für einen Siegesschrei. In der Prosa bezieht sich das Wort, in Verbindung mit θύειν oder ἑστιᾶν, in der Regel auf die Opfer (sc. ἱερά) nach dem Sieg in einer Schlacht (Demosth. or. 19,128) oder bei der Feier eines Festes ([Demost. or.]59,33; vgl. Plat. symp. 173a). Das Ntr. Sing. *e.* wurde erstmals von alexandrinischen Gelehrten zur Bezeichnung der Lieder auf die Sieger in den panhellenischen Spielen verwendet. Die Dichter selbst neigen eher zur Verwendung des Begriffs *enkōmios* oder *epikōmios hýmnos* (vgl. Pind. P. 10,53): ein Lied für die Gelegenheit des *kōmos*, des Umzugs zur Feier des Sieges, und mithin ein Preislied.

B. ENTWICKLUNG

Die Ursprünge liegen im Dunkeln. Pindar greift O. 9,1–3 auf einen Refrain des Archilochos zurück, der in Olympia zu Ehren des Siegers gesungen wurde; das Scholion zu der Stelle gibt den Wortlaut wieder (324 WEST [1]): Es handelte sich dabei um eine Anrufung des Herakles und des Iolaos. Eratosthenes, der in dem Scholion zitiert wird, sagt, dieser Gesang sei kein *e.* gewesen, doch Pindar scheint ihn als Gelegenheitsdichtung zu betrachten, und als einen Vorläufer seiner eigenen, kunstvolleren und zum Vortrag in der Heimat des Siegers bestimmten Komposition. *Hýmnoi* richteten sich unmittelbar an die Götter, und da dieses Wort von den Dichtern von *e.* am häufigsten zur Bezeichnung ihrer Lieder verwendet wird, ist es naheliegend, in einem Hymnos für den zum Gott gewordenen Herakles einen Vorläufer des *e.* auf Sterbliche und eine erste teilweise Säkularisierung des Genos zu sehen. Pindar verwendet auch die Bezeichnung Kastor- oder Iolaoslied (Pind. P. 2,69; I. 1,16); dies legt ebenfalls die Auffassung von einem Lied zum Ruhme übermenschlicher Wettkämpfer (*athlētaí*) nahe. Die Bezeichnung *Kastóreion* wurde als ›gleichbedeutend mit *e.*‹ interpretiert [2. 494, Anm. 18]: in Pind. O. 3,34–37 sind es Herakles und die Dioskuren, die gemeinsam den Spielen in Olympia beiwohnen und sie ausrichten. Daß die Dichtung den Ursprung des *e.* in der Ehrung solcher Personen sieht, zeigt Pindars Aussage, im Augenblick des Sieges kämen Menschen den Göttern nahezu gleich, ebenso wie die wiederholten Erinnerung Pindars oder Bakchylides' an die begrenzte Lebensdauer des Menschen.

Die Angehörigen der Aristokratie verlangten Ehrungen, die über das Singen einfacher Refrains hinausgingen, und ab dem 6. Jh. v. Chr., als zu den Spielen in Olympia jene in Delphoi, in Nemea und auf dem Isthmos hinzukamen, erhielten Dichter Aufträge dafür. Der früheste Verf. von epinikischer Dichtung war Simonides (506–519 PMG). Im Jahre 520 v. Chr. verfaßte er ein Gedicht für den Ringer Glaukos von Karystos, in dem er den Jüngling in übertriebener Weise mit Herakles und Polydeukes vergleicht (510 PMG); eine Anekdote bei Cicero und Quintilian hebt die Bedeutung der

Dioskuroi (=Tyndaridai) in Simonides' Dichtung noch weiter hervor. Die kunstvollen *e.* des → Pindaros und des → Bakchylides enthalten in der Regel eine mythische Erzählung; Herakles ist dabei bes. stark vertreten. Die vollendete Form des Genos auf seinem Höhepunkt ist vermutlich sowohl der Tradition wie den Wünschen der Auftraggeber verbunden [3]. Die Lieder selbst erlauben keine Rückschlüsse darauf, ob epinikische Dichtung monodische oder Chorlyrik war [4].

1 IEGI 2 H. FRÄNKEL, Dichtung und Philos. des frühen Griechentums, ³1962 3 W. SCHADEWALDT, Der Aufbau des Pindarischen E., ²1966 4 M. HEATH, M. LEFKOWITZ, Epinician Performance, in: CPh 86, 1991, 173–191.

E. R./Ü: A. WI.

Epinikos (Ἐπίνικος).

[1] Komödiendichter, von dem noch zwei Stücktitel und zwei Fragmente erhalten sind. Seine Datierung (späteres 3./frühes 2. Jh. v. Chr.) ergibt sich aus dem Stücktitel *Mnēsiptólemos*: Er bezeichnet den Hofhistoriographen (FGrH 164) Antiochos' III. (223–187 v. Chr.) und stellt damit ein bemerkenswert spätes Beispiel für das namentliche Verspotten (ὀνομαστὶ κωμῳδεῖν) dar. In fr. 1 wird Mnesiptolemos selbst redend eingeführt und in seiner verschnörkelten, fast dithyrambisierenden Art, banale Handlungen seines Herrschers zu schildern, parodiert.

1 PCG V, 1986, 174–176.   H.-G. NE.

[2] Hoher Finanzbeamter unter Leo I. († 474 n. Chr.), Günstling von dessen Gattin Verina. E. wurde von deren Bruder Basiliskos, Usurpator gegen Kaiser Zenon, 475 zum *praef. praetorio Orientis* ernannt. Nach Zenons Sieg im August 476 wurde er abgesetzt, aber nicht weiter behelligt. 478 wegen einer Revolte gegen Zenon nach Isaurien verbannt, kehrte er auf Vermittlung des einflußreichen Illos bald nach Konstantinopel zurück. Dort revoltierte er im Sommer 480 erneut und wurde hingerichtet.

PLRE 2, 397 · STEIN, Spätröm. R. 2, 8–17.   F. T.

Epione (Ἠπιώνη).

Frau des → Asklepios, von dem sie die Töchter → Hygieia, Akeso, Panakeia und Aigle und die Söhne → Machaon und → Podaleirios hat (ausführlich in den inschr. Paianen des Makedonios, von Erythrai und von Dion, CollAlex 136–139 POWELL); sie gilt als Tochter des → Herakles. Während die Söhne bei Homer mehrfach allein als Söhne des Asklepios genannt werden, ihr also sekundär zugewachsen sind, hängen die Töchter mit ihren sprechenden Namen, die Aspekte der erwarteten Heilung so verkörpern – wie dies auch ihr eigener Name (< *ḗpios*, »sanft«) tut – engstens mit ihr zusammen; diese Mythologie wird epidaurische Erfindung sein. Ihr Kult ist belegt in Epidauros (kaiserzeitliche Inschr.; zwei Statuen: Paus. 2,27,5; 2,29,1) und in Kos (LSCG 152; 159, 3. Jh. v. Chr.; mit Priesterin), an beiden Orten in enger Verbindung mit Asklepios; die inschr. Paiane weisen darauf, daß E. und ihre Töchter auch andernorts gemeinsam mit Asklepios verehrt worden sein müssen.   F.G.

Epiorkia (ἐπιορκία). bedeutete seit Homer zu allen Zeiten »Meineid« (nur einmal in Solons Gesetzen »Eid«, Lys. 10,17). Jeder → Eid endete gewöhnlich mit einer Verwünschung des Meineidigen. Da die *e.* kein weltliches Delikt war, blieb ihre Ahndung, die sich nicht nur auf den Täter, sondern auch auf dessen ganzes Haus erstrecken konnte, den Göttern überlassen, die Zeugen und Garanten des Eides waren (Xen. an. 2,5,21; Demosth. or. 23,68; 19,220; Lys. 32,13).
→ Eid

    K. Latte, s. v. Meineid, RE 15, 346 ff.   G.T.

Epiparodos. Wiedereinzug des Chores nach Auszug aus der Orchestra während eines Stücks (μετάστασις χοροῦ, vgl. Poll. 4,108); so in Aischyl. Eum. 231, 244; Soph. Ai. 814, 866; Eur. Alc. 746, 861, Hel. 385, 515, Rhes. 564, 674; Aristoph. Eccl. 310, 478.
→ Parodos

    O. Taplin, The Stagecraft of Aeschylus, 1977, 377–381.
                                       B.Z.

Epiphaneia (Ἐπιφάνεια).
[1] Stadt in Kilikia Pedias (Ptol. 5,8,7; Steph. Byz. s.v. E., 274 Meineke), zuvor Oiniandos (Plin. nat. 5,93), nach → Antiochos [6] IV. Epiphanes in E. umbenannt. Straßenstation (Geogr. Rav. 2,16,93; [2. 766]). E. wurde 260 n.Chr. von Šapur I. erobert [1. 312 f.]. Mit der Ordnung der Prov. von 408 wurde E. zu den Städten der *Cilicia II* gerechnet (Hierokles, 705,5). Die Ruinen (Theater und Aquädukt gut erh.) liegen ca. 8 km westl. von Erzin in Gözene/Gözcüler Harabeleri.

    1 A. Maricq, Res Gestae Divi Saporis, in: Syria 35, 1958, 312 f. 2 Miller, 766.

    M. Gough, s. v. E., PE, 315 · Hild/Hellenkemper, s. v. E., 249 f.   M.H.S.

[2] (Ḥamat, h. Ḥamāh). Stadt in Mittelsyrien am → Orontes.
A. Alter Orient und Hellenismus
Seit der Brz. bed. regionales Zentrum. Dänische Ausgrabungen (1931–1938) belegen eine Besiedlung seit dem 5.Jt. v.Chr. Eine erste Erwähnung der Stadt in den Ebla-Texten (→ Ebla) des 3.Jt. v.Chr. ist umstritten. Im 2.Jt. taucht der ant. Name Ḥamat nicht auf, obwohl sich arch. Reste der Mittel- und Spätbrz. fanden. Seit dem 9. Jh. v.Chr. ist der Ort in assyr. Texten (in der Regel als ›Land Ḥamat‹ und in der altaram. Steleninschr. des Königs Zakkūr um 800 v.Chr. belegt. Aus dem 1. Jt. v.Chr. stammen Inschr. in luw. Hieroglyphen. 710 v.Chr. wird Ḥamat von Sargon II. zerstört, die Bezeichnung ›Land Ḥamat‹ findet sich aber noch in neubabylon. Texten. Das AT erwähnt die Stadt mehrfach. Der arch. Befund belegt eine Siedlungsunterbrechung in der achäm. Periode. Erst in hell. Zeit wieder bewohnt, wird die Stadt wohl unter → Antio-

chos [6] IV. Ephiphanes in E. umbenannt. Der alte Name hielt sich jedoch als *Amathe* bei Iosephos und im arab. Ḥamāh.

    J. D. Hawkins, Hamath, RLA 4, 67–70 · H. Klengel, Syria 3000 to 300 B.C., 1992 · A. de Maigret, La Cittadella Aramaica di Hama, 1979.   G.LE.

B. Römische und byzantinische Zeit
In röm. Zeit expandierte der Ort hinunter in das Tal des Orontes, wo ein Tempel des 3. Jh. an der Stelle der h. Umayyadenmoschee als neues Kultzentrum entstand. Der Tempel wurde im 4./5. Jh. in eine Kirche umgewandelt, doch war E. schon seit 325 Bischofssitz. Bei der Eroberung Syriens (636/7) durch die Muslime ergab sich E. und wurde wieder in Ḥamāt umbenannt. Als kleine, unbed. Stadt gehörte sie bis in das 10. Jh. zum Militärbezirk von Ḥimṣ. Der Tall von E./Ḥamāt blieb bis zum Mongoleneinfall 1260 besiedelt.

    M. Buhl, s. v. Hamath, Anchor Bible Dictionary 3, 33–36 · Hama, fouilles et recherches 3, 1986; 4.2, 1957; 4.3, 1969.
                                         T.L.

[3] s. Ekbatana

Epiphanes (Ἐπιφανής, der »Erscheinende«). Beiname hellenistischer Herrscher, der schon im frühen Hellenismus in den Ehrbeschlüssen und der göttlichen Verehrung für Antigonos [1] Monophtalmos und dessen Sohn Demetrios Poliorketes 307 v.Chr. in Athen nachweisbar ist. Dabei wurde die den erscheinenden Gottheiten zugeschriebene helfende Kraft (→ Epiphanie) auf die als Gott (*theós*) angebeteten und als Retter (*sotḗr*) und Wohltäter (*euergétēs*) erhofften Könige, die körperlich anwesend waren (*parusía*), übertragen und gefeiert (Demochares, FGrH 75 F 2; Duris, FGrH 76 F 13; Diod. 20,46,1–3; Plut. Demetr. 10–13; 23 f.). Insbes. mit bzw. über »Soter« und »Theos« wurde E. zum Herrscherbeinamen, zuerst bei Ptolemaios V. (OGIS 90,5: 27.3.196); sodann trugen ihn Antiochos IV. (174–164, im Volksmund parodiert als »Epimanes«: Pol. 26,1; 1a), bei den Seleukiden noch Antiochos VI. und Seleukos VI. und bei den sich u. a. auf die Seleukiden zurückführenden Herrschern von Kommagene Antiochos I., IV. und dessen Sohn sowie der ferne Nachkomme Antiochos Philopappos.
→ Epiphanie

    s. v. E. Pax, s. v. Epiphanie, RAC 5, 832–909, bes. 842 ff. · F. Taeger, Charisma 1, 1957, 257 f., 270 ff., 318 ff.   A.ME.

Epiphanie (ἐπιφάνεια, »Sichtbarwerdung, Erscheinung«). Erscheinung einer Gottheit, wie sie in der spontanen Visison, im aktuellen rituellen Geschehen (→ Ekstase) und in der Erzählung manifest werden; solche Erscheinungen gehören zu übermenschlichen Wesen überhaupt. Da sich göttl. Sein v.a. in der tätigen Hilfe dem Menschen gegenüber zeigt, werden seit hell. Zeit hilfreich präsente Gottheiten mit der → Epiklese »erscheinend« (ἐπιφανής, → *epiphanḗs*, lat. *praesens*) bezeichnet. In der minoischen Religion scheinen E. eine wichtige Rolle zu spielen; mehrere Ringbilder stellen eine männliche oder weibliche Gottheit dar, die von oben einem Kreis meist tanzender Verehrerinnen erscheint [1]; problematischer ist die Vogel-E., welche nach einigen Gelehrten noch bei Hom. weiterlebt ([2. 330–340; 3], widersprochen von [4]). In der heroischen Welt Homers erscheinen Götter den Menschen meist unerkannt; höchstens ist die Gottheit dann doch an kleinen Einzelheiten zu erkennen (Aphrodite: Hom. Il. 3,396f.; Poseidon: Il. 14,385), oder sie offenbart sich auserwählten Einzelnen (Athena und Achilles: Il. 1,188–222). Fremde können so auch immer verkappte Götter sein.

Die feste narrative Form der E. ist seit den homer. Hymnen faßbar, wo → Aphrodite sich → Anchises nach der Liebesnacht (Hom. h. 5,172–183), → Demeter den eleusinischen Fürsten nach der Störung durch Metaneira als Gottheit zu erkennen gibt (Hom. h. 2,188–190; 275–280). Feste Bestandteile dieser E. sind die übermenschliche Größe der Gottheit, die sie begleitende Lichterscheinung und der göttl. Wohlduft; die Menschen reagieren mit Furcht, welche die Gottheit zu zerstreuen sucht. Dieses narrative Schema hält sich durchwegs in der ant. Lit. (z.B. Kall. fr. 1,21–28; Ov. fast. 1.93–101), aber auch im NT (E. der Engel in der Weihnachtsgeschichte, Lk 2,13ff.). E. von Gottheiten und Heroen gehört v.a. zu Krisensituationen, doch kann sie auch zur Legitimation polit. Ansprüche gelten, wie bei Peisistratos und Phye (Hdt. 1,60). Insbes. im Krieg erscheinen Götter und Heroen als Schlachtenhelfer; Archilochos betont Athenas Hilfe für den Sieg (IEG fr. 94), Polygnotos stellt in seinem Bild von Marathon den helfenden Heros → Aias dar (Paus. 1,15,2f.), Herodot unterstreicht die Leistung der Götter und Heroen im Perserkrieg (8,37f.; einzelner Heros: 6,117), und zahlreiche Erzählungen und Inschr. aus der ganzen Ant. belegen den lebendigen Glauben an solche E. [5; 6]. Oft ist die Einsetzung eines Kultes Resultat der E.: So wurde der athenische Kult des → Pan als Folge seines Eingreifens bei Marathon eingerichtet (Hdt. 6,105f.) [7]. Noch die Apotheose des röm. Kaiser folgt demselben Schema (→ Vergöttlichung).

Kult-E. gehören zu ekstatischen Kulten, wie demjenigen des → Dionysos, wo bildliche Zeugnisse auf die Erscheinung des Gottes und seines Gefolges weisen (apulischer Kelchkrater: [8. 133f.]); in den meisten hell. und kaiserzeitlichen Kulten individueller Nothelfer tritt freilich die Traumvision an die Stelle der E. (→ Asklepios, → Isis, → Inkubation). Neuplaton. Philosophen und Theurgen suchten ihrerseits die E. der Gottheit im privaten ekstatischen Ritual (Plot. 5,8,2), doch wird etwa von Iamblichos auch berichtet, daß er lokale Gottheiten herbeirufen konnte (Eun. vit. soph. 5,2,2–7); zu den Praktiken der Magier gehört sowohl die Fähigkeit, eine individuelle E. einer mächtigen Gottheit zu bewirken, wie auch das Zitieren von → Dämonen. Der Inhalt der E. ist kulturell determiniert. Während sich der heroische Tote im Traum wie in der E. in der aus seiner Lebenszeit bekannten Gestalt zeigt, erscheint die Gottheit gewöhnlich in der aus dem Kultbild bekannten Form [9]; in einigen Riten wird die Gottheit auch durch Masken dargestellt (Paus. 4,27,1–3; Polyain. 8,59; Plut. Dion 56, 982d-f). Das Christentum führt die Tradition fort: E.-Berichte benutzen schon im NT die bekannte narrative Struktur (etwa die E. der Engel bei den Hirten oder die E. des Saulus, Apg 9,3ff. [10]). Wichtiger als göttl. E. wird aber jetzt die E. der Heiligen, deren Hilfe an die Stelle derjenigen der Götter und Heroen tritt [6].

1 R. Hägg, Die göttl. Epiphanie im minoischen Ritual, in: MDAI 101, 1986, 41–62. 2 Nilsson, MMR 3 F. Matz, Göttererscheinung und Kultbild im minoischen Kreta, Abh. der Akad. der Wiss. Mainz, 1958, H. 7 4 H. Bannert, Zur Vogelgestalt der Götter bei Homer, in: WS 12, 1978, 29–42 5 SEG 26, 1986, 1581 6 W. Speyer, Die Hilfe und E. einer Gottheit, eines Heroen und eines Heiligen in der Schlacht, in: E. Dassmann, K.S. Frank (Hrsg.), Pietas 1980, 55–77 7 Ph. Borgeaud, Recherches sur le dieu Pan, 1979 8 A. Bottini, Archeologia della salvezza, 1992 9 H. Versnel, What did Ancient Man see when he saw a God? Some Reflections on Graeco-Roman Antiquity, in: J. Van der Plas (Hrsg.), Effigies Dei, 1987, 42–55 10 F.E. Brenk, Greek epiphanies and Paul on the road to Damaskos, in: U. Bianchi (Hrsg.), The Notion of Religion in Comparative Research, 1994, 415–424.   F.G.

Epiphanios (Ἐπιφάνιος).

[1] Von Salamis

A. Biographie

E. wurde zw. 310 und 320 im palästinischen Bet Guvrin/Eleutheropolis (Biogramm in GCS Epiphanius 1,1 Holl), präziser im nahegelegenen Dorf Besanduke/Bet Zedek (= Dair Saʿad?), wohl als Sohn christl. Eltern geboren. Er wurde früh Asket, hielt sich in diesem Zusammenhang wohl länger in Ägypten auf (Soz. 6,32,3) und gründete im Alter von etwa 20 Jahren in seinem Heimatort ein Kloster. Etwa zu dieser Zeit hat er auch die Priesterweihe empfangen. Wie bekannt der Mönch in den folgenden Jahren wurde, illustriert die Tatsache, daß er im J. 367 (oder 366) zum Bischof von Constantia/Salamis auf Zypern gewählt wurde. Andererseits wurde er aus unbekannten Gründen nicht Nachfolger seines nach 363 verstorbenen Ortsbischofs Eutychios von Eleutheropolis. Im J. 374 versuchte er ergebnislos, im Konflikt der antiochenischen »Kirchenparteien« zu vermitteln. In seinem Bischofsamt bemühte er sich bes. um die Sicherung der kirchlichen »Orthodoxie«: 382 nahm er an einer röm. Synode teil, gemeinsam mit → Hieronymus agierte er im origenistischen Streit als Vorkämpfer der antiorigenistischen Position. 390 lieferte er sich mit seinem Bischofskollegen Iohannes von Jerusalem in dieser Sache zunächst eine Art von »Predigtduell« (Hier. contra Iohannem Hierosolymitanum 11) und bekämpfte ihn dann mehrere Jahre, die er wohl in Palästina verbrachte. Nach Vermittlung des alexandrinischen Bischofs Theophilos (Sokr. 6,10) söhnten sich die Kontrahenten aus; E. kehrte im

Frühjahr 396 nach Zypern zurück und starb nach einem kurzen Engagement im Streit um → Iohannes Chrysostomos in Konstantinopel im J. 403 (oder 402) auf der Rückfahrt nach Zypern.

B. WERKE

E. verfaßte neben mehreren Briefen, die freilich weitgehend nur fragmentarisch erh. sind (CPG 2, 3750–3760), 374 n. Chr. ein Kompendium der kirchlichen Dogmatik unter dem sprechenden Titel Ἀγκυρωτός (»der Festgeankerte«, CPG 2, 3744). An seinem Ende befand sich, wie die äthiopische Überlieferung zeigt, urspr. das nizänische Symbol von 325 [6]. Als Hauptwerk gilt die Darstellung und Widerlegung von 80 paganen, jüd. und christl. »Häresien« (mit ausführlicher Zitation von Quellentexten) im 377 vollendeten »Arzneikasten« (πανάριον εἴτουν κιβώτιον, adversus haereses). Beide Schriften wurden 1915–1933 in einer zwar recht konjekturfreudigen, aber unübertroffenen Ausgabe von K. HOLL ediert (CPG 2, 3745: GCS Epiphanius 1–3; GCS 2–3 ²1980/1985 DUMMER). Daneben verfaßte E. eine griech. und syr. erh. biblische Realenzyklopädie (περὶ μέτρων καὶ σταθμῶν, de mensuris et ponderibus, ›Über Maße und Gewichte‹, CPG 2, 3746) und einen vollständig nur georgisch erh. Traktat über die Edelsteine im Ornat des jüd. Hohepriesters (de XII gemmis, CPG 2, 3748). Theologische Originalität des E. und Quellenwert seiner Polemiken werden jetzt günstiger beurteilt.

1 F. WILLIAMS, The Panarion of Epiphanius of Salamis, 2 Bde., 1987/1993 (engl. Übers.) 2 E. A. CLARK, The Origenist Controversy, 1992, 85–104 3 K. HOLL, Gesammelte Aufsätze zur Kirchengesch. II, 1964 (zuerst 1928), 204–224, 310–387 4 A. POURKIER, L'hérésiologie chez Épiphane de Salamine, 1992 (mit Rez. UTHEMANN, in: ByzZ 86/7, 1994, 135 f.) 5 W. SCHNEEMELCHER, s. v. Epiphanius von Salamis, RAC 5, 909–927 6 B. M. WEISCHER, Die urspr. Form des ersten Glaubenssymbols im Ankyrōtos des Epiphanios von Salamis, in: Theologie und Philosophie 53, 1978, 407–414.   C. M.

[2] (Epiphanius). Bischof von Ticinum (Pavia) 466–496, linderte durch sein Eintreten bei den arianischen Gotenkönigen → Odoaker und → Theoderich das Los der röm. Bevölkerung. → Ennodius verfaßte E.' Vita.

ED.: M. CESA, 1988 (= Ennod. p.331–383 Hartel = CSEL 6, p. 84–109 Vogel = MGH AA 7).

[3] E. Scholasticus. Übersetzte um die Mitte des 6. Jh. im Auftrag des → Cassiodorus griech. Werke ins Lat. [4], als wichtigstes die Historia tripartita [1; 2; 5].

1 W. JACOB, R. HANSLIK, 1952 (CSEL 71) 2 R. HANSLIK, E. Scholasticus oder Cassiodor?, in: Philologus 115, 1971, 107–113 3 PLRE 3, 446 4 ThlL Index ²1990, 45–46 5 F. WEISSENGRUBER, E. S. als Übersetzer, 1972.

[4] Syrer, wirkte nach → Eunapios [1] in der 1. H. des 4. Jh. neben Prohairesios als Rhet.-Lehrer in Athen [2; 3]. Die Identität mit E. von Petra, dessen rhet. Schriften Suda E 2741 auflistet, und dem in Laodikeia lehrenden Sophisten E. (Soz. 6,25, 9–10) ist unsicher [4] (Fr.: zur Stasislehre [6], zu Demosthenes [5]).

1 Eunapios ed. GIANGRANDE 1956, 79–80 2 PLRE 1, E. 1 3 G. A. KENNEDY, Greek Rhetoric under Christian Emperors, 1983, 137, 140 4 R. J. PENELLA, Greek Philosophers and Sophists in the 4th Cent. A. D. 1, 1990, 94–97, 101 f. 5 M. R. DILTS (Hrsg.), Scholia Demosthenica, 1983, p. 134,3; 203,20 6 WALZ, 4, 463–465.

[5] Mitglied des Sophistenkreises von Gaza um die Wende vom 5. zum 6. Jh. An ihn haben → Prokopios und → Aineias [3] von Gaza Briefe gerichtet.

PLRE 2, E. 4/5.

[6] (Epiphanius). Lat. Bischof, Verf. einer von G. MORIN 1905 entdeckten interpretatio evangeliorum. Nach ihrer vulgär gefärbten Sprache kann sie nicht vor dem 5. Jh. entstanden sein [2].

ED.: 1 A. ERIKSON, 1939 = Migne Suppl. 3, 1963, 834–964. LIT.: 2 Ders., Sprachliche Bemerkungen zu E., 1939.   O. HI.

Epirrhematisch. Abgeleitet von tó epírrhēma (τό ἐπίρρημα), d. h. die auf eine lyrische Partie folgende Rede. Unter e. Komposition versteht man die Abfolge von lyrischer und gesprochener (bzw. rezitierter) Partie. Aischylos setzt diese Kompositionsform häufig in halblyrischen → Amoibaia ein. In der Alten Komödie findet sich die e. Komposition in der → Parabase und im e. Agon.

TH. GELZER, Der e. Agon bei Aristophanes, 1960 · B. ZIMMERMANN, Unt. zur Form und dramatischen Technik der Aristophanischen Komödien I, ²1985, 253–261.   B. Z.

Epischer Zyklus (ἐπικὸς κύκλος). A. BEGRIFF B. INHALT UND VERFASSERSCHAFT C. NACHWIRKUNG

A. BEGRIFF

»Aus Epen bestehender Kreis, Ring«. Literaturkundlicher t. t., aufgekommen kaum erst ›nach Aristoteles [und] vor Kallimachos‹ [1. 359], sondern bereits vor Aristoteles [4. 93–95], der in an. post. 77b 32 f. (= T 1, p.1 BERNABÉ = T *2, p.13 DAVIES) seine Kenntnis vorauszusetzen scheint. Eine Beziehung zum Buchtitel Τραγικὸς κύκλος (Tragikós kýklos; neben Τραγῳδούμενα/ Tragōdúmena) des Isokrates-Schülers Asklepiades von Tragilos (Prosa-Buch, das die von den att. Trag. behandelten Mythen in chronologischer Abfolge nacherzählte) wurde schon von WILAMOWITZ [1. 361] angenommen; mit kýklos wurde unter Literaten wohl schon im 5. Jh. v. Chr. eine (auch versifizierte) ›Inhaltsangabe‹ von ›zusammenhängende(n) Begebenheiten bei einem weiten Umfang des Stoffs‹ [2. 43] bezeichnet (ähnlich [3. 2347]: ›Darstellungen, die inhaltlich bis zu einem gewissen Grade zusammenhingen, also sich sozusagen zu einem Kreise oder Ringe schlossen‹); definierende Zusatz-Attribute wie ἐπικός (epikós), τραγικός (tragikós) etc. konnten sich dann leicht einstellen.

Der Terminus war zunächst wohl wertneutraler Sammelbegriff für alle »homer.« (d. h. frühgriech., dem Homer zugeschriebenen) Epen, seit Aristoteles (so [5. 98–101] nur noch für einen Komplex von frühgriech. Hexameter-Epen *außerhalb* von *Ilias* und *Odyssee*, die in Homer-imitierendem Stil sämtliche noch bekannten alten Götter- und Heldensagen linear-narrativ versifiziert hatten, wohl mit der teils unbewußten, teils bewußten Absicht, alle mythischen Ereignisse (1) vor Beginn der *Ilias*, (2) zwischen dem Ende der *Ilias* und dem Beginn der *Odyssee* und (3) nach dem Ende der *Odyssee* bis zum Tode des Odysseus (und damit dem Ende des »Heroenzeitalters«) in sagenchronologischer Abfolge (ἀκολουθία ... τῶν πραγμάτων: Phot. Bibl. 319a 30 = T 22, p.6 BERNABÉ = T *1, p.13 DAVIES) in der Weise aneinanderzureihen, daß – unter Einbezug von *Ilias* und *Odyssee* – ein erzähllogisch zusammenhängendes myth. Gesamtstoff-Epos entstand (wobei die Einzelverf. wohl ähnlich wie später die Historiker aneinander anzuschließen suchten, → Herodotos – Thukydides – Xenophon).

Da der Terminus lediglich auf die Kontinuität zielte (nicht auf die ebenfalls im Kyklos-Begriff liegende regelmäßige Wiederkehr bestimmter Elemente), also in dem Sinne gemeint war, in dem wir noch heute von lit. oder musikalischen »Zyklen« sprechen, und da offenbar nie eine den Bestand an zugehörigen Epen fixierende Kyklos-Ausgabe kanonisch wurde, variierten schon in der Ant. Zahl und Titel der dem e.Z. zugeordneten Epen: neben einem (1) sehr weiten Kyklos-Begriff, der Weltentstehungs- und Götter-Epen einbezieht, steht ein (2) mittlerer Kyklos-Begriff, der nur die thebanischen und die troischen Sagen umfaßt, und ein (3) enger Kyklos-Begriff, der lediglich die troischen Sagen meint (auch Τρωϊκὸς κύκλος, *Trōikós kýklos* gen.). Im folgenden sind die eher *gelegentlich* zugerechneten Epen in eckige Klammern gesetzt, die übrigen konstituieren den Regel-Begriff: [1. *Theogonía*; s. [6. 121–129], dagegen [7. 13]] – [2. *Titanomachía*] – 3. *Oidipódeia* – 4. *Thebaís* – 5. *Epígonoi* – [6. *Alkmaionís*] – 7. *Kýpria* – (*Iliás*) – 8. *Aithiopís* – 9. *Iliás mikrá* – 10. *Ilíu pérsis* – 11. *Nóstoi* – (*Odýsseia*) – 12. *Telegón(e)ia* (zu allen gen. Epen s. die Einzelartikel).

B. INHALT UND VERFASSERSCHAFT

Sämtliche Epen des e.Z. sind verloren; erhalten sind nur zwei Prosa-Inhaltsangaben (von → Proklos und → Apollodoros [7]), zahlreiche Bezeugungen (Testimonien) und nur äußerst wenige und kurze Frg. (jetzt gesammelt in den Ausgaben von [8] und [9]). – Verf. und Abfassungszeit der einzelnen Epen waren schon in der Ant. unbekannt [1. 361; 4. 99 f.]: Verf.-Nennungen sind reine Spekulation; die Abfassungszeit liegt jedenfalls *nach Ilias* und *Odyssee* (so jetzt auch KULLMANN [10. 33; 11. 104 f.]), am ehesten zwischen 600 und 500 v. Chr. (auch nach den sprachlichen Indizien: [12], [13, vorsichtiger]). – Der *Stoff* ist älter als *Ilias* und *Odyssee*; er wird vom e.Z., von *Ilias* und *Odyssee* verwertet, vom e.Z. allerdings mit der steten Absicht, Anspielungen der bei-

den bereits schriftlich vorliegenden Großepen auf diesen Stoff durch Einbettung in die urspr. Erzählzusammenhänge zu *erläutern*. Diese durchgehende Erläuterungsabsicht verhinderte jede künstlerische Autonomie, so daß die Epen des e.Z. zu Faktenreihungen in Versen wurden (»und dann – und dann«), deren mangelnde Qualität schon die Alexandriner als Folie zu Homer benutzten (→ Kallimachos, → Pollianos: [5. 281] gegen [2. 103–110]); die moderne Epenforsch. folgt ihnen darin [14; 15. 96–99]): gegen die Epen des e.Z. gehalten, wird die überragende Qualität Homers evident.

C. NACHWIRKUNG

Der e.Z. wurde schon von den att. Trag. (bes. Sophokles: T 18 BERNABÉ = T *4 DAVIES; vgl. Aristoteles' Angabe in der ›Poetik‹: T 5 BERNABÉ p.37 = T 13 p.30 DAVIES) als Stoffsammlung geschätzt. Von den Mythographen (z. B. Dionysios von Samos, gen. ὁ κυκλογράφος) für Prosa-Handbücher ausgebeutet, gelangte er in immer karger werdenden Exzerpten u. a. zu → Proklos, → Apollodoros, → Photios und im MA an den Anfang mehrerer *Ilias*-Hss. [16. 341–346]. Er wirkte über Zwischenstufen auch auf die Troia-Romane der → Diktys und → Dares sowie auf die *Posthomerica* des → Quintus von Smyrna und die *Ante-* und *Posthomerica* des → Tzetzes ein, aus denen das MA seine Kenntnisse von »Homer« bezog; über HEDERICHS Lexikon hängen z. B. noch Goethe (*Achilleis*) und Kleist (*Penthesilea*) vom e.Z. ab.

1 U. v. WILAMOWITZ-MOELLENDORFF, Homer. Unt. (Der ep. Cyclus), 1884, 328–380 2 F. G. WELCKER, Der ep. Cyclus, ²I, 1865 3 A. RZACH, s. v. Kyklos, in: RE 11, 2347–2435 4 M. DAVIES, Prolegomena und Paralegomena to a New Edition (with Commentary) of the Fragments of Early Greek Epic, in: AAWG 2, 1986, 91–111 5 PFEIFFER, KPI 6 M. L. WEST, The Orphic Poems, 1983 7 M. DAVIES, The Epic Cycle, 1989 8 PEG I 9 EpGF 10 W. KULLMANN, Zur Methode der Neoanalyse in der Homerforsch., in: WS 15, 1981, 5–42 (= Ders., Homer. Motive, 1992, 67–99) 11 Ders., Ergebnisse der motivgesch. Forsch. zu Homer (Neoanalyse), in: Ders., Homer. Motive, 1992, 100–134 12 M. DAVIES, The Date of the Epic Cycle, in: Glotta 67, 1989, 89–100 13 R. SCHMITT, Zur Sprache der kyklischen »Kypria«, in: Pratum Saraviense. Festgabe für Peter Steinmetz, 1990, 11–24 14 J. GRIFFIN, The Epic Cycle and the uniqueness of Homer, in: JHS 97, 1977, 39–53 15 J. LATACZ, Homer. Der erste Dichter des Abendlands, ³1997 16 A. SEVERYNS, Recherches sur la Chrestomathie de Proclos, III 1, 1953.

O. GRUPPE, Griech. Myth. und Religionsgesch., HdbA V 2, 1906, 380–718 · A. SEVERYNS, Le Cycle épique dans l'école d'Aristarque, 1928 · F. JOUAN, Le Cycle épique: état des questions, in: Association Guillaume Budé. Actes du Xe Congrès, 1980, 83–104 · E. BETHE, Thebanische Heldenlieder, 1891 · Ders., Der Troische Epenkreis, (²1929 =) 1966 · W. KULLMANN, Die Quellen der Ilias (Troischer Sagenkreis), 1960 · A. SADURSKA, Les Tables Iliaques, 1964.
                                                                        J. L.

Episkopos, Episkopoi

[1] Im Wortsinn heißt *epískopos* soviel wie »Aufseher«. Im griech. Bereich war *e.* eine Bezeichnung für Beamte, ähnlich den → *epimelētaí* und → *epistátai*, jedoch weniger häufig gebraucht. Im Delisch-Attischen Seebund wurden *Epískopoi* als athenische Beamte in verbündete Städte geschickt, um etwa eine demokratische Verfassung einzurichten (Erythrai: ML 40; vgl. auch Aristoph. Av. 1021–1034). *E.* sind unter den Beamten in Rhodos (Syll.³ 619), Massilia bestellte einen *e.* für seine Kolonie Nikaia (ILS 6761) und Mithridates VI. sandte einen *e.* nach Ephesos (App. Mithr. 187). In Ägypten ist ein *e.* einem *dioikētēs* unterstellt (MITTEIS/WILCKEN 2, 2, Nr. 5).   P.J.R.

[2] Das Wort wird in seiner wörtlichen Bed. auch in christl. Texten verwendet: so z.B. für Christus (1 Petr 2,25) oder Gott (Ignatius, epistula ad Magn. 3,1). *E.* bedeutet hier zunächst »Aufseher«, wobei das Verb die gnädige Herabsehen umschreibt (die LXX gibt פקד »heimsuchen« mit *episkopeín* wieder) bzw. spezielle Formen der Aufsicht wie z.B. den Krankenbesuch (vgl. Mt 25,36; 43), freilich auch Anweisung, Bestellung, Beauftragung. Mit dem griech. Begriff wird außerdem seit dem späten 1. Jh. in präzisem technischen Gebrauch das (bzw. zunächst ein) leitende(s) geistliche(s) Amt in den christl. Gemeinden bezeichnet. Vielleicht spielt für die Herausbildung einer so bezeichneten Institution neben den paganen Belegen für das Wort *e.* auch das Amt eines »Aufsehers« (מבקר) in der Qumran-Gemeinde eine Rolle, der neue Mitglieder aufnimmt, lehrt und predigt, Versammlungen einberuft und als Richter amtiert (QD 13,7; 1 QS 6,12; 14; 20). Allerdings stammen die ersten Belege eines Amtstitels aus heidenchristl. Gemeinden: Paulus erwähnt im Gruß seines Philipperbriefes Mitte des 1. Jh. bereits bes. *epískopoi kaí diákonoi* (1,1), wobei eine exakte Funktionsbestimmung dieser *e.* kaum möglich ist. Dagegen werden in der Milesischen Abschiedsrede, die Lukas Paulus in den Mund legt, die Gemeindevorsteher (= Presbyter) noch ganz untechnisch als *e.* bezeichnet (Apg 20,28). In den kleinasiatischen Gemeinden paulinischer Tradition bildete sich aber, wie vor allem die sog. »Pastoralbriefe« zeigen, offenbar schon im 1. Jh. ein entsprechendes Amt heraus.

Die Amtsbezeichnung wird in dieser Frühzeit meist im Plural verwendet, so daß man besser von »Episkopen« als von »Bischöfen« redet; sie stellten nach der Einführung der jüd. Presbyterialverfassung in den paulinischen Gemeinden offenbar eine Untergruppe der Presbyter dar. Die *e.* wurden – ähnlich wie die Rabbinen bei ihrer Ordination (סמיכה) – durch Handauflegung in ihr Amt eingesetzt. Als Voraussetzungen werden vorbildliches Verhalten in der Öffentlichkeit und in der Familie gefordert (1 Tim 3,2–4); Neubekehrte sind von ihm ausgeschlossen. Über die exakte Funktion der *e.* finden sich erste präzisere Angaben im 1. Clemensbrief (→ Apostolische Väter; Ende 1. Jh.): *E.* sollen »bewährte Männer« sein (1 Clem 44,2), ihre Funktion besteht wohl vor allem im kult. Dienst, und sie sollen nicht abgesetzt

werden (44,4). Nur wenig später, nämlich während der Regierungszeit des → Traianus, propagierte der antiochenische Bischof → Ignatios in seinen Briefen anstelle der bisherigen kollegialen Leitungsstrukturen den »Monepiskopat«, d.h. die Leitung der Gemeinde durch einen einzigen *e.* und dazu den Rangunterschied zwischen einem so verstandenen *e.* und den Presbytern: ›Wo der *e.* erscheint, soll die Gemeinde sein, da wo Jesus Christus ist, die *katholikē ekklesía* ist‹ (erster Beleg dieser Verbindung). Ohne *e.* darf man weder taufen noch das Liebesmahl halten; was aber jener für gut befindet, das ist auch Gott wohlgefällig (Smyrn 8,1–2). Die Intensität dieser Argumentation auf der Basis des Urbild-Abbild-Denkens deutet darauf hin, daß es sich damals noch nicht um ein eingeführtes Modell kirchlicher Organisation handelte; *communis opinio* der Forsch. ist gegenwärtig, daß das dreigliedrige hierarchische Amtsgefälle von Presbytern und Diakonen erst in der zweiten H. des 2. Jh. im wesentlichen ausgebildet war.

In Rom hatte sich der Monepiskopat erst gegen 189 n. Chr. als Verfassungsmodell durchgesetzt, nachdem wohl zunächst der mit der Pflege der Außenkontakte betraute Presbyter einen Autoritätsvorsprung gewonnen hatte. Für die Entstehung des Monepiskopates können natürliche Entwicklungen innerhalb kollegial strukturierter Organe verantwortlich gewesen sein (so HARNACK), sicher auch die Notwendigkeit, als »häretisch« empfundenen Bewegungen im 2. Jh. (wie der Gnosis) eine autoritative Führungsgestalt entgegenzustellen. Jüngst ist auch das Theologumenon von der Kirche als »Haus Gottes« angeführt worden: Der Monepiskopos entspräche dann dem ›souveränen Hausvorstand‹ (DASSMANN).

Seit dem 3. Jh. wandelt sich der »Monepiskopat« in den »monarchischen Episkopat«; die Bischöfe beanspruchen nun (mindestens teilweise) eine Autorität über die Presbyter, die keinen Platz mehr für deren Mitarbeit bei der Gemeindeleitung läßt. Allerdings sollte der Umfang dieser Herrschaft nicht überschätzt werden; Gregorios Thaumaturgos amtierte Mitte des 3. Jh. als *e.* für siebzehn Christen (Greg. Nyss. vit. Greg. p. 16,2f HEIL). Zunehmend verfestigte sich die Konzeption einer ungebrochenen Kette von Amtsträgern, die über die Apostel auf Christus zurückgeführt wurde (*diadochē/successio*) und im Unterschied zur paganen Philosophendiadoche auch die unveränderte Weitergabe der Glaubenstradition implizieren sollte. Es wurden nachträglich entsprechende Bischofslisten für die prominenten Sitze erstellt. In der anon. (unter dem Titel *Traditio Apostolica* dem → Hippolytos zugeschriebenen) Kirchenordnung (Grundbestand frühes 3. Jh.) ist diese Entwicklungsstufe voll ausgeprägt. Die *e.* gelangen durch Handauflegung und Gebet um den hl. Geist in ihr Amt. Sie werden vom ganzen Volk gewählt (§2); an der Wahl sind auch einige Bischöfe der Nachbargemeinden und das Presbyterium beteiligt. Die genaue Wahlprozedur ist kaum zu rekonstruieren; aber das Gewicht der Volkswahl wird dadurch begrenzt, daß erst die

Handauflegung von Nachbarbischöfen die Wahl gültig werden ließ. Nach den Bestimmungen des ersten Reichskonzils von Nikaia (325 n. Chr.; Kanon 4) sollte die Handauflegung sogar durch alle Bischöfe einer Prov., mindestens aber durch drei persönlich Anwesende vorgenommen werden. Die abwesenden Kollegen und der Bischof der Provinzialmetropole mußten der Wahl und Amtseinführung zustimmen. Der Vorrang der sog. Metropolitanbischöfe, der sich im Laufe des 3. Jh. herausgebildet hatte, wurde ebenfalls auf Synodalkanones des 4. Jh. normiert (z. B. Kanon Antiocheia 9). Erst im 4. Jh. wurde der auch polit. bedingte Vorrang der Metropoliten von Rom, Alexandreia, Antiocheia und Konstantinopel sowie der Ehrenvorrang von Jerusalem kodifiziert (Reichskonzile von Nikaia, Kanon 6/7 und von Konstantinopel 381, Kanon 3); spätestens unter → Damasus von Rom (366–384) beginnt sich der Primat Roms zu verfestigen. Den leitenden Geistlichen auf dem Lande (*chōrepískopoi*/»Chorbischöfe«) wurden die episkopalen Vorrechte bestritten (Reichskonzil von Serdika 342, Kanon 6). Zunehmend wurden im 3. Jh. neben *confessores* auch gesellschaftlich hochstehende oder einflußreiche Persönlichkeiten in das Bischofsamt gewählt; auf der anderen Seite gibt es aber immer wieder auch prominente Theologen (→ Theophilos von Antiocheia; → Cyprianus von Karthago oder → Dionysios [52] von Alexandreia).

Allerdings fanden sich neben bzw. innerhalb der Mehrheitskirche nach wie vor Kreise, die das dreifach gegliederte hierarchische Amt nicht rezipierten. So berichtet z. B. → Epiphanios [1] über eine Gruppe, die er Aërianer nennt (haer. 75): Sie bestreiten, daß ein ›Bischof mehr wert als ein Presbyter‹ (75,3,3) sei.

Unter den Bedingungen staatlicher Privilegierung der Kirche im 4. Jh. veränderte sich auch das Bischofsamt erheblich: Es gewann eine immense polit. Bed. in den zusammenbrechenden staatlichen Strukturen. Diese Entwicklung, die auch zur Übernahme von Mitteln der polit. Auseinandersetzung (Bestechung o. ä.) führte, wurde innerhalb der Kirche durchaus auch sehr kritisch gesehen. Sie verdankte sich u. a. den Prärogativen, die schon → Constantinus [1] den Bischöfen verlieh: 313 trat erstmals ein vom *princeps* als Kaisergericht konstituiertes Bischofsgericht zusammen (Optatus, Parm. 1,23,1–2); wohl im Juni 318 wurde das bischöfliche Schiedsgericht für den Fall des Einverständnisses beider Parteien als Instanz des gewöhnlichen zivilrechtlichen Verfahrens anerkannt (Cod. Theod. 1,27,1), 313/333 wurden die Bischöfe von den *munera civilia* befreit (Cod. Theod. 16,2,2) und durften den → *cursus publicus* (vgl. nur Cod. Theod. 8,5,54) benutzen. Auch die verschiedenen Ehrenrechte (*vir clarissimus*-Titel, Kleidungsprivilegien etc.) zeigen, wie die Bischöfe immer stärker staatlichen Beamten gleichgestellt wurden, ohne doch direkt Beamte zu werden. Charakteristische Typen der neuen »polit. Dimension« des Bischofsamtes seit dem 4. Jh. stellen die sog. »Hofbischöfe« (z. B. → Eusebios von Nikomedeia, nicht aber → Eusebeios von Kaisareia) dar,

außerdem sogenannte »Hoftheologen« (vgl. etwa das Wirken der homöischen Bischöfe Ursacius und Valens unter Constantius II.), die als kirchenpolit. Souverän agierenden Bischöfe (z. B. → Ambrosius von Mailand, aber auch → Athanasios, → Basileios, → Kyrillos von Alexandreia oder → Iohannes Chrysostomos), weiter die Bischöfe als kaiserliche Richter oder als Patrone für Gemeindeglieder (für das *intercessionis officium* vgl. z. B. Aug. epist. 151,2) und außerdem der e. als städtischer Wohltäter. In Gallien wurde im 5. Jh. schließlich der Grund für jene »weltliche Herrschaft« der Bischöfe gelegt, die das Mittelalter prägte. Angesichts der wachsenden Bed. von hl. Männern in der Spätant. überrascht es nicht, wenn Bischöfe nun vor allem aus Kreisen des Mönchtums berufen wurden; die meisten prominenten Theologen der Spätant. waren Bischöfe, auch wenn sie ihr öffentliches Amt nicht immer gern ausübten (z. B. → Gregorios von Nazianz).

H. W. Beyer, H. Karpp, s. v. Bischof, RAC 2, 394–407 · H. Freiherr von Campenhausen, Kirchliches Amt und geistliche Vollmacht in den ersten drei Jh., 1953 · E. Dassmann, Ämter und Dienste in den frühchristl. Gemeinden, 1994 · A. Harnack, Entstehung und Entwicklung der Kirchenverfassung und des Kirchenrechts in den ersten zwei Jh., 1910 (= 1990) · H. Lietzmann, Zur altchristl. Verfassungsgesch., in: Ders., KS, TU 67, 1958, 144–148 · Ch. Markschies, Zwischen den Welten wandern, 1997, 208–227 · Ders., Die polit. Dimension des Bischofsamtes im vierten Jh., in: J. Mehlhausen (Hrsg.), Recht, Macht, Gerechtigkeit, 1997.　　C. M.

Epistatai (ἐπιστάται, »Vorsteher«, »Vorgesetzte«). Titel für verschiedene Beamte in der griech. Welt; s. auch *epimelētaí, epískopoi*.

1. E. finden sich bes. auf dem Gebiet der Verwaltung hl. Schätze und der öffentlichen Arbeiten. In Athen existierten Gremien von e. für mehrere öffentliche Bauten der Perikleischen Zeit (z. B. ML 59 zum Parthenon), für die Aufsicht über den Schatz der Göttinnen von Eleusis (IG I³ 32; II² 1672) und andere hl. Gelder. E. dieser Art finden sich auch in anderen Orten, etwa Kyzikos (Syll.³ 799), Ilion (330) und Rhodos (340; 931). In Milet gab es e. für Knaben, die von einer Stiftung gefördert wurden (Syll.³ 577, 73).

2. In mehr spezieller Bed. diente e. zur Bezeichnung des Vorsitzenden eines Gremiums oder einer Versammlung. In Athen hatten sowohl die *prytáneis* wie die *próhedroi* einen e. für je einen Tag ([Aristot.] Ath. pol. 44). *Epistateín* wurde in vielen anderen Städten für die Tätigkeit des Vorsitzenden des Rates und der Volksversammlung gebraucht. Dazu gehörten Ilion (z. B. OGIS 219), Zeleia (z. B. Syll.³ 279), Magnesia am Maiandros (z. B. Syll.³ 589: e. der *próhedroi*), Milet (IMilet 1, 3 139 B) und Iasos (IK Iasos 32).

3. Hell. Könige ernannten häufig einen e., der in einer bestimmten Stadt als ihr Beauftragter wirken sollte: so etwa die Antigoniden in Thessalonike (IG X 2,1,3), ein bithynischer König in Prusa am mysischen Olympos (IK Prusa ad Olympum 1), die Seleukiden in

Seleukeia in Pieria (IGLS 3, 2, 1183). Das *koinón* des Zeus Panamaros nahe Stratonikeia erhielt zuerst einen *e.* von Philippos V. und später von Rhodos (IK Stratonikeia 4; 9); in ähnlicher Weise bestellte Rhodos einen *e.* für Syros (IG XII 5,1, 652).

→ Epimeletai; Episkopoi   P.J.R.

Epistel   A. Begriff, Terminologie, Ursprünge B. Material, Beförderung   C. Formeln D. Privatbriefe   E. Amtliche Briefe F. Briefsteller und Brieftheorie G. Literarische Briefe   H. Briefsammlungen

A. Begriff, Terminologie, Ursprünge

Ein Brief ist eine schriftliche Mitteilung an einen Abwesenden. Griech. *epistolé* (ἐπιστολή) ist Verbalsubstantiv zu ἐπιστέλλειν, »(einem Boten) eine Mitteilung auftragen« oder »(jemandem) eine Mitteilung (mündlich oder schriftlich) übersenden«; *epistolé* bedeutet »übersandte Mitteilung«, in älterer Zeit auch eine mündliche. Synonym: *grámmata* (γράμματα), eigentlich »Schriftstück«, im Lat. *epistula, litterae.* Überall, wo eine Schrift erfunden wurde, war der Brief eine ihrer ersten Verwendungsweisen. Daher gibt es in allen Schriftkulturen eine Briefpraxis; die Griechen haben sie zweifellos im Orient kennengelernt. In den Linear B-Täfelchen findet sich allerdings kein Beispiel. Der einzige bei Homer erwähnte Brief (Il. 6,169: ein »Urias-Brief«) wird Bellerophon von Argos nach Lykien mitgegeben, die ganze Episode hat oriental. Bezüge.

B. Material, Beförderung

Für Briefe benutzte man urspr. wachsüberzogene Holztäfelchen (δέλτοι, *tabellae*); ein Paar (δίπτυχον) konnte zusammengeklappt und versiegelt werden. Dann wurde → Papyrus verwendet; außen auf der Rolle stand die Adresse (ἐπιγραφή, *inscriptio*). Eine Variante sind Bleifolien, die ebenfalls gerollt werden konnten; hiervon sind sehr alte Exemplare erhalten (um 500 v. Chr. [25]; um 400: Syll.³ III 1259 und 1260). Die Beförderung geschah durch Boten oder durch Reisende, die Post für Bekannte mitnahmen. Empfehlungsbriefe (eine bes. alte und häufige Zweckform) wurden von dem Empfohlenen überbracht. Wohlhabende schickten Sklaven (γραμματοφόρος, *grammatophóros, tabellarius* [19]); staatliche Stellen hatten seit dem Hellenismus einen eigenen Botendienst. Eine öffentliche Post wurde nicht entwickelt [16; 17]. Eine alte Form des Geheimbriefs: → Skytale.

C. Formeln

Konventionelle formelhafte Elemente des Briefstils werden seit der 2. Hälfte des 5. Jh. v. Chr. faßbar; sie hängen nicht von oriental. Mustern ab. In stilistisch anspruchsvollen Briefen treten sie zurück; dort sind Anfang und Schluß abrupt. Der Wandel der Formeln läßt sich am reichen Material der griech. Briefe auf ägypt. Papyri verfolgen [12]. Wichtige Elemente: (1) Präskript (Anfangsgruß: ›Philippos grüßt den Theon‹: Φίλιππος Θέωνι χαίρειν; ›Cicero grüßt Atticus‹: *Cicero Attico salu-*

tem dat oder *dicit.* Zu χαίρειν ist (vgl. Aristoph. Nub. 608 f.) etwa zu ergänzen: ἐπιστέλλει oder λέγει [13]. (2) Formula salutis: εἰ ἔρρωσαι, εὖ ἂν ἔχοι· ἐρρώμεθα δὲ καὶ αὐτοί (u. ä.); *Si vales, bene est, ego valeo* (nach Sen. epist. 15,1 veraltet). (3) Nach dem Hauptteil des Briefes (Corpus): Sorgeformel (hell.): ἐπιμέλου σεαυτοῦ ὅπως ὑγιαίνης, *cura ut valeas.* (4) Grußübermittlung: ἀσπάζου τὸν δεῖνα; ἀσπάζεταί σε καὶ ὁ δεῖνα (u. ä.). (5) Schlußgruß: ἔρρωσο, *vale.* (6) Ein Datum wird sehr selten angefügt.

Drei sprachliche Eigenarten: (1) Für die 1. Pers. Sg. tritt oft die 1. Pers. Pl. ein. Dieser Pl. ist vorwiegend als Pluralis modestiae aufzufassen. In hell. Herrscherbriefen geht er in den Pl. maiestatis über [24]. (2) Die 2. Pers. Pl. als Pluralis reverentiae entwickelt sich allmählich in der Kaiserzeit. (3) Periphrastische Höflichkeitsanreden setzen sich im 4. Jh. n. Chr. durch, z. B. ἡ σὴ μεγαλειότης, *maiestas tua* (»Deine Größe«); umgekehrt ἡ ἐμὴ ὀλιγότης, *mea parvitas* (»Meine Wenigkeit«). Hierbei scheint das Lat. voranzugehen [23].

D. Privatbriefe

Hierher gehören Briefe zwischen Verwandten, Freunden und Angehörigen privater Gruppen sowie geschäftliche Briefe. Griech. Briefe dieser Art sind in ägypt. Papyri in großen Mengen erhalten, lat. durch die Funde im britannischen Vindolanda [1]. Es zeigt sich eine weite Verbreitung der Schreib- und Lesefähigkeit; in Ägypten nehmen Analphabeten auch Berufsschreiber in Anspruch. Die Briefe dienen nicht nur praktischen Bedürfnissen, sondern auch der Pflege menschlicher Kontakte (»Freundschaft«, φιλία); manche haben kaum einen pragmatischen Inhalt.

E. Amtliche Briefe

(von und an Amtsträger). In den hell. Monarchien sind sie Vehikel der staatlichen Verwaltung; dies wird von den Römern in der Kaiserzeit übernommen; Briefe sind eine wesentliche Form staatlicher Erlasse. Umfangreiches Material stammt aus Ägypten auf Papyrus; Königsbriefe stehen auf Inschr. [7; 8]. Aus Rom ist der Briefwechsel von → Plinius als Provinzstatthalter mit Kaiser Traian erhalten (Plin. epist., 10. B.). → Cassiodorus gab seine Amtserlasse in Briefform heraus. Im zwischenstaatlichen Verkehr wurden diplomatische Briefe gewechselt. In Kanzleien waren berufsmäßige Briefschreiber tätig (*epistológraphoi*, ἐπιστολογράφοι); am röm. Kaiserhof ist das Amt *ab* → *epistulis* bedeutend.

F. Briefsteller und Brieftheorie

Anweisungen zum Briefschreiben [5] muß es seit dem Hellenismus gegeben haben, zunächst in Form elementarer Einführungen für jedermann und für private Berufsschreiber; auf der Stufe der amtlichen Briefschreiber gab es diesbezüglich eine »Lücke« (welche Ps.-Demetrios, *Týpoi epistolikoí/*Τύποι ἐπιστολικοί, füllen will); schließlich gab es Anleitungen im Rahmen des Rhetorikunterrichts. Hier hatte der Brief freilich keine Stelle im System, sondern wurde am Rande behandelt, innerhalb der → Progymnasmata als Anwendungsfall der Ethopoiia (zuerst bei Theon, vol. II p. 115 Spengel

[14. 70–73]). Erh. sind kaiserzeitliche Sammlungen von Musterbriefen: Pap. Bononiensis 5; Ps.-Demetrios, *Týpoi epistolikoí*; Ps.-Libanios und Ps.-Proklos, *Epistolimaíoi charaktéres*/Ἐπιστολιμαῖοι χαρακτῆρες (zwei Rezensionen einer Grundschrift). Es werden 21 (Ps.-Demetrios) bzw. 41 (Ps.-Proklos) Brieftypen unterschieden. Theoretische Behandlungen: Demetrios, *Perí hermēneías* (Περὶ ἑρμηνείας 223–235); Philostr. *Diálexis* (Διάλεξις 1, vol. II p. 257f. KAYSER), Gregor von Nazianz epist. 51 (ed. princeps GALLEY, Paris 1964, Bd. I p. 126); → Iulius Victor (lat.) im Anhang seiner Rhet. (Kap. 27).

Die früheste nachweisbare theoretische Äußerung ist von Artemon, dem Herausgeber der Aristotelesbriefe: ein Brief sei gewissermaßen die eine Seite eines Dialogs und solle deshalb den gleichen Stil wie dieser haben (Demetrios, ebd. 223). Der Gedanke wird später oft wiederholt (ähnlich Cic. Att. 12,53 und Phil. 2,7: *amicorum conloquia absentium*). Hinzu kommen verstreute Äußerungen über den Briefstil, z.B. bei Cicero, fam. 2,4 und 4,13 [21. 27–47]. Einige Charakteristika des Briefstils [20. 192–195; 15; 21]: (1) Sprache: Schlichtheit, Nähe zur Umgangssprache. Figuren und Perioden sind zu meiden. Unaufdringliche Eleganz (χαρίεν, Demetrios ebd. 235) wird erstrebt. (2) Inhalt: Ernsthafte Raisonnements gehören nicht in einen Brief (Demetrios ebd. 230), dafür aber lit. Zitate, Sprichwörter, Scherze. Der Brief kann Bildung demonstrieren, geistreich und pointiert sein; er wird zum Ausdruck urbaner Lebensform. Darüber kann der Mitteilungsgehalt fast verschwinden. (3) Klarheit des Ausdrucks ist vordringlich; das unterscheidet den Briefstil sowohl von der Rede (Philostratos) als auch von der Umgangssprache (weil der Empfänger nicht zurückfragen kann, Iulius Victor). (4) Kürze, eine oft betonte Forderung; Gregor von Nazianz warnt vor Übertreibung (für die es seit den griech. Briefen des → Brutus viele Beispiele gibt): der Brief dürfe kein Rätsel (γρῖφος) werden. (5) Ethos: Demetrios ebd. 227: σχεδὸν γὰρ εἰκόνα ἕκαστος τῆς ἑαυτοῦ ψυχῆς γράφει τὴν ἐπιστολήν (Der Brief als Spiegel der Seele). Auch an die Person des Empfängers muß man sich anpassen (ebd. 234); hierzu gehört taktvolle Rücksicht. (6) Freundschaft: Der Brief gilt grundsätzlich als Freundschaftsbezeugung (Demetrios ebd. 231: φιλοφρόνησις σύντομος); er sollte sich nicht auf das Sachliche beschränken, sondern die persönliche Beziehung pflegen; so entwickelt sich eine reiche Freundschaftstopik [21].

SAMMELEDD.: **1** A.K. BOWMAN, J.D. THOMAS, The Vindolanda Writing-Tablets (Tabulae Vindolandenses II), 1994, 183–343 **2** P. CUGUSI (Hrsg.), Epistolographi Latini Minores, 1970 **3** G. DAUM (Hrsg.), Griech. Papyrusbriefe aus einem Jt. ant. Kultur, 1959 **4** R. HERCHER (Hrsg.), Epistolographi Graeci, 1873 (Ndr. 1965) **5** A.J. MALHERBE (Hrsg.), Ancient Epistolary Theorists, 1988 **6** S.K. STOWERS (Hrsg.), Letter-writing in Greco-Roman Antiquity, 1986 **7** WELLES **8** A. WILHELM (Hrsg.), Griech. Königsbriefe, 1943.

LIT.: **9** A. DEISSMANN, Licht vom Osten, ⁴1923 **10** DZIATZKO, s.v. Brief, RE 3, 836–843 **11** F.X.J. EXLER, The Form of the Ancient Greek Letter, 1923 **12** P.J. PARSONS, in: Genèse et développement d'un genre littéraire. La lettre antique..., Didactica Classica Gandensia 20, 1980, 3–19 **13** G.A. GERHARD, Unt. zur Gesch. des griech. Briefes I, in: Philologus 64, 1905, 27–55 **14** G.A. KENNEDY, Greek Rhetoric under Christian Emperors, 1983 **15** H. KOSKENNIEMI, Studien zur Idee und Phraseologie des griech. Briefes bis 400 n.Chr., 1956 **16** REINCKE, s.v. Nachrichtenwesen, RE 16, 1496–1541 **17** W. RIEPL, Das Nachrichtenwesen des Alt., 1913 **18** J. SCHNEIDER, s.v. Brief, RAC 2, 564–585 **19** SCHROFF, s.v. Tabellarius, RE 4 A, 1844–1847 **20** SYKUTRIS, s.v. Epistolographie, RE Suppl. 5, 185–220 **21** K. THRAEDE, Grundzüge griech.-röm. Brieftopik, Zetemata 48, 1970 **22** F. ZIEMANN, De epistularum Graecarum formulis..., 1910 **23** H. ZILLIACUS, s.v. Anredeformen, JbAC 7,1964,167–182 **24** H. ZILLIACUS, Selbstgefühl und Servilität, 1953 **25** Proc. of the Cambridge Philological Society 199, 1973, 35f.   H. GÖ.

G. LITERARISCHE BRIEFE

Epistula est, habet quippe in capite quis ad quem scribat. Augustinus' Worte in den *Retractationes* zu einer längeren Abh. (2,20) zeigen, daß der Römer unter Brief (B.) jedes Schriftstück verstand, das eine Absender und Empfänger nennende Anrede trug, unabhängig von einer tatsächlichen Übersendung. Zur Lit. wurde ein B. nicht durch seinen Inhalt, sondern durch seine Publikation, die des Inhalts oder des Verf. wegen erfolgen konnte, nach dessen Tod oder schon zu dessen Lebzeiten, von Seiten anderer oder des Verf. selbst. Die moderne Scheidung zw. »echtem« B. und »Kunstbrief« bzw. »Epistel« entspricht somit nicht den ant. Gegebenheiten [2. 550f.]. Der große Umfang des B.-Genos ergab sich aus der doppelten Aufgabe des »Gesprächsersatzes«: der Vermittlung von Information und der Pflege persönlicher Beziehungen. Der familiäre Ton und die zwanglose Form erwiesen es als bes. geeignet zur Behandlung verschiedenster Themen für einen größeren Leser- oder Hörerkreis (Varro, *Epistolicae quaestiones*; Seneca, *Epistulae morales ad Lucilium*); für wiss. Abh. bevorzugten es Juristen und Mediziner (Proculus, Marcellus Empiricus). Der größte Teil der erh. B. des Hieronymus (125) und des Augustinus (308) sind Abh. in Briefform. Speziell bei den Römern waren B. in Versform beliebt (Lucilius; Horaz, *Epistulae*; *Ars poetica*; Ovid, *Heroides*; Ausonius; Paulinus von Nola). Die Ethopoiia-Übungen des Rhet.-Unterrichtes waren der Ausgangspunkt für fingierte B., zu deren Verständnis zu beachten ist, daß in der Ant. andere Vorstellungen von Originalität herrschten als für den modernen Menschen: fingiert wurden etwa in histor. Werke eingelegte B. (*Historia Augusta*), Einzelbriefe und ganze B.-Sammlungen, die den Namen berühmter Persönlichkeiten trugen (pseudonyme B.).

Die Theorie sah anders aus. Jeder Gebildete kannte die gelehrte B.-Theorie der Griechen (s. unter F.), die als Hauptaufgabe des B. die Pflege der Freundschaft ansah und eine dem Zweck entsprechende Länge (besser gesagt Kürze), eine dem Adressaten angepaßte Ausdrucksweise ohne Übertreibungen (»Plauderton«: *iocari*), Beschränkung auf ein Thema und Vermeidung alles polit. Aktuellen und ganz Persönlichen verlangte. Mit der Rückbesinnung auf die alte Tradition trat im 4. Jh. n. Chr. die urspr. Aufgabe des Briefes als Freundschaftsbeweis wieder in den Vordergrund, verbunden mit einer kunstvollen Stilisierung; in Übertreibung entstanden B. fast ohne Inhalt.

H. BRIEFSAMMLUNGEN

Schon früh begann man B. hervorragender Persönlichkeiten zu sammeln. B. des alten → Cato an seinen Sohn oder der → Cornelia, der Mutter der Gracchen, waren im Umlauf; von B. Caesars gab es mehrere Sammlungen; ein lit. B.-Wechsel des C. Licinius Calvus und des M. Brutus mit Cicero über den besten rednerischen Stil wurde von Tacitus benützt. Einen Einblick in eine ant. Korrespondenz geben die erh. B. Ciceros und seiner Freunde (insgesamt 864, davon 774 von ihm selbst, verlorene etwa ebensoviele). Es finden sich darunter rasch hingeworfene Billets, kunstvoll gestaltete Empfehlungs-, Glückwunsch- oder Trostschreiben und Abh., nicht zur Publikation bestimmte B. (wie die an seinen Freund Atticus) und Schreiben, die er selbst verbreiten ließ. Neben zwei Spezialsammlungen (ad *Quintum fratrem*; B.-Wechsel mit Brutus) ist ein 16 B. umfassendes Corpus gemischter Korrespondenz erh. (ad *familiares*), das auf nach Adressaten geordnete Einzel-B. zurückgeht, und die erst 100 J. nach Ciceros Tod publ. Atticus-B.

→ Plinius d. J. war, soweit bekannt, der erste, der eine Sammlung kunstvoll gestalteter eigener B. herausbrachte, die nach den Regeln der B.-Theorie den persönlichen Verhältnissen und Interessen der Empfänger angepaßt sind. Nach dem Stilprinzip der *variatio* verteilte er sie auf 9 B.; als 10. B. wurde wohl nach seinem Tod seine offizielle Korrespondenz mit Kaiser Traian hinzugefügt. Aus verschiedenen, nach Adressaten oder Themen geordneten Einzelsammlungen besteht das unvollständig erh. Corpus von B. des Prinzenerziehers → Fronto; ihre oft kritisierte Inhaltslosigkeit entspricht den Vorschriften der B.-Theorie, ihre gesuchte Sprache weniger. Als röm. Adelige traditionsverbunden, richteten sich der Rhetor → Symmachus und der Bischof → Ambrosius bei der Erstellung der Sammlung eigener B. nach den großen Vorbildern; nach dem Muster des Plinius stellten beide je neun B. Privat-B. und ein B. Amtskorrespondenz zusammen, Symmachus wie Cicero nach Adressaten ordnend, Ambrosius wie Plinius dem Prinzip der *variatio* folgend. Während die über 900 Freundschafts-B. des Symmachus vielfach »Worte ohne Inhalt« sind, hat Ambrosius Auslegungen theologischer Einzelfragen in die Form von Freundschafts-B. gebracht. Nach diesem Beispiel verwendete → Sidonius Apollinaris das B.-Genos, um die Probleme seiner Zeit der Nachwelt zu vermitteln, ohne Anstoß zu erregen [2. 547ff.]; in Anordnung und Gestaltung richtete er sich nach Plinius. Viel bewundert, beeinflußten diese B.

die spätere Epistolographie (Ennodius, Ruricius von Limoges, Avitus von Vienne). → Cassiodorus stellte eine große Sammlung seiner in kunstvoller Stilisierung verfaßten Erlässe zusammen, die er nach den verschiedenen, den Empfängern angepaßten B.-Stilen *Variae* (sc. *epistulae*) nannte.

→ BRIEF, BRIEFLITERATUR

1 H. PETER, Der B. in der röm. Lit., 1901 2 M. ZELZER, Der B. in der Spätant., in: WS 107/8, 1994/5, 541–551 3 Dies., NHL 4, 377–402. M. ZE.

Episteme s. Erkenntnistheorie

Epistolographie A. BEGRIFF B. PUBLIKATION VON PRIVATBRIEFEN C. OFFENE BRIEFE D. WIDMUNGSBRIEFE E. LEHRBRIEFE F. FIKTIVE BRIEFE G. POETISCHE BRIEFE H. NACHWIRKUNG

A. BEGRIFF

Unter dieses Stichwort fällt vor allem der lit. Brief; aber der Übergang vom privaten Brief (→ Epistel) zu diesem ist fließend, weil auch im privaten Verkehr eine kultivierte, öffentlichkeitsfähige Form angestrebt wurde. Ein gut stilisierter Brief war sozusagen ein Geschenk für den Empfänger (Demetrios [41], *Perí Hermēneías* 224). Man teilte solche Briefe im Bekanntenkreis mit, genoß und pries sie (Synes. epist. 101; Lib. epist. 1583 WOLF; Greg. Nyss. epist. 14). Der Schritt an die Öffentlichkeit ist in verschiedenen Formen faßbar:

B. PUBLIKATION VON PRIVATBRIEFEN IN SAMMLUNGEN

Die ersten faßbaren Beispiele sind die Briefe Platons (schon in der Ausgabe des Corpus durch Aristophanes von Byzanz um 200 v. Chr., Diog. Laert. 3,61f.) und Aristoteles (durch Artemon um 100 v. Chr.) [14]. In Rom sind wohl die Briefe von → Cornelia an C. Gracchus die erste publizierte Sammlung [16], dann ist das große erhaltene Corpus der → Cicero-Briefe in jeder Hinsicht bedeutsam. Cicero hat sie selbst für die Publikation durch Atticus vorbereitet (Att. 16,5,5); die (bes. intimen) Briefe an Atticus sind jedoch erst lange nach seinem Tod publiziert worden (Seneca epist. 118,1–2 kritisiert ihre alltäglichen Inhalte; er selbst denkt offenbar von vornherein lit.). Weitere erhaltene Sammlungen: → Plinius d. J. Er hat seine Briefe offenbar primär als Kunstwerke verfaßt und selbst herausgegeben, im 10. Buch auch seine amtlichen Briefe an den Kaiser; → Fronto und → Marcus Aurelius. Mit dem 4. Jh. n. Chr. schlossen sich die Christen dem Brauch an. Manche übernahmen den urbanen Bildungsstil (z. B. → Gregorios von Nazianz, der seine Briefe als didaktische Muster selbst herausgegeben hat, zum erstenmal im griech. Bereich); bei anderen war Gewicht und Ernst ihrer rel. und amtlichen Aufgabe bestimmend. Einige bedeutende Sammlungen: auf paganer Seite (griech.) Kaiser → Iulianus, → Libanios, (lat.) → Symmachus; auf christlicher Seite (griech.) → Athanasios, → Basileios, → Gregorios von Nazianz, → Gregorios von Nyssa,

→ Johannes Chrysostomos, → Synesios, Neilos, Isidoros von Pelusion, → Prokopios, → Aineias von Gaza; (lat.) → Ambrosius, → Hieronymus, → Augustinus, → Paulinus von Nola, → Sidonius Apollinaris, → Ruricius.

C. Offene Briefe

Seit dem 4. Jh. v. Chr. gibt es Briefe, die nicht nur für den Empfänger, sondern auch für publizistische Verbreitung bestimmt sind. Hierher gehören die als Sammlung überlieferten Briefe von Isokrates und Demosthenes; ferner Platon epist. 7 und 8; Philippos II. an die Athener (überliefert als Demosth. or. 12 [15]). In diesen Fällen gibt es Kontroversen über die Echtheit. Hell. Königsbriefe wurden oft als Inschr. öffentlich gemacht [20; 21]. In Rom wird die Brief-Publizistik in den Bürgerkriegen üblich [13. 213–216], erhalten: Sallustius, *Epistulae ad Caesarem* (Echtheit umstritten).

D. Widmungsbriefe

Diese sind urspr. Begleitbriefe zur Übersendung eines Erstexemplars. So z. B. Archimedes, ›Über Kugel und Zylinder‹ (Περὶ σφαίρας καὶ κυλίνδρου) I (an Dositheos). Wenn die Abschlußformel des Briefes weggelassen wird, erscheint das Werk als Bestandteil des Briefes; so Archimedes ebd. II. Diese beiden Formen werden bei fachwiss. Werken üblich, bes. in der → Hippiatrik und der röm. Jurisprudenz. In Magie, Hermetik, Alchimie und Astrologie dient der Brief oft als Einrahmung [17. 572]. Gedichtbücher mit prosaischem Widmungsbrief: Martial, B. 2, 8 und 12; Statius, *Silvae* u. a.

E. Lehrbriefe

Diese lassen sich aus Widmungsbriefen ableiten (s. o.); doch kommt dazu der Einfluß der paränetischen Lit. (z. B. Hesiod, *Erga* und Isokrates, *Ad Nicoclem*). Hier konnten vor allem ethische und philos. Briefe anknüpfen. Führender Vertreter ist → Epikuros (O. Gigon [8. 117–132]). Hierher kann man die → Konsolationslit. in Briefform (seit → Krantor) rechnen. Q. Tullius Cicero schrieb in Briefform das *Commentariolum petitionis* an seinen Bruder Marcus, worauf dieser mit ad Q. fr. 1 über die Provinzverwaltung antwortete. Höhepunkt dieser Gattung sind → Senecas *Epistulae morales ad Lucilium*. Eine Sonderentwicklung sind die frühchristl. Briefe, zunächst des → Paulus, dann der Apostolischen Väter (Ignatius, Polykarpos, Clemens u. a.). Paulus hat griech. Briefkultur gekannt; Deissmann [3] wollte dies auf den Privatbrief beschränken, aber es gilt sicher auch vom lit. Brief. Doch hat der frühchristl. Brief eine starke Eigenart [17. 574–576; 1; 2. 190–198; 4], die erst mit wachsender Anpassung an die Kultur der Umwelt schwindet.

F. Fiktive Briefe

Von Briefen, die in persönlicher Täuschungsabsicht gefälscht sind, lassen sich solche unterscheiden, die zur propagandistischen Stützung eigener Standpunkte bedeutenden Persönlichkeiten unterschoben werden, z. B. der Briefwechsel Paulus-Seneca [18. 258, 328]. Bei den von Historikern zit. Briefen muß man mit Umstilisierung (Thuk. 7,8–15) oder sogar Fiktion rechnen,

ähnlich wie bei Reden. Wieder anders zu beurteilen sind fiktionale Briefe, die vielfach als Briefserien verfaßt wurden und nur dazu dienten, in der Nachgestaltung von Personen und Situationen der klass. Vergangenheit lit. Kunst zu entfalten. Wahrscheinlich war der primären Leserschaft der fiktionale Charakter bewußt, aber später konnten solche Briefe für authentische Dokumente gehalten werden: Seit der Renaissance waren sie wichtig für die Wiedergewinnung eines lebendigen Bildes von der Ant. (so ist die Figur Demokrits als »lachender Philosoph« von den Hippokrates-Briefen bestimmt); umso stärker war die Wirkung, als die Philol. den späten Ursprung dieser Briefserien nachwies. Das entscheidende Werk war *A dissertation upon the Epistles of Phalaris* von Bentley (1699): die Folge war eine allg. Mißachtung solcher »dreisten Fälschungen«. Man versuchte sie begreiflich zu machen als rhet. Schulübungen in Ethopoiia; doch ist dies nicht klar nachzuweisen. Eher sind sie als unterhaltsam-bildender Lesestoff anzusehen; es bestehen manche Berührungen mit dem → Roman. Die Entstehungszeit ist schwer festzustellen. Für die Anacharsis-Briefe wird das 3. Jh. v. Chr. erwogen, der 7. Heraklit-Brief ist durch einen Papyrus für das 2. Jh. n. Chr. bezeugt. Die meisten dieser Briefe sind aber kaiserzeitlich. Es ist möglich, daß einzelne echte Briefe einbezogen wurden (Sokratikerbriefe Nr. 28: Speusippos an Philippos II.; Platon, Brief Nr. 7). Sofern eine Handlungsstruktur vorliegt, kann man von → »Briefromanen« sprechen. ([9] mit reicher Bibliographie) rechnet dazu folgende Briefsammlungen: Platon, Euripides, Aischines, Hippokrates, Chion, Themistokles, Sokrates und Sokratiker. Weniger klar ist dies bei Phalaris (Ordnung gestört?), den Sieben Weisen und Xenophon (nur Zitate erhalten), Alexander d. Gr. (Rekonstruktionsversuch: [11. 230–252]. Ebenfalls fiktional sind die sog. »mimischen Briefe« [19. 216], doch tragen sie den Namen des wirklichen Autors im Titel. Sie wurden in der → Zweiten Sophistik gepflegt. Das Hauptinteresse gilt Milieuschilderungen aus dem att. Alltagsleben; die Personen sind meist erfunden. Stoffquelle ist oft die Komödie. Hierher gehören: → Alkiphron (Briefe von Fischern, Bauern, Parasiten, Hetären) → Ailianos [2] (Bauernbriefe), → Philostratos (Liebesbriefe), → Aristainetos (Liebesbriefe), → Theophylaktos Simokattes (Charaktere, Bauern, Hetären). Religionsgesch. interessant sind die »Himmelsbriefe« [17. 572 f.], lit. bei Menippos (Diog. Laert. 6,101) und Lukianos, Ἐπιστολαὶ Κρονικαί (*epistulae saturnales*).

G. Poetische Briefe

Dies sind z. T. echte Briefe, so das singuläre Gedicht Pindars an Hieron (P. 3). Bei den Römern wurde dies eine beliebte Dichtungsgattung [13. 178–179]: → Lucilius (einige der Satiren in Briefform), → Horatius (epist., das 2. B. enthält Lehrbriefe), → Ovidius (*Epistulae ex Ponto*); die Tradition geht bis zu → Ausonius und → Paulinus von Nola. In der Lyrik: → Catullus (15; 32 u. a.). Während hier die Dichter persönlich sprachen, entwickelte Ovid in den *Heroides* eine eigene Gattung mythisch-fiktionaler Briefe [5], in der die Kunst der Ethopoiia einen Höhepunkt erreichte.

H. NACHWIRKUNG

In Byzanz wurden ant. Briefmuster intensiv studiert und nachgeahmt [10. 199–239]. Im Westen knüpfte die Brieflehre der *Ars dictaminis* mehr an die Regeln der Gerichtsrede als an den ant. Briefstil an [7. II,54–68]. Die Renaissance pflegte wieder den Brief als Ausdruck von Erleben und Denken des Individuums (Petrarca, Familiarum rerum libri 1,1,32: Anschluß an Cicero und Seneca). Die Wiederentdeckung von Ciceros Briefen (1345) machte tiefen Eindruck und führte zur Wiederbelebung des ant. Briefstils. Erasmus (*De conscribendis epistolis*) führte die Linie der Rhetorisierung weiter [6]. Ein Leitmotiv blieb ›Der Brief – Spiegel der Seele‹ [12]. In der Dichtung hatte der »heroische Brief« eine neue Blüte [5]. Ant. Briefstil hat *The Ides of March* von Thornton Wilder (1948) inspiriert.

→ BRIEF, BRIEFLITERATUR

LIT.: vgl. → Epistel. Zusätzlich: **1** K. BERGER, Hell. Gattungen im Neuen Testament, ANRW II 25.2, 1984, 1031–1432, Briefe: 1326–1363 **2** Ders., Apostelbrief und apostolische Rede. Zum Formular frühchristl. Briefe, in: ZNTW 65, 1974, 190–231 **3** A. DEISSMANN, Licht vom Osten ⁴1923 **4** D. DORMEYER, Das NT im Rahmen der ant. Literaturgesch., 1993 **5** H. DÖRRIE, Der heroische Brief, 1968 **6** H. FUNKE, Epistolographie und Rhetorik. Beobachtungen zu Erasmus' De conscribendis epistolis, in: Res publica litterarum, Studies in the Classical Tradition 10, 1987, 93–99 **7** J. DE GHELLINCK, L'essor de la litterature latine au XIIᵉ siècle, 1946 **8** O. GIGON, in: Genèse et developpement d'un Genre littéraire. La lettre antique …, Didactica Classica Gandensia 20, 1980 **9** N. HOLZBERG (Hrsg.), Der griech. Briefroman. Gattungstypologie und Textanalyse (Classica Monacensia 8), 1994 **10** H. HUNGER, Die hochsprachliche profane Lit. der Byzantiner I (HdbA XII 5,1), 1978 **11** R. MERKELBACH, Die Quellen des griech. Alexanderromans (Zetemata 9), ²1977 **12** K. A. NEUHAUSEN, Der Brief als »Spiegel der Seele« bei Erasmus, in: Wolfenbütteler Renaissancemitteilungen 1986, 97–110 **13** H. PETER, Der Brief in der röm. Lit., 1901 **14** M. PLEZIA (Hrsg.), Aristotelis privatorum scriptorum fragmenta, 1977 **15** M. POHLENZ, Philipps Schreiben an Athen, in: Hermes 64, 1929, 41–62 **16** P. L. SCHMIDT, Catos Epistula ad M. filium und die Anfänge der röm. Brieflit., in: Hermes 100, 1972, 568–576 **17** J. SCHNEIDER, s. v. Brief, RAC 3, 564–585 **18** W. SPEYER, Die lit. Fälschung, 1971 (HAW I 2) **19** SYKUTRIS, s. v. E., RE Suppl. 5, 185–220 **20** WELLES **21** A. WILHELM, Griech. Königsbriefe, 1943.   H. GÖ.

Epistulis, ab. Zu den zentralen Aufgaben der Verwaltung gehörte der Schriftverkehr, der im Rahmen der Aufgaben der Behörde geschäftsmäßig nach im allgemeinen vorgegebenen Mustern (*officii formae*) stattfand. Der aus der griech. Verwaltungssprache ins Lat. übernommene Ausdruck *epistula* (→ Epistel) bezeichnete dabei amtlich eine einem konkreten Adressaten schriftlich zugestellte Behördenmitteilung. Diese erfolgte entweder auf vorgängige Anfragen, Bitten und Anträge aus dem Publikum (lat. *preces*, griech. ἐντεύξεις/*enteúxeis*) oder auf Berichte, Initiativen und Konsultationen der Behörden (*relationes, suggestiones, consultationes*) selbst. Soweit sich eine Anfrage oder ein Antrag darauf bezieht, außerhalb eines Gerichtsverfahrens von der Behörde eine rechtliche Auskunft zu erlangen, heißt diese lat. → *rescriptum*. Die Edition von Episteln und dabei auch von Reskripten war in röm.-republikanischer Zeit Sache der Magistrate im Rahmen ihrer jeweiligen Zuständigkeit. Teilweise nahmen zu dieser Zeit aber in der Praxis bewährte, renommierte Juristen – oft neben einer Unterrichtstätigkeit – die Aufgabe des rechtlichen Respondierens auf Anfrage wahr. In der Kaiserzeit blieben die republikanischen Traditionen des schriftlichen Behörden- und Juristenhandelns erhalten. Doch durften seit Kaiser Augustus nur bestimmte ermächtigte Juristen das *ius publice respondendi* ausüben (Dig. 1,2,2,49). In dieser Zeit entwickelte sich ferner in der Offizialorganisation des Kaiserhofs das rechtspolit. bes. bedeutsame *officium ab epistolis*; die Präposition »a« kennzeichnet einen Teilbereich innerhalb der Gesamtorganisation Subalternbediensteter (*officiales*) für die kaiserliche Amtsführung, die in Büros (*officia*, später *scrinia* genannt) gegliedert war und an der Spitze zunächst von *liberti*, seit Hadrian zunehmend von *equites* angeleitet wurde. Bezeichnung, Aufgabenbegrenzung und Binnengliederung der Büros wechselten immer wieder, doch gab es eine schwerpunktmäßige Kontinuität, nach der ein Bereich für Petitionen und Verwaltungsanordnungen (*ab epistulis*) neben einem solchen für Berufungen in Ämter und andere Angelegenheiten des Verwaltungs- und Militärpersonals (a → *memoria*), einem für gerichtliche Verfahren, insbes. auf Appellationen hin (a → *libellis*, a *decretis*) und einem oder mehreren anders benannten für andere Aufgaben des Kaisers (z. B. *a dispositionibus*) bestand. Für die Spätant. gibt die *Notitia dignitatum* den Aufgabenbereich des *scrinium ab epistulis* so an: *Magister epistolarum legationes civitatum, consultationes et preces tractat* (Not. dign. or. 19,8 f.); allerdings ist es auch Aufgabe der anderen *scrinia, preces* zu bearbeiten. Die Zahl der matrikelmäßigen Subalternbeamten im *scrinium ab epistulis* war unter Kaiser Leo 34, in dem *a memoria* 62 und in dem *a libellis* ebenfalls 34 (Cod. Iust. 12,19,10). Die Tätigkeit des *officium/scrinium ab epistulis* ist durch die Codices Theod. und Iust. bes. seit dem 3. Jh. n. Chr. vorzüglich dokumentiert, da das hier zusammengefaßte Konstitutionenrecht in der Regel auf kaiserlichen Reskripten beruht.

HIRSCHFELD, 321 ff. · JONES, LRE, 504 ff. · WENGER, 427 ff.
               C. G.

Epistylion. In griech. Bauinschriften und bei Vitruv (4,3,4 u. ö.) vielfach überlieferter ant. t. t.: der unmittelbar auf den Säulen ruhende Teil des Peristasengebälks im ant. Säulenbau aller Bauordnungen. In der modernen arch. Fachterminologie wird das E. häufig »Architrav« genannt, während das Gebälk des Säulenbaus in seiner Gesamtheit, also Architrav, → Fries und → Geison zusammen, als E. bezeichnet wird.

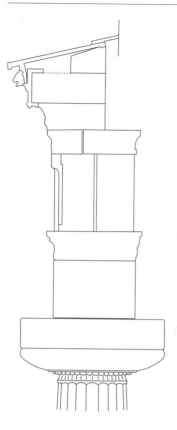

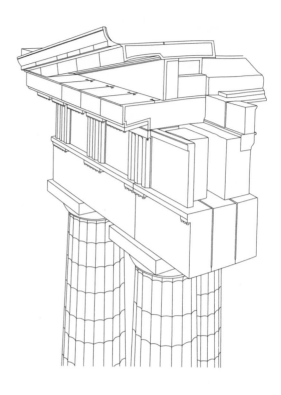

1. Paestum, alter Heratempel (monolithisches Epistyl).

2. Athen, Parthenon (Strukturzeichnung eines dreisteinigen Epistyls).

Die Umsetzung des zunächst hölzernen E. in Stein war ein kritisches Moment des griech. Steinbaus; das E. ist das am stärksten belastete Bauglied im Säulenbau. Die zu überbrückenden Spannweiten zwischen zwei Säulen erforderten wegen der nowendigen Bruchfestigkeit Bauglieder von erheblichem Gewicht und stellten eine technische Herausforderung für Transport, Versatz und Statik dar, die bisweilen ungelöst blieb und zur Aufgabe eines Bauprojekts führen konnten (Selinunt, Tempel G), obwohl Metallarmierungen (Propyläen der Athener Akropolis; Bassae, Apollontempel), Gewichtsreduzierung durch Auskehlung (Syrakus, Apollontempel) sowie der Parallelversatz zweier oder dreier verklammerter, an den Ecken auf Gehrung gearbeiteter schmaler Blöcke (bilithes, trilithes E.) wirksame, z. T. schon früh entwickelte Problemlösungen waren.

Das dor. E. wird nach oben hin mit einer rechtwinklig vorspringenden Leiste (ταινία, tainía) abgeschlossen, mit der, korrespondierend mit dem → Mutulus im → Geison und den → Triglyphen im → Fries, → Regulae mit einer Reihe → Guttae verbunden sind; ein Dekorationselement, das als technischer Anachronismus eine Reminiszenz an den Holzbau darstellt, der die dor. Ordnung formal geprägt hat. Die tainíai einiger archa. Bauten Westgriechenlands war darüber hinaus mit ver-schiedenen Profilierungen reich verziert; Reliefschmuck auf dem E., wie beim Athenatempel von Assos, blieb ebenso eine Ausnahme wie die spätarcha. dor.-ion. Mischform am Demetertempel von Sangri/Naxos. Die Höhe des dor. E. vermindert sich im Verhältnis zum Fries vom 6. zum späten 4. Jh. deutlich, der Tendenz zu leichterer Gestaltung folgend.

Die Frühform des ion. E. ist weitgehend unbekannt; Fragmente vom archa. Apollontempel von → Didyma (→ Dipteros) zeigen z. T. die später übliche Profilierung mit drei waagerechten Faszien (→ Ornament) und einem kräftigen → Kymation (→ Eierstab) als oberem Abschluß, z. T. aber auch figürlichen Reliefschmuck. Die kanonische ion. Bauordnung kennt das Außen-E. mit drei sowie das Innen-E. mit zwei Faszien; in Kleinasien nimmt die Höhe der Faszien nach oben hin in der Regel zu, während bei att.-ion. Bauten Faszien in gleicher Höhe gängig waren.

Das ion. E. hält in die korinthische wie auch in die ion.-korinth. Komposit-Ordnung Einzug und wird in der hell.-röm. Architektur zunehmend auch mit der dor. Ordnung verknüpft (Milet, Magazinbau; Hausperistyle von Delos und Pompeii). Ab spätklass. Zeit diente das E. als Träger von reliefiertem oder appliziertem Dekor (Schilde, Kränze, Girlanden), in hell.-röm. Zeit bes. auch als Träger von Bauinschriften.

3. Priene, Athenatempel (Ansicht einer Langseite).

EBERT, 29 • O. BINGÖL, Überlegungen zum ion. Gebälk, in: MDAI(Ist) 40, 1990, 101–108 • H. R. GOETTE, Ein dor. Architrav im Kerameikos von Athen, in: MDAI(A) 104, 1989, 92–96 • G. GRUBEN, Griech. Un-Ordnungen, in: DiskAB 6, 1996, 70–74 • D. MERTENS, Der alte Heratempel in Paestum und die archa. Baukunst in Unteritalien, 1993, 28–29, 129–140 • W. MÜLLER-WIENER, Griech. Bauwesen in der Ant., 1988, s. v. Architrav (Register) • W. v. SYDOW, Die hell. Gebälke in Sizilien, in: MDAI(R) 91, 1984, 239–358.   C. HÖ.

Epitadeus (Ἐπιτάδευς). Ephor in Sparta, soll es nach Plutarch (Agis 5) aus Groll gegen seinen Sohn gesetzlich ermöglicht haben, Haus und → Kleros nach Belieben zu verschenken oder zu vererben, zweifellos um die Zahl der Spartiaten zu erhöhen. Plutarch datiert diese → Rhetra vage nach 404 v. Chr., führt aber dabei gravierende Besitzunterschiede der Spartiaten um 250 auf sie zurück. Aristoteles (pol. 1270a 15–34) scheint die Mißstände im Kosmos Spartas Mitte des 4. Jh. z. T. als Folge dieses Gesetzes zu sehen, nennt aber E. nicht. Das Gesetz wird unterschiedlich datiert und interpretiert [2. 188–192], z. T. gilt der Antragsteller auch als fiktive Gestalt [1. 163].

1 M. CLAUSS, Sparta, 1983 2 P. OLIVA, Sparta and her Social Problems, 1971.

J. CHRISTIEN, La loi d'É., in: Revue d'histoire du droit 52, 1974, 197–221 • D. M. MacDOWELL, Spartan Law, 1986, 99–110 • G. MARASCO, La retra di Epitadeo e la situazione sociale di Sparta nel IV secolo, in: AC 49, 1980, 131–145.   K.-W. WEL.

Epitalion (Ἐπιτάλιον). Stadt in Triphylia am linken Ufer des → Alpheios [1]. Belegstellen: Xen. hell. 3,2,29; Pol. 4,80; Strab. 8,3,12; 8,3,24. Arch.: Bed. Reste aus röm. Zeit.

Chroniques des fouilles, in: BCH 94, 1970, 996 • E. MEYER, Neue peloponnesische Wanderungen, 1957, 50, 60.   Y. L.

Epitaphios (Ἐπιτάφιος).

[1] → Grabepigramm.

[2] (sc. ἀγών oder λόγος: Leichenspiele oder Leichenrede). Leichenspiele sind seit Hom. Il. 23 bekannt; für Athen wird der *e. agōn* von Aristot. Ath. pol. 58 erwähnt (für Sparta vgl. Paus. 3,14,1). Der Begriff »Leichenrede« (ἐπιτάφιος λόγος; erstmals Plat. Mx. 236b) ist nur für Athen bezeugt; er bezeichnet die Lobrede eines angesehenen Bürgers gemäß des πάτριος νόμος, ›der ererbten Ordnung‹ (Thuk. 2,34). Die Leichenrede des Perikles (431) ist das erste überlieferte Beispiel (obwohl er 439 noch eine andere gehalten hatte; Plut. Perikles 8,6). Die erh. Beispiele dieser Gattung folgen dem Schema Einleitung, Lob, (Erwähnung von Ahnen und Herkunft), Klage (die gelegentlich als unschicklich abgelehnt wird) und Trost.

Dion. Hal. rhet. 6,1–4 behandelt diesen Redetyp. Platons *Menéxenos* enthält einen *e.*, der von Sokrates gehalten und angeblich von Aspasia für Perikles geschrieben wurde. Von Gorgias ist das Fragment eines *e.* erh. (82 B 6 DK). Ein dem Lysias zugeschriebener *e.* wird von einigen als echt angesehen, während der des Demosthenes (or. 60) gemeinhin als unecht betrachtet wird (anderer Ansicht in beiden Punkten ist jedoch [3]). Demosthenes hielt eine nicht erh. Rede auf die Gefallenen von Chaironeia des Jahres 338 (de corona 285). Der *e.* des Hypereides galt den Gefallenen des Lamischen Krieges im Jahre 322 v. Chr.; ungewöhnlich ist hier die Hervorhebung eines einzelnen, des Leosthenes. Spuren der Gattung finden sich bei Lykurg. or. in Leocratem 39–40 und Isokr. panegyricus 74–81. Von Archinos und Dion (Plat. Mx. 234b) sowie Naukrates (Dion. Hal. rhet. 6,1) werden *epitáphioi* erwähnt. In späterer Zeit wurde die Unterscheidung zwischen dem *e. agōn* und dem *e. lógos* im Fest der Epitaphia aufgehoben [1. 64–66].

1 F. JACOBY, Patrios Nomos, in: JHS 6, 1944, 37–66
2 G. KENNEDY, The Art of Persuasion in Greece, 1963, 154–166 3 M. POHLENZ, Zu den att. Reden auf die Gefallenen, in: Symbolae Osloenses 26, 1948, 46–74.   E. R./Ü: L. S.

Epithalamion s. Hymenaios

Epitherses. Verfasser einer Schrift ›Über die komischen und tragischen Redewendungen im Att.‹ (Περὶ λέξεων Ἀττικῶν καὶ κωμικῶν καὶ τραγικῶν (Steph. Byz. s. v. Νίκαια), wahrscheinlich bei Erotianus, Vocum Hippocraticarum coll. 24,3 NACHMANSON erwähnt (der hs. Text Θέρσις wurde von MEINEKE in Ἐπιθέρσης verbessert; NACHMANSON schlägt die Abkürzung Θέρσης vor). Wenn er mit dem Grammatiker aus Nikaia identisch ist, handelt es sich um den Vater des Rhetors Aemilianus (vgl. Sen. Contr. 10,5,25); da er in Plut. de defectu oraculorum 419b-e erwähnt wird, ist er in die Zeit des Kaisers Tiberius, d.h. die 1. Hälfte des 1. Jh. n. Chr., zu datieren.

L. COHN, s. v. E., RE 6, 221.   S. FO./Ü: T. H.

Epitome (ἐπιτομή, lat. *epitoma* und *epitome*)
A. DEFINITION   B. HISTORISCHE EPITOMAI
C. PHILOSOPHISCHE EPITOMAI
D. GRAMMATISCHE EPITOMAI   E. MEDIZINISCHE
EPITOMAI   F. THEOLOGISCHE EPITOMAI
G. WIRKUNGSGESCHICHTE

A. DEFINITION

Epitomé (zu ἐπιτέμνειν, »kürzen«, »zurechtstutzen«, Aristot. soph. el. 174b 29; Theophr. h. plant. 6,6,6): idealtypisch zw. Exzerpt und Paraphrase stehende Reduktionsform [10] schriftlicher Texte, meistens von Prosawerken (Ausnahmen u. a. nicht erh. Vergil-E. [2]), die ihrerseits in Prosa abgefaßt werden (Ausnahme: Ausonius' *Caesares*). Erklärtes Ziel der E. ist äußerste Kürze: Schmückende Merkmale in der Vorlage wie Reden oder Exkurse und große Textpassagen werden weggelassen oder umgruppiert. Der Wortlaut des Originals wird in den übernommenen Passagen aber oft beibehalten (z. B. M. → Cetius Faventinus' E. von Vitruvs *De architectura*), gelegentlich aber auch bewußt verändert (z. B. → Ianuarius Nepotianus 1,1 mit Val. max. 1,1). Andere Begriffe für E. sind: *breviarium, liber breviatus* (ThlL 2, 2169f. und 5,2,692 [11. 175]), ἐπιδρομή (*epidromé*), ἐκλογαί (*eklogaí*), ἐγχειρίδιον (*encheirídion*), συναγωγαί (*synagōgaí*) [7. 946].

Man sieht die E. von verwandten Formen mit loserer Kohärenz (Periocha, Excerpta, → Florilegium, → Katene und → Hypothesis) dadurch abgegrenzt, daß sie einen eigenen redaktionellen Plan aufweist [7. 944], mit dem Grundzüge wiedergegeben werden, wie bes. bei den Auto-Epitomatoren (u. a. Epikur, Galen und Laktanz) deutlich wird. Die urspr. redaktionelle Ordnung wird zugunsten einer neuen mit geringerer Buch(rollen)zahl geändert (die urspr. Bucheinteilung findet sich als Binnengliederung der E. u. a. bei Iustinus und Galen [2. 21 und passim]). Neben die erste Form der E., die einen Autor wiedergibt (*e. auctoris*), tritt als zweite die auf breitere Lit. gestützte, einen thematischen Zusammenhang gedrängt darstellende E. (*e. rei tractatae* [7. 945], u. a. Vegetius). Die E. ist bisweilen Zeugnis gebildeter Lektüre, insbes. von Geschichtsschreibung (SHA Triginta Tyranni 30,22), das später veröffentlicht werden konnte (vgl. E. des Brutus: Cic. Att. 12,5,3; 13,8; Plut. Brutus 4,6–8).

Von den ermittelten über 120 paganen E. sind 38 teilweise oder ganz, von den 36 christl. E. sind 33 erhalten (Liste bei [7. 947–957, 963–966], vgl. [2; 3]). Vorlagen sind Geschichtsdarstellungen, philos. und theologische Abhandlungen und andere Fachlit.

B. HISTORISCHE EPITOMAI

Von den griech. Historiker-E. ist die früheste bekannte die des Theopompos von Chios in 2 B. aus 9 B. des Herodot. Als erste ganz erhalten ist 2 Makk in der LXX; der Epitomator (spätestens 2. Hälfte 2. Jh. n. Chr.) bezeichnet sein Werk (2,23 und 28) als E. der 5 B. des Iason von Kyrene (2. Jh. v. Chr.) und nennt als seine Ziele die Seelenlenkung (ψυχαγωγία), Leichtigkeit fürs Einprägen ins Gedächtnis und Nutzen für alle Leser (ebd. 2,25); er strebt den gerafften Ausdruck an (τὸ σύντομον, ebd. 31), somit keine Stoffsammlung, sondern eine rhet. bewußt geformte Darstellung [9. 1318].

Im lat. Bereich sind für Livius zwar verschiedenartige Kurzfassungen bezeugt oder erhalten (so die sog. *Periochae* und Iulius Obsequens, *Prodigia*), die kaiserzeitliche Livius-E. ist jedoch sehr umstritten [1; 6. XXVI-LV; 11. 190f.]; dem Geschichtswerk des Florus mit eigener Zielsetzung gab erst die Tradition u. a. den Titel *E. de Tito Livio* [5. 53, 138–141]; die *Historiae abbreviatae* des Aurelius Victor (um 360 n. Chr.), das *Breviarium ab urbe condita* des Eutropius (nach 396 n. Chr.), das *Breviarium de breviario* (sc. des Eutropius) des Festus (um 370 n. Chr.) und der *Libellus breviatus* aus Aurelius Victor (nach 395 n. Chr.) sind, da sie auch aus anderen Quellen neben Livius schöpfen, eher E. der zweiten Form (s.o.), ebenso dem Inhalt nach die von Iulius Paris (4. Jh. n. Chr.), Ianuarius Nepotianus (Ende des 5. Jh.) und Titius Probus (vor 600 n. Chr.) stammenden E. aus der Exempla-Sammlung des Valerius Maximus in 9 B. [11. 193–210].

Die nach den originalen 44 B. gegliederte E. des Iustinus (Datierung unsicher) des *Historiae Philippicae* des Pompeius Trogus ist mehr als eine Periocha (Inhaltsangabe), werden doch nur Nachrichten aufgenommen, die ›wegen der Lust an Kenntnissen‹ (*voluptate cognoscendi iucunda*) ausgewählt oder ›wegen ihrer Bedeutung als Vorbild notwendig‹ (*exemplo necessaria*) sind (praef. 4). Sozomenos (5. Jh. n. Chr.) faßte die Zeit von Christi Himmelfahrt bis zum Beginn seiner Kirchengesch. in einer E. (2 B.) zusammen.

C. PHILOSOPHISCHE EPITOMAI

Die erste bekannte ist die des Aristoteles in 3 B. von Platons *Nómoi* in 12 B.; die erste ganz erhaltene E. ist → Epikuros' Brief an Herodot (Diog. Laert. 10,35–83) aus seinem Werk Περὶ φύσεως (*Perí phýseōs*; 37 B.). Er rechtfertigt diese E. damit, daß sie den nicht ins Detail eingedrungenen Lesern die Gesamtschau seiner Lehre vermittle; diese sei aber auch für die Fortgeschrittenen zur Gesamtorientierung und bei Detailproblemen sehr hilfreich (ebd. 10,35 und 83). → Arrianos hat die Vorträge seines Lehrers Epiktet in 8 B. (4 B. erh.) möglichst wörtlich als ὑπομνήματα (Aufzeichnungen; → *Hypómnēma*) festgehalten und dann in einem *encheirídion* dessen Philos. systematisch verdichtend dargestellt.

D. GRAMMATISCHE EPITOMAI

Die erste bekannte ist die des Varro in 9 B. aus *De lingua Latina* (25 B.). Fortschreitende Verkürzung zeigt bes. Hephaistion, der aus seiner ›Metrik‹ (48 B.) eine erste E. in 11, dann eine zweite in 3 B. (beide verloren) und schließlich das erhaltene *encheirídion* (1 B.) erstellte.

E. Medizinische Epitomai

→ Galenos verfaßte E. aus fremden Werken und eine (weitgehend erh.) kurze *sýnopsis* (9, 431–549 Kühn) seines eigenen in 16 B. überlieferten Werkes über den Puls. Er hält zwar (ebd. 431) nur E. für nützlich, die der einzelne sich persönlich aus dem ausführlicheren Werk erstellt, sieht sich aber zur Auto-E. gezwungen, weil von anderen unrichtige E. seiner Schriften hergestellt worden seien.

F. Theologische Epitomai

In der E. (1 B.), die → Lactantius nach der konstantinischen Wende (spätestens 321 n. Chr. [8. 16]) von seinen *Divinae institutiones* (7 B., 304–311 n. Chr.) anfertigte, sagt er (praef. 4), er wolle straffen (*substringere*) und kürzen (*breviare*); zugleich korrigiert er aber u. a. sein Urteil über den röm. Staat: diese E. ist einer 2. Auflage gleichzusetzen [8. 32; 4. XXII]. Zu den ps.-clementinischen *Homilien* sind zwei griech. E., und zu den *Recognitiones* und *Homilien* eine arab. erhalten [7. 963, 969–972].

Die E. ist ein bes. in der Spätant. wichtiges Phänomen des Wissenstransfers. In der christl. Spätantike wird sie offenbar verwendet, um im theologischen Meinungsstreit einem Werk größere Verbreitung und argumentative Kraft zu verleihen (z. B. Fulgentius Ferrandus, *Breviatio canonum*). E. waren auch in der klösterlichen Abgeschiedenheit wichtige Arbeitsinstrumente, so die E. einiger Werke des Cassianus von Marseille durch Eucherius von Lyon für das Kloster Lérin.

G. Wirkungsgeschichte

Beide Formen der E. (s. o. A.) sind im MA und der Neuzeit im Gebrauch, vor allem die zweite, die sich schon in der Spätant. in den Vordergrund schob, als Compendium (in modernem Sinn), Handbuch, auch Sachbuch [9. 1318].

1 L. Bessone, La tradizione epitomatoria liviana, in: ANRW II 30.2, 1230–1263 2 H. Bott, De epitomis antiquis, Diss. 1920 3 M. Galdi, L'e. nella letteratura latina, 1922 4 E. Heck, A. Wlosok (edd.), Lactanti epitome divinarum institutionum, 1994 5 M. Hose, Erneuerung der Vergangenheit, 1994 6 P. Jal (ed.), Abrégés des livres de l' histoire romaine de Tite-Live, 1984 7 I. Opelt, s. v. E., RAC 5, 944–973 (grundlegend und umfassend) 8 M. Perrin (ed.), Lactance, Épitomé des institutions divines, 1987 9 H. Rahn, s. v. E., HWdR 2, 1316–1319 10 W. Raible, Arten des Kommentierens – Arten der Sinnbildung – Arten des Verstehens, in: A. Assmann, B. Gladigow (Hrsg.), Text und Komm., 1995, 51–73 11 HLL 8,5, 101–211 12 E. Wölfflin, E., in: Archiv für lat. Lexikographie und Gramm. 12, 1902, 333–344.

H. A. G. u. U. E.

Epitome de Caesaribus s. Aurelius → Victor

Epitome des Livius s. Livius

Epitropos (ἐπίτροπος).

[1] Neben einer Vielzahl anderer Begriffe die übliche Bezeichnung für einen Gutsverwalter, der für einen meist abwesenden Landbesitzer die Aufsicht über die Wirtschaftsführung innehatte. Seine Pflichten sowie der Grad an Unabhängigkeit, mit der er Entscheidungen treffen konnte, waren zwar von Fall zu Fall verschieden, in der Regel zählten jedoch die Aufsicht über die Arbeitskräfte, der Kauf von Erzeugnissen, die auf dem Gut benötigt wurden, der Verkauf von überschüssigen Agrarprodukten und die Rechenschaftslegung gegenüber dem Besitzer zu den Aufgaben des e. Er mußte daher landwirtschaftliche Fachkenntnisse besitzen, vertrauenswürdig sein sowie rechnen und schreiben können. Da die Ländereien der Reichen im Verlauf der griech. Gesch. immer größer wurden und eine zunehmende Streuung aufwiesen, wurden auch e. immer häufiger eingesetzt; gleichzeitig verbesserte sich ihr sozialer Status. Zufällige Erwähnungen von e., die im 5. Jh. v. Chr. für reiche Athener tätig waren, zeigen, daß in Attika – und dies gilt wahrscheinlich auch für andere entwickelte Gebiete der griech. Welt – der Einsatz von Gutsverwaltern nicht ungewöhnlich war. Die früheste bekannte, in Prosa abgefaßte Abhandlung über die Führung eines *oíkos* und die Bewirtschaftung der dazugehörigen Ländereien, Xenophons *Oikonomikós* (ca. 370–360 v. Chr.), stellt in mehreren Abschnitten Wahl und Behandlung eines e. (Xen. oik. 12–15) sowie einer Haushälterin (ταμία, *tamía*; Xen. oik. 9) dar. In dieser Zeit waren e. normalerweise Sklaven. Obwohl Xenophon die Möglichkeit erwähnt, daß auch ein freier Mann als bezahlter Gutsverwalter arbeitet (Xen. mem. 2,8,3; er gebraucht hier den Begriff *epistateín*; vgl. auch Xen. oik. 1,4), war die Tatsache, daß die Arbeit für eine andere Person als Beeinträchtigung der eigenen Freiheit und Ehre empfunden wurde, hierfür ein bedeutendes Hindernis. Die von Herodot erwähnten, offensichtlich als Freie geborenen e. (Hdt. 1,108,3; 3,27,2; 3,63,2; 4,76,6; 5,30,2; 5,106,1) waren Bevollmächtigte pers. oder skythischer Könige. Während in den folgenden Epochen in Griechenland vor allem Sklaven als e. eingesetzt wurden, waren in den hell. Königreichen und unter röm. Herrschaft oft freie e. zu finden, was zum Teil auf lokale Traditionen zurückzuführen ist. In diesen Epochen gab es v. a. auf größeren Gütern eine Hierarchie von Verwaltern; die verschiedenen Titel (darunter auch e.) bezeichneten meistens auch verschiedene Funktionen innerhalb dieser Hierarchie. Die besten Beispiele hierfür stammen aus Ägypt. und reichen zeitlich von Zenon, dem Verwalter des Apollonios [1], im 3. Jh. v. Chr. (obwohl kein Dokument einen Titel, der seine Funktion bezeichnet, aufführt) über den *phrontistés* Heroninos sowie seine Kollegen und Vorgesetzten (*epítropoi*, *oikonómoi*, *boēthoí*, usw.) auf den Gütern des Aurelius Appianus im 3. Jh. n. Chr. bis zu den *pronoētaí* und weiteren Verwaltern der Güter der Flavii Apiones vom 5. bis zum 7. Jh. n. Chr.

→ Heroninos-Archiv; Vilicus; Zenon-Papyri

1 G. Audring, Über den Gutsverwalter (E.) in der att. Landwirtschaft des 5. und 4. Jh. v. u. Z., in: Klio 55, 1973, 109–116 2 S. B. Pomeroy, Xenophon Oeconomicus. A

Social and Historical Commentary, 1994 **3** W. SCHEIDEL, Freeborn and Manumitted Bailiffs in the Graeco-Roman World, in: CQ 40, 1990, 591–593. D.R./Ü: A.BE.

[2] In Athen »Vormund« für Jugendliche ohne väterliche Fürsorge. Die Berufung zum e. geschah meist letztwillig durch den Vater, der häufig zwecks gegenseitiger Kontrolle mehrere Vormünder aus dem Kreise der näheren Verwandten benannte (→ diathḗkē). Wenn kein Testament vorlag, trat gesetzliche Vormundschaft ein: Die Reihenfolge der zum e. berufenen Verwandten bestimmte sich dann nach der Erbfolge. Der gesetzliche e. wurde durch den Archon bestätigt. Die Führung der Vormundschaft war gesetzlich geregelt (Demosth. or. 27,58; Lys. 32,23): Dem e. stand die Personenfürsorge, die Vermögensfürsorge und das Recht zur Vertretung des Mündels zu. Nach Beendigung der Vormundschaft hatte der e. das verwaltete Vermögen seinem Mündel zu übertragen und Rechnung zu legen, die mit der δίκη ἐπιτροπῆς (díkē epitropḗs) erzwungen werden konnte. Die Vormünder hafteten auf vollen Schadenersatz (Aristot. Ath. pol. 56,6), wenn sie das Mündelvermögen nicht verpachteten. In den »Philosophentestamenten« (bei Diogenes Laertios) bedeutet e. »Testamentsvollstrecker«, in den Papyri Ägyptens (wie schon in Demosth. or. 27,19) Vertreter des Geschäftsherrn.

A. R. W. HARRISON, The Law of Athens I, 1968, 97 ff. · G. THÜR, Tyche 2, 1987, 234 Anm. 6. G. T.

Corrigenda zu Band 1 und 2

DNP-Spalten haben – je nach Seitenlayout – etwa 55–59 Zeilen. Die Zeilenzählung in
der folgenden Liste geht jeweils vom Beginn der Spalte aus; Leerzeilen werden nicht mitgezählt.
Die korrigierten Wörter sind durch *Kursivierung* hervorgehoben.

Stichwort   Spalte, Zeile   *neu* (im Kontext)

BAND I

Abba   9, 29   *varia lectio* Obba

Abrote   33, 27   ihre Tracht ἀφάβρωμα

Achaia   56, 50   Thessaloi (Thessalia) (vgl. *Syll.³* 796A)

     57, 10   (*Syll.³* 814)

Achaioi, Achaia   68, 25   τῶν Ἀχαιῶν

     68, nach 29   ergänze: *Römische Zeit s. Achaia [römische Provinz]*

     68, 30   → Griechische Dialekte*; Achijawa*

Adolios   120, 23   (Prok. *BP* 2,3; 21; 24f.).

Aetna   211, nach 57   ergänze: *zum Berg s.* → *Aitne [1].*

Afrika 1. A.   217, 28   zum ersten Mal bei Pind. P. 9,8

     217, 52   → *Makedonen*

     218, 11   Ἄννωνος περίπλους

Agonothetes   266,9   ἀγωνοθέτης

Aggar [2]   256, 37   nahe Ousseltia. 232 *n.* Chr.

Aglaosthenes   261, 46   Verfasser von Ναξιακά

Agone   266,8   s. Skenikoi agones; *s. Wettbewerbe (künstlerisch)*

Agrippa   294, 35f.   Agrippa. *Nach moderner Etym. sei der Name Agrippa von* *agrei-pod-
»vorn die Füße habend« abzuleiten (lt. LEUMANN, 398, »sehr zweifelhaft«). Urspr. ein Praenomen

Agrippina [3]   298, 14   Geburt des Sohnes Nero im J. 37

Ahura Mazdā   305, 17   der *zoroastrischen* Gemeinde

Aia   307, 7   in derselben östl. Gegend [*2.* 236, 247]

Aias   309, 36   Τελαμώνιος

Aigilips   319, 41   *V.* BURR

Aigimios [1]   319, 43f.   Sohn *(oder Vater)* des Doros, Vater von Dyman und *Pamphylos*

Ailianos [2]   327, 33   Menandros (IG 14,1168; *1183*)

     327, 39   ἀφέλεια

     328, 10   von C. *Peruscus*

Aineias   331, 47   (Wolfenbütteler Forschungen *75*), *1997*

     347, 23   in: GGPh 2.1, *1997/8*

Aison [1]   358, 4   Sohn des Kretheus und der *Tyro*

     358, 6–8   Vater Iasons (Hom. Od. 11,258 ...) und des *Promachos*

Aithalidai   365, 52   Zusammenhang mit → *Eupyridai*

Aius Locutius   379, 55   *indigitamenta*

Akastos   397, 32f.   Pind. N. 4,54ff.

Akoniti   405, 25   auf einem *haltér* (→ *Sportgeräte*)

     411, nach 22   ergänze: *Akropolis s. Städtebau*

Aktia   415, 8   Cass. Dio *41,1*

Alalkomenai   428, 52   wahrscheinlich *nördl.* unterhalb vom h. Solinarion

     429, 1   nordwestl. bei *Ajia* Paraskevi

Alexandros [28]   483, 26   Narzißmus *als Gesandter* (? 138) ärgerte sich

Alexinos   486, 35   in: GGPh 2.1, *1997/8*

Alkimede   504, 36f.   Tochter des Phylakos und der (Eteo-)*Klymene*

Alphabet   541, 3   [13. 805ff. *fig. 100* Nr. 13]

     544, 55   oder mehr *(⚡)* Erfolg propagiert haben;

Altar B. 3.   554, Abb.   Auriol, Tischaltar, 5. Jh. *n.* Chr.

Ampelusia   608, 35   Nach *Ps.*-Skyl. 112

Amyrtaios   638,36   H. DE MEULENAERE, s.v. A., *LÄ* I, 252f.

Amythaon   638, 46   Amythaonia; *vor* Pelias und Neleus

Anaitis   645, 16–18   Der avest. Name, *Aredvī–Sūrā-Anāhitā*, Göttin der Gewässer, besteht aus drei Epitheta (z.B. *anāhitā* = »unbefleckt«).

Anastasios [1]   656, 4   des Söldnerführers *Vitalian* 513/515.

Anaxagoras [1]   667, 25   ergänze unter Anax: *Anaxagoras* [1] Bronzebildner aus Aigina,

Anchises   678, 27f.   begleitet er *auch* auf den Tabulae Iliacae, also vielleicht bei *Stesichoros*

Antiocheia [6]   765, 49   h. Ruinenstätte *Antiokya*.

Annikeris   711, 41f.   in: GGPh 2.1, *1997/8*

Antipatros [12]   780, 53f.   *Inter consulares* gewählt und Lehrer von Caracalla und Geta (soph.; vgl. IK 16,2026,17–18: *von 200–205*)

Antisthenes [1]   794, 46f.   in: GGPh 2.1, *1997/8*

Aphobetos   833, 43   zw. 377/76 und 353/2 *Hypogrammateus* und → *Grammateus*

Aphrodisias [1]   836, 34   besuchter Pilgerort; im 5. Jh. n. Chr.

   836, 36   Karia *später* in *Stauropolis* umbenannt.

Apolinarios   855, 13ff.   Hinweis: identisch mit Apollinarios [3] von Laodikeia

Apophthegma B.   893, 26   (Plut. mor. 172–208a, 208b–240b, 240c–*242d*).

Aptara, Aptera   921, 30   h. *Aptara*, auf Münzen und Inschr. Aptara

Apuleius   922, 7   ergänze vor Apuli, Apulia: *Apuleius s. Ap(p)uleius*

Aquae [II 11] Thibilitanae   928, 27f.   Aug. epist. 53,4; *contra Cresconium grammaticum* 3,27,30;

Arachthos   950, 37   auch Ἄραθθος, Ἄρατθος

Arae [2] Philaenorum   952, 30   Φιλαίνων Βωμοί

   952, 31   Syrte (*Ps.*-Skyl. 109)

Aratos [4] C. 1.   960, 14f.   Schon *einer der Vorgänger des Eudoxos, Kleostratos von Tenedos, hatte als erster seine Lehre von der Astronomie in Verse gesetzt.*

Arbeit [1, Orient]   963, 39   A.s-Verweigerung [*5. 278–281*].

   963, 43   Gemeinwesens zum Ausdruck [*4. 109–117; 6. 25 mit Anm. 33*].

   963, 47   W. Helck, s.v. A., *LÄ* 1, 370f.

Archimedes [1]   999, 39   d.h. von 1 bis 10^8

   999, 40–42   daß jede Ordnung 10^8 Zahlen umfaßt. 10^8 Ordnungen bilden eine Periode; insgesamt gibt es 10^8 Perioden.

Archilochos A.   995, 33   → Tyrtaios; → *Semonides*) unsere frühesten

Arderikka   1039, 36   Ἀρδέρικκα

Argonautai   1067, 30   ältester *Tyro-Sohn*

   1068, 7   Aitia: *Mythos als artifizielles Spiel alexandrinischer Gelehrsamkeit bzw. Instrument der Homer-Imitatio*

   1068, 11   *Dionysios* Skythobrachion

   1068, 53   Skymnos fr. 5 *[2]*;

Argos [II. Stadt] A.   1070, 20   Deiras (54 m) *[5]* die knapp 100 m

Argos [II. Stadt] B.   1070, 27   Theater *[7]* am Südostfuß

   1070, 30   Sitzstufen *[6]*, wohl dem alten

Argos [II. Stadt] C.   1071, 30f.   bis ins 5. Jh. v. Chr. *[2]*, eine demokratische Verfassung [*11; 1. 49–141*] hatte A.

   1071, 52   Phratrien und Demen [*3; 8; 9*]

   1071, 54   [*10. 274–293*]. Neue Funde: BCH 115, 1991, 667–686;

Ariovistus   1085, 3   (durch den Mund des → *Divitiacus*)

Aristeides [3]   1096, 30   Er wurde am *26.* November 117 n. Chr.

   1100, 33   M. *Quet*, in: Baslez, Hofmann, Pernot (Hrsg.)

Aristippos [4]   1104, 20f.   in: GGPh 2.1, *1997/8*

   1104, 22f.   W.-R. Mann, The life of Aristippus, in: AGPh *78, 1996, 97–119.*

Ariston [3]   1116, 50   eher von ihm als von Ariston *[7]* oder Ariston [2]

BAND 2

Arzt   71, 55   Chirurgie; *Medizin*; Medizingeschichte

Asklepiades [3]   89, 24f.   K. Döring, Menedemos, in: GGPh 2.1, *1997/8*

Athleten   207, 23   in: Nikephoros 7, 1994, *7–64*

Atomismus   219, 18   statt → Philosophie; Philosophiegeschichte lies: → Atomistik

Aton   219, 34   (*1353–1336 v. Chr.*)

Attaleia [2] und **[3]**   226, 34; 49   L. Bürchner

Augustalia   293, 32   → *Ludi*

Augustinus, Aurelius   299, 36   → *Autobiographie; Augustinismus; Autobiographie*

Augustus (Stemma)   303f., 4 (Mitte)   Scribonia ∞ (2) *Octavius* (3)
   303f.,13 (rechts)   *Caes.* Augustus Germanicus
   303f.,22 (rechts)   L. Domitius Ahenobarbus ∞ (1) *Octavia*
   303f.,24 (rechts)   (3) *Statilia* Messalina (Aug.)
Aurelius   324, nach 39   ergänze: *[33] A. Victor, s. Victor A.*
Avestaschrift   368, 2   Neu gegenüber den *älteren* oriental. Alphabeten
B (sprachwissenschaftlich)   379, 42   κάββαλε < κατ-; *ab-breuiare* < *ad-*;
Balāwāt   417, 47   More Balawat *Gates*
Ballspiele   427, 38f.   Some notes on the Spartan σφαιρεῖς, in: *ABSA*
Barbaren   441, 29f.   *Aristoteles vertrat die Auffassung von der »Knechtsnatur«*
Bauplastik I.   507, 44   Hathortempel zu → *Dendara*).
Begehren C.   544, 22   von Unlust (ad *Menoeceum* 130; RS 15).
Berberisch   564, 28   so wird *in* phöniz. PN ʿ*abd-*, »Diener des«,
Boëthos [7]   726, 41   Cicero (Verr. *2,4,32*)
Brief D. 1.   773, 24   Grußformeln auf *[8]*.
   773, 26   Wirtschaftsorganisation [7. 393; *2*]
   774, 2   in: *Jaarbericht* Ex Oriente Lux 16, 1964, 16–39
Brettspiele   VIII,   AM 23, *1898*, 2 Abb. 1, 2.
Bryson   808, 6   in: GGPh 2.1, *1997/8*
Bubastis   808, 14f.   *Spätestens seit ptolem. Zeit (4./3. Jh. v. Chr.) wird B. auch Hauptstadt*
Buch D.   815, 48   Autorenlesungen, *in: Kommunikation durch Zeichen und Wort, 1995, 265–332*
Bürgschaft A.   822, 10   von der Mitte des 3. Jt. v. Chr. [*2. 253*]
   822, 11   in hell. Zeit [*3. 64–69*]
Caecilius (Stemma)   885f.,15f. (Mitte)   M. Licinius *Crassus*
Calpurnius   941, 36   Plut. Numa 21,2 u.a.; *Porträt des Numa auf Mz. der Calpurnier: RRC 446; RIC I² 390–394*).
   941,38f.   I. *Hofmann-Löbl*, Die *Calpurnii*. Polit. Wirken
Cento   1061, 23f.   *B. GRIECHISCH C. LATEINISCH*
   1062, 9   *B. GRIECHISCH*
   1062, 30   *C. LATEINISCH*
Chairephon   1083, 6   Sokrates, in: GGPh 2.1, *1997/8*
Chalkidike   1087, 35   statt Chalkidike (Χαλκιδική): *Chalkidische Halbinsel*
   1087, 36   statt Ch.: *Chalkidike (Χαλκιδική)*
   1088, 23; 24   statt Ch.: *ch.H.*
Chalkiope [2]   1089, 7   Mutter des Argos, *des Melas, des* Phrontis
Charax Spasinu   1097, 18   gest. zwischen *120* und 109/8
Chares [3]   1098, 32   Spätes *4. bis* frühes *3.* Jh. v. Chr.
Charisius [3]   1102, 34   Lit.: *P.L. Schmidt*, in: HLL § 523,2.
Charon   1108, 18   Chantraine, s.v. Ch.; Frisk, *s.v. Ch.*
Chemmis [3]   1115, 35   J. KARIG, s.v. *Achmim*
Chigi-Maler   1120, 32ff.   Aryballoi und Olpen mit Tierfriesen, *seltener mit Mythenbildern (etwa Bellerophon,*
   Kentauromachie) bemalt werden, dazu Olpen mit verschiedenfarbigen Blattzungen.
Chorat   1145, 23   ABEL [1. *Bd. 1*, 484f.]
Chorezmien   1147, 1f.   Pamjatniki *zodčestva* Chorezma, *1987*
Chorzene   1148, 50   (*Erzerum*)
Christliche Archäologie   1166, 30f.   Christliche Archäologie s. *Byzantion, Byzanz III.*; Spätantike Archäologie
Chremonideïscher Krieg   1151, 30   Aithalidai [1. *176–185; 2; 3*]. Auf seinen Antrag
   1151, 32   weiteren Staaten [*12*]. Offizielle Ziele
   1151, 40   sind umstritten *(die hier gen. Daten folgen [10. 147 und Anm. 78]; vgl. jedoch [4. 102–117; 5; 6. 26f.])*.
   1151, 47   Athen. 6,250f.; *zu den inschr. Quellen [10. 147–153]* in einer Schlacht
   1151, 51   sind nicht sicher *([8. 146–151] datiert auf 255/4, aber [7] auf ca. 262/1)*. Infolge seines Sieges
   1152, 3   Phaleron *(zu den Friedensregelungen [9. 13–26; 10. 151, 154–159; 13])* mit der »Aufsicht«
   1152, 3   die Politik Athens *(Anm. entfällt)*.
   1152, 20   Zeit, 1982 **10** *HABICHT* **11** *PA 15572* **12** *IG II² 686–687* = *StV Nr. 476* **13** *StV Nr, 477.*
Chrysippos   1182, 49   → Stoa; Zenon von Kition; Kleanthes; Karneades; *STOIZISMUS*
Chthonische Götter II. B. 3.   1187, 53   Chthonia: *LSCG 96,25*)
   1188, 4   im Totenkult (Attika: *IG III, Add. 101*, und vor allem
   1188, 12f.   im sizilischen Hermione: *Syll.³ 1051* = *IG IV 679*)

Berichtigte Kürzel für Autorennamen:

Altar   555, 59   C.HÖ. *u.* F.PR. (Christoph Höcker *und* Friedhelm Prayon)
Alcimus [1] Latinus A. Alethius   448, 47   W.-L.L. *(Wolf-Lüder Liebermann)*
Apollonios [2] Rhodios   879, 41   R.HU. *u.* M.FA. / *(Richard Hunter und Marco Fantuzzi) /*
Artabannes [1] und [2]   41, 34   M.Sch. *(Martin Schottky)*
Artabanos [4] und [5]   43, 53   M.Sch. *(Martin Schottky)*
Artavasdes [3] – [6]   47, 25   M.Sch. *(Martin Schottky)*
Artaxias [1] – [4]   49, 46   M.Sch. *(Martin Schottky)*
Assur [1] und [2]   114, 33   S.HA. *(Stefan Hauser)*
Autobiographie I.   349, 22   B.P.-L. *(Beate Pongratz-Leisten)*
Belesys   547, 42   A. KU. *u.* H.S.-W. *(Amélie Kuhrt und Heleen Sancisi-Weerdenburg)*
Bestattung A. und B.   589, 13   S.HA. *(Stefan Hauser)*
Bewaffnung I.   610, 57   L.B. *(Leonhard Burckhardt)*
Biton   703, 56   H. Schn. *(Helmuth Schneider)*
Blei   709,5   H. Schn. *(Helmuth Schneider)*
Bodenschätze   719,3   H. Schn. *(Helmuth Schneider)*
Byzantion, Byzanz Karten-Lit. 874, 16   ergänze: J.N. *(Johannes Niehoff)*
Castellum [I 4] Tingitanum   1020, 38   W.HU. *(Werner Huß)*
Cento A.   1062, 8   H.A.G. *u.* W.-L.L. *(Hans Armin Gärtner und) Wolf-Lüder Liebermann*
Cento C.   1063, 42   ergänze: W.-L.L. *(Wolf-Lüder Liebermann)*
Charon [2]   1108, 27   M.D.MA. *(Massimo Di Marco)*